MAPA DE ESPAÑA
0 50 100 150km
FRANCIA
Golfo de Vizcaya
VIZCAYA
GUIPÚZCOA
San Sebastián
Bilbao
PAÍS VASCO
Pirineos
Vitoria
ÁLAVA
Pamplona
NAVARRA
Vignemale
3298
3404
Aneto
ANDORRA
ANDORRA LA VELLA
Llivia
Logroño
LOGROÑO
LA RIOJA
HUESCA
Huesca
GERONA
CATALUÑA
Gerona
LÉRIDA
Lérida
BARCELONA
Costa Brava
Barcelona
Soria
SORIA
Ebro
Zaragoza
ZARAGOZA
ARAGÓN
Sistema Ibérico
Tarragona
TARRAGONA
GUADALAJARA
Guadalajara
TERUEL
Teruel
CUENCA
Cuenca
CASTELLÓN
Castellón de la Plana
Menorca
Turia
Palma
Mallorca
Mar Baleares
Valencia
VALENCIA
Islas Baleares
ISLAS BALEARES
Ibiza
Albacete
Júcar
ALBACETE
C. de la Nao
Formentera
ALICANTE
Alicante
Elche
Segura
Murcia
MURCIA
Cartagena
ALMERÍA
Mulhacén
3478
Nevada
Almería
MAR MED
ARGELIA
Alborán
Islas Chafarinas
(España)
Límite de Nación
Límite de Comunidad Autónoma
Límite Provincial
Capital de Nación
Capital de Comunidad Autónoma
Aeropuerto

Diccionario
Shogakukan
Español-Japonés

プログレッシブ

スペイン語辞典

第2版

編集委員
鼓　　直（法政大学名誉教授）
橘川慶二（元神奈川大学助教授）
秦　隆昌（香川大学名誉教授）
丹羽光男（東京工科大学名誉教授）
佐々木孝（元東京純心女子大学教授）
橋本定久（元昭和女子大学教授）

小学館

Diccionario Shogakukan Español-Japonés

プログレッシブ　スペイン語辞典

初版 1994

第2版 2000

＜初版＞

執筆

石崎　優子　　井尻　直志　　井上　義一　　大久保哲也
大森　洋子　　佐々木克実　　佐藤　徳潤　　篠沢　真理
立林　良一　　幡　真由美　　堀田　英夫　　堀内　研二
森本　栄晴　　柳沼孝一郎　　安富　雄平　　吉田　彩子

校閲・執筆

Amparo Boixader　Tello J. Maroto

編集

株式会社　綜 合 社

編集協力　高柳　治子　星　美渉子　松下　士郎

＜第2版＞

執筆協力

菊田　和佳子　大川　努　土井　裕文

校閲

Nina Lluhí de Hasegawa　Santiago　J. Martín

編集協力　岡　悦子　栗原靖子

装丁　マブチ　デザイン　オフィス

図版　日本工房／Dieter J. Mehlhorn

地図　表現研究所

まえがき

1994年1月1日に本辞典の第1版第1刷が刊行されてから現在までに6年の歳月が経過しましたが､その間にパソコンや携帯電話は著しく普及し､インターネットを利用する人の数も飛躍的に増大しました｡私たちはつい数年前とは比較にならないほど大量の情報をやりとりし､処理していかなければならない時代を迎えています｡言葉の伝達手段の多様化はスペイン語の使用環境にも大きな変化をもたらしました｡学術の進歩や生活環境の変化に伴って出現した新語も少なくありません。そして、この時期もっとも注目されるスペイン語関連の話題はアルファベットの改訂でしょう。スペインのアカデミアは従来、ch、ll をそれぞれ一字母として扱い、辞書中では c、l とは別の字母として配列してきましたが、1994 年の改訂でこれらの字母をそれぞれ c、l の中に含める新しいアルファベットを採用しました｡これは単に見出し語の配列を英独仏語並みにしただけといえばそれまでですが､1804年以来､実に200年の長きにわたって守り続けてきた伝統を捨てたわけですから､独自性を重んじるスペイン人にとっては大変な譲歩であったに違いありません｡ここにもヨーロッパ連合の一員としての新しいスペインの姿を見ることができます。

こうしたさまざまな状況変化の中で､私たちも10年を待たずして本辞典の改訂を考えざるを得なくなりました｡今回の改訂の趣旨はそうした新しい状況に対応すると同時に本辞典が初版から目指してきた初学者にも使いやすい｢学習辞典｣としての特徴をよりいっそう鮮明に打ち出すことにあります｡その趣旨に沿って進めた具体的な改訂内容は概略次のように整理できます。

1. 見出し語の配列をスペインのアカデミアが決めた新しいアルファベットの順序に改めました。すなわち、ch、ll の綴りを c、l の字母の中に含め、辞書中での配列を英語と同じにしました。
2. 全体を２色刷りにし、重要な見出し語、訳語、熟語などは赤字で示しました。
3. コンピュータ、インターネット用語を中心にいろいろな分野で登場した新語を見出し語に加え、また既存の見出し語でも重要な新語義がある場合は極力それを載せることにしました。
4. 初学者がこの辞典を無理なく引けるようにさまざまな工夫を施しまし

た。例をあげれば次のようなものがあります。

a. 重要な名詞・形容詞の複数形は規則形、不規則形を問わずこれを見出し語の後に示しました。もちろん一般的に複数形を使用しない名詞については除外してあります。

b. 名詞・形容詞の不規則な複数形、重要な動詞の不規則形・現在分詞・過去分詞を見出し語に立てました。

c. 重要な動詞の現在分詞・過去分詞を見出し語の後に示しました。また重要な不規則動詞の変化表を本文中に配置しました。

5. 本文中に別々にあった会話欄を手直しして巻末に「旅行会話」として一つにまとめ、簡単なスペイン語会話の学習や実際の旅行に役立てることができるようにしました。

6. 「和西語彙集」を「ミニ和西」と名を改め、日常会話に必要な語彙を増やしました。

私たちは以上のような趣旨に沿って、スペイン語をきっちり初歩から学びたい人はもちろんのこと、短期間でスペイン語の基本的な理解を必要とする人に至るまで、多様化するスペイン語学習者にとって少しでも引きやすい辞書に仕上げることを目指して改訂作業を進めたつもりです。それにしても本辞典に対するご批判はいろいろあるかと思います。今後も読者のみなさんのご意見に耳を傾けながら、常によりよい辞書づくりを心がけていきたいと思います。

最後になりましたが、1998年2月にお亡くなりになった橘川慶二先生のことにひと言触れさせていただきます。先生は本辞典の刊行に人一倍尽力され、編集委員としていつまでもご協力いただけるものと期待していただけに、56歳の若さで亡くなられたことが惜しまれてなりません。今後は先生が示されたお考えを私たちの仕事に十分活用させていただこうと考えています。

1999年10月

編集委員　鼓　　直
秦　隆昌
丹羽光男
佐々木孝
橋本定久

初版　まえがき

記憶にまだ新しいところで，あの航海者コロンブスの大事業から数えて五百年に当たっていた1992年には，世界各地で，さまざまな行事がにぎやかに催されました．やはりその前後に，日本で数種のスペイン語辞典が上梓(じょうし)されていますが，これもあの祝祭の一環だったという気がいたします．既刊の『小学館 西和中辞典』は，そのなかで得られた最良の成果でした．

ところで，この中辞典が完成に近づいたころ，関係者の一部から，対象を初心者にしぼった学習辞典を編むべきではないか，という声があがりました．その声にこたえて編集されたのが，この『プログレッシブ スペイン語辞典』に他なりません．この辞典がより具体的に利用者としてイメージしているのは，大学・短大において第二語学・第三語学としてスペイン語を履修する学生や，カルチャーセンターなどで速修をめざす社会人や，ハンディーな道案内を求める旅行者などであって，以下に列挙する特色を備えているのも，そのためです．

1. フランコ以後のスペインでは，斬新(ざんしん)な発想にもとづいた辞典が続々と発表されつつあります．専門用語・新語・俗語を含む見出し語の選定，語義の配列，分綴(ぶんてつ)については，それらの画期的な辞典を参照しました．
2. 日常的によく使用される基本的な語は，その重要度に応じて3段階にランク付けを行い，大きな活字や＊印によって，それが簡単に見分けられるよう工夫しました．同時に，語義のうち重要なものを太字で示しました．
3. ＩＰＡにもとづく発音記号ばかりではなく，カナ表記によっても語の発音を示してあります．後者については，必ずしも必要ではない，あるいは，正確さに欠ける，といった強い反対意見もありました．しかし前者に不慣れな初学者への配慮を優先させて，あくまでも便宜的なものとして採用しました．
4. 文法もしくは語法に関連して注意すべき点は，囲み欄などの形式で説明を加えました．巻末の「文法用語の解説」も便利な手引きとなるはずです．
5. 初学者が最も悩まされる不規則動詞・正書法変化動詞の活用形を見出しに立てる一方，特に重要なものを選んで，直説法の一部に限った簡略な活用表を該当の見出し語に添えました．
6. スペイン語圏に独特な風物や習俗などの理解を助ける目的で，文章形式による説明とともに，多彩な図版を挿入しました．
7. 巻末に「和西語彙(ごい)集」を付け加えただけではなく，「ショッピング」「タクシー」「道を尋ねる」といった，日常よくある場面を想定して，平易かつ適切な「ミニ会話」の囲み欄を設けました．

現代社会におけるメディアの急速な発達に伴って，スペイン語圏も空間的・心理的にますます近いものになりつつあります．その豊かな文化の理解のための有効な手段となることを願う，この辞典の完成のために尽力を惜しまれなかった執筆者やインフォーマント，とりわけ上智大学のマヌエル・シルゴ先生に深く感謝いたします．併せて，企画の遂行にあたり奮闘された小学館，綜合社の編集部の方々に厚く御礼を申し上げます．

1993年９月

編者代表　鼓　　直

この辞典の使い方

con·cien·cia [konθjénθja コンしエンしア] 名女 [複 ~s] 〔英 consciousness〕 …

cien·to [θjénto しエント] 形 《数詞》 [名詞や mil, millones の前で cien となる] …

—— 名男 100. ◆ローマ数字 C.

> 【参　考】 **cien** を形容詞以外に使うのは誤りとされているが，日常的にはその例が多い． ⇒(al) *cien* por *cien* 100パーセント，完全に． Éramos más de *cien*. 我々は総勢100人以上だった．

a cientos たくさんの．
devolver ciento por uno 100倍にして返す．
el ciento y la madre 《口語》 大勢の人々，群衆．
por ciento パーセント (%)．

co·ger [koxér コヘル] [11 g → j] 動他 [現分 cogiendo ; 過分 cogido, da] 〔英 catch〕

直説法 現在	
1·単 *cojo*	1·複 **cogemos**
2·単 **coges**	2·複 **cogéis**
3·単 **coge**	3·複 **cogen**

cobrado, da 過分 → cobrar.
cobrando 現分 → cobrar.

co·brar [koβrár コブラル] 動他 [現分 cobrando; 過分 cobrado, da] …

co·bra [kóβra コブラ] 名女 《動物》 コブラ.
—— 動 → cobrar.

coj- 動 → coger. [11 g → j]

coces 名 [複] → coz.

con·sul·tar [konsultár コンスるタル] 動他 〔英 consult〕 **1 相談する**，諮問する; 診察を受ける. *consultar* 《+algo》 con 《+uno》 / *consultar* a 《+uno》 sobre 《+algo》 〈何か〉について〈人〉に相談する．

con·tar [kontár コンタル] [13 o → ue] 動他 [現分 contando; …

2 物語る，話す. *contar* SU historia 身の上話をする. …

- 見出し語。原則としてすべての見出し語に分綴(ぶんてつ)点を表示。**1.2**
- 基本重要語（約2000）は赤で表示。そのうち最重要語（約1000）は大見出し。**1.3**
- 一つの見出し語中に複数の品詞があることを表す。**5.2**
- 熟語・成句は太字のイタリック体で表示。**7.3**、**7.4**
- 重要な熟語・成句は赤で表示。**7.5**
- 最重要語の動詞はすべて現在分詞・過去分詞を見出し語として立てた。**4.3**
- cobrar の変化形であることを表す。**4.5**
- 不規則動詞の変化形の一部であることを表す。**3.1**
- 全人称にわたって変化することを表す。
- 発音。**2**
- アクセントのある音は赤で表示。**2.2**
- 形態上の変化を表す。
- 参考事項、関連語句、文法事項、語法上の注意などを囲み記事で表示。**9.3**
- 巻末の動詞変化表の番号に対応。**4.1**
- 語根母音変化動詞の変化部分を表示。**4.4**
- 最重要語の不規則動詞は原則として直説法現在形を表で示した。イタリック体は不規則変化を表す。**4.2**
- 最重要語の動詞は現在分詞・過去分詞を表示。**4.3**
- 末尾が z で終わる名詞・形容詞は複数形を見出し語に立てた。**3.4**
- 熟語・成句・用例中の《+ algo》は、それに対応する〈なにか〉を表す。
- 熟語・成句・用例中の《+ uno》は、それに対応する〈人〉を表す。

代表的語義は赤で表示。**1.3**

代表的語義に対応する英語を表示。**9.1**

co·mi·da [komíða コミダ] 名女 [複 ~s] 〔英 food; dinner〕
1 食べ物; 食事, 料理.
…
► 飲み物は bebida.
2 昼食 (= almuerzo).
… ►comida はふつう昼食の意. 夕食が comida の場合は, 昼食は almuerzo と呼んで区別する.
—— 過分女 → comer.

補足説明、留意事項を表す。**9.3**

過去分詞の女性形であることを表す。

cla·ra [klára クらラ] 名女 **1** 卵白, 白身.
…
—— 形女 → claro[1].

形容詞の女性形であることを表す。**3.5**

cla·ro[1], **ra** [kláro, ra クらロ, ラ] 形 [複 ~s] 〔英 clear〕
1 明るい (↔ oscuro).
2 澄んだ (= limpio).
…

反義語を表す。**6.5**

同義語を表す。**6.5**

cla·ro[2] [kláro クらロ] 名男

基本重要語のうち形容詞・名詞の男性形・女性形を併記した見出し語のうち片方の語形のみが該当する品詞・語義がある場合は肩数字をつけて別見出しにした。**1.5**

ba·na·na [banána バナナ] 名女 《ラ米》
…

ラテンアメリカ特有のスペイン語であることを表す。

co·cer [koθér コセル] [35 o → ue; 34 c → z] 動他 〔英 boil, cook〕 **1** 煮る, ゆでる, (パン類を)焼く. …
→ cocinar【参考】.

cocinar の【参考】欄参照を表す。

cien·cia [θjénθja しエンしア] 名女 [複 ~s] 〔英 science〕
…
2 [~s] 理学. Facultad de *Ciencias* 理学部.

複数形は s をつけることを表す。**3.2**

常に複数形で用いられることを表す。

co·mu·ni·dad [komuniðáð コムニダ(ドゥ)] 名女 **1** 共同体; (スペインの) 自治州.
…
4 [~es] 〔歴史〕 コムニダーデス. ◆スペインの Castilla で起きた市民の反乱 (1520–21).

文化的・歴史的背景や参考解説を表す。**9.4**

ca·pi·to·lio [kapitóljo カピトリオ] 名男
1 [C-] 〔歴史〕 (古代ローマの) カピトル神殿; (ローマ七丘の一つの) カピトリウムの丘.

大文字で始まることを表す。

ca·pe·ru·ci·ta [kaperuθíta カペルしタ] 名女 [caperuza の小] 小ずきん. …

縮小語、増大語、愛称、蔑称を表す。**3.1** →略語表 (p.(9))、文法用語解説 (縮小辞)

con·cor·dan·cia [koŋkorðánθja コンコルダンしア] 名女 一致; 〔文法〕 一致; 〔音楽〕 和音. …

専門語の各分野を表す。**6.7**→略語表 (p.(9))

a·gua [áɣwa アグア] 名女 [el *agua*] [複 ~s] 〔英 water〕
…

アクセントのある a-, ha- で始まる女性名詞で定冠詞は el をとることを表す。**2.3**

com·ple·men·to [kompleménto コンプれメント] 名男 **1** 補足物.
2 〔文法〕 補語. …
⇨ 文法用語の解説.

「スペイン語の発音」(p.(10))、「文法用語の解説」(p.992) などの参照を表す。

凡　例

1　見出し語

1.1 一般語、固有名詞、外来語、略語、造語要素などを収録し、新アルファベット順に配列した。
同じ綴りで大文字、小文字の違いがある場合は、小文字を先に配列した。

1.2 原則としてすべての見出し語に音節により分綴(ぶんてつ)点を示した。

1.3 基本重要語 (約2000語) は赤にし、代表的語義を赤の太字で示した。特に最重要語 (約1000語) は大見出しにして引きやすくした。

1.4 同一語で、綴りおよびアクセントを異にするものは / を用いて併記した。

á·lo·e [áloe アろエ] / **a·lo·e** [alóe アろエ] 名男《植物》アロエ.

1.5 基本重要語のうち男性形と女性形を併記した見出し語の中に、このうちの片方の語形のみが該当する品詞・語義がある場合は肩数字をつけて別見出しとした。

cla·ro[1], ra [kláro, ra クらロ, ラ] 形 [複 ~s]〔英 clear〕
1 明るい (↔ oscuro).
…
cla·ro[2] [kláro クらロ] 名男 **1** 透き間, 空き.

2　発　音

2.1 発音は、略語、造語要素、動詞の変化形を除き、すべての見出し語に発音記号とカナの併記によって示した。

⇨ **スペイン語の発音** (p.(10))

2.2 カナ発音のアクセントのある音は見やすいよう赤にした。

a·ba·dí·a [aβaðía アバディア]

2.3 アクセントのある a-、ha- で始まる女性名詞は[　]内に定冠詞 el をつけて表示した。

a·la [ála アら] 名女 [el *ala*][複 ~s]

3　変化形

3.1 見出し語の形態上の変化を[　]を用いて示した。

a [a ア] 前〔英 to ; at〕
[定冠詞 el と結合して al となる (►el が固有名詞の一部である場合は a El Escorial)]

bue·no[1], na [bwéno, na ブエノ, ナ] [複 ~s] 形 [男性単数名詞の前で buen となる]

ca·pe·ru·ci·ta [kaperuθíta カペルしタ] 名女 [caperuza の小] 小ずきん.

3.2 最重要語の名詞・形容詞で一般に複数形をとるものについては、初学者に分かりやすいように、規則・不規則を問わず複数形を[　]を用いて示した。

a·bier·to, ta [aβjérto, ta アビエルト, タ] 過分 → abrir.
—— 形 [複 ~s]

a·lum·no, na [alúmno, na アるムノ, ナ] 名男女 [複 ~s]

3.3 最重要語以外の語彙についても不規則な複数形、変化形を[　]を用いて示した。

ca·da [káða カダ] 形 [性・数不変]

club [klúβ クるㇷ゚] 名男 [複 clubs, clubes]

3.4 末尾が z で終わる名詞・形容詞で複数形をとる語について複数形を[　]を用いて示し、また、見出し語として立てた。

ajedreces 名 [複] → ajedrez.
…
a·je·drez [axeðréθ アヘドゥレす] 名男 [複 ajedreces] チェス; チェス用具.

3.5 基本重要語の名詞・形容詞の女性形を見出し語として立て、親見出しにたどり着けるようにした。

absoluta 形女 → absoluto.
…
ab·so·lu·to, ta [aβsolúto, ta アブソるト, タ] 形

alumna 名女 → alumno.
…
a·lum·no, na [alúmno, na アるムノ, ナ] 名男女

4 動詞の変化

4.1 不規則動詞の変化は、発音記号の後に「不規則動詞の変化」(p.1014 -1037) に収められている変化表番号で示した。

a·be·rrar [aβeřár アベラル] 24 動自

4.2 最重要語で不規則変化動詞は見出し語の後に直説法現在形の表を入れ、不規則変化形を赤のイタリック体で示した。また、必要と思われる動詞に関しては直説法現在形に加え他の形も表に示した。

a·cor·dar [akorðár アコルダル] [13 o → ue] 動他 [現分 acordando ; 過分 acordado,da]

直説法 現在	
1·単 ***acuerdo***	1·複 **acordamos**
2·単 ***acuerdas***	2·複 **acordáis**
3·単 ***acuerda***	3·複 ***acuerdan***

4.3 最重要語の動詞には[ ]内に現在分詞、過去分詞を示し、また、現在分詞、過去分詞を見出し語に立てた。なお、過去分詞が語尾変化するものは女性形を併記した。

acostado, da 過分 → acostar.

acostando 現分 → acostar.

a·cos·tar [akostár アコスタル] [13 o → ue] 動他 [現分 acostando, 過分 acostado, da]

4.4 語根母音変化動詞は変化部分を赤で表示した。

a·cre·cen·tar [akreθentár アクレセンタル] [42 e → ie] 動他

ac·tuar [aktwár アクトゥアル] [14 u → ú] 動自

4.5 動詞の最重要語で、形容詞・名詞と同じ綴りの活用形のあるものは名詞・形容詞の見出し語中にその旨記した。

a·cuer·do [akwérðo アクエルド] 名男 [複 ~s] 〔英 agreement〕 **1 合意**, 同意.
…
—— 動 → acordar. [13 o → ue]

a·le·gre [aléɣre アれグレ] 形 [複 ~s] 〔英 cheerful, happy〕 **1 陽気な**, 快活な, **楽しい**, うきうきとした (↔ triste).
…
—— 動 → alegrar.

4.6 欠如動詞など特定の形にのみ活用する動詞は語義の後に► を用いて、変化する人称、数、時制などを示した。

a·ma·ne·cer [amaneθér アマネセル] 40 動自 **1** 夜が明ける (↔ anochecer). ► 3人称単数のみに活用.

5 品 詞

5.1 見出し語の品詞は、発音記号の後に、それぞれ略語の形で示した。

名男　名女　動他　動自　形　前

⇨ **略語表** (p.(9))

5.2 同じ綴りの見出し語で品詞が2つ以上ある場合は、原則として使用頻度の高い順に —— で区分した。

5.3 動詞が再帰形の代名詞を伴うときは、se をイタリック体にし、全綴で表示した。

a·ma·ne·rar·*se* [amanerárse アマネラルセ] 動

a·cos·tar [akostár アコスタル] [13 o → ue] 動他 [現分 acostando, 過分 acostado, da]
…
—— **a·cos·tar·*se*** 〔英 go to bed; lie〕

また再帰形の代名詞を伴っても伴わなくても同義の場合には、se を ( ) に入れて表示した。

ca·llar (·*se*) [kaʎár(se) カリャル(セ)] 動自

6 語 義

6.1 語義は使用頻度の高い順に **1**、**2**、**3**…の数字で区分した。また必要に応じて(1)、(2)、(3) …で下位区分した。

6.2 1つの語義の中で訳語が並ぶとき、同種の訳語はコンマ (,)、大きな区分はセミコロン (;) で示した。

6.3 見出し語、語義、用例などが、特定の性質に限定される場合は、それを《口語》、《俗語》、《諺》、《掲示》、《挨拶》、《驚きを表して》のように《 》に示した。

6.4 見出し語で、他に同義語あるいは異綴(いてつ)語がある場合は、見出し語の後に参照符号(➡)で示した。

a·mi·ba [amíβa アミバ] 名女 ➡ ameba.

関連語など参照すべき語がある場合も、各語義の後に参照符号(➡、⇨)で示した。

6.5 同義語、反義語を、それぞれ関連する語義の末尾に = 、↔ を用いて示した。

6.6 複数形によってその語義が示されるものは訳語の前に[〜s]、[〜es]などの表示を入れた。

a·gua [áɣwa アグァ] 名女 [el *agua*][複 〜s]〔英 water〕
1 水; 湯.
…
5 [〜s] 海; 海域.
6 [〜s] 鉱泉.

6.7 専門語には〘化〙、〘物理〙、〘医〙のような専門分野ラベルを付した。
⇨ **略語表** (p.(9))

7 用 例

7.1 用例中の見出し語は全綴のイタリック体で示した。

7.2 見出し語と密接な関係を持つ前置詞などは、関連する語義番号の直後、または すべての語義にわたる場合は見出し語の品詞の後に《 》で示した。また用例中での該当する前置詞はイタリック体で示した。

a·ca·bar [akaβár アカバル] 動他
…
3 《+de 不定詞》(1) **…したばかりである**; 《否定文》まだ…しかねている. *Acabo de* recibir tu carta. 君の手紙をたったいま受け取ったところだ.

7.3 熟語・成句は項目の最後に太字のイタリック体で示した。

7.4 熟語・成句は新アルファベット順に配列してある。

7.5 重要な熟語・成句は赤で表示。

a·ca·so [akáso アカソ] 副〔英 maybe〕
《+接続法》**たぶん**, おそらく, もしかしたら.
…
por si acaso. 万一のために.

8 外来語表示

末尾に[ ]を用いて示した。

a·e·ro·bic [aeroβík アエロビ(ク)] 名男〘スポーツ〙エアロビクス. [←〔英〕aerobics]

9 特 長

9.1 基本重要語(約2000語)のすべてに代表的語義に対応する英語を示し、スペイン語の理解の一助とした。

9.2 新語・新語義を取り入れ、口語表現の用例を多く採用した。

9.3 【参考】、【文法】などの囲み欄や、► 印などで、参考にすべき事項、文法事項、類語のニュアンスの相違、関連語句、語法上の注意、用法の補足的説明などを記した。

9.4 ◆印を付して、スペイン、中南米の歴史的・文化的背景や参考事項を記述した。

9.5 巻末に「ミニ和西」「旅行会話」「文法用語の解説」を収録した。

10 記 号

( )	省略可能な部分、語義の補足説明を示した。
[ ]	置き換え可能の語句、形態上の変化を示した。
[ ]	発音記号、「動詞変化表」の対応検索番号、外来語を示した。
〔 〕	外来語の言語名を示した。
《 》	動詞・形容詞とともによく用いられる前置詞、動詞と結びつく不定詞・現在分詞、品詞の下位区分、スピーチレベル、語義の分類、用法などを示した。
〈 〉	《+uno》《+algo》に対応する語を〈人〉、〈何か〉として示した。
" "	作品名。
『 』	和文の作品名。

「　」	説明文中の訳語。	►	補足的説明や留意事項。
＝	同義語。	➡	参照。
↔	反義語。	⇀	例。
◆	語義、用例の歴史的・文化的背景の説明や参考解説。	⇨	付録部分、付物の参照。

略　語　表

名男……………男性名詞	《副詞句》	愛…………………愛称語
名女……………女性名詞	動自………………自動詞	蔑…………………蔑称語
固名……………固有名詞	動他………………他動詞	《文語》
冠《定》……………定冠詞	前…………………前置詞	《口語》
冠《不定》………不定冠詞	《前置詞句》	《俗語》
代名《人称》…人称代名詞	接続………………接続詞	《諺》
代名《疑問》…疑問代名詞	間投………………間投詞	《略》………………略　語
代名《指示》…指示代名詞	《接頭》……………接頭辞	《擬》……擬声語，擬態語
代名《不定》…不定代名詞	［複］………………複数形	《ラ米》ラテンアメリカのスペイン語
代名《関係》…関係代名詞	［単・複同形］………単数・複数同形	［伊］…………イタリア語
形…………………形容詞	［現分］…………現在分詞	［英］………………英　語
形《所有》……所有形容詞	［過分］…………過去分詞	［独］……………ドイツ語
形《疑問》……疑問形容詞	小…………………縮小語	［日］………………日本語
形《指示》……指示形容詞	大…………………増大語	［仏］…………フランス語
副…………………副　詞		

〔哲〕………哲　学	〔光〕………光　学	〔鉄道〕	〔商業〕
〔論理〕……論理学	〔化〕………化　学	〔建築〕……建築学	〔美術〕
〔心理〕……心理学	〔生化〕……生化学	〔築城〕	〔写真〕
〔宗教〕	〔天文〕……天文学	〔機械〕	〔印刷〕
〔神話〕	〔占星〕……占星術	〔車〕………自動車	〔音楽〕
〔ギリシア神話〕	〔地質〕……地質学	〔航空〕	〔演劇〕
〔ローマ神話〕	〔古生物〕古生物学	〔電気〕	〔映画〕
〔神〕………神　学	〔気象〕……気象学	〔通信〕…無線通信	〔スポーツ〕
〔カトリック〕	〔鉱物〕……鉱物学	〔ラジオ〕	〔馬〕…馬具・馬術
〔聖書〕	〔生物〕……生物学	〔テレビ〕	〔闘牛〕
〔歴史〕	〔植物〕……植物学	〔コンピュータ〕	〔遊戯〕
〔考古〕……考古学	〔動物〕……動物学	〔海事〕	〔言語〕……言語学
〔紋章〕	〔貝〕………貝　類	〔軍事〕	〔音声〕……音声学
〔地理〕	〔魚〕………魚　類	〔冶金〕	〔文法〕
〔政治〕	〔昆虫〕	〔服飾〕	〔修辞〕……修辞学
〔法律〕	〔鳥〕………鳥　類	〔料理〕	〔文〕………文　学
〔経済〕	〔解剖〕……解剖学	〔農業〕	〔詩〕
〔人類〕……人類学	〔医〕………医　学	〔漁業〕	〔商標〕
〔数〕………数　学	〔薬〕………薬　学	〔狩猟〕	
〔物理〕……物理学	〔技術〕	〔畜産〕	
〔音響〕……音響学	〔土木〕	〔獣医〕……獣医学	

スペイン語の発音

発音をマスターする要領は次の 4 点である．(1)母音はローマ字式に発音する．(2)多くの子音は英語式に発音する．(3)アクセントの位置は文法機能や意味の違いに関係するので正確に覚える．(4)綴(つづ)り字と発音の関係はかなり規則的なので，そのきまりを覚える．

I. アルファベット

文字	発音	文字	発音	文字	発音
A a	á ア	**J j**	xóta ホタ	**R r**	ére エレ
B b	bé ベ	**K k**	ká カ	**S s**	ése エセ
C c	θé セ	**L l**	éle エれ	**T t**	té テ
D d	dé デ	**M m**	éme エメ	**U u**	ú ウ
E e	é エ	**N n**	éne エネ	**V v**	úβe ウベ
F f	éfe エフェ	**Ñ ñ**	éɲe エニェ	**W w**	úβeðóβle ウベドブれ
G g	xé ヘ	**O o**	ó オ	**X x**	ékis エキス
H h	átʃe アチェ	**P p**	pé ペ	**Y y**	íɣrjéɣa イグリエガ
I i	í イ	**Q q**	kú ク	**Z z**	θéta セタ

II. 発音記号と発音のしかた

右の図は人の顔を左側から見た断面図で，発音に使われる器官の名前を簡単に示している．（本文と異なりここではアクセントのあるカナを赤字にはしていない）

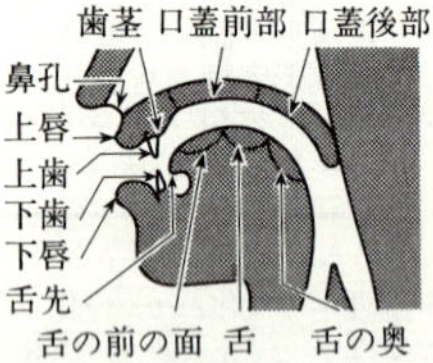

1. 母音

発音記号，口の形	
[a ア] 	口をよく開き，日本語の「ア」と同じ要領で発音する． animal [animál アニマる] 動物． cantar [kantár カンタル] 歌う．
[e エ] 	口を中程度に開き，日本語の「エ」と同じ要領で発音する． elefante [elefánte エれファンテ] ゾウ (象)． tren [trén トゥレン] 列車．
[i イ] 	唇を平らにして，少し開き，日本語の「イ」と同じ要領で発音する． imitar [imitár イミタル] 模倣する． símbolo [símbolo シンボろ] 象徴．
[o オ] 	唇を丸くして，ある程度開き，日本語の「オ」と同じ要領で発音する． ocho [ótʃo オチョ] 8. costa [kósta コスタ] 海岸．
[u ウ] 	唇を丸くし，前に突き出すようにして，日本語の「ウ」よりも強く発音する．日本語の「ウ」には唇の丸めがない．スペイン語の 5 つの母音のうち，この [u] だけが日本語と少し違っている． uno [úno ウノ] 1. mucho [mútʃo ムチョ] 沢山の．

2. **子音**

発音記号，口の形	
[j イ]  	英語の yes の語頭の y や日本語のヤ行の子音と同じ要領で発音する． diamante [djamánte ディア**マ**ンテ] ダイヤモンド． piano [pjáno ピ**ア**ノ] ピアノ．
[w ウ]  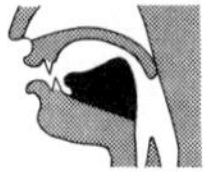	英語の wine の w や日本語のワの子音と同じ要領で発音する． huerta [wérta ウ**エ**ルタ] 果樹園． guante [gwánte グ**ア**ンテ] 手袋．
[p プ] [b ブ]  	日本語のパ行，バ行の子音と同じように両唇を合わせて閉じ，急に開いて息を出せば [p]，声を出しながら同様の発音をすると [b]になる． pan [pán **パ**ン] パン． templo [témplo **テ**ンプろ] 神殿． banco [báŋko **バ**ンコ] 銀行． bomba [bómba **ボ**ンバ] 爆弾．
[β ブ]  	[b] に似ているが，両唇を完全に閉じないで，間にわずかのすきまを作り，そこから声と共に息を出すと [β] になる．日本語でもバ行の子音を弱めに発音する時はこの音になることが多い． cabo [káβo **カ**ボ] 先端，岬． nieve [njéβe ニ**エ**ベ] 雪． 前後関係でこの音が弱まる場合は斜体の [*β*] で示す． obtener [o*β*tenér オブテ**ネ**ル] 獲得する．
[t トゥ] [d ドゥ]  	日本語のタ，ダの子音と同じ要領で，舌先を上の前歯の内側につけ，急に離して息を出せば [t]，声を出しながら同じことをすると [d] になる． teatro [teátro テ**ア**トゥロ] 劇場． doble [dóβle **ド**ブれ] 二重の． 前後関係で [t] 音が弱まる場合は斜体の [*t*] で示す． étnico [é*t*niko **エ**トゥニコ] 民族の．
[ð ドゥ]  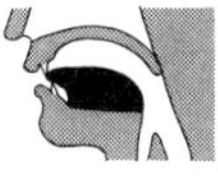	舌先と上の前歯の内側との間に狭めを作るか，上下の前歯の間に舌先を軽く挟む形で，すきまから声と共に息を出して発音する．英語 this の th よりも舌先がやや後ろ寄りになる． moda [móða **モ**ダ] 流行． piedra [pjéðra ピ**エ**ドゥラ] 石． 前後関係でこの音が弱まる場合は斜体の [*ð*] で示す． adjetivo [a*ð*xetíβo アドゥヘ**ティ**ボ] 形容詞．
[k ク] [g グ]  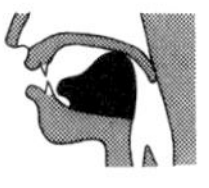	カ行，ガ行の子音と同じ要領で，舌の奥の面を口蓋(ふた)の後部につけ，離して息を出すと [k]，声と共に息を出すと [g] になる． carne [kárne **カ**ルネ] 肉． parque [párke **パ**ルケ] 公園． grande [gránde グ**ラ**ンデ] 大きい． tango [táŋgo **タ**ンゴ] タンゴ． 前後関係で [k] 音が弱まり，次の項で説明する [ɣ グ] 音に近づく時は斜体の [*k*] で示す． acto [á*k*to **ア**クト] 行為．

[ɣ グ] 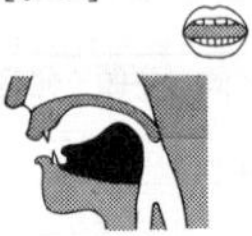	[g]のように舌の奥の面を口蓋に密着させるのではなく，わずかのすきまを作って，そこから声と共に息を出すと [ɣ] になる． amigo [amíɣo ア**ミ**ゴ] 友達．negro [néɣro **ネ**グロ] 黒い． 例は少ないが，単語の最後では音がかなり弱くなる．これを斜体の [*γ*] で示す． erg [ér*γ* **エ**ル（グ）] エルグ（仕事量の単位）．
[f フ] 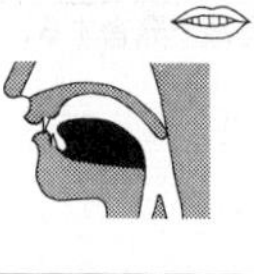	英語の f と同じ要領で，上の前歯を下唇に軽くあて，すきまから息を出すと[f]になる． familia [famílja ファ**ミ**リア] 家族． cifra [θífra **し**フラ] 数字． 例は少ないが，単語の最後では音が少し弱くなる．これを斜体の [*f*] で示す． golf [gól*f* **ゴ**るフ] ゴルフ．
[θ す] 	英語のthinkのthと同じ要領で，舌先を上下の前歯の間に軽く挟み，すきまから息を出すと [θ] になる． centro [θéntro **せ**ントゥロ] 中心． danza [dánθa **ダ**ンさ] ダンス． 前後関係で音が弱まり，[ð ドゥ] に近づく時は斜体の [*θ*] で示す． juzgar [xu*θ*ɣár フす**ガ**ル] 裁く．
[s ス] 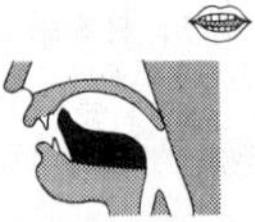	舌の前の部分を少しくぼませ，舌先を歯茎に近づけて狭めを作り，すきまから息を出せばこの音になる．英語のs [s ス] よりもsh [ʃ シュ] に近い音に聞こえる． sardina [sarðína サル**ディ**ナ] イワシ（鰯）． fiesta [fjésta フィ**エ**スタ] 祭り． 前後関係によっては [z ズ] に近い音になる．その場合は斜体の [*s*] で示す．mismo [mí*s*mo **ミ**スモ] 同じ．
[ǰ イ，ジュ] 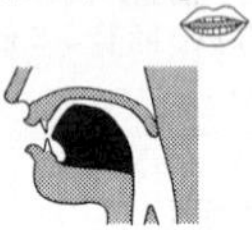	舌先を下げ，その後ろの舌の面を口蓋の前の部分に近づけて狭めを作り，すきまから息を出して発音する．日本語のヤ行の子音に近い音であるが，すきまがこれより狭い．場合によっては[(d)ʒ ジュ] に近い音になることがある． hierba [ǰérβa イ**エ**ルバ] 草．mayo [máǰo **マ**ヨ] 5月． inyección [inǰe*k*θjón インジェクし**オ**ン] 注射．
[x フ] 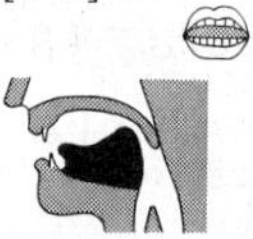	舌の奥の面を口蓋の後部（[k] より後ろ寄り）に近づけ，狭めを作って発音する．日本語のハ行子音より摩擦性が強く，鋭く聞こえる． Japón [xapón ハ**ポ**ン] 日本． general [xenerál ヘネ**ラ**る] 一般的な． 単語の最後の位置では音が非常に弱まり，無音に近くなる．これを斜体の [*x*] で示す．reloj [r̄eló*x* レ**ろ**（フ）] 時計．
[tʃ チュ] 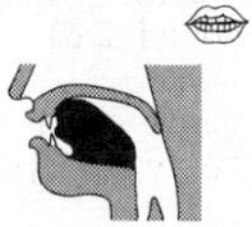	英語の chance の ch [tʃ チュ] と同じ要領で発音する． chaqueta [tʃakéta チャ**ケ**タ] 上着． leche [létʃe **れ**チェ] 乳．

[m ム, ン] 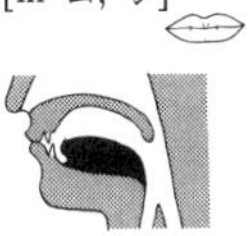	日本語のマ行の子音や，英語の m と全く同じ要領で発音する． madre [máðre マドゥレ] 母．humo [úmo ウモ] 煙． campo [kámpo カンポ] 野原． hombre [ómbre オンブレ] 男． 語末では音が弱まるか，あるいは [n ン] 音に近づく．これを斜体の [*m*] で示す．álbum [álβu*m* アるブン] アルバム．
[n ヌ, ン] 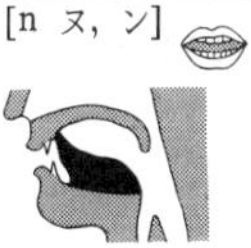	日本語のナ行の子音や英語の n と全く同じ要領で発音する． nacional [naθjonál ナしオナる] 国民の． noche [nótʃe ノチェ] 夜． onda [ónda オンダ] 波． punto [púnto プント] 点．
[ɲ ニュ] 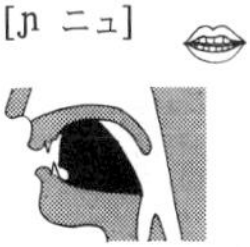	舌先を下げ，その後ろの舌の面を口蓋の前の部分に密着させ，次にこれを開いて，鼻と口から声を出して発音する． 日本語のニャ [nja] のうちの [nj ニュ] の部分に近い音であるが，舌先の位置が違う． mañana [maɲána マニャナ] 明日，朝． señor [seɲór セニョル] 紳士．
[ŋ ン] 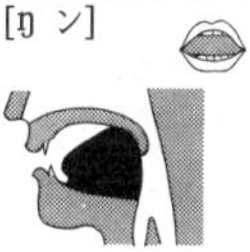	日本語の「リンゴ」の「ン」，英語の morning の語末の ng [ŋ ン] と同じ要領で発音する．ただ，この音はスペイン語では[k], [g], [x] の前だけで現れるので，意識しなくても，後の音の影響から自然にこの音が出るはずである． blanco [bláŋko ブらンコ]白い．tango [táŋgo タンゴ]タンゴ． naranja [naráŋxa ナランハ] オレンジ．
[l る] 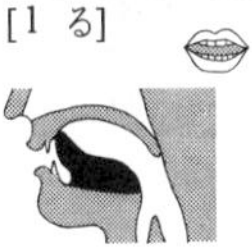	舌先を上の前歯の歯茎に付け，舌の左右にすきまを作り，そこから声を出して発音する．英語の l とだいたい同じ要領であるが，舌を，英語のようにくぼませないで，まっすぐにして，強く押し付ける． lista [lísta りスタ] 表．canal [kanál カナる] 運河．
[ʎ リュ] 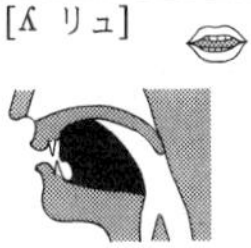	舌先を下げ，その後ろの舌の面を口蓋の前部に付け，舌の左右にすきまを作り，そこから声を出して発音する．英語のmillion [míljən ミりョン] の [lj りュ] に近い音であるが，舌先の位置が違う． llamar [ʎamár リャマル] 呼ぶ．calle [káʎe カリェ] 通り．
[r ル] 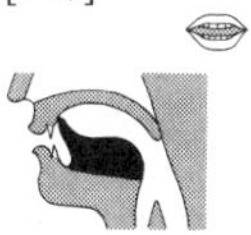	舌先を上の前歯の歯茎に軽く触れ，はじいて発音する．日本語のラ，リ，ル，レ，ロを普通に発音するときの子音部分とほとんど同じ要領． hora [óra オラ] 時間．muro [múro ムロ] 壁． normal [normál ノルマる] 正常な．bar [bár バル] バル． このような子音の前や語末の [r] を英語式に [ノーマる，バー] などと発音しないこと．
[r̄ <u>ル</u>] 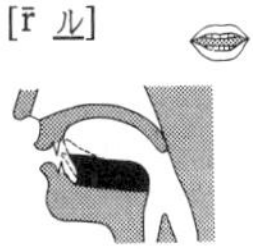	[r] と同じ構えで，「ルルル…」と舌先を振動させて発音する． radio [r̄áðjo <u>ラ</u>ディオ] ラジオ．rosa [r̄ósa <u>ロ</u>サ] バラ． error [er̄ór エ<u>ロ</u>ル] 間違い．guerra [gér̄a ゲ<u>ラ</u>] 戦争．

Ⅲ. 発音のカナ表記

発音記号は，音声を正確に理解し，正しく発音するには最適であるが，この記号になじめない人は，カナ発音表記を正しく活用することで，十分これを補うことができる．

カナ発音表記の本辞典での使い方

大部分は一般のカナと同じように発音してよいが，以下の点に注意すること．

1. アクセントのある赤字は強く発音する．
   ojo [óxo **オ**ホ], pintor [pintór ピン**ト**ル]
2. 原則としてカタカナを使用するが，次の場合はひらがな，付加記号も併用して音を区別する（発音の違いはⅡを参照）．
   [サ シ ス セ ソ; ス]←[sa si su se so; s]　ca**s**a [kása **カ**サ]
   [さ し す せ そ; す]←[θa θi θu θe θo;θ]　ca**z**a [káθa **カ**さ]
   [ラ リ ル レ ロ; ル]←[ra ri ru re ro; r]　ca**r**o [káro **カ**ロ]
   [ラ リ ル レ ロ]←[r̄a r̄i r̄u r̄e r̄o]　ca**rr**o [kár̄o **カ**ロ]
   [ら り る れ ろ; る]←[la li lu le lo; l]　ca**l**or [kalór カ**ろ**ル]
3. ウ段のカナについての注意
   例えば，母音を含んだ [lu] と単独の [l] は，どちらも [る] とカナ表記されるが，単独の [l] は日本語式に [u] を入れて [lu るー] と発音しないように気をつけなければいけない．
   a**lu**minar [aluminár アるミ**ナ**ル], a**l**minar [alminár アるミ**ナ**ル]
   ([lu] は少し長めに，単独の [l] は短めに発音するとよい）
   以上のことは [k ク] [s ス] [t トゥ] など，ウ段の他の音についてもいえる．
   なお，[t, tu] [d, du; ð,ðu] はカナ１字では表しにくいので，それぞれ [トゥ] [ドゥ] と表記する．子音だけの [t トゥ] [d, ð ドゥ] は [オ] [ウ] の母音を入れないように，また，[tu トゥ] [du, ðu ドゥ] の場合は [オ] を入れて発音しないように注意．
4. [b, β ブ]; [d,ð ドゥ]; [g, ɣ グ]について
   Ⅱで説明したように，これらは互いに違う音であるが，それぞれの組の２種の発音記号は同じカナで表記してある．より正確な発音を目指す人は，発音記号によってその違いを理解していただきたい．しかし，これらの音を区別しなくても意味を伝える上では支障がない．
   boca [bóka **ボ**カ], la **b**oca [laβóka ら**ボ**カ]
   danza [dánθa **ダ**ンさ], mu**d**anza [muðánθa ム**ダ**ンさ]
   gota [góta **ゴ**タ], una **g**ota [únaɣóta **ウ**ナ**ゴ**タ]
5. [f, fu, fw フ] と [xu, xw フ]
   カナ表記では同じ [フ] であるが，[f] は上の歯と下唇の間の摩擦音，[x] は口の奥の摩擦音なので，発音記号の助けを借りて２つの音を区別したほうがよい．
   fuego [fwéɣo フ**エ**ゴ], **j**uego [xwéɣo フ**エ**ゴ]
   ([f] は上歯と下唇で口先を閉じ，[x] は口先を開くことで両音を区別する）
   なお，関連する次の場合はカナ表記でも２音を区別している．
   [ファ フィ フェ フォ]←[fa fi fe fo] ／ [ハ ヒ ヘ ホ]←[xa xi xe xo]
6. (　)と小さい文字の使用
   語末などで音が非常に弱まる時は（　）内に小さい文字のカナで音を示した．その場合は弱く発音するか，口の構えだけを作ってほとんど音を出さないようにするとよい．
   [-*x* (フ)]: reloj [r̄elóx レ**ろ**(フ)]（発音は [レ**ろ**ッ] でもよい）; [-*p* (プ)]: galop [galóp ガ**ろ**(プ)]; [-*β* (ブ)]: club [klúβ ク**る**(ブ)]; [-*t* (トゥ)]: cenit [θenít せ**ニ**(トゥ)]（[(トゥ)] は子音の [*t*] だけを示す）; [-*ð* (ドゥ)]: usted [ustéð ウス**テ**(ドゥ)]（発音は [ウス**テ**ッ] でもよい）; [-*k* (ク)]: coñac [koɲák コ**ニャ**(ク)]; [-*ɣ* (グ)]: erg [érɣ **エ**ル(グ)]
7. その他の音の弱まり・変異
   発音記号では [p プ] [s ス] [ð ドゥ] などの弱まり音・変異音を [*p* プ] [*s* ス] [*ð* ドゥ] などのようにイタリック体で示し，区別しているが（詳しくはⅡを参照），カナ表記では区別していない．しかし，これらの違いはあまり気にすることはない．
   compra [kómpra **コ**ンプラ], a**p**to [á*p*to **ア**プト]

budista [buðísta ブディスタ], budi**s**mo [buðísmo ブディスモ]
padre [páðre パドゥレ], a**d**junto [að̆xúnto アドゥフント]

Ⅳ. 綴りと発音

以下のきまりを理解すれば，ほとんどのスペイン語の綴りは楽に読むことができる．

a [a ア]: **a**ire [áire アイレ], **a**mor [amór アモル]

b [b, β ブ]

(1) 語句の最初，m, nの後 [b ブ]: **b**ar [bár バル], sam**b**a [sámba サンバ]

(2) その他 [β ブ]: lo**b**o [lóβo ろボ], co**b**re [kóβre コブレ]

c [k ク] [θ す]

(1) ci [θi し], ce [θe せ]: **c**inco [θíŋko しンコ], **c**ena [θéna せナ]（中南米などでは[s]: **c**ena [séna セナ]）

(2) その他 [k ク]: **c**arta [kárta カルタ], **c**una [kúna クナ], **c**omer [komér コメル], **c**lima [klíma クりマ], mi**c**ro [míkro ミクロ]

ch [tʃ チュ]: **ch**apa [tʃápa チャパ], **Ch**ina [tʃína チナ]

d [d, ð ドゥ]

(1) 語句の最初，l, nの後 [d ドゥ]: **d**ón**d**e [dónde ドンデ], **d**inero [dinéro ディネロ]

(2) その他 [ð ドゥ]: na**d**a [náða ナダ], pa**d**re [páðre パドゥレ]

(3) 語末 [ð̆ (ドゥ)]: uste**d** [ustéð̆ ウステ(ドゥ)], se**d** [séð̆ セ(ドゥ)]

e [e エ]: **e**co [éko エコ], **E**uropa [európa エウロパ]

f [f フ]: **f**ama [fáma ファマ], **f**río [frío フリオ]

g [g, ɣ グ] [x フ]

(1) gi [xi ヒ], ge [xe ヘ]: **g**iro [xíro ヒロ], **g**ente [xénte ヘンテ]

(2) その他 [g, ɣ グ]

(a) 語句の最初，nの後 [g グ]: **g**ana [gána ガナ], **g**ota [góta ゴタ], **g**rato [gráto グラト], hon**g**o [óŋgo オンゴ]

(b) 位置が (a) 以外の場合 [ɣ グ]: la**g**o [láɣo らゴ], ti**g**re [tíɣre ティグレ]

h [無音]: **h**arina [arína アリナ], **h**onor [onór オノル]

i [i イ] [j イ] [ǰ イ, ジュ]

(1) 一般に [i イ]: **i**sla [ísla イスら], o**í**r [oír オイル], curs**i** [kúrsi クルシ]

(2) 母音の前で無アクセントの時 [j イ]: p**i**ano [pjáno ピアノ], b**i**en [bjén ビエン]

(3) h + i +（母音）: [ǰ イ, ジュ]: h**i**elo [ǰélo イエろ], h**i**erba [ǰérβa イエルバ]（l, nの後では [dʒ ジュ] に近い音になる: con h**i**elo [konǰélo コンジェろ]）

j [x フ]: **j**amás [xamás ハマス], **j**unto [xúnto フント]

k [k ク]: **k**a**k**i [káki カキ], **k**ilo [kílo キろ]（外来語などに使われ，例は少ない）

l [l る]: **l**ana [lána らナ], cana**l** [kanál カナる]

ll [ʎ リュ]: **ll**ave [ʎáβe リャベ], **ll**eno [ʎéno リェノ]（地域によっては [ǰ イ] [(d)ʒ ジュ] になる: メキシコなどで **ll**ave [ǰáβe イアベ]; アルゼンチンなどで **ll**ave [(d)ʒáβe ジャベ]）

m [m ム, ン]: **m**apa [mápa マパ]; pa**m**pa [pámpa パンパ]

n [n ヌ, ン] [m, ŋ ン]

一般に [n ヌ, ン]: **n**ido [níðo ニド]; pu**n**to [púnto プント], leó**n** [león れオン]（p, b, m, f, v の前で [m ン]; c, g, j の前で [ŋ ン] となるが，これは後の音の影響で自然に発音できるので [n] との違いをことさら意識しなくてよい: u**n** poco [úmpóko ウンポコ], i**n**vento [imbénto インベント]; fra**n**co [fráŋko フランコ], á**n**gel [áŋxel アンへる]）

ñ [ɲ ニュ]: ni**ñ**a [níɲa ニニャ], ba**ñ**o [báɲo バニョ]

o [o オ]: **o**la [óla オら], **o**este [oéste オエステ]

p [p プ]: **p**alo [pálo パろ], **p**am**p**a [pámpa パンパ]（psi-で始まる語は例外的に [si シ]: **psi**cología [sikoloxía シコろヒア]）

q (quの形で)[k ク]: **qu**eso [késo **ケ**ソ], **qu**ímica [kímika **キ**ミカ]

r [r ル] [r̄ ル]

(1) 語中，語末 [r ル]: pu**r**o [púro **プ**ロ], a**r**te [árte **ア**ルテ], toma**r** [tomár ト**マ**ル] (語末や子音の前では[r̄ ル] になることもある)

(2) 語頭 [r̄ ル]: **R**oma [róma **ロ**マ], **r**egalo [r̄eɣálo レ**ガ**ロ]

rr [r̄ ル]: ca**rr**o [kár̄o **カ**ロ], pe**rr**o [pér̄o **ペ**ロ] (この綴りは語中だけで使われる)

s [s ス]: **s**uma [súma **ス**マ], gu**s**ta [gústa **グ**スタ], co**s**a**s** [kósas **コ**サス]

t [t トゥ]: **t**an**t**o [tánto **タ**ント], **t**in**t**a [tínta **ティ**ンタ], le**t**ra [létra **れ**トゥラ]

u [u ウ] [w ゥ] [無音]

(1) 一般に [u ウ]: **u**va [úβa **ウ**バ], h**u**mo [úmo **ウ**モ], contin**ú**a [kontinúa コンティ**ヌ**ア]

(2) 母音の前で無アクセントの時 [w ゥ]: g**u**antes [gwántes グ**ア**ンテス]

(3) gue, gui; que, qui の u [無音]: G**u**ernica [gerníka ゲル**ニ**カ], g**u**ía [gía **ギ**ア]; q**u**e [ke ケ], q**u**ise [kíse **キ**セ]

ü [w ゥ] (güe, güiの形だけで使われる): verg**ü**enza [berɣwénθa ベルグ**エ**ンさ], ling**ü**ística [liŋgwístika りングイ**イ**スティカ]

v [b,β ブ]

(1) 語句の最初，nの後 [b ブ]: **v**aca [báka **バ**カ], en**v**iar [embjár エンビ**ア**ル]

(2) その他 [β ブ]: cue**v**a [kwéβa ク**エ**バ], la **v**aca [laβáka ら**バ**カ]
(英語とは違い，bとvは同音．また [b], [β] の区別はあまり気にしなくてよい)

w [w ゥ] [b,β ブ] (外来語に使われ，例も少ない): **W**ashington [wásinton **ワ**シントン], **w**ater [wáter **ワ**テル | báter **バ**テル]

x [*k*s クス] [s ス]

(1) 語中の母音の前，語末 [*k*s クス]: e**x**amen [e*k*sámen エク**サ**メン], féni**x** [féni*k*s **フェ**ニクス] (メキシコでは Mé**x**ico [méxiko **メ**ヒコ] などのように [x フ] 音を表す場合が例外的にある)

(2) 語中の子音の前，語頭 [s ス]: e**x**tremo [estrémo エストゥ**レ**モ], **x**ilófono [silófono シ**ろ**フォノ] (語頭以外では [*k*s クス] と発音されることもある: e**x**tremo [e*k*strémo エクストゥ**レ**モ])

y [ǰ イ，ジュ] [i ィ]

(1) 一般に母音の前で [j イ，ジュ]: **y**egua [ǰéɣwa イ**エ**グア], le**y**enda [leǰénda れイ**エ**ンダ] (l, nの後では [dʒ ジュ] に近い音になる．この場合，発音記号は変えないで，カナだけを [ジュ] で表記した: in**y**ección [inǰe*k*θjón インジェクし**オ**ン])

(2) 語末または単独で [i ィ]: bue**y** [bwéi ブ**エ**イ], ho**y** [ói **オ**イ], **y** [i ィ]

z [θ す]: **z**ona [θóna **そ**ナ], arro**z** [ar̄óθ ア**ロ**す](中南米などでは [s]: **z**ona [sóna **ソ**ナ])

V. アクセント

アクセントの有無や位置によって，語の意味や文法機能が違ってくるので，アクセントの役割は重要である．その位置を知る前提として次の点を心得ておく必要がある．

1. 強母音と弱母音
   強母音の綴り: a, e, o; í, ú
   弱母音の綴り: i, y, u (yは語末だけ)
2. 単母音・二重母音・三重母音
   単母音: 母音字1個のまとまり．
   二重母音: 強弱，弱強，弱弱の母音字2個の連続 au, oy, ia, ue, iu など (a-e, í-aなど強強の連続は二重母音ではない)．
   三重母音: 弱強弱の母音字3個の連続 iai, uay, iei, uey など．
3. 音節

音節は一気に発音される音連続の最小単位で，この辞書ではすべての見出し語についてこれを示している．1つの音節には必ず母音(単母音，二重母音または三重母音) 1個が含まれている.

4. アクセントの位置についてのきまり

(1) 母音が1つ(二重母音, 三重母音を含む)しかない単音節語は当然その母音に: pan [pán **パ**ン] パン. sol [sól **ソ**る] 太陽. buey [bwéi ブ**エ**イ] 去勢牛. (二重, 三重母音ではその強母音にアクセントがある)

(2) 母音字(yを含まない)または n, s で終わる語は最後から2番目の母音に: cos-ta [kósta **コ**スタ] 海岸, Car-men [kármen **カ**ルメン] カルメン (人名), me-dias [méðjas **メ**ディアス] ストッキング (ia は二重母音で1つに数えるので, e が終りから2番目の母音になる), ca-no-a [kanóa カ**ノ**ア] カヌー (o-a は二重母音ではないので, o が終わりから2番目の母音になる)

(3) n, s 以外の子音字及び y で終わる語は最後の母音に: es-pa-ñol [espaɲól エスパ**ニョ**る] スペイン語. au-daz [auðáθ アウ**ダ**す] 大胆な. es-toy [estói エス**ト**イ] (私は)いる.

(4) 上の(1), (2), (3)のどれにも該当しない語は不規則なので, 綴りの一部としてアクセント符号をつけ, その位置を示す: mú-si-ca [músika **ム**シカ] 音楽. in-glés [iŋglés イングれス] 英語. ár-bol [árβol **ア**ルボる] 木.

5. その他

(1) アクセントを持たない語
定冠詞, 前置詞, 接続詞, 関係詞など, 一部の語はそれ自身アクセントを持たない: el [el エる](定冠詞), en [en エン](前置詞)…に, cuando [kwando クアンド](接続詞)…する時.

(2) ある種の語は規則・不規則の位置に関わりなく, アクセント符号をつけ, 同じ綴りのアクセント符号のない語と区別する:

solo [sólo **ソ**ろ] 唯一の.
sólo [sólo **ソ**ろ] ただ…だけ.

éste [éste **エ**ステ] これ.
este [éste **エ**ステ] この.
este [éste **エ**ステ] 東.

(3) -menteの語尾を持つ副詞は2箇所にアクセントがある:
naturalmente [naturálménte ナトゥ**ラ**る**メ**ンテ] もちろん.

VI. イントネーション

アクセントが音の強さで語の意味や機能の違いを示すのに対し, イントネーションは音の高さの上がり・下がりで, 文全体やその部分の機能や種類の違いを示す.

(1) 平叙文: 下がり調　Voy a casa.↘　私は家に帰ります.

(2)「はい」か「いいえ」かを聞く疑問文: 上がり調　¿Vas a casa?↗　君, 家に帰るの?

(3) A か B かを尋ねる疑問文: 上がり・下がり調　¿Vives en Tokyo ↗　o en Yokohama?↘　君が住んでいる所は東京, それとも横浜?

(4) 疑問詞を使う疑問文
普通の言い方: 下がり調　¿Qué hora es?↘　何時ですか?
丁寧な言い方: 上がり調　¿Qué hora es?↗　何時でしょうか?

(5) 感嘆文: 下がり調　¡Qué frío hace!↘　なんて寒いんでしょう!

(6) 命令文: 下がり調　Siéntese, por favor.↘　どうかおかけください.

(7) 列挙する場合: コンマの切れ目ごとにやや上がり調にし, 接続詞 y に続く最後の項を下がり調にする.
Vienen María↗, Enrique↗ y Juan.↘　マリア, エンリケ, それにフアンが来ます.

図版と【文法】目次

図 版

【文 法】

A a *A a*

A, a [á ア] 图 囡 スペイン語字母の第１字.
a por a y be por be 詳細に, 逐一.

a [a ア]
前 〔英 to ; at〕
[定冠詞 el と結合して al となる (►el が固有名詞の一部である場合は a El Escorial)]
1 《場所に関して》(1)《目的地・到着点を表して》**…へ**, …まで. Fui *a* casa de Pedro. 私はペドロの家へ行った. Fuimos en tren de Madrid *a* Segovia. 私たちはマドリードからセゴビアまで電車で行った. El vuelo de Iberia con destino *a* Tokyo sale a las diez. 東京行きイベリア航空便は10時に出発する.

> **【参 考】 a と para と hacia**
> a は「到着点」, para, hacia は「方向」を示すが, para は「行き先」を示す.
>
> 
>

(2)《方向を表して》…へ. torcer *a* la derecha 右へ曲がる. en dirección *a* casa de su tío 叔父の家の方角に.
(3)《位置・地点を表して》…に, …で. Se ve *a* la izquierda. 左手に見える. Está *al* otro lado de la puerta. 彼はドアの向こう側にいる. El coche se paró *a* cincuenta kilómetros de la ciudad. 車は町から50キロの地点で止まった.
2《時刻・時点・年齢を表して》**…に**, …のときに. *Al* día siguiente se levantó *a* las ocho. 翌日, 彼は８時に起きた. *a* medianoche 真夜中に. *a* principios del mes pasado 先月初めに. Despertó *a* las dos horas completamente recuperado. ２時間後に目覚めたとき彼はすっかり元気になっていた. *a* los tres días de la entrevista 会見の３日後に. Empezó a trabajar *a* los quince años. 彼は15歳で働き始めた.
► 「いつからいつまで」という時は de … a … ⇀ *de* seis *a* seis y media ６時から６時半まで.
3《対象を表して》(1) **…に対して**, …に, …へ. contestar *a* las preguntas 質問に答える. exponerse *al* peligro 危険に身をさらす. obediente *a* todos 誰に対しても従順な. una carta dirigida *a* su padre 父親に宛(あ)てた手紙.
(2)《人を表す直接目的語について》**…を**. ¿Conoces *a* José? 君はホセを知っていますか？ No hemos visto *a* ninguna niña. 女の子にはひとりも会わなかった.
► 直接目的語でも「…に」と訳すことがある. ⇀ He llamado *a* mi hija. 私は娘に電話した.

> **【文 法】 1 a のつかない場合.**
> (1) 直接目的語が特定の人でないとき.
> Necesitamos un empleado. 従業員が１人必要だ.
> (2) 数量詞を伴うとき.
> Mataron (*a*) muchos soldados. 多数の兵士が殺された.
> (3) 直接目的語・間接目的語のどちらも人のとき.
> Le recomiendo a usted mi sobrina. あなたに私の姪(めい)を推薦します.
> **2** 人以外の直接目的語に **a** がつく場合.
> (1) 特定の動物, 擬人化されたもの.
> Vimos morir *al* perro. 我々はその犬が死ぬのを見た.
> Insultó *a* Francia. 彼はフランスを侮辱した.
> (2) 他の要素と区別するとき.
> ¡*A* esto llaman progreso! こんなことを人は進歩と呼んでいるのだ！

(3)《間接目的語について》**…に**, …のために; **…から**; …の. Escribió una carta *a* su amigo. 彼は友達に手紙を書いた. *A* José le quitaron el pasaporte. ホセはパスポートを没収された.
4《範囲・到達点を表して》…に, …まで. El número de muertos asciende *a* doscientos. 死者の数は200人に達する. reducir *a* la mitad 半分に減らす. de la página cinco *a* la quince ５ページから15ページまで.
5《結果・変化を表して》…に, …になって[変化して]. convertirse *al* catolicismo カトリックに改宗する. cambiar las luces de carretera *a* las de cruce 車のライトを上向きから下向きに変える.
6《方法・手段・様式を表して》…で, …のやり

A

方で，…ふうに[の]. escribir *a* máquina タイプライターで打つ. ir *a* caballo 馬に乗って行く. *a* la española スペインふうに. *a* ciencia cierta 確実に.
► 乗り物などを表す a の用法は限られている. 多くは en. ⇀ *a* pie (徒歩で), *a* caballo (馬で), *en* tren (電車で), *en* avión (飛行機で), *en* bicicleta (自転車で) など.
7《割合・速度・値段を表して》…につき，…で. una vez *a* la semana 週に1度. *al* cinco por ciento 5パーセントの比率で. *a* cien kilómetros por hora 時速100キロで. *a* trescientas pesetas el kilo 1キロ300ペセタで.
8《一致・適合などを表して》…に合わせて. conforme *a* la ley 法律に従って. *a* mi parecer 私の考えでは. Entraron en la iglesia *al* compás de la marcha nupcial. 結婚行進曲に合わせて彼らは教会に入った.
9《所属・付着・付加を表して》…に. pertenecer *a* un grupo グループに属する. pegado *a* la pared 壁にへばりついて. Añadió una frase *a* este párrafo. 彼がこの段落に文章を1つ付け加えた.
10《同じ語を前後にくり返して》1つ1つ. Levantaron el muro piedra *a* piedra. 彼らは石を1個ずつ積んで塀を築いた. Desaparecieron uno *a* uno. 彼らは1人ずつ姿を消した.
11《**a** 不定詞》(1)《目的を表して》**…のために**. Fueron *a* esquiar. 彼らはスキーに行った. ► 質問は ¿*A* qué? の形になる. ⇀ ¿*A* qué has venido? — *A* buscar un libro. 君は何しに来たの？—本を取りに.
(2)《命令を表して》¡*A* estudiar! 勉強しなさい！ *A* ver qué tienes ahí. 何を持っているの？
(3) …すべき. problemas *a* resolver 解決すべき諸問題. ► ジャーナリズムでよく用いられるがフランス語的なので，problemas que resolver, problemas que hay que resolver などと言う方がよい.
12《**al** 不定詞》**…するときに**. Se sorprendió *al* saber que el joven había muerto. 彼は青年が死んだことを知って驚いた.
13《**a que** 直説法》きっと[絶対]…(► 話者の判断・意見を表す). ¿*A que* no viene Juan? — *A que* sí (viene). フアンは多分来ないだろうな. —いや，きっと来るさ. *A que* no te lo digo. 君なんかに言うものか.

a- / ab(s)-《接頭》「否定，分離」の意を表す. ⇀ *a*normal, *ab*dicar, *abs*traer など.

a·bad [aβáð アバ(ドゥ)] 名男《カトリック》大修道院長.

a·ba·de·sa [aβaðésa アバデサ] 名女《カトリック》女子修道院長.

a·ba·dí·a [aβaðía アバディア] 名女 大修道院長の職[管轄]; 大修道院.

a·ba·jo [aβáxo アバホ] 副〔英 down〕
1 **下に[で]**, 階下に[で] (↔ arriba). Ve a ver quién está *abajo*. 誰が下にいる[来た]か見てきなさい. ➡ debajo.
2 **下へ**;《無冠詞名詞の後で》…を下って，…を下にして. boca *abajo* うつぶせになって. río *abajo* 川を下って. cuesta *abajo* 坂を下って.
¡*Abajo*! やっつけろ. En la manifestación se oían los gritos: ¡*Abajo* la dictadura! デモ隊の中から独裁者打倒の叫び声が聞こえた.
aquí abajo この下に; この世で.
de abajo 下の; 下層の. los vecinos *de abajo* 階下の住人.
desde abajo 下から.
hacia abajo 下方へ. ir *hacia abajo* 下る，下がる.
más abajo (1) さらに下って. cinco casas *más abajo* 5軒先に. (2) 後段で，下記に. el pasaje citado *más abajo* 後述の章句.
por abajo 下に，下で.

a·ba·lan·zar·*se* [aβalanθárse アバランサルセ] [39 z ➡ c] 動《+**a, contra, hacia, sobre**》…に殺到する; 襲いかかる. Los refugiados *se abalanzaron sobre* la lancha. 難民はボートに殺到した.

a·ban·de·ra·do [aβanderáðo アバンデラド] 名男 (軍隊・行列などの) 旗手; リーダー.

a·ban·do·nar [aβandonár アバンドナル] 動他〔英 abandon〕**1** **放棄する**, 断念する; 見捨てる. *abandonar* un proyecto 計画を断念する. *Ha abandonado* la carrera. 彼は学業を断念した. Se marchó al extranjero *abandonando* a su familia. 彼は家族を捨てて外国に旅立った. Le *ha abandonado* la suerte. 彼はつきから見放された. No *abandonó* nunca sus deberes. 彼は決して義務を怠らなかった.
► 口語では dejar の方が多く用いられる.
2 (船・車などを) 捨てる; (場所から) 離れる. *abandonar* el barco 離船する. *abandonar* el coche 車を乗り捨てる; 車を離れる. *abandonar* la ciudad 町を去る.
3 放置する，ほったらかしにする.
── 動自《スポーツ》棄権する，リタイアする.
── **a·ban·do·nar·*se*** **1**《+**a**》…に身をゆだねる. *abandonarse a* la desesperación 自暴自棄になる. *abandonarse a* la suerte 運を天に任せる.
2 だらしない格好をする，身なりを構わない.

a·ban·do·no [aβandóno アバンドノ] 名男
1 放棄; 断念;《スポーツ》棄権，リタイア. ganar por *abandono* 不戦勝になる.
2 怠慢. el *abandono* de sus deberes 義務を怠ること. **3** 自暴自棄，やけ.
── 動 ➡ abandonar.
con abandono 無頓着(むとんちゃく)に，投げやりに.

a·ba·ni·car [aβanikár アバニカル] [8 c

➡ qu] 動他 あおぐ，風を送る；へつらう．
—— **a·ba·ni·car·*se*** (自分を) あおぐ．
a·ba·ni·co [aβaníko アバニコ] 名男 扇子，うちわ．
a·ba·ni·que·o [aβanikéo アバニケオ] 名男 せわしくあおぐこと；大げさな手振り．
a·ba·ra·ta·mien·to [aβaratamjénto アバラタミエント] 名男 値下げ；値下がり．
a·ba·ra·tar [aβaratár アバラタル] 動他 値下げする．
—— **a·ba·ra·tar·*se*** 値下がりする．
a·bar·car [aβarkár アバルカル] [8 c ➡ qu] 動他 **1** 抱きかかえる．Tan grande era el árbol que ni los tres podían *abarcar* el tronco. その木はあまりにも太かったので，3人がかりでも幹を抱きかかえることができなかった．Quien mucho *abarca*, poco aprieta. 《諺》たくさん抱えるとしっかりと握れない（二兎(にと)を追う者は一兎をも得ず)．
2 含む，包含する．La enciclopedia *abarca* todas las ciencias. 百科事典には全分野の知識が収められている．
3 (仕事を) 抱え込む．
—— **a·bar·car·*se*** 見渡せる．Desde la azotea *se abarca* todo el campus de la universidad. 屋上からは大学のキャンパス全体が見渡せる．
a·ba·rro·tar [aβar̄otár アバロタル] 動他 《+**con, de**》…を詰め込む．El tren iba *abarrotado de* gente. 電車は乗客で満員だった．
—— **a·ba·rro·tar·*se*** いっぱいになる．
a·bas·te·cer [aβasteθér アバステセル] 40 動他 《+**con, de**》…を供給する，補給する (= proveer). *abastecer* un ejército *de* víveres 軍隊に食糧を補給する．
—— **a·bas·te·cer·*se*** 調達する．
a·bas·te·ci·mien·to [aβasteθimjénto アバステしミエント] 名男 供給，補給，調達．
a·ba·ti·do, da [aβatíðo, ða アバティド，ダ] 過分 形 **1** 落胆した；打ちひしがれた．Estaba muy *abatido* por la noticia. 彼はその知らせを聞いておおいに落胆した．
2 (傷物で) 値の下がった．
a·ba·ti·mien·to [aβatimjénto アバティミエント] 名男 落胆；憔悴(しょうすい)．
a·ba·tir [aβatír アバティル] 動他 **1** 取り壊す．Entre todos *abatieron* la estatua con una cuerda. 全員で像に綱をつけて引きずり倒した．
2 降ろす，下げる．*abatir* banderas 旗を降ろす．**3** 撃ち落とす；射殺する．*abatir* un avión enemigo 敵機を撃墜する．**4** 落胆させる；衰弱させる．La enfermedad lo *ha abatido*. 病気で彼は衰弱してしまった．
—— **a·ba·tir·*se*** **1** 《+**sobre**》…に舞い降りる，襲いかかる．Un caza *se abatió* sobre el convoy de camiones. 戦闘機が一機，トラックの列に襲いかかった．
2 《+**ante**》…に屈する (= humillarse).
3 落胆する；衰弱する．
ab·di·ca·ción [aβðikaθjón アブディカしオン] 名女 譲位，退官；(権利・主義の) 放棄．
ab·di·car [aβðikár アブディカル] [8 c ➡ qu] 動他 **1** 《+**en**》…に (王位・官位を) 譲る．El rey *abdicó en* su sobrino por falta de descendencia. 子供がいなかったので国王は甥(おい)に王位を譲った．
2 (権利・主義を) 放棄する．
—— 動自 譲位する，退官する；《+**de**》(権利・主義を) 放棄する．
ab·do·men [aβðómen アブドメン] 名男 〘解剖〙腹部．➡ insecto 図．
ab·do·mi·nal [aβðominál アブドミナる] 形 腹部の．
ab·duc·ción [aβðukθjón アブドゥクしオン] 名女 (主に女性・子供の) 誘拐．
a·be·cé [aβeθé アベせ] 名男 ＡＢＣ，アルファベット；基礎知識，初歩．no saber el *abecé* いろはも知らない．
a·be·ce·da·rio [aβeθeðárjo アベせダリオ] 名男 アルファベット，字母 (表)；初級読本．
a·be·dul [aβeðúl アベドゥる] 名男 〘植物〙カバノキ (樺の木)．
a·be·ja [aβéxa アベハ] 名女 〘昆虫〙ミツバチ (蜜蜂)．
a·be·jo·rro [aβexór̄o アベホロ] 名男
1 〘昆虫〙マルハナバチ；コフキコガネ．
2 小うるさい人．
a·be·rra·ción [aβer̄aθjón アベラしオン] 名女 **1** 逸脱，非常識；錯乱．*aberración* mental 精神錯乱．Es una *aberración* lo que estás diciendo. たわけたことを言うな．**2** 〘生物〙奇形，異常．**3** 〘光〙収差．
a·be·rrar [aβer̄ár アベラル] 24 動自 逸脱する；錯乱する．
a·ber·tu·ra [aβertúra アベルトゥラ] 名女
1 穴，割れ目；(建物の) 開口部．
2 開くこと．**3** 率直さ．
a·be·to [aβéto アベト] 名男 〘植物〙モミ．
a·bier·ta 過分 女 ➡ abrir.
—— 形 女 ➡ abierto.
a·bier·ta·men·te [aβjértaménte アビエルタメンテ] 副 率直に；公然と．
a·bier·to, ta [aβjérto, ta アビエルト，タ] 過分 ➡ abrir.
—— 形 [複 ～s]〔英 open〕 **1** **開いた**；開放された (↔ cerrado). entrar por la ventana *abierta* 開いている窓から入る．dormir con la boca *abierta* 口を開けて眠る．dejar el grifo *abierto* 蛇口を開けたままにしておく．estar *abierto* veinticuatro horas 24時間開いて［営業して］いる．campo *abierto* (遮るものがない) 広々とした土地．*abierto* al público 公開の．
2 率直な；寛大な，柔軟な．una persona muy *abierta* ざっくばらんな人．*abierto* de mentalidad 思考の柔軟な．
3 (都市が) 城壁で囲われていない，無防備の．**4** 〘音声〙開口音の．
a·bi·ga·rra·do, da [aβiɣar̄áðo, ða

アビガラド, ダ] 形 1 雑色の; 配色の悪い, まだらの. 2 寄せ集めの; まとまりのない.

A

a·bi·sal [aβisál アビサる] / **a·bis·mal** [aβismál アビスマる] 形 深淵(しんえん)の; 深海の.

a·bis·mar [aβismár アビスマル] 動 他 《+en》…に沈める.
—— **a·bis·mar·se** 《+en》…に沈む; …にふける; …に身をゆだねる. *abismarse en* el dolor 悲嘆に暮れる. *abismarse en* la lectura 読書に没頭する.

a·bis·mo [aβísmo アビスモ] 名 男 1 深淵(しんえん); 深海. 2 地獄, 奈落(ならく). 3 底知れないもの, 極み. un *abismo* de dolor 果てしない苦悩. 4 断絶, 疎隔. abrir un *abismo* entre ... …の間に深い溝を作る.

ab·ju·rar [aβxurár アブフラル] 動 自 《+de》(信仰・主義などを) 放棄する.

a·blan·da·mien·to [aβlandamjénto アブらンダミエント] 名 男 軟化; 緩和.

a·blan·dar [aβlandár アブらンダル] 動 他
1 柔らかくする; (態度などを) 和らげる.
2 化膿(かのう)させる.
—— 動 自 (風・寒さが) 和らぐ.
—— **a·blan·dar·se** 柔らかくなる; 和らぐ; 穏やかになる.

a·bla·ti·vo [aβlatíβo アブらティボ] 名 男 〘文法〙奪格.

ab·ne·ga·ción [aβneɣaθjón アブネガしオン] 名 女 自己犠牲, 献身.

ab·ne·gar·se [aβneɣárse アブネガルセ] [32 g → gu ; 42 e → ie] 動 自分を犠牲にする, 献身する.

a·bo·ba·do, da [aβoβáðo, ða アボバド, ダ] 形 ばかな; ぽかんとした.

a·bo·ca·do, da [aβokáðo, ða アボカド, ダ] 過分 形 1 (ぶどう酒が) やや甘口の.
2 《+a》(危険など) に瀕(ひん)した (= expuesto). Está *abocado* al desastre. 災害の危険にさらされている.

a·bo·car [aβokár アボカル] [8 c → qu] 動 他 1 (瓶から瓶へ) 注ぎ込む, 注ぐ.
2 近づける (= acercar).
—— 動 自 1 (船が) 港[水路] に差しかかる.
2 《+a》…に到達する.
—— **a·bo·car·se** 1 《+con》…と会合を持つ. 2 《+a》…に近づく.

a·bo·chor·nar [aβotʃornár アボチョルナル] 動 他 1 息苦しくさせる, のぼせさせる.
2 赤面させる.
—— **a·bo·chor·nar·se** 《+de, por》…で赤面する.

a·bo·ci·na·do, da [aβoθináðo, ða アボしナド, ダ] 形 らっぱ状の, 漏斗形の.

a·bo·fe·te·ar [aβofeteár アボフェテアル] 動 他 平手打ちを食らわせる.

a·bo·ga·cí·a [aβoɣaθía アボガしア] 名 女 弁護士業.

a·bo·ga·do, da [aβoɣáðo, ða アボガド, ダ] 名 男 [複 ～s] [英 lawyer] **弁護士**, 弁護人. *abogado* defensor (被告側) 弁護人.

a·bo·len·go [aβoléŋgo アボれンゴ] 名 男 先祖; 家柄; 世襲財産. Viene de familia de *abolengo*. 彼は名門の出だ.

a·bo·li·ción [aβoliθjón アボりしオン] 名 女 廃止, 撤廃.

a·bo·lir [aβolír アボりル] 動 他 廃止する, 撤廃する. ► 語尾に i を含む活用形しかない.

a·bo·lla·du·ra [aβoʎaðúra アボりャドゥラ] 名 女 1 凹部, へこみ. 2 浮き出し (模様).

a·bo·llar [aβoʎár アボりャル] 動 他 くぼませる, へこませる.

a·bom·ba·do, da [aβombáðo, ða アボンバド, ダ] 過分 形 1 凸状の, 凸面の (↔ cóncavo). 2 呆然(ぼうぜん)とした.

a·bom·bar [aβombár アボンバル] 動 他
1 凸状[凸面] にする; 膨らませる.
2 《口語》呆然(ぼうぜん)とさせる.
—— **a·bom·bar·se** 凸状[凸面] になる.

a·bo·mi·na·ble [aβomináβle アボミナブれ] 形 嫌悪すべき, 忌まわしい. Esta sopa tiene un gusto *abominable*. このスープはひどい味がする.

a·bo·mi·na·ción [aβominaθjón アボミナしオン] 名 女 嫌悪; ぞっとするもの.

a·bo·mi·nar [aβominár アボミナル] 動 他 嫌悪する.
—— 動 自 《+de》…をのろう; 嫌悪する.

a·bo·na·do, da [aβonáðo, ða アボナド, ダ] 過分 形 1 支払い済みの. 2 信用[保証] のある. 3 施肥された.
—— 名 男 女 (電気・ガス・水道・電話の) 加入者; 定期購読者.

a·bo·nan·zar [aβonanθár アボナンさル] [39 z → c] 動 自 (嵐(あらし)が) 収まる, (天候が) 回復する, (海が) 凪(な)ぐ; 落ち着く (= calmarse).

a·bo·nar [aβonár アボナル] 動 他 1 支払う; (口座に) 振り込む; (口座から) 差し引く. Yo *abonaré* la factura. 請求書は私が払います. 2 《+a》…の定期契約をする. *Abono* a José *a* un periódico. 私はホセのために新聞講読の予約をしてやる.
3 保証する; 保証人になる.
4 施肥する. 5 改良する, 改善する.
—— **a·bo·nar·se** 《+a》…を定期契約する, …の会員になる; …を予約購読する.

a·bo·no [aβóno アボノ] 名 男 1 定期契約, 予約購読; 定期契約[予約購読] 料.
2 シーズンチケット; 定期券, 回数券. sacar un *abono* para las corridas 闘牛の通し券を買う.
3 〘農業〙肥料; 施肥 (= fertilizante). *abonos* nitrogenados 窒素肥料. *abono* mineral [orgánico] 無機[有機] 肥料.

a·bor·da·ble [aβorðáβle アボルダブれ] 形 (場所が) 近づける; (値段が) 手ごろな; (事柄が) 扱いやすい; (人が) 気さくな.

a·bor·da·je [aβorðáxe アボルダへ] 名 男
1 〘海事〙接舷(せつげん); 乗船; 衝突. 2 接近.

a·bor·dar [aβorðár アボルダル] 動 他

1 (話題に)触れる;(難事に)取り組む.
2〘海事〙(敵船に)乗り込む.
3 (話しかけるために)近づく.
―― 動自〘海事〙《+a, en》…に接舷(せつげん)する, 入港する.

a·bo·ri·gen [aβoríxen アボリヘン] 形 [複 aborígenes]先住の.
―― 名男 [普通 ~es]先住民.

a·bo·rre·cer [aβoreθér アボレセル] 40 動他 1 嫌悪する, 憎む.
2 うんざりさせる.

a·bo·rre·ci·mien·to [aβoreθimjénto アボレしミエント] 名男 1 嫌悪, 憎悪. 2 嫌気.

a·bor·tar [aβortár アボルタル] 動自
1 流産[早産]する;(妊娠)中絶する.
2 破綻(はたん)する, 挫折(ざせつ)する.

a·bor·ti·vo, va [aβortíβo, βa アボルティボ, バ] 形 流産の;(妊娠)中絶の.
―― 名男 (妊娠)中絶薬.

a·bor·to [aβórto アボルト] 名男 1 流産; 堕胎,(妊娠)中絶. tener un *aborto* 流産する. 2 失敗(作);《口語》出来損ない; 醜い人[物].

a·bo·ta(r)·gar·se [aβota(r)ɣárse アボタ(ル)ガルセ] [32 g ➡ gu] 動 腫(は)れる, むくむ.

a·bo·ti·na·do, da [aβotinádo, ða アボティナド, ダ] 形 半長靴形の;(ズボンの裾(すそ)が)すぼまった.

a·bo·to·nar [aβotonár アボトナル] 動他 …のボタンを掛ける.
―― **a·bo·to·nar·se** (服の)ボタンを掛ける.

abrace(-) / abracé(-) 動 ➡ abrazar. [39 z ➡ c]

A·bra·ham [aβraám アブラアン] 固名〘聖書〙アブラハム: 古代ヘブライ民族の始祖.

A·bra·hán [aβraán アブラアン] 固名 アブラアン: 男性の名.

a·bra·sa·dor, do·ra [aβrasaðór, ðóra アブラサドル, ドラ] 形 燃えるような, 焼けるように熱い.

a·bra·sar [aβrasár アブラサル] 動他 1 焼く, 焦がす. Se inflamó el aceite y le *abrasó* la mano. 油に火がついて彼女は手をやけどした.
2 じりじりさせる, 赤面させる. El odio me *abrasa*. 憎悪で身を焼かれるようだ.
―― **a·bra·sar·se** 1 焼ける, 焦げる.
2《+de, en》…に身を焦がす;(感情が)高ぶる.

a·bra·sión [aβrasjón アブラシオン] 名女
1 磨耗; 浸食, 海食. 2 炎症.

a·bra·si·vo, va [aβrasíβo, βa アブラシボ, バ] 形 磨耗する; 浸食[海食]の; 研磨の.
―― 名男 研磨材, 磨き粉.

a·bra·za·de·ra [aβraθaðéra アブラさデラ] 名女 留め金, 締め具.

a·bra·zar [aβraθár アブラさル] [39 z ➡ c] 動他 〔英 embrace〕 1 **抱く**, 抱擁する. La *abrazó* contra su pecho. 彼は彼女を胸に抱き締めた.
2 (教えに)従う, 信奉する. *abrazar* la fe católica カトリックに帰依する.
―― **a·bra·zar·se** 抱き合う, 抱擁する. Los ganadores *se abrazaron* llenos de alegría. 優勝者は大喜びで抱き合った.

a·bra·zo

[aβráθo アブラそ] 名男 [複 ~s] 〔英 embrace〕
抱擁, 抱きしめること.
―― 動 ➡ abrazar. [39 z ➡ c]
Un (fuerte) abrazo de ... 《手紙》…より愛情を込めて. ► 友達や親, 兄弟などの親しい間柄で用いる表現.

a·bre·car·tas [aβrekártas アブレカルタス] 名男 [単・複同形] ペーパーナイフ.

a·bre·la·tas [aβrelátas アブレらタス] 名男 [単・複同形] 缶切り.

abrev. 《略》abreviación, abreviatura. 略語.

a·bre·via·ción [aβreβjaθjón アブレビアしオン] 名女 1 短縮, 省略; 略語.
2 要約, 概要.

a·bre·viar [aβreβjár アブレビアル] 動他 短縮する, 縮める. *abreviar* la estancia 滞在期間を短縮する. *abreviar* la composición 作文を短くする.
―― 動自 手短にする. *Abrevie* usted, que tengo prisa. 手短にお願いします, 急いでいますので.

a·bre·via·tu·ra [aβreβjatúra アブレビアトゥラ] 名女 省略形, 略語; 短縮, 要約.
en abreviatura 手短に.

a·bri·dor, do·ra [aβriðór, ðóra アブリドル, ドラ] 形 開ける, 開かせる.
―― 名男 缶切り; 栓抜き.

abriendo 現分 ➡ abrir.

a·bri·gar [aβriɣár アブリガル] [32 g ➡ gu] 動他 1 (寒さなどから)保護する, 守る. La bufanda me *abriga* el cuello. マフラーで首が暖かい.
2 抱く, 持つ. *abrigar* una esperanza [una sospecha] 期待[不信]を抱く.
―― **a·bri·gar·se** (寒さなどから)身を守る. *abrigarse* con una manta 毛布にくるまる. *Abrígate* bien. 暖かくしなさい. *abrigarse* de la lluvia [bajo techo] 雨を避ける[屋根の下に逃げ込む].

a·bri·go

[aβríɣo アブリゴ] 名男 [複 ~s] 〔英 overcoat〕
1 **コート**, 外套(がいとう). *abrigo* de pieles 毛皮のコート.
2 保護, 庇護(ひご).
3 避難所; 雨風をしのぐ場所(= refugio).
al abrigo de ... …に守られて. fugarse *al abrigo de* la noche 夜陰に紛れて逃げる.

a·bril

[aβríl アブリる] 名男 [複 ~es] 〔英 April〕
1 **4月**《略 abr.》. En *abril* aguas mil. 《諺》4月は雨がよく降る. ➡ mes 【参考】.
2 [普通 ~es]《口語》(十代の)歳.

¿Cuántos *abriles* tienes? 君, いくつ?

a·bri·llan·tar [aβriʎantár アブリリャンタル] 動他 1 磨く, つや出しする; (宝石を) カットする. 2《比喩》…に磨きをかける.

a·brir [aβrír アブリル] 動 他 [現分 abriendo; 過分 abierto, ta] 〔英 open〕 1 **開ける, 開く** (↔ cerrar). *abrir* la puerta 戸を開ける. *abrir* la tienda a las nueve 9時に店を開ける. *abrir* el libro 本を開く. *abrir* la botella 瓶の栓を抜く. *abrir* un paquete 包みをほどく. *abrir* la llave del gas ガス栓をひねる. *abrir* las alas 翼を広げる.
2 始める, 開始する; 開催する. *abrir* un nuevo curso 講座を新設する. *abrir* una tienda de comestibles 食料品店を出す. *abrir* la Feria del Libro ブックフェアを開く. *abrir* una convocatoria 募集を始める.
3 (穴などを) あける; 割る, 切り開く; (道を) 開く.
4 …の先頭に立つ. *abrir* el desfile [la manifestación] パレード[デモ行進] の先頭に立つ.
── **a·brir·*se*** 1 開く; 割れる, 裂ける. *abrirse* hacia dentro 内側に開く. *abrirse* un paracaídas パラシュートが開く. *abrirse* las flores 花が咲く.
2 (眺望・展望が) 開ける, 広がる. *Se abren* ante ellos grandes posibilidades. 彼らの前途は洋々としている.
3《+**a**, **hacia**, **sobre**》…に面する, 通じる. La puerta del salón *se abre* hacia el jardín. 居間は庭に面している.
4《+**a**, **con**》…に心中を打ち明ける, 胸襟を開く. *Se abrió a* su amigo. 彼は友だちに自分の気持ちを打ち明けた.
5 (天気が) 晴れる.

a·bro·char [aβrotʃár アブロチャル] 動他 留め金で留める, ボタン [フック] を掛ける; (靴などの) ひもを結ぶ.
── **a·bro·char·*se*** (シートベルトなどを) 締める, ボタンを掛ける. *Abróchese* su cinturón de seguridad, por favor. (飛行機で) 安全ベルトをお締めください.

a·bro·jo [aβróxo アブロホ] 名男 1〔植物〕ハマビシ (浜菱). 2 [〜s]〔海事〕岩礁.

a·bru·ma·dor, do·ra [aβrumaðór, ðóra アブルマドル, ドラ] 形 圧倒する; うんざりさせる.

a·bru·mar [aβrumár アブルマル] 動他
1 圧倒する. Su belleza me *abrumó*. 私は彼女の美しさに圧倒された.
2 うんざりさせる. *abrumar* con atenciones 迷惑がられるほど世話を焼く.
── **a·bru·mar·*se*** 霧に包まれる.

a·brup·to, ta [aβrúpto, ta アブルプト, タ] 形 険しい, 切り立った.

abs·ce·so [aβsθéso アブセソ] 名男〔医〕膿瘍(のうよう).

ab·sen·tis·mo [aβsentísmo アブセンティスモ] 名男 1 (無断・頻繁な) 欠勤.
2 地主の不在, 不在地主制.

áb·si·de [áβsiðe アブシデ] 名男〔建築〕(教会の) 後陣, アプス.

ab·so·lu·ción [aβsoluθjón アブソるしオン] 名女〔カトリック〕罪の許し;〔法律〕無罪宣告, 無罪放免.

absoluta 形女 → absoluto.

ab·so·lu·ta·men·te [aβsolútaménte アブソるタメンテ] 副 絶対に; 全く. *absolutamente* cierto 全く確かな. ¡*Absolutamente* no! 何と言おうと絶対だめだ!

ab·so·lu·tis·mo [aβsolutísmo アブソるティスモ] 名男 絶対主義.

ab·so·lu·tis·ta [aβsolutísta アブソるティスタ] 形 絶対主義の.
── 名男女 絶対主義者.

ab·so·lu·to, ta [aβsolúto, ta アブソるト, タ] 形 [複 〜s]〔英 absolute〕 1 **絶対的な; 完全な**, 全くの. cero *absoluto*〔物理〕絶対零度. silencio *absoluto* 全くの静寂. 2 専制的な, 独裁的な. monarquía *absoluta* 絶対君主制.
en absoluto 決して [絶対に] …ない (= de ningún modo). No acepto *en absoluto* su regalo. 彼のプレゼントは絶対受け取らないわ. ► 否定文で用いられる.

ab·sol·ver [aβsolβér アブソるベル] [35 o → ue] 動他 [過分 absuelto] (義務などから) 解放する;〔カトリック〕罪の許しを与える;〔法律〕無罪とする.

ab·sor·ben·te [aβsorβénte アブソルベンテ] 形 1 吸収力のある. 2 高圧的な.
── 名男 吸収剤.

ab·sor·ber [aβsorβér アブソルベル] 動他
1 吸収する. 2 (時間・資源などを) 消耗させる. El trabajo lo *absorbe*. 仕事が彼の全精力を使い果たしている.

ab·sor·ción [aβsorθjón アブソルしオン] 名女 1 吸収, 吸着. 2 熱中, 没頭.

ab·sor·to, ta [aβsórto, ta アブソルト, タ] 形 1《+**en**》…に熱中した, 没頭した. *absorto en* su trabajo 仕事に没頭して.
2《+**ante**》…に呆然(ぼうぜん)とした, 驚いた.

abs·te·mio, mia [aβstémjo, mja アブステミオ, ミア] 形 禁酒の.
── 名男女 禁酒家.

abs·ten·ción [aβstenθjón アブステンしオン] 名女 (投票などの) 棄権.

abs·ten·cio·nis·mo [aβstenθjonísmo アブステンしオニスモ] 名男 棄権 (主義), 不介入 (主義).

abs·ten·cio·nis·ta [aβstenθjonísta アブステンしオニスタ] 形 棄権主義の, 不介入主義の.
── 名男女 棄権主義者, 不介入主義者.

abs·te·ner·*se* [aβstenérse アブステネルセ] 55 動《+**de**》…を控える; 断つ; 棄権する. *abstenerse* de votar 選挙を棄権する.

abs·ti·nen·cia [aβstinénθja アブスティネンしア] 名女 節制, 禁欲; 精進, 断食.

abs·trac·ción [aβstrakθjón アブストゥラクシオン] 名女 **1** 抽象(作用), 抽象化;〘哲〙捨象. **2** 専念, 没頭.

abs·trac·to, ta [aβstrákto, ta アブストゥラクト, タ] 形 **1** 抽象的な (↔ concreto).
2〘美術〙抽象(派)の, アブストラクトの.
3 観念的な, 理論的な. ciencia *abstracta* 理論科学. **4** 難解な.
en abstracto 抽象的に.

abs·tra·er [aβstraér アブストゥラエル] 57 動他 [現分 abstrayendo; 過分 abstraído]
1 抽象する; 捨象する.
2 分離する.
— 動自《+de》…を考慮に入れない, 無視する.
— **abs·tra·er·*se*** **1**《+en》…に没頭する. **2**《+de》…を無視する.

ab·suel·to, ta [aβswélto, ta アブスエるト, タ] 過分 ➡ absolver. 形 **1**〘ｶﾄﾘｯｸ〙赦免された. **2**〘法律〙無罪放免になった.

ab·sur·do, da [aβsúrðo, ða アブスルド, ダ] 形 ばかげた; 不条理な, 不合理な. Lo que tú dices es completamente *absurdo*. 君の言っていることは全く理屈に合っていない. Me parece *absurdo* que tengamos que ponernos corbata. ネクタイをしなければならないなんてばかげているよ.
— 名男 ばかげたこと; 不条理.

a·bu·che·ar [aβutʃeár アブチェアル] 動他 (口笛・足踏みで) 野次る.

a·bu·che·o [aβutʃéo アブチェオ] 名男 野次, (不満の) 口笛, 足踏み.

a·bue·la [aβwéla アブエら] 名女 [複 ~s] 〔英 grandmother〕
1 祖母, おばあさん. ➡ abuelo.
2 老婦人.
¡Cuéntaselo a tu abuela! そんなばかな!, うそつけ!
no tener* [*necesitar*] *abuela 自慢の度が過ぎる.

a·bue·lo [aβwélo アブエろ] 名男 [複 ~s] 〔英 grandfather〕
1 祖父, おじいさん. ➡ abuela.
2 老人.
3 [~s] 祖父母; 祖先.

a·bu·len·se [aβulénse アブれンセ] 形 (スペインの) アビラ Ávila の.
— 名男女 アビラの住民.

a·bu·lia [aβúlja アブリア] 名女〘医〙意志喪失, 無気力; 無意志(症) (= apatía).

a·bú·li·co, ca [aβúliko, ka アブリコ, カ] 形 意志喪失の, 無気力の.

a·bul·ta·do, da [aβultáðo, ða アブるタド, ダ] 過分 形 **1** かさばった; 腫(ﾊ)れ上がった.
2 誇張された, 大げさな.

a·bul·ta·mien·to [aβultamjénto アブるタミエント] 名男 かさばり; 腫(ﾊ)れ, 膨張; 誇張.

a·bul·tar [aβultár アブるタル] 動他 **1** かさばらせる, 膨らませる. **2** 誇張する. *abultar* una historia 話に尾ひれをつける.
— 動自 かさばる. Estos libros *abultan* mucho. これらの本はずいぶん場所を取る.

a·bun·dan·cia [aβundánθja アブンダンシア] 名女 豊富, 多量; 裕福. en *abundancia* ふんだんに, 裕福に.
nadar en la abundancia ぜいたくに暮らす.

a·bun·dan·te [aβundánte アブンダンテ] 形 [複 ~s] 〔英 abundant〕 **豊富な**, 多量の. *abundante* en cereales 穀物に富んだ.

a·bun·dan·te·men·te [aβundántemente アブンダンテメンテ] 副 豊富に, ふんだんに.

a·bun·dar [aβundár アブンダル] 動自《+en》 **1** …に富む, …が豊富である. *En* Valencia *abundan* las naranjas. バレンシアはオレンジが豊富だ. España *abunda en* cereales. スペインは穀類が豊富である.
2 …に固執する; …に賛同する. *Abunda en* su opinión. 彼は自分の意見を曲げない. *Abundo en* su opinión. 私は彼の意見に賛成だ.

a·bur·gue·sar·*se* [aβurɣesárse アブルゲサルセ] 動 ブルジョア化する.

a·bu·rri·do, da [aβur̄íðo, ða アブリド, ダ] 過分 形 退屈な, うんざりする, 飽きた. una clase *aburrida* 退屈な授業. Estoy *aburrido* de esperar. 私は待ちくたびれた. Ya me tienes *aburrido*. いい加減にしろよ.

a·bu·rri·mien·to [aβur̄imjénto アブリミエント] 名男 退屈, 倦怠(ｹﾝﾀｲ). Este drama es un *aburrimiento*. このドラマはじつに退屈だ.

a·bu·rrir [aβur̄ír アブリル] 動他 退屈させる, うんざりさせる. *aburrir* con un largo discurso 長たらしい話でうんざりさせる.
— **a·bu·rrir·*se***《+de, por》…に退屈する, …でうんざりする. *Se aburrió de* oír siempre lo mismo. 彼はいつも同じことを聞かされて閉口した. *aburrirse por* todo 何をやっても退屈する.

a·bu·sar [aβusár アブサル] 動自《+de》
1 …を乱用する; …の度を過ごす. El ministro *abusó de* su autoridad. 大臣は職権を乱用した. *abusar del* tiempo [dinero] 時間[金]を無駄にする. *abusar de* la bebida 酒を飲みすぎる.
2 …を虐待する; …を強姦(ｺﾞｳｶﾝ)する. *abusar de* un empleado 使用人を酷使する.

a·bu·si·vo, va [aβusíβo, βa アブシボ, バ] 形 不当な, 法外な; 悪口の. precio *abusivo* 法外な値段.

a·bu·so [aβúso アブソ] 名男 **1** 乱用; 行きすぎ. *abuso* de autoridad 職権乱用. *abuso* de confianza 背任, 背信.
2 虐待. *abuso* deshonesto 強姦(ｺﾞｳｶﾝ).

a·bu·són, so·na [aβusón, sóna アブソン, ソナ] 形《口語》自分勝手な, 厚かましい.

ab·yec·ción [aβjekθjón アブイエクシオン] 名女 下劣, 卑劣.

ab·yec·to, ta [aβjékto, ta アブイエクト, タ] 形 卑しい, 卑劣な.

a·cá [aká アカ] 副 〔英 here〕

1 **こちらへ**; ここに. Ven *acá*, que no me gusta que te quedes ahí arrinconado. そんな隅に引っ込んでいないでこっちへ来いよ. más *acá* もっと近くに. por *acá* この辺りに[で].

2 今まで, これまで. ¿De cuándo *acá* nota Vd. ese ruido? いつからその物音に気づいていたのですか. desde entonces *acá* そのとき以来. de ayer *acá* 昨日から; 最近.

acá y allá あちらこちらに.

de acá para allá あちらこちらへ. andar *de acá para allá* あちこち歩き回る.

para acá ここまで. De Toledo *para acá* hay veinte kilómetros. トレドからここまで20キロメートルある.

> **【参　考】** **acá** は **aquí** より漠然と「こちら」を指す. ただし, 中南米ではほとんどの場合 aquí の意味で用いられる.

a·ca·ba·do, da [akaβáðo, ða アカバド, ダ] 過分 → acabar.

—— 形 **1** 完成した; 完璧(かんぺき)な; 熟練した.

2 古びた; やつれた.

—— 名男 仕上げ. dar el *acabado* a 《+algo》〈何か〉を仕上げる.

acabando 現分 → acabar.

a·ca·bar [akaβár アカバル] 動他 〔現分 acabando ; 過分 acabado, da〕〔英 finish〕 **1** **終える**; **仕上げる**, 完成する (= terminar). El profesor *acabó* la clase diez minutos antes. 先生は10分前に授業を打ち切った. *acabar* una novela 小説を1冊読み[書き]終える. *acabar* la tesis [un puente] 学位論文を仕上げる[橋を完成させる]. ► しばしば直接目的語が省かれる. ⇀ Espera, que *acabo* enseguida. すぐ終わるから待っていて. **2** 食べ[飲み]つくす.

—— 動自 〔英 end〕 **1** **終わる**. *Ha acabado* la temporada de esquí. スキーシーズンは終わった.

2 最後が…で終わる. *acabar* (en) bien ハッピーエンドに終わる. *acabar* agotado 疲れ果てる.

3 《**+de** 不定詞》 (1) **…したばかりである**; 《否定文》 まだ…しかねている. *Acabo de* recibir tu carta. 君の手紙をたったいま受け取ったところだ. No *acabo de* comprender. まだ私にはよく飲み込めない. No *acaba de* decidirse. 彼はまだ決めかねている. ► 直説法現在, 線過去で用いられる.

(2) **…し終える**. Cuando lleguen, ya habré *acabado de* limpiar la casa. 彼らが着くころには私は家の掃除をすっかり終えているだろう. *Acaba de* hablar de una vez. いい加減に話を止めろ. ► 完了時制, 未来の内容を表す時制と共に用いられる.

4 《**+con**》 …を終わらす; 壊す; 殺す (= destruir, poner fin). *acabar con* la sopa en un momento スープをあっと言う間に平らげる. *acabar con* la vida de 《+uno》〈人〉の命を絶つ.

5 《**+por** 不定詞》 《+現在分詞》 最後は…する. *Acabó* reconociéndolo. とうとう彼はそれを認めた. *Acabó por* negarse. 結局, 彼は拒否した.

—— **a·ca·bar·*se*** **1** **終わる**. Por fin *se acabaron* los exámenes. やっと試験が終わった. **2** **尽きる**, **なくなる**. Se *acabó* el vino hasta la última gota. ぶどう酒が最後の1滴までなくなった. *Se* le *acabó* el dinero. 彼は金を使い果たした. **3** 死ぬ.

Hemos acabado. / Se acabó. 議論はそこまでだ; 一件落着だ.

a·ca·bó·se [akaβóse アカボセ] 名男 《口語》 最悪, どん底. ► 常に定冠詞 el を伴う.

a·ca·cia [akáθja アカシア] 名女 〔植物〕 アカシア.

a·ca·de·mia [akaðémja アカデミア] 名女 〔複 ~s〕〔英 academy〕 **1** **アカデミー**, 学士院; 学会. Real *Academia* Española スペイン王立アカデミー (◆1713年設立. 標準スペイン語辞典の編纂(さん)に当たる).

2 **(専門) 学校**; 塾. *academia* de baile 舞踊学校. *academia* militar 士官学校.

a·ca·de·mi·cis·mo [akaðemiθísmo アカデミしスモ] / **a·ca·de·mis·mo** [-mísmo -ミスモ] 名男 (学芸の)形式主義, アカデミズム.

a·ca·dé·mi·co, ca [akaðémiko, ka アカデミコ, カ] 形 **1** 学問的な, アカデミックな.

2 アカデミーの; 大学の.

—— 名男女 アカデミー会員, 学士院会員. *académico* correspondiente アカデミー準会員. *académico* de número アカデミー正会員.

a·ca·e·cer [akaeθér アカエセル] 40 動自 起こる, 生じる. ► 3人称のみに活用.

a·ca·llar [akaʎár アカリャル] 動他 **1** 黙らせる, 静める.

2 (苦痛を)和らげる; (空腹を)紛らす.

a·ca·lo·ra·da·men·te [akaloráðaménte アカろラダメンテ] 副 熱っぽく, 激しく; 熱心に.

a·ca·lo·ra·do, da [akaloráðo, ða アカろラド, ダ] 過分 形 **1** 興奮した, ほてった. *acalorado* por la disputa 議論に興奮して.

2 熱っぽい, 激烈な; 熱心な. una discusión *acalorada* 激しい議論.

a·ca·lo·ra·mien·to [akaloramjénto アカろラミエント] 名男 **1** 熱く[暑く]なること; ほてり. **2** 熱心; 熱中, 興奮. con *acaloramiento* 熱心に.

a·ca·lo·rar [akalorár アカろラル] 動他 **1** 熱く[暑く]する. **2** 興奮させる, 熱中させる.

—— **a·ca·lo·rar·*se*** **1** 熱く[暑く]なる; ほてる. **2** 熱中する; 興奮する.

a·cam·pa·da [akampáða アカンパダ] 名 女 キャンピング, 野営.

a·cam·pa·na·do, da [akampanáðo, ða アカンパナド, ダ] 形 釣り鐘形の. falda *acampanada* フレアスカート.

a·cam·par [akampár アカンパル] 動 他 野営[キャンプ]させる.
— 動 自 **a·cam·par·se** 野営[キャンプ]する.

a·can·ti·la·do, da [akantiláðo, ða アカンティらド, ダ] 形 切り立った, 絶壁の.
— 名 男 絶壁, 断崖(だんがい); 急斜面.

a·can·to [akánto アカント] 名 男 **1** 〘植物〙 アカンサス. **2** 〘建築〙 アカンサス葉飾り.

a·can·to·nar [akantonár アカントナル] 動 他 〘軍事〙 宿営[野営]させる.

a·ca·pa·ra·dor, do·ra [akaparaðór, ðóra アカパラドル, ドラ] 形 独り占めする, 買い占める. instintos *acaparadores* 独占本能.
— 名 男 女 独占者; 買い占めをする人.

a·ca·pa·rar [akaparár アカパラル] 動 他 独り占めにする; 買い占める. *Acaparó* la atención de todos. 彼[彼女]はみんなの注目を集めた.

a·ca·ra·co·la·do, da [akarakoláðo, ða アカラコらド, ダ] 形 らせん形の.

a·ca·ri·ciar [akariθjár アカリしアル] 動 他 **1** 愛撫(あいぶ)する; 軽く触れる. *acariciar* al perro 犬をなでる.
2 (心に) 抱く. *acariciar* grandes ambiciones 大きな野心を抱く.

a·ca·rre·ar [akar̄eár アカレアル] 動 他 **1** 運ぶ, 運搬する. **2** 引き起こす, もたらす. Su muerte *acarreó* la ruina de la familia. 彼の死で一家は没落した.

a·ca·rre·o [akar̄éo アカレオ] / **a·ca·rre·a·mien·to** [-r̄eamjénto -レアミエント] 名 男 運搬; 運送費.

a·car·to·nar·se [akartonárse アカルトナルセ] 動 (厚紙のように) 堅くなる; 《口語》 (皮膚が) ひからびる, しなびる.

a·ca·so [akáso アカソ] 副 〔英 maybe〕 《+接続法》 **たぶん**, おそらく, もしかしたら. *Acaso* se asome Juan por aquí. もしかしたらフアンがここに来るかもしれない.
— 名 男 偶然, 運.
¿Acaso ...? 《しばしば反語で》 (疑念を表して) …なのか, …かしら. *¿Acaso* lo oíste tú mismo? 君自身でそう聞いたのか? *¿Acaso* eres tú la persona más indicada para decir eso? あんたにそんなことを言う資格があるかしら?
al acaso 成り行きで, 行き当たりばったりで.
por si acaso. 万一のために. Llévate el paraguas *por si acaso* (llueve). 降るといけないから念のために傘を持っていきなさい.
si acaso 《追加・補足的に主節の後ろに置いて》 もしそうだとしても. Sería imposible partir mañana, *si acaso* pasado mañana. 明日出発するのはむずかしいんじゃないかな, できてもあさってだろう.

a·ca·ta·mien·to [akatamjénto アカタミエント] 名 男 尊敬, 尊重; 遵守.

a·ca·tar [akatár アカタル] 動 他 **1** 敬う, 尊ぶ. **2** 守る, 遵守(じゅんしゅ)する. *acatar* los consejos 忠告に従う.

a·ca·ta·rrar·se [akatar̄árse アカタラルセ] 動 風邪をひく (= resfriarse).

a·cau·da·la·do, da [akauðaláðo, ða アカウダらド, ダ] 過分 形 裕福な, 金持ちの (= rico).

ac·ce·der [akθeðér アクセデル] 動 自
1 《+a》 …に同意する, 応じる. *Accedí a* su petición. 私は彼の要求にこたえた.
2 接近する, 到達する; 昇格する. *acceder* al trono 即位する.

ac·ce·si·ble [akθesíβle アクセシブれ] 形
1 接近できる, 到達できる; 入手できる.
2 親しみやすい, 気さくな.

ac·cé·sit [akθésit アクせシ(トゥ)] 名 男 〔単・複同形〕 佳作, 次点.

ac·ce·so [akθéso アクせソ] 名 男 **1** 接近; 到達. tener libre *acceso* al jardín 庭園に自由に入ることができる. **2** 通路, 入り口.
3 (感情・病気の) 激発. *acceso* de tos 激しい咳(せ)き込み. **4** 〘コンピュータ〙 アクセス: データの読み取り[転送].

ac·ce·so·rio, ria [akθesórjo, rja アクセソリオ, リア] 形 付属の, 副次的な.
— 名 男 付属品, アクセサリー. *accesorios* de automóvil カーアクセサリー.

ac·ci·den·ta·do, da [akθiðentáðo, ða アクしデンタド, ダ] 過分 形 **1** 事故に遭った; 怪我(けが)をした. **2** 多難な, 波乱に富んだ. una vida *accidentada* 波乱の生涯.
3 (地面が) 凸凹[起伏]のある.
— 名 男 女 事故の被害者.

ac·ci·den·tal [akθiðentál アクしデンタる] 形 **1** 偶然の, 思いがけない. muerte *accidental* 不慮の死. **2** 付随的な, 非本質的な.
3 臨時の, 代理の.

ac·ci·den·tal·men·te [akθiðentálménte アクしデンタるメンテ] 副 偶然に, たまたま.

ac·ci·den·te

[akθiðénte アクしデンテ] 名 男 [複 ~s] 〔英 accident〕 **1** **事故**, 災害, 不慮[偶然]の出来事. sufrir un *accidente* 事故に遭う. *accidente* aéreo 航空機事故. *accidente* de tráfico 交通事故. *accidente* de trabajo 労働災害. sin *accidentes* 何事もなく.
2 肝心ではないこと, 二の次. **3** 〘医〙 偶発症候; 発作; 失神. **4** (地面の) 起伏. **5** 〘哲〙 偶有性. **6** 〘音楽〙 臨時記号 (♯・♭・♮など). **7** 〘文法〙 屈折, 語尾変化.
por accidente 偶然に; 意図せずに.

ac·ción

[akθjón アクしオン] 名 女 [複 acciones] 〔英 action〕
1 **行為, 行動**; 活動. *acción* directa 直接行動. hombre de *acción* 活動的な人. *acción* destructora 破壊活動. mala *acción*

A

悪事, 悪巧み. Sus *acciones* contradicen sus palabras.彼の行動は言葉と裏腹である.
2 働き, 作用. la *acción* del ácido sobre los metales 金属に及ぼす酸の作用.
3 身ぶり, 所作. **4** ストーリー, 筋.
5〘商業〙**株式**. *acción* nominal 記名株. *acción* al portador 無記名株. *acción* cotizada 上場株式. *acción* librada 発行株式. **6**〘法律〙訴訟. ejercitar una *acción* contra ... …に対して訴訟を起こす.
7〘軍事〙戦闘, 交戦.
── 間投〘映画〙始め！スタート！
en acción de gracias（神への）感謝のしるしに.
estar en acción 行動[作動, 作戦]中である.
poner en acción 行動[作動]させる.

ac·cio·nar [akθjonár アクしオナル] 動 他（機械を）作動させる.
── 動 自（話すときに）身ぶり手ぶりをする.

ac·cio·nis·ta [akθjonísta アクしオニスタ] 名 男 女〘商業〙株主.

a·ce·bo [aθéβo アセボ] 名 男〘植物〙セイヨウヒイラギ.

a·ce·chan·za [aθetʃánθa アセチャンさ] 名 女 ➡ acecho.

a·ce·char [aθetʃár アセチャル] 動 他 見張る; 待ち伏せる; 機をうかがう. El gato *acecha* al ratón. 猫がネズミの隙(すき)をうかがう.

a·ce·cho [aθétʃo アセチョ] 名 男 待ち伏せ, 見張り.
estar al acecho 待ち伏せている, 用心深くうかがっている. Los policías han recibido una alerta de robo de un banco y *están al acecho*. 銀行の防犯ベルの通報を受けて警察が非常線を張っている.

a·cé·fa·lo, la [aθéfalo, la アセファろ, ら] 形 **1**〘生物〙無頭の.
2 指導者[指揮官]のいない.

a·cei·te

[aθéite アセイテ] 名 男 [複 ～s]〔英 oil〕
油, オイル. *aceite* de oliva オリーブ油. *aceite* de hígado de bacalao 肝油. *aceite* mineral [vegetal] 鉱物[植物]油. *aceite* esencial（植物の）精油, エッセンス. *aceite* de motor エンジン・オイル.
echar aceite al fuego 火に油を注ぐ, たきつける.

a·cei·te·ro, ra [aθeitéro, ra アセイテロ, ラ] 形 油の.
── 名 男 油商人, 油売り.
── 名 女 **1**（卓上の）油入れ. ➡ vajilla 図. **2** [～s]（オリーブ油と酢の瓶が対になった）調味料入れ（= vinagrera).

a·cei·to·so, sa [aθeitóso, sa アセイトソ, サ] 形 脂ぎった, べたべたした.

a·cei·tu·na [aθeitúna アセイトゥナ] 名 女 オリーブの実. ► オリーブの木は olivo.

a·cei·tu·na·do, da [aθeitunáðo, ða アセイトゥナド, ダ] 形 オリーブ色の;（顔が）黄ばんだ.

a·ce·le·ra·ción [aθeleraθjón アせれラしオン] 名 女 加速; 促進. poder de *aceleración*〘車〙加速力.

a·ce·le·ra·dor, do·ra [aθeleraðór, ðóra アせれラドル, ドラ] 形 加速する; 促進する.
── 名 男（自動車などの）加速装置, アクセル（ペダル). ➡ motocicleta 図.

a·ce·le·rar [aθelerár アせれラル] 動 他 速める, 加速する; 促進する, 時期を早める. El chófer *aceleró* el coche. 運転手は車のスピードを上げた. *acelerar* el paso 歩調を速める.

a·cen·to [aθénto アセント] 名 男 **1** アクセント, 強勢; アクセント符号（ ´). En la palabra “papel” el *acento* recae en la última sílaba. papel という単語はアクセントが最終音節にくる. ⇨ スペイン語の発音.
2 訛(なま)り. hablar con *acento* andaluz アンダルシア訛りで話す.
3 強調. Puso especial *acento* en que él no había estado presente. 彼はその場に自分がいなかったことを強調した.

a·cen·tua·ción [aθentwaθjón アセントゥアしオン] 名 女 アクセントを置くこと; 強調.

a·cen·tuar [aθentwár アセントゥアル] 14 動 他 **1** アクセント符号をつける, アクセントを置く. **2** 強調する; 力説する.
── **a·cen·tuar·se** 顕著になる; 強まる.

a·cep·ción [aθeᵖθjón アセプしオン] 名 女〘言語〙（文脈による）意味, 語義.

a·cep·ta·ble [aθeᵖtáβle アセプタブれ] 形 受け入れられる. una proposición *aceptable* 受諾できる提案.

a·cep·ta·ción [aθeᵖtaθjón アセプタしオン] 名 女 **1** 受け入れ; 承諾. **2** 好評, 大当たり. tener poca *aceptación* 売れ行きが悪い; 評判が良くない. **3**〘商業〙引き受け.

aceptado, da 過分 ➡ aceptar.

aceptando 現分 ➡ aceptar.

a·cep·tar

[aθeᵖtár アセプタル] 動 他 [現分 aceptando ; 過分 aceptado, da]〔英 accept〕**1 受け入れる**, 受理する; 承諾する. *aceptar* una invitación 招待に応じる. No *se aceptan* cheques de viajero. トラベラーズチェックは受け付けません. No me *aceptaron* como [por] secretario. 私は秘書に雇ってもらえなかった. *aceptar* un castigo 甘んじて罰を受ける. *aceptar* una letra 手形を引き受ける.
2《+不定詞》…することを引き受ける. *Hemos aceptado* realizar experimentos. 我々は実験を行うことを承諾した.

a·ce·quia [aθékja アセキア] 名 女 用水路.

a·ce·ra [aθéra アセラ] 名 女 歩道. ➡ ciudad 図.
ser de la acera de enfrente / ser de la otra acera《口語》ホモセクシュアルである.

a·ce·ra·do, da [aθeráðo, ða アセラド, ダ] 過分 形 **1** 鋼鉄製の; 鋼のような. **2** 頑丈な.

a·ce·rar [aθerár アセラル] 動 他 **1** 鋼を張る; 鋼にする. **2** (精神的に) 鍛える.

a·cer·bo, ba [aθérβo, βa アセルボ, バ] 形 **1** 苦い, 渋い. **2** 辛辣(しんらつ)な. con un tono *acerbo* 厳しい口調で.

a·cer·ca [aθérka アセルカ]
acerca de 《前置詞句》〔英 about〕 **…について (の)**, …に関して (の) (= sobre). dar una conferencia *acerca de* la cultura japonesa 日本文化について講演する.
―― 動 ➡ acercar. [8 c ➡ qu]

a·cer·ca·mien·to [aθerkamjénto アセルカミエント] 名 男 **1** 接近. **2** 和解; 歩み寄り.

a·cer·car [aθerkár アセルカル] [8 c ➡ qu] 動 他 〔英 bring near〕 《+**a**》 **…に近づける**, 接近させる. No *acerques* tanto la televisión al radiador. テレビをそんなにラジエーターに近づけるな.
―― **a·cer·car·se** 〔英 approach〕 《+ **a, hacia**》 **1 …に近づく**, 接近する. *Se acercó a* la puerta. 彼はドアに近づいた. *Se* me *acercó* un hombre de mediana edad. 1人の中年男が私に近づいてきた.
2 …に立ち寄る. *Acércate a* la estación a comprarme el diario de siempre. 駅へ寄っていつもの新聞を買ってきてくれ.

a·ce·ro [aθéro アセロ] 名 男
1 鋼鉄, 鋼. *acero* inoxidable ステンレス (スチール). **2** 剣, 刀.

acerque(-) / acerqué(-) 動 ➡ acercar. [8 c ➡ qu]

a·cé·rri·mo, ma [aθérimo, ma アセリモ, マ] 形 〔acre の絶対最上級〕 断固とした, 強固な.

a·cer·ta·da·men·te [aθertáðaménte アセルタダメンテ] 副 的確に, 適切に.

a·cer·ta·do, da [aθertáðo, ða アセルタド, ダ] 過分 形 的確な; 時宜を得た. decisión *acertada* 適切な決定.

a·cer·tan·te [aθertánte アセルタンテ] 形 (くじで) 当たりの.
―― 名 男 女 当籤(とうせん)者.

a·cer·tar [aθertár アセルタル] [42 e ➡ ie] 動 自 〔英 hit〕 **1** 《+**en**》 **…に命中する**. *acertar en* el blanco 的に命中する.
2 《+**con**》 …を探し当てる; 言い当てる. *Acertó con* la casa. 彼は家を探し当てた.
3 《+**con, en**》 …が当を得ている, …で正しい選択をする; 《+**a**》 偶然 [折よく] …する. *Acertó con* la carrera elegida. 彼が選んだ道は正しかった. No *acertó con* la elección de marido. 彼女は夫の選択を誤った. *Acertaste en* marcharte. 君が席を立ったのはいい判断だった. *Acertó a* pasar. 彼はたまたまそこを通りかかった.
―― 動 他 **1** 当てる, 命中させる. ► acertar en の方がよく用いられる.
2 言い当てる; 探し当てる. ¿Puedes *acertar* su edad? 彼の年を当ててごらん.
► acertar con の方がよく用いられる.

a·cer·ti·jo [aθertíxo アセルティホ] 名 男 なぞなぞ, 判じ物.

a·cer·vo [aθérβo アセルボ] 名 男 共有財産. *acervo* cultural 文化遺産.

a·ce·ta·to [aθetáto アセタト] 名 男 **1** 〖化〗 酢酸塩. **2** (繊維) アセテート.

a·cé·ti·co, ca [aθétiko, ka アセティコ, カ] 形 〖化〗 酢酸の. ácido *acético* 酢酸.

a·ce·ti·le·no [aθetiléno アセティレノ] 名 男 〖化〗 アセチレン.

a·cha·car [atʃakár アチャカル] [8 c ➡ qu] 動 他 …の罪を着せる. *achacar* a 《+ uno》 una falta 失敗を〈人〉のせいにする.

a·cha·co·so, sa [atʃakóso, sa アチャコソ, サ] 形 **1** 持病のある, 病弱な.
2 欠陥のある.

a·chan·tar [atʃantár アチャンタル] 動 他 《口語》 脅す; おじけづかせる.
―― **a·chan·tar·se** 《口語》 おじける.

a·cha·pa·rra·do, da [atʃapaɾáðo, ða アチャパラド, ダ] 形 ずんぐりした.

a·cha·que [atʃáke アチャケ] 名 男 **1** 持病, (慢性的な) 病気; (体の) 不調. *achaques* de la vejez 老人病. **2** 月経; 妊娠.

a·cha·tar [atʃatár アチャタル] 動 他 平らにする.

a·chi·car [atʃikár アチカル] [8 c ➡ qu] 動 他 **1** 小さくする, 縮める.
2 おじけづかせる, いじけさせる.
―― **a·chi·car·se 1** 小さくなる, 縮む.
2 おじけづく; いじける.

a·chi·cha·rrar [atʃitʃaɾár アチチャラル] 動 他 **1** 焦がす; あぶる. La carne estaba tan *achicharrada* que no se podía comer. 肉が黒焦げで食べられなかった.
2 悩ます.
―― **a·chi·cha·rrar·se** 焦げる; あぶられる. *achicharrarse* al sol 日焼けする.

a·chis·par [atʃispár アチスパル] 動 他 ほろ酔いにする.
―― **a·chis·par·se** ほろ酔いになる.

a·chu·cha·do, da [atʃutʃáðo, ða アチュチャド, ダ] 過分 形 《口語》 込み入った, こんがらかった.

a·chu·char [atʃutʃár アチュチャル] 動 他 **1** 《口語》 押す; 押しつぶす. **2** けしかける.
―― **a·chu·char·se** 《口語》 押す, 押し合う.

a·chu·chón [atʃutʃón アチュチョン] 名 男 **1** 《口語》 押し, 突き. dar un *achuchón* 一突きする. **2** 軽い病気. tener un *achuchón* 気分が悪くなる.

a·cia·go, ga [aθjáɣo, ɣa アシアゴ, ガ] 形 不吉な; 不運な.

a·ci·ca·la·do, da [aθikaláðo, ða アシカラド, ダ] 過分 形 飾りたてた, 着飾った.

a·ci·ca·lar [aθikalár アシカラル] 動 他 飾りたてる, 着飾らせる.
―― **a·ci·ca·lar·se** 着飾る, おめかしをす

る，おしゃれする．

a·ci·ca·te [aθikáte アしカテ] 名男 拍車；刺激．servir de *acicate* 励みになる．

a·ci·dez [aθiðéθ アしデす] 名女 酸味；〘化〙酸性度．*acidez* de estómago 〘医〙胃酸過多症．

á·ci·do, da [áθiðo, ða アしド，ダ] 形 **1** 酸っぱい，酸味のある．Estas fresas están un poco *ácidas*. このイチゴはちょっと酸っぱい．

2 辛辣(しんらつ)な；気難しい．hablar en un tono *ácido* とげのある言い方をする．

── 名男 〘化〙酸．*ácido* sulfúrico 硫酸．*ácido* clorhídrico 塩酸．*ácido* nítrico 硝酸．

aciert- 動 → acertar. [42 e → ie]

a·cier·to [aθjérto アしエルト] 名男 **1** 的中，当たり；名案．El anuncio del periódico ha sido un *acierto*. Ya se ha vendido todo. 新聞に広告を出したのは正解だった．もう全部売り切れた．**2** 巧みさ，手際のよさ．Lo has hecho todo con *acierto*. 君はすべて的確にやってのけた．

── 動 → acertar. [42 e → ie]

a·cla·ma·ción [aklamaθjón アクらマしオン] 名女 歓呼，喝采(かっさい)．

a·cla·mar [aklamár アクらマル] 動他 **1** 歓呼して迎える，…に歓声を上げる，喝采(かっさい)する．*aclamar* al rey 国王を歓呼して迎える．**2** (歓声・拍手で) 承認する．

a·cla·ra·ción [aklaraθjón アクらラしオン] 名女 説明，解説．

a·cla·rar [aklarár アクらラル] 動他 〔英 make clear, clarify〕 **1** **明らかにする**，解明する．Hay que *aclarar* este asunto. この問題を解明しなければならない．

2 (声を) はっきりさせる．*aclarar* la voz 咳(せき)払いする．

3 明るくする，薄める．*aclarar* el tono 色合いを明るいものにする．

── 動自 晴れる；(夜が) 明ける．► 3人称単数のみに活用．

── **a·cla·rar·se** **1** 明るくなる；晴れる．

2 (水などが) 澄む．

a·cla·ra·to·rio, ria [aklaratórjo, rja アクらラトリオ，リア] 形 説明的な，解説的な．

a·cli·ma·ta·ción [aklimataθjón アクりマタしオン] 名女 順応，適応．

a·cli·ma·tar [aklimatár アクりマタル] 動他 順応させる，適応させる．

── **a·cli·ma·tar·se** 順応する，適応する．*Se aclimató* pronto al nuevo ambiente. 彼は新しい環境にいち早くなじんだ．

ac·né [akné アクネ] 名女 〘医〙にきび，吹き出物．

a·co·bar·dar [akoβarðár アコバルダル] 動他 怖がらせる，ひるませる．Los chicos mayores *acobardaron* al niño con sus palabrotas. 年かさの子供たちの下品な言葉にその子はおびえた．

── **a·co·bar·dar·se** 怖がる，おじけづく，ひるむ．

a·co·dar [akoðár アコダル] 動他 (L字に) 折り曲げる．

── **a·co·dar·se** 肘(ひじ)をつく．*acodado* en el mostrador カウンターに肘をついて．

a·co·ge·dor, do·ra [akoxeðór, ðóra アコヘドル，ドラ] 形 **1** 温かく迎え入れる．un ambiente *acogedor* 温かい雰囲気．

2 居心地のよい．

a·co·ger [akoxér アコヘル] [11 g → j] 動他 **1** 歓迎する；収容する，保護する．El presidente *fue acogido* calurosamente. 大統領は熱烈な歓迎を受けた．

2 受け入れる．*acoger* las peticiones 請願を聞き入れる．

── **a·co·ger·se** 《+a》 **1** …に逃れる；頼る (= ampararse). *Se acogió* al nuevo decreto de immigración. 彼は新しい入国管理法に頼った．

2 …を口実にする，盾に取る．

a·co·gi·da [akoxíða アコヒダ] 名女 **1** 歓迎．una *acogida* fría 冷遇．

2 承認，受け入れ；好評．

a·col·char [akoltʃár アコるチャル] 動他 詰め物 [クッション] を入れる；キルティングにする．

a·có·li·to [akólito アコりト] 名男 **1** 〘カトリック〙侍祭；(司祭の) 侍者 (の少年)．

2 手下，取り巻き．

a·co·me·te·dor, do·ra [akometeðór, ðóra アコメテドル，ドラ] 形 積極的な，意欲的な；攻撃的な．

a·co·me·ter [akometér アコメテル] 動他 **1** 襲いかかる，攻撃する；(感情などが) 襲う．*acometer* por los cuatro costados 四方から襲いかかる．Me *acometió* la tos justo en ese momento. ちょうどその瞬間に私は咳(せき)の発作に襲われた．

2 企てる．*acometer* una reforma 改革に取り組む．

a·co·me·ti·da [akometíða アコメティダ] 名女 **1** 攻撃，襲撃．**2** (導管の) 連結 (部)．

a·co·mo·da·ción [akomoðaθjón アコモダしオン] 名女 **1** 適合，適応．**2** 配置，設置．

a·co·mo·da·di·zo, za [akomoðaðíθo, θa アコモダディそ，さ] 形 → acomodaticio.

a·co·mo·da·do, da [akomoðáðo, ða アコモダド，ダ] 過分 形 **1** 裕福な，富裕な．

2 快適な，よく整った．**3** (料金が) 手ごろな．**4** 適した，ふさわしい．

a·co·mo·da·dor, do·ra [akomoðaðór, ðóra アコモダドル，ドラ] 名男女 (劇場・映画館の) 案内係．

a·co·mo·dar [akomoðár アコモダル] 動他 **1** (場所に) 落ち着かせる，置く．*acomodar* al enfermo en la butaca 病人を安楽椅子に掛けさせる．

2 調整する；適合 [適応] させる．*acomodar* una norma a un caso あるケースに規則を当てはめる．

3 和解させる，調停する．

A

4 《＋**de**》…の職に就かせる. La *acomodé de* secretaria. 私は彼女に秘書の仕事を世話した.
—— 動自 都合がよい, 適している. No me *acomoda* venir ese día. その日は都合が悪くて来られない.
—— **a·co·mo·dar·*se*** **1** 《＋**a, con**》…に適合[適応]する. *acomodarse a* una norma 規則に従う.
2 (場所に) 落ち着く. *Nos acomodamos* en la quinta fila. 私たちは5列目に座った. **3** 《＋**de**》…の職に就く.

a·co·mo·da·ti·cio, cia [akomoðatíθjo, θja アコモダティしオ, しア] 形 **1** 順応性のある, 融通の利く. **2** 妥協的な, 迎合的な.

acompañado, da 過分 ➡ acompañar.

a·com·pa·ña·mien·to [akompaɲamjénto アコンパニャミエント] 名男 **1** 同伴, 付随. **2** 《集合》随員, 付き添い. El entierro tuvo un gran *acompañamiento*. 埋葬には大勢の参列者が立ち会った.
3 〖音楽〗伴奏(部).

acompañando 現分 ➡ acompañar.

a·com·pa·ñan·te [akompaɲánte アコンパニャンテ] 名男女 同伴者, 付添人; 〖音楽〗伴奏者.
—— 形 同伴する.

a·com·pa·ñar [akompaɲár アコンパニャル] 動他 [現分 acompañando ; 過分 acompañado,da] 〔英 accompany〕 **1 …といっしょに行く[いる] ; …に付き添う.** *acompañar* a María a su casa マリアを家まで送る. Me *acompañó* a ver una película. 彼は私が映画を見に行くのに付き合った. Siempre la *acompañan* unos chicos. 彼女はいつも男の子にかこまれている. *acompañar* a un enfermo 病人に付き添う. *acompañar* un entierro 埋葬に参列する. ir *acompañado* de 《＋uno》〈人〉を伴う.
2 (資質が) …にある; (運などが) …についてまわる. Desde joven le *acompaña* la buena suerte. 彼は若いころから幸運に恵まれている.
3 《＋**a**》…に伴う; …に添付されている. El desarrollo político no *ha acompañado al* económico. 経済成長に政治的発展が伴わなかった. El proyecto *acompañado* del presupuesto será enviado por correo. 設計書に見積りを添付して郵送いたします.
4 〖音楽〗伴奏する. *acompañar* a 《＋uno》 con el [al] piano 〈人〉の歌にピアノで伴奏する.
—— **a·com·pa·ñar·*se*** **1** 《＋**de**》…といっしょに行く[いる]. *acompañarse de* especialistas en la materia その道の専門家を同行する.
2 〖音楽〗弾き語りをする. *acompañarse* con el [al] piano ピアノで弾き語りをする.
Le acompaño en el sentimiento. まことにご愁傷さまです.

a·com·pa·sa·do, da [akompasáðo, ða アコンパサド, ダ] 過分 形 **1** リズミカルな, 規則正しい, 正確な.
2 (動作などが) ゆったりした.

a·com·pa·sar [akompasár アコンパサル] 動他 **1** 調子[テンポ]を合わせる. *acompasar* el paso a la música 音楽に歩調を合わせる. **2** 均衡させる, 釣り合わせる.

a·com·ple·jar [akomplexár アコンプレハル] 動他 コンプレックスを抱かせる.
—— **a·com·ple·jar·*se*** 《＋**por**》…にコンプレックスを抱く.

a·con·di·cio·na·mien·to [akondiθjonamjénto アコンディしオナミエント] 名男
1 整備, 下準備. *acondicionamiento* de la red de carreteras 道路網の整備.
2 調節. *acondicionamiento* del aire 空調, エア・コンディショニング.

a·con·di·cio·nar [akondiθjonár アコンディしオナル] 動他 **1** 整備する, 下準備する.
2 (空気を) 調節する.

a·con·go·jar [akoŋgoxár アコンゴハル] 動他 悲しませる, 苦しめる.
—— **a·con·go·jar·*se*** 悲しむ, 苦しむ.

a·con·se·ja·ble [akonsexáβle アコンセハブレ] 形 勧められる; 妥当な.

a·con·se·jar [akonsexár アコンセハル] 動他 〔英 advise〕 **忠告する**, 助言する; 《＋不定詞》《＋**que** 接続法》…するように勧める. Le *aconsejé* que no lo hiciera. 私は彼にそんなことをしないように忠告した. Le *aconsejo* a usted tener mucha paciencia. ここが辛抱のしどころですよ. *aconsejar* a 《＋uno》 en [sobre] … …のことで[について]〈人〉に助言を与える.
—— **a·con·se·jar·*se*** 《＋**con, de**》…に助言を求める. *Se aconsejó con* su médico. 彼は医者に診てもらった.

a·con·te·cer [akonteθér アコンテせル] 40 動自 起こる, 生じる. ► 3人称のみに活用.

a·con·te·ci·mien·to [akonteθimjénto アコンテしミエント] 名男 [複 ～s] 〔英 event〕 **出来事**; 事件 (= suceso).

a·co·pla·mien·to [akoplamjénto アコプらミエント] 名男 **1** 結合, 連結; 〖電気〗接続. *acoplamiento* de naves espaciales 宇宙船のドッキング.
2 〖機械〗継ぎ手, カップリング.

a·co·plar [akoplár アコプらル] 動他 **1** 結合する; 連結する; (家畜を) つなぐ. *acoplar* otro vagón al tren 列車にもう1車両を連結する. **2** (動物を) 交尾させる.
—— **a·co·plar·*se*** **1** 和解する.
2 交尾する.

a·co·qui·nar [akokinár アコキナル] 動他 《口語》怖がらせる.
—— **a·co·qui·nar·*se*** 《口語》怖がる. *acoquinarse* ante el enemigo 敵を前にし

ておじけづく.

a·co·ra·za·do, da [akoraθáðo, ða アコラさド, ダ] 過分 形 **1** 装甲した. **2** 動じない, 無表情の.

— 名 男 戦艦.

a·co·ra·zar [akoraθár アコラさル] [39 z → c] 動 他 装甲する.

— **a·co·ra·zar·*se*** 動じない. *acorazarse* contra las malas lenguas 世間のうわさに動じない.

acordado, da 過分 → acordar.

acordando 現分 → acordar.

a·cor·dar [akorðár アコルダル] [13 o → ue] 動 他 [現分 acordando ; 過分 acordado,da]

直説法 現在	
1·単 ***acuerdo***	1·複 **acordamos**
2·単 ***acuerdas***	2·複 **acordáis**
3·単 ***acuerda***	3·複 ***acuerdan***

1《+不定詞》…**することで合意する**, …することを決議する. *Han acordado* presentar otro candidato. 彼らは別の候補者を立てることに決めた. **2**《+不定詞》…しようと決心する. El gobierno *ha acordado* no conceder la exención. 政府は免除を与えないことに決めた.

— **a·cor·dar·*se*** 〔英 remember〕《+**de** 名詞・代名詞・不定詞・**que** などの節》…**を覚えている, 思い出す** (= recordar) (↔ olvidar(se)). No *me acuerdo de* lo que pasó. 私は何があったか記憶にない. *Me acuerdo de* que se puso muy enfadado. 私は彼がひどく腹を立てたことを思い出す. ¿*Te has acordado de* apagar la luz? 君, 忘れずに電気を消した? si mal no *me acuerdo* 私の記憶違いでなければ. ► 口語ではしばしば de が省かれる.

a·cor·de [akórðe アコルデ] 形 一致した, 符合した;《+**a, con**》…と合った, 調和した. *acorde con* las tendencias actuales 現在の傾向にマッチした.

— 名 男〘音楽〙和音, コード.

a los acordes de ... …の旋律に合わせて.

a·cor·de·ón [akorðeón アコルデオン] 名 男〘音楽〙アコーディオン.

a·cor·de·o·nis·ta [akorðeonísta アコルデオニスタ] 名 男 女 アコーディオン奏者.

a·cor·tar [akortár アコルタル] 動 他 短くする; 減じる, 縮める (↔ alargar).

a·co·sar [akosár アコサル] 動 他 追い回す; 追い詰める. *acosar* a un deudor 債務者を責めたてる. *acosar* con [a] preguntas 質問攻めにする.

a·co·so [akóso アコソ] 名 男 執拗(しつよう)な追跡[追及]. *acoso* sexual セクハラ, 性的嫌がらせ.

acostado, da 過分 → acostar.

acostando 現分 → acostar.

a·cos·tar [akostár アコスタル] [13 o → ue] 動 他 [現分 acostando, 過分 acostado, da] **1 寝かせる**; 横たえる. *acostar* a los niños 子供たちを寝かせる. *acostar* al herido en el suelo 負傷者を床に寝かせる.

2 (船を)横づけにする.

— **a·cos·tar·*se*** 〔英 go to bed; lie〕

直説法 現在	
1·単 **me** ***acuesto***	1·複 **nos acostamos**
2·単 **te** ***acuestas***	2·複 **os acostáis**
3·単 **se** ***acuesta***	3·複 **se** ***acuestan***

1 寝る; 横になる, 横たわる (↔ levantarse). Procuro *acostarme* a las once. Pero cuando hay examen, *me acuesto* más tarde. 私は11時には寝るようにしている. しかし試験の時はもっと遅い.

2《口語》(男女が) 寝る.

a·cos·tum·brar [akostumbrár アコストゥンブラル] 動 他《+**a** 名詞・不定詞》…に慣れさせる, …を習慣づける. *acostumbrar al* niño *al* nuevo ambiente 子供を新しい環境に馴染ませる. *acostumbrar* al perro *a* no ladrar demasiado 犬をあまり吠えないようにしつける.

— 動 自《+**a** 不定詞》…するのを習慣にしている, いつも…する. *Acostumbro a* levantarme temprano. 私はいつも早起きすることにしている. ► a が省略されることがある.

— **a·cos·tum·brar·*se*** 〔英 become accustomed〕《+**a** 名詞》…**に慣れる**, 適応する;《+**a** 不定詞》…**する習慣になる**. Pronto *se acostumbrarán al* clima de Japón. すぐ彼らは日本の気候に慣れるだろう. *Se ha acostumbrado a* no fumar. 彼はタバコなしですませられるようになった. No estoy *acostumbrado a* hablar en público. 私は人前で話すのに慣れていない.

a·co·ta·ción [akotaθjón アコタしオン] 名 女 **1** 区画. **2** 傍注;〘演劇〙ト書き.

a·co·tar [akotár アコタル] 動 他 **1** (土地を) 区画する; 制限する. *acotar* el campo de acción 活動範囲を制限する.

2 (余白に) 注を書き込む

á·cra·ta [ákrata アクラタ] 形 アナーキズムの. — 名 男 女 アナーキスト (= anarquista).

a·cre [ákre アクレ] 形 **1** 鼻につんとくる, 舌を刺す. **2** 辛辣(しんらつ)な, 手厳しい.

— 名 男 エーカー: 面積の単位. 4046.9平方メートル.

a·cre·cen·tar [akreθentár アクレせンタル] [42 e → ie] 動 他 増大[増加]させる. *Acrecentó* rápidamente la herencia. 彼は遺産を急速に増やしていった.

— **a·cre·cen·tar·*se*** 増大[増加]する.

a·cre·cer [akreθér アクレせル] 40 動 他 →

acrecentar.
a·cre·di·ta·do, da [akreðitáðo, ða アクレディタド, ダ] 過分 形 1 信用のある，評判のよい．2（外交官が）信任状を与えられた．
a·cre·di·tar [akreðitár アクレディタル] 動 他 1 保証する；評判を高める．Su buena fama le *ha acreditado* para las próximas elecciones. その人気で彼は次の選挙を約束されたも同然だ．
2（外交官などに）信任状を与える．
3〔商業〕貸方勘定に記入する．
―― **a·cre·di·tar·*se*** 1 評判［信用］を得る．Este restaurante es tan bueno que no tardará en *acreditarse*. このレストランはとてもおいしいのですぐにも評判になるだろう．2 信任状を提出する．
a·cre·di·ta·ti·vo, va [akreðitatíβo, βa アクレディタティボ, バ] 形 証明する，保証する．
a·cre·e·dor, do·ra [akreeðór, ðóra アクレエドル, ドラ] 形《＋**a**》…にふさわしい．*acreedor a* mi cariño 私の愛情を受けるに値する．―― 名 男 女 債権者．*acreedor* hipotecario 抵当権者．
a·cri·bi·llar [akriβiʎár アクリビリャル] 動 他 1 穴［傷］だらけにする．*acribillar* a balazos 銃弾でハチの巣にする．2 困らせる．*acribillar* a preguntas 質問攻めにする．
a·cri·mo·nia [akrimónja アクリモニア] 名 女 1 刺激臭．2 辛辣(しんらつ)．
a·cri·so·lar [akrisolár アクリソラル] 動 他 精錬する；純化［浄化］する．
a·cri·tud [akritúð アクリトゥ(ドゥ)] 名 女 ➡ acrimonia.
a·cro·ba·cia [akroβáθja アクロバしア] 名 女 曲芸，軽業，アクロバット．
a·cró·ba·ta [akróβata アクロバタ] 名 男 女 曲芸師，軽業師．
a·cro·bá·ti·co, ca [akroβátiko, ka アクロバティコ, カ] 形 曲芸の，軽業の，アクロバットめいた．
a·cro·má·ti·co, ca [akromátiko, ka アクロマティコ, カ] 形〔光〕色収差のない，色消しの（↔ cromático）.
a·cró·po·lis [akrópolis アクロポリス] 名 女（古代ギリシアの）アクロポリス．
ac·ta [ákta アクタ] 名 女［el *acta*］1 記録，議事録．levantar *acta* 議事録を作成する．
2 証書．*acta* de nacimiento 出生証明書．3〔宗〕［～s］（聖人などの）記録，殉教録．
ac·ti·tud [aktitúð アクティトゥ(ドゥ)] 名 女［複 ～es］〔英 attitude〕**態度**，姿勢．Permaneció en *actitud* pensativa. 彼は物思いに沈んでいた．¿Por qué ha tomado esa *actitud*? 彼はなぜあんな態度に出たのだろう．*actitud* agresiva [hostil] 攻撃［敵対］的な態度．➡ pose, postura.
en actitud de《＋名詞・不定詞》…するつもりで．Vino hacia nosotros *en actitud de* prestarnos ayuda. 手を貸すつもりか，彼は私たちのほうへやってきた．
activa 形 女 ➡ activo[1].
ac·ti·va·men·te [aktíβaménte アクティバメンテ] 副 活発に．
ac·ti·var [aktiβár アクティバル] 動 他 1 活気づける．*activar* el fuego 火を強める．
2 促進する．*activar* el trabajo 仕事を手早く片づける．
ac·ti·vi·dad [aktiβiðáð アクティビダ(ドゥ)] 名 女［複 ～es］〔英 activity〕1 **活動**，働き；［～s］（特定の領域での）活動，領域，業種．*actividad* volcánica 火山活動．*actividades* económicas 経済活動．
2 活気；行動力；活況．3〔化〕活性．
en actividad 活動中の，作動中の．
ac·ti·vis·ta [aktiβísta アクティビスタ] 形 活動家の．
―― 名 男 女（政党などの）活動家．
ac·ti·vo[1], va [aktíβo, βa アクティボ, バ] 形［複 ～s］〔英 active〕1 **活動的な，活発な；積極的な**（↔ pasivo）. una persona muy *activa* 行動力にあふれた人．participación *activa* 積極的な参加．
2 活性の；効きめの速い．un veneno muy *activo* 猛毒．
3 現職の．
4〔文法〕能動（態）の．voz *activa* 能動態．
ac·ti·vo[2] [aktíβo アクティボ] 名 男〔商業〕資産．*activo* y pasivo 資産と負債．
―― 動 ➡ activar.
en activo 現職の，現役の．
ac·to [ákto アクト] 名 男［複 ～s］〔英 act〕
1 **行為**，行動．*acto* instintivo 本能的行為．*acto* reflejo 反射的行動．*acto* de terrorismo テロ行為．morir en *acto* de servicio 殉職する．hacer *acto* de presencia（儀礼的に）顔を出す．
2 儀式，行事．*acto* de inauguración 開会式．*acto* de clausura 閉会式．
3〔演劇〕幕．comedia en dos *actos* 二幕の芝居．
acto seguido すぐに，直後に．
en el acto ただちに，即座に．
ac·tor [aktór アクトル] 名 男［複 ～es］〔英 actor〕1 **俳優**，役者（↔ actriz）. primer *actor* 主演男優．
2《比喩》駆け引き上手な人．Es un *actor* consumado. 彼はたいへんな役者だ．
ac·triz [aktríθ アクトゥリス] 名 女［複 actrices］〔英 actress〕**女優**（↔ actor）. primera *actriz* 主演女優．
actú- 動 ➡ actuar.［14 u ➡ ú］
ac·tua·ción [aktwaθjón アクトゥアしオン] 名 女 1 行動，行為．2 処置，手続き．*actuación* pericial 鑑定．3 演技；演奏．
ac·tual [aktwál アクトゥアル] 形［複 ～es］〔英 present〕**現在の**，現代の，今日の；現行の．técnica *actual* 現代の技術．estado *actual* 現状．
―― 名 男 今月．el 12 del *actual* 今月12日．

A

ac·tua·li·dad [aktwaliðáð アクトゥアリダ(ドゥ)] 名女 **1** 現在; 現状. en la *actualidad* 今日では. la *actualidad* política 政治の現状. **2** 現代性, 話題性. perder *actualidad* 時代遅れになる.

ac·tua·li·za·ción [aktwaliθaθjón アクトゥアリさしオン] 名女 現代化; 改定.

ac·tua·li·zar [aktwaliθár アクトゥアリさル] [39 z → c] 動他 **1** 現代化する; 改定する. *actualizar* un texto テキストを現代化する. **2** 〘コンピュータ〙 アップデートする. バージョンアップする, 更新する.

ac·tual·men·te [aktwálménte アクトゥアるメンテ] 副 現在, 今日.

ac·tuar [aktwár アクトゥアル] [14 u → ú] 動自 〔英 act〕 **1 職務を果たす**; 行動する. *actuar* como es debido 然るべく行動する. *actuar* de mediador 仲介の労を取る. **2** 作用する, (薬などが) 効く. una medicina que *actúa* como calmante 鎮痛剤として効く薬. **3** 〘映画〙〘演劇〙 演ずる; 出演する.

a·cua·re·la [akwaréla アクアレら] 名女 〘美術〙 水彩画 (= pintura a la *acuarela*). ► 油絵は (pintura al) óleo.

a·cua·re·lis·ta [akwarelísta アクアレりスタ] 名男女 水彩画家.

a·cua·rio [akwárjo アクアリオ] 名男 **1** 水槽; 水族館. **2** [A-] 〘天文〙 水瓶(みずがめ)座; 〘占星〙 宝瓶(ほうへい)宮.

a·cuá·ti·co, ca [akwátiko, ka アクアティコ, カ] 形 水生の; 水上の. ► 「陸生の」は terrestre.

a·cua·tin·ta [akwatínta アクアティンタ] 名女 〘美術〙 アクアティント (版画).

a·cu·chi·llar [akutʃiʎár アクチリャル] 動他 (ナイフで) 切りつける, 刺す.

a·cu·cian·te [akuθjánte アクしアンテ] 形 緊急の, せきたてる.

a·cu·ciar [akuθjár アクしアル] 動他 **1** 急がせる, せきたてる. **2** 熱望する. *acuciar* honor y riqueza 名誉と富を欲しがる.

a·cu·dir [akuðír アクディル] 動自 〔英 come; go〕 **1** 《+**a**》 (1) (呼ばれたりして) **…に行く[来る]; 駆けつける**. *Acudió* inmediatamente *al* despacho del director. 彼はすぐ所長の部屋に駆けつけた. *acudir a* una cita 約束の場所へ行く. *acudir al* teléfono 電話に出る. *acudir a* la puerta (ノックに答えて) 玄関に出る. ► 場所を表す語が省略されることがある. ⇒ Todos *acudieron* a salvarlos. 全員が彼らを救助しようと駆けつけた.
(2) (手段などに) 訴える; 〈人〉に頼る. *acudir a* las armas 武力に訴える. *Acudió a* mí. 彼は私に援助を求めた (► 前置詞+人称代名詞の a mí の形を用いる. Me *acudió* とはしない). no saber *a* quién *acudir* 頼る人がいない.
2 《+**con**》 …の手段を講じる. *Acudieron* a tiempo *con* el remedio [una solución]. 彼らはなんとか解決策を見いだした.

a·cue·duc·to [akweðúkto アクエドゥクト] 名男 送水路, 水道橋.

acuerd- 動 → acordar. [13 o → ue]

a·cuer·do [akwérðo アクエルド] 名男 [複 ~s] 〔英 agreement〕 **1 合意**, 同意. llegar a un *acuerdo* 合意に達する. de común *acuerdo* 合意して. previo *acuerdo* 事前の合意の上で.
2 協定, 協約 (= convenio). *acuerdo* verbal 口約束. *acuerdo* cultural 文化協定. concertar un *acuerdo* 協定を結ぶ.
3 調和; 和合, 折り合い. vivir en perfecto *acuerdo* 仲睦(なか)まじく暮らす.
4 決議; 決断. tomar un *acuerdo* de 《+不定詞》 …することに決める. **5** 正気. estar en SU *acuerdo* 正気である. volver a [en] SU *acuerdo* 正気に戻る.
—— 動 → acordar. [13 o → ue]
¡De acuerdo! 了解, オーケー.
de acuerdo con ... …に従って, …に基づいて.
estar [ponerse] de acuerdo con 《+uno》 ***en*** 《+algo》 〈人〉と〈何か〉について意見が一致している[する].

acuest- 動 → acostar. [13 o → ue]

a·cu·llá [akuʎá アクリャ] 副 あちらに[へ].

a·cu·mu·la·ción [akumulaθjón アクムらしオン] 名女 **1** 蓄積, 累積. *acumulación* de capital 資本の蓄積. **2** 兼務, 兼任.

a·cu·mu·la·dor, do·ra [akumulaðór, ðóra アクムらドル, ドラ] 形 蓄積[累積]する. —— 名男 〘機械〙〘コンピュータ〙 アキュムレータ; 〘電気〙 バッテリー.

a·cu·mu·lar [akumulár アクムらル] 動他 蓄積する, 集積する. *acumular* riquezas 富を蓄積する. *acumular* recuerdos 思い出を心にとどめる. ► 過去分詞形で使われることが多い. ⇒ riquezas *acumuladas*.
—— **a·cu·mu·lar·*se*** たまる, 集まる. *Se* nos *ha acumulado* el trabajo. 仕事がたまってしまった.

a·cu·mu·la·ti·vo, va [akumulatíβo, βa アクムらティボ, バ] 形 累積する, 利殖を生む.

a·cu·ña·ción [akuɲaθjón アクニャしオン] 名女 刻印; 鋳造.

a·cu·ñar [akuɲár アクニャル] 動他 **1** (貨幣・メダルに) 刻印する; 鋳造する. **2** (新語を) 造り出す; 定着させる. **3** …にくさびを打ち込む.

a·cuo·so, sa [akwóso, sa アクオソ, サ] 形 水の(ような); 水っぽい.

a·cu·rru·car·*se* [akur̄ukárse アクルカルセ] [8 c → qu] 動 (寒さなどで) 縮こまる. *Se acurrucó* junto al fuego. 彼は火のそばにうずくまった.

a·cu·sa·ción [akusaθjón アクサしオン] 名女 **1** 〘法律〙 告訴; 起訴 (状). acta de *acusación* 起訴状. **2** 非難, 詰問.

a·cu·sa·do, da [akusáðo, ða アクサド,

ダ] 形際立った. con *acusada* acritud いかにも無愛想に. ── 名男女被告, 容疑者.

a·cu·sa·dor, do·ra [akusaðór, ðóra アクサドル, ドラ] 形非難する, 詰問する. en tono *acusador* とがめるような口調で.
── 名男女 告発者, 告訴人; 非難者, 詰問者.

a·cu·sar [akusár アクサル] 動他〔英 accuse〕 **1** 《+**de**》…のかどで告発する; 非難する, とがめる; 訴える. *acusar* a 《+uno》 *de* robo 〈人〉を窃盗の罪で訴える.
2 示す, 表す. *Acusaba* cansancio. 彼の顔には疲労がにじみ出ていた.
── **a·cu·sar·*se*** **1** 《+**de**》…を白状する. *acusarse de* un crimen 犯行を自白する. **2** 明白になる, 判明する.
acusar el golpe 衝撃を隠しきれない; (闘技で) 苦痛に顔がゆがむ.

a·cu·sa·ti·vo [akusatíβo アクサティボ] 名男〘文法〙対格.

a·cu·se [akúse アクセ] 名男受取通知. *acuse* de recibo 受領書.
── 動➡ acusar.

a·cu·són, so·na [akusón, sóna アクソン, ソナ] 形《口語》告げ口好きの.
── 名男女 《口語》 告げ口屋; 密告者 (= soplón).

a·cús·ti·co, ca [akústiko, ka アクスティコ, カ] 形聴覚の; 音響(学)の.
── 名女音響学.

a·cu·tán·gu·lo, la [akutáŋgulo, la アクタングロ, ら] 形 〘数〙鋭角の (↔ obtusángulo).

ad- 《接頭》「近接, 付加」の意を表す. ⇒ *ad*junto, *ad*mirar など.

a·da·gio [aðáxjo アダヒオ] 名男 格言, 箴言(しんげん).

a·da·lid [aðalíð アダリ(ドゥ)] 名男 首領; 指導者.

A·dán [aðán アダン] 固名〘聖書〙アダム: 神が造った最初の男[人間].

a·dap·ta·ble [aðaptáβle アダプタブれ] 形 適合する; 融通の利く; 翻案できる.

a·dap·ta·ción [aðaptaθjón アダプタしオン] 名女 **1** 適合, 順応. *adaptación* al clima 気候[風土]への適応. **2** 翻案, 脚色; 編曲. **3** 取り付け.

a·dap·ta·dor, do·ra [aðaptaðór, ðóra アダプタドル, ドラ] 形適合する[させる].
── 名男女翻案[脚色]者, 編曲者.
── 名男アダプター.

a·dap·tar [aðaptár アダプタル] 動他 《+**a**》 **1** …に適合させる, 合わせる. *Adaptó* su lenguaje *a* los niños. 彼は子供たちに言葉遣いを合わせた.
2 翻案する, 脚色する; 編曲する. **3** 取り付ける. *adaptar* un silenciador a la pistola ピストルにサイレンサーを取り付ける.
── **a·dap·tar·*se*** 《+**a**》…に適合する, 順応する. *adaptarse a* la vida del campo 田舎の生活に順応する.

a·de·cua·do, da [aðekwáðo, ða アデクアド, ダ] 形 **1** 《+**a, para**》…に適切な; 妥当な (= apropiado). Ese traje no es *adecuado para* el niño. その服はあの子にふさわしくない.
2 十分な; 相応の. *adecuado para* el puesto 職責に耐え得る.

a. de (J.) C. 《略》 antes de (Jesu-)cristo(西暦) 紀元前 (↔ d.de (J.) C.).

A·de·la [aðéla アデら] 固名 アデラ: 女性の名.

a·de·lan·ta·do, da [aðelantáðo, ða アデらンタド, ダ] 過分形 **1** 時間が進んだ; 早くなった. Tengo el reloj un poco *adelantado*. 私の時計は少し進んでいる. **2** 前払いの. pago *adelantado* 前払い. **3** 進歩した; はかどった. país *adelantado* 先進国 (► 発展途上国は país en vías de desarrollo).
Eso tenemos [llevamos] adelantado. それはもう片付いているはずだ.
por adelantado 前もって, 前払いで.

a·de·lan·ta·mien·to [aðelantamjénto アデらンタミエント] 名男 **1** 前進; 進歩.
2 (乗り物で) 追い越し.

a·de·lan·tar [aðelantár アデらンタル] 動他〔英 advance〕 **1** 前進させる. *adelantar* la tropa 部隊を進める.
2 速める, 進ませる, 繰り上げる. *adelantar* el reloj 時計を進ませる. *adelantar* un trabajo 仕事を早める. *adelantar* un viaje 旅行を繰り上げる.
3 追い越す. *adelantar* (a) un coche 車を追い越す. ► a を伴う場合が多い.
4 前払いする.
── 動自 **1** 前進する; (時計が) 進む. *Adelantó* cuatro pasos. 彼は 4 歩前に進んだ. Mi reloj no *adelanta* ni atrasa. 僕の時計は進みも遅れもしない.
2 進歩する, 向上する. *Ha adelantado* mucho en sus estudios. 彼はずいぶん成績が上がった.
── **a·de·lan·tar·*se*** 時期が早まる, 繰り上がる; 《+**a**》…に先行する, 先取りする. ► 自の 1, 2 の意味でも使われる.
adelantar con ... …して得るところがある. ¿Qué *adelantas con* decírselo? 彼にそんなこと言って君になんの得があるの?
adelantarse al encuentro de 《+uno》〈人〉を迎えに行く.

a·de·lan·te

[aðelánte アデらンテ] 副〔英 ahead〕 前へ, 前方へ. Di un paso *adelante*. 私は一歩前へ出た. Sigue *adelante* por esta calle. この通りをまっすぐ行きなさい.
── 間投 入りなさい; 続けなさい; 前進. ¿Se puede?— ¡*Adelante*! 入ってもいいですか?—どうぞ.
── 動➡ adelantar.
de aquí [hoy] en adelante / en adelante 今後, これからは, 将来.
ir adelante 進歩する; 順調にいく.

llevar adelante 推進する; 扶養する; 繁盛させる. Es el único capaz de *llevar adelante* ese plan. その計画を推進できるのは彼だけだ.
más adelante 後で; 後段で. Véase *más adelante*, página quince. この先15ページを見よ.
sacar adelante ➡ sacar.

a·de·lan·to [aðelánto アデラント] 名男
1 (時間が) 進むこと; (予定などの) 繰り上げ. llegar con un *adelanto* de media hora 30分早く着く.
2 進歩. los *adelantos* de la ciencia 科学の進歩. **3** 前払い(金), 前渡し.
—— 動 ➡ adelantar.

a·del·fa [aðélfa アデるファ] 名女 《植物》 キョウチクトウ(夾竹桃).

a·del·ga·zar [aðelɣaθár アデるガさル] [39 z ➡ c] 動自 **a·del·ga·zar·se** やせる. *Adelgacé* tres kilos en un mes. 私は1か月で3キロやせた.
—— 動他 細くする.

a·de·mán [aðemán アデマン] 名男 [複 ademanes] **1** 身振り; 態度; 表情 (= gesto). con un *ademán* amenazador 脅すような仕草で.
2 [ademanes] 行儀. El joven es de *ademanes* bruscos. その若者は荒っぽい.
hacer ademán de ... …しそうな様子を見せる. *Hizo ademán de* coger el vaso. 彼はコップを取るような素振りを見せた.

a·de·más [aðemás アデマス] 副 [英 besides]
そのうえ, さらに. Llegó tarde, y *además*, cansado. 彼は遅く, しかも疲れきってたどり着いた.
además de ... …のほかに, …に加えて. *Además de* pobre, es feo. 彼は金もないうえ醜男(ぶおとこ)だ.

a·den·tro [aðéntro アデントゥロ] 副 [英 inside]
中へ, 中に. Vamos *adentro*. さあ, 中に入ろう. tierra *adentro* 内陸へ. ➡ dentro.
—— 名男 [～s] 心 (の奥底), 胸の内 (= fondo, interior). en [para] sus *adentros* 心の底で.

a·dep·to, ta [aðépto, ta アデプト, タ] 形 《+a, de》 …を支持する; 信奉する.
—— 名男女 支持者; 信奉者; 会員.

a·de·re·zar [aðereθár アデレさル] [39 z ➡ c] 動他 **1** 飾る. **2** 《料理》 調味する.
—— **a·de·re·zar·se** 支度を整える, 着飾る.

a·de·re·zo [aðeréθo アデレそ] 名男 **1** 身繕い; 装飾; 装身具類. **2** 《料理》 調味.

a·deu·dar [aðeuðár アデウダル] 動他
1 借金している. *adeudar* un millón de pesetas 100万ペセタの借金がある.
2 《商業》 借方に記入する.
—— **a·deu·dar·se** 借金をする.

ad·he·ren·cia [aðerénθja アデレンしア] 名女 **1** 粘着, 付着. **2** 加入; 支持. **3** 結びつき, つながり. **4** 《車》 走行安定性.

ad·he·ren·te [aðerénte アデレンテ] 形 粘着[付着]する; 付属する.
—— 名男女 支持者.

ad·he·rir [aðerír アデリル] [52 e ➡ ie, i] [現分 adhiriendo] 動他 《+a》 …にくっつける (= pegar). *adherir* un sello 切手を張る.
—— 動自 くっつく.
—— **ad·he·rir·se** 《+a》 **1** …にくっつく. **2** (政党などに) 加入する, (学説などを) 支持する.

ad·he·sión [aðesjón アデシオン] 名女
1 粘着, 付着. **2** 加入; 支持.

ad·he·si·vo, va [aðesíβo, βa アデシボ, バ] 形 粘着性の. —— 名男 接着剤.

a·di·ción [aðiθjón アディしオン] 名女 **1** 追加, 添加. **2** 添加物, 付録. **3** 《数》 足し算.

a·di·cio·nar [aðiθjonár アディしオナル] 動他 **1** 付加[添加]する.
2 《数》 足す, 加算する (↔ restar).

a·dic·to, ta [aðíkto, ta アディクト, タ] 形 《+a》 …に傾倒した; 与(くみ)する. Es muy *adicto al* partido. 彼はその党に深く共鳴している. *adicto a* la droga 麻薬を常習する.
—— 名男女 **1** 支持者. **2** (麻薬などの) 中毒者.

a·dies·tra·mien·to [aðjestramjénto アディエストゥラミエント] 名男 訓練; 調教; 練習.

a·dies·trar [aðjestrár アディエストゥラル] 動他 訓練する, 調教する.
—— **a·dies·trar·se** 《+en》 …を練習する. *adiestrarse en* el manejo del computador コンピュータの操作を練習する.

a·di·ne·ra·do, da [aðineráðo, ða アディネラド, ダ] 形 金持ちの.
—— 名男女 金持ち.

¡a·diós! [aðjós アディオス] 間投 [英 good-bye]
1 さようなら; 行ってきます, 行ってらっしゃい. ¡*Adiós*, hasta mañana! さようなら, またあした.
2 《驚きを表して》 おや, あら. ¡*Adiós*! Se apagó la luz. あれ, 電気が消えたぞ.
—— 名男 [複 adioses] 別れ (の言葉・挨拶). Es la hora del *adiós*. お別れの時間です. Me dijo *adiós* con el pañuelo. 彼女はハンカチを振って私を見送った. decir *adiós* a 《+algo》 《口語》 〈何か〉 をあきらめる.

a·di·po·so, sa [aðipóso, sa アディポソ, サ] 形 肥満した; 《解剖》 脂肪(質)の.

a·di·ta·men·to [aðitaménto アディタメント] 名男 付加物.

a·di·ti·vo, va [aðitíβo, βa, アディティボ, バ] 形 付加的な; 添加の.
—— 名男 添加物[剤].

a·di·vi·na·ción [aðiβinaθjón アディビナシオン] 名女 占い, 予言; 謎(なぞ)解き; 察知.
a·di·vi·nan·za [aðiβinánθa アディビナンさ] 名女 なぞなぞ.
a·di·vi·nar [aðiβinár アディビナル] 動他 〔英 predict〕 **1** 占う, 予言する. *adivinar* el futuro 未来を占う.
2 言い当てる, 察知する. ¡*Adivina* quién soy! 僕が誰だか当ててごらん. *adivinar* el pensamiento de 《+uno》〈人〉の心を読み取る. dejar *adivinar* ほのめかす, 暗示する.
a·di·vi·no, na [aðiβíno, na アディビノ, ナ] 名男女 占い師.
── 動 → adivinar.
ad·je·ti·var [aðxetiβár アドゥヘティバル] 動他 **1** 形容詞化する.
2 《+**de**》…と形容する.
ad·je·ti·vo, va [aðxetíβo, βa アドゥヘティボ, バ] 形 〖文法〗形容詞の.
── 名男 〖文法〗形容詞. *adjetivo* calificativo 品質形容詞. *adjetivo* demostrativo 指示形容詞. *adjetivo* interrogativo 疑問形容詞. *adjetivo* posesivo 所有形容詞. ⇨ 文法用語の解説.
ad·ju·di·ca·ción [aðxuðikaθjón アドゥフディカしオン] 名女 **1** 授与. **2** 落札; 競売.
3 裁定.
ad·ju·di·car [aðxuðikár アドゥフディカル] [⑧ c → qu] 動他 **1** (賞などを) 授与する. *adjudicar* una pensión [un premio] 年金[賞]を与える. **2** 落札させる.
3 (裁定によって) 与える.
── **ad·ju·di·car·*se*** 自分の物にする, 手に入れる.
ad·jun·tar [aðxuntár アドゥフンタル] 動他 同封する. *adjuntar* un sobre con sello 切手を張った返信用封筒を同封する.
ad·jun·to, ta [aðxúnto, ta アドゥフント, タ] 形 **1** 《+**a**》…に付属した; 隣接した; 同封した. *Adjunto* le envío un catálogo. 同封にてカタログをお送りいたします.
2 補佐の. profesor *adjunto* 准教授.
── 名男女 助手, アシスタント.
ad·mi·nis·tra·ción [aðministraθjón アドゥミニストゥラしオン] 名女 [複 administraciones] 〔英 administration〕 **1** 行政, 統治; 行政機関, 官庁. *administración* pública 行政(機構). *administración* municipal 市政.
2 管理, 運営, 経営; 管理者側, 経営陣. *administración* de bienes 財産の管理. consejo de *administración* 重役[理事, 役員]会.
ad·mi·nis·tra·dor, do·ra [aðministraðór, ðóra アドゥミニストゥラドル, ドラ] 形 管理する, 統治する.
── 名男女 **1** 行政官. *administrador* de aduanas 税関長. **2** 管理者; 経営者; (財産の) 管理人, (家計を) 切り回す人; 執事.
ad·mi·nis·trar [aðministrár アドゥミニストゥラル] 動他 **1** 管理する, 経営する, (財務を) 担当する. Su padre *administra* el hotel. 彼の父親がそのホテルを経営している.
2 統治する. El nuevo gobierno no puede *administrar* bien la región por falta de presupuesto. 新政府は予算不足のためにその地方を十分に治められない.
3 (薬を) 投与する.
── **ad·mi·nis·trar·*se*** やりくりする.
ad·mi·nis·tra·ti·vo, va [aðministratíβo, βa アドゥミニストゥラティボ, バ] 形 管理の, 経営の; 行政の. ── 名男 公務員, 職員.
ad·mi·ra·ble [aðmiráβle アドゥミラブれ] 形 感嘆すべき; すばらしい, 見事な. Ha mostrado un valor *admirable*. 彼は驚嘆すべき勇気を示した.
ad·mi·ra·ble·men·te [aðmiráβleménte アドゥミラブれメンテ] 副 すばらしく, 見事に.
ad·mi·ra·ción [aðmiraθjón アドゥミラしオン] 名女 [複 admiraciones] **1** 感嘆, 賞賛. tener [sentir] *admiración* por 《+uno》〈人〉に感心する. **2** 〖文法〗感嘆符 (¡ !) (= signo de *admiración*).
admirado, da 過分 → admirar.
ad·mi·ra·dor, do·ra [aðmiraðór, ðóra アドゥミラドル, ドラ] 形 賛美する, 崇拝する.
── 名男女 賛美者, 崇拝者; ファン.
admirando 現分 → admirar.
ad·mi·rar [aðmirár アドゥミラル] 動他 [現分 admirando; 過分 admirado,da] 〔英 admire〕
1 感嘆する, 賞賛する. *Admiro* su valor. 私は彼の勇気に感服している. *admirar* el paisaje 景色に見とれる.
2 驚かす; 不思議に思わせる. Me *admira* su insolencia. 彼の横柄さに私はびっくりしている. quedarse *admirado* 呆然(ぼうぜん)とする.
── **ad·mi·rar·*se*** 《+**de** 名詞・不定詞》《+**de que** 接続法》…に驚く. *Me admiro de que* hayas pasado el examen. 君が試験に合格したとは驚いた.
ad·mi·si·ble [aðmisíβle アドゥミシブれ] 形 容認される, 許容できる.
ad·mi·sión [aðmisjón アドゥミシオン] 名女 **1** (入場・入会などの) 許可; 合格, 採用. plazo de *admisión* 受付の期限.
2 容認, 許容.
Reservado el derecho de admisión. 《掲示》(他の客の迷惑になる場合は) 来店[入場]をお断りすることがあります.
ad·mi·tir [aðmitír アドゥミティル] 動他 〔英 admit〕 **1** 《+**en**》…に入ることを許可する. Después de un examen le *admitieron* en tercero. (編入) 試験を受けて彼は3年に入った.
2 許容する, 認める; 受け入れる, 受け付ける. No *admito* bromas. 冗談を言っている場合じゃあない. Sólo *admito* a estudiantes. 私は学生しか受け付けない. No

A

se *admiten* propinas. チップは不要です. *Admito* tu buena voluntad. 君の善意は認めます. *admitir* como legítimo 正当な権利の行使者として承認する. Esto no *admite* compromiso. このことは妥協の余地がない.
3《+**que** 直説法》…だと認める; 《+**que** 接続法》仮に…だと認める. *Admito que* no es verdad. それが真実でないと認めます. *Admitamos que* tengas razón. 君の言い分が正しいと仮定しよう. No lo haré, aun *admitiendo que* tú hayas dicho la verdad. 君が本当のことを言ったとしても僕はそれをしないよ.
4 収容できる. Esta sala sólo *admite* cien personas. このホールには100人しか収容できない.

ad·mo·ni·ción [aðmoniθjón アドゥモニしオン] 名女 説諭, 訓戒; 叱責(しっせき).

ad·mo·ni·to·rio, ria [aðmonitórjo, rja アドゥモニトリオ, リア] 形 説諭の, 訓戒の; 叱責(しっせき)の.

ADN 《略》 *á*cido *d*esoxirribo*n*ucleico デオキシリボ核酸〔英 DNA〕.

a·do·bar [aðoβár アドバル] 動他 〘料理〙 マリネーにする.

a·do·be [aðóβe アドベ] 名男 日干し[アドベ]れんが.

a·do·bo [aðóβo アドボ] 名男 〘料理〙 (油, 酢, 香辛料を混ぜた) 漬け汁, マリネード; マリネーした肉[魚].

a·doc·tri·na·mien·to [aðoktrinamjénto アドクトゥリナミエント] 名男 教育; しつけ.

a·doc·tri·nar [aðoktrinár アドクトゥリナル] 動他 《+**en**》…を教育する; しつける.

a·do·le·cer [aðoleθér アドレせル] 40 動自 《+**de**》 **1** …を患う. *adolecer de* reúma リューマチで苦しむ.
2 …という欠点[悪習]を持つ.

a·do·les·cen·cia [aðolesθénθja アドレせンしア] 名女 思春期.

a·do·les·cen·te [aðolesθénte アドレせンテ] 形 思春期の. ── 名男女 青年, 若者.

a·don·de [aðónde アドンデ] 副 《関係》《場所を表す先行詞を伴って, または先行詞なしで》…する所へ. el lugar *adonde* voy 私が行く場所. Voy *adonde* tú fuiste ayer. 私は君が昨日行った所へ行く. ►a donde とも書かれる. → donde.

a·dón·de [aðónde アドンデ] 副 《疑問》 どこへ. ¿*Adónde* va Vd.? どちらへいらっしゃるの? ►a dónde とも書かれる.

a·don·de·quie·ra [aðondekjéra アドンデキエラ] 副 《+**que** 接続法》 どこへ…しようとも. *adondequiera* que vayamos 私たちがどこへ行こうとも.

a·do·nis [aðónis アドニス] 名男 [単・複同形] **1** 美少年. **2** [A-] 〘ギリシア神話〙 アドニス: 女神 Afrodita に愛された美少年.

a·dop·ción [aðopθjón アドプしオン] 名女 **1** 採用; 採択. **2** 養子縁組.

a·dop·tar [aðoptár アドプタル] 動他 〔英 adopt〕 **1 取り入れる, 採用する.** *adoptar* una nacionalidad 国籍を取得する.
2 採択する, 可決する. *adoptar* un proyecto de ley 法案を可決する.
3 養子にする. Le adoptaron por compromiso con su difunto padre. 亡き父親との約束で彼は養子に迎えられた.

a·dop·ti·vo, va [aðoptíβo, βa アドプティボ, バ] 形 **1** 養子 (縁組) の. hijo *adoptivo* 養子. **2** 選び取った. patria *adoptiva* 帰化した国.

a·do·quín [aðokín アドキン] 名男 **1** 敷石. **2** 《口語》 とんま.

a·do·qui·na·do, da [aðokináðo, ða アドキナド, ダ] 過分 形 敷石で舗装された.
── 名男 舗装. ► アスファルト舗装は asfaltado.

a·do·qui·nar [aðokinár アドキナル] 動他 敷石で舗装する.

a·do·ra·ble [aðoráβle アドラブレ] 形 **1** 崇拝すべき. **2** かわいい.

a·do·ra·ción [aðoraθjón アドラしオン] 名女 **1** 崇拝; 礼拝. *adoración* de los Reyes (Magos) (イエス生誕のときの) 東方の三博士の礼拝. **2** 熱愛, 愛好.

a·do·ra·dor, do·ra [aðoraðór, ðóra アドラドル, ドラ] 形 崇拝する; 熱愛する.
── 名男女 崇拝者; 熱愛者.

a·do·rar [aðorár アドラル] 動他 礼拝する; 熱愛する; 愛好する.
── 動自 祈る.

a·dor·me·cer [aðormeθér アドルメせル] 40 動他 **1** 眠くする, うとうとさせる. La suavidad de la música me *adormece*. 心地よい音楽で私は眠くなる.
2 緩和する, 鎮静する; 麻痺(まひ)させる. *adormecer* los dolores 苦痛を和らげる.
── **a·dor·me·cer·se** **1** 寝入る; うとうとする. **2** 麻痺する, しびれる. *Se* me *adormecen* las piernas de estar tanto rato arrodillada. ずっと正座のしどおしで足がしびれてしまったわ.

a·dor·me·ci·mien·to [aðormeθimjénto アドルメしミエント] 名男 **1** 眠気; まどろみ.
2 麻痺(まひ), しびれ.

a·dor·mi·de·ra [aðormiðéra アドルミデラ] 名女 〘植物〙 ケシ (の実).

a·dor·mi·lar·se [aðormilárse アドルミラルセ] 動 うとうとする, うたた寝する.

a·dor·nar [aðornár アドルナル] 動他 **1** 飾る. *adornar* la sala con [de] flores 部屋を花で飾る. Las flores *adornan* la sala. 花がその部屋に美しさを添えている. ► 特に部屋に家具や美術品を置くという意味では decorar を用いる.
2 (人に) 備わっている. La *adornan* bonitas virtudes. 彼には人徳が備わっている.

a·dor·no [aðórno アドルノ] 名男 飾り, 装飾 (品).

a·do·sar [aðosár アドサル] 動他 《+**a**》 …

に寄せる，もたせ掛ける．*adosar* sillas *a* la pared 壁に椅子を寄せる．

adquier- 動 ➡ adquirir. [1 i ➡ ie]

ad·qui·rir [aðkirír アドゥキリル] [1 i ➡ ie] 動他〔英 acquire〕**1 獲得する**．*adquirir* fama 名声を博する．**2** 購入する．**3**（習慣などを）身につける；（病気に）かかる．

ad·qui·si·ción [aðkisiθjón アドゥキシしオン] 名女 **1** 獲得，入手．
2 取得物，購入品；掘り出し物．

ad·qui·si·ti·vo, va [aðkisitiβo, βa アドゥキシティボ，バ] 形 取得の．poder *adquisitivo* 購買力．

a·dre·de [aðréðe アドゥレデ] 副 故意に，わざと．Él vino *adrede* para agradecerme el favor. 彼は私に礼を言うためわざわざやって来た．

a·dre·na·li·na [aðrenalína アドゥレナりナ] 名女〖生化〗アドレナリン．

A·dria·no [aðrjáno アドゥリアノ] 固名
1 アドリアノ：男性の名．
2 ハドリアヌス：ローマ皇帝（在位117–138）．

a·driá·ti·co, ca [aðrjátiko, ka アドゥリアティコ，カ] 形 アドリア海の．Mar *Adriático* アドリア海．

ads·cri·bir [aðskriβír アドゥスクリビル] 動他〔過分 adscrito〕**1**《＋**a**》…に割り当てる．**2**（職務に）任命する，配属する．
—— **ads·cri·bir·*se***（団体・政党などに）加わる．

ads·cri·to, ta [aðskríto, ta アドゥスクリト，タ] 過分 ➡ adscribir.
—— 形 **1** 指定された．**2** 配属された．

ad·sor·ben·te [aðsorβénte アドゥソルベンテ] 形〖化〗吸着性の．
—— 名男〖化〗吸着剤．

a·dua·na [aðwána アドゥアナ] 名女 **1** 税関；税関事務所．oficial de *aduanas* 税関吏，税関職員．pasar por la *aduana* 通関する．**2** 関税（＝ derechos de *aduana*）．sin *aduana* 無関税で．

a·dua·ne·ro, ra [aðwanéro, ra アドゥアネロ，ラ] 形 税関の．
—— 名男 **1** 税関吏．**2** 密輸監視人．

a·du·cir [aðuθír アドゥしル] 12 動他 申し立てる，提示する（＝ alegar）．

a·due·ñar·*se* [aðweɲárse アドゥエニャルセ] 動《＋**de**》**1** …を自分のものにする，横領する．**2** …の心を奪う，支配する．

a·du·la·ción [aðulaθjón アドゥらしオン] 名女 へつらい，お世辞．

a·du·la·dor, do·ra [aðulaðór, ðóra アドゥらドル，ドラ] 形 お世辞の，へつらいの．
—— 名男女 おべっか使い．

a·du·lar [aðulár アドゥらル] 動他 お世辞を言う，へつらう．

a·dul·te·ra·ción [aðulteraθjón アドゥるテラしオン] 名女 混ぜ物をすること；偽造．

a·dul·te·rar [aðulterár アドゥるテラル] 動他 混ぜ物をする；偽造する．
—— 動自 姦通(かんつう)する，不義を働く．

a·dul·te·rio [aðultérjo アドゥるテリオ] 名男 **1** 姦通(かんつう)，不義．**2** 偽造．

a·dúl·te·ro, ra [aðúltero, ra アドゥるテロ，ラ] 形 姦通(かんつう)の，不義の．
—— 名男女 姦通者．

a·dul·to, ta [aðúlto, ta アドゥるト，タ] 名男女 成人，大人．
—— 形 **1** 成人した，大人の．**2** 円熟した，成熟した．una nación *adulta* 成熟した国家．

a·dus·to, ta [aðústo, ta アドゥスト，タ] 形 いかめしい；むっつりした．rostro *adusto* 険しい表情．paisaje *adusto* 殺伐とした風景．

ad·ve·ne·di·zo, za [aðβeneðíθo, θa アドゥベネディそ，さ] 形 成り上がりの；よそから来た．—— 名男女 成り上がり者；よそ者．

ad·ve·ni·mien·to [aðβenimjénto アドゥベニミエント] 名男 **1** 到来，出現．el Santo *Advenimiento* キリストの降臨．**2** 即位．
esperar el [al] santo advenimiento 首を長くして待つ．

ad·ver·bial [aðβerβjál アドゥベルビアる] 形〖文法〗副詞の．

ad·ver·bio [aðβérβjo アドゥベルビオ] 名男〖文法〗副詞．*adverbio* de lugar 場所の副詞．*adverbio* de tiempo 時の副詞．*adverbio* de modo 様態[方法]の副詞．➡ 文法用語の解説．

ad·ver·sa·rio, ria [aðβersárjo, rja アドゥベルサリオ，リア] 形 敵対する．el equipo *adversario* 相手チーム．
—— 名男女 敵対者，ライバル；反対者．

ad·ver·sa·ti·vo, va [aðβersatíβo, βa アドゥベルサティボ，バ] 形〖文法〗背反の，反意の．

ad·ver·si·dad [aðβersiðáð アドゥベルシダ(ドゥ)] 名女 **1** 逆境，不運．Se conoce a los amigos en la *adversidad*.《諺》まさかの時の友は真の友．**2** 厳しさ，過酷．

ad·ver·so, sa [aðβérso, sa アドゥベルソ，サ] 形 **1** 敵対する；逆方向の．vientos *adversos* 逆風．**2** 不利な（↔ favorable）．suerte *adversa* 不運．

ad·ver·ten·cia [aðβerténθja アドゥベルテンしア] 名女 **1** 警告；予告．sin *advertencia* 予告せずに．**2**（本などの）注意書き．

ad·ver·tir [aðβertír アドゥベルティル] [52 e ➡ ie, i] 動他〔現分 advirtiendo〕〔英 warn; notice〕**1 …について注意を促す，知らせる**，警告する．Te *advierto* que no es conveniente hacerlo ahora. いまそれをするのはまずいよ．Me *han advertido* de un posible daño. きっと被害を被るだろうと私は警告を受けた．Me *advirtió* unos errores. 彼は私にいくつかの誤りを指摘した．
2《＋**que** 接続法》…するように忠告する．Por última vez te *advierto que* no la molestes. いいか，彼女に２度とまといつくな．
3 …に気づく．*He advertido* que faltaba un libro en el estante. 私は書棚から

本が1冊なくなっていることに気づいた.

adviert- / advirt- 動 現分 → advertir. [52 e → ie, i]

ad·vo·ca·ción [aðβokaθjón アドゥボカしオン] 名 女 (教会などに冠される) 守護聖人[聖母]の名.

ad·ya·cen·te [aðjaθénte アドゥヤせンテ] 形 隣接する.

a·é·re·o, a [aéreo, a アエレオ, ア] 形 **1** 空気の, 大気の; 空中の. contaminación *aérea* 大気汚染.
2 航空 (機) の. compañía *aérea* 航空会社. línea *aérea* 航空路. ► 航空貨物は aerocargo.
3 軽い, 薄い. **4** 空想的な; 空虚な.

aero- 「空」の意を表す造語要素. ⇒ *aéreo*, *aero*nauta など.

a·e·ro·bic [aeroβík アエロビ(ク)] 名 男 《スポーツ》エアロビクス. [← [英] aerobics]

a·e·ro·bio, bia [aeróβjo, βja アエロビオ, ビア] 形 《生物》好気性の.
── 名 男 《生物》好気菌.

a·e·ro·bús [aeroβús アエロブス] 名 男 《航空》エアバス.

a·e·ro·di·ná·mi·co, ca [aeroðinámiko, ka アエロディナミコ, カ] 形 **1** 空気[航空] 力学の. **2** 流線型の.
── 名 女 空気[航空] 力学.

a·e·ró·dro·mo [aeróðromo アエロドゥロモ] 名 男 飛行場. ► 空港全域は aeropuerto.

a·e·ro·es·pa·cial [aeroespaθjál アエロエスパしアる] 形 航空宇宙の.

a·e·ro·gra·ma [aeroɣráma アエログラマ] 名 男 航空書簡, エアログラマ.

a·e·ro·li·to [aerolíto アエロリト] 名 男 《地質》(石質) 隕石(いんせき).

a·e·ró·me·tro [aerómetro アエロメトゥロ] 名 男 (気体の重量・密度を測定する) 気量計.

a·e·ro·nau·ta [aeronáuta アエロナウタ] 名 男 女 (航空機・飛行船などの) 操縦士, 乗員.

a·e·ro·náu·ti·co, ca [aeronáutiko, ka アエロナウティコ, カ] 形 航空の, 航空学 [術] の.
── 名 女 航空学 [術].

a·e·ro·na·val [aeronaβál アエロナバる] 形 海空 (軍) の. batalla *aeronaval* 海空戦.

a·e·ro·na·ve [aeronáβe アエロナベ] 名 女 飛行船. *aeronave* espacial 宇宙船.

a·e·ro·pla·no [aeropláno アエロプらノ] 名 男 飛行機, 航空機 (= avión).

a·e·ro·puer·to [aeropwérto アエロプエルト] 名 男 [複 ~s] [英 airport] **空港**, 飛行場. *aeropuerto* internacional 国際空港.

a·e·ro·sol [aerosól アエロソる] 名 男 エアゾール; 噴霧器, スプレー.

a·e·ros·tá·ti·co, ca [aerostátiko, ka アエロスタティコ, カ] 形 空気静力学の; 軽航空機用の.
── 名 女 空気静力学.

a·e·rós·ta·to [aeróstato アエロスタト] 名 男 気球, 飛行船.

a·e·ro·te·rres·tre [aeroteřéstre アエロテレストゥレ] 形 空陸軍の.

a·fa·bi·li·dad [afaβiliðáð アファビリダ(ドゥ)] 名 女 愛想のよさ; 優しさ.

a·fa·ble [afáβle アファブれ] 形 《+ **con, para, para con**》…に愛想のよい; 優しい. Antonio es *afable* con [para con] todos. アントニオは誰に対しても愛想がいい.

a·fa·ma·do, da [afamáðo, ða アファマド, ダ] 過分 形 有名な; 評判の.

a·fa·mar [afamár アファマル] 動 他 有名にする.
── **a·fa·mar·*se*** 有名[評判]になる.

a·fán [afán アファン] 名 男 [複 afanes] [英 eagerness] **1 熱心**; 熱望. trabajar con *afán* 夢中になって働く. Tiene mucho *afán* por estudiar. 彼は勉学への意欲に燃えている. poner todo SU *afán* en 《+ algo》〈何か〉に全力を傾ける.
2 [普通 afanes] 苦労, 骨折り. los *afanes* cotidianos 日々の労苦.

a·fa·nar [afanár アファナル] 動 自 励む.
── **a·fa·nar·*se*** …のために精を出す. *Se afana* por [en] encontrar trabajo. 彼は職探しに必死だ.

a·fa·no·sa·men·te [afanósaménte アファノサメンテ] 副 熱心に; 苦労して.

a·fa·no·so, sa [afanóso, sa アファノソ,

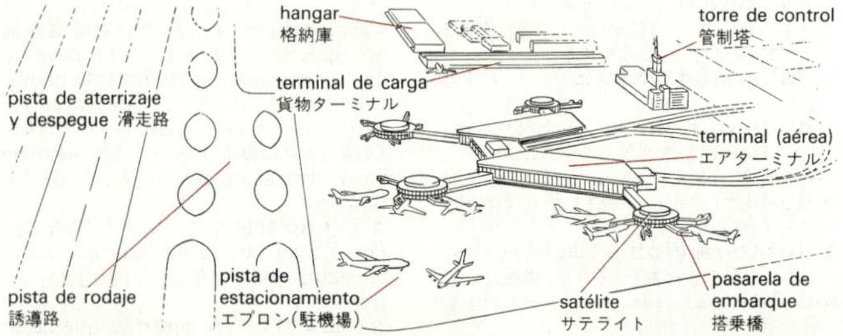

aeropuerto 空港

サ] 形 骨の折れる；熱心な.

a·fa·sia [afásja アファシア] 名女 〘医〙失語(症).

a·fe·ar [afeár アフェアル] 動他 **1** 醜くする, 損なう. **2** 非難する. *afear* a《+uno》su conducta〈人〉の行為を非難する.
—— **a·fe·ar·se** 醜くなる, 損なわれる.

a·fec·ción [afekθjón アフェクしオン] 名女 **1**〘医〙病気, 疾患. una *afección* hepática 肝臓障害. **2** 好み.

a·fec·ta·ción [afektaθjón アフェクタしオン] 名女 わざとらしさ, 気取り, 見せかけ.

a·fec·ta·do, da [afektáðo, ða アフェクタド, ダ] 過分 形 **1** わざとらしい, 気取った；偽りの, 見せかけの. ignorancia *afectada* 知らない振り. **2** 損なわれた；病気にかかった. estar *afectado* de cáncer 癌(がん)にかかっている. **3** 心を動かされた[痛めた].

a·fec·tar [afektár アフェクタル] 動他 **1** …の振りをする, …を気取る. *afectar* suma elegancia いやに上品ぶる. *afectar* la voz 声をつくる. **2** (形を) 取る. *afectar* la forma de estrella 星の形になる.
3 影響を及ぼす. Esta regla *afecta* a todos los estudiantes. この規則はすべての学生に適用される. **4** 傷つける, 害する, 損なう. El calor *ha afectado* las cosechas. この暑さで作物に被害が出た.
5 心を動かす；悲しませる. Su desgracia nos *afectó* a todos. 彼の不幸に私たちは皆心を痛めている. **6** 熱望する, 求める.
—— 動自《+a》…に関係がある；影響する；…を害する. un problema que *afecta a* la economía 経済にかかわる問題.
—— **a·fec·tar·se** 動揺する；心を痛める. Ella *se afecta* por cualquier cosa. 彼女はちょっとしたことにも傷つきやすい.

a·fec·tí·si·mo, ma [afektísimo, ma アフェクティシモ, マ] 形 [afecto の絶対最上級]《手紙》親愛なる《略 afmo., afma.》. *Afectísimo* amigo. 親愛なる友(よ).
Suyo afectísimo servidor.《手紙》敬具, 敬白.

a·fec·ti·vi·dad [afektiβiðáð アフェクティビダ(ドゥ)] 名女 感受性；感じやすさ；やさしさ.

a·fec·ti·vo, va [afektíβo, βa アフェクティボ, バ] 形 **1** 感情の, 愛情の. **2** 感じやすい, 傷つきやすい；情にもろい, 心優しい.

a·fec·to, ta [afékto, ta アフェクト, タ] 形 **1**《+a》…に傾倒する, …が好きな. La maestra es muy *afecta a* los niños. 先生はたいへん子供好きである.
2《+a》…に配属された, …付きの. un funcionario *afecto al* ministro de Trabajo 労働大臣に仕える一官僚.
—— 名男 感情；愛情；好意. tomar *afecto* a《+uno》〈人〉に好意を抱く.

a·fec·tuo·si·dad [afektwosiðáð アフェクトゥオシダ(ドゥ)] 名女 愛情, 優しさ, 好意.

a·fec·tuo·so, sa [afektwóso, sa アフェクトゥオソ, サ] 形 愛情のこもった, 優しい. Me recibe con una sonrisa *afectuosa*. 彼は愛想よくにこやかに私を迎えてくれる.

a·fei·ta·do, da [afeitáðo, ða アフェイタド, ダ] 過分 形 (ひげなどを) そった.
—— 名男 **1** そること；ひげそり.
2〘闘牛〙角の先端を切ること.

a·fei·tar [afeitár アフェイタル] 動他 **1** …のひげ[髪, 毛]をそる.
2〘闘牛〙角の先を切り落とす.
—— **a·fei·tar·se** ひげをそる. *Me afeito* todas las mañanas. 私は毎朝ひげをそる.

a·fei·te [aféite アフェイテ] 名男 **1**《古語》化粧品. ► 現代語では cosmético.
2 装い, おしゃれ.

a·fe·mi·nar [afeminár アフェミナル] 動他 (男を) 女性的にする, 男らしさを失わせる.
—— **a·fe·mi·nar·se** 女性化する.

a·fe·ren·te [aferénte アフェレンテ] 形〘解剖〙(血管が) 輸入[導入]の；(神経が) 求心性の.

a·fe·rrar [afer̄ár アフェラル] [42 e → ie] 動他 **1** つかむ, 握る (= agarrar). **2**〘海事〙(船を) 係留する, (錨(いかり)を) 降ろす.
—— 動自 **1** つかまる. **2** 固執する.
3〘海事〙(錨(いかり)が) 海底にかかる, 投錨(とうびょう)する, 停泊する.
—— **a·fe·rrar·se** **1**《+a》…にしがみつく；執着する. *aferrarse a* una idea 一つの考えに固執する. **2**〘海事〙投錨する.

af·ga·no, na [afɣáno, na アフガノ, ナ] 形 アフガニスタン Afganistán の.
—— 名男女 アフガニスタン人.
—— 名男 アフガン語.

a·fian·za·mien·to [afjanθamjénto アフィアンさミエント] 名男 **1** 保証；保釈金, 担保 (= fianza).
2 補強, 強化. el *afianzamiento* de las estructuras 建造物の補強.

a·fian·zar [afjanθár アフィアンサル] [39 z → c] 動他 **1** 保証する (= garantizar).
2 強化する；確実にする. *afianzar* las patas de una silla 椅子の脚を補強する. *afianzar* a《+uno》en su puesto〈人〉の地位を確実なものにする.
—— **a·fian·zar·se** **1** つかむ, (自分を) 安定させる. *afianzarse* en un puesto 地位を揺るぎないものにする. **2**《+en》…の正しさを確信する, 納得する.

a·fi·ción [afiθjón アフィしオン] 名女 **1** 愛好, 趣味, 愛着. ¿Cuál es su *afición*? ご趣味は何ですか. *afición* a la lectura 読書の趣味. Le tiene mucha *afición* a ese reloj. 彼はその時計に愛着を抱いている.
2《集合》(特に闘牛・サッカーの) ファン, 愛好者.
de afición 素人の, 道楽の.
por afición 趣味として, 道楽で.

a·fi·cio·na·do, da [afiθjonáðo, ða アフィしオナド, ダ] 過分 形 **1**《+a》…の好きな, …が趣味[道楽]の. *aficionado a* la carpintería 大工仕事の好きな.

A

2 素人の，アマチュアの.
―― 名男女 1 愛好家，ファン. *aficionado* al teatro 芝居好き. 2 素人，アマチュア (= amateur)(↔ profesional). partido de *aficionados* アマチュアの試合.

a·fi·cio·nar [afiθjonár アフィしオナル] 動他 《+a》…を好きにさせる.
―― **a·fi·cio·nar·se** 《+a》…が好きになる；…が趣味［習慣］になる. *aficionarse a* la pintura 絵画に熱中する.

a·fi·jo, ja [afíxo, xa アフィホ, ハ] 形 〖文法〗接辞の. ―― 名男 〖文法〗接辞. → prefijo, sufijo.

a·fi·la·dor, do·ra [afilaðór, ðóra アフィらドル, ドラ] 形 刃をつける，研ぐ.
―― 名男 1 研ぎ師［屋］.
2 研ぐ道具，革砥(かわと)，鋼砥(はがねと).
―― 名女 研磨機，研削盤，グラインダー.

a·fi·lar [afilár アフィらル] 動他 刃をつける，研ぐ；鋭くする. *afilar* el cuchillo ナイフを研ぐ. *afilar* la voz 甲高い声を出す.
―― **a·fi·lar·se** やせる，細くなる.

a·fi·lia·ción [afiljaθjón アフィりアしオン] 名女 加入，入会.

a·fi·lia·do, da [afiljáðo, ða アフィりアド, ダ] 過分 形 加入した. los países *afiliados* 加盟国.
―― 名男女 会員，加入者.

a·fi·liar [afiljár アフィりアル] 23 動他 加入させる.
―― **a·fi·liar·se** 《+a》…に加入する，…の一員になる. *afiliarse a* un partito ある政党に入党する.

a·fi·li·gra·na·do, da [afiliɣranáðo, ða アフィりグラナド, ダ] 過分 形 1 金［銀］線細工の. 2 繊細な，優美な.

a·fi·li·gra·nar [afiliɣranár アフィりグラナル] 動他 1 金［銀］線細工を施す.
2 洗練する，磨く (= pulir).

a·fín [afín アフィン] 形 1 隣接の. campos *afines* 隣の畑.
2 類似の；関連する. ideas *afines* 似たような考え. palabras *afines* 関連語.

a·fi·nar [afinár アフィナル] 動他 1 (金属を) 精錬する；(人を) 洗練する. 2 〖音楽〗(楽器を) 調律する. *afinar* un piano ピアノを調律する. 3 仕上げる (= acabar).
―― 動自 1 的を射る，正確である.
2 〖音楽〗調子を外さずに演奏する.

a·fin·car [afiŋkár アフィンカル] [8 c → qu] 動他 定住させる.
―― **a·fin·car·se** 定住する.

a·fi·ni·dad [afiniðáð アフィニダ(ドゥ)] 名女 1 類似 (性) (= semejanza). 2 姻戚(いんせき) (関係) (= parentesco por *afinidad*).

a·fir·ma·ción [afirmaθjón アフィルマしオン] 名女 1 肯定，断言，言明. *afirmación* atrevida 大胆な主張. 2 固定，補強.

a·fir·mar [afirmár アフィルマル] 動他 〔英 affirm〕 1 **断言する**，…とはっきり言う；**肯定する** (↔ negar). *Afirmó* que era verdad. それは本当だと彼は言った. *Afirmó* haberlo visto en el tren. 彼は電車の中で確かにそれを見たと言った.
2 固定する，補充する.
―― **a·fir·mar·se** 《+en》 1 (所信を) 強める. *Se afirmó en* lo que había dicho antes. 彼は自説を曲げなかった.
2 しっかりと立つ. *afirmarse en* los estribos 鐙(あぶみ)をしっかり踏まえる.

a·fir·ma·ti·vo, va [afirmatíβo, βa アフィルマティボ, バ] 形 賛成の，肯定的な；断定的な (↔ negativo). respuesta *afirmativa* 賛意.
―― 名女 肯定，賛成.
en caso afirmativo もしそのようなら；賛成の場合.

a·flic·ción [aflikθjón アフりクしオン] 名女 苦痛；悲しみ，苦悩.

a·flic·ti·vo, va [afliktíβo, βa アフりクティボ, バ] 形 苦痛を与える，痛ましい，悲惨な. pena *aflictiva* 〖法律〗体刑.

a·fli·gir [aflixír アフりヒル] [19 g → j] 動他 苦しめる；悲しませる.
―― **a·fli·gir·se** 苦しむ，嘆き悲しむ. *afligirse* de [con, por] 《+algo》〈何か〉に苦しむ，〈何か〉で悲嘆に暮れる.

a·flo·jar [afloxár アフろハル] 動他 1 緩める；緩和する. *aflojar* el freno ブレーキを緩める. *aflojar* un nudo 結び目を緩める. *aflojar* el paso 歩調を緩める；ペースを落とす. 2 《口語》(金を) しぶしぶ出す.
―― 動自 1 緩む；衰える. El calor *ha aflojado*. 暑さも和らいだ. *aflojar* la fiebre 熱が下がる.
2 関心［意欲］が薄れる. *aflojar* en el estudio 勉強に身が入らない.
―― **a·flo·jar·se** 1 (自分の…を) 緩める. *aflojarse* el cinturón ベルトを緩める.
2 衰える，薄れる.

a·flo·rar [aflorár アフろラル] 動自 (隠れているものが) 表面化する，顔をのぞかせる. En algunos sitios de la obra *aflora* un pensamiento original. 作品のそこここに独創的な考えが散見される.
―― 動他 篩(ふるい)にかける.

a·fluen·cia [aflwénθja アフるエンしア] 名女 1 人［物］の流れ，流入. *afluencia* de espectadores 引きも切らぬ観客. la *afluencia* de refugiados al país その国へ殺到する亡命者たち. 2 豊富. 3 流暢(りゅうちょう).

a·fluen·te [aflwénte アフるエンテ] 形 1 (川が) 流入する，(道が) 合流する. 2 能弁な.
―― 名男 支流.

a·fluir [aflwír アフるイル] 29 動自 〔現分 afluyendo〕 1 流れ込む；合流する. Este río *afluye* al Tajo. この川はタホ川に合流する.
2 押し寄せる. La gente *afluye* a las calles. 人々が通りにあふれる.
3 (道が) 通じる. La calle del Arenal *afluye* a la Puerta del Sol. アレナル通り

はプエルタデルソルに通じている.

a·flu·jo [aflúxo アフるホ] 名男 (液体の) 流れ, 流量. *aflujo* de sangre 〔医〕充血.

afmo., afma. 《略》 afectísimo, ma 親愛なる.

a·fo·ní·a [afonía アフォニア] 名女 〔医〕失声症, 無声症.

a·fó·ni·co, ca [afóniko, ka アフォニコ, カ] / **á·fo·no, na** [áfono, na アフォノ,ナ] 形 **1** 失声症の. **2** 無声の; 無音の. volverse *afónico* 声が出なくなる.

a·fo·ris·mo [aforísmo アフォリスモ] 名男 アフォリズム, 金言, 箴言(しんげん).

a·fo·ro [afóro アフォロ] 名男 **1** 測定 (値); 査定 (価格). **2** 流水量. el *aforo* de un río 川の流水量. **3** 収容能力. Este teatro no tiene más que un *aforo* de quinientas personas. この劇場は500人しか収容できない.

a·for·tu·na·da·men·te [afortunáðaménte アフォルトゥナダメンテ] 副 幸いにも, 運よく.

a·for·tu·na·do, da [afortunáðo, ða アフォルトゥナド, ダ] 形 幸せな; 恵まれた. una coincidencia *afortunada* 偶然の一致. Fue una decisión *afortunada*. それはいい決断だった.
— 名男女 運のよい人, 幸運な人.

a·fran·ce·sa·do, da [afranθesáðo, ða アフランせサド, ダ] 形 フランスびいき[支持]の; フランスかぶれの.
— 名男女 フランスびいき; 〔歴史〕親仏派: スペイン独立戦争 (1808–14) 当時の Napoleón 支持者.

a·fren·ta [afrénta アフレンタ] 名女 **1** 侮辱, 無礼な言動. hacer *afrenta* a 《+uno》〈人〉を辱める. **2** 不名誉; 恥辱. El último escándalo financiero es una *afrenta* para toda la nación. 最近の金融スキャンダルは国民全体にとって不名誉なことだ.

a·fren·tar [afrentár アフレンタル] 動他 侮辱する; 感情を害させる (= ofender). Nos *afrentan* a todos sus palabras injustas. 彼の不当な発言は我々みんなを不愉快にする.

Á·fri·ca [áfrika アフリカ] 固名 アフリカ.

a·fri·ca·no, na [afrikáno, na アフリカノ, ナ] 形 アフリカの.
— 名男女 アフリカ人.

a·fro·a·me·ri·ca·no, na [afroamerikáno, na アフロアメリカノ, ナ] 形 アメリカ黒人の.

a·fro·a·siá·ti·co, ca [afroasjátiko, ka アフロアシアティコ, カ] 形 アジア・アフリカの. países *afroasiáticos* AA諸国.

a·fro·cu·ba·no, na [afrokuβáno, na アフロクバノ, ナ] 形 キューバ黒人の. música *afrocubana* アフロキューバン音楽.

a·fro·di·sia·co, ca [afroðisjáko, ka アフロディシアコ, カ] / **a·fro·di·sía·co, ca** [-síako, ka -シアコ, カ] 形 催淫(さいいん)的な, 性欲を起こさせる.
— 名男 媚薬(びやく), 催淫剤.

A·fro·di·ta [afroðíta アフロディタ] 名女 〔ギリシア神話〕アフロディテ: 愛と美の女神. ローマ神話の Venus.

a·fron·tar [afrontár アフロンタル] 動他 **1** 立ち向かう, 直面する. *afrontar* al enemigo 敵に立ち向かう. **2** 対決させる; 向かい合わせにする. *afrontar* dos testigos ふたりの証人を対決させる.

a·fue·ra [afwéra アフエラ] 副 〔英 out, outside〕

外に, 外で, 外側に, 外へ (↔ adentro). Váyase *afuera*. 出て行きなさい. *Afuera* hace más frío. 外はもっと寒い. Vengo de *afuera*. 私は外から来た. por *afuera* 外に, 外側へ.
— 間投 出て行け.
— 名女 [複 ~s] 〔英 suburbs〕 [~s] 郊外. las *afueras* de Barcelona バルセロナ郊外.

a·ga·char [aɣatʃár アガチャル] 動他 (身を) かがめる, (頭を) 低くする. *agachar* la cabeza 頭を下げる.
— **a·ga·char·*se*** かがむ. Si no *te agachas* te das con el dintel. 頭を低くしないと鴨居(かもい)にぶつかるぞ.

a·ga·lla [aɣáʎa アガリャ] 名女 **1** 〔植物〕虫こぶ, 癭瘤(えいりゅう). **2** (魚の) 鰓(えら).
3 [普通 ~s] 《口語》勇気, 気力.

A·ga·me(m)·nón [aɣame(m)nón アガメ(ム)ノン] 固名 〔ギリシア神話〕アガメムノン: ミュケナイの王. トロヤ戦争のギリシア軍の総大将.

á·ga·pe [áɣape アガペ] 名男 **1** 愛餐(あいさん): 初期キリスト教徒の最後の晩餐をしのぶ共同食事. **2** 宴会, 宴 (= banquete).

a·ga·rra·da [aɣar̄aða アガラダ] 名女
1 《口語》取っ組み合い; 言い争い.
2 〔スポ〕タックル.

a·ga·rra·de·ro [aɣar̄aðéro アガラデロ] 名男 **1** 取っ手, 柄; 鉤(かぎ), フック.
2 [~s] 手づる, コネ.

a·ga·rra·do, da [aɣar̄aðo, ða アガラド, ダ] 形 **1** 捕まった, しがみついた. *agarrados* del brazo 腕を組み合って. **2** いい手づる[コネ]を持った. **3** 《口語》けちな (= avaro). — 名男女 けちな人.
— 名男 チークダンス.

a·ga·rrar [aɣar̄ár アガラル] 動他 〔英 grab〕 **1** **つかむ**. *agarrar* a 《+uno》 de [por] la manga 〈人〉の袖(そで)をつかむ. *agarrar* un palo 棒切れをつかむ.
2 手に入れる. *agarrar* una colocación 職にありつく.
3 (病気に) かかる; (睡魔などが) 襲う. *agarrar* un resfriado 風邪をひく. Me *agarró* el sueño. 途端に私は眠くなった.
— 動自 (植物などが) 根づく.
— **a·garrar·*se*** **1** 《+**a, de**》…につか

まる, しがみつく. *agarrarse a* las ramas de un árbol 木の枝につかまる.
2 根づく; こびりつく; (病気などが) 取りつく. *agarrarse* una fiebre 熱が出る.
3 つかみ合いのけんかをする. Los dos amigos *se agarraron* a golpes. 2人の友人は取っ組み合いのけんかを始めた.

a·ga·rro·ta·mien·to [aɣar̄otamjénto アガロタミエント] 名男 **1** 縛ること; がんじがらめ.
2 (筋肉などの) 硬化, しびれ.

a·ga·rro·tar [aɣar̄otár アガロタル] 動他 **1** しっかり縛る; 締めつける. **2** (筋肉などを) 固くする; しびれさせる. La falta de ejercicio le *ha agarrotado* las piernas. 彼は運動不足で脚が固くなってしまった.
—— **a·ga·rro·tar·*se*** **1** (筋肉などが) こわばる; しびれる. Con el frío *se* me *agarrotaron* manos y pies. 寒さで手足がかじかんでしまった. **2** 〘機械〙(エンジンなどが) 焼き付く, 動かなくなる.

a·ga·sa·jar [aɣasaxár アガサハル] 動他 歓迎する; 手厚くもてなす; ごちそうする.

a·ga·sa·jo [aɣasáxo アガサホ] 名男 **1** 温かいもてなし, 歓待; 接待.
2 贈り物, プレゼント.

á·ga·ta [áɣata アガタ] 名女 [el *ágata*] 〘鉱物〙瑪瑙(めのう).

a·ga·vi·llar [aɣaβiʎár アガビリャル] 動他 **1** 束ねる. *agavillar* la mies 実った穂を束ねる. **2** (人を) 集める, 一団にまとめる.
—— **a·ga·vi·llar·*se*** (人々が) 集まる, 一団になる.

a·ga·za·par·*se* [aɣaθapárse アガさパルセ] 動 (隠れるように) うずくまる. El halcón en vuelo descubrió una liebre que *se agazapaba* entre las hierbas. 飛んでいるタカが草むらにうずくまるウサギを見つけた.

a·gen·cia [axénθja アヘンしア] 名女 代理店, 取次店. *agencia* de viajes 旅行代理店. *agencia* de publicidad 広告代理店. *agencia* de noticias 通信社. *agencia* inmobiliaria 不動産仲介業.

a·gen·ciar [axenθjár アヘンしアル] 動他 **1** 世話する, 提供する. Mi tío me *agenció* un buen empleo. 叔父がよい勤め先を世話してくれた. **2** 働きかける, 奔走する.
—— **a·gen·ciar·*se*** **1** 《+**para** 不定詞》工夫して…する. Yo *me agenciaré para* tener contacto con él. なんとかして彼とコンタクトを取ってみるよ. **2** うまく手に入れる. *agenciarse* una buena colocación よい就職先を自分で見つける.
agenciárselas なんとかやってみる.

a·gen·da [axénda アヘンダ] 名女 **1** (日付入りの) 手帳, 備忘録.
2 当日の仕事, 日程.

a·gen·te [axénte アヘンテ] 形 作用する, 動因の, 行為者の.
—— 名男 **1** 代行人, 代理[仲介]業者. *agente* de aduanas 通関業者. *agente* de bolsa [de cambio, de cambio y bolsa] 証券業者. *agente* de seguros 保険代理業者. *agente* de transportes 運送業者. *agente* inmobiliario 不動産業者.
2 情報員, スパイ, 特務員 (= espía). *agente* secreto 秘密情報員.
3 警官; 捜査官; 役人. *agente* de policía 警官. **4** 動因, 作因; 媒介物; 薬剤. *agente* químico 化学薬剤.
5 〘文法〙動作主. ⇨ 文法用語の解説.

a·gi·gan·tar [axiɣantár アヒガンタル] 動他 大きくする, 大げさにする. El microscopio *agiganta* las imágenes. 顕微鏡は物の形を大きく見せる.

á·gil [áxil アヒる] 形 **1** 敏捷(びんしょう)な, すばしっこい. Mi abuelo está todavía muy *ágil*. うちのおじいさんはまだ体がよく動く.
2 鋭敏な, 頭の回転が速い.

a·gi·li·dad [axiliðáð アヒリダ(ドゥ)] 名女 敏捷(びんしょう); 鋭敏さ. tener mucha *agilidad* en los negocios 商才にたけている.

a·gi·ta·ción [axitaθjón アヒタしオン] 名女 **1** 振ること, 揺れ. *agitación* de bandera 旗のはためき. **2** ひしめき, 喧噪(けんそう). la *agitación* de la muchedumbre ひしめき合う群衆. **3** 不安, 胸騒ぎ. semblar la *agitación* en el ánimo de 《+uno》〈人〉に不安を起こさせる. **4** 騒乱; 扇動; アジ演説.

a·gi·ta·dor, do·ra [axitaðór, ðóra アヒタドル, ドラ] 形 攪拌(かくはん)する; 揺り動かす.
—— 名男女 扇動者.
—— 名男 〘機械〙攪拌機, ミキサー. ► 料理用のミキサーは batidora.

a·gi·ta·na·do, da [axitanáðo, ða アヒタナド, ダ] 形 ジプシーのような, ジプシーふうの.

a·gi·tar [axitár アヒタル] 動他 **1** 振る, 振り動かす. *agitar* una botella 瓶を振る. *agitar* un pañuelo. ハンカチを振る.
2 扇動する; 動揺させる. El político *agitó* a los obreros. その政治家は労働者たちをアジった. *agitar* el ánimo de 《+uno》〈人〉の心を揺さぶる.
—— **a·gi·tar·*se*** **1** 揺れ動く. Con una ráfaga de viento *se agitaron* las llamas de las velas. 一陣の風にろうそくの炎が揺れた. **2** 動揺する, 胸が騒ぐ. *Se agitó* por la tardanza de su marido. 彼女は夫の帰りの遅いのに不安を抱いた.

a·glo·me·ra·ción [aɣlomeraθjón アグろメラしオン] 名女 塊; 群集. *aglomeración* de tráfico 交通渋滞. *aglomeración* de gente 黒山のような人だかり.

a·glo·me·ra·do, da [aɣlomeráðo, ða アグろメラド, ダ] 形 塊になった, 寄り集まった.
—— 名男 **1** 練炭.
2 〘建築〙ブロック; 合板.

a·glo·me·rar [aɣlomerár アグろメラル] 動他 寄せ集める, 塊にする.
—— **a·glo·me·rar·*se*** 塊になる; 群がる. Los curiosos *se aglomeran* en la plaza. 広場に野次馬が群がる.

a·glu·ti·na·ción [aɣlutinaθjón アグるティナしオン] 名女 **1** 接着，接合.
2〘医〙癒着;（細菌・血球の）凝集;〘言語〙膠着(こうちゃく).

a·glu·ti·nan·te [aɣlutinánte アグるティナンテ] 形 接着[接合]させる; 癒着させる，凝集させる. lengua *aglutinante*〘言語〙膠着(こうちゃく)言語.
── 名男 接着剤; 接合材;〘医〙(手術用の)接合剤.

a·glu·ti·nar [aɣlutinár アグるティナル] 動他 **1** 接着する; 一体化させる.
2〘医〙癒着させる.
── **a·glu·ti·nar·*se*** **1** 接着する; 一体化する.
2 癒着する. *aglutinarse* los labios de la herida 傷口が癒着する.

ag·nos·ti·cis·mo [aɣnostiθísmo アグノスティしスモ] 名男〘哲〙不可知論.

ag·nós·ti·co, ca [aɣnóstiko, ka アグノスティコ，カ] 形 不可知論(者)の.
── 名男女 不可知論者.

a·go·bia·do, da [aɣoβjáðo, ða アゴビアド，ダ] 過分 形 **1** 前かがみの，重荷を負った. *agobiado* por los años 寄る年波で腰が曲がった. **2** 疲れきった (= fatigado).

a·go·bian·te [aɣoβjánte アゴビアンテ] 形 苦労の多い，耐えがたい，手に負えない. tarea *agobiante* 簡単には片づかない仕事. calor *agobiante* やりきれない暑さ.

a·go·biar [aɣoβjár アゴビアル] 動他 **1** 前かがみにさせる; 重荷を負わせる. Le *agobian* las responsabilidades. 彼は責任を重く感じている. **2** 疲労困憊(こんぱい)させる.
── **a·go·biar·*se*** **1** 腰が曲がる; あえぐ.
2《+**por**, **con**》…に忙殺される，疲れ果てる.

a·go·bio [aɣóβjo アゴビオ] 名男 **1** 重荷，重圧. Ya no puedo soportar el *agobio* de tanta responsabilidad. 私はもはやこの重責には耐えられない.
2 疲労困憊(こんぱい); 苦悩; 息苦しさ.

a·gol·pa·mien·to [aɣolpamjénto アゴるパミエント] 名男 集中; 殺到.

a·gol·par [aɣolpár アゴるパル] 動他 寄せ集める，集中させる.
── **a·gol·par·*se*** **1** 押し寄せる，殺到する. Muchos curiosos *se agolparon* para ver lo que pasaba. 大勢の野次馬が何事かと集まった.
2 一時に起こる. *Se* me *agolpaban* las ideas. 一時にいろんな考えが頭に浮かんだ.

a·go·ní·a [aɣonía アゴニア] 名女 **1** 断末魔の苦しみ; 終焉(しゅうえん). estar en (plena) *agonía* 今わの際にある. **2** 切ない願い.

a·gó·ni·co, ca [aɣóniko, ka アゴニコ，カ] 形 臨終の; 末期の，終焉(しゅうえん)の. estar *agónico* 死にかけている.

a·go·ni·zan·te [aɣoniθánte アゴニさンテ] 形 瀕死(ひんし)の，臨終の. civilización *agonizante* 終焉(しゅうえん)に向かう文明. luz *agonizante* 弱々しい明かり.
── 名男女 臨終の人，死にかけている人.
── 名男〘カトリック〙臨終の儀を司る司祭.

a·go·ni·zar [aɣoniθár アゴニさル] [39 z → c] 動自 死に瀕(ひん)する，末期[終焉(しゅうえん)]を迎える.

á·go·ra [áɣora アゴラ] 名女 [el *ágora*]〘歴史〙(古代ギリシアの) 市民広場; 市民集会.

a·gos·to [aɣósto アゴスト] 名男 [複 ~s]〔英 August〕
1 8月《略 ago.》. → mes【参考】.
2 収穫期.
hacer* SU *agosto《口語》荒稼ぎする.

a·go·ta·dor, do·ra [aɣotaðór, ðóra アゴタドル，ドラ] 形 枯渇させる; 疲れさせる.

a·go·ta·mien·to [aɣotamjénto アゴタミエント] 名男 **1** 枯渇; 品切れ.
2 疲労，衰弱.

a·go·tar [aɣotár アゴタル] 動他 **1** 空にする; 使いきる. *agotar* una cisterna タンクを空にする. *agotar* las existencias 在庫品を一掃する.
2 疲れさせる，消耗させる.
── **a·go·tar·*se*** **1** 尽きる，枯渇する. *Se ha agotado* el agua del pozo. 井戸の水は涸れてしまった.
2 疲れ果てる，へとへとになる.

a·gra·cia·do, da [aɣraθjáðo, ða アグラしアド，ダ] 過分 形 **1** 愛らしい; 優雅な. **2** 当選した; 恵まれた. billete *agraciado* [no *agraciado*] 当たり[外れ]くじ. Está *agraciado* por la suerte. 彼はついている.
── 名男女 当選者.

a·gra·da·ble [aɣraðáβle アグラダブれ] 形 [複 ~s]〔英 agreeable〕**快い**，快適な; 愉快な，**楽しい**; 感じのいい. Es *agradable* tomar una ducha caliente. 熱いシャワーを浴びるのは快い. *agradable* al gusto 美味な. *agradable* a la vista 目を楽しませる. Es una persona muy *agradable*. その人はとても感じのいい人だ.

a·gra·da·ble·men·te [aɣraðáβleménte アグラダブれメンテ] 副 快適に; 愉快に.

a·gra·dar [aɣraðár アグラダル] 動自《3人称で用いられ，間接目的語が意味上の主語となる》…が気に入る，楽しい. Esta comedia me *agrada* mucho. 私はこのお芝居がとても気に入っている. si le *agrada* もしよろしければ. No me *agrada* decírtelo. 君にこんなことを言わなければならないとは残念だ.

a·gra·de·cer [aɣraðeθér アグラデせル] 40 動他〔英 thank〕**1** **感謝する**. Le *agradezco* su preocupación. ご配慮いただいてありがとうございます. ► 従属節では動詞は接続法となる. ⇒ Te *agradeceré* que vengas a verme. 会いに来てくれるとありがたいんだが.
2 (恩恵に) 報いる.

A

¡Se agradece! それはありがたい.

a·gra·de·ci·mien·to [aɣraðeθimjénto アグラデしミエント] 名男 [複 ～s] 〔英 gratitude〕 **感謝**. en señal de *agradecimiento* 感謝のしるしとして. expresar SU *agradecimiento* 謝意を表す.

agradezc- 動→ agradecer. 40

a·gra·do [aɣráðo アグラド] 名男 **1** 喜び, 楽しみ. hallar *agrado* en《＋不定詞》…して楽しむ. **2** 愛想のよさ, 親切 (＝ afabilidad). Trataba con *agrado* a sus subordinados. 彼は部下を優しく扱った.

con agrado 喜んで, 快く.

a·gran·da·mien·to [aɣrandamjénto アグランダミエント] 名男 増大, 拡大; 誇張.

a·gran·dar [aɣrandár アグランダル] 動他 **1** 大きくする, 拡大[拡張]する. *agrandar* una casa 増築する. *agrandar* la diferencia 相違[溝]を広げる.
2 誇張する. *agrandar* los defectos 欠点を大げさに言う.
── **a·gran·dar·*se*** 大きくなる.

a·gra·rio, ria [aɣrárjo, rja アグラリオ, リア] 形 農業の; 農地の. ley *agraria* 農地法.

a·gra·vio [aɣráβjo アグラビオ] 名男 **1** 侮辱, 無礼. deshacer *agravios* 屈辱を晴らす. **2** 損害, 不利益.

a·gre·ga·ción [aɣreɣaθjón アグレガしオン] 名女 集合; 集団; 付加, 加入.

a·gre·ga·do, da [aɣreɣáðo, ða アグレガド, ダ] 名男女 **1** (在外公館付きの) 外交官. *agregado* comercial 商務官. *agregado* cultural 文化担当官. *agregado* naval 海軍武官. **2** 付加物; 集合体.

a·gre·gar [aɣreɣár アグレガル] [32 g → gu] 動他 **1** 加える, 追加する; 書き足す. *agregar* cinco a seis 6に5を足す.
2《＋a》(臨時に) …に任命する; 配属する. *agregar* a《＋uno》*a* la dirección〈人〉を管理職の一員にする.

a·gre·sión [aɣresjón アグレシオン] 名女 攻撃; 侵略; 侵害.

a·gre·si·vi·dad [aɣresiβiðáð アグレシビダ(ドゥ)] 名女 攻撃性.

a·gre·si·vo, va [aɣresíβo, βa アグレシボ, バ] 形 攻撃的な; 侵略的な.

a·gre·sor, so·ra [aɣresór, sóra アグレソル, ソラ] 形 攻撃する, 侵略の. el ejército *agresor* 侵入軍.
── 名男女 攻撃者; 侵略者.

a·gria·men·te [áɣriaménte アグリアメンテ] 副 無愛想に; 辛辣に.

a·griar [aɣrjár アグリアル] [23 i → í] 動他 **1** 酸っぱくする. **2** 気難しくさせる.
── **a·griar·*se*** **1** 酸っぱくなる. **2** 気難しくなる.

a·grí·co·la [aɣríkola アグリコら] 形 農業の, 農耕の. producción *agrícola* 農業生産. población *agrícola* 農業人口.

a·gri·cul·tor, to·ra [aɣrikultór, tóra アグリクるトル, トラ] 名男女 農民.

a·gri·cul·tu·ra [aɣrikultúra アグリクるトゥラ] 名女 〔英 agriculture〕 **農業**, 農耕; 農芸, 農事.

a·gri·dul·ce [aɣriðúlθe アグリドゥるせ] 形 **1** 甘酸っぱい. **2**《比喩》ほろ苦い.

a·grie·tar [aɣrjetár アグリエタル] 動他 亀裂(きれつ)を生じさせる; (皮膚・唇に) ひび[あかぎれ]を切らせる.
── **a·grie·tar·*se*** 亀裂が生じる; ひび[あかぎれ]が切れる.

a·gri·men·sor [aɣrimensór アグリメンソル] 名男 測量技師.

a·gri·men·su·ra [aɣrimensúra アグリメンスラ] 名女 測量.

a·grio, gria [áɣrjo, ɣrja アグリオ, グリア] 形 **1** 酸っぱい, 酸味のある. volverse *agrio* 酸っぱくなる. → sabor【参考】. **2** 無愛想な; 気難しい. con una voz *agria* とげとげしい声で. **3** 辛辣(しんらつ)な; 苛酷(かこく)な. crítica *agria* 厳しい批判.
── 名男 [普通 ～s] 柑橘(かんきつ)類.

a·gri·sa·do, da [aɣrisáðo, ða アグリサド, ダ] 形 灰色の, 灰色がかった.

agro- 「土壌, 農業」の意を表す造語要素. ⇀ *agró*nomo, *agri*cultura など.

a·gro·no·mí·a [aɣronomía アグロノミア] 名女 農学.

a·gró·no·mo, ma [aɣrónomo, ma アグロノモ, マ] 形 農学の. ingeniero *agrónomo* 農業技師. ── 名男女 農学者.

a·gro·pe·cua·rio, ria [aɣropekwárjo, rja アグロペクアリオ, リア] 形 農牧の. productos *agropecuarios* 農畜産物.

a·gru·pa·ción [aɣrupaθjón アグルパしオン] 名女 **1** グループ分け.
2 団体. *agrupación* coral 合唱団.

a·gru·par [aɣrupár アグルパル] 動他 (グループ別に) 集める, まとめる. *agrupar* los libros por temas テーマ別に本をまとめる.
── **a·gru·par·*se*** 集まる, グループになる.

a·gua [áɣwa アグア] 名女 [el *agua*] [複 ～s] 〔英 water〕
1 **水**; 湯. Me bebí un vaso de *agua*. 私はコップ1杯の水を飲んだ. Derramé el *agua* del termo. 魔法瓶の湯をこぼしてしまった. *agua* caliente 湯. *agua* corriente 流水, 水道水. *agua* destilada 蒸留水. *agua* dulce 淡水, 真水. *agua* mineral ミネラルウォーター. *agua* potable 飲料水. *agua* salada 塩水, 海水. *agua* sucia 汚水.
2 (特殊な用途の) 水, 液体, 水溶液. *agua* bendita 聖水. *agua* de colonia オーデコロン. *agua* de lejía 漂白液. *agua* oxigenada オキシドール.
3 分泌液, 排泄(はいせつ)物. *aguas* mayores [menores] 大[小]便. hacer *aguas* 放尿する. estar hecho un *agua* 汗びっしょりである.
4 雨. *agua* pluvial [de lluvia] 雨水.

agua nieve みぞれ. *agua* viento 吹き降り.
5 [～s] 海; 海域. *aguas* jurisdiccionales [territoriales] 領海. en *aguas* de Cuba キューバ近海で.
6 [～s] 鉱泉. *aguas* termales 温泉. tomar las *aguas* 湯治に行く, 鉱泉水を飲む.
7 (屋根の) 斜面.
8 [～s] (宝石の) 輝き. **9** [～s] 航跡.
agua(s) abajo 下流に[へ].
agua(s) arriba 上流に[へ].
estar con el agua al cuello 困り果てている; 金欠である.
hacerse la boca agua a 《+uno》 よだれが出る, 欲しくなる.
irse al agua 駄目になる, 失敗する.
llevar el agua a SU ***molino*** 我が田へ水を引く.
nadar entre dos aguas ああでもないこうでもないと迷う.
volver las aguas por donde solían ir 元どおりになる; 元の鞘(さや)に収まる.

a·gua·ca·te [aɣwakáte アグアカテ] 名男 〘植物〙アボカド.

a·gua·ce·ro [aɣwaθéro アグアセロ] 名男 どしゃ降り, にわか雨.

a·gua·fies·tas [aɣwafjéstas アグアフィエスタス] 名男女 [単・複同形] 興をそぐ人, 白けさせる人.

a·gua·fuer·te [aɣwafwérte アグアフエルテ] 名女 (または男) エッチング. grabar al *aguafuerte* エッチングする.

a·gua·ma·ri·na [aɣwamarína アグアマリナ] 名女 〘鉱物〙アクアマリン.

a·gua·nie·ve [aɣwanjéβe アグアニエベ] 名女 みぞれ. → tiempo 【参考】.

a·guan·tar [aɣwantár アグアンタル] 動他
1 耐える, 我慢する. Siempre me tomas el pelo. Ya no te *aguanto*. いつもからかってばかりいて, 君にはもう我慢できない. *aguantar* la risa 笑いをこらえる.
2 持つ, 使用に耐える. Esta bicicleta no *aguantará* otro año. この自転車はもう一年は持つまい.
— **a·guan·tar·*se*** **1** 耐える, 我慢する. Ya no *me aguanto* más. もう私は我慢できない. **2** あきらめる.

a·guan·te [aɣwánte アグアンテ] 名男 忍耐, 我慢強さ. tener *aguante* 辛抱強い.

a·guar [aɣwár アグアル] [7 gu → gü] 動他 **1** 水で薄める. **2** 水を差す, 白けさせる. *aguar* la fiesta 楽しみに水を差す.
— **a·guar·*se*** **1** 水浸しになる. **2** 水を差される, 白ける.

a·guar·dar [aɣwarðár アグアルダル] 動他
1 待つ, 待ち受ける (= esperar). *Estuvo* mucho tiempo *aguardando* el autobús. 彼は長い間バスを待っていた. ► 「…するのを待つ」のときは a que 接続法となる. ⇒ *Aguardó a que* le llamaran. 彼は呼ばれるのを待っていた.
2 猶予を与える. Te *aguardaré* un día más. もう1日お前に猶予を与えよう.

a·guar·den·to·so, sa [aɣwarðentóso, sa アグアルデントソ, サ] 形 蒸留酒の. bebida *aguardentosa* 焼酎(しょうちゅう)の入った飲み物; 焼酎のような飲み物. voz *aguardentosa* だみ声.

a·guar·dien·te [aɣwarðjénte アグアルディエンテ] 名男 蒸留酒, 焼酎(しょうちゅう). *aguardiente* anisado ウイキョウ酒. *aguardiente* de caña ラム酒.

a·gua·rrás [aɣwar̄ás アグアラス] 名男 テレビン油.

aguda 形女 → agudo[1].

a·gu·da·men·te [aɣúðaménte アグダメンテ] 副 鋭く; 辛辣に.

a·gu·de·za [aɣuðéθa アグデさ] 名女
1 鋭利. **2** 明敏さ, 鋭敏さ; 機知. tener mucha *agudeza* 機知に富んでいる.

a·gu·di·zar [aɣuðiθár アグディさル] [39 z → c] 動他 **1** 鋭くする. **2** 深刻化させる. *agudizar* la crisis 危機を深める.
— **a·gu·di·zar·*se*** 深刻化する.

a·gu·do[1], da [aɣúðo, ða アグド, ダ] 形 [複 ～s] 〔英 sharp〕 **1 鋭い**, とがった. pico *agudo* 鋭いくちばし.
2 鋭敏な, 敏感な. inteligencia *aguda* 鋭敏な知性.
3 機知に富む; 辛辣(しんらつ)な. dicho *agudo* 当意即妙の言葉. *agudo* de ingenio ウイットに富んだ.
4 (痛みが) 鋭い; (病気が) 急性の; (においが) 刺激的な. un dolor *agudo* 激痛.
5 高音域の; (音・声が) 甲高い.
6 〘文法〙最終音節にアクセントのある.

a·gu·do[2] [aɣúðo アグド] 名男 **1** [～s] 〘音楽〙(合唱曲の) 最高声部. **2** (音響機器で) 高音域調整つまみ.

a·güe·ro [aɣwéro アグエロ] 名男 前兆, 縁起. de buen [mal] *agüero* 縁起のよい[不吉な].

a·gui·jón [aɣixón アギホン] 名男 **1** 突き棒の先. **2** (昆虫の) 針 (→ insecto 図); (植物の) とげ. **3** 刺激.

á·gui·la [áɣila アギら] 名女 [el *águila*] 〘鳥〙ワシ (鷲).

a·gui·le·ño, ña [aɣiléɲo, ɲa アギれニョ, ニャ] 形 かぎ鼻の; (顔立ちが) 鋭い; ワシの (ような).

a·gui·lu·cho [aɣilútʃo アギるチョ] 名男 〘鳥〙ワシのひな.

a·gui·nal·do [aɣináldo アギナるド] 名男 クリスマスの贈り物[チップ].

a·gu·ja [aɣúxa アグハ] 名女 [複 ～s] 〔英 needle〕
1 針, 縫い針, 編み針. *aguja* de zurcir かがり針. *aguja* colchonera 布団針, キルティング・ニードル. *aguja* de gancho 鉤(かぎ)針.
2 (計器の) 指針; 磁針, 羅針; (時計の) 針.
3 レコード針; 〘医〙注射針; (銃の) 撃針.

4 飾りピン. 5 [~s]〘鉄道〙転轍(てんてつ)機. dar *agujas* ポイントを切り換える.
6 [~s]〘料理〙スペアリブ.
buscar una aguja en un pajar わら小屋で針を探すように難しい.

a·gu·je·re·ar [aɣuxereár アグヘレアル] 動 他 穴をあける. *agujerear* una pared 壁に穴をあける.
── **a·gu·je·re·ar·*se*** 穴があく.

a·gu·je·ro [aɣuxéro アグヘロ] 名 男 [複 ~s]〔英 hole〕 穴, 孔. Hay un *agujero* en la pared. 壁に穴が開いている. *agujero* negro〘天文〙ブラックホール.

a·gu·je·tas [aɣuxétas アグヘタス] 名 女 [複] (運動後の) 筋肉痛.

A·gus·tín [aɣustín アグスティン] 固名 アグスティン: 男性の名. San *Agustín* 聖アウグスティヌス (初期キリスト教の教父).

a·gus·ti·no, na [aɣustíno, na アグスティノ, ナ] 形 アウグスティノ会の.
── 名 男 女 アウグスティノ会修道士 [修道女].

a·gu·zar [aɣuθár アグサル] [39 z ➡ c] 動 他 **1** 鋭敏にする. *aguzar* el oído 耳をそばだてる. *aguzar* la vista 目を凝らす.
2 とがらす (= afilar).

¡ah! [á ア] 間投〔英 ah!, oh!〕《悲哀・苦痛・恐怖・驚き・満足・喜びを表して》 ああ, いたっ, ほう, まあ, あら. ¡*Ah*, yo no sabía eso! えっ, そいつは知らなかった. ¡*Ah*, qué ganas tenía de verte! いや, 本当に君に会いたかったんだ.

a·hí [aí アイ] 副〔英 there〕 そこに, そこへ, あそこに [へ]. Tu libro está *ahí*. 君の本はそこにある. *Ahí* viene el autobús. ほら, バスが来たよ. ➡ aquí, allí.
¡Ahí va! おや; まさか.
de ahí que 《+接続法》 したがって….
¡Hasta ahí podíamos llegar! とんでもない.
por ahí その辺に; おおよそ. Voy a dar una vuelta *por ahí*. ちょっとその辺を散歩してきます. Costará mil pesetas *por ahí*. 1000ペセタくらいするだろう.

a·hi·ja·do, da [aixáðo, ða アイハド, ダ] 名 男 女 **1** 代子, 名付け子. ► 代父は padrino. **2** 養子.

a·hi·jar [aixár アイハル] [2 i ➡ í] 動 他 養子にする; (家畜が他の子を) 育てる.

a·hin·car [aiŋkár アインカル] [2 i ➡ í ; 8 c ➡ qu] 動 他 せきたてる.
── **a·hin·car·*se*** 急ぐ; しがみつく.

a·hín·co [aíŋko アインコ] 名 男 執拗(しつよう)さ, 熱心. con *ahínco* 一生懸命に.

a·hí·to, ta [aíto, ta アイト, タ] 形 **1** 胃がもたれた; 食べ過ぎた.
2 あり余った; うんざりした.
── 名 男 胃のもたれ.

a·ho·ga·do, da [aoɣáðo, ða アオガド, ダ] 過分 形 **1** 溺死(できし)した; 窒息した; 息の詰まりそうな. **2** 行き詰まった. *ahogado* de deudas 借金で首が回らない.
── 名 男 女 溺死者; 窒息死した人.

a·ho·gar [aoɣár アオガル] [32 g ➡ gu] 動 他 **1** 窒息させる; 溺(おぼ)れさせる. *ahogar* a un gato 猫を溺死(できし)させる. *ahogar* a 《+uno》 con una cuerda 〈人〉をロープで絞殺する.
2 息苦しくさせる. Me *ahoga* el humo del tabaco. 私はタバコの煙で息苦しい.
3 抑える, 押し殺す. *ahogar* el llanto 嗚咽(おえつ)をこらえる.
4 苦しめる, さいなむ. Le *ahoga* la inseguridad de su futuro. 将来についての不安が彼を苦しめる.
── **a·ho·gar·*se*** **1** 窒息 (死) する; 溺死する. *Se ahogó* en el río. 彼は川で溺れ死んだ. **2** 息苦しくなる. *ahogarse* de calor 暑さにあえぐ.
ahogarse en poca [***en un vaso de***] ***agua*** ささいなことを気に病む.

a·ho·go [aóɣo アオゴ] 名 男 **1** 窒息; 息苦しさ. Le dio un *ahogo*. 彼は息が苦しくなった. **2** 困窮. pasar un *ahogo* 経済的に苦しい.

a·hon·dar [aondár アオンダル] 動 他 **1** 深くする.
2 《+**en**》…を深く極める, 掘り下げる.
── 動 自 《+**en**》…に深く入り込む.

a·ho·ra [aóra アオラ] 副〔英 now〕
1 今, 現在は, もう. *Ahora* no tengo hambre. 今はお腹がすいていない. *Ahora* no se usan las faldas largas. ロングスカートはもうはやらない. ¿*Ahora* me dices que no quieres ir? 今になって行きたくないって言うの?
2 今すぐ, ただちに. *Ahora* viene el señor Bosque. ボスケさんは間もなく参ります.
3 ついさっき, たった今. *Ahora* acaba de salir Antonio. アントニオはたった今出ていったところだ. ► 2, 3の語義では, ahorita が中南米で多く用いられる.
4 さて, さあ, 今度は. *Ahora* me toca a mí. さあ, 僕の番だ. *Ahora*, ¿qué vas a hacer? ところで君はどうする?
5 《間投詞》さあ今だ, 始め!; (用意) どん.
ahora ... ahora ... あるいは…あるいは….
ahora (bien) さて, ところで; しかし. *Ahora bien*, vayamos al caso. さて, 本題に入ろう. A mí no me gusta; *ahora bien*, si tú lo dices ... 僕は嫌だけど君がどうしてもと言うのなら….
ahora mismo 今すぐ; たった今.
ahora o nunca 今やるか永久にやらないかだ.
ahora que ... (1) しかし. Tienes razón,

A

ahora que no estoy convencido del todo. 君の言うことはもっともだが，僕はまったく同感というわけではない. (2) 今…したが. *Ahora que* recuerdo, tengo una cita hoy. ああそうだ，今日は人に会う約束があったんだ.
ahora sí que … 今度こそ…. *Ahora sí que* lo entiendo. 今やっと分かった.
de [***desde***] ***ahora en adelante*** 今後，将来.
hasta ahora (1) 今まで，現在まで. (2) 《挨拶》ではまた，のちほど.
por ahora 今のところ，さしあたって.

a·hor·ca·do, da [aorkáðo, ða アオルカド，ダ] 名男女 絞首刑囚.

a·hor·ca·mien·to [aorkamjénto アオルカミエント] 名男 縊死(いし)；絞首刑.

a·hor·car [aorkár アオルカル] [8 c → qu] 動他 絞め殺す；絞首刑にする.
——**a·hor·car·*se*** 首をつって死ぬ. *ahorcarse* de [en] una rama de árbol 木の枝で首をつって死ぬ.

a·ho·rra·dor, do·ra [aoȓaðór, ðóra アオラドル，ドラ] 形 倹約する.
—— 名男女 節約[倹約]家.

a·ho·rrar [aoȓár アオラル] 動他 〔英 save〕 **節約する**，倹約する；**貯蓄する**. *ahorrar* dinero [tiempo] 金[時間]を節約する. *ahorrar* sus fuerzas 力を出し惜しむ. *ahorrar* palabras 無駄口をきかない.
—— **a·ho·rrar·*se*** **1** 節約する；(努力などを)惜しむ. **2** 避ける. *ahorrarse* molestias 面倒を避ける.

a·ho·rra·ti·vo, va [aoȓatíβo, βa アオラティボ，バ] 形 節約[倹約]する；けちな.

a·ho·rro [aóȓo アオロ] 名男 **1** 貯金，貯蓄. **2** 節約，倹約. fomentar el *ahorro* 節約を奨励する. *ahorro* de tiempo 時間の節約.
—— 動 → ahorrar.

a·hue·car [awekár アウエカル] [8 c → qu] 動他 **1** 中空にする. *ahuecar* un tronco 幹をくりぬく. **2** ふわふわにする.
—— 動自 《口語》立ち去る，出て行く. ¡*Ahueca*! 消えうせろ.
—— **a·hue·car·*se*** **1** 空洞になる. **2** ふわふわになる.

a·hu·ma·do, da [aumáðo, ða アウマド，ダ] 過分 形 燻製(くんせい)の. —— 名男 燻製.

a·hu·mar [aumár アウマル] [6 u → ú] 動他 燻製(くんせい)にする；煙でいぶす. *ahumar* la carne 肉を燻製にする. *ahumar* las abejas ミツバチをいぶし出す.
—— **a·hu·mar·*se*** **1** いぶしたような味になる. **2** くすぶる；すすける.

a·hu·yen·tar [aujentár アウイエンタル] 動他 **1** 追い払う；寄せつけない. **2** 払いのける.

ai·ra·do, da [airáðo, ða アイラド，ダ] 形 怒った.

ai·re [áire アイレ] 名男 [複 ～s] 〔英 air〕
1 **空気**，**大気**，外気. *aire* acondicionado エアコン. *aire* comprimido 圧縮空気. *aire* líquido 液体空気. tomar el *aire* 外の空気を吸う，散歩する.
2 空間，空. disparar al *aire* 空へ向けて射つ.
3 **風**，微風. Corre mucho *aire*. 風が強い. cambiar el *aire* 風向きが変わる. dar [hacer] *aire* a 《+uno》〈人〉をあおいでやる.
4 **外見**，**様子**；雰囲気；さっそう，粋(いき). con un *aire* triste 悲しそうな顔で. tener *aire* de … …の趣がある.
5 [～s] 気取り，見え. darse *aires* de valiente 勇者を気取る.
6 類似，相似. Este niño se da un *aire* a su padre. この子は父親にそっくりだ.
7 〘音楽〙リズム；メロディー；歌. *aire* bailable ダンス曲. un *aire* popular フォークソング；親しみやすいメロディー.
al aire libre 戸外で，野外で. dormir *al aire libre* 野宿する. la vida *al aire libre* 野外生活.
cambiar [***mudar***] ***de aires*** 転地療養をする.
cogerlas en el aire 《口語》飲み込みが早い.
dar buen aire al dinero 金遣いが荒い.
de buen [***mal***] ***aire*** 喜んで[いやいや].
echar al aire (1) (肩などを)むき出しにする. (2) ほうり投げる.
en el aire (1) 宙に浮いた. (2) 未決定[未解決]で；あやふやな. dejar *en el aire* 未解決のままにしておく. promesa *en el aire* 空約束. (3) 〘ラジオ〙〘テレビ〙放送中の.
hablar al aire つまらない無駄話をする.
mudar a cualquier aire 気まぐれである.
¿Qué aires le traen por aquí? どういう風の吹き回しでここへ？
seguir [***llevar***] ***el aire a*** 《+uno》〈人〉の言いなりになる.

ai·re·ar [aireár アイレアル] 動他 **1** 風に当てる；換気する. *airear* la casa 家に風を通す. **2** 暴露する. *airear* sus secretos 秘密を暴露する.
—— **ai·re·ar·*se*** **1** 外気に当たる. **2** 風邪をひく.

ai·ro·so, sa [airóso, sa アイロソ，サ] 形 **1** 優美な，さっそうとした；(物が)すらりとした. **2** 見事な，あざやかな，要領を得た. quedar [salir] *airoso* de 《+algo》〈何か〉に見事成功する.

ais·la·cio·nis·mo [aislaθjonísmo アイスらしオニスモ] 名男 〘政治〙孤立主義；不干渉主義 (↔ intervencionismo).

ais·la·do, da [aisláðo, ða アイスらド，ダ] 過分 形 **1** 孤立した；離れた. vivir *aislado* 孤独な生活を送る. **2** 〘電気〙絶縁した.

ais·la·dor, do·ra [aislaðór, ðóra アイス

らドル, ドラ] 形 〘電気〙絶縁する.
── 名男 〘電気〙絶縁体, 碍子(がいし).

ais·la·mien·to [aislamjénto アイスラミエント] 名男 孤立; 隔離; 絶縁(体). *aislamiento* de sonido 防音(材).

ais·lan·te [aislánte アイスランテ] 形 絶縁する. ── 名男 絶縁体, 断熱材, 防音材.

ais·lar [aislár アイスラル] [2 i → í] 動他 **1** 孤立させる, 隔離する; 仲間外れにする. **2** 〘電気〙〘技術〙絶縁する.
── **ais·lar·se** 孤立する.

¡a·já! [axá アハ] 間投 《口語》《是認》いいぞ; 《驚き》おや.

a·jar [axár アハル] 動他 (布などを) よれよれにする, 台無しにする; 色あせさせる; 老け込ませる.
── **a·jar·se** よれよれになる, 台無しになる; 色あせる; 老け込む.

ajedreces 名[複] → ajedrez.

a·je·dre·cis·ta [axeðreθísta アヘドゥレしスタ] 名男女 チェスの競技者[愛好家].

a·je·drez [axeðréθ アヘドゥレす] 名男 [複 ajedreces] チェス; チェス用具.

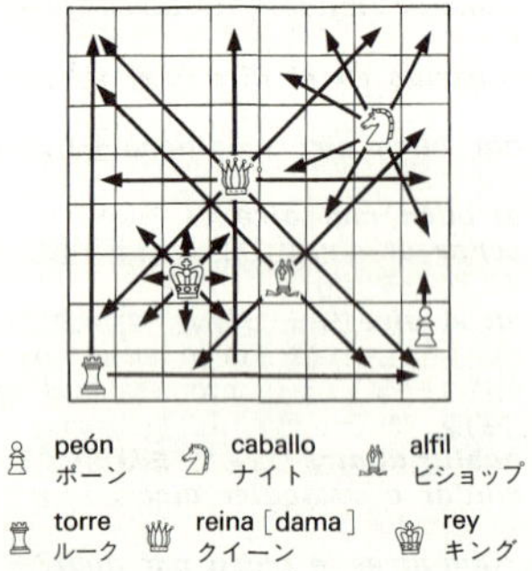

ajedrez チェス

a·je·dre·za·do, da [axeðreθáðo, ða アヘドゥレさド, ダ] 形 チェックの, 市松模様の.

ajena 形女 → ajeno.

a·jen·jo [axéŋxo アヘンホ] 名男 **1** 〘植物〙ニガヨモギ: アブサン酒の原料.
2 アブサン(酒).

a·je·no, na [axéno, na アヘノ, ナ] 形 [複 ~s] 〔英 other's〕 **1 他人の**. los bienes *ajenos* 他人の財産. jugar en campo *ajeno* 〘スポーツ〙遠征試合をする.
2 《+a》…**に無縁の**, 不案内な. *ajeno a* SU especialidad 専門外の. ser *ajeno al* crimen 犯行にかかわっていない.
3 相いれない. *ajeno* de SU estado 分不相応な. *ajeno* a SU carácter 性格に合わない. **4** …に気づいていない. El padre era *ajeno* a los cambios que experimentaba su hijo. 父親は息子に起こっていた変化に気づかなかった.
5 《+de》…にとらわれない (= libre). *ajeno de* prejuicios 先入観のない. estar *ajeno de* sí 私心がない.

a·je·tre·ar·se [axetreárse アヘトゥレアルセ] 動 忙しく働く[動き回る]; 疲れ果てる.

a·je·tre·o [axetréo アヘトゥレオ] 名男 多忙; 疲労.

a·jí [axí アヒ] 名男 [複 ajíes] チリ (トウガラシ); チリソース. ► 主に中南米で用いる.
ponerse como un ají 《ラ米》《口語》(恥・怒りで) 真っ赤になる.

a·ji·llo [axíʎo アヒリョ] 名男 (トウガラシ入り) ニンニクソース.

a·jo [áxo アホ] 名男 [複 ~s] 〔英 garlic〕 **ニンニク**. diente de *ajo* ニンニクの一片.
tieso como un ajo / más tieso que un ajo 《口語》気取った, 得意満面の.

a·juar [axwár アフアル] 名男 **1** 家財道具; 衣類, 家具, 什器(じゅうき). **2** 嫁入り道具.

a·jun·tar [axuntár アフンタル] 動他 《口語》集める, 仲間に入れる.
── **a·jun·tar·se** **1** 《俗語》友達になる.
2 《口語》同棲(どうせい)する.

a·jus·ta·dor, do·ra [axustaðór, ðóra アフスタドル, ドラ] 形 調整[調節]する.
── 名男 **1** コルセット. **2** 仕上工, 組立工.

a·jus·tar [axustár アフスタル] 動他 **1** 合わせる, 適合させる; 調整する, 調節する. *ajustar* un vestido 服を(体に)合わせる. *ajustar* un horario うまく時間割を組む. *ajustar* el reloj 時計を合わせる. *ajustar* el tornillo ねじを締める. *ajustar* las cuentas 清算する.
2 まとめる, 取り決める; (値段などを) 決める. *ajustar* un matrimonio 縁談を取りまとめる. *ajustar* el alquiler en dos mil pesetas 賃貸料を2000ペセタに決める.
── **a·jus·tar·se** **1** 《+a》…にぴったり合う, 一致する. Su plan no *se ajusta a* la realidad. 彼の理論は現実に合わない.
2 《+en》…で合意に達する.

a·jus·te [axúste アフステ] 名男 **1** 調整; 整合. *ajuste* de traje 〘服飾〙仮縫い. *ajuste* de motor エンジン調整. **2** 合意; 調停. llegar a un *ajuste* 合意に達する.
ajuste de cuentas 仕返し.

a·jus·ti·cia·do, da [axustiθjáðo, ða アフスティしアド, ダ] 名男女 死刑囚.

a·jus·ti·ciar [axustiθjár アフスティしアル] 動他 処刑する.

al [al アる] → 前置詞 a.

a·la [ála アら] 名女 [el *ala*][複 ~s] 〔英 wing〕
1 翼, 羽. extender las *alas* 翼を広げる.
2 (飛行機の) 主翼, 翼. *ala* delta ハンググライダー. con *alas* en delta 三角翼の. → avión 図. **3** (帽子の) 縁, つば. → sombrero 図. **4** (政党の) 派, (部隊の) 翼. *ala* derecha 右派; 〘軍事〙右翼.
5 〘スポーツ〙ウイング. → fútbol 【参考】.
6 [~s] 気力. **7** (建物の) 翼.
ahuecar el ala 《口語》逃げ出す, 立ち去

る.
bajo el ala de ... …の庇護(ひご)の下に.
caerse las alas a 《+uno》 意気消沈する.
cortar las alas a 《+uno》〈人〉のやる気をそぐ.
dar alas a 《+uno》〈人〉に自由にやらせる.
volar con sus ***propias alas*** 自立する, 独力でやる.
A·lá [alá アら] 固名 アラー: イスラム教の神.
a·la·ban·za [alaβánθa アらバンさ] 名女 賞賛; 賛辞; 自慢. cantar las *alabanzas* de [a] ... …を褒めそやす. en *alabanza* de ... …を褒めたたえて.
a·la·bar [alaβár アらバル] 動他 賞賛する, 褒めたたえる. *alabar* su valentía 勇敢さをたたえる.
—— **a·la·bar·*se*** 自慢する, うぬぼれる (= jactarse). *alabarse* por [de] inteligente 利口を鼻にかける.
a·la·bar·da [alaβárða アらバルダ] 名女 矛槍(ほこやり).
a·la·bar·de·ro [alaβarðéro アらバルデロ] 名男 **1** 矛槍(ほこやり)兵.
2 《口語》(劇場に雇われた) さくら.
a·la·bas·tro [alaβástro アらバストゥロ] 名男 雪花石膏(せっこう), アラバスター.
a·la·ce·na [alaθéna アらせナ] 名女 作り付けの食器戸棚.
a·la·crán [alakrán アらクラン] 名男 〘動物〙サソリ (蠍) (= escorpión).
alacrán marinero 〘魚〙アンコウ (= rape).
a·la·do, da [aláðo, ða アらド, ダ] 形 **1** 翼[羽]のある. **2** 〘植物〙翼状の. **3** 軽快な.
a·lam·bi·que [alambíke アらンビケ] 名男 蒸留器.
a·lam·bra·da [alambráða アらンブラダ] 名女 鉄条網; (金網の) フェンス.
a·lam·bra·do [alambráðo アらンブラド] 名男 **1** 鉄条網; (金網の) フェンス.
2 〘電気〙架線.
a·lam·brar [alambrár アらンブラル] 動他 金網を張る; 鉄線を巡らす.
a·lam·bre [alámbre アらンブレ] 名男 針金, ワイヤー. *alambre* de púas 有刺鉄線.
a·lam·bre·ra [alambréra アらンブレラ] 名女 金網, 網戸, 炉格子.
a·la·me·da [alaméða アらメダ] 名女 ポプラ並木 (道); 並木道.
á·la·mo [álamo アらモ] 名男 〘植物〙ポプラ.
a·la·no, na [aláno, na アらノ, ナ] 形 アラン族の.
—— 名男 [~s] アラン族: 5 世紀初頭, イベリア半島に侵入した民族.
a·lar·de [alárðe アらルデ] 名男 見せつけ, 見え.
hacer alarde de ... …をひけらかす.
a·lar·de·ar [alarðeár アらルデアル] 動自 《+de》 …を見せびらかす. *alardear de* sus conocimientos 知識をひけらかす.
a·lar·ga·mien·to [alarɣamjénto アらルガミエント] 名男 長くする[なる]こと, 延長.
a·lar·gar [alarɣár アらルガル] [32 g → gu] 動他 **1** 長くする, 伸ばす. *alargar* un vestido 服の丈を伸ばす. *alargar* la mano 手を伸ばす.
2 延長する, 引き延ばす. *alargar* su estancia 滞在を延長する. *alargar* un plazo 期限を延ばす.
3 手渡す (= pasar). *Alárga*me ese azucarero. その砂糖入れを取ってくれ.
—— **a·lar·gar·*se*** **1** 長くなる, 伸びる. Al caer la tarde *se alargan* las sombras de los árboles. 夕暮れには樹々の影が長くなる. **2** 《+en》 …をだらだらと続ける. *Me he alargado en* mis explicaciones. 私はくどいくらい説明してやった.
3 出向く; ついでに立ち寄る. *alargarse* a [hasta] la ciudad ちょっと町に行く.
a·la·ri·do [alaríðo アらリド] 名男 絶叫, 悲鳴; 歓声. dar un *alarido* 絶叫する, 悲鳴[歓声]を上げる.
a·lar·ma [alárma アらルマ] 名女
1 警報 (装置); 警戒, 非常時. dar la *alarma* 警報を発する. dar un toque de *alarma* 非常ベルを鳴らす, 急を報ずる. proclamar [declarar] el estado de *alarma* 〘政治〙非常警戒体制を敷く.
2 不安, おびえ. vivir en *alarma* おびえながら暮らす.
a·lar·man·te [alarmánte アらルマンテ] 形 警戒すべき, 危険な[憂慮すべき]状態の.
a·lar·mar [alarmár アらルマル] 動他 警戒させる; おびえさせる.
—— **a·lar·mar·*se*** 警戒する; おびえる. no *alarmarse* por nada 何事にも動じない.
Á·la·va [álaβa アらバ] 固名 アラバ: スペイン北部の県; 県都 Vitoria.
al·ba [álβa アるバ] 名女 [el *alba*] 夜明け, 曙(あけぼの); 曙光(しょこう) (= aurora). levantarse al *alba* 夜明けとともに起きる. al rayar el *alba* 夜明けに. clarear [romper] el *alba* 空が白み始める.
Al·ba·ce·te [alβaθéte アるバセテ] 固名 アルバセテ: スペイン南東部の県; 県都.
al·ba·nés, ne·sa [alβanés, nésa アるバネス, ネサ] 形 [複男 albaneses] アルバニア Albania の.
—— 名男女 アルバニア人.
—— 名男 アルバニア語 (派).
al·ba·ñil [alβaɲíl アるバニィる] 名男 左官, れんが[石]積み職人, タイル張り職人.
al·ba·ñi·le·rí·a [alβaɲilería アるバニィれリア] 名女 左官職; 左官工事.
al·bar·da [alβárða アるバルダ] 名女 (馬の) 荷鞍(にぐら).
al·ba·ri·co·que [alβarikóke アるバリコケ] 名男 〘植物〙アンズ (杏子) の実.

A

al·ba·ri·co·que·ro [alβarikokéro アるバリコケロ] 名男 《植物》アンズの木.

al·be·drí·o [alβeðrío アるベドゥリオ] 名男 意志; 気まぐれ. libre *albedrío* 自由意志. ***a*** SU ***albedrío*** 好き勝手に.

al·ber·ca [alβérka アるベルカ] 名女 貯水槽; 《ラ米》プール.

al·ber·gar [alβeryár アるベルガル] [32 g → gu] 動他 **1** 泊める; 収容する. **2** (感情・考えなどを)抱く. *albergar* odio 憎悪を抱く.

— 動自 **al·ber·gar·*se*** 泊まる; 避難する.

al·ber·gue [alβérye アるベルゲ] 名男 山小屋, ロッジ; 宿; 《比喩》避難所. *albergue* de juventud ユースホステル.

Al·ber·to [alβérto アるベルト] 固名 アルベルト: 男性の名.

al·bi·no, na [alβíno, na アるビノ, ナ] 形 白子の.

— 名男女 白子, 色素欠乏症の人[動物, 植物].

al·bón·di·ga [alβóndiya アるボンディガ] 名女 肉だんご.

al·bor [alβór アるボル] 名男 **1** 夜明け, 曙(あけぼの). a los *albores* 夜明けに. **2** [~es] 初期. los *albores* de la vida 幼[青]年期.

al·bo·ra·da [alβoráða アるボラダ] 名女 夜明け.

al·bo·re·ar [alβoreár アるボレアル] 動自 **1** 夜が明ける. ► 3人称単数のみに活用. **2** 兆しが見える.

al·bor·noz [alβornóθ アるボルノす] 名男 [複 albornoces] 《服飾》バスローブ.

al·bo·ro·ta·do, da [alβorotáðo, ða アるボロタド, ダ] 過分 形 動揺した, 興奮した.

al·bo·ro·tar [alβorotár アるボロタル] 動自 騒ぐ.

— 動他 **1** 動揺させる; 興奮させる; 扇動する. **2** 乱す.

— **al·bo·ro·tar·*se*** **1** 動揺する; 興奮する. **2** 反乱を起こす. **3** (海が)荒れる.

al·bo·ro·to [alβoróto アるボロト] 名男 **1** 騒ぎ, 騒動; 騒音. *alborotos* públicos 街頭での騒ぎ. Hubo tal *alboroto* detrás de la puerta que todos acudieron. ドアの向こうで大きな音がしたので皆が駆けつけた. **2** 不安, おびえ.

al·bo·ro·zar [alβoroθár アるボロさル] [39 z → c] 動他 喜ばせる.

— **al·boro·zar·*se*** 喜ぶ.

al·bo·ro·zo [alβoróθo アるボロそ] 名男 狂喜.

al·bri·cias [alβríθjas アるブリしアス] 名女 [複] 祝儀; お祝いの言葉. dar *albricias* 祝いを述べる.

al·bu·fe·ra [alβuféra アるブフェラ] 名女 **1** 潟. **2** [A-] アルブフェラ: スペイン Valencia 南部の潟湖(せきこ).

ál·bum [álβum アるブン] 名男 [複 álbumes, álbums] アルバム. *álbum* de fotografías 写真のアルバム. *álbum* de recortes スクラップブック.

al·ca·cho·fa [alkatʃófa アるカチョファ] 名女 **1** 《植物》アーティチョーク, チョウセンアザミ. → hortaliza 図.
2 (ジョウロ・シャワーの)口. → baño 図.

al·ca·hue·te, ta [alkawéte, ta アるカウエテ, タ] 名男女 **1** 売春仲介人, ぽん引き.
2 《口語》うわさ好きの人.

al·cai·de [alkáiðe アるカイデ] 名男 刑務所長.

al·cal·de [alkálde アるカるデ] 名男 [複 ~s] 〔英 mayor〕 **市長**, 町長, 村長. *alcalde* de Madrid マドリード市長.

al·cal·de·sa [alkaldésa アるカるデサ] 名女 女性の市[町, 村]長; 市[町, 村]長夫人.

al·cal·dí·a [alkaldía アるカるディア] 名女 **1** 市[町, 村]長の職.
2 市役所, 町[村]役場.

ál·ca·li [álkali アるカリ] 名男 《化》アルカリ (↔ ácido).

al·ca·li·no, na [alkalíno, na アるカリノ, ナ] 形 《化》アルカリ性の.

al·ca·loi·de [alkalóiðe アるカろイデ] 形 《化》アルカロイドの.

— 名男 《化》《薬》アルカロイド.

al·can·ce [alkánθe アるカンせ] 名男 **1** 届く距離[範囲], 射程. proyectil de *alcance* medio 中距離弾道弾.
2 見通し, 展望, 視野. política de largo *alcance* 長期展望の政策.
3 重要性, 影響力.
4 [~s] 才能, 能力. de pocos [cortos] *alcances* たいした能力のない.
al alcance de ... …の(手の)届く所に. *al alcance de* la mano 手の届く所に, 実現可能で. *al alcance de* la vista 見える所に. *al alcance de* la voz 声の届く所に. *al alcance del* oído 聞こえる所に.
dar alcance a 《+uno》〈人〉に追いつく.
estar fuera del alcance de 《+uno》〈人〉の手が届かない.
ir [***andar***] ***a los alcances de*** 《+uno》〈人〉にもう少しで追いつく.

alcance(-) / **alcancé**(-) 動 → alcanzar. [39 z → c]

al·can·cí·a [alkanθía アるカンしア] 名女 貯金箱 (= hucha).

al·can·for [alkamfór アるカンフォル] 名男 樟脳(しょうのう).

al·can·ta·ri·lla [alkantaríʎa アるカンタリリャ] 名女 **1** 下水道. **2** 小さな橋.

alcanzado, da 過分 → alcanzar.

alcanzando 現分 → alcanzar.

al·can·zar [alkanθár アるカンさル] [39 z → c] 動他 [現分 alcanzando; 過分 alcanzado, da] 〔英 reach〕 **1** **…に達する, 届く**, 及ぶ; …に手が届く. Este misil *alcanza* 700 kilómetros. このミサイルの射程距離は700キロだ. El nuevo modelo *alcanza* una velocidad máxima de 500 kilómetros por hora. 新型車両は最高時速500キロを出す. El coste *alcanza* alrededor de un millón de yenes. 費用は約100万円かかる. *alcanzar* la meta [el nivel] 目標[水準]に到達する. *alcanzar* el techo con la mano 天井に手が届く. ► 同じ意味でも目的語が前置詞 a, hasta を伴うときは自動詞と見なされる.

2 …に追いつく; …に命中する; (乗り物)に間に合う. Si vamos en coche, le *alcanzaremos* en el camino. 車で行けば途中で彼に追いつくだろう. Sólo cuatro aviones *fueron alcanzados* por las armas enemigas. 敵砲に撃墜されたのは4機だけだった. A no ser que estudies mucho, no le *alcanzarás*. 一生懸命に勉強しないと彼には追いつかないよ. *alcanzar* el autobús バスに間に合う.

3 手に入れる, 達成する. *alcanzar* fama [éxito] sin esfuerzo 努力せずに名声を得る[成功する]. No he logrado *alcanzar* mis propósitos. 私は目的を達成できなかった.

4 理解できる. No llego a *alcanzar* lo que quieres decir. 君が何を言いたいのか私には分からない.

5 手をのばして取る; (手をのばして人に)取ってやる. Intentó *alcanzar* un florero que estaba encima del armario. 彼は手をのばしてロッカーの上の花瓶を取ろうとした. *Alcánza*me ese libro. その本を取ってくれ.

── 動自 **1** 《+**a**, **hasta**》 **…に[まで]達する**, 届く, 及ぶ; 《+**a** 不定詞》…するに至る[することができる]. La cantidad invertida *alcanzará hasta* un billón de yenes. 投資額は1兆円に達するだろう. *hasta* donde *alcanza* la vista 見渡すかぎり. *alcanzar a*l timbre ベルに手が届く. No *he alcanzado a* ver qué se propone. 彼の意図が私には分からなかった.

2 十分ある, 足りる. La paga no *alcanza* para todo el mes. その給料では1か月やっていけない. Los caramelos *alcanzan* a cinco para cada uno. キャラメルは1人に5個ずつ行き渡る.

al·ca·za·ba [alkaθáβa アるカさバ] 名女 砦(とりで).

al·cá·zar [alkáθar アるカさル] 名男 **1** 王宮; [A-] 王城. ➡ palacio. **2** 城塞(じょうさい).

al·ce [álθe アるせ] 名男 〘動物〙ヘラジカ.

alce(-) / **alcé**(-) 動 ➡ alzar. [39 z ➡ c]

al·cis·ta [alθísta アるしスタ] 形 (相場が)上昇する.

── 名男女 〘商業〙(株の)強気筋.

al·co·ba [alkóβa アるコバ] 名女 寝室 (= dormitorio).

al·co·hol [alkoól アるコオる] 名男 [複 ~es] 〔英 alcohol〕 **アルコール**; アルコール飲料. *alcohol* etílico エチルアルコール. *alcohol* metílico メチルアルコール.

al·co·hó·li·co, ca [alkoóliko, ka アるコオりコ, カ] 形 **1** アルコールを含む. bebida no *alcohólica* 非アルコール飲料.

2 アルコール中毒[依存症]の.

── 名男女 アルコール中毒[依存]者.

al·co·ho·lis·mo [alkoolísmo アるコオりスモ] 名男 アルコール中毒(症).

al·co·ho·li·za·do, da [alkooliθáðo, ða アるコオりさド, ダ] 過分 形 アルコール中毒の.

── 名男女 アルコール中毒者.

al·co·ho·li·zar [alkooliθár アるコオりさル] [39 z ➡ c] 動他 アルコール化する.

── **al·co·ho·li·zar·se** アルコール中毒になる.

Al·co·rán [alkorán アるコラン] 名男 コーラン (= Corán): イスラム教の聖典.

al·cor·no·que [alkornóke アるコルノケ] 名男 **1** 〘植物〙コルクガシ. **2** とんま.

al·cur·nia [alkúrnja アるクルニア] 名女 家系; 名門. familia de *alcurnia* 古い家柄.

al·da·ba [aldáβa アるダバ] 名女 **1** (扉の)ノッカー. **2** かんぬき.

al·da·bo·na·zo [aldaβonáθo アるダボナそ] 名男 **1** ノッカーをたたくこと[音].

2 警告.

al·de·a [aldéa アるデア] 名女 [複 ~s] 〔英 village〕 **村**, 村落.

al·de·a·no, na [aldeáno, na アるデアノ, ナ] 形 村の; ひなびた.

── 名男女 村人.

a·le·a·ción [aleaθjón アれアしオン] 名女 合金. *aleación* ligera 軽合金.

a·le·a·to·rio, ria [aleatórjo, rja アれアトリオ, リア] 形 運次第の, 射倖(しゃこう)的な.

a·lec·cio·na·dor, do·ra [alekθjonaðór, ðóra アれクしオナドル, ドラ] 形 教訓的な; 戒めの.

a·lec·cio·nar [alekθjonár アれクしオナル] 動他 **1** 教える; 訓練する. **2** 戒める; 説教する.

a·le·da·ño, ña [aleðáɲo, ɲa アれダニョ, ニャ] 形 隣接した.

── 名男 [~s] 近郊, 周辺部.

a·le·ga·ción [aleɣaθjón アれガしオン] 名女 主張, 申し立て.

a·le·gar [aleɣár アれガル] [32 g ➡ gu] 動他 **1** (証拠などを)提示する; 申し立てる. *alegar* razones 根拠を掲げる.

2 (諺などを)引用する.

a·le·ga·to [aleɣáto アれガト] 名男 〘法律〙陳述(書), 申し立て.

a·le·go·rí·a [aleɣoría アれゴリア] 名女 **1** 寓意(ぐうい), アレゴリー. **2** 寓話.

a·le·gó·ri·co, ca [aleɣóriko, ka アれゴリコ, カ] 形 寓意(ぐうい)的な.

alegrado 過分 ➡ alegrar.

alegrando 現分 ➡ alegrar.

a·le·grar [aleɣrár アれグラル] 動他 [現分 alegrando; 過分

alegrado〕 **1** 喜ばせる. La noticia *alegró* a todos. そのニュースは全員を喜ばせた. **2** 陽気にする, 楽しくさせる. Los niños *alegran* la casa. 子供がいると家の中が明るくなる.

── **a·le·grar·*se*** 〔英 be happy, be glad〕 **1** 《+**de, con, por**》**…を喜ぶ.** *Se alegró de* tu éxito. 彼は君の成功を喜んだ. Ya estoy mejor, gracias. ─ *Me alegro.* もう大分よくなりました. ─それはよかった.

2 《+**de** 不定詞》《+**de que** 接続法》**…してうれしい**, …のことをうれしく思う. *Me alegro de* estar con ustedes en esta ocasión. ご一緒できてうれしく思います. *Me alegro de que* se haya mejorado tu madre. お母さんがよくなられてよかったですね. ►alegrarse de の主語と次にくる動詞の主語が同じならば不定詞, 異なれば que 接続法となる. ただし, 口語ではしばしば de が省略される.

3 陽気になる; 盛り上がる; ほろ酔い気分になる. *Alégrate*, no pongas esa cara. 元気を出しなさい, そんな顔をしないで. Con un poco de vino *se alegra* en seguida. 彼はちょっと酒が入るとすぐ陽気になる.

a·le·gre [aléɣre アれグレ] 形 〔複 ～s〕〔英 cheerful, happy〕 **1** **陽気な**, 快活な, **楽しい**, うきうきとした (↔ triste). un niño *alegre* 快活な少年. música *alegre* 軽快な音楽. una noticia *alegre* うれしい知らせ. Los niños están *alegres*. 子供たちははしゃいでいる. Las chicas cantan *alegres*. 娘たちは楽しそうに歌っている.

2 《+**con**》…でうれしい; 《+**de** 不定詞》…して上機嫌な. Se siente *alegre con* la noticia. 彼はその知らせを聞いてうれしく思っている. Están *alegres de* saberlo. 彼らはそれを知ってはしゃいでいる.

3 (色が) 鮮やかな; (部屋が) 明るい.

4 ほろ酔い機嫌の.

5 《口語》(話が) 卑猥(ひわい)な; (女が) ふしだらな.

── 動 ➞ alegrar.

a·le·gre·men·te [aléɣreménte アれグレメンテ] 副 陽気に, 快活に.

a·le·grí·a [aleɣría アれグリア] 名女 〔複 ～s〕〔英 joy〕 **1** **喜び, うれしさ.** ¡Qué *alegría*! すてきだ, すごい. Estoy loco de *alegría*. / Tengo *alegría*. 僕はうれしくてたまらない. Es una *alegría* para mí acompañarte en el viaje. 旅をご一緒できるなんてうれしい限りです. saltar de *alegría* うれしくて小躍りする.

2 陽気, 快活さ, にぎやかさ. La *alegría* se hizo dueña del pueblo. 村は活気に満ちあふれた. **3** 鮮やかさ, 明るさ.

4 [～s] (フラメンコ) アレグリアス: スペイン Andalucía 地方の舞曲[歌].

a·le·gro [aléɣro アれグロ] 副 〔音楽〕アレグロで, 快速調に.

── 名男 〔音楽〕アレグロ.

── 動 ➞ alegrar.

a·le·ja·mien·to [alexamjénto アれハミエント] 名男 疎遠; 不仲.

A·le·jan·dra [alexándra, アれハンドゥラ] 固名 アレハンドラ: 女性の名.

A·le·jan·dro [alexándro アれハンドゥロ] 固名 アレハンドロ: 男性の名. *Alejandro* Magno アレクサンドロス大王, アレクサンダー大王 (マケドニアの王, 在位前336–323).

a·le·jar [alexár アれハル] 動他 〔英 move away〕 《+**de**》 **…から遠ざける**, 引き離す (= apartar). *Aleja* un poco más la estufa para que no se queme la cortina. カーテンが燃えないように, ストーブをもう少し離しなさい. Nunca podré *alejar de* mí su recuerdo. 彼との思い出は, 一生私の頭を離れないだろう.

── **a·le·jar·*se*** 〔英 go away〕 **遠ざかる**, 離れる. El tren *se alejó* poco a poco. 列車はだんだんと遠ざかっていった. *alejarse* del mundo 世間と疎遠になる.

a·le·la·do, da [aleláðo, ða アれらド, ダ] 形 ぼんやりした, 間抜けた.

a·le·lu·ya [alelúja アれるヤ] 間投 ハレルヤ. ◆ヘブライ語で「感激もて主を賛美せよ」の意.

── 名男 (ときに女) ハレルヤ聖歌.

a·le·mán[1]**, ma·na** [alemán, mána アれマン, マナ] 〔複男 alemanes, 女 ～s〕〔英 German〕 形 **ドイツの, ドイツ人の, ドイツ語の.**

── 名男女 **ドイツ人.**

a·le·mán[2] [alemán アれマン] 名男 〔英 German〕 **ドイツ語.** alto *alemán* 高地ドイツ語.

A·le·ma·nia [alemánja アれマニア] 固名 〔英 Germany〕 **ドイツ.** República Federal de *Alemania* ドイツ連邦共和国 (首都 Berlín).

a·len·tar [alentár アれンタル] [42 e ➞ ie] 動他 励ます, 元気づける (= animar); 助長する. *alentar* la rebelión 反乱を扇動する.

── 動自 **1** 呼吸する. **2** (感情が) 息づく.

── **a·len·tar·*se*** 奮起する; (病気が) 回復する.

a·ler·gia [alérxja アれルヒア] 名女 〔医〕アレルギー.

a·lér·gi·co, ca [alérxiko, ka アれルヒコ, カ] 形 アレルギーの; 《+**a**》…の大嫌いな.

── 名男女 アレルギー体質の人.

a·le·ro [aléro アれロ] 名男 **1** 〔建築〕軒, ひさし. ➞ casa 図.

2 〔車〕泥よけ, フェンダー.

a·le·rón [alerón アれロン] 名男 〔航空〕補助翼, フラップ. ➞ avión 図.

a·ler·ta [alérta アれルタ] 副 警戒して. estar *alerta* 警戒している.
—— 形 用心深い. estar con ojo *alerta* 油断なく見張っている.
—— 名女 (ときに男) 警報. dar la *alerta* 警報を出す.
—— 間投 警戒せよ, 気をつけろ.

a·ler·tar [alertár アれルタル] 動他 危険を知らせる. —— 動自 警戒する.

a·le·ta [aléta アれタ] 名女 [ala の小]
1 (魚・海獣の) ひれ, ひれ足; (潜水用の) 足ひれ, フィン. sopa de *aleta* de tiburón フカひれスープ. ➡ pez 図. **2** 小鼻, 鼻翼. **3** (ミサイルなどの) 小翼; (航空機の) 補助翼. ➡ avión 図.

a·le·tar·ga·mien·to [aletarɣamjénto アれタルガミエント] 名男 居眠り.

a·le·tar·gar [aletarɣár アれタルガル] [32 g ➡ gu] 動他 うとうとさせる; (手・足を) 無感覚にする.
—— **a·le·tar·gar·se** 眠くなる.

a·le·te·ar [aleteár アれテアル] 動自
1 (鳥が) 羽ばたきする; (魚が) ひれを動かす.
2 はためく.

a·le·te·o [aletéo アれテオ] 名男 羽ばたき; はためき.

a·le·vín [aleβín アれビン] 名男 **1** (放流・養殖用の) 稚魚. **2** 新人, 初心者.

a·le·vo·sí·a [aleβosía アれボシア] 名女
1 (犯罪の) 計画性. **2** 裏切り.

a·le·vo·so, sa [aleβóso, sa アれボソ, サ] 形 (犯罪が) 計画的な; 裏切りの.
—— 名男女 裏切り者.

al·fa [álfa アるファ] 名女 [el *alfa*] アルファ (A, α): ギリシア語アルファベットの第1字. rayos *alfa* 〘物理〙アルファ線.

al·fa·bé·ti·co, ca [alfaβétiko, ka アるファベティコ, カ] 形 アルファベットの.

al·fa·be·to [alfaβéto アるファベト] 名男 アルファベット, 字母 (= abecedario). *alfabeto* fonético 音声字母. *alfabeto* Morse モールス符号. ⇨ スペイン語の発音.

al·fal·fa [alfálfa アるファるファ] 名女 〘植物〙アルファルファ, ムラサキウマゴヤシ.

al·féi·zar [alféiθar アるフェイさル] 名男 〘建築〙窓台; (窓扉を取り付けるための) 壁の切り込み.

al·fé·rez [alféreθ アるフェレす] 名男 [複 alféreces] 〘軍事〙 (1) 少尉. ➡ militar 【参考】. (2) 旗手.

al·fil [alfíl アるフィる] 名男 (チェス) ビショップ. ➡ ajedrez 図.

al·fi·ler [alfilér アるフィれル] 名男 ピン; 留め針; ブローチ. sujetar con un *alfiler* ピンで留める. *alfiler* de corbata ネクタイピン. *alfiler* de gancho ヘアピン.
de veinticinco alfileres 《口語》めかし込んで.
no caber un alfiler 《口語》立錐(りっすい)の余地もない.
prendido* [*pegado*] *con alfileres 不出来な, 不完全な, 不安定な. Hoy llevo la lección *prendida con alfileres*. 今日は授業の準備ができていない.

al·fom·bra [alfómbra アるフォンブラ] 名女 じゅうたん, カーペット. *alfombra* persa ペルシアじゅうたん. *alfombra* voladora 空飛ぶじゅうたん.

al·fom·brar [alfombrár アるフォンブラル] 動他 じゅうたんを敷く; (草花などを) 敷きつめる.

al·fon·si·no, na [alfonsíno, na アるフォンシノ, ナ] 形 アルフォンソ王 (派) の.

Al·fon·so [alfónso アるフォンソ] 固名 アルフォンソ: 男性の名. アルフォンソ10世賢王 *Alfonso* X el Sabio (Castilla-León 王. 在位1252–84. ◆スペイン法の基礎となる "Las Siete Partidas" 『七部法典』 等を編纂(へんさん)).

al·for·ja [alfórxa アるフォルハ] 名女 [普通 ～s] 鞍(くら)袋.

Al·fre·do [alfréðo アるフレド] 固名 アルフレド: 男性の名.

al·ga [álɣa アるガ] 名女 [el *alga*] 〘植物〙海草, ノリ (海苔); [～s] 藻類.

al·ga·lia [alɣálja アるガリア] 名女 麝香(じゃこう). gato de *algalia* 〘動物〙ジャコウネコ.

al·ga·ra·bí·a [alɣaraβía アるガラビア] 名女 **1** 《口語》ちんぷんかんぷん. hablar en *algarabía* 訳の分からぬことを話す.
2 アラビア語. ◆レコンキスタ時代 (711–1492) にキリスト教徒がつけた名称.

al·ga·ra·da [alɣaráða アるガラダ] 名男 大騒ぎ.

al·ga·rro·ba [alɣar̄óβa アるガロバ] 名女 〘植物〙カラスノエンドウ; イナゴマメの実.

al·ga·rro·bo [alɣar̄óβo アるガロボ] 名男 〘植物〙イナゴマメ.

al·ga·za·ra [alɣaθára アるガさラ] 名女 (戦闘のときの) 鬨(とき)の声; 歓声.

ál·ge·bra [álxeβra アるヘブラ] 名女 [el *álgebra*] 〘数〙代数学.

al·ge·brai·co, ca [alxeβráiko, ka アるヘブライコ, カ] / **al·gé·bri·co, ca** [alxéβriko, ka アるヘブリコ, カ] 形 代数学の.

ál·gi·do, da [álxiðo, ða アるヒド, ダ] 形
1 寒い, 冷たい. **2** 決定的な; 最高潮の (= culminante, máximo).

al·go

[álɣo アるゴ] 代名 《不定》[性・数不変]
〔英 something, anything〕
1 何か, あるもの[こと] (↔ nada). Quiero tomar *algo* fresco. 何か冷たい物が飲みたい. ¿Puedo hacer *algo* por ti? 何か君にしてやれることがありますか? Creo que saben *algo* del asunto. 彼らはその件について何か知っていると思う. Si usted no comprende *algo*, pregúntemelo. 何か分からないことがあれば, いつでもおたずね下さい. ¿Tienes *algo* que hacer? 用事があるの? Había en su mirada *algo* más

A

que reproches. 彼の視線に非難以上のものがうかがえた. Debe de haber *algo* que podamos hacer. 何かしら我々に出来ることがあるはずだ. ► 関係節中の動詞の直説法, 接続法の違い. ➞ que.

2 (数量・程度が) **いくらか, 多少**; かなり. Falta *algo* para un metro. 1メートルに少し足りない. ¡Ya es *algo*! 《反語》少しどころでない, かなりのことだ!

3 重要人物. creerse *algo* 自分をひとかどの人物だとうぬぼれる.

── 副 **少し**, やや (= un poco); かなり. Hoy estoy *algo* mejor. 今日はいくらか気分がいい. *algo* más que de ordinario いつもより少し余計に.

algo así* / *algo por el estilo 何かそのようなもの [こと]; そのくらい (の程度).

algo así como ... 一種の…; 約, ほぼ.

algo de ... いくらかの…, 多少の…. tener *algo de* fiebre 少し熱っぽい. *algo de* repugnancia 多少の嫌悪感.

Algo es algo.* / *Más vale algo que nada. ないよりはましだ.

por algo なんらかの [それなりの] 理由があって. *Por algo* será. 何か訳があるのだろう.

tener un algo de ... …らしいところがある.

al·go·dón [alɣoðón アるゴドン] 名 男 [複 algodones] **1** 綿, 綿花. *algodón* en rama 原綿, 生綿.

2 木綿, 綿布; 綿糸. vestido de *algodón* 木綿の服. *algodón* hidrófilo [absorbente] 脱脂綿.

entre algodones 《口語》大事に, 甘やかして.

algodón pólvora 綿火薬.

al·go·rit·mo [alɣorítmo アるゴリトゥモ] 名 男 〘数〙 アルゴリズム: 問題解決の段階的手順.

al·gua·cil [alɣwaθíl アるグアしる] 名 男 警吏; 執達吏.

al·guien [álɣjen アるギエン] 代名 《不定》 [性・数不変] 〔英 someone, anyone〕 **1 誰か**, ある人 (↔ nadie). *Alguien* estaba preguntando por ti. 誰かが君を探していたよ. ¿Viste a *alguien*? 誰かに会った? ¿Hay *alguien* que sepa conducir? 運転できる人はいますか? ► 関係節中の動詞の直説法, 接続法の違い. ➞ que.

> **【参　考】** *alguien* de ustedes の言い方がよく使われるが, 集団のうちの「誰か1人」を指すには **alguno, na** を用いる方がよい.
> *alguno* de ustedes あなたがたのうちの誰か.

2 重要人物. ser *alguien* 大立て者.

al·gún [alɣún アるグン] 形 《不定》 ➞ alguno.

al·gu·no, na [alɣúno, na アるグノ, ナ] 形 《不定》 [男性単数名詞の前で algún となる; 複 ~s] 〔英 some, any〕 **1** 《単数可算名詞と共に用いられて》 **何か, 誰か**, いずれかの (↔ ninguno). ¿Tienes *alguna* pregunta? 質問がありますか? ¿Quieres *alguna* cosa más? 何かほかに欲しいものは? Te pondré *algún* otro ejemplo. 別の例を挙げよう. *algún* otro hombre 誰かほかの人 [男]. ¿Conoce usted *algún* japonés que haya estado en México? メキシコにいたことのある日本人で (誰か) 知り合いはいませんか? (► 関係節中の動詞は接続法). en *algún* sitio どこかに. de *alguna* forma 何とか, ともかく.
► 「誰か, 何か」などは日本語に訳されない場合が多い.

> **【参　考】** **alguno, na** は確定的でないので (1つまたは数個を指す), はっきり「1」と限定する場合は **uno, na** を用いる.
> Lo he visto *alguna* vez. かつて [1度・数度] 見たことがある.
> Lo he visto *una* vez. 1度だけ見たことがある.
> Me ayudará *algún* vecino. 隣人の誰かが, (少なくとも1人は) 助けてくれるだろう.

2 《複数可算名詞と共に用いられて》 **いくつかの, 何人かの**; 《不可算名詞と用いられ単数形で数量・程度を表して》 **いくらかの**, 多少の (= algo de); かなりの. *algunos* libros 何冊かの本. *algunas* consideraciones sobre verbos reflexivos 再帰動詞に関する若干の考察. *Algunas* personas no piensan así. なかにはそう考えない人もいる. ¿Tienes *algún* dinero? いくらか持ち合わせがある? Sentí *algún* dolor. 私は多少の痛みを感じた. de *alguna* importancia かなり重要な.

> **【参　考】** 所有形容詞, 指示形容詞がつく場合.
> algunos de *sus* libros
> algunos libros *suyos*
> 彼の何冊かの本.
> algunos de *estos* libros
> これらの本のうちの何冊か.
> 数形容詞の前では **algunos, nas** でなく **unos, nas** を用いる.
> *unos* cien libros 約100冊の本.

3 《否定表現の中で名詞の後に置いて》 全く…ない (= ninguno). sin duda *alguna* きっと, まさに. No tiene valor *alguno*. なんの価値もない (►No tiene ningún valor. よりも文語的な表現になる).

► en modo *alguno* (決して…でない), en caso *alguno* (いかなる場合も…でない) などは見かけは肯定文だが, 文頭で否定語の役割をする.

—— 代名《不定》[複 ～s] **1**《単数形で用いられて》**誰か** (= alguien). si quieres ayudar a *alguna* 手伝ってやりたい(女の)人がいるなら. ► 男性形・女性形の別があるので alguien よりも具体的になる. ➡ alguien 【参考】.

2 [～s] いくつかの物, 何人かの人. A *algunos* no les gustará que yo tome la última decisión. 何人かの人は私が決定を下すのを快く思わないかもしれない.

algún que otro / alguna que otra いくつかの, いくらかの. *alguna que otra vez* 時折.

al·ha·ja [aláxa アらハ] 名女 **1** 宝飾品; 宝石 (= joya). **2** 貴重なもの, 優れたもの. una verdadera *alhaja* del arte gótico ゴチック芸術の至宝.

Al·ham·bra [alámbra アらンブラ] 固名 la *Alhambra* アルハンブラ宮殿: スペインの Granada にある中世イスラム建築.

al·he·lí [alelí アれり] 名男 [複 alhelíes] 〘植物〙ストック, アラセイトウ.

a·lia·do, da [aljáðo, ða アりアド, ダ] 形 同盟[連合]した.

—— 名男女 同盟者, 盟友. los *Aliados* (第一次・第二次大戦の) 連合国 (► 枢軸国は los países del Eje).

a·lian·za [aljánθa アりアンさ] 名女 **1** 同盟; 協定. pacto de *alianza* 同盟条約. la Santa *Alianza* 神聖同盟. **2** 結びつき, 結合. **3** 結婚指輪; 姻戚(いんせき)関係.

a·liar [aljár アりアル] [23 i ➡ í] 動他 結合させる.

—— **a·liar·se** 同盟を結ぶ.

a·lias [áljas アりアス] 副 またの名を. Antonio López, *alias* el Pirata アントニオ・ロペスまたの名を「海賊」.

—— 名男 別名, 通称, あだ名.

a·li·ca·í·do, da [alikaíðo, ða アりカイド, ダ] 形 **1** 翼を垂れた.

2 《口語》体が弱った; 元気のない.

3 《口語》落ちぶれた, 尾羽うち枯らした.

A·li·can·te [alikánte アりカンテ] 固名 アリカンテ: スペイン南東部の県; 県都.

a·li·can·ti·no, na [alikantíno, na アりカンティノ, ナ] 形 アリカンテの.

—— 名男女 アリカンテの住民.

a·li·ca·tes [alikátes アりカテス] 名男 [複] ペンチ; やっとこ (= tenazas).

A·li·cia [alíθja アりしア] 固名 アリシア: 女性の名.

a·li·cien·te [aliθjénte アりしエンテ] 名男 魅力; 刺激. no tener *aliciente* 魅力がない. servir de *aliciente* para 《+不定詞》…する励みになる.

a·lie·na·ción [aljenaθjón アりエナしオン] 名女 **1** (財産・権利などの) 譲渡.

2 〘医〙精神障害. **3** 疎外.

a·lie·na·do, da [aljenáðo, ða アりエナド, ダ] 過分 形 精神錯乱の; 疎外された.

—— 名男女 〘医〙精神障害者.

a·lie·nar [aljenár アりエナル] 動他 **1** (財産・権利などを) 譲渡する. **2** 発狂させる.

a·lien·to [aljénto アりエント] 名男 **1** 呼気, 息, 呼吸. perder el *aliento* 息切れする. estar [quedar] sin *aliento* 息を切らしている; 元気がない. aguantar [contener] el *aliento* 息を殺す. ► 「呼吸する」は respirar. **2** 気力. cobrar [tomar] *aliento* 元気を回復する. dar [infundir] *aliento* 元気づける.

de un aliento 一息に, 一気に.

exhalar el postrer [último] aliento 息を引き取る.

a·li·ge·rar [alixerár アりヘラル] 動他 **1** 軽くする, 軽減する; 緩和する. *aligerar* una carga 荷を減らす. **2** 速める. *aligerar* el paso 足を速める.

—— 動自 急ぐ.

—— **a·li·ge·rar·se** 軽くなる; 和らぐ. *aligerarse* de ropa 軽装になる.

a·li·jo [alíxo アりホ] 名男 **1** 荷揚げ.

2 密輸(品).

a·li·ma·ña [alimáɲa アりマニャ] 名女 (家畜などを荒らす) 害獣.

a·li·men·ta·ción [alimentaθjón アりメンタしオン] 名女 **1** 《集合》食べ物, 食料; 栄養補給[摂取]. *alimentación* equilibrada 栄養のバランスがとれた食事. **2** 供給, 補給.

a·li·men·tar [alimentár アりメンタル] 動他 **1** 食べ物[栄養]を与える; 糧となる; 養う, 育てる. *alimentar* a su familia 家族を扶養する.

2 《+con, de》…を供給する; 〘コンピュータ〙入力する. *alimentar* un circuito *de* corriente eléctrica 回路に電流を供給する.

3 助長する, あおる. *alimentar* esperanza 希望をかき立てる.

—— **a·li·men·tar·se** 《+con, de》…を食べる, 糧とする. *alimentarse con [de]* arroz 米を常食とする.

a·li·men·ta·rio, ria [alimentárjo, rja アりメンタりオ, りア] 形 食物の, 食品の.

a·li·men·ti·cio, cia [alimentíθjo, θja アりメンティしオ, しア] 形 **1** 食品の. industria *alimenticia* 食品産業.

2 栄養のある. valor *alimenticio* 栄養価.

a·li·men·to [aliménto アりメント] 名男 **1** 食べ物, 食品; 栄養物. enviar *alimentos* y medicinas a los refugiados 難民に食料と薬品を送る. de mucho *alimento* 栄養豊かな. *alimento* del espíritu 心の糧.

2 [～s] 〘法律〙扶養料, 養育費.

a·li·món [alimón アりモン] ***al alimón*** 《副詞句》いっしょに, ふたりで.

a·lin·dar [alindár アりンダル] 動他 境界を示す.

—— 動自 《+con》…と境を接している.

A

a·li·ne·a·ción [alineaθjón アリネアシオン] 名女 **1** 整列. **2** 疎外.

a·li·ne·ar [alineár アリネアル] 動他 **1** 整列させる. **2** 連合させる.
—— **a·li·ne·ar·*se*** **1** 整列する. **2** 参加する; 連合する.

a·li·ño [alíɲo アリニョ] 名男 **1** 〘料理〙味つけ, 調味(料); ドレッシング.
2 準備; 身だしなみ; 飾り.

a·li·sar [alisár アリサル] 動他 **1** 滑らかにする. **2** (しわ・よじれ・もつれなどを) 伸ばす; (髪を) とかす.
—— **a·li·sar·*se*** **1** 滑らかになる. **2** 髪をとかす.

a·li·sios [alísjos アリシオス] 形 [複] 貿易 (風) の. —— 名男 [複] 貿易風.

a·lis·ta·mien·to [alistamjénto アリスタミエント] 名男 **1** 〘軍事〙徴兵. *alistamiento* voluntario 志願入隊.
2 (政党・団体などへの) 加入.

a·lis·tar [alistár アリスタル] 動他 **1** 徴兵名簿に載せる; (兵を) 徴募する. **2** 名簿に載せる, 登録する.
—— **a·lis·tar·*se*** **1** (自分の名前を) 登録する. **2** 志願する.

a·li·te·ra·ción [aliteraθjón アリテラシオン] 名女 〘修辞〙頭韻法: 同じ音[音節]で始まる語を繰り返すこと.

a·li·viar [aliβjár アリビアル] 動他 **1** (重さを) 軽くする. *aliviar* una carga 荷を軽くする.
2 (負担・苦痛などを) 軽減する, 和らげる. *aliviar* a《+uno》〈人〉の痛みを和らげる (► 前置詞 de を伴う場合がある). *aliviar* a《+uno》en el trabajo〈人〉の仕事を手伝う. **3** (動きなどを) 速める, 急ぐ.
—— **a·li·viar·*se*** 軽くなる, 楽になる. El enfermo *se está aliviando* poco a poco. 病人はゆっくり快方に向かっている.

a·li·vio [alíβjo アリビオ] 名男 軽減, 緩和. Tu ayuda me proporcionó un gran *alivio*. 君が手伝ってくれたので私は大いに助かった.
de alivio 《口語》大変な, 厄介な. un catarro *de alivio* ひどい風邪.

al·ji·be [alxíβe アルヒベ] 名男 **1** 貯水槽 (= cisterna). **2** タンカー, 油槽船.

a·llá [aʎá アリャ] 副 〔英 over there〕
1 **あちらへ[に, で]**. Vete *allá*. あっちへ行け. *Allá* voy. 今いきます. Se casó *allá* en Alemania. 彼は外国で, ドイツで結婚した. ➡ allí.
2 以前, あのころ. *allá* en los años setenta かつて70年代に.
3 《口語》《+名詞・代名詞》…の勝手だ; 《+接続法》…させればよい. *Allá* tú. 君の勝手にしろ.
Allá se va.* / *¡Allá se van los dos! どっちもどっちだ, 似たりよったりだ.
Allá va. (1) 《物を投げて》ほら, それ行くぞ. (2) 《驚きを表して》まさか, おや.
el más allá あの世, 彼岸.
hacerse* (*para*) *allá 退く, 場所をあける.
más allá de ... …より以上; …のもっと向こうに. No sabe contar *más allá de* diez. 彼は10より上は数えられない. El parque está *más allá de* la escuela. 公園は学校のもっと先だ.
no ser muy allá あまり良くない.

a·lla·na·mien·to [aʎanamjénto アリャナミエント] 名男 **1** 平らにすること.
2 除去; 克服.

a·lla·nar [aʎanár アリャナル] 動他 **1** 平らにする, 平坦(へいたん)にする.
2 取り除く; 克服する. **3** 侵入する.
—— **a·lla·nar·*se*** 《+**a**》…に服従する, 譲る (= someterse); 妥協する.

a·lle·ga·do, da [aʎeɣáðo, ða アリェガド, ダ] 過分 形 **1** 近い. **2** 味方の; 側近の; 親戚(しんせき)の.
—— 名男女 **1** 近親者, 親戚. **2** 支持[支援]者; 近しい友人.
—— 名男 [~s] 側近. los *allegados* al rey 国王の側近.

a·lle·gar [aʎeɣár アリェガル] [32 g ➡ gu] 動他 **1** 集める, 寄せ集める.
2 近づける (= aproximar).

a·llen·de [aʎénde アリェンデ] 前 向こうに. *allende* los mares 海のかなたに.

a·llí [aʎí アリィ] 副 〔英 there〕
1 **あそこに[へ, で]**. Tu coche está *allí*. 君の車はあそこだ. *allí* arriba あの上に. ►allí は allá より限定され, 副詞を伴うことはない. más allí とは言わない. ⇒ más *allá* もっとあっちに. ➡ aquí, ahí.
2 あの時, その時. *Allí* fue el reír de la gente. そこで皆が笑った.
allí donde …する所では. *Allí donde* pone su mano, todo se pone caótico. 彼が手を出すと決まって混乱する.

al·ma [álma アルマ] 名女 [el *alma*] [複 ~s] 〔英 soul〕 **1** **魂, 霊魂**. dar [entregar, rendir] el *alma* (a Dios) 息を引き取る.
2 **精神**, 心. *alma* inocente 無垢(むく)な心. tener el *alma* destrozada 心がひどく傷ついている. ► 決まった言い回しを除いて, 口語では espíritu のほうが多く用いられる.
3 人間, 人. No hay ni un *alma*. 人っ子ひとりいない. *alma* de Dios 善良な人.
4 中心人物; 真髄.
alma mía* / *mi alma 《呼びかけ》愛(いと)しい人.
con el alma y la vida 心を込めて.
con toda* SU *alma 心から.
de mi alma わが愛する. hija *de mi alma* 最愛の娘.
en el alma とても, ひどく. ► 主に動詞 agradecer, sentir と共に用いられる.

hablar a 《+uno》 ***al alma*** 〈人〉に一生懸命[率直に]語りかける.
no poder con SU ***alma*** ひどく疲れている.
no tener alma 心が冷たい, 思いやりがない.
partir [***romper***] ***a*** 《+uno》 ***el alma*** 〈人〉をひどく悲しませる; 〈人〉をめった打ちにする.
tocar a 《+uno》 ***en el alma*** 〈人〉の心に触れる.

al·ma·cén [almaθén アるマせン] 名男 [複 almacenes] **1** 倉庫, 保管所. ➡ puerto 図. **2** [almacenes] デパート, 百貨店 (= grandes *almacenes*).

al·ma·ce·na·mien·to [almaθenamjénto アるマせナミエント] 名男 《ｺﾝﾋﾟｭｰﾀ》 記憶装置.

al·ma·ce·nar [almaθenár アるマせナル] 動他 倉庫に入れる; 貯蔵する.

al·ma·ce·nis·ta [almaθenísta アるマせニスタ] 名男女 **1** 倉庫の所有者; 倉庫業者. **2** 卸売り商.

al·ma·na·que [almanáke アるマナケ] 名男 **1** 暦; カレンダー (= calendario). **2** 年鑑; 名鑑.

al·me·ja [alméxa アるメハ] 名女 《貝》 (アサリ・ハマグリなどの) 二枚貝.

al·me·na [alména アるメナ] 名女 銃眼つき胸壁. ➡ castillo 図.

al·me·na·do, da [almenáðo, ða アるメナド, ダ] 形 銃眼つき胸壁のある; 凸凹状の (飾りのある).

al·men·dra [alméndra アるメンドゥラ] 名女 《植物》 アーモンドの実. *almendra* amarga 苦扁桃(くへんとう).

al·men·dra·do, da [almendráðo, ða アるメンドゥラド, ダ] 形 アーモンドの入った.
—— 名男 アーモンドペースト.

al·men·dral [almendrál アるメンドゥラる] 名男 アーモンド園.

al·men·dro [alméndro アるメンドゥロ] 名男 《植物》 アーモンドの木.

Al·me·rí·a [almería アるメリア] 固名 アルメリア: スペイン南部の県; 県都.

al·me·rien·se [almerjénse アるメリエンセ] 形 アルメリアの.
—— 名男女 アルメリアの住民.

al·mí·bar [almíβar アるミバル] 名男 **1** シロップ; シロップ漬けの果物. **2** 甘やかし, お追従.

al·mi·ba·rar [almiβarár アるミバラル] 動他 **1** シロップ漬けにする, シロップをかける. **2** (言葉遣いを) べたべた優しくする.

al·mi·dón [almiðón アるミドン] 名男 澱粉(でんぷん); 糊(のり). dar *almidón* a una camisa ワイシャツを糊づけする.

al·mi·do·na·do, da [almiðonáðo, ða アるミドナド, ダ] 形 **1** 糊(のり)の利いた. **2** 《口語》 うんとめかし込んだ.
—— 名男 衣類の糊づけ.

al·mi·nar [alminár アるミナル] 名男 ミナレット (= minarete): イスラム寺院の高塔.

al·mi·ran·taz·go [almirantáθɣo アるミランタすゴ] 名男 提督の地位.

al·mi·ran·te [almiránte アるミランテ] 名男 提督, (艦隊の) 司令官, 海軍大将. ➡ militar 【参考】.

al·mi·rez [almiréθ アるミレす] 名男 [複 almireces] (料理用の金属性) 乳鉢.

al·miz·cle [almíθkle アるミすクれ] 名男 麝香(じゃこう).

al·miz·cle·ro, ra [almiθkléro, ra アるミすクれロ, ラ] 形 麝香(じゃこう)の (香りがする). lirón *almizclero* 《動物》 ヤマネ. ratón *almizclero* 《動物》 ジャコウネズミ; デスマン.
—— 名男 《動物》 ジャコウジカ (麝香鹿).

al·mo·ha·da [almoáða アるモアダ] 名女 **1** まくら. ➡ cama 図. **2** クッション, 座布団.
consultar con la almohada 《口語》 じっくり考える, 熟考する.

al·mo·ha·des [almoáðes アるモアデス] 名男 [複] los *almohades* アルモアデ[ムワッヒド]朝[族]: 北アフリカ, スペインを統治したイスラム・スペインの王朝 (1147–1269).

al·mo·ha·di·lla [almoadíʎa アるモアディリャ] 名女 針刺し, ピンクッション; スタンプ台.

al·mo·rá·vi·des [almoráβiðes アるモラビデス] 名男 [複] los *almorávides* アルモラビデ[ムラービト]朝[族]: 北アフリカ, スペインを統治したイスラム・スペインの王朝 (1055–1093).

almorce(-) / **almorcé**(-) 動 ➡ almorzar. [13 o ➡ ue ; 39 z ➡ c]

al·mo·rra·nas [almor̄ánas アるモラナス] 名女 《医》 痔疾(じっ) (= hemorroides).

almorzado, da 過分 ➡ almorzar.

almorzando 現分 ➡ almorzar.

al·mor·zar

[almorθár アるモルさル] [13 o ➡ ue ; 39 z ➡ c] 動自 [現分 almorzando; 過分 almorzado, da] 〔英 lunch〕

直説法 現在	
1·単 *almuerzo*	1·複 almorzamos
2·単 *almuerzas*	2·複 almorzáis
3·単 *almuerza*	3·複 *almuerzan*

昼食を取る; 午前の軽食を取る. ➡ comer 【参考】.
—— 動他 昼食に食べる.

almuerz- 動 ➡ almorzar. [13 o ➡ ue ; 39 z ➡ c]

al·muer·zo

[almwérθo アるムエルそ] 名男 [複 ~s] 〔英 lunch〕 **昼食**. ◆地方によっては朝食 desayuno と昼食 comida の間で取る「軽食」を指す. また朝食を指す場合もある. スペイン・中南米では, ふつう昼食が正餐(せいさん)である. ➡ comida.

—— 動 ➡ almorzar. [⑬ o ➡ ue ; ㊴ z ➡ c]

A

a·lo·ca·do, da [alokáðo, ða アろカド, ダ] 形 思慮が足りない; 軽率な.

a·lo·cu·ción [alokuθjón アろクしオン] 名 女 訓示, 訓話.

á·lo·e [áloe アろエ] / **a·lo·e** [alóe アろエ] 名 男 〘植物〙アロエ.

a·lo·ja·mien·to [aloxamjénto アろハミエント] 名 男 〔英 lodging〕 宿泊; 宿泊施設.

a·lo·jar [aloxár アろハル] 動 他 泊める; 住居を提供する. Mi amigo dijo que nos *alojaría* en su casa. 私の友人は彼の家に我々を泊めてくれると言った.

—— a·lo·jar·*se* 泊まる. *alojarse* en un hotel ホテルに宿泊する.

a·lon·dra [alóndra アろンドゥラ] 名 女 〘鳥〙 ヒバリ(雲雀).

A·lon·so [alónso アろンソ] 固名 アロンソ: 男性の名.

a·lo·pa·tí·a [alopatía アろパティア] 名 女 〘医〙逆症療法 (↔ homeopatía).

a·lo·tro·pí·a [alotropía アろトゥロピア] 名 女 〘化〙同素体.

al·pa·ca [alpáka アるパカ] 名 女 〘動物〙アルパカ; アルパカの毛織物. ◆チリ, ペルー, ボリビアの Andes 山岳地帯で飼われている家畜.

al·par·ga·ta [alparɣáta アるパルガタ] 名 女 アルパルガタ, エスパドリーユ: 底を麻, ジュートなどで編んだ履き物. ➡ calzados 図.

Al·pes [álpes アるペス] 固名 [複] los *Alpes* アルプス山脈.

al·pi·nis·mo [alpinísmo アるピニスモ] 名 男 アルプス登山; (一般に) 登山 (= montañismo).

al·pi·nis·ta [alpinísta アるピニスタ] 名 男 女 登山家, アルピニスト.

al·pi·no, na [alpíno, na アるピノ, ナ] 形 **1** アルプス(山脈)の. **2** 高山の; 登山の. deportes *alpinos* 山岳スポーツ. ***pruebas alpinas*** 〘スポ〙(スキー) アルペン種目[競技].

al·que·rí·a [alkería アるケリア] 名 女 農場; 農事小屋.

al·qui·lar [alkilár アるキらル] 動 他 〔英 rent〕 **1 賃貸しする**. *alquilar* un piso en cincuenta mil pesetas マンションを5万ペセタで貸す. *alquilar* por horas [meses] 時間[月]決めで貸す. Se *alquila*. 《広告》貸します.
2 賃借りする. *alquilar* un coche 車を借りる.

al·qui·ler [alkilér アるキれル] 名 男 **1** 賃貸, 賃借. de *alquiler* 賃貸用の. casa de *alquiler* 貸家.
2 賃貸料; [～または ～es] 家賃. El dueño del piso quiere subir los *alquileres* a partir del próximo mes. 大家が来月から家賃を値上げしたがっている.

al·qui·mia [alkímja アるキミア] 名 女 錬金術.

al·qui·mis·ta [alkimísta アるキミスタ] 名 男 女 錬金術師.

al·qui·trán [alkitrán アるキトゥラン] 名 男 タール. *alquitrán* para el pavimento 舗装用のタール.

al·re·de·dor [alr̄eðeðór アるレデドル] 副 〔英 around〕

《+de》 **1 …の周りに[で, を]**. Dimos un paseo *alrededor del* lago. 私たちは湖の周辺を散歩した. La Tierra gira *alrededor del* Sol. 地球は太陽の周りを回っている. **2** およそ, ほぼ. *alrededor de* mil pesetas 約1000ペセタ.

—— 名 男 **1** [～ es] 周辺; 近郊 (= afueras). los *alrededores* de Madrid マドリードの近郊. **2** 周囲. mirar a su *alrededor* 周囲を見回す.

al·ta [álta アるタ] 名 女 [el *alta*] **1** (医師による) 完治[全快] 通知, 退院許可. **2** 加入, 入会(手続き). **3** (税務署への) 申告.
—— 形 女 ➡ alto¹.

Al·ta·mi·ra [altamíra アるタミラ] 固名 Cuevas de *Altamira* アルタミラの洞窟(どうくつ). ◆スペイン Santander 県にある, 旧石器時代の壁画で有名な洞窟.

al·ta·ne·rí·a [altanería アるタネリア] 名 女 高慢, 尊大.

al·ta·ne·ro, ra [altanéro, ra アるタネロ, ラ] 形 高慢な, 尊大な.

al·tar [altár アるタル] 名 男 祭壇; 供物台. *altar* mayor 中央祭壇.

al·ta·voz [altaβóθ アるタボす] 名 男 [複 altavoces] スピーカー, 拡声器. ➡ cuarto de estar 図.

al·te·ra·ble [alteráβle アるテラブれ] 形 変わりやすい; (感情が) 動揺しやすい, 激しやすい.

al·te·ra·ción [alteraθjón アるテラしオン] 名 女 **1** 変更, 置換; 歪曲(わいきょく). **2** 変化, 変質. *alteración* del pulso 不整脈. **3** (秩序などの) 乱れ. **4** (感情の) 動揺, 興奮.

al·te·rar [alterár アるテラル] 動 他 **1** 変える, 変更する. *alterar* el orden 順序を変える. **2** (秩序などを) 乱す. **3** (人を) 動揺させる; 怒らせる. Le *alteraron* visiblemente unas preguntas atrevidas de los periodistas. 記者たちの遠慮のない質問で彼は明らかに動揺した. **4** 変質させる.

—— al·te·rar·*se* **1** 変化する. **2** 取り乱す; 怒り出す. no *alterarse* por nada 何事にも動じない. **3** 変質[腐敗]する.

al·ter·ca·do [alterkáðo アるテルカド] 名 男 言い争い, 口論.

al·ter·car [alterkár アるテルカル] [⑧ c ➡ qu] 動 自 言い争う, 口論する.

al·ter·na·dor [alternaðór アるテルナドル] 名 男 〘電気〙交流発電機.

al·ter·nan·cia [alternánθja アるテルナンしア] 名 女 交互; 輪番. *alternancia* de generaciones 〘生物〙世代交代[交番]. en *alternancia* 交互に.

al·ter·nar [alternár アるテルナル] 動他 交互に行う.
— 動自 **1** 交互になる[起こる, 現れる].
2 ⦅+con⦆ (有力者)と付き合う.

al·ter·na·ti·vo, va [alternatíβo, βa アるテルナティボ, バ] 形 **1** 交互の. **2** ⦅+a⦆ …に代わる.
— 名女 **1** 代案, (二者)選択. No le queda otra *alternativa*. 彼には選択の余地がない. **2** 交互, 交替; 交替勤務. *alternativas* de la vida 人生の浮き沈み.

al·ter·no, na [altérno, na アるテルノ, ナ] 形 交互の. en días *alternos* 1日おきに. corriente *alterna* 〘電気〙交流.

al·te·za [altéθa アるテさ] 名女 **1** [A-] 殿下. Su *Alteza* Real 殿下.
2 高さ; 崇高さ, 高潔さ.

al·ti·ba·jo [altiβáxo アるティバホ] 名男 [〜s] **1** (地面の)凸凹.
2 急激な変動[変化]; (人生の)浮き沈み.

al·ti·llo [altíʎo アるティリョ] 名男 **1** 丘, 小山 (= cerrillo).
2 中二階. **3** 袋戸棚, 天袋.

al·ti·lo·cuen·te [altilokwénte アるティろクエンテ] 形 大げさな, もったいぶった.

al·tí·me·tro [altímetro アるティメトゥロ] 名男 高度計.

al·ti·pla·ni·cie [altiplaníθje アるティプらニしエ] 名女 高原, 台地.

al·ti·pla·no [altipláno アるティプらノ] 名男 高原, 台地 (= altiplanicie).
El Altiplano アルティプラノ: ボリビアを中心にチリ, アルゼンチンへ延びる Andes 山脈の高原地帯.

al·tí·si·mo, ma [altísimo, ma アるティシモ, マ] 形 [alto の絶対最上級] 非常に高い.

al·ti·so·nan·te [altisonánte アるティソナンテ] / **al·tí·so·no, na** [-tísono, na -ティソノ, ナ] 形 **1** 仰々しい, もったいぶった.
2 世に聞こえた, 名だたる.

al·ti·tud [altitúð アるティトゥ(ドゥ)] 名女 高度; 標高.

al·ti·vez [altiβéθ アるティベす] / **al·ti·ve·za** [-βéθa -べさ] 名女 横柄, 尊大.

al·ti·vo, va [altíβo, βa アるティボ, バ] 形 横柄な, 尊大な.

al·to[1], ta

[álto, ta アるト, タ] 形 [複 〜s] [英 high, tall]
1 高い, 上方の (↔ bajo). árbol *alto* 高い木. mujer *alta* 背の高い女.
2 (数値・程度が)高い, 甚だしい. *alta* presión 高圧; 高気圧. *alta* fiebre 高熱. *alto* porcentaje 高率. *alto* desarrollo de la electrónica 電子工学の著しい発展. a *alto* precio 高い値段で. tener *alta* idea de sus méritos 自分を買いかぶっている.
3 高位の; 上級の. *alto* personaje 高官. un puesto *alto* 高い地位.
4 高潔な, 高邁(こうまい)な. *altos* sentimientos 崇高な感情.
5 高地の, 上流の, 沖の. el *alto* Ebro エブロ川上流. **6** 水かさが増した; 波が高い.
7 (夜が)更けた; 初期の. *Alta* Edad Media 中世初期.
8 〘音楽〙アルトの, 中音部の; 高音の.
lo alto (1)高み; 頭上. desde *lo alto* de la montaña 山頂から. (2)天, 天上.
por (todo) lo alto 贅沢(ぜいたく)に, 豪華に, 盛大に.
ver las cosas desde lo alto 物事を高所から見る.

al·to[2] [álto アるト] 名男 **1** 高さ; 身長. tener cinco metros de *alto* 高さが5メートルある. **2** 丘, 高み. **3** 上階. ► 「下の階」は piso(s) de abajo. **4** 〘音楽〙(1)ビオラ. (2)アルト: 女声の最低声域. **5** 停止, 中断; 休憩; 停車. dar el *alto* a ⦅+uno⦆〈人〉に停止を命じる. hacer un *alto* 中断する, 一休みする. ¡*Alto* (ahí)! 止まれ, 動くな!
— 副 **1** 高く. de *alto* abajo 上から下へ[まで]. **2** 大きな声[音]で. hablar *alto* 大声で話す.
los altos y bajos 運命の浮沈, 栄枯盛衰.
pasar por alto 無視する, 見逃す.
pasarse por alto a ⦅+uno⦆〈人〉に気づかれない, 〈人〉が忘れる.
poner muy alto 賞賛する, 褒めちぎる.

al·to·par·lan·te [altoparlánte アるトパルらンテ] 名男 スピーカー (= altavoz).

al·to·za·no [altoθáno アるトさノ] 名男 高台.

al·truis·mo [altrwísmo アるトゥルイスモ] 名男 利他主義, 愛他的行為 (↔ egoísmo, exclusivismo).

al·truis·ta [altrwísta アるトゥルイスタ] 形 愛他的な.
— 名男女 利他主義者 (↔ egoísta, exclusivista).

al·tu·ra

[altúra アるトゥラ] 名女 [複 〜s] [英 height]
1 高い所, 高み; 高層; [〜s] 頂上.
2 高さ, 高度; 標高, 海抜. *altura* de caída (滝などの)落差. un poste de cinco metros de *altura* 高さ5メートルの柱. tomar [perder] *altura* 〘航空〙高度を上げる[下げる].
3 〘海事〙外洋, 外海. barco de *altura* 外洋船. **4** 〘地理〙緯度 (= latitud).
5 価値, 優秀さ. un programa de *altura* すばらしいプログラム. rayar a gran *altura* 他者にぬきんでている, 優秀である.
6 高潔さ, 気高さ. *altura* de miras 志の高さ. **7** 〘音声〙ピッチ, 音の高さ.
8 [〜s] 天国. Gloria a Dios en las *alturas*. 〘聖書〙いと高きところには栄光, 神にあれ〈ルカ 2:14〉.
a estas alturas 今ごろになって.
a la altura de ... (1)…の位置[場所]に.

A

(2)…の高さ[程度]に. ponerse *a la altura de* la tarea 仕事をうまくこなす. estar *a la altura de* las circunstancias 状況に応じる. estar *a la altura de*l tiempo 時勢に遅れない. llegar *a la altura de* … …の水準に達する.

a·lu·bia [alúβja アるビア] 名女 〘植物〙インゲンマメ(隠元豆).

a·lu·ci·na·ción [aluθinaθjón アるしナしオン] 名女 幻覚; 眩惑(げんわく), 魅了.

a·lu·ci·nan·te [aluθinánte アるしナンテ] 形 幻覚[眩惑(げんわく)]的な, めくるめくような.

a·lu·ci·nar [aluθinár アるしナル] 動他 …に幻覚を生じさせる; 眩惑(げんわく)する, 魅惑する.

a·lu·ci·nó·ge·no, na [aluθinóxeno, na アるしノヘノ, ナ] 形 幻覚を生じさせる.
—— 名男 幻覚剤.

a·lud [alúð アる(ドゥ)] 名男 雪崩; 殺到 (= avalancha).

a·lu·dir [aluðir アるディル] 動自 《+a》…に言及する; …についてそれとなく言う.

a·lum·bra·do, da [alumbráðo, ða アるンブラド, ダ] 過分 形 **1** 灯をともした, 照らされた. **2** ほろ酔い機嫌の.
—— 名男女 光明派の信者. ◆16世紀スペインのキリスト教異端派.
—— 名男 《集合》(街・建物・車などの)照明.

a·lum·bra·mien·to [alumbramjénto アるンブラミエント] 名男 **1** 照明.
2 出産, 分娩(ぶんべん).

a·lum·brar [alumbrár アるンブラル] 動他
1 照らす, 明るくする. El sol *alumbra* la tierra. 太陽は地球を照らす. Voy a *alumbrar*te para que bajes la escalera. 階段が下りられるように君の足元を照らしてあげよう.
2 啓発する, 啓蒙(けいもう)する; 解明する. Sus consejos me *alumbraron*. 彼の忠告に私は目を開かれた. *alumbrar* un problema 問題を解明する.
3 出産する. *Alumbró* dos hijos. 彼女は2児をもうけた. **4** 《口語》殴る.
—— 動自 光を出す. Esta linterna no *alumbra* porque tiene gastadas las pilas. 電池が切れたので, この懐中電灯はつかない.
—— **a·lum·brar·*se*** 《口語》ほろ酔い機嫌になる.

a·lum·bre [alúmbre アるンブレ] 名男 〘化〙明礬(みょうばん).

a·lú·mi·na [alúmina アるミナ] 名女 〘化〙アルミナ, 酸化アルミニウム.

a·lu·mi·nio [alumínjo アるミニオ] 名男 アルミニウム.

alumna 名女 ➡ alumno

a·lum·na·do [alumnáðo アるムナド] 名男 《集合》生徒, 学生.

a·lum·no, na [alúmno, na アるムノ, ナ] 名男女 [複 ~s] 〔英 pupil〕 **生徒**; **学生**. *alumno* modelo 模範生. *alumno* interno 寄宿生. antiguo *alumno* 卒業生, 同窓生; 昔の教え子. ➡ estudiante 【参考】.

a·lu·ni·za·je [aluniθáxe アるニさへ] 名男 月面着陸.

a·lu·sión [alusjón アるシオン] 名女 ほのめかし, 暗示; 言及.

a·lu·si·vo, va [alusíβo, βa アるシボ, バ] 形 《+a》…を暗示する; …に言及する.

a·lu·vión [aluβjón アるビオン] 名男 洪水, 氾濫(はんらん)(= inundación); (物・人・情報などの) 多量. *aluvión* de improperios 悪口雑言の限り.

al·ve·o·lar [alβeolár アるベオらル] 形 〘音声〙歯茎(音)の.
—— 名男 〘音声〙歯茎音. ►s, n, l, r の音.

al·ve·o·lo [alβeólo アるベオろ] / **al·vé·o·lo** [-βéolo -ベオろ] 名男 〘解剖〙歯茎.

al·za [álθa アるさ] 名女 [el *alza*] **1** 上昇, 高騰. **2** (銃砲の) 照門, 照準器.
en alza 〘商業〙(価格が) 上昇 [騰貴] 中の; 《口語》(人気・評価などが) 上昇中の. un joven autor *en alza* 新進気鋭の作家.

al·za·do, da [alθáðo, ða アるさド, ダ] 過分 形 **1** 持ち上げた, 高くした.
2 請負による. a tanto *alzado* 請負で, 一括で. **3** 蜂起(ほうき)した. **4** 計画倒産をした.
—— 名男 立面図; 正面図.

al·za·mien·to [alθamjénto アるさミエント] 名男 **1** 上昇; (価格の) 高騰.
2 反乱, 蜂起(ほうき) (= levantamiento).

al·za·pa·ño [alθapáɲo アるさパニョ] 名男 カーテンベルト.

al·zar [alθár アるさル] [39 z ➡ c] 動他 〔英 raise〕 **1** **持ち上げる**; 高くする (= levantar). *alzar* el telón 幕を上げる. *alzar* la vista [los ojos] 見上げる. *alzar* los precios 物価を上げる. *alzar* la voz 声を張り上げる.
2 (倒れたものを) 起こす; 建築する. *alzar* un monumento 記念碑を建てる.
3 取り去る, 片付ける.
4 (封鎖などを) 解除する, (刑罰を) 免除する. **5** (トランプ) (カードを) 切る.
—— **al·zar·*se*** **1** そびえ立つ; ぬきんでる.
2 蜂起(ほうき)する. *alzarse* en armas 武装蜂起する. **3** 《+con》持ち逃げする. *alzarse con* los fondos 資金を横領する. *alzarse con* la victoria 勝利をさらう.
4 〘商業〙計画倒産をする.
alzarse de hombros 肩をすくめる.

a·ma [áma アマ] 名女 [el *ama*] [複 ~s] 〔英 owner, mistress〕 (↔ amo) **1** 所有者, 雇い主; (一家の) **主人**; 主婦 (= *ama* de casa). **2** 家政婦. **3** 乳母 (= *ama* de leche [de cría]).
—— 動 ➡ amar.

a·ma·bi·li·dad [amaβiliðáð アマビリダ(ドゥ)] 名女 親切, 厚情; 優しさ. Le agradezco su *amabilidad*. あなたのご親切に感謝します. Tuvo la *amabilidad* de llevarme en coche a casa. 彼は親切に私を家まで車で送ってくれた.

a·ma·ble [amáβle アマブれ] 形 [複 ～s] 〔英 kind〕 **親切な, 優しい**. Es usted muy *amable*. ご親切にどうも. *amable* a [con, para(con)] todos 誰にでも優しい. ¿Sería usted tan *amable* de《+不定詞》? 恐れ入りますが…していただけますか.

a·ma·ble·men·te [amáβleménte アマブれメンテ] 副 親切に, 愛想よく.

amado, da 過分 → amar.

a·ma·dri·nar [amaðrinár アマドゥリナル] 動他 代母になる, 名付け親になる. → madrina.

a·ma·es·trar [amaestrár アマエストゥラル] 動他 調教する.

a·ma·gar [amaɣár アマガル] [32 g → gu] 動自 **1** …の気配がする, …が起こりそうである. *Amaga* tormenta. 嵐(あらし)になりそうだ. **2** (病気の) 兆し[徴候]が現れる.
—— 動他 **1** …の素振りを見せる.
2 (病気の) 兆候が見える. De vez en cuando le *amaga* un mareo. 時々彼はめまいに襲われる. **3** 殴る素振りをする, 〖スポ〗フェイントをかける.

a·ma·go [amáɣo アマゴ] 名男 **1** 兆し, 気配. *amago* de infarto 心筋梗塞(こうそく)の兆し. **2** 企て, 試み. **3** 〖スポ〗フェイント (= finta); 〖軍事〗陽動, 牽制(けんせい).

a·mai·nar [amainár アマイナル] 動他 (帆を) 降ろす.
—— 動自 **a·mai·nar·*se*** 弱まる, 鎮まる.

a·mal·ga·ma [amalɣáma アマるガマ] 名女 **1** 〖化〗アマルガム: 水銀と他の金属との合金. **2** 混合 (物), 結合 (物).

a·mal·ga·mar [amalɣamár アマるガマル] 動他 **1** 〖化〗アマルガムにする.
2 混合する, 結合させる.

a·ma·man·tar [amamantár アママンタル] 動他 乳を与える, 授乳する.

a·man·ce·ba·mien·to [amanθeβamjénto アマンせバミエント] 名男 同棲(どうせい), 内縁関係.

a·man·ce·bar·*se* [amanθeβárse アマンせバルセ] 動 同棲(どうせい)する, 内縁関係を持つ.

amando 現分 → amar.

a·ma·ne·cer [amaneθér アマネせル] 40 動自 **1** 夜が明ける (↔ anochecer). ► 3人称単数のみに活用.
2 出現する, 新たに始まる.
—— 名男 夜明け; 黎明(れいめい). al *amanecer* 夜明けに, 明け方に. el *amanecer* de una cultura 文化の黎明期.

a·ma·ne·ra·do, da [amaneráðo, ða アマネラド, ダ] 過分 形 気取った; マンネリの.

a·ma·ne·ra·mien·to [amaneramjénto アマネラミエント] 名男 気取り; マンネリズム.

a·ma·ne·rar·*se* [amanerárse アマネラルセ] 動 マンネリ化する.

a·man·sar [amansár アマンサル] 動他 **1** (動物を) 慣らす.
2 (性格などを) 抑える, 鎮める.

a·man·te [amánte アマンテ] [複 ～s] 形 〔英 loving〕《+de》 **…を愛する**, 好む. *amante de* la buena mesa 美食を好む. Es poco *amante de* dar explicaciones. 彼は言い訳するのがあまり好きじゃない.
—— 名男女 〔英 lover〕 **1 愛人**, 情人; 《文語》恋人. **2** 愛好家.

a·ma·nuen·se [amanwénse アマヌエンセ] 名男 書記; 写字生, 筆耕人.

a·ma·ñar [amaɲár アマニャル] 動他 巧妙に仕組む; 改竄(かいざん)する.
amañárselas 上手にやる.

a·ma·ño [amáɲo アマニョ] 名男 才覚, 抜けめなさ; 策略.

a·ma·po·la [amapóla アマポら] 名女 〖植物〗ヒナゲシ (雛罌粟), ケシ.

a·mar [amár アマル] 動他 [現分 amando ; 過分 amado,da] 〔英 love〕 **愛する**; 好む. *amar* a la patria 祖国を愛する. *Amarás* a tu prójimo. 汝(なんじ)の隣人を愛せ. *amar* el dinero 金の亡者である. ► amar は文語的で, 日常的には querer を用いる.

a·ma·rar [amarár アマラル] 動自 (水上飛行機・宇宙船のカプセルなどが) 着水する.

amarga 形女 → amargo[1].

a·mar·ga·do, da [amarɣáðo, ða アマルガド, ダ] 過分 形 気持ちのすさんだ; 幻滅した.

a·mar·ga·men·te [amárɣaménte アマルガメンテ] 副 つらく; ひどく.

a·mar·gar [amarɣár アマルガル] [32 g → gu] 動他 **1** 苦くする. **2** 失望させる.
—— 動自 苦い味がする.
—— **a·mar·gar·*se*** つらい思いを抱く, 落ち込む.

a·mar·go[1], ga [amárɣo, ɣa アマルゴ, ガ] 形 [複 ～s] 〔英 bitter〕 **1 苦い**, 渋い. Me gusta el café muy *amargo*. 私はうんと濃いコーヒーが好きだ. → sabor 【参考】.
2 つらい; 不快な. un recuerdo *amargo* つらい思い出. una experiencia *amarga* 苦い経験. **3** 無愛想な.

a·mar·go[2] [amárɣo アマルゴ] 名男 **1** 苦み.
2 (リキュールの) ビター.

a·mar·gor [amarɣór アマルゴル] 名男 苦み.

a·mar·gu·ra [amarɣúra アマルグラ] 名女 苦しみ, 苦悩, 悲嘆; 苦み.

a·ma·ri·ca·do, da [amarikáðo, ða アマリカド, ダ] / **a·ma·ri·co·na·do, da** [-konáðo, ða -コナド, ダ] 形 《俗語》ゲイのような.

amarilla 形女 → amarillo[1].

a·ma·ri·llar [amariʎár アマリリャル] / **a·ma·ri·lle·ar** [-ʎeár -リェアル] 動自 黄色くなる, 黄ばむ.

a·ma·ri·llen·to, ta [amariʎénto, ta アマリリェント, タ] 形 **1** 黄色みがかった.
2 青白い, 血の気のない.

A

a·ma·ri·llo[1], lla [amaríʎo, ʎa アマリリョ, リャ] 形 [複 ～s]〔英 yellow〕**1 黄色い**. ponerse *amarillo* 黄色くなる.
2 血の気のない. *amarillo* como la cera 蠟(ろう)のように白い.
3《口語》卑怯(ひきょう)な, 卑劣な.

a·ma·ri·llo[2] [amaríʎo アマリリョ] 名男 黄色.

a·ma·rra [amára アマラ] 名女 **1** 舫(もや)い綱, 係船索. ➡ puerto 図.
2 [～s]《口語》縁故, コネ.

a·ma·rra·de·ro [amaraðéro アマラデロ] 名男〘海事〙係船柱[環]; 係船場, バース.

a·ma·rrar [amarár アマラル] 動他
1 舫(もや)う, 係留する. **2**《+**con**》…で縛る,《+**a**》…に縛りつける; 束縛する. Los padres tienen a la hija muy *amarrada*. 両親は娘をなかなか手放そうとしない.
amarrársela(s)《ラ米》《俗語》酔っ払う.

a·ma·rre [amáre アマレ] 名男 係留; 係船場.

a·mar·te·lar·*se* [amartelárse アマルテラルセ] 動 (男女が) いちゃつく.

a·mar·ti·llar [amartiʎár アマルティリャル] 動他 (銃の) 撃鉄を起こす.

a·ma·sar [amasár アマサル] 動他 **1** こねる.
2 マッサージする. **3** ため込む. *amasar* una fortuna 一財産を築く. **4**《口語》よからぬことをたくらむ (= tramar).

a·ma·si·jo [amasíxo アマシホ] 名男 **1** (パン生地などの) 塊; (漆喰(しっくい)・モルタルなどの) 充填(じゅうてん)物. **2**《口語》ごたまぜ, 寄せ集め.
3《口語》たくらみ.

a·ma·teur [amatér アマテル] 形 アマチュアの, 素人の.
── 名男女 アマチュア, 素人 (↔ profesional). [←フランス語]

a·ma·tis·ta [amatísta アマティスタ] 名女〘鉱物〙アメジスト, 紫水晶.

a·ma·to·rio, ria [amatórjo, rja アマトリオ, リア] 形 恋愛の; 性愛の.

a·ma·za·co·ta·do, da [amaθakotáðo, ða アマさコタド, ダ] 形 **1** ぎっしり詰まった (= compacto). **2** ごてごてした, 飾りすぎの.

a·ma·zo·na [amaθóna アマそナ] 名女
1 女戦士; 女傑. **2** 女性騎手; 婦人乗馬服.
montar a la amazona (女性が馬などに) 横乗りする.

A·ma·zo·nas [amaθónas アマそナス | -sónas -ソナス] 固名 el *Amazonas* アマゾン川: 南米の大西洋に注ぐ大河.

a·ma·zó·ni·co, ca [amaθóniko, ka アマそニコ, カ] 形 **1** アマゾン族の; 男勝りの, 好戦的な. **2** アマゾン川の, アマゾン地方の.

am·ba·ges [ambáxes アンバヘス] 名男 [複] 遠回しな言い方, 持って回った話. andarse con *ambages* 遠回しに言う.

ám·bar [ámbar アンバル] 名男 琥珀(こはく).

Am·be·res [ambéres アンベレス] 固名 アントウェルペン, アントワープ: ベルギー Bélgica 北部の港湾都市.

am·bi·ción [ambiθjón アンビしオン] 名女 [複 ambiciones] 野心, 大望. dominado por la *ambición* de poder 権力欲に憑(つ)かれた. Le devora la *ambición*. 彼は野心に燃えている.

am·bi·cio·nar [ambiθjonár アンビしオナル] 動他 …に野心を抱く. *ambicionar*《+不定詞》…することに野心を抱く. *Ambiciona* el poder. 彼は権力に野心を抱いている.

am·bi·cio·sa·men·te [ambiθjósaménte アンビしオサメンテ] 副 野心的に.

am·bi·cio·so, sa [ambiθjóso, sa アンビしオソ, サ] 形 **1** 野心的な. un plan demasiado *ambicioso* 欲張りすぎた計画.
2《+**de**》…を熱望する, 追求する. Está *ambicioso de* cariño. 彼は愛情に飢えている. un joven *ambicioso de* fama 名声を追い求める青年.
── 名男女 野心家.

am·bi·dex·tro, tra [ambiðéstro, tra アンビデストゥロ, トゥラ] 形 両手が利く.
── 名男女 両手利き (の人). ➡ zurdo.

am·bien·ta·ción [ambjentaθjón アンビエンタしオン] 名女 **1** 雰囲気, ムード.
2 (文学・美術などの) 舞台設定, 背景描写.
3〘ラジオ〙〘テレビ〙効果.

am·bien·tal [ambjentál アンビエンタる] 形 周囲の, 環境の; 大気の.

am·bien·tar [ambjentár アンビエンタル] 動他 …の雰囲気作りをする; (劇などの時代・場面を) 設定する.
── **am·bien·tar·*se*** 適応する.

am·bien·te [ambjénte アンビエンテ] [複 ～s] 名男〔英 environment; atmosphere〕 **1 環境** (= medio *ambiente*); 空気. *ambiente* cargado de humo 煙が立ち込めた室内.
2 雰囲気. *ambiente* familiar 家庭的な雰囲気. un *ambiente* optimista 楽観的なムード. dar *ambiente* a ... …の雰囲気を盛り上げる. **3** グループ, 階層. *ambientes* intelectuales 知識人層.
── 形 周囲の, 周辺の. temperatura *ambiente* 周りの温度.

am·bi·güe·dad [ambiɣweðáð アンビグエダ(ド ゥ)] 名女 曖昧(あいまい)さ, 不明確さ; 多義性.

am·bi·guo, gua [ambíɣwo, ɣwa アンビグオ, グア] 形 **1** 曖昧(あいまい)な, 不明確な. una contestación *ambigua* どちらとも取れる返事.
2〘文法〙男女両性の.

ám·bi·to [ámbito アンビト] 名男 **1** 境界内, 構内. **2** 範囲, 領域; 分野.

am·bi·va·len·cia [ambiβalénθja アンビバれンしア] 名女 両面価値, アンビバレント, 両義性.

am·bi·va·len·te [ambiβalénte アンビバれンテ] 形 両面性を持つ, 両義的な.

am·bos, bas [ámbos, bas アンボス, バス] 形 [複]〔英 both〕**両方の**, 双方の. de

ambas partes 双方の. por *ambos* lados 両側から. ► 冠詞を伴わない.
── 代名［複］両方，双方. *Ambos* vinieron. ふたりともやって来た. ► ambos は文語で，日常的には los dos を用いる. なお，全否定の「両方とも…ない」は ninguno de los dos, ni uno ni otro.
am·bro·sí·a [ambrosía アンブロシア] 名女 **1**〘ギリシア神話〙アンブロシア，神肴(しんこう)：不老不死になるという神々の食物. ➡ néctar. **2** 美味な食べ物，珍味.
am·bu·lan·cia [ambulánθja アンブらンしア] 名女救急車；野戦［移動］病院.
am·bu·lan·te [ambulánte アンブらンテ] 形移動の，巡回の.
am·bu·la·to·rio, ria [ambulatórjo, rja アンブらトリオ，リア] 形歩行の，歩脚の；〘医〙歩行可能な，通院の.
── 名男診療所.
a·me·ba [améβa アメバ] 名女〘動物〙アメーバ.
a·me·dren·tar [ameðrentár アメドゥレンタル] 動他怖がらせる，脅かす.
── **a·me·dren·tar·*se*** 怖がる，おじけづく.
a·mén [amén アメン] 間投アーメン. ◆キリスト教で祈りの終わりに唱える語.
amén de ...《口語》…のほかに，…とは別に.
decir amén (a todo)《口語》(何にでも)同意する.
en un (decir) amén《口語》あっと言う間に.
a·me·na·za [amenáθa アメナさ] 名女脅し，脅迫；凶兆. *amenazas* vanas こけおどし. *amenaza* de invasión 侵入の脅威.
a·me·na·za·dor, do·ra [amenaθaðór, ðóra アメナさドル，ドラ] / **a·me·na·zan·te** [-θánte -さンテ] 形脅迫的な，威嚇的な. con una mirada *amenazadora* 脅すような目つきで. tiempo *amenazador* 怪しげな空模様.
a·me·na·zar [amenaθár アメナさル] [39 z ➡ c] 動他 **1** 脅す，脅迫する. *amenazar* a《+uno》con una pistola〈人〉をピストルで脅す. *amenazar* de muerte 殺すと言って脅す. La paz del país se ve *amenazada* por los terroristas. 国の平和がテロリストによって脅かされる.
2 …の恐れがある. *Amenaza* nieve. 雪になりそうだ.
── 動自差し迫っている.
a·me·ni·dad [ameniðáð アメニダ(ドゥ)] 名女面白さ；楽しさ；心地よさ，快適さ.
a·me·ni·zar [ameniθár アメニさル] [39 z ➡ c] 動他面白くする，楽しくする. *amenizar* la fiesta パーティーをにぎやかにする.
a·me·no, na [améno, na アメノ，ナ] 形愉快な，楽しい；退屈しない；快適な. un lugar *ameno* 快適な場所. una persona muy *amena* 話の面白い人.
A·mé·ri·ca [amérika アメリカ] 固名〔英 America〕**アメリカ大陸**（► 本来は中南米の意味だが，現在ではアメリカ合衆国の意で使われることもある）. *América* Latina ラテンアメリカ. las *Américas* 南北両アメリカ. *América* Central 中央アメリカ，中米. *América* del Norte 北アメリカ，北米. *América* del Sur 南アメリカ，南米.
a·me·ri·ca·na [amerikána アメリカナ] 名女上着，ブレザー. una *americana* cruzada ダブルのジャケット.
── 形名女 ➡ americano.
a·me·ri·ca·nis·mo [amerikanísmo アメリカニスモ] 名男 **1** ラテンアメリカ特有の発音［語彙(ごい)，語法］；アメリカ先住民語からの借用語.
2 アメリカ気質［精神］；アメリカ学研究.
a·me·ri·ca·nis·ta [amerikanísta アメリカニスタ] 名男女 アメリカ［ラテンアメリカ］研究者.
a·me·ri·ca·ni·za·ción [amerikaniθaθjón アメリカニさしオン] 名女 アメリカ［米国］化.
a·me·ri·ca·ni·zar [amerikaniθár アメリカニさル] [39 z ➡ c] 動他アメリカ［米国］化する.
a·me·ri·ca·no, na [amerikáno, na アメリカノ，ナ]［複 ～s］〔英 American〕形 **1 アメリカの**，アメリカ人［大陸］の；米国の. ► 本来「ラテンアメリカの」を意味していたが，英語の影響を受けて，現在では「米国の」，「北アメリカの」の意味で用いられる場合がある.
2 ラテンアメリカの，中南米の.
── 名男女 **アメリカ人**，アメリカ大陸の住民；**ラテンアメリカ人**；中南米人；米国人.
a·me·rin·dio, dia [amerínðjo, dja アメリンディオ，ディア] 形 アメリカ先住民の.
── 名男女（アメリカインディアン・エスキモーを含む）アメリカ先住民. ➡ indio.
a·me·ri·zar [ameriθár アメリさル] [39 z ➡ c] 動自着水する.
a·me·tra·lla·dor, do·ra [ametraʎaðór, ðóra アメトゥラリャドル，ドラ] 形 fusil *ametrallador* 自動小銃.
── 名男〘軍事〙機関銃の射手.
── 名女 機関銃，マシンガン. *ametralladora* pesada [ligera] 重［軽］機関銃.
a·me·tra·llar [ametraʎár アメトゥラリャル] 動他 **1** 機関銃で撃つ；散弾［破片］を浴びせる. **2** まくし立てる.
a·mian·to [amjánto アミアント] 名男〘鉱物〙アミアンタス，アスベスト.
a·mi·ba [amíβa アミバ] 名女 ➡ ameba.
a·mi·ga [amíɣa アミガ] 名女［複 ～s］〔英 friend〕**1 友達**；仲間，味方；ガールフレンド. Querida *amiga*《手紙》拝啓. ➡ amigo[1].

2 恋人, 愛人.
— 形女 → amigo².

a·mi·ga·ble [amiɣáβle アミガブレ] 形 親しげな; 打ち解けた. en tono *amigable* 親しげな口調で. Su relación no pasa de ser *amigable*. 彼らの関係は友人以上のものではない. en *amigable* compañía 気のおけない仲間と.

a·míg·da·la [amíɣðala アミグダら] 名女 〘解剖〙扁桃(へんとう)(腺(せん)).

a·mig·da·li·tis [amiɣðalítis アミグダりティス] 名女 〘医〙扁桃腺(へんとうせん)炎.

a·mi·go¹ [amíɣo アミゴ] 名男 [複 ~s] 〔英 friend〕
1 友達; 仲間, 味方; ボーイフレンド. *amigo* de siempre [de toda la vida] 生涯の友. gran *amigo* [*amigo* íntimo] 親友. hacerse *amigos* 友達になる. hacerse *amigo* de ... …と親しくなる. Querido *amigo* 《手紙》拝啓. → amiga
2 恋人, 愛人.

a·mi·go², ga [amíɣo, ɣa アミゴ, ガ] 形
1 親しい, 仲のよい. Es muy *amiga* mía. 彼女は私の大の親友だ. una voz *amiga* 親しげな声.
2 《+de》…を好む. Es *amigo de* la música. 彼は音楽好きだ. 3 友好的な; 好ましい. país *amigo* 友好国.

a·mi·go·te [amiɣóte アミゴテ] 名男 [amigo の大愛蔑] 《口語》仲良し; 悪友.

a·mi·la·nar [amilanár アミらナル] 動他 おびえさせる, ひるませる.
— **a·mi·la·nar·se** おびえる, ひるむ. El niño *se amilana* por nada. 少年はささいなことでおどおどする.

a·mi·no·á·ci·do [aminoáθiðo アミノアしド] 名男 〘化〙アミノ酸.

a·mi·no·rar [aminorár アミノラル] 動他 減らす; 弱める; せばめる. *aminorar* el paso 歩調を緩める. *aminorar* la velocidad 速度を落とす.

a·mis·tad [amistáð アミスタ(ドゥ)] 名女 [複 ~es] 〔英 friendship〕 1 友情, 親交, 友好 (関係). trabar [entablar, hacer] *amistad* con 《+uno》〈人〉と親しくなる. por *amistad* 友情から. romper la(s) *amistad(es)* 仲たがいする. 2 [~es] つて, コネ. Tiene buenas *amistades* en el Ministerio. 彼は省内にいいコネがある.

a·mis·to·sa·men·te [amistósaménte アミストサメンテ] 副 親切に.

a·mis·to·so, sa [amistóso, sa アミストソ, サ] 形 親切な, 好意的な, 友好的な. un consejo *amistoso* 親身な助言. un partido *amistoso* 親善試合.

am·ne·sia [amnésja アムネシア] 名女 〘医〙健忘症; 記憶喪失.

am·nis·tí·a [amnistía アムニスティア] 名女 特赦, 大赦, アムネスティー.

a·mo [ámo アモ] 名男 [複 ~s] 〔英 owner, master〕 (↔ ama) 所有者, 雇い主; (一家の)主人. *amo* del perro 犬の飼い主. *amo* de una finca 農業主.
— 動 → amar.
hacerse el amo 取り仕切る.

a·mo·do·rrar·se [amoðor̄árse アモドラルセ] 動 眠気に襲われる, うとうとする.

a·mo·lar [amolár アモらル] [⑬ o → ue] 動他 1 研ぐ. 2 《口語》いらいらさせる.
— **a·mo·lar·se** 《口語》我慢する.

a·mol·dar [amoldár アモるダル] 動他 《+a》…の型に合わせる; …に適合させる. *amoldar* unos zapatos *a* los pies 靴を足の形に合わせる.
— **a·mol·dar·se** 《+a》…に適合する. *amoldarse a* las costumbres locales その土地の習慣にならう.

a·mo·nes·ta·ción [amonestaθjón アモネスタしオン] 名女 1 たしなめること, 説諭.
2 (教会のミサでの) 結婚公告.

a·mo·nes·tar [amonestár アモネスタル] 動他 1 たしなめる, 説諭する.
2 …の結婚公告をする.

a·mo·nia·co, ca [amonjáko, ka アモニアコ, カ] / **a·mo·ní·a·co, ca** [-níako, ka ニアコ, カ] 形 アンモニアの.
— 名男 〘化〙アンモニア (ガス, 水).

a·mon·ti·lla·do [amontiʎáðo アモンティリャド] 名男 アモンティリャド: スペイン Montilla 産のシェリー.

a·mon·to·na·mien·to [amontonamjénto アモントナミエント] 名男 1 山積み; 寄せ集め. 2 群がること.

a·mon·to·nar [amontonár アモントナル] 動他 1 山積みにする. *amontonar* los libros 本を積み上げる.
2 蓄積する; 寄せ集める. *amontonar* conocimientos 知識を蓄える. *Amontonó* datos para probarlo. 彼はそれを証明する資料をかき集めた.
— **a·mon·to·nar·se** 積み重なる; 寄り集まる. La gente *se amontonó* para ver el accidente. 事故を見ようとする連中で黒山の人だかりだった. Los problemas *se amontonaban*. 問題が山積していた.

a·mor [amór アモル] 名男 [複 ~es] 〔英 love〕
1 愛, 愛情; 慈愛. *amor* a Dios 神への愛. *amor* propio 自尊心. *amor* materno 母性愛. El *amor* tiene más fuerza que la muerte. 愛は死より強い.
2 恋, 恋愛; [~ es] 情事. primer *amor* 初恋.
3 恋人, 愛人. Eres mi *amor*. 君は僕にとって大切な人だ.
4 愛好, 愛着. *amor* a la música 音楽愛好. Su único *amor* era la pesca. 彼の唯一の楽しみは釣りだった.
5 丹念さ; 献身. Se dedicó con *amor* a la ayuda de los necesitados. 彼は困っている人たちの救済に献身的につくした.
al amor de la lumbre [***del fuego***]

炉端で.
hacer el amor 《口語》セックスする.
por (el) amor de Dios 後生だから, お願いだから.
a·mo·ra·tar·*se* [amoratárse アモラタルセ] 動 (寒さ・打撲などで) 紫色になる.
a·mor·da·za·mien·to [amorðaθamjénto アモルダサミエント] 名男 **1** さるぐつわをかませること. **2** 箝口(かんこう)令, 言論統制.
a·mor·da·zar [amorðaθár アモルダサル] [39 z ➞ c] 動他 **1** さるぐつわをかませる. **2** (言論を) 抑圧する. *amordazar* (a) la prensa 報道を規制する.
a·mor·fo, fa [amórfo, fa アモルフォ, ファ] 形 無定形の; 〘化〙非結晶の; 特徴のない.
a·mo·rí·o [amorío アモリオ] 名男 《口語》恋愛ざた, 情事.
a·mo·ro·so, sa [amoróso, sa アモロソ, サ] 形 **1** 恋の; 愛情の深い. miradas *amorosas* 恋でうっとりしたまなざし. padre *amoroso* con su hija 娘に優しい父親. **2** (天候が) 穏やかな; (土地が) 耕作しやすい.
a·mor·ti·gua·ción [amortiɣwaθjón アモルティグアシオン] 名女 緩和; 減衰.
a·mor·ti·gua·dor, do·ra [amortiɣwaðór, ðóra アモルティグアドル, ドラ] 形 弱める, 和らげる.
—— 名男 〘機械〙緩衝器, ショックアブソーバー (➞ motocicleta 図); 防振装置; 消音装置, マフラー.
a·mor·ti·guar [amortiɣwár アモルティグアル] [7 gu ➞ gü] 動他 弱める, 和らげる (= atenuar). *amortiguar* el golpe ショックを和らげる. El tiempo fue *amortiguando* su dolor. 時が彼の心の痛手を次第にいやしていった.
——**a·mor·ti·guar·*se*** 弱まる, 和らぐ.
a·mor·ti·za·ción [amortiθaθjón アモルティサシオン] 名女 **1** 〘商業〙完済, 償還; 減価償却; 減債基金, 償却積立金 (= fondo de *amortización*). **2** (職務の) 廃止.
a·mor·ti·zar [amortiθár アモルティサル] [39 z ➞ c] 動他 **1** 〘商業〙完済する, 償還する. *amortizar* una deuda 負債を返済する. *amortizar* un empréstito 借款を償還する. **2** 減価償却する.
3 (職務を) 廃止する.
a·mos·car·*se* [amoskárse アモスカルセ] [8 c ➞ qu] 動 《口語》むかっ腹を立てる.
a·mos·ta·zar [amostaθár アモスタサル] [39 z ➞ c] 動他 《口語》怒らせる.
——**a·mos·ta·zar·*se*** 《口語》怒る.
a·mo·ti·nar [amotinár アモティナル] 動他 扇動する; 取り乱させる.
——**a·mo·ti·nar·*se*** 暴動を起こす; 取り乱す.
am·pa·rar [amparár アンパラル] 動他 保護する; かばう (= proteger). *amparar* a los pobres 貧しい者を庇護(ひご)する. Entró en vigor la nueva ley para *amparar* a los refugiados. 難民を保護する新しい法律が施行された.
—— **am·pa·rar·*se*** **1** 《+**de, contra**》…から身を守る. *ampararse de* la lluvia 雨宿りする.
2 《+**en**》…に庇護を求める. *ampararse en* la ley 法を盾に取る.
am·pa·ro [ampáro アンパロ] 名男 保護, 庇護(ひご); 保護者; 避難場所. ponerse al *amparo* de la lluvia 雨宿りする.
al amparo de… …の庇護のもとに.
ni (para) un amparo 少しも…ない. No tenía dinero *ni para un amparo*. 彼は一銭も持っていなかった.
am·pe·rí·me·tro [amperímetro アンペリメトゥロ] 名男 〘電気〙電流計.
am·pe·rio [ampérjo アンペリオ] 名男 〘電気〙アンペア《略 A》.
amplia 形女 ➞ amplio.
am·plia·ción [ampljaθjón アンプリアシオン] 名女 **1** 拡大, 増大; 延長. *ampliación* de capital 〘商業〙増資.
2 敷衍(ふえん). **3** 〘写真〙引き伸ばし.
am·plia·men·te [ámpljaménte アンプリアメンテ] 副 広く, 十分に.
am·pliar [ampljár アンプリアル] [23 i ➞ í] 動他 **1** 拡大[拡張]する; 増大する; 延長する. *ampliar* una carretera 道路を拡幅する. *ampliar* los poderes 権限を強化する. *ampliar* el número de accionistas 株主数を増やす. *ampliar* un acuerdo 契約を延長する.
2 敷衍(ふえん)する. *ampliar* su argumento 論旨を展開する. **3** 〘写真〙引き伸ばす.
am·pli·fi·ca·ción [amplifikaθjón アンプリフィカシオン] 名女 拡大; 〘電気〙増幅.
am·pli·fi·ca·dor, do·ra [amplifikaðór, ðóra アンプリフィカドル, ドラ] 形 拡大する.
—— 名男 〘電気〙増幅器, アンプ.
am·pli·fi·car [amplifikár アンプリフィカル] [8 c ➞ qu] 動他 拡大する; 〘電気〙増幅する. *amplificar* un sonido 音を増幅する.
am·plio, plia [ámpljo, plja アンプリオ, プリア] 形 [複 ~s] [英 wide] **1 広い**; 広々とした (= extenso). una finca *amplia* 広大な地所. un comedor *amplio* 広い食堂.
2 (衣服が) ゆったりした. Esta chaqueta me está un poco *amplia*. この上着は僕には少し大きすぎる.
3 広範な; 豊かな. tener un conocimiento muy *amplio* とても博識である. Es persona de espíritu *amplio*. 彼は広い心の持ち主だ. una sonrisa *amplia* 満面の笑み.
am·pli·tud [amplitúð アンプリトゥ(ドゥ)] 名女 (幅・面積の) 広さ; 範囲. la *amplitud* de una finca 地所の広さ. con *amplitud* 楽に. la *amplitud* de poderes 権限の及ぶ範囲. un proyecto de gran *amplitud* 遠大な計画. la *amplitud* de un desas-

tre災害の規模. *amplitud* de horizontes [ideas] 見識の広さ.
am·po·lla [ampóʎa アンポリャ] 名女
1 水膨れ, まめ. salir *ampollas* まめができる. **2** (沸騰・強い雨足による) 水泡; (塗装面などの) 膨れ.
3 (注射液の) アンプル; (首細の) 瓶.
am·pu·lo·so, sa [ampulóso, sa アンプろソ, サ] 形冗長な, 誇張した.
am·pu·tar [amputár アンプタル] 動他
1 (手術などで) 切断する.
2 (文言を) 削除する.
a·mue·blar [amweβlár アムエブらル] 動他 家具を備えつける. piso *amueblado* 家具付きマンション.
a·mu·ra·llar [amuraʎár アムラリャル] 動他城壁を巡らす.
an- 《接頭》 (母音の前に来るときの) a- の異形. ⇀ *an*alfabeto, *an*émico など.
A·na [ána アナ] 固名 アナ: 女性の名. Santa *Ana* 〖聖書〗聖アンナ (聖母マリアの母).
A·na·bel [anaβél アナべる] 固名 アナベル: Ana Isabel の愛称.
a·na·con·da [anakónda アナコンダ] 名女 〖動物〗アナコンダ: 南米産の大蛇.
a·na·cró·ni·co, ca [anakróniko, ka アナクロニコ, カ] 形時代錯誤の, 時代遅れの.
a·na·cro·nis·mo [anakronísmo アナクロニスモ] 名男時代錯誤, アナクロニズム.
a·ná·fo·ra [anáfora アナフォラ] 名女 〖修辞〗行頭[首句]反復; 〖言語〗前方照応.
a·na·gra·ma [anaγráma アナグラマ] 名男 アナグラム, 語句転綴(てんてつ): つづり字の位置を変えて新語句を作ること. animal ➡ lámina など.
A·ná·huac [anáwak アナワ(ク)] 固名 アナワク: メキシコ中部の高原. 狭義ではメキシコ盆地を指す.
a·na·les [análes アナれス] 名男 [単・複同形] 年譜, 年代記; 年報.
a·nal·fa·be·to, ta [analfaβéto, ta アナるファベト, タ] 形 読み書きのできない; 無学の.
—— 名男女文盲; 無学の人.
a·nal·gé·si·co, ca [analxésiko, ka アナるへシコ, カ] 形 〖医〗無痛覚の; 〖薬〗鎮痛の.
—— 名男 〖薬〗鎮痛剤.
a·ná·li·sis [análisis アナリシス] 名男 [単・複同形] **1** 分析; 〖医〗検査. hacer un *análisis* del mercado 市場分析をする. *análisis* cualitativo 定性分析. *análisis* cuantitativo 定量分析. *análisis* clínico 臨床検査. *análisis* de orina 尿検査.
2 〖数〗解析.
a·na·lis·ta [analísta アナリスタ] 名男女
1 アナリスト; 時事解説者. **2** 年代記作者.
a·na·lí·ti·co, ca [analítiko, ka アナリティコ, カ] 形 分析の, 分析的な (↔ sintético). —— 名女 〖論理〗分析論.
a·na·li·zar [analiθár アナリさル] [39 z ➡ c] 動他分析する; 精査する. *analizar* la sangre 血液検査をする.
a·na·lo·gí·a [analoxía アナろヒア] 名女
1 類似 (性). establecer una *analogía* entre dos cosas 両者の類似点を指摘する.
2 〖論理〗〖言語〗類推, アナロジー. por *analogía* con ... …から類推して.
a·na·ló·gi·co, ca [analóxiko, ka アナろヒコ, カ] 形 **1** 〖論理〗〖言語〗類推の.
2 類似の. **3** アナログの (↔ digital).
a·ná·lo·go, ga [análoγo, γa アナろゴ, ガ] 形 《+**a**》…に類似した.
a·na·quel [anakél アナケる] 名男棚板.
a·na·ran·ja·do, da [anaraŋxáðo, ða アナランハド, ダ] 形オレンジ色の.
—— 名男オレンジ色.
a·nar·quí·a [anarkía アナルキア] 名女
1 無政府状態.
2 無秩序; 乱脈. El cuarto se halla en completa *anarquía*. 部屋の中は乱雑を極めている.
a·nár·qui·co, ca [anárkiko, ka アナルキコ, カ] 形無政府状態の; 無秩序の; 乱脈な.
a·nar·quis·mo [anarkísmo アナルキスモ] 名男無政府主義, アナーキズム.
a·nar·quis·ta [anarkísta アナルキスタ] 形 無政府主義の, アナーキズムの.
—— 名男女無政府主義者, アナーキスト.
a·na·te·ma [anatéma アナテマ] 名男 (または女) 呪詛(じゅそ); 非難. lanzar [fulminar] un *anatema* contra 《+uno》〈人〉をのろう; 糾弾する.
a·na·to·mí·a [anatomía アナトミア] 名女
1 解剖(学). *anatomía* patológica 病理解剖学. **2** (動植物の) 構造, 組織.
a·na·tó·mi·co, ca [anatómiko, ka アナトミコ, カ] 形解剖 (学) の.
an·ca [áŋka アンカ] 名女 [el *anca*] [～s] (馬などの) 尻(しり); 腿(もも). montar a *ancas* 後ろに相乗りする.
an·ces·tral [anθestrál アンせストゥラる] 形 先祖の, 先祖伝来の. costumbres *ancestrales* 古来の習俗.
an·cho[1], cha [ántʃo, tʃa アンチョ, チャ] 形 [複 ～s] 〔英 broad, wide〕 **1** **幅広い** (↔ estrecho). una carretera *ancha* 広い道路. ser *ancho* de espaldas 肩幅が広い.
2 ゆったりとした, たっぷりした. falda *ancha* ゆったりしたスカート. La casa nos viene *ancha*. この家は私たちには広すぎる.
3 ほっとした, くつろいだ.
4 うぬぼれた. ponerse *ancho* 思い上がる.
***a lo ancho* (*de* ...)** 横方向に, (…の) 幅いっぱいに.
a* sus *anchas 気ままに; くつろいで. Póngase *a sus anchas*. どうぞおくつろぎください.
an·cho[2] [ántʃo アンチョ] 名男 幅. tener un metro de *ancho* 幅が1メートルある.
an·cho·a [antʃóa アンチョア] / **an·cho-**

va [-βa -バ] 名女〘魚〙アンチョビー.
◆塩漬け・油漬け加工したカタクチイワシ. ➡ boquerón.

an·chu·ra [antʃúra アンチュラ] 名女 **1** 幅, 横幅. *anchura* de un río 川幅.
2 サイズ, 寸法. *anchura* de pecho 胸囲. *anchura* de caderas ヒップ.

anciana 形名女 ➡ anciano.

an·cia·ni·dad [anθjaniðáð アンしアニダ(ドゥ)] 名女 老年, 老齢.

an·cia·no, na [anθjáno, na アンしアノ, ナ] [複 ～s] 形〔英 aged〕**年取った**; 古参の.
── 名男女 **ご老人**, お年寄り; 長老, 古参. ►anciano は viejo より丁寧な表現.

an·cla [áŋkla アンクら] 名女 [el *ancla*]
1〘海事〙錨(いかり), アンカー. echar *anclas* 錨を降ろす; 停泊する. levar *anclas* 錨を上げる.
2〘建築〙留め金; かすがい.
ancla de salvación [***de la esperanza***] 頼みの綱.

an·clar [aŋklár アンクらル] 動自〘海事〙投錨(とうびょう)する, 停泊する.
── 動他 地面に固定する.

andado, da 過分 ➡ andar.

an·da·du·ra [andaðúra アンダドゥラ] 名女 **1** 歩くこと; 歩き方.
2 (馬の) 歩態, 足並み.

andaluces 形[複] ➡ andaluz.

An·da·lu·cí·a [andaluθía アンダるしア] 固名〔英 Andalusia〕**アンダルシア**: スペイン南部の地方; 自治州. ➡ autónomo【参考】.

an·da·luz[1], lu·za [andalúθ, lúθa アンダるす, るさ] [複男 andaluces, 女 ～s]〔英 Andalusian〕形 **アンダルシアの**.
── 名男女 アンダルシア地方の人.

an·da·luz[2] [andalúθ アンダるす] 名男 アンダルシア方言.

an·da·mia·je [andamjáxe アンダミアヘ] 名男《集合》足場.

an·da·mio [andámjo アンダミオ] 名男 足場(板). *andamios* suspendidos [colgantes] つり足場.

an·da·na·da [andanáða アンダナダ] 名女
1《口語》《比喩》雨あられ. una *andanada* de injurias 罵詈(ばり)雑言の雨.
2《口語》叱責(しっせき). soltar a 《+uno》una *andanada* 〈人〉をきつくしかる.

andando 現分 ➡ andar.

an·dan·te [andánte アンダンテ] 形 遍歴の.
── 副 歩くような速さで.
── 名男〘音楽〙アンダンテ.

an·dan·za [andánθa アンダンさ] 名女 冒険; [～s] 旅, 放浪.

an·dar

[andár アンダル] 3 動自 [現分 andando; 過分 andado,da]〔英 walk〕**1 歩く**, 歩行する. Vamos a *andar* por el bosque. 林の中を歩こう. *andar* de prisa 足早に歩く.
2 動く, 移動する; 運行する. *andar* a caballo 馬に乗って行く.
3 (機械が) **作動する** (= funcionar). El motor *anda* bien. エンジンは正常に動いている.
4 はかどる, 進捗(しんちょく)する. ¿Cómo *andan* tus estudios? 君の勉強はどうなっているの?
5 流布する. *Andaba* el rumor por la calle. 巷(ちまた)にそのうわさが流れていた.
6《形容詞・副詞などと共に》…の状態である. *andar* ocupado 多忙である. *Anda* mal de dinero. 彼は懐具合がよくない. *andar* con miedo 心配している.
7《+**por**》…のあたりにいる[ある]. Pablo *andará por* ahí. パブロはその辺にいるだろう. **8**《+**por**》約…である. *Anda por* los treinta años. 彼は30歳くらいだ.
9《+**en**》…歳になろうとしている. Juan *anda en* los siete años. フアンはもうすぐ7歳だ. **10**《+現在分詞》…している. Siempre *andáis* jugando. お前たちはいつも遊んでばかりいる.
── 動他 (ある距離・場所を) 歩く, 進む. Después de *andar* diez kilómetros encontramos una posada. 10キロ歩いた後私たちは1軒の宿を見つけた.
── **an·dar·*se*** **1** 歩き通す; 歩き回る. *Se anduvo* cincuenta kilómetros. 彼は50キロを歩き通した.
2《自動詞と同義またはその意味を強調して》*Ándate* con cuidado. 気をつけなさいよ.
a más andar 全速力で; せいぜい.
¡Anda! (1)《不信・懐疑・驚きを表して》まさか, おや, まあ, なんだ. (2)《催促・激励・懇願を表して》さあ早く, しっかり; ねえ, 頼むよ.
andar a《+algo》〈何か〉を存分にする. *andar a* golpes 殴り合いをする. *andar a* tiros 銃撃を浴びせる.
andar a una 力を合わせる.
andar con《+algo》〈何か〉を取り扱う, いじる.
andar con《+uno》〈人〉と付き合う. *andar con* mala gente 悪い仲間と付き合う.
andar derecho まじめに行動する.
andar en … (1) …に触る, かき回す. No *andes en* mis cajones. 私の引き出しの中をかき回さないでくれ. (2) …にかかわる, 携わる. *andar en* negocios sucios いかがわしい仕事に手を出す.
andar tras《+algo》〈何か〉を探し求める.
andar tras《+uno》〈人〉を追いかける; 〈人〉に言い寄る.
Dime con quién andas y te diré quién eres.《諺》交友関係から人柄が分かる.
Todo se andará. そのうちうまくいくよ.

an·da·rie·go, ga [andarjéɣo, ɣa アンダリエゴ, ガ] 形 歩き好きの; 旅好きの; 放浪す

る.

an·da·rín, ri·na [andarín, rína アンダリン, リナ] 形 健脚な, 足まめな.

an·das [ándas アンダス] 名女 [単・複同形] (聖像などを運ぶ) 輿(こし); 担架.
── 動 → andar.

an·dén [andén アンデン] 名男 [複 andenes] **1** プラットホーム. → estación 図.
2 (橋の) 歩道; 通路; 桟橋.

An·des [ándes アンデス] 固名 los *Andes* アンデス山脈: 南米大陸の西縁を南北に走る大山脈.

an·di·no, na [andíno, na アンディノ, ナ] 形 アンデスの.
── 名男女 アンデスの住民.

An·do·rra [andóra アンドラ] 固名 アンドラ: ピレネー山中にある小国.

an·dra·jo [andráxo アンドゥラホ] 名男 ぼろ切れ. estar en *andrajos* ぼろを着ている.

an·dra·jo·so, sa [andraxóso, sa アンドゥラホソ, サ] 形 ぼろをまとった.

An·drés [andrés アンドゥレス] 固名 アンドレス: 男性の名. San *Andrés* 聖アンデレ (キリストの十二使徒のひとり).

anduv- 動 → andar. ③

a·néc·do·ta [anékðota アネクドタ] 名女 逸話, 挿話, 奇談.

a·nec·do·ta·rio [anekðotárjo アネクドタリオ] 名男 逸話集.

a·nec·dó·ti·co, ca [anekðótiko, ka アネクドティコ, カ] 形 逸話的な; 瑣末(さまつ)な.

a·ne·ga·di·zo, za [aneɣaðíθo, θa アネガディソ, さ] 形 洪水の起きやすい; 浸水しやすい.

a·ne·gar [aneɣár アネガル] [㉜ g → gu ; ㊷ e → ie] 動他 **1** 水浸しにする. **2** うんざりさせる.
── **a·ne·gar·*se*** 浸水する, 冠水する; あふれる. *anegarse* en llanto さめざめと泣く.

a·ne·jo, ja [anéxo, xa アネホ, ハ] 形 《+ **a**》…に付随した.
── 名男 **1** 付属物; 別館. **2** 添付書類; 付録.
llevar anejo 《+algo》〈何か〉を添付する.

a·ne·mia [anémja アネミア] 名女 〔医〕 貧血(症).

a·né·mi·co, ca [anémiko, ka アネミコ, カ] 形 貧血(症)の.
── 名男女 貧血症患者.

a·ne·mó·me·tro [anemómetro アネモメトゥロ] 名男 〔気象〕 風速計.

a·nes·te·sia [anestésja アネステシア] 名女 〔医〕 麻酔(法). *anestesia* general 全身麻酔. *anestesia* local 局部麻酔.

a·nes·te·siar [anestesjár アネステシアル] 動他 〔医〕 麻酔をかける.

a·nes·té·si·co, ca [anestésiko, ka アネステシコ, カ] 形 〔医〕 麻酔の.
── 名男 麻酔薬.

a·nes·te·sis·ta [anestesísta アネステシスタ] 名男女 麻酔医.

a·neu·ris·ma [aneurísma アネウリスマ] 名男 〔医〕 動脈瘤(りゅう).

a·ne·xión [aneksjón アネクシオン] 名女 併合; 添付.

a·ne·xio·nar [aneksjonár アネクシオナル] 動他 (領土などを) 併合する.

a·ne·xo, xa [anékso, ksa アネクソ, クサ] 形 **1** 《+ **a**》…に付随した. **2** 添付の.
── 名男 **1** 付属建物. el *anexo* de un hotel ホテルの別館. **2** 添付書類; 付録.

anfi- 「両, 周囲」の意を表す造語要素. ⇀ *anfi*teatro, *anfi*bología など.

an·fi·bio, bia [amfíβjo, βja アンフィビオ, ビア] 形 **1** 水陸両生の, 両生類の. **2** 水陸両用の.
── 名男 **1** 水陸両用車[飛行機]. **2** [～s] 〔動物〕 両生類.

an·fi·te·a·tro [amfiteátro アンフィテアトゥロ] 名男 **1** (古代ローマの) 円形劇場[闘技場]. **2** (半円形の) 階段教室. *anfiteatro* anatómico 解剖学教室.

an·fi·trión, trio·na [amfitrjón, trjóna アンフィトゥリオン, トゥリオナ] 名男女 (接待の) 主人役.

án·fo·ra [ámfora アンフォラ] 名女 [el *ánfora*] アンフォラ: 古代ギリシア・ローマの両手つきの壺(つぼ).

an·ga·ri·llas [aŋgaríʎas アンガリリャス] 名女 [複] **1** 担架 (= camilla); (聖像を運ぶ) 輿(こし). **2** 薬味スタンド. → vajilla 図.

án·gel [áŋxel アンへル] 名男 [複 ～es] 〔英 angel〕 **1** 天使. *ángel* bueno [de luz] 良天使; 救いの神. *ángel* custodio [de la guarda] 守護天使. *ángel* caído 堕天使. *ángel* malo [de las tinieblas] 悪天使; 悪魔のような人. *ángel* patudo 腹黒い人.
2 魅力, 愛らしさ. tener *ángel* 魅力のある, 愛くるしい.
3 天使のような人. Es un *ángel*. この子はまるで天使だ. bueno como un *ángel* お行儀がよい, おとなしい.
cantar como los ángeles すばらしく上手に歌う.

Án·gel [áŋxel アンへル] 固名 アンヘル: 男性の名.

Án·ge·la [áŋxela アンへラ] 固名 アンヘラ: 女性の名.

an·ge·li·cal [aŋxelikál アンへリカル] 形 天使の; あどけない. mirada *angelical* 愛くるしいまなざし.

an·gé·li·co, ca [aŋxéliko, ka アンへリコ, カ] 形 天使の; 天使のような.
── 名男 小天使.

an·ge·lo·te [aŋxelóte アンへロテ] 名男 [ángel の大] **1** 《口語》まるまる太った子供. **2** 《口語》お人よし.

án·ge·lus [áŋxelus アンへルス] 名男 〔カトリック〕 (朝・昼・晩の) アンジェラス[お告げ] の祈り[鐘].

an·gi·na [aŋxína アンヒナ] 名㊛ 〘医〙[普通 ～s] 扁桃(へんとう)炎.

an·gli·ca·nis·mo [aŋglikanísmo アングリカニスモ] 名㊚ 〘宗教〙英国国教会.

an·gli·ca·no, na [aŋglikáno, na アングリカノ, ナ] 形 〘宗教〙英国国教会の.
—— 名㊚㊛ 〘宗教〙英国国教会の信者.

an·gli·cis·mo [aŋgliθísmo アングリしスモ] 名㊚ 英語的な語彙(ごい) [語法]. ⇀ barman, sexy など.

an·glo·sa·jón, jo·na [aŋglosaxón, xóna アングろサホン, ホナ] [複㊚ anglosajones] 形 アングロサクソンの; 英国系の.
—— 名㊚㊛ アングロサクソン人; 英国人.
—— 名㊚ **1** アングロサクソン語, 古英語.
2 [anglosajones] アングロサクソン族.

an·gos·to, ta [aŋgósto, ta アンゴスト, タ] 形 狭い; 窮屈な (= estrecho).

an·gos·tu·ra [aŋgostúra アンゴストゥラ] 名㊛ 狭さ; 狭量.

an·gui·la [aŋgíla アンギら] 名㊛ 〘魚〙ウナギ (鰻).

an·gu·la [aŋgúla アングら] 名㊛ 〘魚〙シラスウナギ (白子鰻): ウナギの稚魚.

an·gu·lar [aŋgulár アングらル] 形 角の; 角度の.
—— 名㊚ 山形鋼, L形鋼.

án·gu·lo [áŋgulo アングろ] 名㊚ [複 ～s] [英 angle] **1 角, 角度.** formar un *ángulo* de 30° [treinta grados] 30度の角を成す. *ángulo* interno 内角. *ángulo* muerto 死角. *ángulo* visual 視角.

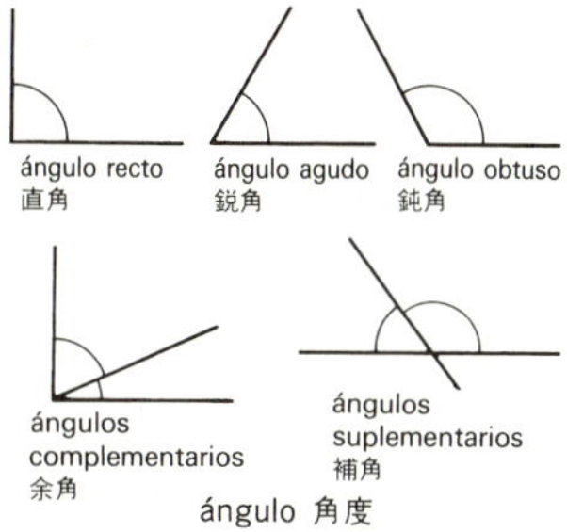

ángulo 角度

2 視点, 見地. examinar el problema desde distintos *ángulos* いろいろな観点から問題を検討する. **3** 角(かど); 隅.

an·gu·lo·so, sa [aŋgulóso, sa アングろソ, サ] 形 角張った; 曲がりくねった.

an·gus·tia [aŋgústja アングスティア] 名㊛ 苦悩, 不安; [～s] 苦悶(くもん). estar en *angustias* de la muerte 死に瀕(ひん)している. *angustia* vital 心配事.

an·gus·tia·do, da [aŋgustjáðo, ða アングスティアド, ダ] 過分 形 苦悩の, 悲嘆に暮れた; 不安な.

an·gus·tiar [aŋgustjár アングスティアル] 動 他 苦しめる, 悩ませる.
—— ***an·gus·tiar·se*** **1** 苦悩する, 悲嘆に暮れる. **2** やきもきする. Siempre *me angustio* por acabar el trabajo cuanto antes. 仕事を早く終えたくて私はいつもやっきになっている.

an·gus·tio·so, sa [aŋgustjóso, sa アングスティオソ, サ] 形 苦悩の. una situación *angustiosa* 苦境.

an·he·lan·te [aneláŋte アネらンテ] 形
1 息を切らせている.
2 熱望 [切望] している. estar *anhelante* por 《+不定詞》しきりに…したがっている.

an·he·lar [anelár アネらル] 動 他 熱望する, あこがれる; 《+不定詞》…するのを熱望する. Ella *anhela* vivir en la ciudad. 彼女は都会生活にあこがれている.

an·he·lo [anélo アネろ] 名㊚ あこがれ; 熱望; [～s] 野心. *anhelos* de gloria 栄光への野望. con *anhelo* 熱望して.

a·ni·dar [aniðár アニダル] 動 自 (鳥が) 巣を作る.
—— ***a·ni·dar·se*** **1** (鳥が) 巣を作る.
2 (感情が心に) 宿る. No dejes que el rencor *se anide* en tu alma. いつまでも根に持つのはやめなさい.

a·ni·lla [aníʎa アニリャ] 名㊛ **1** 輪, 環; (鳥の) 脚環. **2** [～s] 〘スポ〙つり輪 (競技).

a·ni·llo [aníʎo アニリョ] 名㊚ [複 ～s] [英 ring] **1 輪**, 環. *anillo* de humo タバコの煙の輪.
2 指輪, リング. *anillo* de boda 結婚指輪. *anillo* de pedida [de compromiso, de prometida] 婚約指輪.
3 〘動物〙環形体節; 〘植物〙年輪; 〘天文〙環; 〘機械〙リング.
caerse los anillos a 《+uno》《口語》〈人〉の沽券(こけん)にかかわる, 体裁が悪い.
como anillo al dedo おあつらえ向きに; ちょうどよい時に.

> **[参 考]** **anillo** は一般的な意味で指輪, **sortija** は主に宝石のはめ込んである指輪, **alianza** は結婚指輪を指す.

á·ni·ma [ánima アニマ] 名㊛ [el *ánima*] **1** 魂, 霊魂. **2** [～s] 晩鐘; 晩鐘の時刻.

a·ni·ma·ción [animaθjón アニマしオン] 名㊛ **1** 活気(づけること); 活発さ. dar *animación* a 《+algo》(議論・雰囲気などを) 盛り上げる. tener *animación* 元気がよい.
2 にぎわい. Había mucha *animación* en la fiesta. 祭りはとてもにぎわっていた.
3 〘映画〙アニメーション, 動画製作. ➡ dibujos.

a·ni·ma·dor, do·ra [animaðór, ðóra アニマドル, ドラ] 形 勇気づける.
—— 名㊚㊛ **1** (ナイトクラブなどの) 芸人.
2 司会者.

a·ni·mad·ver·sión [animaðβersjón アニマドゥベルシオン] 名㊛ 敵意. tener *animadversión* hacia 《+uno》〈人〉に敵意を抱く.

A

a·ni·mal [animál アニマる] [複 ～es] 〔英 animal〕 名男

1 動物. El hombre es un *animal* racional. 人間は理性的動物である. *animal* doméstico 家畜. *animal* salvaje 野生動物. *animal* dañino 害獣. *animal* de carga 役畜.

2 乱暴な人; とんま. *animal* de bellota 豚; ばか.

—— 形 **1 動物の**, 動物的な. apetito *animal* 獣的な欲望. instintos *animales* 動物的本能. **2** 《口語》乱暴な; ばかな.

【参 考】 1 鳴き声を表す動詞
balar ヤギ・ヒツジが鳴く. berrear 子ウシが鳴く; ゾウが鳴き声を上げる; 赤ん坊が大声で泣く. cacarear ニワトリが鳴く. cantar オンドリが時を告げる; 小鳥が歌う. cloquear 卵を抱いた[ヒヨコを連れた] メンドリがコッコッコと鳴く. croar カエルが鳴く. graznar カラスが鳴く. gruñir ブタが鳴く. ladrar イヌがほえる. llorar 人が泣く. maullar ネコが鳴く. mugir ウシが鳴く. piar ヒヨコが鳴く. rebuznar ロバが鳴く. relinchar ウマがいななく. trinar 小鳥がさえずる. ulular フクロウが鳴く. zumbar 蚊・ハチがブンブンうなる.
2 いろいろな鳴き声 ¡beee! メエメエ. ¡clo clo! (母鶏の) コッコッコ. ¡croa croa! (カエルの) ケロケロ. ¡cucú! カッコー. ¡guau guau! ワンワン. ¡hinnn! ヒヒーン. ¡miau! ニャー. ¡muuu! モーモー. ¡pío pío! ピヨピヨ. ¡quiquiriquí! コケコッコー.

a·ni·ma·la·da [animaláđa アニマらダ] 名女 《口語》ばかげたこと, 愚劣な振る舞い.

a·ni·mar [animár アニマル] 動他 〔英 encourage〕 **1 元気づける**, 活気づける; 《+a 不定詞》**…するように励ます**. El maestro *animó* a sus alumnos *a* estudiar más. 先生は生徒たちにもっと勉強するよう励ました. Sus palabras *animaron* mucho la discusión. 彼の発言は大いに議論を盛り上げた.

2 …に生命を与える; 魂を入れる.

—— a·ni·mar·se 1 元気になる, 活気づく. ¡*Anímate*! 頑張れ, 元気を出せ.

2 決心する; 《+a 不定詞》…する気になる. *Se animan a* luchar. 彼らは戦う気だ.

a·ní·mi·co, ca [anímiko, ka アニミコ, カ] 形 霊魂の, 心霊的な.

a·ni·mis·mo [animísmo アニミスモ] 名男 アニミズム: 森羅万象に霊魂があるとする信仰.

á·ni·mo [ánimo アニモ] 名男 [複 ～s]

1 心, 魂. estado de *ánimo* 精神状態, 気分.

2 [～ または ～s] 勇気, 気力. caer(se) de *ánimo* 気落ちする. cobrar *ánimo* 発奮する. dar *ánimo(s)* a 《+uno》〈人〉を励ます. estar sin *ánimo* 意気が上がらない. recobrar *ánimo* 気を取り直す. tener *ánimos* de 《+不定詞》…する気力がある. ¡*Ánimo*! 元気を出せ. ¡Levanta el *ánimo*, hombre! さあ, 元気を出して.

3 意図, 気持ち. Mi *ánimo* no es hacerle daño. 私には彼を傷つける気は毛頭ない. con *ánimo* de … …のつもりで.

hacerse el ánimo de … …を素直に受け入れる. Tengo que *hacerme el ánimo de* que ya no le veré más. 彼にはもう会わないつもりだ.

a·ni·mo·si·dad [animosiđáđ アニモシダ(ドゥ)] 名女 嫌悪.

a·ni·mo·so, sa [animóso, sa アニモソ, サ] 形 《+en, para》…に勇敢な; 意欲のある.

a·ni·ña·do, da [aniɲáđo, đa アニニャド, ダ] 形 無邪気な; 子供っぽい. cara *aniñada* 童顔.

a·ni·qui·la·ción [anikilaθjón アニキらしオン] 名女 絶滅.

a·ni·qui·lar [anikilár アニキらル] 動他 全滅させる. El enemigo *fue aniquilado* en la primera batalla. 敵軍は第一戦で壊滅した.

—— a·ni·qui·lar·se 1 全滅する. **2** 損なわれる. **3** 失望[落胆]する.

a·nís [anís アニス] 名男 〔植物〕アニス, アニスの実; アニス酒; アニス菓子.

a·ni·se·te [aniséte アニセテ] 名男 アニス酒.

A·ni·ta [aníta] 固名 アニータ: Ana の愛称.

a·ni·ver·sa·rio, ria [aniβersárjo, rja アニベルサリオ, リア] 形 周年の, 記念日[祭]の.

—— 名男 記念日[祭], 周年日[祭]. *aniversario* de boda 結婚記念日.

a·no [áno アノ] 名男 肛門(こうもん).

a·no·che [anótʃe アノチェ] 副 〔英 last night〕

昨夜, 昨晩. *Anoche* no pude dormir. 昨夜は眠れなかった. antes de *anoche* (= anteanoche) 一昨夜.

a·no·che·cer [anotʃeθér アノチェセル] 40 動自 夜になる, 日が暮れる (↔ amanecer). Va *anocheciendo*. 日が暮れかけている. ► 3人称単数のみに活用.

—— 名男 夕暮れ, たそがれ. al *anochecer* 日暮れに.

a·no·di·no, na [anođíno, na アノディノ, ナ] 形 **1** 〔医〕鎮痛(剤)の. **2** 内容のない.

—— 名男 〔医〕鎮痛剤.

á·no·do [ánođo アノド] 名男 〔電気〕陽極 (↔ cátodo).

a·no·ma·lí·a [anomalía アノマリア] 名女 変則, 異常.

a·nó·ma·lo, la [anómalo, la アノマろ,

ら] 形 変則的な，異常な．

a·no·na·dar [anonaðár アノナダル] 動他
1 消滅[絶滅]させる．
2 愕然(がくぜん)とさせる．Sus palabras me *anonadaron*. 彼の言葉に私はがっくりきた．
— **a·no·na·dar·se** **1** 消滅[絶滅]する．**2** 呆然(ぼうぜん)とする．

a·no·ni·ma·to [anonimáto アノニマト] 名男 匿名(性)．

a·nó·ni·mo, ma [anónimo, ma アノニモ，マ] 形 匿名の；作者不詳の．carta *anónima* 匿名の手紙．
— 名男 匿名(性)；匿名の手紙，無記名[署名]の文書．conservar [guardar] el *anónimo* 名を伏せておく．

a·no·rak [anorák アノラ(ク)] 名男 [複 anoraks]〘服飾〙アノラック．

a·nor·mal [anormál アノルマる] 形 異常な，並外れた(↔ normal)．
— 名男女 異常者．

a·nor·ma·li·dad [anormaliðáð アノルマりダ(ドゥ)] 名女 異常；精神障害．

a·no·ta·ción [anotaθjón アノタしオン] 名女 メモ；注釈；〘スポ〙得点．

a·no·tar [anotár アノタル] 動他 **1** 書き留める；記載する，登録する．*Anote* usted mi número de teléfono. 私の電話番号をメモしてください．El secretario *anotó* a mi hijo en el registro civil. 係員は私の息子を戸籍簿に登録した．
2 注記する．*anotar* un texto テキストに注をつける．
3〘商業〙記帳する．**4**〘スポ〙得点する．

an·qui·lo·sa·mien·to [aŋkilosamjénto アンキろサミエント] 名男 **1**〘医〙強直．
2 鈍化，硬直化．

an·qui·lo·sar [aŋkilosár アンキろサル] 動他 強直させる．
— **an·qui·lo·sar·se** 強直する；鈍化する．

án·sar [ánsar アンサル] 名男〘鳥〙ガチョウ(鵞鳥)；ガン(雁)．

An·sel·mo [ansélmo アンセるモ] 固名 アンセルモ：男性の名．

an·sia [ánsja アンシア] 名女 [el *ansia*]
1 心配；切望．**2** [〜s] 苦悶(くもん)．**3** [〜s] 吐き気．tener *ansias* 吐き気がする．

an·siar [ansjár アンシアル] [23 i→í] 動他 熱望する，渇望する．

an·sie·dad [ansjeðáð アンシエダ(ドゥ)] 名女 心配；切望．

an·sio·so, sa [ansjóso, sa アンシオソ，サ] 形 **1** 心配な；熱望する．**2** 強欲な．

an·ta·gó·ni·co, ca [antaɣóniko, ka アンタゴニコ，カ] 形 敵対[対立]する．

an·ta·go·nis·mo [antaɣonísmo アンタゴニスモ] 名男 敵対，対立．

an·ta·go·nis·ta [antaɣonísta アンタゴニスタ] 名男女 敵対者，反対者．

an·ta·ño [antáɲo アンタニョ] 副 以前，昔；前年．

an·tár·ti·co, ca [antártiko, ka アンタルティコ，カ] 形 南極(地方)の(↔ ártico)．

An·tár·ti·da [antártiða アンタルティダ] 固名 la *Antártida* 南極大陸．

an·te [ante アンテ] 前 [英 before]
1《位置関係を表して》…の前で[に]．*ante* mis ojos 私の目の前で．*ante* el juez 裁判官の前で．Lo juró *ante* todos nosotros. 彼はそのことを私たちみんなの前で誓った．► 口語では delante de のほうが多く用いられる．ante は気取った比喩的な表現に多い．
2 …に照らして；…と比べて．*ante* la ley 法に照らして．*ante* la evidencia de las pruebas 確かな証拠によって．Mi sufrimiento no es nada *ante* el suyo. 私の苦しみなんか彼のに比べればなんでもない．
— 名男 **1**〘動物〙ヘラジカ(箆鹿)．
2 バックスキン，スエード．un abrigo de *ante* スエードのコート．

ante-《接頭》「前，先」の意を表す．⇒ *antecámara*, *antepenúltimo* など．

an·te·a·no·che [anteanótʃe アンテアノチェ] 副 一昨晩，一昨夜，おとといの晩．

an·te·a·yer [anteajér アンテアイエル] 副 一昨日，おととい．*anteayer* por la noche おとといの夜．Le vi *anteayer*. 一昨日彼に会った．

an·te·bra·zo [anteβráθo アンテブラそ] 名男 前腕，前膊(ぜんぱく)(肘(ひじ)から手首まで)；(馬などの)前脚．

an·te·cá·ma·ra [antekámara アンテカマラ] 名女 次の間，控え室．

an·te·ce·den·te [anteθeðénte アンテセデンテ] 形 先行する，…の前の．Los días *antecedentes* a la operación estaba muy nervioso. 手術前の数日間はとても心配だった．
— 名男 **1** 先例；事情，いきさつ．
2 [〜s] 前歴；既往症．*antecedentes* penales〘法律〙前科．
estar en antecedentes いきさつを知っている．
poner a 《+uno》 ***en antecedentes*** 〈人〉に事情を説明する[知らせる]．

an·te·ce·der [anteθeðér アンテセデル] 動他《時間・順序を表して》…に先立つ，…の前に起こる．
— 動自《+a》…に先行する，先に起こる．

an·te·ce·sor, so·ra [anteθesór, sóra アンテセソル，ソラ] 形 先行する，前(任)の．
— 名男女 前任者；[普通 antecesores] 祖先．

an·te·di·cho, cha [anteðítʃo, tʃa アンテディチョ，チャ] 形 前述の，上記の．

an·te·la·ción [antelaθjón アンテらしオン] 名女 事前．con cinco días de *antelación* (前もって) 5 日前に．

an·te·ma·no [antemáno アンテマノ] ***de antemano***《副詞句》前もって，あらかじめ．

A

Me dieron un aviso *de antemano*. 彼らは事前に警告してきた.

an·te·na [anténa アンテナ] 名女 **1** 〘通信〙アンテナ. *antena* parabólica パラボラアンテナ. **2** 〘動物〙触角. ➡ insecto 図.

an·te·o·jo [anteóxo アンテオホ] 名男 **1** 望遠鏡; [〜s] 眼鏡 (= gafas), 双眼鏡 (= gemelos); オペラグラス.
2 [〜s] (馬の) 目隠し.

an·te·pa·sa·do, da [antepasáðo, ða アンテパサド, ダ] 形 以前の, その前の.
—— 名男 先祖, 祖先.

an·te·pe·núl·ti·mo, ma [antepenúltimo, ma アンテペヌるティモ, マ] 形 終わりから 3 番目の.

an·te·po·ner [anteponér アンテポネル] 45 動他 [過分 antepuesto]
1 前に置く, 正面に置く (↔ posponer).
2 《+a》…よりも優先させる.
—— **an·te·po·ner·*se*** 《+a》…に先行する, 優先する.

an·te·rior [anterjór アンテリオル] 形 [複 〜es] 〔英 previous〕《+a》…**より前の** (↔ posterior). el día *anterior* 前日 (► 前々日は dos días antes). la página *anterior* 前ページ. Su fama es *anterior a* la publicación de su primera obra. 彼の評判は処女作出版前からのものです. Él es bastante *anterior* a mí en esta ciudad. 彼はこの町では私よりずっと古顔だ.

an·te·rio·ri·dad [anterjoriðáð アンテリオリダ(ドゥ)] 名女 《時間・順位などを表して》先行. con *anterioridad* 前もって.

an·te·rior·men·te [anterjórménte アンテリオルメンテ] 副 以前に, 先に.

an·tes [ántes アンテス] 副 〔英 before〕
1 《時間を表して》**以前は [に]**, かつて (は), 昔は; 少し前に (↔ después). Eso era *antes*. それは昔のことだ. mucho *antes* ずっと以前に. poco *antes* 少し前に. cuatro días *antes* 4 日前に. Lo he dicho *antes* ya. そのことならもう僕がさっき言ったよ.
2 《形容詞的に》前の (= anterior). el día *antes* 前日に. la noche *antes* 前の晩に.
—— 接続 〔英 rather〕むしろ. No desea la victoria, *antes* la teme. 彼は勝利を望むどころか, むしろそれを恐れている. *antes* bien [al contrario] むしろ.
antes de … (1) 《時間を表して》**…より前に**. *antes de*l sábado 土曜日までに. *antes de* 1980 1980年以前に. *antes de* amanecer 夜が明ける前に. *antes de* ayer 一昨日. *antes de* Cristo [Jesucristo] 紀元前 《略 a.de(J.)C.》. *antes de* terminada la conferencia 講演が終わらぬうちに. ➡ hasta 【文法】. (2) 《空間を表して》…の前に. *Antes de* la alcoba está el cuarto de baño. 寝室の手前に浴室がある.
antes (de) que 《+接続法》…する前に. Hay diez minutos *antes que* salga el tren. 列車が出るまでに10分ある.
antes que (1) …より先に. Lo terminé *antes que* usted. 私はあなたより先にそれを終わりました. (2) …よりむしろ. *Antes* morir *que* mentir. うそをつくくらいなら死んだ方がました.
antes que nada 何よりも先に. *Antes que nada* lávate las manos. 真っ先に手を洗いなさい.
antes que* [*de*] *nadie 誰よりも早く.
cuanto antes* / *lo (más) antes posible できるだけ早く. *Cuanto antes* mejor. 早ければ早いほど良い.
de antes 以前の. la moda *de antes* 昔の流行.

anti- 《接頭》「反対する」の意を表す. ⇒ *anti*natural (反自然的な), *antí*doto など.

an·tia·é·re·o, a [antjaéreo, a アンティアエレオ, ア] 形 対空の, 防空の.

an·ti·bió·ti·co, ca [antiβjótiko, ka アンティビオティコ, カ] 形 〘医〙抗生物質の.
—— 名男 〘薬〙抗生物質.

an·ti·ci·clón [antiθiklón アンティしクろン] 名男 高気圧 (圏).

an·ti·ci·pa·ción [antiθipaθjón アンティしパしオン] 名女 **1** (予定・期日などの) 繰り上げ. **2** 〘商業〙前払い.
con anticipación 前もって. pagar *con anticipación* 前金で支払う.

an·ti·ci·par [antiθipár アンティしパル] 動他 **1** (予定・期日などを) 繰り上げる. *anticipar* el viaje 旅行を早める.
2 前払いをする.
—— **an·ti·ci·par·*se*** 早くなる. Este año *se ha anticipado* el invierno. 今年は冬が早く来た.
anticiparse a 《+不定詞》前もって [先に] …する. *Me anticipé a* pagar. 私は前払いをした.

an·ti·ci·po [antiθípo アンティしポ] 名男 **1** 前払い金. **2** 兆し, 前兆.
con anticipo 予定より早く, 先に.

an·ti·cle·ri·cal [antiklerikál アンティクれリカる] 形 反教権的な.
—— 名男女 反教権主義者.

an·ti·co·a·gu·lan·te [antikoaɣulánte アンティコアグらンテ] 形 抗凝血 [凝固] 性の.
—— 名男 抗凝血 [凝固] 剤.

an·ti·con·cep·ti·vo, va [antikonθeptíβo, βa アンティコンセプティボ, バ] 形 避妊の.
—— 名男 避妊具 [薬, 法]

an·ti·con·ge·lan·te [antikoŋxelánte アンティコンヘらンテ] 形 氷結防止の.
—— 名男 〘車〙不凍液.

an·ti·cons·ti·tu·cio·nal [antikonstituθjonál アンティコンスティトゥしオナる] 形 憲法違反の, 違憲の.

an·ti·cua·do, da [antikwáðo, ða アンティクアド, ダ] 形 古い, 時代遅れの.
quedarse anticuado 時代遅れになる.

an·ti·cua·rio [antikwárjo アンティクアリオ] 名男 骨董(こっとう)商.

an·ti·cuer·po [antikwérpo アンティクエルポ] 名男 〘生物〙抗体.

an·tí·do·to [antíðoto アンティドト] 名男 解毒剤 (= contraveneno).

an·ti·faz [antifáθ アンティファす] 名男 [複 antifaces] (仮装舞踏会用の) (半) 仮面, (黒) 覆面.

antigua 形女 → antiguo[1].

an·ti·gua·lla [antiɣwáʎa アンティグアリャ] 名女 がらくた; 時代遅れのもの.

an·ti·gua·men·te [antíɣwaménte アンティグアメンテ] 昔は, かつて.

an·ti·güe·dad [antiɣweðáð アンティグエダ(ドゥ)] 名女 **1** 古いこと, 古さ. **2** 古代; (ギリシア・ローマの) 古典時代. desde la *antigüedad* 大昔から. **3** 勤続年数. ascenso por *antigüedad* 年功による昇進. tener mucha *antigüedad* 勤続年数が長い. **4** [~es] 骨董(こっとう)品; 古代の遺物 [遺跡]. tienda de *antigüedades* 骨董品店, 古美術品店.

an·ti·guo[1], gua

[antíɣwo, ɣwa アンティグオ, グア] 形 [複 ~s] 〔英 old, ancient〕

1 古い, 昔からの; 旧式の, 古くさい (↔ moderno). tradición *antigua* 古来の伝統. porcelana *antigua* 古磁器. un traje *antiguo* 流行遅れの服. → viejo.

2 過去の, 元の. una herida *antigua* 古傷. Es un *antiguo* colega de oficina. 彼は元の職場の同僚だ.

3 古参の, 古手の. Es más *antiguo* que yo en esta empresa. この会社では彼は私より先輩だ.

a la antigua* / *a lo antiguo 昔ふうに.

de antiguo 昔から. venir *de antiguo* 古くから伝わる.

desde muy antiguo 大昔から.

en lo antiguo 昔は.

an·ti·guo[2] [antíɣwo アンティグオ] 名男 **1** 古美術品. **2** [~s] 昔の人々, 古代人. **3** 古顔, 先輩.

an·ti·lla·no, na [antiʎáno, na アンティリャノ, ナ] 形 アンティル諸島の.
—— 名男女 アンティル諸島の住民.

An·ti·llas [antíʎas アンティリャス | -jas -ヤス] 固名 [複] las *Antillas* アンティル諸島: カリブ海を取り巻いて連なる列島.

an·tí·lo·pe [antílope アンティろぺ] 名男 〘動物〙レイヨウ (羚羊).

an·tio·xi·dan·te [antjo*k*siðánte アンティオクシダンテ] 形 錆(さ)止めの, 酸化防止の.
—— 名男 酸化防止剤.

an·ti·pa·tí·a [antipatía アンティパティア] 名女 反感, 嫌悪 (↔ simpatía).

an·ti·pá·ti·co, ca [antipátiko, ka アンティパティコ, カ] 形 感じの悪い, 反感を抱かせる, 嫌な, 不快な (↔ simpático). un tipo *antipático* 嫌な奴.
—— 名男女 感じの悪い人, 無愛想な人.

an·ti·pi·ré·ti·co, ca [antipirétiko, ka アンティピレティコ, カ] 形 〘医〙解熱 (性) の.
—— 名男 解熱剤.

an·tí·po·da [antípoða アンティポダ] [普通 ~s] 形 **1** 対蹠(たいせき)地の, 地球の反対側の. **2** 正反対の.
—— 名男女 対蹠地の住民.
—— 名男 対蹠地.

an·ti·quí·si·mo, ma [antikísimo, ma アンティキシモ, マ] 形 [antiguo の絶対最上級] 非常に古い, 大昔の.

an·ti·rro·bo [antir̃óβo アンティロボ] 名男 (自動車などの) 盗難防止装置.

an·ti·sep·sia [antisé*p*sja アンティセプシア] 名女 防腐 (法), 消毒 (法).

an·ti·sép·ti·co, ca [antisé*p*tiko, ka アンティセプティコ, カ] 形 防腐の.
—— 名男 防腐剤.

an·tí·te·sis [antítesis アンティテシス] 名女 [単・複同形] **1** 正反対 (の物・人). **2** 〘哲〙反定立, アンチテーゼ.

an·ti·té·ti·co, ca [antitétiko, ka アンティテティコ, カ] 形 **1** 正反対の. **2** 〘哲〙反定立の.

an·ti·to·xi·na [antito*k*sína アンティトクシナ] 名女 〘医〙抗毒素; 抗毒薬.

an·ti·tu·ber·cu·lo·so, sa [antituβerkulóso, sa アンティトゥベルクろソ, サ] 形 〘医〙結核治療 [予防] の.

an·to·ja·di·zo, za [antoxaðíθo, θa アントハディそ, さ] 形 気まぐれな; 変わりやすい.

an·to·jar·*se* [antoxárse アントハルセ] 動 《間接目的語が意味上の主語となって》 **1** …したいと思う; 思いつく. *Se* me *ha antojado* tomar una cerveza. 私はビールが飲みたい気分になった. **2** …のような気がする. *Se* me *antoja* que va a ocurrir algo siniestro. 何か不吉なことが起こりそうな気がする.

an·to·jo [antóxo アントホ] 名男 気まぐれ; わがまま.

a* SU *antojo 勝手に, 好きなように.

an·to·lo·gí·a [antoloxía アントろヒア] 名女 選集, 詞華集, アンソロジー.

An·to·nia [antónja アントニア] 固名 アントニア: 女性の名.

an·tó·ni·mo, ma [antónimo, ma アントニモ, マ] 形 反義 (語) の, 反意 (語) の.
—— 名男 〘文法〙反義語, 反意語 (↔ sinónimo).

An·to·nio [antónjo アントニオ] 固名 アントニオ: 男性の名. 愛 Toño, Toñete, Toni.

an·to·no·ma·sia [antonomásja アントノマシア] 名女 〘修辞〙換称. ⇀ un hombre cruel 「残酷な人」の代わりに un Nerón 「ネロのような人」を用いるなど.

por antonomasia 言わずと知れた; とりわけ.

an·tor·cha [antórtʃa アントルチャ] 名女 たいまつ, トーチ.

an·tro [ántro アントゥロ] 名男 洞穴; 《比喩》

穴蔵；巣窟(そう).

an·tro·pó·fa·go, ga [antropófaɣo, ɣa アントゥロポファゴ, ガ] 形 食人の.
—— 名男女 食人種.

an·tro·poi·de [antropóiðe アントゥロポイデ] 形 類人猿の. —— 名男 類人猿.

an·tro·po·lo·gí·a [antropoloxía アントゥロポろヒア] 名女 人類学. *antropología* cultural 文化人類学.

an·tro·pó·lo·go, ga [antropóloɣo, ɣa アントゥロポろゴ, ガ] 名男女 人類学者.

a·nual [anwál アヌアる] 形 1 年の, (1) 年間の; 毎年の, 年 1 回の. Gana treinta millones de pesetas *anuales*. 彼は3000万ペセタの年収がある. ►「2 年ごとの」は bienal,「3 年ごとの」は trienal.

a·nua·li·dad [anwaliðáð アヌアりダ(ドゥ)] 名女 1 [普通 ～es] 年金. 2 年 1 回[毎年].

a·nua·rio [anuárjo アヌアリオ] 名男 年鑑, 年報.

a·nu·dar [anuðár アヌダル] 動他 1 結ぶ; …の絆(きずな)を結ぶ. *anudar* la corbata ネクタイを締める. *Anudamos* nuestra amistad en la Olimpiada de Barcelona. 我々はバルセロナ・オリンピックの折に親交を結んだ. 2 (声を) 詰まらせる.
—— **a·nu·dar·*se*** 結び合わされる.

a·nuen·cia [anwénθja アヌエンしア] 名女 承諾, 同意.

a·nu·la·ción [anulaθjón アヌらしオン] 名女 取り消し, 解約.

a·nu·lar [anulár アヌらル] 形 指輪の; 環状の, 輪状の.
—— 名男 薬指. ➡ dedo 図.
—— 動他 取り消す;〘法律〙無効にする. *anular* un contrato 解約する.

a·nun·cia·ción [anunθjaθjón アヌンしアしオン] 名女 1 告知, 通知. 2 [A-]〘カトリック〙受胎告知, (聖母マリアへの) お告げ.

a·nun·ciar [anunθjár アヌンしアル] 動他 [英 announce] 1 **知らせる, 発表する.** *Han anunciado* que el tren llegará con un retraso de quince minutos. 列車は15分延着するとアナウンスがあった. El municipio *anunciará* mañana la fecha de las próximas elecciones. 市は明日次の選挙の公示を行うだろう.
2 広告する, 宣伝する. Pensamos *anunciar*lo en los periódicos. 私たちはそれについて新聞広告を出すつもりです.
3 兆しをみせる, 予告する. El gorjeo de los pájaros *está anunciando* el amanecer. 鳥のさえずりが夜明けを告げている.
—— **a·nun·ciar·*se*** …の兆しがある. Ya *se anuncia* el otoño. もう秋の気配が感じられる. La temperatura *se anuncia* muy baja esta noche. 今夜は気温がとても下がりそうだ.

a·nun·cio [anúnθjo アヌンしオ] 名男 [複 ～s] [英 announcement] 1 **告知,** 通知.
2 **広告,** 掲示, ビラ;〘テレビ〙コマーシャル. Prohibido fijar *anuncios*. 張り紙禁止. tablón [tablilla] de *anuncios* 掲示板.
3 兆し, 前兆. *anuncio* de la primavera 春の前触れ.
—— 動 ➡ anunciar.

an·ver·so [ambérso アンベルソ] 名男 (貨幣の) 表 (↔ reverso);〘印刷〙表[右]ページ.

an·zue·lo [anθwélo アンすエろ] 名男 1 釣り針. 2〘比喩〙餌(え), わな.
morder el anzuelo だまされる, わなにはまる.

añadido, da 過分 ➡ añadir.

a·ña·di·du·ra [aɲaðiðúra アニャディドゥラ] 名女 1 加筆. 2 おまけ.
por añadidura その上.

añadiendo 現分 ➡ añadir.

a·ña·dir [aɲaðír アニャディル] 動他 [現分 añadiendo; 過分 añadido, da] [英 add] 《+a》 1 **…に付け加える,** 足す. *Añadió* sal *a* la sopa. 彼女はスープに塩を加えた. *añadir* unas palabras de agradecimiento 感謝の言葉を添える. *añadir* el rédito *al* capital 元手に利子を加える. 2 大きくする, 長くする. *añadir* un centímetro *a* la manga 袖(そで)を 1 センチ伸ばす. Su aparición *añadió* animación *a* la fiesta. 彼女が現れてパーティーは盛り上がった.

a·ñe·jo, ja [aɲéxo, xa アニェホ, ハ] 形 1 熟成した. vino *añejo* 年代物のぶどう酒. 2《口語》古臭い; 昔からある.

a·ñi·cos [aɲíkos アニィコス] 名男 [複] かけら.
hacerse añicos ばらばら[粉々]になる.

a·ñil [aɲíl アニィる] 名男 1〘植物〙キアイ (木藍). 2 (染料の) インジゴ, 藍(あい)(= índigo).
—— 形 藍色の.

a·ño [áɲo アニョ] 名男 [複 ～s] [英 year]
1 **年, 一年.** *año* bisiesto 閏(うるう)年. *año* civil 暦年 (◆教会暦に対して世俗の暦). *año* académico [escolar] 学年 (暦). *año* (de) luz〘天文〙光年. todos los *años* 毎年. *año* tras *año* 毎年. cada dos *años* 2 年ごとに, 1 年おきに. el *año* que viene 来年 (に). en el *año* 1992 1992年に. una vez al *año* 年に 1 度. todo el *año* 一年中. tardar *años* y *años* 何年もかかる.
2 **歳, 年齢.** ¿Cuántos *años* tienes? — Tengo veinte *años*. 君は何歳ですか. —僕は20歳です. tener muchos *años* 高齢である; 年数を経ている.
3 [～s] 年月, 時代. en los *años* cuarenta 40年代に. en los *años* que corren 今日では. ¡Qué *años* aquellos! あのころは良かった [ひどかった]. en sus últimos *años* 晩年に.
Año Nuevo 新年. ¡Feliz *Año Nuevo*!

新年おめでとう. felicitar el *Año Nuevo* 新年の祝詞を述べる.
de buen año 太った, 健康な.
hace años 何年も前に. La conocí *hace años*. だいぶ前に彼女と知り合った. *Hace años* que está así. ずっと前から彼はああなんだ.
pasar [***perder***] ***el año*** 学年末試験に合格[落第]する.
quitarse años 年齢を若く言う[見せる].
un año con otro 来る年も来る年も.
un año sí y otro no 1年おきに.

a·ño·ran·za [aɲoránθa アニョランさ] 名女 郷愁, 思慕, 懐かしさ.

a·ño·rar [aɲorár アニョラル] 動他 懐かしむ, 恋しく思う.
—— 動自 懐かしく思う.

AOD 《略》 *A*sistencia *O*ficial para el *D*esarrollo 政府開発資金援助〔英 ODA〕.

a·or·ta [aórta アオルタ] 名女 〘解剖〙 大動脈.

a·o·va·do, da [aoβáðo, ða アオバド, ダ] 形 卵形の.

a·pa·bu·llar [apaβuʎár アパブリャル] 動他 《口語》打ちのめす; つぶす, ぺちゃんこにする.

a·pa·cen·tar [apaθentár アパセンタル] [42 e → ie] 動他 放牧する, 牧草を食べさせる.
—— **a·pa·cen·tar·*se*** 草を食(は)む; 《+ **con, de**》…を糧とする.

a·pa·che [apátʃe アパチェ] 形 (北米先住民の一部族) アパッチ族の.
—— 名男女 **1** アパッチ族. **2** ならず者.
—— 名男 アパッチ語.

a·pa·ci·ble [apaθíβle アパしブれ] 形 穏やかな, おとなしい.

a·pa·ci·guar [apaθiɣwár アパしグアル] [7 gu → gü] 動他 **1** なだめる, 落ち着かせる. **2** (痛みを) 和らげる.
—— **a·pa·ci·guar·*se*** 凪(な)ぐ; (痛みが) 和らぐ, 落ち着く.

a·pa·dri·nar [apaðrinár アパドゥリナル] 動他 **1** 代父[名付け親]になる. → padrino. **2** 花婿の付添人になる. **3** 後援者になる.
—— **a·pa·dri·nar·*se*** 庇護(ひご)を受ける.

a·pa·ga·do, da [apaɣáðo, ða アパガド, ダ] 過分 形 **1** 消えた. El incendio forestal está *apagado*. 山火事は消えた. **2** 生気のない; くすんだ; 弱い. color *apagado* さえない色. voz *apagada* 弱々しい声.

a·pa·gar [apaɣár アパガル] [32 g → gu] 動他 〔英 extinguish〕 **1** (火・明かりなどを) **消す** (↔ encender). *apagar* el incendio 火事を消す. *apagar* la luz 電灯を消す. *apagar* el televisor テレビを消す.
2 鎮める. *apagar* el dolor 苦痛を和らげる. *apagar* la sed 渇きを癒(いや)す. *apagar* su ira 怒りを鎮める.
3 (色・音を) 弱める.
—— **a·pa·gar·*se*** 消える; 鎮まる; 弱る, 衰える; 《婉曲に》(人が) 死ぬ.
Apaga y vámonos. 《口語》もういい, 話は終わりだ.

a·pa·gón [apaɣón アパゴン] 名男 停電.

apague(-) / apagué(-) 動 → apagar.

a·pai·sa·do, da [apaisáðo, ða アパイサド, ダ] 過分 形 横長の.

a·pa·lan·car [apalaŋkár アパらンカル] [8 c → qu] 動他 てこで持ち上げる[こじ開ける].

a·pa·ña·do, da [apaɲáðo, ða アパニャド, ダ] 過分 形 《口語》 **1** 手際のよい, 上手な. **2** (形・大きさが) ぴったりの.
estar apañado 《口語》困ったことになる. ¡*Estamos apañados*! 大変なことになったぞ.

a·pa·ñar [apaɲár アパニャル] 動他 **1** 整える, 準備する; 修理する. *apañar* unos pantalones ズボンの繕いをする.
2 飾り立てる. **3** 《口語》くるむ.
4 手に入れる. **5** 《ラ米》かくまう.
—— **a·pa·ñar·*se*** 《口語》やりくりする.

a·pa·ño [apáɲo アパニョ] 名男 **1** 修繕, 修理; その場逃れ.
2 《口語》手腕, こつ.
3 《俗語》情事; 愛人.

a·pa·ra·dor [aparaðór アパラドル] 名男 **1** 食器戸棚, サイドボード. poner la vajilla en el *aparador* 食器戸棚に食器をしまう. **2** ショーウィンドー, ショーケース.

a·pa·ra·to [aparáto アパラト] 名男 [複 ～s] 〔英 apparatus〕 **1 装置, 機器.** *aparato* de radio ラジオ受信機. *aparato* de televisión テレビ受像機. *aparato* electrodoméstico 家庭電化製品. *aparatos* de gimnasia 体操用具.
2 《口語》飛行機; 電話機. Ahora se pone al *aparato*. 《電話》(本人は) いますぐ出ます. ¿Quién está al [en el] *aparato*? 《電話》どなたですか. Al *aparato*. 《電話》はい, 私ですが.
3 〘解剖〙 器官. *aparato* digestivo 消化器. *aparato* respiratorio 呼吸器.
4 美, 派手, 仰々しさ. con gran *aparato* 華やかに. sin *aparato* 地味に. ¡Cuánto *aparato* para tan poca cosa! これしきのことに大げさな!
5 機構. *aparato* del estado 国家機構.

a·pa·ra·to·so, sa [aparatóso, sa アパラトソ, サ] 形 きらびやかな; 派手な.

a·par·ca·mien·to [aparkamjénto アパルカミエント] 名男 [複 ～s] 〔英 parking, car park〕 **駐車(場).**

a·par·car [aparkár アパルカル] [8 c → qu] 動他 駐車する. *aparcar* el coche 車を止めておく. ► しばしば直接目的語なしでも用いる.

a·pa·re·ar [apareár アパレアル] 動他 **1** 対[ペア]にする. **2** 交配させる.
—— **a·pa·re·ar·*se*** **1** 組[ペア]になる.

2 交尾する.

A

a·pa·re·cer [apareθér アパレセル] 40 動 自 [現分 apareciendo; 過分 aparecido, da] 〔英 appear〕

直説法 現在	
1·単 *aparezco*	1·複 **aparecemos**
2·単 **apareces**	2·複 **aparecéis**
3·単 **aparece**	3·複 **aparecen**

1 現れる, 出現する. Un hombre *apareció* de repente en la puerta. 一人の男が突然戸口に現れた. *aparecer* en escena 舞台に登場する. No *apareció* en todo el día. 彼は1日中姿を現さなかった.
2 刊行される; 掲載[記載]される. Este libro *apareció* hace un mes. この本はひと月前に出版された. No *aparece* mi nombre en la lista. 私の名前は名簿に載っていない.
—— **a·pa·re·cer·*se*** ((+a, ante)) …の前に現れる, 出現する.

aparecido, da 過分 → aparecer. 40

apareciendo 現分 → aparecer. 40

a·pa·re·ja·dor, do·ra [aparexaðór, ðóra アパレハドル, ドラ] 名 男 女 〘建築〙建築アシスタント, 建築士.

a·pa·re·jar [aparexár アパレハル] 動 他 **1** 対[ペア]にする. **2** 準備する; (馬具を)付ける; 〘海事〙艤装(ぎそう)する.
—— **a·pa·re·jar·*se*** 対[ペア]になる.

a·pa·re·jo [aparéxo アパレホ] 名 男 **1** 準備. **2** 用具; 馬具; 〘海事〙艤装(ぎそう)品.

a·pa·ren·tar [aparentár アパレンタル] 動 他 **1** …に見せかける, …の振りをする. *aparentar* no saber 知らない振りをする. *aparentar* alegría [indiferencia] 楽しそうな振りをする[無関心を装う].
2 …に見える. *aparentar* más de cincuenta años 50歳以上に見える.
—— 動 自 見えを張る. Se viste así por *aparentar*. 彼は見えであんな服装をしているんだ.

a·pa·ren·te [aparénte アパレンテ] 形 **1** 見せかけの, 上辺だけの. **2** 格好の, 適当な. **3** 見栄えのする.

a·pa·ren·te·men·te [aparénteménte アパレンテメンテ] 副 上辺は, 外見上.

aparezc- 動 → aparecer. 40

a·pa·ri·ción [apariθjón アパリしオン] 名 女 **1** 出現; 出版, 刊行. de próxima *aparición* 近刊の. **2** 幽霊, 幻.

a·pa·rien·cia [aparjénθja アパリエンしア] 名 女 **1** 外見, 見掛け; 見せかけ. Las *apariencias* engañan. 見掛けは当てにならない. **2** 《口語》豪華さ. residencia con mucha *apariencia* 豪華な邸宅. **3** [〜s] 徴候, 気配.
cubrir* [*guardar, salvar*] *las apariencias 人前を繕う, 体面を保つ.
en apariencia 見たところ, 外見は.
tener apariencia de ... …らしく見える.

a·par·ta·do, da [apartáðo, ða アパルタド, ダ] 過分 形 **1** 離れた, 遠くの. **2** 孤立した, 孤独な; 別個の. —— 名 男 **1** (文章の)段落; (法律などの)条項. **2** 別室, 離れ.
***apartado postal* [*de correos*]** 私書箱.

a·par·ta·men·to [apartaménto アパルタメント] 名 男 マンション, アパート.

a·par·tar [apartár アパルタル] 動 他 〔英 separate〕 **1 離す,** 遠ざける; 追い払う. *apartar* la estufa del piano ストーブをピアノから遠ざける. *Apartó* el gato con el pie. 彼は足で猫を追っ払った.
2 別にする, 分ける. *apartar* una idea absurda ばかげた考えを吹っ切る.
3 そらす. *apartar* la atención de ... …から注意をそらす. *apartar* la vista de ... …から目をそらす.
—— **a·par·tar·*se*** 離れる; わきへそれる. *apartarse* del tema 本題から外れる. ¡*Apártate*! そこをどけ.

a·par·te [apárte アパルテ] 副 〔英 apart〕 **1 別にして,** 離して. Trataremos *aparte* ese tema. その問題は別途に取り上げよう. **2** ほかに, さらに. *Aparte*, recibe ayuda del Gobierno. 別に彼は政府からも援助を受けている. **3** 〘演劇〙傍白で.
—— 形 別の; 付加的な. tirada *aparte* 〘印刷〙抜き刷り. conversación *aparte* 内緒話.
—— 名 男 **1** 〘演劇〙傍白. **2** 内緒話. **3** 段落.
—— 動 → apartar.
aparte de ... (1) …を別にして. *Aparte del* color este cuadro no vale nada. 色はともかく, この絵にはなんの価値もない. (2) …の他に. *Aparte del* estilo, el tema de esta obra vale mucho. この作品は文体ばかりでなく, テーマもすばらしい.
dejando aparte …を別にすれば, …はさておいて.
eso aparte それは別として.
tener aparte a ((+uno)) 〈人〉をのけ者にする.

a·pa·sio·na·do, da [apasjonáðo, ða アパシオナド, ダ] 過分 形 …に熱中した; 情熱的な. —— 名 男 女 **1** 熱烈な崇拝者. **2** 愛好家. Es un *apasionado* de las corridas de toros. 彼は闘牛の熱烈なファンだ.

a·pa·sio·nan·te [apasjonánte アパシオナンテ] 形 熱中させる.

a·pa·sio·nar [apasjonár アパシオナル] 動 他 興奮させる; 熱中させる. Le *apasionan* las novelas policiacas. 彼は推理小説に夢中だ.
—— **a·pa·sio·nar·*se*** **1** 興奮する. **2** ((+por, con, en)) …に熱中する, 夢中になる. **3** ((+por)) …に惚(ほ)れる (= ena-

morarse de).

a·pa·tí·a [apatía アパティア] 名女 無感動, 無関心; 無気力.

a·pá·ti·co, ca [apátiko, ka アパティコ, カ] 形 《+**a**, **en**》…に対して無関心の; 無気力な. ── 名男女 無気力な人.

a·pá·tri·da [apátriða アパトゥリダ] 形 無国籍の. ── 名男女 無国籍者.

a·pe·a·de·ro [apeaðéro アペアデロ] 名男 (乗降用だけの)停車場.

a·pe·ar [apeár アペアル] 動他 **1** (車馬・高い所などから)降ろす. Le ayudé a *apear* del burro. 私は彼がロバから降りるのを手伝ってやった.
2 《口語》断念させる. No pude *apear*lo de su idea. 私は彼の考えを変えさせることができなかった.
── **a·pe·ar·se** 《+**de**》 **1** (車馬)から降りる. *apearse de* un tren 列車を降りる. **2** 《口語》(主張など)を引っ込める, 変える. No quiere *apearse de* su error. 彼は過ちを認めようとしない.

a·pe·chu·gar [apetʃuɣár アペチュガル] [32 g ➡ gu] 動自 《口語》《+**con**》…を我慢する. Siempre tengo que *apechugar con* las consecuencias. いつも私が尻拭(ぬぐ)いをしなければならない.

a·pe·dre·ar [apeðreár アペドゥレアル] 動他 …に石を投げる; 石打ちの刑にする.
── 動自 雹(ひょう)が降る. ► 3人称単数のみに活用.
── **a·pe·dre·ar·se** 雹害を受ける.

a·pe·gar·se [apeɣárse アペガルセ] [32 g ➡ gu] 動 《+**a**》…に愛着を抱く, 執着する.

a·pe·go [apéɣo アペゴ] 名男 愛情, 愛着, 執着. Tengo mucho *apego* a esta ciudad. 私はこの町にとても愛着があるのです.

a·pe·la·ción [apelaθjón アペらしオン] 名女 〖法律〗上訴, 控訴.

a·pe·lar [apelár アペらル] 動自 **1** 〖法律〗《+**de**》…に対して上訴[控訴]する. *apelar de* una sentencia 判決を不服として控訴する. **2** 《+**a**》…に訴える, 頼る. *Apelo a* su benevolencia para que me perdone. お慈悲にすがるしかありません, どうか私を許してください.

a·pe·la·ti·vo, va [apelatíβo, βa アペらティボ, バ] 形 通称の; 〖文法〗普通名詞の.
── 名男 通称, 呼び名.

a·pe·lli·dar [apeʎiðár アペリィダル] 動他 姓[名字]で呼ぶ; あだ名をつける. A Juan Martín Díaz le *apellidan* el Empecinado. 人はフアン・マルティン・ディアスを「頑固おやじ」と呼ぶ.
── **a·pe·lli·dar·se** …と呼ばれる, 姓は…である. *Se apellida* Navas. 彼の名字はナバスです.

a·pe·lli·do [apeʎíðo アペリィド] 名男 [複 ~s] 〔英 surname〕 姓, 名字. *apellido* de soltera 旧姓. ➡ nombre 【参考】.
── 動 ➡ apellidar.

a·pel·ma·zar [apelmaθár アペるマさル] [39 z ➡ c] 動他 (ふんわりしたものを)固くする.

a·pe·lo·to·nar [apelotonár アペろトナル] 動他 塊状にする, 玉にする, 丸める.
── **a·pe·lo·to·nar·se** 塊になる, 丸まる; 群がる.

a·pe·nas [apénas アペナス] 副 〔英 hardly〕
1 ほとんど…ない. Ahora D. Fermín *apenas* trabaja. 今ではフェルミン爺(じ)さんはほとんど働かない. ► ふつうは動詞の前に置かれるが, 否定語を伴うと動詞の後に置かれる. ⇒ Estos días no le hemos visto *apenas*. このごろ私たちは彼をほとんど見かけない.
2 かろうじて, やっと; せいぜい. *Apenas* aprobó el álgebra. 彼はなんとか代数の試験に合格した. Hace *apenas* un mes que murió. 彼が死んだのはほんのひと月前のことだ.
── 接続 …するとすぐに. *Apenas* salió, comenzó a llover. 彼が家を出るやいなや雨が降り始めた.
apenas** … **cuando … …するや否や…する. *Apenas* había salido Juan *cuando* volvió María. フアンが出かけたと思ったら, マリアが帰ってきた.
apenas si ほとんど…ない, かろうじて. *Apenas si* comía. 彼はあのころほとんど食べなかった.

a·pen·car [apeŋkár アペンカル] [8 c ➡ qu] 動自 《口語》《+**con**》(厄介なことを)引き受ける; 耐える.

a·pén·di·ce [apéndiθe アペンディせ] 名男 **1** 付録, 補遺. **2** 取り巻き. **3** 〖解剖〗虫垂, 虫様突起. ➡ vísceras 図.

a·pen·di·ci·tis [apendiθítis アペンディしティス] 名女 [単・複同形] 〖医〗虫垂炎.

a·per·ci·bi·mien·to [aperθiβimjénto アペルしビミエント] 名男 **1** 警告. **2** 用意, 準備.

a·per·ci·bir [aperθiβír アペルしビル] 動他 **1** 《+**de**, **por**》…だと警告する, 注意を促す; 《+**con**》…だと脅かす, 戒める.
2 準備する, 用意する.
── **a·per·ci·bir·se** **1** 準備する, 用意する. **2** 《+**de**》…に気付く.

a·per·ga·mi·na·do, da [aperɣamináðo, ða アペルガミナド, ダ] 過分 形 **1** (皮膚などの)色つやがなくなった. **2** 羊皮紙のような.

a·per·ga·mi·nar·se [aperɣaminárse アペルガミナルセ] 《口語》(皮膚などの)色つやがなくなる.

a·pe·ri·ti·vo [aperitíβo アペリティボ] 名男 食前酒, アペリチフ.

a·pe·ro [apéro アペロ] 名男 [普通 ~s] 農具; 道具類.

a·pe·rre·ar [aper̄eár アペレアル] 動他 《口語》へとへとにさせる.

A

—— **a·pe·rre·ar·*se*** 《口語》**1** あくせく働く，へとへとになる．**2** 言い張る．

a·per·tu·ra [apertúra アペルトゥラ] 名女 **1** 開始；開催；開設．*apertura* del congreso 会議の開会．*apertura* de crédito 信用状の開設．**2** すき間．

a·pe·sa·dum·brar [apesaðumbrár アペサドゥンブラル] 動他 悲しませる，苦しめる．
—— **a·pe·sa·dum·brar·*se*** 悲嘆に暮れる，心を痛める．*apesadumbrarse* con [de, por] una noticia 知らせを聞いて悲しむ．

a·pes·ta·do, da [apestáðo, ða アペスタド，ダ] 過分 形 **1** 嫌なにおいの．
2 ペスト[伝染病]にかかった．
3 《+**de**》…がはびこる．La ciudad está *apestada de* carteles de la corrida de toros. 町中闘牛のポスターばかりだ．
—— 名男女 ペスト患者，伝染病患者．

a·pes·tar [apestár アペスタル] 動他 **1** ペスト[伝染病]に感染させる．**2** 《口語》閉口させる．Nos *apesta* con sus pullas. 私たちは彼の当てこすりにうんざりしている．
3 《口語》《+**de**》…であふれさせる．
—— 動自 **1** 悪臭を放つ．*apestar* a ajo 嫌なニンニクのにおいがする．
2 《+**de**》…であふれる．
—— **a·pes·tar·*se*** ペスト[伝染病]に感染する．

a·pe·te·cer [apeteθér アペテセル] 40 動自 食欲をそそる；気をそそる．Me *apetece* un té con limón. 私はレモンティーが飲みたい．
—— 動他 欲する，望む．

a·pe·te·ci·ble [apeteθíβle アペテしブれ] 形 食欲をそそる；欲望をそそる．

a·pe·ten·cia [apeténθja アペテンしア] 名女 食欲；欲望．Tiene *apetencia* de riquezas. 彼は富へのあこがれを抱いている．

a·pe·ti·to [apetíto アペティト] 名男 [複 ～s] 〔英 appetite〕 **1** **食欲**．tener *apetito* 食欲がある．abrir [dar, despertar] el *apetito* 食欲をかきたてる．comer con mucho *apetito* もりもり食べる．perder el *apetito* 食欲をなくす．
2 欲求，欲望．*apetito* carnal 肉欲，性欲．Logró satisfacer su *apetito* de poder. 彼は権力欲を満足させることができた．
¡Buen apetito! (食事中の人に) どうぞごゆっくり．

a·pe·ti·to·so, sa [apetitóso, sa アペティトソ，サ] 形 **1** 食欲をそそる．
2 《口語》心をそそる，魅力的な．

a·pia·dar [apjaðár アピアダル] 動他 哀れを感じさせる．
—— **a·pia·dar·*se*** 《+**de**》…を哀れむ，気の毒に思う．

á·pi·ce [ápiθe アピせ] 名男 頂上，先端；絶頂 (= apogeo).

a·pi·cul·tor, to·ra [apikultór, tóra アピクるトル，トラ] 名男女 養蜂(ようほう)家．

a·pi·cul·tu·ra [apikultúra アピクるトゥラ] 名女 養蜂(ようほう)．

a·pi·lar [apilár アピらル] 動他 積み重ねる (= amontonar).

a·pi·ñar [apiɲár アピニャル] 動他 ぎっしり詰める．
—— **a·pi·ñar·*se*** ぎっしり詰まる．

a·pio [ápjo アピオ] 名男 〔植物〕セロリ．

a·pi·par·*se* [apipárse アピパルセ] 《口語》たらふく食う[飲む]．

a·pi·so·na·do·ra [apisonaðóra アピソナドラ] 名女 ロード・ローラー，地ならし機．

a·pi·so·nar [apisonár アピソナル] 動他 (ローラーで) 地ならしする．

a·pla·nar [aplanár アプらナル] 動他 **1** 平らにする，ならす (= allanar). *aplanar* el pavimento de la carretera 道路の舗装面を平らにする．
2 《口語》気落ちさせる，弱らせる．La *ha aplanado* la muerte de su marido. 夫の死で彼女は落ち込んでしまった．

a·plas·tan·te [aplastánte アプらスタンテ] 形 圧倒的な．por mayoría *aplastante* 圧倒的多数で．

a·plas·tar [aplastár アプらスタル] 動他 **1** つぶす，押しつぶす．*aplastar* unas latas (vacías) 空き缶を押しつぶす．**2** 打ちのめす，粉砕する；言い負かす．*aplastar* al equipo contrario 相手チームに圧勝する．

a·pla·ta·nar·*se* [aplatanárse アプらタナルセ] 動 《口語》やる気をなくす．

a·plau·dir [aplauðír アプらウディル] 動他 動自 〔英 applaud〕 **1** **拍手喝采(かっさい)する**．*aplaudir* a un actor 俳優に拍手を送る．
2 **称賛する**，賛同する．*Aplaudo* tu decisión. 君，よくぞ決心してくれた．

a·plau·so [apláuso アプらウソ] 名男
1 [～ または ～s] 拍手，喝采(かっさい)．una salva de *aplausos* 嵐(あらし)のような拍手．
2 称賛，賛同．

a·pla·za·mien·to [aplaθamjénto アプらさミエント] 名男 延期．el *aplazamiento* de la reunión 会議の延期．

a·pla·zar [aplaθár アプらさル] [39 z → c] 動他 延期する．*aplazar* un pago 支払いを延期する．

a·pli·ca·ción [aplikaθjón アプリカしオン] 名女 **1** 適用，応用；用途．*aplicación* de una teoría 理論の適用．El plástico tiene muchas *aplicaciones*. プラスチックの用途は広い．
2 精励，勤勉．Trabaja con mucha *aplicación*. 彼はたいへん勤勉である．
3 貼付(てんぷ)，塗付；〔服飾〕アップリケ．

a·pli·ca·do, da [aplikáðo, ða アプリカド，ダ] 過分 形 **1** 勤勉な．un alumno *aplicado* 勉強家の学生．**2** 応用の．ciencias *aplicadas* 応用科学．

a·pli·car [aplikár アプリカル] [8 c → qu] 動他 〔英 apply〕
1 **適用する，応用する**，援用する．*aplicar* un nuevo método a la investiga-

ción 研究に新しい方法を用いる. *aplicar* una ley ある法令を適用する.
2 塗り［張り］付ける, くっつける. *aplicar* una pomada 軟膏(なんこう)を塗る. *aplicar* el oído a la pared 壁に耳を当てる.
—— **a·pli·car·*se*** **1** 《＋en, a》…に精を出す, 励む. *aplicarse en* el trabajo 仕事に精を出す. **2** 自分の体につける. *Aplícate* un apósito sobre la herida. 傷口にガーゼか何か当てなさい.
a·pli·que [aplíke アプりケ] 名男 壁掛け照明器具, ブラケット.
aplique(-) / apliqué(-) 動 → aplicar. [8 c → qu]
a·plo·mo [aplómo アプろモ] 名男 **1** 沈着, 冷静. perder el *aplomo* 慌てる. con *aplomo* 落ち着き払って, 悠然と,
2 垂直(性).
a·po·ca·do, da [apokáðo, ða アポカド, ダ] 過分 形 内気な; 卑屈な.
a·po·ca·lip·sis [apokalípsis アポカりプシス] 名男 **1** [A-] 〘聖書〙(新約の) ヨハネの黙示録; 黙示. **2** 終末的状況, 破局.
a·po·ca·líp·ti·co, ca [apokalíptiko, ka アポカりプティコ, カ] 形 **1** 黙示の; 黙示録の.
2 身の毛のよだつ, 破局的な.
a·po·car [apokár アポカル] [8 c → qu] 動他 怖がらせる.
—— **a·po·car·*se*** 卑下する; 怖がる.
a·pó·co·pe [apókope アポコペ] / **a·pó·co·pa** [-kopa -コパ] 名女 〘言語〙語尾(音)消失.
a·pó·cri·fo, fa [apókrifo, fa アポクリフォ, ファ] 形 **1** 聖書外典の. **2** 贋作(がんさく)の.
a·po·dar [apoðár アポダル] 動他 《＋a》…にあだ名をつける.
a·po·de·ra·do, da [apoðeráðo, ða アポデラド, ダ] 過分 形 委任を受けた; 代理［代行］の. —— 名男 委任された人; 代理人.
a·po·de·rar [apoðerár アポデラル] 動他 …に権限［権能］を与える; 委任する.
—— **a·po·de·rar·*se*** 《＋de》…をわがものにする, 奪う; …に取り付く. *apoderarse del* poder 権力を手中に収める. El pánico *se apoderó de* los viajeros. 乗客はパニックに陥った.
a·po·do [apóðo アポド] 名男 あだ名, ニックネーム (= mote). → nombre 【参考】.
a·po·ge·o [apoxéo アポヘオ] 名男 **1** 頂点, 絶頂. **2** 〘天文〙遠地点.
a·po·li·llar [apoliʎár アポりリャル] 動他 (ガ・シミなどが) 虫食いにする, 穴を開ける.
a·po·lí·ne·o, a [apolíneo, a アポりネオ, ア] 形 **1** 《文語》アポロンの.
2 《口語》均整の取れた.
a·po·lí·ti·co, ca [apolítiko, ka アポりティコ, カ] 形 非政治的な, 政治的関心のない.
A·po·lo [apólo アポろ] 固名 〘ギリシア神話〙〘ローマ神話〙アポロン, アポロ: 太陽神. 詩・音楽・予言などの神.
a·po·lo·gé·ti·co, ca [apoloxétiko, ka アポろヘティコ, カ] 形 **1** 護教の. **2** 弁明の.
—— 名女 (キリスト教) 護教論.
a·po·lo·gí·a [apoloxía アポろヒア] 名女 擁護, 弁護; 賞賛. hacer una *apología* de ... …を弁護［賛美］する.
a·po·lo·gis·ta [apoloxísta アポろヒスタ] 名男女 擁護者, 弁護者; 賞賛者.
a·po·ple·jí·a [apoplexía アポプれヒア] 名女 〘医〙卒中, 出血, 溢血(いっけつ).
a·por·ta·ción [aportaθjón アポルタしオン] 名女 **1** 出資(金); 寄付(金); 持参金; 貢献. *aportación* de fondos 出資.
2 提示, 提出.
a·por·tar [aportár アポルタル] 動他 **1** 寄与する; 出資する. **2** 提示する, 提出する. *aportar* pruebas 証拠(物件)を提出する.
a·por·te [apórte アポルテ] 名男 貢献, 寄与; 出資額; 寄付(金).
a·po·sen·tar [aposentár アポセンタル] 動他 泊める; 宿営させる.
—— **a·po·sen·tar·*se*** 泊まる, 宿泊する.
a·po·sen·to [aposénto アポセント] 名男 **1** 部屋. **2** 宿泊.
a·po·si·ción [aposiθjón アポシしオン] 名女 〘文法〙同格.
a·pó·si·to [apósito アポシト] 名男 〘医〙傷の手当; (包帯・ガーゼ・脱脂綿などの) 手当用品.
a·pos·tar [apostár アポスタル] [13 o → ue] 動他 **1** 賭(か)ける. *apostar* mil pesetas a un caballo ある馬に1000ペセタ賭ける. *Apuesto* veinte duros a que ella no viene. 彼女が来ない方に私は100ペセタ賭ける. ► a que 以下では直説法を用いる.
2 配置する. *apostar* a los policías 警官を配備する. ► この意味では規則活用.
—— 動自 賭をする, 賭ける. *Apuesto* a que estás equivocado. 賭けてもいいが, 君は絶対間違っているよ.
—— **a·pos·tar·*se*** **1** 賭ける. **2** 位置につく, 持ち場につく. El cazador *se apostó* detrás de unos arbustos. 猟師は茂みの奥に陣取った. ► この意味では規則活用.
apostárselas con 《＋uno》 ***a*** 《＋algo》〈人〉と〈何か〉を競う.
a·pos·ta(s) [apósta(s) アポスタ(ス)] 副 わざと, 故意に (= adrede).
a·pos·ta·sí·a [apostasía アポスタシア] 名女 背教, 棄教; 転向.
a·pós·ta·ta [apóstata アポスタタ] 名男女 背教者.
a·pos·ta·tar [apostatár アポスタタル] 動自 背教者となる. *apostatar* de la fe 信仰を捨てる; 変節する.
a·pos·ti·lla [apostíʎa アポスティリャ] 名女 注, 注記.
a·pós·tol [apóstol アポストる] 名男
1 〘聖書〙使徒. los Hechos de los *Apóstoles* 使徒言行録.
2 (キリスト教の) 布教者, 伝道者.
3 (主義・思想などの) 主唱者, 唱導者.

A

a·pos·to·la·do [apostoláðo アポストラド] 名男 **1** 使徒の職務; 布教, 伝道.
2 使徒団, 十二使徒.

a·pos·tó·li·co, ca [apostóliko, ka アポストリコ, カ] 形 **1** 使徒の. **2** ローマ教皇の.

a·pós·tro·fo [apóstrofo アポストゥロフォ] 名男 省略符号, アポストロフィ(’). ► 詩などで用いられ, 文字の省略を表す.

a·po·te·ó·si·co, ca [apoteósiko, ka アポテオシコ, カ] 形 華々しい; 熱烈な. un triunfo *apoteósico* 目覚ましい勝利.

a·po·te·o·sis [apoteósis アポテオシス] 名女 [単・複同形] **1** 神格化; 崇拝.
2 フィナーレ, 大詰め.

a·po·yar [apojár アポヤル] 動 他 〔英 lean〕 **1** 《+en, sobre》…にもたせかける; 載せる. *apoyar* la escalera *en* la pared 壁にはしごをたてかける. *apoyar* los codos *en* [*sobre*] la mesa 机に両肘(ひじ)をつく.
2 基づかせる; 証拠だてる. *apoyar* la teoría en experimentos 実験に基づいて理論を立てる.
3 支持する; 賛成する. *apoyar* a un candidato ある候補者を支持する.
—— **a·po·yar·se** 《+en》…に寄りかかる; 支えられる; 頼る. *apoyarse en* un bastón 杖(つえ)をつく. *apoyarse en* las estadísticas 統計に基づく. *apoyarse en* 《+uno》人にすがる.

a·po·yo [apójo アポヨ] 名男 **1** 支え. Es el *apoyo* de la familia. 彼は一家の支えだ.
2 支持, 支援. en *apoyo* de ... …を支持して. **3** 論拠, 根拠.
—— 動 ➞ apoyar.

a·pre·cia·ble [apreθjáβle アプレしアブれ] 形 **1** かなりの, 目立った.
2 価値のある, 評価できる. una persona *apreciable* 立派な人物.

a·pre·cia·ción [apreθjaθjón アプレしアしオン] 名女 評価.

a·pre·ciar [apreθjár アプレしアル] 〔英 appreciate〕 **1** (高く)評価する. Los críticos *aprecian* esta novela en mucho [poco]. 批評家はこの小説を高く[低く]評価している. Eres muy *apreciado* como joven pianista. 君は新進ピアニストとして高く評価されている.
2 識別する; 認識する. ¿*Aprecia* usted la diferencia entre la música china y la japonesa? 中国音楽と日本の音楽の違いが分かりますか? **3** 鑑賞する, 賞味する.

a·pre·cio [apréθjo アプレしオ] 名男 **1** 評価.
2 敬意, 尊重.
—— 動 ➞ apreciar.

a·pre·hen·der [apreenðér アプレエンデル] 動 他 **1** 逮捕する; 押収する.
2 知覚する, 理解する.

a·pre·hen·sión [apreensjón アプレエンシオン] 名女 **1** 逮捕; 押収. **2** 知覚, 認識.

a·pre·mian·te [apremjánte アプレミアンテ] 形 緊急の. trabajo *apremiante* 急ぎの仕事.

a·pre·miar [apremjár アプレミアル] 動 他 **1** 催促する, せきたてる. **2** 強制する.
—— 動 自 急を要する.

a·pre·mio [aprémjo アプレミオ] 名男 **1** 緊急; 催促; 督促(状). **2** 〘法律〙強制執行. por vía de *apremio* 強制による.

a·pren·der [aprendér アプレンデル] 動 他 [現分 aprendiendo; 過分 aprendido, da] 〔英 learn〕
1 学ぶ, 習得する; 《+a 不定詞》…するのを習う. *Aprendemos* (el) español. 私たちはスペイン語を学んでいる. María *está aprendiendo a* bailar con un buen maestro. マリアはいい先生についてダンスを習っている. ➞ estudiar.
2 覚える, 暗記する (= *aprender* de memoria). Aún no *he aprendido* su número de teléfono. 私はまだ彼の電話番号を覚えていない.
—— **a·pren·der·se** 覚える, 暗記する. *aprenderse* la lección 授業内容を覚える.
aprender en cabeza ajena 同じ轍(てつ)を踏まないようにする.

aprendices 名[複] ➞ aprendiz.

aprendido, da 過分 ➞ aprender.

aprendiendo 現分 ➞ aprender.

a·pren·diz, di·za [aprendíθ, díθa アプレンディす, ディさ] 名男女 [複男 aprendices] 見習い, 徒弟; 初心者. *aprendiz* de panadero パン屋の見習い. colocar [poner] de *aprendiz* 見習いに出す.

a·pren·di·za·je [aprendiθáxe アプレンディさへ] 名男 学習, 習得; 修業, 見習い(期間).

a·pren·sión [aprensjón アプレンシオン] 名女 不安, 心配; [普通 aprensiones] 妄想; 気配り, 気遣い.

a·pren·si·vo, va [aprensíβo, βa アプレンシボ, バ] 形 気がかりな; 心配性の.

a·pre·sar [apresár アプレサル] 動 他 捕らえる; 〘海事〙拿捕(だほ)する.

a·pres·tar [aprestár アプレスタル] 動 他
1 準備する (= preparar).
2 (織物に)糊(のり)付けする.
—— **a·pres·tar·se** 支度する.
aprestar el oído 耳を澄ます.
aprestar la atención 注意を向ける.

a·pre·su·rar [apresurár アプレスラル] 動 他 **1** 早める, 速める. *apresurar* el paso 歩調を速める. **2** 急がせる, せきたてる.
—— **a·pre·su·rar·se** **1** 急ぐ. Si no *te apresuras*, no llegarás a tiempo a la función. 急がないと開演に間に合いませんよ. **2** 《+a, en 不定詞》急いで…する. *apresurarse a* [*en*] contestar 急いで答える.

a·pre·ta·da·men·te [apretáðaménte アプレタダメンテ] 副 きつく; やっと, かろうじて.

a·pre·ta·do, da [apretáðo, ða アプレタ

ド, ダ] 過分 形 **1** 窮屈な, きつい; ぎゅうぎゅう詰めの. ¡Qué *apretado* está este grifo! この水道の栓はなんてきついんだ. La gente iba muy *apretada* en el metro. 地下鉄はひどく混んでいた.
2 厳しい; 困窮した; 多忙な. lance *apretado* 難局. ir *apretado* de dinero 金に困っている. un día muy *apretado* de trabajo とても忙しい1日.

a·pre·tar [apretár アプレタル] [42 e → ie] 動他 **1** 強く押す; 締めつける. *apretar* el botón ボタンを押す. *apretar* el cinturón ベルトをきつく締める. Me *aprieta* el cuello de la camisa. このシャツは襟がきつい.
2 抱き締める, 握り締める. *apretar* entre los brazos 両腕で抱き締める. *apretar* contra SU pecho 胸に抱き締める. *apretar* la mano a《+uno》〈人〉と固く握手する. **3** 早める; せきたてる, (人に) 圧力をかける; 苦しめる. *apretar* el paso 歩調を速める. Le *aprietan* para que realice su trabajo. 彼は仕事をやり遂げるよう強制されている.
── 動自 **1** ひどくなる; 厳しくする. *Aprieta* el calor. 暑さが厳しくなる. Nuestro profesor *aprieta* demasiado. 私たちの先生は厳しすぎる.
2 頑張る, 励む. Tienes que *apretar*, si quieres aprobar. 試験にパスしたかったらしっかり勉強しなさい.
── **a·pre·tar·*se*** **1** 締まる; (自分を) 締めつける. **2** 押し合いへし合いする, 群がる. La gente *se apretaba* en el andén. ホームは人でいっぱいだった.

a·pre·tón [apretón アプレトン] 名男
1 締めつけ; 握り[抱き]締めること; ぎゅうぎゅう詰め. Procuro evitar los *apretones* de los transportes públicos. 僕はすし詰めの乗り物には乗らないことにしている.
2《口語》便意. **3**《口語》苦境.
apretón de manos 握手. Nos saludamos con un *apretón de manos*. 私たちは握手で挨拶(あいさつ)を交わした.

a·pre·tu·jar [apretuxár アプレトゥハル] 動他 ぎゅうぎゅう押す.
── **a·pre·tu·jar·*se***《口語》ぎゅうぎゅう詰めになる.

a·pre·tu·ra [apretúra アプレトゥラ] 名女
1 [〜s] すし詰め. **2** 窮地.

a·prie·to [aprjéto アプリエト] 名男 窮地, 苦境. estar [hallarse, verse] en un *aprieto* 苦境にある. poner en *aprieto* 苦境に立たせる. salir del *aprieto* 窮地を脱する.

a prio·ri [aprjóri アプリオリ]〔ラテン語〕演繹(えんえき)的に, 先験的に (↔ a posteriori).

a·pri·sa [aprísa アプリサ] 副 急いで, 速く (= deprisa) (↔ despacio). Siempre se va muy *aprisa*. 彼はいつも大急ぎで行ってしまう.

a·pri·sio·nar [aprisjonár アプリシオナル] 動他 投獄する; 束縛する.

a·pro·ba·ción [aproβaθjón アプロバシオン] 名女 **1** 承認; 賛成, 可決. dar SU *aprobación* 承認する. **2** 合格, 及第.

a·pro·ba·do, da [aproβáðo, ða アプロバド, ダ] 過分 形 **1** 承認された, 可決された; 認可された. un proyecto de ley *aprobado* por la Cámara Baja 下院で可決された法案. **2** 合格した. salir *aprobado* 合格する. no *aprobado* 不可 (の).
3 (品質・性能が) 優秀な, 定評のある.
── 名男 合格点, 及第点. → calificación【参考】.

a·pro·bar [aproβár アプロバル] [13 o → ue] 動他〔英 approve〕**1 承認する**; 認可する. *aprobar* por unanimidad 満場一致で可決する. Ese proyecto *ha sido aprobado* por la Junta directiva. そのプロジェクトは重役会議で承認された.
2 同意する, 賛成する. *Apruebo* todo cuanto acabáis de decir. 君達が今言ったことにはすべて賛成だ.
3 合格する; 合格させる. Con un poco de esfuerzo *aprobarás* el examen. もう少し努力すれば君は試験に合格するだろう. Todos los alumnos de la clase *fueron aprobados*. クラスの生徒全員が及第した.
── 動自 **合格する**, 及第する. *aprobar* por los pelos すれすれで合格する.

a·pro·pia·ción [apropjaθjón アプロピアシオン] 名女 **1** 占有; 私物化. *apropiación* ilícita 横領. **2** 適合, 適応; 適用.

a·pro·pia·da·men·te [apropjáðaménte アプロピアダメンテ] 副 適切に.

a·pro·pia·do, da [apropjáðo, ða アプロピアド, ダ] 形 適切な, ふさわしい.

a·pro·ve·cha·ble [aproβetʃáβle アプロベチャブレ] 形 利用できる, 役立つ.

a·pro·ve·cha·do, da [aproβetʃáðo, ða アプロベチャド, ダ] 過分 形 **1** 勤勉な. estudiante *aprovechado* 勉強熱心な学生.
2 倹約家の;《口語》がめつい.
3 (時間などが) 有効に活用された.
── 名男女《口語》がめつい人.

a·pro·ve·char [aproβetʃár アプロベチャル] 動他〔英 take advantage of〕**利用する**, 活用する. *aprovechar* la situación 状況をうまく利用する. Los estudiantes *aprovechan* las vacaciones de verano para ir al extranjero. 学生は夏休みを利用して外国へ行く.
── 動自 **1** 役立つ, 有益である. Eso no *aprovecha* para nada. それはなんの役にも立たない. **2**《+en》…で上達する, 進歩する. *Ha aprovechado en* matemáticas este año. 彼は今年数学の成績が上がった.
── **a·pro·ve·char·*se*** **1**《+de》…を利用する, 活用する. No dejes que *se aprovechen de* ti. お前は彼らの言いなりに

なってはいけない. **2** 頑張る, 励む.
¡Que aproveche! (食事中の人に) ごゆっくりどうぞ.

a·pro·vi·sio·nar [aproβisjonár アプロビシオナル] 動他 糧食を補給する.

a·pro·xi·ma·ción [aproksimaθjón アプロクシマしオン] 動他 糧食を補給する.

a·pro·xi·ma·ción [aproksimaθjón アプロクシマしオン] 名女 **1** 接近, アプローチ.
2 近似値; 概算; 目安.

a·pro·xi·ma·da·men·te [aproksimáðaménte アプロクシマダメンテ] 副 およそ.

a·pro·xi·ma·do, da [aproksimáðo, ða アプロクシマド, ダ] 過分 形 近似の, おおよその. valor *aproximado* 近似値.

a·pro·xi·mar [aproksimár アプロクシマル] 動他 《+**a**》…に近づける, 接近させる. *aproximar* la mesa *a* la pared テーブルを壁際に寄せる.
── **a·pro·xi·mar·*se*** 〔英 approach〕 **1** 《+**a**》…に近づく, 接近する. *aproximarse a*l fuego 火のそばに寄る. *aproximarse a* la solución 解決に近づく. *Se aproxima a* la (edad de) jubilación. あの人もそろそろ定年だ.
2 (時期・日時が) 近づく, 迫る. *Se aproxima* el examen de entrada. もうすぐ入学試験だ.

aprueb- 動 → aprobar. [⑬ o → ue]

ap·ti·tud [aptitúð アプティトゥ(ドゥ)] 名女 適性, 天分; 素質, 才能.

ap·to, ta [ápto, ta アプト, タ] 形 《+**para**》…に適した, 有能な. *apto para* ocupar este cargo この任務につくのにふさわしい.

a·pues·ta [apwésta アプエスタ] 名女 賭(か)け, 賭金.

a·pues·to, ta [apwésto, ta アプエスト, タ] 形 (若い男が) 粋(いき)な; 端整な.

a·pun·ta·dor, do·ra [apuntaðór, ðóra アプンタドル, ドラ] 形 **1** 照準を合わせる, ねらう. tendencia *apuntadora* hacia nuevos cambios 改変の兆し. **2** 書き留める.
── 名男 〘演劇〙 プロンプター.

a·pun·ta·lar [apuntalár アプンタらル] 動他 支柱をかう; 支える.

a·pun·tar [apuntár アプンタル] 動他 〔英 aim, point〕 **1** 《+**a**》 **…をねらう**, 的にする. *Apuntó a* Don Francisco con la pistola y disparó. 彼はドン・フランシスコをねらってピストルを発射した. ¡*Apunten*! 《号令》ねらえ!
2 《+**a**》…を指さす, 指し示す. *Apuntándo*me el maestro dijo que me levantase. 先生は僕を指さして立つように言った.
3 **書き留める**, 記入する; 素描[スケッチ]する. *Apunta* en tu cuaderno todo lo que digo. 私の言うことを全部ノートに書きなさい.
4 指摘する; 暗示する. *Apuntó* unos errores que había en el libro. 彼はその本の誤りをいくつか指摘した.
5 〘演劇〙 (プロンプターが) 台詞(せりふ)をつける.
6 とがらせる. *apuntar* un lápiz 鉛筆を削る. **7** 繕う, 縫いつける.
── 動自 **1** 《+**a**》…を目指す. *apuntar a* la alcaldía 市長の座を目指す. **2** 現れ始める. *Apunta* el día. 夜が明け始める. *Apunta* la barba. 髭(ひげ)が伸び始めている.
── **a·pun·tar·*se*** **1** 自分の名前を記入する; 登録する, 参加する.
2 獲得する; 得点する. *apuntarse* una victoria 勝利をおさめる.
apuntarse un tanto 1点を入れる; 《比喩》点数を稼ぐ.
apuntar y no dar 《口語》すっぽかす.

a·pun·te [apúnte アプンテ] 名男 **1** メモ, 覚え書き; [〜s] (学生の) 講義ノート. tomar *apuntes* ノートを取る. **2** 〘美術〙 スケッチ, 素描. **3** 〘演劇〙 プロンプター.
── 動 → apuntar.

a·pu·ña·lar [apuɲalár アプニャらル] 動他 短刀で刺す.

a·pu·ra·do, da [apuráðo, ða アプラド, ダ] 過分 形 **1** 困窮した, 苦しい. estar [andar] *apurado* de dinero 金に困っている. estar en una situación *apurada* 窮地に立つ. Anda *apurado* por el exceso de trabajo. 彼はオーバーワークで完全に参っている.
2 きっちりした, 入念な.
3 《ラ米》急いでいる (= apresurado). Perdona, estoy *apurado*. 悪いが, 急いでいるんだ.

a·pu·rar [apurár アプラル] 動他 **1** 尽くす, 使い果たす; 飲み干す. *apurar* todos los medios あらゆる手立てを尽くす. *apurar* una copa グラスを飲み干す.
2 せき立てる; 急がせる. Conviene que *apures* a los albañiles para que terminen a tiempo la obra. 工事が間に合うように左官屋さんたちをせかせたほうがいいよ. **3** 恥ずかしい思いをさせる, 困らせる; 怒らせる.
── 動自 我慢の限界を越える. El olor *apuraba*. その臭(にお)いには我慢がならなかった.
── **a·pu·rar·*se*** **1** 《+**por**》…を心配する, 気をもむ. **2** 急ぐ.

a·pu·ro [apúro アプロ] 名男 **1** 窮地; 困窮; 苦難. estar en un *apuro* 窮地に立つ. salir de *apuros* 苦境から抜け出す. tener *apuros* de dinero 金に困っている.
2 恥ずかしさ, 気おくれ. Me dio *apuro* hablar en público. 人前で話すのは私には気がひけた. **3** 《ラ米》急ぐこと.

a·quel[1], a·que·lla [akél, akéʎa アケる, アケリャ] 形 《指示》[複男 aquellos, 女 aquellas] 〔英 that〕 **あの**; その; (後者に対して) 前者の (↔ este). *aquel* estudiante

あの学生. *aquellas* montañas あの山々. en *aquellos* días あの頃, 当時. En *aquel* mismo momento llegó. 彼はまさにその時やって来た. ► 話し手, 聞き手から遠いもの・人を指す. ➡ este² 【文法】.

a·quel² [akél アケる] 名男《口語》(女性の) 魅力. tener un *aquel* en la mirada 目が魅力的である.

a·quél, a·qué·lla [akél, akéʎa アケる, アケりャ] 代名《指示》[複男 aquéllos, 女 aquéllas] (► 指示形容詞と混同するおそれのないときはアクセント符号を省いてもよい) 〔英 that〕

1 **あれ; あの人.** Este papel es mejor que *aquél*. この紙はあれより上質だ. Lo dijo *aquél*. あの人がそう言った. *Aquél* que está allí de pie es mi padre. あそこに立っているのが私の父です. ► 人を指す場合は aquel señor などと言ったほうが失礼にあたらない.

2 (後者に対して) 前者 (↔ éste). Juan y Carlos son hermanos; *aquél* vive en España y éste en Francia. フアンとカルロスは兄弟で, 前者はスペインに, 後者はフランスに住んでいる.

a·que·la·rre [akeláre アケらレ] 名男 悪魔や魔女の集会; 大騒ぎ.

aquellas 形《指示》[複] ➡ aquel¹.

aquéllas 代名《指示》[複] ➡ aquél.

a·que·llo [akéʎo アケりョ] 代名《指示》《中性》〔英 that〕

あれ, あの事[物]. ¿Qué es *aquello*? あれは何ですか? ¿Qué hay de *aquello*? あの件はどうなっている? ➡ esto 【文法】.

aquellos 形《指示》[複] ➡ aquel¹.

aquéllos 代名《指示》[複] ➡ aquél.

a·quí [akí アキ] 副〔英 here〕

1 **ここに, ここで.** *aquí* dentro この中に. *Aquí* llueve mucho en junio. ここは 6 月に雨が多い. Ven *aquí*. ここへおいで. ► 「そこに」は ahí, 「あそこに」は allí. ➡ acá 【参考】.

2 その時. *Aquí* no pudo contenerse y se echó a llorar. その時彼はこらえきれずに泣き出してしまった.

3 《指差して》この人, こちら. *Aquí* Pablo, quiere decirnos algo. このパブロが話があるそうだ.

aquí está (手渡しながら) さあ, これを. *Aquí está* su llave. (部屋の) 鍵(かぎ)をどうぞ.

***aquí y allí* [*allá*]** あちこちに, そこここに.

de aquí (1) ここから. ¿Cuánto tiempo se tarda *de aquí* a la parada? ここから停留所までどれくらいかかりますか. (2) それゆえに, そんなわけで. *De aquí* la felicidad que disfruta. そのようなわけで彼は今では幸福です. ► 接続詞 que を伴うと接続法になる. ⇀ Habla muy deprisa, *de aquí* que nadie le entienda. 彼はひどく早口で, それで誰も彼が言っていることが分からない.

de aquí a* [*en*] *ocho días 1 週間後に.

de aquí a poco まもなく, すぐに.

de aquí en adelante 今後, これからは.

de aquí para allí あっちこっちへ.

hasta aquí ここまで; 今まで.

por aquí (1) このあたりに. ¡Cuidado! *Por aquí* hay muchos carteristas. 気をつけて, この辺はすりが多いから. (2) ここを通って. Pase *por aquí*, por favor. どうぞこちらへ.

a·quies·cen·cia [akjesθénθja アキエせンしア] 名女 承諾, 同意.

A·qui·les [akíles アキれス] 固名〘ギリシア神話〙アキレウス, アキレス: トロヤ戦争のギリシアの英雄. talón de *Aquiles* アキレスの踵(かかと); 唯一の弱点.

a·ra [ára アラ] 名女 [el *ara*] **1** 祭壇. **2** 〘カトリック〙(祭壇の) 聖石.

***en aras de* ...** …のために.

á·ra·be [áraβe アラベ] 形 アラビアの, アラブの. Emiratos *Árabes* Unidos アラブ首長国連邦 (首都 Abu Dhabi).

—— 名男女 アラビア人.

—— 名男 アラビア語.

a·ra·bes·co, ca [araβésko, ka アラベスコ, カ] 形 アラベスクの. —— 名男 アラビアふう装飾様式, アラベスク.

A·ra·bia [aráβja アラビア] 固名 アラビア (半島). Reino de *Arabia* Saudita サウジアラビア王国 (首都 Er-Riad).

a·rá·bi·go, ga [aráβiɣo, ɣa アラビゴ, ガ] 形 アラビアの (= árabe). número *arábigo* アラビア数字.

a·ra·do [aráðo アラド] 名男〘農業〙犂(すき).

A·ra·gón [araɣón アラゴン] 固名 アラゴン: スペイン北東部の地方; 自治州 (➡ autónomo 【参考】). Corona de *Aragón* (y Cataluña) 〘歴史〙アラゴン王国 (◆12世紀前半に成立したイベリア半島東部の王国).

a·ra·go·nés, ne·sa [araɣonés, nésa アラゴネス, ネサ] [複男 aragoneses] 形 アラゴンの.

—— 名男女 アラゴンの住民.

—— 名男 アラゴン方言.

—— 名女 大粒の赤ブドウ.

a·ran·cel [aranθél アランせる] 名男 関税 (率); 公定運賃 (表); 料金.

a·ran·ce·la·rio, ria [aranθelárjo, rja アランせらリオ, リア] 形 関税の.

a·rán·da·no [arándano アランダノ] 名男 〘植物〙ブルーベリー.

a·ran·de·la [arandéla アランデら] 名女 座金, ワッシャー.

A·ran·juez [araŋxwéθ アランフエす] 固名 アランフエス: スペイン中央部 Madrid 県の町. 18世紀の王宮で有名.

a·ra·ña [áraɲa アラニャ] 名女 **1** 〘動物〙クモ (蜘蛛). red [tela] de *araña* クモの巣. *araña* de agua アメンボウ. *araña* de

A

mar クモガニ. **2** シャンデリア.

a·ra·ñar [araɲár アラニャル] 動他 **1** (爪(つめ)などで) 引っかく; …に (引っかき) 傷をつける. **2** (金などを) かき集める.
—— 動自 引っ掛かる, ざらつく.

a·ra·ña·zo [araɲáθo アラニャそ] 名男 引っかき傷.

a·rar [arár アラル] 動他 **1** 犂(すき)で耕す.
2 …に溝をつける.
arar en el mar 無駄骨を折る.

a·rau·ca·no, na [araukáno, na アラウカノ, ナ] 形 アラウカノ(族)の.
—— 名男女 アラウカノ族(の人).
—— 名男 **1** [～s] アラウカノ族: チリ中南部 Araucania のインディオ. ◆19世紀までスペイン人に抵抗を続けた. ➡ indio.
2 アラウカノ語.

ar·bi·tra·je [arβitráxe アルビトゥラへ] 名男
1 〘法律〙仲裁, 調停. **2** 〘スポーツ〙審判.

ar·bi·trar [arβitrár アルビトゥラル] 動他自
1 〘法律〙《+en》…の仲裁をする; 《+entre》…間の調停をする; 〘スポーツ〙審判をする.
2 (対策を) 考える.
—— **ar·bi·trar·*se*** やりくりする.

ar·bi·tra·rie·dad [arβitrarjeðáð アルビトゥラリエダ(ドゥ)] 名女 独断; 横暴.

ar·bi·tra·rio, ria [arβitrárjo, rja アルビトゥラリオ, リア] 形 気まぐれな; 独断的な, 横暴な.

ar·bi·trio [arβítrjo アルビトゥリオ] 名男
1 (自由) 意志. dejar al *arbitrio* de 《+uno》〈人〉の裁量に任せる. libre *arbitrio* 自由裁量. **2** 〘法律〙裁定.
3 手段, 方法. **4** [～s] 税金.
estar al arbitrio de ... …に従う.

ár·bi·tro [árβitro アルビトゥロ] 名男
1 〘スポーツ〙審判員, アンパイア, レフェリー.
2 調停者, 仲裁者.

ár·bol [árβol アルボる] 名男 [複 ～es] [英 tree]
1 木, 樹木. plantar un *árbol* 木を植える. subir(se) a un *árbol* 木に登る. *árbol* frutal 果樹. *árbol* enano 盆栽. *árbol* de Navidad クリスマスツリー.
2 樹木状のもの. *árbol* genealógico 家系図, 系統樹. *árbol* respiratorio 〘解剖〙呼吸樹.
3 〘機械〙軸, シャフト. *árbol* motor ドライブシャフト. *árbol* de transmisión プロペラシャフト. *árbol* de levas カムシャフト. *árbol* de hélice プロペラ軸.

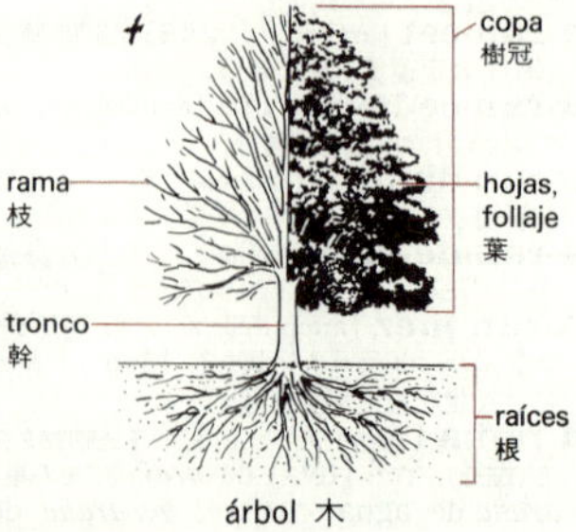

árbol 木

ar·bo·la·do, da [arβoláðo, ða アルボラド, ダ] 形 **1** 樹木の茂った. región *arbolada* 森林地帯. **2** 高波の.
—— 名男 樹木, 木立.

ar·bo·le·da [arβoléða アルボれダ] 名女 木立.

ar·bó·re·o, a [arβóreo, a アルボレオ, ア] 形 樹木の, 森林の.

ar·bus·to [arβústo アルブスト] 名男 低木, 灌木(かんぼく).

ar·ca [árka アルカ] 名女 [el *arca*]
1 櫃(ひつ), 箱. **2** 金庫.
3 タンク. *arca* de agua 貯水槽.
arca de Noé 〘聖書〙ノアの箱舟.

ar·ca·buz [arkaβúθ アルカブす] 名男 [複 arcabuces] 火縄銃; 火縄銃兵.

ar·ca·da [arkáða アルカダ] 名女 **1** 〘建築〙アーケード. **2** 〘土木〙(橋の) 径間, スパン.
3 [～s] むかつき, 吐き気.

Ar·ca·dia [arkáðja アルカディア] 固名 アルカディア: ギリシア南部の山岳地方. ◆牧歌的な理想郷をいう.
—— 名女 桃源郷, 田園の理想郷.

ar·cai·co, ca [arkáiko, ka アルカイコ, カ] 形 古代の; 古風な, 古めかしい.

ar·ca·ís·mo [arkaísmo アルカイスモ] 名男 古風; 擬古主義; 古語.

ar·cai·zan·te [arkaiθánte アルカイさンテ] 形 擬古的な. —— 名男女 懐古主義者.

ar·cán·gel [arkáŋxel アルカンへる] 名男 〘宗教〙大天使. ◆Gabriel, Miguel, Rafael が有名.

ar·ca·no, na [arkáno, na アルカノ, ナ] 形 神秘的な, 秘密の. —— 名男 神秘, 秘密.

ar·ce [árθe アルせ] 名男 〘植物〙カエデ(楓).

ar·cén [arθén アルせン] 名男 路肩; (歩道の) 縁石.

archi- 《接頭》 **1** 「首たる, 大…」の意. ときに arc-, arci-, arqui-, arz-. ⇀*arcángel*, *arci*preste, *archi*duque, *arzo*bispo. **2** 《口語》 形容詞に付けて「極端な, 甚だしい」などの意を表す (► しばしば軽蔑的なニュアンスを持つ). ⇀ *archi*millonario, *archi*tonto(大ばかの).

ar·chi·dió·ce·sis [artʃiðjóθesis アルチディオせシス] 名女 〘カトリック〙大司教区.

ar·chi·du·que [artʃiðúke アルチドゥケ] 名男 大公.

ar·chi·du·que·sa [artʃiðukésa アルチドゥケサ] 名女 大公妃.

ar·chi·pié·la·go [artʃipjélaɣo アルチピエらゴ] 名男 多島海 (◆元来はエーゲ海を指した); 群島, 列島.

ar·chi·va·dor, do·ra [artʃiβaðór, ðóra アルチバドル, ドラ] 形 文書保管の.
—— 名男 文書保管棚.

ar·chi·var [artʃiβár アルチバル] 動他
1 (文書を) 保管する. **2** 記憶する.

ar·chi·ve·ro, ra [artʃiβéro, ra アルチベロ, ラ] 名男女 文書保管係.

ar·chi·vo [artʃíβo アルチボ] 名男 **1** 《集合》記録文書, 資料; 〘コンピュータ〙 ファイル. *archivo* personal 個人ファイル. **2** 文書保管所, 資料室; 古文書館; 書類キャビネット. *Archivo* Nacional 国立公文書館.

ar·ci·lla [arθíʎa アルしリャ] 名女 粘土.

ar·ci·pres·te [arθipréste アルしプレステ] 名男 〘カトリック〙 首席司祭. *Arcipreste* de Hita イータの首席司祭 (スペインの詩人・聖職者. 本名 Juan Ruiz 1283?–1350?).

ar·co [árko アルコ] 名男 [複 ～s] 〔英 bow; arch〕 **1** 弓. tirar con *arco* 弓を射る. tiro con [de] *arco* 〘スポーツ〙 アーチェリー.
2 〘建築〙 アーチ, 迫持(せりもち).

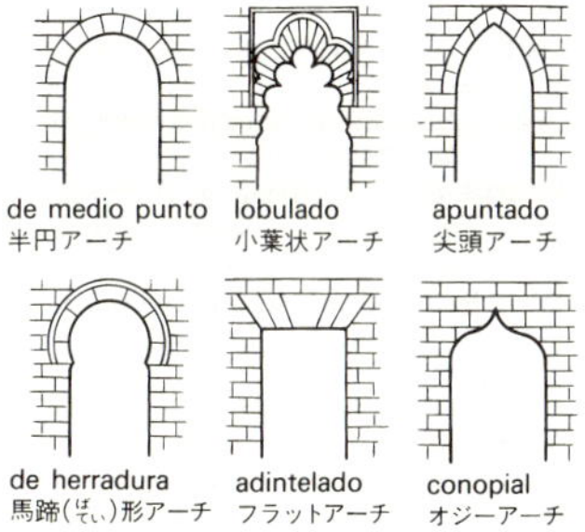

arco アーチ

3 〘音楽〙 (弦楽器の) 弓.
4 〘数〙 弧. *arco* de círculo 円弧. ➡ círculo 図. **5** 〘電気〙 *arco* eléctrico [voltaico] 電気アーク.
arco de triunfo [***triunfal***] 凱旋(がいせん)門.
arco iris 虹(にじ).

ar·cón [arkón アルコン] 名男 [arca の大] 大櫃(ひつ).

ar·der [arðér アルデル] 動自 **1** 燃える, 焼ける; 焼けるような感じがする. La leña verde *ardía* sin llama. 生木がくすぶっていた. Me *arde* la boca. 口の中がひりひりするよ.
2 《+de, en》 …で心が燃える, 高ぶる; 《+por 不定詞》 …したくてうずうずする. *arder en* amor 恋い焦がれる. *arder de* [*en*] ira 激怒する. *Ardo en* deseos de conocer a tu amiga. お友達に是非お会いしたいわ. **3** 《+en》 …で騒然となる. Mi pueblo *arde en* fiestas. 私の村は祭りでわきたっている.
estar que arder 燃えている; 熱くなっている; 腹を立てている; 騒然としている. La reunión *está que arde*. 集会は紛糾している.
ir que arder 《口語》 (それで) 十分だ. Con ese dinero *vas que ardes*. その金で君も満足だろう. ► 2人称・3人称で用いる.

ar·did [arðíð アルディ(ドゥ)] 名男 策略, 計略. valerse de *ardides* 策を弄(ろう)する.

ar·dien·te [arðjénte アルディエンテ] 形
1 燃えている. **2** 熱い; 熱烈な; 激しい.

ar·di·lla [arðíʎa アルディリャ] 名女 〘動物〙 リス (栗鼠).

ar·dor [arðór アルドル] 名男 **1** 熱さ, 暑さ. **2** 熱情, 激しさ. en el *ardor* de la batalla 戦いの真っ最中に.

ar·do·ro·so, sa [arðoróso, sa アルドロソ, サ] 形 **1** 熱い, 暑い. **2** 熱烈な, 激しい.

ar·duo, dua [árðwo, ðwa アルドゥオ, ドゥア] 形 困難な, 骨の折れる.

á·re·a [área アレア] 名女 [複 ～s] [el *área*] 〔英 area〕 **1** 領域, 地域; 地帯. *área* metropolitana [urbana] 大都市圏, 首都圏. *área* de servicios サービスエリア. *área* de castigo 〘スポーツ〙 ペナルティエリア. ➡ zona.
2 範囲, 面積; 敷地; 建坪 (= solar).
3 アール: 100平方メートル.

a·re·na [aréna アレナ] 名女 [複 ～s] 〔英 sand〕 **1** 砂. *arenas* de oro 砂金. una playa de *arena* 砂浜.
2 (古代ローマの) 闘技場; 〘闘牛〙 アレナ, 闘技場 (= ruedo). **3** [～s] 〘医〙 (腎臓・膀胱(ぼうこう)などの) 結石, 結砂.
edificar sobre arena 砂上に楼閣を築く.
estar en la arena 対決する.
sembrar en arena 無駄骨を折る.

a·re·nal [arenál アレナル] 名男 砂地; 流砂.

a·ren·ga [aréŋga アレンガ] 名女 長広舌.

a·ren·gar [areŋgár アレンガル] [32 g ➡ gu] 動他 長広舌[熱弁]を振るう.

a·re·nis·co, ca [arenísko, ka アレニスコ, カ] 形 砂の混じった. —— 名女 砂岩.

a·re·no·so, sa [arenóso, sa アレノソ, サ] 形 砂の, 砂質の.

a·ren·que [aréŋke アレンケ] 名男 〘魚〙 ニシン. *arenque* ahumado 燻製(くんせい)ニシン.

a·re·te [aréte アレテ] 名男 [aro の小] 小さな輪; イヤリング.

ar·ga·ma·sa [arɣamása アルガマサ] 名女 モルタル.

Ar·ge·lia [arxélja アルヘリア] 固名 アルジェリア (民主人民共和国): 首都 Argel.

ar·ge·li·no, na [arxelíno, na アルヘリノ, ナ] 形 アルジェリアの.
—— 名男女 アルジェリア人.

Ar·gen·ti·na [arxentína アルヘンティナ] 固名 〔英 Argentina〕 アルゼンチン: 南米南東部の共和国. 首都 Buenos Aires. 通貨 Peso.

ar·gen·ti·no, na [arxentíno, na アルヘンティノ, ナ] [複 ～s] 〔英 Argentine〕 形

1 アルゼンチンの. 2 銀の(ような). voz *argentina* 玉を転がすような声.
── 名男女 アルゼンチン人.

ar·go·lla [aryóʎa アルゴリャ] 名女 (船・馬をつなぐ)金属の環.

ar·got [aryót アルゴ(トゥ)] 名男 [複 argots] 隠語; 俗語. [←フランス語]

ar·gu·cia [aryúθja アルグしア] 名女 詭弁(きべん).

ar·güir [arywír アルグイル] 4 動他 [現分 arguyendo] 推論する; 立証する; 反論する; 非難する.
── 動自 反駁(はんばく)する.

ar·gu·men·ta·ción [aryumentaθjón アルグメンタしオン] 名女 論証; 議論; 論拠.

ar·gu·men·tar [aryumentár アルグメンタル] 動自 反論する.
── 動他 推論する; 論証する; 主張する.

ar·gu·men·to [aryuménto アルグメント] 名男 1 論証; 論拠; 議論.
2 (小説などの) 筋立て, プロット; 内容.

a·ri·dez [ariðéθ アリデす] 名女 1 乾燥; 不毛. 2 味気なさ.

á·ri·do, da [áriðo, ða アリド, ダ] 形
1 乾燥した; 不毛の. 2 味気ない.

A·ries [árjes アリエス] 固名 〘天文〙 牡羊(おひつじ)座; 〘占星〙 白羊宮.

a·rie·te [arjéte アリエテ] 名男 1 (城門を壊す) ハンマー.
2 〘スポーツ〙 (サッカー) センターフォワード.

a·rio, ria [árjo, rja アリオ, リア] 形 アーリア人の. ── 名男女 アーリア人.

a·ris·co, ca [arísko, ka アリスコ, カ] 形 無愛想な; (動物が) 人に慣れない.

a·ris·ta [arísta アリスタ] 名女 1 〘植物〙 (麦などの) 芒(のぎ). 2 へり, 角.
3 〘数〙 稜(りょう); 〘建築〙 稜; 穹稜(きゅうりょう).
4 [〜s] 困難; 無愛想.

a·ris·to·cra·cia [aristokráθja アリストクラしア] 名女 1 《集合》 貴族; 上流階級; 貴族政治. 2 高貴, 気品.

a·ris·tó·cra·ta [aristókrata アリストクラタ] 名男女 貴族; 貴族主義者.

a·ris·to·crá·ti·co, ca [aristokrátiko, ka アリストクラティコ, カ] 形 貴族の; 上品な.

A·ris·tó·te·les [aristóteles アリストテレス] 固名 アリストテレス (前384 − 322): ギリシアの哲学者.

a·ris·to·té·li·co, ca [aristotéliko, ka アリストテリコ, カ] 形 アリストテレスの.
── 名男女 アリストテレス学派の人.

a·rit·mé·ti·co, ca [aritmétiko, ka アリトゥメティコ, カ] 形 算数の, 算術の.
── 名女 算数, 算術.

ar·le·quín [arlekín アルれキン] 名男 〘演劇〙 アルレッキーノ: イタリア喜劇の道化役.

ar·ma [árma アルマ] 名女 [el *arma*] [複 〜s] 〔英 weapon〕 1 **武器**, 兵器. con las *armas* en la mano 武器を手に. *armas* nucleares 核兵器. *armas* químicas 化学兵器. *armas* convencionales 通常兵器. *arma* de fuego 火器. *arma* blanca 刀剣, ナイフ; 白刃. ¡A las *armas*! / ¡A formar con *armas*! 《号令》 武器を取れ, 戦闘準備!
2 部隊, 兵科. *arma* de artillería 砲兵隊.
3 [〜s] 〘軍事〙 軍隊; 軍務. las *armas* aliadas 連合軍.
4 《比喩》 武器, 手段. 5 〘紋章〙 紋章. *armas* de la nación 国章.
alzarse* [*levantarse*] *en armas 武装蜂起(ほうき)する.
de armas tomar 豪気の, 肝の太い.
llegar a las armas 戦端を開く; 武力に訴える.
pasar por las armas 銃殺する.
poner en armas 武装させる; 蜂起させる.
rendir* (*las*) *armas 武器を捨てる, 降服する.
sobre las armas 武装[戦備]を整えて.

ar·ma·da [armáða アルマダ] 名女 海軍; 艦隊. *Armada* Invencible 〘歴史〙 (スペインの) 無敵艦隊.

ar·ma·di·llo [armaðíʎo アルマディリョ] 名男 〘動物〙 アルマジロ. ◆アメリカ大陸に生息. 甲羅で弦楽器 charango が作られる.

ar·ma·dor, do·ra [armaðór, ðóra アルマドル, ドラ] 名男女 1 〘海事〙 船主.
2 組立工.

ar·ma·du·ra [armaðúra アルマドゥラ] 名女 1 甲冑(かっちゅう). 2 枠; 〘建築〙〘機械〙 骨組み; (人・動物の) 骨格. *armadura* de gafas 眼鏡のフレーム.

Ar·ma·ge·dón [armaxeðón アルマヘドン] 名男 〘聖書〙 ハルマゲドン; 『ヨハネ黙示録』で, 世界の終末にあたり善と悪とが決戦をする場所.

ar·ma·men·to [armaménto アルマメント] 名男 軍備; 軍需品.

Ar·man·do [armándo アルマンド] 固名 アルマンド: 男性の名.

ar·mar [armár アルマル] 動他 1 《+**con**, **de**》 …で武装させる. *armar* a 《+uno》 *con* un fusil 〈人〉に銃を持たせる. 2 《+**de**》 …を授ける, 与える. *armar de* buena educación 立派な教育を受けさせる.
3 組み立てる. *armar* la tienda de campaña テントを張る.
4 《口語》 仕組む; 準備する. *Armaron* una intriga contra el alcalde. 連中は市長に対して陰謀をたくらんだ. *armar* una trampa わなを仕掛ける.
5 《口語》 (面倒を) 引き起こす, …の原因となる. *armar* (un) jaleo [un lío] 騒ぎを起こす. *armar* pendencia けんかを売る. *armar* un escándalo 大騒ぎする, 物議をかもす.
6 (船を) 艤装(ぎそう)する.
── **ar·mar·*se*** 1 武装する, 軍備する. El pueblo *se armó* para defenderse

contra el enemigo. 敵から身を守るために民衆は武器を取った.
2《+**de**》…を準備する. *armarse de* valor 勇気を奮い起こす.
3(面倒が)起こる. *Se armó* una riña en la clase. 教室でけんかが始まった.
armarla / armar la* [*una*] *buena 《口語》面倒を起こす, 騒ぎ[けんか]を始める. ¡Buena *la has armado*!《口語》君はえらいことをしてくれたもんだねえ.

ar·ma·rio [armárjo アルマリオ] 名男 [複 ～s] 〔英 closet〕 **戸棚**, ロッカー, キャビネット; 衣装だんす. *armario* de luna 姿見付き洋服だんす. *armario* de cocina 食器棚.

ar·ma·tos·te [armatóste アルマトステ] 名男 **1** 大きくて役立たずのもの.
2《口語》うどの大木.

ar·ma·zón [armaθón アルマそン] 名女 (または男) 枠組み, 骨組み.

ar·me·rí·a [armería アルメリア] 名女 兵器博物館; 銃砲店; 兵器[武具]製造.

ar·mi·ño [armíɲo アルミニョ] 名男 〔動物〕 アーミン; アーミンの毛皮.

ar·mis·ti·cio [armistíθjo アルミスティしオ] 名男 休戦 (= tregua).

ar·mo·ní·a [armonía アルモニア] 名女 〔英 harmony〕 **1** **調和**; 協調. en *armonía* con … …と調和して; …と仲よく.
2〔音楽〕和声 (学); 諧調(かいちょう), ハーモニー; 快い調べ. *armonía* de colorido 色彩のハーモニー.

ar·mó·ni·co, ca [armóniko, ka アルモニコ, カ] 形 調和の取れた; 〔音楽〕和声の; 〔数〕(関数などが) 調和の.
── 名男 〔音声〕倍音.
── 名女 ハーモニカ.

ar·mo·nio [armónjo アルモニオ] 名男 〔音楽〕ハーモニウム, リードオルガン.

ar·mo·nio·so, sa [armonjóso, sa アルモニオソ, サ] 形 調和の取れた; 響きのよい.

ar·mo·ni·zar [armoniθár アルモニさル] [39 z → c] 動他 調和させる; 協調させる; 〔音楽〕和音をつける.
── 動自 《+**con**》…と調和する; 協調する. El traje *armoniza con* la elegancia de su porte. その服は彼の上品な風采(ふうさい)にマッチしている.

ar·nés [arnés アルネス] 名男 **1** 甲冑(かっちゅう).
2 [arneses] 馬具 (一式).

a·ro [áro アロ] 名男 輪, リング. *aro* de un tonel 樽(たる)のたが.
pasar* [*entrar*] *por el aro 《口語》降参する.

a·ro·ma [aróma アロマ] 名男 芳香; 香料. → perfume 【参考】.

a·ro·má·ti·co, ca [aromátiko, ka アロマティコ, カ] 形 芳香性の.

a·ro·ma·ti·zar [aromatiθár アロマティさル] [39 z → c] 動他 …に香りをつける.

ar·pa [árpa アルパ] 名女 [el *arpa*] 〔音楽〕ハープ, 竪琴(たてごと). tocar [tañer] el *arpa* ハープを奏する.

ar·pí·a [arpía アルピア] 名女 **1** 〔ギリシア神話〕ハルピュイア: 鳥の体に女性の顔と胸を持つ怪物. **2** 性悪女.

ar·pi·lle·ra [arpiʎéra アルピリェラ] 名女 (袋用の) 麻布, ズック.

ar·pis·ta [arpísta アルピスタ] 名男女 ハープ奏者.

ar·pón [arpón アルポン] 名男 銛(もり).

ar·que·ar [arkeár アルケアル] 動他
1 弓なりにする.
2 (船の) 積載数を計る.
3〔商業〕(金庫・帳簿を) 調べる.
── 動自 《口語》吐き気を催す, むかつく.
── **ar·que·ar·*se*** 湾曲する.

ar·que·o [arkéo アルケオ] 名男 **1** 湾曲.
2〔海事〕積載量の測定; (船舶の) トン数. *arqueo* neto 排水トン数. *arqueo* bruto 総トン数. **3** 会計検査.

ar·que·o·lo·gí·a [arkeoloxía アルケオろヒア] 名女 考古学.

ar·que·ó·lo·go, ga [arkeóloɣo, ɣa アルケオろゴ, ガ] 名男女 考古学者.

ar·que·ro [arkéro アルケロ] 名男 **1** 射手.
2〔スポーツ〕(サッカー) ゴールキーパー.

ar·que·ti·po [arketípo アルケティポ] 名男 原型; 典型; 規範.

arquitecta 名女 → arquitecto.

ar·qui·tec·tó·ni·co, ca [arkiteᵏtóniko, ka アルキテクトニコ, カ] 形 建築 (学) の.
── 名女 建築学.

ar·qui·tec·to, ta [arkitéᵏto, ta アルキテクト, タ] 名男女 [複 ～s] 〔英 architect〕 **建築家**, 建築技師. *arquitecto* naval 造船技師. *arquitecto* técnico 工事監督.

ar·qui·tec·tu·ra [arkiteᵏtúra アルキテクトゥラ] 名女 **1** 建築; 建築学[術]. *arquitectura* civil 一般建築. *arquitectura* religiosa 寺院建築. *arquitectura* naval 造船 (学・術).
2 建築物; 建築様式. *arquitectura* gótica [barroca] ゴシック[バロック]様式の建造物. **3** 構成, 構造. *arquitectura* de la novela 小説の骨組み.

ar·qui·tra·be [arkitráβe アルキトゥラベ] 名男 〔建築〕アーキトレーブ, 台輪(だいわ): 柱頭にのる桁(けた)の部分.

ar·qui·vol·ta [arkiβólta アルキボるタ] 名女 〔建築〕アーキボールト, 飾り迫縁(せりぶち).

a·rra·bal [ar̄aβál アラバる] 名男 町外れ; 場末; スラム (街); [～es] 郊外.

a·rra·ba·le·ro, ra [ar̄aβaléro, ra アラバれロ, ラ] 形 **1** 郊外の; 場末の. **2** 下品な.
── 名男女 **1** 郊外[場末]の居住者.
2 下品な人.

a·rrai·gar [ar̄aiɣár アライガル] [32 g → gu] 動自 **1** (植物が) 根を張る.
2 (習癖などが) 定着する; 定住する.
── 動他 根付かせる.
── **a·rrai·gar·*se*** 根を張る; 住み着く.

A

a·rrai·go [aȓáiɣo アライゴ] 名男 **1** 定着; 定住. tener *arraigo* (土地に) 根を下ろす. **2** 不動産.

a·rran·ca·da [aȓaŋkáða アランカダ] 名女 急発進, 急激な加速; ダッシュ.

a·rran·car [aȓaŋkár アランカル] [8 c → qu] 動他 〔英 pull up〕 **1 引き抜く**, 根こそぎにする; 引きちぎる. *arrancar* la maleza 雑草を抜き取る. Alguien *ha arrancado* dos páginas de este libro. 誰かがこの本の 2 ページ分を破り取った. **2** 奪い取る, 引き離す. *Arrancó* la pistola al atracador. 彼は強盗からピストルを奪った. María logró *arrancar* a su marido del vicio de fumar. マリアは夫のたばこをやめさせることに成功した. **3** 引き出す; 誘発する. *arrancar* la verdad a 《+uno》〈人〉から真相を聞き出す. *arrancar* aplausos 喝采(かっさい)を博す. *arrancar* lágrimas a 《+uno》〈人〉の涙を誘う. **4** (機械を) 始動させる.

—— 動自 **1** (エンジンが) **かかる**. El motor no *arranca*. エンジンがかからない. El coche *arrancó* a la primera. 車は一発でエンジンがかかった. **2** 《+**de**》…から始まる, 由来する. El Nilo *arranca de*l lago Victoria. ナイル川はヴィクトリア湖に源を発している. **3** 《+**a** 不定詞》突然…しだす. El niño *arrancó a* hablar. その子は突然話せるようになった.

——**a·rran·car·*se*** **1** 急に動きだす. **2** 無理に離れる. No quiere *arrancarse* de esta aldea tranquila. 彼はこの静かな村を離れたくない. **3** 《口語》《+**con**》《+現分》不意に…する. Mi tío *se arrancó* comprándome un coche nuevo. 思いがけず伯父は私に新車を買ってくれた.

a·rran·que [aȓáŋke アランケ] 名男 **1** 始動, 発進; 出だし; 衝動, 発作. *arranque* de ira 発作的な怒り. *arranque* de locura 逆上. en un *arranque* 衝動的に. **2** 機知, ひらめき. **3** 〘植物〙〘解剖〙付け根; 〘建築〙基部.

arranque(-) / **arranqué**(-) 動 → arrancar. [8 c → qu]

a·rras [áȓas アラス] 名女 [複] 手付け, 内金; (結婚式で花婿が花嫁に贈る) 13枚の硬貨.

a·rra·sar [aȓasár アラサル] 動他 **1** 平らにする, ならす; 満たす. **2** なぎ倒す; 壊滅させる.

a·rras·tra·do, da [aȓastráðo, ða アラストゥラド, ダ] 過分 形 《口語》惨めな.

—— 名男 《口語》ごろつき.

a·rras·trar [aȓastrár アラストゥラル] 動他 **1** 引きずる; 引っ張る; 引き込む. *arrastrar* los pies 足を引きずる. El viento fuerte *arrastró* las hojalatas. 強い風でトタンが宙に舞った. Le *arrastraron* hasta el hospital. 彼は無理やり病院へ連れていかれた. **2** (苦難などを) 堪え忍ぶ. *arrastrar* una vida miserable 惨めな生活を送る. **3** (結果として) もたらす. La derrota *arrastró* muchas dificultades. 敗北がさまざまな困難を生んだ. **4** 心を奪う, 引きつける. Su discurso *arrastró* a todos los presentes. 彼の演説は出席者全員を魅了した. **5** 〘コンピュータ〙ドラッグする.

—— 動自 裾(すそ)を引きずる; はう.

—— **a·rras·trar·*se*** **1** 裾(すそ)を引きずる; はいずる. El herido apenas pudo *arrastrarse* hasta la cerca. 負傷した人は柵のところまで辛うじてはって行った. **2** はいつくばる, 卑下する. No *se arrastra* ante nadie. 彼は誰の前でも卑屈にならない.

a·rras·tre [aȓástre アラストゥレ] 名男 引きずること; 搬出.

estar para el arrastre がたが来ている.

tener* [*ser de*] *mucho arrastre 《口語》大きな影響力がある.

¡a·rre! [áȓe アレ] 間投 (馬などに向かって) それっ, 急げ.

a·rre·ar [aȓeár アレアル] 動他 **1** (馬などを) 追い立てる; 急がす. **2** 《口語》浴びせる. *arrear* un golpe 一撃を食らわす.

a·rre·ba·ta·do, da [aȓeβatáðo, ða アレバタド, ダ] 過分 形 逆上した; 慌ただしい; 上気した.

a·rre·ba·tar [aȓeβatár アレバタル] 動他 奪う; もぎ取る. *arrebatar* la vida *a* 《+uno》〈人〉の命を奪う. Me *arrebataron* el bolso. 私はバッグをひったくられた. *arrebatar* los corazones de todos 皆を夢中にさせる.

——**a·rre·ba·tar·*se*** 取り乱す.

a·rre·ba·to [aȓeβáto アレバト] 名男 **1** 衝動, 発作. en un *arrebato* de cólera かっとなって. **2** 忘我.

a·rre·bol [aȓeβól アレボル] 名男 夕焼け[朝焼け]の茜(あかね)色; [~es] 夕焼け[朝焼け]雲.

a·rre·bu·jar [aȓeβuxár アレブハル] 動他 **1** (衣服などを) くしゃくしゃに丸める. **2** くるむ.

——**a·rre·bu·jar·*se*** 《+**en**, **con**》…にくるまる.

a·rre·ciar(·***se***) [aȓeθjár (se) アレしアル(セ)] 動自 ひどくなる.

arreglado, da 過分 → arreglar.

arreglando 現分 → arreglar.

a·rre·glar [aȓeɣlár アレグラル] 動他 [現分 arreglando ; 過分 arreglado, da] 〔英 arrange〕 **1 整理する, 整頓(せいとん)する**. *arreglar* los documentos 書類を整理する. *arreglar* el dormitorio 寝室を片づける. *arreglar* el pelo a 《+uno》〈人〉の整髪をする.

2 修理する; 調整する. *arreglar* un reloj 時計を修理する. *arreglar* una cita para el martes 火曜日に会うことにする. Este medicamento te *arreglará* el estómago. この薬で君の胃の調子はよくなるだろう.
3 味を調える; 〘音楽〙編曲する.
── a·rre·glar·se 1 なんとかする. Tenemos que *arreglarnos* con poco dinero. 私たちはわずかなお金でやりくりしなければならない. *arreglarse* bien con《+uno》〈人〉とうまくやっていく.
2 身なりを整える. *Arréglate* bien. きちんとしなさい. *arreglarse* la barba 髭(ひげ)の手入れをする.
arreglárselas なんとかうまくやる. saber *arreglárselas* 1人でやっていける.

a·rre·glo [ar̄éɣlo アレグロ] 名男 **1** 調整; 修理; 整理. **2** 合意. **3**〘音楽〙編曲.
con arreglo a … …に従って.
── 動 ➞ arreglar.

a·rre·lla·nar·se [ar̄eʎanárse アレリャナルセ] 動 ゆったり座る; (職務に) 安住する.

a·rre·man·gar [ar̄emaŋgár アレマンガル] [32 g ➞ gu] 動他 (袖(そで)・裾(すそ)を) たくし[まくり]上げる.
── a·rre·man·gar·se (袖・裾を) たくし[まくり]上げる.

a·rre·me·ter [ar̄emetér アレメテル] 動他《+**a**, **con**, **contra**》…に躍りかかる. *arremeter contra* el enemigo 敵に襲いかかる. *Arremetió con* todo. 彼はすべてを非難した.

a·rre·me·ti·da [ar̄emetíðа アレメティダ] 名女 攻撃.

a·rre·mo·li·nar·se [ar̄emolinárse アレモリナルセ] 動 渦巻く; ひしめき合う.

a·rren·da·dor, do·ra [ar̄endaðór, ðóra アレンダドル, ドラ] 名男女 **1** 地主, 家主. **2** 借地人, 借家人.

a·rren·da·mien·to [ar̄endamjénto アレンダミエント] 名男 賃貸, 賃借; 賃貸契約(料). tomar en *arrendamiento* 賃借りする.

a·rren·dar [ar̄endár アレンダル] [42 e ➞ ie] 動他 賃貸[賃借]をする.

a·rren·da·ta·rio, ria [ar̄endatárjo, rja アレンダタリオ, リア] 形 賃借の.
── 名男女 借地人, 借家人; 小作人.

a·rre·o [ar̄éo アレオ] 名男 装飾品; [〜s] 飾り馬具.

a·rre·pen·ti·mien·to [ar̄epentimjénto アレペンティミエント] 名男 後悔, 悔恨. tener *arrepentimiento* 後悔する.

a·rre·pen·tir·se [ar̄epentírse アレペンティルセ] [52 e ➞ ie, i] 動 [現分 arrepintiéndose]《+**de**》…を後悔する. *Se arrepiente de* no haber venido. 彼は来なかったことを悔やんでいる.

a·rres·tar [ar̄estár アレスタル] 動他 逮捕する, 抑留する (= detener). *Fue arrestado* por haber cometido un robo. 彼は盗みを働いたかどで検挙された.
── a·rres·tar·se《+**a** 不定詞》思い切って…する.

a·rres·to [ar̄ésto アレスト] 名男 **1** 逮捕; 拘留; 〘軍事〙禁固. **2** [〜s] 勇気.

a·rria·no, na [ar̄jáno, na アリアノ, ナ] 形 〘宗教〙アリウス Arrio 派の.
── 名男女 アリウス派の人.

a·rriar [ar̄jár アリアル] [23 i ➞ í] 動他 〘海事〙(帆・旗を) 下ろす; (綱を) 緩める.

a·rria·te [ar̄játe アリアテ] 名男 花壇; 通路.

a·rri·ba [ar̄íβa アリバ] 副〔英 up〕

1 上に, 上で, 上階に[で] (↔ abajo). ¿Dónde está Pepe? ― Está *arriba* telefoneando. ペペはどこにいるの. ― 2階で電話中だ.
2 上へ;《無冠詞名詞の後で》(…を) 上手へ. ir *arriba* 上がって行く. río *arriba* 上流へ. cuesta *arriba* 坂を登って. calle *arriba* 通りを上がって, 通りを向こうへ.
3 (社会の) 上層に. llegar *arriba* 出世する, 成り上がる.
4 前段で, 上記で. *arriba* mencionado 上述の. Véase más *arriba*. 上記を参照のこと.
¡Arriba! (1) 万歳. ¡*Arriba* España! スペイン万歳. (2) 起きろ, 立て. (3) 元気を出せ.
de arriba 上から; 上層部から.
de arriba abajo 上から下へ, 頭のてっぺんから足の先まで; すっかり. mirar a《+uno》*de arriba abajo*〈人〉を軽蔑のまなこで見る.
de … para arriba (1) …から上の方に. *de* la cintura *para arriba* 腰から上にかけて. (2) …より多く, 以上.
hacia arriba 上の方へ, 上に向かって.

a·rri·ba·da [ar̄iβáða アリバダ] 名女 入港; 到着, 到達.

a·rri·bar [ar̄iβár アリバル] 動自《+**a**》**1** …に入港する. **2** …に到着[到達]する. *arribar a* la conclusión 結論に達する.

a·rri·bis·ta [ar̄iβísta アリビスタ] 形 出世第一の. ── 名男女 出世第一の人.

a·rri·bo [ar̄íβo アリボ] 名男 〘海事〙入港.

a·rrien·do [ar̄jéndo アリエンド] 名男 ➞ arrendamiento.

a·rrie·ro [ar̄jéro アリエロ] 名男 馬方, ラバ追い.

a·rries·gar [ar̄jesɣár アリエスガル] [32 g ➞ gu] 動他 危うくする; あえてする. *arriesgar* la vida 生命を危険にさらす. *arriesgar* una nueva hipótesis 新しい仮説を発表する.
── a·rries·gar·se 危険を冒す;《+**a** 不定詞》あえて…する. *arriesgarse a* perderlo todo すべてを失う危険を冒す.
Quien no se arriesga no pasa el

A

río. 《諺》危険を冒さない者は川を渡れない(虎穴(こけつ)に入らずんば虎児を得ず).

a·rri·mar [aɾ̄imár アリマル] 動他 **1** 《+**a**》…に近づける; 寄せ掛ける. *arrimar* una mesa *a* la pared 机を壁に寄せる.
2 片づける; 見捨てる.
—— **a·rri·mar·*se*** **1** 《+**a**》…に近付く; 寄り掛かる. *arrimarse a*l patrón 後援者にすがる. **2** (人が) 集まる.
arrimar un golpe a 《+uno》〈人〉に一発食らわす.

a·rri·mo [aɾ̄ímo アリモ] 名男 **1** 接近.
2 後ろだて, 支え. al *arrimo* de SU tío おじの援助で.
3 好み. tener *arrimo* por ... …を好む.

a·rrin·co·nar [aɾ̄iŋkonár アリンコナル] 動他 隅に押しやる; 追い詰める.
—— **a·rrin·co·nar·*se*** 《口語》閉じこもる, 隠遁(いんとん)する.

a·rrit·mia [aɾ̄ítmja アリトゥミア] 名女 〘医〙不整脈.

a·rro·ba [aɾ̄óβa アロバ] 名女 **1** アローバ.
⑴ (昔の) 重さの単位: 11.502キログラム.
⑵ (昔の) 体積の単位: ぶどう酒で16.1リットル, オリーブ油で12.6リットル.
2 〘コンピュータ〙アットマーク (@).
por arrobas たっぷり, たくさん.

a·rro·bar [aɾ̄oβár アロバル] 動他 うっとりさせる, 魅了する.
—— **a·rro·bar·*se*** うっとりする.

a·rro·ce·ro, ra [aɾ̄oθéro, ra アロセロ, ラ] 形 米の. —— 名男女 稲作農民.

arroces 名[複] ➡ arroz.

a·rro·di·llar [aɾ̄oðiʎár アロディリャル] 動他 ひざまずかせる.
—— **a·rro·di·llar·*se*** ひざまずく.

a·rro·gan·cia [aɾ̄oɣánθja アロガンしア] 名女 **1** 尊大, 横柄. **2** 勇敢, りりしさ.

a·rro·gan·te [aɾ̄oɣánte アロガンテ] 形 **1** 尊大な, 横柄な. **2** 勇ましい, りりしい.

a·rro·ja·di·zo, za [aɾ̄oxaðíθo, θa アロハディそ, さ] 形 投げられる.

a·rro·ja·do, da [aɾ̄oxáðo, ða アロハド, ダ] 過分 形 勇敢な; 向こう見ずな.

a·rro·jar [aɾ̄oxár アロハル] 動他 **1** 投げる; 捨てる, ほうり出す. *arrojar* una piedra 石を投げる. *arrojar* las armas 武器を捨てる. Le *arrojaron* del cabaret. 彼はナイトクラブから追い出された. ➡ echar.
2 噴き出す; 放射する, 発散する. *arrojar* lava 溶岩を噴出する. *arrojar* un rayo 一条の光を放つ.
3 結果を生む. *arrojar* un beneficio 利益を出す.
—— **a·rro·jar·*se*** **1** 《+**a**》…に身を投げる, 飛び降りる. *arrojarse a*l agua 水に飛び込む. *Se arrojó* por la ventana. 彼は窓から身をおどらせた.
2 《+**sobre, contra**》…に飛び掛かる, 突進する. El gato *se arrojó sobre* el periquito. 猫はインコに飛び掛かった.

3 《+**a** 不定詞》思い切って…する. *arrojarse a* pelear けんかを買って出る.

a·rro·lla·dor, do·ra [aɾ̄oʎaðór, ðóra アロリャドル, ドラ] 形 圧倒的な, 一掃する.

a·rro·llar [aɾ̄oʎár アロリャル] 動他 **1** 巻く.
2 (風・波が) 押し流す; 押しつぶす. El camión *arrolló* a un viejo. トラックが老人を轢(ひ)いた. **3** 圧倒する; やり込める. *arrollar* al enemigo 敵を撃破する.

a·rro·par [aɾ̄opár アロパル] 動他 (衣類を) 着せる, (毛布などで) 覆う.
—— **a·rro·par·*se*** くるまる.

a·rro·yo [aɾ̄óʝo アロヨ] 名男 **1** 小川; 流れ. Detrás de la casa hay un *arroyo*. 家の裏を小川が流れている. *arroyos* de lágrimas あふれる涙.
2 (道路の) 溝, 側溝. **3** 車道; 路傍.

a·rroz

[aɾ̄óθ アロす] 名男 [複 arroces] 〔英 rice〕
1 〘植物〙イネ (稲). **2** 米. *arroz* a la italiana 〘料理〙リゾット. *arroz* (en) blanco (白米の) ご飯. *arroz* con leche 〘料理〙ライス・プディング.

a·rro·zal [aɾ̄oθál アロさる] 名男 水田.

a·rru·ga [aɾ̄úɣa アルガ] 名女 しわ. un papel lleno de *arrugas* しわだらけの紙. cara surcada de *arrugas* しわの刻まれた顔.

a·rru·gar [aɾ̄uɣár アルガル] [32 g ➡ gu] 動他 **1** しわを寄せる. *arrugar* la cara 顔をしかめる.
2 萎縮(いしゅく)させる, しゅんとさせる.
—— **a·rru·gar·*se*** **1** しわが寄る.
2 縮こまる, 萎縮する.

a·rrui·nar [aɾ̄winár アルイナル] 動他 荒廃させる; 破滅させる; 駄目にする. El terremoto *arruinó* toda la ciudad. 地震によって全市が壊滅した. *arruinar* la salud 健康を損なう. *arruinar* la reputación 信用を失墜する.
—— **a·rrui·nar·*se*** 没落する, 破産する; 荒廃する; 駄目になる.
para acabarla de arruinar さらに悪いことに.

a·rru·llar [aɾ̄uʎár アルリャル] 動他 (ハトが求愛で) クークーと鳴く; 《口語》(恋人が) 甘くささやく; (子守歌で) 寝かしつける; (音が) 耳に心地よく響く.
—— **a·rru·llar·*se*** 《口語》(恋人が) いちゃつく.

a·rru·llo [aɾ̄úʎo アルリョ] 名男 ハトの鳴き声; いちゃつき; 子守歌; 耳に快い音.

ar·se·nal [arsenál アルセナる] 名男 **1** 造船所; 兵器庫. **2** 蓄積; 宝庫.

ar·sé·ni·co, ca [arséniko, ka アルセニコ, カ] 形 〘化〙ヒ素の. —— 名男 〘化〙ヒ素.

ar·te

[árte アルテ] 名男 (または 女) [複 ～s] 〔英 art〕
1 芸術; 美術. bellas *artes* 美術. *arte* abstracto 抽象芸術. *artes* gráficas グラフィックアート. el *arte* por el *arte* 芸術のための芸術, 芸術至上主義. ► *arte* は複数

形では女性名詞，単数形の場合はふつう男性名詞である．
2 **技術**，技能；技巧．*arte* culinario 料理法．*artes* domésticas 家政．con *arte* 巧みに．
3 ずるさ，悪巧み．Empleó todo su *arte* para ganar mi voluntad. 彼は万策を尽くして私の気に入られようとした．con malas *artes* ずるい手を使って．
4 学術，学芸．*artes* liberales（中世の大学の）自由７科．
no tener arte ni parte en 《＋algo》〈何か〉とまったく関係がない．
por arte de birlibirloque [***de encantamiento, de magia***] 魔法みたいに．
por buenas o malas artes 手段を選ばずに．
ar·te·fac·to [artefákto アルテファクト] 名男 装置；機械．*artefacto* explosivo 爆破装置．
Ar·te·mis [artémis アルテミス] / **Ar·te·mi·sa** [artemísa アルテミサ] 固名 〘ギリシア神話〙アルテミス：月と狩猟の女神．ローマ神話の Diana．
ar·te·ria [artérja アルテリア] 名女 **1** 〘解剖〙動脈．► 静脈は vena. **2**（交通の）幹線．
ar·te·rial [arterjál アルテリアる] 形 動脈の．
ar·te·rios·cle·ro·sis [arterjosklerósis アルテリオスクれロシス] 名女 〘医〙動脈硬化（症）．
ar·te·sa [artésa アルテサ] 名女 パンのこね桶(おけ)；飼い葉桶．
ar·te·sa·nal [artesanál アルテサナる] 形 手工芸の；職人の．
ar·te·sa·ní·a [artesanía アルテサニア] 名女 **1** 手工芸（品），手仕事；手工業．**2** 技能，技功．con gran *artesanía* 見事な腕で．
3 《集合》職人．
ar·te·sa·no, na [artesáno, na アルテサノ，ナ] 名男女 職人，手工芸家．
ar·te·so·na·do, da [artesonáðo, ða アルテソナド，ダ] 形 〘建築〙格間(ごう)の．
—— 名男 〘建築〙格天井．
ár·ti·co, ca [ártiko, ka アルティコ，カ] 形 北極（地方）の（↔ antártico）．
—— 名男 北極[圏]．
ar·ti·cu·la·ción [artikulaθjón アルティクらしオン] 名女 〘解剖〙関節；〘機械〙継ぎ手；〘音声〙調音．
ar·ti·cu·la·do, da [artikuláðo, ða アルティクらド，ダ] 形（発音が）明瞭(めいりょう)な；連結した；〘解剖〙関節のある．
—— 名男 **1** 〘法律〙条項．
2 〘動物〙体節動物．
ar·ti·cu·lar [artikulár アルティクらル] 動他
1 明瞭(めいりょう)に発音する；連結する．
2 〘法律〙条項にまとめる．
ar·ti·cu·lis·ta [artikulísta アルティクリスタ] 名男女 コラムニスト，論説記者．
ar·tí·cu·lo [artíkulo アルティクろ] 名男 [複 ～s]〔英 article〕 **1** **記事**，論説；論文．*artículo* de fondo 社説．
2 **品物**，商品．*artículos* alimenticios 食料品．*artículos* de caballero 紳士用品．*artículos* de primera necesidad 必需品．
3 〘法律〙箇条，条項．
4 〘文法〙冠詞．*artículo* definido [determinado] 定冠詞．*artículo* indefinido [indeterminado] 不定冠詞．⇨ 文法用語の解説． **5** 〘解剖〙関節；体節．
ar·tí·fi·ce [artífiθe アルティフィせ] 名男女
1 作り手．El *Artífice* Supremo 創造主．
2 芸術家；職人；策士．
ar·ti·fi·cial [artifiθjál アルティフィしアる] 形
1 人工の，人為的な．
2 不自然な，わざとらしい．sonrisa *artificial* 作り笑い（↔ natural）．
ar·ti·fi·cial·men·te [artifiθjálménte アルティフィしアるメンテ] 副 人工的に；わざとらしく．
ar·ti·fi·cio [artifíθjo アルティフィしオ] 名男
1 装置，仕掛け．**2** 巧妙さ，技巧．con *artificio* 巧みに．**3** 計略，策略．
ar·ti·fi·cio·so, sa [artifiθjóso, sa アルティフィしオソ，サ] 形 巧妙な；狡猾(こうかつ)な．
ar·ti·lle·rí·a [artiʎería アルティリェリア] 名女 **1** 〘軍事〙《集合》火砲；ミサイル発射機．*artillería* pesada 重砲．*artillería* antiaérea 高射砲．montar la *artillería* 大砲を備えつける．**2** 砲兵隊；砲術．
ar·ti·lle·ro [artiʎéro アルティリェロ] 名男 〘軍事〙砲兵．
ar·ti·lu·gio [artilúxjo アルティるヒオ] 名男 《口語》安っぽい仕掛け；からくり．
ar·ti·ma·ña [artimáɲa アルティマニャ] 名女 たくらみ，計略，術策．
ar·tis·ta [artísta アルティスタ] 名男女 [複 ～s]〔英 artist〕
1 **芸術家**，アーティスト．*artista* plástico 造形芸術家．
2 俳優；歌手，演奏家；芸人，タレント．*artista* de cine [de teatro] 映画[舞台]俳優．**3** 名人，達人．Tu esposa es una *artista* cocinando. 君の奥さんは料理がとても上手だね．
ar·tís·ti·co, ca [artístiko, ka アルティスティコ，カ] 形 芸術の，芸術的な．
ar·tri·tis [artrítis アルトゥリティス] 名女 〘医〙関節炎．
Ar·tu·ro [artúro アルトゥロ] 固名 アルトゥーロ：男性の名．el rey *Arturo*（＝Artús）アーサー王（６世紀ごろのブリテン（英国）の伝説的な王）．
ar·zo·bis·po [arθoβíspo アルそビスポ] 名男 〘カトリック〙大司教；（ギリシア正教）大主教；（プロテスタント）大監督．
ar·zón [arθón アルそン] 名男 〘馬〙鞍橋(くらぼね)，鞍．
as [ás アス] 名男 **1**（トランプ）エース，（さいころの）１の目．

A

2 第一人者, エース. ► 英語の影響.

a·sa [ása アサ] 名女 [el *asa*] **1** (壺(つぼ)・かご・鍋(なべ)などの) 柄, 取っ手; (スーツケースの) 握り. **2** 手掛かり, 手づる.

los brazos en asa 腰に手を置いて.

a·sa·do [asáðo アサド] 名男 焼き肉; 《ラ米》(子牛・子羊などの) 丸焼き.

a·sa·dor [asaðór アサドル] 名男 (肉の) あぶり焼き器, ロースター; 焼き串(ぐし).

a·sa·la·ria·do, da [asalarjáðo, ða アサらリアド, ダ] 形 給与所得者の, サラリーマンの.

— 名男女 給与所得者, サラリーマン.

a·sal·ta·dor, do·ra [asaltaðór, ðóra アサるタドル, ドラ] / **a·sal·tan·te** [-tánte -タンテ] 形 襲い掛かる.

— 名男女 襲撃者.

a·sal·tar [asaltár アサるタル] 動他 **1** 襲撃する; 急に襲う. *asaltar* una fortaleza 要塞(ようさい)を攻撃する. Ayer *fue asaltada* esa tienda. 昨日その店に強盗が入った. Le *asaltó* una muerte inesperada. 彼は突然の死に見舞われた.

2 脳裏をかすめる, 心に浮かぶ. Me *asaltó* una duda. 私にふとある疑問が浮かんだ.

a·sal·to [asálto アサるト] 名男 **1** 攻撃; 強奪. dar *asalto* a ... …を攻略する. dar *asalto* a 《+uno》〈人〉を襲って金品を奪う. **2** 〘スポ〙(ボクシング・レスリングなどの) ラウンド; (フェンシングの) 突き.

a·sam·ble·a [asambléa アサンブれア] 名女 集会, 大会; 会議.

a·sam·ble·ís·ta [asambleísta アサンブれイスタ] 名男女 (会議などの) 参加者, 出席者.

a·sar [asár アサル] 動他 **1** 焼く; 炒(い)る. *asar* a la plancha 鉄板で焼く. *asar* en [a] la parrilla 網で焼く. ➡ cocinar 【参考】. **2** 苦しめる, うんざりさせる. *asar* a 《+uno》 a preguntas 〈人〉を質問攻めにする.

— **a·sar·se** 焼けるほど暑い, うだるほど暑い. Con este calor *nos* vamos a *asar* vivos. こう暑くては丸焼きになってしまう.

as·cen·den·cia [asθendénθja アせンデンしア] 名女 **1** 血筋, 家系; 先祖, 祖先.

2 影響力, 感化力.

as·cen·der [asθendér アせンデル] [43 e ➡ ie] 動自 〔英 ascend〕 **1** 上がる, 上昇する; 登る. *ascender* de categoría 昇進する.

2 《+a》 合計で…になる. Los gastos generales de la conferencia *ascienden a* tres millones de pesetas. 会議の総費用は300万ペセタにのぼる.

3 《+a》 …に昇進する. *ascender a* la primera división 〘スポ〙一部リーグに上がる.

— 動他 昇進させる.

as·cen·dien·te [asθendjénte アせンディエンテ] 形 上昇する, 上向きの.

— 名男 **1** 影響力, 感化力.

2 先祖; [〜s] 血筋, 家系.

as·cen·sión [asθensjón アせンシオン] 名女 **1** 上昇; 登頂. **2** 昇進. **3** [A-] 〘カトリック〙キリストの昇天; 主昇天の祝日.

as·cen·so [asθénso アせンソ] 名男 **1** 上昇; 登攀(とうはん). **2** 昇進, 昇任. conseguir un *ascenso* 昇進する.

as·cen·sor [asθensór アせンソル] 名男 エレベーター; リフト. ► エスカレーターは escalera mecánica.

as·cen·so·ris·ta [asθensorísta アせンソリスタ] 名男女 エレベーター係.

as·ce·ta [asθéta アせタ] 名男女 (苦) 行者; 禁欲主義者.

as·ce·tis·mo [asθetísmo アせティスモ] 名男 苦行; 禁欲主義; 質素さ.

asciend- 動 ➡ ascender. [43 e ➡ ie]

as·co [ásko アスコ] 名男

1 吐き気, むかつき. El olor de gasolina le producía *asco*. ガソリンの臭いで彼は胸が悪くなった.

2 嫌悪; 退屈. coger [cobrar, tomar] *asco* a 《+algo》〈何か〉が大嫌いになる. Le tengo *asco*. 僕はあいつが大嫌いだ. morirse de *asco* 退屈でどうしようもない. ¡Qué *asco*! ああ嫌だ[気持ち悪い, まずい].

dar asco (1) 吐き気を催させる. Me *da asco*. 吐き気がして戻しそうだ. (2) 嫌悪を起こさせる. Me *da asco* oírla cantar. 彼女が歌っているのを聞くと虫唾(ず)が走る.

hacer asco a [***de***] 《+algo》《口語》〈何か〉に文句をつける.

hecho un asco 《口語》汚れきった; やつれ切った, 落ちぶれ果てた.

ser un asco 《口語》何の値打ちもない, 最低である.

as·cua [áskwa アスクア] 名女 [el *ascua*] 燠(おき), 真っ赤に焼けたもの.

¡Ascuas! 痛い; おやまあ.

estar echando ascuas 激怒している.

estar en [***sobre***] ***ascuas*** いらだっている.

pasar como sobre ascuas por 《+algo》〈何か〉にざっと目を通す.

a·se·a·do, da [aseáðo, ða アセアド, ダ] 過分 形 **1** 清潔な; 身だしなみのよい.

2 几帳面(きちょうめん)な, 端正な.

a·se·ar [aseár アセアル] 動他 清潔にする; 整頓(せいとん)する, 片づける.

— **a·se·ar·se** (手・顔などを) 洗う; 身だしなみを整える.

a·se·chan·za [asetʃánθa アセチャンさ] 名女 わな, 待ち伏せ.

a·se·char [asetʃár アセチャル] 動他 わなを仕掛ける, 待ち伏せる.

a·se·diar [aseðjár アセディアル] 動他 包囲する, 封鎖する; 攻め立てる. *asediar* a preguntas 質問攻めにする.

a·se·dio [aséðjo アセディオ] 名男 包囲, 封鎖.

a·se·gu·rar [aseɣurár アセグラル] 動他

〔英 assure〕 **1 保証する**, 確言する (= garantizar). Le *aseguro* que mañana le pagaré. 明日間違いなくお支払いします.
2 固定する; 確保する. *asegurar* un clavo 釘(くぎ)をしっかり打つ. *asegurar* un cargo 地位を確保する.
3 ⦅+**contra**⦆ …に保険を掛ける. *asegurar* el coche *contra* robos 自動車に盗難保険をかける.
── a·se·gu·rar·*se* **1** ⦅+**de**⦆ …を確認する. Antes de salir tienes que *asegurarte de* si está apagada la estufa. 出かける前にストーブが消えているかどうか, 君は確かめなければならない.
2 確保する; 安定する. *asegurarse* la colaboración 協力を得る. *Me aseguré* con las manos en un saliente. 私は出っ張りにしがみついて身を支えた.
3 ⦅+**contra**⦆ …の保険に加入する.
a·se·me·jar [asemexár アセメハル] 動他 ⦅+**a**⦆ …に似せる; なぞらえる.
── a·se·me·jar·*se* ⦅+**a, en, por**⦆ …が似ている. *Se asemeja en* la cara. 顔がそっくりだ.
a·sen·ta·de·ras [asentaðéras アセンタデラス] 名女 [複] ⦅口語⦆ お尻(しり).
a·sen·ta·do, da [asentáðo, ða アセンタド, ダ] 過分 形 分別のある, 思慮深い.
a·sen·tar [asentár アセンタル] [42 e → ie] 動他 **1** 座らせる; 据える; 就任させる. *asentar* un campamento キャンプを設営する. **2** (殴打を) 食らわす. Me *asentó* una bofetada en la cara. 僕は顔に一発張られた. **3** 断定する; 保証する. **4** 記帳する.
── 動自 **1** 適合する. **2** 安定する.
── a·sen·tar·*se* 座る; 定着する; 就任する. *asentarse* en Madrid マドリードに定住する. *Se asentó* en el Ministerio de Hacienda. 彼は大蔵省に入った.
asentar la cabeza 正気に戻る.
a·sen·ti·mien·to [asentimjénto アセンティミエント] 名男 同意, 是認; 許可.
a·sen·tir [asentír アセンティル] [52 e → ie, i] 動自 [現分 asintiendo] ⦅+**a**⦆ …に同意する, 許可する. *asentir* con la cabeza うなずく.
a·se·o [aséo アセオ] 名男 **1** 清潔さ; 身だしなみ. **2** 化粧室, トイレ.
a·sep·sia [asépsja アセプシア] 名女
1 〘医〙 無菌 (法). **2** 淡泊, 無欲.
a·sép·ti·co, ca [asé*p*tiko, ka アセプティコ, カ] 形 **1** 無菌 (法) の. **2** 執着心のない.
a·se·qui·ble [asekíβle アセキブレ] 形
1 (値段が) 相応な. **2** 実行可能な.
3 近づきやすい, 気さくな.
a·ser·ción [aserθjón アセルしオン] 名女 断言.
a·se·rra·de·ro [aseraðéro アセラデロ] 名男 製材所.
a·se·rrar [asefár アセラル] [42 e → ie] 動他 のこぎりで切る.
a·ser·to [asérto アセルト] 名男 断言.
a·se·si·nar [asesinár アセシナル] 動他 **1** 暗殺する, 殺害する. El senador *fue asesinado* por un terrorista. 上院議員はテロリストに暗殺された.
2 (作品を) 台無しにする; ひどく苦しめる, 悩ます.
a·se·si·na·to [asesináto アセシナト] 名男 暗殺; 殺人.
a·se·si·no, na [asesíno, na アセシノ, ナ] 名男女 暗殺者; 殺人者 [犯]. ¡*Asesino*! ⦅口語⦆ 人でなし.
── 形 **1** 殺人の. mano *asesina* 人殺しの手. **2** 恐ろしい, 煩わしい. con una mirada *asesina* 怖い目つきで.
a·se·sor, so·ra [asesór, sóra アセソル, ソラ] 形 助言の; 顧問の. ── 名男女 助言者, 顧問. *asesor* jurídico 法律顧問.
a·se·so·ra·mien·to [asesoramjénto アセソラミエント] 名男 **1** 助言, 勧告.
2 (弁護士などの) 意見.
a·se·so·rar [asesorár アセソラル] 動他 助言する, 勧告する.
── a·se·so·rar·*se* ⦅+**con, de**⦆ …に助言を求める, 相談する.
a·se·so·rí·a [asesoría アセソリア] 名女 顧問職; 顧問事務所; 顧問料.
a·ses·tar [asestár アセスタル] 動他
1 (武器・視線を) 向ける. **2** (打撃などを) 加える. *asestar* un puñetazo パンチを食らわす. *asestar* un tiro 一発見舞う.
a·se·ve·rar [aseβerár アセベラル] 動他 断言する; 肯定する.
a·se·xual [ase*k*swál アセクスアる] 形 無性の; 中性的な.
as·fal·tar [asfaltár アスファるタル] 動他 アスファルト舗装する.
as·fal·to [asfálto アスファるト] 名男 アスファルト.
as·fi·xia [asfí*k*sja アスフィクシア] 名女 窒息, (窒息による) 仮死状態.
as·fi·xian·te [asfi*k*sjánte アスフィクシアンテ] 形 窒息させる; 息が詰まるような. calor *asfixiante* むっとするような暑さ.
as·fi·xiar [asfi*k*sjár アスフィクシアル] 動他
1 窒息させる. **2** 圧殺する.
── as·fi·xiar·*se* 窒息する.

a·sí [así アシ]
副 〔英 so, thus〕
1 そのように, このように. Se tumbó sobre la arena y permaneció *así* un buen rato. 彼は砂の上に倒れこんだまま, しばらくじっとしていた. Esto no puede seguir *así*. このままでは駄目だ.
2 ⦅形容詞的に⦆ **そのような, このような**. En mi vida he visto un espectáculo *así*. 私はかつてこのような光景を見たことは一度もない. ► 名詞・代名詞の後に置かれる.
3 ⦅+接続法⦆ どうか… (= ojalá). ¡*Así*

A

llegue pronto! 早く着きますように. ¡*Así* sea! そうあって欲しいものだ.
── 接続 1 **それゆえに, したがって** (= por lo tanto). Tenía fiebre, *así* (que) no pudo venir. 彼は熱があったので来ることができなかった.
2 それでは (= conque). ¿*Así*, dimites? じゃあ君は辞めるというのか.
3 《+接続法》たとえ…でも (= aunque, por más que). Saldremos, *así* diluvie. 大雨が降っても私たちは出かけます. ► 中南米で多く用いられる.
Así, así. / 《ラ米》***Así no*** [***nada***] ***más.*** まあまあだ, まずまずだ.
así como ... (1)…と同じように…. *Así como* lo dijiste, se lo comuniqué al jefe. 君が言ったとおりにボスに伝えておいたよ. (2)…も…も. Estaban las niñas *así como* los niños. 男の子たちばかりか, 女の子たちもそこにいた. (3)…するとすぐ. *Así como* llegue, te pagaré. 僕がそこに着きしだい, 君に支払うつもりだ.
así … como ... (1)…も…も. *así* en verano *como* en invierno 夏も冬も. (2)…と同様に…. *Como* ustedes quieren viajar por Asia, *así* nosotros queremos viajar por Europa. あなた方がアジアを旅行したいと考えているように, 私たちはヨーロッパを旅行したいと思っている.
así como así (1)➡ *Así, así*. (2)軽々しく. Uno no puede decidir *así como así*. そう簡単に決められないよ. (3)とにかく. No estoy dispuesto a dimitir *así como así*. いずれにせよ私は辞任するつもりはない.
así de 《+形容詞》《口語》(ジェスチャーを伴って) こんなに…. *así de* grande こんなに大きい.
así es [***fue***] ***como*** ... そういう訳で…. *Así fue como* nos engañó. こうして彼は我々をペテンにかけた.
así es que ... したがって….
así mismo 同様に; そのとおりで; …もまた.
así pues したがって. Esta tarde estaremos muy ocupados ; *así pues*, no te entretengas demasiado. 今日は午後とても忙しいんだから, あんまり油を売ってるなよ.
así que ... (1)…するとすぐ. *Así que* te enteres de su paradero, avísame. 彼の行方がわかったらすぐ私に知らせろよ. (2)したがって. Enfermó *así que* nos quedamos. 彼が病気になったので, 私たちも残ることにした.
así ... que ... 非常に…なので…. *Así* (de bien) cantó María *que* todos creyeron que era profesional. マリアがあまり上手にうたったので, 皆は彼女をプロだと思った.
así que [***o***] ***asá*** 《口語》いずれにせよ. *Así que asá* lo mismo da. どっちみち同じだ.
así y todo たとえそうでも.
o así (数量が) だいたい…. Pesa 60 kilos *o así*. 彼は体重が60キロくらいだ.
y así (1)そのうえ. La chica es guapa *y así* simpática. その娘は美人で, しかも感じがいいんだ. (2)したがって. ¡*Y así* te decides por la Facultad de Derecho! だからもう法学部に決めなさいよ.
y así (***sucesivamente***) …等々, うんぬん.

A·sia [ásja アシア] 固名 アジア. *Asia* Menor 小アジア.

a·siá·ti·co, ca [asjátiko, ka アシアティコ, カ] 形 アジアの, アジア的な.
── 名男女 アジア人.

a·si·de·ro [asiðéro アシデロ] 名男 **1** 取っ手, 握り. **2** つて, 縁故. **3** 機会; 口実.

a·si·dui·dad [asiðwiðáð アシドゥイダ(ドゥ)] 名女 **1** 勤勉. **2** 頻繁.

a·si·duo, dua [asíðwo, ðwa アシドゥオ, ドゥア] 形 熱心な, 勤勉な.
── 名男女 常連.

a·sien·to [asjénto アシエント] 名男 [複 ~s] [英 seat] **1 座席**; (椅子の) 座部 (➡ silla 図). dejar el *asiento* 席を譲る. reservar un *asiento* 席を予約する. *asiento* delantero [trasero] (車の) 前の [後ろの] シート. Ha obtenido un *asiento* en la junta directiva. 彼は重役会に名を連ねた.
2 (容器などの) 底部. Este florero tiene poco *asiento*. この花瓶は座りが悪い. baño de *asiento* 〘医〙腰湯.
3 沈殿物, おり.
de asiento (1)定着して, 落ち着いて. estar *de asiento* 定住する. (2)分別のある. *de* poco *asiento* 分別のない.
hacer asiento 安定する; 定住する.
no calentar asiento 腰が落ち着かない; 仕事が長続きしない.
pegarse a 《+uno》 ***el asiento*** 長居する.
tomar asiento 席につく. *Tome* usted *asiento*. お掛けください.

a·sig·na·ción [asiɣnaθjón アシグナシオン] 名女 割り当て; 手当; 交付金.

a·sig·nar [asiɣnár アシグナル] 動他 割り当てる; 支給する. *asignar* una tarea 仕事を割り振る. *asignar* un cargo importante 重要な役割を振り当てる. *asignar* una renta 年金を支給する.

a·sig·na·tu·ra [asiɣnatúra アシグナトゥラ] 名女 学科目, 教科. ¿Qué *asignatura* vas a tomar? 君, どの科目取るの?

a·si·lo [asílo アシロ] 名男 **1** 収容施設. *asilo* de ancianos 老人ホーム.
2 保護; 避難所. buscar [pedir, solicitar] *asilo* 保護を求める. conceder [dar] *asilo* político 政治亡命を認める.

a·si·me·trí·a [asimetría アシメトゥリア] 名女 非対称; 不均整 (↔ simetría).

a·si·mé·tri·co, ca [asimétriko, ka アシメトゥリコ, カ] 形 非対称の; 不均整の.

a·si·mi·la·ción [asimilaθjón アシミラ

ʟオン] 名女 1 同一化; 吸収. 2〔音声〕同化.

a·si·mi·lar [asimilár アシミラル] 動他

1《+a》…と同化させる; 同一化する. *asimilar* la realidad *a* la apariencia 現実と見かけを混同する.

2 (知識を) 吸収する; (栄養を) 同化する.

3〔言語〕(隣接音に) 同化させる.

── **a·si·mi·lar·se**《+a》…と同一化する; …に似る (= asemejarse). Este edificio *se asimila a* una pirámide. この建物はピラミッドに似ている.

a·si·mis·mo [asímísmo アシミスモ] 副 同様に, 同じように (= así mismo, también). *Asimismo* me lo dijo. 同じように彼も私にそう言った.

a·sir [asír アシル] 5 動他《+de, por》…をつかむ, 握る.

── **a·sir·se** 1《+a, de》…につかまる, 取りすがる.

2《口語》つかみ合いのけんかをする.

a·si·rio, ria [asírjo, rja アシリオ, リア] 形 アッシリア Asiria の.

── 名男女 アッシリア人.

── 名男 アッシリア語.

a·sis·ten·cia [asisténθja アシステンしア] 名女 1 出席; 列席; 《集合》出席者. con *asistencia* de《+uno》〈人〉の立ち会いの下で. La *asistencia* a los funerales fue escasa. 葬儀の参列者はわずかだった.

2 援助; 救護. prestar *asistencia* a《+uno》〈人〉を補佐する. *asistencia* médica 治療. *asistencia* social 社会福祉. *asistencia* técnica 修理サービス. *Asistencia* Oficial para el Desarrollo. 政府開発資金援助 (➡ AOD).

a·sis·ten·ta [asisténta アシステンタ] 名女 家政婦, お手伝い.

a·sis·ten·te [asisténte アシステンテ] 形

1 出席している, 立ち会いの. 2 補佐の.

── 名男女 1 出席者; 観客, 聴衆, 入場者. 2 助手, アシスタント, 補佐. *asistente* social ケースワーカー.

── 名男〔軍事〕当番兵, 従卒.

a·sis·tir [asistír アシスティル] 動自〔英 be present〕《+a》**…に出席する**, 参加する. *asistir a* una clase 授業に出席する. *asistir a* un desfile パレードに参加する. *Asistió a* un accidente de tráfico. 彼は交通事故の現場に居合わせた.

── 動他 1 付き添う, 随行する. (= acompañar). 2 援助する; 補佐する. *asistir* a su superior 上司を補佐する.

3 世話をする; 看護する, 治療する. *Asistió* a su madre durante la enfermedad. 彼は母親が病気の間ずっと看病した.

as·ma [ásma アスマ] 名女 [el *asma*]〔医〕喘息(ぜんそく).

as·má·ti·co, ca [asmátiko, ka アスマティコ, カ] 形〔医〕喘息(ぜんそく)の.

── 名男女〔医〕喘息患者.

as·no [ásno アスノ] 名男 1 ロバ, 雄ロバ.

►borrico, burro がより一般的である.

2《口語》薄のろ; がさつ者.

Al asno muerto, cebada al rabo. 《諺》死んだロバのしっぽに麦を積む (泥棒を見て縄をなう).

a·so·cia·ción [asoθjaθjón アソしアしオン] 名女 [複 asociaciones]〔英 association〕

1 **連合**, 結合; 関連. *asociación* de ideas 観念連合, 連想.

2 **協会**, 連合体. *Asociación* Europea de Libre Cambio 欧州自由貿易連合.

a·so·cia·do, da [asoθjáðo, ða アソしアド, ダ] 過分 形 1 連合した; 共同の. 2 正会員に準じる. miembro *asociado* 準会員.

── 名男 1 会員, 組合員. 2〔商業〕共同経営者.

a·so·ciar [asoθjár アソしアル] 動他《+a, con》1 …と関連させる, 結びつける; 連合させる. El niño *asocia* el dolor *con* las inyecciones. 子供は注射は痛いものだと思っている.

2 参画させる; 結集させる. *asociar* a《+uno》*al* negocio〈人〉を事業に加える.

── **a·so·ciar·se**《+a, con》…に参画する; …と結びつく. No *te asocies con* los malvados. 悪い連中と付き合うな.

a·so·lar [asolár アソラル] [13 o ➡ ue] 動他 全壊させる, 壊滅させる. El ciclón *asoló* la costa. 暴風は沿岸部に大きな被害を与えた.

a·so·mar [asomár アソマル] 動自〔英 appear〕**現れる**; ちらりとのぞく. El sol *asoma* en el horizonte. 太陽が地平線に姿を現す.

── 動他 のぞかせる. *asomar* la cabeza a [por] la puerta 戸口から顔を出す.

── **a·so·mar·se** 1《+a, por》**…からのぞく**. *asomarse a* [*por*] la ventana 窓からのぞく.

2《+a》…に姿を見せる. *asomarse a* una reunión 会合に顔を出す.

3《+a》…をちらっと[ざっと]見る.

a·som·brar [asombrár アソンブラル] 動他

1 驚かす; 感嘆させる. Su respuesta nos *ha asombrado* mucho. 彼の返答は我々を大いに驚かせた.

2 陰らす; (色を) 暗くする.

── **a·som·brar·se**《+de, por, con》…に驚く; 感嘆する. El profesor *se asombró de* que yo sacara tan buena nota en el examen. 私が試験ですばらしい点を取ったので先生はびっくりした.

a·som·bro [asómbro アソンブロ] 名男 驚き; 感嘆; 驚嘆すべき事 (物). de *asombro* びっくりするような. no salir de SU *asombro* たまげる, 仰天する.

a·som·bro·so, sa [asombróso, sa アソンブロソ, サ] 形 驚くべき; 目覚ましい.

a·so·mo [asómo アソモ] 名男 1 気配, 兆候. 2 疑い, 疑惑.

ni por asomo 少しも…でない.

A

a·so·nan·cia [asonánθja アソナンしア] 名 女 〔詩〕類音韻. ► アクセントのある母音と最後の母音だけによる押韻.

as·pa [áspa アスパ] 名 女 [el *aspa*] **1** X形十字; X形のもの. **2** 糸巻き.
3 (風車の) 羽根. **4** 〔数〕乗法記号 (×) (= signo de multiplicación).

as·pa·vien·to [aspaβjénto アスパビエント] 名 男 大仰な身ぶり.

as·pec·to [aspékto アスペクト] 名 男 [複 ~s] 〔英 aspect〕 **1** **外観**, **様子**; 顔つき. de poco *aspecto* 見てくれの悪い. tener buen *aspecto* 健康そうである; おいしそう [よさそう] である; (天気が) 晴れそうだ.
2 **局面**, 様相; 観点. *aspecto* financiero 財政的側面. examinar todos los *aspectos* あらゆる角度から検討する. en ciertos *aspectos* ある点で. bajo este *aspecto* この観点から.
3 〔言語〕(動詞の) 相, アスペクト.

ás·pe·ra·men·te [ásperaménte アスペラメンテ] 副 つっけんどんに, ぞんざいに.

as·pe·re·za [asperéθa アスペレさ] 名 女
1 粗さ, ざらつき. **2** (味・においなどの) 不快さ; (声の) しわがれ.
3 無愛想. **4** (天候などの) 苛酷(かこく)さ.

ás·pe·ro, ra [áspero, ra アスペロ, ラ] 形
1 粗い, ざらざらした; でこぼこの; 険しい. piel *áspera* さめ肌. camino *áspero* でこぼこ道. **2** (味・においなどが) 不快な. voz *áspera* しゃがれた声. sabor *áspero* 酸っぱい [渋い] 味. **3** つっけんどんな, 無愛想な; (天候が) 厳しい, 荒れた. *áspero* en el trato 無作法な. Hoy estás un poco *áspero* con nosotros. 今日の君は私たちにちょっと愛想が悪いな.

as·per·sión [aspersjón アスペルシオン] 名 女 **1** 〔カトリック〕灌水(かんすい), (聖水の) 撒布(さんぷ).
2 〔農業〕散水.

ás·pid [áspið アスピ(ドゥ)] / **ás·pi·de** [-ðe -デ] 名 男 〔動物〕エジプトコブラ.

as·pi·lle·ra [aspiʎéra アスピリェラ] 名 女 狭間(はざま), 銃眼.

as·pi·ra·ción [aspiraθjón アスピラしオン] 名 女 **1** 吸い込み, 吸入.
2 熱望, 渇望; [aspiraciones] 野心, 野望.

as·pi·ra·dor, do·ra [aspiraðór, ðóra アスピラドル, ドラ] 形 吸引式の.
── 名 女 電気掃除機.

as·pi·ran·te [aspiránte アスピランテ] 形
1 吸い込みの. **2** 渇望する, あこがれた.
── 名 男 女 志願者, 応募者.

as·pi·rar [aspirár アスピラル] 動 他 吸う, 吸引する. *aspirar* el aire puro 新鮮な空気を吸う. *aspirar* el agua con una bomba ポンプで水を吸い上げる.
── 動 自 《+**a** 名詞・不定詞》…を切望する. *Aspira a* (tener) ese puesto. 彼は是非その地位につきたいと思っている.

as·pi·ri·na [aspirína アスピリナ] 名 女 〔薬〕〔商標〕アスピリン.

as·que·ar [askeár アスケアル] 動 他 むかつかせる, 吐き気を催させる; 反感 [嫌悪] を抱く.
── 動 自 **as·que·ar·*se*** むかつく, 吐き気を催す; うんざりする.

as·que·ro·so, sa [askeróso, sa アスケロソ, サ] 形 **1** 不潔な; 気持ちの悪い. un olor *asqueroso* むかつく臭い.
2 嫌みな; みだらな, 猥褻(わいせつ)な.
── 名 男 女 下品な人; 不快な人.

as·ta [ásta アスタ] 名 女 [el *asta*] **1** 槍(やり), 長槍. **2** 槍の柄; (刷毛(はけ)・絵筆の) 柄.
3 旗竿(はたざお). **4** 角; 角製品.
bandera a media asta (弔意を示す) 半旗.

as·ta·do, da [astáðo, ða アスタド, ダ] 形
1 〔植物〕(葉が) 鏃(やじり)形の. **2** 〔動物〕角のある.
── 名 男 雄牛 (= toro).

as·te·ris·co [asterísko アステリスコ] 名 男 アステリスク, 星印 (*). poner *asterisco* a … …に星印を付ける.

as·te·roi·de [asteróiðe アステロイデ] 形 〔天文〕星状の.
── 名 男 〔天文〕小惑星, 小遊星.

as·tig·ma·tis·mo [astiɣmatísmo アスティグマティスモ] 名 男 〔医〕乱視.

as·ti·lla [astíʎa アスティリャ] 名 女 裂片; 木っ端.
hacer astillas 木っ端微塵(みじん)にする.

as·ti·lle·ro [astiʎéro アスティリェロ] 名 男 造船所. ➡ puerto 図.

as·tra·cán [astrakán アストゥラカン] 名 男 ロシアのアストラカン Astracán 地方特産の羊の毛皮; アストラカン織物.

as·trin·gen·te [astriŋxénte アストゥリンヘンテ] 形 収斂(しゅうれん)性の.
── 名 男 〔医〕収斂剤; アストリンゼント.

as·trin·gir [astriŋxír アストゥリンヒル] [19 g ➡ j] 動 他 収斂(しゅうれん)させる; 束縛する.

as·tro [ástro アストゥロ] 名 男 **1** 〔天文〕天体; 星. **2** 花形, スター.

astro- 「星」の意を表す造語要素. ⇀ *astr*al (星の (ような)), *astro*nauta など.

as·tro·lo·gí·a [astroloxía アストゥロろヒア] 名 女 占星術.

as·tró·lo·go, ga [astróloɣo, ɣa アストゥロろゴ, ガ] 名 男 女 占星術師.

as·tro·nau·ta [astronáuta アストゥロナウタ] 名 男 女 宇宙飛行士.

as·tro·náu·ti·ca [astronáutika アストゥロナウティカ] 名 女 宇宙航法, 宇宙飛行学.

as·tro·na·ve [astronáβe アストゥロナベ] 名 女 宇宙船. *astronave* tripulada 有人宇宙船.

as·tro·no·mí·a [astronomía アストゥロノミア] 名 女 天文学.

as·tro·nó·mi·co, ca [astronómiko, ka アストゥロノミコ, カ] 形 **1** 天文学の.
2 《口語》途方もない.

as·tró·no·mo, ma [astrónomo, ma アス

ﾄｩﾛﾉﾓ, ﾏ] 名男女 天文学者.

as·tu·cia [astúθja ｱｽﾄｩｼｱ] 名女
1 機敏, 要領. **2** 抜けめなさ, 悪賢さ; 策略. obrar con *astucia* ずるく立ち回る.

as·tu·ria·no, na [asturjáno, na ｱｽﾄｩﾘｱﾉ, ﾅ] 形 アストゥリアスの.
—— 名男女 アストゥリアス地方の住民.
—— 名男 アストゥリアス方言.

As·tu·rias [astúrjas ｱｽﾄｩﾘｱｽ] 固名 アストゥリアス: スペイン北部の地方; 自治州 (➡ autónomo【参考】).

as·tu·to, ta [astúto, ta ｱｽﾄｩﾄ, ﾀ] 形
1 目端の利く, 賢い, 利口な. un abogado *astuto* 辣腕(ﾗﾂﾜﾝ)の弁護士.
2 抜けめのない, ずるい, 狡猾(ｺｳｶﾂ)な. *astuto* como un zorro キツネのようにずる賢い.

a·sue·to [aswéto ｱｽｴﾄ] 名男 (短い) 休暇; 休校 (日).

a·su·mir [asumír ｱｽﾐﾙ] 動他 **1** (職務などを) 引き受ける. *asumir* una responsabilidad 責任を負う. **2** (様相を) 帯びる; (態度を) 装う. **3** 仮定する.

A·sun·ción [asunθjón ｱｽﾝｼｵﾝ] 名女
1〘ｶﾄﾘｯｸ〙聖母被昇天; 聖母マリア被昇天の祝日 (8月15日). ◆ Pilar などと同じく, 聖母マリアの異名として女性の名となる.
2〘地理〙アスンシオン: パラグアイ Paraguay 共和国の首都.

a·sun·to [asúnto ｱｽﾝﾄ] 名男 [複 ~s]〔英 matter, affair〕
1 **事, 事柄**; 問題. No trataremos este *asunto*. この件には触れないでおこう. Volvamos a nuestro *asunto*. 本題に戻ろう. Esto es *asunto* mío. これは君には関係のないことだ. No te metas en *asuntos* ajenos. 他人のことに口を出すな. Es un *asunto* de honor. 名誉にかかわる問題だ. *asuntos* personales 私事. *asunto* de Estado 国事.
2 醜聞的な事件[事柄]; 情事. estar metido en un *asunto* sucio 不正事件に深くかんでいる. traer [llevar, tener] *asuntos* sucios entre manos いかがわしいことをたくらんでいる[に従事している].
3 仕事, 用件; 商売. Tengo *asuntos* pendientes que despachar. 私は片付けなければならない用事がある. ocuparse de sus *asuntos* 仕事に没頭する.
4 (作品の) 主題, テーマ, 筋.
Asunto concluido. 一件落着だ.

a·sus·ta·di·zo, za [asustaðíθo, θa ｱｽｽﾀﾃﾞｨｿ, ｻ] 形 怖がりの; 気の弱い.

a·sus·tar [asustár ｱｽｽﾀﾙ] 動他〔英 frighten〕**怖がらせる; 驚かす**. A ti no te *asusta* nada. 君は怖いもの知らずだ.
——**a·sus·tar·*se*** 怖がる; 驚く. *asustarse* por [de, con] nada ちょっとしたことにも驚く.

a·ta·can·te [atakánte ｱﾀｶﾝﾃ] 形 攻撃する. —— 名男女 攻撃者.

a·ta·car [atakár ｱﾀｶﾙ] [8 c ➡ qu] 動他〔英 attack〕 **1** **攻撃する**, 襲撃する; 襲う. *atacar* al enemigo 敵を攻撃する. Un huracán *atacó* esa región. ハリケーンがその地方を襲った. Me *atacó* un fuerte dolor de cabeza. ひどい頭痛がした.
2 非難する; 反論する. *Atacaron* al presidente. 彼らは大統領を非難した.
3 挑む, 取り組む. *atacar* un tema あるテーマに取り組む.
4〘化〙腐食する; 浸食する.

a·ta·de·ro [ataðéro ｱﾀﾃﾞﾛ] 名男 留め金, 継ぎ輪.

a·ta·du·ra [ataðúra ｱﾀﾄﾞｩﾗ] 名女 束縛; ひも, 縄.

a·ta·jar [ataxár ｱﾀﾊﾙ] 動自 近道する.
—— 動他 **1** 遮る, 阻む. *atajar* un fuego 延焼をくいとめる. **2** 切る; 分割する.
——**a·ta·jar·*se*** どぎまぎする.

a·ta·jo [atáxo ｱﾀﾎ] 名男 **1** 近道. tomar [tirar] por un *atajo* 近回りする. **2** 一群. un *atajo* de corderos 子羊の群れ.
echar por el atajo《口語》安易な道を選ぶ.
No hay atajo sin trabajo.《諺》努力なしに成果はない (学問に王道なし).
salir al atajo 話に割り込む.

a·ta·la·ya [ataláʝa ｱﾀﾗﾔ] 名女 **1** 望楼, 監視塔; 高台. ➡ castillo 図.
2 視点, 視座.
—— 名男 監視兵, 詮索(ｾﾝｻｸ)好きな人.

a·ta·ñer [ataɲér ｱﾀﾆｪﾙ] 54 動自 [現分 atañendo]《+a》…に関係する. Tomaré la responsabilidad de todo lo que me *atañe*. 私に関係することは全部責任を取ります. ► 3人称のみに活用.
en [por] lo que atañe a … …については.

a·ta·que [atáke ｱﾀｹ] 名男 [複 ~s]〔英 attack〕 **1** **攻撃**, 襲撃. *ataque* por sorpresa 不意打ち, 奇襲. **2** **発作**. sufrir un *ataque* cardíaco 心臓発作を起こす. *ataque* de nervios ヒステリー.
—— 動 ➡ atacar.
¡Al ataque!《号令》突撃; かかれ.

ataque(-) / ataqué(-) 動 ➡ atacar. [8 c ➡ qu]

a·tar [atár ｱﾀﾙ] 動他 **1** 縛る, 結ぶ. *atar* a《+uno》de pies y manos〈人〉の手足を縛る. *Ataron* el perro a un árbol. 犬は木につながれた.
2 束縛する, 拘束する. El miedo le *ató* de pies y manos. 恐怖で彼は手足がすくんでしまった. Me quité la chaqueta, porque me *ataba* demasiado. あまり窮屈なので私は上着を脱いだ.
—— **a·tar·*se*** (自分の…を) 縛る, 結ぶ. *atarse* los zapatos 靴のひもを結ぶ. *Me até* un pañuelo al cuello. 私は首にスカーフを巻いた.
atar corto a《+uno》《口語》〈人〉を厳し

く監督する.
no atar ni desatar とりとめもなく話す; 無為無策で通す.

a·tar·de·cer [atarðeθér アタルデセル] 40 動 自 日が暮れる. ► 3人称単数のみに活用.
—— 名 男 夕方. al *atardecer* 日暮れに.

a·ta·re·ar·*se* [atareárse アタレアルセ] 動 《+**con**, **en**》せっせと働く. *atarearse con* [*en*] los negocios 商売に精を出す.

a·tas·ca·de·ro [ataskaðéro アタスカデロ] 名 男 ぬかるみ.

a·tas·car [ataskár アタスカル] [8 c ➞ qu] 動 他 塞(ふさ)ぐ; 妨げる.
—— **a·tas·car·*se*** **1** 塞がる.
2 (演説などが) つかえる.

a·tas·co [atásko アタスコ] 名 男 **1** 妨げ; 滞り. **2** 交通渋滞 (= *atasco* de tráfico).

a·ta·úd [ataúð アタウ(ドゥ)] 名 男 柩(ひつぎ), 棺桶(かんおけ) (= féretro).

a·ta·viar [ataβjár アタビアル] [23 i ➞ í] 動 他 《+**con**, **de**》…で着飾らせる, 盛装させる.
—— **a·ta·viar·*se*** 《+**con**, **de**》…で着飾る, 盛装する.

a·ta·ví·o [ataβío アタビオ] 名 男 着飾ること; 盛装; [〜または 〜s] 衣装.

a·te·ís·mo [ateísmo アテイスモ] 名 男 無神論.

a·te·mo·ri·zar [atemoriθár アテモリサル] [39 z ➞ c] 動 他 怖がらせる.
—— **a·te·mo·ri·zar·*se*** 《+**de**, **por**》…におじけづく.

a·tem·pe·rar [atemperár アテンペラル] 動 他 **1** (感情を) 和らげる, 抑える. *atemperar* sus nervios 気持ちを静める.
2 《+**a**》…に適応させる, 対応させる.
—— **a·tem·pe·rar·*se*** **1** 和らぐ, 落ち着く. **2** 《+**a**》…に対応する, 見合う.

A·te·nas [aténas アテナス] 固名 アテネ: ギリシア Grecia の首都.

a·ten·ción

[atenθjón アテンシオン] 名 女 [複 atenciones] 〔英 attention〕 **1** **注意**, 注目; 関心. con mucha *atención* 細心の注意を払って. prestar *atención* a ... …に注意を払う. merecer la *atención* 注目に値する.
2 [普通 atenciones] 気配り, 心遣い; 世話; 親切. Muchas gracias por sus *atenciones*. ご配慮ありがとうございます.
3 [atenciones] 用事. tener *atenciones* urgentes 急ぎの用事がある.
—— 間投 (アナウンスで) お知らせします; 静粛に, 注目; 《号令》気をつけ; 《掲示》危険注意.
a la atención de ... 《手紙》…宛(あて).
en atención a ... …を配慮して.
llamar la atención a 《+uno》 (1) 〈人〉の注意 [関心] を引く; 目立つ. No me *llamó la atención*. 私は気がつかなかった.
(2) 〈人〉に注意を促す.

a·ten·der [atendér アテンデル] [43 e ➞ ie] 〔英 attend〕 動 他 **1** **…の世話をする, 応対する**. *atender* al enfermo 病人の世話をする; (医者が) 病人を診察する. *atender* a los invitados 招待客をもてなす. ¿Le *atienden* ya? ご用はもう承っておりますか?
2 (希望・要求などに) 応じる, 聞き入れる. *atender* una petición 依頼にこたえる.
—— 動 自 《+**a**》…に注意を払う, 関心を向ける; 考慮する. Sólo *atiende a* sus necesidades. 彼は自分のことしか考えない. no *atender a* la conversación 相手の話をうわの空で聞く. *atender a* su trabajo 仕事にはげむ. *atender a* lo más urgente 最も急を要するものから手がける. *atendiendo a* las circunstancias 状況を考慮して.
atender al teléfono 電話に出る.

A·te·ne·a [atenéa アテネア] 固名 〘ギリシア神話〙アテナ, アテネ: 知恵, 工芸, 戦いの女神. ローマ神話の Minerva.

a·te·ne·o [atenéo アテネオ] 名 男 学芸協会.

a·te·ner·*se* [atenérse アテネルセ] 55 動 《+**a**》…に従う, 守る.

a·te·nien·se [atenjénse アテニエンセ] 形 アテネの.
—— 名 男 女 アテネの住民.

a·ten·ta·do [atentáðo アテンタド] 名 男 **1** テロ行為, 襲撃, 謀殺. *atentado* político 政治テロ. *atentado* con bomba 爆弾テロ. **2** 侵害; 違反, 法律違反. *atentado* contra la salud 健康を損なうこと.

a·ten·ta·men·te [aténtaménte アテンタメンテ] 副 注意深く; 丁重に. Le saluda *atentamente*. 《手 紙》敬具.

a·ten·tar [atentár アテンタル] 動 自 テロ行為を働く, 襲撃する. *atentar* contra [a] la vida de 《+uno》〈人〉の命をねらう.

a·ten·to, ta [aténto, ta アテント, タ] 形 **1** 《+**a**》…に注意深い, 気をつけている. Ese alumno está siempre muy *atento*. その生徒はいつも勉強熱心だ. Estaba *atento al* menor ruido. 彼はささいな物音も聞き逃すまいとしていた.
2 《+**con**》…に思いやりのある, 親切な. Es usted muy *atento*. お心遣い恐れ入ります. Estaba siempre muy *atento conmigo*. 彼はいつも私によく気を遣ってくれた.
su atenta 《手紙》貴信 《略 su atta.》.

a·te·nua·ción [atenwaθjón アテヌアシオン] 名 女 **1** 緩和, 軽減. **2** 〘法律〙情状酌量.

a·te·nuan·te [atenwánte アテヌアンテ] 形 和らげる, 軽減する. —— 名 男 〘法律〙情状酌量 (= circunstancias *atenuantes*).

a·te·nuar [atenwár アテヌアル] [14 u ➞ ú] 動 他 和らげる, 軽減する.

a·te·o, a [atéo, a アテオ, ア] 形 無神論の.
—— 名 男 女 無神論者.

a·ter·cio·pe·la·do, da [aterθjopeláðo, ða アテルシオペラド, ダ] 形 ビロードのような; 柔らかな.

a·te·rir [aterír アテリル] [52 e ➞ ie, i]

A

動他 凍えさせる. ► 不定詞と過去分詞のみ使用.
―― **a·te·rir·*se*** 凍える. *aterirse* de frío 寒さでかじかむ.
a·te·rrar [ateȓár アテラル] 動他 おびえさせる.
―― **a·te·rrar·*se*** ぞっとする.
a·te·rri·za·je [ateȓiθáxe アテリサヘ] 名男 〘航空〙着陸. *aterrizaje* forzoso 不時着.
a·te·rri·zar [ateȓiθár アテリサル] [39 z ➙ c] 動自 **1** 〘航空〙着陸する; 着地する.
2 思いがけなく現れる.
a·te·rro·ri·zar [ateȓoriθár アテロリサル] [39 z ➙ c] 動他 震え上がらせる.
―― **a·te·rro·ri·zar·*se*** 恐れおののく.
a·tes·ta·do, da [atestáðo, ða アテスタド, ダ] 過分 形 **1** 詰め込まれた, 満員の. tren *atestado* de gente すし詰めの列車.
2 証明された, 確認された.
―― 名男 〘法律〙調書, 供述書.
a·tes·tar [atestár アテスタル] [42 e ➙ ie ; 時に規則変化] 動他 **1** 詰め込む; (場所を) 埋めつくす. **2** ➙ atestiguar.
―― **a·tes·tar·*se*** 《口語》《+**de**》…を腹いっぱい食べる.
a·tes·ti·guar [atestiɣwár アテスティグアル] [7 gu ➙ gü] 動他 証言する; 立証する.
a·ti·bo·rrar(·*se*) [atiβoȓár (se) アティボラル(セ)] 動他 ➙ atestar 1, atestarse.
á·ti·co, ca [átiko, ka アティコ, カ] 形 **1** (古代ギリシアの) アッティカの, アテネの. **2** 典雅な. ―― 名男女 アッティカ人, アテネ人.
―― 名男 (建物の) 最上階; ペントハウス. ➙ casa 図.
atiend- 動 ➙ atender. [43 e ➙ ie]
a·tie·sar [atjesár アティエサル] 動他 ぴんと張る.
a·til·da·do, da [atildáðo, ða アティるダド, ダ] 過分 形 上品な; 気取った.
a·til·dar [atildár アティるダル] 動他 **1** 着飾らせる. **2** 波形符 [アクセント符] tilde (˜ , ´) をつける. **3** 難癖をつける.
―― **a·til·dar·*se*** 着飾る.
a·ti·na·do, da [atináðo, ða アティナド, ダ] 過分 形 **1** 的確な. una contestación *atinada* 的を射た回答. **2** 賢明な.
a·ti·nar [atinár アティナル] 動自 **1** 《+**a, con, en**》…をたまたま見つける, ぴたりと当てる. *Atinó con* [*en*] la solución. 彼はうまく解決策を見つけることができた. No *atinaba con* el hotel. ホテルがなかなか見つからなかった. No *atiné a* explicarlo. 私にはそれがうまく説明できなかった.
2 《+**a**》…に命中する. *atinar al* blanco 的に当たる; 的中する.
a·ti·plar [atiplár アティプらル] 動他 (楽器の) 音域を上げる.
―― **a·ti·plar·*se*** 音域が上がる.
a·tis·bar [atisβár アティスバル] 動他 **1** のぞく, 偵察する. **2** かすかに見る[見える].
―― **a·tis·bar·*se*** かすかに見える.
a·tis·bo [atísβo アティスボ] 名男 **1** のぞき見. **2** 兆候. *atisbos* de mejoría 回復の兆し.
¡a·ti·za! [atíθa アティサ] 間投 《驚き・感心を表して》うわあ, すごい.
a·ti·zar [atiθár アティサル] [39 z ➙ c] 動他 **1** (火を) かき立てる; (感情などを) あおる.
2 《口語》食らわす. *atizar* un puñetazo a 《+uno》〈人〉を殴る.
at·lán·ti·co, ca [atlántiko, ka アトゥらンティコ, カ] 形 大西洋の. el (Océano) *Atlántico* 大西洋.
at·las [átlas アトゥらス] 名男 [単・複同形]
1 地図帳. *atlas* lingüístico 言語地図帳. ➙mapa【参考】. **2** 図解書, 図版集.
3 〘解剖〙環椎(かんつい) [骨] : 第一頸椎(けいつい) [骨]. **4** [A-] 〘ギリシア神話〙アトラス: 神々と争った罪により天空を担う巨人.
at·le·ta [atléta アトゥれタ] 名男女
1 陸上 (競技の) 選手, スポーツマン.
2 がっしりした体格の人.
at·lé·ti·co, ca [atlétiko, ka アトゥれティコ, カ] 形 **1** 陸上競技の.
2 がっしりした体格の.
at·le·tis·mo [atletísmo アトゥれティスモ] 名

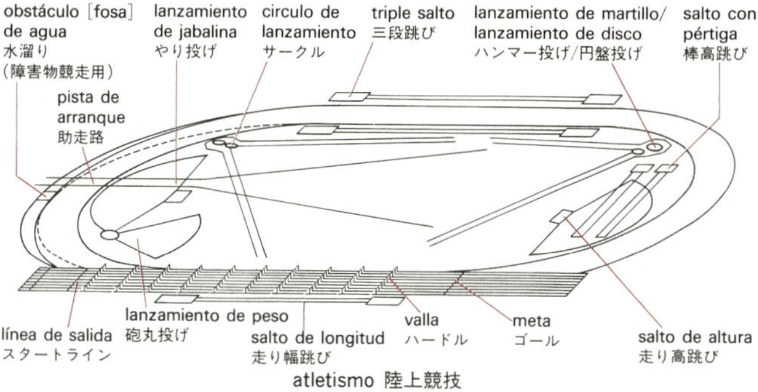

atletismo 陸上競技

A

男陸上競技.

at·mós·fe·ra [atmósfera アトゥモスフェラ] 名女 **1** 大気(圏); 空気. contaminación de la *atmósfera* 大気汚染. *atmósfera* cargada de humo 煙の充満した空気.
2 雰囲気, ムード. En la sesión reinaba una *atmósfera* muy tensa. 会議は非常に緊迫した雰囲気がただよっていた.
3 気圧の単位.

at·mos·fé·ri·co, ca [atmosfériko, ka アトゥモスフェリコ, カ] 形 大気の, 大気中の.

a·to·lón [atolón アトロン] 名男 環礁.

a·to·lon·dra·do, da [atolondráðo, ða アトロンドゥラド, ダ] 過分 形 困惑した; 軽率な.

a·to·lon·dra·mien·to [atolondramjénto アトロンドゥラミエント] 名男 困惑; 軽率.

a·to·lon·drar [atolondrár アトロンドゥラル] 動他 呆然(ぼうぜん)とさせる (= aturdir).
—— **a·to·lon·drar·se** 呆然とする.

a·tó·mi·co, ca [atómiko, ka アトミコ, カ] 形 原子の, 原子力の. bomba *atómica* 原子爆弾. energía *atómica* 原子力.

a·to·mi·za·dor [atomiθaðór アトミさドル] 名男 噴霧器, スプレー.

a·to·mi·zar [atomiθár アトミさル] [39 z → c] 動他 粉々にする, 霧状にする. *atomizar* los esfuerzos 努力を無にする.

á·to·mo [átomo アトモ] 名男 〔英 atom〕
1 〔物理〕〔化〕原子. **2** 微小なもの; 微量, 少量. no tener ni un *átomo* de inteligencia 知性のかけらもない.

a·to·ní·a [atonía アトニア] 名女 **1** 〔医〕アトニー; 弛緩(しかん)症. **2** 無気力.

a·tó·ni·to, ta [atónito, ta アトニト, タ] 形 びっくりした, 唖然(あぜん)とした. quedarse *atónito* あっけに取られる.

á·to·no, na [átono, na アトノ, ナ] 形 〔音声〕無強勢の, アクセントのない (↔ tónico).

a·ton·ta·do, da [atontáðo, ða アトンタド, ダ] 過分 形 呆然(ぼうぜん)とした.
—— 名男女 愚者.

a·ton·ta·mien·to [atontamjénto アトンタミエント] 名男 呆然(ぼうぜん); 愚鈍.

a·ton·tar [atontár アトンタル] 動他 呆然(ぼうぜん)とさせる.
—— **a·ton·tar·se** ぼける.

a·tor·men·tar [atormentár アトルメンタル] 動他 拷問にかける; 苦しめる.
—— **a·tor·men·tar·se** 苦しむ.

a·to·si·gar [atosiɣár アトシガル] [32 g → gu] 動他 せきたてる.
—— **a·to·si·gar·se** 焦る, 慌てる.

a·tra·ca·de·ro [atrakaðéro アトゥラカデロ] 名男 〔海事〕埠頭(ふとう), バース.

a·tra·ca·dor, do·ra [atrakaðór, ðóra アトゥラカドル, ドラ] 名男女 強盗.

a·tra·car [atrakár アトゥラカル] [8 c → qu] 動他 **1** 〔海事〕接岸させる.
2 強奪する.
3 《口語》《+de》…をたらふく食べさせる.
—— 動自 〔海事〕接岸する.
—— **a·tra·car·se** 《口語》《+de》…をたらふく食べる. El niño *se atracó de* pasteles. その子はケーキをたらふく食べた.

a·trac·ción [atrakθjón アトゥラクしオン] 名女 **1** 引力. *atracción* universal 〔物理〕万有引力. **2** 魅力. sentir *atracción* por ... …に魅せられる.
3 出し物; アトラクション; (遊園地の) 乗り物. parque de *atracciones* 遊園地.

a·tra·co [atráko アトゥラコ] 名男 強奪, 強盗.

a·tra·cón [atrakón アトゥラコン] 名男 《口語》満腹, 食べすぎ. Nos dimos un *atracón* de uvas. 私たちはブドウを腹いっぱい詰め込んだ.

a·trac·ti·vo, va [atraktíβo, βa アトゥラクティボ, バ] 形 引き付ける; 魅力ある. Es una chica muy *atractiva*. とても魅力ある女性だ.
—— 名男 魅力, 興味.

a·tra·er [atraér アトゥラエル] 57 動他 〔現分 atrayendo ; 過分 atraído〕引き付ける, 引き寄せる. La conferencia de prensa de la actriz *atrajo* a muchos periodistas. その女優の記者会見には大勢の新聞記者が集まった. *atraer* las miradas 人目を引く. Su conducta *atrajo* la ira de sus superiores. 彼の行動は上司たちの怒りを招いた.
—— **a·tra·er·se** (共感・反感を) 呼ぶ.

a·tra·gan·tar [atraɣantár アトゥラガンタル] 動他 喉(のど)を詰まらせる.
—— **a·tra·gan·tar·se** 喉にものを詰まらせる; 言葉に詰まる, どもる.
atragantarse a 《+uno》〈人〉の気に入らない, 嫌気がさす. *Se me atraganta* este libro. この本は難しくてどうにも歯が立たない.

a·tran·car [atraŋkár アトゥランカル] [8 c → qu] 動他 **1** かんぬきを掛ける. **2** 詰まらせる.
—— **a·tran·car·se** **1** 詰まる. **2** (部屋に) 閉じ込もる.

a·tra·par [atrapár アトゥラパル] 動他 《口語》(追いかけて) 捕らえる; 獲得する. *atrapar* un empleo 仕事にありつく.

a·trás [atrás アトゥラス] 副 〔英 back, behind〕
1 後ろへ, 後方へ; 後ろに (↔ adelante). dar un paso (hacia) *atrás* 1歩下がる. dar [hacer] marcha (hacia) *atrás* 後退する; 〔車〕バックする. ir para delante y para *atrás* 行きつ戻りつする. el pelo echado para *atrás* オールバックの髪. sentarse *atrás* 後ろに座る. venir de *atrás* 後ろから来る. los asientos de *atrás* 後部座席. ►atrás は主に「運動」について用いられる. ⇒ volverse (hacia) *atrás* 振り返る. 「…の後ろに」という「状況」を表す場合は detrás de. ⇒ estar *detrás de* la puerta ドアの後ろにいる.

2 《時間を表して》 **以前に**, 前に. dos semanas *atrás* 2週間前に. de algún tiempo *atrás* 少し前の[から]. Esto viene de muy *atrás*. このことはずっと以前からのことだ.

hacia* [*para*] *atrás 後ろへ, 後方へ. sin mirar (*hacia*) *atrás* 後ろを見ずに; 過去を振り返らずに. contar *hacia atrás* 逆に数える, 秒読みする.

a·tra·sa·do, da [atrasáðo, ða アトゥラサド, ダ] 過分 形 遅れた; 延期した. Llegué *atrasado* a la reunión. 僕は会議に遅れた. Tu reloj va *atrasado*. 君の時計は遅れている. *atrasado* en el pago 支払いが遅れている. Vamos *atrasados* en el trabajo. 我々は仕事が遅れている. Vivimos en un país *atrasado*. 私たちの住んでいる国は遅れている.

atrasado mental 知恵遅れの人.

a·tra·sar [atrasár アトゥラサル] 動他 遅らせる; 延期する.

— 動自 遅れる. Mi reloj *atrasa* mucho. 僕の時計はひどく遅れる.

— **a·tra·sar·*se*** 遅れる; 遅刻する.

a·tra·so [atráso アトゥラソ] 名男 **1** 遅れ; 延滞. ¿Todavía usas esta máquina de escribir? Es un *atraso*. まだこのタイプライター使っているの? 時代遅れだ. *atraso* cultural 文化的後進性.

2 [〜s] 滞納金.

a·tra·ve·sar [atraβesár アトゥラベサル] [42 e → ie] 動他 〔英 cross〕 **1 横切る; 貫通する**, 突き抜ける. *atravesar* el río en una barca 小船で川を渡る. *atravesar* la ciudad [la frontera] 町なかを通り抜ける[国境を越える]. La bala le *atravesó* el brazo. 銃弾が彼の腕を撃ち抜いた.

2 (時期・局面) に差し掛かる. (=pasar por). La industria inmobiliaria *atraviesa* ahora momentos dificilísmos. 不動産業は今, 極めて困難な時期に直面している.

— **a·tra·ve·sar·*se*** 立ちはだかる; 邪魔をする, 干渉する. *atravesarse* en el camino de ... …の邪魔をする.

atravies- 動 → atravesar. [42 e → ie]

a·tre·ver·*se* [atreβérse アトゥレベルセ] 動

1 《+**a** 不定詞》 思い切って…する, …する勇気がある, おこがましくも…する. ¿*Te atreves a* hablar con él? 彼と話す勇気があるかい? *Me atrevo a* decir que no es verdad lo que ha dicho. こう言ってはなんですが, 彼が言ったことは嘘(うそ)です.

2 《+**a**, **con**》 …に立ち向かう, ものともしない. *atreverse a* todo 何にでも思い切ってぶつかっていく. *atreverse con* todos 誰にでも逆らう, 人を人とも思わない.

a·tre·vi·do, da [atreβíðo, ða アトゥレビド, ダ] 過分 形 大胆な, 物おじしない; 無謀な.

a·tre·vi·mien·to [atreβimjénto アトゥレビミエント] 名男 大胆; 無謀; 厚かましさ.

a·tri·bu·ción [atriβuθjón アトゥリブしオン] 名女 **1** 帰属. **2** [atribuciones] 権限, 職権.

a·tri·buir [atriβwír アトゥリブイル] 29 動他 [現分 atribuyendo] 《+**a**》 …のせいにする, …に帰する; (性質・特性が) …にあるとみなす. Las autoridades *atribuyen* el accidente *a* un error del piloto. 当局は事故はパイロットの過失によるものだとしている.

— **a·tri·buir·*se*** (不正に) 自分のものとする. *atribuirse* todos los poderes 全権を掌握する. *atribuirse* la culpa 自分で罪をかぶる.

a·tri·bu·to [atriβúto アトゥリブト] 名男

1 属性; しるし, 象徴.

2 〔文法〕 属辞, 限定語.

atribuy- → atribuir. 29

a·tril [atríl アトゥリる] 名男 書見台; 〔音楽〕 譜面台.

a·trin·che·rar [atrintʃerár アトゥリンチェラル] 動他 塹壕(ざんごう)で囲む.

— **a·trin·che·rar·*se*** **1** 塹壕に隠れる.

2 《+**en, tras**》 …に立てこもる.

a·trio [átrjo アトゥリオ] 名男 〔建築〕 中庭; (宮殿などの) 前廊.

a·tro·ci·dad [atroθiðáð アトゥロしダ(ドゥ)] 名女 残虐; 残忍な行為.

una atrocidad 《口語》 異常なほど. Le gusta el cine *una atrocidad*. 彼は異常なほど映画好きだ.

a·tro·fia [atrófja アトゥロフィア] 名女 〔医〕 萎縮(いしゅく)(症); 衰退.

a·tro·nar [atronár アトゥロナル] [13 o → ue] 動他 とどろく; 耳をつんざく.

a·tro·pe·lla·da·men·te [atropeʎáðaménte アトゥロペリャダメンテ] 大急ぎで, 慌てて.

a·tro·pe·lla·do, da [atropeʎáðo, ða アトゥロペリャド, ダ] 過分 形 急いだ, 慌てた.

a·tro·pe·llar [atropeʎár アトゥロペリャル] 動他 **1** 轢(ひ)く; 押し倒す, 押しのける, 踏みつける. Un perro *fue atropellado* por el autobús. 一匹の犬がバスに轢かれた.

2 《比喩》 踏みにじる; 踏みつけにする. *atropellar* todas las obligaciones あらゆる義務をなおざりにする.

— **a·tro·pe·llar·*se*** 慌てふためく.

a·tro·pe·llo [atropéʎo アトゥロペリョ] 名男 (車が) 轢(ひ)くこと; (権利などの) 侵害; 急ぎ, 大慌て. hablar con *atropello* 早口にしゃべる.

a·troz [atróθ アトゥロす] 形 [複 atroces] ばかでかい; ひどい; 残虐な. un dolor *atroz* ひどい痛み.

atte. 《略》 atentamente 《手紙》 敬具.

atto., atta. 《略》 atento, atenta. 《手紙》 丁重な, 貴….

a·tuen·do [atwéndo アトゥエンド] 名男 装い, 衣装, 装束.

a·tún [atún アトゥン] 名男 〘魚〙マグロ(鮪), ツナ.
pedazo de atún ばか者.
a·tur·di·do, da [aturðíðo, ða アトゥルディド, ダ] 過分形 呆然(ぼうぜん)とした; そそっかしい.
a·tur·di·mien·to [aturðimjénto アトゥルディミエント] 名男 呆然(ぼうぜん); 軽率.
a·tur·dir [aturðír アトゥルディル] 動他 ぼうっとさせる; 当惑させる, まごつかせる.
— **a·tur·dir·*se*** ぼうっとなる; 呆然(ぼうぜん)とする; 気を紛らわす.
a·tu·rru·llar [aturuʎár アトゥルリャル] / **a·tu·ru·llar** [aturu- アトゥル-] 動 他 まごつかせる.
— **a·tu·rru·llar·*se*** / **a·tu·ru·llar·*se*** 《口語》まごつく.
a·tu·sar [stusár アトゥサル] 動他 (髪を)なでつける.
— **a·tu·sar·*se*** めかし込む.
audaces 形名 [複] → audaz.
au·da·cia [auðáθja アウダしア] 名女 大胆さ; 厚かましさ. demostrar *audacia* 大胆に振る舞う.
au·daz [auðáθ アウダす] [複 audaces] 形 大胆な, 不敵な; ずうずうしい, 厚かましい.
— 名男女 大胆な人, 勇敢な人; ずうずうしい人.
au·di·ción [auðiθjón アウディしオン] 名女 **1** 聴力. **2** オーディション.
au·dien·cia [auðjénθja アウディエンしア] 名女 **1** 謁見, 拝謁. conceder *audiencia* 謁見を許す. **2** 聴聞会; 聴衆.
3 〘歴史〙(カスティーリャ・新大陸に設けられた) 聴訴院. ◆新大陸では司法・行政の両機能を持った.
au·dí·fo·no [auðífono アウディフォノ] 名男 補聴器.
au·dio·vi·sual [auðjoβiswál アウディオビスアる] 形 視聴覚の. enseñanza *audiovisual* 視聴覚教育.
au·di·ti·vo, va [auðitíβo, βa アウディティボ, バ] 形 聴力の, 聴覚の.
au·di·to·rio [auðitórjo アウディトリオ] 名男 **1** 聴衆, 観客; 支持者層. Tiene mucho *auditorio*. 多くのファンがいる.
2 講堂, ホール.
au·ge [áuxe アウヘ] 名男 絶頂, ピーク; 隆盛, ブーム. alcanzar SU *auge* ピークに達する. estar en pleno *auge* 頂点にある.
au·gu·rar [auɣurár アウグラル] 動他 予言する; 前兆を示す.
au·gu·rio [auɣúrjo アウグリオ] 名男 前兆, 徴候. buen [mal] *augurio* 吉兆[凶兆].
Au·gus·to [auɣústo アウグスト] 固名 アウグスト: 男性の名. *Augusto* César Octavio アウグストゥス (ローマ帝国初代皇帝, 在位前27–後14).
au·gus·to, ta [auɣústo, ta アウグスト, タ] 形 威厳のある; 高貴な. ► 王室の人々を本来の称号で呼ばないときに用いる.

au·la [áula アウら] 名女 [el *aula*] 教室, 講義室.
au·llar [auʎár アウリャル] [6 u → ú] 動自 (犬などが) 遠ぼえする; (風が) うなる.
au·lli·do [auʎíðo アウリィド] / **a·ú·llo** [aúʎo アウリョ] 名男 遠ぼえ.
aumentado, da 過分 → aumentar.
aumentando 現分 → aumentar.
au·men·tar [aumentár アウメンタル] 動他 [現分 aumentando; 過分 aumentado,da] 〔英 increase〕 **増やす**, 増大[増加]させる (↔ disminuir). *aumentar* el número de estudiantes 学生数を増員する. *aumentar* la producción 増産する. *aumentar* la tensión política 政治的緊張を増す. El mes pasado le *aumentaron* el sueldo. 先月彼は給料を上げてもらった. Se *ha aumentado* el precio del petróleo. 石油の値段が上がった.
— 動自 **増える**. Va *aumentando* la tensión entre los huelguistas. ストライキ参加者の間に緊張が高まりつつある. La tarifa de los taxis *aumentará* en un 6 % a partir del próximo mes. タクシー料金が来月から 6 %値上がりします. *aumentar* de precio [de velocidad] 値上がりする[スピードが上がる]. *aumentar* en peso 体重が増える.
au·men·ta·ti·vo, va [aumentatíβo, βa アウメンタティボ, バ] 形 増大の.
— 名男 〘文法〙増大辞 (↔ diminutivo).

【参 考】 **増大辞**: 名詞・形容詞に付いて「大きい, 甚だしい」などの意味を付加する接尾辞. 多くは軽蔑(けいべつ)の意味を持つ.
-acho, cha ⇀ ric*acho* (大金持ちの).
-azo, za ⇀ buen*azo* (お人よしの), boc*aza* (大口).
-ón, ona ⇀ cobard*ón* (小心の), hombr*ón* (大男), mujer*ona* (大女).
ときに縮小辞. ⇀ rat*ón* (ハツカネズミ).
-ote, ta ⇀ amig*ote* (悪友), cabez*ota* (大きな頭), grand*ote* (ばかでかい).
ときに縮小辞. ⇀ isl*ote* (小島).

au·men·to [auménto アウメント] 名男 [複 ~s] 〔英 increase〕 **1** **増加**, 増大. *aumento* de sueldo 賃上げ. ir en *aumento* 増大している. **2** 拡大; 倍率.
— 動 → aumentar.
aun [aun アウン] 副 〔英 even〕
1 **…さえ**, …でも. Te compraría un juguete y *aun* dos. おもちゃを1つ, いいえ2つ買ってあげるわよ. *Aun* en invierno toma helado. 真冬でも彼はアイスクリームを食べる.

2《＋現在分詞・過去分詞》…にもかかわらず. *Aun* siendo gordo, corre rápido. 彼は太ってころころしているのに，脚は速い. Ni *aun* esforzándote mucho, conseguirás tu fin. 君がどんなにあがいても目的を達することはできない. ► この場合の ni は主節の動詞を否定する.
aun así たとえそうだとしても. *Aun así* no lograré convencerle. それでも僕は彼を納得させられないだろう. Ni *aun así* le echaré de menos. たとえそうなっても彼を恋しがることはないわ.
aun cuando [***si***] … ➡ cuando.

a·ún [aún アウン] 副〔英 still, yet〕
1 まだ（＝todavía). *Aún* no tenía diez años, cuando murió su padre. 父親が死んだとき彼はまだ10歳にもなっていなかった（► 否定語の前に置かれる). *Aún* no. まだです. *Aún* queda allí intacto. まだそこに完全な形で残っている. ►todavía の方が口語的.
2《比較級と共に用いて》さらに，なおいっそう. Si te esforzaras, *aún* tocarías mejor el piano. 努力すればもっと上手にピアノが弾けるだろう. otra novela, *aún* más interesante que ésta これよりずっと面白い別の小説.

au·nar [aunár アウナル] [⑥ u ➡ ú] 動 他 (力・心などを) 合わせる. *aunar* esfuerzos 力を合わせる.
—— au·nar·*se* 合体する.

aun·que [auŋke アウンケ] 接続〔英 though〕
1 …だが，…にもかかわらず，…とはいえ. *Aunque* llovía, hicieron la excursión. 雨が降っていたが彼らはハイキングを決行した.
2 たとえ…でも，…かもしれないが. *Aunque* fuera verdad, nadie lo creería. たとえそれが本当でも誰も信じないだろう.
3《追加・補足的に主節の後ろに置いて》もっとも…だが. No es tonto, *aunque* lo parece. 彼はばかではない，そう見えるかもしれないが. ► pero（しかし）に近い意味だが厳密には同義でない. ⇒ Es joven, *aunque* calvo. はげてはいるが彼は若い. Es joven, *pero* calvo. 彼は若いのにはげている.

【文　法】 aunque の後の動詞の法・時制
1 現実のこと，確実度の高いことを述べるときは直説法.
Aunque *tiene* que ir a pie, irá. 徒歩で行かなければならないが，彼は行くだろう（► 「徒歩で行く」ということは事実).
Aunque *tendrá* que ir a pie, irá. 徒歩で行かなければならないだろうが，彼は行くだろう（► 「徒歩で行く」という確実度が高い).
2 仮定的なこと，事実に反することを述べるときは接続法.
(1)《＋接続法現在形》
Aunque *tenga* que ir a pie, irá. たとえ徒歩で行かなければならないとしても，彼は行くだろう（► 現実に「徒歩で行く」かどうかに関係なく話者の単なる仮定).
(2)《＋接続法過去形》
Aunque *tuviera* que ir a pie, iría. 仮に徒歩で行かなくてはならないとしても，彼は行くだろう（でも，行くかどうかは分からない. ► 現在の事実に反する仮定.）
(3)《＋接続法過去完了形》
Aunque *hubiera tenido* que ir a pie, habría ido. たとえ徒歩で行かなければならなかったとしても，彼は行っただろうに（実際には行かなかった. ► 過去の事実に反する仮定).

¡a·ú·pa! [aúpa アウパ] 間投 それっ；ほら，さあ；《幼児語》抱っこ（して).
de aúpa《口語》すごい，すばらしい；ひどい.

au·par [aupár アウパル] [⑥ u ➡ ú] 動 他《口語》**1**（子供などを）抱き上げる. **2** 褒めたてる.
—— au·par·*se*《口語》起き上がる；（地位が）上がる.

au·ra [áura アウラ] 名女 **1**《文語》そよ風，微風. **2** 霊気，オーラ.

áu·re·o, a [áureo, a アウレオ，ア] 形 黄金の；金色の. edad *áurea* 黄金時代.
—— 名男（古代ローマの）金貨.

au·re·o·la [aureóla アウレオラ] 名女
1（聖像などの）後光，輪光.
2 名声，評判. **3**（太陽・月の）光環.

au·rí·cu·la [aurikula アウリクラ] 名女〘解剖〙耳介；（心臓の）心耳.

au·ri·cu·lar [aurikulár アウリクラル] 形 聴覚の；耳状の.
—— 名男 受話器；[〜es] イヤホーン，ヘッドホン.

au·ro·ra [auróra アウロラ] 名女 **1** 夜明け；曙光(しょこう). Despunta [Rompe] la *aurora*. 夜が明け初める. **2** 極光，オーロラ（＝*aurora* polar). **3** 黎明(れいめい)期，初期. **4** [A-]〘ローマ神話〙アウロラ：曙(あけぼの)の女神.

au·sen·cia [ausénθja アウセンシア] 名女 **1** 不在，留守（↔ presencia). **2** 欠勤，欠席. **3** 欠如，不足（＝ falta). **4** 放心，上の空.
brillar por* su *ausencia いないことで目立つ.
en ausencia de《＋uno》〈人〉のいない所で，〈人〉のいないうちに.

au·sen·tar·*se* [ausentárse アウセンタルセ] 動 いなくなる；（家・土地を）離れる；留守にする，欠席[欠勤]する.

au·sen·te [ausénte アウセンテ] [複 〜s] 形〔英 absent〕 **1 不在の，留守の；欠**

A

席[欠勤]した (↔ presente). Está *ausente* de Madrid. 彼は今マドリードにはいない. **2** 欠如した. **3** 放心した.
── 名男女 不在者, 欠席[欠勤]者.

aus·pi·cio [auspíθjo アウスピしオ] 名男 [普通 ~s] **1** 前兆, 前触れ. con buenos *auspicios* さい先よく. **2** 庇護(ひご), 援助. bajo los *auspicios* de ... …の後援で.

aus·te·ri·dad [austeriðáð アウステリダ(ドゥ)] 名女 **1** 厳しさ, 厳格. **2** 質素, 簡素.

aus·te·ro, ra [austéro, ra アウステロ, ラ] 形 **1** 厳しい, 厳格な. **2** 質素な, 簡素な.

aus·tral [austrál アウストゥラる] 形 南極の, 南半球の.

Aus·tra·lia [austrálja アウストゥラリア] 固名 オーストラリア: 首都 Canberra.

aus·tra·lia·no, na [australjáno, na アウストゥラリアノ, ナ] 形 オーストラリアの.
── 名男女 オーストラリア人.

Aus·tria [áustrja アウストゥリア] 固名 オーストリア (共和国): 首都 Viena.

aus·tria·co, ca [austrjáko, ka アウストゥリアコ, カ] / **aus·trí·a·co, ca** [-tríako, ka -トゥリアコ, カ] 形 オーストリアの.
── 名男女 オーストリア人.

au·tar·quí·a [autarkía アウタルキア] 名女 **1** 自給自足, 経済的自立.
2 専制[独裁]政治・国家.

au·tén·ti·ca·men·te [auténtikaménte アウテンティカメンテ] 副 本当に.

au·ten·ti·ci·dad [autentiθiðáð アウテンティしダ(ドゥ)] 名女 真正; 確実性, 信頼性.

au·tén·ti·co, ca [auténtiko, ka アウテンティコ, カ] 形 真正の, 本物の (↔ falso). joya *auténtica* 本物の宝石. gitano *auténtico* 生粋のジプシー. firma *auténtica* 自筆の署名.

au·tis·mo [autísmo アウティスモ] 名男 《医》自閉症.

au·to [áuto アウト] 名男 [複 ~s] **1** [automóvil の省略形] 〔英 auto〕《口語》**自動車**, 車 (= coche).
2 《法律》判決, 審判; [~s] 訴訟記録.
3 アウト: 小宗教劇.
auto de comparecencia 召喚状, 出頭命令.
auto de fe 宗教裁判所の死刑判決; 焚書(ふんしょ).
auto de procesamiento 起訴状.

auto- 「自」の意を表す造語要素. ⇒ *auto*nomía, *auto*pista など.

au·to·bio·gra·fí·a [autoβjoɣrafía アウトビオグラフィア] 名女 自(叙)伝.

au·to·bom·bo [autoβómbo アウトボンボ] 名男 自慢, 自画自賛.

au·to·bús [autoβús アウトブス] 名男 [複 autobuses] 〔英 bus〕 **バス**. Fuimos en *autobús* hasta la estación. 我々は駅までバスで行った. subir al *autobús* バスに乗る. bajar(se) del *autobús* バスを降りる. parada de *autobús* バス停留所. *autobús* de línea 路線バス. ► メキシコでは camión という.

au·to·car [autokár アウトカル] 名男 長距離バス, 観光バス.

au·to·cra·cia [autokráθja アウトクラしア] 名女 専制政治, 独裁制.

au·tó·cra·ta [autókrata アウトクラタ] 名男女 専制君主, 独裁者.

au·to·crí·ti·ca [autokrítika アウトクリティカ] 名女 自己批判.

au·tóc·to·no, na [autóktono, na アウトクトノ, ナ] 形 土着の, 先住の (= indígena).
── 名男女 先住民, 土着民.

au·to·de·ter·mi·na·ción [autoðeterminaθjón アウトデテルミナしオン] 名女 民族自決 (権); 自主的決定.

au·to·di·dac·ta [autoðiðákta アウトディダクタ] 形 独学の.
── 名男女 独学者. ► スペインのアカデミアは男性形 autodidacto を認めているが, 実際は男女とも *autodidacta* で用いられる場合が多い.

au·to·es·cue·la [autoeskwéla アウトエスクエら] 名女 自動車教習所.

au·to·ges·tión [autoxestjón アウトヘスティオン] 名女 自主管理.

au·to·go·ber·nar·*se* [autoɣoβernárse アウトゴベルナルセ] 自主管理する; 自動制御する.

au·tó·gra·fo, fa [autóɣrafo, fa アウトグラフォ, ファ] 形 自署の, 自筆の.
── 名男 自署, 自筆原稿. pedir un *autógrafo* サインを求める.

au·tó·ma·ta [autómata アウトマタ] 名男 自動機械[装置], ロボット.

au·to·má·ti·co, ca [automátiko, ka アウトマティコ, カ] 形 **1** 自動の, 自動式の. cierre *automático* 自動ロック. regulación *automática* 自動調節.
2 機械的な; 反射的な. reacciones *automáticas* 無意識的な反応.
── 名男 《服飾》スナップ.

au·to·ma·tis·mo [automatísmo アウトマティスモ] 名男 自動作用, 自動性; 無意識的行為.

au·to·ma·ti·zar [automatiθár アウトマティさル] [39 z → c] 動他 自動化する, オートメーション化する.

au·to·mo·tor, to·ra [automotór, tóra アウトモトル, トラ] 形 自動 (推進) の, 原動機付きの. ── 名男 気動車.

au·to·mó·vil [automóβil アウトモビる] 名男 自動車. ► スペインでは普通 coche, 中南米では carro, coche を用いる. ➡次ページ図.
── 形 自動推進の.

au·to·mo·vi·lis·mo [automoβilísmo アウトモビリスモ] 名男 自動車のドライブ; カーレース. ► ラリーは rallye.

au·to·mo·vi·lis·ta [automoβilísta アウトモビリスタ] 形 自動車の.

―― 名男女 自動車運転者，ドライバー；レーサー．

au·to·no·mí·a [autonomía アウトノミア] 名女 **1** 自治(権)，自治体；自主(性)．
2 走行[航続]距離．

au·to·nó·mi·co, ca [autonómiko, ka アウトノミコ] 形 自治の；自主の．

au·tó·no·mo, ma [autónomo, ma アウトノモ，マ] 形 **1** 自治の，自治権のある；自治州の．➡次ページ【参考】図．
2 自営の．
3 自主的な，自律的な．Su decisión es *autónoma*. 彼の決断は自主的なものだ．

au·to·pis·ta [autopísta アウトピスタ] 名女 高速道路，自動車専用道路．*autopista* de peaje 有料道路．

au·top·sia [autó*p*sja アウトプシア] 名女 〘法律〙死体解剖，検死．

au·tor, to·ra [autór, tóra アウトル，トラ] 名男女 [複男 ～es，女 ～s] 〔英 author〕 **1 著者，作者**．¿Quién es el *autor* de este libro? この本の著者は誰ですか？➡ escritor.
2 犯人，張本人．*autor* del robo 盗みを働いた男．
3 発見者，考案者．

au·to·ri·dad [autoriðáð アウトリダ(ドゥ)] 名女 [複 ～es] 〔英 authority〕 **1 権力**，権限，権能．*autoridad* estatal 国家権力．*autoridad* paterna 父権．con plena *autoridad* 全権限をもって．por su propia *autoridad* 自分の一存で．abusar de su *autoridad* 職権を乱用する．
2 権威；権威者，大家．tener *autoridad* sobre sus empleados 従業員ににらみがきく．Es una *autoridad* en lengua. 彼は言語の大家だ．ser de mucha [gran] *autoridad* 大変な権威である．
3 当局，その筋；官庁；警察（＝ *autoridad* policial）；[～es] 官吏，役人．*autoridad* gubernativa [judicial,militar] 政府[司法，軍]当局．entregarse a la *autoridad* 自首する．llamar a la *autoridad* 警察を呼ぶ．
4 典拠，出典．

au·to·ri·ta·rio, ria [autoritárjo, rja アウトリタリオ，リア] 形 権威主義的な；独裁的な．
―― 名男女 権威主義者；独裁主義者．

au·to·ri·ta·ris·mo [autoritarísmo アウトリタリスモ] 名男 権威主義；横暴．

au·to·ri·za·ción [autoriθaθjón アウトリさしオン] 名女 許可，認可；許可[認可]証（＝ permiso）．pedir [conceder] *autorización* para ... …の許可を求める[与える]．

au·to·ri·zar [autoriθár アウトリさル] [39 z ➡ c] 動他 **1** 許可する，認可する．*autorizar* una manifestación デモを許可する．
2 権威を与える，力を授ける．Su situación no le *autoriza* a tomar tal actitud. 彼の立場ではそうした態度はとれない．
3 公証する．
4 重みを添える．El rector *autorizó* la reunión con su presencia. 学長の出席でその会議も箔(はく)がついた．

au·to·rre·tra·to [autor̄etráto アウトレトゥラト] 名男 自画像．

au·to·ser·vi·cio [autoserβíθjo アウトセルビしオ] 名男 セルフサービス．

au·tos·top [autostó*p* アウトスト(プ)] 名男 ヒッチハイク．

au·tos·to·pis·ta [autostopísta アウトストピスタ] 名男女 ヒッチハイカー．

au·to·ví·a [autoβía アウトビア] 名女 幹線道路，高速道路．
―― 名男 〘鉄道〙気動車，ディーゼルカー．

au·xi·liar [au*k*siljár アウクシリアル] 形 補助の，補佐の．personal *auxiliar* 補助要員．
―― 名男女 補助員，助手；(下級の) 役人．*auxiliar* de contabilidad 会計見習い．

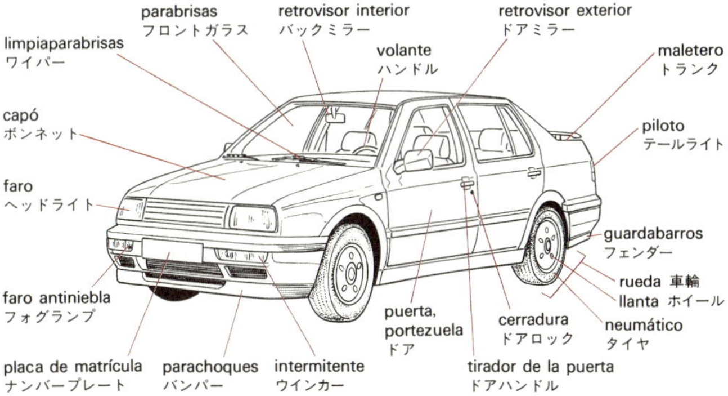

automóvil 自動車

A

auxiliar de vuelo (飛行機の) 客室係.
── 名男 〘文法〙 助動詞 (= verbo *auxiliar*). ⇨ 文法用語の解説.

au·xi·lio [auksíljo アウクシリオ] 名男 援助, 補助; 救護. con el *auxilio* de ... …に助けられて. dar [prestar] *auxilio* a 《+uno》〈人〉を助ける. en *auxilio* de ... …を助けるために[の]. pedir *auxilio* 助けを求める. primeros *auxilios* 〘医〙 応急手当. ¡*Auxilio*! 誰か助けて.
auxilio en carretera ハイウエー巡回サービス.

a·va·lan·cha [aβalántʃa アバランチャ] 名女 **1** 雪崩. **2** 殺到.

a·van·ce [aβánθe アバンセ] 名男 **1** 前進; 進歩, 発展. *avance* de programa スケジュール表. **2** 暗示. **3** (テレビの) ニュース予告; (映画の) 予告編. **4** 前渡し金, 前払い; 予算; 〘商業〙 収支勘定.

avance(-) / avancé(-) 動 → avanzar. [39 z → c]

a·van·za·da [aβanθáða アバンサダ] 名女 〘軍事〙 前哨(ぜんしょう); 前衛(派).

a·van·zar [aβanθár アバンサル] [39 z → c] 動自 〔英 advance〕 **1 前進する** (= adelantar). La procesión *avanza* lentamente por la calle. 行列はゆっくりと通りを行進する.
2 進歩する, 進む. La tecnología *avanza* cada día. 科学技術は日に日に進歩して

【参 考】 **Comunidades Autónomas** スペインの自治州の行政機関:
Junta de Andalucía アンダルシア評議会, Principado de Asturias アストゥリアス自治州, Diputación General de Aragón アラゴン自治政府, Comunidad Autónoma y Gobierno de las Islas Baleares バレアレス諸島自治政府, Comunidad Autónoma de las Islas Canarias カナリア諸島自治政府, Diputación Regional de Cantabria カンタブリア自治政府, Junta de Comunidades de Castilla-La Mancha カスティーリャ・ラ・マンチャ評議会, Junta de Castilla y León カスティーリャ・レオン評議会, Generalitat de Catalunya カタルーニャ自治政府, Generalitat Valenciana バレンシア自治政府, Junta de Extremadura エストレマドゥーラ評議会, Xunta de Galicia ガリシア評議会, Comunidad de Madrid マドリード自治州, Comunidad Autónoma de la Región de Murcia ムルシア自治政府, Gobierno de Navarra ナバラ州政府, Comunidad Autónoma de La Rioja ラ・リオハ自治政府, Gobierno Vasco バスク自治州.

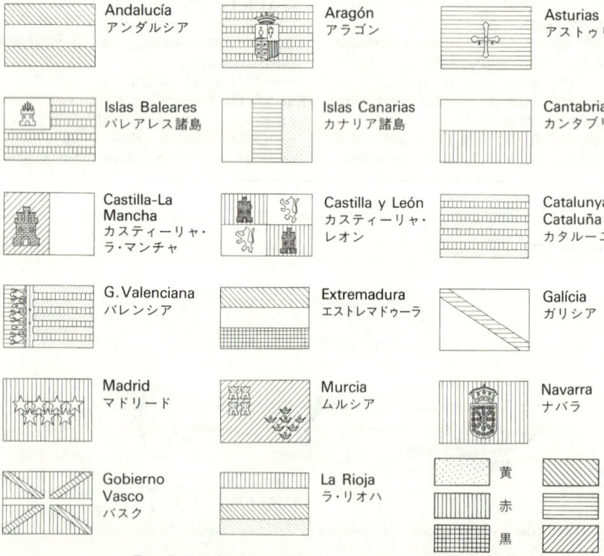

Banderas de comunidades autónomas 自治州の旗

いる. *Ha avanzado* mucho en los estudios. 彼は勉強の成果がずいぶん上がった. país *avanzado* 先進国. tecnología altamente *avanzada* 先端技術. estado muy *avanzado* かなり進行した段階. ideas *avanzadas*革新思想.

3 経過する. *avanzado* de [en] edad 高齢の. hora muy *avanzada* de la noche 深夜.

── 動他 前進させる, 前に出す. *Avanzó* sus manos hacia mi cara. 彼は私の顔の方に手をのばした. *avanzar* la tropa 軍を進める. *avanzar* la silla 椅子を前に進める.

a·va·ri·cia [aβaríθja アバリしア] 名女 強欲, 貪欲(どんよく).

con avaricia 極度に.

a·va·ri·cio·so, sa [aβariθjóso, sa アバリしオソ, サ] / **a·va·rien·to, ta** [-rjénto, ta -リエント, タ] 形 欲深い; けちな.

── 名男女 欲張り; けち.

a·va·ro, ra [aβáro, ra アバロ, ラ] 形 貪欲(どんよく)な, 欲張りな, けちな. *avaro* de palabras 口数の少ない. *avaro* de alabanzas 容易に人を褒めない.

── 名男女 貪欲な人, 欲張り, けち.

a·va·sa·llar [aβasaʎár アバサリャル] 動他 服従させる; 支配する.

a·va·tar [aβatár アバタル] 名男 [～es] 変遷, 栄枯盛衰. los *avatares* de la vida 人生の浮沈.

a·ve [áβe アベ] 名女 [el *ave*] 鳥; [～s] 鳥類. *ave* canora [cantora] 鳴禽(めいきん). *ave* de corral 家禽. *ave* de paso 渡り鳥; 流れ者. *ave* de presa [de rapiña] 猛禽; かっ払い, いかさま師. *ave* nocturna 夜鳥; 宵っ張りの人. *ave* tonta 間抜け, のろま. ➡ pájaro.

ave de mal agüero 縁起の悪い人.

AVE [áβe アベ] 名男 《略》 *A*lta *V*elocidad *E*spañola. (スペインの) 新幹線.

a·ve·cin·dar [aβeθindár アベしンダル] 動他 定住させる.

── **a·ve·cin·dar·*se*** 定住する.

a·ve·lla·na [aβeʎána アベリャナ] 名女 〖植物〗ハシバミの実, ヘイゼルナッツ.

a·ve·lla·no [aβeʎáno アベリャノ] 名男 〖植物〗ハシバミ (榛) の木.

a·ve·ma·rí·a [aβemaría アベマリア] 名女 〖カトリック〗アベマリア (の祈り); ロザリオの小玉.

al avemaría 夕暮れに.

en un avemaría 《口語》 瞬く間に, たちまち.

saber 《+algo》 ***como el avemaría*** 〈何か〉に精通している.

a·ve·nen·cia [aβenénθja アベネンしア] 名女 同意, 合意; 和解.

a·ve·ni·da [aβeníða アベニダ] 名女 **1** 大通り; 並木道. ir por la *Avenida* de Reina Victoria レイナ・ビクトリア通りを行く. ➡ calle 【参考】.

2 増水, 氾濫(はんらん); 《比喩》 殺到, たくさんの人[物].

a·ve·ni·do, da [aβeníðo, ða アベニド, ダ] 過分 形 bien [mal] *avenido* 仲が良い[悪い]; 満足している[いない].

a·ve·nir [aβenír アベニル] 59 動他 [現分 aviniendo] 合意させる; 和解させる.

── 動自 起こる, 生じる (= suceder).

► 3人称のみに活用.

── **a·ve·nir·*se*** **1** 合意する. *avenirse* en el precio 値段で折り合う.

2 和解する, 協調する. Es un viejo de mal genio. No *se aviene* con nadie. 気難しい老人だ. 誰ともうまくいかない.

3 適応する, 順応する. **4** 調和する.

avenirse a razones 道理に従う.

de buen [***mal***] ***avenir*** 協調性のある[ない].

a·ven·ta·ja·do, da [aβentaxáðo, ða アベンタハド, ダ] 過分 形 ぬきんでた, 優れた.

a·ven·ta·jar [aβentaxár アベンタハル] 動他 勝る; 追い抜く; 先を行く. En la comida española ningún cocinero le *aventaja* a Carlos. スペイン料理にかけてはカルロスをしのぐコックはいない.

── **a·ven·ta·jar·*se*** 先んずる; 抜きんでる.

a·ven·tar [aβentár アベンタル] [42 e ➡ ie] 動他 **1** (風が) 吹き飛ばす.

2 風にさらす; 〖農業〗(穀物を) 吹き分ける.

── **a·ven·tar·*se*** **1** 風をはらむ.

2 逃げ出す.

a·ven·tu·ra [aβentúra アベントゥラ] 名女 [複 ～s] 〔英 adventure〕 **1** **冒険**, 異常な体験[出来事]; 危険. en busca de *aventuras* 冒険を求めて. correr muchas *aventuras* en el viaje 旅行でさまざまな体験をする. embarcarse en una *aventura* [en *aventuras*] 危険なことに手を出す. novela de *aventuras* 冒険小説.

2 情事, アバンチュール.

a la aventura 行き当たりばったりに.

a·ven·tu·rar [aβenturár アベントゥラル] 動他 **1** 賭(か)ける. *aventurar* su vida (自分の) 命を賭ける. **2** 思いきって言う.

── **a·ven·tu·rar·*se*** 危険を冒す, 思いきってする; 《+**a** 不定詞》 あえて…する.

El que no se aventura no pasa la mar. 《諺》 危険を冒さないと海は渡れない (虎穴(こけつ)に入らずんば虎児を得ず).

a·ven·tu·re·ro, ra [aβenturéro, ra アベントゥレロ, ラ] 形 冒険好きの, 大胆な.

── 名男女 冒険家; 命知らず.

a·ver·gon·zar [aβerɣonθár アベルゴンさル] [18 o ➡ üe ; 39 z ➡ c] 動他 恥をかかせる.

── **a·ver·gon·zar·*se*** 《+**de, por**》 恥ずかしく思う. No *me avergüenzo de* haberme comportado así. 私はあのように振る舞ったことを恥ずかしいとは思わない.

a·ve·rí·a [aβería アベリア] 名女 **1** 故障,

A

破損. Llevé mi coche al taller para que reparasen la *avería*. 私は故障を直してもらうために車を修理工場に持っていった.
2〘商業〙損傷;〘海事〙海損. *avería gruesa* 共同海損.

a·ve·riar [aβerjár アベリアル] 23 動他 **1** 故障を起こさせる.
2 損害を与える.
—— **a·ve·riar·*se*** 故障する, 破損する.

a·ve·ri·guar [aβeriɣwár アベリグアル] [7 gu → gü] 動他 調査する; 確認する. *averiguar* en el diccionario 辞書で調べる. Van a *averiguar* la causa de su muerte. いずれ彼の死因の究明が行われるだろう.

a·ver·sión [aβersjón アベルシオン] 名女 嫌悪; 反感. sentir *aversión* por ... …を毛嫌いする. cobrar [coger, tomar] *aversión* a《+uno》〈人〉に嫌悪[反感]を抱く.

a·ves·truz [aβestrúθ アベストゥルす] 名男 [複 avestruces]〘鳥〙ダチョウ(駝鳥).

a·via·ción [aβjaθjón アビアしオン] 名女 **1** 航空, 飛行(術). *aviación* civil 民間航空. **2**〘軍事〙空軍.

a·via·dor, do·ra [aβjaðór, ðóra アビアドル, ドラ] 名男女 飛行士, パイロット(= piloto).

a·viar [aβjár アビアル] [23 i → í] 動他 **1** 準備する. *aviar* una comida 食事の支度をする. **2** 整理する, 整頓(せいとん)する.
3《+de》…を供給する, 調達する.
—— **a·viar·*se*** **1** 身支度をする.
2 何とかする. **3**《口語》急ぐ.

a·ví·co·la [aβíkola アビコら] 形 家禽(かきん)飼育の.

a·vi·cul·tu·ra [aβikultúra アビクるトゥラ] 名女 家禽(かきん)飼育.

a·vi·dez [aβiðéθ アビデす] 名女 貪欲(どんよく); 切望. con *avidez* むさぼるように.

á·vi·do, da [áβiðo, ða アビド, ダ] 形 貪欲(どんよく)な;《+de》…を切望する. con los ojos *ávidos* 物欲しげな目で.

a·vie·so, sa [aβjéso, sa アビエソ, サ] 形 曲がった, よじれた; 邪悪な.

Á·vi·la [áβila アビら] 固名 アビラ: スペイン中西部の県; 県都.

a·ví·o [aβío アビオ] 名男 **1** 準備, 用意.
2 [〜s] 用具, 道具. *avíos* de coser 裁縫道具.
¡Al avío!《口語》さあ始めよう.

a·vión [aβjón アビオン] 名男 [複 aviones]〔英 airplane〕**飛行機**. ir [viajar] en *avión* 飛行機で行く[旅行する]. enviar por *avión* 航空便で送る. *avión* a reacción [de propulsión a chorro] ジェット機. *avión supersónico* 超音速機. *avión* de carga 貨物機. *avión* de bombardeo 爆撃機. *avión* de caza 戦闘機.

a·vio·ne·ta [aβjonéta アビオネタ] 名女 軽飛行機.

a·vi·sa·do, da [aβisáðo, ða アビサド, ダ] 過分 形 思慮深い, 慎重な. mal *avisado* 思慮のない.

a·vi·sar [aβisár アビサル] 動他〔英 inform〕**1** **知らせる, 通知する**;《+que 接続法》…するように知らせる. Me *avisaron* por telex la hora de su llegada. 彼らはテレックスで到着時間を私に知らせてきた. Le *avisé que* no hacía falta asistir a la próxima reunión. 私は彼に次の会合には出席する必要がないと知らせた. Me *avi-*

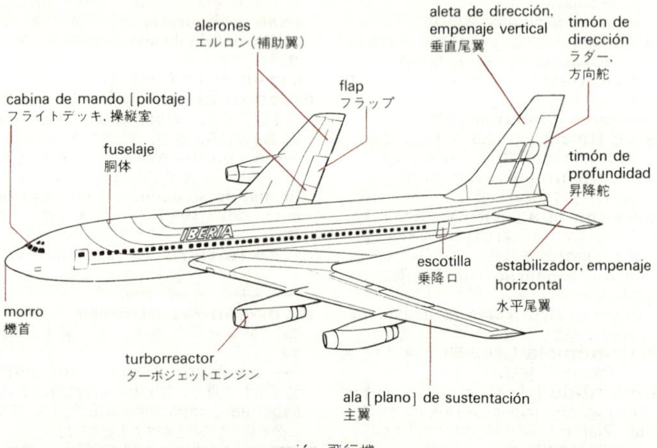

avión 飛行機

saron que fuera directamente al despacho del director. 所長の部屋に直接行くようにと私は言われた. ► しばしば直接目的語が省かれる. ⇀ Decidió no *avisar* a la policía. 彼は警察には届けないでおこうと決めた.
2 呼ぶ, 来るようにいう. *avisar* al médico 医者を呼ぶ.

a·vi·so [aβíso アビソ] 名男 警告, 注意; 通知; 予告. Le dieron un *aviso* por su desobediencia. 彼は言うことを聞かないので注意を受けた. poner un *aviso* en público 一般に公表する. *aviso* por escrito 書面による通達.
—— 動 → avisar.
andar* [*estar*] *sobre aviso あらかじめ知っている, 警戒している.
hasta nuevo aviso 追って通知があるまで.
poner a 《＋uno》 ***sobre aviso*** 〈人〉に前もって知らせる, 警戒させる.
salvo aviso en contrario 別途に通知のない限り.
sin* (*previo*) *aviso 予告なしに; 無警告で. Le han trasladado *sin* el menor *aviso*. 彼はなんの予告もなしに転勤になった.

a·vis·pa [aβíspa アビスパ] 名女 〘昆虫〙 スズメバチ (雀蜂).

a·vis·pa·do, da [aβispáðo, ða アビスパド, ダ] 過分 形 《口語》 利口な; 悪賢い.

a·vis·par [aβispár アビスパル] 動他
1 (馬に) 拍車をかける, 鞭(むち)を当てる.
2 元気にさせる. **3** 知恵をつける.
—— ***a·vis·par·se*** 知恵がつく, 利口になる.

a·vis·pe·ro [aβispéro アビスペロ] 名男
1 スズメバチの巣; ハチの群れ.
2 厄介, ごたごた. meterse en un *avispero* 面倒なことに足を突っ込む.

a·vi·ta·mi·no·sis [aβitaminósis アビタミノシス] 名女 [単・複同形] 〘医〙 ビタミン欠乏症.

a·vi·var [aβiβár アビバル] 動他 活気づける; 募らせる. *avivar* los deseos 欲望をあおる. *avivar* el fuego 火勢を強める. *avivar* la disputa 議論を盛り上げる.
—— 動自 ***a·vi·var·se*** 活気づく, 生気を取り戻す.
¡Avívate! 《口語》 ぐずぐずするな; しっかりしろ.

a·vi·zor [aβiθór アビソル] 形 ***ojo avizor*** 《副詞句》 警戒して, 見張って.

a·vi·zo·rar [aβiθorár アビソラル] 動他 見張る, うかがう (＝acechar).

a·xi·la [aksíla アクシら] 名女 **1** 腋(わき)の下. → cuerpo 図. **2** 〘植物〙 葉腋(ようえき).

a·xio·ma [aksjóma アクシオマ] 名男 〘数〙〘論理〙 公理; 自明の理.

¡ay! [ái アイ] 間投 〔英 ouch, oh〕
《苦痛・悲嘆・驚きを表して》 **ああ**. ¡*Ay*! Me he cortado. 痛っ, 切っちゃった! ¡*Ay* de mí! ああ! ¡*Ay*! Se me olvidó. あっ, 忘れちゃった! ¡*Ay*! ¡Qué susto me has dado! ああびっくりした! ¡*Ay*, Dios mío! こいつは驚いた!; ちぇっ!, ちくしょう!
—— 名男 [複 ayes] 嘆き, うめき. *ayes* de dolor 苦痛のうめき声.

A·ya·cu·cho [ajakútʃo アヤクチョ] 固名 アヤクチョ: ペルー Perú 南部の県; 県都.
◆1824年 Sucre 将軍の率いる独立軍がスペイン軍を敗った戦場.

a·yer [ajér アイエル] 副 〔英 yesterday〕
1 きのう, 昨日. *Ayer* llovió mucho. きのうは大雨だった. *ayer* por la mañana きのうの朝. Lo recuerdo como si fuera *ayer*. きのうのことのように憶えている. No es cosa de *ayer*. それはきのう今日始まったことではない. ► 「きょう」は hoy, 「あす」は mañana. → día 【参考】.
2 過去, 以前. En su mente permanece viva la imagen de la Argentina de *ayer*. 彼の心には過去のアルゼンチンの面影があざやかに生き続けている.
antes de ayer おととい (＝anteayer).
de ayer a hoy* / *de ayer acá 短期間に. Lo que va *de ayer a hoy*. 世の中の移り変わりのなんと早いことか.

a·yo, ya [ájo, ja アヨ, ヤ] 名男女 養育係.

a·yu·da [ajúða アユダ] 名女 [複 ～s]
〔英 aid, help〕 **1 助力, 援助**. acudir en *ayuda* de … …の救援に駆けつける. con *ayuda* de … …の助けを借りて. prestar *ayuda* 手伝う. *ayuda* estatal 国庫補助 (金). centro de *ayuda* 救援センター.
2 浣腸(かんちょう)器[剤].
—— 名男 従者, 召し使い. *ayuda* de cámara 従僕.
—— 動 → ayudar.

ayudado, da 過分 → ayudar.

ayudando 現分 → ayudar.

a·yu·dan·te [ajuðánte アユダンテ] 名男女 助手, 手伝い. *ayudante* de laboratorio 実験助手. *ayudante* de operador 〘映画〙 撮影助手. *ayudante* de peluquería 見習い理容師.

a·yu·dar [ajuðár アユダル] 動他 [現分 ayudando ; 過分 ayudado,da] 〔英 help〕
手伝う, 助ける, 役に立つ; 《**＋a 不定詞**》 **…するのを手伝う**; 助長する. ¿Quieres *ayudar*me? 手伝ってくれないか? Aquella señora me *ayudó a* encontrar la farmacia. あの婦人のおかげで私は薬局を見つけることができた.
—— ***a·yu·dar·se*** 助け合う. *ayudarse* uno a otro 互いに助け合う.

a·yu·nar [ajunár アユナル] 動自 断食する, 絶食する.

a·yu·no, na [ajúno, na アユノ, ナ] 形 **1** 絶食している, 断食している. **2** 欠けている;

A

分かっていない，知らない．estar en *ayunas* 朝食を取っていない，何も食べていない；何も知らない．
── 名男 断食．guardar *ayuno* 断食する．

a·yun·ta·mien·to [ajuntamjénto アユンタミエント] 名男 [複 ～s]〔英 town hall〕
1 **市役所**；市庁舎；市（当局）．
2 市[町，村]議会．

a·za·ba·che [aθaβátʃe アさバチェ] 名男 黒玉（炭）．

a·za·da [aθáða アさダ] 名女〘農業〙鍬(くわ)．

a·za·dón [aθaðón アさドン] 名男 [azadaの大]大鍬(ぐわ)．

a·za·fa·ta [aθafáta アさファタ] 名女 [複 ～s]〔英 stewardess〕客室乗務員，**スチュワーデス**，エア[グランド]ホステス；（会議などの）コンパニオン；侍女，女官．

a·za·frán [aθafrán アさフラン] 名男〘植物〙サフラン；濃黄色，サフラン色．

a·za·har [aθaár アさアル] 名男 オレンジ[レモン]の花．◆純潔のシンボルとして新婦の結婚衣装の一部に使う．

a·za·le·a [aθaléa アされア] 名女〘植物〙アザレア．

a·zar [aθár アさル] 名男 **1** 偶然．al *azar* 偶然に；成り行き任せに．*azares* de la vida 人生の浮き沈み．
2 不測の出来事，災難．

a·za·ro·so, sa [aθaróso, sa アさロソ，サ] 形 危険な；不運な．

a·zo·gue [aθóɣe アそゲ] 名男 水銀．
ser un azogue / tener azogue (en las venas) 落ち着きがない．
temblar como el azogue ぶるぶる震える．

a·zor [aθór アそル] 名男〘鳥〙オオタカ．

a·zo·rar [aθorár アそラル] 動他 困惑させる，うろたえさせる．
── **a·zo·rar·*se*** 困惑する，うろたえる．

a·zo·tar [aθotár アそタル] 動他 **1**（鞭(むち)で）打つ；（雨風などが）たたきつける．
2（疫病・天災が）襲う．
azotar el aire 無駄骨を折る．
azotar las calles 街をぶらつく．

a·zo·te [aθóte アそテ] 名男 **1** 鞭(むち)．
2 鞭打ち；尻(しり)をぶつこと；（雨風などが）たたきつけること．**3** 災厄，災難．

a·zo·te·a [aθotéa アそテア] 名女 屋上；平屋根．

az·te·ca [aθtéka―as- アすテカーアス-] 形 アステカ族の，アステカ語の．Imperio *Azteca* アステカ帝国．
── 名男女 アステカ族（の人）．➡ indio【参考】．
── 名男 アステカ語．

a·zú·car [aθúkar アすカル] 名男（または女）[複 (los) azúcares]〔英 sugar〕**砂糖**；糖（類）．echar *azúcar* al café コーヒーに砂糖を入れる．¿Le pongo dos *azúcares*? 砂糖は2つですか（► 物質名詞であるが口語では，角砂糖2つ，2杯のように複数形でも用いられる）．*azúcar* refinado 精製糖．*azúcar* granulado グラニュー糖．*azúcar* moreno [negro] 黒砂糖．*azúcar* cande [candi] 氷砂糖．► 単数形では女性名詞として用いられることもあるが，複数形では常に男性名詞である．⇒ los *azúcares* finos 精白糖．
tener azúcar〘口語〙糖尿病である．

a·zu·ca·ra·do, da [aθukaráðo, ða アすカラド，ダ] 形 **1** 砂糖入りの；甘い．
2 口先のうまい．

a·zu·ca·re·ro, ra [aθukaréro, ra アすカレロ，ラ] 形 砂糖の．
── 名男女 砂糖入れ．➡ vajilla 図．
── 名男 製糖業者．

a·zu·ca·ri·llo [aθukaríʎo アすカリリョ] 名男 アスカリリョ：糖蜜(とうみつ)，卵白，レモン汁を混ぜ合わせたもの．

a·zu·ce·na [aθuθéna アすせナ] 名女〘植物〙シラユリ（白百合）．*azucena* de agua スイレン（睡蓮）．

a·zu·fre [aθúfre アすフレ] 名男〘化〙〘鉱物〙硫黄．flor de *azufre* 硫黄華．

a·zul [aθúl アする] 形 [複 ～es]〔英 blue〕
青い，青色の．Te sienta bien esa corbata *azul*. 君にその青いネクタイがよく似合っているよ．
── 名男 **1** **青**，**ブルー**．*azul* celeste スカイブルー．*azul* (de) cobalto コバルトブルー．*azul* marino ネービーブルー．*azul* oscuro ブルーブラック．
2 青色顔料；藍(あい)染料．

a·zu·la·do, da [aθuláðo, ða アすらド，ダ] 形 青みがかった．

a·zu·le·jo [aθuléxo アすれホ] 名男 化粧[装飾用]タイル．

a·zu·zar [aθuθár アすさル] [39 z ➡ c] 動他 **1**（犬を）けしかける．
2 あおり立てる．

B b *B b*

B

B, b [bé ベ] 名女 スペイン語字母の第２字.

ba·ba [báβa ババ] 名女 よだれ, 唾液(だえき); (カタツムリなどの)粘液.
caerse a 《＋uno》 ***la baba*** 〈人〉がうっとりする; 溺愛(できあい)する. *A mí se me cae la baba* con mi nieto. 私は孫がかわいくてたまらない.
con mala baba 悪意で, 意地悪く.

ba·be·ar [baβeár バベアル] 動自 よだれを垂らす.

Ba·bel [baβél バベる] 固名 〔聖書〕バベル: 古代バビロニアの都市. Torre de *Babel* 〔聖書〕バベルの塔.
── 名男 (または女) [b-] 大混乱 (の場), 無秩序.

ba·be·ro [baβéro バベロ] 名男 **1** よだれ掛け. **2** (子供の) 上っ張り, スモック.

Ba·bia [báβja バビア]
estar en Babia 《口語》上の空である.

ba·bie·ca [baβjéka バビエカ] 形 《口語》間抜けな, とんまな.
── 名男女 《口語》薄のろ, 間抜け.

ba·bi·lla [baβíʎa バビリャ] 名女 **1** (四足獣の) 後ろ膝(ひざ)関節, 膝蓋(しつがい)骨.
2 牛の内腿肉(ももにく).

Ba·bi·lo·nia [baβilónja バビろニア] 固名 〔歴史〕(アジア南西部の) バビロニア (王国); (バビロニア王国の首都) バビロン.

ba·ble [báβle バブれ] 名男 スペイン北部 Asturias の方言.

ba·bor [baβór バボル] 名男 〔海事〕左舷(さげん)(↔ estribor). a todo *babor* 《号令》取り舵(かじ)一杯.

ba·bo·se·ar [baβoseár バボセアル] 動他 よだれで汚す.

ba·bo·so, sa [baβóso, sa バボソ, サ] 形 よだれを垂らす; 間抜けな.
── 名男女 よだれをたらす人; 《口語》はな垂れ.

ba·ca [báka バカ] 名女 (車の屋根上の) 荷台, ラック.

ba·ca·la·de·ro, ra [bakalaðéro, ra バカらデロ, ラ] 形 タラ漁の.
── 名男 タラ漁船.

ba·ca·la·o [bakaláo バカらオ] 名男 〔魚〕タラ (鱈).
cortar [***partir***] ***el bacalao*** 《口語》采配(さいはい)を振る.

ba·ca·nal [bakanál バカナる] 形 酒神 Baco の.
── 名女 (飲めや歌えの) ばか騒ぎ.

ba·ca·rá [bakará バカラ] / **ba·ca·rrá** [-r̄á -ラ] 名男 (トランプ) バカラ: トランプ賭博(とばく).

ba·che [bátʃe バチェ] 名男 **1** (路面の) 穴, くぼみ; 〔航空〕エアポケット. **2** 窮地, 難局; 不調. *baches* de la vida 世の憂き目. *bache* económico 経済の不振.

ba·chi·ller [batʃiʎér バチリェル] 名男女 中等教育課程修了者.

ba·chi·lle·ra·to [batʃiʎeráto バチリェラト] 名男 中等教育課程 (修了証書). ► 日本の中学・高校に相当する.

ba·ci·lo [baθílo バしろ] 名男 〔医〕バチルス, 桿菌(かんきん).

Ba·co [báko バコ] 固名 〔ローマ神話〕バッカス, 酒神: ギリシア神話の Dionisos.

ba·con [bákon バコン] 名男 〔料理〕ベーコン. [←英語]

bac·te·ria [baktérja バクテリア] 名女 バクテリア.

bac·te·ri·ci·da [bakteriθíða バクテリしダ] 形 殺菌 (性) の.
── 名男 殺菌剤.

bac·te·rio·lo·gí·a [bakterjoloxía バクテリオろヒア] 名女 細菌学.

bá·cu·lo [bákulo バクろ] 名男 **1** ステッキ, 杖(つえ). *báculo* pastoral 牧杖(ぼくじょう), 司教杖.
2 支え. *báculo* de la vejez 老後の支え.

ba·da·jo [baðáxo バダホ] 名男 (鈴・鐘の) 舌.

Ba·da·joz [baðaxóθ バダホす] 固名 バダホス: スペイン南西部の県; 県都.

ba·da·na [baðána バダナ] 名女 (質の悪い) なめし革.
── 名男女 ぐうたらな人.

ba·dén [baðén バデン] 名男 **1** 雨水の溝.
2 《道路標識》路面のくぼみ, 段差.
3 (歩道上の) 車両出入口 (＝vado).

ba·dil [baðíl バディる] / **ba·di·la** [-la -ら] 名男女 (暖炉・火鉢用の) 火かき棒.

bád·min·ton [báðminton バドゥミントン] 名男 〔スポーツ〕バドミントン. [←英語]

ba·ga·je [baɣáxe バガへ] 名男 〔軍事〕軍用こうり; 荷駄; (旅行) 手荷物.

ba·ga·te·la [baɣatéla バガテら] 名女 つまらないもの, くだらないこと.

¡bah! [bá バ] 間投 《不信・軽蔑・あきらめを表して》ちえっ, へん, ばかばかしい. ¡*Bah*! ¡No me lo creo! へーえ, そいつは信じられないなあ.

ba·hí·a [baía バイア] 名女 入り江, 湾.

bai·la·ble [bailáβle バイらブれ] 形 ダンス向きの. música *bailable* ダンス音楽.
── 名男 ダンス音楽.

bailado 過分 → bailar.
bai·la·dor, do·ra [bailaðór, ðóra バイらドル, ドラ] 形 踊り(好き)の.
—— 名 男 女 舞踊家, ダンサー.
bailando 現分 → bailar.

B

bai·lar [bailár バイらル] 動 自 [現分 bailando ; 過分 bailado]〔英 dance〕
1 踊る, ダンスをする. Mi hija *está bailando* con un joven muy guapo. 娘は今とてもハンサムな青年と踊っている.
2 (喜びなどで) 小躍りする, 跳ね回る; ゆらゆら揺れる. *bailar* como una peonza 独楽(こま)のように回る. Este anillo es muy grande: me *baila* en el dedo. この指輪は大きくて私には合わないわ.
—— 動 他 踊る. La chica *baila* muy bien el tango. その女の子はタンゴがとてもうまい.
bailar al son que tocan 簡単に人に同調する.
bailar con la más fea 《口語》割を食う, ばかを見る.
otro que tal baila 似たり寄ったりのもの.
¡Que me quiten lo bailado! 《口語》誰が何と言おうと事実は事実だ.
bai·la·rín, ri·na [bailarín, rína バイらリン, リナ] 名 男 女 舞踊家, バレーダンサー.
—— 名 女 バレリーナ.
—— 形 踊る.

bai·le [báile バイれ] 名 男 [複 ~s]〔英 dance〕
1 ダンス, 踊り. música de *baile* ダンス音楽. *baile* folklórico 民俗舞踊. *baile* flamenco フラメンコ舞踊. *baile* clásico クラシックバレエ.
2 ダンスパーティー; ダンスホール. Fueron al *baile*. 彼らはダンスパーティーに行った. Organizaron un *baile* en casa de Pedro. ペドロの家で彼らはダンスパーティーを開いた.
—— 動 → bailar.
bai·lo·te·ar [baiioteár バイろテアル] 動 自 踊り狂う; 揺れ動く.
ba·ja [báxa バハ] 名 女 **1** 低下; 下落. *baja* en la cotización del dólar ドル相場の下落.
2 退職; 休職. estar de *baja* por enfermedad 病気休暇中である.
3〔軍事〕損害; 戦死者, 負傷者; 欠員, 空席.
—— 形 女 → bajo[1].
—— 動 → bajar.
dar baja / ir en baja 値打ち[評価]が落ちる; 衰える. Su afición al tenis *va en baja*. 彼のテニス熱は冷めてしまった.
dar de baja a 《+uno》〈人〉を退職させる, 解雇する.
darse de baja 辞める. *Me di de baja* en el club. 私はクラブを辞めた.
ba·ja·da [baxáða バハダ] 名 女 **1** 下落; 降下. Emplearon más tiempo en la *bajada* que en la subida. 彼らは登りよりも下りに時間をかけた. *bajada* del telón〔演劇〕閉幕.
2 下り坂, 傾斜.
—— 過分 女 → bajar.
bajado, da 過分 → bajar.
ba·ja·mar [baxamár バハマル] 名 男 干潮(時), 低潮 (↔ pleamar).
bajando 現分 → bajar.

ba·jar [baxár バハル] 動 自 [現分 bajando ; 過分 bajado, da]〔英 go down〕 **1 降りる**, 下る (↔ subir). *Bajamos* en la próxima parada. 次の停留所で降りるよ. *bajar* del autobús バスを降りる. *bajar* por la escalera 階段を降りる. *bajar* al sótano 地下室に降りる.
2 下がる, 低下する. La temperatura *bajó* a cero grados. 気温は0度に下がった. La gasolina no *ha bajado* tanto como esperábamos. ガソリン (の価格) は期待したほど下がらなかった.
—— 動 他 **1 …を降りる**, 下る. *bajar* la escalera 階段を降りる. *bajar* la cuesta 坂を下る.
2 下げる, 降ろす. *Bajó* el sonido de la televisión para que pudiéramos hablar. 話ができるように彼はテレビの音量を下げた. Las compañías aéreas *han bajado* los precios de viaje. 航空会社は運賃を下げた. *bajar* la vista [la cabeza] 目を伏せる[頭を下げる]. *bajar* la persiana ブラインドを下ろす. *Bája*me esa maleta. そのスーツケースを降ろしてくれ.
3〔コンピュータ〕ダウンロードする: データを自分のコンピュータに取り込む.
——***ba·jar·se*** 《+de》…から降りる. Niño, ¡*bájate de* ahí! こらっ, そこから降りなさい. *bajarse del* tren 電車を降りる.
ba·jel [baxél バヘる] 名 男 《文語》船, 船舶.
ba·je·za [baxéθa バヘさ] 名 女 下品; 卑しい行為; 卑怯(ひきょう); 卑賤(ひせん).
ba·jí·o [baxío バヒオ] 名 男 (砂地の) 浅瀬.

ba·jo[1], ja [báxo, xa バホ, ハ] 形 [複 ~s]〔英 low〕
1 低い, 背の低い; 下方の(↔ alto). En las afueras se encuentran generalmente casas *bajas* de un solo piso o de dos. 郊外では平屋か2階建ての低い家が多い. Es una chica muy *baja*. とても背の低い女の子だ. el piso *bajo* 1階. nubes *bajas* 低くたれ込めた雲.
2 (数値・程度などが) 低い. a *bajo* precio 安い値段で, 廉価の. *baja* temperatura 低温. de *baja* categoría 身分[等級]が下の. de *baja* calidad 品質の悪い. por lo *bajo* こっそりと; 小声で.
3 低地の, 下流の; 後期の. el *bajo* Ebro エブロ川下流域. *Baja* Edad Media 中世後期.
4 下劣な, 下品な.

ba·jo[2] [báxo バホ] 副 低く；小声で. No se puede volar más *bajo*. これ以上低く飛ぶことはできない. Habla más *bajo*. もっと小さな声で話しなさい.
―― 名男 **1** [～または ～s] 1階 (= planta *baja*). **2**〘服飾〙裾(すそ). **3**〘音楽〙低音部；バス歌手.
―― 動 → bajar.

ba·jo[3] [baxo バホ] 前
1 …のもとで. *bajo* el reinado de Fernando VII フェルナンド7世の治世下に. Prohibido fumar *bajo* multa de 1000 pesetas. 禁煙，違反者は1000ペセタの罰金. ► 場所を表す「…の下で」は debajo de を用いる.
2 …以下で. dos grados *bajo* cero 零下2度.

ba·jón [baxón バホン] 名男 [baja の大] (急激な) 低下，悪化；暴落. El enfermo ha dado un *bajón*. 患者は急激に病状が悪化した.

ba·jo·rre·lie·ve [baxor̄eljéβe バホレリエベ] 名男 (彫刻・建築などの) 浅浮き彫り，薄いレリーフ (= bajo relieve).

ba·la [bála バら] 名女 **1** 弾，弾丸. *bala* perdida 流れ弾. **2** 梱(こり)，俵.
bala perdida 《口語》ろくでなし，ごろつき. Su hermano es un *bala perdida*. 彼の兄はろくでなしだ.
como una bala 《口語》鉄砲玉のように.

ba·la·da [baláða バらダ] 名女 **1** バラッド，歌謡詩，物語詩. **2**〘音楽〙バラード.

ba·la·dí [balaðí バらディ] 形 [複 ～es] 取るに足りない.

ba·la·drón, dro·na [balaðrón, ðróna バらドゥロン，ドゥロナ] 形 虚勢を張る.
―― 名男女 はったり屋.

ba·la·dro·na·da [balaðronáða バらドゥロナダ] 名女 虚勢，ほら. decir [soltar] *baladronadas* 空いばりする，強がりを言う.

ba·lan·ce [balánθe バらンせ] 名男
1〘商業〙収支勘定，残高；貸借対照表，バランス・シート.
2 (一連の事件・行動の) 総括，結末.
hacer el balance (***de*** ...) (…の) 在庫調べをする；収支勘定を合わせる.

ba·lan·ce·ar [balanθeár バらンせアル] 動 他 **1** 均衡を保たせる. **2** 揺する，揺り動かす.
―― 動 自 **1** ためらう，動揺する.
2〘海事〙横揺れする.

ba·lan·ce·o [balanθéo バらンせオ] 名男
1 揺れ；〘海事〙横揺れ，ローリング.
2 ためらい，動揺.

ba·lan·cín [balanθín バらンしン] 名男
1 (綱渡りの) バランス棒.
2 シーソー；ロッキングチェアー.
3〘海事〙アウトリガー，舷外(げんがい)浮材.

ba·lan·dra [balándra バらンドゥラ] 名女〘海事〙スループ：1本マストの小型帆船.

ba·lan·dro [balándro バらンドゥロ] 名男〘海事〙小型スループ，ヨット.

bá·la·no [bálano バらノ] / **ba·la·no** [baláno バらノ] 名男〘解剖〙亀頭(きとう).

ba·lan·za [balánθa バらンさ] 名女 **1** 秤(はかり)，天秤(てんびん).
2〘商業〙収支勘定. *balanza* de cuentas 勘定尻(じり). *balanza* de pagos 国際収支.
caer la balanza a ... …の方に傾く.
estar en balanza(***s***) 迷っている；危険な局面にある.
poner en balanza 比較する，秤にかける.

ba·lar [balár バらル] 動 自 (羊・ヤギ・シカなどが) 鳴く. → animal【参考】.

ba·las·to [balásto バらスト] / **ba·las·tro** [-tro -トゥロ] 名男 (線路・舗装用の) バラス，砂利.

ba·laus·tra·da [balaustráða バらウストゥラダ] 名女 (手すり子のある) 手すり，欄干.

ba·laus·tre [baláustre バらウストゥレ] / **ba·la·ús·tre** [-laús- -らウス-] 名男〘建築〙手すり子，バラスター：手すりや欄干を支える小柱.

ba·la·zo [baláθo バらそ] 名男 弾丸の一撃；銃創. morir de un *balazo* 弾丸に当たって死ぬ.

bal·bu·ce·ar [balβuθeár バるブせアル] 動 自 どもる，たどたどしく話す；(幼児が) 片言をいう.

bal·bu·ce·o [balβuθéo バるブせオ] 名男
1 たどたどしい話し方；(幼児の) 片言.
2 発端，端緒.

bal·bu·cir [balβuθír バるブしル] 33 動 自 → balbucear. ► 直説法現在1人称単数および，接続法現在，命令形3人称には活用しない.

Bal·ca·nes [balkánes バるカネス] 固名 Península de los *Balcanes* バルカン半島.

bal·cá·ni·co, ca [balkániko, ka バるカニコ，カ] 形 バルカン半島[諸国]の. Península *Balcánica* バルカン半島.
―― 名男女 バルカン半島の住民.

bal·cón [balkón バるコン] 名男 [複 balcones]〔英 balcony〕 **1 バルコニー**. salir [asomarse] al *balcón* バルコニーに出る[顔を出す]. *balcón* corrido 一続きのバルコニー. → casa 図.
2 展望台，見晴らし台.

bal·da [bálda バるダ] 名女 棚，棚板.

bal·da·quín [baldakín バるダキン] / **bal·da·qui·no** [-kíno -キノ] 名男 飾り天蓋(てんがい).

bal·de [bálde バるデ]
de balde ただで，無料で (= gratis).
en balde 無駄に，むなしく. hacer el trabajo *en balde* 無駄に仕事をする，徒労に終わる.
estar de balde ぶらぶらしている；無用である.

bal·dí·o, a [baldío, a バるディオ，ア] 形 **1** 未開墾の；不毛の. **2** 無駄な，無益な.

esfuerzos *baldíos* 徒労.
—— 名男 不毛の土地, 荒れ地.
bal·dón [baldón バるドン] 名男 侮辱; 不名誉.
bal·do·sa [baldósa バるドサ] 名女 敷石, タイル.
bal·do·sín [baldosín バるドシン] 名男 (床・壁面用の) 小タイル.
ba·le·ar [baleár バれアル] 形 バレアレス (諸島) の.
—— 名男女 バレアレス諸島の住民.
Ba·le·a·res [baleáres バれアレス] 固名 las (Islas) *Baleares* (1)バレアレス諸島: 地中海のスペイン領の諸島; スペインの県. 県都 Palma (de Mallorca). (2)バレアレス (諸島): スペインの自治州 (→ autónomo 図).
ba·li·do [balíðo バリド] 名男 (羊・ヤギ・シカなどの) 鳴き声.
ba·lín [balín バリン] 名男 散弾.
ba·lís·ti·co, ca [balístiko, ka バリスティコ, カ] 形 弾道 (学) の. proyectiles *balísticos* 弾道ミサイル.
—— 名女 弾道学.
ba·li·za [balíθa バリさ] 名女 〔海事〕〔航空〕航路[航空]標識, ビーコン.
ba·lle·na [baʎéna バリェナ] 名女 〔動物〕クジラ (鯨).
ba·lle·ne·ro, ra [baʎenéro, ra バリェネロ, ラ] 形 捕鯨の.
—— 名男 捕鯨者; 捕鯨船.
ba·lles·ta [baʎésta バリェスタ] 名女
1 石弓, 弩(おおゆみ); 投石機.
2 (車両の) スプリング.
ba·llet [balé バれ] 名男 [複 ballets] バレエ; バレエ団. [←フランス語]
bal·ne·a·rio, ria [balneárjo, rja バるネアリオ, リア] 形 温泉の, 湯治の.
—— 名男 温泉; 湯治場, 保養地.
ba·lom·pié [balompjé バろンピエ] 名男 サッカー, フットボール (= fútbol).
ba·lón [balón バろン] 名男 [複 balones] (大型の) ボール; 気球; 風船. *balón* de fútbol サッカーボール. → pelota 【参考】.
balón de oxígeno 酸素バッグ; 援助.
ba·lon·ces·to [balonθésto バろンせスト] 名男 バスケットボール.
ba·lon·ma·no [balommáno バろンマノ] 名男 ハンドボール.
ba·lon·vo·le·a [balomboléa バろンボれア] 名男 バレーボール (= volibol, voleibol).
bal·sa [bálsa バるサ] 名女 いかだ; 渡し船; (ため) 池, 貯水池.
bal·sá·mi·co, ca [balsámiko, ka バるサミコ, カ] 形 バルサムの; 芳香のある.
bál·sa·mo [bálsamo バるサモ] 名男
1 バルサム (薬用・工業用芳香含油樹脂); 〔植物〕(各種の) バルサムの木; バルサム (類) の薬剤; 鎮痛剤.
2 (心の痛手を) 癒(いや)すもの, 慰め.
bál·ti·co, ca [báltiko, ka バるティコ, カ] 形 バルト (沿) 海の, バルト諸国の. el (Mar) *Báltico* バルト海.
ba·luar·te [balwárte バるアルテ] 名男 稜堡(りょうほ), 防塁; 《比喩》砦(とりで); 擁護者.
ba·lu·ma [balúma バるマ] / **ba·lum·ba** [-lúmba -るンバ] 名女 山積; 散乱.
bam·ba·li·na [bambalína バンバリナ] 名女 〔演劇〕(舞台の) 一文字: 舞台上部を隠すための幕.
bam·bú [bambú バンブ] 名男 [複 ～es] 〔植物〕タケ (竹).
ba·nal [banál バナる] 形 陳腐な (竹), 平凡な.
ba·na·li·dad [banaliðáð バナりダ(ドゥ)] 名女 陳腐, 凡俗.
ba·na·na [banána バナナ] 名女 《ラ米》〔植物〕バナナ (の実・木). ► スペインでは一般に plátano.
ba·na·ne·ro, ra [bananéro, ra バナネロ, ラ] 形 バナナ (園) の.
—— 名男 〔植物〕バナナの木.
ba·na·no [banáno バナノ] 名男 〔植物〕バナナの木.
ba·nas·ta [banásta バナスタ] 名女 (籐(とう)などの) かご.
ban·ca [báŋka バンカ] 名女 《集合》銀行, 銀行業界; 銀行業務. el sector de la *banca* 金融部門.
ban·cal [baŋkál バンカる] 名男 〔農業〕床 (畝をあげた長方形の畑); [～es] 段々畑.
ban·ca·rio, ria [baŋkárjo, rja バンカリオ, リア] 形 銀行 (業) の, 金融の. cheque [talón] *bancario* 銀行小切手.
ban·ca·rro·ta [baŋkar̄óta バンカロタ] 名女 破産, 倒産. hacer *bancarrota* 破産する.

ban·co [báŋko バンコ] 名男 [複 ～s] 〔英 bank; bench〕
1 銀行. Tengo que cambiar el dinero en el *banco*. 私は銀行で金を両替しなければならない. tener una cuenta abierta en el *banco* 銀行に口座を持っている. *banco* de crédito 信用銀行. *Banco* Mundial 世界銀行. *banco* de sangre 血液銀行. *banco* de datos 〔コンピ〕データバンク.
2 ベンチ, 長椅子. *banco* azul (議会の) 閣僚席.
3 作業台. *banco* de pruebas 実験台.
4 浅瀬, 堆(たい). *banco* de arena 砂州. *banco* de coral サンゴ礁. *banco* de hielo 流氷; 氷原. **5** 魚群.
Herrar, o quitar el banco. やるのかやらないのか早く決めろ.
ban·da [bánda バンダ] 名女 **1** 一味, 一団; (鳥の) 群れ; 〔音楽〕音楽隊 (= *banda* de música).
2 帯; 縞(しま); 細長い土地; 車線.
3 綬(じゅ); サッシュ; リボン, テープ.
4 側面; 〔スポ〕サイドライン, タッチライン (= línea de *banda*).
banda sonora [***de sonido***] 〔映画〕サウンドトラック.

banda de frecuencia 〔ラジオ〕〔通信〕バンド, 周波数帯.
cerrarse en banda 《口語》我を張る, 一歩も譲らない.
ban·da·da [bandáðа バンダダ] 名女 (鳥・魚の) 群れ.
ban·da·zo [bandáθo バンダそ] 名男
1 〔海事〕(船の) 急激な横揺れ.
2 (言動・情況の) 急変.
dar bandazos (船・車が) 左右に大きく揺れる; (酔っぱらいが) 千鳥足で歩く.
ban·de·ar·*se* [bandeárse バンデアルセ] 動 なんとかやっていく, うまく切り抜ける.
ban·de·ja [bandéxa バンデハ] 名女 **1** 盆, トレイ. Sirvió las bebidas en una *bandeja*. 彼女はお盆に乗せて飲み物を出した.
2 (ケースの) 仕切り; (整理棚の) 引き出し.
3 《ラ米》盛り皿.
pasar la bandeja 《口語》盆を回してお金を集める.
servir 《+algo》 ***en bandeja (de plata)*** 〈何か〉をやすやすと与える.
ban·de·ra [bandéra バンデラ] 名女 [複 〜s] 〔英 flag〕 **1 旗**; 国旗, 軍旗. izar la *bandera* 旗を掲揚する. jurar (la) *bandera* 国[軍] に忠誠を誓う. *bandera* blanca (休戦・降伏の) 白旗. *bandera* nacional 国旗. *bandera* negra (海賊の) 黒旗. *bandera* del regimiento 連隊旗.
2 (同じ旗の下に戦う) 軍隊, 同胞.
3 (タクシーの) 空車標示板. bajada de *bandera* メーターを倒すこと; 基本料金.
4 〔ｺﾝﾋﾟｭｰﾀ〕フラグ; 標識として使用されるビット.
a banderas desplegadas おおっぴらに.
de bandera 《口語》とびきりの.
lleno hasta la bandera 《口語》いっぱい詰まった.
seguir la bandera de 《+uno》 〈人〉の指揮下に入る.
ban·de·rí·a [bandería バンデリア] 名女 党派, 派閥.
ban·de·ri·lla [banderíʎa バンデリリャ] 名女 〔闘牛〕バンデリリャ: 牛の肩に刺す飾りつきの銛(もり).
ban·de·ri·lle·ar [banderiʎeár バンデリリェアル] 動他 〔闘牛〕(牛に) バンデリリャ [銛(もり)] を突き刺す.
ban·de·ri·lle·ro [banderiʎéro バンデリリェロ] 名男 〔闘牛〕バンデリリェロ: picador のあとに出場して banderilla を牛の肩に刺す役.
ban·de·rín [banderín バンデリン] 名男
1 小旗, ペナント.
2 〔軍事〕(銃口に小旗をつけた) 先導兵.
ban·di·do, da [bandíðo, ða バンディド, ダ] 名男女 盗賊; 悪党; お尋ね者.
ban·do [bándo バンド] 名男 **1** 布告; 命令. echar un *bando* 布告を出す.
2 党派; (敵・味方の) 側. pasarse al otro *bando* 敵方へ回る.
ban·do·le·ra [bandoléra バンドれラ]
en bandolera 肩から斜めに掛けて.
ban·do·le·ro [bandoléro バンドれロ] 名男 山賊, 追いはぎ, 盗賊.
ban·do·ne·ón [bandoneón バンドネオン] 名男 〔音楽〕バンドネオン: アルゼンチンタンゴに用いられる楽器.
ban·du·rria [bandúr̄ja バンドゥリア] 名女 〔音楽〕バンドゥーリア: 6 複弦のリュート楽器.
ban·jo [báŋxo バンホ] 名男 〔音楽〕バンジョー.
ban·que·ro, ra [baŋkéro, ra バンケロ, ラ] 名男女 **1** 銀行家. **2** (賭博(とばく)の) 胴元.
ban·que·ta [baŋkéta バンケタ] 名女 (背もたれのない) 腰掛け, スツール. ➡ cuarto 図.
ban·que·te [baŋkéte バンケテ] 名男 宴会, 饗宴(きょうえん); ごちそう.
ban·qui·llo [baŋkíʎo バンキリョ] 名男 〔法律〕被告席.
ba·ña·dor, do·ra [baɲaðór, ðóra バニャドル, ドラ] 名男 水着.
—— 名男女 水浴する人; 海水浴客.
ba·ñar [baɲár バニャル] 動他 〔英 bathe〕
1 入浴させる. **2** 《**+con, de, en**》…に浸す; …でぬらす; …で覆う. Ella *bañó de* lágrimas el pañuelo. 彼女はハンカチを涙でぬらした. *bañar de* oro un anillo 指輪に金めっきする.
3 (海・川が) …の岸を洗う; (光が) …に降り注ぐ. El mar Caribe *baña* Cancún. カンクンはカリブ海に面している.
—— **ba·ñar·*se*** **1 水浴する**. *bañarse* en el mar 海水浴をする. ➡ nadar.
2 入浴する.
ba·ñe·ra [baɲéra バニェラ] 名女 浴槽. ➡ baño 図.
ba·ñis·ta [baɲísta バニィスタ] 名男女 海水浴客; 湯治客.
ba·ño
[báɲo バニョ] 名男 [複 〜s] 〔英 bath〕
1 入浴; 水浴. tomar un *baño* 風呂に入る. tomar un *baño* de mar [sol] 海水浴 [日光浴] をする.
2 浴室 (= cuarto de *baño*); 浴槽 (= *bañera*); トイレ. una habitación con *baño* completo バス・トイレ付きの部屋. ➡ 次ページ図.
3 めっき; (菓子などの) 衣, 糖衣. *baño* de oro 金めっき.
4 浸液 (槽). *baño* de galvanización 〔電気〕電解槽. *baño* de revelado 〔写真〕現像液 (槽).
—— 動 ➡ bañar.
darse un baño (1) 入浴する. (2) 磨きをかける, 勉強し直す.
dar un baño a 《+uno》 《口語》〈人〉に完勝する.
bap·tis·te·rio [baptistérjo バプティステリオ] 名男 洗礼堂; 洗礼盤.
ba·que·li·ta [bakelíta バケリタ] 名女 〔商

B

標》ベークライト. ►bakelita ともつづる.

ba·que·ta [bakéta バケタ] 名女 **1** 槊杖(さくじょう). **2** [～s] (太鼓の) ばち.

ba·que·te·ar [baketeár バケテアル] 動他 ひどい扱いをする; 痛めつける.

ba·que·te·o [baketéo バケテオ] 名男 手荒な仕打ち, 虐待.

bar [bár バル] 名男 [複 ～es] 〔英 snack bar〕 **バル**: 酒・コーヒー・軽食を飲食するスナックバー.

ba·ra·hún·da [baraúnda バラウンダ] 名女 喧噪(けんそう); 騒ぎ, 混乱.

ba·ra·ja [baráxa バラハ] 名女 一組のトランプ; トランプ (ゲーム). jugar a la *baraja* トランプをする. ➡ naipe.

jugar con dos barajas 二股(ふたまた)をかける.

ba·ra·jar [baraxár バラハル] 動他 **1** (トランプ) (カードを) 切る.

2 (数字・名前などを) 列挙する. *barajar* ideas いろいろと考える.

Ba·ra·jas [baráxas バラハス] 固名 バラハス: マドリード市近郊の国際空港の所在地.

ba·ran·da [baránda バランダ] 名女 手すり, 欄干.

ba·ran·dal [barandál バランダる] 名男 (手すりの) 架木(ほこ); 地覆(じふく); 手すり, 欄干.

ba·ran·di·lla [barandíʎa バランディリャ] 名女 **1** 手すり, 欄干. ► 手すりとバラスター balaustre を含む全体を指す. ➡ escalera.

2 (法廷などの) 仕切り.

barata 形女 ➡ barato¹.

ba·ra·ti·ja [baratíxa バラティハ] 名女 安っぽい装身具; [～s] 安物, がらくた.

ba·ra·ti·llo [baratíʎo バラティリョ] 名男 (露店で売られる) 安物; (安物を売る) 露店.

ba·ra·to¹, ta

[baráto, ta バラト, タ] 形 [複 ～s] 〔英 cheap〕 **1 安い**; 安上がりな (↔ caro). ¿Por qué no compraste un reloj más *barato*? なぜ君はもっと安い時計を買わなかったの? La comida y la vivienda no son tan *baratas* como antes. 食事と住居は以前ほど安くはない. **2** 安直な.

ba·ra·to² [baráto バラト] 名男 安売り, バーゲン.

—— 副 安く. vender *barato* 安売りする.

dar de barato 《口語》どうでもいいことは譲る.

de barato 無利子で.

salir barato 安く上がる; 簡単に手に入る.

ba·ra·tu·ra [baratúra バラトゥラ] 名女 安価, 低廉.

bar·ba

[bárβa バルバ] [複 ～s] 名女 〔英 beard〕

1 [～または ～s] (顎(あご)と頬(ほお)の) **ひげ**; (動物の) ひげ. *barba* cerrada [poblada] 濃い (顎) ひげ. *barba* corrida 顎から頬にかけてのひげ. *barba* de chivo やぎひげ.

2 顎. Le di un golpe en la *barba*. 私は彼の顎を殴った. **3** (鳥の) 肉垂.

4 [～s] (植物の) ひげ根; (紙などの) ぎざぎざ, ほつれ; (鳥の) 羽枝(うし).

—— 名男 《演劇》老け役; 敵役.

en las barbas de 《+uno》〈人〉に面と向かって, 〈人〉の面前で.

hacer la barba ひげをそる; (人) におべっ

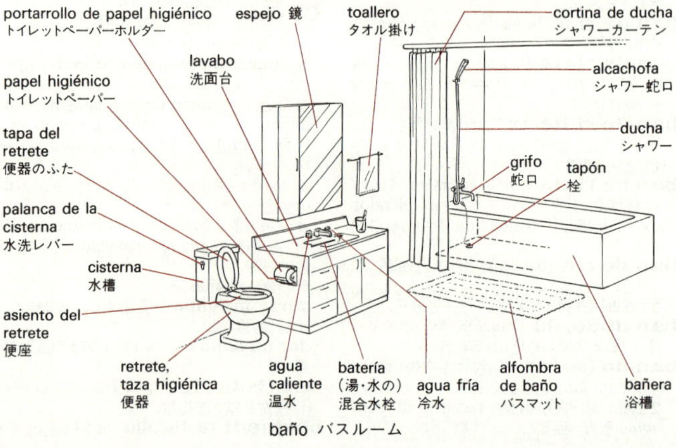

baño バスルーム

かを使う.
llevar [***gastar***] ***barba*** / ***dejarse*** (***la***) ***barba*** 顎ひげをたくわえる.
por barba 《口語》ひとり当たり.
subirse a las barbas de 《+uno》〈人〉を軽く扱う, 甘く見る.
tener pocas barbas 未熟者である, まだ一人前ではない.

bar·ba·co·a [barβakóa バルバコア] / **bar·ba·cuá** [-kwá -クア] 名女 バーベキュー; (バーベキュー用の)焼き網.

bar·ba·do, da [barβáðo, ða バルバド, ダ] 形 顎(あご)ひげを生やした, ひげの生えた.

Bár·ba·ra [bárβara バルバラ] 固名 バルバラ: 女性の名.

bar·ba·ri·dad [barβariðáð バルバリダ(ドゥ)] 名女 野蛮, 残虐; 無茶, でたらめ. hacer *barbaridades* ばかなまねをする. decir *barbaridades* ばかげたことを言う; 悪態をつく.
¡Qué barbaridad! たまげた, あきれた, ひどい.
una barbaridad 《口語》たくさん, ひどく. Bebe *una barbaridad*. 彼は浴びるほど飲む.

bar·ba·rie [barβárje バルバリエ] 名女 野蛮, 未開; 残忍.

bar·ba·ris·mo [barβarísmo バルバリスモ] 名男 **1** 野蛮; 残忍. **2** 文法に反した語法[語句]; 外国語からの借用.

bár·ba·ro[1], ra [bárβaro, ra バルバロ, ラ] 形 **1** 野蛮な; 粗野な; 残忍な. **2** 向こう見ずな. **3** 《口語》すごい; すばらしい. Tengo un hambre *bárbara*. 私はひどくお腹が空いた.
4 〘歴史〙蛮族の. Los pueblos *bárbaros* invadieron la península. 蛮族が半島に侵入した.
—— 名男女 **1** 蛮族. **2** 野蛮人; 人でなし.

bár·ba·ro[2] [bárβaro バルバロ] 副 《口語》すごく, すばらしく.

bar·be·cho [barβétʃo バルベチョ] 名男 〘農業〙休耕(地).

barbera 名形女 → barbero.

bar·be·rí·a [barβería バルベリア] 名女 理髪店 (= peluquería).

bar·be·ro, ra [barβéro, ra バルベロ, ラ] [複 ～s] 名男女 〔英 barber〕 **理容師**, 理髪師 (= peluquero).
—— 形 理容の, 理髪店の.

bar·bi·lam·pi·ño, ña [barβilampíɲo, ɲa バルビランピニョ, ニャ] 形 ひげのない, ひげの薄い.
—— 名男 青二才.

bar·bi·lla [barβíʎa バルビリャ] 名女 (下)顎(あご), 顎先. → cuerpo 図.

bar·bi·tú·ri·co [barβitúriko バルビトゥリコ] 名男 〘化〙バルビツール酸塩: 鎮痛剤.

bar·bo [bárβo バルボ] 名男 〘魚〙ニゴイ (似鯉).

bar·bo·tar [barβotár バルボタル] / **bar·bo·te·ar** [-teár -テアル] 動他自 ぶつぶつ言う, つぶやく.

bar·bu·do, da [barβúðo, ða バルブド, ダ] 形 ひげもじゃの.

bar·bu·llar [barβuʎár バルブリャル] 動自 早口で不明瞭(ふめいりょう)に話す.

bar·ca [bárka バルカ] 名女 小船, ボート. *barca* de pesca 漁船. → barco 【参考】.

bar·ca·je [barkáxe バルカヘ] 名男 渡船料.

bar·ca·za [barkáθa バルカサ] 名女 渡し船. *barcaza* de desembarco 〘軍事〙上陸用舟艇.

Bar·ce·lo·na [barθelóna バルセロナ] 固名 バルセロナ: スペイン北東部の県; 県都 (港湾都市).

bar·ce·lo·nés, ne·sa [barθelonés, nésa バルセロネス, ネサ] 形 [複男 barceloneses] バルセロナの.
—— 名男女 バルセロナの住民.

bar·co [bárko バルコ] 名男 [複 ～s] 〔英 ship〕 **船, 船舶**; 艦. ir en *barco* 船で行く.

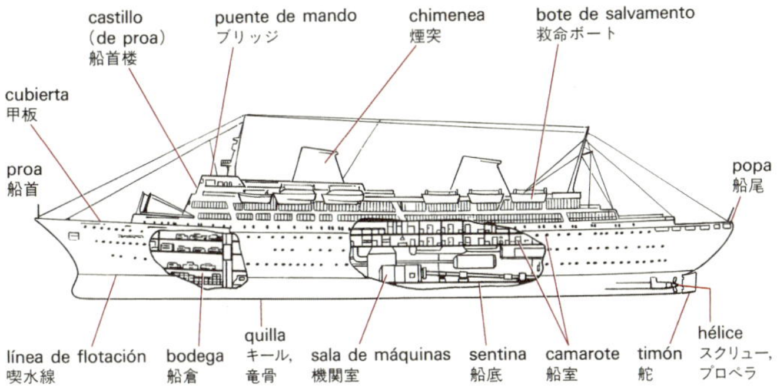

transatlántico 大型豪華客船, 大西洋横断定期船

barco 船

barco de carga 貨物船. *barco* de pasajeros 客船. *barco* de pesca 漁船. *barco* de vapor 汽船. *barco* de vela 帆船. *barco* patrullero 巡視艇, 哨戒(しょうかい)艇.

B

【参 考】 barco は一般に船, **barca** は小舟, **buque** は大型の船, **embarcación** は総称的に船舶, **nave** は昔の大型帆船や現代の宇宙船を指す.

bar·da [bárða バルダ] 名女 (土塀の上にかける) 枝葉[わら]の覆い.

ba·re·mo [barémo バレモ] 名男 (価格などの) 計算早見表.

bar·gue·ño [barɣéɲo バルゲニョ] 名男 飾り戸棚.

ba·rio [bárjo バリオ] 名男 〘化〙 バリウム.

ba·rí·to·no [barítono バリトノ] 名男 〘音楽〙 バリトン; バリトン歌手.

bar·lo·ven·to [barloβénto バルロベント] 名男 〘海事〙 風上 (側) (↔ sotavento).

bar·man [bárman バルマン] 名男 [複 ～s] バーテンダー. [←英語]

bar·niz [barníθ バルニす] 名男 [複 barnices] **1** ワニス, ニス; 釉薬(ゆうやく).
2 化粧品; マニキュア液, エナメル.
3 見せかけ; 生かじりの知識. *barniz* de cultura うわべだけの教養.
barniz del Japón 〘植物〙 ウルシ (漆).

bar·ni·zar [barniθár バルニさル] [39 z → c] 動他 ワニス[ニス]を塗る; 上薬をかける.

ba·ró·me·tro [barómetro バロメトゥロ] 名男 〘気象〙 気圧計, バロメーター.

ba·rón [barón バロン] 名男 男爵. → duque 【参考】.

ba·ro·ne·sa [baronésa バロネサ] 名女 男爵夫人; 女男爵.

bar·que·ro, ra [barkéro, ra バルケロ, ラ] 名男女 船頭, 渡し守.

bar·qui·llo [barkíʎo バルキリョ] 名男 巻き[とんがり]型のウエハース; アイスクリームコーン.

ba·rra [bára バラ] 名女 **1** 横棒, バー. *barra* de chocolate 棒チョコ. *barra* de labios 口紅. *barra* de pan (バゲットなど) 棒状のパン. *barra* de equilibrio 〘スポ〙 平均台. *barras* paralelas 〘スポ〙 平行棒. *barra* fija 〘スポ〙 鉄棒. oro en *barra* 金の延べ棒.
2 (酒場などの) カウンター.
3 (法廷の) 仕切り柵(さく); 法廷, 証人席. llevar a 《+uno》 a la *barra* 〈人〉を出廷させる.

ba·rra·bás [baraβás バラバス] 名男 [複 barrabases] **1** 悪童; ならず者.
2 [B-] 〘聖書〙 バラバ: イエス Jesús の代わりに放免された盗人.

ba·rra·ba·sa·da [baraβasáða バラバサダ] 名女 ひどいこと; めちゃくちゃなこと. hacer *barrabasadas* ばかなまねをする.

ba·rra·ca [baráka バラカ] 名女 **1** 小屋, バラック. **2** (市(いち)・遊園地の) 仮設小屋 (= caseta). **3** (スペイン Valencia, Murcia 地方の) かやぶきの農家.

ba·rra·ga·na [baraɣána バラガナ] 名女 内縁の妻, 愛人.

ba·rran·co [baráŋko バランコ] 名男 **1** 峡谷; 断崖(だんがい), 絶壁. **2** 障害, 困難. salir del *barranco* 難局から抜け出る.

ba·rre·na [baréna バレナ] 名女 錐(きり), ドリル.
entrar en barrena (飛行機が) きりもみ降下する.

ba·rre·nar [barenár バレナル] 動他 (錐(きり)・削岩機で) 穴をあける.

ba·rren·de·ro, ra [barendéro, ra バレンデロ, ラ] 名男女 清掃夫[婦].

ba·rre·no [baréno バレノ] 名男 穿孔(せんこう)機, 削岩(さくがん)機; (錐(きり)・ドリルなどの) 穴; 発破孔.

ba·rre·ño [baréɲo バレニョ] 名男 桶(おけ).

ba·rrer [barér バレル] 動他 **1** (ほうきで) 掃く, 掃除する. *Barre* mejor el suelo. もっときれいに床を掃きなさい. *barrer* la basura ごみを掃く.
2 吹き飛ばす, 一掃する; 掃討する. *barrer* las dudas 疑いを吹き飛ばす. Con la ametralladora *barrió* a los enemigos. 彼は機関銃で敵を一掃した.

ba·rre·ra [baréra バレラ] 名女 **1** 柵(さく); (踏切の) 遮断機.
2 障害, 障壁. sin *barreras* 何の障害もなく. salvar una *barrera* 壁を乗り越える. *barreras* arancelarias 関税障壁.

ba·rre·ti·na [baretína バレティナ] 名女 (スペイン Cataluña の) 帽子.

ba·rria·da [barjáða バリアダ] 名女 (市の) 地区, 区域.

ba·rri·ca·da [barikáða バリカダ] 名女 防柵(ぼうさく), バリケード. levantar una *barricada* バリケードを築く.

ba·rri·do [baríðo バリド] 名男 **1** 掃除; 一掃, 掃射, 掃討. dar un *barrido* ligero ほうきでさっと掃く.
2 (掃き集められた) ごみ, くず.
3 (警察の) 手入れ, 一斉検挙.

ba·rri·ga [bariɣa バリガ] 名女 **1** 腹, 腹部. **2** 《口語》 太鼓腹; 《俗語》 妊婦の腹.
3 (樽(たる)・容器の) 胴.

ba·rri·gón, go·na [bariɣón, ɣóna バリゴン, ゴナ] / **ba·rri·gu·do, da** [-ɣúðo, ða -グド, ダ] 形 《口語》 太鼓腹の.

ba·rril [baríl バリる] 名男 **1** 樽(たる). un *barril* de vino 1 樽のぶどう酒.
2 バーレル: 158.98 リットル.
un barril de pólvora 火薬樽; 危険なもの, 一触即発の状態.

ba·rri·le·te [bariléte バリれテ] 名男 [barril の小] **1** 小さな樽(たる).
2 (ピストルの) 弾倉.

ba·rrio [bárjo バリオ] 名男 [複 ～s] 〔英 district〕

1 (都市の) 区, 地区, …街. *barrio* residencial 住宅地区. *barrio* bajo 下町; 貧民街. *barrio* chino 売春街.
2 郊外, 近郊 (= arrabal).
el otro barrio 《俗語》あの世. mandar a 《+uno》 *al otro barrio* 〈人〉を殺す. ser *del otro barrio* 同性愛者である.

ba·rri·zal [bar̄iθál バリさる] 名男 ぬかるみ.

ba·rro [bár̄o バロ] 名男 **1** 泥, ぬかるみ. llenarse de *barro* ぬかるみになる. mancharse de *barro* 泥だらけになる.
2 粘土; 陶土; 土器 (=arcilla). *barro* cocido テラコッタ.

ba·rro·co, ca [bar̄óko, ka バロコ, カ] 形
1 バロック様式の.
2 装飾過多の, ごてごてした.
── 名男 バロック様式; バロック時代. ◆16世紀末から18世紀中ごろまで隆盛を見た芸術様式.

ba·rro·quis·mo [bar̄okísmo バロキスモ] 名男 **1** バロック様式. **2** 悪趣味.

ba·rro·te [bar̄óte バロテ] 名男 太い棒; 横木. *barrote* de hierro 鉄棒.

ba·rrun·tar [bar̄untár バルンタル] 動他 予感する, 予知する.

ba·rrun·to [bar̄únto バルント] 名男 徴候; 予感; 推測.

bar·to·la [bartóla バルトら] ***tumbarse*** [***echarse, tenderse***] ***a la bartola*** 《口語》怠ける.

Bar·to·lo·mé [bartolomé バルトろメ] 固名 バルトロメ: 男性の名. 愛 Bartolo. San *Bartolomé* 〔聖書〕聖バルトロマイ (キリストの十二使徒のひとり).

bár·tu·los [bártulos バルトゥろス] 名男 [複] 道具; 日用品. *bártulos* de pesca 釣り道具.
liar los bártulos 《口語》(旅行・引っ越しの) 支度をする.

ba·ru·llo [barúʎo バルリョ] 名男 《口語》騒ぎ; 混乱. armar un *barullo* 大騒ぎする.
a barullo 《口語》たくさん, わんさと.

ba·sa [básа バサ] 名女 〔建築〕柱礎; 《比喩》基礎.

ba·sa·men·to [basaménto バサメント] 名男 〔建築〕柱礎; 《比喩》基礎.

ba·sar [basár バサル] 動他 **1** 《+**en**》…に基礎を置く. *basar* una opinión *en* 《+algo》〈何か〉に基づいて考えをまとめる.
2 《+**sobre**》…の上に据える.
── **ba·sar·*se*** 《+**en**》…に基づく; …を当てにする. No *te* bases *en* conjeturas. 憶測でものを言うな.

bas·ca [báska バスカ] 名女 **1** [普通 〜s] むかつき. dar *bascas* 吐き気を催させる.
2 (動物の) 猛(たけ)り. **3** 衝動, 逆上.

bás·cu·la [báskula バスクら] 名女 秤(はかり), 体重計. ► 天秤(てんびん)は balanza.

bas·cu·lar [baskulár バスクらル] 動自 (シーソーのように) 上下する.

ba·se [báse バセ] 名女 [複 〜s] 〔英 base〕
1 **基礎**; 土台. un jarrón de poca *base* 底の小さい花瓶. ➞ columna 図.
2 **基本**; 基準, 根拠. Lo que has dicho carece de *base*. 君の話には根拠がない. *base* de comparación 比較の基準. *base* imponible 課税対象所得. de *base* 基本的な.
3 〔軍事〕基地. *base* aérea [naval] 空軍 [海軍] 基地. *base* de misiles ミサイル発射基地.
4 〔化〕塩基. **5** 〔数〕底辺, 底面; (対数の) 底. **6** (野球) 塁, ベース.
7 (混合物の) 主成分. **8** (団体の) 支持基盤; 下部組織. **9** 〔測量〕基線.
── 動 ➞ basar.
a base de … (1) …によって. traducir *a base de* diccionarios 辞書を使って翻訳する. (2) …のおかげで. *a base de* muchos esfuerzos よく頑張ったので. (3) …を主成分にした. bebida *a base de* ron ラム酒がベースの飲み物.
a base de bien 《口語》十分に[な], すごくよく[よい].
partir de la base de que … …を論拠[前提]とする.
teniendo [***tomando***] ***como base …*** …に基づいて.

bá·si·co, ca [básiko, ka バシコ, カ] 形 基礎的な, 基本的な (=fundamental). Éste es un concepto *básico*. これは基本概念である.

ba·sí·li·ca [basílika バシりカ] 名女 バシリカ教会堂; 大寺院, 大聖堂; 初期キリスト教の教会堂. *Basílica* de San Pedro サンピエトロ大聖堂. ➞ iglesia 【参考】.

ba·si·lis·co [basilísko バシりスコ] 名男
1 〔ギリシア神話〕バシリスク: 蛇, トカゲの形をした伝説上の怪獣.
2 〔動物〕バシリスク: イグアナ科のトカゲ.
estar hecho un basilisco 《口語》怒り狂った.

bas·tan·te

[bastánte バスタンテ] 副 〔英 fairly, enough〕
1 **かなり**, 相当に; 《ラ米》非常に. Pilar habla *bastante* bien el japonés. ピラルは日本語がかなり上手に話せる. Los gastos han alcanzado una cifra *bastante* alta. 出費は相当な額に上った.
2 十分に. Ya he comido *bastante*, gracias. 私はもう十分にいただきました, ありがとう.
── 形 [複 〜s] **1** **かなりの**, 相当な. Ella tiene *bastante* dinero. 彼女は相当金を持っている.
2 《+**para**》**…に十分な** (= suficiente). A veces no tiene *bastante* dinero *para* pagar la electridad. 彼は時には電気代にも事欠いている.
(***lo***) ***bastante*** 《+形容詞》 ***para*** (1) 《+不定詞》…するのに十分なほど…. Es (*lo*)

bastante inteligente *para* comprenderlo. 彼はすごく頭がよいからそれが理解できる. (2)《+名詞·代名詞》…にとっては十分に…; …にとってはかなり…. Es *bastante* difícil *para* ti. それは君にはかなり難しいよ.
dejar bastante que desear 不十分なところがある.

bas·tar [bastár バスタル] 動 自 〔英 be enough〕《+**con**》**…で十分である**, …で足りる. *Bastan* [*Basta con*] tres meses para construir una casa. 家を1軒建てるには3か月あれば十分だ. Dos trajes me *bastan* y me sobran. 私には洋服が2着あれば十分だ. *Basta* (*con*) hojearlo. ざっと目を通すだけでよい. ►con を伴うときは, 主語なしの3人称単数形で使われる. basta (con) に続く不定詞に主語が明示されると, +que 接続法となる. ⇀ *Basta* (*con*) *que* lo hojees. 君がざっと目を通すだけでよい.
Basta (***ya***) ***de*** … …はもうたくさんだ. *Basta de* bromas. 冗談はもうたくさん.

bas·tar·do, da [bastárðo, ða バスタルド, ダ] 形 **1** 庶子の, 私生の; まがいの.
2 (意図などが) 下劣な; 堕落した.
── 名 男 女 庶子, 私生児.

bas·te·dad [basteðáð バステダ(ドゥ)] / **bas·te·za** [-téθa -テさ] 名 女 粗悪; 粗野, 下品.

bas·ti·dor [bastiðór バスティドル] 名 男
1 枠, フレーム; サッシ. **2** (車両の) シャーシー, 車台. **3** [〜es] 〔演劇〕 フラット, 枠張り物; (舞台の) そで.
entre bastidores 舞台裏で; 陰で.

bas·tión [bastjón バスティオン] 名 男 稜堡(りょうほ); 要塞(ようさい).

bas·to, ta [básto, ta バスト, タ] 形 **1** がさつな, 粗野な. **2** (目の) 粗い; 粗雑な.
── 名 男 **1** (馬の) 荷鞍(にぐら). **2** (スペイン・トランプ) こん棒の札. → naipe 図.

bas·tón [bastón バストン] 名 男 [複 bastones] **1** 杖(つえ), ステッキ; (スキーの) ストック; (ゴルフの) クラブ. apoyarse en un *bastón* 杖にすがる.
2 (職権を象徴する) 杖. *bastón* de mariscal 陸軍元帥の官杖(かんじょう). *bastón* de mando 指揮権; 采配(さいはい).
empuñar el bastón 指揮を取る; 実権を握る.

bas·to·na·zo [bastonáθo バストナそ] 名 男 杖(つえ)の一撃.

ba·su·ra [basúra バスラ] 名 女 **1** ごみ, くず. tirar [recoger] la *basura* ごみを捨てる[拾う].
2 つまらないもの[こと]. Esta novela es una *basura*. この小説は下らない.

ba·su·re·ro [basuréro バスレロ] 名 男
1 清掃係. **2** ごみ捨て場.

ba·ta [báta バタ] 名 女 ガウン; 部屋着; (医師などの) 白衣.

ba·ta·lla [batáʎa バタリャ] 名 女 [複 〜s] 〔英 battle〕 **1 戦い**, 戦闘; 会戦; 争い. campo de *batalla* 戦場. *batalla* campal 野戦; 熾烈(しれつ)な戦い[論戦]. *batalla* naval 海戦.
2 戦闘隊形. presentar [formar en] *batalla* 戦闘隊形を取る[取らせる].
3 悩み, 葛藤(かっとう).
dar batalla 戦いを挑む; てこずらせる.
de batalla 《口語》日常の. traje *de batalla* ふだん着.

> 【参 考】 **guerra** はふつう国家間や内戦などの長期にわたる戦争. **batalla** は特定地域での戦闘. **combate** は個々の戦闘. **contienda, pelea** はさらに小規模な戦闘, 小競り合い.

ba·ta·llar [bataʎár バタリャル] 動 自
1 戦う. **2** 《+**por**》…を争う; 奮闘する.

ba·ta·llón, llo·na [bataʎón, ʎóna バタリョン, リョナ] 形 《口語》けんか好きな, 乱暴な, 手に負えない.
── 名 男 〔軍事〕 大隊.

ba·tán [batán バタン] 名 男 (毛織物の) 縮絨(しゅくじゅう)機.

ba·ta·ta [batáta バタタ] 名 女 〔植物〕 サツマイモ (薩摩芋): 中南米が原産.

ba·te [báte バテ] 名 男 (野球・クリケットの) バット.

ba·te·a [batéa バテア] 名 女 **1** 盆, トレイ. **2** (箱形の) 小舟.

ba·te·ar [bateár バテアル] 動 他 バットで打つ.

ba·tel [batél バテル] 名 男 ボート, 小舟.

ba·te·le·ro, ra [bateléro, ra バテレロ, ラ] 名 男 女 ボートの漕(こ)ぎ手, 船頭.

ba·te·rí·a [batería バテリア] 名 女 **1** 〔軍事〕 砲兵中隊; 砲列; 砲台. **2** (蓄) 電池, バッテリー. **3** 《集合》〔音楽〕 ドラム・セット; 台所用品 (= *batería* de cocina). **4** 〔演劇〕 フットライト. **5** (湯・水の) 混合水栓 (蛇口). → baño 図.
── 名 男 女 ドラマー.
aparcar en batería 並列駐車する.

ba·ti·bo·rri·llo [batiβoříʎo バティボリリョ] / **ba·ti·bu·rri·llo** [-βuříʎo -ブリリョ] 名 男 《口語》ごたまぜ, 寄せ集め.

ba·ti·do, da [batíðo, ða バティド, ダ] 過分 形 泡立てた, ホイップした.
── 名 男 **1** 〔料理〕 ミルクセーキ; かき卵; メレンゲ; (ケーキなどの) 生地. **2** 攪拌(かくはん).

ba·ti·dor, do·ra [batiðór, ðóra バティドル, ドラ] 形 たたく, かき混ぜる.
── 名 男 女 **1** 〔料理〕 泡立て器, ミキサー. → cocina 図.
2 箔(はく)打ち. *batidor* de oro 金箔師.
── 名 男 **1** 〔軍事〕 斥候(せっこう), 偵察兵.
2 〔狩猟〕 勢子(せこ).

ba·tín [batín バティン] 名 男 ガウン; (男性用の) 部屋着.

ba·tir [batír バティル] 動 他 **1** 打つ, たたく.

La lluvia *bate* sobre los cristales. 雨が窓ガラスを打っている. **2** かきまわす. *batir* la nata クリームを泡立てる.
3 激しく動かす. El águila *bate* las alas. ワシが羽ばたく.
4 打ち壊す.
5 打ち破る. *batir* a un contrincante 相手を負かす. *batir* un récord 記録を破る.
── **ba·tir·*se*** 戦う. *batirse* en duelo 決闘する.
batirse en retirada 退却する, 撤退する.
ba·tra·cio, cia [batráθjo, θja バトゥラシオ, シア] 形〘動物〙無尾類の; 両生類の.
── 名男〘動物〙(カエルなどの) 無尾類[両生類]の動物.
ba·tu·ta [batúta バトゥタ] 名女〘音楽〙指揮棒.
llevar la batuta 指揮を取る; 牛耳る.
ba·úl [baúl バウる] 名男 トランク, 旅行かばん. ► スーツケースは maleta.
bau·tis·mo [bautísmo バウティスモ] 名男 洗礼(式). administrar el *bautismo* 洗礼を授ける. pila de *bautismo* 洗礼盤.
bau·ti·zar [bautiθár バウティさル] [39 z ➡ c] 動他 **1** 洗礼を施す.
2 命名する. *bautizar* una calle con el nombre de … 通りに…の名前を付ける.
3《口語》(酒を) 水で割る.
bau·ti·zo [bautíðo バウティそ] 名男 洗礼式.
bau·xi·ta [bauksíta バウクシタ] 名女〘鉱物〙ボーキサイト.
ba·ya [bája バヤ] 名女〘植物〙液果, 漿果(しょうか).
ba·ye·ta [bajéta バイエタ] 名女 **1** ベーズ: フランネルの一種. **2** 床ぞうきん, モップ.
ba·yo, ya [bájo, ja バヨ, ヤ] 形 鹿毛(かげ)の.
── 名男 鹿毛の馬.
ba·yo·ne·ta [bajonéta バヨネタ] 名女〘軍事〙銃剣. con *bayonetas* caladas 着剣して.
ba·za [báθa バさ] 名女 **1** (トランプ) 一勝負; 取ったカードの数. **2** 利点, 強み.
hacer baza 成功する.
jugar otra baza 新しい手を試みる.
meter baza en … …に口出しする.
ba·zar [baθár バさル] 名男 (中近東の) 市場, バザール; 慈善市, バザー.
ba·zo, za [báθo, θa バそ, さ] 形 黄褐色の.
── 名男〘解剖〙脾臓(ひぞう).
ba·zo·fia [baθófja バそフィア] 名女 残飯; まずい食べ物; 不潔なもの; くだらない物.
ba·zu·ca [baθúka バすカ] 名男 (または女)〘軍事〙バズーカ砲.
be [bé べ] 名女 アルファベットの b の文字[音].
be por be (***y ce por ce***) こと細かに.
tener las tres bes《口語》(品物が bonito きれいで, barato 安くて, bueno 質が良くて) 三拍子そろっている.
be·a·te·rí·a [beatería ベアテリア] 名女 えせ信心.
be·a·ti·fi·ca·ción [beatifikaθjón ベアティフィカしオン] 名女〘カトリック〙列福; 授福.
be·a·ti·fi·car [beatifikár ベアティフィカル] [8 c ➡ qu] 動他 (死者を) 列福する; 至福にあずからせる.
be·a·ti·tud [beatitúð ベアティトゥ(ドゥ)] 名女〘カトリック〙至福, 浄福; 幸福, 平静.
Su [***Vuestra***] ***Beatitud*** 教皇聖下.
be·a·to, ta [beáto, ta ベアト, タ] 形 **1**〘カトリック〙福者の. **2**《口語》信心家ぶった.
── 名男女 **1**〘カトリック〙福者; 平[助]修士, 平[助]修女. **2**《口語》信心家ぶる人.
Be·a·triz [beatríθ ベアトゥりす] 固名 ベアトリス: 女性の名.
be·bé [beβé ベベ] 名男 赤ん坊.
[←[仏] bébé]
be·be·de·ro, ra [beβeðéro, ra ベベデロ, ラ] 形 飲める, 飲用の.
── 名男 (動物・鳥の) 水飲み; 水飲み場; (容器の) 飲み口.
be·be·di·zo, za [beβeðíθo, θa ベベディそ, さ] 形 飲める, 飲用の.
── 名男 **1** 媚薬(びやく). **2** 毒入りの飲み物; 水薬.
be·be·dor, do·ra [beβeðór, ðóra ベベドル, ドラ] 形 酒飲みの.
── 名男女 酒飲み.
be·ber [beβér ベベル] 動他 [現分 bebiendo ; 過分 bebido, da] [英 drink] **1 飲む**. *beber* agua 水を飲む. Ya *hemos bebido* bastante coñac. 我々はブランデーをもう十分(飲んだ). ► 薬, コーヒー, 紅茶, スープの場合はふつう tomar を用いる.
2 (知識・情報などを) 得る. Todo lo *hemos bebido* en [de] buenas fuentes. これらはみんな私たちが確かな筋から得た情報だ.
3 聞き入る. Los alumnos *estaban* (como) *bebiendo* las palabras de su maestro. 生徒たちは先生のいうことを一言ものがすまいと聞き入っていた.
── 動自 **1 飲む; 酒を飲む**. *beber* de la fuente 泉の水を飲む. *Has bebido* demasiado. 君は飲みすぎだ.
2 《+**a**, **por**》…に[のために] 乾杯する. *Bebamos a* tu salud. 君の健康に乾杯. *Bebamos por* vuestro éxito. 君たちの成功を祈って乾杯.
── **be·ber·*se*** 飲み干す. *Se bebió* toda una botella. 彼は1本まるごと空けてしまった.
be·bi·da [beβíða ベビダ] 名女 [複 ～s] [英 drink] **1 飲み物**, 飲料. tomar [ingerir] una *bebida* 飲み物を飲む. *bebidas* refrescantes 清涼飲料. *bebidas* alcohólicas 酒類.
2 飲むこと; 飲酒. darse [entregarse] a la *bebida* 飲酒にふける. dejar la *bebida* 酒を断つ.

B

—— [過分]㊛➡ beber.

be·bi·do, da [beβíðo, ða ベビド, ダ] [過分] ➡ beber.

—— [形]ほろ酔い(機嫌)の.

bebiendo [現分] ➡ beber.

B

be·ca [béka ベカ] [名]㊛ **1** 奨学金, スカラーシップ, 給費. Consiguió una *beca* para estudiar en México. 彼はメキシコ留学の奨学金を得た.

2 (学位授与式などのときに肩に掛ける) V字形の懸章.

be·ca·rio, ria [bekárjo, rja ベカリオ, リア] [名]㊚㊛奨学生, 給費生.

be·ce·rra·da [beθeřáða べせラダ] [名]㊛子牛による闘牛.

be·ce·rro, rra [beθéřo, řa べせロ, ラ] [名]㊚㊛子牛.

—— [名]㊚子牛革, カーフスキン.

becerro marino 〖動物〗アザラシ(海豹).

be·cha·mel [betʃamél ベチャメる] / **be·cha·me·la** [-méla -メら] [名]㊛ 〖料理〗ベシャメルソース.

be·del [beðél ベデる] [名]㊚ (学校の) 用務員, 守衛.

be·dui·no, na [beðwíno, na ベドゥイノ, ナ] [形]ベドウィン族の.

—— [名]㊚㊛ベドウィン族.

be·fo, fa [béfo, fa ベフォ, ファ] [形] 唇[下唇]の厚い(= belfo).

—— [名]㊚(ウマなどの)唇.

—— [名]㊛野次, あざけり.

be·go·nia [beɣónja ベゴニア] [名]㊛ 〖植物〗ベゴニア.

beige [béis ベイス | béi(t)ʃ ベイシュ [チュ] | béix ベイ(フ)] [形]ベージュ(色)の.

—— [名]㊚ベージュ(色). [←フランス語]

béis·bol [béisβol ベイスボる] [名]㊚ 〖スポーツ〗野球. [←[英] baseball]

be·ju·co [bexúko ベフコ] [名]㊚つる植物; カズラ(葛), トウ(籐).

bel·dad [beldáð べるダ(ドゥ)] [名]㊛ 美貌(びぼう); 絶世の美女.

Be·lén [belén べれン] [固名] ベツレヘム: ヨルダン北西部の町. Jesucristo の生誕地.

—— [名]㊚ [b-] **1** 馬槽(うまぶね): キリスト降誕の場面を表し, クリスマスに飾る馬小屋と人形の模型. **2** 《口語》乱雑; [普通 belenes] 面倒. meterse en *belenes* ごたごたに巻き込まれる.

bel·fo, fa [bélfo, fa べるフォ, ファ] [形]唇[下唇]の厚い.

—— [名]㊚(ウマなどの)唇.

bel·ga [bélɣa べるガ] [形]ベルギーの.

—— [名]㊚㊛ベルギー人.

Bél·gi·ca [bélxika べるヒカ] [固名] ベルギー(王国): 首都 Bruselas.

be·li·cis·mo [beliθísmo べりしスモ] [名]㊚好戦主義, 主戦論(↔ pacifismo).

be·li·cis·ta [beliθísta べりしスタ] [形] 好戦的な.

—— [名]㊚㊛好戦主義者.

bé·li·co, ca [béliko, ka べりコ, カ] [形]戦争の. espíritu *bélico* 戦意.

be·li·co·so, sa [belikóso, sa べりコソ, サ] [形]好戦的な; 攻撃的な(↔ pacífico).

be·li·ge·ran·cia [belixeránθja べりヘランしア] [名]㊛交戦状態; 交戦権.

be·li·ge·ran·te [belixeránte べりヘランテ] [形]交戦中の.

—— [名]㊚㊛戦闘員. no *beligerante* 非戦闘員.

bella [形]㊛➡ bello.

be·lla·co, ca [beʎáko, ka べリャコ, カ] [形] 悪党の; ずる賢い.

—— [名]㊚㊛悪党; ずる賢いやつ.

be·lla·men·te [béʎaménte べリャメンテ] [副]美しく; 立派に.

be·lla·que·rí·a [beʎakería べリャケリア] [名]㊛いかさま; 悪事; ずる賢さ.

be·lle·za [beʎéθa べリェさ] [名]㊛ [複 ~s] 〔英 beauty〕 **1** 美, 美しさ. *belleza* ideal 理想的な美. *belleza* de paisaje 風景の美しさ.

2 美人, 美女. concurso de *belleza* 美人コンテスト.

be·llo, lla

[béʎo, ʎa べリョ, リャ] [形] [複 ~s] 〔英 beautiful〕 **1** 美しい(↔ feo). *bello* como un sol 眉目(びもく)秀麗な. ➡ guapo, hermoso 【参考】.

2 立派な. *bello* gesto 気高い行為. *bella* persona 立派な人間.

be·llo·ta [beʎóta べリョタ] [名]㊛ 〖植物〗ドングリ(団栗).

be·mol [bemól べモる] [形] 〖音楽〗変音の, フラットの; 半音下の.

—— [名]㊚ 〖音楽〗フラット, 変記号(♭).

ben·ce·no [benθéno ベンせノ] [名]㊚ 〖化〗ベンゼン.

ben·ci·na [benθína ベンしナ] [名]㊛ 〖化〗ベンジン.

ben·de·cir [bendeθír ベンデしル] [17] [動] [他] [現分 bendiciendo] **1** 〖宗教〗祝福する. El cura *bendijo* a los novios. 司祭は新郎新婦を祝福した. ¡Dios le [te] *bendiga*! あなたに神の恵みのあらんことを.

2 感謝する, たたえる.

ben·di·ción [bendiθjón ベンディしオン] [名]㊛ **1** (神の) 祝福, 天恵. *bendición* de la mesa (食前・食後の) 祈り.

2 祝別(式); 〖カトリック〗(聖体)降福式.

echar la bendición a ... …を祝福する; 《口語》…から手を引く, …と絶交する.

echar las bendiciones 結婚させる.

ser una bendición (de Dios) すばらしい, 豊富である.

ben·di·to, ta [bendíto, ta ベンディト, タ] [形] **1** 祝福された; 神聖な. la *bendita* Virgen María 永福なる聖母マリア. agua *bendita* 聖水.

2 幸せな, 幸運な.

3 愚かな; お人よしの.

── 名男 お人よし.
dormir como un bendito 《口語》すやすやと眠る, 熟睡する.
reír como un bendito 《口語》笑いこける.

be·ne·dic·ti·no, na [beneðiktíno, na ベネディクティノ, ナ] 形 ベネディクト (修道) 会の.
── 名男女 ベネディクト会修道士[女].

be·ne·fac·tor, to·ra [benefaktór, tóra ベネファクトル, トラ] 形 慈善を施す.
── 名男女 慈善家 (= bienhechor).

be·ne·fi·cen·cia [benefiθénθja ベネフィセンしア] 名女 **1** 慈善 (行為); 慈善事業.
2 社会福祉. vivir de la *beneficencia* 生活保護を受けている.

be·ne·fi·ciar [benefiθjár ベネフィしアル] 動他 **1** 恩恵[利益]を与える. *beneficiar* al género humano 人類に貢献する.
2 (証券類を) 割引いて売る.
── **be·ne·fi·ciar·*se*** 《+ **con, de**》…から恩恵[利益]を得る.

be·ne·fi·cia·rio, ria [benefiθjárjo, rja ベネフィしアリオ, リア] 名男女 受益者, 受取人. *beneficiario* del cheque 小切手受取人.

be·ne·fi·cio [benefíθjo ベネフィしオ] 名男 [複 ～s] 〔英 benefit〕 **1 恩恵**, 善行. recibir *beneficios* sociales 社会的恩恵を受ける. Le debo muchos *beneficios*. 彼にはずいぶん世話になっている.
2 利益, 収益. Este negocio rinde grandes *beneficios*. この取引きは莫大(ばくだい)な利潤を上げる. *beneficio* bruto 総利益. *beneficio* neto 純益. a [en, para el] *beneficio* de ... …のために. en *beneficio* propio 自分自身のために. sacar *beneficio* de ... …から利を得る.

be·ne·fi·cio·so, sa [benefiθjóso, sa ベネフィしオソ, サ] 形 有利な, もうかる.

be·né·fi·co, ca [benéfiko, ka ベネフィコ, カ] 形 **1** 慈善の. fiesta *benéfica* チャリティーショー. **2** 有益な, 良好な, 好都合な. lluvia *benéfica* 慈雨.

be·ne·mé·ri·to, ta [benemérito, ta ベネメリト, タ] 形 栄誉に値する; 卓越した.
La Benemérita (スペインの) 治安警備隊 (= la Guardia Civil).

be·ne·plá·ci·to [benepláθito ベネプらしト] 名男 承認, 許可.

be·ne·vo·len·cia [beneβolénθja ベネボれンしア] 名女 親切, 好意.

be·né·vo·lo, la [benéβolo, la ベネボろ, ら] 形 親切な, 好意的な.

be·nig·ni·dad [beniɣniðáð ベニグニダ(ドゥ)] 名女 **1** 好意, 親切. **2** 温和, 穏やかさ. **3** (疾患の) 良性, 軽症.

be·nig·no, na [beníɣno, na ベニグノ, ナ] 形 **1** 《+ **con, para con**》…に好意的な, 親切な. **2** 温和な, 穏やかな. invierno *benigno* 温暖な冬.
3 (疾患が) 良性の, 軽症の (↔ maligno).

Be·ni·to [beníto ベニト] 固名 ベニート: 男性の名.

Ben·ja·mín [beŋxamín ベンハミン] 固名 ベンハミン: 男性の名. ◆この名はよく末子につけられる.
── 名男 [b-] 末子, 寵児(ちょうじ); 若手.

ben·zol [benθól ベンそる] 名男 〘化〙 ベンゾール, ベンゼン.

be·o·do, da [beóðo, ða ベオド, ダ] 形 酔った.
── 名男女 酔っ払い (= borracho).

ber·bi·quí [berβikí ベルビキ] 名男 ハンドドリル.

be·ré·ber [beréβer ベレベル] / **be·re·be·re** [bereβére ベレベレ] 形 **1** ベルベル人[語]の.
2 (アフリカ北部の海岸地域) バーバリ Bervería 地方の.
── 名男女 ベルベル人: 北西アフリカに住む民族. → moro.
── 名男 ベルベル諸語.

be·ren·je·na [bereŋxéna ベレンヘナ] 名女 〘植物〙ナス (茄子). → hortalizas 図.

be·ren·je·nal [bereŋxenál ベレンヘナる] 名男 **1** ナス畑. **2** 《口語》面倒. armar un *berenjenal* ごたごたを引き起こす.

ber·gan·tín [berɣantín ベルガンティン] 名男 〘歴史〙〘海事〙ブリガンティーン: 2本マストの小型帆船.

Ber·lín [berlín ベルりン] 固名 ベルリン: ドイツ Alemania の首都.

ber·li·na [berlína ベルりナ] 名女 〘車〙セダン; ベルリン型馬車 (2人乗り4輪箱馬車).

ber·li·nés, ne·sa [berlinés, nésa ベルりネス, ネサ] [男複 berlineses] 形 ベルリンの.
── 名男女 ベルリンの住民.

ber·me·jo, ja [berméxo, xa ベルメホ, ハ] 形 赤毛の; 朱色の.

ber·me·llón [bermeʎón ベルメリョン] 名男 朱, 辰砂(しんしゃ).

ber·mu·das [bermúðas ベルムダス] 名男 [複] 〘服飾〙バーミューダ・ショーツ.

Ber·na [bérna ベルナ] 固名 ベルン: スイス Suiza の首都.

Ber·nar·do [bernárðo ベルナルド] 固名 ベルナルド: 男性の名.

be·rre·ar [bereár ベレアル] 動自 **1** (子牛などが) 鳴く. → animal 【参考】.
2 《口語》(子供などが) 泣き叫ぶ; 調子っ外れな声で歌う.

be·rri·do [beríðo ベリド] 名男 **1** (小牛などの) 鳴き声.
2 (子供などの) わめき声; 調子っ外れの歌声. lanzar *berridos* わめきちらす.

be·rrin·che [beríntʃe ベリンチェ] 名男 **1** 《口語》腹立ち. coger un *berrinche* かっとなる. **2** 《口語》(子供の) 泣きわめき, 泣きじゃくり.

be·rro [béro ベロ] 名男 〘植物〙ウォータークレス, クレソン.

Ber·ta [bérta ベルタ] 固名 ベルタ: 女性の

名.

ber·za [bérθa ベルさ] 名女〘植物〙キャベツ(の一種).

ber·zo·tas [berθótas ベルそタス] 名男女[単・複同形]《俗語》ばか, 間抜け.

besado, da 過分→besar.

be·sa·ma·nos [besamános ベサマノス] 名男[単・複同形](王侯の)謁見;(挨拶で)手への接吻(せっぷん).

be·sa·mel [besamél ベサメる] / **be·sa·me·la** [-méla -メら] 名女 ベシャメルソース(= bechamel).

besando 現分→besar.

be·sar [besár ベサル] 動他 [現分 besando; 過分 besado, da]〔英 kiss〕 **1 …に接吻(せっぷん)する**, …にキスをする. Siempre la *beso* en la frente. 私はいつも彼女の額にキスをする. ◆女性との挨拶(あいさつ)で頰(ほお)に軽くするキスは, スペインでは右左に, 南米では右1回が一般的である.

2 触れる. Las olas *besaban* la arena de la playa. 波が岸辺の砂を洗っていた.

—— **be·sar·*se*** 接吻し合う, キスを交わす.

be·so [béso ベソ] 名男 [複 ~s]〔英 kiss〕

1 接吻(せっぷん), キス. La abracé y le di un *beso*. 私は彼女を抱き締めてキスをした. Se despidió con un *beso* en la mejilla. 彼女は頰(ほお)にキスをして別れた. comerse a *besos* 激しくキスをする.

2 接触; 鉢合わせ.

—— 動→besar.

beso de Judas 裏切り者のへつらい. ◆ユダがキリストに接吻して, 敵の兵士に合図した故事から.

Besos. 《手紙》愛情を込めて.

bes·tia [béstja ベスティア] 名女 獣(けもの); (荷役用の)家畜. *bestia* de carga 荷役獣.

—— 名男女 粗暴な人; とんま.

—— 形 粗暴な; とんまな.

mala bestia 悪党.

bes·tial [bestjál ベスティアる] 形 **1** 獣のような.

2 《口語》すごい; でかい.

bes·tia·li·dad [bestjaliðáð ベスティアリダ(ドゥ)] 名女 獣性. 《口語》乱暴; むちゃ.

una bestialidad de ... たくさんの….

best se·ller [besséler ベスセれル] 名男 ベストセラー. [←英語]

be·su·cón, co·na [besukón, kóna ベスコン, コナ] 形 《口語》キス好きな.

be·su·go [besúɣo ベスゴ] 名男〘魚〙マダイ(真鯛).

ojos de besugo 《口語》出目.

be·su·que·ar [besukeár ベスケアル] 動他 《口語》やたらにキスをする.

Bé·ti·ca [bétika ベティカ] 固名 バエティカ, ベティカ: 古代ローマの属州. 現在のスペイン Andalucía 地方に当たる.

bé·ti·co, ca [bétiko, ka ベティコ, カ] 形 ベティカの.

—— 名男女 ベティカ人.

be·tún [betún ベトゥン] 名男 瀝青(れきせい); 靴墨. *betún* judaico [de Judea] アスファルト.

bi- 《接頭》「2, 重」の意を表す. ⇀ *bi*enio, *bi*lingüe など.

bi·be·rón [biβerón ビベロン] 名男 哺乳(ほにゅう)瓶.

Bi·blia [bíβlja ビブリア] 名女 (旧約・新約の)聖書. la Santa *Biblia* 聖書. jurar sobre la *Biblia* 聖書にかけて誓う.

bí·bli·co, ca [bíβliko, ka ビブリコ, カ] 形 聖書の.

biblio- 「本」の意を表す造語要素. ⇀ *biblio*grafía, *biblio*teca など.

bi·blio·fi·lia [biβljofílja ビブリオフィリア] 名女 書籍愛好.

bi·blió·fi·lo, la [biβljófilo, la ビブリオフィろ, ら] 名男女 愛書家.

bi·blio·gra·fí·a [biβljoɣrafía ビブリオグラフィア] 名女 参考書目, 著述目録; 書誌.

bi·blio·grá·fi·co, ca [biβljoɣráfiko, ka ビブリオグラフィコ, カ] 形 参考書目の, 書誌の.

bi·blio·ma·ní·a [biβljomanía ビブリオマニア] 名女 収書狂.

bi·blio·te·ca [biβljotéka ビブリオテカ] 名女 [複 ~s]〔英 library〕 **1 図書館**, 書庫; 文庫, 蔵書. *biblioteca* circulante [ambulante] 巡回図書館. *biblioteca* de consulta 参考図書室, レファレンスルーム. *biblioteca* de préstamo 貸し出し文庫. Es una *biblioteca* viviente [ambulante]. 彼はまるで生き字引だ.

2 双書, 叢書(そうしょ). *Biblioteca* de Autores Españoles スペイン古典双書.

3 書架, 本棚.

bi·blio·te·ca·rio, ria [biβljotekárjo, rja ビブリオテカリオ, リア] 名男女 図書館員, 司書.

bi·ca·me·ral [bikamerál ビカメラる] 形 二院制の. ►「一院制の」は unicameral.

bi·car·bo·na·to [bikarβonáto ビカルボナト] 名男〘化〙重炭酸塩.

bi·cé·fa·lo, la [biθéfalo, la ビせファろ, ら] 形 双頭の.

bi·cho [bítʃo ビチョ] 名男 **1** 虫けら.

2 小動物; 《口語》(闘牛の)牛. Me encanta cualquier *bicho*. 私は動物ならなんでも好きだ.

3 人, やつ(= mal *bicho*).

bicho viviente 《口語》生きている者.

bi·ci [bíθi ビし] 名女 [bicicleta の省略形] 《口語》自転車.

bi·ci·cle·ta [biθikléta ビしクれタ] 名女 [複 ~s]〔英 bicycle〕 **自転車**. ir [montar] en *bicicleta* 自転車で行く. →次ページ図.

bi·co·ca [bikóka ビコカ] 名女 **1** 《口語》つまらないもの. por una *bicoca* 二束三文で.

2 《口語》掘り出し物.
bi·co·lor [bikolór ビコろル] 形 2色の.
bi·cor·nio [bikórnjo ビコルニオ] 名男 二角帽.
bi·dé [biðé ビデ] 名男 ビデ.
bi·dón [biðón ビドン] 名男 (ポリタンクなどの)容器, 缶.
bie·la [bjéla ビエら] 名女 〘機械〙 連接棒; (自転車のペダルの)クランク.
biel·do [bjéldo ビエるド] 名男 〘農業〙 干し草用フォーク.

bien [bjén ビエン] 副 [比較級 mejor] 〔英 well〕
1 **よく, 上手に,** うまく (↔ mal). Habla muy *bien* el español. 彼はスペイン語がとてもうまい.
2 **順調に, 快適に**; 適切に, ふさわしく. Todo ha salido *bien*. すべてうまくいった. Huele *bien*. いい香りがする. Lo hemos pasado *bien*. 私たちは楽しい時を過ごした. Has dicho *bien*. 君の言ったことはまさに適切だった. Mi hermana no se encuentra *bien*. 姉はあまり具合がよくない.
3 **十分に,** ぞんぶんに; かなり. No hemos dormido *bien*. 私たちはよく眠れなかった. Con la niebla no se ve *bien* la torre. 霧で塔はよく見えない. *bien* mirado / mirándolo *bien* よく考えてみると. ► 形容詞・副詞と共に用いられると muy の意味になる. ⇀ una ducha *bien* caliente うんと熱いシャワー. *bien* entrada la noche 夜も更けて.
—— 名男 [複 ~es] 〔英 good〕 **1** **善**; 善行, 慈善, 親切. Haz *bien* y no mires a quién. 《諺》誰にでも親切にしなさい (善をなすのに人を選ばない).
2 利益; 幸福. el *bien* público 公共の利益. por el *bien* de todos 皆のために. No hay *bien* ni mal que cien años dure. 《諺》苦あれば楽あり.
3 [~es] 財産, 資産. *bienes* muebles [inmuebles] 動産[不動産].
¡Bien! / ¡Está bien! よろしい, 承知した; 結構だ, よくできた; もういい (= ¡Basta!).
***bien* ... (o) *bien* ...** …か, または….
bien o mal 良かれ悪しかれ.
estar bien (1)健康である (= estar *bien* de salud). ¿Cómo *estás*?—*Bien*, gracias,¿y tú? どう, お元気？—うん, ありがとう, あなたは？(2)裕福である (= estar *bien* de dinero). (3)快適である, 楽しく過ごす. *Estábamos* tan *bien* que no queríamos movernos de allí. とても居心地がよかったので, われわれはそこを動きたくなかった. (4)よい; 十分である. La película de hoy *ha estado* muy *bien*. 今日の映画はとても面白かった. ¿*Está bien* con esto? これでいいですか[間に合いますか]. (5)(衣服が) ぴったりである, 似合う; (刑罰などが) ふさわしい. Este pantalón te *está bien*. このスラックスは君にぴったりだ.
estar bien 《+不定詞》《+**que** 接続法》…するのはよい, …しても構わない. No *está bien* hacer ruido a estas horas. こんな時間に騒ぐのはよくない. Creo que *estaría bien que* escribieras a tus padres. ご両親に手紙を出しておいた方がいいと思うよ. ► 3人称単数で用いられる. 後に続く動詞の主語が明示されると, +que 接続法になる.
más bien むしろ, どちらかといえば.
¡Muy bien! よくできた, そのとおりだ; 承知しました; 《皮肉》大したものだ.
no bien ... …するやいなや.
¡(Pues) estamos bien! いやだなあ, 困ったなあ！
si bien 《+直説法》…であるけれど, たとえ…でも (= aunque). Haré lo que dices, *si bien* no estoy de acuerdo con ello. 君の言うとおりにするが, 賛成している訳ではないよ.

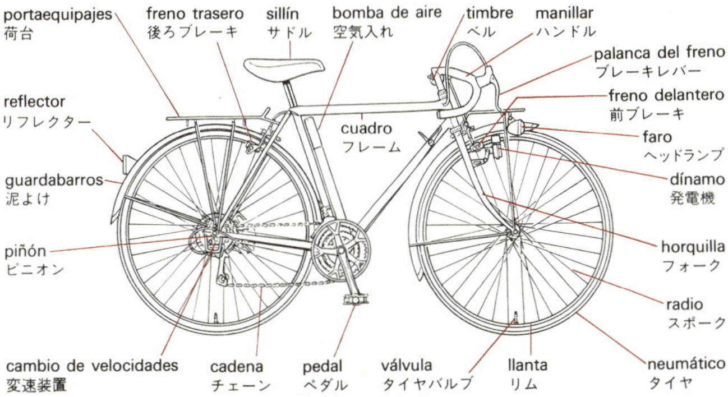

bicicleta 自転車

tener a bien 《＋不定詞》…してくださる. Le rogamos *tenga a bien* comunicarnos su decisión cuanto antes. 決定されたら至急お知らせくださるようお願い申し上げます.
y bien ところで, それで.
Ya está bien de 《＋名詞》《＋不定詞》…はもうたくさんだ, …するのをやめろ. *Ya está bien de* dormir. ¡Levántate de una vez! いつまで寝ているんだ, もう起きろ.

bie·nal [bjenál ビエナる] 形 隔年の, 2年ごとの; 〖植物〗二年生の.
―― 名女 2年に一度の行事, ビエンナーレ.

bie·na·ven·tu·ra·do, da [bjenaβenturáðo, ða ビエナベントゥラド, ダ] 形 幸福な; 〖宗教〗至福を得た.
―― 名男女 幸せな人; 〖ｶﾄﾘｯｸ〗至福者.

bie·na·ven·tu·ran·za [bjenaβenturánθa ビエナベントゥランさ] 名女 **1** 安楽; 繁栄; 幸福. **2** 〖宗教〗至福; [～s] (山上の垂訓中の) 八福音.

bie·nes·tar [bjenestár ビエネスタル] 名男 **1** 安楽, 満足. **2** 生活の豊かさ; 福祉.

bien·he·chor, cho·ra [bjenetʃór, tʃóra ビエネチョル, チョラ] 形 慈善を施す; ためになる.
―― 名男女 慈善家 (＝ benefactor).

bie·nio [bjénjo ビエニオ] 名男 2年間.

bien·ve·ni·do, da [bjembeníðo, ða ビエンベニド, ダ] 形 **1** 歓迎の. **2** 《間投詞的に》ようこそ. ¡*Bienvenidas*, señoras! 奥様方よくいらっしゃいました. ¡Que sea usted *bienvenido*! ようこそおいでくださいました.
―― 名女 歓迎. dar la *bienvenida* a 《＋uno》〈人〉に歓迎の言葉を述べる.

bies [bjés ビエス] 名男 **1** 斜め. al *bies* 斜めに. **2** バイアス (布).

bi·fá·si·co, ca [bifásiko, ka ビファシコ, カ] 形 〖電気〗2相性の.

bi·fo·cal [bifokál ビフォカる] 形 (レンズが) 複焦点の, 遠近両用の. lentes *bifocales* 遠近両用眼鏡.

bi·fur·ca·ción [bifurkaθjón ビフルカしオン] 名女 分岐; (道路・鉄道の) 分岐点; 〖ｺﾝﾋﾟｭｰﾀ〗ブランチ.

bi·fur·car·*se* [bifurkárse ビフルカルセ] [⑧ c → qu] 動 分岐する.

bi·ga·mia [biɣámja ビガミア] 名女 〖法律〗二重結婚, 重婚 (罪).

bí·ga·mo, ma [bíɣamo, ma ビガモ, マ] 形 重婚 (罪) の.
―― 名男女 重婚者.

bi·go·te [biɣóte ビゴテ] 名男 [複 ～s] 〔英 mustache〕 **1** **口ひげ**. llevar *bigote* 口ひげを生やしている. dejarse *bigote* 口ひげを生やす. → barba 図. **2** (動物の) ひげ.
de bigote(s) 《口語》すばらしい, すごい. Este plato está *de bigote*. この料理はすばらしい.
ser un hombre de bigotes 一人前の男である.
tener bigotes 腹が据わっている.

bi·go·tu·do, da [biɣotúðo, ða ビゴトゥド, ダ] 形 口ひげの濃い.

bi·ki·ni [bikíni ビキニ] 名男 〖服飾〗ビキニ (水着). [←英語]

bi·la·bial [bilaβjál ビらビアる] 形 〖音声〗両唇 (音) の.
―― 名女 〖音声〗両唇音.

bi·la·te·ral [bilaterál ビらテラる] 形 両側の, 両者の; 〖音声〗両側 (音) の. acuerdo *bilateral* 相互協定.

bil·ba·í·no, na [bilβaíno, na ビるバイノ, ナ] 形 ビルバオの.
―― 名男女 ビルバオの住民.

Bil·ba·o [bilbáo ビるバオ] 固名 ビルバオ: スペイン北部 Vizcaya 県の県都.

bi·liar [biljár ビりアル] 形 胆汁の. cálculo *biliar* 〖医〗胆石.

bi·lin·güe [bilíŋgwe ビりングエ] 形 2か国語の.

bi·lin·güis·mo [biliŋgwísmo ビりングイスモ] 名男 2言語併用; 〖言語〗バイリンガル.

bi·lis [bílis ビりス] 名女 **1** 胆汁; **2** 不機嫌. descargar la *bilis* contra 《＋uno》〈人〉に当たりちらす.

bi·llar [biʎár ビりャル] 名男 ビリヤード. jugar al *billar* ビリヤードをする.

bi·lle·te

[biʎéte ビりェテ] 名男 [複 ～s] 〔英 ticket; bill〕 **1** **切符, 乗車券**; チケット, 入場券. sacar un *billete* 切符を買う. *billete* circular 周遊旅行券. *billete* de abono / taco de *billetes* 回数券. *billete* de avión 航空券. *billete* de lotería 宝くじ券. *billete* de ida y vuelta 往復切符. *billete* a mitad de precio 半額券. *billete* tarifa completa 規定料金の券. medio *billete* (子供などの) 半額料金. No hay *billetes*. 切符売り切れ, 大入り満員.
2 **紙幣**, 銀行券 (＝ *billete* de banco). *billete* de mil pesetas 1000ペセタ札.

bi·lle·te·ra [biʎetéra ビりェテラ] 名女 / **bi·lle·te·ro** [-ro -ロ] 名男 札入れ, 財布.

bi·llón [biʎón ビりョン] 名男 《数詞》 1兆 (10^{12}).

bi·men·sual [bimenswál ビメンスアる] 形 月2回の.

bi·mes·tral [bimestrál ビメストゥラる] / **bi·mes·tre** [biméstre ビメストゥレ] 形 隔月の.

bi·mo·tor, to·ra [bimotór, tóra ビモトル, トラ] 形 〖航空〗双発式の.
―― 名男 〖航空〗双発機.

bi·na·rio, ria [binárjo, rja ビナリオ, リア] 形 **1** 2つからなる. **2** 〖音楽〗4分の2拍子の. **3** 〖数〗二進法の.

bin·go [bíŋgo ビンゴ] 名男 (ゲーム) ビンゴ.

bi·no·cu·lar [binokulár ビノクらル] 形 両眼の.
―― 名男 [～es] 双眼鏡.

bi·nó·cu·lo [binókulo ビノクろ] 名男 [普通 ～s] 鼻眼鏡.
bi·no·mio, mia [binómjo, mja ビノミオ, ミア] 形 〘数〙 2項(式)の.
—— 名男 〘数〙 2項式.
bio- 「生」の意を表す造語要素. ⇀ *bio*grafía, *bio*química など.
bio·de·gra·da·ble [bjoðeɣraðáβle ビオデグラダブれ] 形 生物分解性の.
bio·fí·si·ca [bjofísika ビオフィシカ] 名女 生物物理学.
bio·gra·fí·a [bjoɣrafía ビオグラフィア] 名女 伝記.
bio·grá·fi·co, ca [bjoɣráfiko, ka ビオグラフィコ, カ] 形 伝記の.
bió·gra·fo, fa [bjóɣrafo, fa ビオグラフォ, ファ] 名男女 伝記作家.
bio·lo·gí·a [bjoloxía ビオろヒア] 名女 生物学.
bio·ló·gi·co, ca [bjolóxiko, ka ビオろヒコ, カ] 形 生物学の.
bió·lo·go, ga [bjóloɣo, ɣa ビオろゴ, ガ] 名男女 生物学者.
biom·bo [bjómbo ビオンボ] 名男 屏風(びょうぶ).
bio·quí·mi·co, ca [bjokímiko, ka ビオキミコ, カ] 形 生化学の.
—— 名男女 生化学者.
—— 名女 生化学.
bios·fe·ra [bjosféra ビオスフェラ] 名女 生物圏.
bio·tec·no·lo·gía [bjoteknoloxía ビオテクノろヒア] 名女 生物工学, バイオテクノロジー.
bió·xi·do [bjóksiðo ビオクシド] 名男 〘化〙 二酸化物. ➡ dióxido.
bí·pe·do, da [bípeðo, ða ビペド, ダ] 形 2本足の.
—— 名男 (特に)人間.
bi·pla·no [bipláno ビプらノ] 名男 〘航空〙 複葉飛行機.
bi·pla·za [bipláθa ビプらさ] 形 2人乗りの.
—— 名男 2人乗りの乗り物.
bi·po·lar [bipolár ビポらル] 形 2極の.
bi·po·la·ri·dad [bipolariðáð ビポらリダ(ドゥ)] 名女 2極性.
bir·ma·no, na [birmáno, na ビルマノ, ナ] 形 ビルマ[ミャンマー] Birmania の.
—— 名男女 ビルマ[ミャンマー]人.
—— 名男 ビルマ語.
bi·rre·ac·tor [bir̄eaktór ビレアクトル] 形 〘航空〙 双発ジェットの.
—— 名男 〘航空〙 双発ジェット機.
bi·rre·ta [bir̄éta ビレタ] 名女 〘カトリック〙 ビレタ: 聖職者がかぶる四角形の帽子. ◆枢機卿(すうきけい)は赤, 司教は深紅, 司教以下の聖職者は黒.
bi·rre·te [bir̄éte ビレテ] 名男 **1** (大学教授・裁判官・弁護士等が用いる) 角帽. ➡ sombrero 図. **2** 縁なしの帽子 (= gorro). **3** 〘カトリック〙 ➡ birreta.
bi·rria [bír̄ja ビリア] 名女 《口語》 醜い人; くだらないもの.

bis [bís ビス] 副 **1** (同一番号内の区別) …の2. Vivo en el 7 *bis*. 私は7番の2に住んでいる. **2** 2度; 〘音楽〙 繰返し.
bis- / biz- 《接頭》「2回, 2度」の意を表す. ⇀ *bis*nieto, *biz*cocho など.
bi·sa·bue·lo, la [bisaβwélo, la ビサブエろ, ら] 名男女 曾(ひ)祖父, 曾祖母.
—— 名男 [～s] 曾祖父母.
bi·sa·gra [bisáɣra ビサグラ] 名女 蝶番(ちょうつがい).
bis·bi·sar [bisβisár ビスビサル] / **bis·bi·se·ar** [-seár -セアル] 動他 《口語》 ぶつぶつ言う.
bis·bi·se·o [bisβiséo ビスビセオ] 名男 つぶやき.
bi·sec·tor, triz [bisektór, tríθ ビセクトル, トゥリす] 形 〘数〙 2等分の.
—— 名女 [複 bisectrices] 〘数〙 2等分線.
bi·sel [bisél ビセる] 名男 斜断面.
bi·se·lar [biselár ビセらル] 動他 斜断する.
bi·se·ma·nal [bisemanál ビセマナる] 形 週に2回の; 2週間に1回の, 隔週の.
bi·se·xual [bisekswál ビセクスアる] 形 両性の; 〘生物〙 雌雄同体の.
—— 名男女 両性愛者, バイセクシャル.
bi·sies·to [bisjésto ビシエスト] 形 閏(うるう)の. año *bisiesto* 閏年.
bi·si·lá·bi·co, ca [bisiláβiko, ka ビシらビコ, カ] / **bi·sí·la·bo, ba** [bisílaβo, βa ビシらボ, バ] 形 〘文法〙 2音節の.
bis·nie·to, ta [bisnjéto, ta ビスニエト, タ] 名男女 曾孫(そうそん), ひまご.
bi·son·te [bisónte ビソンテ] 名男 〘動物〙 野牛. [←〘英〙 bison]
bi·so·ño, ña [bisóɲo, ɲa ビソニョ, ニャ] 名男女 新兵; 青二才.
—— 形 未経験の, 新入りの; 新兵の.
bis·té [bisté ビステ] 名男 ➡ bistec.
bis·tec [bisték ビステ(ク)] 名男 [複 ～s] ステーキ, ビフテキ. asar un *bistec* ステーキを焼く. ► 豚・羊・魚介などのステーキは filete を用いる.

【参　考】肉の焼き加減
bien hecho [pasado] ウェルダン.
poco hecho [pasado] ミディアム.
muy poco hecho [pasado] レア.

bis·tu·rí [bisturí ビストゥリ] 名男 〘医〙 メス.
bi·sul·fa·to [bisulfáto ビスるファト] 名男 〘化〙 硫酸水素塩.
bi·su·te·rí·a [bisutería ビステリア] 名女 (イミテーションの) 装身具.
bit [bít ビ(トゥ)] 名男 [複 bits] 〘コンピューター〙 ビット, 二進法. [←英語]
bí·ter [bíter ビテル] 名男 ビター: 食前酒.
bi·tu·mi·no·so, sa [bituminóso, sa ビトゥミノソ, サ] 形 瀝青(れきせい)の, タール質を含む.
bi·val·vo, va [biβálβo, βa ビバるボ, バ]

形二枚貝の.
—— 名男〘貝〙二枚貝.
bi·zan·ti·no, na [biθantíno, na ビサンティノ, ナ] 形 **1** ビザンティン帝国の; 〘建築〙〘美術〙ビザンティン様式の. Imperio *Bizantino* ビザンティン[東ローマ]帝国 (330-1453). **2** (議論が) さまつな.
bi·za·rrí·a [biθar̄ía ビさリア] 名女 **1** 勇気. **2** 寛大. **3** 奇抜さ.
bi·za·rro, rra [biθár̄o, r̄a ビさロ, ラ] 形 **1** 勇気ある. **2** 寛大な. **3** 奇抜な.
biz·co, ca [bíθko, ka ビすコ, カ] 形 斜視の. —— 名男女 斜視の人.
quedarse bizco 啞然(あぜん)とする.
biz·co·cho [biθkótʃo ビすコチョ] 名男 **1** スポンジケーキ. ► ビスケットは galleta.
2 素焼きの陶器.
biz·nie·to, ta [biθnjéto, ta ビすニエト, タ] 名男女 ➡ bisnieto.
biz·que·ar [biθkeár ビすケアル] 動自 《口語》横目で見る.
blan·co[1], ca [bláŋko, ka ブらンコ, カ] [複 ~s] 形 〔英 white〕 **1 白い**; 銀白の; 青白い; 無色の. más *blanco* que la nieve 真白な. *blanco* como la leche 乳白色の. cabello *blanco* 白髪. guantes *blancos* 白い手袋. *blanco* como el papel 蒼白(そうはく)な.
2 純潔な, 純白な. con el alma *blanca* 清い心をもって.
3 白色人種の. **4** 《口語》腰抜けの.
—— 名男女 **1** 白人. **2** 《口語》腰抜け.
como de lo blanco a lo negro 似ても似つかぬ.
no distinguir lo blanco de lo negro 無知である.
blan·co[2] [bláŋko ブらンコ] 名男 [複 ~s]
1 白, 白色. *blanco* inmaculado [puro] 純白.
2 白いもの[部分]. *blanco* de cinc 亜鉛華. *blanco* de la uña 半月, 小爪(こづめ). *blanco* del ojo 白目 (➡ ojo 図).
3 標的, ターゲット; 目標. *blanco* de las burlas 物笑いの種. *blanco* de las miradas 注目の的. tirar al *blanco* 的を射る.
4 空白, 余白; 空欄.
dar en el blanco / hacer blanco 命中[的中]する.
en blanco (1)白紙の; 不毛な. Ha sido un día *en blanco*. 無意味な1日だった. votar *en blanco* 白票を投ずる. (2)寝ずに. pasar la noche *en blanco* 徹夜する. (3)何も分からずに. (4)失望した.
pasar en blanco …を大目に見る; 無視する.
blan·cu·ra [blaŋkúra ブらンクラ] 名女 白さ, 純白.
blan·cuz·co, ca [blaŋkúθko, ka ブらンクすコ, カ] 形 白っぽい.
blanda 形女 ➡ blando.
blan·den·gue [blandéŋge ブらンデンゲ] 形 《口語》気の弱い; 寛大な, 甘い.
blan·dir [blandír ブらンディル] 動他 (棒などを) 振り回す.
blan·do, da [blándo, da ブらンド, ダ] 形 [複 ~s] 〔英 soft〕 **1 柔[軟]らかい**, ふんわりした (↔ duro). No me gusta la cama *blanda*. 私は柔らかいベッドが嫌いだ.
2 優しい, 寛大な. *blando* de corazón 心の優しい.
3 気弱な, 柔弱な. un chico *blando* 気弱な青年. profesor *blando* con sus alumnos 生徒に甘い先生.
4 気ままな, 気楽な. una vida *blanda* 気ままな人生.
5 温暖な, 穏やかな. *blando* murmullo de las olas 静かな波の音.
blan·du·cho, cha [blandútʃo, tʃa ブらンドゥチョ, チャ] / **blan·du·jo, ja** [-dúxo, xa -ドゥホ, ハ] 形 《口語》軟弱な; (筋肉の) 締まりのない.
blan·du·ra [blandúra ブらンドゥラ] 名女 柔らかさ (↔ dureza); 寛大さ; 気楽さ; こび, へつらい.
blan·que·ar [blaŋkeár ブらンケアル] 動他 白くする; 漂白する; (貴金属を) 磨く; (ブラックマネーを) きれいにする.
—— 動自 白くなる; 白く見える.
blan·que·ci·no, na [blaŋkeθíno, na ブらンケしノ, ナ] 形 白っぽい.
blan·que·o [blaŋkéo ブらンケオ] 名男 白くすること, 漂白.
blas·fe·mar [blasfemár ブらスフェマル] 動自 《+**contra, de**》…を冒瀆(ぼうとく)する, …に不敬を働く.
blas·fe·mia [blasfémja ブらスフェミア] 名女 **1** 冒瀆(ぼうとく), 瀆神(とくしん), 不敬.
2 悪口雑言.
blas·fe·mo, ma [blasfémo, ma ブらスフェモ, マ] 形 冒瀆(ぼうとく)的な, 不敬な.
—— 名男女 悪口を言う人.
bla·són [blasón ブらソン] 名男 **1** 紋章. ➡ heráldica.
2 名誉; [blasones] 栄えある祖先.
bla·so·nar [blasonár ブらソナル] 動他 …に紋章を付ける.
—— 動自 《+**de**》…を自慢する. *blasonar de* rico 金持ちを鼻にかける.
ble·do [bléðo ブれド] 名男 **1** 〘植物〙ハゲイトウ (葉鶏頭).
2 《口語》少しも…ない. Me importa un *bledo*. 私はそんなこと少しも構わない.
ble·no·rra·gia [blenor̄áxja ブれノラヒア] / **ble·no·rre·a** [-r̄éa -レア] 名女 〘医〙淋病(りんびょう).
blin·da·je [blindáxe ブリンダヘ] 名男 装甲, 遮蔽(しゃへい).
blin·dar [blindár ブリンダル] 動他 **1** 装甲する.
2 〘技術〙遮蔽(しゃへい)する.
bloc [blók ブろ(ク)] 名男 [複 ~s] (はぎ取

り式の) 用紙. *bloc* de dibujos スケッチブック.

blon·do, da [blóndo, da ブロンド, ダ] 形 ブロンドの (＝rubio).

blo·que [blóke ブロケ] 名男 **1** 塊(かたまり); 石塊; コンクリートブロック. un *bloque* de mármol 大理石の塊. *bloque* de hielo 氷塊.
2 一群, 一連, ブロック; 街区. *bloque* de viviendas (中庭を共有する) 住宅ブロック.
3 主体; 本隊.
4 (国家・政党の) 連合. *bloque* capitalista 資本主義ブロック.
5 (メモ帳・紙などの) 束 (＝bloc).
en bloque 一括して; 一団となって.

blo·que·ar [blokeár ブロケアル] 動他
1 封鎖する, 包囲する; (物価を) 凍結する; 〘スポ〙ブロックする.
2 (機械を) 動かなくさせる; 遮断する.

blo·que·o [blokéo ブロケオ] 名男 包囲; 凍結; 遮断. levantar un *bloqueo* 包囲を解く.

blu·sa [blúsa ブるサ] 名女 ブラウス; 作業服.

blu·són [blusón ブるソン] 名男 スモック, ブルゾン. [←〔仏〕blouson]

bo·a [bóa ボア] 名女〘動物〙ボア.
— 名男〘服飾〙ボア: 襟巻き.

bo·a·to [boáto ボアト] 名男 虚飾; 華やかさ.

bo·ba·da [boβáða ボバダ] 名女 ばかげたこと; 愚鈍.

bo·ba·li·cón, co·na [boβalikón, kóna ボバりコン, コナ] 形《口語》ばかな.
— 名男女《口語》間抜け.

bo·be·rí·a [boβería ボベリア] 名女 愚かなこと.

bó·bi·lis, bó·bi·lis [bóβilisβóβilis ボビりスボビりス] ***de bóbilis, bóbilis***《副詞句》《口語》努力しないで; ただで.

bo·bi·na [boβína ボビナ] 名女 糸巻き; 〘電気〙コイル.

bo·bo, ba [bóβo, βa ボボ, バ] 形 ばかな, 愚かな; お人よしの (↔listo). Es muy *bobo*; todo se lo cree. 彼は本当にばかだ, なんでもうのみにする.
— 名男女 ばか; お人よし.
— 名男〘演劇〙道化役者.
hacerse el bobo とぼける.

bo·ca [bóka ボカ] 名女 [複 〜s] 〔英 mouth〕
1 (人・動物の) **口**, 口腔(こう). abrir [cerrar] la *boca* 口を開ける[閉じる]. torcer la *boca* 口をゆがめる. No tenemos nada que llevarnos a la *boca*. わが家は食べる物に事欠いている. callar la *boca* 口をつぐむ. *boca* de escorpión 毒舌家. *boca* de oro 雄弁 (家). ➡cuerpo 図.
2 (物の) 口; 出入り口; [〜s] 河口. *boca* de incendios 消火栓. *boca* de metro 地下鉄の入り口. *boca* de puerto 港口. *bocas* del Nilo ナイル河口. *boca* del estómago《口語》みぞおち. ancho de *boca* 広口の.
3 (エビ・カニの) 鋏(はさみ).
4 (ぶどう酒の) 口当たり, 風味. de buena *boca* 口当たりのよい.
5 養い口. Tengo cinco *bocas* que alimentar. 私は5人の扶養家族がいる.
a boca de cañón 至近距離から; いきなり.
a boca de jarro らっぱ飲みで; 至近距離から; いきなり.
a boca llena 歯に衣(きぬ)着せずに, ずけずけと.
abrir [hacer] boca 食前に軽い物をつまむ, 食前酒を飲む.
andar de boca en boca 人の口から口へと伝わる.
a pedir de boca 望みどおりに, おあつらえ向きに. salir *a pedir de boca* 思ったとおりになる.
boca abajo うつぶせになって; 伏せて, 裏返しにして.
boca a boca 口伝えで; 口移しで; マウスツーマウス (人工呼吸).
boca arriba あおむけに; 表を上にして. poner [volver] las cartas *boca arriba* 持ち札を見せる; 手の内を明かす.
con la boca abierta 口をぽかんと開けて, 唖然(あぜん)として. Cuando me enteré de su nombramiento, me quedé *con la boca abierta*. 彼が任命されたのを知って私はびっくりした.
decir lo que viene a 《＋uno》 ***a la boca*** 〈人〉が思いつき[言いたい放題]を言う.
no decir esta boca es mía 押し黙る.
poner 《＋algo》 ***en boca de*** 《＋uno》〈人〉が言ったことにする; 〈何か〉を〈人〉に言わせる.
por una boca 口をそろえて, 異口同音に.
tapar la boca a 《＋uno》《口語》〈人〉を黙らせる; 袖(そで)の下で口をふさぐ. No hay manera de *taparle la boca*. 彼を黙らせる方法がない.

bo·ca·ca·lle [bokakáʎe ボカカリェ] 名女 (街路の) 入り口, 横丁; わき道.

bo·ca·di·llo [bokaðíʎo ボカディリョ] 名男 ボカディリョ: フランスパンを用いたサンドイッチ; 軽食, おやつ. tomar un *bocadillo* 軽く食事をする.

bo·ca·do [bokáðo ボカド] 名男 **1** (食べ物の) 一口, 少量. comer en un *bocado* [dos *bocados*] 慌てて食べる. probar un *bocado* 一口食べる, 毒味する. comer [tomar] un *bocado* 軽く食べる.
2 かむこと, かみ傷. dar un *bocado* a《＋uno》〈人〉にかみつく. **3** 轡(くつわ); 馬銜(はみ).
bocado de Adán のどぼとけ.
bocado de cardenal ごちそう.
con el bocado en la boca 食べ終わった途端に.
comerse a 《＋uno》 ***a bocados*** 〈人〉が食べてしまいたいくらいかわいい.

no haber* [*tener*] *para un bocado 《口語》食べ物に事欠く.

bo·ca·ja·rro [bokaxár̄o ボカハロ]

a bocajarro 《副詞句》出し抜けに; (射撃で) 至近距離から.

B

bo·ca·man·ga [bokamáŋga ボカマンガ] 名女 袖口(そでぐち).

bo·ca·na·da [bokanáða ボカナダ] 名女 **1** (風の) 一吹き. **2** 一口.

a bocanadas 断続的に.

bo·ca·za [bokáθa ボカさ] 名女 [boca の大] 大きな口.

bo·ca·zas [bokáθas ボカさス] 名男女 [単・複同形] 《口語》口の軽い人.

bo·cel [boθél ボせる] 名男 〔建築〕トーラス: 円柱下部の刳形(くりかた).

bo·ce·ra [boθéra ボせラ] 名女 **1** 口の周りの汚れ. **2** 〔医〕唇の端にできる吹き出物.

bo·ce·ras [boθéras ボせラス] 名男女 [単・複同形] 《口語》おしゃべりな人; 間抜け.

bo·ce·to [boθéto ボせト] 名男 下絵, 下書き.

bo·cha [bótʃa ボチャ] 名女 〔遊戯〕木球; [～s] 球転がし.

bo·chin·che [botʃíntʃe ボチンチェ] 名男 《口語》騒動 (= alboroto).

bo·chor·no [botʃórno ボチョルノ] 名男 **1** 熱風; うだるような暑さ. **2** (顔などの) ほてり, 恥ずかしさ.

bo·chor·no·so, sa [botʃornóso, sa ボチョルノソ, サ] 形 **1** 蒸し暑い. **2** 恥ずかしい.

bo·ci·na [boθína ボしナ] 名女 メガホン; (車の) クラクション. tocar la *bocina* クラクションを鳴らす.

bo·cio [bóθjo ボしオ] 名男 〔医〕甲状腺腫(せんしゅ).

bo·coy [bokói ボコイ] 名男 (ぶどう酒搬送用の) 大樽(たる).

bo·da [bóða ボダ] 名女 [複 ～s] 〔英 wedding〕 [～または～s] 結婚式, 婚礼. A su *boda* asistieron muchos invitados. 彼らの結婚式には大勢の招待客が列席した. celebrar la *boda* 結婚式をあげる. *bodas* de plata 銀婚式. *bodas* de oro 金婚式.

bo·de·ga [boðéɣa ボデガ] 名女 **1** (地下の) 酒倉, ワインセラー. **2** (ぶどう酒の) 醸造所; 酒屋. **3** 〔海事〕船倉. ➡ barco 図. **4** (ある年・地域産の) ぶどう酒. *bodega* riojana de 1975 [mil novecientos setenta y cinco] 1975年もののリオハ産ぶどう酒.

bo·de·gón [boðeɣón ボデゴン] 名男 静物画.

bo·drio [bóðrjo ボドゥリオ] 名男 **1** (修道院で貧しい人々に施される) スープ. **2** 出来損ない.

bo·fe [bófe ボフェ] 名男 [～または～s] 肺臓; (特に牛・豚の) 肺.

bo·fe·ta·da [bofetáða ボフェタダ] 名女 **1** 平手打ち, びんた; 一撃, 打撃. **2** 軽蔑(けいべつ), はずかしめ.

dar una bofetada a 《+uno》〈人〉に平手打ちを食わせる; 〈人〉をはずかしめる.

bo·fe·tón [bofetón ボフェトン] 名男 平手打ち.

bo·ga [bóɣa ボガ] 名女 **1** 〔海事〕 (船を) こぐこと; 《集合》こぎ手. **2** 流行. estar en *boga* 流行している (= moda).

bo·gar [boɣár ボガル] [32 g ➡ gu] 動 自 かいで (船を) こぐ (= remar); 航海する.

bo·ga·van·te [boɣaβánte ボガバンテ] 名男 〔動物〕ロブスター.

Bo·go·tá [boɣotá ボゴタ] 固名 Santa Fe de *Bogotá* サンタフェ・デ・ボゴタ: コロンビア Colombia の首都.

bo·go·ta·no, na [boɣotáno, na ボゴタノ, ナ] 形 サンタフェ・デ・ボゴタの.
―― 名男女 サンタフェ・デ・ボゴタの住民.

bo·he·mia·no, na [boemjáno, na ボエミアノ, ナ] / **bo·hé·mi·co, ca** [boémiko, ka ボエミコ, カ] 形 (チェコ西部の) ボヘミア Bohemia の. ―― 名男女 ボヘミア人.

bo·he·mio, mia [boémjo, mja ボエミオ, ミア] 形 **1** ボヘミアの. **2** ジプシーの (= gitano). **3** 自由放縦(ほうじゅう)な, ボヘミアンの.
―― 名男女 **1** ボヘミア人. **2** ジプシー. **3** 放浪的芸術家, ボヘミアン.
―― 名男 チェコ語.
―― 名女 奔放な生活.

boi·cot [boikót ボイコ(トゥ)] 名男 [複 ～s] ➡ boicoteo.

boi·co·te·o [boikotéo ボイコテオ] 名男 ボイコット, 不買運動.

boi·na [bóina ボイナ] 名女 ベレー帽. ➡ sombrero 図.

pasar la boina 《口語》金を集める, カンパを募る.

boite [bwát ブア(トゥ)] 名女 ナイトクラブ. [←〔仏〕boîte]

boj [bóx ボ(フ)] 名男 〔植物〕ツゲ (黄楊).

bo·la [bóla ボら] 名女 **1** 球, 球体; (球戯などの) ボール, 玉. *bola* de cristal (占いの) 水晶球. *bola* de naftalina モスボール, 虫よけ玉. *bola* de billar ビリヤードの球. cojinete de *bolas* ボール・ベアリング. ➡ pelota 【参考】. **2** うそ, つくり話. contar [meter] *bolas* うそをつく. **3** [～s] 《俗語》睾丸(こうがん). **4** 《ラ米》騒ぎ, けんか. hacerse *bola* 混乱する.

bola de nieve 雪の球; (雪だるま式に) 膨れ上がるもの.

dejar rodar* [*que ruede*] *la bola 成り行きに任せる.

no dar pie con bola 《口語》全然うまくいかない, 見当外れである.

bol·che·vi·que [boltʃeβíke ボるチェビケ] 形 **1** ボルシェビキの. **2** 共産主義者の; 過激派の.
―― 名男女 **1** ボルシェビキ: 1917年10月革

命のロシア社会民主労働党の多数派.
2 共産主義者; 過激派.

bol·che·vis·mo [boltʃeβísmo ボるチェビスモ] / **bol·che·vi·quis·mo** [-βikísmo -ビキスモ] 名男 ボルシェビズム.

bo·le·ra [boléra ボれラ] 名女 ボウリング場; ボウリングのレーン.

bo·le·ro, ra [boléro, ra ボれロ, ラ] 形《口語》**1** うそつきの.
2 ずる休みをする.
── 名男女 **1**《口語》うそつき.
2《口語》ずる休みする人.
── 名男 **1**〔音楽〕ボレロ: 4分の3拍子のスペインの舞曲.
2〔服飾〕ボレロ: 女性用上着.

bo·le·tín [boletín ボれティン] 名男 **1** 公報, 報告書; 会報, 紀要. *Boletín* Oficial (del Estado) 官報.
2 (学校の) 通信簿.
3 注文書.

bo·le·to [boléto ボれト] 名男 **1** (宝くじなどの) 券. **2**《ラ米》切符 (= billete).

bo·li·che [bolítʃe ボりチェ] 名男 **1** (球転がしの) 小木球; (家具の) 球状の装飾.
2 ボウリング; ボウリング場.

bó·li·do [bólido ボりド] 名男 **1**〔天文〕火球, 隕石(いんせき). **2** レーシングカー.

bo·lí·gra·fo [bolíɣrafo ボりグラフォ] 名男 ボールペン.

bo·li·llo [bolíʎo ボりリョ] 名男 (レース編みの) 糸巻き, ボビン.

bo·lí·var [bolíβar ボりバル] 名男 ボリバル: ベネズエラの貨幣単位.

Bo·li·via [bolíβja ボりビア] 固名 〔英 Bolivia〕 **ボリビア**: 南米大陸中央部の共和国. 首都 La Paz, 憲法上の首都は Sucre. 通貨 nuevo boliviano.

bo·li·via·no, na [boliβjáno, na ボりビアノ, ナ] [複 ~s] 〔英 Bolivian〕 形 **ボリビアの**.
── 名男女 **ボリビア人**.

bo·lle·rí·a [boʎería ボリェリア] 名女
1 パン屋. **2**《集合》パン.

bo·llo [bóʎo ボリョ] 名男 **1** ボージョ: ロールパン, 菓子パン, 小型のフランスパンなど.
2 へこみ, 凸凹. **3** こぶ (= chichón).
4《口語》けんか, ごたごた.

bo·lo [bólo ボろ] 名男 (ボウリングの) ピン; [~s] ボウリング; ボウリング場.
echar a rodar los bolos 事を紛糾させる.

bol·sa [bólsa ボるサ] 名女 [複 ~s] 〔英 bag; (stock) exchange〕
1 袋, バッグ. *bolsa* de hielo 氷嚢(ひょうのう). *bolsa* de la basura ごみ袋. *bolsa* de la compra 買い物袋. *bolsa* de papel [de plástico] 紙[ビニール / ポリ]袋.
2 財布; 持ち金; 懐具合. aflojar la *bolsa*《俗語》金を出す. ¡La *bolsa* o la vida! (金を) 出さないと殺すぞ! tener la *bolsa* repleta [vacía] 懐具合がいい [悪い]. *bolsa* rota 浪費家.

3 奨学金, 給費.
4〔商業〕**相場, 証券取引 (所)** (= *bolsa* de valores); 商品取引 (所) (= *bolsa* de comercio). *bolsa* negra やみ相場[取引]; 《ラ米》やみ市場. bajar [subir] la *bolsa* 相場が下がる [上がる]. jugar a la *bolsa* 相場に手を出す. *bolsa* de la propiedad inmobiliaria (新聞の) 不動産案内.
5 (衣服・皮膚の) たるみ. **6** (気体・液体の) たまり; 〔鉱物〕鉱嚢, 鉱脈瘤(りゅう).
7〔解剖〕嚢; [~s] 《俗語》陰嚢.
8《ラ米》ポケット (= bolsillo).

bol·si·llo [bolsíʎo ボるシリョ] 名男 [複 ~s] 〔英 pocket〕
1 ポケット. Sacó unas monedas del *bolsillo* del pantalón. 彼はズボンのポケットから硬貨を数枚取り出した. *bolsillo* de parche パッチポケット. *bolsillo* de pecho 胸ポケット. *bolsillo* interior 内ポケット. ➡ camisa 図.
2 財布; 持ち金. consultar con el *bolsillo* 懐と相談する. pagar a《+uno》de SU *bolsillo* 〈人〉のために身銭を切る.
de bolsillo ポケットサイズの, 小型の. libro *de bolsillo* ポケットブック.
meterse* [*tener*] *a*《+uno》*en el bolsillo《口語》〈人〉の信頼を得る; 〈人〉を思うように操る.

bol·sis·ta [bolsísta ボるシスタ] 名男女 〔商業〕株式仲買人.

bol·so [bólso ボるソ] 名男 **1** ハンドバッグ.
2 財布.

bom·ba [bómba ボンバ] 名女 [複 ~s] 〔英 pump; bomb〕 **1 ポンプ.** *bomba* aspirante [impelente] 吸い上げ [押し上げ] ポンプ. *bomba* de bicicleta 自転車の空気入れ. *bomba* de calor ヒートポンプ. *bomba* de incendios 消防ポンプ.
2 爆弾, 砲弾. *bomba* atómica 原子爆弾. *bomba* de plástico プラスチック爆弾.

B

bomba lacrimógena 催涙弾. *bomba* napalm ナパーム弾.
3 驚くべき出来事［ニュース］. La noticia de su boda con aquel jefe fue una *bomba*. 彼女があの上司と結婚したというニュースは青天の霹靂(へきれき)だった.
4《ラ米》うそ, デマ; 酔い.
caer como una bomba 突然降ってわく.
estar bomba《口語》(女性が)いい体をしている.
estar [***ir***] ***echando bombas*** かっかしている.
pasarlo bomba / pasárselo bomba《口語》楽しく過ごす. Ayer *me lo pasé bomba* en la fiesta. 昨日のパーティーはとても楽しかったよ.

bom·ba·cho [bombátʃo ボンバチョ] 形 ニッカーボッカーズの.
── 名男 ニッカーボッカーズ.

bom·bar·de·ar [bombarðeár ボンバルデアル] 動他〘軍事〙砲撃する, 爆撃する.

bom·bar·de·o [bombarðéo ボンバルデオ] 名男〘軍事〙爆撃, 砲撃.

bom·bar·de·ro, ra [bombarðéro, ra ボンバルデロ, ラ] 形 爆撃の.
── 名男 爆撃機; 爆撃手.

bom·ba·zo [bombáθo ボンバそ] 名男 **1** 炸裂(さくれつ), 爆発. **2** 衝撃的事件.

bom·be·o [bombéo ボンベオ] 名男 **1** 出っ張り; 反り. **2** くみ上げ.

bom·be·ro [bombéro ボンベロ] 名男［複 ～s］〔英 fireman〕**消防士**. cuerpo de *bomberos* 消防隊.

bom·bi·lla [bombíʎa ボンビリャ] 名女 **1** 電球. fundirse la *bombilla* 電球が切れる. ► 蛍光灯は tubo [lámpara] fluorescente.
2《ラ米》マテ茶を飲む管.

bom·bín [bombín ボンビン] 名男 **1**《口語》山高帽. **2** (自転車の) 空気入れ.

bom·bo, ba [bómbo, ba ボンボ, バ] 形 唖然(あぜん)とした. poner a 《+uno》la cabeza *bomba*《口語》〈人〉を唖然とさせる.
── 名男 **1**〘音楽〙大太鼓.
2〘機械〙ドラム. **3** 大げさな賛辞. darse *bombo*《口語》自慢する.
a bombo y platillo(***s***) 大げさに.

bom·bón [bombón ボンボン] 名男［複 bombones］チョコレートボンボン［キャンディ］.
ser un bombón《口語》すごい美人である.

bom·bo·na [bombóna ボンボナ] 名女 ボンベ. *bombona* de propano プロパンガスのボンベ.

bom·bo·ne·ra [bombonéra ボンボネラ] 名女 ボンボン入れ.

bo·na·chón, cho·na [bonatʃón, tʃóna ボナチョン, チョナ] 形《口語》人のいい.
── 名男女《口語》お人よし.

bo·na·e·ren·se [bonaerénse ボナエレンセ] 形 ブエノスアイレス Buenos Aires の.
── 名男女 ブエノスアイレスの住民.

bo·nan·za [bonánθa ボナンさ] 名女 凪(なぎ); 穏やかな天候; 繁盛.
ir en bonanza 順調に行く.

bon·dad [bonðáð ボンダ(ドゥ)] 名女［複 ～es］〔英 goodness〕**1 善**, 善良. Su *bondad* le lleva a ayudar a todo el mundo. 彼は人がよくて皆を助けている.
2 親切, 好意. Le agradezco su *bondad* y amabilidad. あなたの優しさと親切には感謝しています.
3 良さ, 良好. *bondad* del clima 気候の良さ.
Tenga la bondad de《+不定詞》…なさってください. ► やや丁寧すぎる言い方. 店員などが使う.

bon·da·do·sa·men·te [bondaðósaménte ボンダドサメンテ] 副 親切に, 優しく.

bon·da·do·so, sa [bondaðóso, sa ボンダドソ, サ] 形 親切な, 優しい. Es muy *bondadosa* con todos. 彼女は皆に親切だ.

bo·ne·te [bonéte ボネテ] 名男 縁なし帽子;〘カトリック〙(聖職者のかぶる) ビレタ. ➡ birreta.
a tente bonete《口語》ひどく, 過度に.

bo·nia·to [bonjáto ボニアト] 名男〘植物〙サツマイモ (薩摩芋) (= batata).

Bo·ni·fa·cio [bonifáθjo ボニファしオ] 固名 ボニファシオ: 男性の名.

bo·ni·fi·ca·ción [bonifikaθjón ボニフィカしオン] 名女 **1** ボーナス. **2**〘商業〙割引き; 割戻し. **3** 改良, 改善.

bo·ni·fi·car [bonifikár ボニフィカル] [8 c ➡ qu] 動他 **1**〘商業〙割引きする.
2 改良する, 改善する.

bo·ní·si·mo, ma [bonísimo, ma ボニシモ, マ] 形［bueno の絶対最上級］この上なく良い (= buenísimo).

bonita 形女 ➡ bonito.

bo·ni·ta·men·te [bonítaménte ボニタメンテ] 副 うまく; ゆっくりと.

bo·ni·to[1], ta [boníto, ta ボニト, タ] 形［複 ～s］〔英 pretty〕**1 きれいな**, かわいい, すてきな. Es una chica muy *bonita*. 彼女はとてもかわいい子だ. ¡Muy *bonito*! 実にすばらしい!;《反語的》ひどい! ➡ hermoso **【参考】**.
2 かなりの, 相当な (= considerable). Ha ganado una *bonita* cantidad de dinero. 彼はこれまでに相当な金を稼いだ.

bo·ni·to[2] [boníto ボニト] 名男〘魚〙カツオ (鰹).
── 副《ラ米》《口語》良く, うまく.

bo·no [bóno ボノ] 名男 **1** クーポン; 回数券. **2**〘商業〙公債, 債券.

bo·no-bus [bonβús ボノブス] 名男 バスの回数券.

bon·zo [bónθo ボンそ] 名男 (仏教の) 僧. [←〔日〕坊主]

bo·ñi·ga [boɲíɣa ボニィガ] 名女 牛糞(ふん), 馬糞.

bo·ñi·go [boɲíɣo ボニィゴ] 名男 牛糞(ふん)［馬糞］の塊.
boom [búm ブン] 名男 ブーム, 好況. [←英語]
boo·me·rang [bumeráŋ ブメラン] 名男 ブーメラン. [←英語]
bo·que·a·da [bokeáða ボケアダ] 名女 (死に際に) 口をぱくぱくさせること. dar las *boqueadas* 死にかけている;《口語》終わりかけている.
bo·que·rón [bokerón ボケロン] 名男 [複 boquerones]〘魚〙カタクチイワシ (片口鰯).
bo·que·te [bokéte ボケテ] 名男 狭い出入り口; 裂け目.
bo·quia·bier·to, ta [bokjaβjérto, ta ボキアビエルト, タ] 形 口をあけた, ぽかんとした.
bo·qui·lla [bokíʎa ボキリャ] 名女 **1** タバコ・ホルダー, タバコ・フィルター; (パイプの) 吸い口.
2〘音楽〙(管楽器の) マウスピース.
3 (財布・ハンドバッグの) 留め金; (ホースなどの) 筒先; (ランプ・バーナーなどの) 火口; (ズボンの) 裾(すそ)口.
de boquilla 口先だけの. promesa *de boquilla* 口先だけの約束.
bor·bo·llar [borβoʎár ボルボリャル] / **bor·bo·lle·ar** [-ʎeár -リェアル] 動自 泡立つ.
bor·bo·lle·o [borβoʎéo ボルボリェオ] 名男 泡立つこと; がやがや騒ぐ声.
bor·bo·llón [borβoʎón ボルボリョン] 名男 ➡ borbotón.
Bor·bón [borβón ボルボン] 固名 Casa de *Borbón* / los *Borbones* (フランス・スペインの王家) ブルボン家.
bor·bó·ni·co, ca [borβóniko, ka ボルボニコ, カ] 形 ブルボン家の.
bor·bo·tar [borβotár ボルボタル] / **bor·bo·ri·tar** [-ritár -リタル] / **bor·bo·te·ar** [-teár -テアル] 動自 沸騰する; 湧(わ)き出る.
bor·bo·te·o [borβotéo ボルボテオ] 名男 沸騰; 涌出(ゆうしゅつ).
bor·bo·tón [borβotón ボルボトン] 名男 沸騰; 噴出.
a borbotones (1) ぐらぐらと. (2) こんこんと, どくどくと. (3) どっと. La gente salía del teatro *a borbotones*. 劇場から人がどっと出て来た. (4) せき込んで. hablar *a borbotones* しどろもどろに話す.
bor·ce·guí [borθeɣí ボルセギ] 名男 [複 borceguíes] 編み上げ靴. ➡ calzados 図.
bor·da [bórða ボルダ] 名女〘海事〙船べり.
arrojar [echar] por la borda 《口語》手放す; 見捨てる.
bor·da·do, da [borðáðo, ða ボルダド, ダ] 過分 形 **1** 刺繍(ししゅう)した. **2** 完全な. quedar [salir] *bordado* きれいにでき上がる.
── 名男 刺繍, 縫い取り. *bordado* de realce 浮き上げ刺繍.
bor·da·du·ra [borðaðúra ボルダドゥラ] 名女 刺繍(ししゅう).
bor·dar [borðár ボルダル] 動他 **1** …に刺繍(ししゅう)する.
2 完全に仕上げる.
bor·de [bórðe ボルデ] 名男
1 縁(ふち), へり. Llena el vaso hasta el *borde*. コップの縁までいっぱい注ぎなさい.
2〘服飾〙(洋服の) へり, ヘム; (帽子の) つば. *bordes* de encaje レースの縁.
3〘海事〙舷(げん).
── 形 **1** (植物が) 野生の. **2** 私生の, 庶出の. **3** 意地悪な; のろまな.
al borde de ... (1) …の縁に. *al borde del* mar 海岸沿いに. (2) …の瀬戸際に. Estamos ya *al borde de* la ruina. 我々は今や破滅に瀕(ひん)している.
bor·de·ar [borðeár ボルデアル] 動自他
1 縁取る. **2** …に隣接する; (危険・成功などの) 寸前にある. **3** …の縁に沿って行く. *bordear* una isla 島の沿岸を航行する.
bor·di·llo [borðíʎo ボルディリョ] 名男 (歩道などの) 縁 (石). ➡ ciudad 図.
bor·dón [borðón ボルドン] 名男 **1** (人の背丈より高い) 杖(つえ); 支えになる人.
2〘音楽〙低音弦.
bo·re·al [boreál ボレアル] 形《文語》北の (↔ austral).
Bor·ges [bórxes ボルヘス] 固名 ボルヘス, Jorge Luis (1899–1986): アルゼンチンの詩人・作家.
bor·go·ñón, ño·na [borɣoɲón, ɲóna ボルゴニョン, ニョナ] 形 [複男 borgoñones] ブルゴーニュ Borgoña の.
── 名男女 ブルゴーニュ地方の住民.
bor·la [bórla ボルら] 名女 **1** (博士帽・軍帽の) 飾り房. **2** (化粧用の) パフ.
tomar la borla 学位を取る.
bor·ne [bórne ボルネ] 名男〘電気〙端子.
bor·ne·ar [borneár ボルネアル] 動他 ねじ曲げる. ── **bor·ne·ar·*se*** (板が) 反る.
bo·ro [bóro ボロ] 名男〘化〙ホウ素.
bo·rra [bóra ボラ] 名女 (詰め物にする) 毛くず; 綿ごみ.
── 動 ➡ borrar.
bo·rra·che·ra [boratʃéra ボラチェラ] 名女 **1** 酔い, 酩酊(めいてい). **2** 有頂天. la *borrachera* de los triunfos 勝利に酔いしれること.
bo·rra·chín, chi·na [boratʃín, tʃína ボラチン, チナ] 名男女《口語》飲んだくれ.
bo·rra·cho, cha [borátʃo, tʃa ボラチョ, チャ] 形 **1** 酔っ払った. estar *borracho* como una cuba へべれけになっている.
2 《+de》 …に酔いしれた, 目のくらんだ. *borracho de* ira 怒りに我を忘れた.
── 名男女 酔っ払い; 大酒飲み. Es un *borracho* perdido. 彼はどうしようもない酔っ払いだ.
bo·rra·dor [boraðór ボラドル] 名男
1 草稿, 下書き. **2** メモ用紙.
3 消しゴム; 黒板ふき.

bo·rra·ja [bor̃áxa ボラハ] 名女〘植物〙ルリチシャ.
quedar todo en agua de borrajas 水泡に帰す.

bo·rra·je·ar [bor̃axeár ボラヘアル] 動他 なぐり書きする; いたずら書きをする.

bo·rrar [bor̃ár ボラル] 動他〔英 erase〕(消しゴムなどで)**消す**; 抹消する; 消滅させる. *borrar* las letras de la pizarra 黒板の字を消す. *Borraron* mi nombre de una lista. 私の名前が名簿から削除された. El tiempo no *ha borrado* mis recuerdos de aquí. 時間がたってもこの地の思い出は私の記憶から消えていない. ►「(火・テレビなどを)消す」は apagar.
── bo·rrar·se 1 消える, 消滅する. Eso *se* me *ha borrado* de la memoria. それは私の記憶から消えてしまった.
2《+de》…を脱退する, やめる. *borrarse del* círculo サークルをやめる.

bo·rras·ca [bor̃áska ボラスカ] 名女
1 嵐(あらし), 暴風雨. **2** 災難. *borrascas* de la vida 人生の危機. **3**《口語》騒動, 口論.

bo·rras·co·so, sa [bor̃askóso, sa ボラスコソ, サ] 形 **1** 荒れ模様の. **2**《口語》(人生・素行・会議などが)荒れた. una vida *borrascosa* 波瀾(はらん)に富んだ生涯.

bo·rre·go, ga [bor̃éɣo, ɣa ボレゴ, ガ] 名男女 **1** (1-2歳の)子羊. **2**《口語》お人よし.
── 形《口語》ばかに従順な.

bo·rre·guil [bor̃eɣíl ボレギる] 形 子羊の(ような); 従順な.

bo·rri·co, ca [bor̃íko, ka ボリコ, カ] 名男女 **1**〘動物〙ロバ(驢馬). **2**《口語》ばか, とんま. **──** 形《口語》ばかな, 頑固な.

bo·rrón [bor̃ón ボロン] 名男 **1** インクの染み. **2** 汚点, 不名誉. **3** 下手な文章.

bo·rro·so, sa [bor̃óso, sa ボロソ, サ] 形
1 不鮮明な. **2** かす[おり]のある.

bos·co·so, sa [boskóso, sa ボスコソ, サ] 形 森[木]の多い.

Bós·fo·ro [bósforo ボスフォロ] 固名 el *Bósforo* ボスポラス海峡: 黒海とマルマラ海を結ぶ海峡.

bos·que [bóske ボスケ] 名男 [複 ～s]〔英 wood〕**1 森**, 森林, 林. Fuimos al *bosque* por la senda. 我々は小道を歩いて森へ行った. *bosque* de pinos 松林. *bosque* comunal 公有林. *bosque* del Estado 国有林.
2 もじゃもじゃのひげ[頭髪].

bos·que·jar [boskexár ボスケハル] 動他 スケッチ[素描]する; 概略を示す.

bos·que·jo [boskéxo ボスケホ] 名男 素描; 素案.

bos·te·zar [bosteθár ボステさル] [39 z → c] 動自 あくびをする. *bostezar* de aburrimiento 退屈であくびが出る.

bos·te·zo [bostéθo ボステそ] 名男 あくび.

bo·ta [bóta ボタ] 名女
1 ブーツ, 長靴; (女性用の)編み上げ靴. *botas* altas [de montar] 乗馬靴. *botas* de campaña トップブーツ. ➡ calzado 図.
2 (ぶどう酒携帯用の)革袋, 酒袋.
estar con las botas puestas 出かける[旅の]用意ができている.
morir con las botas puestas 殉職する.
ponerse las botas《口語》ぬれ手で粟(あわ)をつかむ; (この時とばかり)堪能する.

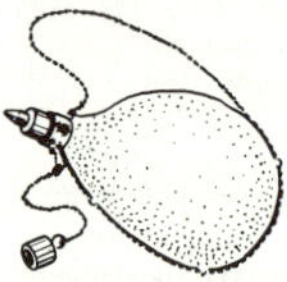
bota

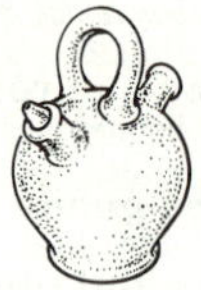
botijo

bo·ta·du·ra [botaðúra ボタドゥラ] 名女 (船の)進水(式).

bo·ta·fu·mei·ro [botafuméiro ボタフメイロ] 名男 **1** (教会の)提げ香炉.
2《口語》へつらい, 追従.

bo·tá·ni·co, ca [botániko, ka ボタニコ, カ] 形 植物の. jardín *botánico* 植物園.
── 名男女 植物学者.
── 名女 植物学.

bo·tar [botár ボタル] 動他 **1** 投げ捨てる.
2《口語》追い出す.
3 (ボールなどを)バウンドさせる.
── 動自 跳ね上がる. *botar* de alegría 飛び上がって喜ぶ.
Está que bota. 彼はいらだっている.

bo·ta·ra·te [botaráte ボタラテ] 名男《口語》間抜け.
── 形《口語》間抜けな.

bo·te [bóte ボテ] 名男 **1** 弾み, バウンド; 飛び跳ねる. pegar un *bote* (驚き・恐怖などで)思わず飛び上がる. de un *bote* 一跳びで. **2** (円筒形の)容器, 缶; チップ入れ. *bote* de cerveza 缶ビール. ➡ lata. **3**〘海事〙ボート. *bote* salvavidas 救命ボート.
chupar del bote うまい汁を吸う.
darse el bote《口語》出て行く, ずらかる.
tener a 《+uno》 ***metido en el bote***《口語》〈人〉を味方に引き入れる.

bo·te·lla [botéʎa ボテリャ] 名女 [複 ～s]〔英 bottle〕
1 瓶(びん), ボトル. en *botella* 瓶詰の. beber de la *botella* らっぱ飲みする. una *botella* de whisky ウィスキー瓶. destapar [destaponar] la *botella* 瓶の栓を抜く. descorchar la *botella* de vino ぶどう酒の瓶のコルクを抜く. **2** ボンベ.

bo·te·lla·zo [boteʎáθo ボテリャそ] 名男 (瓶による)殴打.

bo·te·llín [boteʎín ボテリィン] 名男 [botella の小] 小瓶.

bo·ti·ca [botíka ボティカ] 名女 薬局;《集合》薬; 雑貨店.

bo·ti·ca·rio, ria [botikárjo, rja ボティカリオ, リア] 名男女 薬剤師 (= farmacéuti-

co).
bo·ti·ja [botíxa ボティハ] 名女 素焼きの壺(つぼ).
bo·ti·jo [botíxo ボティホ] 名男 (差し口と取っ手のついた) 素焼きの水差し. ◆気化熱による冷却の働きがある. ➡ bota 図.
bo·tín [botín ボティン] 名男 〘軍事〙 戦利品; 分捕り品.
bo·ti·quín [botikín ボティキン] 名男 薬箱, 救急箱.
bo·tón [botón ボトン] 名男 [複 botones] 〔英 button〕
1 (服の) **ボタン**. Se me ha caído un *botón* de la camisa. ワイシャツのボタンが一つ取れてしまった. coser un *botón* ボタンを付ける. ➡ camisa 図.
2 〘植物〙 芽; つぼみ. echar *botones* 芽を吹く, つぼみを出す.
3 (機器の) **押しボタン**; スイッチ. pulsar el *botón* ボタンを押す.
4 [botones] (ホテルなどで金ボタンの制服を着た) **ボーイ**, ベルボーイ.
5 〘スポーツ〙 (フェンシングの剣先につける) 先留め, たんぽ.
6 〘音楽〙 (吹奏楽器の) キー.
7 《ラ米》《口語》 警官, お巡り.
bo·to·na·du·ra [botonaðúra ボトナドゥラ] 名女 (1組の) ボタン.
bou·quet [buké ブケ] 名男 **1** ブーケ: ぶどう酒の芳香. **2** 花束. [←フランス語]
bou·tique [butík ブティ(ク)] 名女 ブティック, 洋装店. [←フランス語]
bó·ve·da [bóβeða ボベダ] 名女 **1** 〘建築〙 穹窿(きゅうりゅう), ボールト; 丸天井. *bóveda* de cañón 半円筒穹窿. *bóveda* celeste 天空, 大空, 蒼穹(そうきゅう). *bóveda* craneana [craneal] 頭蓋(とうがい)冠.
2 丸天井の部屋; 地下納骨所.
bo·vi·no, na [boβíno, na ボビノ, ナ] 形 ウシ科の.
—— 名男 [〜s] 〘動物〙 ウシ科の動物.
bo·xe·a·dor [bokseaðór ボクセアドル] 名男 ボクサー, 拳闘(けんとう)家.
bo·xe·ar [bokseár ボクセアル] 動自 ボクシングをする.
bo·xe·o [bokséo ボクセオ] 名男 ボクシング.
bo·ya [bóʝa ボヤ] 名女 〘海事〙 ブイ, 浮標.
bo·yan·te [boʝánte ボヤンテ] 形 **1** 浮力のある. **2** 景気の上向いた; 裕福な.
bo·yar [boʝár ボヤル] 動自 浮く, 浮かぶ.
bo·ye·ro [boʝéro ボイエロ] 名男 牛飼い.
bo·zal [boθál ボさル] 形 《口語》 未熟な, 不慣れな; 間抜けの.
—— 名男女 《口語》 未熟者; 愚か者.
bo·zo [bóθo ボそ] 名男 (鼻の下の) 薄ひげ; 口の周り.
bra·ce·ar [braθeár ブラせアル] 動自
1 腕を振り動かす. **2** (クロールで) 泳ぐ.
3 努力する, 奮闘する.
bra·ce·o [braθéo ブラせオ] 名男 腕の動き; (水泳の) ストローク.
bra·ce·ro [braθéro ブラせロ] 名男 **1** 日雇い[農場]労働者, 人夫. **2** 腕を貸す人.
de bracero 腕を組んで.
bra·ga [bráɣa ブラガ] 名女 [普通 〜s] パンティー, ショーツ.
en bragas 《俗語》 (1)無一文で. Estoy *en bragas*. 僕は今すかんぴんだ. (2)丸腰で.
hecho una braga 《俗語》 ひどく疲れた, すっかり参った.
bra·ga·do, da [braɣáðo, ða ブラガド, ダ] 形 《口語》 果敢な; 意地の悪い.
bra·ga·du·ra [braɣaðúra ブラガドゥラ] 名女 (人・動物・ズボンの) 股(また).
bra·ga·zas [braɣáθas ブラガさス] 名男 [単・複同形] 《口語》 尻(しり)に敷かれた夫, 恐妻家.
bra·gue·ta [braɣéta ブラゲタ] 名女 (ズボン・ブリーフなどの) 前開き.
bra·gue·ta·zo [braɣetáθo ブラゲタそ] 名男 《口語》 dar un *braguetazo* (男が) 財産目当てで結婚する.
brah·mán [bramán ブラマン] 名男 バラモン: インドの祭司階層の最高位.
bra·man·te [bramánte ブラマンテ] 名男 麻糸, 麻ひも.
bra·mar [bramár ブラマル] 動自 (雄牛・野獣・風が) うなる; 《口語》 叫ぶ, 大声を出す. ➡ animal 【参考】.
bra·mi·do [bramíðo ブラミド] 名男 うなり声; 《口語》 わめき声.
bran·dy [brándi ブランディ] 名男 ブランデー. [←英語]
bran·quia [bráŋkja ブランキア] 名女 (魚の) 鰓(えら).
bra·sa [brása] 名女 燠(おき), 燃えさし. carne a la *brasa* あぶり焼き肉.
estar (como) en brasas やきもきしている.
pasar como sobre brasas por un asunto あることに軽く触れる.
bra·se·ro [braséro ブラセロ] 名男 火鉢, 火桶(ひおけ). ➡ calefacción 図.
Bra·sil [brasíl ブラシる] 固名 ブラジル: 南米の連邦共和国. 首都 Brasilia.
bra·si·le·ño, ña [brasiléɲo, ɲa ブラシれニョ, ニャ] / **bra·si·le·ro, ra** [-ro, ra -ロ, ラ] 形 ブラジルの.
—— 名男女 ブラジル人.
bra·va·ta [braβáta ブラバタ] 名女 空威張り. decir *bravatas* 強がりを言う.
bra·ví·o, a [braβío, a ブラビオ, ア] 形 荒々しい; 粗野な.
—— 名男 荒々しさ.
Bra·vo [bráβo ブラボ] 固名 el *Bravo* del Norte ブラボ・デル・ノルテ川: メキシコと米国の国境の川. ► 英語名は Rio Grande.
bra·vo, va [bráβo, βa ブラボ, バ] 形 **1** 勇敢な, 勇ましい. soldado *bravo* 勇敢な兵士. **2** (動物が) 気性の荒い; 野性の. **3** (海などが) 荒れた; (土地が) 険しい. **4** すばらしい, すてきな.

—— 間投 ブラボー, いいぞ.
a la brava 力ずくで.

bra·vu·cón, co·na [braβukón, kóna ブラブコン, コナ] 形 強がりの.
—— 名男女 強がり屋, 空威張り屋.

bra·vu·co·na·da [braβukonáða ブラブコナダ] / **bra·vu·co·ne·rí·a** [-nería -ネリア] 名女 強がり, 空威張り.

bra·vu·ra [braβúra ブラブラ] 名女 猛々(たけだけ)しさ; 勇猛さ; 強がり.

bra·za [bráθa ブラさ] 名女 **1** 〘海事〙 ブラサ: 長さの単位. 1.6718メートル (= 2 varas).
2 平泳ぎ (= *braza* de pecho). nadar a *braza* 平泳ぎで泳ぐ. *braza* de espalda 背泳ぎ. *braza* mariposa バタフライ.

bra·za·da [braθáða ブラさダ] 名女
1 (平泳ぎの) ストローク; (櫂(かい)の) 一漕(こ)ぎ. **2** 一抱えの量.

bra·za·le·te [braθaléte ブラされテ] 名男
1 ブレスレット, 腕輪. ➡ pulsera.
2 腕章.

bra·zo [bráθo ブラそ] 名男 [複 ～s] 〔英 arm〕
1 腕, 二の腕; (四足獣の) 前脚. echar los *brazos* al cuello 首に抱きつく. llevar bajo el *brazo* 小わきに抱える. Los dos viejitos iban del *brazo* calle abajo. 老夫婦が腕を組んで通りを下っていった. dándose el *brazo* / cogidos del *brazo* (2人が) 腕を組んで. ➡ cuerpo 図.
2 (器具の) 腕木, アーム; ビーム, 柄. *brazo* de grúa クレーンのビーム. *brazo* de cruz 十字架の横木. *brazo* de tocadiscos レコードプレーヤーのアーム.
3 (木の) 枝; (燭台(しょくだい)の) 枝; (川の) 支流.
4 力, 威力; 勇気. Nada resiste a su *brazo*. 彼の力に逆らえるものは何もない.
5 [～s] 働き手, 人手.
6 [～s] 庇護(ひご)者, 援助者.
a brazo 手で, 手動で.
a brazo partido 素手で, 腕力で; 全力で, 懸命に. Pelearon *a brazo partido*. 彼らは素手で戦った.
brazo de gitano ロールケーキ.
brazo derecho 腹心, 右腕.
con los brazos abiertos 両手を広げて; 快く, 心から.
con los brazos cruzados 腕組みして, 手をこまねいて.
cruzarse de brazos 腕組みする, 何もしない.
dar el brazo a 《+uno》 〈人〉に腕を貸す.
dar SU ***brazo a torcer*** 屈服する, 譲歩する.
echarse [***entregarse, ponerse***] ***en brazos de*** 《+uno》 〈人〉の手に自らをゆだねる.
estar atado de brazos 身動きできない.
estar hecho un brazo de mar めかし込んでいる, 着飾っている.
levantar los brazos al cielo お手上げになる.

bra·zue·lo [braθwélo ブラすエろ] 名男 (四足獣の) 前肢 (の上半部).

bre·a [bréa ブレア] 名女 瀝青(れきせい), タール. *brea* mineral コールタール.

bre·ar [breár ブレアル] 動他 《口語》
1 殴る, 痛めつける; 困らせる. **2** からかう.
brearse de trabajar 《口語》 身を粉にして働く.

bre·ba·je [breβáxe ブレバヘ] 名男 まずい飲み物.

bre·cha [brétʃa ブレチャ] 名女 **1** 〘軍事〙 (城壁・陣地の) 突破口; (壁の) 割れ目. abrir una *brecha* en la muralla 城壁に突破口を開く. **2** 裂け目, 傷口. hacerse una *brecha* en la frente 額にぱっくり傷が開く. **3** 感動. hacer *brecha* en 《+uno》 〈人〉に感銘を与える.
estar siempre en la brecha 絶えず身構える.
morir en la brecha 戦闘のさなかに[職務中に]死ぬ.

bré·col [brékol ブレコる] 名男 〘植物〙 ブロッコリー. ➡ hortalizas 図.

bre·ga [bréɣa ブレガ] 名女 闘争.
andar a la brega せっせと働く.

bre·ña [bréɲa ブレニャ] 名女 (岩だらけの) 荒れ地.

Bre·ta·ña [bretáɲa ブレタニャ] 固名 ブルターニュ: フランス Francia 西部の地方.
Gran Bretaña グレートブリテン, イギリス.

bre·te [bréte ブレテ] 名男 (鉄の) 足かせ; 窮地. poner a 《+uno》 en un *brete* 〈人〉を窮地に追いやる.

bre·tón, to·na [bretón, tóna ブレトン, トナ] 形 [複男 bretones] ブルターニュの.
—— 名男女 ブルターニュ人.
—— 名男 ブルトン語.

bre·va [bréβa ブレバ] 名女 **1** (6～7月に収穫する夏果の) イチジク (無花果). ► 秋果のイチジクは higo. **2** 《口語》 つき, もうけ物. **3** ブレバ: やや柔らかで平たい葉巻.
¡No caerá esa breva! 《口語》 そうはうまくいかないだろう.

bre·ve [bréβe ブレベ] [複 ～s] 形 〔英 brief〕 **1 短い**, 短時間の (=corto). Antes de seguir el discurso, hizo una *breve* pausa. 講演を続ける前に, 彼は短い間をおいた.
2 簡潔な, 手短な. Me lo explicó en *breves* palabras. 彼は私にそのことを手短に説明した.
3 〘音声〙 短音 (節) の.
—— 名女 **1** 〘音楽〙 2全音符.
2 〘音声〙 短音 (節).
en breve まもなく. Iremos a Europa *en breve*. 近々, 私たちはヨーロッパへ出かけるつもりです.

bre·ve·dad [breβeðað ブレベダ(ドゥ)] 名女

短さ; 簡潔. con *brevedad* 手短に. con la mayor *brevedad* できるだけ早く. para mayor *brevedad* 早い話が.

bre·ve·men·te [bréβeménte ブレベメンテ] 副 簡潔に, 手短に.

bre·via·rio [breβjárjo ブレビアリオ] 名男 **1** 〘カトリック〙聖務日課書, 祈禱(きとう)書. **2** 概論.

bre·zo [bréθo ブレソ] 名男 〘植物〙ヒース, エリカ.

bri·bón, bo·na [briβón, βóna ブリボン, ボナ] 名男女 **1** ごろつき, あばずれ女; 浮浪者. **2** いたずらっ子.

bri·bo·na·da [briβonáða ブリボナダ] 名女 無頼; 悪辣(あくらつ).

bri·co·la·je [brikoláxe ブリコラヘ] / **bri·co·la·ge** [-xe -ヘ] 名男 (家庭内の) 大工仕事; 日曜大工.

bri·da [bríða ブリダ] 名女 **1** 〘馬〙馬勒(ばろく). **2** 手綱. **3** 留め金.
a toda brida 全速力で.

bri·ga·da [briɣáða ブリガダ] 名女
1 〘軍事〙旅団. *brigadas* internacionales 〘歴史〙(スペイン内戦時の) 国際旅団. *brigada* paracaidista 空挺(くうてい)部隊.
2 (警察・役所などの) 分隊, 班. *brigada* móvil 特別機動隊. *brigada* municipal de limpieza 市の清掃班.
―― 名男 〘軍事〙(陸軍・空軍の) 曹長; (海軍の) 上等兵曹.

brillado 過分 → brillar.

brillando 現分 → brillar.

bri·llan·te [briʎánte ブリリャンテ] [複 〜s] 形 **1 輝く**; 光沢のある. estrellas *brillantes* きらめく星. zapatos *brillantes* ぴかぴかの靴.
2 すばらしい, ひらめきのある; 華やかな. una idea *brillante* すばらしい考え. porvenir *brillante* 輝かしい将来.
―― 名男 (ブリリアントカットの) ダイヤモンド.

bri·llan·te·men·te [briʎánteménte ブリリャンテメンテ] 副 きらきらと; 立派に.

bri·llan·tez [briʎantéθ ブリリャンテス] 名女 輝き; すばらしさ; 華麗.

bri·llan·ti·na [briʎantína ブリリャンティナ] 名女 整髪料, ヘアリキッド.

bri·llar [briʎár ブリリャル] 動自 [現分 brillando ; 過分 brillado] 〔英 shine〕 **1 輝く**, 光る, 照る. En el cielo *brilla* la luna. 空には月が照り輝いている.
2 ぬきんでる; 目立つ. *Brillaba* en el baile por su belleza. 彼女は美しいので踊っている時に人目を引いた.

bri·llo [bríʎo ブリリョ] 名男 **1** 輝き, 光沢. dar [sacar] *brillo* a ... …のつやを出す. **2** 卓抜; 華麗.
―― 動 → brillar.

brin·car [briŋkár ブリンカル] [8 c → qu] 動自 飛び跳ねる; 跳ね回る. *brincar* de alegría 小躍りして喜ぶ.

brin·co [bríŋko ブリンコ] 名男 跳躍. dar *brincos* de alegría 喜んで小躍りする.
en un brinco* / *en dos brincos たちまちに.

brin·dar [brindár ブリンダル] 動自 《+ **por**》…に乾杯する. *Brindemos por* su éxito. 彼の成功を祝って乾杯しましょう.
―― 動他 提供する, 与える. *brindar* la ocasión de 《+不定詞》…する機会を与える.
―― **brin·dar·*se*** 《+ **a** 不定詞》…すると申し出る. *Se brindó a* llevarnos en su coche. 彼は自分の車で私たちを送りましょうと言った.

brin·dis [bríndis ブリンディス] 名男 [単・複同形] 乾杯 (の挨拶). echar un *brindis* 乾杯する.

brí·o [brío ブリオ] 名男 [〜または 〜s] 勢い, 活力; 意気込み; さっそう. andar con *brío* さっそうと歩く. hablar con *brío* 意気込んで話す. hombre de *bríos* 意気軒昂(けんこう)な人.
cortar a 《+uno》 ***los bríos*** 〈人〉の意気をくじく, 勢いを抑える.

brio·so, sa [brjóso, sa ブリオソ, サ] 形 **1** 元気のよい; 軽快な. **2** 決然たる; りりしい.

bri·sa [brísa ブリサ] 名女 そよ風; 北東の風. *brisa* marina [de mar] 海風. *brisa* de tierra 陸風.

bri·tá·ni·co, ca [britániko, ka ブリタニコ, カ] 形 グレートブリテン島の, イギリスの. Las Islas *Británicas* イギリス諸島.
―― 名男女 イギリス人.

briz·na [bríθna ブリスナ] 名女 **1** (植物の) すじ. una *brizna* de paja わらしべ.
2 わずかなもの.

bro·ca [bróka ブロカ] 名女 **1** ドリルの先端. **2** (靴のかかとの) 鋲(びょう).

bro·ca·do [brokáðo ブロカド] 名男 ブロケード, 紋織り.

bro·cal [brokál ブロカル] 名男 **1** 井桁(いげた), 井筒. **2** 酒袋の口. → bota 図.

bro·cha [brótʃa ブロチャ] 名女 (塗装・ひげそり用の) 刷毛(はけ), ブラシ. pintar con una *brocha* 刷毛で塗る.
pintor de brocha gorda ペンキ職人; 下手な絵かき.

bro·cha·zo [brotʃáθo ブロチャソ] 名男 (絵筆・刷毛(はけ)の) 一塗り.

bro·che [brótʃe ブロチェ] 名男 **1** ブローチ. **2** ホック, スナップ.
cerrar con broche de oro 有終の美を飾る.

bro·ma [bróma ブロマ] 名女 [複 〜s] 〔英 joke〕
1 冗談, しゃれ. ¡Basta [Dejémonos] de *bromas*! 冗談はよせ! *broma* de mal gusto / *broma* pesada 趣味の悪い冗談. en *broma* 冗談で. entre *bromas* y veras / medio en *broma*, medio en serio ふざけ半分で. no estar para *bromas* 冗

B

談を言う気になれない. ser amigo de *bromas* 冗談好きである. sin *broma* 冗談抜きで. tomar a *broma* まじめに取り合わない.
2 いたずら, からかい. *broma* estudiantil 学生特有のいたずら. gastar *bromas* a 《+uno》〈人〉をからかう.
ni en broma 決して…ではない.
salir por una broma 高いものにつく.

bro·me·ar(·*se*) [bromeár(se) ブロメアル(セ)] 動自 冗談を言う, いたずらをする.

bro·mis·ta [bromísta ブロミスタ] 名男女 冗談を飛ばす人; 悪ふざけをする人.

bro·mo [brómo ブロモ] 名男〘化〙臭素.

bro·mu·ro [bromúro ブロムロ] 名男〘化〙臭化物.

bron·ca [brónka ブロンカ] 名女 **1** 口論, 乱闘. armar una *bronca* 大げんかする.
2 叱責(しっせき). echar una *bronca* しかりつける.

bron·ce [brónθe ブロンセ] 名男 **1** 青銅, ブロンズ. **2** ブロンズ像; 銅貨.
ser de bronce 強靭(きょうじん)である; 冷酷である.

bron·ce·a·do, da [bronθeáðo, ða ブロンセアド, ダ] 過分形 ブロンズ[青銅]色の; 日に焼けた.
── 名男 ブロンズ仕上げ; 日焼け.

bron·ce·a·dor [bronθeaðór ブロンセアドル] 名男 サンオイル.

bron·ce·ar [bronθeár ブロンセアル] 動他 ブロンズ[青銅]色にする; (肌を)焼く.
── **bron·ce·ar·*se*** 日に焼ける.

bron·co, ca [brónko, ka ブロンコ, カ] 形 しわがれた. con voz *bronca* ハスキーな声で.

bron·co·neu·mo·ní·a [bronkoneumonía ブロンコネウモニア] 名女〘医〙気管支肺炎.

bron·quial [bronkjál ブロンキアる] 形〘解剖〙気管支の.

bron·quio [brónkjo ブロンキオ] 名男 [〜または 〜s]〘解剖〙気管支.

bron·qui·tis [bronkítis ブロンキティス] 名女〘医〙気管支炎.

bro·tar [brotár ブロタル] 動自 **1** 芽を出す, 発芽する. Ya empiezan a *brotar* nuevas hojas. すでに新しい葉が出始めている.
2 湧(わ)き出る; 発生する, 生じる. *Brotaba* mucha sangre de la herida. 傷口から盛んに血が出ていた. En mi mente *brotó* una sospecha. 私の心にふと疑念が生じた.

bro·te [bróte ブロテ] 名男 **1**〘植物〙芽, つぼみ; 発芽. **2** 発端; 兆候. primeros *brotes* de la revolución 革命の兆し.

bro·za [bróθa ブロさ] 名女 枯れ葉; (溝などの)ごみ; やぶ; 下草.

bru·ces [brúθes ブルせス] ***de bruces*** 《副詞句》うつぶせに. caer *de bruces* ばったり前に倒れる. ► 仰向けには de espaldas.
darse de bruces con 《+uno》〈人〉と正面衝突する.

bru·je·rí·a [bruxería ブルヘリア] 名女 魔法, 妖術(ようじゅつ).

bru·jo, ja [brúxo, xa ブルホ, ハ] 形 魅力的な. Tiene unos ojos *brujos*. 彼女はとても素敵な目をしている.
── 名男 魔法使い, 妖術(ようじゅつ)師.
── 名女 **1** 魔女, 魔法使い. **2** 性悪な女; 醜い女. **3**〘鳥〙フクロウ(梟).

brú·ju·la [brúxula ブルフら] 名女 (方角をはかる)磁石; コンパス, 羅針盤.
perder la brújula 方向を見失う, 先が見えなくなる.

bru·ju·le·ar [bruxuleár ブルフれアル] 動他《口語》見当をつける.

bru·ma [brúma ブルマ] 名女 **1** (主に海上の)霧, もや, ガス. **2** [〜s] 混乱, もやもや. Mi mente está llena de *brumas*. 僕の頭の中はまるでもやがかかっているみたいだ.

bru·mo·so, sa [brumóso, sa ブルモソ, サ] 形 霧[もや]のかかった.

bru·ñi·do, da [bruɲíðo, ða ブルニィド, ダ] 過分形 つやのある.
── 名男 つや出し.

bru·ñir [bruɲír ブルニィル] 36 他 [現分 bruñendo] 磨く, つや出しする.

brus·ca·men·te [brúskaménte ブルスカメンテ] 副 突然, 不意に; 無愛想に.

brus·co, ca [brúsko, ka ブルスコ, カ] 形
1 突然の, 不意の. Hubo un cambio *brusco* de temperatura. 急激な気温の変化が生じた.
2 無愛想な, ぶっきらぼうな. respuesta *brusca* 取りつく島もない返事.

Bru·se·las [brusélas ブルセらス] 固名 ブリュッセル: ベルギー Bélgica の首都.

brus·que·dad [bruskeðáð ブルスケダ(ドゥ)] 名女 唐突; ぶっきらぼう; 粗暴. con *brusquedad* 不意に, ぶっきらぼうに.

bru·tal [brutál ブルタる] 形 **1** 乱暴な; 獣じみた. dar un empujón *brutal* 乱暴に押す. genio *brutal* 残忍な性格.
2《口語》すごい, でかい. banquete *brutal* 豪勢な宴会.

bru·ta·li·dad [brutaliðáð ブルタりダ(ドゥ)] 名女 **1** 乱暴, 野蛮. con *brutalidad* 手荒に. **2**《口語》ばかげた行動, むちゃ.

bru·tal·men·te [brutálménte ブルタるメンテ] 副 乱暴に.

bru·to, ta [brúto, ta ブルト, タ] 形 **1** 粗野な; 野蛮な, 下品な. ¡No seáis *brutos*! 君たちばかなことをやるな! **2** 未加工の. rubí *bruto* ルビーの原石. **3** 全体の, 風袋込みの (↔ neto). **4** 愚かな.
── 名男女 粗暴な人; 愚鈍な人.
── 名男 四足獣. noble *bruto* 馬.
en bruto 未加工の. diamante *en bruto* ダイヤモンドの原石.

bu·bó·ni·co, ca [buβóniko, ka ブボニコ, カ] 形〘医〙横根の.

bu·cal [bukál ブカる] 形〘解剖〙口の, 口腔(こうこう)の.

bu·ca·ne·ro [bukanéro ブカネロ] 名男 海

賊，バッカニーア．◆17–18世紀カリブ海に出没した英国，フランス，オランダなどの海賊．

bu·ce·ar [buθeár ブセアル] 動自 **1** 潜水する．**2** 《+**en**》…を調べる．

bu·ce·o [buθéo ブセオ] 名男 潜水，ダイビング．equipo de *buceo* ダイビングの装備一式．➡ buzo.

bu·che [bútʃe ブチェ] 名男 **1** （鳥の）嗉嚢(そのう)；《口語》（人の）胃袋．llenarse el *buche* 腹がいっぱいになる．
2 （衣服の）たるみ．**3** （水などの）ひと含み．
4 《口語》胸のうち．guardar 《+algo》 en el *buche* 〈何か〉を秘密にしている．sacar el *buche* a 《+uno》〈人〉から聞き出す．

bu·cle [búkle ブクレ] 名男 **1** 巻き毛，カール．**2** （ハイウエーの取り付け道路の）ループ．

bu·có·li·co, ca [bukóliko, ka ブコリコ，カ] 形 牧歌の，田園詩の．
—— 名男 牧歌[田園]詩人．
—— 名女 牧歌，田園詩．

Bu·da [búða ブダ] 固名 仏陀(ぶっだ)：本名 Siddharta Gotama. 仏教の創始者．

bu·dín [buðín ブディン] 名男 〔料理〕プディング．

bu·dis·mo [buðísmo ブディスモ] 名男 仏教．

bu·dis·ta [buðísta ブディスタ] 形 仏教の．
—— 名男女 仏教徒．

buen [bwén ブエン] 形 ➡ bueno.

buena 形女 ➡ bueno[1].

Bue·na Es·pe·ran·za [bwénaesperánθa ブエナエスペランさ] 固名 Cabo de *Buena Esperanza* 喜望峰．

bue·na·men·te [bwénaménte ブエナメンテ] 副 容易に；快く，喜んで．

bue·na·ven·tu·ra [bwenaβentúra ブエナベントゥラ] 名女 幸運；運勢．

bue·na·zo, za [buenáθo, θa ブエナそ，さ] 形 人のよい．
—— 名男女 お人よし．

bue·no[1], na [bwéno, na ブエノ，ナ] [複 ～s] 形 [男性単数名詞の前で buen となる．比較級・最上級 ➡【参考】3]〔英 good〕**1** **良い，優れた**，上等の；由緒正しい．una *buena* película いい映画．un *buen* piloto 優秀なパイロット．una *buena* tela 上質の布地．de *buena* familia 良家の，名門の．
2 **善良な**，親切な；《皮肉》お人よしの．Usted siempre ha sido *bueno* conmigo. あなたにはいつも親切にしていただきました．

> 【参　考】1 名詞の前後で意味が微妙に異なる場合がある．
> un *buen* hombre いい奴；お人よし．
> un hombre *bueno* 立派な人，善人．
> 2 副詞を伴う時は名詞の後に置かれる．
> un hombre muy *bueno* とてもいい奴；大変立派な人．
> 3 比較級は mejor，más *bueno*. 最上級は定冠詞・所有形容詞＋mejor [más bueno], buenísimo [bonísimo].

3 健康な．No está muy *bueno* estos días. 彼は近ごろあまり調子がよくない．
4 有効な，有用な；適切な．medicina *buena* para el dolor de cabeza 頭痛によく効く薬．*buen* juicio 適切な判断；良識．
5 楽しい，好ましい；おいしい．Hace *buen* tiempo. いい天気だ．*buen* café おいしいコーヒー．
6 かなりの，たくさんの；ひどい．un *buen* rato かなりの間．un *buen* número de participantes かなりの数の参加者．dar un *buen* puñetazo 強烈なパンチを一発見舞う．
—— 名男女 善人．
¡Buenas! / ¡Muy buenas! やあ，今日は．
¡Bueno está lo bueno! もうたくさんだ．
dar por bueno 承諾する，賛成する．
de buenas a primeras いきなり；一目で，ただちに．
estar a buenas con 《+uno》〈人〉と仲が良い，うまくやる．
Estaría bueno (***que***) 《+接続法》まさか…ではないだろう；…とはとんでもない．
¿Qué dice de bueno? 何か面白い話でもありますか．

bue·no[2] [bwéno ブエノ] 名男 （成績の）良．
—— 間投 **1** 《承諾・是認を表して》よろしい．
2 さて，それじゃ．**3** 《当惑・辞退を表して》おやおや，やれやれ；もう結構．
¡Bueno! 《ラ米》(メキシコ) 《電話》もしもし．

Bue·nos Ai·res [bwénosáires ブエノサイレス] 固名 ブエノスアイレス：アルゼンチン Argentina の首都．

buey [bwéi ブエイ] 名男 〔動物〕（雄の）去勢牛．► 去勢していない雄牛は toro，雌牛は vaca.
buey marino 〔動物〕マナティー，ジュゴン．
El buey suelto bien se lame. 《諺》自由ほどすばらしいものはない．
Habló el buey y dijo mu. 口下手はとんちんかんなことを言う．

bu·fa [búfa ブファ] 名女 からかい；悪ふざけ．

bú·fa·lo, la [búfalo, la ブファろ，ら] 名男女 〔動物〕バッファロー，バイソン．

bu·fan·da [bufánda ブファンダ] 名女 マフラー，襟巻き．

bu·far [bufár ブファル] 動自 **1** （動物が）鼻息を荒くする．
2 怒る．Está que *bufa*. 《口語》彼は怒り狂っている．

bu·fet [bufét ブフェ(トゥ)] 名男 **1** （パーティーなどの）立食用テーブル；立食料理．*bufet* libre [sueco] バイキング料理．
2 （駅などの）ビュッフェ．

bu·fe·te [buféte ブフェテ] 名男 **1** 書斎机．
2 弁護士事務所；事件の依頼人．abrir *bu-*

B

fete 弁護士を開業する.

bu·fi·do [bufíðo ブフィド] 名男 **1** (動物の)荒い鼻息.
2 《口語》怒った声[顔]. dar *bufidos* de ira どなり散らす.

B

bu·fo, fa [búfo, fa ブフォ, ファ] 形 **1** こっけいな; 悪趣味な.
2 〘演劇〙喜劇の. actor *bufo* 喜劇役者. ópera *bufa* (18世紀イタリアの) オペラブッファ, 喜歌劇.
— 名男女 おどけ者; (イタリアオペラの) 道化役.

bu·fón, fo·na [bufón, fóna ブフォン, フォナ] 形 こっけいな; 悪趣味な.
— 名男女 道化(師).
— 名男 〘歴史〙(中世宮廷の) 道化師.

bu·fo·na·da [bufonáða ブフォナダ] 名女 道化, 悪ふざけ.

bu·gan·vi·lla [buɣambíʎa ブガンビリャ] 名女 〘植物〙ブーゲンビリア.

bu·har·di·lla [bwarðíʎa ブアルディリャ] 名女 屋根裏部屋 (=desván); 屋根窓. En la *buhardilla* guardábamos los trastos. 私たちは屋根裏にがらくたをしまい込んでいた.

bú·ho [búo ブオ] 名男 **1** 〘鳥〙ミミズク (木菟). **2** 人嫌い.

bu·ho·ne·ro [bwonéro ブオネロ] 名男 行商人.

bui·tre [bwítre ブイトゥレ] 名男 **1** 〘鳥〙ハゲワシ (禿鷲), ハゲタカ (禿鷹).
2 貪欲(どんよく)な人.

bu·jí·a [buxía ブヒア] 名女 **1** ろうそく; 燭台(しょくだい). **2** 〘電気〙燭光(しょっこう): 光度の単位.
3 〘車〙(点火) プラグ.

bul·bo [búlβo ブるボ] 名男 **1** 〘植物〙球根, 鱗茎(りんけい). *bulbo* de lirio ユリ根.
2 〘解剖〙球. *bulbo* ocular 眼球.

bu·le·rí·as [bulerías ブれリアス] 名女 [複] (フラメンコ) ブレリーアス: スペイン Andalucía 地方の民謡, 踊り.

bu·le·var [buleβár ブれバル] 名男 並木通り, 遊歩道.

Bul·ga·ria [bulɣárja ブるガリア] 固名 ブルガリア (共和国): 首都 Sofía.

búl·ga·ro, ra [búlɣaro, ra ブるガロ, ラ] 形 ブルガリアの.
— 名男女 ブルガリア人.
— 名男 ブルガリア語.

bu·lla [búʎa ブリャ] 名女 騒ぎ; 喧噪(けんそう); 雑踏. armar *bulla* 派手に騒ぐ.

bu·llan·ga [buʎáŋga ブリャンガ] 名女 大騒ぎ, 騒動.

bu·llan·gue·ro, ra [buʎaŋgéro, ra ブリャンゲロ, ラ] 形 騒々しい, にぎやかな.

bu·lli·cio [buʎíθjo ブリィしオ] 名男 騒ぎ; ざわめき. huir del *bullicio* 喧噪(けんそう)を逃れる.

bu·lli·cio·so, sa [buʎiθjóso, sa ブリィしオソ, サ] 形 騒がしい; にぎやかな.

bu·llir [buʎír ブリィル] 36 動自 [現分 bullendo] **1** 沸騰する, 煮えたぎる. *bullir* de ira 怒りで腸(はらわた)が煮えくり返る. **2** ひしめき合う; うごめく. El mercado *bulle* de gente. 市場は人でごった返している.

bu·lo [búlo ブろ] 名男 《口語》デマ. circular un *bulo* デマが流れる.

bul·to [búlto ブるト] 名男 **1** 大きさ, かさ. de gran *bulto* かさの大きな. hacer mucho *bulto* 非常にかさばる; 見かけ倒しである. **2** 判然としないもの, 影. He visto un *bulto* bajo la arcada. 私はアーケードの下に人影を見た. **3** 膨らみ; こぶ, 腫物(はれもの). **4** 小[手]荷物. **5** 本体, 胴体; 〘美術〙塑像.
a bulto 大ざっぱに. calcular *a bulto* 概算する.
buscar a 《+uno》 ***el bulto*** 〈人〉にけんかを売る.
de bulto 著しい, 重大な. poner *de bulto* 際立たせる. error *de bulto* 大きな誤り.
escurrir [***guardar, huir***] ***el bulto*** 《口語》面倒[義務・危険など]を避ける.
estar [***ir***] ***de bulto*** / ***hacer de bulto*** 員数をそろえる[増やす].

bu·me·rang [bumerán ブメラン] / **bu·me·rán** [-rán -ラン] 名男 ブーメラン. [←〔英〕boomerang]

bun·ker [búŋker ブンケル] 名男 [複 ~s] **1** 防空壕(ごう). **2** (ゴルフの) バンカー. **3** (フランコ政権末期の) 極右の一派. [←ドイツ語]

Bu·ñuel [buɲwél ブニュエる] 固名 ブニュエル, Luis (1900-83): スペインの映画監督.

bu·ñue·lo [buɲwélo ブニュエろ] 名男 **1** ブニュエロ: 小麦粉を溶いて揚げた菓子. **2** 《口語》出来損ない.

BUP [búp ブ(プ)] 《略》*B*achillerato *U*nificado y *P*olivalente (スペインの) 共通総合中等教育. ◆14歳で入学して3年間就学. ➡ COU, EGB.

bu·que [búke ブケ] 名男 [複 ~s] 〔英 ship〕 **1** (大型の) 船, 船舶. *buque* acorazado 装甲艦. *buque* de guerra 軍艦. *buque* de transporte 輸送船. *buque* insignia [almirante] 旗艦. *buque* mercante 商船. *buque* nodriza 母船. *buque* portaviones 航空母艦. ➡ barco 【参考】.
2 船体, 船殻(せんかく).

bur·bu·ja [burβúxa ブルブハ] 名女 泡, あぶく. *burbujas* de la cava シャンパンの泡. hacer *burbujas* 泡立つ, 泡立てる. *burbuja* financiera バブル経済.

bur·bu·je·ar [burβuxeár ブルブヘアル] 動自 泡立つ.

bur·del [burðél ブルデる] 名男 売春宿; いかがわしい場所.

Bur·de·os [burðéos ブルデオス] 固名 ボルドー: フランス南西部の港湾都市.
— 名男 [b-] [単・複同形] ボルドー産の赤ぶどう酒.

bur·do, da [búrðo, ða ブルド, ダ] 形 粗悪

な；あか抜けしない.

bu·re·o [buréo ブレオ] 名男《口語》乱痴気騒ぎ. irse de *bureo* ばか騒ぎをする.

darse un bureo《俗語》散歩する，ぶらつく.

bur·ga·lés, le·sa [burγalés, lésa ブルガレス，レサ] [男複 burgaleses] 形ブルゴスの.
—— 名男女ブルゴスの住民.

Bur·gos [búrγos ブルゴス] 固名ブルゴス：スペイン中北部の県；県都.

bur·gués, gue·sa [burγés, γésa ブルゲス，ゲサ] 形 **1** 中産階級の，ブルジョアの. clase *burguesa* ブルジョア階級. **2** 俗物的な.
—— 名男女 **1** 中産階級の人，ブルジョア. **2** 俗物.

bur·gue·sí·a [burγesía ブルゲシア] 名女中産階級，ブルジョアジー. *burguesía* pequeña プチブル.

bu·ril [buríl ブリる] 名男 ビュラン：彫刻用たがね.

bur·la [búrla ブルら] 名女 **1** あざけり，からかい. hacer *burla* de ... …を嘲笑(ちょうしょう)する. **2** [～s] 冗談，軽口（＝broma). de *burlas* 冗談で. *burlas* aparte 冗談は抜きで. **3** ごまかし.

burla burlando 気づかずに；しらばくれて.

entre burlas y veras 冗談半分に.

gastar burlas con《＋uno》〈人〉を笑いものにする.

bur·la·de·ro [burlaðéro ブルらデロ] 名男〘闘牛〙待避柵(さく).

bur·la·dor [burlaðór ブルらドル] 男 色事師，ドン・ファン. "El *Burlador* de Sevilla y convidado de piedra"『セビーリャの色事師と石の招客(まろうど)』(Tirso de Molina 1583–1648作).

bur·lar [burlár ブルらル] 動他 だます，欺く；巧みにかわす. *burlar* la justicia 法を欺く. *burlar* la esperanza 期待を裏切る. *burlar* la vigilancia 監視の目をかすめる.
—— **bur·lar·*se*** [英 make fun of]《＋**de**》…をからかう；あざける. No *te burles de* mí. からかわないでくれ.

bur·les·co, ca [burlésko, ka ブルれスコ，カ] 形おどけた；ひやかしの.

bur·lón, lo·na [burlón, lóna ブルろン，ろナ] 形ふざけた；あざけるような.
—— 名男女冗談好きの人.

bu·ro·cra·cia [burokráθja ブロクラしア] 名女 **1** 官僚制度[主義]；お役所仕事. **2**《集合》官僚，役人.

bu·ró·cra·ta [burókrata ブロクラタ] 名男女官僚，役人.

bu·ro·crá·ti·co, ca [burokrátiko, ka ブロクラティコ，カ] 形官僚的な，お役所的な.

bu·rra·da [bur̄áða ブラダ] 名女 **1**《口語》むちゃ，乱暴. decir *burradas* たわけたことを言う. **2** ロバの群れ.

una burrada《口語》たくさん(の). *una burrada* de gente 大勢の人. comer *una burrada* ものすごく食べる.

bu·rro [búr̄o ブロ] 名男 **1**〘動物〙ロバ(驢馬). ir en *burro* ロバに乗って行く. **2** 間抜け，のろま. **3** 働き者. trabajar como un *burro* 牛馬のように働く.

apearse [***caerse***] ***del burro*** 非を認める.

bur·sá·til [bursátil ブルサティる] 形株式[証券]取引の.

bus [bús ブス] 名男 [autobús の省略形] バス.

buscado, da 過分 ➡ buscar.

bus·ca·dor [buscaðór ブスカドル] 名男〘インターネット〙サーチエンジン：インターネット Web ページの検索システム.

buscando 現分 ➡ buscar.

bus·ca·piés [buskapjés ブスカピエス] 名男[単・複同形]ねずみ花火.

bus·car

[buskár ブスカル] [8 c ➡ qu] 動他 [現分 buscando；過分 buscado, da] [英 look for]
1 探す；求める. ¿Qué *estás buscando*? 何を探しているの？ *buscar* empleo 仕事を探す. *buscar* ayuda 援助を求める.
2 迎えに行く [来る]，取りに行く [来る]. Voy a *buscar*te a las cinco. 5時に君を迎えに行くよ. **3** 挑発する.

buscársela《口語》自ら不都合を招く. ¡Tú *te la has buscado*! 自分でまいた種だ，墓穴を掘ったな！

bus·cón, co·na [buskón, kóna ブスコン，コナ] 形詮索(せんさく)する.
—— 名男女 詮索好きな人；こそ泥；ぺてん師，詐欺(さぎ)師.
—— 名女《俗語》売春婦.

bu·si·lis [busílis ブシりス] 名男 [単・複同形]難点；核心.

busqu- 動 ➡ buscar. [8 c ➡ qu]

bús·que·da [búskeða ブスケダ] 名女 探索；探求. Entre todos iniciamos la *búsqueda* del niño perdido. 私たちは手分けして行方不明の子供の捜索を始めた. *búsqueda* de la verdad 真理の探求.

bus·to [bústo ブスト] 名男 **1** 上半身；(女性の) バスト. **2**〘美術〙胸像.

bu·ta·ca [butáka ブタカ] 名女 **1** 肘(ひじ)掛け椅子，アームチェアー. ➡ silla 図.
2 (映画館・劇場の) 座席 (券). patio de *butacas* 1階 (椅子) 席. sacar una *butaca* 1階席を1枚買う.

bu·ta·no [butáno ブタノ] 名男〘化〙ブタン.

bu·ti·fa·rra [butifár̄a ブティファラ] 名女〘料理〙ブティファラ：スペイン Cataluña, Baleares, Valencia 地方の腸詰め.

bu·zo [búθo ブそ] 名男 潜水士，ダイバー. traje de *buzo* ウエットスーツ.

bu·zón [buθón ブそン] 名男 [複 buzones] **1** ポスト；郵便受け. echar una carta al [en el] *buzón* ポストに手紙を投函(とうかん)する. **2**《口語》大きな口. tener la boca como un *buzón* 大きな口をしている.

C c *C* c

C, c [cé セ] 名女 **1** スペイン語字母の第3字.
2 [C] (ローマ数字の) 100. ⇀ *XC* (90), *CX* (110).
C / 《略》Calle 通り.
¡ca! [ká カ] 間投 《口語》《強い否定を表して》とんでもない!, まさか!
ca·bal [kaβál カバる] 形 正確な; 厳密な; 完璧(かんぺき)な. una definición *cabal* 厳密な定義. tres horas *cabales* まる3時間. un hombre *cabal* 非の打ちどころのない人.
── 名男 [~es] 正気, 本性. estar en sus *cabales* 正気である.
por sus cabales 厳密に.
cá·ba·la [káβala カバら] 名女 **1** カバラ.
◆ 中世ユダヤ教の神秘思想.
2 《口語》陰謀. meterse en *cábalas* 陰謀に首を突っ込む.
3 [~s] 憶測; 占い. hacer *cábalas* あれこれ憶測する.
ca·bal·ga·da [kaβalɣáða カバるガダ] 名女 騎馬隊; 騎兵隊の襲撃.
ca·bal·ga·du·ra [kaβalɣaðúra カバるガドゥラ] 名女 乗用[荷役用]の家畜.
ca·bal·gar [kaβalɣár カバるガル] [32 g → gu] 動自 **1** 馬に乗る, 騎馬で行く.
2 《+sobre》…に馬乗りになる.
── 動他 (馬などに) 乗る.
ca·bal·ga·ta [kaβalɣáta カバるガタ] 名女 乗馬, 遠乗り; 騎馬行進.
ca·ba·lís·ti·co, ca [kaβalístiko, ka カバりスティコ, カ] 形 **1** カバラの.
2 神秘的な, 謎(なぞ)めいた.
ca·ba·lla [kaβáʎa カバリャ] 名女 〔魚〕サバ (鯖).
ca·ba·llar [kaβaʎár カバリャル] 形 馬の. ganado *caballar* 《集合》馬.
ca·ba·lle·res·co, ca [kaβaʎerésko, ka カバリェレスコ, カ] 形 **1** 騎士道の. literatura *caballeresca* 騎士道文学. **2** 紳士的な.
ca·ba·lle·rí·a [kaβaʎería カバリェリア] 名女 **1** (馬・ロバなどの) 乗用の動物.
2 〔軍事〕騎兵隊; 機械化部隊.
3 〔歴史〕騎士道精神; 騎士団.
andarse en caballerías 《口語》気取っている, 粋(いき)がっている.
ca·ba·lle·ri·za [kaβaʎeríθa カバリェリさ] 名女 **1** 馬小屋 (= cuadra).
2 《集合》馬; 馬手.

ca·ba·lle·ro

[kaβaʎéro カバリェロ] 名男 [複 ~s] 〔英 gentleman〕 **1** 紳士. ¡Damas y *caballeros*! 紳士淑女の皆様. *Caballeros* (トイレの表示) 男性用 (↔ Señoras).
2 《呼びかけ》もし, あなた! ¡*Caballero*, por favor! ¿Me puede indicar dónde hay por aquí una farmacia? あの…恐れ入りますがこの近くに薬局がありますか.
► señor よりも敬意を込めて使用される.
3 〔歴史〕(中世の) 騎士. *caballero* andante 遍歴の騎士.
ca·ba·lle·ro·si·dad [kaβaʎerosiðáð カバリェロシダ(ドゥ)] 名女 騎士[紳士]らしさ.
ca·ba·lle·ro·so, sa [kaβaʎeróso, sa カバリェロソ, サ] 形 騎士らしい, 紳士的な.
ca·ba·lle·te [kaβaʎéte カバリェテ] 名男 **1** 〔美術〕画架, イーゼル; 木挽(こび)き台.
2 棟. → casa 図. **3** 煙突のかさ.
4 鼻柱, 鼻梁(びりょう).
ca·ba·lli·to [kaβaʎíto カバリィト] 名男 **1** 小馬. **2** おもちゃの馬; 揺り木馬; [~s] メリーゴーラウンド (= tiovivo).
caballito del diablo 〔昆虫〕トンボ.
caballito marino [***de mar***] 〔魚〕タツノオトシゴ.

ca·ba·llo

[kaβáʎo カバリョ] 名男 [複 ~s] 〔英 horse〕
1 馬; 雄馬 (► 雌馬は yegua). montar [subir] a *caballo* 馬に乗る. ir a *caballo* 馬で行く. *caballo* de carga 荷役馬. *caballo* de carreras 競走馬. *caballo* pura sangre サラブレッド. *caballo* padre [semental] 種馬. fuerte como un *caballo* とても強健な.
2 (チェス) ナイト (→ ajedrez 図); (スペイン・トランプ) 馬: 数字は11.
3 (体操の) 鞍馬(あんば); 木挽(こび)き台.
4 〔物理〕馬力. un coche de cien *caballos* 100馬力の自動車.
a mata caballo 《口語》大急ぎで.
caballo de batalla 軍馬; 論点, 問題点.
caballo de río 〔動物〕カバ (河馬).
ca·ba·llón [kaβaʎón カバリョン] 名男 〔農業〕畝.
ca·ba·ña [kaβáɲa カバニャ] 名女 **1** 掘っ建て小屋. *cabaña* alpina 山小屋.
2 《集合》家畜.
ca·ba·ret [kaβaré カバレ] 名男 [複 cabarets, cabarés] キャバレー, ナイトクラブ. [←フランス語]
ca·be·ce·ar [kaβeθeár カベせアル] 動自 頭を振る; (居眠りで) こっくりする.
── 動他 (サッカー) ヘッディングする.
ca·be·ce·o [kaβeθéo カベせオ] 名男 **1** 頭を振ること; (居眠りの) こっくり.
2 〔スポーツ〕(サッカー) ヘッディング.

ca·be·ce·ra [kaβeθéra カベセラ] 名女
1 先頭; 上座; ヘッドボード (➡ cama 図). libro de *cabecera* ベッドで読む肩の凝らない本. a la *cabecera* de la mesa テーブルの上座に.
2 水源. 3 代表者, トップ.
4 (新聞の) 大見出し, トップ.

ca·be·ci·lla [kaβeθíʎa カベシリャ] 名男 (反乱の) 頭目, 指導者.

ca·be·lle·ra [kaβeʎéra カベリェラ] 名女 《集合》頭髪, 毛髪.

ca·be·llo [kaβéʎo カベリョ] 名男 [複 ~s] 〔英 hair〕 1 **頭髪**. *cabello* lacio 素直な毛. *cabello* crespo 縮れ毛. ► 集合名詞としても用いる. pelo の方が口語的.
2 [~s] トウモロコシのひげ.
agarrar la ocasión por los cabellos チャンスをつかむ.
cabello de ángel カボチャで作ったひも状の菓子.
traído por los cabellos こじつけの.

ca·be·llu·do, da [kaβeʎúðo, ða カベリュド, ダ] 形 髪の豊かな, ふさふさした.

ca·ber [kaβér カベル] 9 動自 [現分 cabiendo; 過分 cabido, da] 〔英 fit, be contained〕

直説法 現在	
1·単 ***quepo***	1·複 **cabemos**
2·単 **cabes**	2·複 **cabéis**
3·単 **cabe**	3·複 **caben**

1 **入り得る**. En esta aula no *caben* tantos estudiantes. この教室にはそんなに大勢の学生は入れない.
2 《+名詞, 不定詞, **que** 接続法》可能である. No me *cabe* la menor duda de eso. そんなことは私には全く疑いの余地がない. *Cabe* pensarlo así. そう考えることは可能だ. *Cabe que* pierdan el tren. 彼らは列車に乗り遅れるかもしれない.
3 (役割などが) 当たる; 《+**a**》(商が) …になる. Treinta entre seis *caben a* cinco. 30割る6は5.
en* [*dentro de*] *lo que cabe せいぜい.
No cabe más. 《口語》もう限界だ; 最高にいい.
no caber en sí (***de*** ...) (…に) 有頂天になっている; おごり高ぶっている. *no caber en sí de* júbilo 喜びに我を忘れる.

ca·be·za [kaβéθa カベサ] 名女 [複 ~s] 〔英 head〕
1 **頭**, 頭部. asentir con la *cabeza* 肯定する, うなずく. volver la *cabeza* 振り向く. con la *cabeza* alta 堂々と. con la *cabeza* baja 頭を下げて, うつむいて. tener dolor de *cabeza* 頭痛がする. ➡ cuerpo 図.
2 (人) ひとり; (動物) 1頭. Pagamos cinco mil pesetas por *cabeza*. 我々はひとりにつき5000ペセタ払った.
3 頭脳; 判断; 理性, 正気. No se le va de la *cabeza* el examen del mes que viene. 来月の試験のことが彼の頭から離れない. un hombre de *cabeza* 思慮分別のある人. andar [estar] mal de la *cabeza* 《口語》頭がおかしい. tener buena *cabeza* 頭がいい. venir a la *cabeza* 思いつく. *cabeza* cuadrada 融通のきかない人. *cabeza* dura 石頭. *cabeza* vacía 軽薄な人, おっちょこちょい.
4 命, 首.
5 **先頭**, 首位. en *cabeza* de una cola 列の先頭に. estar a la *cabeza* de la clase クラスの首席である. *cabeza* de serie 〚スポ〛シード選手.
6 頭部, 先端. *cabeza* de clavo 釘(くぎ)の頭. *cabeza* nuclear 核弾頭. *cabeza* de espárrago アスパラガスの先. *cabeza* sonora [auditiva, supresora] 録音[再生, 消去]ヘッド.
—— 名男 首脳, 中心人物; 頭(かしら). *cabeza* de familia 家長, 世帯主.
alzar* [*levantar*] (*la*) *cabeza 頭をもたげる; 堂々とした態度を取る; (病気・窮状から) 立ち直る.
bajar* [*agachar*] *la cabeza 頭を下げる; うなだれる; 屈服する; 卑下する.
cabeza de partido 市町村役場の所在地, 首邑(しゅゆう).
calentarse* [*quebrarse, romperse*] *la cabeza 頭を悩ます; 猛勉強する.
de cabeza (1)頭から. caerse *de cabeza* 真っ逆さまに落ちる. (2)躊躇(ちゅうちょ)せずに. (3)暗記して, そらで.
ir de cabeza とても忙しい; 頭がいっぱいである.
perder la cabeza 冷静さを失う, かっかする.
sentar cabeza まじめになる, 落ち着く.
sin levantar cabeza 一心不乱に, わき目も振らずに.
subirse a 《+uno》 ***a la cabeza*** 《+algo》〈人〉が〈何か〉に酔う; 有頂天になる.
tener la cabeza llena de pájaros ぼんやりしている, 頭がどうかしている.

ca·be·za·da [kaβeθáða カベサダ] 名女
1 (居眠りの) こっくり; うなずくこと. dar *cabezadas* 《口語》(居眠りで) 舟をこぐ.
2 頭突き (= cabezazo).
darse de cabezadas 知恵を絞る.

ca·be·zal [kaβeθál カベサル] 名男
1 (テープレコーダーの) ヘッド.
2 (椅子の) ヘッドレスト; まくら.

ca·be·za·zo [kaβeθáθo カベサソ] 名男 頭突き; 頭への殴打; (サッカー) ヘッディング.

ca·be·zón, zo·na [kaβeθón, θóna カベソン, ソナ] 形 《口語》頭でっかちの; 頑固な.

ca·be·zo·ta [kaβeθóta カベソタ] 名女 《口語》大きな頭.
—— 名男女 1 強情っ張り. 2 頭でっかち.

ca·be·zu·do, da [kaβeθúðo, ða カベス

ド，ダ] 形 1 頭の大きな．2《口語》頑固な．
── 名男（カーニバルで）ボール紙や張り子の大きな頭で仮装した人．
ca·bi·da [kaβíða カビダ] 名女 容量；面積．*Este cuarto tiene cabida para diez personas.* この部屋には10人入れる．
── 過分 女 → caber.
dar cabida a ... …に余地を残しておく；…を収容できる．
cabido, da 過分 → caber.
cabiendo 現分 → caber.
ca·bil·do [kaβíldo カビるド] 名男 1〘カトリック〙司教座聖堂参事会．
2 市[町，村]議会．
ca·bi·na [kaβína カビナ] 名女 ブース；電話ボックス（= *cabina* de teléfonos. → estación 図）；操縦室，運転台，コックピット（→ avión 図）；映写室；通訳席；船室，（飛行機の）客室．*cabina* electoral 投票用紙の記入所．
ca·biz·ba·jo, ja [kaβiθβáxo, xa カビすバホ，ハ] 形 うつむいた，うなだれた．
ca·ble [káβle カブれ] 名男 1 太綱，索；ケーブル．*cable* de fibras ópticas 光ファイバーケーブル．2 電報，電信．
echar [***tender***] ***un cable a***《+uno》《口語》〈人〉に助け船を出す．
ca·bo [káβo カボ] 名男 [複 ~s]〔英 end; cape〕 1 **先端**，端；切れ端（=extremo）．*cabo* de una cuerda ロープの先．*cabo* de vela ろうそくの燃え残り．*cabo* de hilo 糸くず．
2 **岬**．*Cabo* de Buena Esperanza 喜望峰．
3 巡査部長；〘軍事〙伍長(ごちょう)；兵長．*cabo* de la Marina〘海事〙水兵長．
4〘海事〙索具．
al cabo ついに，とうとう．
al cabo de ... …後に．*al cabo de* un año 1年後に．
atar bien los cabos（要点などを）きちっとおさえる．
atar cabos 結論をひきだす．
cabo suelto 未解決の問題．no dejar *cabo suelto* 余すところなく完全にやり終える．
dar cabo a《+algo》〈何か〉を仕上げる．
de cabo a rabo [***cabo***] 初めから終わりまで．
estar al cabo de《+algo》《口語》〈何か〉を知り抜いている．
llevar a cabo 実行[実施]する．
ca·bo·ta·je [kaβotáxe カボタヘ] 名男〘海事〙沿岸航海；沿岸貿易．
cabr- 動 → caber. ⑨
ca·bra [káβra カブラ] 名女〘動物〙ヤギ（山羊）；雌ヤギ．► ふつうは雌雄の区別はせず cabra で済ます．特に区別する場合の雄ヤギは macho cabrío．子ヤギは chivo, cabrito.
ca·bre·ar [kaβreár カブレアル] 動他《俗語》かっかさせる，いらいらさせる．
ca·bre·ro, ra [kaβréro, ra カブレロ，ラ] 名男女 ヤギ飼い．
ca·bres·tan·te [kaβrestánte カブレスタンテ] 名男〘海事〙キャプスタン；ウインチ．
ca·bri·lla [kaβríʎa カブリリャ] 名女
1 木挽(こび)き台．2 [~s] 白波．3 [~s] 低温やけど．4 [Cabrillas]〘天文〙すばる．
ca·bri·lle·ar [kaβriʎeár カブリリェアル] 動自 白波が立つ；（水面が）きらきら光る．
ca·brí·o, a [kaβrío, a カブリオ，ア] 形 ヤギの．── 名男 ヤギの群れ．
ca·brio·la [kaβrjóla カブリオら] 名女
1 跳躍，跳ね回り；とんぼ返り．
2（バレーの）アントルシャ：ジャンプして足を交差させる動作；〘馬術〙カプリオール．
3 豹変(ひょうへん)，急転換．
ca·brio·lé [kaβrjolé カブリオれ] 名男
1 コンバーチブル：開閉式屋根の自動車．
2 カブリオレ：折り畳み式ほろつきの1頭立て2輪馬車．[←〔仏〕cabriolet]
ca·bri·ti·lla [kaβritíʎa カブリティリャ] 名女 子ヤギの革，キッド革．
ca·bri·to [kaβríto カブリト] 名男 1（離乳するまでの）子ヤギ．2《俗語》腹黒い男；《間投詞》ばか野郎，間抜け．
ca·brón [kaβrón カブロン] 名男 1《俗語》妻を寝取られた男；嫌なやつ，悪党；《間投詞》ばか野郎，間抜け．2 雄ヤギ．
ca·bro·na·da [kaβronáða カブロナダ] 名女《俗語》1 妻の不貞を許していること．
2 汚い手口．hacer a《+uno》una *cabronada* 汚い手口を使う．
ca·ca [káka カカ] 名女《口語》《幼児語》うんち．► おしっこは pipí.
ca·ca·hua·te [kakawáte カカワテ] 名男 → cacahuete.
ca·ca·hue·te [kakawéte カカウェテ] 名男 落花生，ピーナッツ．
ca·ca·o [kakáo カカオ] 名男 1〘植物〙カカオノキ；カカオ豆；（粉末の）カカオ．► これを溶いた飲み物を chocolate と言う．
2《ラ米》チョコレート．
ca·ca·re·ar [kakareár カカレアル] 動自（鶏が）コッコッと鳴く．→ animal【参考】．
── 動他《口語》吹聴(ふいちょう)する，自画自賛する．
ca·ca·re·o [kakaréo カカレオ] 名男
1（鶏の）コッコッと鳴く声．
2 吹聴(ふいちょう)；自画自賛．
ca·ca·tú·a [kakatúa カカトゥア] 名女〘鳥〙（冠毛のある）オウム（属）．
Cá·ce·res [káθeres カセレス] 固名 カセレス：スペイン中西部の県；県都．
ca·ce·rí·a [kaθería カセリア] 名女 狩猟（隊）；獲物．ir de *cacería* 猟に出かける．
ca·ce·ro·la [kaθeróla カセロら] 名女 鍋，キャセロール．→ olla 図．
ca·cha [kátʃa カチャ] 名女 1（ナイフの）柄；（ピストルの）握り．
2 [~s]《口語》尻(しり)．
hasta las cachas《口語》すっかり，徹底

的に.

ca·cha·rra·zo [katʃar̄áθo カチャラそ] 名男《口語》強打, 衝突.

ca·cha·rre·rí·a [katʃar̄ería カチャレリア] 名女 瀬戸物屋, 陶磁器店;《集合》瀬戸物, 陶磁器; がらくた.

ca·cha·rro [katʃár̄o カチャロ] 名男
1 容器; 食器, 台所用品 (= *cacharros* de (la) cocina).
2《口語》がらくた, ポンコツ.

ca·cha·va [katʃáβa カチャバ] 名女
1〖遊戯〗(1) シニー: ホッケーを簡単にした球戯. (2) (シニー用の) クラブ.
2 (上端の曲がった) 杖(つえ).

ca·cha·za [katʃáθa カチャさ] 名女 のろま; 沈着.

ca·cha·zu·do, da [katʃaθúðo, ða カチャすド, ダ] 形 のろい; 沈着な.

ca·che·ar [katʃeár カチェアル] 動他 ボディーチェックをする.

ca·che·o [katʃéo カチェオ] 名男 ボディーチェック.

ca·che·te [katʃéte カチェテ] 名男 **1** 平手打ち, 殴打. **2**《口語》ふっくらしたほっぺた.

ca·che·te·ro [katʃetéro カチェテロ] 名男
1 短剣. **2**〖闘牛〗カチェテロ: 短剣でとどめを刺す闘牛士;《比喩》とどめを刺す人.

ca·chim·ba [katʃímba カチンバ] 名女 パイプ.

ca·chi·po·rra [katʃipór̄a カチポラ] 名女 (先太の) こん棒.

ca·chi·va·che [katʃiβátʃe カチバチェ] 名男 がらくた;《口語》役立たず.

ca·cho [kátʃo カチョ] 名男 一片, 一かけら (= pedazo, trozo).

ca·chon·de·ar·*se* [katʃondeárse カチョンデアルセ] 動《俗語》《+ **de**》…に悪ふざけをする, …を冷やかす.

ca·chon·de·o [katʃondéo カチョンデオ] 名男《俗語》悪ふざけ, 冗談; ばか騒ぎ. tomar a *cachondeo* ちゃかす. sin *cachondeo* 冗談抜きで. armar *cachondeo* 大騒ぎをする.

ca·chon·do, da [katʃóndo, da カチョンド, ダ] 形《俗語》さかりのついた; 色っぽい; 好色な; 愉快な.

ca·cho·rro, rra [katʃór̄o, r̄a カチョロ, ラ] 名男女 子犬; 哺乳(ほにゅう)類の幼獣.

ca·ci·que [kaθíke カしケ] 名男 **1** カシーケ. (1) 地方政界のボス. (2) 中南米インディオの族長, 首長. **2**《口語》暴君, 親玉.

ca·ci·quis·mo [kaθikísmo カしキスモ] 名男 カシーケによる支配, ボス政治.

ca·co [káko カコ] 名男 **1** 泥棒, すり.
2《口語》腰抜け.

ca·co·fo·ní·a [kakofonía カコフォニア] 名女〖言語〗不快音調, 同音の反復 (↔ eufonía);〖音楽〗不協和音.

cac·to [kákto カクト] / **cac·tus** [-tus -トゥス] 名男〖植物〗サボテン (仙人掌).

ca·cu·men [kakúmen カクメン] 名男《口語》頭の切れ, 機転.

ca·da [káða カダ] 形 [性・数不変]〔英 each, every〕
1 それぞれの. *Cada* alumno recibió un libro. 生徒たちはめいめい本を受け取った. *Cada* uno de mis hijos tiene su casa. 私の子供たちにはそれぞれ家がある. *cada* cierta distancia [cierto tiempo] 時々; たびたび.
2《数詞を伴って》**ごとに**. *cada* dos días 1日おきに, 隔日に. *cada* tres días 3日目ごとに, 2日おきに.
3《口語》《強調・皮肉を表して》ひどい. ¡Se te ocurre *cada* tontería! そんなばかなことが!

cada cual 各人, それぞれ.
cada vez 《+比較級》だんだん, 次第に.

> **【参 考】 cada と todo**
> *cada* と *todo* は意味がよく似ているが, Viene *todos* los días. (彼は毎日来る) では, 繰り返し行われる行為を全体としてとらえているのに対し, Hay que hacer limpieza *cada* día. (毎日掃除をしなければならない) は, 同じ繰り返しの行為を個別的に見ている.

ca·dal·so [kaðálso カダるソ] 名男 処刑台; 式台, 演壇.

ca·dá·ver [kaðáβer カダベル] 名男 死体, 遺体. autopsia de un *cadáver* 遺体の解剖.

ca·da·vé·ri·co, ca [kaðaβériko, ka カダベリコ, カ] 形 死体のような; 土気色の.

ca·de·na [kaðéna カデナ] 名女 [複 ~s]〔英 chain〕 **1 鎖**, チェーン. *cadena* de oro 金の鎖. *cadena* antideslizante タイヤチェーン. *cadena* antirrobo 防犯用チェーン, ドアチェーン. *cadena* de oruga キャタピラ. ➡bicicleta図.
2 連続, 一続き. *cadena* de montañas 山系, 山脈.
3 (企業の) **系列**, チェーン. *cadena* de hoteles ホテルチェーン.
4〖ラジオ〗〖テレビ〗キー局を中心とするネットワーク; チャンネル.
5 (工場の) ライン. *cadena* de fabricación [de montaje] 生産[組み立て]ライン. trabajo en *cadena* 流れ作業, 一貫生産.
cadena perpetua 終身刑.
en cadena 次々と, 連鎖的に[な].

ca·den·cia [kaðénθja カデンしア] 名女
1 拍子; 律動; 韻律. *cadencia* de tango タンゴのリズム.
2〖音楽〗カデンツァ; (楽句の) 終止(形).

ca·den·cio·so, sa [kaðenθjóso, sa カデンしオソ, サ] 形 律動的な; 旋律的な. voz *cadenciosa* 耳に快い声.

ca·de·ne·ta [kaðenéta カデネタ] 名女〖服飾〗チェーンステッチ; 鎖編み.

ca·de·ra [kaðéra カデラ] 名女 [複 ~s]

C

〔英 hip〕ヒップ，腰. con las manos en las *caderas* 両手を腰に当てて. ➡ cuerpo 図.

ca·de·te [kaðéte カデテ] 名男〘軍事〙士官候補生.

ca·dí [kaðí カディ] 名男 [複 cadíes] (イスラム教国の) 裁判官.

Cá·diz [káðiθ カディす] 固名 カディス：スペイン南部の県；県都，大西洋岸の港湾都市.

cad·mio [káðmjo カドゥミオ] 名男〘化〙カドミウム.

ca·du·car [kaðukár カドゥカル] [⑧ c ➡ qu] 動自 **1** 失効する，期限切れになる.
2 もうろくする；使いものにならなくなる.

ca·du·ci·dad [kaðuθiðáð カドゥしダ(ドゥ)] 名女 **1**〘法律〙失効，期限切れ.
2 もうろく；はかなさ.

ca·du·co, ca [kaðúko, ka カドゥコ, カ] 形 **1** はかない，つかの間の. **2** 老いぼれた，もうろくした. **3** (器官が) 脱落性の. árbol de hoja *caduca* 落葉樹.

ca·e·di·zo, za [kaeðíθo, θa カエディそ, さ] 形 落ちやすい，倒れやすい.

ca·er [kaér カエル] ⑩ 動自 [現分 cayendo; 過分 caído, da]〔英 fall〕

直説法 現在	
1·単 *caigo*	1·複 **caemos**
2·単 **caes**	2·複 **caéis**
3·単 **cae**	3·複 **caen**

1 転ぶ，倒れる. *Ha caído* de espaldas. 彼は仰向けにひっくり返った. ► この意味では caer より caerse の方が，多く用いられる.
2 落ちる，落下する，墜落する；したたる；(雨・雪が) 降る. *caer* al mar 海に落ちる. *caer* de cabeza 真っ逆さまに落ちる. El avión *cayó* en barrena [picado]. 飛行機がきりもみ状態[急降下]で落ちた. *Cayó* un rayo. 落雷があった. *Caen* las hojas. 木の葉が散る. *Cae* el telón. 幕が降りる. La nieve *cae*. 雪が降る.
3 垂れ下がる；(土地が) 傾斜している.
4 滅亡する，崩壊する，陥落する；戦死する. *Cayó* la dictadura. 独裁制は倒れた. A todos los que *cayeron* por la patria. 祖国に殉じた人々のために.
5 失脚する，失墜する；堕落する.
6 (1日・季節・1年が) 終わる. al *caer* el día [la tarde] 日暮れに.
7 位置する；分野[範囲]に入る. La oficina *cae* a la derecha. オフィスは右手にある. *caer* cerca [a mano] 近くにある. La ventana *cae* a [hacia] la calle. 窓は通りに面している. Ese pueblo *cae* al sur de León. その村はレオンの南にある. Su cumpleaños *cae* en domingo. 彼の誕生日は日曜日に当たる.
8 《+en》 (1) …に陥る，…の状態になる. *caer en* el error 過ちを犯す. *caer en* la miseria 零落する. *caer en* el olvido 忘れられる. *caer en* desuso 廃れる. (2) …に失敗する. (3) …に行き着く，出くわす.
9 ようやく気づく，思い出す. ¡Ya *caigo*! あっ，分かった！
10 (順番・くじが) 当たる；(災難などが) 降りかかる，襲う.

―― **ca·er·se** **1** 転ぶ，倒れる，倒壊する. Al bajar del tren, *me caí*. 私は電車を降りるとき転んだ. *Se cayó* el florero. 花瓶が倒れた. *caerse* de espaldas 仰向けにひっくり返る.
2 落ちる，落下する，墜落する. *Se cayó* del caballo. 彼は落馬した. He perdido el monedero. A lo mejor *se* me *cayó* en el metro. 私は小銭入れをなくした. 地下鉄で落としたのかもしれない. ► caerse は落下の瞬間や地点に視点を置いた言い方で，急激で不意の落下のニュアンスがある.

***caer bien* [*mal*]** 合う[合わない]；似合う[似合わない]；気に入る[入らない].

dejar caer 落とす；それとなくほのめかす.

dejarse caer en …に倒れ込む. *Se dejó caer en* un sillón. 彼は肘(ひじ)掛け椅子にへたり込んだ.

dejarse caer por …にちょっと立ち寄る，ひょっこり顔を出す.

ca·fé [kafé カフェ] 名男 [複 ～s]〔英 coffee〕
1 コーヒー；〘植物〙コーヒーの木；コーヒー豆. *café* instantáneo インスタントコーヒー. *café* con leche カフェオレ. *café* cortado ミルクを少量入れたコーヒー. *café* solo ブラックコーヒー. moler *café* コーヒー豆を挽(ひ)く. de color *café* コーヒー色の.
2 喫茶店，カフェ.

ca·fe·í·na [kafeína カフェイナ] 名女〘化〙カフェイン.

ca·fe·tal [kafetál カフェタる] 名男 **1** コーヒー農園. **2**《ラ米》〘植物〙コーヒーの木.

ca·fe·te·ra [kafetéra カフェテラ] 名女〔英 coffeepot〕コーヒーメーカー，コーヒーポット. ➡ cocina 図.

ca·fe·te·rí·a [kafetería カフェテリア] 名女〔英 cafeteria〕喫茶店，カフェテリア.

ca·ga·do, da [kaɣáðo, ða カガド, ダ] 過分 形《俗語》臆病(おくびょう)な.

ca·ga·le·ra [kaɣaléra カガれラ] / **ca·ga·le·ta** [-ta -タ] 名女《俗語》腹下し，下痢.

tener cagalera 《俗語》ひどく怖がる.

ca·gar [kaɣár カガル] [㉜ g ➡ gu] 動自《俗語》糞(ふん)をする.

―― **ca·gar·se** 《俗語》糞を垂れる.

¡Me cago en diez* [*en la mar*]*! 《俗語》くそっ！

ca·ga·rru·ta [kaɣar̄úta カガルタ] 名女
1 (ヤギなどの) 糞(ふん).
2 意気地無し；出来損ない.

ca·gón, go·na [kaɣón, ɣóna カゴン, ゴナ] 形《俗語》臆病(おくびょう)な.

ca·gue·ta [kaɣ̞éta カゲタ] 名男女 《俗語》臆病(おくびょう)者.

caí- 動→caer. ⑩

ca·í·da [kaíða カイダ] 名女 **1** 落下, 降下. *caída* de telón 〔演劇〕閉幕, はね.

2 転倒, 転落. Sufrió una *caída* en las escaleras del metro. 彼は地下鉄の階段で転んだ.

3 (価格・温度などの) 下落, 低下. *caída* de la bolsa 相場の下落.

4 傾斜; 斜面. *caída* brusca del terreno 急な坂. **5** (布地の) ひだ, ドレープ.

—— 過分女→caer.

a la caída de la tarde [***del sol***] 夕暮れに.

ir de caída 勢いが衰える; 落ちぶれている.

caído, da 過分→caer.

caig- 動→caer. ⑩

cai·mán [kaimán カイマン] 名男 **1** 〔動物〕カイマン (ワニ). **2** 《比喩》古狸(ふるだぬき).

Ca·ín [kaín カイン] 固名 〔聖書〕カイン: Adán と Eva の長子で, 嫉妬(しっと)から弟 Abelを殺した.

cai·rel [kairél カイレる] 名男 **1** [普通 ~es] 〔服飾〕房飾り. **2** かつら.

ca·ja [káxa カハ] 名女 [複 ~s] 〔英 box, case〕

1 箱, ケース; 〔機械〕外枠, 外箱. *caja* de cartón ボール箱. *caja* de herramientas 道具箱. una *caja* de bombones 1箱のキャンデー. *caja* de cambios [de velocidad] 〔車〕ギアボックス. *caja* de reloj 時計の側[ケース]. *caja* de música オルゴール.

2 金庫 (=*caja* fuerte [de caudales]); 会計課, 出納窓口, レジ. *caja* registradora レジスター. *caja* de seguridad 貸し金庫, セキュリティー・ボックス.

3 金融機関, 金庫; 基金. *caja* de ahorros 貯蓄銀行. ingresar en *caja* 貯金する. **4** 棺, 棺桶(おけ). **5** 〔音楽〕(弦楽器の) 共鳴胴. *caja* de resonancia 共鳴箱.

6 〔建築〕(階段の) 吹き抜け; (エレベーターの) 縦穴. **7** 〔印刷〕活字箱[ケース].

entrar en caja (兵役に) 召集される.

ca·je·ro, ra [kaxéro, ra カヘロ, ラ] 名男女 会計係, 出納係.

ca·je·ti·lla [kaxetíʎa カヘティリャ] 名女 紙箱, 小箱. una *cajetilla* de tabaco [cigarrillos] タバコ1箱.

ca·jis·ta [kaxísta カヒスタ] 名男女 〔印刷〕植字工.

ca·jón [kaxón カホン] 名男 **1** (家具の) 引き出し. **2** 大箱. **3** 露店; 《ラ米》食料品店.

cajón de sastre おもちゃ箱をひっくり返したような状態; ごたまぜ, 寄せ集め.

ser de cajón 《口語》明白だ, 言うまでもない.

cal [kál カる] 名女 石灰. *cal* apagada [muerta] 消石灰. *cal* viva 生石灰. lechada de *cal* (白壁用の) しっくい.

cerrar a cal y canto 《口語》厳重に閉める.

una de cal y otra de arena つじつまの合わないこと[話].

ca·la [kála カら] 名女 **1** 入り江.

2 試食用の一切れ. vender a *cala* y cata (客に) 試食販売する.

3 〔医〕座薬; 探り針. **4** 〔海事〕船倉.

5 試掘孔. **6** 〔植物〕カラー, カイウ.

ca·la·ba·cín [kalaβaθín カらバしン] 名男

1 〔植物〕ズッキーニ.

2 《口語》薄のろ, 間抜け.

ca·la·ba·za [kalaβáθa カらバさ] 名女

1 〔植物〕カボチャ; ヒョウタン; ユウガオ. → hortalizas 図. **2** ヒョウタン製の容器.

3 《口語》薄のろ, 間抜け.

dar calabazas a 《+uno》《口語》〈人〉を試験で落とす; 〈男〉に肘鉄(ひじでっぽう)をくわせる.

recibir [***llevarse***] ***calabazas*** 《口語》試験に落ちる; 女に振られる.

ca·la·bo·bos [kalaβóβos カらボボス] 名男 [単・複同形] 《口語》霧雨, 小雨.

ca·la·bo·zo [kalaβóθo カらボそ] 名男 牢獄 (=cárcel).

ca·la·da [kaláða カらダ] 名女 **1** 水浸し, ずぶぬれ. **2** (鳥の) 急降下. **3** (車の) エンスト.

ca·la·de·ro [kalaðéro カらデロ] 名男 魚網を入れるのに格好な場所.

ca·la·do [kaláðo カらド] 名男 **1** 〔服飾〕ドローンワーク: 透かし模様のある刺繍(ししゅう).

2 〔海事〕水深; 喫水. **3** 〔車〕エンスト.

ca·la·fa·te·ar [kalafateár カらファテアル] 動他 〔海事〕(船板のすき間に) 槙皮(まいはだ) [タール]を詰める; (継ぎ目を) ふさぐ.

ca·la·mar [kalamár カらマル] 名男 〔英 squid〕〔動物〕イカ (烏賊). *calamares* fritos イカのリング揚げ. → moluscos 図.

ca·lam·bre [kalámbre カらンブレ] 名男

1 引きつり, こむら返り. *calambre* de estómago 胃痙攣(けいれん).

2 (電気の) ショック.

ca·la·mi·dad [kalamiðáð カらミダ(ドゥ)] 名女 **1** 災厄, 大災害; 不運.

2 《口語》役立たず; 不運な人.

ca·la·mi·to·so, sa [kalamitóso, sa カらミトソ, サ] 形 悲惨な, 痛ましい.

cá·la·mo [kálamo カらモ] 名男 **1** 〔植物〕(葦(あし)などの) 茎; アシ, ヨシ (=caña).

2 〔音楽〕(木管楽器の) リード; 葦笛.

ca·lan·dria [kalándrja カらンドゥリア] 名女 〔鳥〕ヒバリ (雲雀).

ca·la·ña [kaláɲa カらニャ] 名女 **1** (主に悪い) 性質, たち. de la misma *calaña* 似たり寄ったりの. **2** 見本, 型.

ca·lar [kalár カらル] 動他 **1** 染み通る. La lluvia *ha calado* la camiseta. 雨がシャツの中まで染み通った.

2 貫く. *calar* una tabla 板に穴をあける.

3 見破る, 見通す. *calar* el secreto 秘密を見抜く.

4 透かしの刺繍(ししゅう)を施す; 透かし彫りをする.

── 動自 **1**〘海事〙(船の) 喫水が…である. Este carguero *cala* mucho. この貨物船は喫水が深い. **2**〘車〙エンストを起こす.

── **ca·lar·*se*** **1** ずぶぬれになる. *calarse* hasta los huesos ぬれネズミになる.

2 (帽子・眼鏡を) きちんと着用する. *calarse* el sombrero 帽子を目深にかぶる.

3 (歯が) しみる. *Se* me *calan* los dientes, porque el agua está muy fría. 水が冷たすぎて歯がしみる.

4 (鳥が獲物に) 襲いかかる.

5〘車〙エンストを起こす.

ca·la·ve·ra [kalaβéra カらベラ] 名女 **1** 頭蓋(ずがい)骨. **2**《ラ米》〘車〙テールライト.

── 名男 無法者.

ca·la·ve·ra·da [kalaβeráða カらベラダ] 名女 ばか騒ぎ, 無謀な行為, 無分別.

cal·car [kalkár カるカル] [8 c → qu] 動他 透写する, トレースする; 模倣する.

cal·cá·re·o, a [kalkáreo, a カるカレオ, ア] 形 石灰質の.

cal·ce [kálθe カるせ] 名男 **1** くさび. poner un *calce* くさびをかます. **2** 外輪, リム.

cal·ce·ta [kalθéta カるせタ] 名女 ***hacer calceta*** 編み物をする.

cal·ce·tín [kalθetín カるせティン] 名男 [複 calcetines][普通 calcetines] ソックス, 靴下. ponerse los *calcetines* ソックスを履く.

cál·ci·co, ca [kálθiko, ka カるしコ, カ] 形〘化〙カルシウムの.

cal·ci·fi·ca·ción [kalθifikaθjón カるしフィカしオン] 名女 石灰化.

cal·ci·fi·car [kalθifikár カるしフィカル] [8 c → qu] 動他 石灰化する.

cal·ci·nar [kalθinár カるしナル] 動他 灰にする, 焼く.

cal·cio [kálθjo カるしオ] 名男〘化〙カルシウム.

cal·ci·ta [kalθíta カるしタ] 名女〘鉱物〙方解石.

cal·co [kálko カるコ] 名男 **1** 透写, トレース. **2** 模倣.

cal·co·ma·ní·a [kalkomanía カるコマニア] 名女 写し絵, デカルコマニー.

cal·cu·la·ble [kalkuláβle カるクらブれ] 形 計算できる; 予測できる.

cal·cu·la·dor, do·ra [kalkulaðór, ðóra カるクらドル, ドラ] 形 **1** 計算する. **2** 打算的な.

── 名男女 **1** 計算機. **2** 打算的な人.

cal·cu·lar [kalkulár カるクらル] 動他

1 計算する, 算出する. *calcular* una raíz cuadrada 平方根を求める. *calcular* mentalmente 暗算する.

2 推定する, 予測する. *calculando* por (lo) bajo 少なめに見ても. *Calculo* que lo acabaré pasado mañana. 私の見込みでは明後日には終えられるはずだ.

cál·cu·lo [kálkulo カるクろ] 名男 **1** 計算. hacer un *cálculo* 計算する. equivocarse en el *cálculo* 計算間違いをする. *cálculo* diferencial 微分 (学). *cálculo* integral 積分 (学). *cálculo* mental 暗算.

2 推定; 予測; 見積もり. Sus *cálculos* no salieron bien. 彼の予想は外れた.

3〘医〙結石; [〜s] 尿結石. *cálculo* biliar 胆石. *cálculo* renal 腎 (臓) 結石.

con cálculo 慎重に.

cal·da [kálda カるダ] 名女 **1** 加熱; 燃料の投入. **2** [〜s] 温泉.

cal·de·ar [kaldeár カるデアル] 動他

1 熱する, 暖める. **2** 興奮させる.

── **cal·de·ar·*se*** **1** 熱くなる, 暖かくなる. **2** 興奮する.

cal·de·ra [kaldéra カるデラ] 名女 **1**〘機械〙ボイラー. **2**〘地質〙カルデラ. **3** 大鍋(なべ), 大釜(かま). **4**《ラ米》湯沸かしポット.

cal·de·ro [kaldéro カるデロ] 名男 鍋, 釜.

cal·de·rón [kalderón カるデロン] 名男

1 大鍋(なべ), 大釜(かま). **2**〘印刷〙参照標 (¶).

3〘音楽〙延音記号, フェルマータ (𝄐).

cal·de·ro·nia·no, na [kalderonjáno, na カるデロニアノ, ナ] 形 (スペインの劇作家) カルデロン Calderón (1600 – 81) (ふう) の.

cal·do [káldo カるド] 名男 **1**〘料理〙煮汁, ブイヨン, コンソメ. *caldo* de pescado 魚のブイヨン.

2〘料理〙ドレッシング; [〜s] (酒・油・酢などの) 液体食品.

caldo de cultivo〘化〙培養基;《比喩》温床.

hacer el caldo gordo a 《+uno》 知らぬ間に〈人〉を利する.

cal·do·so, sa [kaldóso, sa カるドソ, サ] 形 汁の多い; どろどろした.

ca·lé [kalé カれ] 名男 ジプシー (= gitano).

ca·le·fac·ción [kalefakθjón カれファクしオン] 名女 暖房 (装置). *calefacción* central セントラル・ヒーティング.

calefacción 暖房

ca·le·fac·tor, to·ra [kalefaktór, tóra カレファクトル, トラ] 形 暖房の.
— 名男 **1** 暖房技師[業者]. **2** 暖房器具.

ca·lei·dos·co·pio [kaleiðoskópjo カレイドスコピオ] 名男 万華鏡.

ca·len·da·rio [kalendárjo カレンダリオ] 名男 [複 ~s] 〔英 calendar〕 **1 カレンダー, 暦**; 暦法. *calendario* solar 太陽暦. *calendario* lunar 太陰暦. *calendario* americano [de taco] 日めくり.
2 年間行事表; 日程表.
hacer calendarios 取り留めのない思いにふける; 将来のことをあれこれ考える.

ca·len·das [kaléndas カレンダス] 名女 [複] (古代ローマ暦の) 朔(ついたち).
calendas griegas 来るはずのない日.
◆古代ギリシア暦にはローマ暦の朔に当たる語がなかったことから.

calentado, da 過分 → calentar.

ca·len·ta·dor, do·ra [kalentaðór, ðóra カレンタドル, ドラ] 形 熱する, 暖める.
— 名男 加熱器, ヒーター. *calentador* de agua 湯沸かし器.

ca·len·ta·mien·to [kalentamjénto カレンタミエント] 名男 加熱, 暖めること. ejercicios de *calentamiento* ウォーミングアップ. *calentamiento* global 地球温暖化.

calentando 現分 → calentar.

ca·len·tar [kalentár カレンタル] [42 e → ie] 動他 〔現分 calentando; 過分 calentado, da〕〔英 heat, warm〕

直説法 現在	
1·単 ***caliento***	1·複 **calentamos**
2·単 ***calientas***	2·複 **calentáis**
3·単 ***calienta***	3·複 ***calientan***

1 熱する, 暖める. *calentar* la sopa スープを温める. *calentar* la habitación 部屋を暖かくする. *calentar* los músculos 筋肉をウォーミングアップする.
2 奮い立たせる; 《俗語》(性的に) 興奮させる. Las palabras del entrenador le *calentaron* el ánimo. コーチの言葉は彼の心を奮い立たせた.
3 殴る.
— **ca·len·tar·*se*** **1** (体を) 温める; 熱くなる, 暖まる.
2 奮い立つ; 《俗語》(性的に) 興奮する.

ca·len·tu·ra [kalentúra カレントゥラ] 名女 〔医〕熱 (= fiebre).

ca·len·tu·rien·to, ta [kalenturjénto, ta カレントゥリエント, タ] 形 **1** 〔医〕微熱のある. **2** 激しやすい.

ca·le·ta [kaléta カレタ] 名女 入り江.

ca·le·tre [kalétre カレトゥレ] 名男 《口語》分別; 才能. tener poco *caletre* 思慮に欠ける.

ca·li·bra·dor [kaliβraðór カリブラドル] 名男 **1** 内径計測器, カリパス.
2 (銃砲の内腔用) 中ぐり機.

ca·li·brar [kaliβrár カリブラル] 動他 **1** (直径・内径を) 計測[決定]する.
2 評価する, 判断する.

ca·li·bre [kalíβre カリブレ] 名男 **1** 内径; 口径. de grueso *calibre* 大口径の.
2 ノギス, ゲージ. **3** 重要性. de mucho *calibre* 非常に重要な.

ca·li·can·to [kalikánto カリカント] 名男 (しっくいを用いた) 石[れんが]積み.

cálices 名 [複] → cáliz.

ca·li·dad [kaliðáð カリダ(ド)] 名女 [複 ~es] 〔英 quality〕 **1 品質**; 等級. tela de buena [mala] *calidad* 品質の良い[悪い]布.
2 良質; 高貴; 重要性, 重大さ. vino de *calidad* 良質のぶどう酒. persona de *calidad* 身分の高い人. asunto de *calidad* 重要問題. **3** 身分; 資格.
en calidad de ... …の資格で, …の肩書きで. Asistió a la conferencia *en calidad de* observador. 彼はオブザーバーとして会議に出席した.

cá·li·do, da [káliðo, ða カリド, ダ] 形 **1** 熱い, 暑い. viento *cálido* 熱風.
2 暖色の. **3** 《比喩》温かい. *cálida* acogida 熱烈な歓迎.

ca·li·dos·co·pio [kaliðoskópjo カリドスコピオ] 名男 → caleidoscopio.

calient- 動 → calentar. [42 e → ie]

ca·lien·te [kaljénte カリエンテ] 形 [複 ~s] 〔英 hot, warm〕 **1 熱い, 暖かい** (↔ frío). agua *caliente* (熱) 湯. color *caliente* 暖色. Voy a tomar algo *caliente*. 何か温かいものにします.
2 怒った; 活発な; (性的に) 燃えている. Estoy *caliente* porque me han dicho mentiras. 彼らがうそをついたので僕は怒っている.
— 動 → calentar. [42 e → ie]
¡Caliente! (なぞ解きなどで答えが) 近いぞ!
en caliente 即座に, その場で.

ca·li·fa [kalífa カリファ] 名男 カリフ. ◆イスラム教国でマホメットの後継者と見なされる教主兼国王.

ca·li·fa·to [kalifáto カリファト] 名男 カリフの領地[治世].

ca·li·fi·ca·ción [kalifikaθjón カリフィカシオン] 名女 評価, 査定; 評点.

> **【参 考】 学校の成績評価**: sobresaliente 優. notable 良. aprobado 可. no aprobado, suspenso 不可.

ca·li·fi·ca·do, da [kalifikáðo, ða カリフィカド, ダ] 過分 形 資格のある; 有能な. obrero *calificado* 熟練工.

ca·li·fi·car [kalifikár カリフィカル] [8 c → qu] 動他 **1** 《+de》…と評価する, 形容する. El maestro me *calificó de* atrevi-

do. 先生は僕のことを無鉄砲だと言った.
2 (試験で) 評点を与える.
3〖文法〗修飾する.

ca·li·fi·ca·ti·vo, va [kalifikatíβo, βa カリフィカティボ, バ] 形〖文法〗性質を表す, 品質の.
—— 名男 **1**〖文法〗修飾語 (句). **2** 別称, あだ名.

C

ca·li·gra·fí·a [kaliɣrafía カリグラフィア] 名女 書道, 習字; 筆跡. tener buena [mala] *caligrafía* 達筆[悪筆]である.

ca·li·na [kalína カリナ] / **ca·li·ma** [-ma -マ] 名女 薄もや.

Ca·lí·o·pe [kalíope カリオペ] 固名〖ギリシア神話〗カリオペー: 叙事詩と弁舌の女神.

ca·lip·so [kalípso カリプソ] 名男〖音楽〗カリプソ: ジャマイカの民族音楽[舞踏].

cá·liz [káliθ カリす] 名男 [複 cálices]
1〖カトリック〗聖杯, カリス.
2〖植物〗萼(がく). ➡ fruta 図.
apurar el cáliz hasta las heces 辛酸をなめる.

ca·li·zo, za [kalíθo, θa カリそ, さ] 形 石灰質の.

ca·lla·do, da [kaʎáðo, ða カリャド, ダ] 過分 ➡ callar(se).
—— 形 **1** 無言の; 無口な. Nunca se queda *callada*. 彼女は本当に口数が多い.
2 ひそかな, 秘密の.
más callado que un muerto 黙りこくった.

ca·llan·di·to [kaʎandíto カリャンディト] 副《口語》黙って; こっそりと.

callando (**callándose**) 現分 ➡ callar(se).

ca·llar(·se) [kaʎár(se) カリャル(セ)] 動自 [現分 callando (callándose); 過分 callado, da]〔英 keep quiet〕 **1** **黙る**. ¡*Cállate*! 黙れ! *Se calló* de repente. 彼は突然口をつぐんだ. hacer *callar* a la prensa 新聞の言論を封じる.
2 (音が) 止む. Las máquinas *se callaron*. 機械の音が止んだ.
—— 動他 [callar の形で] **1** 黙らせる.
2 言わずにおく, 隠す. *callar* la verdad 真実を隠す.
¡Calla! / ¡Calle! まさか!
Quien calla, otorga. 《諺》沈黙は承諾のしるし.

ca·lle [káʎe カリェ] 名女 [複 ~s]〔英 street〕
1 **街路**, 通り. al otro lado de la *calle* 通りの向こう側に. *Calle* de la Princesa プリンセサ通り. doblar la *calle* 通り[街角]を曲がる. ir por la *calle* 通りを行く.

【参考】 **calle** は一応 street, **avenida** は avenue に当たるが, スペイン語では米国英語のように厳密に区別はしない. 国道などの幹線道路・ハイウェーは **carretera**. また **camino** は広い意味での道を指す.

2 通りの住民; 一般大衆. hombre [gente] de la *calle* 一般人. Toda la *calle* lo supo. そのことは街の皆に知れ渡った.
3 (道路の) 車線, レーン; (プール・競技場の) コース, トラック.
—— 動 ➡ callar(se).
abrir [***hacer***] ***calle*** 《口語》人を掻(か)き分けて進む.
coger la calle 《口語》立ち去る.
dejar a 《+uno》 ***en la calle*** 〈人〉を追い出す, 解雇する; 路頭に迷わせる.
echar a 《+uno》 ***a la calle / poner*** [***plantar***] ***a*** 《+uno》 ***en la calle / poner de patitas a*** 《+uno》 ***en la calle*** 《口語》〈人〉を解雇する, 追い出す.
estar en la calle 外出している; 宿なしである; 失業している.
llevarse de calle a 《+uno》〈人〉の心を引き付ける; (議論で)〈人〉を納得させる, 言い負かす.

ca·lle·ja [kaʎéxa カリェハ] 名女 路地, 横町.

ca·lle·je·ar [kaʎexeár カリェヘアル] 動自 街をぶらつく.

ca·lle·je·o [kaʎexéo カリェヘオ] 名男 ぶらぶら歩き.

ca·lle·je·ro, ra [kaʎexéro, ra カリェヘロ, ラ] 形 通りの, 街頭の; 街をぶらつく. venta *callejera* 露天商. —— 名男 (ガイドブックの) 市街図; (市街別の) 電話帳.

ca·lle·jón [kaʎexón カリェホン] 名男 **1** 路地. *callejón* sin salida 袋小路. **2**〖闘牛〗闘技場と観覧席の間の通路.
meterse en un callejón sin salida 窮地に陥る.

ca·lle·jue·la [kaʎexwéla カリェフエラ] 名女 狭い通り; 路地.

ca·llo [káʎo カリョ] 名男 **1**〖医〗たこ, うおのめ. **2** [~s]〖料理〗カジョス: 牛などの胃の煮込み. **3**《俗語》ぶす, 醜女(しこ).
—— 動 ➡ callar(se).

ca·llo·so, sa [kaʎóso, sa カリョソ, サ] 形 たこがある; (皮膚が) 硬くなった. manos *callosas* まめだらけの手.

cal·ma [kálma カるマ] 名女 **1** 静穏, 平穏; 小康. en la *calma* de la noche 夜のしじまで.
2 冷静さ, 落ち着き. perder la *calma* 冷静さを失う. **3** 凪(なぎ), 無風状態.
Después de la tempestad viene la calma. 《諺》待てば海路の日和あり.
en calma 穏やかな; 停滞した. El mar está *en calma*. 海は今は静かだ.

cal·man·te [kalmánte カるマンテ] 形〖医〗鎮痛の. —— 名男〖医〗鎮痛剤.

cal·mar [kalmár カるマル] 動他 静める, なだめる; 鎮める, 和らげる. El orador trató de *calmar* al auditorio. 弁士は懸命に聴

衆を静かにさせようとした. *calmar* el dolor 痛みを抑える.
── 動自 **cal·mar·se** 静まる; 和らぐ. ¡*Cálmate*! 落ち着きなさい!
cal·mo·so, sa [kalmóso, sa カるモソ, サ] 形のどかな, 落ち着いた; のんびりとした.
ca·ló [kaló カろ] 名男ジプシーの言語.
ca·lor [kalór カろル] 名男 [複 ~es] 〔英 heat〕
1 熱; 暑さ, 暖かさ. *calor* específico 比熱. *calor* radiante 輻射(ふくしゃ)熱. Hace *calor* hoy. 今日は暑い. Tiene mucho *calor*. 彼はとても暑がっている.
2 温情; 情熱. recibir a《+uno》con *calor* 〈人〉を温かく迎える.
dar calor 暖める; 勇気[元気]づける.
entrar en calor 温まる, 暖かくなる; (議論などが) 白熱する.
ca·lo·rí·a [kaloría カろリア] 名女 カロリー《略 cal》. *caloría* grande キロ[大]カロリー. pequeña *caloría* 〘物理〙グラム[小]カロリー. alimento de pocas *calorías* 低カロリー食品.
ca·ló·ri·co, ca [kalóriko, ka カろリコ, カ] 形カロリーの, 熱の.
ca·lo·rí·fe·ro, ra [kalorífero, ra カろリフェロ, ラ] 形 放熱の, 伝熱の.
── 名男 放熱器, 暖房器具.
ca·lum·nia [kalúmnja カるムニア] 名女 中傷, 誹謗(ひぼう); 名誉毀損(きそん). levantar *calumnias* contra《+uno》〈人〉をあしざまに言う.
ca·lum·niar [kalumnjár カるムニアル] 動他 中傷する, 誹謗(ひぼう)する.
ca·lum·nio·so, sa [kalumnjóso, sa カるムニオソ, サ] 形 中傷的な, 誹謗(ひぼう)の.
ca·lu·ro·so, sa [kaluróso, sa カるロソ, サ] 形 **1** 暑い. día *caluroso* 暑い日.
2 熱烈な, 心温まる.
cal·va·rio [kalβárjo カるバリオ] 名男
1 [C-] カルバリオの丘. ◆キリスト磔刑(たっけい)の地. Gólgota の別称. **2** 〘カトリック〙十字架の道行き (= vía crucis). **3** 長い苦難.
cal·ve·ro [kalβéro カるベロ] 名男 林間の空き地.
cal·vi·cie [kalβíθje カるビしエ] 名女 はげ頭, 毛の薄いこと. *calvicie* precoz 若はげ.
cal·vi·nis·mo [kalβinísmo カるビニスモ] 名男 カルバン Calvino 主義.
cal·vi·nis·ta [kalβinísta カるビニスタ] 形 カルバン主義の.
── 名男女 カルバン主義者. ➡ hugonote.
cal·vo, va [kálβo, βa カるボ, バ] 形 **1** 頭のはげた. **2** (布地・芝生などが) はげた; (土地が) 草木のない.
── 名男女 はげ頭の人.
── 名女 **1** はげ, 禿頭(とくとう).
2 (布地・芝生の) はげた個所.
cal·za [kálθa カるさ] 名女 **1** 支(か)うもの, くさび; 車輪止め.
2《口語》ストッキング, 長靴下.
verse en calzas prietas 窮地に陥る.
cal·za·do, da [kalθáðo, ða カるさド, ダ] 過分 形 (靴などを) 履いた (↔ descalzo). *calzado* con zapatillas 室内履きを突っ掛けて.
── 名男 履き物, 靴. tienda de *calzado* 靴店.

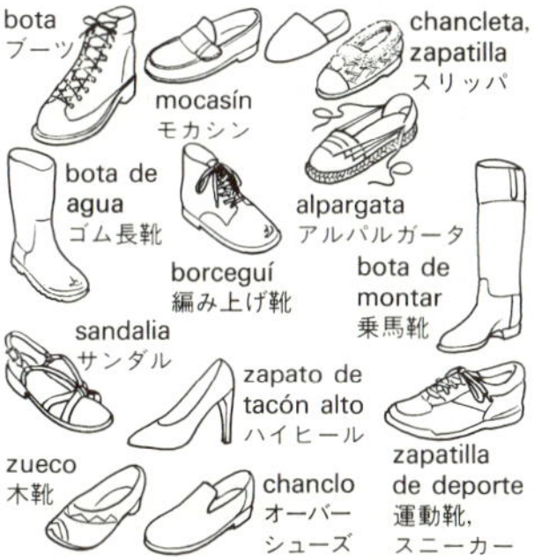

calzados 履き物

── 名女 〔英 road〕車道; 石畳の道. *calzada* romana ローマ街道. ➡ ciudad 図.
cal·za·dor [kalθaðór カるさドル] 名男 靴べら.
cal·zar [kalθár カるさル] [39 z ➡ c] 動他 **1** (靴などを) 着用させる, 履かせる; 履く. ¿Qué número *calza* Vd.? — *Calzo* un 43. 靴のサイズはいくつですか. —43号です.
2 …にくさびを支(か)う. Esta silla baila, hay que *calzar*la. この椅子はがたがたする, 何か脚にかませなくては駄目だ.
── **cal·zar·se** **1** 着用する, 履く. *calzarse* los patines スケート靴を付ける.
2 しのぐ, まさる.
cal·zón [kalθón カるそン] 名男 **1** (膝(ひざ)までの) ズボン. **2**《ラ米》[~または calzones] ズボン; パンティー.
cal·zo·na·zos [kalθonáθos カるそナそス] 名男 [単・複同形]《口語》妻の尻(しり)に敷かれた夫; 腑(ふ)抜け.
cal·zon·ci·llos [kalθonθíʎos カるそンしリョス] 名男 [複] 〘服飾〙(男性用の) ブリーフ, パンツ.
ca·ma [káma カマ] 名女 [複 ~s] 〔英 bed〕
1 ベッド. echarse en la *cama* ベッドに横たわる. hacer la *cama* ベッドメーキングをする. ir a la *cama* 寝に行く. *cama* de matrimonio ダブルベッド. *cama* individual シングルベッド. *camas* separadas [gemelas] ツインベッド. *cama* turca (ヘッドボードのない) 簡易ベッド. hospital de cien *camas* ベッド数100の病院. ➡次ページ図.
2 (動物の) ねぐら, 巣 (穴).

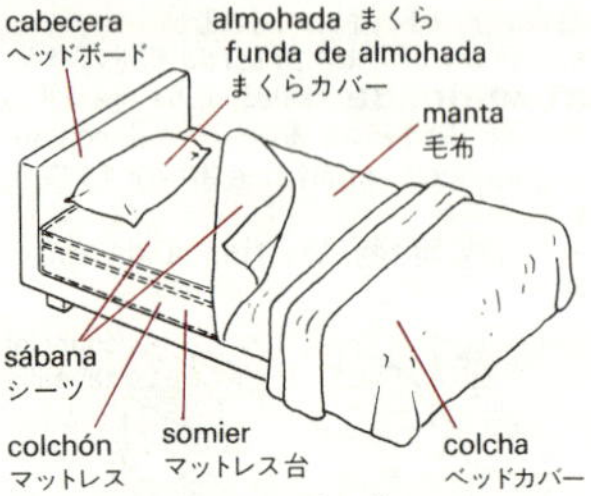

cama ベッド

3 (馬屋などの) 寝わら (＝*cama* de paja).
4 層. una *cama* de tierra 地層.
caer en cama 病気になる.
estar en* [*guardar*] *cama 病気で寝ている.

ca·ma·da [kamáðа カマダ] 名女 **1** (動物の) 一腹の子. **2** 一重ね, 一並べ.
3 《口語》(悪党の) 一味.

ca·ma·fe·o [kamaféo カマフェオ] 名男 カメオ, カメオ細工.

ca·ma·le·ón [kamaleón カマレオン] 名男
1 〔動物〕カメレオン. **2** 日和見主義者.

cá·ma·ra [kámara カマラ] 〔複 ～s〕 名女 〔英 chamber, camera〕 **1** **議会**, 議院; 会議所; 評議会, 審議会. *Cámara* Alta 上院. *Cámara* Baja 下院. *Cámara* de Comercio e Industria 商工会議所. *cámara* de compensación 手形交換所.
2 〔写真〕〔映画〕**カメラ**. *cámara* de televisión テレビカメラ. *cámara* (fotográfica) 写真機, カメラ. a *cámara* lenta スローモーション撮影で.
3 (王侯の) 寝室, 私室. médico de *cámara* 侍医. pintor de *cámara* 宮廷画家.
4 小室; 部屋. *cámara* oscura 暗室, 暗箱. *cámara* de combustión (エンジンの) 燃焼室. *cámara* de resonancia 共鳴箱. *cámara* acorazada 金庫室. *cámara* de gas ガス室. *cámara* frigorífica 冷凍室. *cámara* mortuoria 霊安室.
5 (タイヤの) チューブ.
6 (銃の) 薬室, 弾倉.
── 名男女 〔映画〕カメラマン.

ca·ma·ra·da [kamaráða カマラダ] 名男女 同僚, 仲間; 同志. *camarada* de trabajo 仕事仲間.

ca·ma·ra·de·rí·a [kamaraðería カマラデリア] 名女 仲間意識; 協調性.

ca·ma·re·ra [kamaréra カマレラ] 名女 〔複 ～s〕〔英 waitress〕 **1** **ウェートレス**; (ホテル・客船などの) 客室係, メード.
2 (国王・貴族の) 女官. *camarera* mayor 女官長.

ca·ma·re·ro [kamaréro カマレロ] 名男 〔複 ～s〕〔英 waiter〕 **1** **ウェーター**; (ホテル・客船などの) 客室係, ボーイ.
2 (国王・貴族の) 側近, 侍従. *camarero* mayor 侍従長.

ca·ma·ri·lla [kamaríʎa カマリリャ] 名女 (政界などの) 黒幕; 結社.

ca·ma·rín [kamarín カマリン] 名男
1 〔演劇〕楽屋; 化粧室; (商談用の) 小部屋.
2 (主祭壇裏の) 小聖堂.

ca·ma·rón [kamarón カマロン] 名男 **1** 〔動物〕小エビ, クルマエビ. **2** 《ラ米》チップ.

ca·ma·ro·te [kamaróte カマロテ] 名男 〔海事〕キャビン, 船室. → barco 図.

ca·mas·tro [kamástro カマストゥロ] 名男 粗末なベッド.

cam·ba·la·che [kambalátʃe カンバラチェ] 名男 《口語》交換, 取り替えっこ.

cambiado, da 過分 → cambiar.

cambiando 現分 → cambiar.

cam·biar [kambjár カンビアル] 動他 〔現分 cambiando; 過分 cambiado, da〕〔英 change, ex-

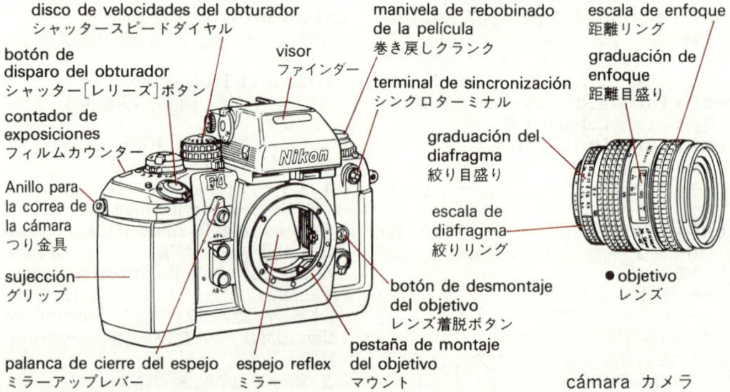

cámara カメラ

change〕 1 **変える**, 改める. *cambiar* la hora de partida 出発の時間を変更する. *cambiar* las costumbres 習慣を改める.
2 **取り替える**; **両替する**; **交換する**, やり取りする. *cambiar* la lámpara 電球を取り替える. *cambiar* dólares en [por] pesetas ドルをペセタに替える. *cambiar* regalos プレゼントを交換する. *cambiar* saludos 挨拶(あいさつ)を交わす.
3 移動させる. *cambiar* el piano a otro sitio ピアノを別の場所に移す.
―― 動自 1 **変わる**, 改まる. Esta ciudad *ha cambiado* mucho. この町は大変様変わりした. 2 《+de》 **…を変える**, 取り替える. *cambiar de* opinión 意見を変える. *cambiar de* tren 列車を乗り換える.
―― **cam·biar·se** 1 《+de》 …を着替える, はき替える. *cambiarse de* ropa 着替える. 2 《+en》 …に変わる.
3 《+de ... a ...》 …から…へ転居する.

cam·bio [kámbjo カンビオ] 名男 [複 ~s] 〔英 change, exchange〕 1 **変化**, 変更. *cambio* de presión atmosférica 気圧の変化. *cambio* de programa プログラムの変更.
2 **交換**, 交替. el *cambio* de un disco por un libro レコードと本の交換. *cambio* de tripulantes 乗務員の交替.
3 釣り銭; 小銭. No tengo *cambio*. 私は小銭を持っていません.
4 〔商業〕 **両替**; 為替; 交換レート. *cambio* exterior [extranjero] 外国為替. ¿A cuánto está el *cambio* del dólar hoy? 今日のドルのレートはいくらですか.
5 〔車〕 変速, ギアチェンジ. *cambio* automático 自動変速機.
―― 動 ➡ cambiar.
a cambio de ... …の代わり[と交換]に.
en cambio その代わりに; それにひきかえ.
en cambio de ... …の代わりに; …に反して.

cam·bis·ta [kambísta カンビスタ] 名男女 両替商, 為替ディーラー.

cam·bo·ya·no, na [kamboȷ̂áno, na カンボヤノ, ナ] 形 カンボジア Camboya の.
―― 名男女 カンボジア人.
―― 名男 カンボジア語, クメール語 (= khmer).

ca·me·lar [kamelár カメラル] 動他 《口語》 …のご機嫌を取る; (異性に) 言い寄る.

ca·me·lia [kamélja カメリア] 名女 〔植物〕 ツバキ (椿) (の花).

ca·me·llo [kaméʎo カメリョ] 名男 1 〔動物〕 (フタコブ) ラクダ. ► ヒトコブラクダは dromedario. 2 《口語》 麻薬の売人.

ca·me·lo [kamélo カメロ] 名男 《口語》
1 お世辞; 口説き.
2 冗談, 出任せ; ごまかし. dar (el) *camelo* a 《+uno》 〈人〉をだます.
de camelo 偽の, 自称の.

ca·me·ri·no [kameríno カメリノ] 名男 〔演〕 楽屋 (= camarín).

ca·me·ro, ra [kaméro, ra カメロ, ラ] 形 セミダブルベッドの.

Ca·mi·la [kamíla カミら] 固名 カミーラ: 女性の名.

ca·mi·lla [kamíʎa カミリャ] 名女 1 担架, 移動寝台. 2 こたつ (の一種) (= mesa *camilla*). ➡ calefacción 図.

ca·mi·lle·ro [kamiʎéro カミリェロ] 名男 担架を運ぶ人.

Ca·mi·lo [kamílo カミろ] 固名 カミーロ: 男性の名.

ca·mi·nan·te [kaminánte カミナンテ] 形 徒歩の. ―― 名男女 歩行者.

ca·mi·nar [kaminár カミナル] 動自 〔英 walk〕 1 **歩く**, 歩いて行く. Me gusta *caminar* de noche. 僕は夜出歩くのが好きだ.
2 (川が) 流れる; (天体が) 運行する.
―― 動他 (ある距離を) 進む. *Hemos caminado* dos kilómetros. 私たちは 2 キロ歩いた.

ca·mi·na·ta [kamináta カミナタ] 名女 長い道のりを歩くこと.

ca·mi·ne·ro, ra [kaminéro, ra カミネロ, ラ] 形 道路の.

ca·mi·no [kamíno カミノ] 名男 [複 ~s] 〔英 road, way〕 1 **道**. Todos los *caminos* van a Roma. 《諺》 すべての道はローマに通じる. *camino* de herradura 騎馬でしか通れない道. *camino* carretero [de ruedas] 車の通れる道. *camino* de entrada [de acceso] 進入路. *camino* de hierro 鉄道. *camino* forestal 林道. *camino* real (昔の) 国道. *camino* vecinal 市[町, 村]道. *Camino* de Santiago 銀河 (= Vía Láctea); サンティアゴ街道 (中世の巡礼街道). ➡ calle 【参考】.
2 道筋, ルート; 道のり, 行程. Se me olvidó la cartera y tuve que hacer dos veces el *camino* al mercado. 財布を忘れて私は 2 度も市場との間を往復しなければならなかった. dos horas de *camino* 2 時間の道のり.
3 進むべき道, 進路; 手段, 方法. el *camino* para hacerse rico 金持ちになる方法. *camino* trillado [trivial] 常套(じょうとう)手段. escoger el buen *camino* 正しい道を選ぶ. errar el *camino* 道を誤る.
―― 動 ➡ caminar.
abrir camino a ... …に道を開く; …の端緒を開く.
abrirse camino / hacerse SU ***camino*** 道を切り開いて進む; 出世街道を行く.
A camino largo, paso corto. 《諺》 急がば回れ.
a medio camino / a la mitad del camino 途中で, 中途で.
camino de ... …に向かって; …への途上[途中]で. Iba *camino de* la oficina

cuando me encontré con Felipe. 会社に行く途中でフェリペに会った.
de camino 途中で［に］；ついでに（＝de paso）. Su casa me viene *de camino*. 彼の家は私が通る道の途中にある.
en camino de … …の途上で. *en camino de* desaparecer 消滅しかかって.
en el camino 途中で. Te vi *en el camino* al colegio. 私は学校へ行く途中で君を見かけた. dejar *en el camino* 中途でやめる.
ir por buen ［***mal***］ ***camino*** 正しい［誤った］道を行く.
ir por ［***seguir***］ SU ***camino*** わが道を行く. ¡*Siga* usted *su camino*! あなたの思うとおりにやりなさい.
llevar camino de《＋不定詞》…という結果に終わりそうだ. La conferencia *lleva camino de* no acabar nunca. 講演会はいつ終わるとも知れない.
ponerse en camino 旅立つ, 出発する.
salir al camino 出迎える；待ち伏せる.

ca·mión

［kamjón カミオン］名男［複camiones］〔英truck〕
1 トラック. *camión* cisterna タンクローリー；給水車. *camión* volquete ダンプカー.
2《ラ米》バス（＝autobús）.

ca·mio·ne·ro, ra ［kamjonéro, ra カミオネロ, ラ］名男女 トラック運転手.
ca·mio·ne·ta ［kamjonéta カミオネタ］名女 軽トラック.

ca·mi·sa

［kamísa カミサ］名女［複 ～s］〔英 shirt〕
1 シャツ, ワイシャツ；シュミーズ, スリップ. *camisa* de deporte スポーツシャツ. *camisa* de dormir 寝巻き. en mangas de *camisa* ワイシャツ姿［上着なし］で. ➡ chaqueta 図.

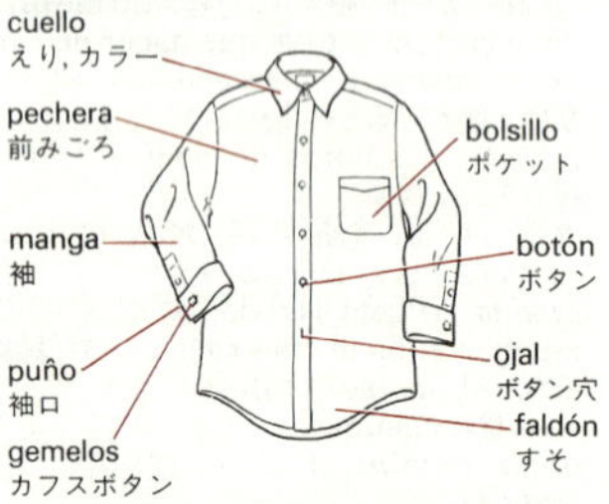

camisa シャツ

2 紙［書類］挟み；（本の）カバー.
3（種子・豆などの）皮；（蛇の）抜け殻.
cambiar de camisa《口語》意見を変える, 変節する.
camisas azules（スペインの）ファランヘ党員.
meterse en camisa de once varas《口語》他人事に口を出す, お節介を焼く.
sin camisa《口語》無一文で. dejar a《＋uno》*sin camisa*〈人〉を破産させる. quedarse *sin camisa* 無一文になる.

ca·mi·se·rí·a ［kamisería カミセリア］名女 ワイシャツ専門店［仕立屋］；シャツ製造業.
ca·mi·se·ta ［kamiséta カミセタ］名女 Tシャツ, ランニングシャツ；（スポーツ用の）ジャージー.
sudar la camiseta（試合で）ハッスルする；猛練習する.
ca·mi·so·la ［kamisóla カミソラ］名女（紳士の）礼服用シャツ；キャミソール（女性の下着）.
ca·mi·són ［kamisón カミソン］名男 ネグリジェ.
ca·mo·rra ［kamóra カモラ］名女《口語》口論；騒動. buscar *camorra* けんかを売る.
ca·mo·rris·ta ［kamorísta カモリスタ］形 けんか好きの.
—— 名男女 けんか好きの人, 乱暴者.
ca·mo·te ［kamóte カモテ］名男《ラ米》サツマイモ（薩摩芋）；球根.
cam·pal ［kampál カンパる］形 野原の.
cam·pa·men·to ［kampaménto カンパメント］名男 野営（地）, キャンプ（場）*campamento* de trabajo 作業キャンプ. *campamento* de verano サマーキャンプ.

cam·pa·na ［kampána カンパナ］名女［複 ～s］〔英 bell〕 **1 鐘**；鐘の音. tañer ［tocar］ las *campanas* 鐘を鳴らす. toque de *campana* 鐘を鳴らすこと.
2 鐘状のもの. *campana* de la chimenea（暖炉の）フード.
dar la vuelta de campana ひっくり返る, 一回転する.
echar las campanas a vuelo 鐘を一斉に鳴らす；大喜びで触れ回る.
oír campanas y no saber dónde よく飲み込めて［真相を見極めて］いない.

cam·pa·na·da ［kampanáða カンパナダ］名女 **1** 鐘を鳴らすこと；鐘の音；（時計で）時を告げる音.
2 スキャンダル, センセーション. dar una ［la］ *campanada* スキャンダル［センセーション］を引き［巻き］起こす.
cam·pa·na·rio ［kampanárjo カンパナリオ］名男 鐘楼.
de campanario 心の狭い.
cam·pa·ne·o ［kampanéo カンパネオ］名男 **1** 鐘の音. **2**《口語》腰を振って歩くこと.
cam·pa·ne·ro ［kampanéro カンパネロ］名男 鐘の鋳造師；鐘つき番.
cam·pa·ni·lla ［kampaníʎa カンパニリャ］名女 **1** 鈴, ベル；鐘状の飾り.
2〔解剖〕喉(ど)びこ.
de （***muchas***） ***campanillas*** 傑出した.
cam·pa·ni·lle·ar ［kampaniʎeár カンパニリェアル］動自 ベルを長く鳴らす.
cam·pa·ni·lle·o ［kampaniʎéo カンパニ

ﾘｪｵ] 名男 鈴を長く鳴らすこと.
cam·pan·te [kampánte カンパンテ] 形《口語》平然とした; 満足した.
cam·pa·ña [kampáɲa カンパニャ] 名女
1 キャンペーン, (ある目的のための) 運動. *campaña* publicitaria 宣伝活動. *campaña* electoral 選挙戦.
2〘軍事〙遠征, 従軍. estar [hallarse] en *campaña* 戦闘中である.
cam·par [kampár カンパル] 動自 1 野営する. 2 傑出する.
cam·pe·ar [kampeár カンペアル] 動自
1 目立つ, 傑出する. 2〘軍事〙偵察する.
cam·pe·cha·no, na [kampetʃáno, na カンペチャノ, ナ] 形《口語》あけっぴろげの, 気さくな.
cam·pe·ón, o·na [kampeón, óna カンペオン, オナ] 名男女 [複男 campeones] 1 チャンピオン, 選手権保持者. ganar [perder] el título de *campeón* チャンピオンのタイトルを獲得する [失う].
2 (主義などの) 擁護者.
cam·pe·o·na·to [kampeonáto カンペオナト] 名男 選手権; 選手権試合.
de campeonato 《口語》ものすごい; 並外れた.
cam·pe·ro, ra [kampéro, ra カンペロ, ラ] 形 田舎の; 野天の, 野外の.
cam·pe·si·na·do [kampesináðo カンペシナド] 名男《集合》農民.
cam·pe·si·no, na [kampesíno, na カンペシノ, ナ] 形 田舎の, 農村の. costumbres *campesinas* 田舎の風習. vida *campesina* 田園生活.
── 名男女 農民.
cam·pes·tre [kampéstre カンペストゥレ] 形 野原の, 田園の, 田舎の.
cam·ping [kámpiŋ カンピン] 名男 [複 campings] キャンピング; キャンプ場. hacer *camping* キャンプをする. [←英語]
cam·pi·ña [kampíɲa カンピニャ] 名女 平野; 耕地.
cam·pis·ta [kampísta カンピスタ] 名男女 キャンプをする人, キャンパー.

cam·po

[kámpo カンポ] 名男 [複 ～s] 〔英 field, countryside〕
1 **田畑**, 畑. un *campo* de trigo 小麦畑. feria de *campo* 農業見本市.
2 **野原**, 田園; 田舎. pasar las vacaciones en el *campo* 休暇を田舎で過ごす. retirarse al *campo* 田舎に引きこもる, 引退する.
3 場, 場所. *campo* de aterrizaje 離着陸場, 飛行場. *campo* de concentración 強制収容所. *campo* de fútbol [golf] サッカー[ゴルフ]場. *campo* de deportes グラウンド, 運動場. *campo* petrolífero 油田. *campo* de minas 地雷原. *campo* santo 墓地.
4 陣地, 陣営. *campo* liberal 自由陣営. *campo* enemigo 敵陣.
5 **分野**, 領域. *campo* de actividad 活動分野. *campo* de la medicina 医薬分野.
6〘物理〙〘光〙〘写真〙界, 場, 野; 〘ｺﾝﾋﾟｭｰﾀ〙フィールド. *campo* de un microscopio (電子) 顕微鏡視域. *campo* eléctrico〘物理〙電界. *campo* magnético 磁場, 磁界.
a campo raso 野外で, 屋外で. dormir *a campo raso* 野宿する.
a campo traviesa [***través***] 野原を横切って. carrera *a campo traviesa* [*través*] クロスカントリー競技.
Campos Elíseos〘神話〙理想郷; (パリの) シャンゼリゼ (通り).
dejar el campo libre (後進に) 道を譲る.
levantar el campo 陣地を撤退する; 中止する, あきらめる.
tener el campo libre 束縛されない, 行動の自由がある.
cam·po·san·to [kamposánto カンポサント] 名男 墓地, 墓場 (= cementerio).
cam·pus [kámpus カンプス] 名男 [単・複同形] (大学の) キャンパス, 構内. [←英語]
ca·mu·fla·je [kamufláxe カムフラへ] 名男 カムフラージュ; 〘軍事〙偽装, 迷彩.
ca·mu·flar [kamuflár カムフラル] 動他 カムフラージュする; 偽装する, 迷彩を施す.
can [kán カン] 名男 1《文語》犬 (= perro). 2 [C-]〘天文〙大犬座 (= *Can* Mayor). *Can* Menor 小犬座.
ca·na [kána カナ] 名女 白髪, しらが. salir a《+uno》*canas* しらがが目立ち始める.
echar una cana al aire 羽目を外して遊ぶ.
peinar canas 老境に入る.
Ca·na·án [kanaán カナアン] 固名〘聖書〙カナン: パレスチナ西部の地方. 神がイスラエルの民の始祖 Abraham に約束した地.
Ca·na·dá [kanaðá カナダ] 固名 カナダ: 首都 Ottawa.
ca·na·dien·se [kanaðjénse カナディエンセ] 形 カナダの. ── 名男女 カナダ人.
ca·nal [kanál カナル] 名男 (ときに女) 1 運河, 水路; 海峡. *Canal* de Panamá パナマ運河. *canal* de riego 灌漑(かんがい)用水路.
2 雨樋(あまどい).
3 経路, ルート. *canal* de distribución 販売ルート.
4〘テレビ〙〘通信〙〘ｺﾝﾋﾟｭｰﾀ〙チャンネル. Todos los *canales* se hicieron eco de la noticia. 全てのチャンネルがそのニュースを伝えた.
5〘解剖〙導管.
abrir en canal 真っ二つに裂く.
ca·na·li·za·ción [kanaliθaθjón カナリサシオン] 名女 1 運河[水路]の開設.
2 配管 (網), 配線 (網).
ca·na·li·zar [kanaliθár カナリサル] [39 z → c] 動他 1 運河[水路]を開く; (水路を) 調節する. 2 (意見などを) 誘導する, 方向づける．**3** 配管する．

ca·na·lla [kanáʎa カナリャ] 名女 悪党の一味，やくざな連中．

―― 名男女《口語》ろくでなし，ごろつき．

ca·na·lla·da [kanaʎáða カナリャダ] 名女 卑劣な言動．

ca·na·lles·co, ca [kanaʎésko, ka カナリェスコ, カ] 形 卑劣な，汚い．

ca·na·lón [kanalón カナろン] 名男 雨樋(あまどい)．

ca·na·na [kanána カナナ] 名女（ハンターの）弾薬帯．

ca·na·pé [kanapé カナペ] 名男 **1** 寝椅子，長椅子．**2**〔料理〕カナッペ．［←フランス語］

Ca·na·rias [kanárjas カナリアス] 固名 Islas *Canarias* カナリア諸島：アフリカ北西岸沖の大西洋上にあるスペイン領の諸島；自治州（➡ autónomo）．

ca·na·rio, ria [kanárjo, rja カナリオ, リア] 形 カナリア諸島の．

―― 名男女 カナリア諸島の住民．

―― 名男〔鳥〕カナリア．

ca·nas·ta [kanásta カナスタ] 名女 **1**（両側に取っ手のついた浅い）かご．➡ cesta 図．

2（トランプ）カナスタ．

3〔スポーツ〕（バスケットボールの）ゴール．

ca·nas·ti·lla [kanastíʎa カナスティリャ] 名女 **1**（籐(とう)製の）小物入れ．➡ cesta 図．

2 産着．

ca·nas·ti·llo [kanastíʎo カナスティリョ] 名男 平かご．

ca·nas·to [kanásto カナスト] 名男（深い）かご．

can·cán [kaŋkán カンカン] 名男 **1**（フレンチ）カンカン．**2** フリル付きペチコート．

can·cel [kanθél カンせる] 名男 衝立(ついたて)；仕切りブラインド．

can·ce·la [kanθéla カンせら] 名女（鉄格子の）門扉．

can·ce·la·ción [kanθelaθjón カンせらしオン] 名女 取り消し，キャンセル．

can·ce·lar [kanθelár カンせらル] 動他 **1** 取り消す，キャンセルする（＝anular）．*Cancelaron* el contrato. 彼らは契約を解約した．*Han cancelado* el vuelo. その便は欠航になった．

2（負債を）清算する，支払う．

cán·cer [kánθer カンせル] 名男 **1**〔医〕癌(がん)．Murió de *cáncer*. 彼は癌で亡くなった．**2**《比喩》癌．*cáncer* de la sociedad 社会の癌．

3 [C-]〔天文〕かに座；〔占星〕巨蟹(きょかい)宮．

can·ce·rar·*se* [kanθerárse カンせラルセ] 動〔医〕癌腫瘍(がんしゅよう)になる；癌にかかる．

can·cer·be·ro [kanθerβéro カンせルベロ] 名男 **1** 厳しい門番；〔スポーツ〕ゴール・キーパー（＝portero）．

2 [C-]〔ギリシア神話〕（冥府(めいふ)の番犬）ケルベロス：頭は3つで尾はヘビ．

can·ce·rí·ge·no, na [kanθeríxeno, na カンせリヘノ, ナ] 形〔医〕発癌(はつがん)性の．

―― 名男 発癌性物質．

can·ce·ro·so, sa [kanθeróso, sa カンせロソ, サ] 形〔医〕癌(がん)の，癌性の．tumor *canceroso* 癌腫瘍(しゅよう)．

―― 名男女 癌患者．

can·cha [kántʃa カンチャ] 名女 **1**〔スポーツ〕コート．*cancha* de tenis テニスコート（➡ tenis 図）．*cancha* de baloncesto バスケットコート．**2** 闘鶏場．**3**《ラ米》競馬場．

can·ci·ller [kanθiʎér カンしリェル] 名男 **1**（ドイツ，オーストリアの）首相．

2（在外公館の）書記官；《ラ米》外務大臣．

3 国璽(こくじ)尚書．

can·ci·lle·rí·a [kanθiʎería カンしリェリア] 名女 **1**（ドイツ，オーストリアの）首相の職［官邸］．**2**（在外公館の）文書課；《ラ米》外務省．**3** 国璽(こくじ)尚書の職．

can·ción [kanθjón カンしオン] 名女［複 canciones］〔英 song〕**1** 歌，歌曲．*canción* de amor 恋歌．*canción* de cuna 子守歌．*canción* infantil 童謡．

2 話；いつもの話，繰り言．Esa es otra *canción*. それは別の話だ．Ya estamos otra vez con la misma *canción*. またいつもの話のむし返しだ．

can·cio·ne·ro [kanθjonéro カンしオネロ] 名男 **1** 詩［歌］集．

2〔音楽〕歌の本，歌曲集．

can·da·do [kandáðo カンダド] 名男 南京(なんきん)錠．➡ cerradura．

can·de·al [kandeál カンデアる] 形 白くて上質な．trigo *candeal* 上質の小麦．

can·de·la [kandéla カンデら] 名女 **1** ろうそく．► 教会用の大ろうそくは cirio．

2 ろうそく立て，燭台(しょくだい)．**3**《口語》火．

4〔光〕燭光(しょっこう)：光度の単位（記号 cd）．

acabarse la candela《口語》死ぬ．

can·de·la·bro [kandeláβro カンデらブロ] 名男 枝付き燭台(しょくだい)．

can·de·le·ro [kandeléro カンデれロ] 名男 燭台(しょくだい)，ろうそく立て；漁獲用トーチランプ．

can·den·te [kandénte カンデンテ] 形 白熱した，熱気に満ちた．

can·di·da·to, ta [kandiðáto, ta カンディダト, タ] 名男女 候補者；志願者．*candidato* a [para] la presidencia 大統領候補者．

can·di·da·tu·ra [kandiðatúra カンディダトゥラ] 名女 立候補；《集合》候補者；候補者名簿．presentar SU *candidatura* 立候補する．

can·di·dez [kandiðéθ カンディデす] 名女 純真，無邪気．

cán·di·do, da [kándiðo, ða カンディド, ダ] 形 **1** 純真な，無邪気な；単純な．

2《文語》純白の．

can·dil [kandíl カンディる] 名男 カンテラ，ランプ．

buscar con un candil 《口語》徹底的に調べる.
can·di·le·ja [kandiléxa カンディれハ] 名女 ランプ; [〜s]〘演劇〙フットライト.
can·dor [kandór カンドル] 名男 **1** 清純, 無邪気; 素朴. **2**《文語》純白.
can·do·ro·so, sa [kandoróso, sa カンドロソ, サ] 形 清純な, 無邪気な; 素朴な.
ca·ne·lo, la [kanélo, la カネろ, ら] 形 ニッケイ色の. —— 名男〘植物〙ニッケイ.
—— 名女 **1** シナモン. **2** 逸品, 絶品. ser *canela* fina 天下一品である.
ca·ne·lón [kanelón カネろン] 名男 **1** 雨樋(あまどい)(= canalón). **2** つらら. **3** 飾りひも.
ca·ne·sú [kanesú カネス] 名男 短い胴着.
can·gi·lón [kaŋxilón カンヒろン] 名男 (水車の) 水受け, バケット.
can·gre·jo [kaŋgréxo カングレホ] 名男 **1**〘動物〙カニ (蟹).
2 [C-] 〘天文〙かに座; 〘占星〙巨蟹(きょかい)宮.
can·gu·ro [kaŋgúro カングロ] 名男 〘動物〙カンガルー.
—— 名男女 [男・女同形] ベビーシッター.
ca·ní·bal [kaníβal カニバる] 形 人食いの; 野蛮な. —— 名男女 食人種; 共食いをする動物; 野蛮人.
ca·ni·ba·lis·mo [kaniβalísmo カニバりスモ] 名男 食人, カニバリズム; 共食い; 蛮行.
ca·ni·ca [kaníka カニカ] 名女 ビー玉; [〜s] ビー玉遊び.
ca·ni·che [kanítʃe カニチェ] 名男 プードル (犬).
ca·ní·cu·la [kaníkula カニクら] 名女 大暑, 土用.
ca·ni·cu·lar [kanikulár カニクらル] 形 盛夏の, 土用の. calor *canicular* 盛暑.
—— 名男 [〜es] 暑い盛り, 土用.
ca·ni·jo, ja [kaníxo, xa カニホ, ハ] 形《口語》病弱な. —— 名男女《口語》病弱な人.
ca·ni·lla [kaníʎa カニリャ] 名女 **1** (腕・脚の) 長い骨; 脛(すね); (鳥の) 翼骨. *canilla* de la pierna 脛の骨.
2 (樽(たる)の) 飲み口, 栓. **3** ボビン, 糸巻き.
ca·ni·no, na [kaníno, na カニノ, ナ] 形 犬の. —— 名男 犬歯.
tener un hambre canina 腹ぺこである.
can·je [káŋxe カンへ] 名男 交換 (= cambio).
can·je·a·ble [kaŋxeáβle カンヘアブれ] 形 交換できる.
can·je·ar [kaŋxeár カンヘアル] 動他《+ **por**》…と交換する (= cambiar).
ca·no, na [káno, na カノ, ナ] 形 白髪の; 年老いた. ponerse *cano* 頭が白くなる.
ca·no·a [kanóa カノア] 名女 カヌー; モーターボート.
ca·nó·dro·mo [kanóðromo カノドゥロモ] 名男 ドッグレース場.
ca·non [kánon カノン] 名男 [複 cánones] **1** 規範, 規準. **2** 〘ｶﾄﾘｯｸ〙聖書正典; 教理典範. **3** [〜s] 教会法. **4** 目録, リスト.
ca·nó·ni·co, ca [kanóniko, ka カノニコ, カ] 形 **1** 教会法 [宗規] に定められた. derecho *canónico* 教会法. **2** 聖書正典の.
ca·nó·ni·go [kanóniɣo カノニゴ] 名男 〘ｶﾄﾘｯｸ〙司教座聖堂参事会員.
ca·no·nis·ta [kanonísta カノニスタ] 名男女 教会法学者.
ca·no·ni·za·ción [kanoniθaθjón カノニさしオン] 名女 列聖; 列聖式.
ca·no·ni·zar [kanoniθár カノニさル] [39 z → c] 動他 〘ｶﾄﾘｯｸ〙列聖する, 聖人の列に加える.
ca·non·jí·a [kanoŋxía カノンヒア] 名女 **1** 〘ｶﾄﾘｯｸ〙司教座聖堂参事会員の権限.
2《口語》楽な [割のよい] 仕事.
ca·no·ro, ra [kanóro, ra カノロ, ラ] 形 (鳥が) 鳴き声の美しい; 響きのよい, 音色の美しい.
ca·no·so, sa [kanóso, sa カノソ, サ] 形 白髪の, ごま塩頭の. de pelo [cabello] *canoso* 白髪の.
cansada 過分 女 → cansar.
—— 形 女 → cansado.
can·sa·da·men·te [kansáðaménte カンサダメンテ] 副 大儀そうに; 煩わしそうに.
can·sa·do, da [kansáðo, ða カンサド, ダ] 過分 → cansar.
—— 形 [複 〜s] 〔英 tired〕 **1 疲れた**; 疲れさせる, 厄介な, 骨の折れる. Tienes cara *cansada*. 疲れたような顔をしてるね. trabajo *cansado* 骨の折れる仕事.
2 《**+de, por**》**…に飽きた**. Estoy *cansado de* verlo. 彼の顔を見るのはうんざりだ. **3** 使い古した.
can·san·cio [kansánθjo カンサンしオ] 名男 疲れ; 飽き. muerto de *cansancio* くたくたに疲れて.
cansando 現分 → cansar.
can·sar [kansár カンサル] 動他 [現分 cansando; 過分 cansado, da] 〔英 tire〕 **1 疲れさせる**. La labranza me *cansa* muchísimo. 農作業は私にはとてもきつい.
2 退屈させる. Su largo discurso nos *cansó*. 私たちは彼の長い演説にうんざりした.
—— **can·sar·*se*** **1 疲れる**. *cansarse* con el trabajo 仕事で疲れる. **2** 《**+de**》**…にうんざりする**, 退屈する. *Me he cansado de* oírlo. それは聞き飽きたよ.
no cansarse de … 飽くことなく…する.
can·si·no, na [kansíno, na カンシノ, ナ] 形 疲れた, 生気のない; のろのろした.
Can·ta·bria [kantáβrja カンタブリア] 固名 カンタブリア: スペイン北部の地方; 自治州 (→ autónomo 【参考】, 図).
can·tá·bri·co, ca [kantáβriko, ka カンタブリコ, カ] 形 カンタブリアの. Mar *Cantábrico* ビスケー湾 (◆スペインでの呼び名はカンタブリア海で, 内湾を Golfo de Vizcaya と

呼んで区別する).
cán·ta·bro, bra [kántaβro, βra カンタブロ, ブラ] 形 カンタブリアの.
—— 名男女 カンタブリア地方の住民.
cantado, da 過分 → cantar.
cantando 現分 → cantar.
can·tan·te [kantánte カンタンテ] 名男女 歌手. —— 形 歌う.

C

can·ta·or, o·ra [kantaór, óra カンタオル, オラ] 名男女 フラメンコの歌手.
can·tar [kantár カンタル] 動他 [現分 cantando; 過分 cantado, da] 〔英 sing〕 **1 歌う**; 調子をつけて言う. *cantar* una canción japonesa 日本の歌を歌う. *cantar* el premio de la lotería 宝くじの当選番号を節をつけて読み上げる.
2 礼賛する. *cantar* la gloria de SU patria 祖国の栄光を歌い上げる.
3 《口語》白状する. *cantar* de plano すっかり白状する.
—— 動自 **1 歌う**. *cantar* bien 上手に歌う. **2** 鳴く; 音をたてる. Los pájaros *cantan* alegremente. 鳥たちが楽しそうにさえずる. La fuente *canta*. 噴水が心地よい音をたてている. → animal 【参考】.
—— 名男 歌, 詩.
¡Ése [Eso] es otro cantar! それは別の話だ!
cán·ta·ra [kántara カンタラ] 名女 (ミルク運搬用の) 金属缶.
can·ta·rín, ri·na [kantarín, rína カンタリン, リナ] 形 歌好きの; (鳥の声・流れの音が) 歌うような, 心地よい.
—— 名男女 歌手.
cán·ta·ro [kántaro カンタロ] 名男 壺(つぼ); 水がめ.
llover a cántaros → llover.
can·ta·ta [kantáta カンタタ] 名女 〔音楽〕 カンタータ. [←イタリア語]
can·te [kánte カンテ] 名男 歌うこと; 民謡. *cante* flamenco フラメンコ歌謡. *cante* jondo [hondo] カンテホンド (フラメンコとほぼ同義で「深い歌」を意味する Andalucía 地方の民謡).
—— 動 → cantar.
can·te·ra [kantéra カンテラ] 名女 **1** 石切り場; 採石場. **2** (人材の) 宝庫.
can·te·rí·a [kantería カンテリア] 名女 石切り; 石造(建築物).
can·te·ro [kantéro カンテロ] 名男 石工, 採石職人.
cán·ti·co [kántiko カンティコ] 名男 **1** 〔カトリック〕 賛歌: 聖務日課で唱えられる聖書からとった聖歌や祈り. **2** 頌詩(しょうし).
can·ti·dad [kantiðáð カンティダ(ドゥ)] 名女 [複 ~es] 〔英 quantity〕 **1 量**, 数量, 分量. una gran *cantidad* 大量. *cantidad* de calor 熱量. *cantidad* de electricidad 〔電気〕 アンペア数. ► 「量」に対する「質」は calidad.
2 額, 金額. remitir una *cantidad* ある金額を送る.
3 大量, 多数. ¡Había (una) *cantidad* de gente! たいへんな人の数だった.
4 〔音声〕 音量.
en cantidad 大量に, 非常に. Me gusta el jazz *en cantidad*. 僕はジャズが大好きだ.
cán·ti·ga [kántiɣa カンティガ] / **can·ti·ga** [kantíɣa カンティガ] 名女 (中世の) 歌, 詩. "*Cantigas* de Santa María" 『サンタ・マリア賛歌集』.
can·til [kantíl カンティル] 名男 崖(がけ), 断崖(だんがい); 岩棚; 暗礁.
can·ti·le·na [kantiléna カンティレナ] 名女 **1** 《口語》常套(じょうとう)句, 繰り言. **2** 短い叙情詩.
can·tim·plo·ra [kantimplóra カンティンプロラ] 名女 水筒; サイホン.
can·ti·na [kantína カンティナ] 名女 **1** (駅などの) 軽食スタンド, 喫茶室; 〔軍事〕 酒保, 売店. **2** (地下の) ぶどう酒貯蔵室.
3 《ラ米》酒場 (= taberna).
can·ti·ne·la [kantinéla カンティネラ] 名女 → cantilena.
can·ti·zal [kantiθál カンティサル] 名男 石ころだらけの土地.
can·to [kánto カント] 名男 [複 ~s] 〔英 song〕 **1 歌**; 歌唱. *canto* gregoriano [llano] グレゴリオ聖歌. ► canción に比べて使用範囲が狭い.
2 (叙事詩の) 詩編; 《比喩》賛歌.
3 〔音楽〕 旋律部. **4** へり, 縁; (刃物の) 峰.
5 小石. *canto* rodado (角がすり減った) 丸石. **6** 厚み. Tiene diez centímetros de *canto*. 厚みが10センチある.
7 (本の) 小口.
—— 動 → cantar.
al canto 《強調》必ず, すぐに. Cada vez que salgo sin paraguas, lluvia *al canto*. 私が傘を持たずに出ると決まって雨だ.
al canto del gallo 夜明けに.
canto del cisne 最後の作品[業績]. ► 瀕死(ひんし)の白鳥が美しい声で鳴くということから.
de canto 縦に. Coloqué los discos *de canto* en el estante. 私はレコードを立てて棚に並べた.
por el canto de un duro かろうじて, やっと.
can·tón [kantón カントン] 名男 **1** (建物の) 角. **2** (スイス連邦の) 州.
can·to·nal [kantonál カントナル] 形 州の; 連邦主義の, 地方分立主義の.
can·to·na·lis·mo [kantonalísmo カントナリスモ] 名男 地方分立主義.
can·to·ne·ra [kantonéra カントネラ] 名女 **1** (表紙の) 角革; (家具の) 隅金具.
2 コーナーキャビネット, コーナーテーブル.
can·tor, to·ra [kantór, tóra カントル, トラ] 形 歌う, 鳴く.
—— 名女 **1** 女性歌手.

2 [〜s]鳴禽(めいきん)類.
can·tu·rre·ar [kantur̄eár カントゥレアル] 動自 鼻歌を歌う.
can·tu·rre·o [kantur̄éo カントゥレオ] 名男 鼻歌.
ca·nu·to [kanúto カヌト] 名男 **1** 〔植物〕節間. **2** 細い管;（免状・地図を入れる）筒;針入れ. **3**《俗語》マリファナ（タバコ）(= porro).
ca·ña [kaɲa カニャ] 名女 **1**〔植物〕⑴（中空で節のある）茎. *caña* de azúcar サトウキビ. *caña* del trigo 麦わら. ⑵アシ（葦）, ヨシ.
2 釣り竿(ざお)(=*caña* de pescar).
3（細長い）コップ;コップ 1 杯の量;生ビール. una *caña* de cerveza 1杯の生ビール.
4（腕・脛(すね)の）骨. *caña* de vaca 牛の脚の骨. **5**（ブーツ・靴下の）脚の部分.
darle* [*arrearle*] *caña《口語》（車の）アクセルを踏み込む.
ca·ña·da [kaɲáða カニャダ] 名女 **1** 峡谷, 谷間. **2**（牛・羊などの放牧地への）通り道.
ca·ña·ma·zo [kaɲamáθo カニャマそ] 名男（刺繍(ししゅう)用の）粗い布;カンバス.
cá·ña·mo [káɲamo カニャモ] 名男 〔植物〕アサ（麻）, 大麻;麻糸. *cáñamo* de Manila マニラ麻.
ca·ña·món [kaɲamón カニャモン] 名男 〔植物〕アサ（麻）の実.
ca·ña·ve·ral [kaɲaβerál カニャベラる] 名男 **1** 葦(あし)原. **2** サトウキビ畑.
ca·ñe·rí·a [kaɲería カニェリア] 名女《集合》管, 配管.
ca·ñí [kaɲí カニィ] 形 [複 cañís] ジプシーふうの. ── 名男女 ジプシー (= gitano).
ca·ñi·zo [kaɲíθo カニィそ] 名男 よしず, 網代(あじろ).
ca·ño [káɲo カニョ] 名男（短い）管;噴出口, ノズル;噴流;〔音楽〕（オルガンの）パイプ.
ca·ñón [kaɲón カニョン] 名男 [複 cañones] **1** 大砲;砲身, 銃身. *cañón* antitanque [contracarro] 対戦車砲.
2（オルガンの）パイプ;（羽根の）軸;煙道.
3〔地理〕峡谷. Gran *Cañón* del Colorado コロラド大峡谷, グランドキャニオン.
estar al pie del cañón 任務を忠実に果たしている.
ca·ño·na·zo [kaɲonáθo カニョナそ] 名男 砲撃;砲声;[〜s]砲火.
ca·ño·ne·ar [kaɲoneár カニョネアル] 動他 砲撃する, 砲火を浴びせる.
ca·o·ba [kaóβa カオバ] 名女 〔植物〕マホガニー;マホガニー材.
ca·o·lín [kaolín カオリン] 名男 〔鉱物〕白陶土.
ca·os [káos カオス] 名男 [単・複同形] **1** 無秩序, 混乱. La intensa lluvia produjo un *caos* en la circulación. 豪雨で交通は大混乱をきたした. **2**（天地創造以前の）混沌(こんとん), カオス (↔ cosmos).
ca·ó·ti·co, ca [kaótiko, ka カオティコ, カ] 形 混沌(こんとん)とした, 無秩序の.
ca·pa [kápa カパ] 名女 [複 〜s]〔英 cape〕 **1**（袖(そで)なしの）**ケープ, マント**;〔闘牛〕カパ. *capa* de agua《ラ米》レーンコート. *capa* pluvial 〔カトリック〕プレビアーレ（特別な礼拝時に司祭が着るカッパ）.
2 層;〔地質〕地層;階層. *capa* del aire 空気の層. *capa* de pintura ペンキの塗り. *capa* de polvo うっすら積もった塵(ちり). *capas* altas de la sociedad 上流社会層.
3 装い, 見せかけ. bajo una *capa* de humildad しおらしい顔で.
de capa caída 落ちぶれて, 落ち込んで.
de capa y espada 騎士物の. comedia *de capa y espada*（17世紀にスペインで流行した）騎士物劇.
defender《+algo》***a capa y espada***〈何か〉を必死に守る.
echar una capa a《+uno》〈人〉をかばいだてする.
hacer de* SU *capa un sayo 好き放題にする.
capaces 形 [複] ➡ capaz.
ca·pa·cho [kapátʃo カパチョ] 名男（アフリカハネガヤで編んだ）かご;手提げかご. ➡ cesta 図.
ca·pa·ci·dad [kapaθiðáð カパしダ(ドゥ)] 名女 **1** 能力, 才能. *capacidad* intelectual 知的能力. Tiene mucha *capacidad* para las matemáticas. 彼には優れた数学の才能がある. **2** 容量, 容積;収容力.
ca·pa·ci·ta·ción [kapaθitaθjón カパしタしオン] 名女 **1** 訓練, 養成 (= formación). escuela de *capacitación* profesional 技術養成所. **2** 技能, 資格.
ca·pa·ci·tar [kapaθitár カパしタル] 動他 訓練する, 養成する;資格を与える.
── **ca·pa·ci·tar·*se***《+**para**》…の資格がある, 資格を得る.
ca·par [kapár カパル] 動他 去勢する.
ca·pa·ra·zón [kaparaθón カパラそン] 名男 **1**（カメなどの）甲羅, 殻. **2** 覆い, カバー. **3**《比喩》殻. meterse en SU *caparazón* 自分の殻に閉じ込もる.
ca·pa·taz [kapatáθ カパタす] 名男 [複 capataces]（工事現場などの）監督, 頭.
ca·paz [kapáθ カパす] 形 [複 capaces]〔英 capable〕
1《+**para**》**…の能力がある**;有能な. Queremos un joven *capaz para* este empleo. この仕事のできる若い人がほしい. persona *capaz* 有能な人.
2《+**de**》**…ができる**;…しかねない. No soy *capaz de* aguantarlo. 私はそれを我慢することができない. Ese chico es *capaz de* cualquier cosa. その少年は何をしでかすか分からない.
3《+**para**》…を入れることが可能な, 収容できる. una sala *capaz para* quinientas personas 500人収容のホール.

ca·pa·zo [kapáθo カパそ] 名男 大かご. ➡ cesta 図.

cap·cio·so, sa [kapθjóso, sa カプしオソ, サ] 形 狡猾(こうかつ)な, 策略に富んだ.

ca·pe·ar [kapeár カペアル] 動他 **1**〘闘牛〙カパで牛をあしらう. **2**《口語》(うまい口実で) あしらう, ごまかす; 巧みに回避する.

ca·pe·llán [kapeʎán カペリャン] 名男〘宗教〙礼拝堂付き司祭; (病院・学校・刑務所の) 施設付き司祭.

ca·pe·lla·ní·a [kapeʎanía カペリャニア] 名女〘宗教〙礼拝堂付き司祭の職.

ca·pe·lo [kapélo カペろ] 名男〘カトリック〙(枢機卿(けい)のつば広の深紅の帽子; 枢機卿の職.

ca·pe·ru·ci·ta [kaperuθíta カペルしタ] 名女 [caperuza の小] 小ずきん. *Caperucita* Roja (童話の) 赤ずきんちゃん.

ca·pe·ru·za [kaperúθa カペルさ] 名女
1 とんがりずきん.
2 (煙突の) フード; キャップ.

ca·pi·cú·a [kapikúa カピクア] 名男 (1991 などのように) 左右どちらから読んでも同じ数字.

ca·pi·lar [kapilár カピらル] 形 **1** 髪の.
2〘解剖〙毛細血管の;〘物理〙毛管現象の.
—— 名男〘解剖〙毛細血管.

ca·pi·la·ri·dad [kapilariðáð カピらリダ(ドゥ)] 名女 毛管状;〘物理〙毛細管現象.

ca·pi·lla [kapíʎa カピリャ] 名女 **1** 礼拝堂, 聖堂; (教会内の) 小聖堂. *capilla* ardiente (弔問を受けるため) 遺体を安置した部屋.
2 (教会の) 聖歌隊.
estar en capilla 死刑の執行を待つ; 結果をはらはらしながら待つ; 大事を控えている.

ca·pi·ro·te [kapiróte カピロテ] 名男
1 (聖週間にかぶる) とんがり帽子.
2 (大学教授の) 礼装用ケープ.

cá·pi·ta [kápita カピタ] ***per cápita***《副詞句》ひとり当たり (= por cabeza).

ca·pi·tal

[kapitál カピタる] [複 ～es] 名女〔英 capital〕
1 首都; (地方の) 中心都市. *capital* de provincia 県都, 州都.
2〘印刷〙頭文字, 大文字 (= mayúscula).
—— 名男〔英 capital〕 **1 資本**, 資金; 資産. *capital* extranjero 外資. *capital* fijo 固定資本. *capital* circulante [líquido] 流動資本. inversión de *capitales* 投資. **2** 資本家 (側). el *capital* y el trabajo 労使.
—— 形 重要な, 重大な; 主要な. asunto *capital* 重要な問題. pena *capital* 死刑. ciudad *capital* 首都.

ca·pi·ta·li·no, na [kapitalíno, na カピタリノ, ナ] 形 首都の.
—— 名男女 首都の住民.

ca·pi·ta·lis·mo [kapitalísmo カピタリスモ] 名男 資本主義.

ca·pi·ta·lis·ta [kapitalísta カピタリスタ] 形 資本の, 資本主義の.
—— 名男女 資本家; 資本主義者.

ca·pi·ta·li·za·ción [kapitaliθaθjón カピタリさしオン] 名女 資本化, 資本組み入れ.

ca·pi·ta·li·zar [kapitaliθár カピタリさル] [39 z ➡ c] 動他 資本化する, 資本 [資産勘定] に計上する.

ca·pi·tán [kapitán カピタン] 名男 [複 capitanes]〔英 captain〕 **1**〘軍事〙**指揮官, 隊長**; (陸・空軍) 大尉, (海軍) 佐官. *capitán* general (陸・空軍) 大将; 軍管区司令官. *capitán* de bandera 旗艦艦長. ➡ militar【参考】.
2 船長, 機長. *capitán* de un petrolero 石油タンカーの船長.
3 (チームの) キャプテン; 首領, 長. el *capitán* del equipo de fútbol サッカーチームのキャプテン.

ca·pi·ta·ne·ar [kapitaneár カピタネアル] 動他 指揮する, 統率する.

ca·pi·ta·ní·a [kapitanía カピタニア] 名女 指揮官の地位 [職].
capitanía general 軍司令部;〘歴史〙(スペイン統治時代の) 総督領.

ca·pi·tel [kapitél カピテる] 名男〘建築〙柱頭. ➡ columna 図.

ca·pi·to·lio [kapitóljo カピトリオ] 名男
1 [C-]〘歴史〙(古代ローマの) カピトル神殿; (ローマ七丘の一つの) カピトリウムの丘.
2 アクロポリス (= Acrópolis).
3 荘厳な建物; 議事堂.

ca·pi·to·né [kapitoné カピトネ] 形 クッション張りした. —— 名男 家具運搬車.

ca·pi·tu·la·ción [kapitulaθjón カピトゥらしオン] 名女 **1** 降伏 (= rendición). *capitulación* sin condiciones 無条件降伏.
2 協定, 協約.

ca·pi·tu·lar [kapitulár カピトゥらル] 形 (教会・修道会・市などの) 参事会の, 会議の.
—— 名男女 参事, 代議員.
—— 動自 降伏する (= rendirse).
—— 動他《+de》…の責任を負わせる, …について弾劾する.

ca·pí·tu·lo [kapítulo カピトゥろ] 名男 [複 ～s]〔英 chapter〕 **1** (文書の) **章**. La novela consta de doce *capítulos*. その小説は12章から成っている.
2〘カトリック〙(修道会・騎士団の) 総会; 司教座聖堂参事会. **3** [～s] 契約. *capítulos* matrimoniales 婚姻財産契約.
llamar [***traer***] ***a*** 《+uno》 ***a capítulo*** 〈人〉に釈明を求める.
ser otro capítulo / ser capítulo aparte 別問題である.

ca·pó [kapó カポ] 名男〘車〙ボンネット. ➡ automóvil 図.

ca·pón [kapón カポン] 形 去勢された.
—— 名男 去勢した若鶏; 去勢された人.

ca·po·ral [kaporál カポラる] 名男 **1** 家畜係. **2**〘軍事〙伍長(ごちょう);《口語》リーダー.

ca·po·ta [kapóta カポタ] 名女 幌(ほろ).

ca·po·tar [kapotár カポタル] 動自 (飛行

機・車が)ひっくり返る.
ca·po·ta·zo [kapotáθo カポタそ] 名男 〘闘牛〙(カポーテで)牛をあしらうこと.
ca·po·te [kapóte カポテ] 名男 **1** 〘闘牛〙(闘技用の)カポーテ.
2 袖(そで)付きマント;〘軍事〙外套(がいとう).
dar un capote a 《+uno》《ラ米》〈人〉をだます.
echar un capote a 《+uno》〈人〉に手を貸す.
para SU ***capote*** 自分自身に, 内心で. decir [pensar] *para* SU *capote* 心の中でつぶやく[思う].
ca·pri·cho [kapríʧo カプリチョ] 名男 〔英 caprice〕 **1** 気まぐれ; 移り気. *caprichos* de la moda 流行の激しい移り変わり. a *capricho* 思いつきで. satisfacer un *capricho* 気まぐれを満たす. **2** (奇抜な) 飾り.
3 〘音楽〙奇想[狂想]曲, カプリッチオ.
ca·pri·cho·so, sa [kapriʧóso, sa カプリチョソ, サ] 形 気まぐれな, 移り気な; 幻想的な, 風変わりな.
ca·pri·cor·nio [kaprikórnjo カプリコルニオ] 名男 **1** 〘昆虫〙カミキリムシ(髪切虫).
2 [C-] 〘天文〙やぎ座; 〘占星〙磨羯(まかつ)宮.
cáp·su·la [kápsula カプスら] 名女 **1** (薬・ロケットなどの) カプセル.
2 〘植物〙 蒴 果 (さくか). **3** 〘解剖〙 膜 嚢 (のう). *cápsulas* suprarrenales 副腎(ふくじん).
cap·ta·ción [kaptaθjón カプタしオン] 名女 獲得; 把握, 理解; (電波の) 受信.
cap·tar [kaptár カプタル] 動他 **1** (信頼などを) 得る; (注意・注目を) 引く (= atraer).
2 理解する.
cap·tu·ra [kaptúra カプトゥラ] 名女 逮捕, 捕獲.
cap·tu·rar [kapturár カプトゥラル] 動他 捕らえる, 逮捕する; 捕獲する.
ca·pu·cha [kapúʧa カプチャ] 名女
1 ずきん, フード. ➡ sombrero 図.
2 (万年筆などの) キャップ.
ca·pu·chi·no, na [kapuʧíno, na カプチノ, ナ] 形 カプチン (修道) 会の.
── 名男 **1** 〘カトリック〙カプチン会修道士.
2 カプチーノ・コーヒー. ◆カプチン修道会の修道服の色と似ていることから.
── 名女 〘カトリック〙カプチン会修道女.
ca·pu·chón [kaputʃón カプチョン] 名男 [capucha の大] **1** ずきん, フード.
2 (万年筆などの) キャップ; 〘写真〙(レンズの) フード.
ca·pu·llo [kapúʎo カプリョ] 名男 **1** 繭.
2 〘植物〙つぼみ. **3** 《俗語》包皮.
capullo de rosa 年ごろの美少女.
en capullo 《比喩》つぼみの.
ca·qui [káki カキ] 形 カーキ色の.
── 名男 **1** カーキ色. **2** 〘植物〙カキ (柿).
ca·ra [kára カラ] 名女 [複 ～s] 〔英 face〕
1 顔. asomar la *cara* 顔をのぞかせる. lavarse la *cara* 顔を洗う. ➡ cuerpo 図.
2 顔つき, 表情. *cara* de alma en pena 悲しげな顔. *cara* de Cuaresma [de viernes] 悲しそうな顔, 陰気な顔. *cara* de Pascua 笑顔. *cara* de perro しかめ面, 仏頂面. *cara* de pocos amigos 気難しい顔. *cara* larga 不機嫌な顔. juzgar por la *cara* 顔色で判断する. no saber qué *cara* poner どんな顔をしたら良いのか分からない. poner buena *cara* a ... …に満足気な顔をする.
3 (コインの) 表 (↔cruz). echar [jugarse] 《+algo》 a *cara* o cruz (何か) をコインの裏表で決める.
4 表面, 外形; 〘数〙(多面体の) 面; 〘建築〙正面. dos *caras* de una hoja 1枚の紙の裏表.
5 局面; 様相 (=aspecto). tener dos *caras* 表と裏がある; 陰日向(ひなた)がある.
── 形女 ➡ caro[1].
a cara descubierta あからさまに, 悪びれずに.
A mal tiempo buena cara. 《諺》苦しいときにも笑顔 (逆境にもくじけない).
caerse a 《+uno》 ***la cara de vergüenza*** 〈人〉が恥ずかしくて顔も上げられない.
cara a ... …に向けて. *cara a* la pared 壁に向かって. andar *cara al* viento 風に逆らって歩く.
cara a cara (1) 向き合って, 真っ向から. mirar *cara a cara* 正面からじっと見すえる. (2) 差し向かいで, 面と向かって. tener una conversación *cara a cara* 内密に話し合う. decir *cara a cara* 直言する.
cara dura ずうずうしさ; ずうずうしい人.
de cara 正面に. Les daba el sol *de cara*. 太陽が彼らの正面から照りつけていた.
echar en cara a 《+uno》〈人〉を面詰する; 〈人〉に恩着せがましいことを言う.
en la cara de ... …の面前で. reírse *en la cara de* 《+uno》〈人〉を面と向かって嘲笑(ちょうしょう)する.
por SU ***linda*** [***bella***] ***cara*** / ***por*** SU ***cara bonita*** (1) 容易に. (2) ただで.
tener cara de ... …のように見える. *tener cara de* estar disgustado 不満そうである.
ca·ra·be·la [karaβéla カラべら] 名女 〘海事〙カラベル船: 15–16世紀ごろスペイン, ポルトガルで用いられた3本マストの快速小型帆船.
ca·ra·bi·na [karaβína カラビナ] 名女 カービン銃.
ca·ra·bi·ne·ro [karaβinéro カラビネロ] 名男 (国境などの) 警備兵; 騎銃兵.
Ca·ra·cas [karákas カラカス] 固名 カラカス: ベネズエラ Venezuela の首都.
ca·ra·col [karakól カラコる] 名男 **1** カタツムリ. **2** 巻き貝; (巻き貝の) 殻, 貝殻.
3 〘解剖〙(内耳の) 蝸牛(かぎゅう)殻. **4** 巻き毛.
¡Caracoles! 《驚き・怒り》へえっ, なんと.

ca·ra·co·la [karakóla カラコら] 名女 《貝》巻き貝.

ca·rác·ter [karáḱter カラクテル] 名男 [複 caracteres] 〔英 character〕 **1 性格**, 人柄. tener buen [mal] *carácter* 性格が良い[悪い]. Pedro es de *carácter* débil. ペドロは性格が弱い.
2 特質, 特性, 個性. *carácter* dominante 《生物》優性形質; 特徴, 特色. de poco *carácter* 個性[特色]の乏しい. tener *carácter* 個性的である, 特色がある.
3 資格, 性質. con *carácter* de embajador 大使の資格で. una visita de *carácter* oficial 公式訪問.
4 登場人物, キャラクター.
5 [普通 caracteres] **文字**; 《コンピュータ》文字, キャラクター. *caracteres* chinos 漢字. ➡ letra 【参考】.

C

ca·rac·te·rís·ti·co, ca [karaḱterístiko, ka カラクテリスティコ, カ] 形 特徴的な. cualidad *característica* 特質, 特性.
── 名男女 《演劇》老け役. estar de *característica* 女の老け役を演じる.
── 名女 特徴, 特色. La cortesía es su *característica* más notoria. 礼儀正しさは一番目立つ彼の特徴である.

ca·rac·te·ri·zar [karakteriθár カラクテリさル] [39 z ➡ c] 動他 **1** 特徴づける, 際立たせる. **2** 《演劇》巧みに演ずる; 扮装(ふんそう)させる.
── **ca·rac·te·ri·zar·*se*** **1** 《+por》…という特徴がある, …で際立つ.
2 《+de》(俳優が) …の扮装をする.

ca·ra·du·ra [karaðúra カラドゥラ] 形 《口語》ずうずうしい.
── 名男女 《口語》ずうずうしいやつ.
── 名女 《口語》ずうずうしさ.

ca·ra·jo [karáxo カラホ] 名男 《卑語》陰茎. ***¡Carajo!*** 《俗語》《怒り・驚き・軽蔑を表して》ちくしょう!; ざまあみろ!

¡ca·ram·ba! [karámba カランバ] 間投 《驚き・怒り・抗議・不快を表して》なんだって; おや. *¡Caramba* con este tipo! なんていうやつだ.

ca·rám·ba·no [karámbano カランバノ] 名男 つらら, 氷柱.

ca·ram·bo·la [karambóla カランボら] 名女 **1** (ビリヤード) キャノン. **2** 《口語》一石二鳥, 一挙両得; まぐれ. **3** いんちき.
por carambola 間接的に, 偶然に.

ca·ra·me·lo [karamélo カラメろ] 名男 [複 ~s] 〔英 candy〕 **飴**(あめ), キャンデー; キャラメル; カラメル.
a* [*en*] *punto de caramelo シロップ状の; 機が熟した.
de caramelo 《口語》すばらしい.

ca·ra·mi·llo [karamíʎo カラミリョ] 名男 **1** 《音楽》笛; サンポーニャ.
2 陰口, 悪口; ごたごた. armar un *caramillo* ごたごたを引き起こす.

ca·ran·to·ñas [karantóɲas カラントニャス] 名女 [複] おべっか, へつらい.

ca·ra·pa·cho [karapátʃo カラパチョ] 名男 (カメ・カニの) 甲羅, 甲殻 (= caparazón).

ca·ra·que·ño, ña [karakéɲo, ɲa カラケニョ, ニャ] 形 (ベネズエラの首都) カラカス Caracas の.
── 名男女 カラカスの住民.

ca·rá·tu·la [karátula カラトゥら] 名女 **1** 仮面. **2** 喜劇役者. **3** (本などの) 扉.

ca·ra·va·na [karaβána カラバナ] 名女 **1** 隊商, キャラバン; 隊列. *caravana* de mercaderes 商人のキャラバン. Hay *caravana* en la autopista. 高速道路は渋滞している.
2 キャンピングカー, トレーラーハウス.
en caravana 一団[一隊]となって.

¡ca·ray! [karái カライ] 間投 《俗語》あれっ, なんだ; ちくしょう.

car·bón [karβón カルボン] 名男 [複 carbones] 〔英 coal〕 **1 石炭** (= *carbón* mineral); 木炭 (= *carbón* vegetal); 消し炭. *carbón* en polvo 炭塵(たんじん). **2** カーボン紙 (= papel *carbón*); デッサン用木炭; 《電気》炭素棒[板]; 《植物》黒穂病菌.

car·bo·na·to [karβonáto カルボナト] 名男 《化》炭酸塩.

car·bon·ci·llo [carβonθíʎo カルボンしリョ] 名男 デッサン用木炭.

car·bo·ne·ro, ra [karβonéro, ra カルボネロ, ラ] 形 石炭の; 木炭の.
── 名男 石炭商人, 炭焼き; 石炭船.

car·bó·ni·co, ca [karβóniko, ka カルボニコ, カ] 形 炭素の. ácido *carbónico* 炭酸. anhídrido *carbónico* 二酸化炭素. gas *carbónico* 炭酸ガス.

car·bo·ní·fe·ro, ra [karβonífero, ra カルボニフェロ, ラ] 形 石炭の; 《地質》石炭紀の.

car·bo·ni·lla [karβoníʎa カルボニリャ] 名女 石炭の粉.

car·bo·ni·zar [karβoniθár カルボニさル] [39 z ➡ c] 動他 炭化する; 黒焦げにする.

car·bo·no [karβóno カルボノ] 名男 《化》炭素.

car·bu·ra·ción [karβuraθjón カルブラしオン] 名女 (内燃機関での) 気化.

car·bu·ra·dor [karβuraðór カルブラドル] 名男 キャブレター. ➡ motocicleta 図.

car·bu·ran·te [karβuránte カルブランテ] 名男 内燃機関用燃料.

car·bu·rar [karβurár カルブラル] 動他 炭素を化合させる.
── 動自 《口語》うまくいく.

car·bu·ro [karβúro カルブロ] 名男 《化》カーバイド.

car·ca [kárka カルカ] 名男女 《口語》反動[保守]的な人.

car·caj [karkáx カルカ(フ)] 名男 矢筒.

car·ca·ja·da [karkaxáða カルカハダ] 名女 ばか笑い, 高笑い. reír a *carcajadas* 大笑いをする.

car·ca·je·ar(·*se*) [karkaxeár(se) カルカ

ヘアル(セ)] 動自 高笑いする, 大笑いする; からかう, 茶化す.
car·ca·mal [karkamál カルカマる] 名男 《口語》老いぼれ, 死に損ない.
cár·ca·va [kárkaβa カルカバ] 名女 溝; 壕(ごう).
cár·cel [kárθel カルせる] 名女 **1** 刑務所, 牢獄(ろうごく). ir a la *cárcel* 刑務所に入る.
2 居心地の悪い場所. Para él la compañía era una *cárcel*. 彼にとって会社は牢獄だった.
car·ce·le·ro, ra [karθeléro, ra カルセれロ, ラ] 名男女 看守.
car·ci·no·ma [karθinóma カルしノマ] 名男 〔医〕癌腫(がんしゅ).
car·co·ma [karkóma カルコマ] 名女
1 〔昆虫〕キクイムシ (木食虫). **2** 《口語》心労, 悩みごと; ごくつぶし, 浪費家.
car·co·mer [karkomér カルコメル] 動他
1 (虫が木を) 食う. **2** 苦しめる, 悩ます; (健康などを) 損なう, むしばむ.
—— **car·co·mer·*se*** (キクイムシに) 食われる; むしばまれる.
car·da [kárða カルダ] 名女 (繊維を) 梳(す)くこと; 梳毛(そもう)(機), 梳綿 (機); 起毛 (機); (髪を) 逆立てること.
car·dar [karðár カルダル] 動他 (繊維を) 梳(す)く, 梳毛(そもう)する, 梳綿する; 起毛する; (髪を) 逆立てる.
car·de·nal [karðenál カルデナる] 名男 〔カトリック〕枢機卿(けい). ◆教皇の最高顧問. 深紅の帽子と外衣を着用.
car·de·na·la·to [karðenaláto カルデナらト] 名男 〔カトリック〕枢機卿(けい)の職.
car·de·na·li·cio, cia [karðenalíθjo, θja カルデナりしオ, しア] 形 枢機卿(けい)の.
car·de·ni·llo [karðeníʎo カルデニリョ] 名男 緑青 (色).
cár·de·no, na [kárðeno, na カルデノ, ナ] 形 紫がかった.
car·dia·co, ca [karðjáko, ka カルディアコ, カ] / **car·dí·a·co, ca** [-ðíako, ka -ディアコ, カ] 形 心臓の; 心臓病の. ataque *cardiaco* 心臓発作. tónico *cardiaco* 強心剤. —— 名男女 心臓病患者.
cár·di·gan [kárðiɣan カルディガン] 名男 〔服飾〕カーディガン. [←〔英〕cardigan]
car·di·nal [karðinál カルディナる] 形 **1** 基となる, 主要な (= principal).
2 (黄道十二宮の) 基本相の, 四宮 (白羊宮, 巨蟹(きょかい)宮, 天秤(てんびん)宮, 磨羯(まかつ)宮) の.
car·dio·lo·gí·a [karðjoloxía カルディオろヒア] 名女 〔医〕心臓病学.
car·dió·lo·go, ga [karðjóloɣo, ɣa カルディオろゴ, ガ] 名男女 心臓 (病) 学者, 心臓病専門医.
car·do [kárðo カルド] 名男 〔植物〕アザミ (薊); (キク科の) カルドン.
ca·re·ar [kareár カレアル] 動他 〔法律〕(法廷などで) 対面させる.
—— **ca·re·ar·*se*** 対面する, 面談する.
ca·re·cer [kareθér カレせル] 40 動自 〔英 lack〕《+de》**…を欠く**, …が足りない. *Carecemos de*l dinero suficiente para eso. 私たちにはそのための十分なお金がない.
ca·ren·cia [karénθja カレンしア] 名女 欠乏, 不足.
ca·ren·te [karénte カレンテ] 形 《+de》 …が欠けた, 不足した.
ca·re·o [karéo カレオ] 名男 **1** 〔法律〕(証人と被告人の) 対面; 照合. **2** 面談.
ca·re·ro, ra [karéro, ra カレロ, ラ] 形 高値をふっかける.
—— 名男女 高値で売る店主.
ca·res·tí·a [karestía カレスティア] 名女
1 不足, 欠乏. **2** (生活必需品の) 高騰.
ca·re·ta [karéta カレタ] 名女 仮面, マスク; (フェンシングなどの) 面; (養蜂(ようほう)家のかぶる) ネット.
quitar la careta a 《+uno》〈人〉の化けの皮をはぐ, 正体を暴く.
ca·rey [karéi カレイ] 名男 〔動物〕ウミガメ; (カメ・カニなどの) 甲羅, 殻; べっ甲.
carezc- 動 → carecer. 40
car·ga [kárɣa カルガ] 名女 [複 ~s] 〔英 load〕 **1 積み荷**; 積載 (量), **荷積み**; 荷重. *carga* máxima 最大積載量. La viga no soportó su *carga*. 梁(はり)は自重に耐えられなかった.
2 装塡(そうてん); 装塡物[量]. *carga* automática 自動装塡. *carga* de un fusil 銃の装塡.
3 賦課, 租税. libre de *cargas* 非課税の.
4 負担, 重荷. *carga* de familia 扶養家族. *carga* de los años 寄る年波.
5 〔電気〕電荷.
6 〔軍事〕突撃. *carga* cerrada 白兵戦.
—— 動 → cargar. [32 g → gu]
llevar la carga de 《+uno》〈人〉を養う.
tocar paso de carga 突撃らっぱを吹く.
volver a la carga 再び攻撃をする; 固執する.
car·ga·do, da [karɣáðo, ða カルガド, ダ] 過分 形 **1** 《+de》 …を積んだ; …でいっぱいの; 装塡(そうてん)した; 〔電気〕充電した. *cargado de* espaldas 猫背の. un árbol *cargado de* fruto たわわに実をつけた木.
2 どんより曇った, うっとうしい; (空気が) よどんだ; (頭が) 重い; (飲み物が) 濃い. Tengo la cabeza *cargada*. 私は頭が痛い.
car·ga·dor, do·ra [karɣaðór, ðóra カルガドル, ドラ] 名男 **1** 荷積み人, 運送屋.
2 (銃砲の) 弾倉.
car·ga·men·to [karɣaménto カルガメント] 名男 〔海事〕船荷; (車両の) 積み荷.
car·gan·te [karɣánte カルガンテ] 形 《口語》小うるさい, 煩わしい, うっとうしい.
car·gar [karɣár カルガル] [32 g → gu] 動他 〔英 load, charge〕 **1 …を積む**, 積み込む, 背負わせる. *cargar* sacos en

un carro 荷車に袋を積む. *cargar* el camión de naranjas トラックにオレンジを積む.

2 …に装塡(そうてん)する;〘電気〙充電する. *cargar* la estilográfica 万年筆にインクを入れる. *cargar* la escopeta con bala 猟銃に弾を込める.

3 (義務・仕事・責任などを)**負わせる**.

4 閉口させる. Me *está cargando* con sus impertinencias. あいつの生意気にはうんざりする.

5《口語》落第させる.

6〘商業〙借り方に記入する.

── 動自 **1**《+**con**》…を背負う; 負担する. *cargar con* la culpa 罪をかぶる. *cargar con* la responsabilidad 責任を負う.

2《+**sobre**》…に重みがかかる. Toda la responsabilidad *carga sobre* el jefe del departamento. すべての責任が部長の肩にかかっている.

3 襲撃する. El grueso del ejército *está cargando* en dirección a la capital. 主力部隊は首都に向けて進撃中である.

4《+**con**》…をかっさらう. Los ladrones *cargaron con* todas las joyas. 泥棒に宝石をきれいに持って行かれた.

── **car·gar·se** **1**《+**de**》…でいっぱいになる. *cargarse de* deudas 借金を背負いこむ. **2** (空が) 曇る. *Se está cargando* el cielo. 雲行きが怪しくなってきた.

3《+**con**》…に責任を負う,…を担当する.

4 壊す. *Me he cargado* este juguete. 私がこのおもちゃを壊した.

5《口語》殺す, ばらす. *Se han cargado* a tres enemigos. 敵を3人殺(や)った.

6《口語》落第させる. *Se* la *han cargado* en el examen práctico. 彼女は実技試験で落ちた.

cargársela(s) 《比喩》泥をかぶる.

car·ga·zón [karɣaθón カルガソン] 名女

1 (頭の) 重苦しさ; (胃の) もたれ.

2 曇り空.

car·go [kárɣo カルゴ] 名男 [複 ~s]〔英 charge〕 **1 職務**, 地位; 担当, 責任. ocupar un *cargo* importante 要職につく. estar al *cargo* del control de producción 生産管理を担当している. tener《+algo》a SU *cargo*〈何か〉を担当する. tener a《+uno》a SU *cargo*〈人〉の面倒をみる.

2 [普通 ~s] 非難. hacer *cargos* a《+uno》de《+algo》〈人〉を〈何か〉のかどで追及する.

3〘商業〙借方, 債務. girar [librar] a *cargo* de … …宛(あて)に(手形を)振り出す.

── 動 ➡ cargar. [32 g ➡ gu]

cargo de conciencia 良心の呵責(かしゃく).

correr [ir] a cargo de … …の責任である; …の勘定持ちである; …の管理にゆだねられている, …の世話になっている.

hacerse cargo de … …を担当する, 引き受ける.

jurar el cargo 忠実な職務の遂行を誓う.

cargue(-) / cargué(-) 動 ➡ cargar. [32 g ➡ gu]

car·gue·ro, ra [karɣéro, ra カルゲロ, ラ] 形輸送する. avión *carguero* 輸送機.

── 名男 貨物船; 輸送機.

ca·ria·con·te·ci·do, da [karjakonteθíðo, ða カリアコンテシド, ダ] 形《口語》情けなさそうな; ぎょっとした.

ca·riá·ti·de [karjátiðe カリアティデ] 名女〘建築〙(ギリシア建築の) 女人像柱.

ca·ri·be [karíβe カリベ] 形 カリブの, カリブ人の. Mar *Caribe* カリブ海. ── 名男女 カリブ族 (の人). ➡ indio【参考】.

── 名男 カリブ語.

ca·ri·ca·to [karikáto カリカト] 名男〘音楽〙道化役の男性歌手. [← イタリア語]

ca·ri·ca·tu·ra [karikatúra カリカトゥラ] 名女 **1** 戯画, 漫画; カリカチュア. En el semanario abundan las *caricaturas*. その週刊誌には漫画がたくさん載っている.

2 模倣, パロディ. [← イタリア語]

ca·ri·ca·tu·res·co, ca [karikaturésko, ka カリカトゥレスコ, カ] 形 風刺の; 漫画の.

ca·ri·ca·tu·ris·ta [karikaturísta カリカトゥリスタ] 名男女 風刺画家, 漫画家.

ca·ri·ca·tu·ri·zar [karikaturiθár カリカトゥリサル] [39 z ➡ c] 動他 戯画化する.

carices 名 [複] ➡ cariz.

ca·ri·cia [karíθja カリシア] 名女 愛撫(あいぶ), なでること. hacer *caricias* [una *caricia*] al gato 猫をなでる.

ca·ri·dad [kariðáð カリダ(ドゥ)] 名女 **1** 慈悲; 慈善, 施し. vivir de *caridad* 他人の施しで生きる.

2〘宗教〙愛徳, カリタス.

¡Por caridad! 後生だから (やめてくれ)!

ca·ries [kárjes カリエス] 名女 [単・複同形]〘医〙虫歯; カリエス, 骨瘍(こつよう).

ca·ri·lla [karíʎa カリリャ] 名女 (紙の) 面, ページ.

ca·ri·llón [kariʎón カリリョン] 名男 (時計台・教会の塔の) 合鐘, 組み鐘; チャイム.

ca·ri·ño [karíɲo カリニョ] 名男 [複 ~s]〔英 love〕

1 情愛, **愛情**, 愛着. *cariño* a los hijos 子供たちへの情愛. tomar *cariño* a … …に愛着を抱く. con *cariño*《手紙》愛を込めて.

2 丹精, 丹念. poner *cariño* en un trabajo 心を込めて仕事をする.

3《呼びかけ》あなた, お前. ¡*Cariño* mío! 私のいとしい人; おおよしよし. ► 恋人や夫婦の間で, また親が子に用いる.

ca·ri·ño·so, sa [kariɲóso, sa カリニョソ, サ] 形 [複 ~s]〔英 affectionate〕**愛情のこもった**;《+**con**》…に優しい. Estuvieron muy *cariñosos con* mi nieta. 彼らは私の孫娘にとても親切にしてくれた.

ca·rio·ca [karjóka カリオカ] 形 (ブラジルの) リオデジャネイロ Río de Janeiro (出身) の. ── 名男女 リオデジャネイロの住民. ── 名女〘音楽〙カリオカ: リオデジャネイロのサンバ.

ca·ris·ma [karísma カリスマ] 名男〘神〙カリスマ: 超自然的な能力; 教祖的才能.

ca·ris·má·ti·co, ca [karismátiko, ka カリスマティコ, カ] 形 カリスマ的な, 教祖的な.

ca·ri·ta·ti·vo, va [karitatíβo, βa カリタティボ, バ] 形《+**con**, **para**》…に慈悲深い.

ca·riz [karíθ カリす] 名男 [複 carices] **1** 様相, 局面. **2** 空模様.

car·lin·ga [karlíŋga カルリンガ] 名女〘航空〙機体; 客室部.

car·lis·mo [karlísmo カルリスモ] 名男 カルリスモ: Isabel 2 世と対立した Carlos María Isidro de Borbón (1788–1855) とその子孫を王位継承者とする運動; カルロス党.

car·lis·ta [karlísta カルリスタ] 形 カルロス党の. ── 名男女 カルロス党員.

Car·los [kárlos カルろス] 固名 カルロス: 男性の名. *Carlos* I カルロス 1 世 (スペイン王 1516–56, 神聖ローマ皇帝カール 5 世 *Carlos* V de Alemania としては1519–56).

Car·lo·ta [karlóta カルろタ] 固名 カルロタ: 女性の名.

car·me·li·ta [karmelíta カルメりタ] 形〘カトリック〙カルメル会の. ── 名男女〘カトリック〙カルメル会修道士[女].

Car·men [kármen カルメン] 固名 カルメン: 女性の名.

car·me·sí [karmesí カルメシ] 形 深紅の. ── 名男 カイガラムシから採る赤色粉末.

car·mín [karmín カルミン] 形 深紅の. ── 名男 深紅; (染料の) カーマインレッド, 洋紅; 口紅.

car·nal [karnál カルナる] 形 **1** 肉体の; 官能の, 肉欲の. **2** 現世的な, 世俗的な. **3** 血のつながった (↔ político).

car·na·val [karnaβál カルナバる] 名男 謝肉祭, カーニバル: カトリック教会暦で四旬節 cuaresma 前の 3 日間の祝祭.

car·na·va·la·da [karnaβaláða カルナバらダ] 名女 カーニバルのどんちゃん騒ぎ;《比喩》茶番.

car·na·va·les·co, ca [karnaβalésko, ka カルナバれスコ, カ] 形 謝肉祭の, カーニバルの; 茶番じみた.

car·na·za [karnáθa カルナさ] 名女 **1** 真皮. **2** (釣り・狩猟の) 餌(えさ). **3** ぜい肉.

car·ne [kárne カルネ] 名女 [複 ~s] 〔英 meat, flesh〕

1 肉, 食肉. *carne* de vaca 牛肉. *carne* de ternera 子牛の肉. *carne* de cerdo 豚肉.

2 肉体; 肉欲. La *carne* es flaca, el espíritu es fuerte. 肉体は弱し, されど精神は強し. los placeres de la *carne* 官能の悦び.

3 果肉. *carne* de membrillo マルメロのゼリー.

4 [~s] 肉付き. criar [echar, poner] *carnes* 肉がつく. perder *carnes* やせる. de pocas *carnes* やせた. metido en *carnes* 小太りの.

carne de gallina 鳥肌. ponerse la *carne de gallina* 鳥肌が立つ.

de carne y hueso 生身の.

echar [***poner***] ***toda la carne en el asador*** 手を尽くす.

en carne viva (1)赤むけの. (2) 感じやすい; 生々しい.

herir en carne viva 感情を逆なでする;《比喩》傷口に触れる.

no ser ni carne ni pescado どっちつかずで煮えきらない.

temblar a 《+uno》 ***las carnes*** 〈人〉が

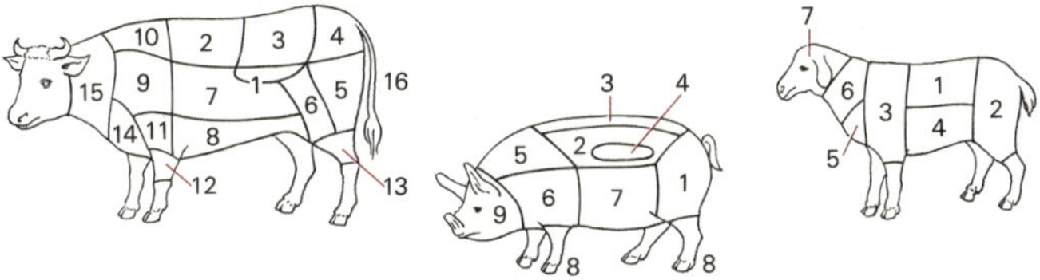

división de la carne (肉の部位)

vaca 牛肉:
1 solomillo ヒレ. 2 lomo alto リブロース. 3 lomo bajo サーロイン. 4 cadera ラン. 5 tapa 外腿(もも). 6 babilla 内腿. 7 costillar バラ. 8 falda フランケ. 9 espalda 肩. 10 aguja 肩ロース. 11 brazo ひじ. 12 morcillo anterior 脛(すね). 13 morcillo posterior とも脛. 14 pecho 胸. 15 cuello ネック. 16 cola/rabo テール.

cerdo 豚肉:
1 pernil/jamón 腿, ハム. 2 lomo ロース. 3 tocino 脂. 4 solomillo ヒレ. 5 cuello/pestorejo 肩ロース. 6 brazuelo/paletilla 肩. 7 vientre バラ. 8 patas 脛. 9 cabeza 頭.

cordero 子羊肉:
1 solomillo ロース. 2 pierna 腿. 3 espalda/paletilla 肩. 4 falda バラ. 5 pecho 胸. 6 cuello 頸. 7 cabeza 頭.

恐怖におののく.
car·né [karné カルネ] 名男 [複 carnés] 証明書. *carné* de conducir 運転免許証. *carné* de identidad 身分証明書. [← 〔仏〕carnet]
car·ne·ro [karnéro カルネロ] 名男 雄のヒツジ. *carnero* llano 去勢された羊. ► 雌は oveja, 子羊は cordero.
C
car·net [karnét カルネ(トゥ)] 名男 ➡ carné.
car·ni·ce·rí·a [karniθería カルニセリア] 名女 **1** 肉屋, 精肉店. **2** 殺戮(さつりく).
car·ni·ce·ro, ra [karniθéro, ra カルニセロ, ラ] 名男女 **1** (人を指して) 肉屋.
2 残忍な人.
── 名男 食肉獣, 肉食動物.
── 形 **1** 肉食性の. ave *carnicera* 猛禽(もうきん). **2** 肉好きの. **3** 残忍な.
cár·ni·co, ca [kárniko, ka カルニコ, カ] 形 食肉の. industrias *cárnicas* 食肉産業.
car·ní·vo·ro, ra [karníβoro, ra カルニボロ, ラ] 形 肉食性の, 食肉類の; (植物が) 食虫の. ── 名男 食肉獣.
car·no·so, sa [karnóso, sa カルノソ, サ] 形 肉のような, 肉質の; 豊満な; 多肉質の.
ca·ro[1], ra [káro, ra カロ, ラ] 形 [複 ~s] 〔英 expensive〕 **1 高価な, 高い**. hotel *caro* 高いホテル. El collar es *caro*. そのネックレスは高価だ. Pagó *cara* la libertad. 彼は自由のために多くの犠牲を払った.
2 愛する; 懐かしい. *caro* amigo 親愛なる友. *caros* recuerdos de la mocedad 若いころの懐かしい思い出.
ca·ro[2] [káro カロ] 副 高価に, 高く. vender [comprar] *caro* 高値で売る[買う].
ca·ro·lin·gio, gia [karolíŋxjo, xja カロリンヒオ, ヒア] 形 (フランク王国の) カロリング朝の. ── 名男女 カロリング朝の人.
ca·ro·ta [karóta カロタ] 名男女 《口語》 鉄面皮なやつ.
ca·ró·ti·da [karótiða カロティダ] 名女 〔解剖〕 頸(けい)動脈.
ca·ro·ti·na [karotína カロティナ] 名女 〔化〕 カロチン.
car·pa [kárpa カルパ] 名女 **1** 〔魚〕 コイ (鯉). ➡ pez 図. **2** (サーカスの) テント.
car·pe·ta [karpéta カルペタ] 名女
1 ファイル, 書類入れ; 書類かばん. **2** 〔コンピュータ〕 フォルダ.
car·pe·ta·zo [karpetáθo カルペタソ] 名男 dar *carpetazo* a … …を中止する.
car·pin·te·rí·a [karpintería カルピンテリア] 名女 大工仕事; 大工の作業場; 《集合》 木工品.
carpintería metálica 鉄骨構造.
car·pin·te·ro, ra [karpintéro, ra カルピンテロ, ラ] 名男女 大工. *carpintero* de ribera 船大工.
── 形 大工の.
ca·rra·ca [kar̄áka カラカ] 名女 **1** 〔海事〕 カラック船: 17世紀まで用いられた大型武装帆船. **2** 老朽船; 老いぼれ.
ca·rras·ca [kar̄áska カラスカ] 名女 〔植物〕 トキワガシ (常磐樫).
ca·rras·pe·ar [kar̄aspeár カラスペアル] 動 自 咳(せき)払いをする; 声がかすれる.
ca·rras·pe·o [kar̄aspéo カラスペオ] 名男 咳(せき)払い.
ca·rras·pe·ra [kar̄aspéra カラスペラ] 名女 《口語》 喉(のど)のいがらっぽさ.
ca·rre·ra [kar̄éra カレラ] 名女 [複 ~s] 〔英 run;race〕 **1 走ること**; 疾走. darse una *carrera* 走る, 急ぐ.
2 競走, レース. *carrera* de automóviles 自動車レース. *carrera* de caballos 競馬. *carrera* de motocicletas オートバイレース. *carrera* de resistencia 耐久レース. *carrera* ciclista 自転車レース. *carrera* corta 短距離, スプリント. *carrera* de fondo 長距離レース. *carrera* de armamentos 軍備拡張競争.
3 経歴, キャリア; 職業. *carrera* diplomática 外交官としてのキャリア. iniciar SU *carrera* 開業する; デビューする.
4 専門課程. dar *carrera* a 《+uno》〈人〉に教育を授ける, 〈人〉に学資を援助する. hacer la *carrera* de derecho 法律を学ぶ. no tener *carrera* 学歴がない.
5 〔機械〕 行程. **6** (ストッキングの) 伝線. tener *carreras* 伝線している. coger las *carreras* 伝線を繕う.
abrir carrera ペース・メーカーになる.
a la carrera / a carrera tendida 全速力で, 大急ぎで.
de carrera そらで. recitar *de carrera* すらすらと暗唱する.
hacer carrera 成功する.
no poder hacer carrera con [de] … …を持て余す.
tomar carrera 助走する; 心の準備をする.
ca·rre·ri·lla [kar̄eríʎa カレリリャ] 名女 (ストッキングの) 伝線.
de carrerilla すらすらと, そらで.
tomar carrerilla 助走する.
ca·rre·ta [kar̄éta カレタ] 名女 2 輪の荷車. ***andar como una carreta*** のろのろと進む.
ca·rre·ta·da [kar̄etáða カレタダ] 名女 荷車 1 台分; 《口語》 大量のもの.
a carretadas 《口語》 豊富に.
ca·rre·te [kar̄éte カレテ] 名男 **1** リール, 巻き枠; フィルムの 1 巻, 〔写真〕 ロール・フィルム. **2** (釣り竿(ざお)の) リール.
ca·rre·te·ra [kar̄etéra カレテラ] 名女 [複 ~s] 〔英 highway〕 **幹線道路**, 街道, ハイウェー. *carretera* comarcal 県道. *carretera* de circunvalación 環状道路. *carretera* general [nacional] 幹線道路, 国道. *carretera* radial 放射道路. ➡ calle 【参考】.

ca·rre·te·ro [kar̄etéro カレテロ] 形 camino *carretero* 車道.
—— 名男 **1** 車大工. **2** 馬車引き.

ca·rre·ti·lla [kar̄etíʎa カレティリャ] 名女 **1** (一輪の)手押し車; 運搬車, 台車. *carretilla* elevadora フォークリフト.
2 (幼児の)歩行器.
de carretilla そらで, すらすらと.

ca·rre·tón [kar̄etón カレトン] 名男 **1** 手押し車; 台車. **2** (研磨用の回転式)砥石(といし).

ca·rri·co·che [kar̄ikótʃe カリコチェ] 名男 **1** 《口語》ぽんこつ車. **2** 幌(ほろ)馬車.

ca·rril [kar̄íl カリる] 名男 **1** わだち; 犂(すき)でつけた溝. **2** (道路の)車線; 〘鉄道〙レール.

ca·rri·llo [kar̄íʎo カリリョ] 名男 **1** 頬(ほお)(= mejilla). **2** ワゴン・テーブル; 手押し車; 運搬用3輪車. **3** 滑車.

ca·rro [káro カロ] 名男 [複 ~s] 〔英 cart〕 **1** (主に2輪の)**荷車**, 馬車; カート.
2 (機械の)キャリッジ.
3 〘軍事〙戦車 (= *carro* de combate).
4 〘天文〙 *Carro* Mayor 大熊(おおぐま)座. *Carro* Menor 小熊座. **5** 《ラ米》(1)自動車; 貨車. *carro* correo 郵便車. (2)市街電車.
parar el carro 自制する. ► 命令形で用いる.
tirar del carro 一番つらい仕事を引き受ける.

ca·rro·ce·rí·a [kar̄oθería カロセリア] 名女 車体; 車体工場; 馬車製造所.

ca·rro·ce·ro [kar̄oθéro カロセロ] 名男 車体製造業者.

ca·rro·ma·to [kar̄omáto カロマト] 名男 幌(ほろ)馬車; (サーカス・ジプシーの) 大型幌馬車.

ca·rro·ña [kar̄óɲa カロニャ] 名女 腐肉, 死肉.

ca·rro·za [kar̄óθa カロさ] 名女 (カーニバルの)山車; 豪華馬車.
—— 名男女 《口語》古臭い人.

ca·rrua·je [kar̄wáxe カルアへ] 名男 車, 馬車; 《集合》車の列.

ca·rru·sel [kar̄usél カルセる] 名男 **1** 騎馬パレード. **2** メリーゴーラウンド (= tiovivo).
3 出し物, イベント.

car·ta [kárta カルタ] 名女 [複 ~s] 〔英 letter〕
1 **手紙**, 書簡. escribir una *carta* 手紙を書く. *carta* abierta 公開状. *carta* aérea 航空便. *carta* amorosa [de amor] 恋文, ラブレター. *carta* certificada 書留. *carta* confidencial 親書. *carta* de felicitación お祝いの手紙. *carta* de invitación 招待状. *carta* urgente 速達.

> **【参　考】手紙の文頭と結語**
> Muy respetable señor / Muy señor mío / Estimado señor 拝啓.
> Querido amigo 親愛なる友へ.
> (Le saluda) afectuosamente / atentamente / cordialmente 敬具.
> Un abrazo / Un beso (親しい友人に対して)抱擁を / キスを.
> p.d.(pos(t) data) 追伸.
> ► 拝啓に当たる語は相手の地位, 格式によって使い分ける. ⇒ Excelentísimo, Ilustrísimo, Distinguido など.

2 証書; 文書. *carta* de crédito 〘商業〙信用状 〔英 L/C〕. *carta* de naturaleza [de ciudadanía] 帰化証明書. *carta* de pago 〘商業〙受領書. *carta* de solicitud 願書, 申請書. *cartas* credenciales 信任状.
3 憲章. *Carta* del Atlántico 大西洋憲章. *Carta* de las Naciones Unidas 国連憲章. *Carta* Magna 〘歴史〙(英国の)マグナカルタ, 大憲章.
4 **カード**, トランプ. echar las *cartas* トランプ占いをする. ➡ jugar.
5 献立表, メニュー (= menú); ワインリスト (= *carta* de vinos). comer a la *carta* アラカルトで食事をする.
6 地図. *carta* marina [de marear] 航海図. *cartas* náuticas 海図.
a carta cabal 非の打ちどころのない; 完璧(かんぺき)に. un caballero *a carta cabal* 立派な紳士.
a cartas vistas 手の内を見せて. jugar *a cartas vistas* 正々堂々と勝負する.
carta blanca 白紙委任状. dar *carta blanca* a 《+uno》〈人〉に全権を与える.
carta de ajuste 〘テレビ〙テストパターン.
jugárselo todo a una carta 一か八かの勝負をする.
no saber a qué carta quedarse 決断がつかない, 途方に暮れる.
poner las cartas sobre la mesa [***boca arriba***] 手の内を見せる, 種を明かす.
tener [***tomar***] ***cartas en un asunto*** ある事に干渉する.

car·ta·bón [kartaβón カルタボン] 名男 三角定規.

car·ta·gi·nen·se [kartaxinénse カルタヒネンセ] / **car·tagi·nés, ne·sa** [-nés, -nésa -ネス, ネサ] 形 〘歴史〙カルタゴ Cartago の. —— 名男女 カルタゴ人.

car·ta·pa·cio [kartapáθjo カルタパしオ] 名男 **1** ファイル, 書類入れ; 折りかばん.
2 ノート, 帳面.

car·tel [kartél カルテる] 名男 ポスター.
de cartel 有名な.
tener (***buen, mucho***) ***cartel*** 名声を博している, 人気が高い.

cár·tel [kártel カルテる] 名男 〘経済〙カルテル, 企業連合.

car·te·le·ra [karteléra カルテれラ] 名女 (新聞の)映画・演劇欄; 掲示板, 広告板.
llevar mucho tiempo en cartelera ロングランを続ける.

car·te·ra [kartéra カルテラ] 名女 **1** 札入

れ，財布．► がま口型のものは bolsa. **2** かばん，アタッシュケース，ブリーフケース，学生かばん．➡ bolsa 図． **3** 大臣の職務．ministro sin *cartera* 無任所大臣． **4**〘商業〙有価証券類． **5** ➡ cartero.
en cartera 検討中の．tener *en cartera* 計画中である．

C

car·te·rí·a [kartería カルテリア] 名女 郵便配達の職；郵便物集配課.

car·te·ris·ta [karterísta カルテリスタ] 名男女 すり（= ratero).

car·te·ro, ra [kartéro, ra カルテロ，ラ] 名男女［複 ～s］〔英 postman〕**郵便配達員**.

car·te·sia·nis·mo [kartesjanísmo カルテシアニスモ] 名男〘哲〙デカルト哲学.

car·te·sia·no, na [kartesjáno, na カルテシアノ，ナ] 形 デカルト（派）の；合理主義的な．— 名男女 デカルト派；合理主義者.

car·tí·la·go [kartílaɣo カルティラゴ] 名男〘解剖〙軟骨.

car·ti·lla [kartíʎa カルティリャ] 名女 **1** 通帳．*cartilla* de ahorros 預金通帳．*cartilla* de la seguridad social 健康保険証.
2 初歩読本，初級教本．leer [cantar] a《+uno》la *cartilla*《口語》〈人〉に手ほどきをする；〈人〉を叱(しか)る.

car·to·gra·fí·a [kartoɣrafía カルトグラフィア] 名女 地図作成（法）.

car·tó·gra·fo, fa [kartóɣrafo, fa カルトグラフォ，ファ] 名男女 地図製作者.

car·to·man·cia [kartománθja カルトマンシア] / **car·to·man·cí·a** [-manθía -マンシア] 名女 トランプ[カード]占い.

car·tón [kartón カルトン] 名男 **1** ボール紙，厚紙．*cartón* ondulado 段ボール．caja de *cartón* ボール箱． **2**（タバコの10箱入り）カートン；（卵の）ケース；（牛乳などの）パック.
3〘美術〙下絵．◆ タペストリー製作用に描いた Goya のものが有名． **4**《ラ米》コミック.

car·to·né [kartoné カルトネ] 形 厚紙装丁の.

car·tu·che·ra [kartutʃéra カルトゥチェラ] 名女 弾薬帯.

car·tu·cho [kartútʃo カルトゥチョ] 名男 **1** 薬莢(やっきょう)． **2** カートリッジ.
3（円筒・円錐(えんすい)形にした）紙袋．un *cartucho* de cacahuetes ピーナツ一袋.
quemar el último cartucho 最後の手段に訴える.

car·tu·jo, ja [kartúxo カルトゥホ] 形〘カトリック〙カルトゥジオ会の.
— 名男 **1** カルトゥジオ会修道士.
2《口語》人付き合いの嫌いな人.

car·tu·li·na [kartulína カルトゥリナ] 名女（カード・名刺用の）厚めの上質紙.

ca·sa [kása カサ] 名女［複 ～s］〔英 house; home〕
1 **家**，住居．Vive en una *casa* de dos pisos con un jardín muy amplio. 彼はとても広い庭付きの２階建ての家に住んでいる．estar en *casa* 在宅である．estar fuera de *casa* 留守である．irse [volver] a *casa* 家に帰る．ir a *casa* de Pedro ペドロの家へ行く．*casa* de campo 別荘．*casa* de vecindad 集合住宅，アパート．*casa* remolque トレーラーハウス．➡次ページ図.
2（公共・特定用途の）建物，施設．inaugurar la *casa* 開店[開業]する．*casa* consistorial 市庁舎．*casa* de Dios 教会．*casa* de huéspedes 下宿屋．*casa* de socorro 救急病院.
3 会社；支社．*casa* central 本店，本社．*casa* comercial 商社，商店．*casa* editorial 出版社.
4 家庭．hacer la *casa* 家事をする．llevar la *casa* 家事の切り盛りをする．marcharse de *casa* 家を飛び出す.
5 王家，王朝．*casa* de Borbón ブルボン王朝．*casa* real 王室.
6（チェス盤の）升目（= casilla).
— 動 ➡ casar.
Aquí está usted en su casa. / Aquí tiene usted su casa. どうぞお楽に；いつでもお気軽にお訪ねください.
caerse a《+uno》***la casa encima*** [***a cuestas***]《口語》〈人〉が家にいるのが退屈[嫌い]である；責任[不幸]などが〈人〉の肩にのしかかる.
echar [***tirar***] ***la casa por la ventana*** 散財する，大盤振舞をする.
estar de casa くつろいでいる，普段着のままである.
muy de su casa 家事が上手な；家庭的な.
poner casa 家を構える，居を定める.
poner la casa 家に家具を備える.
sentirse como en casa 気楽にくつろぐ.

Ca·sa Blan·ca [kasaβlánka カサブランカ] 固名 ホワイトハウス：米国大統領官邸.

Ca·sa·blan·ca [kasaβláŋka カサブランカ] 固名 カサブランカ：モロッコの港湾都市.

ca·sa·ca [kasáka カサカ] 名女（女性用の）ジャケット.
cambiar de casaca 意見を変える，変節する.

ca·sa·ción [kasaθjón カサシオン] 名女〘法律〙破棄，無効の宣告.

casada 過分 女 ➡ casar.
— 形 名女 ➡ casado.

ca·sa·de·ro, ra [kasaðéro, ra カサデロ，ラ] 形 年ごろの，結婚適齢期の．una muchacha *casadera* 年ごろの娘さん.

ca·sa·do, da [kasáðo, ða カサド，ダ]［複 ～s］過分 ➡ casar.
— 形〔英 married〕**結婚した，既婚の**．Está *casada* con un alemán. 彼女はドイツ人と結婚している．recién *casado* 新婚の.
— 名男女 既婚者（↔ soltero). Es *casado*. 彼は妻帯者だ．►「結婚している」の意

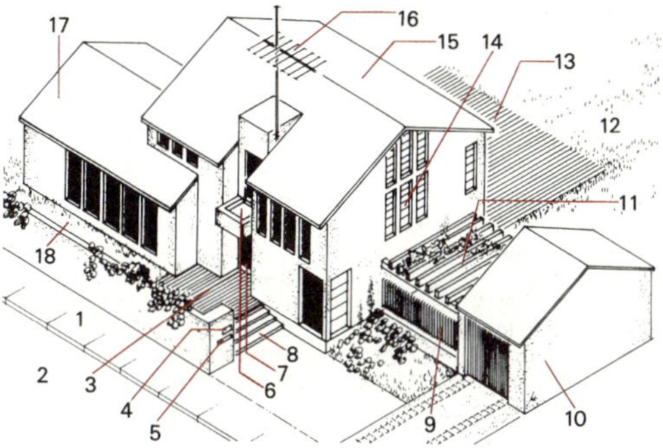

casa unifamiliar moderna 現代の一世帯住宅

1 acera 歩道
2 calzada 車道
3 rellano 踊り場
4 placa プレート(番地)
5 buzón ポスト
6 alero 軒
7 puerta 玄関扉
8 escalón 段
9 reja 格子
10 garaje ガレージ
11 pérgola パーゴラ
12 jardín 庭
13 terraza テラス
14 ventana 窓
15 cubierta [tejado] a dos aguas 切妻形屋根
16 antena de televisión テレビアンテナ
17 anexo 付属棟
18 jardín delantero 前庭

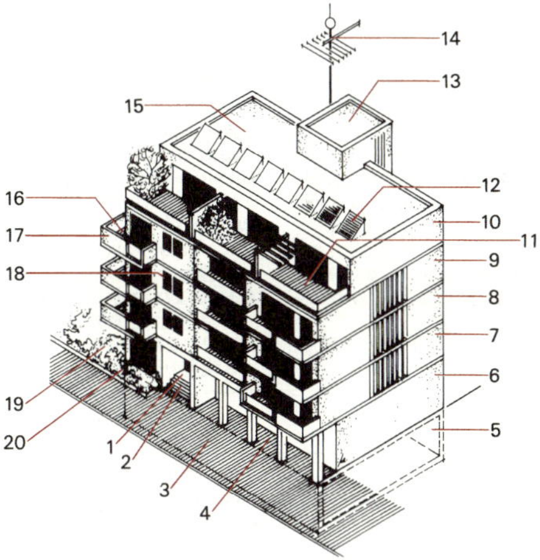

edificio de viviendas 集合住宅

1 entrada [portal] 玄関
2 escalera 階段
3 acera 歩道
4 pórtico ポルチコ
5 sótano 地下
6 planta baja [(piso) bajo] 1階
7 primer piso 2階
8 segundo piso 3階
9 tercer piso 4階
10 ático ペントハウス[テラス付きマンション]
11 terraza テラス
12 colector solar 太陽熱集熱器
13 caja del ascensor エレベーターシャフト
14 antena de televisión テレビアンテナ
15 cubierta [techo plano] 陸(ろく)屋根
16 balcón バルコニー
17 barandilla 手すり
18 ventana 窓
19 jardincillo 小庭園
20 puertaventana 雨戸兼用のガラス戸

味では動詞に estar を用いるが（形容詞扱い），身分としての「既婚（者）」の意味では ser を用いる（名詞扱い）.

ca·sa·ma·ta [kasamáta カサマタ] 名女 〘軍事〙トーチカ.

ca·sa·men·te·ro, ra [kasamentéro, ra カサメンテロ, ラ] 形 仲人好きな.
── 名男女 仲人好きな人.

C

ca·sa·mien·to [kasamjénto カサミエント] 名男 結婚. ► 結婚式は boda(s).

casando 現分 ➡ casar.

ca·sar [kasár カサル] 動他 [現分 casando; 過分 casado, da] 〔英 marry〕《+**con**》**1** …**と結婚させる**;（司祭が）結婚式を執り行う. Piensa *casar* a su hija *con* Alberto. 彼は娘をアルベルトと結婚させようとしている.
2 …と組み合わせる; 調和させる.
── 動自《+**con**》…と調和[適合]する.
── **ca·sar·se**《+**con**》…**と結婚する**. Quiero *casarme con* Susana. 僕はスサナと結婚したい. María y Ernesto *se casan* en junio. マリアとエルネストは6月に結婚する. *casarse* por la iglesia 教会で式を挙げる. *casarse* por lo civil（教会でなく）市役所で入籍手続きをする.
Antes que te cases mira lo que haces.《諺》急(せ)いてはことをし損じる.
no casarse con nadie 誰の言いなりにもならない.

cas·ca·bel [kaskaβél カスカベる] 名男 鈴, ベル.

cas·ca·da [kaskáða カスカダ] 名女 滝.

> 【参　考】 **cascada** は一般的に滝を指し, **catarata** は落差が大きな瀑布(ばくふ)をいう.

cas·ca·do, da [kaskáðo, ða カスカド, ダ] 過分 形 老朽化した, 消耗した; ひびの入った;（声が）しゃがれた.

cas·ca·jo [kaskáxo カスカホ] 名男 **1** 破片, かけら; 砂利; 石炭くず.
2《集合》堅果の類, ナッツ.

cas·ca·nue·ces [kaskanwéθes カスカヌエセス] 名男 [単・複同形] くるみ割り（器）.

cas·car [kaskár カスカル] [8 c ➡ q] 動他 **1** 割る, ひびを入れる. *cascar* un huevo 卵を割る. **2**《口語》たたく, 殴りつける;（議論・スポーツで）攻撃する, 打ち負かす.
3《口語》（金を）使い果たす.
── 動自《口語》**1** しゃべりまくる. **2**《+**a**》…を必死で勉強する. **3** くたばる, 死ぬ.

cás·ca·ra [káskara カスカラ] 名女（卵などの）殻;（バナナなどの）皮. ➡ piel.

cas·ca·rón [kaskarón カスカロン] 名男（ひよこが破って出た）卵の殻. recién salido del *cascarón*《口語》まだ尻(しり)の青い, 世間知らずの.

cas·ca·rra·bias [kaskar̄áβjas カスカラビアス] 名男女 [単・複同形] かんしゃく持ち, 気難し屋.

cas·co [kásko カスコ] 名男 **1** ヘルメット, かぶと. *casco* militar 鉄かぶと. *casco* de motorista オートバイ用ヘルメット. *casco* azul 国連平和維持軍の兵士. **2**（馬の）蹄(ひづめ). ➡ pezuña.
3 破片. *casco* de vidrio ガラスのかけら.
4 瓶, 容器. **5** 住宅密集地. *casco* urbano 市街地. *casco* viejo 旧市街.
6 頭蓋(ずがい)骨; [〜s]《口語》頭, おつむ.
7〘海事〙骨組み, 船体.
alegre [***ligero***] ***de cascos***《口語》軽薄な.
calentarse [***romperse***] ***los cascos***《口語》頭を悩ます; 猛勉強する.
levantar de cascos a《+uno》《口語》〈人〉に幻想を抱かせる.
sentar los cascos《口語》落ち着く.

cas·co·tes [kaskótes カスコテス] 名男 [複] 瓦礫(がれき); 割り栗(ぐり)石.

ca·se·rí·o [kaserío カセリオ] 名男 **1**（スペイン País Vasco, Navarra 地方の伝統的な）農家. **2** 小集落.

ca·se·ro, ra [kaséro, ra カセロ, ラ] 形
1 家庭の; 自家製の. cocina *casera* 家庭料理. **2** 打ち解けた; 家庭的な; 出不精の.
3 家畜の.
── 名男女 **1** 家主. **2** 管理人. **3** 家庭的な人; 家にばかりいる人.

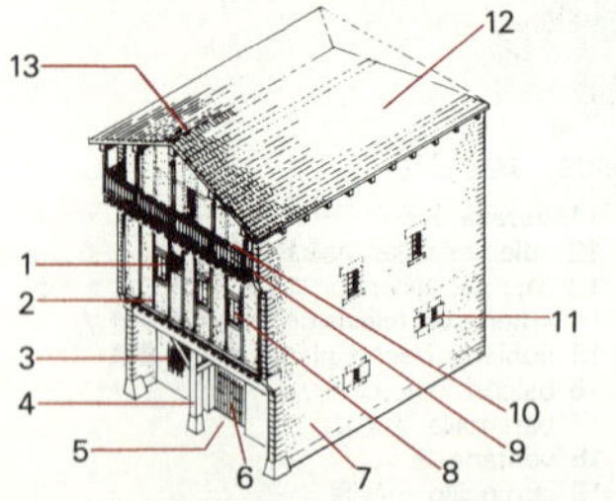

1 escudo 紋章
2 entramado de madera 木骨(もっこう)ハーフティンバー
3 ventana enrejada 格子窓
4 pilar [pie derecho] 柱
5 portalón 玄関
6 puerta 扉
7 muro cortafuego 防火壁
8 ventana con contraventana 二重窓
9 balcón corrido（一続きの）バルコニー
10 barandilla 手すり
11 ventanita 小窓
12 tejado 屋根
13 caballete 棟

caserío vasco-navarro（スペイン・バスク-ナバラ地方の農家）

ca·se·rón [kaserón カセロン] 名男 [casa の大] だだっ広い家.
ca·se·ta [kaséta カセタ] 名女 **1** (見本市などの) 仮設小屋, ブース, スタンド. *caseta* de baño (海水浴場の) 脱衣場.
2 小屋. *caseta* de perro 犬小屋.
ca·se·te [kaséte カセテ] / **ca·sse·tte** [kasét カセ(トゥ)] 名男 カセットテープ; カセットテープレコーダー. [←〔仏〕cassette]
ca·si [kási カシ] 副 〔英 almost〕
1 ほとんど; もう少しのところで. Mi abuela tiene *casi* cien años. 私の祖母はもう100歳に近い. No he comido *casi* nada hoy. 今日私はほとんど何も食べていない. ¡Ah! *Casi* se me olvida. ああもう少しで忘れるところだった.
2 どちらかといえば…と思う. *Casi* prefiero esto. 私はどちらかといえばこちらの方がいいように思う.
casi, casi ほとんど. Eran *casi, casi* las nueve. ほとんど9時近かった.
¡Casi nada! 《反語》なんと!, そんなにたくさん!
casi nunca ... めったに…ない.
sin (el) casi ほとんどどころか絶対にそうだ. Estoy *casi* borracho. —*Sin (el) casi*; estás borracho perdido. 酔っちゃったみたいだ.—みたいどころか完全に酔っているよ.
ca·si·lla [kasíʎa カシリャ] 名女 [casa の小] **1** (チェスの) 升目; (書類などの) 欄, 枠.
2 (分類ケースなどの) 仕切り; メールボックス. **3** 小さい家; 番小屋; 切符売り場; (市場内の) 売店.
sacar a 《+uno》 ***de sus casillas*** 〈人〉を激怒させる.
salir(se) de sus ***casillas*** 生活を変える; 激怒する.
ca·si·lle·ro [kasiʎéro カシリェロ] 名男 整理棚, 分類棚; (コイン) ロッカー.
ca·si·mir [kasimír カシミル] 名男 カシミヤ.
ca·si·no [kasíno カシノ] 名男 **1** 賭博(とばく)場, カジノ. **2** クラブハウス. [←イタリア語]
ca·so [káso カソ] 名男 [複 ~s] 〔英 case〕
1 場合, 機会; 事例, ケース. en ese [tal] *caso* その場合には. en tu *caso* 君の立場だったら. en cualquier *caso* どんな場合でも, いずれにしても. en el *caso* contrario 逆の場合には.
2 (犯罪などの) **事件, 出来事**. *caso* Savolta サボルタ事件.
3 核心, 本題. lo mejor del *caso* 話の肝心なところ. ir al *caso* de ... …の核心に触れる, …の本題に入る.
4 〘医〙症例; 患者. *caso* clínico 臨床例. *caso* urgente 急患. **5** 〘文法〙格.
—— 動 → casar.
caso de conciencia 良心の問題.
caso perdido 先の見込みのない人.
caso que 《+接続法》 / ***(en) caso de que*** 《+接続法》 / ***dado el caso (de) que*** 《+接続法》…の場合には.
el caso es que ... 実は…である, 問題は…である. No sé por qué, pero *el caso es que* no me gusta llamarle. どういう訳か彼に電話する気になれない.
en caso de ... …の場合には. *en caso de* incendio 火災の折には. *en caso de* necesidad 必要ならば.
en el mejor [peor] de los casos せいぜい; 万一[最悪]の場合には.
en todo caso いずれにしても, どんな場合でも.
en último caso やむを得ない場合は.
hacer caso (de [a] ...) (…を) 気に留める. Maldito el *caso* que me *hace*. 彼は僕をなんとも思っていないんだ. No *hagas caso de* sus insultos. 彼の悪口なんか気にするな.
llegado el caso / si llega el caso いざという時には.
no venir [no hacer] al caso 関係がない; 適切でない. Eso *no viene al caso*. それは筋違いだ.
para el caso この場合は. *Para el caso* es igual. この場合それは全く同じことだ.
poner por caso 仮定する.
según el caso / según lo requiera el caso 臨機応変に, 状況次第で.
ca·so·rio [kasórjo カソリオ] 名男 《口語》《軽蔑》早まった結婚; 結婚式に付き物の大騒ぎ.
cas·pa [káspa カスパ] 名女 ふけ, あか.
¡cás·pi·ta! [káspita カスピタ] 間投 おやおや; ちくしょう. [←イタリア語]
cas·que·te [kaskéte カスケテ] 名男 (聖職者が用いる) 縁なし帽; つばなしの婦人帽; 防寒帽.
cas·qui·llo [kaskíʎo カスキリョ] 名男 (電球の) 口金; 〘機械〙スリーブ; (ステッキなどの先端の) 金具.
cas·ta [kásta カスタ] 名女 **1** 血筋, 家系. de una *casta* noble 高貴な家の出の.
2 (動物の) 種, 血統. cruzar las *castas* 交配する.
3 カースト: インドの身分制度; 閉鎖的社会集団, 特権グループ.
cas·ta·ña·zo [kastaɲáθo カスタニャソ] 名男 《口語》パンチ, げんこつ (= puñetazo).
cas·ta·ñe·te·ar [kastaɲeteár カスタニェテアル] 動自 (歯が) ガチガチ音をたてる; カスタネットで演奏する; (指を) パチンとはじく.
cas·ta·ño, ña [kastáɲo, ɲa カスタニョ, ニャ] 名女 **1** 〘植物〙クリ (栗) の実. *castañas* asadas 焼きグリ.
2 《口語》げんこつ. arrear una *castaña* パンチを食らわす. **3** 《口語》酔い. agarrar una buena *castaña* ぐでんぐでんになる.
—— 形 くり色の (= marrón).
—— 名男 **1** 〘植物〙クリの木. **2** くり色.

C

sacar a ⟪+uno⟫ ***las castañas del fuego*** 〈人〉を苦境から救う.
pasar de castaño oscuro 度を越す.

cas·ta·ñue·la [kastaɲwéla カスタニュエら] 名女[普通 ～s]〘音楽〙カスタネット.

cas·te·lla·no[1], na [kasteʎa-́no, na カステリャノ, ナ][複 ～s]〔英 Castilian〕形
1 **カスティーリャ(地方)の.**
2 カスティーリャ語の, スペイン語の.
── 名男女 カスティーリャ地方の住民.

cas·te·lla·no[2] [kasteʎáno カステリャノ] 名男〔英 Castilian〕**カスティーリャ語,** スペイン語. ◆スペインの公用語はカステーリャ語 (伝統的にスペイン語 español と呼ばれているもの), カタルーニャ語, ガリシア語, バスク語の四つである.

Cas·te·llón [kasteʎón カステリョン] 固名 カステリョン: スペイン南東部の県; 県都*Castellón* de la Plana.

cas·ti·ci·dad [kastiθiðáð カスティしダ(ドゥ)] 名女 純粋さ, 純正; 生粋性; 純血.

cas·ti·cis·mo [kastiθísmo カスティしスモ] 名男 生粋主義.

cas·ti·dad [kastiðáð カスティダ(ドゥ)] 名女 純潔, 清純; 貞潔.

cas·ti·gar [kastiɣár カスティガル] [32 g → gu] 動他 **1** 罰する, 懲らしめる. *castigar* por SU temeridad 恐れを知らぬ振る舞いを罰する.
2 苦しめる, 痛めつける. *Ha castigado* a su cuerpo. 彼は自らの肉体に鞭(むち)打った. *castigar* un caballo 馬に鞭(むち)を入れる[拍車をかける]. **3** (主に女性が男性を) もてあそぶ, 悩殺する.

cas·ti·go [kastíɣo カスティゴ] 名男[複 ～s]〔英 punishment〕**1** **罰, 処罰.** infligir un *castigo* 処罰する. *castigo* ejemplar みせしめ. levantar el *castigo* 刑罰の適用を取りやめる.
2 苦痛の原因. Un hijo como tú es un *castigo* para un padre. お前みたいな息子は父親にとっては頭痛の種だよ.
3〘スポ〙ペナルティー. área de *castigo* ペナルティー・エリア. *castigo* máximo ペナルティー・キック.

Cas·ti·lla [kastíʎa カスティリャ] 固名〔英 Castile〕**カスティーリャ**: スペイン中央部と北部にまたがる地方. *Castilla*-La Mancha カスティーリャ・ラ・マンチャ (スペインの自治州). *Castilla* y León カスティーリャ・レオン (スペインの自治州). Reino de *Castilla*〘歴史〙カスティーリャ王国(◆中世の半島中央部に成立. レコンキスタを進め, 近代スペインの中核となる). → autónomo【参考】.
¡Ancha es Castilla! 思う存分やろう[やりなさい].

cas·ti·llo [kastíʎo カスティリョ] 名男[複 ～s]〔英 castle〕**1** **城,** 城塞(じょうさい). *castillo* de naipes 空中楼閣; 絵空事. *castillo* en la arena 砂上の楼閣.
2〘海事〙船首楼. → barco 図.
castillo de fuego [***de fuegos artificiales***] 打ち上げ花火.
levantar [***hacer***] ***castillos en el aire*** 夢のようなことを考える.

cas·ti·zo, za [kastíθo, θa カスティそ, さ] 形 生粋の, 純粋の; 純血な; 純正の. un madrileño *castizo* 生粋のマドリードっ子.
── 名男女 **1** 軽妙洒脱(しゃだつ)な人. **2** ⟪ラ米⟫ カスティソ: 白人とメスティソの混血.

cas·to, ta [kásto, ta カスト, タ] 形 純潔な, 貞節な.

cas·tor [kastór カストル] 名男〘動物〙ビーバー; ビーバーの毛皮.

cas·trar [kastrár カストゥラル] 動他 **1** 去勢する. **2** 骨抜きにする.

cas·tren·se [kastrénse カストゥレンセ] 形 軍隊の; 軍属の, 従軍の.

ca·sual [kaswál カスアる] 形 偶然の, 偶発的な; 不慮の.

ca·sua·li·dad [kaswaliðáð カスアりダ(ドゥ)] 名女[複 ～es]〔英 chance, coincidence〕**偶然**; 偶発事. Fue una pura *casualidad* que yo estuviera allí. 私がそこにいあわせたのは全くの偶然だった. una verdadera *casualidad* 全くの偶然の一致.
dar la casualidad たまたま起こる. *Dio la casualidad* de que se encontraron en la calle. 彼らは偶然に街で会った.

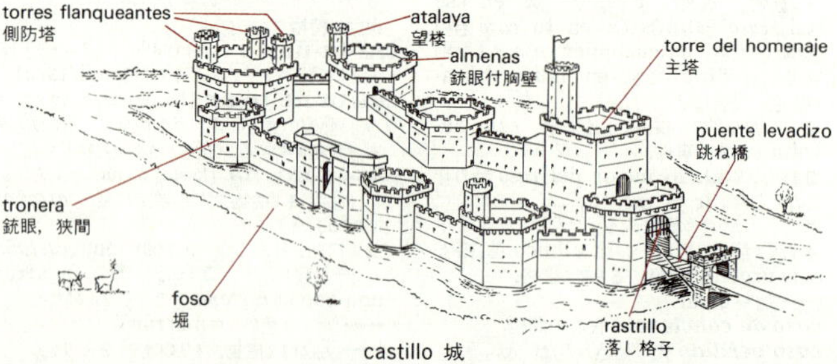

castillo 城

por [de] casualidad たまたま, 思いがけなく. En el cine lo vi *por casualidad.* 映画館でたまたま彼に会った.
ca·sual·men·te [kaswálménte カスアるメンテ] 副 たまたま, 偶然に.
ca·suís·ti·co, ca [kaswístiko, ka カスイスティコ, カ] 形 **1** 個別的な, 個々の事例に合わせた. **2** 決疑論の; 詭弁(きべん)的な.
ca·su·lla [kasúʎa カスリャ] 名女 〘カトリック〙(司祭がミサに着る) カズラ, 上祭服.
ca·ta [káta カタ] 名女 試食, 試飲; (試験用の) 見本, サンプル. ➡ cala.
ca·ta·clis·mo [kataklísmo カタクりスモ] 名男 天変地異; (政治的・社会的な) 大変動.
ca·ta·cum·bas [katakúmbas カタクンバス] 名女 [複] カタコンベ. ◆迫害された初期キリスト教徒の避難所, 地下墓地.
ca·ta·du·ra [kataðúra カタドゥラ] 名女 **1** 試食, 試飲. **2** 《通常 fea, mala を伴い》《口語》態度, 顔つき. de fea [mala] *catadura* 嫌な感じの.
ca·ta·fal·co [katafálko カタファるコ] 名男 棺台(ひつぎだい).
ca·ta·lán¹, la·na [katalán, lána カタらン, らナ] [複男 catalanes, 女 ~s] 〔英 Catalan, Catalonian〕 形 (スペインの) **カタルーニャの.**
―― 名男女 **カタルーニャ人.**
ca·ta·lan² [katalán カタらン] 名男 〔英 Catalan, Catalonian〕 **カタルーニャ語**: スペインの公用語の一つ. ➡ castellano.
ca·ta·le·jo [kataléxo カタれホ] 名男 望遠鏡.
Ca·ta·li·na [katalína カタりナ] 固名 カタリーナ: 女性の名.
ca·tá·li·sis [katálisis カタりシス] 名女 〘化〙触媒作用.
ca·ta·li·za·dor, do·ra [kataliθaðór, ðóra カタりさドル, ドラ] 形 〘化〙触媒の.
―― 名男 触媒.
ca·ta·lo·ga·ción [kataloɣaθjón カタろがしオン] 名女 目録作成.
ca·ta·lo·gar [kataloɣár カタろガル] [32 g ➡ gu] 動他 目録を作る; 目録に掲載する; 分類する, 類別する. *catalogar* a 《+uno》 de conservador 〈人〉を保守派に入れる[と見なす].
ca·tá·lo·go [katáloɣo カタろゴ] 名男 カタログ, 目録; 図書[蔵書]目録.
Ca·ta·lu·ña [katalúɲa カタるニャ] 固名 〔英 Catalonia〕 **カタルーニャ, カタロニア**: スペイン北東部の地方; 自治州(➡autónomo 【参考】).
ca·ta·plas·ma [katapláśma カタプらスマ] 名女 **1** 湿布. **2** 病気がちな人. **3** 《口語》うんざりさせる人.
¡ca·ta·plum! [katapluḿ カタプるン] / **¡ca·ta·plún!** [-plún -プるン] 《擬》(物の落下・衝突時の音) ガチャン, ドスン, バタン!
ca·ta·pul·ta [katapúlta カタプるタ] 名女 カタパルト; (石・矢を射る) 投石器.
ca·tar [katár カタル] 動他 味見する, 試食する; 検査する, 調べる.
ca·ta·ra·ta [kataráta カタラタ] 名女 **1** 滝, 瀑布(ばくふ). *cataratas* del Iguazú (南米の) イグアスの滝. ➡ cascada 【参考】. **2** 〘医〙白内障.
ca·ta·rro [katar̄o カタロ] 名男 **1** 風邪, 感冒. coger [agarrar] un *catarro* 風邪をひく. **2** カタル: 粘膜の炎症. *catarro* bronquial 気管支カタル.
ca·tar·sis [katársis カタルシス] 名女 浄化作用, カタルシス.
ca·tas·tro [katástro カタストゥロ] 名男 土地登記(簿).
ca·tás·tro·fe [katástrofe カタストゥロフェ] 名女 大惨事; 破局 (＝desastre). Más de cien personas perdieron la vida en una *catástrofe* aérea. 飛行機事故で100人以上の死者が出た. ocasionar una *catástrofe* 破局を招く.
ca·tas·tró·fi·co, ca [katastrófiko, ka カタストゥロフィコ, カ] 形 破局的な; 大災害の.
ca·ta·vi·no [kataβíno カタビノ] 名男 利き酒用の杯; [~s] ぶどう酒鑑定人.
ca·te [káte カテ] 名男 《口語》落第.
ca·te·ar [kateár カテアル] 動他 **1** 《口語》落第させる. **2** 捜す, 尋ねる.
ca·te·cis·mo [kateθísmo カテしスモ] 名男 **1** 〘カトリック〙公教要理; (プロテスタントの) 教理問答. **2** (問答形式の) 入門書.
ca·te·cú·me·no, na [katekúmeno, na カテクメノ, ナ] 名男女 〘カトリック〙教理受講者; (新入りの) 信奉者, 改宗者.
cá·te·dra [káteðra カテドゥラ] 名女 **1** 教授職. hacer oposición a *cátedra* 教授登用試験を受ける. **2** 講座; 教壇. **3** (高位聖職者の) 座.
ca·te·dral [kateðrál カテドゥラる] 名女 [複 ~es] 〔英 cathedral〕 **カテドラル**, 司教座聖堂, 大聖堂. ➡ iglesia 【参考】.
como una catedral 《口語》大きい, けた外れの.
ca·te·dra·li·cio, cia [kateðralíθjo, θja カテドゥラりしオ, しア] 形 (司教座) 聖堂の.
ca·te·drá·ti·co, ca [kateðrátiko, ka カテドゥラティコ, カ] 名男女 (大学の) 教授. ➡ profesor 【参考】.
ca·te·go·rí·a [kateɣoría カテゴリア] 名女 [複 ~s] 〔英 category〕 **1** **等級**, ランク. hotel de primera *categoría* 一流ホテル. *categoría* social 社会的地位. **2** 部門, 区分; 身分, 階層. de la misma *categoría* 同じ部類の. **3** 〘言語〙〘哲〙範疇(はんちゅう), カテゴリー.
dar categoría 格を上げる, 箔(はく)を付ける.
de categoría 《口語》高級の, 重要な. tener un empleo *de categoría* 重職にある. un coche *de categoría* デラックスな車.

C

ca·te·gó·ri·ca·men·te [kateɣórikaménte カテゴリカメンテ] 副断固として.

ca·te·gó·ri·co, ca [kateɣóriko, ka カテゴリコ, カ] 形断言的な, 明確な.

ca·te·que·sis [katekésis カテケシス] 名女〘ｶﾄﾘｯｸ〙要理教育; 問答式教授 (法).

ca·te·qui·zar [katekiθár カテキさル] [39 z ➡ c] 動他公教要理を教える, 伝道する; 説得する.

ca·ter·va [katérβa カテルバ] 名女烏合(うごう)の衆; (がらくたなどの) 山.

ca·te·to [katéto カテト] 名男 **1** 田舎者.
2〘数〙直角三角形の直角を作る一辺.

ca·ti·li·na·rio, ria [katilinárjo, rja カティりナリオ, リア] 形 **1** 痛烈な, 激越な.
2 (キケロの書いた) カティリーナ弾劾演説の.
—— 名女弾劾文書.

cá·to·do [kátoðo カトド] 名男〘電気〙陰極 (↔ ánodo).

católica 形名女 ➡ católico.

ca·to·li·cis·mo [katoliθísmo カトりしスモ] 名男 カトリシズム; カトリックの教義 [信仰].

ca·tó·li·co, ca

[katóliko, ka カトりコ, カ] [複 ~s] 〔英 Catholic〕 形 **カトリックの**. los Reyes *Católicos* カトリック両王 (◆アラゴン王 Fernando 2世とカスティーリャ女王 Isabel 1世の称号).
—— 名男女 **カトリック教徒**.
no estar muy católico《口語》体調が良くない.

ca·tor·ce

[katórθe カトルせ] 形《数詞》〔英 fourteen〕 **14の**; 14番目の.
—— 名男 14. ◆ローマ数字 XIV.

ca·tor·ce·a·vo, va [katorθeáβo, βa カトルせアボ, バ] 形 14分の1の.
—— 名男 14分の1.

ca·tor·za·vo, va [katorθáβo, βa カトルさボ, バ] 形名男 ➡ catorceavo.

ca·tre [kátre カトゥレ] 名男 簡易ベッド, 折り畳み式ベッド. *catre* de tijera 携帯用簡易ベッド.

cau·ca·sia·no , na [kaukasjáno, na カウカシアノ, ナ] / **cau·cá·si·co, ca** [-kásiko, ka -カシコ, カ] 形 カフカス [コーカサス] 地方 [山脈] の; コーカソイドの, 白人種の.
—— 名男女 カフカス [コーカサス] 人; コーカソイド, 白人種.

Cáu·ca·so [káukaso カウカソ] 固名 カフカス [コーカサス] 山脈.

cau·ce [káuθe カウせ] 名男 河床; 用水路. volver las aguas a su *cauce* (川が) 本流に戻る; (物事が) 本来に戻る.

cau·cho [káutʃo カウチョ] 名男ゴム (=goma). *caucho* sintético 合成ゴム. anilla de *caucho* 輪ゴム.

cau·dal [kauðál カウダる] 名男 **1** 水量.
2 多量, 豊富.
3 [しばしば ~es] 財産, 大金.

cau·da·lo·so, sa [kauðalóso, sa カウダろソ, サ] 形水量の多い, 流れの豊かな.

cau·di·llo [kauðíʎo カウディリョ] 名男カウディーリョ: 主に軍事的集団の長, 指導者. El *Caudillo* (スペインの) フランコ総統.

cau·sa

[káusa カウサ] 名女 [複 ~s] 〔英 cause〕
1 原因, 理由. ¿Por qué *causa* no quieres venir? どうして君は来たくないのだ? a [por] *causa* de ... …が原因で, …のために. *causa* del incendio 出火原因. *causa* primera〘哲〙第一原因; 神.
2 主義, 主張; 大義. luchar por la *causa* de SU partido. 党のために闘う.
3〘法律〙訴訟 (事件).
—— 動 ➡ causar.

cau·sal [kausál カウサる] 形 **1** 原因となる. relación *causal* 因果関係.
2〘文法〙原因 [理由] を表す.
—— 名女原因, 動機.

cau·sa·li·dad [kausaliðáð カウサりダ(ドゥ)] 名女因果関係.

cau·san·te [kausánte カウサンテ] 形 **1** 原因となる. —— 名男女原因をつくる人.

cau·sar [kausár カウサル] 動他 〔英 cause〕 **引き起こす.** La tormenta *causó* grandes pérdidas. 嵐(あらし)は大損害をもたらした.

cau·sa·ti·vo, va [kausatíβo, βa カウサティボ, バ] 形原因となる.

cáus·ti·co, ca [káustiko, ka カウスティコ, カ] 形 腐食性の, 苛性(かせい)の; 辛辣(しんらつ)な, 痛烈な. —— 名男腐食剤, 焼灼(しょうしゃく)剤.

cau·te·la [kautéla カウテら] 名女 用心, 慎重. con *cautela* 慎重に.

cau·te·lar·se [kautelárse カウテらルセ] 動《+de》…に用心する, 警戒する.

cau·te·lo·so, sa [kautelóso, sa カウテろソ, サ] 形用心深い, 慎重な.

cau·te·rio [kautérjo カウテリオ] 名男〘医〙焼灼(しょうしゃく)器具 [剤].

cau·ti·var [kautiβár カウティバル] 動他 捕虜にする; 魅了する, とりこにする. *cautivar* al público 観衆の心を捕らえる.

cau·ti·vo, va [kautíβo, βa カウティボ, バ] 形捕虜になった, 囚(と)われの.
—— 名男女捕虜 (= preso).

cau·to, ta [káuto, ta カウト, タ] 形 用心深い, 慎重な.

ca·va [káβa カバ] 名女 **1** 掘ること; 耕作.
2 (城の) 堀. **3** (地下の) 酒蔵.
4 (スペイン産の) シャンペン.
5 大静脈 (= vena *cava*).

ca·var [kaβár カバル] 動他 掘る, 掘り起こす (= excavar).
—— 動自《+en》…について深く考える.

ca·ver·na [kaβérna カベルナ] 名女 洞穴, 洞窟(どうくつ)(= cueva).

ca·ver·ní·co·la [kaβerníkola カベルニコら] 形洞穴に住む. —— 名男女穴居人.

ca·ver·no·so, sa [kaβernóso, sa カベル

ノソ，サ] 形 洞窟(どうくつ)の；(声が) 低音でよく響く．
ca·viar [kaβjár カビアル] 名男 キャビア：チョウザメの卵の塩漬け．
ca·vi·dad [kaβiðáð カビダ(ドゥ)] 名女
1 〔医〕〔解剖〕腔(こう)．*cavidad* ocular 眼窩(がんか)．*cavidad* bucal 口腔(こうこう)．
2 くぼみ，穴．
ca·vi·lar [kaβilár カビラル] 動自 思案する；くよくよ考える．
cay- 動 ➡caer. 10
ca·ya·do [kaɟáðo カヤド] 名男 (握りの曲がった) 杖(つえ)；〔カトリック〕司教杖．
cayendo 現分 ➡caer.
ca·za [káθa カさ] 名女 **1** 狩猟，狩り．ir de *caza* 狩りに行く．*caza* de liebres ウサギ狩り．*caza* del tesoro 宝探し．*caza* furtiva 密猟．
2 《集合》獲物．*caza* mayor (クマ・シカなどの) 大型の獲物．*caza* menor (ウサギ・キジなどの) 小型の獲物．
—— 名男 〔航空〕戦闘機 (＝avión de *caza*).
***andar* [*ir*] *a la caza de* …** …を探し求める，追跡する．
***dar caza a* …** …を捕らえる．
espantar la caza 《比喩》獲物を逃す．
ca·za·dor, do·ra [kaθaðór, ðóra カさドル，ドラ] 形 狩猟する．
—— 名男女 猟師，ハンター．*cazador* furtivo 密猟者．
—— 名女 ジャンパー，ブルゾン．
ca·zar [kaθár カさル] [39 z ➡ c] 動他
1 狩る，狩猟する．**2** うまく手に入れる．*cazar* un empleo 首尾よく仕事を見つける．
3 (おだてて) のせる；不意を襲う．
cazarlas al vuelo のみこみが早い，利口である．
ca·zo [káθo カそ] 名男 ソースパン，片手鍋(なべ)；柄杓(ひしゃく)，玉杓子．
ca·zo·le·ta [kaθoléta カそレタ] 名女
1 小型の片手鍋(なべ)．**2** (パイプの) 火皿．
3 (刀剣の) つば．
ca·zue·la [kaθwéla カすエら] 名女
浅い土鍋(なべ)；煮込み料理．
CD-ROM [θéðerón せデロん] 〔英 compact disk read only memory〕 名男 [単・複同形] CD-ROM：読み込み専用のパソコン用コンパクトディスク．
ce [θé せ] 名女 アルファベットの c の文字［音］．
ce por ce 《口語》こと細かに．
por ce o por be 《口語》どうにかして，どうしても．
CE 《略》Comunidad Europea ヨーロッパ共同体 [英 EC].
ce·ba·da [θeβáða せバダ] 名女 大麦．► 小麦は trigo.
ce·bar [θeβár せバル] 動他 **1** 肥育する，肥やす．**2** (釣り針・わなに) えさをつける．
3 (情熱を) かき立てる．**4** (機械類の) 始動の準備をする．**5** 信管を取り付ける．
ce·bo [θéβo せボ] 名男 **1** えさ，飼料；おとり．**2** 《比喩》えさ，誘惑．**3** 信管．
ce·bo·lla [θeβóʎa せボリャ] 名女 [複 ～s] 〔英 onion〕 **1** 〔植物〕**タマネギ** (玉葱)．*cebolla* escalonia シャロット，エシャロット．➡hortalizas 図．**2** 球根 (＝bulbo).
Contigo, pan y cebolla 《諺》手鍋提(さ)げても．
ce·bo·lle·ta [θeβoʎéta せボリェタ] 名女 〔植物〕アサツキ (浅葱).
ce·bo·lli·no [θeβoʎíno せボリィノ] 名男
1 小さなタマネギ；種タマネギ．
2 《口語》ばか，間抜け．
ce·bón, bo·na [θeβón, βóna せボン，ボナ] 形 肥満した．
—— 名男 〔動物〕ブタ (豚).
ce·bra [θéβra せブラ] 名女 〔動物〕シマウマ (縞馬).
ce·bú [θeβú せブ] 名男 〔動物〕コブウシ．
ce·ce·ar [θeθeár せせアル] 動自 スペイン語の [s] 音を [θ] と発音する．
ce·ce·o [θeθéo せせオ] 名男 (主にスペイン Andalucía 南部で) [s] 音を [θ] で発音すること．➡seseo.
Ce·ci·lia [θeθílja せしリア] 固名 セシリア：女性の名．
Ce·ci·lio [θeθíljo せしリオ] 固名 セシリオ：男性の名．
ce·ci·na [θeθína せしナ] 名女 干し肉．
ce·da·zo [θeðáθo せダそ] 名男 篩(ふるい)．
ce·der [θeðér せデル] 動他 〔英 give〕 **譲る**，引き渡す．*ceder* el sitio a 《＋uno》〈人〉に席を譲る．*Ceda* el paso. (交通標識の) 一時停止．
—— 動自 **1** 弱まる，治まる．*ceder* la lluvia 雨が小降りになる．
2 《＋**a, en**》…に譲る，屈する．*ceder a* las artimañas 術策にはまる．no *ceder* a 《＋uno》 *en* 《＋algo》〈何か〉で〈人〉に負けない．
3 《＋**de, en**》…を放棄する．No *cede en* sus pretensiones. 彼は要求をひっこめない．**4** 壊れる，崩れる，倒れる．
ce·di·lla [θeðíʎa せディリャ] 名女 (フランス語などで) c の字の下に添える符号．
ce·dro [θéðro せドゥロ] 名男 〔植物〕ヒマラヤスギ．*cedro* del Líbano レバノンスギ．
cé·du·la [θéðula せドゥら] 名女 **1** 証書，文書．*cédula* de matrícula 自動車登録証．*cédula* de identidad 身分証．Real *Cédula* 〔歴史〕勅令．
2 〔商業〕借用証；証券．**3** 目録カード．
ce·fa·ló·po·do, da [θefalópoðo, ða せファろポド，ダ] 形 〔動物〕頭足類の．
—— 名男 [～s] 〔動物〕(イカ・タコなど) 頭足類動物．
cé·fi·ro [θéfiro せフィロ] 名男 **1** 西風．
2 《文語》そよ風．
ce·ga·dor, do·ra [θeɣaðór, ðóra せガドル，ドラ] 形 まぶしい (＝deslumbrante).

C

C

ce·gar [θeɣár せガル] [㉜ g → gu ; ㊷ e → ie] 動自 失明する. —— 動他 **1** 盲目にする. **2** 目をくらませる; 理性[判断力]を奪う. **3** (穴·入り口などを)ふさぐ.
—— **ce·gar·se** **1** 《+**de**》…に目がくらむ. *cegarse de* ira 怒りに我を忘れる.
2 詰まる, ふさがる.

ce·ga·to, ta [θeɣáto, ta せガト, タ] 形 近視の. —— 名男女 近視の人.

ce·ge·si·mal [θexesimál せヘシマる] 形 〔物理〕(centímetro-gramo-segundo を単位とする) C.G.S. 単位系の.

ce·gue·ra [θeɣéra せゲラ] 名女 **1** 盲目, 失明. **2** 逆上; 無分別.

ce·ja [θéxa せハ] 名女 **1** まゆ(毛). tener las *cejas* pobladas 濃いまゆをしている. fruncir las *cejas* まゆをひそめる. → ojo 図. **2** 〔音楽〕(弦楽器の)上駒(こま); (ギターなどの)カポタスト.
estar hasta las cejas de … …に飽き飽きしている.
quemarse las cejas 猛勉強する.
tener entre ceja y ceja (物に)固執する; (人を)煙たがる.

ce·jar [θexár せハル] 動自 《否定文で》《+**en**》…をやめない, あきらめない. no *cejar en* su esfuerzo 努力を怠らない.

ce·ju·do, da [θexúðo, ða せフド, ダ] 形 まゆ毛の濃い.

Ce·la [θéla せら] 固名 セラ, Camilo José (1916–): スペインの小説家. ◆1989年ノーベル文学賞.

ce·la·da [θeláða せらダ] 名女 **1** (面頬(めんぼお)付きの)かぶと. **2** 伏兵. caer en una *celada* 待ち伏せに遭う.

ce·la·dor, do·ra [θelaðór, ðóra せらドル, ドラ] 形 監視する.
—— 名男女 監視人; 舎監.

ce·lar [θelár せらル] 動他 **1** 監視する, 見張る. **2** 隠す(= ocultar).
—— 動自 《+**por, sobre**》…を見張る; 管理する.

cel·da [θélda せるダ] 名女 (修道院の)個室; (刑務所の)独房; (ハチの)巣房.

ce·le·bé·rri·mo, ma [θeleβérimo, ma せれベリモ, マ] 形 [célebre の絶対最上級] きわめて著名な.

ce·le·bra·ción [θeleβraθjón せれブラしオン] 名女 開催, 挙式; (ミサの)司式; 祝賀.

ce·le·brar [θeleβrár せれブラル] 動他 〔英 celebrate〕 **1** 祝う; 賞賛する, 喜ぶ. Hoy *celebramos* su cumpleaños. 今日私たちは彼の誕生日を祝う. Todos *celebran* su ocurrencia. 皆が彼女の思いつきを褒める. *Celebro* que le haya ido bien. 私は彼の成功を喜んでいる.
2 開催する, 執り行う. *celebrar* un festival de cine 映画祭を開催する.
—— 動自 〔宗教〕ミサを挙げる.

cé·le·bre [θéleβre せれブレ] 形 [複 ~s] 〔英 famous〕 **1** 有名な. una mujer *célebre* por su belleza 美貌(びぼう)で知られた女性. poeta *célebre* 著名な詩人.
2 《口語》機知に富んだ, こっけいな.

ce·le·bri·dad [θeleβriðáð せれブリダ(ドゥ)] 名女 **1** 高名, 名声. ganar *celebridad* 有名になる. **2** 有名人.

ce·len·té·re·o [θelentéreo せれンテレオ] 名男 〔動物〕(クラゲなどの)腔腸(こうちょう)動物.

ce·le·ri·dad [θeleriðáð せれリダ(ドゥ)] 名女 速さ. con toda *celeridad* 大急ぎで.

ce·les·te [θeléste せれステ] 形 **1** 天の, 天空の. los espacios *celestes* 宇宙空間.
2 空色の.

ce·les·tial [θelestjál せれスティアる] 形 **1** 天上の, 神々しい; 無上の. gloria *celestial* 天上の至福. **2** 《口語》間抜けな.
ser música celestial なんの役にも立たない.

ce·les·ti·na [θelestína せれスティナ] 名女 売春斡旋(あっせん)人. ◆スペインの作家 Rojas の小説, また登場人物のやり手ばばあの名前から.
polvos de la madre Celestina 《比喩》(恋の)魔法の薬.

ce·li·ba·to [θeliβáto せりバト] 名男 独身.

cé·li·be [θéliβe せりベ] 形 《文語》独身の (= soltero). —— 名男女 独身者.

ce·lo [θélo せろ] 名男 **1** 熱意, 熱心. poner *celo* en … …に熱意を燃やす.
2 (動物の)発情.
3 [~s] ねたみ, 嫉妬(しっと). tener *celos* de … …に焼きもちを焼く.

ce·lo·fán [θelofán せろファン] 名男 セロハン紙 (= papel *celofán*).

ce·lo·sí·a [θelosía せろシア] 名女 格子窓.

ce·lo·so, sa [θelóso, sa せろソ, サ] 形 《+**de, en**》…に熱心な; 嫉妬(しっと)深い; 《+**de**》(権利など)に対し要求の多い.

cel·ta [θélta せるタ] 形 ケルト(人)の.
—— 名男女 ケルト族(の人).
—— 名男 ケルト語.

cel·ti·bé·ri·co, ca [θeltiβériko, ka せるティベリコ, カ] / **cel·ti·be·rio, ria** [-rjo, rja -リオ, リア] 形 → celtíbero.

cel·tí·be·ro, ra [θeltíβero, ra せるティベロ, ラ] / **cel·ti·be·ro, ra** [-tiβéro, ra -ティベロ, ラ] 形 ケルト·イベリア人の.
—— 名男女 ケルト·イベリア人.

cél·ti·co, ca [θéltiko, ka せるティコ, カ] 形 ケルト人の. —— 名男女 ケルト人.

cé·lu·la [θélula せるら] 名女 **1** 〔生物〕〔動物〕細胞. *célula* nerviosa 神経細胞. **2** (政治·社会的な)末端組織, 細胞. **3** 独房.
célula fotovoltaica [***solar***] 光電池 [太陽光電池] (の1個).

ce·lu·lar [θelulár せるらル] 形 **1** 〔解剖〕細胞の. **2** 独房に分かれた.

ce·lu·loi·de [θelulóiðe せるろイデ] 名男 〔商標〕セルロイド.

ce·lu·lo·sa [θelulósa せるろサ] 名女 〔化〕セルロース.

ce·men·te·rio [θementérjo セメンテリオ] 名男 墓地，墓場（＝camposanto）. *cementerio de los caídos* 戦没者墓地. *cementerio de coches* 廃車処理場. *cementerio de elefantes* 象の墓場；退職者のたまり場.
ce·men·to [θeménto セメント] 名男 **1** セメント；接合剤. **2** コンクリート. *cemento armado* 鉄筋コンクリート. **3**（歯の）セメント質.
tener una cara de cemento armado/tener la cara de cemento 《口語》鉄面皮である.
ce·na [θéna セナ] 名女 [複 ～s]〔英 dinner, supper〕夕食（会）；晩餐(ばんさん). ➡ comida.
—— 動➡ cenar.
la Ultima* [*la Santa*] *Cena 〖カトリック〗最後の晩餐.
ce·ná·cu·lo [θenákulo セナクろ] 名男 **1** キリストが弟子と最後の晩餐(ばんさん)をした食堂. **2** 文芸サロン.
cenado, da 過分 ➡ cenar.
ce·na·dor [θenaðór セナドル] 名男（庭園の木陰の）休憩所；回廊.
ce·na·gal [θenaɣál セナガる] 名男 ぬかるみ，泥沼；《口語》窮地. estar metido en un *cenagal* 泥沼にはまり込んでいる.
ce·na·go·so, sa [θenaɣóso, sa セナゴソ，サ] 形 泥んこの.
cenando 現分 ➡ cenar.
ce·nar [θenár セナル] 動自 [現分 cenando；過分 cenado, da]〔英 have supper〕夕食をとる.
—— 動他 夕食に…を食べる.
cen·ce·rra·da [θenθeřáða センセラダ] 名女（鈴などを鳴らしてからかう）大騒ぎ.
cen·ce·rro [θenθéřo センセロ] 名男（家畜の）鈴，カウベル（＝esquila）.
a cencerros tapados こっそりと.
estar como* [*más loco que*] *un cencerro 気が違っている.
ce·ne·fa [θenéfa セネファ] 名女 縁取り，縁飾り.
ce·ni·ce·ro [θeniθéro セニセロ] 名男 灰皿.
ce·ni·cien·to, ta [θeniθjénto, ta セニしエント，タ] 形 灰色の，灰白色の.
—— 名女 不当に虐待される人. ◆ La *Cenicienta*（ペロー作の）『シンデレラ』から.
ce·nit [θenít セニ(トゥ)] 名男 **1** 〖天文〗天頂. **2** 頂点，絶頂.
ce·ni·za [θeníθa セニさ] 名女 [複 ～s]〔英 ash〕**1** 灰；灰色. *cenizas radiactivas* 放射能のちり. *ceniza volcánica* 火山灰.
2 [～s] 遺骨，遺骸(いがい).
convertir en* [*reducir a*] *cenizas 灰燼(かいじん)に帰する.
remover las cenizas 過去を暴き立てる.
ce·no·bio [θenóβjo セノビオ] 名男 修道院.
ce·no·ta·fio [θenotáfjo セノタフィオ] 名男 慰霊碑[塔].
cen·sar [θensár センサル] 動自 国勢調査を行う.
cen·so [θénso センソ] 名男 国勢調査，人口調査（＝*censo* de población）. *censo de tráfico* 交通量調査. *censo electoral* 有権者[選挙人]名簿.
cen·sor [θensór センソル] 名男 検閲官；酷評家.
censor de cuentas 会計監査役.
censor jurado de cuentas 公認会計士.
cen·su·ra [θensúra センスラ] 名女 **1** 検閲. pasar por la *censura* 検閲を受ける. someter《＋algo》a la *censura*〈何か〉を検閲にゆだねる. **2** 非難.
cen·su·rar [θensurár センスラル] 動他
1 検閲する；修正する，削除する. *censurar una película* 映画の検閲をする. *Han censurado* unas escenas por obscenas. 猥褻(わいせつ)だという理由でいくつかのシーンはカットされた.
2 非難する. *censurar* su silencio 沈黙をとがめる.
cen·tau·ro [θentáuro センタウロ] 名男〖ギリシア神話〗ケンタウロス：半人半馬の怪物.
cen·ta·vo, va [θentáβo, βa センタボ，バ] 形《数詞》100番目の，第100の；100分の1の.
—— 名男 **1** 100分の1. **2** センターボ：貨幣単位の100分の1. estar sin un *centavo* 一文無しである.
cen·te·lla [θentéʎa センテリャ] 名女 閃光(せんこう)，火花；稲光. como una *centella* 素早く，電光石火のごとく.
cen·te·lle·ar [θenteʎeár センテリェアル] 動自 きらきら輝く.
cen·te·lle·o [θenteʎéo センテリェオ] 名男 きらめき，瞬き.
cen·te·na [θenténa センテナ] 名女 100人[個]；約100.
cen·te·nar [θentenár センテナル] 名男
1 100人[個]；100単位. **2** [～es] 多数. *centenares* de veces 何度も.
a* [*por*] *centenar 何百となく，たくさん.
cen·te·na·rio, ria [θentenárjo, rja センテナリオ，リア] 形 100年の，100歳の；100の.
—— 名男女 100歳の人.
—— 名男 100周年.
cen·te·no [θenténo センテノ] 名男〖植物〗ライムギ. ➡ trigo.
cen·te·si·mal [θentesimál センテシマる] 形 100分の1の.
cen·té·si·mo, ma [θentésimo, ma センテシモ，マ] 形《数詞》100番目の；100分の1の. —— 名男女 100番目.
—— 名男 100分の1.
centi-「100」の意を表す造語要素. ⇀ *centí*grado, *centí*metro など.
cen·tí·gra·do, da [θentíɣraðo, ða センティグラド，ダ] 形 100度目盛りの；摂氏の.

cen·ti·gra·mo [θentiɣrámo センティグラモ] 名男 センチグラム.
cen·ti·li·tro [θentilítro センティリトゥロ] 名男 センチリットル.
cen·tí·me·tro [θentímetro センティメトゥロ] 名男 センチメートル《略 cm》. *centímetro* cuadrado [cúbico] 平方[立方]センチメートル.

C

cén·ti·mo, ma [θéntimo, ma センティモ, マ] 名男 センティモ: 貨幣単位の100分の 1. no tener un *céntimo* 一文無しである.
—— 形 100分の 1 の.
cen·ti·ne·la [θentinéla センティネラ] 名男 (稀に女) 歩哨(ほしょう), 見張り. hacer [estar de] *centinela* 〘軍事〙歩哨に立つ[立っている].
cen·to·llo [θentóʎo セントリョ] 名男 〘動物〙ケガニ(毛蟹).
cen·tra·do, da [θentráðo, ða セントゥラド, ダ] 過分 形 **1** 中心にある; 《+**en**》…に中心がある. Ese cuadro no está bien *centrado*. その絵は中心からずれている.
2 要領を得た, 慣れた. **3** 常識のある.
cen·tral [θentrál セントゥラる] [複 ~es] 〔英 central〕 形 **中心の, 中央の**; 主要な; 集中式の. punto *central* 中心点. casa *central* 本店, 本社. gobierno *central* 中央政府.
—— 名女 **1 本社**, 本部. *central* de correos 中央郵便局.
2 発電所; 電話局. *central* térmica 火力発電所.
cen·tra·lis·ta [θentralísta セントゥラリスタ] 形 中央集権主義の.
—— 名男女 中央集権主義者.
cen·tra·li·ta [θentralíta セントゥラリタ] 名女 電話交換台.
cen·tra·li·zar [θentraliθár セントゥラリさル] [39 z → c] 動他 中心に集める; 中央集権化する.
cen·trar [θentrár セントゥラル] 動他 **1** 中心に置く. **2** 《+**en, sobre**》…に集中させる. *centrar sobre* las cuestiones sociales 社会問題に焦点を当てる. **3** 〘スポ〙センターキックする; センタリングする.
—— **cen·trar·*se*** 要領をのみ込む, 慣れる.
cén·tri·co, ca [θéntriko, ka セントゥリコ, カ] 形 中央の, 中心の.
cen·trí·fu·go, ga [θentrífuɣo, ɣa セントゥリフゴ, ガ] 形 遠心性の.
cen·trí·pe·to, ta [θentrípeto, ta セントゥリペト, タ] 形 求心性の.
cen·tris·ta [θentrísta セントゥリスタ] 形 〘政治〙中道派の. —— 名男女 〘政治〙中道派.
cen·tro [θéntro セントゥロ] 名男 [複 ~s] 〔英 center〕
1 中心; 中央部, 中心街; 関心の的. el *centro* del círculo 円の中心. en el *centro* de la habitación 部屋の真ん中に. hacer compras en el *centro* 繁華街で買い物をする. *centro* de envidia 羨望(せんぼう)の的. → medio.
2 中枢, センター, 施設. *centros* industriales 工業の中心, 工業地帯. *centro* de información 情報センター. *centro* comercial ショッピング街. *Centro* de Arte Reina Sofía ソフィア王妃美術館.
3 〘政治〙中道派.
centro de mesa テーブルセンター; 食卓中央の飾りもの.
estar en su ***centro*** 居心地がよい, 本領を発揮している.
Cen·tro·a·mé·ri·ca [θentroamérika セントゥロアメリカ] 固名 中央アメリカ.
cen·tro·a·me·ri·ca·no, na [θentroamerikáno, na セントゥロアメリカノ, ナ] 形 中央アメリカの.
—— 名男女 中央アメリカの人.
Cen·tro·eu·ro·pa [θentroeurópa セントゥロエウロパ] 固名 中央ヨーロッパ.
cen·tro·eu·ro·pe·o, a [θentroeuropéo, a セントゥロエウロペオ, ア] 形 中央ヨーロッパの. —— 名男女 中央ヨーロッパの人.
cén·tu·plo, pla [θéntuplo, pla セントゥプろ, プら] 形 100倍の. —— 名男 100倍.
cen·tu·ria [θentúrja セントゥリア] 名女
1 100年, 1 世紀 (= siglo).
2 〘歴史〙(古代ローマ軍の) 百人隊.
cen·tu·rión [θenturjón セントゥリオン] 名男 〘歴史〙(古代ローマ軍の) 百人隊長.
ce·ñir [θeɲír セニィル] [56 e → i] 動他 [現分 ciñendo] **1** 《+**con, de**》…で締めつける, 巻きつける; かぶせる. *ceñir* los pantalones *con* el cinturón ズボンをベルトで締める. **2** 取り囲む. Las murallas grandes *ciñen* la ciudad. 大きな城壁が町を取り囲んでいる.
—— **ce·ñir·*se*** **1** 身に帯びる. *ceñirse* la espada 剣を帯びる.
2 《+**a**》…に合わせる. *ceñirse a* un sueldo modesto 乏しい給料で生活する.
3 《+**a**》…に限る, とどめる; 抑える.
4 《+**a**》…にぴったり合う. Este traje *se ciñe al* cuerpo. この服は体にぴったりだ.
ce·ño [θéɲo セニョ] 名男 しかめっ面. fruncir [arrugar] el *ceño* 眉(まゆ)をひそめる.
ce·pa [θépa セパ] 名女 **1** (ブドウの木の) 株; (柱などの) 付け根; 切り株.
2 血統, 家系 (= estirpe).
ce·pi·llar [θepiʎár セピりャル] 動他
1 ブラシをかける. **2** かんなをかける.
3 《俗語》へつらう; (金を) 巻き上げる; 落第させる.
—— **ce·pi·llar·*se*** **1** (髪を) をとかす; (自分のものに) ブラシをかける. *cepillarse* los pantalones ズボンにブラシをかける.
2 《口語》素早く片付ける; (金を) 使い果たす. **3** 《俗語》殺す.
ce·pi·llo [θepíʎo セピりョ] 名男 **1** ブラシ, 刷毛(はけ). *cepillo* de dientes 歯ブラシ. *cepillo* para el pelo ヘアブラシ. ► ペンキ用

のものは brocha. **2** (木工用) かんな.
3 (教会の) 寄付金箱.
ce·po [θépo セポ] 名男 **1** わな; 《比喩》計略 (= trampa). caer en el *cepo* わなに落ちる. **2** 足かせ.
ce·po·rro [θepóro セポロ] 名男 《口語》ばか, 薄のろ.
dormir como un ceporro ぐっすり眠る.
ce·ra [θéra セラ] 名女
1 蠟(ろう); ワックス. *cera* de abejas 蜜蠟(みつろう). *cera* para suelos 床用ワックス.
2 《集合》ろうそく.
No hay más cera que la que arde. これで全部だ, 何も隠してない.
ser (como) una cera / ser hecho de cera 柔順である.
ce·rá·mi·ca [θerámika セラミカ] 名女
1 陶器; 《集合》陶製品, セラミックス. ► 磁器は porcelana. **2** 窯業, 陶芸.
ce·ra·mis·ta [θeramísta セラミスタ] 名男女 陶工, 陶芸家.
cer·ba·ta·na [θerβatána セルバタナ] 名女 吹き矢.
cer·ca [θérka セルカ] 副 [英 near]
《場所・時間を表して》**近くに[で]**, 近付いて (↔ lejos). La estación está muy *cerca*. 駅はすぐ近くにあります. aquí *cerca* この近くに. El plazo está muy *cerca*. 期間が迫っている.
—— 名男 [〜s] 〖美術〗(絵の) 前景.
—— 名女 柵(さく), 囲い; 〖軍事〗包囲.
cerca de … (1) 《場所を表して》…の近くに[で]. Mi casa está *cerca de* la universidad. 私の家は大学の近くにある. (2) 《時間・数量を表して》…に近い, ほぼ. Son *cerca de* las doce. もうかれこれ12時だ. *cerca de* quinientos pasajeros 500人近い乗客.
de cerca 近くから, 間近に.
cer·ca·do [θerkáðo セルカド] 名男 柵(さく)で囲った土地.
cer·ca·ní·a [θerkanía セルカニア] 名女
1 近いこと; 付近. **2** [〜s] (都市の) 郊外, 近郊. Vive en las *cercanías* de Barcelona. 彼はバルセロナの郊外に住んでいる.
cer·ca·no, na [θerkáno, na セルカノ, ナ] 形 近くの, 間近の (↔ lejano). *cercano* a su fin 死にかかっている. Estuvo una semana en un hospital *cercano*. 彼は近くの病院に1週間入っていた.
cer·car [θerkár セルカル] [8 c → qu] 動他 (柵(さく)で) 囲む; 取り巻く; 〖軍事〗包囲する (= sitiar).
cer·ce·nar [θerθenár セルセナル] 動他 刈り込む; 切り詰める, 削減する.
cer·cio·rar [θerθjorár セルシオラル] 動他 確信させる.
—— **cer·cio·rar·se** 《+**de**》…を確かめる, 確認する (= asegurar). *cerciorarse de* un hecho ある事実を確かめる.
cer·co [θérko セルコ] 名男 **1** 輪; (樽(たる)の) たが; 人垣; 〖天文〗(太陽・月の) 暈(かさ); 〖機械〗外輪. **2** 〖軍事〗包囲. alzar [levantar] el *cerco* 包囲を解く. poner *cerco* a 《+algo》〈何か〉を包囲する. **3** (扉などの) 枠. **4** 《ラ米》柵(さく), 囲い.
cerco policíaco 非常線, 警戒線.
cer·da [θérða セルダ] 名女 **1** (豚などの) 剛毛. **2** 雌豚. **3** 《俗語》あばずれ女.
cer·da·da [θerðáða セルダダ] 名女 《口語》卑劣なやり方.
Cer·de·ña [θerðéɲa セルデニャ] 固名 サルデーニャ (島): 地中海のイタリア領の島.
cer·do [θérðo セルド] 名男 [複 〜s] [英 pig] **1** **ブタ** (豚) (= puerco); 豚肉; (豚の) 剛毛. → carne 図. ► 雌豚は cerda, 子豚は cochinillo.
2 汚い人.
cerdo marino 〖動物〗イルカ (海豚).
ce·re·al [θereál セレアル] 形 穀類の.
—— 名男 穀物, 穀類. mercado de *cereales* 穀物市場.
ce·re·be·lo [θereβélo セレベロ] 名男 〖解剖〗小脳.
ce·re·bral [θereβrál セレブラル] 形 **1** 大脳の, 脳の. **2** 理知的な, 頭脳的な.
ce·re·bro [θeréβro セレブロ] 名男 [複 〜s] [英 brain] **1** 〖解剖〗**脳**, 大脳.
2 **頭脳**. *cerebro* electrónico 電子頭脳. torturarse el *cerebro* 知恵を絞る. no tener *cerebro* 知恵が足りない.
3 首脳, 中枢.
ce·re·mo·nia [θeremónja セレモニア] 名女 **1** 儀式, 式典. *ceremonia* de entrega de premios 授賞式. celebrar [tener] una *ceremonia* 儀式を行う.
2 堅苦しさ, 仰々しさ. con gran *ceremonia* 仰々しく. hablar sin *ceremonia* ざっくばらんに話す.
ce·re·mo·nial [θeremonjál セレモニアル] 形 儀式の. —— 名男 式次第; 儀典(書).
ce·re·mo·nio·so, sa [θeremonjóso, sa セレモニオソ, サ] 形 厳かな; 儀式ばった, 仰々しい.
ce·re·rí·a [θerería セレリア] 名女 ろうそく店[製造所].
ce·re·za [θeréθa セレサ] 名女 サクランボ, 桜桃.
ce·re·zo [θeréθo セレソ] 名男 〖植物〗サクラ (桜); セイヨウミザクラ, オウトウ (桜桃).
ce·ri·lla [θeríʎa セリリャ] 名女 マッチ (= fósforo). una caja de *cerillas* 1箱のマッチ.
ce·ri·lle·ro, ra [θeriʎéro, ra セリリェロ, ラ] 名男女 マッチ売り.
cer·ner [θernér セルネル] [43 e → ie] 動他 篩(ふるい)にかける.
—— **cer·ner·se** **1** (鳥・グライダーが) 滑空する. **2** 《+**sobre**》(危険が) …に差し迫る.
cer·ní·ca·lo [θerníkalo セルニカロ] 名男

1〘鳥〙チョウゲンボウ(長元坊):ハヤブサ科.
2《口語》無骨者.

ce·ro [θéro セロ] 名男 [複 ～s] 〔英 zero〕
零, ゼロ. cinco grados bajo *cero* 零下5度. sacar un *cero* en el examen 試験で零点を取る. partir de *cero* ゼロから出発する.
―― 形 [性・数不変] 〔英 zero〕 零の, ゼロの. a las *cero* horas 零時に. *cero* minutos 零分.
ser un cero (***a la izquierda***) 取るに足りない人である.

cer·qui·ta [θerkíta セルキタ] 副 [cerca の小] すぐ近くに.

ce·rra·do, da [θer̄áðo, ða セラド, ダ] 過分 ➡ cerrar.
―― 形 [複 ～s] 〔英 closed〕 1 閉じた, 閉ざされた; 閉鎖的な, 排他的な (↔ abierto). con los ojos *cerrados* 目を閉じて. sociedad *cerrada* 閉鎖的な社会. Tiene una mentalidad *cerrada*. 彼は見方が狭い. 2 曇った, どんよりした.
3 密な, 濃い. barba *cerrada* 濃いひげ.
4 典型的な, 顕著な.

ce·rra·du·ra [θer̄aðúra セラドゥラ] 名女 錠, 錠前; 留め金. *cerradura* de combinación 組み合わせ錠, ダイヤル錠. *cerradura* de golpe [de muelle] ばね錠, 自動ロック. *cerradura* de una maleta スーツケースの留め金. ► 南京(なんきん)錠は candado, 差し錠は cerrojo. ➡ llave 図.

ce·rra·je·ro [θer̄axéro セラヘロ] 名男 錠前職人.

cerrando 現分 ➡ cerrar.

ce·rrar [θer̄ár セラル] [42 e ➡ ie] 動他 [現分 cerrando; 過分 cerrado, da] 〔英 close, shut〕

直説法 現在	
1・単 ***cierro***	1・複 **cerramos**
2・単 ***cierras***	2・複 **cerráis**
3・単 ***cierra***	3・複 ***cierran***

1 閉める, 閉じる, 締める (↔ abrir). *cerrar* la puerta [ventana] 戸[窓]を閉める. *cerrar* la tienda 閉店する. *cerrar* el libro 本を閉じる. *cerrar* el paréntesis 括弧を閉じる. *cerrar* el paraguas 傘を畳む. *cerrar* el gas ガス栓を締める.
2 ふさぐ, 閉鎖する. *cerrar* el camino 通行止めにする. *cerrar* la frontera 国境を閉鎖する.
3 終わらせる, 締め切る; (交渉・議論を) まとめる. *cerrar* la reunión 閉会する. *cerrar* un trato 取引をまとめる.
―― 動自 1 閉まる. Esta puerta *cierra* mal. このドアは閉まりが悪い.
2《+con, contra》(敵を) 襲撃する.
―― ***ce·rrar·se*** 1 閉まる, ふさがる.
2 (空が) 曇る. 3《+en》…に固執する.
4《+a》…に妥協しない.

ce·rra·zón [θer̄aθón セラソン] 名女 ばか; 頑固; 黒雲.

ce·rril [θer̄íl セリル] 形 1《口語》頭の鈍い.
2《口語》粗野な, 無作法な.
3 (土地が) でこぼこの.

ce·rro [θér̄o セロ] 名男 1 丘, 小山.
2 [～s] 険しい場所.
echar [***irse***] ***por los cerros de Úbeda*** 本論からそれる.

ce·rro·jo [θer̄óxo セロホ] 名男 差し錠, かんぬき. echar [correr] el *cerrojo* かんぬきを掛ける, 差し錠で締める. ➡ cerradura, llave 図.

cer·ta·men [θertámen セルタメン] 名男 (文芸などの) コンテスト; コンクール (= concurso). participar en un *certamen* コンクールに参加する.

cer·te·ro, ra [θertéro, ra セルテロ, ラ] 形 的確な, 適切な. juicio *certero* 的を射た判断.

cer·te·za [θertéθa セルテサ] 名女 確実性; 確信. con *certeza* 確かに. Tengo la *certeza* (de) que es embustero. 僕は彼が大うそつきだと確信している.

cer·ti·dum·bre [θertiðúmbre セルティドゥンブレ] 名女 ➡ certeza.

cer·ti·fi·ca·ción [θertifikaθjón セルティフィカシオン] 名女 1 保証, 証明; 書留.
2 証明書.

cer·ti·fi·ca·do, da [θertifikáðo, ða セルティフィカド, ダ] 過分 形 1 書留の. carta *certificada* 書留郵便. 2 保証[証明]された.
―― 名男 1 書留郵便(物).
2 証明書. *certificado* de matrícula 在学証明書. *certificado* médico 診断書. *certificado* de garantía 保証書.

cer·ti·fi·car [θertifikár セルティフィカル] [8 c ➡ qu] 動他 1 (文書で) 証明する.
2 書留にする.

ce·ru·men [θerúmen セルメン] 名男 耳あか.

Cer·van·tes [θerβántes セルバンテス] 固名 セルバンテス Miguel de *Cervantes* Saavedra (1547-1616): スペインの作家.『ドン・キホーテ』の作者.

cer·van·ti·no, na [θerβantíno, na セルバンティノ, ナ] 形 セルバンテス(ふう)の.

cer·va·to [θerβáto セルバト] 名男 子ジカ.

cer·ve·ce·rí·a [θerβeθería セルベセリア] 名女 ビヤホール; ビール工場.

cer·ve·za [θerβéθa セルベサ] 名女 [複 ～s] 〔英 beer〕 ビール. *cerveza* negra 黒ビール. *cerveza* dorada (淡色の) 普通のビール. *cerveza* de barril 生ビール.

【参 考】ビールのジョッキは **jarra** (de cerveza), コップ売りの生ビールは **caña**, 瓶入りは **botella**, 小瓶は **botellín** という. **clara** はビールを甘口の炭酸水で割ったもの.

cer·vi·cal [θerβikál セルビカる] 形 〔解剖〕頸部(けいぶ)の.
cer·viz [θerβíθ セルビす] 名女 襟首, うなじ. bajar la *cerviz* 屈服する. levantar la *cerviz* 思い上がる. ser de dura *cerviz* 頑固である.
ce·san·te [θesánte せサンテ] 形 停職[失業]中の. dejar a《+uno》*cesante*〈人〉を解任する. —— 名男女 失業者.
ce·sar [θesár せサル] 動自 〔英 cease〕
1 やむ, 終わる. *Ha cesado* la lluvia. 雨がやんだ. sin *cesar* 絶えず, ひっきりなしに.
2《+**en**》…をやめる. *cesar en* el trabajo 仕事をやめる.
3《+**de** 不定詞》…するのをやめる. *Ha cesado de* llover. 雨がやんだ. Ella no *cesó de* llorar. 彼女は泣きやまなかった.
—— 動他 **1** (支払いなどを)停止する.
2《ラ米》首にする, 解職する.
Cé·sar [θésar せサル] 固名 セサル: 男性の名. Cayo Julio *César* ユリウス・カエサル, ジュリアス・シーザー (前100？－44, ローマの将軍・政治家).
ce·sá·re·o, a [θesáreo, a せサレオ, ア] 形 **1** (ローマ)皇帝の. **2** [女性形のみ] 帝王切開の. —— 名女 〔医〕帝王切開 (= operación *cesárea*).
ce·se [θése せセ] 名男 **1** 中止, 停止.
2 解雇(通知).
—— 動 → cesar.
ce·sio [θésjo せシオ] 名男 〔化〕セシウム.
ce·sión [θesjón せシオン] 名女 〔法律〕譲渡; 割譲.
cés·ped [θéspeð せスペ(ドゥ)] 名男 芝生. cortar el *césped* 芝を刈り込む.
ces·ta [θésta せスタ]
名女 **1** かご. *cesta* de costura 裁縫箱. *cesta* para [de los] papeles 紙くずかご.

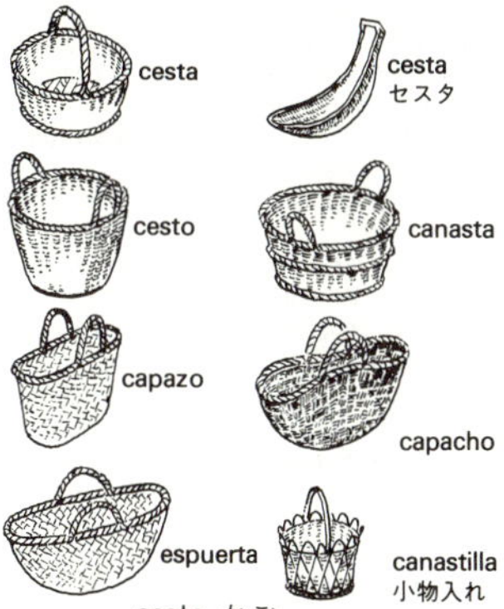

cesta かご

2 〔スポ〕セスタ: ハイアライのかご形ラケット.
ces·to [θésto せスト] 名男 **1** (大型の) かご, バスケット. *cesto* de los papeles 紙くずかご. **2** (バスケットボールの) バスケット; シュート(の得点).
ser un cesto 《口語》ばか[無能]である.
ce·tre·rí·a [θetrería せトゥレリア] 名女 タカ(鷹)狩り; タカの訓練[飼育]法.
ce·tri·no, na [θetríno, na せトゥリノ, ナ] 形 淡黄色の; 血色の悪い.
ce·tro [θétro せトゥロ] 名男 **1** (王が持つ) 笏(しゃく), 権杖(けんじょう). **2** 権力; 王権, 王位.
Ceu·ta [θéuta せウタ] 固名 セウタ: モロッコ北岸のスペイン領の都市.
ceu·tí [θeutí せウティ] 形 セウタの.
—— 名男女 セウタの住民.
cf. 《略》confer 参照せよ.
Ch, ch [tʃé チェ] 名女 旧スペイン語字母.
cha·ba·ca·na·da [tʃaβakanáða チャバカナダ] / **cha·ba·ca·ne·rí·a** [-nería -ネリア] 名女 下品な言動.
cha·ba·ca·no, na [tʃaβakáno, na チャバカノ, ナ] 形 下品な; やぼな.
cha·bo·la [tʃaβóla チャボら] 名女 掘っ建て小屋, バラック; [～s] スラム街.
cha·bo·lis·mo [tʃaβolísmo チャボリスモ] 名男 《集合》スラム街.
cha·cal [tʃakál チャカる] 名男 〔動物〕ジャッカル.
cha·cha [tʃátʃa チャチャ] 名女 《幼児語》お手伝い; 子守.
cha-cha-chá [tʃatʃatʃá チャチャチャ] 名男 〔音楽〕チャチャチャ.
chá·cha·ra [tʃátʃara チャチャラ] 名女 《口語》おしゃべり, 無駄口.
cha·cha·re·ar [tʃatʃareár チャチャレアル] 動自 《口語》おしゃべりする, 無駄口をたたく.
cha·ci·na [tʃaθína チャしナ] 名女 (腸詰め用の)豚肉, 塩漬け肉.
cha·ci·ne·rí·a [tʃaθinería チャしネリア] 名女 豚肉加工品店, ソーセージ店.
cha·co·ta [tʃakóta チャコタ] 名女 大爆笑; 冗談, ふざけ.
echar [***tomar***] ***a chacota*** 《口語》茶化す; 冗談と取る.
estar de chacota 《口語》ふざけている.
cha·cra [tʃákra チャクラ] 名女 《ラ米》(小さな)農園, 牧場.
cha·far [tʃafár チャファル] 動他 **1** 押しつぶす; 《口語》やり込める; 打ちのめす.
2 (服を) しわくちゃにする.
cha·flán [tʃaflán チャフらン] 名男 **1** (角取りした)面.
2 (角地の建物の) 正面, ファサード.
chal [tʃál チャる] 名男 ショール, 肩掛け.
cha·la·do, da [tʃaláðo, ða チャらド, ダ] 形 《口語》**1** 気のふれた (= chiflado).
2《+**por**》…に夢中の.
cha·la·du·ra [tʃalaðúra チャらドゥラ] 名女 《口語》**1** とっぴな考え. **2** 熱狂, 夢中.
cha·lán, la·na [tʃalán, lána チャらン, らナ] 名男女 **1** 馬商人, 博労.
2 抜けめのない人.

C

—— 名男《ラ米》馬の調教師.
cha·lé [tʃalé チャれ] / **cha·let** [-lét -れ|-lét -れ(トゥ)] 名男 **1** 別荘; 山荘. ➡ vivienda 図.
2 (庭付きの)一戸建て. [←フランス語]
cha·le·co [tʃaléko チャれコ] 名男 ベスト, チョッキ. *chaleco* de seda 絹のベスト. *chaleco* antibalas 防弾チョッキ. *chaleco* salvavidas 救命胴衣. ➡ chaqueta 図.
cha·li·na [tʃalína チャりナ] 名女 **1** (幅広で長い)ネクタイ.
2 《ラ米》(小形の)ショール.
cha·lu·pa [tʃalúpa チャるパ] 名女 短艇, ランチ; 《ラ米》カヌー.
cha·ma·co, ca [tʃamáko, ka チャマコ, カ] 名男女 《ラ米》子供; 少年, 少女.
cha·ma·ri·le·ro, ra [tʃamariléro, ra チャマリれロ, ラ] 名男女 古物商人.
cham·be·lán [tʃambelán チャンベらン] 名男 侍従; 式部官.
cham·bón, bo·na [tʃambón, bóna チャンボン, ボナ] 形 《口語》 **1** 運のいい. **2** 不器用な.
—— 名男女 《口語》 **1** 運のいい人. **2** 不器用者.
cha·mi·zo [tʃamíθo チャミそ] 名男 **1** 半焦げの丸太[立ち木].
2 かやぶきの小屋; あばら屋(= choza).
cham·pán [tʃampán チャンパン] / **cham·pa·ña** [-páɲa -パニャ] 名男 シャンペン. [←〔仏〕champagne]
cham·pi·ñón [tʃampiɲón チャンピニョン] 名男 〔植物〕シャンピニヨン, マッシュルーム. [←〔仏〕champignon]
cham·pú [tʃampú チャンプ] 名男 [複 champúes, champús] シャンプー, 洗髪剤. [←〔英〕shampoo]
cha·mus·car [tʃamuskár チャムスカル] [8 c ➡ qu] 動他 焦がす, あぶる.
cha·mus·qui·na [tʃamuskína チャムスキナ] 名女 **1** 焦げる[焦がす]こと, 焦げ跡.
2 《口語》けんか, もめごと.
oler a chamusquina 《比喩》きな臭い.
chan·ce·ar [tʃanθeár チャンせアル] 動自 冗談を言う. —— **chan·ce·ar·*se*** 《+de》…をからかう.
chan·cho, cha [tʃántʃo, tʃa チャンチョ, チャ] 形 《ラ米》不潔な, 汚い.
—— 名男女 《ラ米》〔動物〕ブタ(豚)(= puerco).
chan·chu·llo [tʃantʃúʎo チャンチュリョ] 名男 《口語》いかさま, 不正. andar en *chanchullos* (金もうけなどで)不正なことをしている.
chan·cle·ta [tʃaŋkléta チャンクれタ] 名女 スリッパ, 上履き. ➡ calzados 図.
—— 名男女 《口語》役立たず.
chan·cle·te·ar [tʃaŋkleteár チャンクれテアル] 動自 スリッパで歩く, パタパタ音をたてて歩く.
chan·clo [tʃáŋklo チャンクろ] 名男 木靴; クロッグ(コルク[木]底のサンダル); (ゴム製の)オーバーシューズ. ➡ calzados 図.
chan·cro [tʃáŋkro チャンクロ] 名男 〔医〕下疳(げかん): 性病性潰瘍(かいよう)の総称.
chan·dal [tʃandál チャンダる] / **chán·dal** [tʃándal チャンダる] 名男 〔スポーツ〕ジャージー, トラックスーツ.
chan·fai·na [tʃamfáina チャンファイナ] 名女 〔料理〕臓物の煮込み. ◆カタルーニャ地方の料理.
chan·que·te [tʃaŋkéte チャンケテ] 名男 〔魚〕シラス(白子).
chan·ta·je [tʃantáxe チャンタへ] 名男 恐喝, ゆすり. hacer *chantaje* a 《+uno》〈人〉を恐喝する.
chan·ta·jis·ta [tʃantaxísta チャンタヒスタ] 名男女 恐喝者.
chan·tre [tʃántre チャントゥレ] 名男 〔カトリック〕聖歌隊の先唱者[指揮者].
chan·za [tʃánθa チャンさ] 名女 ふざけ, からかい(= broma). gastar *chanzas* からかう. de *chanza* 冗談で.
¡cha·o! [tʃáo チャオ] 間投 《口語》さよなら, じゃあまたね. [←イタリア語]
cha·pa [tʃápa チャパ] 名女 薄板; 板金(いたがね); 化粧板. *chapa* de hierro 鉄板. *chapa* del horno オーブンの受け皿. *chapa* de matrícula ナンバープレート.
cha·pa·le·ar [tʃapaleár チャパれアル] 動自 (水中で)パチャパチャ音を立てる(= chapotear).
cha·pa·le·o [tʃapaléo チャパれオ] 名男 (水中で)パチャパチャ音を立てること.
cha·par [tʃapár チャパル] / **cha·pe·ar** [-peár -ペアル] 動他 《+**con, de**》…で上張りをする, 化粧張りをする(= chapear).
cha·pa·rro, rra [tʃapáro, r̄a チャパロ, ラ] 形 小太りの, ずんぐりした.
—— 名男女 小太りの人, ずんぐりした人.
cha·pa·rrón [tʃapar̄ón チャパロン] 名男 **1** 驟雨(しゅうう), 吹き降り. llover a [caer un] *chaparrón* どしゃ降りになる.
2 《口語》《比喩》殺到. un *chaparrón* de preguntas 質問攻め.
cha·pis·ta [tʃapísta チャピスタ] 名男 板金工.
cha·pi·tel [tʃapitél チャピテる] 名男 〔建築〕尖塔(せんとう); 柱頭.
cha·po·te·ar [tʃapoteár チャポテアル] 動自 《口語》(水中で)パチャパチャ音を立てる.
cha·po·te·o [tʃapotéo チャポテオ] 名男 (水中で)パチャパチャ音を立てること.
cha·pu·ce·ar [tʃapuθeár チャプせアル] 動他 **1** 雑にやる, いい加減にやる.
2 《ラ米》だます.
cha·pu·ce·rí·a [tʃapuθería チャプせリア] 名女 **1** 拙速, ぞんざい. **2** 雑な仕事.
cha·pu·ce·ro, ra [tʃapuθéro, ra チャプせロ, ラ] 形 **1** いい加減な; ぞんざいな.
2 うそをつく, ごまかしの.
—— 名男女 **1** 雑な仕事をする人; 見かけ倒

しの人. **2** うそつき; ぺてん師.

cha·pu·rre·ar [tʃapur̄eár チャプレアル] 動他 **1** (外国語を)片言で話す.
2 (酒を)混ぜ合わせる.

cha·pu·za [tʃapúθa チャプさ] 名女 **1** 雑な仕事. **2** 副業, アルバイト.
3 《ラ米》だまし, ごまかし.

cha·pu·zar [tʃapuθár チャプさル] [39 z ➡ c] 動他 水中に投げ込む.
—— 動自 水に飛び込む, 潜る.
—— **cha·pu·zar·*se*** 頭から水に飛び込む.

cha·pu·zón [tʃapuθón チャプそン] 名男 (水中への)飛び込み, 投げ入れ.

cha·qué [tʃaké チャケ] 名男 [複 chaqués] 〘服飾〙燕尾服(えんびふく), モーニング(コート).

cha·que·ta [tʃakéta チャケタ] 名女 [複 ~s] 〔英 jacket〕〘服飾〙**上着, ジャケット**.

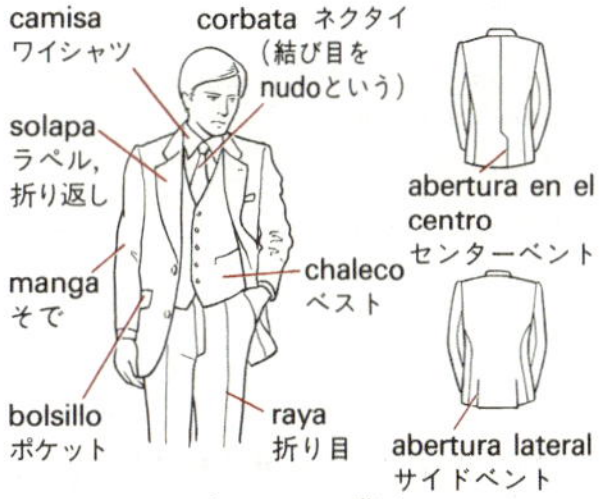

chaqueta 背広

cambiar de chaqueta 《口語》寝返る, 変節する.

cha·que·te·ar [tʃaketeár チャケテアル] 動自 寝返る, 変節する.

cha·que·te·ro [tʃaketéro チャケテロ] 名男 変わり身の早い人, 日和見主義者.

cha·que·ti·lla [tʃaketíʎa チャケティリャ] 名女 [chaqueta の小] 〘服飾〙短いジャケット; ボレロ.

cha·que·tón [tʃaketón チャケトン] 名男 [chaqueta の大] 〘服飾〙ショート・コート.

cha·ra·da [tʃaráða チャラダ] 名女 〘遊戯〙言葉当て遊び.

cha·ran·ga [tʃaráŋga チャランガ] 名女 ブラスバンド, 吹奏楽隊.

cha·ran·go [tʃaráŋgo チャランゴ] 名男 〘音楽〙チャランゴ: アルマジロの甲羅を胴にした5弦の弦楽器.

char·ca [tʃárka チャルカ] 名女 池, 沼.

char·co [tʃárko チャルコ] 名男 水たまり.

char·cu·te·rí·a [tʃarkutería チャルクテリア] 名女 ➡ chacinería.

char·la [tʃárla チャルら] 名女 《口語》おしゃべり, 雑談. estar de *charla* おしゃべりしている.

char·lar [tʃarlár チャルらル] 動自 〔英 chat〕**おしゃべりする**, 雑談する. Nos pasábamos todo el día *charlando*. 私たちはとりとめのない話をしながら一日を過ごした.

char·la·tán, ta·na [tʃarlatán, tána チャルらタン, タナ] 形 おしゃべりな; うわさ好きな, 口の軽い.
—— 名男女 おしゃべり, 話好きな人.

char·la·ta·ne·rí·a [tʃarlatanería チャルらタネリア] 名女 おしゃべり; でまかせ.

char·ne·la [tʃarnéla チャルネら] 名女 蝶番(ちょうつがい).

cha·rol [tʃaról チャロる] 名男 (皮革用の)エナメル; エナメル革.
darse charol 《口語》気取る, うぬぼれる.

cha·rrán [tʃar̄án チャラン] 形 ごろつきの, 悪党の. —— 名男 ごろつき, 悪党.

cha·rre·te·ra [tʃar̄etéra チャレテラ] 名女 〘軍事〙(房飾り付きの)肩章.

cha·rro, rra [tʃár̄o, r̄a チャロ, ラ] 形
1 (スペインの) サラマンカ Salamanca の (= salmantino).
2 《口語》粗野な, やぼったい.
—— 名男女 **1** サラマンカの住民[農民].
2 《口語》無骨者.
—— 名男 《ラ米》牧童; (つば広の) ソンブレロ.

¡chas! [tʃás チャス] 《擬》(平手打ちなどの音)ポン, パシッ, ピシッ.

chas·car [tʃaskár チャスカル] [8 c ➡ qu] 動自 舌[指]を鳴らす; (木材が) ピシッと割れる; (鞭(むち)が) 鳴る.
—— 動他 (舌・指・鞭などを)鳴らす.

chas·ca·rri·llo [tʃaskar̄íʎo チャスカリリョ] 名男 冗談, 笑い話.

chas·co [tʃásko チャスコ] 名男 **1** からかい, だまし. **2** 落胆, 失望. llevarse un *chasco* 落胆する.
dar un chasco a 《+uno》〈人〉をかつぐ; 〈人〉をがっかりさせる.

cha·sis [tʃásis チャシス] 名男 [単・複同形]
1 〘車〙シャーシ, 車台. **2** 〘写真〙(フィルムの) カートリッジ; 感光板ホルダー.

chas·que·ar [tʃaskeár チャスケアル] 動他
1 落胆させる; だます, からかう.
2 (舌・指・鞭(むち)などを)鳴らす.
—— 動自 舌[指]を鳴らす; (木材が) ピシッと割れる; (鞭などが) 鳴る.

chas·qui·do [tʃaskíðo チャスキド] 名男 (舌・指・鞭(むち)などの) 鳴る音; 木材の割れる音.

cha·ta·rra [tʃatár̄a チャタラ] 名女
1 (鉄の) 鉱滓(こうさい), スラグ.
2 古鉄; くず鉄. **3** がらくた, スクラップ.

cha·ta·rre·ro, ra [tʃatar̄éro, ra チャタレロ, ラ] 名男女 くず鉄商.

cha·to, ta [tʃáto, ta チャト, タ] 形 鼻の低い. —— 名男女 **1** 鼻の低い人. **2** 《口語》《呼びかけ》お前; 坊や, お嬢さん.
—— 名男 《口語》(ぶどう酒用の) コップ; (1杯分の) ぶどう酒, 飲み物.

dejar chato a 《＋uno》《口語》〈人〉の鼻を折る.

chau·vi·nis·mo [tʃoβinísmo チョビニスモ] 名男 狂信的愛国主義, 排外主義.

chau·vi·nis·ta [tʃoβinísta チョビニスタ] 形 狂信的愛国主義の, 排外主義の. ―― 名男女 狂信的愛国主義者, 排外主義者.

C

cha·val, va·la [tʃaβál, βála チャバる, バら] 名男女 《口語》子供 (＝chico). ser un *chaval* まだほんの子供である, 青二才である.

cha·ve·a [tʃaβéa チャベア] 名男 《口語》男の子, 少年.

cha·ve·ta [tʃaβéta チャベタ] 名女 〔機械〕くさび栓; 割りピン.

estar* (*mal de la*) *chaveta 《口語》頭が変である.

perder la chaveta 《口語》頭がおかしくなる.

cha·vo [tʃáβo チャボ] 名男 《口語》小銭. no tener un *chavo* 一文無しである.

¡che! [tʃé チェ] 間投 《ラ米》(1)《呼びかけ・注意》おい, ねえ. (2)《驚き・不快》そんなばかな, まさか.

che·co, ca [tʃéko, ka チェコ, カ] 形 チェコの. ―― 名男女 チェコ人.
―― 名男 チェコ語.

che·cos·lo·va·co, ca [tʃekosloβáko, ka チェコスろバコ, カ] 形 チェコ・スロバキアの.
―― 名男女 チェコ・スロバキア人.

Che·cos·lo·va·quia [tʃekosloβákja チェコスろバキア] 固名 チェコ・スロバキア (連邦): 1993年分離独立.

che·lín [tʃelín チェりン] 名男 1 シリング. ◆(1)オーストリア・東アフリカ諸国の通貨単位. (2)英国などの旧通貨単位.

che·que [tʃéke チェケ] 名男 小切手《略 ch/, ch.》. extender un *cheque* de cien mil pesetas 10万ペセタの小切手を切る. *cheque* de viaje [de viajero] トラベラーズチェック. talonario de *cheques* 小切手帳. *cheque* desacreditado [rechazado] 不渡り小切手. ► 手形は letra.

che·que·ar [tʃekeár チェケアル] 動他
1 チェックする, 点検する; 照合する.
2 監視する. **3** 〔医〕健康診断をする.

che·que·o [tʃekéo チェケオ] 名男 **1** チェック, 点検; 照合. **2** 監視. **3** 〔医〕健康診断. **4** 〔車〕車両点検.

che·viot [tʃéβjot チェビオ(トゥ) | tʃeβjót チェビオ(トゥ)] 名男 チェビオット羊毛; (織物の) チェビオット.

chic [tʃík チ(ク)] 形 [単・複同形] シックな, 粋な.
―― 名男 おしゃれ, 粋. [←フランス語]

chi·ca
[tʃíka チカ] 名女 [複 ～s] [英 girl]
1 少女; 娘 (↔ chico).
2 見習い; 家政婦, お手伝いさん.
3 《呼びかけ》君, お前.
―― 形女 → chico².

chi·ca·no, na [tʃikáno, na チカノ, ナ] 形 メキシコ系米国人の; 米国在住メキシコ人の.
―― 名男女 メキシコ系米国人; 米国在住メキシコ人.

chi·ca·rrón, rro·na [tʃikar̄ón, r̄óna チカロン, ロナ] 名男女 [chico, ca の大] 《口語》大柄な男の子[女の子].

chi·cha [tʃítʃa チチャ] 名女 **1** 《幼児語》お肉. **2** 《ラ米》チチャ: トウモロコシの発酵酒; 果実酒.

de chicha y nabo 《口語》ありふれた, つまらない.

no ser ni chicha ni limonada 《口語》どっちつかずである; 大したことではない.

no tener pocas chichas 《口語》ガリガリにやせている; 力[活力]がない.

chi·cha·rra [tʃitʃár̄a チチャラ] 名女 〔昆虫〕セミ (蝉) (＝cigarra).

chi·cha·rrón [tʃitʃar̄ón チチャロン] 名男
1 (豚の脂身からラードを採った) 残りかす; 豚の皮の空揚げ. **2** 《口語》日焼けした人.

chi·chón [tʃitʃón チチョン] 名男 (頭の) こぶ.

chi·cle [tʃíkle チクれ] 名男 チューインガム. masticar *chicle* ガムをかむ.

chi·co¹
[tʃíko チコ] 名男 [複 ～s] [英 boy]
1 子供; 少年; 息子; 若者 (↔ chica). Los *chicos* están jugando al fútbol. 子供たちはサッカーをやっている. Mario es un *chico* muy simpático. マリオはとてもいいやつだ.

> 【参 考】 **niño, niña** は幼児から小学校低学年くらいまでの子. **chico, chica, muchacho, muchacha** の年齢幅は非常に広く, 小学校高学年から大学生, 結婚適齢期くらいの青年までも指す.

2 見習い, ボーイ. *chico* de los recados メッセンジャーボーイ. **3** 《呼びかけ》あなた.

chi·co², ca [tʃíko, ka チコ, カ] 形 小さい, 小さな.

quedarse chico 小さくなる, しょげる.

chi·fla [tʃífla チフら] 名女 口笛を吹くこと; 口笛の音; ホイッスル.

chi·fla·do, da [tʃifláðo, ða チフらド, ダ] 過分 形 《口語》**1** 気のふれた (＝loco).
2 《＋**con, por**》…に夢中な, のぼせた. Está *chiflado por* el rock. 彼はロック音楽に熱中している. Está *chiflado por* los dulces. 彼は甘い物に目がない.
―― 名男女 《口語》頭のいかれた人; 奇人.
―― 名男 《口語》熱狂的ファン. *chiflados* del fútbol 熱狂的なサッカー・ファン.

chi·fla·du·ra [tʃiflaðúra チフらドゥラ] 名女 **1** 口笛を吹くこと; (口笛などによる) 野次.
2 《口語》気がふれること; 夢中, のぼせ.

chi·flar [tʃiflár チフらル] 動自 口笛を吹く.
―― 動他 **1** 口笛で野次る.
2 《口語》夢中にさせる.

— **chi·flar·se** ⟪+con, por⟫ …に夢中になる，のぼせる．
chi·hua·hua [tʃiwáwa チワワ] 名男 〔動物〕チワワ（犬）．◆原産地のメキシコ Chihuahua にちなむ．
chi·le [tʃíle チれ] 名男 〔植物〕チリトウガラシ：メキシコ原産．
Chi·le [tʃíle チれ] 固名 〔英 Chile, Chili〕
チリ：南米南西部の共和国．首都 Santiago. 通貨 peso.
chi·le·no, na [tʃiléno, na チれノ, ナ] [複 ～s] 〔英 Chilean, Chilian〕 形 **チリの**．
— 名男女 **チリ人**．
chi·llar [tʃiʎár チりャル] 動自 金切り声を上げる；甲高い音をたてる．El niño *chillaba* para que le compraran el juguete. その子はおもちゃを買ってくれと泣きわめいていた．La puerta *chilla*. ドアがきしむ．
— **chi·llar·se** ⟪ラ米⟫ 腹を立てる；気分を害する．
chi·lli·do [tʃiʎíðo チりィド] 名男 金切り声；甲高い声；（ドアなどの）きしみ．
chi·llón, llo·na [tʃiʎón, ʎóna チりョン, りョナ] 形 **1** 金切り声の，甲高い．
2（色が）けばけばしい．
chi·me·ne·a [tʃimenéa チメネア] 名女
1 煙突；煙突状のもの．*chimenea* de ventilación 通気孔．fumar como una *chimenea*（煙突のように）よくタバコを吸う．
2 暖炉，マントルピース．
chim·pan·cé [tʃimpanθé チンパンせ] 名男 〔動物〕チンパンジー．
chi·na [tʃína チナ] 名女 **1** 磁器，陶磁器（＝ porcelana）．**2** 絹織物．**3** 小石．
4 ⟪俗語⟫ お金．**5** ➡ chino[1]．
poner chinas a ⟪+uno⟫ ⟪口語⟫〈人〉の邪魔をする．
tocar a ⟪+uno⟫ ***la china***〈人〉に損な役回りが当たる，貧乏くじを引く．
Chi·na [tʃína チナ] 固名 〔英 China〕 **中国**：正式名は República Popular *China* 中華人民共和国．首都 Pekín（北京）．
chin·char [tʃintʃár チンチャル] 動他 ⟪口語⟫ 悩ます，うんざりさせる（＝ fastidiar）．
— **chin·char·se** ⟪口語⟫ こらえる．
¡chínchate! ⟪口語⟫ ざまあ見ろ！
chin·che [tʃíntʃe チンチェ] 名女（または男）〔昆虫〕ナンキンムシ（南京虫），トコジラミ（床虱）．— 名男女 ⟪口語⟫ うるさい人．
— 形 しつこい，わずらわしい．
chin·che·ta [tʃintʃéta チンチェタ] 名女 画鋲（がびょう）．
chin·chi·lla [tʃintʃíʎa チンチりャ] 名女 〔動物〕チンチラ；チンチラの毛皮．
chi·ne·la [tʃinéla チネら] 名女 スリッパ，室内履き．
chi·ne·ro [tʃinéro チネロ] 名男 食器戸棚．
chi·nes·co, ca [tʃinésko, ka チネスコ, カ] 形 中国の；中国ふうの．
chin·gar [tʃiŋgár チンガル] [32 g ➡ gu] 動他 **1** ⟪口語⟫（酒を）浴びるように飲む．
2 ⟪俗語⟫ うんざりさせる（＝ fastidiar）．
3 ⟪ラ米⟫ ⟪卑語⟫（女性を）犯す；性交する．
— 動自 ⟪ラ米⟫ 冗談を言う．
— **chin·gar·se** **1** ⟪口語⟫ 腹が立つ，台無しになる．**2** ⟪俗語⟫ 酔っ払う．
3 ⟪ラ米⟫ 失敗に終わる．
chi·no[1], na [tʃíno, na チノ, ナ] [複 ～s] 〔英 Chinese〕 形 **中国の**．
— 名男女 **中国人**．◆日本人を含む東洋人一般を指すことが多い．
chi·no[2] [tʃíno チノ] 名男 〔英 Chinese〕 **中国語**．
chi·pi·rón [tʃipirón チピロン] 名男 〔動物〕チピロン：スペイン Cantábrica 海産の小形のイカ．➡ calamar.
chi·prio·ta [tʃiprjóta チプリオタ] / **chi·prio·te** [-te -テ] 形 キプロス Chipre の．
— 名男女 キプロス人．
chi·que·ro [tʃikéro チケロ] 名男 〔闘牛〕（闘技場に出す前の）牛の囲い場．
chi·qui·lla·da [tʃikiʎáða チキりャダ] 名女 子供のいたずら；子供じみたこと（＝ niñería）．hacer *chiquilladas* 子供みたいなことをする．
chi·qui·lle·rí·a [tʃikiʎería チキりェリア] 名女 ⟪集合⟫ 大勢の子供．
chi·qui·llo, lla [tʃikíʎo, ʎa チキりョ, りャ] 名男女 [chico の小] 子供；男の子，女の子．— 形 **1** 子供っぽい；愚かな．No seas *chiquillo*. 子供じみたまねはよせ．
2 小さな．
chi·qui·tín, ti·na [tʃikitín, tína チキティン, ティナ] 形 [chico の小] ちっちゃな，かわいい．— 名男女 幼児，ちっちゃな子供，おちびちゃん．
chi·qui·to, ta [tʃikíto, ta チキト, タ] 形 [chico の小] 小さい；かわいい．
— 名男女 子供；少年，少女．
chi·ri·bi·ta [tʃiriβíta チリビタ] 名女 火花；[～s]（目の前の）ちかちか．
echar chiribitas ⟪口語⟫ かんかんに怒る．
chi·ri·go·ta [tʃiriɣóta チリゴタ] 名女 ⟪口語⟫ 冗談，ジョーク．
a chirigota ⟪口語⟫ 冗談として．
chi·rim·bo·lo [tʃirimbólo チリンボろ] 名男 ⟪口語⟫ へんてこなもの，がらくた．
chi·ri·mí·a [tʃirimía チリミア] 名女 〔音楽〕チリミア：クラリネットに似た10穴の木管楽器．
chi·ri·mo·ya [tʃirimója チリモヤ] 名女 〔植物〕チェリモヤの実．
chi·ri·mo·yo [tʃirimójo チリモヨ] 名男 〔植物〕チェリモヤの木：バンレイシ科．
chi·rin·gui·to [tʃiriŋgíto チリンギト] 名男 売店，屋台．
chi·ri·pa [tʃirípa チリパ] 名女 **1** ⟪口語⟫ つき，まぐれ；（ビリヤード）まぐれ当たり，フロック．**2** ⟪ラ米⟫ 小商い．
de chiripa / por (***pura***) ***chiripa*** ⟪口語⟫ たまたま，まぐれで．

chir·la [tʃírla チルら] 名女 (シジミ大の) 二枚貝.
chir·lo [tʃírlo チルろ] 名男 (顔の) 切り傷; 傷跡.
chi·ro·na [tʃiróna チロナ] 名女《俗語》刑務所 (= cárcel).
chi·rriar [tʃir̄jár チリアル] [23 i ➡ í] 動自 **1** きしむ, きしる. **2** (油で揚げるときに) ジューッと音を立てる. **3** (鳥・虫が) うるさく鳴く. **4**《口語》調子外れに歌う.
chi·rri·do [tʃir̄íðo チリド] 名男 **1** きしみ.
2 (油が) ジューッという音.
3 (鳥・虫の) うるさい鳴き声.
4《口語》叫び声, 怒鳴り声 (= grito).
¡chis! [tʃís チス] 間投 **1** しっ, 静かに.
2《呼びかけ》ねえ, おい.
chis·ga·ra·bís [tʃisɣaraβís チスガラビス] 名男《口語》おっちょこちょい; でしゃばり.
chis·me [tʃísme チスメ] 名男 **1** 告げ口; うわさ. andar con *chismes* うわさをして回る. **2**《口語》(物の名前がわからない時に) それ, あれ. **3**《口語》道具; がらくた.
chis·mo·rre·ar [tʃismor̄eár チスモレアル] 動自 うわさ話をする, 陰口を利く.
chis·mo·rre·o [tʃismor̄éo チスモレオ] 名男 うわさ話をすること, 陰口を利くこと.
chis·mo·so, sa [tʃismóso, sa チスモソ, サ] 形 うわさ好きな.
—— 名男女 うわさ好きな人, 陰口屋.
chis·pa [tʃíspa チスパ] 名女 **1** 火花, 火の粉. *chispa* eléctrica 電気のスパーク.
2 ひらめき, 機知. ser una *chispa* 利口である. tener *chispa*《口語》機知に富む, 頭が切れる.
echar chispas 火花を飛ばす;《口語》烈火のごとく怒る;《比喩》火花を散らす.
chis·pa·zo [tʃispáθo チスパそ] 名男
1 火花, スパーク. **2** きらめき, ひらめき.
3 前触れ, 兆し. **4**《口語》陰口, うわさ話.
chis·pe·an·te [tʃispeánte チスペアンテ] 形
1 火花を飛ばす. **2** 機知に富んだ.
chis·pe·ar [tʃispeár チスペアル] 動自
1 火花を飛ばす.
2《比喩》輝く, きらめく, すばらしい.
chis·po·rro·te·ar [tʃispor̄oteár チスポロテアル] 動自 **1** (火・油が) パチパチ[ジュージュー]と音を立てる.
2〘通信〙〘ラジオ〙雑音を出す.
chis·po·rro·te·o [tʃispor̄otéo チスポロテオ] 名男 **1** パチパチと火花[ジュージューと音]を出すこと. **2**〘通信〙〘ラジオ〙雑音.
¡chist! [tʃíst チス(トゥ)] 間投 ➡ ¡chis!
chis·tar [tʃistár チスタル] 動自 口を利く, しゃべる. ► 通常, 否定文で使われる.
sin chistar ni mistar《口語》うんともすんとも言わずに.
chis·te [tʃíste チステ] 名男 **1** 笑い話, ジョーク. contar un *chiste* 小話をする.
2 面白み. Esto tiene *chiste*.《皮肉》とんだお笑いぐさだ. Es una cosa sin *chiste*. 面白みのない話だ.
caer en el chiste《口語》冗談[笑い話]の意味を理解する.
hacer chiste de《+algo》《口語》〈何か〉を真に受けない, 冗談と取る.
hacer chiste de《+uno》〈人〉をからかう, 物笑いの種にする.
chis·te·ra [tʃistéra チステラ] 名女 **1**《口語》シルクハット. ➡ sombero 図.
2 魚籠(びく).
chis·to·so, sa [tʃistóso, sa チストソ, サ] 形 こっけいな; 冗談好きな; 冗談めいた. anécdota *chistosa* おかしなエピソード.
—— 名男女 面白い人, おどけ者.
chi·var [tʃiβár チバル] 動他 **1**《口語》うんざりさせる, いらいらさせる. **2** だます.
—— **chi·var·*se*** **1**《口語》密告する, 告げ口する. **2** うんざりする.
chi·va·ta·zo [tʃiβatáθo チバタそ] 名男《口語》密告, 告げ口.
chi·va·to, ta [tʃiβáto, ta チバト, タ] 名男女《口語》密告者, 告げ口屋.
—— 名男 (生後半年から1年の) 子ヤギ.
chi·vo, va [tʃíβo, βa チボ, バ] 名男女 子ヤギ.
chivo emisario [***expiatorio***]〘聖書〙贖罪(しょくざい)のヤギ; 身代わり, スケープゴート.
cho·can·te [tʃokánte チョカンテ] 形《口語》**1** 不快な, 耳障りな.
2 ショッキングな; 奇妙な, 奇抜な.
cho·car [tʃokár チョカル] [8 c ➡ qu] 動自 **1**《+**con, contra, en**》…と衝突する, …にぶつかる. *Chocaron* varios coches unos *contra* otros. 数台の車が次々にぶつかった. Al salir del garaje, *choqué con* el árbol. ガレージを出るとき私は車を木にぶつけてしまった. *chocar* de frente 正面衝突する.
2 対立する, 反目する; 交戦する. *Han chocado* varias veces por sus opiniones políticas. 彼らはしばしば政治上の意見で対立した. Los ejércitos *chocaron* en esta ciudad. 両軍はこの町で激突した.
3 奇異感を与える. Me *choca* que no haya venido. 彼が来ていないのはおかしいな.
—— 動他 (グラス・手などを) 触れ合わす, ぶつける. *chocar* copas 乾杯する.
¡Choca esos cinco! / ***¡Chócala!*** さあ, 握手だ.
cho·ca·rre·rí·a [tʃokar̄ería チョカレリア] 名女 露骨な冗談.
cho·ca·rre·ro, ra [tʃokar̄éro, ra チョカレロ, ラ] 形 (冗談などが) 露骨な.
—— 名男女 露骨な冗談を言う人.
cho·che·ar [tʃotʃeár チョチェアル] 動自
1 もうろくする, ぼける. **2**《口語》《+**por**》…に熱中する, …を溺愛(できあい)する.
cho·che·ra [tʃotʃéra チョチェラ] 名女
1 もうろく, ぼけ. **2**《口語》溺愛(できあい).
cho·cho, cha [tʃótʃo, tʃa チョチョ, チャ] 形 **1** もうろくした, ぼけた.
2《口語》熱中した, 溺愛(できあい)している.

—— 名男 **1** シナモン入りの菓子；[〜s]（子供をなだめるための）菓子．
2《俗語》女性性器．

cho·clo [tʃóklo チョクロ] 名男 **1** 木靴（= chanclo）．**2**《ラ米》⑴〔植物〕トウモロコシ（玉蜀黍）．⑵《口語》厄介な事，面倒．

cho·co·la·te [tʃokoláte チョコラテ] 名男 [複 〜s]〔英 chocolate〕 **1 チョコレート**；ココア（= *chocolate* a la taza）．tableta de *chocolate* 板チョコ．*chocolate* con leche ミルクチョコレート．➡ churro.
2《俗語》（麻薬の）ハシッシュ．
—— 形 チョコレート色の．

cho·co·la·te·ra [tʃokolatéra チョコラテラ] 名女 ココア沸かし．

cho·co·la·tín [tʃokolatín チョコラティン] 名男 ➡ chocolatina.

cho·co·la·ti·na [tʃokolatína チョコラティナ] 名女 板チョコ；チョコレートボンボン．

chó·fer [tʃófer チョフェル] / **cho·fer** [tʃofér チョフェル] 名男（車の）運転手（= conductor）．[← 〔仏〕chauffeur]

cho·llo [tʃóʎo チョリョ] 名男《口語》楽な仕事；掘り出し物（= ganga）．

cho·lo, la [tʃólo, la チョろ，ら] 名男女《ラ米》**1**（白人とインディオの）混血児．➡ mestizo．**2** 下層の人．**3** いとしい人．

cho·po [tʃópo チョポ] 名男〔植物〕ポプラ（= álamo）．

cho·que [tʃóke チョケ] 名男 **1** 衝撃，衝突．*choque* de frente 正面衝突．amortiguar un *choque* 衝撃を和らげる．
2 対立，争い；（軍隊の）激突．*choque* de opiniones 意見の対立．
3（精神的な）打撃，ショック；〔医〕ショック．*choque* eléctrico 電気ショック．

cho·ri·zo [tʃoríθo チョリそ] 名男 **1** チョリソ．◆香辛料で味付けした豚の腸詰め．
2《俗語》かっぱらい，こそ泥．

chor·li·to [tʃorlíto チョルりト] 名男〔鳥〕チドリ（千鳥）．
cabeza de chorlito《口語》おっちょこちょい；ぼんやりした人．

cho·rra·da [tʃor̄áða チョラダ] 名女《口語》**1** ばかげたこと，たわごと．
2 趣味の悪い飾り；やぼったさ．

cho·rre·ar [tʃor̄eár チョレアル] 動自 ほとばしる，噴き出る；滴り落ちる．—— 動他《ラ米》《口語》盗む；しかりつける．

cho·rre·o [tʃor̄éo チョレオ] 名男 **1** 滴り；ほとばしり．**2**《比喩》流れ．un *chorreo* de gente 人の流れ．**3** 出費．

cho·rre·ra [tʃor̄éra チョレラ] 名女 **1**（水の）流れた跡．**2** 急流，早瀬．
3〔服飾〕（レースの）胸飾り，フリル．

cho·rro [tʃór̄o チョロ] 名男 **1** 噴出，ほとばしり，流出．*chorro* de vapor 蒸気の噴射．beber a *chorro*（水道の水，革袋の酒などを）口に受けて飲む．**2**《比喩》多量．soltar el *chorro* de la risa 笑いこける．
a chorros 多量に．hablar *a chorros* とめどなく話す．sudar *a chorros* 大汗をかく．

cho·te·o [tʃotéo チョテオ] 名男《口語》からかい；ばか騒ぎ．

cho·tis [tʃótis チョティス] 名男 ショッティッシュ：ポルカに似た舞踊（曲）．

cho·to, ta [tʃóto, ta チョト，タ] 名男女 子ヤギ；子牛．

cho·za [tʃóθa チョさ] 名女 掘っ建て小屋，あばら屋．

christ·mas [krísmas クリスマス] 名男 [単・複同形] クリスマスカード（= navidad）．[← 英語]

chu·bas·co [tʃuβásko チュバスコ] 名男 **1** にわか雨，通り雨．**2** 不遇，逆境．

chu·bas·que·ro [tʃuβaskéro チュバスケロ] 名男 レーンコート（= impermeable）．

chu·che·rí·a [tʃutʃería チュチェリア] 名女 **1**（安い）小間物；がらくた．
2 おつまみ，スナック．

chu·cho [tʃútʃo チュチョ] 名男 **1**《口語》（雑種の）雄犬．**2**《口語》恋人．
3《ラ米》マラリア；悪寒；鞭(むち)；安雑貨屋．

chu·fa [tʃúfa チュファ] 名女〔植物〕カヤツリグサ（蚊屋釣草）．➡ horchata.

chu·la·da [tʃuláða チュらダ] 名女 **1** 粗野；横柄；うぬぼれ．**2** こっけいなこと．
3《口語》すばらしいもの，美しいもの．

chu·la·po, pa [tʃulápo, pa チュらポ，パ] / **chu·la·pón, po·na** [-lapón, póna -らポン，ポナ] 形《口語》気取った，生意気な．

chu·le·ar [tʃuleár チュれアル] 動自《口語》気取る；《+**de**》…を自慢する．
—— **chu·le·ar·*se*** **1**《+**de**》…をからかう，冷やかす．**2**《口語》《+**de**》…を自慢する（= presumir）．

chu·le·rí·a [tʃulería チュれリア] 名女 **1**《口語》生意気，横柄；うぬぼれ（= jactancia）．**2**《口語》気取った話し方．

chu·le·ta [tʃuléta チュれタ] 名女 **1**（骨付きの）あばら肉．*chuleta* empanada あばら肉のカツレツ．*chuleta* de cerdo ポーク・チョップ．
2《口語》平手打ち，パンチ（= bofetada）．
3《口語》カンニングペーパー．
—— 名男《口語》横柄な人，生意気な人．

chu·lo, la [tʃúlo, la チュろ，ら] 形 **1**《口語》生意気な，横柄な．más *chulo* que un ocho ひどく生意気である，横柄である．
2《口語》めかし込んだ；気取った，きざな．
—— 名男 **1**《口語》よた者，ごろつき．
2《俗語》（女の）ひも．

chum·be·ra [tʃumbéra チュンベラ] 名女〔植物〕オプンチア，ウチワサボテン（= nopal）．

chun·ga [tʃúŋga チュンガ] 名女《口語》冗談，悪ふざけ．

chu·pa·do, da [tʃupáðo, ða チュパド，ダ]

過分 形 **1**《口語》やつれた, やせ衰えた.
2《口語》とても簡単な. Esto está *chupado*. こんなことは簡単だ.
3《ラ米》酔っ払った.

chu·par [tʃupár チュパル] 動 他 **1** 吸う; しゃぶる, なめる.
2 吸い上げる, 吸い取る. *chupar* a 《+uno》 el dinero 〈人〉から金を巻き上げる.
3《ラ米》(大酒を)飲む.
── 動 自 乳を飲む.
── **chu·par·*se*** **1** しゃぶる, なめる. Este niño *se chupa* el dedo. この子は指をしゃぶる癖がある. **2**《口語》やせ細る, やつれる. **3**《ラ米》我慢する.
¡Chúpate ésa!《口語》そうだ, 全くそのとおりだ.

chu·pa·tin·tas [tʃupatíntas チュパティンタス] 名 男 女 [単・複同形]《口語》《軽蔑》事務員, 事務屋.

chu·pe·te [tʃupéte チュペテ] 名 男 おしゃぶり; (哺乳(ほにゅう)瓶の)乳首.

chu·pe·te·ar [tʃupeteár チュペテアル] 動 自 チュウチュウ吸う, しゃぶる.

chu·pi·na·zo [tʃupináθo チュピナソ] 名 男《口語》〔スポーツ〕(強烈な)キック.

chu·pón, po·na [tʃupón, póna チュポン, ポナ] 形 **1** よく吸う.
2《口語》たかり屋の.
── 名 男 女《口語》たかり屋; ぺてん師.
── 名 男 **1** 強く吸うこと, 吸いつき.
2 棒付きキャンディー.
3〔植物〕吸根, 吸枝.

chu·rras·co [tʃur̄ásko チュラスコ] 名 男 シュラスコ: じか火で焼いた肉.

chu·rre [tʃúr̄e チュレ] 名 男《口語》油汚れ.

chu·rre·rí·a [tʃur̄ería チュレリア] 名 女 チューロ店.

chu·rre·ro, ra [tʃur̄éro, ra チュレロ, ラ] 名 男 女 チューロ売り.

chu·rre·te [tʃur̄éte チュレテ] 名 男 (顔などの)汚れ.

chu·rri·gue·res·co, ca [tʃur̄iɣerésko, ka チュリゲレスコ, カ] 形 **1**〔建築〕チュリゲーラ様式の. **2** 悪趣味の, ごてごてした.

chu·rri·gue·ris·mo [tʃur̄iɣerísmo チュリゲリスモ] 名 男〔建築〕チュリゲーラ様式. ◆スペインの後期バロックの, 装飾過多の建築様式. 建築家 José Benito Churriguera の名にちなむ.

chu·rro [tʃúr̄o チュロ] 名 男 [複 ~s] **1** **チューロ**. ◆こね粉を絞り出して油で揚げたもので, ココア, コーヒーと共に朝食やおやつに食べる. **2**《口語》不出来な仕事[作品]. La pintura me ha salido un *churro*. 絵の出来映えは良くなかった.

chu·rrus·car [tʃur̄uskár チュルスカル] [8 c → qu] 動 他 焦がす.

chu·rrus·co [tʃur̄úsko チュルスコ] 名 男 焦げたトースト(パン).

chu·rum·bel [tʃurumbél チュルンベル] 名 男《口語》幼児, 坊や. [←ジプシー語]

chus·ca·da [tʃuskáða チュスカダ] 名 女 ジョーク; ブラック・ユーモア.

chus·co, ca [tʃúsko, ka チュスコ, カ] 形 こっけいな, 変な.
── 名 男 (固くなった)パンのかけら.

chus·ma [tʃúsma チュスマ] 名 女 群衆; 《集合》げす, 恥知らずな人.

chu·tar [tʃutár チュタル] 動 自 〔スポーツ〕(サッカー)シュートする.

chu·zo [tʃúθo チュソ] 名 男 **1** (夜警などが持つ先のとがった)棍棒(こんぼう).
2 槍(やり). **3**《ラ米》くちばし.

cía., Cía. 《略》〔商業〕Compañía 会社.

cia·nu·ro [θjanúro シアヌロ] 名 男 〔化〕(青酸カリなど)シアン化物.

Ci·be·les [θiβéles シベレス] 固名 **1**〔神話〕キュベレ: 小アジアの大地母神. **2**〔天文〕地球.

ci·be·res·pa·cio [θiβerespáθjo シベレスパシオ] 名 男 〔インターネット〕サイバースペース: コンピュータによって創り出される仮想空間.

ci·ber·nau·ta [θiβernáuta シベルナウタ] 名 男 女 〔インターネット〕ネットサーファー: ホームページなどを見て回る人.

ci·ber·né·ti·ca [θiβernétika シベルネティカ] 名 女 サイバネティックス: 生物と機械における制御と通信を扱う科学理論.

ci·ca·te·rí·a [θikatería シカテリア] 名 女 けち.

ci·ca·te·ro, ra [θikatéro, ra シカテロ, ラ] 形 けちな. ── 名 男 女 けちんぼう.

ci·ca·triz [θikatríθ シカトゥリス] 名 女 [複 cicatrices] **1** 傷跡. tener una *cicatriz* en la cara 顔に傷跡がある.
2 心の傷 (= *cicatriz* en el alma).

ci·ca·tri·za·ción [θikatriθaθjón シカトゥリサシオン] 名 女 〔医〕瘢痕(はんこん)化.

ci·ca·tri·zar [θikatriθár シカトゥリサル] [39 z → c] 動 他 (傷を)癒着させる.
── 動 自 **ci·ca·tri·zar·*se*** (傷口が)ふさがる, 癒着する.

ci·ce·ro·ne [θiθeróne シセロネ] 名 男 観光ガイド (= guía). [←イタリア語]

cí·cli·co, ca [θíkliko, ka シクリコ, カ] 形 周期的な, 循環性の.

ci·clis·mo [θiklísmo シクリスモ] 名 男 サイクリング; 自転車競技.

ci·clis·ta [θiklísta シクリスタ] 形 自転車の, サイクリングの.
── 名 男 女 自転車に乗っている人, サイクリスト; 自転車競技選手.

ci·clo [θíklo シクロ] 名 男 **1** 周期, サイクル. *ciclo* económico 景気の周期. *ciclo* solar 〔天文〕太陽周期. **2** 史詩[物語]の系列, 作品群. **3**〔物理〕サイクル, 周波. **4**《ラ米》教科課程, コース, 講座.

ciclo- / cicl- 「円, 回転」の意を表す造語要素. ⇒ *ciclón ciclista* など.

ci·clo·mo·tor [θiklomotór シクロモトル] 名 男 原(動機)付き自転車.

ci·clón [θiklón シクロン] 名 男 〔気象〕サイ

クロン；嵐(あらし)，暴風．entrar como un *ciclón* 乱入する，押しかける．➡ tiempo.

cí·clo·pe [θíklope しクろペ] 名男 〘ギリシア神話〙キュクロプス：一つ目の巨人．

ci·cló·pe·o, a [θiklópeo, a しクろペオ，ア] 形キュクロプスの；巨大な．

ci·clo·trón [θiklotrón しクろトゥロン] 名男 〘物理〙サイクロトロン．

ci·cu·ta [θikúta しクタ] 名女 〘植物〙ドクニンジン(毒人参)．

Cid [θíð し(ドゥ)] 固名 エル・シッド El *Cid* Campeador，本名 Rodrigo Díaz de Vivar (1043?–99)：スペイン最古の叙事詩 "Cantar de Mio *Cid*"『わがシッドの歌』の主人公．

cie·ga·men·te [θjéɣaménte しエガメンテ] 副やみくもに．

cie·go[1], ga [θjéɣo, ɣa しエゴ，ガ] [複 ～s] 形〔英 blind〕 **1** **盲目の**，目の見えない．quedarse *ciego* 失明する．
2 無分別な．*ciego* de ira 怒りで分別を失った．Está *ciego* con los naipes．彼はトランプに夢中である．
3 ふさがった，詰まった．
—— 名男女 **盲人**．En el país de los *ciegos* [En tierra de *ciegos*], el tuerto es rey．《諺》鳥なき里の蝙蝠(こうもり)．Un *ciego* lo ve．一目瞭然(りょうぜん)である．
a ciegas やみくもに．andar *a ciegas* 手探りで進む．

cie·go[2] [θjéɣo しエゴ] 名男 〘解剖〙盲腸．

cie·lo
[θjélo しエろ] 名男 [複 ～s]〔英 sky; heaven〕
1 **空**．*cielo* azul 青空．*cielo* encapotado 黒雲に覆われた空．*cielo* sereno 晴れ渡った空．cerrarse el *cielo* 空が曇る．despejarse el *cielo* 空が晴れる．
2 **天**，天国；神；至福．Padre nuestro que estás en el *cielo*．《祈り》天にまします我らの父よ．ganar el *cielo* (善行により)天国へ行く．ir al *cielo* 他界する．Está gozando del *cielo*．彼は幸運を味わっている．Con paciencia se gana el *cielo*．《諺》点滴石を穿(うが)つ．
3 天井．*cielo* raso 張り天井．*cielo* de la boca 口蓋(こうがい)．
4 《呼びかけ》かわいい人．¡Mi *cielo*! / ¡*Cielo* mío! ねえ君[あなた]．
a cielo abierto [***descubierto***] 屋外で，野天で．minas *a cielo abierto* 露天掘りの鉱山．
bajado [***caído, llovido, venido***] ***del cielo*** 棚からぼた餅(もち)式の，幸運な，思いがけない．
clamar 《+algo》 ***al cielo*** 〈何か〉は言語道断である．
¡Cielos! / ¡Cielo santo! 大変だ，困った，どうしよう．
coger [***tomar***] ***el cielo con las manos*** 怒り心頭に発する．
estar en el (***séptimo***)***cielo*** 天にも昇る心地である．
mover [***remover***] ***cielo y tierra*** あらゆる手を尽くす．
venirse el cielo abajo 大嵐(あらし)になる；八方塞(ふさ)がりになる；大騒ぎになる．
ver el cielo abierto [***los cielos abiertos***] 見通しがつく．

ciem·piés [θjempjés しエンピエス] 名男 [単・複同形]〘動物〙ムカデ(百足)．

cien [θjén しエン] 形名男 《数詞》 ➡ ciento.

cié·na·ga [θjénaɣa しエナガ] 名女沼地．

cien·cia
[θjénθja しエンしア] 名女 [複 ～s]〔英 science〕
1 **科学，学問**．*ciencias* aplicadas 応用科学．*ciencias* básicas 基礎科学．hombre de *ciencia* 科学者．*ciencias* exactas 精密科学．*ciencias* naturales 自然科学．*ciencias* sociales 社会科学．*ciencias* ocultas(錬金術・占星術などの) 神秘学．
2 [～s] 理学．Facultad de *Ciencias* 理学部．
3 知識；技術．un pozo de *ciencia* 博識な人．*ciencia* del editor 編集のノウハウ．
a ciencia cierta 確実に．creer *a ciencia cierta* 確信する．
no tener ciencia / tener poca ciencia 《口語》簡単である，易しい．

cie·no [θjéno しエノ] 名男泥；不名誉．

cien·tí·fi·ca·men·te [θjentífikaménte しエンティフィカメンテ] 副科学的に，学問的に．

cien·tí·fi·co, ca [θjentífiko, ka しエンティフィコ，カ] 形 科学的な；学問的な．estudios *científicos* 学術研究．rigor *científico* 科学的[学問的]厳密さ．
—— 名男女科学者，研究者．

cien·to
[θjénto しエント] 形《数詞》
[名詞や mil, millones の前で cien となる]〔英 hundred〕 **100の**；100番目の．*cien* años 100年．*ciento* una personas 101名．*cien* mil 10万．el número *ciento* 100番目の数字．la página *ciento* 100ページ目．
—— 名男 **100**．◆ローマ数字C．un *ciento* de huevos 100個ほどの卵．*cientos* de víctimas 数百人の犠牲者．

> 【参考】 **cien** を形容詞以外に使うのは誤りとされているが，日常的にはその例が多い．⇀ (al) *cien* por *cien* 100パーセント，完全に．Éramos más de *cien*．我々は総勢100人以上だった．

a cientos たくさんの．
devolver ciento por uno 100倍にして返す．
el ciento y la madre 《口語》大勢の人々，群衆．
por ciento パーセント (%)．un veinte *por ciento* de descuento 20パーセントの

値引き. ► 百分比[率]は porcentaje.
cier·ne [θjérne しエルネ] 名男 開花期.
en cierne(s) 初期の; 芽を出したばかりの.
cierr- 動 ➞ cerrar. [42 e ➞ ie]
cie·rre [θjére しエレ] 名男 **1** 閉鎖; 終了; 閉店. *cierre* patronal 工場閉鎖, ロックアウト. *cierre* de televisión テレビの放送終了. **2** 閉める器具; 錯戸(よろい). *cierre* de cremallera ファスナー. *cierre* metálico シャッター.
cierta 形女 ➞ cierto.
cier·ta·men·te [θjértaménte しエルタメンテ] 副 確かに; もちろん.
cier·to[1], ta [θjérto, ta しエルト, タ] 形 [複 ~s] 〔英 certain〕 **1** 《名詞の前で》**ある**; いくらかの; かなりの, 相当な. *cierto* tiempo ある時期. *ciertos* escritores ある作家たち. en *ciertos* casos ある場合には. persona de *cierta* edad かなり年輩の人. Hasta *cierto* punto eso es verdad. ある程度は本当である.
2 《名詞の後または補語で》**確かな**, 明白な. indicios *ciertos* 確かな兆し. noticias *ciertas* 確実な情報. Eso es *cierto*. それは確かだ. si es *cierto* que ... もし…が確かなら.
3 《+**de**》…を確信した. Estoy *cierto de* que era él. 僕は彼だったと確信している.
Cierto que ..., pero ... 確かに…だが….
de cierto 確かに. Lo que hay *de cierto* es que .... 実は…だ.
estar en lo cierto 的を射ている.
Lo cierto es que ... 実(のところ)は…だ. *Lo cierto es que* esta joya es falsa. 実はこの宝石は偽物です.
por cierto (1)確かに, もちろん. Sí, *por cierto*. そうだとも, そのとおりだ. (2)時に, ところで(=a propósito).
Por cierto que ... 確かに[もちろん]…である.
si bien es cierto que ... たとえ…だとしても.
tan cierto como dos y dos son cuatro 絶対確実な, 明々白々な.
cier·to[2] [θjérto しエルト] 間投 確かだ, そのとおりだ.
cier·vo, va [θjérβo, βa しエルボ, バ] 名男女 〔動物〕シカ(鹿).
cier·zo [θjérθo しエルそ] 名男 北風.
ci·fra [θífra しフラ] 名女 [複 ~s] 〔英 figure〕 **1 数字**, 桁(けた). un número de tres *cifras* 3桁の数. *cifra* global 総数.
2 暗号, 符丁. escrito [mensaje] en *cifra* 暗号文.
3 モノグラム, 組み合わせ文字.
ci·fra·do, da [θifráðo, ða しフラド, ダ] 過分 形 暗号による.
—— 名男 暗号化, コード化.
ci·frar [θifrár しフラル] 動他 **1** 暗号で書く, 暗号化する.
2 《+**en**》…のみにあると考える. *Cifra* la felicidad *en* el dinero. 彼にとって金だけが喜びである.
ci·ga·rra [θiɣára しガラ] 名女 〔昆虫〕セミ(蝉).
ci·ga·rre·ra [θiɣaréra しガレラ] 名女 葉巻ケース.
ci·ga·rri·llo [θiɣaríʎo しガリリョ] 名男 紙巻きタバコ, シガレット. *cigarrillo* con filtro フィルター付きのタバコ.
ci·ga·rro [θiɣáro しガロ] 名男 葉巻(=*cigarro* puro [habano]); 紙巻きタバコ(=*cigarro* de papel, cigarrillo).
➞ tabaco.
ci·güe·ña [θiɣwéɲa しグエニャ] 名女
1 〔鳥〕コウノトリ(鸛).
2 〔機械〕クランク, (L字形の)ハンドル.
ci·lin·dra·da [θilindráða しリンドゥラダ] 名女 シリンダー[気筒]容積, 排気量.
ci·lín·dri·co, ca [θilíndriko, ka しリンドゥリコ, カ] 形 円筒(状)の, 円柱(状)の.
ci·lin·dro [θilíndro しリンドゥロ] 名男
1 円柱, 筒. **2** 〔機械〕シリンダー, 気筒.
ci·ma [θíma しマ] 名女 頂上(=cumbre); 頂点, ピーク; 梢(こずえ); 波頭. estar en la *cima* de la popularidad 人気の絶頂にある.
dar cima a ... …を完成する.
por cima ざっと, 大まかに.
cím·ba·lo [θímbalo しンバロ] 名男 [普通 ~s] 〔音楽〕シンバル.
cim·bo·rio [θimbórjo しンボリオ] / **cim·bo·rrio** [-ȓjo -リオ] 名男 〔建築〕(1)(ロマネスク式教会の)ドーム, 丸屋根. (2)ドラム: ドームを支える円筒状の壁体.
ci·men·ta·ción [θimentaθjón しメンタしオン] 名女 基礎固め; 〔建築〕基礎工事.
ci·men·tar [θimentár しメンタル] [42 e ➞ ie; 時に規則変化] 動他 …の基礎固めをする, 強固にする; 根拠[論拠]を明確にする; 〔建築〕基礎工事をする.
ci·mien·to [θimjénto しミエント] 名男
1 [普通 ~s] 〔建築〕基礎, 土台. **2** 基盤, 根拠. desde los *cimientos* 始めから.
echar [poner] los cimientos 基礎を築く.
ci·mi·ta·rra [θimitára しミタラ] 名女 (ペルシアの)新月刀.
cinc [θíŋ*k* しン(ク)] 名男 [複 cines] 〔化〕亜鉛(=zinc).
cin·cel [θinθél しンせル] 名男 のみ, たがね.
cin·cha [θíntʃa しンチャ] 名女 (馬の)腹帯.
a revienta cinchas 全速力で.
cin·co [θíŋko しンコ] 形 《数詞》 〔英 five〕
5の; 5番目の. los *cinco* dedos 5本の指. el capítulo *cinco* 第5章.
—— 名男 5. ◆ローマ数字V.
decir a 《+uno》 ***cuántas son cinco*** 〈人〉に耳の痛いことを言う.

estar sin ni cinco 一文無しである. ***Vengan*** [***Choca***] ***esos cinco.*** 《口語》さあ握手しよう, 仲直りしよう.

cin·cuen·ta [θiŋkwénta シンクエンタ] 形 《数詞》〔英 fifty〕 **50の**; 50番目の. *cincuenta* libros 50冊の本.
── 名男 **50.** ◆ローマ数字L. andar por los *cincuenta* 50に手が届く年齢である.

cin·cuen·ta·vo, va [θiŋkwentáβo, βa シンクエンタボ, バ] 形 50分の1の.
── 名男 50分の1.

cin·cuen·te·na·rio, ria [θiŋkwentenárjo, rja シンクエンテナリオ, リア] 形 50年の, 50歳の. ── 名男 50周年(記念).

cin·cuen·tón, to·na [θiŋkwentón, tóna シンクエントン, トナ] 形 50歳代の.
── 名男女 50代の人.

ci·ne [θíne シネ] 名男 [複 ～s] 〔英 cinema, movie〕 [cinematógrafo の省略形]
1 映画館. *cine* de estreno 封切り館. ir al *cine* 映画に行く.
2 映画. *cine* en color カラー映画. *cine* mudo 無声[サイレント]映画. *cine* sonoro トーキー映画. hacer *cine* 映画を制作する. ➡ película 【参考】.

cine- 「映画」の意を表す造語要素. ⇀ *ci-ne*asta, *cine*rama など.

ci·ne·as·ta [θineásta シネアスタ] 名男女 映画関係者, 映画人.

ci·ne·club [θineklúβ シネクるブ] 名男 映画同好会, シネクラブ.

ci·ne·gé·ti·co, ca [θinexétiko, ka シネヘティコ, カ] 形 狩猟の. ── 名女 狩猟(術).

ci·ne·ma [θinéma シネマ] 名男 [cinematógrafo の省略形] 映画; 映画館.

ci·ne·ma·te·ca [θinematéka シネマテカ] 名女 フィルム・ライブラリー.

ci·ne·ma·to·gra·fí·a [θinematoɣrafía シネマトグラフィア] 名女 映画技術; 《集合》映画.

ci·ne·ma·to·grá·fi·co, ca [θinematoɣráfiko, ka シネマトグラフィコ, カ] 形 映画の.

ci·ne·ma·tó·gra·fo [θinematóɣrafo シネマトグラフォ] 名男 映写機; 映画館.

ci·ne·ra·ma [θineráma シネラマ] 名男 〘映画〙〘商標〙 シネラマ.

ci·né·ti·co, ca [θinétiko, ka シネティコ, カ] 形 〘物理〙 運動の, 運動学上の.

cí·ni·ca·men·te [θínikaménte シニカメンテ] 副 皮肉に; 厚かましく.

cí·ni·co, ca [θíniko, ka シニコ, カ] 形
1 皮肉な; 厚かましい.
2 〘哲〙 キニコス[犬儒]学派の.
── 名男女 皮肉屋; 厚顔無恥な人.

ci·nis·mo [θinísmo シニスモ] 名男 **1** 皮肉, シニスム; 厚顔無恥.
2 〘哲〙 キニコス主義, 犬儒哲学.

cin·ta [θínta シンタ] 名女 [複 ～s] 〔英 band, tape〕 **1 リボン, テープ**; ベルト. La moza se recogió el pelo con una *cinta*. 娘は髪を束ねてリボンで結んだ. *cinta* adhesiva 粘着テープ. *cinta* aislante 絶縁テープ. *cinta* de llegada (スポーツで) ゴールのテープ. atar un regalo con una *cinta* プレゼントをリボンで結ぶ. *cinta* transportadora ベルトコンベヤ.
2 カセットテープ, 録音テープ(=*cinta* magnetofónica); 映画フィルム (=*cinta* cinematográfica). estar grabado en *cinta* テープに録画[録音]されている.

cin·to [θínto シント] 名男 [複 ～s] ベルト, 帯. al *cinto* ベルトにつけて, 腰に下げて.

cin·tu·ra [θintúra シントゥラ] 名女 [複 ～s] 〔英 waist〕 **腰, ウエスト**; くびれ. Cogió a su novia por la *cintura*. 彼は恋人の腰に手を回した. tener una *cintura* de avispa ウエストがくびれている. ➡ cuerpo 図.
meter a 《+uno》 ***en cintura*** 〈人〉に規律正しい振る舞いをさせる.

cin·tu·rón [θinturón シントゥロン] 名男 [複 cinturones] 〔英 belt〕 **1 帯, ベルト.** *cinturón* negro (柔道の) 黒帯. un *cinturón* de piel de lagarto トカゲ革のベルト. *cinturón* de seguridad 安全ベルト, シートベルト. *cinturón* salvavidas [de salvamento] 救命帯.
2 帯状[環状]のもの; 地帯. *cinturón* industrial 工業地帯. *cinturones* de Van Allen バン・アレン[放射能]帯. *cinturón de trincheras* 塹壕(ざんごう)線.
apretarse [***estrecharse***] ***el cinturón*** 食うや食わずの暮らしをする; 出費を切り詰める.

ci·prés [θiprés シプレス] 名男 〘植物〙 イトスギ(糸杉). ◆墓地に付きものの木.

cir·co [θírko シルコ] 名男 **1** サーカス; サーカスの一座; サーカス小屋. *circo* ambulante 移動サーカス. **2** (古代ローマの) 円形競技場 (=*circo* romano).

cir·cui·to [θirkwíto シルクイト] 名男
1 周縁, 圏. **2** 回遊, 周遊, 一巡; 〘スポ〙 サーキット. **3** 〘電気〙 回路, 回線. *circuito* impreso プリント配線(回路). *circuito* integrado 〘コンピ〙 集積回路 [英 IC]. corto *circuito* 短絡, ショート.

cir·cu·la·ción [θirkulaθjón シルクらシオン] 名女 **1** 通行, 循環; 流通. *circulación* de noticias ニュースの伝播(でんぱ). poner en *circulación* 流通させる, 流布させる. retirar de la *circulación* 回収する.
2 交通(量). calle de mucha *circulación* 交通量の多い通り.

cir·cu·lan·te [θirkulánte シルクらンテ] 形 巡回する; 流通の.

cir·cu·lar [θirkulár シルクらル] 動自 **1** 循環する, 通る, 往来する. Los autobuses no *circulan* hoy por la huelga. 今日はストでバスは通っていない. *circular* por la derecha 右側通行をする. **2** 流布する; 流

通する. Ya *circulan* los nuevos billetes. 既に新しい紙幣が出回っている.
—— 形 1 円形の. 2 巡回の, 回覧の.
—— 名女 サーキュラー (= carta *circular*).

cir·cu·la·to·rio, ria [θirkulatórjo, rja シルクラトリオ, リア] 形 循環の; 〘解剖〙 循環系の.

cír·cu·lo [θírkulo シルクロ] 名男 [複 ~s] 〔英 circle〕 1 円; 丸, 輪. en *círculo* 輪になって. dibujar un *círculo* 円を描く. Formaron un *círculo* alrededor del fuego. 彼らは火の周りに輪になった. *círculo* vicioso 悪循環; 循環論法.

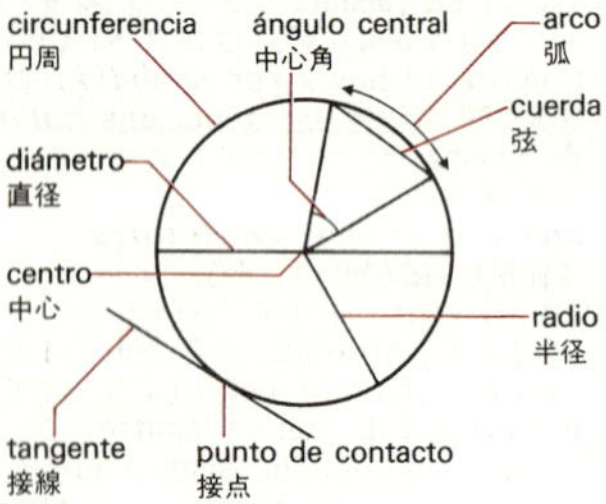

círculo 円

2 集まり, サークル, クラブ. *círculo* familiar 家族 (の絆(きずな)). *círculo* literario 文学サークル.
3 範囲, 領域; 〘地理〙 圏. en los *círculos* bien informados 消息筋では. *círculo* polar antártico [ártico] 南[北]極圏.

circun- 《接頭》「周囲」の意を表す. ⇒ *circun*stancia, *circun*valar など.

cir·cun·ci·dar [θirkunθiðár シルクンシダル] 動他 …に割礼を施す.

cir·cun·ci·sión [θirkunθisjón シルクンシシオン] 名女 割礼; 包皮切除.

cir·cun·dar [θirkundár シルクンダル] 動他 取り巻く, 取り囲む.

cir·cun·fe·ren·cia [θirkumferénθja シルクンフェレンシア] 名女 1 〘数〙 円周. 2 周囲.

cir·cun·fle·jo [θirkumfléxo シルクンフレホ] 名男 曲折アクセント符号 (^) (= acento *circunflejo*).

cir·cun·lo·quio [θirkunlókjo シルクンロキオ] 名男 回りくどい言い方.

cir·cuns·cri·bir [θirkunskriβír シルクンスクリビル] 動他 [過分 circunscrito,ta] 《+a》…に制限する, 限定する (= limitar).
—— **cir·cuns·cri·bir·*se*** 《+a》…に限定される; …に限定する, とどめる.

cir·cuns·crip·ción [θirkunskripθjón シルクンスクリプシオン] 名女 制限, 限界; 区域, 地区.

cir·cuns·pec·ción [θirkunspekθjón シルクンスペクシオン] 名女 思慮 [用心] 深さ, 慎重.

cir·cuns·tan·cia [θirkunstánθja シルクンスタンシア] 名女 [複 ~s] 〔英 circumstance〕 1 事情, (周囲の) 状況. *circunstancias* particulares 特殊な事情. En estas *circunstancias* no podemos ejecutar el plan. こんな状況では私たちは計画を実行できない.
2 必要条件.
de circunstancias 神妙な; 偶然の; 緊急の, 当座の, 間に合わせの. poner cara *de circunstancias* 神妙な顔をする. encuentro *de circunstancias* 偶然の出会い.

cir·cuns·tan·cial [θirkunstanθjál シルクンスタンシアル] 形 状況に応じた; 一時的な.

cir·cun·va·la·ción [θirkumbalaθjón シルクンバラシオン] 名女 周りを囲むこと.

cir·cun·va·lar [θirkumbalár シルクンバラル] 動他 取り囲む.

ci·rio [θírjo シリオ] 名男 (教会の) 大ろうそく.

ci·rro·sis [θir̃ósis シロシス] 名女 [単・複同形] 〘医〙 肝硬変(症).

ci·rue·la [θirwéla シルエラ] 名女 〘植物〙 プラム, セイヨウスモモの実. *ciruela* amarilla 白スモモ. *ciruela* pasa 干しスモモ, プルーン.

ci·rue·lo [θirwélo シルエロ] 名男 〘植物〙 セイヨウスモモの木, プラムの木.

ci·ru·gí·a [θiruxía シルヒア] 名女 外科. *cirugía* plástica [estética] 形成[美容整形]外科.

ci·ru·ja·no, na [θiruxáno, na シルハノ, ナ] 名男女 [複 ~s] 〔英 surgeon〕 外科医.

cis·co [θísko シスコ] 名男 1 粉炭. 2 騒ぎ, ごたごた. armar un *cisco* 騒ぎを起こす.
hacer(se) cisco 木っ端みじんにする [なる].
hacer [dejar hecho] cisco a 《+uno》〈人〉をくたくたにさせる, 打ちのめす.

cis·ma [θísma シスマ] 名男 1 (教会の) 分離, 離教. Gran *Cisma* de Occidente 西方教会の大分裂. 2 不和, 対立.

cis·ne [θísne シスネ] 名男 〘鳥〙 ハクチョウ (白鳥); [C-] 〘天文〙 白鳥座.

Cís·ter [θíster システル] 固名 シトー会: 11世紀にフランスのシトーに創設されたベネディクト会の修道会.

cis·ter·cien·se [θisterθjénse システルシエンセ] 形 シトー会の.
—— 名男女 シトー会の修道士[修道女].

cis·ter·na [θistérna システルナ] 名女 貯水槽, タンク. camión *cisterna* タンクローリー.

cis·ti·tis [θistítis システィティス] 名女 [単・複同形] 〘医〙 膀胱(ぼうこう)炎.

ci·su·ra [θisúra シスラ] 名女 裂け目; 切り口.

ci·ta [θíta シタ] 名女 [複 ~s] 〔英 appointment〕 1 会う約束; 会合, デート. tener una *cita* con 《+uno》〈人〉と会う約束がある. arreglar una *cita* con el

médico 医者に診察の予約を取りつける. dar *cita* a 《+ uno》〈人〉と会う約束をする. darse *cita* 寄り集まる.
2 引用.
—— 動 → citar.

ci·ta·ción [θitaθjón シタシオン] 名女 〘法律〙召喚(状); 引用.

ci·ta·do, da [θitáðo, ða シタド, ダ] 過分 形 引用した, 前述の. el *citado* libro 前掲書.

ci·tar [θitár シタル] 動他 〔英 make an appointment; quote〕 **1 会う約束をする.** La *he citado* en un restaurante francés. 私は彼女とフランス料理店で会う約束をした.
2 引用する, 例に挙げる. *citar* un pasaje de Cervantes セルバンテスの一節を引用する.
3 〘法律〙召喚する.
4 〘闘牛〙(牛を)けしかける.

cí·ta·ra [θítara シタラ] 名女 〘音楽〙チター: 弦楽器の一種.

ci·ta·ris·ta [θitarísta シタリスタ] 名男女 チター奏者.

ci·to·lo·gí·a [θitoloxía シトロヒア] 名女 〘生物〙細胞学.

ci·to·plas·ma [θitoplásma シトプラスマ] 名男 〘生物〙細胞質. ► 細胞は célula.

cí·tri·co, ca [θítriko, ka シトゥリコ, カ] 形 **1** 柑橘(かんきつ)類の. **2** 〘化〙クエン酸の.
—— 名男 [～s] 柑橘類.

ciu·dad [θjuðáð シウダ(ドゥ)] 名女 [複 ～es] 〔英city; town〕 **都市,** 市; 都会. *ciudades* hermanas 姉妹都市. *ciudad* industrial 工業都市. *ciudad* satélite 衛星都市. *ciudad* universitaria 大学都市. *ciudad* dormitorio ベッドタウン. *Ciudad* Eterna 永遠の都, ローマ. *Ciudad* Santa 聖都 (► キリスト教徒にとってのエルサレム Jerusalén, イスラム教徒にとってのメッカ La Meca).

ciudadana 名 形 女 → ciudadano.

ciu·da·da·ní·a [θjuðaðanía シウダダニア] 名女 **1** 市民権, 公民権, 国籍.
2 公民意識, 公徳心.

ciu·da·da·no, na [θjuðaðáno, na シウダダノ, ナ] [複 ～s] 名男女 〔英 citizen〕
1 市民; 公民, 人民, 国民. *ciudadano* de honor 名誉市民.
2 〘歴史〙富裕市民; 平民.
—— 形 都市の; 市民の.

ciu·da·de·la [θjuðaðéla シウダデラ] 名女 城塞(じょうさい).

Ciu·dad Re·al [θjuðáðreál シウダ(ドゥ)レアル] 固名 シウダ・レアル: スペイン中南部の La Mancha 地方の県; 県都.

cí·vi·co, ca [θíβiko, ka シビコ, カ] 形 **1** 市民の; 都市の. **2** 公共心のある.

ci·vil [θiβíl シビる] [複 ～es] 形 〔英civil〕
1 市民の, 公民の.
2 民事の, 民法上の. por lo *civil* 民法に従って.
3 民間の; 文民の; 世俗の. administración *civil* 民政. control *civil* シビリアン・コントロール. incorporarse a la vida *civil* 軍職を辞する; 還俗(げんぞく)する.
4 礼儀正しい, 丁寧な.
—— 名男 治安警備隊員 (＝Guardia *Civil*).

ci·vi·li·za·ción [θiβiliθaθjón シビりサシオン] 名女 [複 civilizaciones] 〔英 civilization〕 **文明;** 文明化, 開化. *civilización* egipcia エジプト文明. *civilización* material 物質文明. el progreso de la *civilización* 文明の進歩.

ci·vi·li·za·do, da [θiβiliθáðo, ða シビりサド, ダ] 過分 形 **1** 文明化した. sociedad *civilizada* 文明社会.
2 洗練された, 教養豊かな.
—— 名男女 文明人, 教養人.

ci·vi·li·zar [θiβiliθár シビりサル] [39 z → c] 動他 **1** 文明化する.
2 しつける, 洗練する.
—— **ci·vi·li·zar·se** 文明開化する, 教養を身に付ける.

ci·vis·mo [θiβísmo シビスモ] 名男 公徳心, 市民意識; 礼儀正しさ.

ci·za·lla [θiθáʎa シさリャ] 名女 **1** 剪断(せんだん)機; [～s] (金切り用の)大ばさみ.
2 金くず.

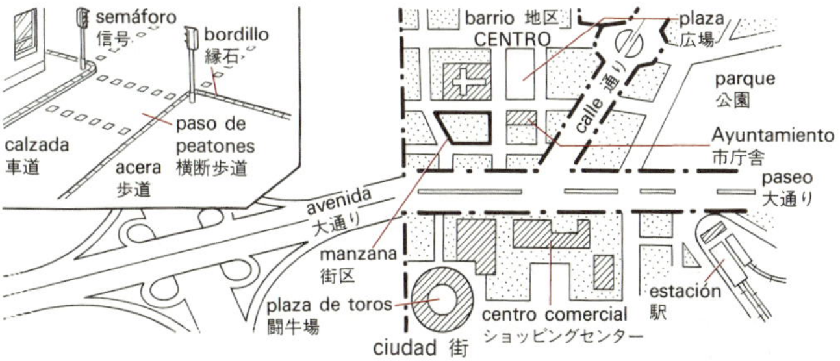

ciudad 街

C

ci·za·ña [θiθáɲa しさニャ] 名女 **1**〘植物〙ドクムギ(毒麦). **2** もめごと；敵意.
¡clac! [klák クラ(ク)] 《擬》パリッ，ポキッ，ガチャン.
cla·mar [klamár クらマル] 動他 強く求める. *clamar* venganza 報復を求める.
—— 動自 訴える，嘆願する. *clamar* por la paz 平和を強く訴える. *clamar* contra una injusticia 不正に強く抗議する.
cla·mor [klamór クらモル] 名男 抗議の声；歓声，歓呼. *clamor* de los aplausos 拍手喝采(かっさい).
cla·mo·ro·so, sa [klamoróso, sa クらモロソ, サ] 形 目覚ましい；騒々しい，激しい. éxito *clamoroso* 大成功.
clan [klán クらン] 名男 一門，一族.
clan·des·ti·ni·dad [klandestiniðáð クらンデスティニダ(ドゥ)] 名女 秘密；非合法性.
clan·des·ti·no , na [klandestíno, na クらンデスティノ, ナ] 形 秘密の；非合法な. actividad *clandestina* 非合法活動.
cla·que [kláke クらケ] 名女《口語》《集合》雇われて拍手する人たち，さくら. [←フランス語]
cla·ra [klára クらラ] 名女 **1** 卵白，白身. **2** 明度，明るさ. con las *claras* del día 朝早く.
3 ビールを甘口の炭酸水で割ったもの.
—— 形女 → claro[1].
a las claras 公然と，あからさまに.
cantar [***decir***] ***las claras*** ずけずけ言う.
Cla·ra [klára クらラ] 固名 クララ：女性の名.
cla·ra·bo·ya [klaraβóʝa クらラボヤ] 名女 明かり窓，採光窓(= tragaluz).
cla·ra·men·te [kláraménte クらラメンテ] 副 はっきりと，明確に.
cla·re·ar [klareár クらレアル] 動他 明るくする. —— 動自 **1** 夜が明ける. ► 3人称単数のみに活用. → amanecer. **2** 明るくなる.
cla·re·te [klaréte クらレテ] 形 クラレット色の. —— 名男 **1** クラレット：ボルドー産のぶどう酒. **2** クラレット色，薄い赤紫色.
cla·ri·dad [klariðáð クらリダ(ドゥ)] 名女
1 明るさ；明かり，光.
2 明確さ，明晰(めいせき)さ. *claridad* de vista 眼識，洞察力. decir con *claridad* はっきり言う. explicar con mucha *claridad* 明瞭に説明する.
3 [〜es] 露骨な言葉. decir *claridades* a 《+uno》〈人〉にずけずけ言う.
de una claridad meridiana 明々白々な.
cla·ri·fi·ca·ción [klarifikaθjón クらリフィカしオン] 名女 解明；(液体を)澄ますこと.
cla·ri·fi·car [klarifikár クらリフィカル] [8 c → qu] 動他 明らかにする；(液体を)澄ます.
cla·rín [klarín クらリン] 名男〘音楽〙らっぱ；らっぱ手.
cla·ri·ne·te [klarinéte クらリネテ] 名男〘音楽〙クラリネット.
—— 名男女 クラリネット奏者.
cla·ri·vi·den·cia [klariβiðénθja クらリビデンしア] 名女 洞察力，先見の明.
cla·ri·vi·den·te [klariβiðénte クらリビデンテ] 形 先見の明がある，洞察力のある.

cla·ro[1], ra

[kláro, ra クらロ, ラ] 形 [複 〜s]〔英 clear〕
1 明るい (↔ oscuro). habitación *clara* 明るい部屋. ojos *claros* 明るい瞳(ひとみ). azul *claro* ライトブルー.
2 澄んだ (= limpio). agua *clara* 澄んだ水. voz *clara* 澄んだ高い声. cielo *claro* 澄みきった空.
3 明白な，明解な；明晰(めいせき)な. más *claro* que el agua はっきりした. más *claro* que el sol 分かりきった. tan *claro* como la luz del día 全く明白な. fotografía *clara* 鮮明な写真. Todavía conserva la mente *clara*. まだ頭はしっかりしている. ¿Está *claro*? 間違いないか？；分かりましたか？ *Claro* está. もちろんだ.
4 薄い，まばらな. pelo *claro* 薄い髪. tela *clara* 目の粗い布. cerveza *clara* 軽いビール. matorral *claro* まばらな茂み.
5 著名な.
Claro que ... もちろん…である. *Claro que* sí. もちろんそうだ. *Claro que* no. もちろんそうではない.
ser [***estar***] ***claro que ...*** …は明らかである. *Es claro que* no te quiere. 彼がお前を愛していないことははっきりしている.
cla·ro[2] [kláro クらロ] 名男 **1** 透き間，空き. llenar un *claro* 透き間を埋める. *claro* del bosque 森の空き地. *claro* entre las nubes 雲の切れ間.
2 (絵画・写真の)明るい部分.
—— 副 **1** 明らかに. hablar *claro* はっきりと話す. ver poco *claro* よく理解できない.
2《感嘆詞》¡(Pues) *claro*! もちろんだとも！
claro de luna 月光.
(***de claro***) ***en claro*** 徹夜で. pasar *en claro* una noche 眠らずに夜を明かす.
poner [***sacar***] ***en claro*** 明らかにする.
cla·ros·cu·ro [klaroskúro クらロスクロ] 名男 明暗，濃淡.

cla·se

[kláse クらセ] 名女 [複 〜s]〔英 class〕
1 授業，レッスン. Hoy no hay *clase*. 今日は休講だ，授業はない. en *clase* 授業(中)で. ir a *clase* 授業に出る，学校へ行く. dar *clase* de dibujo a 《+uno》〈人〉にデッサンを教える. dar *clase* con 《+uno》〈人〉の授業[講義]を受ける. dar *clases* particulares 個人授業をする. faltar a *clase* / 《口語》fumarse la *clase* 授業をサボる. *clase* nocturna 夜間授業.
2 学級，クラス；教室. Entramos en la *clase* corriendo. 僕たちは教室に駆け込

んだ.
3 **階級**, 階層. *clase* alta [media, baja] 上流 [中流, 下層] 階級. *clase* dirigente 支配者階級. *clase* capitalista [burguesa] 資本家[ブルジョア]階級. *clase* obrera 労働者階級. *clase* social 社会階級. *clase* pasiva 恩給[年金]受給者層.
4 **種類**; **等級**. *clase* turística ツーリストクラス. de primera *clase* 一流の; ファーストクラスの. de una misma *clase* 同じ種類の. ... de toda(s) *clase*(*s*) / toda *clase* de ... あらゆる種類の…. sin ninguna *clase* de dudas なんらの疑いもなく. ¿Qué *clase* de cosas tienes ahí? そこに持っているのは一体なんだい?
5 〔生物〕(分類上の) 綱(こう).
clásica 形女 → clásico[1].
cla·si·cis·mo [klasiθísmo クらシしスモ] 名男 古典主義.
cla·si·cis·ta [klasiθísta クらシしスタ] 形 古典主義の. ── 名男女 古典主義者.
clá·si·co[1], ca [klásiko, ka クらシコ, カ] 形 [複 ~s] 〔英 classic〕 **1** **古典の**, 古典的な; 古典主義の. obras *clásicas* 古典. lenguas *clásicas* 古典語 (ギリシア語・ラテン語). teatro *clásico* 古典劇. música *clásica* クラシック音楽.
2 典型的な, 型にはまった; 伝統的な. el remedio *clásico* 常套(じょうとう)手段. un patio *clásico* de Toledo 典型的なトレドの中庭.
clá·si·co[2] [klásiko クらシコ] 名男 **1** 古典, 名作. los *clásicos* de la pintura renacentista ルネッサンス期絵画の名作.
2 古典作家; 古典主義者.
cla·si·fi·ca·ción [klasifikaθjón クらシフィカしオン] 名女 分類, 区分; 格づけ, ランクづけ.
cla·si·fi·ca·dor, do·ra [klasifikaðór, ðóra クらシフィカドル, ドラ] 形 分類する.
── 名男 ファイリング・キャビネット.
── 名女 分類機.
cla·si·fi·car [klasifikár クらシフィカル] [8 c → qu] 動他 **1** 《+**por**, **según**》…で分類する; 区分する. *clasificar por* orden alfabético アルファベット順に分類する. **2** 等級に分ける, ランクづけにする.
── **cla·si·fi·car·*se*** 順位が決まる. Él *se clasificó* en tercer lugar. 彼は3位になった.
cla·sis·ta [klasísta クらシスタ] 形 社会階級の差別をする.
── 名男女 階級差別をする人.
Clau·dia [kláuðja クらウディア] 固名 クラウディア: 女性の名.
clau·di·ca·ción [klauðikaθjón クらウディカしオン] 名女 **1** 義務の不履行.
2 屈服; 断念.
clau·di·car [klauðikár クらウディカル] [8 c → qu] 動自 **1** 義務を怠る.
2 主義[主張]を曲げる; 屈服する.
Clau·dio [kláuðjo クらウディオ] 固名 クラウディオ: 男性の名.
claus·tro [kláustro クらウストゥロ] 名男 **1** (修道院などの) 回廊. **2** 修道院; 修道生活. **3** 《集合》教授陣, 教授会.
cláu·su·la [kláusula クらウスら] 名女 **1** (契約書などの) 条項, 箇条. *cláusula* de escape 免責条項. **2** 〔文法〕節.
clau·su·ra [klausúra クらウスラ] 名女 **1** 終了 (式); 閉会. **2** (修道院内の) 禁域; (俗人の修道院内への) 出入り禁止.
clau·su·rar [klausurár クらウスラル] 動他 **1** (会期などを) 終える, 終結させる.
2 閉鎖する.
cla·var [klaβár クらバル] 動他 **1** 釘(くぎ)で打ちつける. *clavar* 《+algo》 a [en] la pared 壁に〈何か〉を打ちつける.
2 打ち込む, 突き刺す. *clavar* una estaca en el suelo 地面に杭(くい)を打ち込む.
3 (視線・注意などを) 注ぐ (=fijar). *clavar* la atención en ... …に注意を傾ける. *clavar* los ojos en ... …をじっと見詰める.
4 《口語》法外な代金をとる, ふっかける. En este cabaret me *clavaron*. このキャバレーで私はぼられた.
── **cla·var·*se*** **1** 刺さる. *clavarse* una espina en el pie 足にとげが刺さる.
2 (思い出などが)鮮明に焼きつく. Su frialdad *se* me *clavó* en el alma [corazón]. 彼の冷ややかさが胸に焼きついて離れない.
cla·ve [kláβe クらベ] 名女 **1** (問題・謎(なぞ)・暗号を解く) かぎ, 手掛かり. **2** 暗号, コード. escribir en *clave* 暗号で書く. **3** 〔建築〕(アーチの) 要石(かなめ). **4** 〔音楽〕音部記号. *clave* de sol 高音部[ト音]記号.
── 名男 〔音楽〕ハープシコード.
── 形 重要な, 不可欠な. palabra *clave* キーワード.
cla·vel [klaβél クらべる] 名男 〔植物〕カーネーション. *clavel* reventón 八重咲きカーネーション (◆スペインの国花).
cla·ve·te·ar [klaβeteár クらベテアル] 動他 (飾り) 鋲(びょう)を打つ.
cla·vi·cém·ba·lo [klaβiθémbalo クらビせンバろ] 名男 〔音楽〕クラビチェンバロ, ハープシコード. [←イタリア語]
cla·vi·cor·dio [klaβikórðjo クらビコルディオ] 名男 〔音楽〕クラビコード.
cla·vi·ja [klaβíxa クらビハ] 名女 **1** (木・金属の) 栓, ピン, ボルト. *clavija* de escalada (登攀(とうはん)用の) ハーケン, ピトン.
2 〔電気〕プラグ. **3** 〔音楽〕(弦楽器の) 糸巻き. → guitarra 図.
cla·vo [kláβo クらボ] 名男 [複 ~s] 〔英 nail〕 **1** **釘**(くぎ); 鋲(びょう).
2 〔料理〕クローブ, チョウジ (丁子).
agarrarse a un clavo ardiendo 《口語》溺(おぼ)れる者はわらをもつかむ.
como un clavo (時間に) 正確に. Estaba allí a las dos *como un clavo*. 彼は時間どおり2時には来ていた.

dar en el clavo 図星を指す, 言い当てる.
remachar el clavo 失敗の上塗りをする; 言い張る.
ser de clavo pasado 明らかである; 簡単である.
tener un clavo en el corazón 悲嘆にくれている.

C

cla·xon [klákson クらクソン] 名男 〘車〙 警笛, クラクション.

cle·men·cia [kleménθja クれメンしア] 名女 慈悲, 寛大.

cle·men·te [kleménte クれメンテ] 形 慈悲深い, 寛大な (= indulgente).

Cle·men·te [kleménte クれメンテ] 固名 クレメンテ: 男性の名.

Cle·men·ti·na [klementína クれメンティナ] 固名 クレメンティナ: 女性の名.

clep·to·ma·ní·a [kleptomanía クれプトマニア] 名女 盗癖, 窃盗狂.

cle·re·cí·a [klereθía クれレしア] 名女 《集合》聖職者; 聖職者の地位[身分].

cle·ri·cal [klerikál クれリカる] 形 聖職者の; 聖職者至上主義の, 教権主義の.
── 名男 聖職者至上主義者, 教権主義者.

cle·ri·ca·lis·mo [klerikalísmo クれリカりスモ] 名男 聖職者至上主義; 教権主義 (↔ anticlericalismo).

clé·ri·go [klériɣo クれリゴ] 名男 聖職者.

cle·ro [kléro クれロ] 名男 《集合》聖職者.

clic [klík クり(ク)] 《擬》カチッ, カチャッ.
── 名男 〘コンピュータ〙クリック: マウスのボタンを1回押すこと.

cli·ché [klitʃé クりチェ] 名男 **1** 〘印刷〙ステロ版, 鉛版. **2** 〘写真〙ネガ; 陰画. **3** 決まり文句. [←フランス語]

clien·te, ta [kljénte, ta クりエンテ, タ] 名男女 [複 ~s] [英 client] **顧客**, 得意先; (弁護士の) 依頼人; (医者の) **患者**. Tiene muchos *clientes*. 彼には顧客がたくさんついている.

clien·te·la [kljentéla クりエンテら] 名女 《集合》顧客, 得意先.

cli·ma [klíma クりマ] 名男 [複 ~s] [英 climate] **1 気候**, 風土. *clima* benigno 温暖な気候. *clima* continental 大陸性気候. *clima* marítimo 海洋性気候.
2 風潮, 雰囲気. el *clima* internacional 国際的な風潮.

cli·ma·te·rio [klimatérjo クりマテリオ] 名男 更年期.

cli·ma·ti·za·ción [klimatiθaθjón クりマティさしオン] 名女 空気調節, エアコンディショニング.

cli·ma·ti·za·do, da [klimatiθáðo, ða クりマティさド, ダ] 過分 形 空気調節[エアコン]完備の.

cli·ma·ti·zar [klimatiθár クりマティさル] [39 z → c] 動他 空気調節をする.

cli·ma·to·lo·gí·a [klimatoloxía クりマトろヒア] 名女 気候学, 風土学.

cli·ma·to·ló·gi·co, ca [klimatolóxiko, ka クりマトろヒコ, カ] 形 気候学の, 風土学の.

clí·max [klímaks クりマクス] 名男 [単・複同形] 絶頂, クライマックス.

clí·ni·ca [klínika クりニカ] 名女 診療所, クリニック.

clí·ni·co, ca [klíniko, ka クりニコ, カ] 形 臨床の, 診療の. ── 名男女 臨床医.

clip [klíp クり(プ)] 名男 [複 clips]
1 クリップ, 紙挟み. → sujetapapeles.
2 ヘアピン; (クリップ式の) 装身具; イヤリング. [←英語]

cli·sé [klisé クりセ] 名男 → cliché.

clí·to·ris [klítoris クりトリス] 名男 [単・複同形] 〘解剖〙クリトリス, 陰核.

clo·a·ca [kloáka クろアカ] 名女 下水道, 排水溝.

clon [klón クろン] 名女 〘生物〙クローン.

clo·na·ción [klonaθjón クろナしオン] 名女 クローン技術.

clo·na·je [klonáxe クろナヘ] 名男 クローン技術.

cló·ni·co, ca [klóniko, ka クろニコ, カ] 形 クローンの.

clo·que·ar [klokeár クろケアル] 動自 (卵を抱いた[ひよこを連れた] 雌鶏が) コッコッコと鳴く. → animal 【参考】.

clo·ro [klóro クろロ] 名男 〘化〙塩素.

clo·ro·fi·la [klorofíla クろロフィら] 名女 〘植物〙葉緑素.

clo·ro·fluo·ro·car·bo·no [kloroflworokarβóno クろロフるオロカルボノ] 名男 〘化〙フロン, クロロフルオロカーボン.

clo·ro·for·mo [klorofórmo クろロフォルモ] 名男 〘化〙クロロホルム.

clo·ru·ro [klorúro クろルロ] 名男 〘化〙塩化物. *cloruro* sódico [de sodio] 塩化ナトリウム, 食塩.

Clo·til·de [klotílde クろティるデ] 固名 クロティルデ: 女性の名.

club [klúβ クる(ブ)] 名男 [複 clubs, clubes] クラブ, サークル; 集会所. [←英語]

clue·ca [klwéka クるエカ] 名女 抱卵期の[ひよこを連れた] 雌鶏.

co- / com- / con- 《接頭》「共同, 共通」の意を表す. ⇒ *co*operar, *com*poner, *con*firmar など.

co·ac·ción [koakθjón コアクしオン] 名女 強制, 強要.

co·ac·cio·nar [koakθjonár コアクしオナル] 動他 強いる.

co·ac·ti·vo, va [koaktíβo, βa コアクティボ, バ] 形 強制的な.

co·ad·ju·tor, to·ra [koaðxutór, tóra コアドゥフトル, トラ] 名男女 助手, 補佐; 〘カトリック〙助任司祭.

co·ad·yu·var [koaðɟuβár コアドゥユバル] 動他 助ける, 援助する.
── 動自 寄与する, 貢献する; 手伝う.

co·a·gu·la·ción [koaɣulaθjón コアグらしオン] 名女 凝固; 凝血.

co·a·gu·lan·te [koaɣulánte コアグランテ] 形 凝固性の. —— 名男 凝固剤.
co·a·gu·lar [koaɣulár コアグラル] 動他 凝固させる; 凝血させる.
—— **co·a·gu·lar·se** 凝固する; 凝血する.
co·a·li·ción [koaliθjón コアリしオン] 名女 (国家・政党などの) 合同, 連合, 連立, 提携.
co·ar·ta·da [koartáða コアルタダ] 名女 〘法律〙 アリバイ, 現場不在証明. probar una *coartada* アリバイを証明する.
co·ar·tar [koartár コアルタル] 動他 妨げる; 制限する.
co·au·tor, to·ra [koautór, tóra コアウトル, トラ] 名男女 共著者; 共犯者.
co·ba [kóβa コバ] 名女 《口語》 おべっか, おだて. dar *coba* a《+uno》〈人〉におべっかを使う.
co·bal·to [koβálto コバるト] 名男 〘化〙 コバルト: 金属元素.
co·bar·de [koβárðe コバルデ] 形 **1** 臆病(おくびょう)な, 意気地がない (↔ valiente).
2 卑怯(ひきょう)な, 卑劣な.
—— 名男女 臆病者, 腰抜け, 卑怯者.
co·bar·dí·a [koβarðía コバルディア] 名女 臆病(おくびょう), 卑怯(ひきょう). por *cobardía* 意気地がなくて, 怖くて.
co·ba·ya [koβája コバヤ] 名女 〘動物〙 モルモット.
co·ber·ti·zo [koβertíθo コベルティそ] 名男 (雨よけの) ひさし.
co·ber·tor [koβertór コベルトル] 名男 毛布 (= manta); ベッドカバー (= colcha).
co·ber·tu·ra [koβertúra コベルトゥラ] 名女 覆うもの; ベッドカバー.
cobertura informativa 情報網, ネットワーク.
co·bi·jar [koβixár コビハル] 動他 保護する, 庇護(ひご)する.
—— **co·bi·jar·se** 避難する.
co·bi·jo [koβíxo コビホ] 名男 保護, 庇護(ひご); 避難所.
co·bra [kóβra コブラ] 名女 〘動物〙 コブラ.
—— 動 → cobrar.
cobrado, da 過分 → cobrar.
co·bra·dor, do·ra [koβraðór, ðóra コブラドル, ドラ] 名男女 集金係, 徴収者; 車掌.
cobrando 現分 → cobrar.

co·brar
[koβrár コブラル] 動他 [現分 cobrando; 過分 cobrado, da] 〔英 receive, collect, get〕
1 (金を) **受け取る, 徴収する**; 現金化する. ¿Cuánto me *cobra* usted? いくらお払いすればいいのですか. Quisiera *cobrar* este cheque. この小切手を現金にしたいのですが.
2 (評判などを) 獲得する; (感情を) 抱く. *cobrar* fama 名声を博す. *cobrar* ánimo 元気がでる. *cobrar* cariño a《+uno》〈人〉に愛情を感じる.
3 (獲物を) 捕らえる.
—— **co·brar·se** **1** (特別料金・補償金などを) 取る. *Se ha cobrado* quinientas pesetas por venir a arreglar el televisor. 彼はテレビ修理の出張代金として500ペセタ余分に徴収した.
2 意識を回復する.
co·bre [kóβre コブレ] 名男 **1** 銅; 銅製品. olla de *cobre* 銅なべ. **2** [~s] 〘音楽〙 金管楽器. **3** 《ラ米》 銅貨, 小銭.
—— 動 → cobrar.
batir el cobre 《口語》 仕事に精を出す.
batirse el cobre por ... …することに全力を尽くす.
co·bri·zo, za [koβríθo, θa コブリそ, さ] 形 銅色の.
co·bro [kóβro コブロ] 名男 (お金の) 受け取り; 取り立て, 徴収. a *cobro* revertido 《電話》 コレクトコールで.
—— 動 → cobrar.
ponerse en cobro 避難する.
co·ca [kóka コカ] 名女 〘植物〙 コカ; コカの葉; コカイン.
co·ca·í·na [kokaína コカイナ] 名女 〘薬〙 コカイン.
coc·ción [kokθjón コクしオン] 名女 煮ること; (れんがなどを) 焼くこと; 焼成.
cóc·cix [kókθiks コクしクス] 名男 [単・複同形] 〘解剖〙 尾骨 (= coxis).
co·ce·ar [koθeár コせアル] 動自 (馬などが) ける, けとばす.
co·cer [koθér コせル] [34 c → z ; 35 o → ue] 動他 〔英 boil, cook〕 **1 煮る, ゆでる**, (パン類を) 焼く. *cocer* los huevos 卵をゆでる. *cocer* arroz ご飯を炊く. → cocinar 【参考】. **2** (れんがなどを) 焼く.
—— 動自 煮え立つ. Ya *cuece* la leche. ミルクがもう煮立っているよ.
—— **co·cer·se** **1** 煮える, 焼ける. Las patatas todavía no *se han cocido*. じゃがいもはまだ煮えていない.
2 画策される. Parece que *se está cociendo* algo en esa reunión. その会合で何か画策されているらしい.
coces 名 [複] → coz.
co·cham·bre [kotʃámbre コチャンブレ] 名女 (または男) 汚らしい物; くず.
co·cham·bro·so, sa [kotʃambróso, sa コチャンブロソ, サ] 形 汚れた, 汚い.

co·che
[kótʃe コチェ] 名男 [複 ~s] 〔英 car〕
1 自動車, 車 (=automóvil) ; 馬車 (=*coche* de caballos). conducir un *coche* 車を運転する. ir en *coche* 車で行く. *coche* automático オートマチック車. *coche* blindado 装甲車. *coche* celular 囚人護送車. *coche* de alquiler レンタカー. *coche* de bomberos 消防車. *coche* de carreras レーシングカー. *coche* deportivo スポーツカー. *coche* fúnebre 霊柩(れいきゅう)車. *coche* patrulla パトロールカー. *coche* silla 折り畳み式乳母車. → automóvil 図.

2 車両. *coche*-cama 寝台車. *coche* comedor [restaurante] 食堂車.

co·che·ra [kotʃéra コチェラ] 名女 車庫, ガレージ (= garaje).

co·che·ro [kotʃéro コチェロ] 名男 (馬車の) 御者.

co·chi·na·da [kotʃináða コチナダ] / **co·chi·ne·rí·a** [-nería -ネリア] 名女 **1** 汚らしいもの. **2** 卑猥(ひわい)な言葉; 卑劣な行為.

co·chi·ni·llo [kotʃiníʎo コチニリョ] 名男 子ブタ. *cochinillo* asado 《料理》子豚の丸焼き.

co·chi·no, na [kotʃíno, na コチノ, ナ] 名男女 **1** 《動物》ブタ (豚) (= cerdo). *cochino* montés イノシシ (猪).

2 (豚のように) 不潔な人.

── 形 汚い, 不潔な; ひどい.

co·ci·do, da [koθíðo, ða コしド, ダ] 過分 形 煮た, ゆでた.

── 名男 コシード: スペインふう煮込み料理. ◆ふつう *cocido* madrileño「マドリードふうコシード」を指す. ヒヨコ豆 garbanzo, 腸詰め chorizo, 豚の脂身 tocino, 豚の骨, ジャガイモ, 野菜などを材料に使う.

ganarse el cocido 《口語》暮らしを立てる.

co·cien·te [koθjénte コしエンテ] 名男 《数》(割り算の) 商.

cociente intelectual 知能指数 (= coeficiente de inteligencia) 〔英 IQ〕.

co·ci·na

[koθína コしナ] 名女 [複 ~s] 〔英 kitchen〕

1 **台所**, キッチン. *cocina*-comedor ダイニング・キッチン.

2 調理台, レンジ. *cocina* eléctrica 電気調理台. *cocina* de gas ガスレンジ.

3 料理, 料理法. libro de *cocina* española スペイン料理の本. *cocina* casera 家庭料理.

co·ci·nar [koθinár コしナル] 動他 料理する, 調理する.

> 【参 考】 **cocer** 煮る, ゆでる.
> **guisar** 煮込み料理などを作る.
> **asar** 焼く, ローストする.
> **freír** 油で揚げる, 炒(いた)める.

co·ci·ne·ro, ra [koθinéro, ra コしネロ, ラ] 名男女 [複 ~s] 〔英 cook〕 **料理人, コック**, 調理師.

co·ci·ni·lla [koθiníʎa コしニリャ] 名女 (携帯用の) 小型こんろ.

co·co [kóko ココ] 名男 **1** ココナッツ; 《植物》ココヤシ. **2** 《口語》頭.

3 《口語》(子供を脅かす) お化け.

comer el coco a 《+uno》《口語》〈人〉をまるめ込む.

comerse el coco 《口語》頭を悩ます.

co·co·dri·lo [kokoðrílo ココドゥリろ] 名男 《動物》ワニ (鰐), クロコダイル.

co·co·te·ro [kokotéro ココテロ] 名男 《植物》ココヤシ. ➡ coco.

cóc·tel [kóktel コクテる] / **coc·tel** [koktél コクテる] 名男 [複 cócteles, cocteles] カクテル, カクテルパーティ.

cóctel Molotov 火炎瓶.

coc·te·le·ra [kokteléra コクテれラ] 名女 (カクテル用の) シェーカー.

co·da [kóða コダ] 名女 《音楽》(楽曲・楽章の) 終結部, コーダ.

co·da·zo [koðáθo コダそ] 名男 肘(ひじ)で突くこと.

co·de·ar [koðeár コデアル] 動自 **1** 肘(ひじ)で突く. **2** 《ラ米》せびる, たかる.

── **co·de·ar·*se*** 《+**con**》…と親しく付き合う.

có·di·ce [kóðiθe コディせ] 名男 (古典・聖書の) 写本, 古文書.

co·di·cia [koðíθja コディしア] 名女 強欲, 貪欲(どんよく); 渇望.

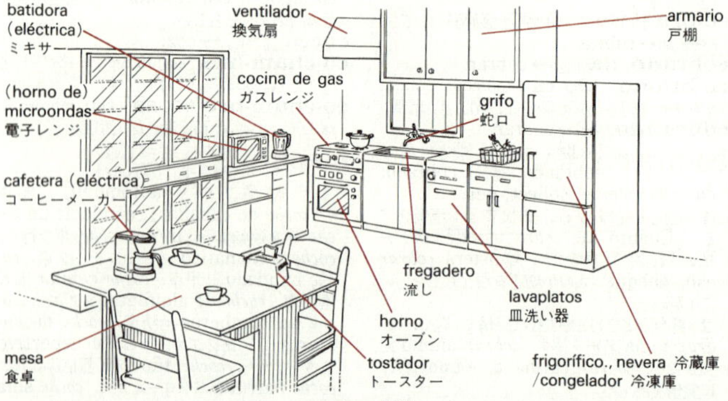

cocina 台所

co·di·ciar [koðiθjár コディしアル] 動他 たまらなく欲しがる，切望する.
co·di·cio·so, sa [koðiθjóso, sa コディしオソ, サ] 形 強欲な; 《+**de**》…を熱望する.
—— 名男女 強欲な人，欲張り.
co·di·fi·car [koðifikár コディフィカル] [8 c ➡ qu] 動他 **1** (法律などを) 成文化する，法典に編む.
2 コード化する; 体系化する.
có·di·go [kóðiɣo コディゴ] 名男 **1** 法典; 法規. *código* de circulación 交通法規. *código* civil 民法. *código* penal 刑法.
2 暗号，コード; 記号体系. *código* de barras バー・コード. *código* de señales (船舶の) 信号法. *código* postal 郵便番号.
co·di·rec·ción [koðirekθjón コディレクしオン] 名女 〘映画〙〘演劇〙 共同監督.
co·do [kóðo コド] 名男 [複 ～s] 〔英 elbow〕 **1** **肘**(ひじ). de *codos* 肘をついて. apoyar los *codos* en la mesa テーブルに肘をつく. ➡ cuerpo 図.
2 〘機械〙 L字形の継ぎ手，接合部; (道路の) 湾曲部，カーブ.
3 腕尺: 指先から肘までの長さ. 約42センチ.
a base de clavar los codos 《口語》 猛勉強して.
alzar [***empinar, levantar***] ***elcodo*** 《口語》 痛飲する.
codo con [***a***] ***codo*** 並んで; 互角に.
comerse los codos de hambre 《口語》 ひどく貧乏する.
desgastarse [***romperse***] ***los codos*** 《口語》 猛勉強する.
hablar por los codos 《口語》 しゃべりまくる.
meterse hasta los codos en 《+algo》 〈何か〉に深入りする.
co·dor·niz [koðorníθ コドルニす] 名女 [複 codornices] 〘鳥〙 ウズラ (鶉).
co·e·du·ca·ción [koeðukaθjón コエドゥカしオン] 名女 男女共学.
co·e·fi·cien·te [koefiθjénte コエフィしエンテ] 名男 〘数〙 係数; 率. *coeficiente* de incremento 増加率. *coeficiente* de inteligencia 知能指数.
co·er·cer [koerθér コエルせル] [34 c ➡ z] 動他 抑制する，抑止する.
co·er·ci·ti·vo, va [koerθitíβo, βa コエルしティボ, バ] 形 抑制する，抑止する.
co·e·tá·ne·o, a [koetáneo, a コエタネオ, ア] 形 同時代の，同時期の.
—— 名男女 同時代の人，同時期の人.
co·e·xis·ten·cia [koeksisténθja コエクシステンしア] 名女 共存.
co·e·xis·tir [koeksistír コエクシスティル] 動自 《+**con**》…と共存する.
co·fa [kófa コファ] 名女 〘海事〙 (帆船の) 檣楼(しょうろう).
co·fia [kófja コフィア] 名女 ヘアネット; (看護婦・尼僧の) 帽子，(ウエートレスの半円形の) 髪飾り.
co·fra·de [kofráðe コフラデ] 名男女 (cofradía の) 会員，組合員.
co·fra·dí·a [kofraðía コフラディア] 名女 (宗教などの) 団体，信徒会; 同業者組合.
co·fre [kófre コフレ] 名男 ふた付きの大箱，櫃(ひつ); 貴重品箱.

co·ger

[koxér コヘル] [11 g ➡ j] 動他 [現分 cogiendo ; 過分 cogido, da] 〔英 catch〕

直説法 現在	
1·単 ***cojo***	1·複 **cogemos**
2·単 **coges**	2·複 **cogéis**
3·単 **coge**	3·複 **cogen**

1 **取る，つかむ**; 摘む，収穫する. *Coge* esa pelota. そのボールを取りなさい. Me *cogió* del brazo. 彼は私の腕をつかんだ. ► 中南米では一般に agarrar を用いる.
2 追いつく，捕らえる; 押収する. *coger* a un ladrón 泥棒をつかまえる. *coger* un pájaro 鳥をつかまえる.
3 乗る. *coger* el avión 飛行機に乗る. ► 中南米では tomar が用いられる.
4 (車が人を) 轢(ひ)く; 〘闘牛〙 (牛が) 角で引っかける.
5 手に入れる; 受け取る，〘通信〙 受信する. *Cogí* un billete para el avión de mañana. 明日の飛行機の切符を手に入れた. *Coja* usted la receta y vaya a la farmacia. 処方箋(せん)を受け取ってから薬局へ行ってください. *coger* Radio Pekín 北京放送を受信する.
6 取り組む，引き受ける.
7 理解する; 受けとめる. No *he cogido* bien lo que decía. 彼の言うことがよく理解できなかった. No *cogió* la noticia con tranquilidad. 彼はその知らせを聞いて冷静ではいられなかった.
8 (習慣を) 身につける，(病気に) かかる. *coger* la costumbre de madrugar 早起きの習慣がつく. *coger* un resfriado 風邪をひく.
9 遭遇する. El comienzo de la guerra me *cogió* en Berlín. 戦争が勃発(ぼっ)した時私はベルリンにいた.
10 交尾する; 《ラ米》《卑語》 性交する.
—— 動自 **1** 根付く. Esta azalea *ha cogido* bien. このアザレアはうまく根付いた.
2 《口語》 入り得る. Aquí no *coge* ese coche. ここにはその車は入らない.
—— **co·ger·se** **1** 挟まれる，引っかける. *cogerse* los dedos en la puerta ドアに指を挟まれる. **2** …にしがみつく.
coger y 《+動詞》《口語》 思い切って…する. Como se acercaba la tormenta, *cogimos y* descendimos de la montaña.
る. Como se acercaba la tormenta, *cogimos y* descendimos de la montaña.
嵐(あらし)が近付いていたので私たちは思い切って下山した.

C

dejarse coger 追いつかれる；だまされる. *dejarse coger* por la lluvia 雨に遭う.
No hay [***No se sabe***] ***por dónde cogerle.*** 全くひどい；全く非の打ちどころのない.

co·ges·tión [koxestjón コヘスティオン] 名女（労働者との）共同管理.

co·gi·da [koxíða コヒダ] 名女 **1**（果実などの）収穫.
2〘闘牛〙（牛が）角で引っかけること.

cogido, da 過分 → coger.

cogiendo 現分 → coger.

cog·nos·ci·ti·vo, va [koɣnosθitíβo, βa コグノスしティボ, バ] 形 認識の. facultad *cognoscitiva* 認識力.

co·go·llo [koɣóʎo コゴリョ] 名男 **1**（レタス・キャベツなどの）結球，芯(しん)；新芽.
2 中核，精髄.

co·gor·za [koɣórθa コゴルさ] 名女 agarrar [coger] una *cogorza*《口語》酔っ払う.

co·go·te [koɣóte コゴテ] 名男 後頭部；うなじ，首筋，襟首.

co·ha·bi·tar [koaβitár コアビタル] 動自 同居する，同棲(どうせい)する.

co·he·char [koetʃár コエチャル] 動他 買収する，賄賂(わいろ)を贈る.

co·he·cho [koétʃo コエチョ] 名男 買収，贈収賄.

co·he·ren·cia [koerénθja コエレンしア] 名女（論理などの）一貫性.

co·he·ren·te [koerénte コエレンテ] 形 首尾一貫した（↔ incoherente).

co·he·sión [koesjón コエシオン] 名女
1 粘着，結合；まとまり，つながり，関連.
2〘物理〙（分子間の）凝集力.

co·he·te [koéte コエテ] 名男 **1** ロケット；ロケット弾. *cohete* espacial 宇宙ロケット. *cohete* de señales 信号弾.
2 打ち上げ花火，爆竹.
al cohete《ラ米》《口語》無駄に；訳もなく.
salir como un cohete 勢いよく飛び出す.

co·hi·bi·ción [koiβiθjón コイビしオン] 名女 気後れ，萎縮(いしゅく)；抑制.

co·hi·bi·do, da [koiβíðo, ða コイビド, ダ] 過分 形 おどおどした，萎縮(いしゅく)した.

co·hi·bir [koiβír コイビル] 46 動他 気後れさせる，萎縮させる.
── **co·hi·bir·se** 物おじする，おじけづく.

coin·ci·den·cia [koinθiðénθja コインしデンしア] 名女（偶然の）一致，符合.

coin·ci·dir [koinθiðír コインしディル] 動自〔英 coincide〕 **1**《+con》…**と一致する**；ぴったり合う. Tus ideas *coinciden con* las mías. 君の考えは私と同じだ. *coincidir* en《+不定詞》…することで意見が一致する，…することに決めている. No *coincidimos* en ese asunto. 私たちはその問題で意見が一致していない.
2 同時に起こる；（偶然）会う，一緒になる. Ayer *coincidimos* en un café. きのう私たちはある喫茶店でばったり出会った.

coi·to [kóito コイト] 名男 性交.

coj- 動 → coger. [11 g → j]

co·je·ar [koxeár コヘアル] 動自 **1** 片足をひきずる，跛行(はこう)する；（家具などが）がたつく.
2 うまく行かない，つまずく.

co·je·ra [koxéra コヘラ] 名女 片足をひきずって歩くこと，跛行(はこう)すること.

co·jín [koxín コヒン] 名男［複 cojines］クッション，座布団. → cuarto 図.

co·ji·ne·te [koxinéte コヒネテ] 名男〘機械〙軸受け，ベアリング.

co·jo, ja [kóxo, xa コホ, ハ] 形 **1** 跛行(はこう)の，足の不自由な；（家具などが）ぐらつく. andar a la pata *coja* けんけんをする，片足跳びをする. **2** 不十分な，不完全な.
── 名男女 跛行者，足の不自由な人.

co·jón [koxón コホン] 名男［普通 cojones］《卑語》睾丸(こうがん)（= testículo).
¡Cojones!《俗語》《驚き・喜び・怒りを表して》なんてこった，こんちくしょう.

co·jo·nu·do, da [koxonúðo, ða コホヌド, ダ] 形《俗語》すばらしい，すごい.

col [kól コル] 名女［複 ～es］〔英 cabbage〕〘植物〙**キャベツ**. *col* de Bruselas 芽キャベツ. → hortalizas 図.
Entre col y col, lechuga.《諺》何事も変化がないと飽きられる.

co·la [kóla コラ] 名女 **1** 尾，しっぽ；末尾，最後. *cola* de cometa 彗星(すいせい)の尾. *cola* del avión 飛行機の後部. a la *cola* 最後に，しんがりに. estar en la *cola* de la clase クラスのびりである.
2 行列. hacer *cola* 行列する. ponerse en (la) *cola* 列に並ぶ.
3 長く引いた裾(すそ)，（燕尾(えんび)服などの）垂れ. **4**〘植物〙コーラの木[実].
cola de caballo（髪型の）ポニーテール.
tener [***traer***] ***cola*** 大変な[面倒な]結果になる.

co·la·bo·ra·ción [kolaβoraθjón コラボラしオン] 名女 **1** 共同，協力. **2** 共著.

co·la·bo·ra·dor, do·ra [kolaβoraðór, ðóra コラボラドル, ドラ] 形 **1** 共同[協力]する. **2** 共著の.
── 名男女 共同研究[制作]者，共著者；寄稿者.

co·la·bo·rar [kolaβorár コラボラル] 動自〔英 collaborate〕 **1**《+en》…に協力する；《+con》…と共同して行う. En esta película *colaboran* los mejores actores. この映画には名優たちが名を連ねている. *Colaboré con* él *en* una novela. 私は彼と小説を合作した.
2《+en》…に寄稿[投稿]する. *colaborar en* un periódico 新聞に投稿する.

co·la·ción [kolaθjón コラしオン] 名女
1 聖職任命；（学位などの）授与.
2 軽食，おやつ.

sacar* [*traer*] *a colación 引き合いに出す.
co·la·da [koláða コラダ] 名女 **1** 漂白; 洗濯; 洗濯物.
2 〘冶金〙出銑: 溶鉱炉の口から溶融金属を取り出すこと.
co·la·de·ro [kolaðéro コラデロ] 名男
1 濾過(ろ)器.
2 《口語》試験がとてもやさしい学校.
co·la·dor [kolaðór コラドル] 名男
漉(こ)し器; 茶漉し.
co·la·du·ra [kolaðúra コラドゥラ] 名女
1 漉(こ)すこと, 濾過(ろ).
2 《口語》へま, 失敗.
co·lap·so [kolápso コラプソ] 名男 〘医〙
虚脱; 機能停止, 麻痺(ま).
co·lar [kolár コラル] [13 o ➡ ue] 動他
1 漉(こ)す, 濾過(ろ)する.
2 《口語》隠して持ち込む[出す].
— 動自 (話などが) 受け入れられる.
— co·lar·se **1** 浸透する, 入り込む; 忍び込む. aire *colado* すきま風.
2 へまをする, 誤りを犯す.
co·la·te·ral [kolaterál コラテラる] 形
1 両側の, 側面にある. **2** 傍系 (親族) の.
— 名男女 傍系親族.
col·cha [kóltʃa コるチャ] 名女 ベッドカバー. ➡ cama 図.
col·chón [koltʃón コるチョン] 名男 [複 colchones] マットレス. *colchón* de muelle スプリング入りのマットレス. ➡ cama 図.
dormir en un colchón de plumas 安楽な生活を送る, 気楽に暮らす.
servir de colchón クッションの役目をする.
col·cho·ne·ta [koltʃonéta コるチョネタ] 名女 小型のマットレス, 細長いクッション.
co·le [kóle コれ] 名男 《口語》学校 (= colegio). ir al *cole* 学校へ行く.
co·le·ar [koleár コれアル] 動自 **1** 尾を振る.
2 長引く, 尾を引く.
co·lec·ción [kolekθjón コれクしオン] 名女 [複 colecciones] 〔英 collection〕
1 収集; 収集品. una *colección* de discos レコードのコレクション.
2 双書, 全書; モード・コレクション.
3 多数, 多量. decir una *colección* de tonterías くだらない御託を並べる.
co·lec·cio·nar [kolekθjonár コれクしオナル] 動他 収集する, 採集する.
co·lec·cio·nis·ta [kolekθjonísta コれクしオニスタ] 名男女 収集家, コレクター.
co·lec·ta [kolékta コれクタ] 名女 募金.
co·lec·tar [kolektár コれクタル] 動他
募金を集める; 散らばったものを集める.
co·lec·ti·va·men·te [kolektíβaménte コれクティバメンテ] 副 一括して, 共同で.
co·lec·ti·vi·dad [kolektiβiðáð コれクティビダ(ドゥ)] 名女 集合, 集団.
co·lec·ti·vo, va [kolektíβo, βa コれクティボ, バ] 形 集団の, 集合の; 共有の (↔ individual). contrato *colectivo* 労働契約.
— 名男 **1** 〘文法〙集合名詞.
2 《ラ米》小型バス.
co·lec·tor [kolektór コれクトル] 名男
1 下水溝, 下水道.
2 〘電気〙集電極, コレクター.
co·le·ga [koléɣa コれガ] 名男女 同僚, 同業者.
co·le·gia·do, da [kolexjáðo, ða コれヒアド, ダ] 過分 形 同業団体[組合]に属する.
— 名男女 同業団体員, 組合員.
— 名男 〘スポーツ〙(サッカーの) 審判.
co·le·gial [kolexjál コれヒアる] 形 生徒の; 学校の. vida *colegial* 学校生活.
— 名男 男子生徒; 寮生.
co·le·gia·la [kolexjála コれヒアら] 名女
女生徒; 女子寄宿生.
co·le·gia·ta [kolexjáta コれヒアタ] 名女
参事会教会: 聖堂参事会が管理する教会.
co·le·gio [koléxjo コれヒオ] 名男 [複 ~s] 〔英 school〕
1 学校; 小学校. *colegio* de párvulos 幼稚園. *Colegio* Mayor 学寮. ➡ escuela.
2 同業団体, 協会. *colegio* de abogados 弁護士会. *colegio* de médicos 医師会. *colegio* electoral 選挙区の有権者.
co·le·gir [kolexír コれヒル] [19 g ➡ j ; 41 e ➡ i] 動他 [現分 coligiendo] 《+ **de, por**》…から推論する, 推理する.
co·le·óp·te·ro [koleóptero コれオプテロ] 形 〘昆虫〙甲虫の. **—** 名男 〘昆虫〙甲虫; [~s] 甲虫類, 鞘翅(しょうし)類.
có·le·ra [kólera コれラ] 名女 怒り, 立腹, 激怒 (=ira). Descargó su *cólera* en su mujer. 彼は妻に八つ当たりした. montar en *cólera* 激怒する, かっとなる.
— 名男 〘医〙コレラ. *cólera* morbo 真性コレラ.
co·lé·ri·co, ca [kolériko, ka コれリコ, カ] 形 怒りっぽい; 怒った, 腹を立てた.
co·les·te·rol [kolesteról コれステロる] 名男 〘生化〙コレステロール.
co·le·ta [koléta コれタ] 名女 **1** (闘牛士の) 髷(まげ); お下げ髪. **2** 補遺, 注記.
co·le·ta·zo [koletáθo コれタそ] 名男
1 尾での一撃, 尾[鰭(ひれ)]をばたつかせること.
2 最後のあがき.
co·le·ti·lla [koletíʎa コれティリャ] 名女
補遺, 後書き.
colgado, da 過分 ➡ colgar.
col·ga·du·ra [kolɣaðúra コるガドゥラ] 名女 掛け布, 垂れ幕, カーテン; 壁掛け, タペストリー.
colgando 現分 ➡ colgar.
col·gan·te [kolɣánte コるガンテ] 形
1 ぶら下がった, 掛かった.
2 急斜面にある, 高みにある.
— 名男 ペンダント. ➡ collar.
col·gar [kolɣár コるガル] [13 o ➡ ue ; 32 g ➡ gu] 動他 [現分 colgando; 過分 colgado, da] 〔英

hang]

直説法 現在	
1・単 *cuelgo*	1・複 **colgamos**
2・単 *cuelgas*	2・複 **colgáis**
3・単 *cuelga*	3・複 *cuelgan*

C

1 ⦅+**de, en**⦆ …に掛ける, つるす. *colgar* la chaqueta *de* un árbol 上着を木に掛ける. *colgar* un cuadro *en* la pared 壁に絵を掛ける.
2 絞首刑にする.
3 受話器を置く. *colgar* el teléfono 電話を切る.
4 落第させる. Se quedó con dos asignaturas *colgadas*. 彼は2科目を落とした.
5 (罪・責任を) なすりつける. *colgar* a ⦅+uno⦆ el sambenito de ladrón 〈人〉に泥棒の汚名を着せる. **6** 放棄する. *colgar* las botas サッカー選手を引退する. *colgar* los hábitos 僧籍を離れる.
── 動自 **1** ⦅+**de, en**⦆ …からぶら下がる, 垂れ下がる. Los racimos de uvas *cuelgan* de la parra. ブドウの房が(ブドウ)棚からぶら下がっている. **2** 電話を切る.
── **col·gar·*se*** 首つり自殺をする.

colgué(-) / **colguemos** 動 → colgar. [⑬ o → ue ; ㉜ g → gu]

co·li·ba·ci·lo [coliβaθílo コリバしロ] 名男 〘医〙大腸菌. *Colibacilo* O–157 病原性大腸菌 O–157.

co·li·brí [koliβrí コリブリ] 名男 [複 colibríes] 〘鳥〙ハチドリ(蜂鳥).

có·li·co [kóliko コリコ] 名男 疝痛(せんつう); 下痢を伴った激しい腹痛. *cólico* miserere 腸閉塞(へいそく)症.

co·li·flor [koliflór コリフろル] 名女 〘植物〙カリフラワー. → hortalizas 図.

co·li·lla [kolíʎa コリリャ] 名女 (タバコの) 吸い殻, 吸いさし.

co·li·na [kolína コリナ] 名女 [複 ～s] 〔英 hill〕 丘, 丘陵.

co·lin·dan·te [kolindánte コリンダンテ] 形 ⦅+**con**⦆ …に隣接した, 隣り合った.

co·lin·dar [kolindár コリンダル] 動自 ⦅+**con**⦆ …と隣接する, 隣り合う.

co·li·rio [kolírjo コリリオ] 名男 〘医〙洗眼水, 点眼剤.

co·li·se·o [koliséo コリセオ] 名男 **1** コロセウム: 古代ローマの円形競技場.
2 大円形演技[競技]場; 大劇場, 大会場.

co·li·sión [kolisjón コリシオン] 名女 衝突, 激突; 対立, 軋轢(あつれき).

co·lla·do [koʎáðo コリャド] 名男 小丘; 山あいの道.

co·llar [koʎár コリャル] 名男 **1** ネックレス, 首飾り; (勲章の) 頸章(けいしょう). *collar* de perlas 真珠の首飾り. **2** (犬などの) 首輪.
3 (鳥の首の周りの) 輪, 色輪.

co·lle·ra [koʎéra コリェラ] 名女 (車を引く牛馬の) 首輪.

col·ma·do, da [kolmáðo, ða コるマド, ダ] 過分 形 ⦅+**de**⦆ …でいっぱいの, 満ちあふれた. ── 名男 (酒・魚介類を出す) 小料理店; 食料品店.

col·mar [kolmár コるマル] 動他 **1** ⦅+**de**⦆ …であふれさせる, 満たす.
2 (欲望を) 満たす, かなえる.

col·me·na [kolména コるメナ] 名女 ミツバチの巣箱; ハチの巣.

col·mi·llo [kolmíʎo コるミリョ] 名男 〘解剖〙犬歯; 牙(きば). enseñar los *colmillos* 牙をむく.

col·mo [kólmo コるモ] 名男 **1** 絶頂, 極み, 極限. ¡Eso es el *colmo*! いくらなんでもそれはひどすぎる. Sería el *colmo* si ... もし…したら, もうおしまいだ.
2 山盛り. a *colmo* ふんだんに, 十二分に. con *colmo* 山盛りの.
para colmo おまけに, その上悪いことに.

co·lo·ca·ción [kolokaθjón コろカしオン] 名女 **1** 配置, 配列; 設置. *colocación* de los cuadros 絵の並べ方. *colocación* de la primera piedra 定礎; 起工. **2** 職, 就職口. buscar una *colocación* 職を探す.

colocado, da 過分 → colocar.

colocando 現分 → colocar.

co·lo·car [kolokár コろカル] [⑧ c → qu] 動他

〔現分 colocando, 過分 colocado,da〕 〔英 put, arrange〕 **1** 置く, 配置する. *colocar* los libros en un estante 本を本棚に並べる. *Colóca*lo bien para que no se caiga. 倒れないようにしっかり立てなさい. **2** 就職させる; 嫁がせる. *Colocó* a su hijo en el banco. 彼は息子を銀行に就職させた. *colocar* bien a su hija 娘をよい所に嫁がせる.
── **co·lo·car·*se*** **1** 就職する. *Se ha colocado* en un banco. 彼は銀行に入った. *colocarse* de secretaria 秘書として勤める. **2** 身を置く. *Se colocó* junto a su padre. 彼は父親の隣に座った[立った].
estar bien colocado いい仕事に就いている; 〘スポ〙いいポジションにいる.

co·lo·dri·llo [koloðríʎo コろドゥリリョ] 名男 後頭部.

co·lo·fón [kolofón コろフォン] 名男
1 (本の) 奥付, 奥書. **2** 締めくくり, 有終の美; 最高潮, クライマックス.
como colofón 最後に, 締めくくりとして.

Co·lom·bia [kolómbja コろンビア] 固名 〔英 Colombia〕

コロンビア: 南米大陸北西部の共和国. 首都 Santa Fe de Bogotá. 通貨 peso.

co·lom·bia·no, na [kolombjáno, na コろンビアノ, ナ] [複 ～s] 〔英 Colombian〕 形 コロンビアの.
── 名男女 コロンビア人.

co·lon [kólon コろン] 名男 **1** 〘解剖〙結腸.
2 (欧文の) コロン (:) (= dos puntos), セミコロン (;) (= punto y coma).

Co·lón [kolón コロン] 固名 コロンブス, Cristóbal (1451–1506)：スペインの Isabel 女王の援助を得て，1492年10月12日，中米 San Salvador 島に到着.

co·lo·nia [kolónja コロニア] 名女 **1** 植民地；移住地. *colonia* de ultramar 海外植民地.
2《集合》居留民；居住区. *colonia* española en París パリ在住のスペイン居留民. *colonia* obrera 労働者用団地.
3〔生物〕群れ，群体；集落. *colonia* bacteriana バクテリアの群体.
4 オーデコロン (=agua de *colonia*).
colonia de vacaciones 臨海[林間]学校.
colonia de verano サマーキャンプ.

co·lo·nial [kolonjál コロニアる] 形 植民地の；コロニアル様式の.

co·lo·nia·lis·mo [kolonjalísmo コロニアりスモ] 名男 植民地主義[政策].

co·lo·ni·za·ción [koloniθaθjón コロニさしオン] 名女 植民；植民地化.

co·lo·ni·za·dor, do·ra [koloniθaðór, ðóra コロニさドル, ドラ] 形 植民する；植民地化する.
—— 名男女 植民者，開拓民.

co·lo·ni·zar [koloniθár コロニさル] [39 z ➡ c] 動他 植民する；植民地化する.

co·lo·no [kolóno コロノ] 名男 小作人.

coloque(-) / coloqué(-) 動 ➡ colocar. [8 c ➡ qu]

co·lo·quial [kolokjál コロキアる] 形 口語(体)の，会話体の.

co·lo·quio [kolókjo コロキオ] 名男 **1** 対話，会話 (= diálogo, conversación).
2 討論会，パネルディスカッション.

co·lor [kolór コろル] 名男 [複 ～es]〔英 colo(u)r〕
1 色，色彩. ¿De qué *color* es su coche?— Es (de *color*) rojo. あなたの車は何色ですか. — 赤です. zapatos de *color* (黒に対して) 茶色の靴. lápiz de *color* 色鉛筆.

【参　考】色の名称

amarillo	黄	morado	紫
azul	青	naranja	オレンジ色
blanco	白	negro	黒
gris	灰色	rojo	赤
marrón	茶色	verde	緑

2 顔料，染料，絵の具. mezclar los *colores* 色を混ぜる.
3 顔色；肌の色. hombre de *color* 有色人種，黒人.
4 特徴，様相；(思想的な) 傾向. *color* local 郷土色. ¿Qué *color* tiene ese periódico? その新聞の政治色は？
5 精彩，輝き. escena llena de *color* いきいきとした情景.
6 [～es] (国・団体などの) シンボル (カラー)，旗. los *colores* nacionales 国旗. los *colores* del equipo チーム (カラー).
dar color a … …に着色する；精彩[活気]を与える.
perder el color 色が落ちる；(恐れ・驚きで) 青くなる.
ponerse de mil colores 赤面する，(怒りなどで) 顔色を変える.
subido de color 卑猥(ひわい)な.
tomar color 色づく；〔料理〕焦げめが付く.
tomar el color (布に) 色が染まる.

co·lo·ra·do, da [koloráðo, ða コロラド, ダ] 過分 形 赤い，(顔が) 赤らんだ (=rojo). lápiz *colorado* 赤鉛筆. estar *colorado* de vergüenza 恥ずかしくて赤面している. poner *colorado* a《+ uno》〈人〉を赤面させる. ponerse *colorado* 赤面する.
—— 名男 赤(色).

co·lo·ran·te [koloránte コロランテ] 形 着色する. —— 名男 着色剤. *colorante* sintético 合成着色料.

co·lo·re·ar [koloreár コロレアル] 動他
1 …に着色する. **2** 取り繕う，言い繕う.
—— 動自 **co·lo·re·ar·se** (赤く) 色づく，熟れる. *colorearse* de rojo 赤くなる.

co·lo·re·te [koloréte コロレテ] 名男 頬紅(ほおべに).

co·lo·ri·do [koloríðo コロリド] 名男
1 色合い，色調. **2** 生彩；活気，にぎわい.

co·lo·rín [kolorín コロリン] 名男 [普通 colorines] 派手な色，どぎつい色.
Y colorín, colorado, este cuento se ha acabado.《童話などの結びの決まり文句》めでたしめでたし，これでおしまい.

co·lo·ris·mo [kolorísmo コロリスモ] 名男
1〔美術〕色彩主義. **2** 華麗な修辞の駆使.

co·lo·sal [kolosál コロサる] 形 **1** 巨大な，大規模な. **2**《口語》すごい，すばらしい.

co·lo·so [kolóso コロソ] 名男 **1** 巨像，巨人 (= gigante). **2** 傑物.

co·lum·na [kolúmna コるムナ] 名女
1 円柱，柱.

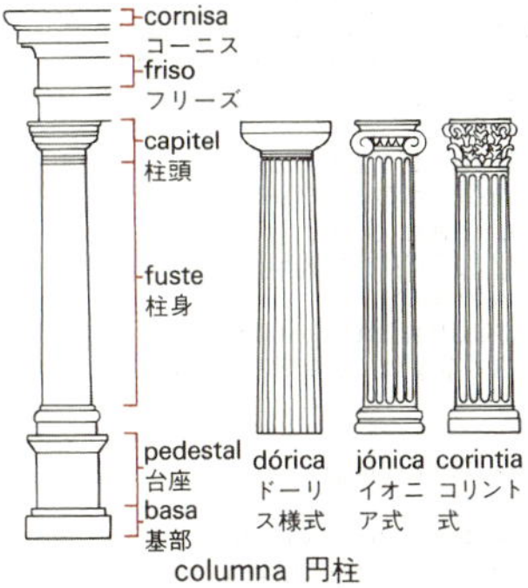

columna 円柱

2 柱状のもの；積み重ね，堆積(たいせき). *columna* de humo 柱状に立ちのぼる煙. *columna* de fuego 火柱. *columna* vertebral 〔解剖〕脊柱(せきちゅう). *columna* de dirección 〔車〕ステアリングコラム：ハンドルの軸.
3 (印刷物の) 縦欄；(新聞の) コラム.
4 縦隊. en *columna* de a tres 3列縦隊で. quinta *columna* 第五列，対敵協力者.

co·lum·na·ta [kolumnáta コるムナタ] 名女〔建築〕列柱，柱廊.

co·lum·nis·ta [kolumnísta コるムニスタ] 名男女 (新聞・雑誌の) コラムニスト.

co·lum·piar [kolumpjár コるンピアル] 動他 ぶらんこに乗せる；揺する.
── **co·lum·piar·*se*** ぶらんこをこぐ；体を揺すって歩く.

co·lum·pio [kolúmpjo コるンピオ] 名男 ぶらんこ. ► シーソーは balancín, subibaja.

col·za [kólθa コるサ] 名女〔植物〕アブラナ.

co·ma [kóma コマ] 名女〔英 comma〕
1 句点，コンマ (,). ➡ puntuación 【参考】. **2** 小数点. ◆小数0.7をスペイン，アルゼンチンなどでは0,7 cero coma siete (温度の場合は siete décimas) と記し，メキシコなどでは0.7 cero punto siete と記す.
── 名男〔医〕昏睡(こんすい). estar en *coma* 昏睡状態に陥っている.
── 動 ➡ comer.
sin faltar* (*ni*) *una coma 余すところなく；綿密に.

co·ma·dre [komáðre コマドゥレ] 名女
1 (両親・代父からみた洗礼に立ち合う) 代母，名付け親 (↔ compadre). ► 子からみた代母は madrina. **2** 《口語》近所のおかみさん；うわさ好きな女.

co·ma·dre·ar [komaðreár コマドゥレアル] 動自 《口語》(女たちが) うわさ話をする.

co·ma·dre·ja [komaðréxa コマドゥレハ] 名女〔動物〕イタチ (鼬).

co·ma·dro·na [komaðróna コマドゥロナ] 名女 《口語》助産婦.

co·man·dan·cia [komandánθja コマンダンしア] 名女〔軍事〕指揮，指揮権；司令部，参謀本部；管轄区域.

co·man·dan·te [komandánte コマンダンテ] 名男〔軍事〕指揮官，司令官. *comandante* en jefe 司令長官. ➡ militar 【参考】.

co·man·dar [komandár コマンダル] 動他〔軍事〕指揮する，指令する.

co·man·di·ta [komandíta コマンディタ] 名女〔商業〕合資会社 (= sociedad en *comandita*).

co·man·do [komándo コマンド] 名男
1〔軍事〕⑴遊撃隊，奇襲部隊；遊撃隊員，コマンド. ⑵指揮，指令.
2〔コンピュータ〕コマンド，指令.

co·mar·ca [komárka コマルカ] 名女 地方，地域.

co·mar·cal [komarkál コマルカる] 形 地域の，地方の；郷土の，地元の.

com·ba [kómba コンバ] 名女 **1** (綱・木・梁(はり)などの) たわみ，曲がり；(路面の) 反り.
2 縄跳びの縄；縄跳び. saltar a la *comba* 縄跳びをする.
hacer combas 体を左右に揺する.

com·bar [kombár コンバル] 動他 曲げる，たわめる，反らせる (↔ enderezar).

com·ba·te [kombáte コンバテ] 名男 **1** 戦い，戦闘. *combate* aéreo 空中戦. *combate* desigual 一方的な戦い. *combate* singular (一対一の) 決闘. ➡ batalla 【参考】.
2 勝負，試合. empeñar el *combate* (ボクシングの) 戦いを始める. ganar por fuera de *combate* ノックアウト勝ちをする.
3 苦闘，葛藤(かっとう).

com·ba·tien·te [kombatjénte コンバティエンテ] 形 戦う，戦闘する.
── 名男女 戦闘員，戦士.

com·ba·tir [kombatír コンバティル] 動自 《+con, contra》…と戦う.
── 動他 **1** …と戦う；…に抵抗する. *combatir* los prejuicios 偏見と戦う. **2** (風・波などが) …に打ち当たる，打ち寄せる.

com·ba·ti·vo, va [kombatíβo, βa コンバティボ，バ] 形 攻撃的な，闘争的な，闘志満々の.

com·bi·na·ción [kombinaθjón コンビナしオン] 名女 **1** 組み合わせ；結合. *combinación* de colores 色の配合.
2 (婦人用の) スリップ. **3** ダイヤル錠.
4 カルテル. **5** 陰謀，計略.

com·bi·nar [kombinár コンビナル] 動他 組み合わせる；調和させる；調整する. *combinar* la teoría con la práctica 理論と実践を結びつける. *combinar* los zapatos con el vestido 靴を服に合わせる.
── 動自 《+con》…と合う，調和する. Este color no *combina con* el azul. この色は青とは調和しない.
── **com·bi·nar·*se*** **1** 結合する，連合する；陰謀をたくらむ；〔スポーツ〕(サッカー) パスを繋(つな)ぐ. **2**〔化〕化合する.

com·bus·ti·ble [kombustíβle コンブスティブれ] 形 可燃性の.
── 名男 燃料；可燃物.

com·bus·tión [kombustjón コンブスティオン] 名女 燃焼.

co·me·dia [koméðja コメディア] 名女 [複 ~s]〔英 play, comedy〕 **1** 喜劇 (↔ tragedia). *comedia* de figurón 風刺喜劇.
2 演劇；戯曲. representar una *comedia* 劇を上演する. *comedia* de costumbres 風俗劇.
3 《比喩》芝居，茶番；見せかけ. hacer (la) *comedia* お芝居をする，振りをする.

co·me·dian·te, ta [komeðjánte, ta コメディアンテ，タ] 名男女 喜劇俳優；役者.

co·me·di·da·men·te [komeðíðaménte コメディダメンテ] 副 穏やかに.

co·me·di·do, da [komeðíðo, ða コメディド，ダ] 過分 形 控えめな，慎み深い.

co·me·di·mien·to [komeðimjénte コメディミエント] 名男 節度, 控えめ.

co·me·dió·gra·fo, fa [komeðjóɣrafo, fa コメディオグラフォ, ファ] 名男女 喜劇作家; 劇作家 (= dramaturgo).

co·me·dir·*se* [komeðírse コメディルセ] [41 e ➙ i] 動 [現分 comidiéndose] 節度を保つ, 控えめにする; 自制する. *comedirse* en las palabras 言葉を慎む.

co·me·dor [komeðór コメドル] 名男 [複 ~es] 〔英 dining room〕 **食堂**; (食堂用の) 家具. *comedor* universitario 大学食堂.

comencé(-) / comencemos 動 ➙ comenzar. [39 z ➙ c ; 42 e ➙ ie]

co·men·da·dor [komendaðór コメンダドル] 名男 騎士団長.

co·men·sal [komensál コメンサる] 名男女 食事を共にする人, 会食者.

co·men·tar [komentár コメンタル] 動他
1 解説する, 注釈する.
2 話題にする; うわさする.

co·men·ta·rio [komentárjo コメンタリオ] 名男 **1** 注釈; 論評, 解説. Sin *comentarios*. ノーコメント. **2** [普通 ~s] うわさ話.

co·men·ta·ris·ta [komentarísta コメンタリスタ] 名男女 注釈者, 解説者, 評釈者.

comenzado, da 過分 ➙ comenzar.

comenzando 現分 ➙ comenzar.

co·men·zar [komenθár コメンさル] [39 z ➙ c ; 42 e ➙ ie] 動他 [現分 comenzando; 過分 comenzado, da] 〔英 begin〕

直説法 現在	
1·単 ***comienzo***	1·複 **comenzamos**
2·単 ***comienzas***	2·複 **comenzáis**
3·単 ***comienza***	3·複 ***comienzan***

始める, 取りかかる, 着手する. Vamos a *comenzar* la clase. 授業を始めましょう.
— 動自 **1 始まる**; 開始する. ¿A qué hora *comienza* la función? 開演は何時ですか.
2 《+**a** 不定詞》 **…し始める**. *comenzar a* hablar 話し始める.
3 《+**por** 不定詞》《+現在分詞》 …することから始める. ¡*Comienza por* fregar los platos! まずお皿を洗いなさい.

co·mer [komér コメル] 動他 [現分 comiendo; 過分 comido, da] 〔英 eat〕 **1 食べる**. No quiero *comer* nada. 私は何も食べたくない. *comer* el primer plato 最初の料理を食べる. *comer* sopa スープを飲む. ➙ beber, tomar.

> 【参 考】 しばしば目的語なしで「食事をする」の意味で使われる. 普通は昼食の意だが, 夕食に **comer** を当てた場合は昼食には **almorzar** を用いて区別する.
> ⇀ ¿*Has comido* ya? もう食事はすんだ? Hoy *hemos comido* paella. 今日の昼はパエーリャだった. ➙ desayunar, cenar.

2 消費する, 食う. La estufa *come* mucha electricidad. そのストーブは電気をたくさん食う.
3 (チェスで相手の駒(こま)を) 取る. *comer* un peón ポーンを取る.
4 (錆(さび)・酸などが) 腐食させる.
5 いらいらさせる. Le *come* la envidia. 彼は人がうらやましくてたまらない.
— **co·mer·*se*** **1** 食べてしまう, 平らげる. **2** (ある音を) 抜かして発音する, 読み飛ばす, 書き抜かす.
comer de ... …を食べる.
comerse unos a otros いがみ合う.
comerse vivo a 《+uno》 〈人〉 にたてつく.
dar de comer ➙ dar.
Donde comen dos, comen tres. 2人養うも3人養うも同じだ.
no comer ni dejar comer 使いもしなければ使わせもしない, 意地が悪い.
sin comerlo ni beberlo 図らずも, 思いがけなく.

co·mer·cial [komerθjál コメルしアる] 形 [複 ~es] 〔英 commercial〕 **商業の**; 通商の; もうけ主義の. tratado *comercial* 通商条約.

co·mer·cia·li·zar [komerθjaliθár コメルしアリさル] [39 z ➙ c] 動他 商業[商品]化する; (製品を) 市場に出す.

co·mer·cian·te [komerθjánte コメルしアンテ] 名男女 [複 ~s] 〔英 merchant〕
1 商人, 商店主. *comerciante* al por mayor 卸商人. *comerciante* al por menor 小売商人.
2 計算高い人.

co·mer·ciar [komerθjár コメルしアル] 動自 商売をする, 取引する; 通商する, 貿易をする. *comerciar* con una firma extranjera 外国企業と取引する. *comerciar* en productos químicos 化学製品を商う.

co·mer·cio [komérθjo コメルしオ] 名男 [複 ~s] 〔英 commerce〕 **1 商業**; **取引**, 貿易. fomentar el *comercio* y la industria 商工業を振興させる. *comercio* entre dos países 2国間貿易. *comercio* exterior 外国貿易.
2 商店.

co·mes·ti·ble [komestíβle コメスティブれ] 形 食べられる, 食用に適する.
— 名男 [~s] 食料品. tienda de *comestibles* 食料品店.

co·me·ta [kométa コメタ] 名男 〘天文〙 彗星(すいせい), ほうき星. — 名女 凧(たこ).

co·me·ter [kometér コメテル] 動他 (罪・過失などを) 犯す. *cometer* un delito [un error] 罪[誤り]を犯す.

co·me·ti·do [kometíðo コメティド] 名男 任務, 使命, 役目 (= encargo, misión).

co·me·zón [komeθón コメソン] 名女
1 かゆみ, むずがゆさ.
2 うずうずすること; 気掛かり, 心のうずき.

co·mic [komík コミ(ク)] / **có·mic** [kómik コミ(ク)] 名男 [複 comics] 漫画, コミックス.

C

co·mi·ci·dad [komiθiðáð コミしダ(ドゥ)] 名女 喜劇性, こっけいさ, おかしみ.

co·mi·cios [komíθjos コミしオス] 名男 [複] 選挙, 投票 (= elecciones).

có·mi·co, ca [kómiko, ka コミコ, カ] 形
1 喜劇の. actor *cómico* 喜劇俳優.
2 こっけいな, おかしい.
── 名男女 **1** 喜劇役者, コメディアン.
2 俳優, 役者 (= actor).
3 こっけいな人, おかしな人.

co·mi·da [komíða コミダ] 名女 [複 ~s] 〔英 food; dinner〕
1 食べ物; 食事, 料理. hacer [preparar] la *comida* 食事を作る. servir la *comida* 食事を出す. *comida* española スペイン料理. En Japón la *comida* es muy cara. 日本は食費がとても高い. ► 飲み物は bebida.
2 昼食 (= almuerzo). ¿A qué hora es la *comida* en España? スペインでは昼食は何時ですか. ►comida はふつう昼食の意. 夕食が comida の場合は, 昼食は almuerzo と呼んで区別する. → desayuno, cena.
3 会食. Todas las semanas tenemos *comidas* y recepciones. 毎週, 会食やレセプションがある. dar [ofrecer] una *comida* de despedida 送別の宴を設ける.
── 過分 女 → comer.

co·mi·di·lla [komiðíʎa コミディリャ] 名女 《口語》話題の中心, うわさの種.

comido, da 過分 → comer.

comienc- / comienz- 動 → comenzar. [39 z → c ; 42 e → ie]

comiendo 現分 → comer.

co·mien·zo [komjénθo コミエンそ] 名男 初め, 最初, 端緒. dar *comienzo* 始まる. dar *comienzo* a 《+algo》〈何か〉を始める.
── 動 → comenzar.
a comienzos de (年・月・週などの) 初めに (= a principios de).
al comienzo 初めは, 当初 (= a principio).

co·mi·llas [komíʎas コミリャス] 名女 [複] 引用符 (《 》, " ", ' '). entre *comillas* 引用符で. abrir [cerrar] las *comillas* 引用符を置く [閉じる]. → puntuación.

co·mi·lón, lo·na [komilón, lóna コミろン, ろナ] 形 《口語》食いしん坊の, 食い意地の張った; 大食いの.
── 名女 《口語》ごちそう, 大盤振舞.

co·mi·no [komíno コミノ] 名男 **1** 〔植物〕クミン; クミンの実・種.
2 《口語》つまらないもの, 価値のないこと. Nos importa un *comino*. 《口語》私たちは少しも構わない.

co·mi·sa·rí·a [komisaría コミサリア] 名女
1 警察署 (= *comisaría* de policía).
2 任務, 役職.

co·mi·sa·rio [komisárjo コミサリオ] 名男 〔英 commissary〕 **1** 警察署長. **2** 代理, 代表者; 委員. *comisario* de la Inquisición [del Santo Oficio] 異端審問官.

co·mi·sión [komisjón コミシオン] 名女 [複 comisiones] 〔英 commission〕
1 委任, 委託; 任務.
2 委員会. *comisión* conjunta 合同委員会. *comisión* de investigación 査問[調査]委員会. *comisión* permanente 常任委員会. → comité.
3 使節団, 代表団.
4 〔商業〕手数料, コミッション. en *comisión* 手数料で; 委託販売で. trabajar a [con] *comisión* 歩合制で働く.
5 (犯罪・過失などを) 犯すこと.

co·mi·sio·na·do, da [komisjonáðo, ða コミシオナド, ダ] 過分 形 委任された, 委託を受けた.
── 名男女 委員, 理事.

co·mi·sio·nar [komisjonár コミシオナル] 動 他 …に委任する, 委託する.

co·mi·sio·nis·ta [komisjonísta コミシオニスタ] 名男 〔商業〕仲買人, 委託販売業者.

co·mi·su·ra [komisúra コミスラ] 名女 唇の両端; 目じり.

co·mi·té [komité コミテ] 名男 委員会. *Comité* Olímpico Internacional 国際オリンピック委員会 《略COI》.

co·mi·ti·va [komitíβa コミティバ] 名女 随行員, 供奉(ぐぶ), 従者 (= séquito).

co·mo [komo コモ] 接続 《前置詞, 関係副詞としても使われる》〔英 as, like〕
1 《様態・比較を表して》 **…のように, …のとおりに**. duro *como* la suela de un zapato 靴底のように固い. Es *como* escupir al cielo. 天につばするようなものだ. Quedó *como* muerto. 彼は死んだようになった. *como* cuando era niño まだ幼かったころのように. Me gustaría bailar *como* tú. 君みたいに踊れたらなあ. La queremos *como* a una madre. 私たちは彼女をまるで母親のように慕っている. Hágalo *como* usted quiera. あなたの好きなようにやりなさい. Déjalo *como* estaba antes. それを以前あったように置きなさい. Así fue *como* se descubrió el crimen. こうしてその殺人事件は発覚した. *Como* te dije ayer, es muy fácil. きのうも君に言ったとおり, それはとても簡単だ. ► 多くの副詞句を作る. ⇒ *como* siempre いつものように, *como* antes 以前のように, *como* nadie 誰にもまして.
2 (たとえば) **…のような**. en una ciu-

dad *como* Tokyo 東京のような都会では.
3 …として, …の資格で. *Como* novelista, Pedro no le llega a Cela a la suela del zapato. 小説家としてのペドロはセラの足元にも及ばない. ir *como* representante de la compañía 会社の代表として行く. interpretarse *como* objeto directo 直接目的語と解釈される. ►como の後の名詞はふつう冠詞をつけない.
4 約, およそ. hace *como* veinte años 約20年前.
5 《原因・理由を表して》…なので, …だから. *Como* ayer llovió mucho, se suspendió la excursión. きのうは大雨だったので遠足は中止になった.

> **【文 法】** **como** に導かれる節は, 主節の前に置く. 主節の後ろに来るときは **porque** を用いる.
> *Como* es tarde, toma un taxi.
> Toma un taxi *porque* es tarde.
> 遅いからタクシーで行きなさい.

6 《条件を表して》もし…ならば. *Como* usted no se lo diga, él no lo hará. あなたが言わなければ, 彼はそれをやらないでしょう. ►como の後の動詞は接続法 (主に接続法現在形) が用いられる.
como no sea …でなければ (= excepto).
como para ... …に十分な, …に値する. No es tan grave tu catarro *como para* meterte en cama. 君の風邪は大したことないから休まなくていいよ. *como para* morirse de risa 底抜けに面白い.
como que 《+直説法》(1) あたかも…かのように (= hacer *como que*). (2) …なので. ¡Qué manera de comer!—*Como que* no he comido desde ayer. なんて無茶な食べ方をするの!—だってきのうから何も食べていないもの. (3) そんなわけで (= con que).
como sea ➡ ser.
como si ➡ si.
hacer como que [***quien***] 《+直説法》…の振りをする. *Hice como que* no me daba cuenta. 私は知らない振りをした.
── 動 [kómo コモ] ➡ comer.

có·mo [kómo コモ] 副 《疑問》〔英 how〕
1 《方法・仕方を表して》どんなふうに, どのように. ¿*Cómo* pasas la Navidad? 君はクリスマスをどう過ごすの? ¿*Cómo* se va a la estación? 駅へはどうやって行けばよいのですか. Imagínate *cómo* resolverán el problema. 彼らが問題をどう解決するか想像してみなさい. No sé *cómo* usarlo. 私はそれの使い方が分かりません.
2 《状態・形状・性質・程度について》どんな…で. ¿*Cómo* está el enfermo? 病人はいかがですか. ¿*Cómo* es de ancho? 幅はどれくらいですか. ¿*Cómo* quiere usted el solomillo? ¿Bien asado? サーロインの焼き加減のご注文は? ウェルダンですか. ¿Conoces al hijo de Jorge?—¿*Cómo* es?—Muy inteligente. ホルヘの息子を知っているかい?—どんな子?—とても頭がいい子なんだ. ¿*Cómo* salió el examen? 試験の結果はどうだった?
3 《理由を表して》なぜ, どうして; 《反語で》…であるはずがない. No sé *cómo* no lo hizo. なぜ彼がそうしなかったのか私にはよく分かりません. ¿*Cómo* lo sabes? どうして君は知っているの? Pero, ¿estás conforme?—¿*Cómo* no voy a estarlo? で, 君はそれでいいの?—もちろんだとも. ►por qué よりも不審の度が強い.
4 《感嘆文で》なんと; どんなに, どれほど. ¡*Cómo* llueve! なんとひどい雨だ. No sabes *cómo* te lo agradezco. どんなに君に感謝していることか.
── 名 男 方法. No me importa el *cómo* ni el cuándo. 私にとってどうやるか, いつやるかは問題ではない.
¡Cómo! 《驚き・怒り》なんだって, おやまあ.
¿Cómo? 《聞き返して》え, なんですって?
¿Cómo no? もちろん (= Claro que sí).
¿Cómo que ...? / ¡Cómo que ...! 《強い不審》どうして…; …のはずはないではないか. No puede entrar.—¿*Cómo que* no puedo entrar? あなたは入れません. —入れないってどういうことなんだ? No me pasó nada.—¿*Cómo que* nada? なんでもありません. —なんでもないってそんなはずがない.

có·mo·da [kómoða コモダ] 名 女 整理だんす.
── 形 女 ➡ cómodo.

có·mo·da·men·te [kómoðaménte コモダメンテ] 副 快適に; 気楽に, のんびりと.

co·mo·di·dad [komoðiðáð コモディダ(ドゥ)] 名 女 **1** 快適さ, 便利さ. *comodidad* de vivir en la ciudad 都会生活の便利さ. vivir con *comodidad* 安楽に暮らす.
2 [〜es] 便利な設備. casa con todas las *comodidades* あらゆる設備の整った住宅.

co·mo·dín [komoðín コモディン] 名 男
1 (トランプ) ジョーカー.
2 必要なときに役に立つ物, 代用品. Este sofá hace de *comodín*. このソファーは何かにつけて便利である.
3 口実, 逃げ口上 (= pretexto).

có·mo·do, da [kómoðo, ða コモド, ダ] 形 [複 〜s]〔英 comfortable〕 **1** 快適な (↔ incómodo). Es más *cómodo* ir en avión que ir en tren. 電車で行くより飛行機で行くほうが快適だ. un sillón *cómodo* すわり心地のよいひじ掛け椅子. Póngase *cómodo*. どうぞお楽に.
2 気楽な, 安易な. ¡Qué *cómodo* eres! のん気なやつだな. Es demasiado *cómodo*

pasar el examen sin dar ni golpe. 勉強せずに試験に通るなんて虫がよすぎる.

co·mo·dón, do·na [komoðón, ðóna コモドン, ドナ] 形《口語》安易な, ご都合主義の.

co·mo·do·ro [komoðóro コモドロ] 名男〘軍事〙**1**（英国・米国海軍の）准将, 代将.
2 艦長, 艦隊司令官.

C

co·mo·quie·ra [komokjéra コモキエラ] 副**1**《+**que** 接続法》…にせよ. *comoquiera* que sea いずれにしても, とにかく.
2《+**que** 直接法》…なので, …であるからには.

com·pac·to, ta [kompákto, ta コンパクト, タ] 形 ぎっしり詰まった, 密集した, 緻密(ちみつ)な; 目の詰まった.

com·pa·de·cer [kompaðeθér コンパデセル] 40 動他 …に同情する; …を哀れむ, 気の毒に思う.
—— **com·pa·de·cer·*se*** 《+**de**》…に同情する, …を気の毒に思う.

com·pa·dre [kompáðre コンパドゥレ] 名男
1（両親・代母からみた洗礼に立ち会う）代父, 名付け親（↔ comadre）. ► 子からみた代父は padrino.
2 友人, 仲間,（特にスペイン Andalucía 地方の男性間で）相棒.

com·pa·gi·na·ción [kompaxinaθjón コンパヒナしオン] 名女**1** 調和, 両立.
2〘印刷〙組み版, 丁付け.

com·pa·gi·nar [kompaxinár コンパヒナル] 動他**1**《+**con**》…と両立させる; 調整する. **2**〘印刷〙（欄・ページを）組む.
—— **com·pa·gi·nar·*se*** 《+**con**》…と整合する, 一致する.

com·pa·ñe·ris·mo [kompaɲerísmo コンパニェリスモ] 名男 仲間意識; 連帯感.

com·pa·ñe·ro, ra [kompaɲéro, ra コンパニェロ, ラ] 名男女［複 ～s］〔英 companion〕**1** **仲間**, 友人, 連れ. *compañero* de clase クラスメート. *compañero* de equipo チームメート. *compañero* de oficina 職場の同僚. *compañero* de toda la vida 生涯の伴侶(はんりょ). *compañero* de viaje 旅の道連れ.
2（対になっているものの）片方.

com·pa·ñí·a [kompaɲía コンパニィア] 名女［複 ～s］
〔英 company〕**1** **いっしょにいること**, 付き添い, 同伴. en *compañía* de ... …といっしょに. hacer *compañía* a《+uno》〈人〉の相手をする,〈人〉に同伴する. ser buena *compañía* 良い伴侶(はんりょ)である. señora de *compañía*（保護・監視役の）お供の女性.
2 **仲間**; 交友, 交際. andar con malas *compañías* 悪い仲間と付き合っている.
3 **会社**, 商会《略 Cía.》. trabajar en una *compañía* extranjera 外国企業で働く. *compañía* de seguros 保険会社. *compañía* de aviación 航空会社. *compañía* comercial 商社. Pérez y *Cía.* ペレス商会. ➙ empresa, firma, sociedad.
4 劇団, 一座; 団体. *Compañía* de Jesús〘カトリック〙イエズス会（◆スペインの Ignacio de Loyola によって1534年に創立された男子修道会）. **5**〘軍事〙中隊.

com·pa·ra·ble [komparáβle コンパラブレ] 形《+**a, con**》…に比較しうる, 匹敵する.

com·pa·ra·ción [komparaθjón コンパラしオン] 名女 比較, 対照. en *comparación* con《+algo》〈何か〉と比較して. sin *comparación* 比類のない.

com·pa·rar [komparár コンパラル] 動他〔英 compare〕**1**《+**con**》**…と比較する**, 対比する. En este punto podemos *comparar* Japón *con* España. この点では日本はスペインと比較できる.
2《+**a**》…にたとえる, なぞらえる. *comparar* la pureza de la Virgen María *al* lirio blanco 聖母マリアの純潔を白ユリにたとえる.

com·pa·ra·ti·va·men·te [komparatíβaménte コンパラティバメンテ] 副 比較的に, 比較して.

com·pa·ra·ti·vo, va [komparatíβo, βa コンパラティボ, バ] 形**1** 比較の, 比較的な.
2〘文法〙比較級の.
—— 名男〘文法〙比較級.

com·pa·re·cen·cia [kompareθénθja コンパレセンしア] 名女〘法律〙（法廷への）出頭, 出廷.

com·pa·re·cer [kompareθér コンパレセル] 5 動自**1**〘法律〙出頭する, 出廷する.
2《皮肉》ひょっこり現れる.

com·pa·re·cien·te [kompareθjénte コンパレしエンテ] 形〘法律〙出頭する.
—— 名男女 出頭人, 出廷者.

com·par·sa [kompársa コンパルサ] 名女
1〘演劇〙《集合》端役; エキストラ.
2（カーニバルなどの）仮装行列.
—— 名男女〘演劇〙その他大勢のひとり, 端役, エキストラ.

com·par·ti·men·to [kompartiménto コンパルティメント] / **com·par·ti·mien·to** [-mjénto -ミエント] 名男**1** 区画, 仕切り.
2（列車の）コンパートメント.

com·par·tir [kompartír コンパルティル] 動他 分配する, 分け合う; 共有する, 共通に使う. *compartir* una opinión 意見を同じくする. *compartir* el piso con un amigo 友人とマンションに同居する.

com·pás [kompás コンパス] 名男**1** コンパス（= *compás* de calibres).
2 羅針盤[儀]（= brújula).
3〘音楽〙拍子, リズム; 小節. a *compás* 調子を合わせて, 拍子を取って. al *compás* de ... …のリズムに合わせて. *compás* mayor [de dos por cuatro] 4分の2拍子. *compás* menor 4分の4拍子. llevar el *com-*

pás 拍子を取る; リズムに合わせて踊る.
com·pa·sión [kompasjón コンパシオン] 名女同情, 哀れみ. llamar [mover] a *compasión* a《+uno》〈人〉の同情をそそる. ¡Por *compasión*! 後生だから. tener *compasión* de《+uno》〈人〉を気の毒に思う.
com·pa·si·vo, va [kompasíβo, βa コンパシボ, バ] 形同情的な, 哀れみ深い.
com·pa·ti·bi·li·dad [kompatiβiliðáð コンパティビリダ(ドゥ)] 名女 互換性, 両立性, 適合性.
com·pa·ti·ble [kompatíβle コンパティブれ] 形《+**con**》…と両立できる, 相いれる; (コンピュータなどが) 互換性のある.
com·pa·trio·ta [kompatrjóta コンパトゥリオタ] 名男女同国人, 同胞, 同郷の人.
com·pe·ler [kompelér コンペれル] 動他《+**a** 不定詞》《+**a que** 接続法》…することを強いる[強要する].
com·pen·diar [kompendjár コンペンディアル] 動他要約する, つづめる.
com·pen·dio [kompéndjo コンペンディオ] 名男 **1** 要約, 概要; 概説書. en *compendio* 要約すれば, 要するに. **2** 典型, 権化.
com·pe·ne·tra·ción [kompenetraθjón コンペネトゥラしオン] 名女 **1** 相互理解, 意志の疎通; 共感. **2**〔化〕相互浸透.
com·pe·ne·trar·*se* [kompenetrárse コンペネトゥラルセ] 動 **1** 理解し合う; 共鳴する, 共感する. *compenetrarse* con SU papel 役になりきる.
2〔化〕(互いに) 浸透する, 融合する.
com·pen·sa·ción [kompensaθjón コンペンサしオン] 名女 **1** 償い, 補償, 埋め合わせ; 補償金; 報酬. en *compensación* その代わりに. **2**〔商業〕手形交換 (= *compensación* bancaria).
com·pen·sar [kompensár コンペンサル] 動他 補う, 償う. *compensar* las pérdidas con las ganancias 損失を利益で埋め合わせる. La indemnización no le *compensa* del dolor. 賠償金では彼の悲しみは癒(い)されない.
com·pe·ten·cia [kompeténθja コンペテンしア] 名女 **1** 競争; 競争相手. libre *competencia* 自由競争. en *competencia* con … …と競争して.
2 権限, 管轄. Esto no es de tu *competencia*. これは君の権限外だ.
3 能力 (=capacidad). Él tiene gran *competencia* en este trabajo. 彼はこの仕事においてはたいへん有能である. *competencia* lingüística〔言語〕言語能力.
com·pe·ten·te [kompeténte コンペテンテ] 形 **1** 権限のある. departamento *competente* 所轄部門.
2 有能な, 資格のある. *competente* en historia de América Latina ラテンアメリカ史に詳しい.
com·pe·ter [kompetér コンペテル] 動自《+**a**》…の管轄である, 職務である, …の権限に属する (= incumbir).
com·pe·ti·ción [kompetiθjón コンペティしオン] 名女競争; 競技, 試合, コンテスト.
com·pe·tir [kompetír コンペティル] [41 e → i] 動自 [現分 compitiendo] 競う, 張り合う.
com·pe·ti·ti·vo, va [kompetitíβo, βa コンペティティボ, バ] 形競争の; 競争力のある.
com·pi·la·ción [kompilaθjón コンピらしオン] 名女 編纂(へんさん); 編纂物 (= recopilación).
com·pi·lar [kompilár コンピらル] 動他 編纂(へんさん)する.
com·pin·che [kompíntʃe コンピンチェ] 名男女《口語》仲間, 相棒.
compit- 動 現分 → competir. [41 e → i]
com·pla·cen·cia [komplaθénθja コンプらせンしア] 名女楽しみ, 喜び, 満足.
com·pla·cer [komplaθér コンプらセル] 40 動他 喜ばせる, 楽しませる, 満足させる; … の 気 に 入 る. Me *complace* ver su éxito. あなたのご成功をうれしく思います.
— **com·pla·cer·*se***《+**en**》…を喜ぶ, 楽しむ, うれしく思う. *Nos complacemos en* comunicarle a Vd. que …. …ということを喜んでお知らせします.
com·pla·cien·te [komplaθjénte コンプらしエンテ] 形《+**con**》…に対してにこやかな, 愛想のよい; 従順な, 寛大な.
com·ple·ji·dad [komplexiðáð コンプれヒダ(ドゥ)] 名女複雑さ (↔ simplicidad).
com·ple·jo, ja [kompléxo, xa コンプれホ, ハ] 形 **1** 複合の. **2** 複雑な (=complicado). Este problema es muy *complejo*. この問題はとてもややこしい.
— 名男 **1** 複合体. **2** コンビナート (=*complejo* industrial). *complejo* petroquímico 石油化学コンビナート.
3〔心理〕コンプレックス, 固定[強迫]観念. *complejo* de inferioridad [superioridad] 劣等[優越]感.
com·ple·men·tar [komplementár コンプれメンタル] 動他補う, 補足する.
— **com·ple·men·tar·*se*** 補い合う, 補完する.
com·ple·men·ta·rio, ria [komplementárjo, rja コンプれメンタリオ, リア] 形 補足の, 補完の.
com·ple·men·to [kompleménto コンプれメント] 名男 **1** 補足物.
2〔文法〕補語. *complemento* circunstancial 状況補語. *complemento* directo 直接補語. *complemento* indirecto 間接補語. *complemento* predicativo 叙述補語. ⇨ 文法用語の解説.
completa 形女 → completo.
com·ple·ta·men·te [komplétaménte コンプれタメンテ] 副 完全に, すっかり; まったく (=totalmente).
com·ple·tar [kompletár コンプれタル] 動他完全(なもの)にする; 完結させる.

com·ple·to, ta [kompléto, ta コンプレト，タ] 形 [複 ~s]〔英 complete〕 **1 完全な；完璧(かんぺき)な**. obras *completas* 全集. pensión *completa* 三食付き宿泊.
2 満員の (=lleno). Todos los hoteles están *completos*. どのホテルも満室だ.
al completo 全員で；満員の状態で.
por completo すっかり，徹底的に. registrar una casa *por completo* 家中をくまなく調べる. terminar *por completo* 完了する.

C

com·ple·xión [kompleksjón コンプレクシオン] 名女 体格，体つき；体質.

com·pli·ca·ción [komplikaθjón コンプリカしオン] 名女 複雑(化)，紛叫；面倒な事態.

com·pli·ca·do, da [komplikáðo, ða コンプリカド，ダ] 過分 形 **1** 複雑な，込み入った. crucigrama *complicado* 難解なクロスワード・パズル.
2 気難しい，扱いにくい.

com·pli·car [komplikár コンプリカル] [⑧ c → qu] 動他 **1** 複雑にする；紛糾させる. Su presencia *complica* las cosas. 彼がいると話がややこしくなる.
2 《+en》…に巻き込む. *complicar* a 《+uno》 *en* el escándalo 〈人〉をスキャンダルの巻き添えにする.
— **com·pli·car·*se*** **1** 複雑になる；複雑にする. *complicarse* la vida 《口語》面倒なことにかかわり合う. **2** 《+en》…に巻き込まれる，かかわりを持つ. *complicarse en* un robo 盗みに荷担する.

cóm·pli·ce [kómpliθe コンプリせ] 名男女 共犯者；加担者. *cómplice* en un crimen ある犯罪の共犯者. hacer a 《+uno》 *cómplice* 〈人〉を一味に加わらせる.

com·pli·ci·dad [kompliθiðáð コンプリしダ(ドゥ)] 名女 共犯，共謀.

com·plot [komplót コンプロ(トゥ)] 名男 [複 complots] 陰謀，密議，共同謀議. [←フランス語]

com·plu·ten·se [komplutènse コンプルテンセ] 形 (スペインの) アルカラ・デ・エナーレス Alcalá de Henares の. la Universidad *complutense* de Madrid マドリード大学.

compón 動 → componer. ㊺

compondr- 動 → componer. ㊺

com·po·nen·da [komponénda コンポネンダ] 名女 **1** (一時しのぎの) 措置，方便.
2 《口語》裏取引.

com·po·nen·te [komponénte コンポネンテ] 形 構成する，成分の.
— 名男 成分，構成要素；構成員.

com·po·ner [komponér コンポネル] ㊺ 動他 [過分 compuesto, ta]〔英 compose〕
1 組み立てる，構成する (=constituir, formar). *Componen* la Cumbre los siete países económicamente más potentes. 経済大国7か国でサミットは構成されている. ►*componerse* de, estar *compuesto* de の形で用いられることが多い.
2 作曲する，創作する. *componer* versos 詩を書く.
3 整える，修理する；飾る. *Hemos compuesto* la sala para la fiesta. パーティーをするので私たちは居間の飾りつけをした.
— **com·po·ner·*se*** **1** 《+de》…から成り立つ，…で構成される. Un equipo de fútbol *se compone de* once jugadores. サッカーチームは11人の選手からなる.
2 身支度を整える，おしゃれをする.
componérselas 《口語》うまくやる. *Compóntelas* como puedas. 自分で何とか解決しなさい. No sabía cómo *componérselas*. 彼はどうしたらいいのか分からなかった.

compong- 動 → componer. ㊺

com·por·ta·mien·to [komportamjénto コンポルタミエント] 名男 振る舞い，行儀.

com·por·tar [komportár コンポルタル] 動他 伴う；内包する. Esta solución *comporta* algunos defectos. この解決法にはいくつかの難点がある.
— **com·por·tar·*se*** 振る舞う (=conducirse). *comportarse* bien [mal] 行儀が良い[悪い].

com·po·si·ción [komposiθjón コンポシしオン] 名女 **1** 構成，組み立て；成分.
2 作文，作曲，作品；構図.
3 調整；調停. **4** 〘印刷〙植字，組み版.

com·po·si·tor, to·ra [kompositór, tóra コンポシトル，トラ] 名男女 〘音楽〙作曲家.

com·pos·te·la·no, na [komposteláno, na コンポステラノ，ナ] 形 (スペインの) サンティアゴ・デ・コンポステラ Santiago de Compostela の. — 名男女 サンティアゴ・デ・コンポステラの住民.

com·pos·tu·ra [kompostúra コンポストゥラ] 名女 **1** 態度，振る舞い，行儀：身だしなみ. **2** 修理，修繕.
3 構成，仕組み. **4** 平静，沈着.

com·po·ta [kompóta コンポタ] 名女 砂糖煮の果物，コンポート.

com·pra [kómpra コンプラ] 名女 [複 ~s]〔英 buying, purchase〕**買うこと**，購入；買った物. hacer *compras* 買い物をする. ir de *compras* 買い物に行く.
— 動 → comprar.

comprado, da 過分 → comprar.

com·pra·dor, do·ra [kompraðór, ðóra コンプラドル，ドラ] 名男女 買い手 (↔ vendedor).

comprando 現分 → comprar.

com·prar [komprár コンプラル] 動他 [現分 comprando; 過分 comprado, da]〔英 buy〕 **1 買う**，購入する (↔ vender). *comprar* una revista 雑誌を買う. Le *compra* a su hija todo lo que le pide. 彼は娘に欲しがるものをなんでも買ってやる. Le *compré* su viejo coche. 私は彼から中古車を買った. *comprar* en [por] dos millones de pesetas

200万ペセタで買う. *comprar* a plazos [al contado] ローン[現金]で買う. *comprar* por cuatro cuartos ただ同然で買う.
2 買収する, 賄賂(ﾜｲﾛ)を贈る (=sobornar).

com·pra·ven·ta [kompraβénta コンプラベンタ] 名女 売買.

com·pren·der [komprendér コンプレンデル] 動他 [現分 comprendiendo; 過分 comprendido, da] 〔英 understand, comprehend〕 **1 分かる, 理解する**, 納得する (=entender). No *comprendo* el ruso. 私はロシア語は分かりません. *Has comprendido* mal lo que he dicho. 君は私の言ったことを誤解しているよ. No *comprendo* por qué no ha aceptado la invitación. 彼がどうしてその招待を断ったのか私には納得できない.
2 含む, 包含する. Esta obra *comprende* cuatro tomos. この作品は4巻本です. servicio no *comprendido* サービス料別.

comprendido, da 過分 ➡ comprender.

comprendiendo 現分 ➡ comprender.

com·pren·sión [komprensjón コンプレンシオン] 名女 **1** 理解, 理解力.
2 包含; 〔論理〕内包.

com·pren·si·vo, va [komprensíβo, βa コンプレンシボ, バ] 形 **1** 話の分かる.
2 包含する.

com·pre·sa [komprésa コンプレサ] 名女 〔医〕脱脂綿; (生理用)ナプキン.

com·pre·sión [kompresjón コンプレシオン] 名女 圧縮, 圧搾.

com·pre·sor, so·ra [kompresór, sóra コンプレソル, ソラ] 形 圧縮[圧搾]する.
── 名男 圧縮[圧搾]機, コンプレッサー.

com·pri·mir [komprimír コンプリミル] 動他 [過分 compreso, sa または comprimido, da] **1** 圧縮する, 圧搾する. **2** 詰め込む, 押し込む.
── **com·pri·mir·*se*** **1** 圧縮される, 圧搾される. **2** (涙・笑いを)こらえる, 抑える. **3** 倹約する, 切り詰める.

com·pro·ba·ción [komproβaθjón コンプロバシオン] 名女 立証, 証明; 確認.

com·pro·ban·te [komproβánte コンプロバンテ] 名男 証明書; 控え; 受領書.

com·pro·bar [komproβár コンプロバル] [13 o ➡ ue] 動他 〔英 check, confirm〕 **確認する**, 確かめる, 照合する (=confirmar, averiguar). Hay que *comprobar* la marca antes de comprar. 買う前にブランド[銘柄]を確かめなくては.

com·pro·me·te·dor, do·ra [komprometeðór, ðóra コンプロメテドル, ドラ] 形 危険にさらす, 要注意の.

com·pro·me·ter [komprometér コンプロメテル] 動他 **1** 危うくする, 危険にさらす. *comprometer* la reputación 評判を危うくする. **2** 《+**a** 不定詞》《+**a que** 接続法》…せざるをえなくさせる. Le *comprometimos a* salir de la casa en el plazo de tres meses. 彼に3か月以内に家を出てもらうことにした.
── **com·pro·me·ter·*se*** **1** 《+**a, con, en**》…とかかわり合いになる.
2 《+**a** 不定詞》…すると約束をする. *comprometerse a* pagar cuanto antes できるだけ早く払うと約束する.

com·pro·me·ti·do, da [komprometíðo, ða コンプロメティド, ダ] 過分 形 **1** 厄介な, 困った. **2** 約束した.

com·pro·mi·sa·rio [kompromisárjo コンプロミサリオ] 形 代理の.
── 名男 代議員, 代理人; 代表選挙人.

com·pro·mi·so [kompromíso コンプロミソ] 名男 **1** 約束, 取り決め. tener un *compromiso* 約束がある. *compromiso* matrimonial 婚約.
2 責任, 責務. soltero y sin *compromiso* 独身で自由気ままな. cumplir sus *compromisos* 義務を果たす.
3 窮地, 苦境. poner a 《+uno》 en un *compromiso* 〈人〉を窮地に立たせる.
4 〔法律〕調停, 示談.

comprueb- 動 ➡ comprobar. [13 o ➡ ue]

com·puer·ta [kompwérta コンプエルタ] 名女 水門, 堰(ｾｷ).

com·pues·ta·men·te [kompwéstaménte コンプエスタメンテ] 副 整然と.

com·pues·to, ta [kompwésto, ta コンプエスト, タ] 過分 ➡ componer.
── 形 **1** 合成された, 複合の. contaminación *compuesta* 複合汚染. oración *compuesta* 〔文法〕重文, 複文.
2 修理済みの, 直っている.
3 盛装した, 着飾った.
── 名男 合成物, 混合物; 〔化〕化合物.

com·pul·sar [kompulsár コンプルサル] 動他 照合する, 対照する.

com·pun·ción [kompunθjón コンプンシオン] 名女 **1** 悔恨. **2** 哀れみ, 同情.

com·pun·gi·do, da [kompuŋxíðo, ða コンプンヒド, ダ] 過分 形 深く悔いた; 悲しい.

com·pun·gir [kompuŋxír コンプンヒル] [19 g ➡ j] 動他 悔やませる; 悲しませる.
── **com·pun·gir·*se*** 悔やむ; 悲しむ.

compus- 動 ➡ componer. 45

com·pu·ta·dor, do·ra [komputaðór, ðóra コンプタドル, ドラ] 形 計算する, 計算の.
── 名男 (または女) 計算機, コンピュータ (= ordenador). *computador* digital デジタル・コンピュータ.

com·pu·ta·li·zar [komputaliθár コンプタリサル] 動他 〔ｺﾝﾋﾟｭｰﾀ〕コンピュータ処理する (= computadorizar, computerizar).

com·pu·tar [komputár コンプタル] 動他

計算する，算定する．

cóm·pu·to [kómputo コンプト] 名男 計算，算定．

co·mul·gar [komulɣár コムるガル] [32 g → gu] 動自 **1** 《ｶﾄﾘｯｸ》聖体を拝領する．
2 (見解を) 同じくする．
── 動他 …に聖体を授ける．

C

co·mún [komún コムン] [複 comunes] 形 〔英 common〕
1 共通の，共同の；公共の．amigo *común* 共通の友だち．bien *común* 公益，公共福祉．cuarto de baño *común* 共同浴室[トイレ]．
2 普通の，一般的な；ありきたりの．una flor muy *común* ごくありふれた花．fuera de lo *común* 並外れた．poco *común* 普通でない．
── 名男 共同体，自治体；住民全体．bienes del *común* 公共財産．el *común* de la gente 世間一般 (の人々)．
en común 共同で．poseer un edificio *en común* ビルを共有する．
por lo común 一般に．

co·mu·na [komúna コムナ] 名女 コミューン，(生活) 共同体；自治体．

co·mu·ni·ca·ción [komunikaθjón コムニカしオン] 名女 **1** 伝達，通信；知らせ．Ha llegado una *comunicación* del Ministerio de Educación. 文部省からの通達があった．
2 連絡；交通．puerta de *comunicación* 連絡口．No existe *comunicación* entre ellos. 彼らの間には意思の疎通がない．
3 [comunicaciones] 伝達機関，通信機関；交通機関．red de *comunicaciones* 交通網；通信網．
estar [ponerse] en comunicación con ... …と接触を保っている[持つ]．
poner en comunicación con ... …と接触させる．

co·mu·ni·ca·do, da [komunikáðo, ða コムニカド，ダ] 過分 → comunicar.
── 形 bien [mal] *comunicado* 交通の便の良い[悪い]．
── 名男 公式声明，コミュニケ．Enviaron un *comunicado* a la prensa. 彼らは新聞に共同声明を出した．

comunicando 現分 → comunicar.

co·mu·ni·can·te [komunikánte コムニカンテ] 形 通じている，連結している．
── 名男女 伝達者，通報者．

co·mu·ni·car [komunikár コムニカル] [8 c → qu] 動 他 [現分 comunicando; 過分 comunicado, da] 〔英 communicate〕
伝える，伝達する；通知する．*comunicar* por carta [por teléfono] 手紙[電話] で通知する．Tengo el honor de *comunicar*le que ... …についてご通知申し上げます．
── 動自 **1 連絡する**，通信する．*Comunicaron* por medio de gestos. 彼らは身ぶりによって意思を伝えた．*comunicar* con 《＋uno》〈人〉と連絡を取る．
2 (場所が) 通じている．El salón *comunica* con una terraza. 広間はテラスに通じている．
── ***co·mu·ni·car·se*** **1** 連絡し合う；(意見などを) 交換する．*Nos comunicamos* nuestras ideas. 我々はお互いの考えを述べ合った．**2** (場所が) 接する，通じる．
3 広まる，伝わる．

co·mu·ni·ca·ti·vo, va [komunikatíβo, βa コムニカティボ，バ] 形 話好きな，気さくな．

co·mu·ni·dad [komuniðáð コムニダ(ドゥ)] 名女 **1** 共同体；(スペインの) 自治州．*Comunidad* Británica de Naciones 英連邦．*Comunidad* Europea 欧州共同体 (《略》 CE 〔英 EC〕)．*Comunidad* de Madrid マドリード自治州．
2 共通性，共有性．*comunidad* de bienes 財産の共有．**3** 《宗教》教団．
4 [～es] 《歴史》コムニダーデス．◆スペインの Castilla で起きた市民の反乱 (1520–21)．
en comunidad いっしょに，一致して．

co·mu·nión [komunjón コムニオン] 名女 **1** 共有；共感．**2** (宗教・政治の) 団体，集団．**3** 《ｶﾄﾘｯｸ》聖体拝領．primera *comunión* 初聖体．

co·mu·nis·mo [komunísmo コムニスモ] 名男 共産主義，コミュニズム．

co·mu·nis·ta [komunísta コムニスタ] 形 共産主義の．
── 名男女 共産主義者，共産党員．

co·mu·ni·ta·rio, ria [komunitárjo, rja コムニタリオ，リア] 形 共同体の．centro *comunitario* コミュニティー・センター．

co·mún·men·te [komúmménte コムンメンテ] 副 ふつう，いつも；一般に．

con [kon コン] 前 〔英 with〕
1 …と一緒に，…とともに (↔ sin)．Estuve toda la noche *con* un amigo. 私は一晩中友人と一緒にいた．Fue a pasear *con* su perro. 彼は犬を連れて散歩に行った．aprender guitarra *con* un buen maestro よい先生についてギターを習う．→ conmigo, contigo, consigo.
2 …を持った，…がある，…の付いた．una casa blanca *con* el tejado rojo 赤い屋根の白い家．Vi a una mujer *con* muchas joyas. 私は宝石をいっぱい身につけた女の人に会った．Volvió a casa *con* una herida en la frente. 彼は額を負傷して家に戻った．
3 《道具・手段を表して》**…を用いて**，…で．escribir *con* bolígrafo ボールペンで書く．Me indicó el sitio *con* el dedo. 彼はその場所を指さして私に教えた．Lo guardó *con* llave en el armario. 彼はそれを鍵(ｶｷﾞ)

をかけてロッカーにしまった.
4《様態を表して》…しながら, …を示して. *con* los ojos llenos de lágrimas 目に涙をたたえて. Grité *con* todas mis fuerzas. 私はあらんかぎりの大声をあげた. *con* dificultad 苦労して, やっとのことで. *con* mucho gusto 喜んで. ► 多くの副詞句を作る.
5《相手・対象を示して》…と, …に対して. Voy a hablar *con* el médico. 医者にみてもらおう. Me encontré *con* Luis. 私はルイスに会った. Se puso de acuerdo *con* nosotros. 彼は我々と合意した. Chocó *con* el poste. 彼は電柱に衝突した. ¿Sabes lo que pasó *con* el jefe? 上司と何があったか君, 知っている?
6 …のもとへ, …の所へ (= a). Decidió volver a España *con* su familia. 彼はスペインの家族のもとへ帰る決心をした.
7《原因・理由を表して》…のために. *Con* tanta lluvia no podemos salir. こんな大雨では外出できない.
8《条件を表して》…すれば. *Con* un poco de esfuerzo lo conseguirás. 少し努力すればそれが手に入るだろう. No puedo aguantarlo. *Con* sólo decirle unas palabras se enfada. 彼には我慢できない. ちょっと声をかけただけですぐ腹を立てるんだ.
9《譲歩を表して》…にもかかわらず. *Con* todos sus estudios no ha logrado colocarse. あんなに勉強したのに彼は就職できないでいる. *Con* lo rico que es, anda siempre mal vestido. 金持ちなのに彼はいつもひどい身なりをしている.
10《同時を表して》…とともに. Se levantó *con* la luz del día. 彼は夜明けとともに起きだした. Todo cambiará *con* el tiempo. 時がたてばすべて変わるだろう.
con ello → ello.
con que ... そんなわけで (= conque).
con que* / *con tal que* / *con sólo que《+接続法》…という条件で, …しさえすれば. *Con que* te asomes es suficiente. 君が顔を出してくれればそれで十分だ. → tal.
con todo → todo.

co·na·to [konáto コナト] 名男 企て, 試み; 未遂(行為). *conato* de incendio ぼや; 放火未遂.

con·ca·te·nar [koŋkatenár コンカテナル] **/ con·ca·de·nar** [-kaðenár -カデナル] 動他 連結する; 関連させる.

con·ca·vi·dad [koŋkaβiðáð コンカビダ(ドゥ)] 名女 凹状; くぼみ, へこみ (↔ convexidad).

cón·ca·vo, va [kóŋkaβo, βa コンカボ, バ] 形 凹状の; へこんだ (↔ convexo). espejo *cóncavo* 凹面鏡.

con·ce·bir [konθeβír コンセビル] [41 e → i] 動他 〔英 conceive〕 **1** 考える, 思いつく. *concebir* un plan para salir de la crisis 危機を脱する方策を立てる.
2 受胎する, 妊娠する. *concebir* un hijo 子供を宿す.
3 (感情を)抱く. *concebir* esperanzas 希望を抱く. *concebir* una aversión 反感を抱く.
── 動自 **1** 受胎する. **2** 考えを抱く.

con·ce·der [konθeðér コンセデル] 動他 〔英 concede〕 **1** (権利・恩典などを) **許可する, 与える**, 譲る. *conceder* un crédito 借款を供与する. *conceder* un plazo (支払い)期間を猶予する. *conceder* una indemnización (損害)賠償を認める.
2 …であることを認める, 是認する (=admitir). *Concedo* que tiene usted razón. 私はあなたが正しいことを認めます.

con·ce·jal [konθexál コンセハル] 名男 市[町, 村]議会議員.

con·ce·jo [konθéxo コンセホ] 名男 **1** 役場, 市役所. **2** 市[町, 村]議会(会議).

con·cen·tra·ción [konθentraθjón コンセントゥラしオン] 名女 **1** 集中, 集合; 集結.
2 濃縮; 濃度.

con·cen·trar [konθentrár コンセントゥラル] 動他 **1** 《+en》…に集中させる. *concentrar* la atención *en* 《+algo》〈何か〉に注意を集中する. *concentrar* las tropas 軍隊を集結させる.
2 濃縮する, 凝縮する (=condensar).
── **con·cen·trar·*se*** 集中する, 専心する.

con·cén·tri·co, ca [konθéntriko, ka コンセントゥリコ, カ] 形 同心の. círculos *concéntricos* 同心円.

con·cep·ción [konθepθjón コンセプしオン] 名女 **1** 受胎, 妊娠. la Inmaculada (*Concepción*) 〘カトリック〙(聖母の)無原罪の御宿り.
2 概念形成.

Con·cep·ción [konθepθjón コンセプしオン] 固名 コンセプシオン: 女性の名. 愛 Concha, Conchi, Conchita.

con·cep·to [konθépto コンセプト] 名男
1 概念, 観念. *concepto* del tiempo 時の観念. Es importante aclarar el *concepto* de democracia. 民主主義とは何かを明らかにすべきだ.
2 意見, 見解; 評価. Por todos los *conceptos* es un hombre de poco fiar. あらゆる点から見て彼は信用できないやつだ. Por ningún *concepto* puedo admitir eso. 私はそんなことを絶対に認めるわけにはいかない. Todo el mundo tiene un gran *concepto* de él. 皆が彼を高く評価している.
3 〘商業〙項目, 細目.
en concepto de ... …として. Les pagué un millón de yenes *en concepto de* indemnización. 私は賠償金として100万円彼らに支払った.

con·cep·tual [konθeptwál コンセプトゥアル] 形 概念(上)の.

con·cep·tuar [konθeptwár コンセプトゥアル] [14 u → ú] 動他 考える, 見なす.

con·cer·nien·te [konθernjénte コンセルニエンテ] 形 《＋**a**》 …に関する，関連のある．en lo *concerniente a* … …に関して．

con·cer·nir [konθernír コンセルニル] [20 e ➡ ie] 動自 …に関係する，かかわりがある．► 3人称のみに活用．
en lo que concierne a … …について．

con·cer·tar [konθertár コンセルタル] [42 e ➡ ie] 動他 **1** 取り決める．*concertar* un acuerdo 合意に達する．
2 まとめる；〔音楽〕音を合わせる．*concertar* los esfuerzos 努力を結集する．
── 動自 一致する，まとまる．
── **con·cer·tar·*se*** 同意する．Las dos naciones no *se concertaron*. 両国は合意に達しなかった．

con·cer·tis·ta [konθertísta コンセルティスタ] 名男女 演奏家；独奏者．

con·ce·sión [konθesjón コンセシオン] 名女
1 譲渡，委譲．**2** (許認可の対象となる) 権利，利権．**3** 譲歩，妥協．

con·ce·sio·na·rio, ria [konθesjonárjo, rja コンセシオナリオ，リア] 形 許認可を与えられた．── 名男女 権利[利権]の) 獲得者．

con·ce·si·vo, va [konθesíβo, βa コンセシボ，バ] 形 **1** 譲れる，譲る．**2** 〔文法〕譲歩の．

con·cha [kónt∫a コンチャ] 名女 **1** 貝殻．
2 甲羅，べっこう．peine de *concha* べっこうのくし．**3** 〔演劇〕プロンプター・ボックス (＝*concha* del apuntador)．**4** 《口語》(女性の) 性器．
meterse en su ***concha*** 自分の殻に閉じこもる．

Con·chi [kónt∫i コンチ] 固名 コンチ：Concepción の愛称 (＝ Conchita)．

con·cien·cia [konθjénθja コンシエンシア] 名女 [複 ～s] 〔英 consciousness〕
1 意識，自覚．No tenía *conciencia* de haber hecho nada malo. 彼は自分が悪いことをしたとまったく気付いていなかった．
2 良心．No tiene *conciencia*. 彼は道義心に欠ける．Me acusa la *conciencia* de no haber hecho lo posible. 出来るかぎりのことをしなかったのが私には悔やまれる．para descargar su *conciencia* 良心の呵責(かしゃく)にさいなまれないために．hombre de *conciencia* 誠実な人．trabajo hecho a *conciencia* 良心的な仕事[細工]．
en conciencia 正直に，誠実に．*En conciencia* tengo que decir que no. 実をいうと私は断わらなければならないんだ．

con·cien·zu·do, da [konθjenθúðo, ða コンシエンスド，ダ] 形 良心的な；丹念な．una *concienzuda* revisión 入念な見直し．

con·cier·to [konθjérto コンシエルト] 名男
1 〔音楽〕音楽会，コンサート；協奏曲，コンチェルト．*concierto* al aire libre 野外コンサート．*concierto* para [de] piano ピアノ・コンチェルト．
2 合意，取り決め．llegar a un concierto 合意に達する．
3 調和；整頓(せいとん)．

con·ci·liá·bu·lo [konθiljáβulo コンシリアブロ] 名男 秘密の会合，密談．

con·ci·lia·ción [konθiljaθjón コンシリアシオン] 名女 和解；調停．tribunal de *conciliación* 調停裁判所．

con·ci·lia·dor, do·ra [konθiljaðór, ðóra コンシリアドル，ドラ] 形 和解させる，融和的な．

con·ci·liar [konθiljár コンシリアル] 動他
1 和解させる；調停[仲裁]する．
2 両立させる．**3** (好意などを) 得る．
── **con·ci·liar·*se*** **1** 和解する；両立する．**2** (好意などを) 得る．
── 形 宗教会議の．
conciliar el sueño 眠る．

con·ci·lio [konθíljo コンシリオ] 名男
1 〔カトリック〕宗教会議，公会議；(宗教会議の) 決議録．**2** 会議，審議会．

con·ci·sión [konθisjón コンシシオン] 名女 簡潔，簡明．

con·ci·so, sa [konθíso, sa コンシソ，サ] 形 簡潔な，簡明な．

con·ciu·da·da·no, na [konθjuðaðáno, na コンシウダダノ，ナ] 名男女 同市民；同国人．

cón·cla·ve [kóŋklaβe コンクラベ] / **con·cla·ve** [koŋkláβe コンクラベ] 名男 **1** 〔カトリック〕教皇選挙会，コンクラーベ；コンクラーベの会場．**2** 集会，会合．

con·cluir [koŋklwír コンクルイル] 29 動他 [現分 concluyendo] 〔英 conclude〕
1 終了させる，完結させる．*Concluyó* su discurso con unas palabras de agradecimiento. 彼は感謝の言葉で演説を締めくくった．
2 結論を下す．No quiero *concluir* nada hasta haber estudiado el asunto a fondo. その件を徹底的に検討し終わるまではいかなる結論も出したくない．
── 動自 終了する，完結する．*concluir* con un trabajo 仕事を仕上げる．*Concluyeron* por proponer un armisticio. 彼らはついに停戦を提案した．

con·clu·sión [koŋklusjón コンクルシオン] 名女 [複 conclusiones] 〔英 conclusion〕
1 結論．llegar a la *conclusión* de que … …という結論に至る．**2** 終了，終結．
en conclusión 要するに，結局．

con·clu·si·vo, va [koŋklusíβo, βa コンクルシボ，バ] 形 最終的な；結論的な．

concluy- 動 ➡ concluir. 29

concluyendo 現分 ➡ concluir.

con·clu·yen·te [koŋklujénte コンクルイエンテ] 形 決定的な；断定的な．una prueba *concluyente* 決定的な証拠，確証．

con·cor·dan·cia [koŋkorðánθja コンコルダンシア] 名女 一致；〔文法〕一致；〔音楽〕和音．*concordancia* del verbo con el sujeto 主語と動詞の一致．

con·cor·dar [koŋkorðár コンコルダル]

[⑬ o ➞ ue] 動他 一致させる, 調和させる;〘文法〙一致させる.
—— 動自《+en, con》…で一致する, …と符合する;〘文法〙一致する.
con·cor·da·to [koŋkorðáto コンコルダト] 名男 (ローマ教皇と各国間の) 政教条約, 宗教協約.
con·cor·de [koŋkórðe コンコルデ] 形 一致した; 同意見の. estar *concorde* en《+不定詞》…することに同意してる.
con·cor·dia [koŋkórðja コンコルディア] 名女 **1** 一致, 合意, 協調.
2 取り決め, 協定(書).
con·cre·ción [koŋkreθjón コンクレしオン] 名女 **1** 具体化; 具体性.
2 凝固(物);〘医〙結石.
con·cre·ta·men·te [koŋkrétaménte コンクレタメンテ] 副 具体的に; 結局のところ.
con·cre·tar [koŋkretár コンクレタル] 動他 **1** 具体化する; 具体的に述べる.
2《+a》…に限定する.
—— **con·cre·tar·*se***《+a》…に限定する, とどめる (= limitarse).
con·cre·to, ta [koŋkréto, ta コンクレト, タ] 形 具体的な; 実際の (↔abstracto). ideas *concretas* 具体的概念. basarse en hechos *concretos* 個個の事実に立脚する.
en concreto 具体的には; 要するに
con·cu·bi·na [koŋkuβína コンクビナ] 名女 愛人, 同棲(どうせい)の女.
con·cu·bi·na·to [koŋkuβináto コンクビナト] 名男 愛人[同棲(どうせい)]関係.
con·cul·car [koŋkulkár コンクるカル] ⑧ 動他 踏みにじる; 違反する.
con·cu·ña·do, da [koŋkuɲáðo, ða コンクニャド, ダ] 名男女 配偶者の兄弟姉妹の配偶者; 配偶者の各々の兄弟姉妹同士.
con·cu·pis·cen·cia [koŋkupisθénθja コンクピスセンしア] 名女 欲望; 情欲, 色欲.
con·cu·pis·cen·te [koŋkupisθénte コンクピスセンテ] 形 欲の深い; 好色の, 淫乱(いんらん)な.
con·cu·rren·cia [koŋkur̄énθja コンクレンしア] 名女 **1** 併発, 同時発生.
2 参集者, 参列者.
con·cu·rren·te [koŋkur̄énte コンクレンテ] 形 **1** 同時発生の. **2** 集まる; (コンクールなどに) 参加する.
—— 名男女 **1** (コンクールなどの) 参加者, 応募者. **2** 参集者.
con·cu·rri·do, da [koŋkur̄íðo, ða コンクリド, ダ] 形 人のよく集まる; にぎやかな.
con·cu·rrir [koŋur̄ír コンクリル] 動自 **1** 併発する; 同時発生する. **2** 集まる, 参集する; (コンクールなどに) 参加する.
con·cur·san·te [koŋkursánte コンクルサンテ] 形 競い合う.
—— 名男女 応募者; 競技者.
con·cur·sar [koŋkursár コンクルサル] 動他 (コンクールなどに) 応募する; (賞などを) 争う.
con·cur·so [koŋkúrso コンクルソ] 名男 [複 ~s] 〔英 competition, contest〕 **1 コンクール**, 選考会; 選抜試験; 競争入札. *concurso* de atletismo 陸上競技会. *concurso* de belleza 美人コンテスト.
2 集合; 符合, 一致. *concurso* de circunstancias 状況の符合.
con·da·do [kondáðo コンダド] 名男 伯爵の地位[身分]; 伯爵領.
con·de [kónde コンデ] 名男 〔英 count〕 **伯爵**. ➞ duque【参考】.
con·de·co·ra·ción [kondekoraθjón コンデコラしオン] 名女 勲章; 叙勲; 表彰.
con·de·co·rar [kondekorár コンデコラル] 動他 …に勲章を授ける, 叙勲する.
con·de·na [kondéna コンデナ] 名女 〘法律〙有罪判決, 有罪の宣告; 刑, 刑罰. *condena* a perpetuidad 終身刑. *condena* condicional 刑の執行猶予.
con·de·na·ción [kondenaθjón コンデナしオン] 名女 **1**〘法律〙有罪判決[宣告].
2〘宗教〙永罰, 地獄落ち (= *condenación* eterna).
con·de·na·da·men·te [kondenáðaménte コンデナダメンテ] 副《口語》やけに, いやに.
con·de·na·do, da [kondenáðo, ða コンデナド, ダ] 過分 形 **1**〘法律〙有罪を宣告された. *condenado* a muerte 死刑を宣告された. **2**〘宗教〙地獄に落とされた.
3《口語》ひどい, どうしようもない. este *condenado* trabajo このいまいましい仕事.
—— 名男女 **1**〘法律〙既決囚, 有罪判決を受けた人. **2**〘宗教〙地獄に落ちた人.
3《口語》しようのないやつ; 腕白小僧.
con·de·nar [kondenár コンデナル] 動他 **1**《+a》…の刑を言い渡す, 有罪判決を下す. *condenar a* muerte [*a* cinco años] 死刑[5年の刑]を宣告する. *condenar* por ladrón 窃盗で有罪とする.
2 非難する, とがめる.
3《+a》…を余儀なくさせる. *condenar al* fracaso 失敗に追いやる.
con·den·sa·ción [kondensaθjón コンデンサしオン] 名女 濃縮, 凝縮; (気体の) 液化.
con·den·sa·dor, do·ra [kondensaðór, ðóra コンデンサドル, ドラ] 形 凝縮[圧縮]の, 濃縮する.
—— 名男〘電気〙蓄電器, コンデンサー;〘機械〙凝縮器, 圧縮装置.
con·den·sar [kondensár コンデンサル] 動他 **1** 濃縮する, 凝縮する; 液化する. **2**《+en》(文章などを) …に要約する, まとめる.
—— **con·den·sar·*se*** 凝縮する; 液化する.
con·de·sa [kondésa コンデサ] 名女 伯爵夫人; 女伯爵. ➞ conde.
con·des·cen·den·cia [kondesθendénθja コンデスセンデンしア] 名女 (目下への) 高ぶらないこと, 腰の低さ.
con·des·cen·der [kondesθenðér コン

デスセンデル] [43 e ➡ ie] 動自《+a 不定詞》(目下に)親切に…してやる, いばらないで…する.

con·des·cen·dien·te [kondesθendjénte コンデスセンディエンテ] 形 腰の低い; 恩着せがましい.

con·des·ta·ble [kondestáβle コンデスタブれ] 名男 (昔の)元帥, 総司令官.

C

con·di·ción

[kondiθjón コンディしオン] 名女 [複 condiciones] 〔英 condition〕

1 [普通 condiciones] **状態**; **状況**. ¿En qué *condiciones* se encuentra el enfermo? 病人の具合はいかがですか. Este delantero centro está en buenas *condiciones* físicas. このセンターフォワードは今日は調子がいい. Hemos tenido que trabajar en peores *condiciones*. 我々はもっと悪い状況で仕事をしなければならなかった.

2 **条件**. Se rindieron sin *condiciones*. 彼らは無条件降伏した. *condiciones* de pago 支払い条件. Asistir a clase es *condición* necesaria para aprobar esta asignatura. 授業に出席しないとこの科目は取れません.

3 身分, 社会的地位. de *condición* humilde 下層(階級)の.

a [con la] condición de 《+不定詞》/ ***a [con la] condición de que*** 《+接続法》…するという条件で. *a condición de que* no llueva 雨が降らない限り.

condición sine qua non 必須(ひっす)条件.

en condiciones 良い状態で. Esta carne no está *en condiciones*. この肉は食べられない.

con·di·cio·nal [kondiθjonál コンディしオナる] 形 条件つきの; 〔文法〕条件の.
—— 名男 〔文法〕可能形. *condicional* perfecto 可能完了形. ➡ potencial.

con·di·cio·na·mien·to [kondiθjonamjénto コンディしオナミエント] 名男 適合; 条件づけ; 等級づけ.

con·di·cio·nar [kondiθjonár コンディしオナル] 動他《+a》…に合わせる; 条件づける, 制約する.

con·di·men·ta·ción [kondimentaθjón コンディメンタしオン] 名女 味付け, 調味.

con·di·men·tar [kondimentár コンディメンタル] 動他 …に味を付ける, 調味する.

con·di·men·to [kondiménto コンディメント] 名男 調味料, 香辛料, 薬味.

con·dis·cí·pu·lo, la [kondisθípulo, la コンディスしプろ, ら] 名男女 学友, 同窓生.

con·do·len·cia [kondolénθja コンドれンしア] 名女 弔意, 悔やみ.

con·do·ler·*se* [kondolérse コンドれルセ] 動 [35 o ➡ ue] 《+de》…に同情する, 気の毒に思う.

con·do·mi·nio [kondomínjo コンドミニオ] 名男 **1** 共同統治[管理]; 共同所有. **2** 《ラ米》分譲マンション.

con·dón [kondón コンドン] 名男 コンドーム.

con·do·nar [kondonár コンドナル] 動他 (罪・罰を)許す; (負債を)帳消しにする.

cón·dor [kóndor コンドル] 名男 〔鳥〕コンドル: 南北アメリカに生息.

con·duc·ción [kondukθjón コンドゥクしオン] 名女 **1** 運転, 操縦. *conducción* de un coche 車の運転. **2** 指導, 指揮. **3** 運搬, 運送. **4** 《集合》導管.

conducido, da 過分 ➡ conducir.

conduciendo 現分 ➡ conducir.

con·du·cir

[konduθír コンドゥしル] 12 動他 [現分 conduciendo; 過分 conducido, da] 〔英 lead; drive〕

直説法 現在	
1·単 ***conduzco***	1·複 **conducimos**
2·単 **conduces**	2·複 **conducís**
3·単 **conduce**	3·複 **conducen**

1 《+a》…**に導く**, 案内する. *conducir* las ovejas *a* la dehesa 羊を牧草地へ連れていく. Este camino nos *conduce al* bosque. この道は森に通じている. *Condujo* su equipo *a* la derrota. 彼のおかげでチームは惨敗だった.

2 (車・バスなどを) **運転する**. Ricardo *conduce* (el coche) muy bien. リカルドは運転がうまい. ► 中南米では *conducir* でなく, manejar が使われる.

3 運営する (= llevar). *conducir* un negocio 商売を営む.

4 (電気・熱などを)通す, 伝える. *conducir* la corriente 水[電流]を通す.

—— **con·du·cir·*se*** 振る舞う, 行動する (= portarse).

¿A qué conduce ...? …が何になるというのか. *¿A qué conduce* lamentarte? 不平を言ったところで何になるというのか.

no conducir a nada [a ninguna parte] 無駄である.

con·duc·ta [kondúkta コンドゥクタ] 名女 態度, 振る舞い. cambiar de *conducta* 行いを改める. mala *conducta* 不品行, 非行.

con·duc·ti·bi·li·dad [konduktiβiliðáð コンドゥクティビりダ(ドゥ)] 名女 〔物理〕(熱・電気・音の)伝導性, 伝導率.

con·duc·ti·vo, va [konduktíβo, βa コンドゥクティボ, バ] 形 伝導性の.

con·duc·to [kondúkto コンドゥクト] 名男 **1** 導管; 〔解剖〕管. *conducto* de desagüe 排水渠(きょ), 放水路. *conducto* lagrimal 涙管. **2** 経路, 手段. por *conducto* oficial 公式のルートを通じて.

con·duc·tor, to·ra [konduktór, tóra コンドゥクトル, トラ] 名男女 運転手.
—— 形 **1** 導く, 指揮する. **2** 運転する, 操縦する.

conduj- 動→conducir. ⑫

conduzc- 動→conducir. ⑫

co·nec·tar [konektár コネクタル] 動他 つなぐ, 連結する;〘電気〙接続する. *conectar* a tierra アース[接地]する.

── 動自 《＋**con**》…と関係する, 接触する.

estar mal conectado 《口語》うまが合わない.

co·ne·je·ra [konexéra コネヘラ] 名女 ウサギの巣[穴]; ウサギ小屋.

co·ne·ji·llo [konexíʎo コネヒリョ] 名男 [conejo の小] 子ウサギ.

conejillo de Indias 〘動物〙テンジクネズミ(天竺鼠), モルモット.

co·ne·jo [konéxo コネホ] 名男 [複 ～s] 〔英 rabbit〕 **ウサギ**(兎). *conejo* casero 飼いウサギ. *conejo* de Angora アンゴラウサギ. *conejo* de campo [de monte] 野ウサギ.

co·ne·xión [koneksjón コネクシオン] 名女 **1** つながり; 関連;〘電気〙接続.

2 [conexiones] 親しい交わり[関係].

co·ne·xo, xa [konékso, ksa コネクソ, クサ] 形 関係[関連]した, 結合した.

con·fa·bu·lar [komfaβulár コンファブらル] 動自 共謀する; 密談する.

── **con·fa·bu·lar·*se*** 《＋**para** 不定詞》…しようと共謀する, 陰謀を企てる.

con·fec·ción [komfekθjón コンフェクしオン] 名女 **1** 作成, 製造. *confección* de un inventario 財産目録の作成.

2 縫製; 既製服. ramo de la *confección* 既製服[アパレル]産業.

con·fec·cio·nar [komfekθjonár コンフェクしオナル] 動他 作成する; (服などを) 仕立てる; (菓子などを) 作る.

con·fe·de·ra·ción [komfeðeraθjón コンフェデラしオン] 名女 連合, 同盟; 連邦.

con·fe·de·rar [komfeðerár コンフェデラル] 動他 同盟[連合]させる.

── **con·fe·de·rar·*se*** 《＋**con**》…と同盟[連合]する.

con·fe·ren·cia [komferénθja コンフェレンしア] 名女 [複 ～s] 〔英 conference〕

1 会議, 協議会; 会談, 協議. celebrar una *conferencia* 会議を開催する. *conferencia* cumbre 首脳会談, サミット. *conferencia* de prensa 記者会見.

> **【参 考】** 特に各国の代表者による政治的な会議には **conferencia**, 学問分野などの専門家の集まる大会には **congreso**, 一般的な会合には **reunión** が使われる.

2 講演, 講演会. dar una *conferencia* 講演をする.

3 長距離電話. *conferencia* interurbana 市外通話. poner una *conferencia* a Barcelona バルセロナに電話をかける.

con·fe·ren·cian·te [komferenθjánte コンフェレンしアンテ] 名男女 講演者, 講師.

con·fe·ren·ciar [komferenθjár コンフェレンしアル] 動自 話し合う, 会談する.

con·fe·rir [komferír コンフェリル] [52 e → ie, i] 動他 [現分 confiriendo] 授ける, 授与する; (特色などを) 添える, 与える.

con·fe·sar [komfesár コンフェサル] [42 e → ie] 動他 〔英 confess〕 **1 告白する**. *confesar* la verdad 真実を告げる.

2 〘カトリック〙(信者が罪を) 告解する; (司祭が) 告解[懺悔(ざんげ)]を聞く.

── 動自 白状する. *confesar* de plano 洗いざらい白状する.

── **con·fe·sar·*se*** 《＋**con** ... **de**》(人) に…について告解[懺悔] する; 告白する, 白状する. *confesarse con* el sacerdote 司祭に告解する. *confesarse de* un pecado 罪を告白する.

con·fe·sión [komfesjón コンフェシオン] 名女 **1** 告白; 白状;〘カトリック〙告解, 懺悔(ざんげ). oír de [la] *confesión* 告解[懺悔]を聞く.

2 信仰; 宗派.

con·fe·sio·nal [komfesjonál コンフェシオナる] 形 **1** 〘カトリック〙告解[懺悔(ざんげ)]の.

2 宗派の; 信仰上の.

con·fe·so, sa [komféso, sa コンフェソ, サ] 形 **1** 自白した.

2 (ユダヤ人がキリスト教に) 改宗した.

con·fe·so·na·rio [komfesonárjo コンフェソナリオ] 名男 〘カトリック〙告解場.

con·fe·sor [komfesór コンフェソル] 名男 〘カトリック〙聴罪司祭.

con·fe·ti [komféti コンフェティ] 名男 《集合》紙吹雪. [← イタリア語]

con·fí- 動→confiar. [23 i → í]

con·fia·do, da [komfjáðo, ða コンフィアド, ダ] 過分 形 **1** 《＋**en**》…を信頼[信用]している, 確信している.

2 信じやすい, だまされやすい (＝crédulo).

con·fian·za [komfjánθa コンフィアンさ] 名女 [複 ～s] 〔英 confidence〕 **1 信頼**, 信用. poner *confianza* en 《＋uno》〈人〉に信頼を寄せる. hablar con toda *confianza* ざっくばらんに話す.

2 自信, 確信. exceso de *confianza* 自信過剰. **3** 親密さ, 親しさ; [～s] なれなれしさ, ずうずうしさ. tener mucha *confianza* con 《＋uno》〈人〉と親しくしている. tomarse demasiadas *confianzas* あまりにもなれなれしくする.

de confianza 信頼できる; 親しい. Él es *de confianza*. 彼は頼りになる人だ.

en confianza 内証で, 内密に; 打ち解けた.

con·fiar [komfjár コンフィアル] [23 i → í] 動他 〔英 entrust〕 **1 任せる**, 託す. *Confió* esos asuntos al abogado. 彼はそれらの件を弁護士に任せた. *confiar* 《＋algo》 a la memoria 〈何か〉を記憶にとどめ

る. *confiar* 《+algo》 al azar 〈何か〉を運に任せる.
2 打ち明ける.
—— 動自 《+**en**》 **1** **…を信頼する,** 信用する. *confiar en* Dios 神を信じる.
2 …を確信する. *Confío en* que su plan tendrá éxito. 彼らの計画はきっと成功すると思う.
—— con·fiar·se **1** 《+**en, a**》 …にゆだねる; 過信する. No tengo nadie *a* quien *confiarme*. 私には心を打ち明けられる人がひとりもいない. **2** 意中を打ち明ける.

con·fi·den·cia [komfiðénθja コンフィデンしア] 名女 秘密, 打ち明け話. hacer *confidencias* a 《+uno》 〈人〉に秘密を打ち明ける.

con·fi·den·cial [komfiðenθjál コンフィデンしアる] 形 秘密の, 内密の. carta *confidencial* 親展.

con·fi·den·te, ta [komfiðénte, ta コンフィデンテ, タ] 形 信頼できる.
—— 名男女 **1** 相談[信頼]できる相手.
2 (警察などへの)たれこみ屋, スパイ.

confies- 動→ confesar. [42 e → ie]

con·fi·gu·ra·ción [komfiɣuraθjón コンフィグラしオン] 名女 **1** 形状. **2** 〘コンピュータ〙 設定.

con·fi·gu·rar [komfiɣurár コンフィグラル] 動他 形成する.

con·fín [komfín コンフィン] 名男 [複 confines] 境 界. los *confines* de España y Francia スペインとフランスの国境.
—— 形 隣接している, 境界の.

con·fi·na·mien·to [komfinamjénto コンフィナミエント] 名男 追放, 流罪; 監禁.

con·fi·nar [komfinár コンフィナル] 動自 《+**con**》 …に[…と]隣接する, 境を接する.
—— 動他 監禁する; 追放する.
—— con·fi·nar·se 閉じこもる.

con·fir·ma·ción [komfirmaθjón コンフィルマしオン] 名女 **1** 確認, 確証.
2 〘カトリック〙 堅信(の秘跡).

con·fir·mar [komfirmár コンフィルマル] 動他 **1** 確かめる, 確認する. *confirmar* la reserva 予約を確認する. según los informes que no *hemos confirmado* 未確認の情報によれば. **2** 真実だと立証する, 裏付ける. **3** (決定・裁定を) 支持する, 追認する.
—— con·fir·mar·se 《+**en**》 …に確信を持つ.

con·fis·ca·ción [komfiskaθjón コンフィスカしオン] 名女 没収, 押収.

con·fis·car [komfiskár コンフィスカル] [8 c → qu] 動他 没収する, 押収する.

con·fi·te [komfíte コンフィテ] 名男 (アーモンドなどに糖衣をかぶせた)砂糖菓子.

con·fi·te·rí·a [komfitería コンフィテリア] 名女 菓子屋.

con·fi·te·ro, ra [komfitéro, ra コンフィテロ, ラ] 名男女 菓子職人; 菓子販売人.

con·fi·tu·ra [komfitúra コンフィトゥラ] 名女 砂糖煮; 果物の砂糖漬け.

con·fla·gra·ción [komflaɣraθjón コンフラグラしオン] 名女 戦争, 動乱, (国際)紛争.

con·flic·ti·vo, va [komfliktíβo, βa コンフリクティボ, バ] 形 闘争の; 争いのもととなる.

con·flic·to [komflíkto コンフリクト] 名男
1 争い, 紛争; 対立. *conflicto* laboral 労働争議. *conflicto* fronterizo 国境紛争.
2 葛藤(かっとう), 苦境.

con·fluen·cia [komflwénθja コンフるエンしア] 名女 (川・道などの) 合流, 合流点.

con·fluir [komflwír コンフるイル] 29 動自 [現分 confluyendo] 合流する; 集まる. El Esla *confluye* con el Duero. エスラ川はドゥエロ川と合流する.

con·for·ma·ción [komformaθjón コンフォルマしオン] 名女 形態; 構造.

con·for·mar [komformár コンフォルマル] 動他 **1** 《+**a, con**》 …に合致させる, 適合させる. *conformar* la vida *con* la doctrina 生活を教義と一致させる.
2 形づくる. Educar bien *conforma* el carácter. よい教育が人格を形成する.
—— 動自 《+**con**》 …と合致する.
—— con·for·mar·se 《+**con**》 …に従う; 満足する. *conformarse con* su mala suerte 不運とあきらめる. *Me conformaré con* la mitad de lo que tiene. 私は彼の持っているものの半分で我慢しよう.
ser de buen conformar 与(くみ)しやすい.

con·for·me [komfórme コンフォルメ] [複 ~s] 形 〔英 according〕 **1** 《+**a**》 **…に一致した,** 適合した; 《+**con**》 **…に同意した.** Mi opinión es básicamente *conforme a* la tuya. 私の意見は根本的に君と同じだ. Estoy *conforme con* lo que usted dice. お説のとおりです. Están *conformes* en el precio. 双方は価格面では合意している.
2 《+**con**》 …に満足した; あきらめた. Está *conforme con* su suerte. 彼は何事も運命とあきらめている.
—— 間投 よろしい, オーケー.
—— 名男 承認(の印).
—— 接続 [komforme コンフォルメ] 〔英 as〕 **1** **…のとおりに; …に従って,** …につれて. Te lo explico *conforme* la vi. 私が見たとおり君に説明しているんだよ.
2 …するとすぐに. *Conforme* amanezca, saldremos. 夜が明けしだい我々は出かけます. ► 未来のことには接続法を用いる.
conforme a ... …に応じて, …に従って. *conforme a* la regla 規程に基づき.

con·for·mi·dad [komformiðáð コンフォルミダ(ドゥ)] 名女 **1** 一致, 適合; 承諾, 承認.
2 忍 耐, 我 慢. Lo sobrellevan con gran *conformidad*. 彼らはそれを立派に耐えている.
de [en] conformidad con ... …に従

って, …のとおりに.
en esta [*tal*] *conformidad* このような条件[場合]では.
con·for·mis·mo [komformísmo コンフォルミスモ] 名男 順応主義.
con·for·mis·ta [komformísta コンフォルミスタ] 形 **1** 順応主義の.
2〘宗教〙英国国教徒の.
── 名男女 **1** (法律・慣行などに) 従う[順応する]者. **2**〘宗教〙英国国教徒.
con·fort [komfórt コンフォル(トゥ)] 名男 [複 conforts] 快適, 安楽. [←フランス語]
con·for·ta·ble [komfortáβle コンフォルタブれ] 形 快適な. un sillón muy *confortable* とても座り心地のよい椅子.
con·for·tar [komfortár コンフォルタル] 動他 元気にする, 励ます.
con·fra·ter·ni·dad [komfraterniðáð コフラテルニダ(ドゥ)] 名女 兄弟愛; 友好.
con·fra·ter·ni·zar [komfraterniθár コンフラテルニさル] [39 z → c] 動自 《+ **con**》…と兄弟[同胞]として交わる; 友好的な関係を結ぶ.
con·fron·ta·ción [komfrontaθjón コンフロンタしオン] 名女 **1** 対決; 対峙(たいじ).
2 照合, 対照.
con·fron·tar [komfrontár コンフロンタル] 動他 **1** …に面と向かう, 立ち向かう.
2 (裁判などで) 対決させる.
3 照合する, 突き合わせる.
── 動自 《+ **con**》…に接する.
── **con·fron·tar·se** 《+ **con**》…に直面する. El año pasado *se confrontaron con* un gran problema. 昨年彼らは大問題に直面した.
Con·fu·cio [komfúθjo コンフしオ] 固名 孔子 (前551 – 前479) : 儒教の祖.
con·fu·cio·nis·mo [komfuθjonísmo コンフしオニスモ] 名男 儒教, 儒学.
con·fun·dir [komfundír コンフンディル] 動他〔英 confuse〕 **1** 《+ **con**》**…と混同する**, 取り違える; 混ぜ合わせる. Siempre te *confundo con* tu hermano. 私は君をいつも間違えるよ. *Confundí* la carretera. 私は道を間違えてしまった.
2 **混乱させる**; 当惑させる. Me *confundió* con sus explicaciones. 彼の説明が私を混乱させた.
── **con·fun·dir·se** **1** **間違える**, 取り違える. *Me confundí* de número de teléfono. 私は電話番号を間違えてしまった. **2** 《+ **con, en, entre**》…に紛れ込む. *Se confundió con* el gentío. 彼は人込みに紛れた.
con·fu·sión [komfusjón コンフシオン] 名女 **1** 混乱; 乱雑. **2** 困惑, 当惑.
3 混同, 取り違え.
con·fu·so, sa [komfúso, sa コンフソ, サ] 形 **1** 混乱した; 乱雑な. situación *confusa* 紛糾した事態.
2 不明瞭(ふめいりょう)な. **3** 当惑した.
con·ge·la·ción [koŋxelaθjón コンへらしオン] 名女 凍結; 冷凍;〘医〙凍傷;〘商業〙凍結. *congelación* de salario 賃金の凍結.
con·ge·la·dor [koŋxelaðór コンへらドル] 名男 フリーザー, 冷凍庫[室]. ► 冷蔵庫は frigorífico.
con·ge·lar [koŋxelár コンへらル] 動他 冷凍する;〘商業〙凍結する;〘医〙凍傷を起こさせる.
── **con·ge·lar·se** 凍る, 凍結する;〘医〙凍傷にかかる.
con·ge·niar [koŋxenjár コンへニアル] 動自 《+ **con**》…と気が合う.
con·gé·ni·to, ta [koŋxénito, ta コンへニト, タ] 形 生まれつきの, 先天的な (↔ adquirido). enfermedad *congénita* 先天性疾患.
con·ges·tión [koŋxestjón コンへスティオン] 名女 **1**〘医〙鬱血(うっけつ), 充血. **2** 混雑, 渋滞. *congestión* del tráfico 交通渋滞.
con·ges·tio·nar [koŋxestjonár コンへスティオナル] 動他 **1** 充血させる. **2** 混雑[渋滞]させる.
── **con·ges·tio·nar·se** (交通が) 混雑する, 渋滞する.
con·glo·me·ra·do, da [koŋglomeráðo, ða コングろメラド, ダ] 過分 形 凝集した; 種々雑多な.
── 名男 集積; 寄せ集め; (巨大) 複合企業, コングロマリット.
con·glo·me·rar [koŋglomerár コングろメラル] 動他 寄せ集める.
── **con·glo·me·rar·se** 凝集する.
con·go·ja [koŋgóxa コンゴハ] 名女 苦悩; 悲嘆.
con·go·le·ño, ña [koŋgoléɲo, ɲa コンゴれニョ, ニャ] / **con·go·lés, le·sa** [koŋgolés, lésa コンゴれス, れサ] 形 コンゴ Congo の. ── 名男女 コンゴ人.
con·gra·tu·la·ción [koŋgratulaθjón コングラトゥらしオン] 名女 祝辞; 祝賀.
con·gra·tu·lar [koŋgratulár コングラトゥらル] 動他 祝う, 祝福する (= felicitar).
── **con·gra·tu·lar·se** 喜ぶ, うれしく思う.
con·gre·ga·ción [koŋgreɣaθjón コングレガしオン] 名女 **1** 集合, 集結; 会合, 会議.
2 信徒団, 会衆; (誓願の) 修道会.
con·gre·gar [koŋgreɣár コングレガル] [32 g → gu] 動他 集める, 集結させる.
── **con·gre·gar·se** 集う, 集結する.
con·gre·sis·ta [koŋgresísta コングレシスタ] 名男女 議員; 会議の参加者.
con·gre·so [koŋgréso コングレソ] 名男 **1** 会議, 大会. → conferencia【参考】.
2 (米国・メキシコなどの) 議会, 国会; 国会議事堂. → corte.
con·grio [kóŋgrjo コングリオ] 名男〘魚〙アナゴ (穴子).
con·gruen·cia [koŋgrwénθja コン

グルエンしア] 名女 一致; 適合 (性); 〘数〙(図形・整数の) 合同.
con·gruen·te [koŋgrwénte コングルエンテ] 形一致した, 適合した; 〘数〙合同の.
có·ni·co, ca [kóniko, ka コニコ, カ] 形 円錐(すい)(形)の. ►「角錐の」は piramidal.
con·je·tu·ra [koŋxetúra コンヘトゥラ] 名女推測, 憶測.
C
con·je·tu·rar [koŋxeturár コンヘトゥラル] 動他推測する, 憶測する.
con·ju·ga·ción [koŋxuɣaθjón コンフガしオン] 名女 〘文法〙(動詞の) 活用, 変化.
con·ju·gar [koŋxuɣár コンフガル] [32 g → gu] 動他 〘文法〙(動詞を) 活用 [変化] させる.
— **con·ju·gar·*se*** 〘文法〙(動詞が) 活用[変化]する.
con·jun·ción [koŋxunθjón コンフンしオン] 名女 **1** 結合, 連結. **2** 〘文法〙接続詞. *conjunción* adversativa 反意接続詞. *conjunción* causal 原因・理由を表す接続詞. *conjunción* concesiva 譲歩の接続詞. *conjunción* condicional 条件の接続詞. *conjunción* copulativa 連結の接続詞. *conjunción* disyuntiva 分離の接続詞. *conjunción* distributiva 配分の接続詞.
⇒ 文法用語の解説.
con·jun·ta·men·te [koŋxúntaménte コンフンタメンテ] 副いっしょに, 共に.
con·jun·tar [koŋxuntár コンフンタル] 動他結びつける, 一つにまとめる.
— 動自調和する.
— **con·jun·tar·*se*** 結合する, 集まる.
con·jun·ti·vi·tis [koŋxuntiβítis コンフンティビティス] 名女 [単・複同形] 〘医〙結膜炎.
con·jun·ti·vo, va [koŋxuntíβo, βa コンフンティボ, バ] 形 **1** 結合する. tejido *conjuntivo* 〘解剖〙結合組織.
2 〘文法〙接続の.
— 名女 〘解剖〙結膜.
con·jun·to[1] [koŋxúnto コンフント] 名男 [複 ~s] 〔英 whole〕 **1 集合**, 集まり. un *conjunto* de casas labriegas 農家の集落.
2 全体, 総体.
3 〘服飾〙アンサンブル.
4 〘音楽〙 *conjunto* musical バンド. *conjunto* vocal 合唱団, アンサンブル.
en conjunto 全体として, 概して.
en su conjunto 全体で, 総体的に見て.
con·jun·to[2], **ta** [koŋxúnto, ta コンフント, タ] 形 一つになった, 結合した. esfuerzos *conjuntos* de todos nosotros 我々みんなの一丸となった努力.
con·ju·ra [koŋxúra コンフラ] / **con·ju·ra·ción** [-xuraθjón -フラしオン] 名女 共謀, 陰謀.
con·ju·ro [koŋxúro コンフロ] 名男 悪魔払い; 呪文(じゅもん), まじない.
al conjuro de ... …の力で, …の効果で.
con·lle·var [konʎeβár コンリェバル] 動他 耐える, 耐え忍ぶ.
con·me·mo·ra·ción [kommemoraθjón コンメモラしオン] 名女記念, 記念式.
con·me·mo·rar [kommemorár コンメモラル] 動他記念する, 祝う.
con·me·mo·ra·ti·vo, va [kommemoratíβo, βa コンメモラティボ, バ] 形記念の, 記念となる; 追悼の. monumento *conmemorativo* 記念碑.
con·mi·go [kommíɣo コンミゴ] [前置詞 con と人称代名詞 mí との結合形] [男・女同形] 〔英 with me〕 **1 私と**, 私と共に. Ven *conmigo*. 私について来なさい.
2 私に対して. Es muy amable *conmigo*. 彼は私にとても親切だ.
con·mi·se·ra·ción [kommiseraθjón コンミセラしオン] 名女 同情, 哀れみ (= compasión).
con·mo·ción [kommoθjón コンモしオン] 名女 **1** 衝撃; 動転, ショック. *conmoción* cerebral 脳震盪(しんとう). **2** (社会などの) 変動.
con·mo·cio·nar [kommoθjonár コンモしオナル] 動他衝撃を与える; 動転させる.
con·mo·ve·dor, do·ra [kommoβeðór, ðóra コンモベドル, ドラ] 形 心を動かす, 感動的な (= emocionante).
con·mo·ver [kommoβér コンモベル] [35 o → ue] 動他 **1** 動揺させる; 感動させる. La muerte de su amigo le *conmovió* mucho. 友人の死に彼は非常に心を痛めた.
2 震動させる. Un terremoto *conmovió* toda la comarca. 地震がその地方一帯を揺るがせた.
— **con·mo·ver·*se*** 感動する; 震動する.
con·mu·ta·ble [kommutáβle コンムタブレ] 形交換[変換]可能な, 切り換えできる.
con·mu·ta·ción [kommutaθjón コンムタしオン] 名女 **1** 交換, 変換.
2 〘法律〙(量刑・責務などの) 減軽, 減刑.
con·mu·ta·dor [kommutaðór コンムタドル] 名男 〘電気〙スイッチ; 整流器.
con·mu·tar [kommutár コンムタル] 動他 **1** 〘法律〙《+ **por**》(量刑・責務を) …に軽減する, 減刑する. *conmutar* la pena de muerte *por* la de cadena perpetua 死刑を無期懲役に減刑する.
2 《+ **con, por**》…と交換[変換]する.
con·na·tu·ral [konnaturál コンナトゥラる] 形生来の, 生まれつきの (= innato).
con·no·ta·ción [konnotaθjón コンノタしオン] 名女 言外の意味, 暗示; 〘言語〙内包 (↔ denotación).
con·no·tar [konnotár コンノタル] 動他含意する, 暗示する.
co·no [kóno コノ] 名男円錐(すい)(形).
co·no·ce·dor, do·ra [konoθeðór, ðóra コノセドル, ドラ] 形 《+ **de**》…に精通した, よく知っている.
— 名男女専門家, 通(つう).

co·no·cer [konoθér コノセル] 40動他 [現分 conociendo; 過分 conocido, da] 〔英 know〕

直説法 現在	
1·単 ***conozco***	1·複 **conocemos**
2·単 **conoces**	2·複 **conocéis**
3·単 **conoce**	3·複 **conocen**

1 (見聞・体験で)**知る, 知っている**; (人と)**知り合う**. Aquí no *conozco* a nadie. ここには1人も知り合いがいない. *Conoce* bastante ese país. 彼はかなりその国のことを知っている. Me alegro de *conocer*le. お会いできて光栄です. ¿Cuándo *conociste* la noticia? その知らせをいつ聞いたの? ► 場所については, 実際にそこに行ったことがある場合に用いる. ⇒ ¿*Conoce* usted Egipto? あなたはエジプトに行ったことがありますか.
2 知識がある, 理解する. *Conoce* tres idiomas. 彼は3か国語を理解する. *Conocía* bien el tema. 彼は問題をよく把握していた.
3 分かる, 識別する (= distinguir). *conocer* a 《+uno》 por la voz 声でその人だと分かる. *Conoce* los vinos. 彼はぶどう酒のよしあしが分かる.
4 情交を持つ.
── 動自 《+**de**》 …について専門知識がある. *conocer de* sociolingüística 社会言語学に詳しい.
── **co·no·cer·*se*** 知り合う, 面識を持つ. ¿Dónde *se conocieron* ustedes? あなた方はどこで知り合ったのですか. *Nos conocemos* desde hace mucho tiempo. 我々は古くからの知り合いだ.
dar 《+algo》 ***a conocer*** 〈何か〉を知らせる, 告げる.
darse a conocer 自分が何者かを明らかにする; デビューする, 名声をあげる.
Se conoce que ... …のようだ; …だと分かる. *Se conoce que* no está de acuerdo. 彼は賛成していないようだ. *Se* le *conoce* en la cara *que* está feliz. 顔つきで彼が幸せだと分かる.

co·no·ci·do, da [konoθíðo, ða コノシド, ダ] 過分 ➡ conocer.
── 形 よく知られた, 有名な. un escritor *conocido* 著名な作家. un hecho bien *conocido* 周知の事実.
── 名男女 知人.

conociendo 現分 ➡ conocer.

co·no·ci·mien·to [konoθimjénto コノシミエント] 名男 [複 ~s] 〔英 knowledge〕
1 知っていること, 知識. ampliar sus *conocimientos* 知識を広める. No tiene ningún *conocimiento* de la literatura española. 彼にはスペイン文学の知識が全くない.
2 意識, 知覚. perder [recobrar] el *conocimiento* 意識を失う[取り戻す].
3 認識, 識別; 理解力. teoría del *conocimiento* 認識論. **4** 知人.
con conocimiento de causa 事情を承知したうえで.
dar conocimiento de 《+algo》 ***a*** 《+uno》 〈人〉に〈何か〉を知らせる[教える].
poner 《+algo》 ***en conocimiento de*** 《+uno》 〈何か〉を〈人〉の耳に入れる.
venir en [***llegar al***] ***conocimiento de*** 《+uno》 〈人〉の耳に入る.
venir en conocimiento de 《+algo》 〈何か〉を知る.

conozc- 動 ➡ conocer. 40

con·que [koŋke コンケ] 接続 《口語》 だから, それで (= así que; en consecuencia). *Conque* ya sabes, no quiero que toques esto. だからね[いいかい], これに手を触れてはだめ. *Conque* ¿vienes o no? それで来るのか来ないのか, どっちなんだ?

con·quis·ta [koŋkísta コンキスタ] 名女
1 征服. En 1531 Pizarro emprendió la *conquista* de Perú. 1531年にピサロはペルー征服に着手した. *conquista* militar 軍事征服. **2** 獲得; 獲得物, 獲得した人. la *conquista* de la libertad 自由の獲得. hacer *conquistas* [una *conquista*] (女性を)ものにする. Me ha presentado a su última *conquista*. 彼はいちばん新しい彼女を私に紹介した.
── 動 ➡ conquistar.

con·quis·ta·dor, do·ra [koŋkistaðór, ðóra コンキスタドル, ドラ] 形 征服する; 口説き落とす.
── 名男女 征服者; (異性を) 口説き落とす人.
── 名男 〘歴史〙 コンキスタドール: 16世紀に中南米を征服したスペイン人.

con·quis·tar [koŋkistár コンキスタル] 動他 〔英 conquer〕 **1 征服する**; 獲得する. *conquistar* América アメリカ大陸を征服する. *conquistar* un cargo 職を得る.
2 魅了する; 口説き落とす. Por su extraordinaria personalidad nos *ha conquistado* a todos. 彼のすばらしい人柄に我々はみな魅せられてしまった.

Con·ra·do [konřáðo コンラド] 固名 コンラド: 男性の名.

con·sa·bi·do, da [konsaβíðo, ða コンサビド, ダ] 形 よく知られた, 周知の; いつもの.

con·sa·gra·ción [konsaɣraθjón コンサグラシオン] 名女 聖別; 奉納.

con·sa·grar [konsaɣrár コンサグラル] 動他 **1** 聖別する; 神聖なものにする. **2** (聖職者を) 叙階する. **3** 奉納する, ささげる. *consagrar* su vida a ... …に生涯をささげる.
4 (社会的に) 認知する; (地位を) 確立させる.
── **con·sa·grar·*se*** **1** 《+**a**》 …に身をささげる. **2** (社会的に) 認められる.

con·san·guí·ne·o, a [konsaŋgíneo,

C

a コンサンギネオ, ア] 形 血族の, 血縁の.
── 名 男 女 血族, 肉親.

con·san·gui·ni·dad [konsaŋginiðáð コンサンギニダ(ドゥ)] 名 女 血族, 血縁.

con·se·cu·ción [konsekuθjón コンセクシオン] 名 女 獲得, 達成, 実現.

con·se·cuen·cia [konsekwénθja コンセクエンシア] 名 女 [複 ~s] 〔英 consequence〕 **1 結果**, 結末; 帰結. a [como] *consecuencia* de ... …の結果として. atenerse a [aceptar] las *consecuencias* 結果に従う. traer malas *consecuencias* 悪い結果をもたらす. sufrir las *consecuencias* 報いを受ける. *consecuencia* lógica 論理的帰結.
2 重大さ, 重要性. ser de *consecuencia* 重要[重大]である.
en consecuencia その結果, 従って, それゆえに.
sacar en [como] consecuencia 結論づける.

C

con·se·cuen·te [konsekwénte コンセクエンテ] 形 **1** (言行が) 首尾一貫した.
2 必然的な.

con·se·cu·ti·vo, va [konsekutíβo, βa コンセクティボ, バ] 形 **1** 連続した, 相続く.
2 〘文法〙 結果の.

conseguido, da 過分 → conseguir.

con·se·guir [konseɣír コンセギル] [21 gu → g ; 41 e → i] 動 他 [現分 consiguiendo; 過分 conseguido, da] 〔英 obtain, get〕

直説法 現在	
1·単 ***consigo***	1·複 **conseguimos**
2·単 ***consigues***	2·複 **conseguís**
3·単 ***consigue***	3·複 ***consiguen***

1 獲得する, 手に入れる (=lograr) ; 買う. ¿Dónde se puede *conseguir* el bono-bus? バスの回数券はどこで買えますか. *conseguir* fama mundial 世界的な名声を得る. *conseguir* la mayoría (de votos) 過半数を獲得する.
2 達成する; 《+不定詞》《+**que** 接続法》どうにかして…する. *Conseguí* encontrar su casa. 私はやっとのことで彼の家を見つけた. *He conseguido* que mi hijo tome la medicina. どうにか息子に薬を飲ませることができた.
dar por conseguido 《+algo》〈何か〉を当然[自明]のことと思う.

con·se·je·ro, ra [konsexéro, ra コンセヘロ, ラ] 名 男 女 **1** 助言者. ser buen *consejero* 《口語》よい相談相手である. **2** 顧問, コンサルタント. **3** 参事官; 評議員, 理事.

con·se·jo [konséxo コンセホ] 名 男 [複 ~s] 〔英 advice〕 **1 助言, 忠告**; 指示. Hay que seguir los *consejos* del jefe. ボスの指示に従わなければならない. dar un *consejo* 忠告をする. tomar *consejo* de 《+uno》〈人〉の忠告に従う.
2 審議会, 評議会, 会議. celebrar *consejo* 会議を開く. *consejo* de administración 取締役[重役, 理事, 役員]会. *consejo* de disciplina 風紀[懲罰]委員会. *consejo* de guerra 軍法会議. *Consejo* de Indias 〘歴史〙 インディアス諮問会議 (◆1524年に設立された新大陸統治のための最高審議機関). *consejo* de la Inquisición 〘歴史〙 宗教裁判所, 異端審問所. *consejo* de ministros 閣議; 内閣. *Consejo* de Seguridad (国連の) 安全保障理事会.

con·sen·so [konsénso コンセンソ] 名 男 同意, 承認; コンセンサス.

con·sen·ti·do, da [konsentíðo, ða コンセンティド, ダ] 過分 形 甘やかされた; 寛大すぎる; 妻の不貞を見て見ぬふりをする.

con·sen·ti·mien·to [konsentimjénto コンセンティミエント] 名 男 同意, 承諾.

con·sen·tir [konsentír コンセンティル] [52 e → ie, i] 動 他 [現分 consintiendo] **1** 容認する, 許す. No *consiento* que hablen mal de mi hermano. 彼らに弟の悪口を言われて黙ってはいられない. Nunca *consentiré* tal cosa. そのような事は絶対に許しません.
2 (子供を) 甘やかす (=mimar).
── 動 自 《+**en**》…に同意する. *Consintió en* costearme los estudios. 彼は私の学資を出すことに同意した.

con·ser·je [konsérxe コンセルヘ] 名 男 守衛, 管理人, (ホテルの) コンシェルジュ. → conserjería.

con·ser·je·rí·a [konserxería コンセルヘリア] 名 女 守衛所, 管理人室; (ホテルの) コンシェルジュ・デスク: 観光情報などのインフォメーション・サービスをする部署. → recepción.

con·ser·va [konsérβa コンセルバ] 名 女 保存食品, 缶詰, 瓶詰. *conservas* alimenticias 缶詰[瓶詰]食品. en *conserva* 缶詰[瓶詰]の.
── 動 → conservar.

con·ser·va·ción [konserβaθjón コンセルバシオン] 名 女 保存; 維持.

con·ser·va·dor, do·ra [konserβaðór, ðóra コンセルバドル, ドラ] 形 保守的な, 保守主義の. partido *conservador* 保守党.
── 名 男 女 **1** 保守主義者.
2 (博物館などの) 管理者; 学芸員.

con·ser·var [konserβár コンセルバル] 動 他 〔英 conserve〕 **保存する; 維持する**; 持ち続ける. *Conserva* la costumbre de acostarse muy tarde. 彼はいまだに夜更かしをする. *conservar* un monumento histórico 歴史的遺産を保存する. *conservar* la salud 健康を保つ. *Conserve* su derecha [izquierda]. 《掲示》右側[左側]通行. *conservar* un buen recuerdo de 《+algo》〈何か〉を懐かしく思い出す.
── **con·ser·var·*se*** **1** (自分の若さ・容姿などを) 保つ. *conservarse* con [en] sa-

lud 健康である. *Se conserva* joven. 彼は相変わらず若々しい.
2 保存されている, 残っている. *Se conserva* intacta la fachada de la iglesia. 教会の正面玄関は完全に当時の姿をとどめている. **3** (食べ物などの) 保存が利く.

con·ser·va·to·rio [konserβatórjo コンセルバトリオ] 名男 (主に公立の) 音学学校.

con·si·de·ra·ble [konsiðeráβle コンシデラブれ] 形 **1** 相当な, かなりの. Heredó una suma *considerable* de dinero. 彼は少なからぬ額の遺産を相続した.
2 考慮に値する, 注目すべき.

con·si·de·ra·ble·men·te [konsiðeráβleménte コンシデラブれメンテ] 副 相当に, かなり.

con·si·de·ra·ción [konsiðeraθjón コンシデラしオン] 名女 考慮; 配慮, 思いやり. en *consideración* a ... …を考慮して. falta de *consideración* 配慮のなさ. merecer *consideración* 考慮 [敬意] に値する. tratar a 《+uno》 sin [con] *consideración* 〈人〉を無礼[丁重]に扱う.
de consideración 重大な; かなりの. daños *de consideración* 相当な損害.
tomar [***tener***] 《+algo》 ***en consideración*** 〈何か〉を考慮に入れる.

considerado, da 過分 → considerar.

considerando 現分 → considerar.

con·si·de·rar [konsiðerár コンシデラル] 動他 [現分 considerando; 過分 considerado, da] [英 consider] **1** 《形容詞・名詞などの補語をとって》…**とみなす**, 考える. Les *consideramos* responsables de los hechos ocurridos. 我々は事件の責任は彼らにあると考える. Le *considero* un hombre de honor. 私は彼を名誉を重んじる人だと思う. El Museo del Prado está *considerado* como uno de los mejores museos del mundo. プラド美術館は世界で有数の美術館とみなされている.
2 …**と思う**. *Consideramos* que el nuevo plan no es suficiente para solucionar los problemas. 我々は新計画では問題を解決するのに不十分だと思う.
3 よく考える, 考慮に入れる, 検討する. *considerar* un asunto en [bajo] todos sus aspectos 問題をあらゆる角度から検討する. *considerándo*lo bien [bien *considerado*] よく考えてみれば.
4 敬意を払う (= estimar). Se le *considera* mucho. 彼は皆から一目置かれている.

consig- 動 → conseguir. [21 gu → g ; 41 e → i]

con·sig·na [konsíɣna コンシグナ] 名女
1 手荷物預かり所. Dejaré esta maleta en (la) *consigna*. このスーツケースは荷物預かり所に預けよう.
2 命令, 指示; 合言葉. violar la *consigna* 命令に背く.

con·sig·na·ción [konsiɣnaθjón コンシグナしオン] 名女 **1** 〘商業〙委託.
2 配分; 計上額.

con·sig·nar [konsiɣnár コンシグナル] 動他
1 (予算に) 計上する, 割り当てる.
2 委託する; 預ける. **3** 明記する.

con·sig·na·ta·rio [konsiɣnatário コンシグナタリオ] 名男 〘商業〙委託販売人; 荷受人.

con·si·go [konsíɣo コンシゴ] [前置詞 con と再帰代名詞 sí との結合形; 性・数不変] 自分で, 携えて; 自分に対して. Se lo llevó *consigo*. 彼はそれを持ち去った. hablar *consigo* mismo 独り言を言う. Están muy contentos *consigo* mismos. 彼らは自分にとても満足している. ► 形容詞 mismo を伴うことが多い. mismo は主語の性数に一致する.
—— 動 → conseguir. [21 gu → g ; 41 e → i]

consiguiendo 現分 → conseguir.

con·si·guien·te [konsiɣjénte コンシギエンテ] 形 《+**a**》 …から生じる; …に起因する. su viaje y los gastos *consiguientes* あなたの旅行とそれに伴う諸費用.
por consiguiente 従って, それ故に.

con·sis·ten·cia [konsisténθja コンシステンしア] 名女 堅さ, 堅固; 粘度; 一貫性 (↔ incoherente).

con·sis·ten·te [konsisténte コンシステンテ] 形 **1** 堅い; 粘りのある; 一貫した.
2 《+**en**》 …から構成される.

con·sis·tir [konsistír コンシスティル] 動自 [英 consist] 《+**en**》 **1** …**にある**, 存する. ¿*En* qué *consiste* su fracaso? 彼の失敗の原因はどこにあるのか. Nuestro objetivo *consiste en* aclarar las dudas sobre este punto. 我々の目的はこの点に関する疑問を明らかにすることにある. El problema *consiste en* que podamos llegar a la isla con este barco. 問題はこんな船で島まで行きつけるかどうかだ.
2 …**から成り立つ**, 構成されている. El comunicado fue muy corto. *Consistió* sólo *en* unas pocas palabras. 共同宣言は非常に短かった. ほんの数語だった.

> 【参 考】 **consistir en** には「全部で…だけである」の意味がある. 単に「…から構成されている」のときは **constar de, componerse de, estar formado por** などが用いられる.

3 (取りも直さず) …のことである. En el siglo XIX, en España, las “revoluciones” *consistían* tan sólo *en* pronunciamientos militares. 19世紀のスペインの革命は, 単なる軍人によるプロヌンシアミエント[クーデター]であった.

con·sis·to·rial [konsistorjál コンシスト

リアる] 形 **1** 市議会の. casa *consistorial* 市役所 (=ayuntamiento).
2〔カトリック〕枢機卿(けい)会議の.

con·sis·to·rio [konsistórjo コンシストリオ] 名男 **1** 市議会; 市役所.
2〔カトリック〕枢機卿(けい)会議.

con·so·la [konsóla コンソら] 名女 **1** コンソールテーブル: 壁に取り付けたテーブル.
2〔音楽〕コンソール: パイプオルガンの演奏台. **3** (コンピュータの) コンソール: 制御卓.

con·so·la·ción [konsolaθjón コンソらしオン] 名女 慰め, 慰安.

con·so·lar [konsolár コンソらル] [13 o → ue] 動他 慰める, 元気づける. No hay nada que pueda *consolar*le a él. 彼の心を慰められるものは何もない.
—— **con·so·lar·*se*** 自らを慰める, 元気づく. *Se consolará* con el tiempo. 時間がたてば彼も立ち直るだろう.

con·so·li·da·ción [konsoliðaθjón コンソリダしオン] 名女 補強, 強化.

con·so·li·dar [konsoliðár コンソリダル] 動他 補強する, 強化する.

con·so·mé [konsomé コンソメ] 名男〔料理〕コンソメスープ. → sopa.

con·so·nan·cia [konsonánθja コンソナンしア] 名女 **1** 調和, 一致. **2**〔詩〕同音韻. → rima. **3**〔音楽〕協和 (音).
en consonancia con ... …と一致 [調和] して.

con·so·nan·te [konsonánte コンソナンテ] 名女〔音声〕子音; 子音字. ► 母音は vocal.
—— 形 **1** 《+**con**》…と一致した.
2〔音声〕子音の.

con·sor·cio [konsórθjo コンソルしオ] 名男 **1** 団体, 協会; (企業の) 連合. *consorcio* bancario 銀行家協会. **2** 夫婦仲.

con·sor·te [konsórte コンソルテ] 名男女 **1** 配偶者. príncipe *consorte* 女王の夫君. **2** 仲間, 相棒; 共犯者.

cons·pi·cuo, cua [konspíkwo, kwa コンスピクオ, クア] 形 著名な, 傑出した; 顕著な.

cons·pi·ra·ción [konspiraθjón コンスピラしオン] 名女 陰謀, 共謀.

cons·pi·ra·dor, do·ra [konspiraðór, ðóra コンスピラドル, ドラ] 名男女 陰謀家, 謀反人.

cons·pi·rar [konspirár コンスピラル] 動自 **1** 《+**contra**》…に対して陰謀を企てる, 謀反する. **2** (要因が重なって) …を生じる.

cons·tan·cia [konstánθja コンスタンしア] 名女 **1** 恒常性; 粘り強さ, 根気. **2** 確実, 明白; 証拠. dejar *constancia* de 《+algo》〈何か〉を記録に残す; 明確にする.

Cons·tan·cia [konstánθja コンスタンしア] 固名 コンスタンシア: 女性の名.

cons·tan·te [konstánte コンスタンテ] [複 ～s]〔英 constant〕形 **1** 不変の, 一定の; 絶え間ない. el *constante* ruido del tráfico 車の絶え間ない騒音. mantener una temperatura *constante* 一定の温度を保つ.
2 揺るぎのない, 誠実な, 堅実な. Es muy *constante* en su trabajo. 彼の仕事ぶりは極めて堅実だ.
—— 名女 **1**〔数〕定数. **2** 恒常的な事象. La inflación es una *constante* de la economía de estos años. インフレはここ数年間恒常的に見られる経済現象である.

cons·tan·te·men·te [konstánteménte コンスタンテメンテ] 副 絶えず, 常に.

Cons·tan·ti·no [konstantíno コンスタンティノ] 固名 コンスタンティノ: 男性の名.

cons·tar [konstár コンスタル] 動自
1 《+**de**》…から成り立つ, …で構成されている. La obra completa *consta de* veinte volúmenes. その全集は20巻からなる.
2 確かである, 明らかである. *Consta* por este documento que ... . この文書によって…ということは明らかである. Me *consta* que ... . 私には…は間違いないと思われる. Y para que así *conste*. 上記のとおり相違ありません; 右証明する.
3 《+**en**》…に記載 [記録] されている. Esto no *consta en* el acta. この点は議事録に記載されていない.
hacer constar 指摘する; 明記する, 記録する.

cons·ta·ta·ción [konstataθjón コンスタタしオン] 名女 確認, 立証.

cons·ta·tar [konstatár コンスタタル] 動他 確認する (= comprobar).

cons·te·la·ción [konstelaθjón コンステらしオン] 名女〔天文〕星座.

cons·ti·pa·do, da [konstipáðo, ða コンスティパド, ダ] 形 風邪をひいた.
—— 名男 風邪 (= resfriado).

cons·ti·tu·ción [konstituθjón コンスティトゥしオン] 名女 **1**〔法律〕憲法. La *Constitución* ampara la libertad de expresión. 憲法は表現の自由を擁護している. **2** 構成; 構造. *constitución* del jurado 審査員 [陪審員] の顔ぶれ. **3** 制定, 設立. *constitución* de un tribunal 裁判所の設立.

cons·ti·tu·cio·nal [konstituθjonál コンスティトゥしオナる] 形 憲法の, 合憲の; 立憲的な; 護憲派の. monarquía *constitucional* 立憲君主制 [国].

cons·ti·tu·cio·na·li·dad [konstituθjonaliðáð コンスティトゥしオナりダ(ドゥ)] 名女 立憲性, 合憲性.

cons·ti·tuir [konstitwír コンスティトゥイル] 29 動他 [現分 constituyendo] **1** 構成する, 要素をなす. La mitad de las empresas que *constituyen* el grupo se encuentran en dificultades financieras. グループを形成する会社の半数が財政悪化している.
2 設立する; 制定する.
3 《+**en**》…に定める, 指名する.

cons·ti·tu·ti·vo, va [konstitutiβo,

βa コンスティトゥティボ，バ] 形《+**de**》…を構成する．—— 名男 構成要素，成分．
constituy- 動 現分 → constituir. 29
cons·ti·tu·yen·te [konstitujénte コンスティトゥイェンテ] 形 **1** 憲法制定の．**2** 構成する．
—— 名男 構成要素．
cons·tre·ñir [konstreɲír コンストゥレニィル] [56 e → i] 動他 [現分 constriñendo] 強制する；制限する．
cons·truc·ción [konstrukθjón コンストゥルクしオン] 名女 [複 construcciones] 〔英 construction〕 **1 建設，建築**．en *construcción* 建設中の，工事中の．*construcción* naval [aeronáutica] 造船[飛行機製造]．
2 建造[構築]物；建て方，構造．de *construcción* prefabricada プレハブ建築の．**3** 建設[建築]業．**4**〘文法〙構文，構造．
cons·truc·ti·vo, va [konstruktíβo, βa コンストゥルクティボ，バ] 形 建設的な．
cons·truc·tor, to·ra [konstruktór, tóra コンストゥルクトル，トラ] 形 建設の，建造の．
—— 名男女 建設(業)者；製造業者．
cons·truir [konstrwír コンストゥルイル] 29 動他 [現分 construyendo] 〔英 construct〕 **1 建設する，建築する** (↔ destruir)．*construir* un hotel ホテルを建てる．*construir* una carretera [un puente] ハイウエーを建設する[橋をかける]．
2 組み立てる，構成する；〘数〙作図する．*construir* una teoría 理論を編み出す．
construy- 動 → construir. 29
construyendo 現分 → construir.
con·sue·gro, gra [konswéɣro, ɣra コンスエグロ，グラ] 名男女 婿の父親[母親]，嫁の父親[母親]．
consuel- 動 → consolar. [13 o → ue]
con·sue·lo [konswélo コンスエろ] 名男 慰め，慰安，安堵(あんど)．
Con·sue·lo [konswélo コンスエろ] 固名 コンスエロ：女性の名．愛 Chelo.
con·sue·tu·di·na·rio, ria [konswetuðinárjo, rja コンスエトゥディナリオ，リア] 形 慣習の，慣例的な．derecho *consuetudinario* 慣習法．
cón·sul [kónsul コンスる] 名男 [複 ～es] 〔英 consul〕 **領事**．*cónsul* de España en Londres ロンドン駐在のスペイン領事．*cónsul* general 総領事．► 大使は embajador.
con·su·la·do [konsuláðo コンスらド] 名男 領事館；領事の職[任期，管区]．► 大使館は embajada.
con·su·lar [konsulár コンスらル] 形 **1** 領事の，領事館の．**2** (古代ローマの)執政官の．
con·sul·ta [konsúlta コンスるタ] 名女 **1** 相談，諮問．**2** 診察；診察室．*consulta* a domicilio 往診．horas de *consulta* 診察時間．**3** 参照．obra de *consulta* 参考文献．
—— 動 → consultar.
con·sul·tar [konsultár コンスるタル] 動他 〔英 consult〕 **1 相談する**，諮問する；診察を受ける．*consultar* 《+algo》 con 《+uno》 / *consultar* a 《+uno》 sobre 《+algo》〈何か〉について〈人〉に相談する．
2 参照する．*consultar* el diccionario 辞書を引く．*consultar* una palabra en el diccionario ある単語を辞書で調べる．
con·sul·to·rio [konsultórjo コンスるトリオ] 名男 診療所；相談所；(雑誌・ラジオなどの)悩み相談．
con·su·ma·do, da [konsumáðo, ða コンスマド，ダ] 過分 形 **1** 完結した，完遂された．**2** 熟練した，完璧(かんぺき)な．
con·su·mar [konsumár コンスマル] 動他 **1** 完遂する．**2** (契約などを)実行する．*consumar* la sentencia 刑を執行する．
con·su·mi·ción [konsumiθjón コンスミしオン] 名女 **1** 飲食；飲食費．
2 消費(量)；消耗．
con·su·mi·do, da [konsumíðo, ða コンスミド，ダ] 過分 形 やつれた，衰弱した，消耗した．
con·su·mi·dor, do·ra [konsumiðór, ðóra コンスミドル，ドラ] 形 消費する．
—— 名男女 消費者．
con·su·mir [konsumír コンスミル] 動他 **1** 消費する．**2** 消失[壊滅]させる．**3** 消耗させる，憔悴(しょうすい)させる．La enfermedad le *consumía* las fuerzas. 病気で彼はやつれていた．
—— **con·su·mir·se** **1** 消耗する；尽きる．*consumirse* con la fiebre 熱で憔悴する．**2**《+**de**》…にさいなまれる，悩まされる．
con·su·mo [konsúmo コンスモ] 名男 消費，消耗．bienes de *consumo* 消費財．impuesto de *consumo* 消費税．
con·sun·ción [konsunθjón コンスンしオン] 名女 消耗，憔悴(しょうすい)．
con·ta·bi·li·dad [kontaβiliðáð コンタビりダ(ドゥ)] 名女 簿記，会計，経理；会計学；会計[経理]課．
con·ta·bi·li·zar [kontaβiliθár コンタビりさル] [39 z → c] 動他 記帳する，帳簿に載せる．
con·ta·ble [kontáβle コンタブれ] 形 数えうる，可算の．—— 名男女 帳簿係．
con·tac·to [kontákto コンタクト] 名男 [複 ～s] 〔英 contact〕 **1 接触**；(人との)交わり，連絡．entrar [ponerse] en *contacto* con… …と接触する，…と連絡を取る．perder el *contacto* 接触[連絡]を断つ．
2 連絡員．
con·ta·do, da [kontáðo, ða コンタド，ダ] 過分 → contar.
—— 形 わずかな，数少ない．Son *contados* los que saben el latín. ラテン語を知っている人は数少ない．en *contadas* ocasiones 稀に，たまに．
al contado / 《ラ米》 ***de contado*** 即金で，現金で．
con·ta·dor, do·ra [kontaðór, ðóra

コンタドル, ドラ] 名男女 計算係; 会計係; 会計士. *contador* público [titulado] 公認会計士. ── 名男 メーター. *contador* de agua [de gas] 水道[ガス]のメーター.

con·ta·du·rí·a [kontaðuría コンタドゥリア] 名女 会計係[課], 経理係[課].

con·ta·giar [kontaxjár コンタヒアル] 動他
1 伝染[感染]させる.
2 感化させる, 影響を及ぼす.
── **con·ta·giar·*se*** **1** ⟪+**de, por**⟫ …から[によって] 伝染[感染]する; ⟪+**de**⟫ …の病気に感染する. **2** ⟪+**de, con**⟫ …に感化[影響]される. *contagiarse con* el mal ejemplo 悪例に染まる.

con·ta·gio [kontáxjo コンタヒオ] 名男 伝染, 感染; 感化; (軽い) 伝染病. *contagio* de cólera コレラの伝染.

con·ta·gio·so, sa [kontaxjóso, sa コンタヒオソ, サ] 形 伝染性の. enfermedad *contagiosa* 伝染病. risa *contagiosa* 人から人へ広がる[もらい]笑い.

con·ta·mi·na·ción [kontaminaθjón コンタミナしオン] 名女 汚染. *contaminación* atmosférica 大気汚染. *contaminación* radiactiva 放射能汚染.

con·ta·mi·nar [kontaminár コンタミナル] 動他 汚染する; 悪影響を及ぼす. *contaminar* un río 川を汚染する.
── **con·ta·mi·nar·*se*** ⟪+**con, de**⟫ …で汚染される; …に感化される.

contando 現分 → contar.

con·tan·te [kontánte コンタンテ] 形 現金の, 即金の.

con·tar

[kontár コンタル] [13 o → ue] 動他 [現分 contando; 過分 contado, da] 〔英 count; tell〕

直説法 現在	
1·単 ***cuento***	1·複 **contamos**
2·単 ***cuentas***	2·複 **contáis**
3·単 ***cuenta***	3·複 ***cuentan***

1 数える. *contar* el número de estudiantes 学生の数を数える.
2 物語る, 話す. *contar* SU historia 身の上話をする. tener mucho que *contar* 話すべきことがたくさんある. *Cuénta*me todo lo que has visto. 見たことを全部私に話してくれ. *Cuentan* que se suicidó horas después en su casa. 彼は数時間後家で自殺したということだ.
3 数[勘定]に入れる, 含める. Éramos cinco sin *contar* los niños. 我々は子供を除いて5人だった.
4 考慮に入れる (= tener en cuenta); みなす, 判断する. Le *cuento* entre mis amigos [como uno de mis amigos]. 彼を友達のひとりだと思っている.
── 動自 **1** 数を数える, 計算する. *contar* hasta diez 10まで数える. *contar* con los dedos 指を折って数える.
2 ⟪+**con**⟫ (1) **…を当てにする**; …を信頼する. *contar con* SU ayuda (人の) 援助を当てにする. Puedes *contar con*migo. 僕を当てにしていいよ; 僕の言っていることはうそじゃないよ. (2) …を考慮に入れる; …を数[勘定]に入れる, 含める. No *contaba con* que podía llover. 雨が降るとは思ってもみなかった. No *contaba con* encontrar tantos problemas. こんなに問題があるとは思わなかった. No *han contado con*migo para la fiesta. パーティーに私は招待してもらえなかった. (3) …を持っている; …を自由に使える. El barco *cuenta con* dos motores. 船はエンジンを2基備えている.
3 重要である, 考慮に値する (= importar). Lo que *cuenta* son los resultados obtenidos. 重要なのは結果である.
── **con·tar·*se*** ⟪+**entre**⟫ …の中に数えられる, 含まれる. *contarse entre* SUS admiradores ファンのひとりである.
¿Qué (te) cuentas? どうだい, 変わりはないかい?

con·tem·pla·ción [kontemplaθjón コンテンプラしオン] 名女 **1** 熟視; 瞑想(めいそう); 熟慮.
2 [contemplaciones] 寛大, 配慮.

con·tem·plar [kontemplár コンテンプラル] 動他 〔英 contemplate〕 **1 じっと見つめる**, 注意深く観察する; 眺める, 見渡す. *contemplar* el paisaje 景色を眺める.
2 熟考する. *Contemplaba* la posibilidad de comprar un chalet. 彼は別荘を買うかどうか考えていた.
── 動自 瞑想(めいそう)にふける.

con·tem·pla·ti·vo, va [kontemplatíβo, βa コンテンプラティボ, バ] 形 熟視する; 瞑想(めいそう)的な.

con·tem·po·rá·ne·o, a [kontemporáneo, a コンテンポラネオ, ア] 形 **1** 同時代の. Dalí es *contemporáneo* de García Lorca. ダリはガルシア・ロルカと同時代の人だ.
2 現代の. arte *contemporáneo* 現代美術.
── 名男女 同時代の人. Su grandeza no fue apreciada por sus *contemporáneos*. 彼の偉大さは同時代の人々には評価されなかった.

contén 動 → contener. 55

con·ten·ción [kontenθjón コンテンしオン] 名女 抑制; 制止. tener *contención* 自制心がある.

con·ten·cio·so, sa [kontenθjóso, sa コンテンしオソ, サ] 形 **1** 論争好きな.
2 〖法律〗訴訟の, 係争の. asunto *contencioso* 係争中の事件.
── 名男 〖法律〗係争, 訴訟.

con·ten·der [kontendér コンテンデル] [43 e → ie] 動自 争う. *contender* con ⟪+uno⟫ sobre [por] ⟪+algo⟫ 〈人〉と〈何か〉を競う. *contender* por el primer puesto 首席を競う.

con·ten·dien·te [kontendjénte コンテン

ティエンテ] 形 争う. ―― 名男女 対抗者.
contendr- 動 → contener. 55
con·te·ne·dor [konteneðór コンテネドル] 名男 (輸送用) コンテナ. camión de *contenedores* コンテナ車. barco de *contenedores* コンテナ船.
con·te·ner [kontenér コンテネル] 55 動他 〔英 contain〕 **1 含む**, 含有する; …が入っている. La botella *contiene* un litro de agua. その瓶には1リットルの水が入っている. El agua de esta fuente *contiene* muchos minerales. この泉の水はミネラル分が多い.
2 制止する, 抑える, 止める. *contener* por el brazo. 腕をつかんで引き止めた. *contener* el caballo 馬を制止する. *contener* lágrimas 涙をこらえる.
―― **con·te·ner·*se*** 《+**de**》 …を自制する, 我慢する. *Conteneos de* beber. 君たち, 酒を飲むのを控えなさい.
conteng- 動 → contener. 55
con·te·ni·do, da [konteníðo, ða コンテニド, ダ] 過分 形 抑制された; 控えめな. risa *contenida* 押し殺した笑い.
―― 名男 **1** 内容, 中身. *contenido* de un paquete 包みの中身. **2** 内容一覧, 目次. **3** 〘言語〙 意味内容 (↔ expresión).
contenta 形女 → contento[1].
con·ten·tar [kontentár コンテンタル] 動他 満足させる, 喜ばせる. Lo hizo para *contentar* a sus padres. 彼は両親を満足させるためにそうした.
―― **con·ten·tar·*se*** **1** 《+**con**》 …で満足する. *Conténtate con* lo que tienes. 自分の持っているもので満足しなさい.
2 《ラ米》 和解する.
con·ten·to[1], ta [konténto, ta コンテント, タ] 形 [複 ~s] 〔英 content〕 《+**con**》 **…に満足した**; 《+**de**》 **…でうれしい**. No estoy *contento con* mi salario. 私は今の給料に満足していない. Estoy *contento* (*de*) que la foto me ha salido muy bien. 写真がとてもよく写っていて私はうれしい. Estoy tan *contento de* verte. 君に会えて非常にうれしい. más *contento* que unas pascuas 上機嫌で.
darse por contento (満足ではないが) 十分だとする, それでよしとする.
con·ten·to[2] [konténto コンテント] 名男 満足, 喜び. sentir gran *contento* 大いに喜ぶ. no caber en sí de *contento* うれしくて有頂天になる.
con·te·ra [kontéra コンテラ] 名女 (杖(つえ)・傘の) 石突き; (刀剣のさやの) 鐺(こじり).
con·tes·ta·ción [kontestaθjón コンテスタシオン] 名女 **1** 返事, 返答 (= respuesta). en *contestación* a … …に答えて.
2 反論; 〘法律〙 (被告人の) 抗弁.
contestado, da 過分 → contestar.
con·tes·ta·dor [kontestaðór コンテスタドル] 名男 留守番電話 (= *contestador* automático).
contestando 現分 → contestar.
con·tes·tar [kontestár コンテスタル] 動他自 [現分 contestando, 過分 contestado,da] 〔英 answer〕 **1 答える**, 返事をする; 応答する. *contestar* (a) una carta 返事を書く. *contestar* (a) una pregunta 質問に答える. Anoche llamé a tu casa, pero nadie me *contestó*. ゆうべ君の家に電話をしたが誰もでなかった. **2** 反論する, 異論を唱える; 《口語》 口答えする.
con·tex·to [kontésto コンテスト] 名男 **1** 文脈, 前後関係. **2** 背景, 状況.
con·tex·tu·ra [kontestúra コンテストゥラ] 名女 構造, 組織; 織り方; 体格.
con·tien·da [kontjénda コンティエンダ] 名女 小競り合い. → batalla 【参考】.
contiene(-) 動 → contener. 55
con·ti·go [kontíɣo コンティゴ] [前置詞 con と人称代名詞 ti との結合形] [男・女同形] 〔英 with you〕 **1 君と**, 君と共に. Quiero viajar *contigo*. 君と旅行がしたいなあ.
2 君に対して.
con·ti·guo, gua [kontíɣwo, ɣwa コンティグオ, グア] 形 《+**a**》 …に隣り合った, 隣接した. la casa *contigua* 隣の家. la habitación *contigua* al patio 中庭に続く部屋.
con·ti·nen·cia [kontinénθja コンティネンシア] 名女 自制, 節制; 禁欲. comer con *continencia* 食事を控えめに取る.
con·ti·nen·tal [kontinentál コンティネンタル] 形 大陸の, 大陸的な.
con·ti·nen·te [kontinénte コンティネンテ] [複 ~s] 〔英 continent〕 名男 **1 大陸**. el Nuevo *Continente* 新大陸, アメリカ大陸.
2 容器.
―― 形 自制した, 節度のある; 禁欲的な.
con·tin·gen·cia [kontiŋxénθja コンティンヘンシア] 名女 偶発性, 不測の出来事.
con·tin·gen·te [kontiŋxénte コンティンヘンテ] 形 偶然の, 偶発的な. una cadena de hechos *contingentes* 一連の偶発的な出来事.
―― 名男 **1** 分担額, 割当量. **2** 偶発事.
continú- 動 → continuar. [14 u → ú]
continua 形女 → continuo.
con·ti·nua·ción [kontinwaθjón コンティヌアシオン] 名女 連続, 継続; 続編.
a continuación 次に, 続いて; 下記に.
continuado, da 過分 → continuar.
continuando 現分 → continuar.
con·ti·nua·men·te [kontínwaménte コンティヌアメンテ] 副 連続して, 絶えず.
con·ti·nuar [kontinwár コンティヌアル] [14 u → ú] [現分 continuando; 過分 continuado, da] 〔英 continue〕 動他

C

直説法 現在	
1·単 *continúo*	1·複 **continuamos**
2·単 *continúas*	2·複 **continuáis**
3·単 *continúa*	3·複 *continúan*

続ける. *Continuó* su viaje. 彼は旅を続けた.
—— 動自 **1** 続く, 継続する. *Continuará.* (論文などで) 以下次号. La tensión *continúa.* 緊張関係は続いている. *continuar* en el mismo sitio 同じ場所にとどまっている. *continuar* en cartel 〖演劇〗上演中である. *continuar* en vigor (法律などが) なお有効である.
2 …のままである. El proyecto *continúa* sin estudiar. その計画はまだ検討されないままになっている. *Continúa* inmóvil. びくとも動かない.
3 《+現在分詞》…し続ける. *Continúa* trabajando en la misma compañía. 彼はあいかわらず同じ会社で働いている.
4 先に延びている. Esta carretera *continúa* hasta Madrid. この国道はマドリードまで続いている.

con·ti·nui·dad [kontinwiðáð コンティヌイダ(ドゥ)] 名女 連続, 継続性.

con·ti·nuo, nua [kontínwo, nwa コンティヌオ, ヌア] 形 [複 ~s] 〔英 continuous〕 連続した, 絶え間ない (↔ discontinuo). Su profesión le obligaba a *continuos* cambios de residencia. 仕事柄, 彼は絶えず転居しなければならなかった.
de continuo* / *a la continua 連続して, 絶えず.

con·to·ne·ar·*se* [kontoneárse コントネアルセ] 動 (肩・腰を振って) 気取って歩く.

con·tor·no [kontórno コントルノ] 名男
1 輪郭; 周囲.
2 [~s] 町外れ, 近郊. Madrid y sus *contornos* マドリードとその周辺.
en los contornos 周りに.

con·tor·sión [kontorsjón コントルシオン] 名女 (体の) ねじれ, ひきつり.

con·tor·sio·nar·*se* [kontorsjonárse コントルシオナルセ] 動 身をよじる.

con·tra[1] [kontra コントゥラ] 前 〔英 against〕
1 …に反して, 逆らって; …に反対[敵対]して. Navegaron cuatro días *contra* la corriente. 彼らは流れに逆らって4日間航行した. Lo aceptó *contra* su voluntad. 彼は自分の意志に反してそれを受け入れた. Se sublevaron *contra* el gobierno. 彼らは政府に対して反乱を起こした. Luchó *contra* su mortal enemigo. 彼は敢然と宿敵に立ち向かった (►luchar con よりも, 強敵と戦うという意味合いが強い). Todos íbamos *contra* él. 我々は皆彼に反対だった. campaña *contra* el SIDA エイズ撲滅キャンペーン.
2 …にぶつかって, 衝突して. Al salir del garaje choqué *contra* un árbol. ガレージから出るとき, 私は車を木にぶつけてしまった. estrellarse *contra* la pared 壁に当たってくだけ散る.
3 …に備えて, …を防いで. remedio *contra* la tos 咳(せき)止めの薬.
4 …に寄りかかって, もたれて, 押しつけて. apoyarse *contra* el muro 壁[塀]に寄りかかる. Apoya la escalera *contra* la pared. はしごを壁に立てかけなさい. apretar a 《+uno》 *contra* SU pecho 〈人〉を胸に抱きしめる.
5 …と引き換えに. entregar *contra* el pago 代金と引き換えに渡す.

con·tra[2] [kóntra コントゥラ] 名男 反対意見; 不利益. el pro y el *contra* 賛成と反対; 利害.
—— 名女 《口語》難点, 不都合.
—— 名男女 反革命分子; コントラ: ニカラグアのゲリラ.
en contra 反対して, 対立して. votar *en contra* 反対票を投じる. El proyecto de ley fue aceptado por catorce votos a favor y seis *en contra.* 法案は賛成14票, 反対6票で採択された.
hacer* [*llevar*] *la contra a 《+uno》 〈人〉に反対する, 逆らう.
ir en contra de … …に逆らう, 反対の立場に立つ.

contra- 《接頭》「反対」の意を表す. ⇒ *contra*decir, *contra*maestre など.

con·tra·al·mi·ran·te [kontraalmiránte コントゥラアるミランテ] 名男 海軍少将. ➡ militar 【参考】.

con·tra·a·ta·car [kontraatakár コントゥラアタカル] [⑧ c ➡ qu] 動他 反撃する, 逆襲する; 反論する.

con·tra·a·ta·que [kontraatáke コントゥラアタケ] 名男 反撃, 逆襲; 反論.

con·tra·ba·jo [kontraβáxo コントゥラバホ] 名男 〖音楽〗コントラバス, ダブルベース; コントラバス奏者.

con·tra·ban·dis·ta [kontraβandísta コントゥラバンディスタ] 名男女 密輸業者[商人].

con·tra·ban·do [kontraβándo コントゥラバンド] 名男 **1** 密輸; 密売. *contrabando* de drogas 麻薬の密輸[密売].
2 密輸品, 密売品.
de contrabando 内密に; 密輸で. pasar 《+algo》 *de contrabando* 〈何か〉を密輸する, 不正に持ち込む.

con·trac·ción [kontrakθjón コントゥラクしオン] 名女 **1** 収縮, 短縮, 縮小. **2** 〖文法〗縮約. ⇨ 文法用語の解説「縮約形」.

con·tra·cha·pa·do [kontratʃapáðo コントゥラチャパド] 名男 合板, ベニヤ板.

con·tra·co·rrien·te [kontrakor̄jénte コントゥラコリエンテ] 名女 逆流. ir a *contracorriente* 流れに逆らう; 時流に抗する.

con·trác·til [kontráktil コントゥラクティる]

形収縮性の.
con·tra·de·cir [kontraðeθír コントゥラデしル] 17 動他 [現分 contradiciendo, da ; 過分 contradicho] **1** 反対[反論]する, 否定する; 逆らう. **2** …に[…と]矛盾する. Tu conducta *contradice* tus palabras. 君の行動は言っていることと違うぞ.
—— **con·tra·de·cir·se** 矛盾する; 《＋con》…に反する.
con·tra·dic·ción [kontraðikθjón コントゥラディクしオン] 名女 矛盾, 不一致. en *contradicción* con ... …に矛盾して.
con·tra·dic·to·rio, ria [kontraðiktórjo, rja コントゥラディクトリオ, リア] 形 矛盾する, 相反する.
con·tra·er [kontraér コントゥラエル] 57 動他 [現分 contrayendo ; 過分 contraído]
1 収縮させる.
2 《＋a》…に限る, 限定する.
3 (契約・親交を) 結ぶ; (義務・債務を) 負う. *contraer* matrimonio con 《＋uno》〈人〉と結婚する. **4** (習慣を) 身につける; (病気に) かかる. **5** 〘文法〙縮約する.
—— **con·tra·er·se** **1** 収縮する.
2 《＋a》…に限定される.
con·tra·es·pio·na·je [kontraespjonáxe コントゥラエスピオナヘ] 名男 対スパイ活動, 逆スパイ.
con·tra·fuer·te [kontrafwérte コントゥラフエルテ] 名男 **1** 〘建築〙控え壁[柱].
2 (靴のかかとの) 補強革.
3 山脚: 支脈になった尾根.
con·tral·to [kontrálto コントゥラるト] 名男 〘音楽〙コントラルト, アルト.
—— 名男女 〘音楽〙コントラルト[アルト] 歌手.
con·tra·luz [kontralúθ コントゥラるす] 名女 逆光 (線). —— 名男 逆光で撮った写真.
con·tra·ma·es·tre [kontramaéstre コントゥラマエストゥレ] 名男 職長, 現場監督; 〘海事〙甲板長; 掌帆長.
con·tra·ma·no [kontramáno コントゥラマノ] ***a contramano*** 《副詞句》(慣習・法規などに) 逆らって.
con·tra·o·fen·si·va [kontraofensíβa コントゥラオフェンシバ] 名女 〘軍事〙反攻, 反撃.
con·tra·or·den [kontraórðen コントゥラオルデン] 名女 取り消し命令, 命令の取り消し.
con·tra·par·ti·da [kontrapartíða コントゥラパルティダ] 名女 **1** 代償, 埋め合わせ.
2 〘商業〙(複式簿記の) 反対記入.
con·tra·pe·lo [kontrapélo コントゥラペろ] ***a contrapelo*** 《副詞句》逆なでに; 意に反して.
con·tra·pe·so [kontrapéso コントゥラペソ] 名男 **1** 平衡錘(すい); 釣り合い.
2 《ラ米》不安.
con·tra·po·ner [kontraponér コントゥラポネル] 45 動他 [過分 contrapuesto, ta] 《＋a》…に対抗させる, 対置する; 対比する.
con·tra·po·si·ción [kontraposiθjón コントゥラポシしオン] 名女 対抗; 対置.
con·tra·pro·du·cen·te [kontraproðuθénte コントゥラプロドゥセンテ] 形 逆効果の.
contraria 形名女 → contrario.
con·tra·riar [kontrarjár コントゥラリアル] [23 i → í] 動他 **1** 不快にさせる, うんざりさせる. **2** …に反対する, 拒む; 邪魔をする.
con·tra·rie·dad [kontrarjeðáð コントゥラリエダ(ドゥ)] 名女 **1** 不快, 不機嫌. **2** 障害; 災難. tropezar con una *contrariedad* 障害にぶつかる. **3** 矛盾, 対立関係.
con·tra·rio, ria [kontrárjo, rja コントゥラリオ, リア] [複 ～s] 形 〔英 contrary〕《＋a》**…に反対の, 逆の**, 反した. correr en sentido *contrario* 反対方向に走る. sostener opiniones *contrarias* 反対意見を支持する. Son *contrarios* en gustos. 彼らは趣味が異なっている. la parte *contraria* 〘スポ〙敵方; (裁判で) 相手側. suerte *contraria* 不運.
—— 名男女 **1** 対立者, 相手, 敵.
2 〘法律〙訴訟人, 原告.
al [por el] contrario 反対に, 逆に. *al contrario* de lo que pensaban 彼らの思わくに反して.
de lo contrario でなければ, さもないと.
en contrario 反して, 反対して. salvo prueba *en contrario* 反証がなければ.
llevar la contraria a 《＋uno》〈人〉に反対する, 逆らう.
lo contrario 反対, 逆. A mí me pasa *lo contrario*. 私の場合はその反対だ. todo *lo contrario* 正反対.
con·tra·rre·for·ma [kontrar̄efórma コントゥラレフォルマ] 名女 〘歴史〙〘宗教〙対抗[反] 宗教改革. ◆16世紀のプロテスタント勢力に対抗するカトリック側の教会改革運動. スペインが大きな役割を果たした.
con·tra·rres·tar [kontrar̄estár コントゥラレスタル] 動他 **1** (効果・影響を) 相殺する, 無効にする. **2** 妨げる; …に抵抗する.
con·tra·rre·vo·lu·ción [kontrar̄eβoluθjón コントゥラレボるしオン] 名女 反革命 (運動).
con·tra·se·ña [kontraséɲa コントゥラセニャ] 名女 **1** 合い言葉, 符丁, 符号.
2 (劇場などの) 一時外出券, 半券.
3 〘コンピュータ〙パスワード.
con·tras·tar [kontrastár コントゥラスタル] 動自 《＋con》…と対照をなす.
—— 動他 **1** 確認する, 証明する; 実証する.
2 抵抗する.
con·tras·te [kontráste コントゥラステ] 名男 対照, コントラスト. formar *contraste* 対照をなす. en *contraste* con ... …と対照的に, …とひどく異なって.
con·tra·ta [kontráta コントゥラタ] 名女 雇用 (契約); 請負契約, 請負仕事.
con·tra·ta·ción [kontrataθjón コントゥラタしオン] 名女 契約; 雇用 (契約).
con·tra·tar [kontratár コントゥラタル] 動

他 契約する，請け負う；雇用契約を結ぶ，雇う．*contratado* al mes 月決め契約をした．La *han contratado* como ama de llaves. 彼女は家政婦として雇われた．

── con·tra·tar·*se* 契約する；雇われる．

con·tra·tiem·po [kontratjémpo コントゥラティエンポ] 名男 障害，不都合；災難．

a contratiempo 折悪く，時期外れの．

con·tra·tis·ta [kontratísta コントゥラティスタ] 名男女 請負人．

con·tra·to [kontráto コントゥラト] 名男 契約；契約書．concluir el *contrato* 契約を結ぶ．Firmó el *contrato* por triplicado. 彼は正副 3 通の契約書に署名した．

con·tra·ve·nir [kontraβenír コントゥラベニル] 59 動自 [現分 contraviniendo] 違反する，背く．*contravenir* a la ley 法を破る．

con·tra·ven·ta·na [kontraβentána コントゥラベンタナ] 名女 (二重窓の) 板戸，鎧戸(よろい)，雨戸．

con·tri·bu·ción [kontriβuθjón コントゥリブしオン] 名女 **1** 貢献，寄与．**2** 分担金，拠出金．**3** 租税，税(金)．*contribuciones* directas [indirectas] 直接[間接] 税．*contribución* territorial 地租．

con·tri·buir [kontriβwír コントゥリブイル] 29 動自 [現分 contribuyendo] **1**《＋**a**, **para**》…に貢献する，寄与する；一因となる．*contribuir al* éxito del espectáculo ショーの成功に貢献する．

2《＋**con**》(費用) を分担する，寄付する．*contribuir con* una cantidad considerable かなりの額を寄付する．*contribuir* en [por] una tercera parte 3 分の 1 を分担する．

contribuy- 動 現分 → contribuir. 29

con·tri·bu·yen·te [kontriβujénte コントゥリブイエンテ] 形 納税の．

── 名男女 納税者．

con·trin·can·te [kontriŋkánte コントゥリンカンテ] 名男 競争相手 (＝ rival).

con·tri·to, ta [kontríto, ta コントゥリト，タ] 形 悔悛(かいしゅん)した，後悔した．

con·trol [kontról コントゥロる] 名男 [複 ～es] 〔英 control〕 **1 管理；規制**；検査．bajo *control* de ... …の管理下に．sometido a un *control* de calidad 品質管理された．

2 制御；抑制．*control* automático 自動制御．*control* remoto [a distancia] 遠隔操作，リモートコントロール．fuera de *control* 抑え切れない，手に負えない．perder el *control* (de los nervios) 自制が利かなくなる．

3 検査所，検問所，チェックポイント．*control* de pasaportes 出入国審査所．

con·tro·la·dor [kontrolaðór コントゥロらドル] 名男 〘航空〙 管制官 (＝ *controlador* del tráfico aéreo).

con·tro·lar [kontrolár コントゥロらル] 動他 制御する，統制する；検査する．

── con·tro·lar·*se* 自制する．

con·tro·ver·sia [kontroβérsja コントゥロベルシア] 名女 論争，議論．

con·tro·ver·tir [kontroβertír コントゥロベルティル] [52 e → ie, i] 動他 [現分 controvirtiendo] 議論する，論争する．

con·tu·ma·cia [kontumáθja コントゥマしア] 名女 強情，頑固さ．

con·tu·maz [kontumáθ コントゥマす] 形 [複 contumaces] 強情な，頑(かたく)なな．

con·tun·den·te [kontundénte コントゥンデンテ] 形 **1** 打撃を与える．

2 (論述・論拠が) 説得力のある．prueba *contundente* 決定的な証拠．

con·tur·ba·ción [konturβaθjón コントゥルバしオン] 名女 不安，動揺．

con·tur·bar [konturβár コントゥルバル] 動他 動揺させる，不安にさせる．

── con·tur·bar·*se* 動揺する．

con·tu·sión [kontusjón コントゥシオン] 名女 挫傷(ざしょう)，打撲傷．

contuv- 動 → contener. 57

con·va·le·cen·cia [kombaleθénθja コンバれせンしア] 名女 (病後の) 回復 (期).

con·va·le·cer [kombaleθér コンバれせル] 40 動自 健康を回復する；(…から) 立ち直る．*convalecer* de la crisis 危機を脱する．

con·va·le·cien·te [kombaleθjénte コンバれしエンテ] 形 回復期の，予後の．

── 名男女 回復期の患者．

con·va·li·da·ción [kombaliðaθjón コンバリダしオン] 名女 認証；(単位の) 認定，読み換え．

con·va·li·dar [kombaliðár コンバリダル] 動他 認証する；(他大学で取得した単位を) 認定する，読み換える．

con·vec·ción [kombekθjón コンベクしオン] 名女 〘物理〙 対流．

con·ve·ci·no, na [kombeθíno, na コンベしノ，ナ] 形 近所の，隣の，同じ地域に住む．

── 名男女 近所の人，隣人，同じ地域の住民．

convén 動 → convenir. 59

con·ven·cer [kombenθér コンベンせル] [34 c → z] 動他 〔英 convince〕

1《＋**de** 名詞》《＋**de que** 直説法》…**だと納得させる**，確信させる．La *he convencido de* su error. 私は彼女に間違いを認めさせた．Los *he convencido de que* es mejor aplazar la reunión. 私は会合を延期する方がよいと彼らを説得した．

2《＋**de** [**para**] **que** 接続法》…**するように説得する**．Intenté *convencer*le *de* [*para*] *que* no fuera. 私は彼が行かないようにと説得につとめた．**3** 気に入らせる，満足させる．Ese hombre no me *convence*. 私はその男が気に入らない．

── con·ven·cer·*se*《＋**de**》…を納得する，確信する．*convencerse de* la verdad de la afirmación 断言が真実であることを確信する．¡*Convéncete*! 本当だってば．

con·ven·ci·mien·to [kombenθimjénto コンベンしミエント] 名男 納得, 確信. llegar al *convencimiento* de ... …を納得する.
con·ven·ción [kombenθjón コンベンしオン] 名女 **1** 協定, 協約 (= convenio). **2** 会議; 集会. **3** 慣例, しきたり. *convenciones* sociales 社会的慣習.
con·ven·cio·nal [kombenθjonál コンベンしオナる] 形 **1** 協定〔協約〕による. signos *convencionales* 定められた記号; 慣用符号. **2** 慣習的な, 因襲的な; 型どおりの.
con·ven·cio·na·lis·mo [kombenθjonalísmo コンベンしオナリスモ] 名男 慣習尊重(主義).
convendr- 動 → convenir. 59
conveng- 動 → convenir. 59
con·ve·nien·cia [kombenjénθja コンベニエンしア] 名女 便利さ, 好都合. tienda de *conveniencia* コンビニエンスストア. a [según] su *conveniencia* あなたの都合に合わせて.
con·ve·nien·te [kombenjénte コンベニエンテ] 形〔複 ～s〕〔英 convenient〕 **便利な; 適当な, ふさわしい.** precio *conveniente* 手ごろな価格. ►ser *conveniente* que ... のように節が続く場合は接続法を用いる. ⇒ Es *conveniente* que tú lo hagas. 君がそれをする方がいい.
con·ve·nio [kombénjo コンベニオ] 名男 協定, 協約. *convenio* comercial 通商協定.
con·ve·nir [kombenír コンベニル] 59 動自〔現分 conviniendo〕〔英 agree; be convenient〕 **1** 《+**en**》 **…に同意する,** …で合意する. *Convinieron en* que era mejor no avisarle. 彼には何も知らせないほうがよいということになった. *Hemos convenido en* reunirnos todos los miércoles. 我々は毎週水曜日に集まることに決めた. *convenir* con 《+uno》 *en* el precio 〈人〉と価格の点で合意に達する. sueldo a *convenir* (求人広告で) 給料委細面談. ► 前置詞 en なしで他動詞としても使われる.
2 好都合である, ふさわしい. Eso me *conviene*. それは私には都合がよい. No *conviene* hacerlo ahora. いまそれをするのは適当でない. Esas palabras no te *convienen*. そんな言葉は君にはふさわしくない. según le *convenga* あなたの都合のよいように, ご随意に.
3 《+**que** 接続法》 **…が適当である,** …のほうがよい. *Conviene* que vayas. 君は行ったほうがいい. ► 3人称単数のみに活用.
conviene a saber つまり, すなわち.
con·ven·to [kombénto コンベント] 名男 修道院, 女子修道院. ►monasterio は主に男子修道院で規模も大きく, ふつう人里離れた所にある. 修道士, 修道女は monje, monja.
convenz- 動 → convencer. [34 c → z]
con·ver·gen·cia [komberxénθja コンベルヘンしア] 名女 集中; 収束; (意見の) 一致.
con·ver·ger [komberxér コンベルヘル] [11 g → j] 動自 → convergir.
con·ver·gir [komberxír コンベルヒル] [19 g → j] 動自 《+**a, en**》 …に集中する; 収束する.
con·ver·sa·ción [kombersaθjón コンベルサしオン] 名女〔複 conversaciones〕〔英 conversation〕 **会話,** 談話. dar *conversación* a 《+uno》 〈人〉と談笑する, おしゃべりに興じる. mantener la *conversación* 会話を続ける. trabar *conversación* con 《+uno》 〈人〉と話を始める. dejar caer 《+algo》 en la *conversación* 〈何か〉をさりげなく話題にのせる.
con·ver·sar [kombersár コンベルサル] 動自 会話する, 話をする.
con·ver·sión [kombersjón コンベルシオン] 名女 転換, 変換; 改宗; 転向.
con·ver·so, sa [kombérso, sa コンベルソ, サ] 形 (イスラム教・ユダヤ教から) キリスト教へ改宗した.
—— 名男女 キリスト教への改宗者.
con·ver·ti·ble [kombertíβle コンベルティブれ] 形 変換できる; (貨幣が) 兌換(だかん)可能な.
con·ver·tir [kombertír コンベルティル] [52 e → ie, i] 動他〔現分 convirtiendo〕
1 《+**en**》 …に変える, 変換させる. El hada le *convirtió en* una piedra. 妖精(ようせい)は彼を石に変えてしまった. La casa está *convertida en* museo. その家は現在, 美術館になっている.
2 《+**a**》 …に改宗させる, 転向させる.
—— **con·ver·tir·*se*** **1** 《+**en**》 …に変わる, 変化する. Con los años *se ha convertido* más amable con todos. 年を取るにつれて彼は誰にもやさしい人になった. Las calles *se convirtieron en* escenario de combate. 通りは市街戦の場と化した.
2 《+**a**》 …に改宗する.
con·ve·xo, xa [kombékso, ksa コンベクソ, クサ] 形 凸状の, 凸面の (↔cóncavo). lente *convexa* 凸レンズ. → lente 図.
con·vic·ción [kombikθjón コンビクしオン] 名女 **1** 納得; 確信.
2 [convicciones] 信念, 信条. *convicciones* políticas 政治的信条.
con·vic·to, ta [kombíkto, ta コンビクト, タ] 形 《法律》犯行が立証された. *convicto* y confeso 立証と自白. —— 名男女 受刑者.
con·vi·da·do, da [kombiðáðo, ða コンビダド, ダ] 名男女 招待客 (= invitado).
con·vi·dar [kombiðár コンビダル] 動他 《+**a**》 …に招待する, 招く, 誘う (= invitar). Me *ha convidado a* merendar. 彼は私をおやつに招いてくれた. Te *convido a* una caña. ビールを一杯おごってやるよ.
conviene(-) 動 → convenir. 59
conviert- / convirt- 動 → conver-

tir. [52 e → ie, i]
convin- 動 → convenir. 59
con·vin·cen·te [kombinθénte コンビンセンテ] 形 納得させる, 説得力のある.
conviniendo 現分 → convenir.
con·vi·te [kombíte コンビテ] 名男 招待; 祝宴.
con·vi·ven·cia [kombiβénθja コンビベンレア] 名女 共同生活; 同居.
con·vi·vir [kombiβír コンビビル] 動自 《＋con》…と同居する; 共生する.
con·vo·car [kombokár コンボカル] [8 c → qu] 動他 **1** 召集する; 公募する.
2 喝采(かっさい)する, 歓呼する.
con·vo·ca·to·ria [kombokatórja コンボカトリア] 名女 **1** 召集; 募集.
2 募集要綱; 召集通知; (大学などの) 試験(期間). *convocatoria* de huelga general ゼネストの指令.
con·voy [kombói コンボイ] 名男 **1** 輸送隊, 輸送船団. **2** 護衛隊; 随行団.
con·vul·sión [kombulsjón コンブるシオン] 名女 **1** 痙攣(けいれん), 引きつけ. tener *convulsiones* 痙攣を起こす.
2 (地面の) 震動; (社会の) 激変.
con·vul·si·vo, va [kombulsíβo, βa コンブるシボ, バ] 形 痙攣(けいれん)性の, 発作的な.
con·vul·so, sa [kombúlso, sa コンブるソ, サ] 形 痙攣(けいれん)した. rostro *convulso* de terror 恐怖で引きつった顔.
con·yu·gal [konǰuɣál コンジュガる] 形 結婚の; 夫婦の. vida *conyugal* 結婚生活.
cón·yu·ge [kónǰuxe コンジュへ] 名男女 **1** 配偶者 (＝ consorte). **2** [～s] 夫婦.
co·ña [kóɲa コニャ] 名女 《俗語》冗談, ふざけ; ばかげた事. estar siempre de *coña* いつもふざけてばかりいる.
co·ñac [koɲák コニャ(ク)] 名男 [複 coñacs] コニャック. [← [仏] cognac]
co·ño [kóɲo コニョ] 名男 《卑語》女性性器. *¡Coño!* 《俗語》くそっ, ちくしょう.
co·o·pe·ra·ción [kooperaθjón コオペラシオン] 名女 協力, 協同.
co·o·pe·ra·dor, do·ra [kooperaðór, ðóra コオペラドル, ドラ] 形 協力的な, 協同の.
—— 名男女 協力者.
co·o·pe·rar [kooperár コオペラル] 動自 《＋**a, en**》…に協力する. *cooperar* **a** un mismo fin 共通の目的のために協力する.
co·o·pe·ra·ti·vo, va [kooperatíβo, βa コオペラティボ, バ] 形 協力的な, 協同による.
—— 名女 協同組合. *cooperativa* de consumo 生活協同組合.
co·or·de·na·do, da [koorðenáðo, ða コオルデナド, ダ] 過分 形 〘数〙座標の.
—— 名女 〘数〙座標 (＝ eje *coordenado* [de *coordenadas*]).
co·or·di·na·ción [koorðinaθjón コオルディナシオン] 名女 **1** 調整; 配列.
2 〘文法〙等位, 等置法.
co·or·di·na·dor, do·ra [koorðinaðór, ðóra コオルディナドル, ドラ] 形 調整する.
—— 名男女 調整者, コーディネーター.
co·or·di·nar [koorðinár コオルディナル] 動他 連携させる, 調和させる, 調整する. *coordinar* (los) esfuerzos 力を結集する.

co·pa

[kópa コパ] 名女 [複 ～s] 〔英 glass〕
1 脚付きグラス; グラス1杯の量 (の酒). tomar una *copa* de coñac コニャックを1杯飲む. ► (脚なしの) グラス, コップは vaso.

copa, vaso グラス

2 優勝カップ, トロフィー. *copa* mundial ワールドカップ. **3** 樹冠. → árbol 図.
4 (帽子の) 山, クラウン. **5** (スペイン・トランプ) 杯の札. → naipe 図.
apurar la copa del dolor ひどい悲しみ[非運]に見舞われる.
llevar* [*tener*] *una copa de más ほろ酔い機嫌である.
co·par [kopár コパル] 動他 **1** (選挙で) 全議席を占める. **2** 奇襲する.
co·pe·ar [kopeár コペアル] 動自 酒を飲み歩く.
co·pe·o [kopéo コペオ] 名男 飲み歩き.
Co·pér·ni·co [kopérniko コペルニコ] 固名 コペルニクス, Nicolás (1473–1543): ポーランドの天文学者. sistema de *Copérnico* 地動説 (► 天動説は sistema Tolomeo [Ptolomeo]).
co·pe·te [kopéte コペテ] 名男 **1** 前髪; アップにした前髪; (鳥の) 冠毛.
2 (アイスクリームなどの) 盛り上がった部分.
de alto copete 貴族の; 名門の.
co·pia [kópja コピア] 名女 [複 ～s] 〔英 copy〕 **1 写し, コピー** (↔ original). *copia* legalizada [autorizada] (原本どおりであることの) 証明付きの写し. sacar una *copia* 複写する. *copia* de seguridad 〘コンピュータ〙バックアップ.
2 (印刷物の) 1部.
3 〘写真〙印画, プリント. hacer una *copia* de la fotografía 写真を焼き増しする.
4 模造; 生き写し. La hija es una *copia* de la madre. 娘は母親に瓜(うり)二つだ.
co·pia·dor, do·ra [kopjaðór, ðóra コピアドル, ドラ] 形 複写する. —— 名男女 複写機 (＝ máquina *copiadora*).

co·piar [kopjár コピアル] 動他 **1** 写す，コピーする；模写する；模倣する，まねる．*copiar del natural* 写生する．**2** 口述筆記する．

co·pi·lo·to [kopilóto コピろト] 名男
1 〔航空〕副操縦士．
2 (自動車レースの)交替レーサー．

co·pio·so, sa [kopjóso, sa コピオソ，サ] 形 豊富な，大量の．lluvias *copiosas* 大雨．

co·pis·ta [kopísta コピスタ] 名男女 複写係；筆耕，写字生．

co·pla [kópla コプら] 名女 歌の一節；歌謡；[～s]《口語》詩歌．

co·po [kópo コポ] 名男 **1** 雪片．**2** (麻・毛・綿の)玉，房．**3** ふわふわした塊．

co·pón [kopón コポン] 名男 〔宗教〕聖体容器，チボリウム：信者拝領用の聖体のパンを入れるもの．

co·pro·duc·ción [koprodu*k*θjón コプロドゥクしオン] 名女 〔映画〕共同製作，合作．

co·pro·pie·ta·rio, ria [kopropjetárjo, rja コプロピエタリオ，リア] 形 共同所有の，共有の．── 名男女 共同所有者，共有者．

có·pu·la [kópula コプら] 名女 **1** 性交，交接；交尾．
2 〔言語〕〔文法〕繋辞(けいじ)，連結詞．

co·pu·lar·*se* [kopulárse コプらルセ] 動性交する，交接する；交尾する．

co·pu·la·ti·vo, va [kopulatíβo, βa コプらティボ，バ] 形 〔文法〕連結の，繋(つな)ぎの．

co·que [kóke コケ] 名男 コークス．

co·que·ta [kokéta コケタ] 形[女性形のみ] 媚(こ)びる；浮気な；なまめかしい．
── 名女 **1** なまめかしい女，浮気女．
2 鏡台．

co·que·te·ar [koketeár コケテアル] 動自
1 (女性が)媚(こ)を売る，火遊びをする．
2《＋**con**》(運動・思想)をもてあそぶ．

co·que·te·o [koketéo コケテオ] 名男 (女性が)媚(こ)を売ること．

co·que·te·rí·a [koketería コケテリア] 名女 **1** 媚態(びたい)；戯れの恋．**2** 小粋さ．

co·que·tón, to·na [koketón, tóna コケトン，トナ] 形《口語》**1** しゃれた小粋な．
2 女たらしの．── 名男女《口語》伊達(だて)男，女たらし；あだっぽい女．

co·ra·je [koráxe コラヘ] 名男 **1** 勇気，気迫（＝ valor).
2 怒り．dar *coraje*《口語》怒らせる．
echarle coraje a《＋algo》〈何か〉を活気づける．
¡Qué coraje! うるさいなあ，頭に来た．

co·ral [korál コラる] 形 合唱(隊)の．
── 名男 **1** 〔音楽〕コラール，賛美歌．
2 〔動物〕サンゴ；[～es] サンゴの首飾り．
── 名女 合唱隊，聖歌隊．

co·ra·li·no, na [koralíno, na コラりノ，ナ] 形 サンゴの；さんご色の．barrera *coralina* サンゴ礁．

Co·rán [korán コラン] 名男 コーラン：イスラム教の聖典（＝ Alcorán).

co·ra·za [koráθa コラさ] 名女 胴よろい；《比喩》防護．

co·ra·zón [koraθón コラそン] 名男 [複 corazones]〔英 heart〕**1** 心臓．*corazón* artificial 人工心臓．trasplante de *corazón* 心臓移殖．➡ vísceras 図．
2 心，心情；愛情．con todo SU *corazón* 心から．no tener *corazón* 薄情[冷酷]である．
3 勇気．Hace falta *corazón* para《＋不定詞》．…するには勇気がいる．
4 中心，中央．vivir en el *corazón* de la ciudad 市の中心に住む．
con el corazón en un puño びくびくして，ひどく心配して．
dar [***decir***] ***el corazón a***《＋uno》〈人〉に予感がする，虫が知らせる．
de (***todo***) ***corazón*** 心から；正直言って．
encogerse a《＋uno》***el corazón*** おじけづく；悲しくなる．
hablar con el corazón en la mano 誠意をもって[正直に]話す．
llegar al corazón de《＋uno》〈人〉の心に響く，〈人〉を感動させる．
llevar el corazón en la mano 心のうちを人に見せる，率直に振る舞う．
no caber a《＋uno》***el corazón en el pecho*** / ***tener muy buen*** [***un gran***] ***corazón*** とても思いやりがある．
Ojos que no ven, corazón que no siente.《諺》去る者は日々に疎し．
poner el corazón en ... …を切望する；…することを心に決める．
ser todo corazón 誠実な[思いやりのある]人である．

co·ra·zo·na·da [koraθonáða コラそナダ] 名女 **1** 予感．Me da la *corazonada* de que va a sucederme algo. 何か私に起こりそうな予感がする．**2** 衝動．

cor·ba·ta [korβáta コルバタ] 名女 ネクタイ．ponerse la *corbata* de lazo [de pajarita] 蝶(ちょう)ネクタイをする．➡ chaqueta 図．

cor·be·ta [korβéta コルベタ] 名女 コルベット艦；小型フリゲート艦．

cor·cel [korθél コルせる] 名男 駿馬(しゅんめ)．

cor·che·te [kortʃéte コルチェテ] 名男
1 〔印刷〕角かっこ，ブラケット（[ ]の一方)．**2** 〔服飾〕鉤(かぎ)ホック，スナップ；ホックの鉤．

cor·cho [kórtʃo コルチョ] 名男 **1** コルク．
2 (コルク製の)栓；靴底．

cor·co·va [korkóβa コルコバ] 名女 背中のこぶ．

cor·co·va·do, da [korkoβáðo, ða コルコバド，ダ] 過分 形 猫背の；背骨が丸く曲がった（＝ jorobado).
── 名男女 猫背の人；背骨が丸く曲がった人．

cor·co·var [korkoβár コルコバル] 動他 曲げる，湾曲させる．

C

cor·co·ve·ar [korkoβeár コルコベアル] 動 自 (馬などが) 跳ねる.
cor·da·je [korðáxe コルダヘ] 名 男 ロープ類; 〘海事〙索具.
cor·del [korðél コルデる] 名 男 ひも, 細い綱, ロープ.
cor·de·ro [korðéro コルデロ] 名 男 [複 ～s] 〔英 lamb〕 **1** (1年未満の) 子羊; 子羊の肉, ラム; マトン. manso como un *cordero* 子羊みたいにおとなしい. cordero asado 〘料理〙 子羊のロースト (◆赤ぶどう酒・香辛料で臭みを消してある). ➡ carne 図. ► 雄羊は carnero, 雌羊は oveja.
2 子羊のなめし革.
3 おとなしくて従順な人.
Ahí está* [*Esa es*] *la madre del cordero. 要点[問題, 原因]はそこにある.
El Divino Cordero / Cordero de Dios 神の小羊: キリストのこと.
cor·dial [korðjál コルディアる] 形 心のこもった, 親切な. *cordial* bienvenida 温かい歓迎. saludo(s) *cordial*(*es*) 《手紙》敬具.
── 名 男 強壮剤; 強心剤.
cor·dia·li·dad [korðjaliðáð コルディアリダ(ドゥ)] 名 女 誠意, 真心.
cor·dial·men·te [korðjálménte コルディアるメンテ] 副 心をこめて; 《手紙》敬具.
cor·di·lle·ra [korðiʎéra コルディリェラ] 名 女 山脈, 山系; 連山. *Cordillera* Cantábrica (スペイン北部の) カンタブリア山脈. *Cordillera* Pirenaica ピレネー山脈 (= los Pirineos). ➡ montaña 【参考】.
Cór·do·ba [kórðoβa コルドバ] 固名 コルドバ: スペイン南部の県; 県都.
cor·do·bán [korðoβán コルドバン] 名 男 コルドバ革, コードバン: ヤギのなめし革.
cor·do·bés, be·sa [korðoβés, βésa コルドベス, ベサ] 形 [複 男 cordobeses] コルドバの. ── 名 男 女 コルドバの住民.
cor·dón [korðón コルドン] 名 男 [複 cordones] **1** ひも; 飾りひも. *cordones* de zapatos 靴ひも.
2 配線, コード. *cordón* de la plancha アイロンのコード.
3 警戒線. *cordón* de policía 警察の非常線. *cordón* sanitario 防疫線.
4 〘解剖〙索状組織. *cordón* umbilical へその緒.
cor·don·ci·llo [korðonθíʎo コルドンしリョ] 名 男 [cordón の小] (織物の) 畝, 綾(あや); 〘服飾〙ひも飾り; (硬貨・メダルの) 縁のぎざぎざ.
cor·du·ra [korðúra コルドゥラ] 名 女 分別, 知恵, 思慮; 正気.
co·re·a·no, na [koreáno, na コレアノ, ナ] 形 韓国[朝鮮] Corea の.
── 名 男 女 韓国人, 朝鮮人.
── 名 男 朝鮮語, 韓国語.
co·re·ar [koreár コレアル] 動 他 **1** 〘音楽〙合唱する. **2** 口をそろえて賛同する.
co·re·o·gra·fí·a [koreoɣrafía コレオグラフィア] 名 女 〘演劇〙振り付け; 舞踏術.
co·re·ó·gra·fo [koreóɣrafo コレオグラフォ] 名 男 〘演劇〙振付師.
co·riá·ce·o, a [korjáθeo, a コリアせオ, ア] 形 革の (ような); 強靭(きょうじん)な.
co·rin·tio, tia [koríntjo, tja コリンティオ, ティア] 形 (ギリシアの) コリント Corinto の; 〘建築〙コリント式の (➡ columna 図).
── 名 男 女 コリント人[市民].
cor·na·da [kornáða コルナダ] 名 女 角の一突き; 角で突かれた傷.
cor·na·men·ta [kornaménta コルナメンタ] 名 女 《集合》(1頭の動物の) 角, 枝角.
cór·ne·a [kórnea コルネア] 名 女 〘解剖〙角膜.
cor·ne·ar [korneár コルネアル] 動 他 角で突く; 頭突きをくらわす.
cor·ne·ja [kornéxa コルネハ] 名 女 〘鳥〙ハシボソガラス (嘴細鴉); コノハズク (木葉木菟).
cór·ne·o, a [kórneo, a コルネオ, ア] 形 角の, 角のような.
cor·ne·ta [kornéta コルネタ] 名 女 角笛; ホルン; コルネット (= *corneta* de llaves).
── 名 男 女 〘音楽〙コルネット奏者.
── 名 男 〘軍事〙らっぱ手.
cor·ni·sa [kornísa コルニサ] 名 女 **1** 〘建築〙コーニス, 軒蛇腹. ➡ columna 図.
2 雪庇(せっぴ), 雪びさし.
cor·nu·co·pia [kornukópja コルヌコピア] 名 女 〘ギリシア神話〙豊饒(ほうじょう)の角 (の飾り): Zeus に乳を与えたヤギ Amaltea の角.
◆豊かさの象徴.
cor·nu·do, da [kornúðo, ða コルヌド, ダ] 形 **1** 角を持った. **2** 《俗語》妻を寝取られた.
── 名 男 《俗語》妻を寝取られた夫.
co·ro [kóro コロ] 名 男 〘音楽〙合唱, コーラス; 合唱団; 合唱曲; 聖歌隊席.
a coro 声をそろえて, 一斉に.
hacer coro a 《+uno》〈人〉に賛同する.
co·ro·la [koróla コロら] 名 女 〘植物〙花冠.
co·ro·la·rio [korolárjo コロらリオ] 名 男 必然的結果.
co·ro·na [koróna コロナ] 名 女 [複 ～s] 〔英 crown〕 **1** 冠; 王冠; 王位, 王権. *corona* de laurel 月桂(げっけい)冠. rey sin *corona* 無冠の帝王. *corona* mortuaria 葬儀の花輪. **2** 栄冠; (聖像などの) 円光, 光輪 (= aureola). **3** (王冠の刻印された) 貨幣; (英国の) クラウン貨; (デンマーク・ノルウェーの) クローネ貨.
co·ro·na·ción [koronaθjón コロナしオン] 名 女 **1** 戴冠(たいかん)(式), 即位. **2** 完成, 仕上げ. **3** 〘建築〙(建物の) 最上部の飾り.
co·ro·na·mien·to [koronamjénto コロナミエント] 名 男 **1** 完成, 成就.
2 〘建築〙(建物の) 最上部の飾り.
co·ro·nar [koronár コロナル] 動 他
1 …に冠を授ける, 王位に就ける.
2 …の最後を飾る; …に報いる; 完成する.
3 (頂上に) 立つ; …の最上部を飾る. *coro-*

nar la cima 頂上を極める.

co·ro·na·rio, ria [koronárjo, rja コロナリオ, リア] 形 冠状の.

co·ro·nel [koronél コロネる] 名男 (陸軍・空軍) 大佐; 連隊長. ➡ militar 【参考】.

co·ro·ni·lla [koroníʎa コロニリャ] 名女 頭頂, つむじ.

cor·pa·chón [korpatʃón コルパチョン] / **cor·pa·zo** [-páθo -パそ] 名男 [cuerpo の大軽] 《口語》大きな図体(ずうたい).

cor·pi·ño [korpíɲo コルピニョ] 名男 **1** 〔服飾〕(婦人服の) ボディス, 胴衣. **2** 《ラ米》ブラジャー.

cor·po·ra·ción [korporaθjón コルポラしオン] 名女 (同業) 組合, 団体; 法人. *corporación* municipal 地方自治体.

cor·po·ral [korporál コルポラる] 形 身体の, 肉体的な. pena *corporal* 体罰, 体刑.

cor·po·ra·ti·vo, va [korporatíβo, βa コルポラティボ, バ] 形 (同業) 組合の; 法人の.

cor·pó·re·o, a [korpóreo, a コルポレオ, ア] 形 有形の, 物質的な.

cor·pu·len·cia [korpulénθja コルプれンしア] 名女 巨体, 肥大.

cor·pu·len·to, ta [korpulénto, ta コルプれント, タ] 形 体格のよい, 大柄な.

Cor·pus [kórpus コルプス] 名男 〔カトリック〕 *Corpus* Christi キリストの聖体の祝日.

cor·pus·cu·lar [korpuskulár コルプスクらル] 形 微粒子の, 微小体の.

cor·pús·cu·lo [korpúskulo コルプスクろ] 名男 微粒子.

co·rral [kor̄ál コラる] 名男 **1** (農家に隣接する) 囲い場; (家禽(かきん)・家畜の) 飼育場. **2** (16－17世紀の) 芝居小屋.

co·rre·a [kor̄éa コレア] 名女 **1** 革ひも, バンド; 〔機械〕ベルト. **2** 柔軟性, 弾力性.

co·rre·a·je [kor̄eáxe コレアへ] 名男 《集合》革装具.

co·rre·a·zo [kor̄eáθo コレアそ] 名男 (革ベルトによる) 殴打.

co·rrec·ción [kor̄ekθjón コレクしオン] 名女 **1** 訂正, 修正; 矯正; 〔印刷〕校正. *corrección* de pruebas ゲラ刷りの校正. **2** 叱責(しっせき), 懲らしめ. **3** 正確さ; 礼儀正しさ. con toda *corrección* 完璧(かんぺき)に.

co·rrec·cio·nal [kor̄ekθjonál コレクしオナる] 形 修正の; 矯正のための.
── 名男 教護院, 少年院.

correcta 形女 ➡ correcto.

co·rrec·ta·men·te [kor̄éktaménte コレクタメンテ] 副 正確に; 品行方正に.

co·rrec·ti·vo, va [kor̄ektíβo, βa コレクティボ, バ] 形 矯正する; 修正する.
── 名男 矯正手段; 懲罰.

co·rrec·to, ta [kor̄ékto, ta コレクト, タ] 形 [複 ～s] 〔英 correct〕 **1 正しい**, 間違いのない. solución *correcta* 正解. **2** 礼儀正しい, 行儀のよい. No estuvo *correcto* con su tío. 彼は伯父に無礼な振る舞いをした.

co·rrec·tor, to·ra [kor̄ektór, tóra コレクトル, トラ] 形 訂正する; 矯正する.
── 名男女 〔印刷〕校正者.

co·rre·de·ra [kor̄eðéra コレデラ] 名女 (扉・窓の) 溝, レール; 引き戸.

co·rre·di·zo, za [kor̄eðíθo, θa コレディそ, さ] 形 滑る; ほどけやすい.

co·rre·dor, do·ra [kor̄eðór, ðóra コレドル, ドラ] 名男女 **1** ランナー, 走者. **2** 〔商業〕仲買人, ブローカー. *corredor* de bolsa 株式仲買人.
── 名男 廊下, 回廊. ➡ pasillo.

co·rre·gi·dor [kor̄exiðór コレヒドル] 名男 〔歴史〕コレヒドール, (スペイン中世の) 王室代理官, 代官.

co·rre·gir [kor̄exír コレヒル] [19 g ➡ j ; 41 e ➡ i] 動他 [現分 corrigiendo] 〔英 correct〕 **1 訂正する; 修正する**. *corregir* exámenes 試験を添削[採点]する. *corregir* la prueba ゲラを校正する. **2** 改める, 矯正する. *corregir* la vista 視力を矯正する. **3** 懲らしめる, 訓戒する.
── **co·rre·gir·se** (自分自身の) 間違いを直す; 素行を改める. *corregirse* de una mala costumbre 悪習から抜け出す.

co·rre·la·ción [kor̄elaθjón コレらしオン] 名女 相関関係.

co·rre·la·ti·vo, va [kor̄elatíβo, βa コレらティボ, バ] 形 相関的な, 相関関係を持つ.

co·rre·li·gio·na·rio, ria [kor̄elixjonárjo, rja コレりヒオナリオ, リア] 形 同宗の; 思想を同じくする.
── 名男女 同宗教の信者; 同思想の人.

co·rre·o [kor̄éo コレオ] 名男 [複 ～s] 〔英 mail; post office〕 **1 郵便**; 郵便物. por *correo* aéreo [marítimo] 航空便[船便]で. *correo* urgente 速達. *correo* electrónico 〔コンピュータ〕 E メール. **2** [普通 ～s] **郵便局** (＝ casa [oficina] de *correos*). ir a *correos* 郵便局に行く (► 冠詞をつけない). **3** 郵便配達人. **4** 郵便列車.

co·rrer [kor̄ér コレル] 動自 [現分 corriendo; 過分 corrido, da] 〔英 run〕 **1 走る**, 急ぐ; 奔走する; (器具が) 滑らかに動く. Vinieron *corriendo*. 彼らは走ってやって来た. ¡*Corre*! ¡*Corre*! 早く早く! *Corre* a llamar al médico. 急いで医者を呼びに行け. Estos cajones no *corren* bien. この引き出しはスムーズに開かない. **2** (道が) 通る, (川・電流が) 流れる; (血・涙が) 流れ出る. El río *corre* por el centro de la ciudad. 川は町の中央を流れている. *Corre* un viento fuerte. 強い風が吹いている. Las lágrimas le *corren* por las mejillas. 涙が彼のほおを伝って流れる. **3** 流通する; (うわさが) 広まる; (時が) たつ. *Corre* el rumor de que va a haber un

golpe de Estado. クーデターが起きるというわさが流れている. Así *corrieron* cinco años. そうして5年が過ぎた.
4 (賃金などが) 支払われる.
—— 動他 **1** 動かす, ずらす; (幕を) 引く. *Corre* la mesa un poco más a la derecha. テーブルをもう少し右に寄せなさい. *correr* las cortinas カーテンを引く.

C

2 (距離・場所を) 走る, 踏破する.
3 (危険に) 身をさらす; (狩で獲物を) 追う; 〘闘牛〙(牛と) 闘う. He decidido *correr* ese riesgo. 私はその危険に立ち向かうことにした.
4 (競馬で馬を) 走らせる, 出場させる.
5 (インクなどを) にじませる.
6 当惑させる, 赤面させる.
—— ***co·rrer·se*** **1** (席を作るために) 寄る, 詰める. ¿Puede usted *correrse* un poco? 少し詰めて頂けますか.
2 度を過ごす. *correrse* en la propina 法外なチップをはずむ.
3 当惑する, 赤面する.
4 (インクなどが) にじむ.
5 《俗語》オルガスムスに達する, 射精する.
a todo correr* / *a más correr 全速力で.
correr con ... …に責任を持つ; …の世話をする; …を負担する.
correrla 《口語》羽目をはずす.
***correr mucho* [*medio mundo*]** 世慣れている.
dejar correr 《+algo》〈事〉を成り行きにまかせる.
que corre(n) 現在の. el mes *que corre* 今月. en los tiempos *que corren* 最近は.

co·rre·rí·a [kořería コレリア] 名女 **1** 侵攻, 侵略. **2** 小旅行; 徘徊(はいかい).

co·rres·pon·den·cia [kořespondénθja コレスポンデンシア] 名女 **1** 対応, 照応. hallar la *correspondencia* en ... …に対応するものを見いだす.
2 文通, 通信; 《集合》郵便物, 手紙. *correspondencia* comercial 貿易[商業]通信文. mantener *correspondencia* con 《+uno》〈人〉と文通している[取引がある].
3 (地下鉄などの) 乗り換え, 接続.

co·rres·pon·der [kořespondér コレスポンデル] 動自 〔英 correspond〕 **1** 《+**a**》 **…に相当する, 対応する**; 《+**a, con**》…に合致する. Este mueble no *corresponde a* esta habitación. この家具はこの部屋のではない. Resulta que no *corresponde a* la realidad lo que se imaginaba sobre España. スペインについて心に描いていたことと現実は一致していないという訳だ.
2 《+**a**》…の責任である, …に属する. *A ti te corresponde* otro trabajo. 君に担当してもらうのは別の仕事だ. *Le correspondieron* veinte mil pesetas *a* cada uno. 各自の取り分は2万ペセタになった.
3 《+**a**》…に報いる, 返礼する. *corresponder a* un favor 好意に報いる.
—— ***co·rres·pon·der·se*** **1** 合う, (互いに) 調和する. La tapa y la caja no *se corresponden*. そのふたと箱は合わない.
2 愛しあう; 文通しあう.
a quien corresponda 《書類のあて名》関係各位.

co·rres·pon·dien·te [kořespondjénte コレスポンディエンテ] 形 **1** 対応する, 相当する; ふさわしい. un sueldo *correspondiente* al trabajo 仕事に見合った給料.
2 通信の. miembro [académico] *correspondiente* (学会の) 通信会員, 客員.

co·rres·pon·sal [kořesponsál コレスポンサる] 名男 **1** 特派員, 通信員.
2 (商社の) 駐在員, 代理人.

co·rres·pon·sa·lí·a [kořesponsalía コレスポンサリア] 名女 特派員[通信員]の職務; 通信部, 支局.

co·rre·ta·je [kořetáxe コレタヘ] 名男 〘商業〙仲介手数料; 仲介業.

co·rre·te·ar [kořeteár コレテアル] 動自 《口語》走り回る; 遊び歩く.
—— 動他 《ラ米》追跡する; 追い払う.

co·rre·vei·di·le [kořeβeiðíle コレベイディれ] 名男女 《口語》陰口屋.

co·rri·da [koříða コリダ] 名女 **1** 走ること, 駆け足. dar una *corrida* 駆けだす.
2 闘牛 (= *corrida* de toros).
—— 過分 女 → correr.
de corrida 暗記して, すらすらと; 即座に.
en una corrida ひとっ走りで. Voy *en una corrida* a la farmacia. 薬局までひとっ走り行ってくるよ.

co·rri·do, da [koříðo, ða コリド, ダ] 過分 → correr.
—— 形 **1** (程度・目方が) 超過した, たっぷりの. **2** 恥じた, 赤面した. **3** 経験豊かな, すれっからしの. **4** 連続した. —— 名男 《ラ米》中米 (特にメキシコ) の民謡.
de corrido すらすらと.

corriendo 現分 → correr.

co·rrien·te

[kořjénte コリエンテ] [複 ~s] 〔英 current〕 形
1 流れる; 流れるような. agua *corriente* 流水, 水道の水.
2 現行の, 現在の. mes *corriente* 今月. moneda *corriente* 通貨.
3 普通の, 月並の. un hombre *corriente* 平凡な男.
—— 名女 **1 流れ**; 海流; 気流. nadar contra la *corriente* 流れに逆らって泳ぐ; 大勢に逆らう. *corriente* polar ジェット気流. la *corriente* del Golfo de México メキシコ湾流.
2 〘電気〙電流 (= *corriente* eléctrica). *corriente* alterna 交流. *corriente* continua 直流.
3 風潮, 傾向. dejarse llevar de [por]

la *corriente* / seguir la *corriente* 大勢に従う, 時流に合わせる.
al corriente (1)遅れずに. mantenerse [ponerse] *al corriente* 時流に遅れない. (2)精通した. estar *al corriente* de《+algo》〈何か〉をよく知っている. tener a《+uno》*al corriente* de《+algo》〈何か〉を〈人〉に伝える.
corriente y moliente《口語》ごく普通の, ありきたりの.

co·rrien·te·men·te [kor̄jénteménte コリエンテメンテ] 副 通常; よどみなく; 気取らずに.

corrig- / corrij- 動 現分 ➡ corregir. [19 g ➡ j ; 41 e ➡ i]

co·rri·llo [kor̄íʎo コリリョ] 名男 [corro の小] 人の輪.

co·rri·mien·to [kor̄imjénto コリミエント] 名男 **1** ずり[流れ]落ちること. *corrimiento* de tierras 地滑り. **2** きまり悪さ, 困惑. **3**《ラ米》〘医〙リューマチ.

co·rro [kór̄o コロ] 名男 人の輪, 人垣. hacer *corro* (人が) 輪になる.
── 動 ➡ correr.

co·rro·bo·rar [kor̄oβorár コロボラル] 動他 立証する, 確証する. *corroborar* con hechos 事実で裏づける.

co·rro·er [kor̄oér コロエル] 10 動他 [現分 corroyendo ; 過分 corroído] 腐食させる, 浸食する; むしばむ.
── **co·rro·er·*se*** 腐食する.

co·rrom·per [kor̄ompér コロンペル] 動他 **1** 損なう; 堕落させる; (食べ物を) 腐らせる. **2** 買収する. **3**《口語》悩ます, いらいらさせる.

co·rro·sión [kor̄osjón コロシオン] 名女 腐食; 消耗.

co·rro·si·vo, va [kor̄osíβo, βa コロシボ, バ] 形 **1** 腐食[浸食]性の. acción *corrosiva* 腐食作用. **2** 痛烈な, 辛辣(しんらつ)な.

co·rrup·ción [kor̄upθjón コルプシオン] 名女 腐敗; 堕落; 買収, 汚職; 改竄(かいざん). *corrupción* del idioma 国語の乱れ.

co·rrup·te·la [kor̄uptéla コルプテラ] 名女 腐敗, 堕落. 違法行為.

co·rrup·to, ta [kor̄úpto, ta コルプト, タ] 形 腐敗した; 堕落した.

co·rrup·tor, to·ra [kor̄uptór, tóra コルプトル, トラ] 形 腐敗させる; 堕落させる.
── 名男女 堕落させる人.

cor·sa·rio, ria [korsárjo, rja コルサリオ, リア] 形 私掠(しりゃく)船の, 海賊の. buque *corsario* / nave *corsaria* 私掠船.
── 名男 海賊; 海賊船.

cor·sé [korsé コルセ] 名男 [複 corsés] 〘服飾〙コルセット.

corta 形女 ➡ corto[1].
── 動 ➡ cortar.

cor·ta·cir·cui·tos [kortaθirkwítos コルタしルクイトス] 名男 [単・複同形] 〘電気〙ブレーカー, (回路) 遮断器.

cor·ta·do, da [kortáðo, ða コルタド, ダ] 過分 ➡ cortar.
── 形 **1** 切った; 遮られた; ひび割れた. **2**《口語》言葉に詰った, 困惑した. **3** (牛乳が) 分離した; (文体が) 短文の多い, 断片的な. **4**《ラ米》悪寒がする; 文無しの.
── 名男 ミルクを少量入れたコーヒー (= café *cortado*).

cor·ta·du·ra [kortaðúra コルタドゥラ] 名女 **1** 切り口; 切り傷. **2** 山峡, 狭間(はざま). **3** [~s] 切りくず, 裁ちくず.

cor·ta·fue·go [kortafwéɣo コルタフエゴ] 名男 (森林の) 防火帯; 〘建築〙防火壁.

cortando 現分 ➡ cortar.

cor·tan·te [kortánte コルタンテ] 形 鋭利な; (風・寒さが) 肌を刺すような; 辛辣(しんらつ)な.

cor·ta·pa·pe·les [kortapapéles コルタパペれス] 名男 [単・複同形] ペーパーナイフ.

cor·ta·pi·sa [kortapísa コルタピサ] 名女 条件, 制約. poner *cortapisa* a《+algo》〈何か〉に制約を設ける.

cor·ta·plu·mas [kortaplúmas コルタプるマス] 名男 [単・複同形] 小刀, ナイフ.

cor·tar

[kortár コルタル] 動他 [現分 cortando; 過分 cortado, da] 〔英 cut〕 **1 切る**, 切り取る; 削る; 刈る. *cortar* papel 紙を切る. *cortar* una rama 枝を切り取る. *cortar* un vestido 服を裁断する. *cortar* el pelo a《+uno》〈人〉の髪を刈る. *cortar* la hierba 草を刈る.
2 遮る, 遮断する; 中断する; 横切る. *cortar* la calle 通りを遮断する. *cortar* el teléfono 電話を止める. Al verme *cortaron* la conversación. 私を見ると彼らは途中で話をやめた. Un río grande *corta* la región de este a oeste. 大きな川がその地方を東西に横切っている.
3 削除する; 〘映〙カットする. Vamos a *cortar* el próximo párrafo entero. 次の段落を全部削除しよう.
4 (トランプ) (カードを) 切る.
── 動自 **1** (刃物が) よく切れる. Este cuchillo no *corta*. このナイフは切れない.
2 (寒さが) 肌を刺す. Hace un frío que *corta*. 身を切るような寒さだ.
3 近道をする.
4 (トランプ) カードを切る.
── **cor·tar·*se*** **1** 切り傷を負う. ¡Ay! ¡*Me he cortado* el dedo! あっ痛い, 指を切っちゃった.
2 (自分の体の一部を) 切る; 切ってもらう. *cortarse* las uñas 爪(つめ)を切る. *cortarse* el pelo. 散髪する.
3 言葉に詰まる, 困惑する.
4 (牛乳などが) 分離する; 腐る.
5 (線が) 交差する. **6** あかぎれができる.

cor·ta·ú·ñas [kortaúɲas コルタウニャス] 名男 [単・複同形] 爪(つめ)切り.

cor·te [kórte コルテ] 名女 [複 ~s] 〔英 court〕 **1 宮廷**; 都. **2**《集合》廷臣; 随行

(者). **3** [Cortes] (スペインの) 国会. ► 英国, フランスなどでは Parlamento, 米国, メキシコなどでは Congreso, ポルトガルなどでは Asamblea, 日本などでは Dieta.
4《ラ米》裁判所.
—— 名男 **1** 切断; 切り口; 切り傷; 刃. de *corte* afilado 刃の鋭い, よく切れる.
2 伐採.
3〘服飾〙裁断, カッティング. *corte* y confección 服の仕立て.
4 カット, 髪形. *corte* de pelo con navaja レザーカット. No me gusta el *corte* que te han hecho. 君のその髪形は好きじゃない.
5 切片; (1着分の) 布地, (1足分の) 革.
6 中断; 削除. El programa ha sufrido unos *cortes*. その番組は何箇所か削除された. El *corte* de la electricidad nos ha obligado a quedarnos en casa. 停電で私達は家にじっとしていなければならなかった. **7**《口語》驚き, 失望; うまい返事.
—— 動 → cortar.
dar un corte a《+uno》〈人〉の話を急にさえぎる.
hacer la corte 機嫌を取る; 言い寄る.

cor·te·dad [korteðáð コルテダ(ドゥ)] 名女
1 短いこと. **2** 不足, 欠乏.
3 臆病(おくびょう), 内気.

cor·te·jar [kortexár コルテハル] 動他 **1** …の機嫌を取る. **2** (女に) 言い寄る, 口説く.
—— 動自 (恋人同士が) 付き合う.

cor·te·jo [kortéxo コルテホ] 名男 **1** ご機嫌取り; 口説き. **2** 行列, 随員の一行. *cortejo* fúnebre 葬列.

cor·tés [kortés コルテス] 形 礼儀正しい, 洗練された, 丁重な.

Cor·tés [kortés コルテス] 固名 コルテス, Hernán (1485–1547): スペインのコンキスタドール. 1521年 Azteca 王国を征服.

cor·te·sa·no, na [kortesáno, na コルテサノ, ナ] 形 宮廷の; 丁重な, 上品な.
—— 名男女 宮廷人, 廷臣.
—— 名女 高級娼婦.

cor·te·sí·a [kortesía コルテシア] 名女 **1** 礼儀 (正しさ), 丁重さ; 好意. visita de *cortesía* 表敬訪問. **2**〘商業〙支払い猶予期間.

cor·te·za [kortéθa コルテさ] 名女 **1** 樹皮.
2 外皮; (パンの) 皮, (メロン・オレンジなどの) 皮;〘解剖〙皮質. *corteza* cerebral 脳皮質.
corteza terrestre 地殻.

cor·ti·jo [kortíxo コルティホ] 名男 農園; 農場の家.

cor·ti·na [kortína コルティナ] 名女 **1** カーテン; 幕. correr [descorrer] la *cortina* カーテンを引く [開ける]; 事を隠す [明かす]. *cortina* de agua どしゃ降りの雨. *cortina* de humo 煙幕. → cuarto 図.
2 防壁; (城の) 幕壁.

cor·ti·na·je [kortináxe コルティナヘ] 名男《集合》カーテン, 垂れ幕.

cor·ti·ni·lla [kortiníʎa コルティニリャ] 名女 [cortina の小] (ガラス戸・車窓の) 小さなカーテン.

cor·to¹, ta [kórto, ta コルト, タ] 形 [複 ~s] [英 short]
1 短い (↔ largo); 背が低い. una falda *corta* 短いスカート. de *corta* distancia 近[短]距離の. un discurso *corto* 短時間のスピーチ. Este pantalón me está *corto*. このズボンは私には短い.
2 少ない, 足りない. *corto* de palabras 口数の少ない. *corto* de vista 近視の; 近視眼的な. *corto* de entendimiento 頭の悪い, 勘の鈍い.
3 臆病(おくびょう)な, 内気な.
a la corta o a la larga 遅かれ早かれ.
ir [***ponerse***] ***de corto*** 半ズボンをはいている; まだ幼い, 大人になっていない.
ni corto ni perezoso いきなり.
quedarse corto 不足する; 言い足りない; 見積り違いをする; (弾が) 的より手前に落ちる. *Se quedan cortos* en la comida. 彼らは食べる物にも事欠いている.

cor·to² [kórto コルト] 名男 短編映画 (= cortometraje).
—— 動 → cortar.

cor·to·cir·cui·to [kortoθirkwíto コルトシルクイト] 名男〘電気〙ショート, 短絡.

cor·to·me·tra·je [kortometráxe コルトメトゥラヘ] 名男〘映画〙短編映画 (↔ largometraje).

Co·ru·ña [korúɲa コルニャ] 固名 La *Coruña* ラ・コルーニャ: スペイン北西部の県; 県都.

cor·va·du·ra [korβaðúra コルバドゥラ] 名女 湾曲 (部);〘建築〙(アーチ・円屋根の) 湾曲部.

cor·ve·jón [korβexón コルベホン] 名男 (犬・馬の後脚の) 膝(ひざ), 飛節.

cor·vo, va [kórβo, βa コルボ, バ] 形 曲がった, 湾曲[屈曲]した.
—— 名男 鉤(かぎ), フック.
—— 名女 ひかがみ: 膝(ひざ)の裏のくぼんだ部分.

cor·zo, za [kórθo, θa コルそ, さ] 名男女〘動物〙ノロ (獐): シカ科.

co·sa [kósa コサ] 名女 [複 ~s] [英 thing]
1 物; 所有物. *cosas* de uso diario 日用品. No hay tal *cosa*. そんなものはありません. No puedes dejar tus *cosas* aquí. ここに君の私物を残しておいてはいけない.
2 事, 事柄; 問題. Tengo una *cosa* que decirte. 君に言っておかなければならないことがある. ¿Has visto *cosa* igual? 今までにこんなことがあったかい? Eso es otra *cosa*. それは別の問題だ. No es *cosa* tuya. それは君にはかかわりのない問題だ.
3 [~s] 事情, 状況. Aquí las *cosas* no han cambiado desde hace diez años. ここでは10年来状況が変わっていない. Las

cosas van de mal en peor. 事態はますます悪化している.
a cosa hecha わざと; 確実に.
como si tal cosa 平然と; なんでもないかのように, やすやすと.
cosa de ... 約 …. hace *cosa de* un mes 1か月ほど前.
decir una cosa por otra うそをつく; 言い間違える.
no sea cosa que 《+接続法》…しないように.
ser cosa de ... …すべきである, した方がよい; …ほどの時間がかかる; …の問題である. *Es cosa de* partir pronto. すぐ出発した方がよい. Este trabajo *es cosa de* unos treinta minutos. この仕事に要する時間は30分くらいのものだ.

co·sa·co, ca [kosáko, ka コサコ, カ] 形 コサック人の.
—— 名男女 コサック人.
—— 名男 コサック騎兵.

cos·co·rrón [koskor̄ón コスコロン] 名男 (頭部への)強打; 失敗.

co·se·cha [kosétʃa コセチャ] 名女 [複 ～s] 〔英 harvest〕 **収穫**; 採集; 収穫物[期]; 作柄. buena [mala] *cosecha* 豊作[凶作]. hacer la *cosecha* 収穫する.
de* SU *(propia) cosecha 自家製の; 独自の. No añadas nada *de tu cosecha*. 勝手に自分の意見を入れるな.
ser de la última cosecha 最新[最近]のものである.

co·se·cha·dor, do·ra [kosetʃaðór, ðóra コセチャドル, ドラ] 形 刈り取る; 獲得する.
—— 名男女 収穫する人.
—— 名女 〘農業〙コンバイン.

co·se·char [kosetʃár コセチャル] 動自 収穫をする.
—— 動他 **1** 収穫する; 産出する. **2** 獲得する. *cosechar* laureles 栄冠を得る.

co·se·che·ro, ra [kosetʃéro, ra コセチェロ, ラ] 名男女 収穫する人.

co·se·no [koséno コセノ] 名男 〘数〙 コサイン《略 cos.》.

co·ser [kosér コセル] 動他 〔英 sew〕
1 縫う, 縫いつける. máquina de *coser* ミシン. aguja de *coser* 縫い針. *coser* un vestido 衣服を縫う. *coser* un botón a una manga 袖(そで)にボタンをつける. *coser* con grapas ホッチキスでとじる.
2 傷だらけにする. *coser* a puñaladas めった突きにする. *coser* a balazos 銃弾でハチの巣にする.
—— 動自 縫い物[裁縫]をする.
—— **co·ser·*se*** 密着する, くっつく. *coser-se* a《+uno》〈人〉にまつわる, つきまとう.
ser coser y cantar 《口語》とても簡単である.

cos·mé·ti·co, ca [kosmétiko, ka コスメティコ, カ] 形 化粧用の, 美顔用の.
—— 名男 化粧品.
—— 名女 美容術.

cós·mi·co, ca [kósmiko, ka コスミコ, カ] 形 宇宙の.

cosmo- 「宇宙」を表す造語要素. ⇒ *cosmo*nauta, *cosmo*polita など.

cos·mo·go·ní·a [kosmoɣonía コスモゴニア] 名女 宇宙生成[進化]論.

cos·mo·gra·fí·a [kosmoɣrafía コスモグラフィア] 名女 宇宙学, 宇宙構造論.

cos·mo·lo·gí·a [kosmoloxía コスモろヒア] 名女 宇宙論.

cos·mo·nau·ta [kosmonáuta コスモナウタ] 名男女 宇宙飛行士 (= astronauta).

cos·mo·po·li·ta [kosmopolíta コスモポりタ] 形 全世界的な, 世界主義的な.
—— 名男女 世界主義者, 世界人, 国際人, コスモポリタン.

cos·mos [kósmos コスモス] 名男 [単・複同形] 宇宙, 万物 (↔ caos).

co·so [kóso コソ] 名男 **1** 囲い地; 闘牛場. **2** 街路, 大通り.

cos·qui·llas [koskíʎas コスキリャス] 名女 [複] くすぐり; むずむずする感じ. tener *cosquillas* むずむずする.
hacer cosquillas むずむず[ちくちく]させる; (…したくて)うずうずさせる.

cos·qui·lle·ar [koskiʎeár コスキりェアル] 動他 くすぐる; (楽しみなどで) うずうずさせる; (涙・笑いを) こぼしそうになる.

cos·qui·lle·o [koskiʎéo コスキりェオ] 名男 くすぐったさ, むずがゆさ.

cos·ta [kósta コスタ] 名女 [複 ～s] 〔英 coast〕
1 海岸, 沿岸. viajar por la *costa* 海岸に沿って旅をする. *Costa* del Sol (スペイン南部の) コスタ・デル・ソル, 太陽海岸. *Costa* Azul (南フランスの) コートダジュール, 紺碧(こんぺき)海岸. ➡ playa.
2 費用; [～s] 〘法律〙 訴訟費用.
—— 動 ➡ costar.
a costa de ... …を犠牲にして; …の費用で. vivir *a costa* ajena 居候をする.
a poca costa なんの苦もなく, 楽々と.
a toda costa どんな犠牲を払っても, 是が非でも.

cos·ta·do[1] [kostáðo コスタド] 名男 **1** 横腹; 側面. **2** [～s] 祖父母と外祖父母.
de costado 横向きに.
por los cuatro costados 完全に, どこから見ても; 祖父母の代から (の).

costado[2] 過分 ➡ costar.

cos·tal [kostál コスタる] 形 〘解剖〙 肋骨(ろっこつ)の.

cos·ta·la·da [kostaláða コスタらダ] 名女 pegarse [darse] una *costalada* (転倒・転落して) 横腹[背中]を強く打つ.

costando 現分 ➡ costar.

cos·tar [kostár コスタル] [13 o ➡ ue] 動他自 [現分 costando; 過分 costado] 〔英 cost〕
1 (費用が) **かかる**, (金額が)**…である**.

直説法 現在	
1·単 *cuesto*	1·複 costamos
2·単 *cuestas*	2·複 costáis
3·単 *cuesta*	3·複 *cuestan*

costar mucho dinero とても金がかかる. *costar* barato 安い, 安くあがる. *costar* caro 高い, 高くつく. ¿Cuánto *cuesta* el cuaderno? — *Cuesta* cincuenta pesetas. ノートはいくらですか. — 50ペセタです.
2 (労力などを) 要する. Limpiar toda la casa me *costó* tres horas. 家じゅうを掃除するのに 3 時間かかった. Eso *costará* muchos sacrificios. それは大きな犠牲を伴うだろう. *costar* muchos esfuerzos 大変骨が折れる.
3 《＋不定詞》…するのは困難である, …しにくい. Me *cuesta* decirlo. それは私には言いづらい. Nos *costará* mucho resolver ese problema. 問題の解決は我々にはとても困難だろう.
cueste lo que cueste 値段にかかわらず; どんな犠牲を払っても.

Cos·ta Ri·ca [kóstaříka コスタリカ] 固名〔英 Costa Rica〕**コスタリカ**: 中央アメリカ南部の共和国. 首都 San José. 通貨 colón.
cos·ta·rri·cen·se [kostařiθénse コスタリセンセ] / **cos·ta·rri·que·ño, ña** [-řikéɲo, ɲa -リケニョ, ニャ] 形 [複 ～s]〔英 Costa Rican〕**コスタリカの**.
—— 名男女 **コスタリカ人**.
cos·te [kóste コステ] 名男 経費, 原価, コスト (= costo). *coste*, seguro y flete 〖商業〗運賃保険料込み値段〔英 C.I.F.〕.
cos·te·ar [kosteár コステアル] 動他 **1** …の費用を支払う, 負担する, …に出資する.
2 沿岸航行する.
—— **cos·te·ar·*se*** **1** 利益になる, 割に合う. **2** 《口語》買う, 購入する.
cos·te·ro, ra [kostéro, ra コステロ, ラ] 形 沿岸の, 近海の. pesca *costera* 沿岸漁業.
cos·ti·lla [kostíʎa コスティリャ] 名女 **1** 〖解剖〗肋骨(ろっこつ); 〖料理〗骨つきのあばら肉, スペアリブ; 〖海事〗肋材.
2 《口語》妻. ◆アダム Adán のあばら骨から Eva が作られた聖書の記述から.
3 [～s] 《口語》背中. llevar sobre las *costillas* (重荷を) 背負う.
medir a 《＋uno》 ***las cositillas*** 〈人〉をこっぴどく殴る.
cos·ti·lla·je [kostiʎáxe コスティリャヘ] / **cos·ti·llar** [-ʎár -リャル] 名男 《集合》肋骨(ろっこつ).
cos·to [kósto コスト] 名男 経費, 費用, 出費.
cos·to·so, sa [kostóso, sa コストソ, サ] 形 高価な; 不経済な; 困難な.
cos·tra [kóstra コストゥラ] 名女 **1** 外皮, 外側の固い部分. **2** 〖医〗かさぶた, 痂皮(かひ).

cos·tum·bre [kostúmbre コストゥンブレ] 名女 [複 ～s]〔英 custom〕**習慣**, 習性; [～s] **風習**, 習俗, 慣習. por [según] *costumbre* 習慣に従って. tener (la) *costumbre* de 《＋不定詞》…する習慣である. usos y *costumbres* 風俗と習慣. novela de *costumbres* 風俗小説. persona de buenas *costumbres* 立派な人物.
de costumbre いつもの; いつものように. como *de costumbre* いつもどおりに.
cos·tum·bris·mo [kostumbrísmo コストゥンブリスモ] 名男 〖文〗風俗写生主義: 19世紀前半のスペイン文学の一潮流.
cos·tum·bris·ta [kostumbrísta コストゥンブリスタ] 形 〖文〗風俗写生 (主義) の.
—— 名男女 風俗写生作家.
cos·tu·ra [kostúra コストゥラ] 名女 **1** 裁縫. ganarse la vida con la *costura* 洋裁で生計を立てる. alta *costura* オートクチュール.
2 縫い目, 継ぎ目. La *costura* está un poco torcida. 縫い目が少し曲がっている. sin *costura* シームレス, 継ぎ目なしの.
cos·tu·re·ra [kosturéra コストゥレラ] 名女 お針子; 裁縫師.
cos·tu·re·ro [kosturéro コストゥレロ] 名男 **1** 裁縫台; 裁縫箱. **2** 裁縫師.
co·ta [kóta コタ] 名女 **1** (測量の) 水準点; 基準 (点). **2** 海抜, 標高.
co·ta·rro [kotáro コタロ] 名男 (騒然とした) 集団. dirigir el *cotarro* 支配する, 牛耳る.
co·te·jar [kotexár コテハル] 動他 比較する; 照合する. *cotejar* la copia con el original 写しを原本と照合する.
co·te·jo [kotéxo コテホ] 名男 比較; 照合.
co·ti·dia·no, na [kotiðjáno, na コティディアノ, ナ] 形 毎日の, 日常の, いつもの.
co·ti·le·dón [kotileðón コティれドン] 名男 〖植物〗子葉.
co·ti·za·ción [kotiθaθjón コティさしオン] 名女 **1** 〖商業〗相場, 交換率, レート. *cotización* al cierre (株式市場で) 終わり値, 引け値. *cotización* de cambios 為替相場.
2 割当金; 会費, 組合費.
co·ti·zar [kotiθár コティさル] [39 z → c] 動他 **1** 〖商業〗見積もる. **2** (分担金を) 支払う. —— 動自 会費[分担金]を支払う.
—— **co·ti·zar·*se*** **1** 値段が付けられる. **2** 高く評価される, 尊重される.
co·to [kóto コト] 名男 囲い地; 禁猟区 (= *coto* vedado); 境界石[標識]; 限界; 終わり.
co·to·rra [kotóřa コトラ] 名女 **1** 〖鳥〗(1) オウム (鸚鵡), インコ (鸚哥). (2) カササギ (鵲).
2 《口語》おしゃべり女.
co·to·rre·ar [kotořeár コトレアル] 動自 《口語》ぺちゃくちゃしゃべる.
co·tur·no [kotúrno コトゥルノ] 名男 (古代ギリシア・ローマの) 半長靴.
COU [kóu コウ] 《略》 Curso de Orienta-

ción Universitaria (スペインの) 大学予科, コウ. ◆17歳で入学して1年間就学. ➡ BUP, EGB.

co·va·cha [koβátʃa コバチャ] 名女 **1** 小さな洞窟(どうくつ). **2** 《口語》掘っ建て小屋.

co·xal [koksál コクサる] 形 〔解剖〕股(こ)関節の.

co·xis [kóksis コクシス] 名男 [単・複同形] 〔解剖〕尾骨.

co·yo·te [kojte コヨテ] 名男 〔動物〕コヨーテ.

co·yun·tu·ra [kojuntúra コユントゥラ] 名女 **1** 〔解剖〕関節.
2 時期, チャンス; 情勢. *coyuntura* crítica 危機, 重大な局面.

co·yun·tu·ral [kojunturál コユントゥラる] 形 状況の, 状況に応じた.

coz [kóθ コす] 名女 [複 coces] **1** (馬などが) けること. **2** (火器の発射時の) 反動.
3 侮辱的な言動.
tratar a 《+uno》 ***a coces*** 〈人〉を粗末に扱う.

crac [krák クラ(ク)] 名男 **1** 破産 (= bancarrota); 落ち目.
2 息切れ. dar un *crac* 息切れする.
—— 《擬》(物の割れる音・折れる音) バリッ, ピシッ. [←英語]

cra·ne·al [kraneál クラネアる] / **cra·ne·a·no, na** [-áno, na -アノ, ナ] 形 頭蓋(とうがい)(骨) の.

crá·ne·o [kráneo クラネオ] 名男 〔解剖〕頭蓋(とうがい), 頭蓋骨.
ir de cráneo 《口語》忙殺される.

crá·pu·la [krápula クラプら] 名女 放蕩(ほうとう), 遊興; 酒浸り. —— 名男女 放蕩者; 飲んだくれ, 大酒飲み.

cra·si·tud [krasitúð クラシトゥ(ドゥ)] 名女 脂肪, 脂肉.

cra·so, sa [kráso, sa クラソ, サ] 形 **1** 脂肪の多い; まるまると太った.
2 ひどく愚かな; ひどい, 甚だしい.

crá·ter [kráter クラテル] 名男 噴火口. *cráteres* lunares 月面クレーター. lago de *cráter* 火口湖.

cre·a·ción [kreaθjón クレアしオン] 名女
1 (神の) 創造; [C-] 天地創造.
2 (神の創造した) 世界, 万物. toda la *creación* 森羅万象.
3 創作, 創設. *creación* de una nueva compañía 新会社の創立.
4 新機軸, 新作, ニューモード.

creado, da 過分 ➡ crear.

cre·a·dor, do·ra [kreaðór, ðóra クレアドル, ドラ] 形 創造的な. talento *creador* 創造的才能. —— 名男女 創造者, 創始者.
El Creador 創造主, 造物主.

creando 現分 ➡ crear.

cre·ar [kreár クレアル] 動他 [現分 creando; 過分 creado, da] 〔英 create〕 **1** **創造する, 創作する**. Para *crear* hay que tener talento. 創造するには才能がなくてはならない.
2 創立する, 創設する. El gobierno *ha creado* el Ministerio del Medio Ambiente. 政府は環境省を創設した.
—— **cre·ar·se** 創造する. Poco a poco fue *creándose* su propio mundo. 時とともに彼は自分自身の世界を作りあげていった.

cre·a·ti·vi·dad [kreatiβiðáð クレアティビダ(ドゥ)] 名女 創造性[力].

cre·a·ti·vo, va [kreatíβo, βa クレアティボ, バ] 形 創作の, 創造的な.

cre·cer [kreθér クレセル] 40 動自 〔英 grow〕 **1** **成長する**, 育つ, 伸びる. Su hija *ha crecido* mucho. 彼の娘はとても背が高くなった. Cuando empieza el calor, el césped *crece* a gran velocidad. 暑くなると芝は急激に伸びる. dejar *crecer* el bigote 口ひげを生やす.
2 **増大する**. *crecer* el dolor 痛みがひどくなる. *crecer* la mancha 染みが広がる. Iba *creciendo* el ruido del motor. エンジンの音がだんだん高くなっていった. *crecer* de tamaño 大きくなる.
3 (川が) 増水する; (月・潮が) 満ちる; (評価・価値が) 上がる.
—— **cre·cer·se** 威張る, うぬぼれる; 勢いづく.

cre·ces [kréθes クレセス] 名女 [複]
con creces 《副詞句》十二分に, 余分に.

cre·ci·do, da [kreθíðo, ða クレしド, ダ] 過分 形 **1** 多数の, 多量の; (比率の) 高い. una cantidad *crecida* かなりの量.
2 成長した. **3** 得意になった, うぬぼれた.

cre·cien·te [kreθjénte クレしエンテ] 形 成長する, 増大する (↔ decreciente).
—— 名男 上弦の月.
—— 名女 **1** (川の) 増水; 上げ潮, 満潮.
2 イースト, パン種.

cre·ci·mien·to [kreθimjénto クレしミエント] 名男 成長, 成育; 増大, 増加. etapa de *crecimiento* 成長期. *crecimiento* cero ゼロ成長.

cre·den·cial [kreðenθjál クレデンしアる] 形 信任の, 保証の. —— 名女 [~es] (大使・使節などの) 信任状.

cre·di·bi·li·dad [kreðiβiliðáð クレディビリダ(ドゥ)] 名女 信憑(しんぴょう)性, 信頼性.

cre·di·ti·cio, cia [kreðitíθjo, θja クレディティしオ, しア] 形 信用 (貸し) の.

cré·di·to [kréðito クレディト] 名男 [複 ~s] 〔英 credit〕 **1** **信用**, 信頼; 信望 (= confianza). dar *crédito* a… …を信用する, 信じる. No hay nadie que dé *crédito* a sus palabras. 彼の言葉を信用する人なんていない.
2 〔商業〕信用貸し; 融資; 信用状. *crédito* a corto [largo] plazo 短期[長期] ローン. abrir un *crédito* a 《+uno》 〈人〉に信用状を開く. a *crédito* 信用貸しで, 掛けで. *crédito* hipotecario 担保貸し付け. *crédito* inmobiliario 不動産金融. pedir un

crédito 融資を依頼する.
cre·do [kréðo クレド] 名男 **1** 信念; 綱領.
2〘カトリック〙クレド, 使徒信経.
cre·du·li·dad [kreðuliðáð クレドゥリダ(ドゥ)] 名女 軽信.
cré·du·lo, la [kréðulo, la クレドゥロ, ら] 形だまされやすい.
── 名男女 だまされやすい人.

C

cre·en·cia [kreénθja クレエンしア] 名女 信念, 確信; [普通 ～s] 信条, 信仰. *creencias* políticas 政治的信条. *creencia* popular 社会通念, 民間信仰. en la firme *creencia* de que ... …と確信して.
cre·er [kreér クレエル] 15 動 他 [現分 creyendo ; 過分 creído, da] 〔英 believe〕 **1 本当だと思う**; …の言葉を信じる. No lo *creo*. 僕はそうは思わないよ. *Créa*me. 私の言うことを信じてください. Hay que verlo para *creer*lo. 百聞は一見にしかず.
2 …だと信じる, 思う. No me *creyeron* capaz de hacerlo. 私がそんなことをできるとは誰も信じなかった. Te *creía* más listo. 君はもっと利口だと思っていた. *Creí* verlo en la calle. 通りで彼を見かけたと思ったんだが.
3《**+que** 直説法; **no creer que**+接続法》**…だと思う; …とは思わない.** *Creo que* tienes razón. 君の言うとおりだと思う. *No creo que* la cosa sea tan urgente. 事はそんなに緊急だとは思わない. *Creo que* sí. そうだと思う. ► 否定命令のときは直説法になる. ⇒ No vayas a *creer que* te pagan mucho. 給料は安いと思ってくれ.
── 動自《**+en**》…を信頼する; …を信じる. *Creo en* tu palabra. 君の言葉を信用しているよ. *creer en* Dios 神を信じる. *creer en* la democracia 民主主義を良いと思う.
── **cre·er·se** **1**《口語》本当だと思う; 信じ込む. No *me* lo *creo*. そうは思わないよ, まさか.
2 自分を…だと思う. *Se cree* importante. 彼はでかい顔をしている. ¿Qué *te crees*? 君は自分を何様だと思っているのか?
creérselas うぬぼれる.
no creas / no crea usted《口語》本当だとも, 確かですよ. No tiene un pelo de tonto, *no creas*. 彼はあれでもなかなか目端が利くんだ.
¡Que te crees tú eso!《口語》そんなばかな, 冗談じゃない.
¡Ya lo creo! もちろんだとも.
cre·í·ble [kreíβle クレイブれ] 形 信じられる; ありそうな (↔ increíble).
cre·í·do, da [kreíðo, ða クレイド, ダ] 過分 → creer.
── 形 **1** 確信した, 信じきった.
2 思い上がった, うぬぼれた. Es muy *creído*. 彼は自信満々である.

cre·ma [kréma クレマ] 名女 [複 ～s] 〔英 cream〕 **1** (食品の) **クリーム**; クリームスープ. *crema* batida ホイップクリーム. *crema* de espárragos アスパラガスのクリームスープ.
2 (化粧品・薬品の) クリーム; 靴クリーム. *crema* dental 練り歯磨き.
3 甘口のリキュール[シェリー酒].
4 最良の部分, 精髄, 粋(すい).
cre·ma·ción [kremaθjón クレマしオン] 名女 火葬; 焼却.
cre·ma·lle·ra [kremaʎéra クレマリェラ] 名女 **1**〘服飾〙チャック, ファスナー. echar la *cremallera*《口語》口を閉ざす.
2〘機械〙(歯車の) 歯板.
cre·ma·tís·ti·co, ca [krematístiko, ka クレマティスティコ, カ] 形 利殖の.
── 名女〘経済〙利殖.
cre·ma·to·rio, ria [krematórjo, rja クレマトリオ, リア] 形 火葬の, 焼却の.
── 名男 火葬場; 焼却炉.
cre·mo·so, sa [kremóso, sa クレモソ, サ] 形 クリーム (状) の.
cren·cha [kréntʃa クレンチャ] 名女 (髪の) 分け目; 分けた髪.
cre·pé [krepé クレペ] 名男 **1** (綿・麻の) クレープ, 縮み. **2** ヘアピース, 入れ毛.
3 (靴底に用いる) クレープゴム.
cre·pi·tan·te [krepitánte クレピタンテ] 形 パチパチいう.
cre·pi·tar [krepitár クレピタル] 動自 (火などが) パチパチ音をたてる.
cre·pus·cu·lar [krepuskulár クレプスクらル] 形 黄昏(たそがれ)時の, 夕暮れの; 薄明かりの.
cre·pús·cu·lo [krepúskulo クレプスクろ] 名男 **1** 黄昏(たそがれ); 薄明かり.
2 衰退期, 晩年.
cres·po, pa [kréspo, pa クレスポ, パ] 形 縮れ毛の, 縮れた.
cres·pón [krespón クレスポン] 名男 ちりめん (布); 喪章.
cres·ta [krésta クレスタ] 名女 **1** (鳥の) とさか; (魚・爬虫(はちゅう)類の) 頭部の突起物.
2 (山の) 稜線(りょうせん), 尾根; 波頭.
cre·ten·se [kreténse クレテンセ] 形 クレタ (島) Creta の. ── 名男女 クレタ人.
cre·ti·nis·mo [kretinísmo クレティニスモ] 名男 **1**〘医〙クレチン病. **2** 痴呆(ちほう), 愚鈍.
cre·ti·no, na [kretíno, na クレティノ, ナ] 形 **1**《口語》ばかな, 間抜けな. **2** クレチン病 (患者) の. ── 名男女《口語》ばか, 間抜け.
cre·to·na [kretóna クレトナ] 名女 クレトン: カーテンなどに用いられる綿プリント地.
crey- 動 現分 → creer. 15
cre·yen·te [krejénte クレイエンテ] 形 信じる. ── 名男女 信者, 信奉者.
crezc- 動 → crecer. 40
crí·a [kría クリア] 名女 **1** 飼育, 養殖.
2 (動物の) 一腹の子; 生まれたての子. → crío.
cria·da [krjáða クリアダ] 名女 [複 ～s]

〔英 servant, maid〕**お手伝い**, メード (= sirvienta, muchacha).
—— 過分 形 女 ➡ criado².
cria·de·ro, ra [krjaðéro, ra クリアデロ, ラ] 形 育てる, 飼育する.
—— 名 男 苗床; 養殖場.
cria·di·lla [krjaðíʎa クリアディリャ] 名 女 〘料理〙(牛などの) 睾丸(ふぐ).
cria·do¹ [krjáðo クリアド] 名 男 [複 ～s] 〔英 servant〕**使用人**, 召し使い.
cria·do², da [krjáðo, ða クリアド, ダ] 過分 形 bien [mal] *criado* 育ちが良い[悪い].
crian·za [krjánθa クリアンさ] 名 女 **1** 飼育; 栽培. **2** 養育; (子供の) しつけ.
criar [krjár クリアル] [23 i ➡ í] 動 他
1 育てる, 飼育する, 栽培する; 授乳する.
2 しつける, 教育する.
3 ぶどう酒を熟成させる.
—— 動 自 (動物が) 子を産む.
—— **criar·*se*** 育つ.
cria·tu·ra [krjatúra クリアトゥラ] 名 女
1 創造物, 被造物; 人間. *criaturas* terrestres生き物. **2** 幼児, 赤子.
cri·ba [kríβa クリバ] 名 女 篩(ふるい); 選別機.
cri·bar [kriβár クリバル] 動 他 篩(ふるい)にかける.
cri·men [krímen クリメン] 名 男 [複 críme-nes] **1** 犯罪; 重罪. *crimen* de guerra 戦争犯罪. *crimen* perfecto 完全犯罪. cometer un *crimen* 犯罪を犯す. ➡ culpa【参考】.
2 重大な過失, 失策.
cri·mi·nal [kriminál クリミナる] 形 犯罪の, 刑事上の; 罪を犯した. acción *criminal* 犯罪行為. proceso *criminal* 刑事訴訟. hecho *criminal* 犯罪事実[行為].
—— 名 男 女 犯罪者, 罪人. *criminal* político 政治犯.
cri·mi·na·li·dad [kriminaliðáð クリミナりダ(ドゥ)] 名 女 犯罪性, 犯罪行為; 犯罪件数.
cri·mi·na·lis·ta [kriminalísta クリミナりスタ] 名 男 女 **1** 犯罪[刑法]学者.
2 刑事弁護士.
cri·mi·no·lo·gí·a [kriminoloxía クリミノろヒア] 名 女 犯罪学, 刑事学.
crin [krín クリン] 名 女 [～または ～s] (馬などの) たてがみ.
crí·o, a [krío, a クリオ, ア] 名 男 女 《口語》 子供; 赤ん坊 (= niño, bebé).
crio·llo, lla [krjóʎo, ʎa クリオリョ, リャ] 名 男 女 **1** クリオーリョ: ヨーロッパ人を両親とする植民地生まれの人; 中南米生まれのスペイン人 (► 本国出身のスペイン人は peninsular). **2** 《ラ米》 自国の人.
—— 形 **1** クリオーリョの, 現地 (ふう) の.
2 《ラ米》 自国の, 地元の.
crip·ta [krípta クリプタ] 名 女 地下納骨堂; 地下聖堂.
críp·ti·co, ca [kríptiko, ka クリプティコ, カ] 形 暗号文[法]の; 難解な, 分かりにくい.
crip·tó·ga·mo, ma [kriptóɣamo, ma クリプトガモ, マ] 形 〘植物〙 隠花植物の.
—— 名 女 隠花植物.
crip·to·gra·fí·a [kriptoɣrafía クリプトグラフィア] 名 女 暗号法.
cri·quet [kríket クリケ(トゥ)] 名 男 〘スポーツ〙 クリケット.
cri·sá·li·da [krisáliða クリサリダ] 名 女 〘昆虫〙 蛹(さなぎ).
cri·san·te·mo [krisantémo クリサンテモ] 名 男 〘植物〙 キク, 菊花.
cri·sis [krísis クリシス] 名 女 [単・複同形] 〔英 crisis〕 **1** **危機**, 難局. *crisis* de energía エネルギー危機. *crisis* de mano de obra 労働力不足. *crisis* económica 経済危機.
2 (容態の) 急変; 発作. hacer *crisis* (病状などが) 急変する.
cris·ma [krísma クリスマ] 名 男 **1** 〘カトリック〙 聖油, 聖香油. **2** 《口語》 頭 (= cabeza).
cri·sol [krisól クリソる] 名 男 **1** 〘冶金〙 るつぼ, 湯だまり.
2 (人種・文化などの) るつぼ.
cris·par [krispár クリスパル] 動 他 **1** 痙攣(けいれん)させる, 引きつらせる; (顔を) ゆがめる.
2 いらいらさせる.
—— **cris·par·*se*** **1** 痙攣する, 引きつる; (顔が) ゆがむ. **2** いらいらする.
cris·tal [kristál クリスタる] 名 男 [複 ～es] 〔英 crystal〕
1 **ガラス**; クリスタルガラス. Los chicos han roto el *cristal* de la ventana jugando al béisbol. 子供たちは野球をしていて窓ガラスを割ってしまった. *cristal* esmerilado すりガラス.
2 結晶体, 結晶. *cristal* de roca 水晶. *cristal* líquido 液晶.
cris·ta·le·ra [kristaléra クリスタれラ] 名 女 ガラス戸棚; ショーケース; ガラス戸.
cris·ta·le·rí·a [kristalería クリスタれリア] 名 女 **1** ガラス工場, ガラス店.
2 《集合》 ガラス製品.
cris·ta·le·ro, ra [kristaléro, ra クリスタれロ, ラ] 名 男 女 ガラス屋; ガラス製造工.
cris·ta·li·no, na [kristalíno, na クリスタりノ, ナ] 形 クリスタルガラスの (ような); 澄みきった.
—— 名 男 〘解剖〙 水晶体.
cris·ta·li·za·ción [kristaliθaθjón クリスタりさしオン] 名 女 **1** 結晶化[作用]; 結晶体.
2 具体化.
cris·ta·li·zar [kristaliθár クリスタりさル] [39 z ➡ c] 動 自 **1** 結晶する.
2 具体的な形をとる (= concretarse).
—— 動 他 結晶させる.
cris·ta·lo·gra·fí·a [kristaloɣrafía クリスタろグラフィア] 名 女 結晶学.
cristiana 形 名 女 ➡ cristiano.
cris·tia·na·men·te [kristjánaménte クリスティアナメンテ] 副 キリスト教徒らしく, キリ

C

スト教徒として.

cris·tian·dad [kristjandáð クリスティアンダ(ドゥ)] 名女《集合》キリスト教徒; キリスト教世界.

cris·tia·nis·mo [kristjanísmo クリスティアニスモ] 名男キリスト教; キリスト教世界.

cris·tia·ni·zar [kristjaniθár クリスティアニさル] [39 z ➡ c] 動他キリスト教的にする; キリスト教を布教する.

C

cris·tia·no, na [kristjáno, na クリスティアノ, ナ] [複 ～s] 〔英 Christian〕 形 **キリスト教の**, キリスト教徒の. era *cristiana* キリスト[西暦]紀元.

── 名男女 **1 キリスト教徒**.

2《口語》人, 人間. Cualquier *cristiano* puede participar en el concurso. 誰でもそのコンクールに出ることができる.

hablar en cristiano 皆に分かるように話す.

Cris·ti·na [kristína クリスティナ] 固名 クリスティナ: 女性の名.

Cris·to [krísto クリスト] 名男 **1** (メシアとしての尊称) キリスト. antes de *Cristo* / a. (J.) C. 西暦[紀元]前. después de *Cristo* / d. (J.) C. 西暦[紀元]後. ► 救世主は Salvador. ➡ Jesús.

2 [C-] キリストの十字架像.

Cris·tó·bal [kristóβal クリストバる] 固名 クリストバル: 男性の名.

cri·te·rio [kritérjo クリテリオ] 名男 **1** 基準, 尺度. *criterio* de selección 選択基準. **2** 判断; 意見. juzgar con un *criterio* ある観点から評価する. en mi *criterio* 私が思うには. no tener *criterio* 何の見識もない.

crí·ti·ca [krítika クリティカ] 名女 [複 ～s] 〔英 criticism〕 **1 批評**, 評論. *crítica* literaria 文芸批評.

2 批判, 非難. dirigir [hacer] *críticas* 批判する, とやかく言う.

3 ➡ crítico.

── 形名女 ➡ crítico.

cri·ti·car [kritikár クリティカル] [8 c ➡ qu] 動他 **1** 批評する. El cronista *criticó* favorablemente la interpretación de la comedia. コラムニストはその芝居の演出を好意的に批評した.

2 批判する, 非難する. Le *criticaron* su forma de hablar. 彼は口の利き方をとやかく言われた.

crí·ti·co, ca [krítiko, ka クリティコ, カ] [複 ～s] 形 〔英 critical〕 **1 批評の**, 評論の; 批判的な. análisis *crítico* 批判的分析.

2 重大な, **決定的な**; 危機の. estar en estado *crítico* 危篤状態にある. en el momento *crítico* 重大なときに.

── 名男女 〔英 critic〕 **批評家**, **評論家**. *crítico* de arte 美術評論家.

cri·ti·cón, co·na [kritikón, kóna クリティコン, コナ] 形難癖をつけたがる, あら捜しの.

── 名男女あら捜し屋, 口うるさい人.

cro·ar [kroár クロアル] 動自 カエルが鳴く. ➡ animal 【参考】.

cro·ma·do, da [kromáðo, ða クロマド, ダ] 過分形クロムめっきの.

── 名男クロムめっき.

cro·mar [kromár クロマル] 動他 クロムめっきする.

cro·má·ti·co, ca [kromátiko, ka クロマティコ, カ] 形〔光〕色 (彩) の; 色収差のある.

cro·mo [krómo クロモ] 名男 **1**〔化〕クロム.

2 多色石版 (術); 多色石版画.

cromo- / crom- 「色」の意を表す造語要素. ⇀ *cromo*soma, poli*croma*do など.

cro·mo·so·ma [kromosóma クロモソマ] 名男〔生物〕染色体.

cró·ni·ca [krónika クロニカ] 名女

1 (新聞などの) 報道欄. *crónica* deportiva スポーツ欄.

2 年代記, 記録.

3 [Crónicas] 〔聖書〕(旧約の) 歴代誌.

cró·ni·co, ca [króniko, ka クロニコ, カ] 形常習的な; 慢性の.

cro·ni·cón [kronikón クロニコン] 名男略年代記.

cro·nis·ta [kronísta クロニスタ] 名男女 時事解説者, 報道記者, コラムニスト; 年代記作者.

crono- / cron- 「時間」の意を表す造語要素. ⇀ ana*crónico*, *crono*metría など.

cro·no·lo·gí·a [kronoloxía クロノろヒア] 名女年代学; 年代順叙述, 年表.

cro·no·ló·gi·co, ca [kronolóxiko, ka クロノろヒコ, カ] 形年代順の.

cro·no·me·tra·dor, do·ra [kronometraðór, ðóra クロノメトゥラドル, ドラ] 名男女 (運動競技などの) 計時員, タイムキーパー.

cro·no·me·tra·je [kronometráxe クロノメトゥラヘ] 名男時間測定.

cro·no·me·trar [kronometrár クロノメトゥラル] 動他時間[タイム]を計る.

cro·nó·me·tro [kronómetro クロノメトゥロ] 名男クロノメーター; ストップウォッチ.

cro·que·ta [krokéta クロケタ] 名女〔料理〕コロッケ.

cro·quis [krókis クロキス] 名男 [単・複同形] クロッキー, スケッチ; 略図. [←フランス語]

cró·ta·lo [krótalo クロタろ] 名男 **1**〔音楽〕クロタロ: カスタネットに似た古い打楽器.

2〔動物〕ガラガラヘビ.

cru·ce [krúθe クルせ] 名男 **1** 横断, 交差; すれ違い.

2 交差点, 十字路. parar en el *cruce* 交差点で止まる.

3 (電話・放送の) 混線. Hay un *cruce*. 混線している.

4〔生物〕交配; 交配種.

── 動 ➡ cruzar. [39 z ➡ c]

cru·ce·rí·a [kruθería クルせリア] 名女〔建築〕交差リブ: 丸天井の筋交い骨.

cru·ce·ro [kruθéro クルセロ] 名男 **1**〔建築〕翼廊, 交差廊. **2**〔軍事〕巡洋艦.
3 [C-] 〔天文〕南十字星.
cruces 名 [複] ➡ cruz.
cru·cial [kruθjál クルしアる] 形 きわめて重要な (= decisivo). momento *crucial* 決定的瞬間.
cru·cí·fe·ro, ra [kruθífero, ra クルしフェロ, ラ] 形 〔植物〕アブラナ[十字花]科の.
—— 名女 [~s] 〔植物〕アブラナ[十字花]科(の植物).
cru·ci·fi·car [kruθifikár クルしフィカル] [8 c ➡ qu] 動他 **1** 十字架にかける, 磔刑(たっけい)に処する. **2** ひどく苦しめる.
cru·ci·fi·jo [kruθifíxo クルしフィホ] 名男 キリスト磔刑(たっけい)像[図].
cru·ci·fi·xión [kruθifiksjón クルしフィクシオン] 名女 磔刑(たっけい); キリスト磔刑 (像, 図).
cru·ci·gra·ma [kruθiɣráma クルしグラマ] 名男 クロスワード・パズル.
cru·de·za [kruðéθa クルデさ] 名女
1 粗野; 過酷さ; 辛辣(しんらつ).
2 生, 半煮え; 未熟. **3** [~s] 胃のもたれ.
cru·do, da [krúðo, ða クルド, ダ] 形 **1** 生の; 熟していない; 未加工の, 未精製の. pescado *crudo* 生魚. petróleo *crudo* 原油.
2 経験の浅い, 未熟の.
3 露骨な; むごい. chiste *crudo* どぎつい冗談. **4** (天候が) 厳しい.
en crudo (1)生で. (2)ぶっきらぼうに. hablar *en crudo* ずけずけものを言う.
cruel [krwél クルエる] 形 残酷な, むごい; 過酷な, 厳しい. tirano *cruel* 残忍な暴君. La sociedad se muestra *cruel* con algunas personas. 社会は時により人に過酷である.
cruel·dad [krweldáð クルエるダ(ドゥ)] 名女 冷酷さ; 残虐的行為.
cruen·to, ta [krwénto, ta クルエント, タ] 形 流血の; 残忍な.
cru·jí·a [kruxía クルヒア] 名女 〔建築〕柱間(はしらま), ベイ; 中廊下, 通廊.
cru·ji·do [kruxíðo クルヒド] 名男 きしみ, (衣(きぬ)擦れなどの) 音.
cru·jien·te [kruxjénte クルヒエンテ] 形 ギシギシ[キーキー]いう, サラサラ[パチパチ]音を立てる; (パンの皮などが) パリパリした.
cru·jir [kruxír クルヒル] 動自 きしむ, (衣(きぬ)擦れなど) こすれて音を立てる, (燃えて) パチパチ音を立てる.
crus·tá·ce·o, a [krustáθeo, a クルスタせオ, ア] 形 〔動物〕甲殻類の.
—— 名男 [~s] 甲殻類 (の動物).
cruz [krúθ クルす] 名女 [複 cruces] 〔英 cross〕 **1** 十字架. morir en la *cruz* 十字架にかかって死ぬ.
2 十字 (形), 十字の印. *Cruz* Roja 赤十字. señalar con una *cruz* ×印をつける (► 不可の意味ではない).
3 (十字のある) 貨幣の裏面 (↔ cara). ¿Cara o *cruz*? (コインを投げて) 表か裏か.

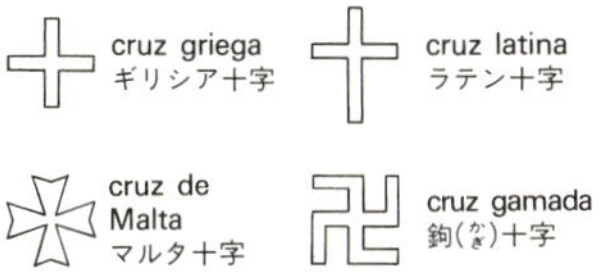

cruz 十字

4 (馬の) 背峰.
5 苦難. Cada uno lleva su *cruz*. 人はみなそれぞれの苦難を背負っている.
cruz y raya これで終わり, 二度とご免だ. hacer *cruz y raya* けりをつける.
de la cruz a la fecha 《口語》初めから終わりまで.
en cruz 十字形に; 交差して.
hacerse cruces (驚いて) 十字を切る.
cru·za·do, da [kruθáðo, ða クルさド, ダ] 過分 ➡ cruzar.
—— 形 **1** 交差した, 横切った.
2 (衣服が) ダブルの. **3**〔商業〕(小切手の) 線引きの. **4** (動・植物が) 交配種の.
—— 名女 **1**〔歴史〕十字軍. **2** (改革) 運動, キャンペーン (= campaña).
cruzando 現分 ➡ cruzar.
cru·zar [kruθár クルさル] [39 z ➡ c] 動他 [現分 cruzando; 過分 cruzado, da] 〔英 cross〕
1 交差させる. *cruzar* las piernas [los brazos] 足を[腕を]組む. *cruzar* la espada con ... …と剣を交える.
2 横断する, 渡る; …と交差する. *cruzar* la calle 通りを渡る. A diez kilómetros de aquí la carretera *cruza* la vía del tren. ここから10キロの地点で道路は鉄道と交差している.
3 (言葉を) 交わす. *cruzar* unas palabras con 《+uno》〈人〉と二言三言言葉を交わす.
4 (斜線を) 入れる. *cruzar* la página con una raya ページを抹消する.
5 交配する.
—— 動自 行き交う; (前を) 横切る. Los coches *cruzan* por la calle. 車が通りを行き交う.
—— **cru·zar·se** (手紙などが) 行き交う; すれ違う, 偶然出くわす. *cruzarse* con 《+uno》 en el camino 道で〈人〉とすれ違う.
cruzarse de brazos [piernas] 腕[足]を組む.
cruzarse palabras 口論する.
cu [kú ク] 名女 [複 cúes] アルファベットの q の文字[音].
cua·der·na [kwaðérna クアデルナ] 名女 〔海事〕〔航空〕フレーム, 肋材(ろくざい).
cuaderna via クアデルナ・ビア: 1 行14音節の四行詩.
cua·der·ni·llo [kwaðerníʎo クアデルニリョ] 名男 **1**〔印刷〕(製本上の) 5 枚重ね折

り. **2** 小冊子.

cua·der·no [kwaðérno クアデルノ] 名男 [複 ~s] 〔英 notebook〕 **ノート**, 帳面; 練習帳.

cua·dra [kwáðra クアドゥラ] 名女 **1** 馬小屋, 厩舎(きゅうしゃ); 不潔な場所. **2** 《集合》(同一所有者の) 馬. **3** 《ラ米》街区, ブロック (= manzana). Viven a dos *cuadras*. 彼らは2街区先に住んでいる.

C

cua·dra·do, da [kwaðráðo, ða クアドゥラド, ダ] 過分 形 **1** 正方形の, 四角い. tabla *cuadrada* 四角い板.
2 2乗の, 平方の. cien metros *cuadrados* 100平方メートル. **3** 角ばった; がっしりした. mujer *cuadrada* がっしりした女性.
— 名男 **1** 正方形, 四角形; (四角い) 区画.
2 2乗, 平方. **3** 直定規.

Cua·dra·gé·si·ma [kwaðraxésima クアドゥラヘシマ] 名女 〘カトリック〙四旬節.

cua·dra·gé·si·mo, ma [kwaðraxésimo, ma クアドゥラヘシモ, マ] 形 《数詞》第40(番目)の; 40分(の1)の.
— 名男 40分の1.

cua·dran·gu·lar [kwaðraŋgulár クアドゥラングラル] 形 四角(形)の, 四辺形の.

cua·dran·te [kwaðránte クアドゥランテ] 名男 **1** 4分割したもの. **2** 〘数〙四分円(弧).
3 日時計; 文字盤. **4** (ラジオの) ダイヤル.
5 四分儀.

cua·drar [kwaðrár クアドゥラル] 動他 四角にする; 〘数〙2乗する.
— 動自 《+ **con**》…と符合する; 《+ **a**》…に適する.
— **cua·drar·*se*** 〘軍事〙気をつけの姿勢をとる.

cua·dra·tu·ra [kwaðratúra クアドゥラトゥラ] 名女 〘数学〙求積(法).
la cuadratura del círculo 不可能なこと[企て].

cua·dri·cu·la·do, da [kwaðrikuláðo, ða クアドゥリクラド, ダ] 形 方眼の, 碁盤目状の.
— 名男 方眼, 格子縞(じま), 碁盤目模様.

cua·dri·cu·lar [kwaðrikulár クアドゥリクラル] 形 方眼の, 碁盤目状の.

cua·dri·lá·te·ro, ra [kwaðrilátero, ra クアドゥリラテロ, ラ] 形 〘数〙四辺(形)の.
— 名男 四辺形.

cua·dri·lla [kwaðríʎa クアドゥリリャ] 名女
1 組; 仲間, グループ, 一味.
2 〘闘牛〙matador 1, banderillero 3, picador 2で構成される闘牛士のチーム.
en cuadrilla 集団で.

cua·dro [kwáðro クアドゥロ] 名男 [複 ~s] 〔英 painting〕 **1** (額入りの) **絵**; 額縁. *cuadro* de Miró ミロの絵. *cuadro* vivo 活人画.
2 光景; 〘演劇〙場; 描写. ofrecer un *cuadro* desolador 惨状を呈する. el segundo *cuadro* del primer acto 第一幕第二場.
3 四角なもの; 枠; 格子縞(じま); 区画. *cuadro* de flores 花壇. a *cuadros* 格子模様の. en *cuadro* 四角に.
4 表, 図表. *cuadro* de abreviaturas 略語表. *cuadro* sinóptico 一覧表, チャート.
5 計器盤. *cuadro* de distribución 配電盤; 電話交換機. *cuadro* de mandos 操作パネル.
6 《集合》スタッフ, 職員. *cuadro* facultativo [médico] 医療スタッフ. *cuadro* técnico 技術陣.
estar [***quedarse***] ***en cuadro*** 取り残される, 残りわずかになる. Se fueron casi todos. *Nos quedamos en cuadro*. ほとんど皆帰ってしまって我々だけになった.

cua·dru·ma·no, na [kwaðrumáno, na クアドゥルマノ, ナ] 形 〘動物〙四手の.
— 名男女 (サルなどの) 四手獣.

cua·drú·pe·do, da [kwaðrúpeðo, ða クアドゥルペド, ダ] 形 四足の, 四足動物の.
— 名男女 四足動物, 四足獣.

cuá·dru·ple [kwáðruple クアドゥルプレ] 形 4倍の, 4つからなる.

cua·dru·pli·car [kwaðruplikár クアドゥルプリカル] 8 動他自 4倍する, 四重にする; (文書を) 4通作成する.

cuá·dru·plo, pla [kwáðruplo, pla クアドゥルプろ, プら] 形 4倍の, 四重の, 4部[通]からなる.
— 名男 4倍, 4倍の数[量].

cua·ja·da [kwaxáða クアハダ] 名女 凝乳 (= requesón).

cua·jar [kwaxár クアハル] 動他 **1** 凝結させる, 固まらせる.
2 《+ **de**》…で覆う, いっぱいにする.
— 動自 **1** 凝固する.
2 《口語》(計画などが) 実現する; 受け入れられる.
3 (雪が) 積もる.
— **cua·jar·*se*** **1** 凝固する.
2 《+ **de**》…で満ちる.

cua·jo [kwáxo クアホ] 名男 レンニン, 凝乳酵素; 凝固剤.
de cuajo 根こそぎに, 完全に.

cual [kwal クアる] 代名 《関係》[複 ~es] 〔英 who, whom, which〕 **1 el cual, la cual, los cuales, las cuales** 《必ず先行詞の性・数に一致する定冠詞を伴う. 人・物の両方に用いられる》 Anoche regresaron los delegados del gobierno, *los cuales* nos informaron del contenido de la reunión. 昨夜政府の代表が帰ってきて, 会議の内容について我々に報告があった. Han venido a visitarnos unos amigos de mis tíos, con *los cuales* hemos pasado un rato divertido. 叔父夫婦の友達が訪ねてきて, 我々は彼らと楽しい一時を過ごした. Os voy a decir la razón por *la cual* os he traído aquí. 君たちをここに連れてきた訳を話そう. ► 前置詞を伴

う場合を除き，非制限的用法でしか用いられない．

【参 考】 **que** よりも形式的で，書き言葉に多く用いられる．定冠詞によって先行詞をはっきり示すことができるので，先行詞が離れていたり，**que** を使うとあいまいになったりするときに使われる．

2 lo cual《中性形定冠詞を伴い，文・節を受ける》Ya no me habla, *lo cual* indica que está enfadado conmigo. 彼はもう私に口を利いてくれない，そのことは彼が私に腹を立てている証拠だ．Pudo colocarse en una compañía fuerte, de *lo cual* se alegraron mucho sus padres. 彼が大企業に就職できたので両親はたいへん喜んだ．Gastaba todo lo que ganaba, por *lo cual* tenía que trabajar día y noche. 彼は稼いだ金をすべて使ってしまうので昼も夜も働いていなければならなかった．

── 接続 …のように（= como）. *cual* estrellas del cielo 空の星のように．La reunión fue tal *cual* se esperaba. 会議の様子は想像したとおりだった．

cual A, tal B AもAならBもBだ．*Cual* el padre, *tal* el hijo. 親父も親父なら息子も息子だ．➡ tal.

cual si ➡ si.

sea cual fuere ➡ ser.

***tal* ... *cual* ...** ➡ tal.

cuál [kwál クアる] 代名《疑問》[複 ～es]〔英 which, which one; what〕

1（物・人について）**どれ，どちら**．De estas corbatas, ¿*cuál* te gusta más? これらのネクタイのうち君が一番気に入ったのはどれ？ ¿*Cuál* es más difícil, el inglés o el español? 英語とスペイン語ではどちらが難しいですか．¿*Cuál* es tu tía? — La de la derecha. 君の叔母さんはどの人？—右側の人です．Dime *cuáles* son los libros que me puedes dejar. 私が貸してもらえる本はどれ？ ► 尋ねるものが複数の場合は cuáles を用いる．

【参 考】 人については **cuál** でなく **quién** を使う方が多い．
¿*Quién* es más alto, José o Antonio? ホセとアントニオではどちらが背が高いですか．
¿A *quién*(de las dos chicas)llamamos? = ¿A *cuál*(de las dos chicas)llamamos? 2人の女の子のうちどちらを呼ぼうか？

2（選択肢の潜在する疑問文で）**何**．¿*Cuál* es tu dirección? 君の住所はどこ？ ¿*Cuál* es tu nombre? 君の名前は？（►¿Cómo te llamas? がふつうの言い方）．¿*Cuál* es el teléfono de los Gómez? ゴメスさんの家の電話番号は？ ¿*Cuál* es la talla de tu traje? 君の服のサイズは？ ¿*Cuáles* son los colores de la bandera japonesa? 日本の国旗の色は何ですか．

── 形《疑問》どの．¿*Cuál* color te gusta más? 君はどの色が一番好き？ ► スペインでは cuál でなく qué が用いられる．⇀ ¿*Qué* color te gusta más?

a cuál más いずれ劣らず．Los dos son *a cuál más* estúpido. ふたりはいずれ劣らずろくでなしだ．

cuál más, cuál menos 多かれ少なかれ．

cua·li·dad [kwaliðáð クアりダ(ドゥ)] 名女 [複 ～es]〔英 quality〕 **1 特質，特性**，本質；美点．La elasticidad es una de las *cualidades* del caucho. 弾力性はゴムの特質のひとつである．Su mayor *cualidad* es la franqueza. 彼の最大の長所はあけっぴろげなことだ．

2 質，品質（= calidad).

cua·li·fi·car [kwalifikár クアりフィカル] [8 c ➡ qu] 動他《文語》➡ calificar.

cua·li·ta·ti·vo, va [kwalitatíβo, βa クアりタティボ，バ] 形 質的な；〘化〙定性の．►「量的な」は cuantitativo.

cual·quier [kwalkjér クアるキエル] 形《不定》➡ cualquiera.

cual·quie·ra [kwalkjéra クアるキエラ] 形《不定》[単数名詞の前で cualquier となる]〔英 any〕

1（人・物について）**どんな…でも**．A mí me gusta *cualquier* vino. ワインならどんなワインでも結構です．Compra una revista *cualquiera*. どれでもいいから雑誌を1冊買いなさい．*cualquier* libro interesante [que te guste] 面白い[君が気に入った] 本ならどれでも（► 関係節中の動詞の直説法，接続法の違い．➡ que【文法】）．a *cualquier* hora いつでも．en *cualquier* sitio どこでも．en *cualquier* otra situación 他のいかなる状況でも．

2 平凡な，ありふれた．Esto no es una cosa *cualquiera*. これは簡単にかたづくような問題ではない．

【参 考】1 名詞の前後いずれにもつき得るが，名詞の後ろにつくときは不定冠詞，不定形容詞が必要となる．
cualquier libro / un libro *cualquiera* どの本でも．
otro libro *cualquiera* 他のどんな本でも．
2 複数形 cualesquiera はめったに使われない．
3 文脈によってニュアンスが異なる．
Cualquier día puedes venir. いつでも来なさい．
Volveremos por aquí un día *cualquiera*. いつかここに戻ってこよう．

── 代名《不定》**1 誰でも，どれでも**．

Cualquiera diría lo mismo. 誰でもそう言うだろう. ► (1)「事物」に使う場合には範囲を限定する語句が必要. ⇒ Puedes escoger *cualquiera* que te guste. どれでも気に入ったのを選んでいいよ. *cualquiera* de esos libros それらの本のうちどれでも. (2)漠然と「何でも」というときは *cualquier* cosa という.

2 《感嘆文で反語》 誰が…しようか. ¡*Cualquiera* lo creería! 誰がそんなことを信じるものか.

un [***una***] ***cualquiera*** 詰まらない人; 売春婦.

cuan [kwan クアン] 副 ➡ cuanto².

cuán [kwán クアン] 副 ➡ cuánto² 【文法】.

cuan·do [kwando クアンド] 接続 〔英 when〕

1 《関係副詞, 前置詞としても使われる》 …**するとき**. Fue entonces *cuando* se oyó un disparo. 銃声がしたのはその時だった. *Cuando* (era) estudiante, me levantaba todos los días a las seis. 学生のころは毎日 6 時に起きたものだ.

【文　法】 **cuando の後の動詞の法・時制**

1 ある行為の進行中に別の行為が起きたとき (► 起きた行為は点過去形, 進行中の行為は線過去形).

Empezó a llover cuando *estábamos comiendo*. 食事をしていると雨が降り出した.

Iba andando por la calle, cuando *me encontré* con Luis. 通りを歩いているとルイスに会った.

Llegué cuando Pedro *salía*. 私が着いたときペドロは出かけるところだった.

ある行為に続いて, 別の行為が起きたとき (► 主節, cuando 節ともに動詞は点過去形).

Cuando *terminó* la televisión, *me fui* a dormir. テレビが終わるとすぐ私は寝た.

Cuando *entró* en la habitación, *se apagó* la luz. 彼が部屋に入ったとたん, 電気が消えた.

ある行為の以前に別の行為が完了しているとき (► 先に完了した行為は過去完了形).

Cuando *fui* a verle, él ya *se había ido*. 彼に会いに行ったら, もう出かけた後だった.

Llegó la noticia de su ascenso cuando él ya *se había muerto*. 昇任の知らせが届いた時には彼はもうこの世にいなかった.

2 習慣的現在 [過去] を表すとき (► 主節, cuando 節ともに動詞は現在形 [線過去形]).

Cuando *tengo* tiempo, *visito* a mis abuelos. 暇があるといつも祖父母を訪れます.

Cuando *éramos* jóvenes, sólo *queríamos* pasarlo bien. 若いころは楽しくやることだけを考えていた.

3 未来の行為や仮定を表すとき (► cuando 節の動詞は接続法).

Cuando yo *me muera* entiérrame aquí. 私が死んだらここに埋めてくれ.

Avísame cuando *hayas terminado*. 終わったら知らせなさい.

Si tardas tanto, cuando *lleguemos* al cine ya habrá terminado la película. ゆっくりしていると, 映画館に着くころには映画が終わってしまうよ.

2 …するのだから, …であるのなら. *Cuando* tú lo dices, será verdad. 君がそういうのだからそれは本当なんだろう.

3 …であるにもかかわらず (= aunque). Se fue a trabajar, *cuando* tenía que quedarse en la cama. 寝ていなければならないのに, 彼は働きに行ってしまった.

aun cuando …にもかかわらず; たとえ…でも. Salió *aun cuando* tenía fiebre. 熱があるにもかかわらず彼は外出した. *Aun cuando* fuera verdad, no se lo diría. たとえそれが本当でも彼には言わないだろう. ► 事実なら動詞は直説法, 仮定なら接続法を用いる.

cuando más [***mucho***] 多くても, せいぜい.

cuando menos 少なくとも.

cuando quiera [***quieras …***] いつでも.

cuando quiera que 《+接続法》 ➡ querer.

de cuando en cuando 時々.

cuán·do [kwándo クアンド] 副 《疑問》 〔英 when〕

いつ. ¿*Cuándo* termina la clase? 授業はいつ終わりますか. ¿Desde *cuándo* es así? いつからそうなのですか. ¿Hasta *cuándo* duró la sesión? 会議はいつまで続きましたか. ¿Para *cuándo* lo necesitas? いつまでにそれが必要なの? Dime *cuándo* vas a venir. いつ君は来るんだい?

cuanta 形 代名 女 ➡ cuanto.

cuánta 形 代名 女 ➡ cuánto.

cuan·tí·a [kwantía クアンティア] 名 女

1 量, 程度.

2 重要性. de mayor *cuantía* 重要な. de menor *cuantía* 重要でない, 取るに足りない.

cuan·ti·fi·ca·ción [kwantifikaθjón クアンティフィカしオン] 名 女 数量化.

cuan·ti·fi·car [kwantifikár クアンティフィカル] [8 c ➡ qu] 動 他 数量化する.

cuan·tio·so, sa [kwantjóso, sa クアンティオソ, サ] 形 大量の.

cuan·ti·ta·ti·vo, va [kwantitatíβo, βa クアンティタティボ, バ] 形 量的な, 数量の; 《化》定量の. ► 「質的な」は cualitativo.

cuan·to[1]**, ta** [kwanto クアント, タ] 形 [複 ～s]《数量・程度を表す関係形容詞》〔英 all ... that, as many [much] ... as〕**すべての, 全部の; …と同数[同量]の**. Me prestó *cuantos* libros tenía. 彼は持っていた本をすべて私に貸してくれた. Te daré *cuanto* dinero necesites (= Te daré tanto dinero cuanto necesites). 君に必要なだけ金をあげよう.
── 代名《先行詞を含む関係代名詞》**すべて, 全部**. Felipe me contó todo *cuanto* había hecho. フェリペは自分がしたことをすべて私に話してくれた. Te daré tanto *cuanto* quieras. 君に好きなだけやろう.

> **【文 法】** (tanto, todo と組んで用いられる場合が多い) 関係詞 **cuanto** は文語的で, 口語ではふつう **todo**＋定冠詞＋名詞＋**que**, **todo lo que** の方を用いる.
> Me prestó *todos los* libros *que* tenía. 彼は持っていた本をすべて私に貸してくれた.
> Me contó *todo lo que* había hecho. 彼は自分がしたことをすべて私に話してくれた.
> **cuanto＋比較語…, (tanto) ＋比較語… (…すればするほど…) の用法**
> 1 形容詞としての用法.
> *Cuanto más* dinero tenemos, (*tanto*) *más* queremos. 金があればあるほどよけい欲しくなる.
> *Cuantos más* coches compre Japón, *menos* se quejará EE.UU.. 日本が車を買えば買うほどアメリカは文句をつけなくなるだろう.
> 2 代名詞としての用法.
> *Cuanto más* tienes, *más* quieres. 君はあればあるほどいっそう欲深くなる.
> *Cuantos más* vengan, *más* dinero ganaremos. 大勢来れば来るほど我々がもうかる.

unos cuantos いくつか(の), 何人か(の).

cuanto[2] [kwanto クアント] 副《関係》〔英 as much as〕[más, menos, mayor, menor, mejor, peor 以外の形容詞・副詞の前で cuan となるが, その場合は文語調表現] **1 できるだけ**. *cuanto* más despacio できるだけゆっくり. Trabajé *cuanto* pude. 私はできる限り働いた.
2《cuanto＋比較語…, (tanto) ＋比較語…の形で》**…すればするほど (ますます) …**. *Cuanto más* lo pienso, *menos* lo entiendo. それは考えれば考えるほど分からなくなる. *Cuanto más* tarde, *mejor*. 遅ければ遅いほどよい.
cuanto antes できるだけ早く. Ven *cuanto antes* (= Ven lo antes que puedas). できるだけ早く来なさい.
cuanto más 多くても, せいぜい; いっそう, なおさら.
en cuanto ... …するとすぐ. *En cuanto* ceno, me acuesto. 私は夕食がすむとすぐ寝ます. Devuélveme el libro *en cuanto* lo hayas leído. 読み終わったらすぐその本を返してください (► 未来のことを言うときは動詞は接続法になる).
en cuanto a ... …についていえば.
por cuanto《＋直説法》…だから.

cuán·to[1]**, ta** [kwánto, ta クアント, タ] 形《疑問》[複 ～s]〔英 how many, how much〕**1 いくつの, どれだけの**. ¿*Cuántas* horas dormiste? 君は何時間寝ましたか. ¿*Cuántos* alumnos hay en esta clase? このクラスの生徒は何人ですか. Le pregunté *cuánto* dinero tenía. 彼がいくら持っているか私はたずねた.

> **【文 法】** 形容詞 **cuánto** は後ろに続く名詞に性・数一致する.

2《感嘆文で》なんという, なんと多くの. ¡*Cuánta* gente! 大勢の人だなあ.
── 代名《疑問》**1 いくつ, どれだけ**. ¿*Cuántos* vinieron? 来た人は何人ですか.

> **【文 法】** 性・数不変の中性形 **cuánto** でも使われる (► 代名詞の用法).
> ¿*Cuánto* hay de aquí a ese pueblo? ここからその村までどのくらい離れていますか.
> ¿*Cuánto* pesa el equipaje? 荷物の重さはどれくらいですか.
> ¿*Cuánto* es todo? 全部でいくらですか.

2《感嘆文で》なんと多く. ¡*Cuánto* sabes! よく知っているなあ.
¿A cuántos estamos? 今日は何日ですか.
decir a《＋uno》***cuántas son cinco*** ➡ cinco.
el señor no sé cuántos 某氏.

cuán·to[2] [kwánto クアント] 副《感嘆》[性・数不変] **なんと**, どれほど. ¡*Cuánto* te agradezco tu amabilidad! 君の親切にどれほど感謝していることか.

> **【文 法】** 副詞 **cuánto** は形容詞, 副詞の前で cuán となるが文語的で堅い表現である. **qué** を用いる方が口語的. ⇀ ¡*Qué* guapa estás! 今日の君はきれいだねえ.

cuá·que·ro, ra [kwákero, ra クアケロ, ラ] 形 クエーカー教徒の.
── 名男女 クエーカー教徒.

C

C

cua·ren·ta [kwarénta クアレンタ] 形《数詞》〔英 forty〕**40の**; 40番目の. Tiene *cuarenta* años. 彼は40歳だ. los años *cuarenta* 1940年代.
── 名男 **40**. ◆ローマ数字 XL.
cantar a 《+ uno》 ***las cuarenta*** 《口語》〈人〉に耳の痛い話をする, 遠慮なく意見を言う.

cua·ren·ta·vo, va [kwarentáβo, βa クアレンタボ] 形 40分の1の.
── 名男 40分の1.

cua·ren·te·na [kwarenténa クアレンテナ] 名女 40からなる一組; 40日[月, 年]; 40個, 40人. una *cuarentena* de ... 40人[個](ほど)の….
poner en cuarentena 検疫する; 隔離する.

cua·ren·tón, to·na [kwarentón, tóna クアレントン, トナ] 形 40歳ぐらいの, 40歳代の.
── 名男女 40歳ぐらいの人, 40歳代の人.

cua·res·ma [kwarésma クアレスマ] 名女〘カトリック〙四旬節: 灰の水曜日から復活祭前日までの日曜を除く40日間.

cua·res·mal [kwaresmál クアレスマる] 形 四旬節の.

cuarta 形女 → cuarto¹.

cuar·te·ar [kwarteár クアルテアル] 動他
1 (坂道を) ジグザグに進ませる. **2** 四つに分割する.
3 (動物の肉を) 切り分ける, ばらばらにする (= descuartizar).
── **cuar·te·ar·*se*** (壁・天井に) ひびが入る.

cuar·tel [kwartél クアルテる] 名男 **1**〘軍事〙兵営(地), 兵舎. *cuartel* general (総)司令部; 本営. **2**〘紋章〙盾形を縦横に4区分したものの一つ.

cuar·te·le·ro [kwarteléro クアルテれロ] 形 [男性形のみ]兵営の. ── 名男 **1**〘軍事〙当番兵. **2**《ラ米》(ホテルの) ボーイ, ウエーター.

cuar·te·rón, ro·na [kwarterón, róna クアルテロン, ロナ] 形 (インディオ・黒人の血が) 4分の1混血の.
── 名男女 白人とメスティーソ[ムラート]の混血児. → mestizo, mulato.

cuar·te·to [kwartéto クアルテト] 名男〘音楽〙四重唱[奏]団, カルテット; 四重唱[奏]曲.

cuar·ti·lla [kwartíʎa クアルティりャ] 名女 (四つ切りの) 紙; [〜s]原稿, 草稿.

cuar·ti·llo [kwartíʎo クアルティりョ] 名男 クアルティーリョ: 液量・体積の単位. 0.504 リットル.

cuar·to¹, ta [kwárto, ta クアルト, タ] 形《数詞》[複 〜s]〔英 fourth〕**第4の**, 4番目の; 4分の1の. Enrique IV [*cuarto*] エンリケ4世. en *cuarto* lugar 第4に.

cuar·to² [kwárto クアルト] 名男 [複 〜s]〔英 quarter ; room〕
1 **4分の1**; **15分**. tres *cuartos* de hora 45分. Son las dos y *cuarto*. 2時15分です.
2 **部屋**, 室 (► sala より小さい). Está en su *cuarto*. 彼は部屋にいます. *cuarto* de baño 浴室, トイレ. *cuarto* de estar 居間. ➡次ページ図. **3** [普通 〜s]《口語》銭, 現金. tener muchos *cuartos* 金がどっさりある. no tener un *cuarto* 一文無しである. cuatro *cuartos* わずかの金.
de tres al cuarto 《口語》安物の; 三流の. un vestido *de tres al cuarto* 安物の服.

cuar·tu·cho [kwartútʃo クアルトゥチョ] 名男《口語》粗末な小部屋; あばら屋.

cuar·zo [kwárθo クアルそ] 名男〘鉱物〙石英; 水晶; クオーツ.

cua·ter·na·rio, ria [kwaternárjo, rja クアテルナリオ, リア] 形 **1** 4つからなる.
2〘地質〙第四紀の.
── 名男〘地質〙第四紀.

cua·tre·ro, ra [kwatréro, ra クアトゥレロ, ラ] 名男女 **1** 馬泥棒. **2**《ラ米》悪党.
── 形《ラ米》裏切りの, 不実な.

cua·trie·nio [kwatrjénjo クアトゥリエニオ] 名男 4年間.

cua·tri·lli·zos, zas [kwatriʎíθos, θas クアトゥリリィそス, さス] 名男女 [複] 四つ子.

cua·tro [kwátro クアトゥロ] 形《数詞》〔英 four〕
1 **4の**; 4番目の.
2 《口語》わずかな. en *cuatro* palabras 手短に, 簡単に.
── 名男 **4**. ◆ローマ数字 IV.
decir a 《+uno》 ***cuatro cosas*** 〈人〉に直言する, 〈人〉をしかる.
más de cuatro 《口語》かなりの, 少なからぬ. *Más de cuatro* se equivocaron. かなりの人が間違った.

cua·tro·cien·tos, tas [kwatroθjéntos, tas クアトゥロしエントス, タス] 形〔英 four hundred〕《数詞》**400の**; 400番目の.
── 名男 **400**. ローマ数字 CD.

cu·ba [kúβa クバ] 名女 桶(おけ); 樽(たる).
beber como una cuba 《口語》酒をがぶ飲みする, 大酒を飲む.
estar como [***hecho***] ***una cuba*** 《口語》へべれけに酔っ払っている.

Cu·ba [kúβa クバ] 固名〔英 Cuba〕
キューバ: カリブ海の共和国. 首都 La Habana. 通貨 peso.

cu·ba·li·bre [kuβalíβre クバリブレ] 名男 クバリブレ: ラム酒をコーラで割った飲み物.

cu·ba·no, na [kuβáno, na クバノ, ナ] [複 〜s]〔英 Cuban〕形 キューバ(島)の.
── 名男女 **キューバ人**.

cu·ba·ta [kuβáta クバタ] 名男《口語》→ cubalibre.

cu·ber·te·rí·a [kuβertería クベルテリア] 名女《集合》(ナイフ・フォーク・スプーンなど

の) 食卓用食器.

cu·be·ta [kuβéta クベタ] 名女 手桶(おけ), バケツ; (写真現像用の) トレイ.

cu·bi·ca·ción [kuβikaθjón クビカしオン] 名女 体積[容積] (の算出); 3乗.

cu·bi·car [kuβikár クビカル] [8 c → qu] 動他 〘数〙 3乗する; …の体積[容積]を求める.

cú·bi·co, ca [kúβiko, ka クビコ, カ] 形 立方体の; 3乗の.

cu·bí·cu·lo [kuβíkulo クビクろ] 名男 小室, 寝室.

cu·bier·ta [kuβjérta クビエルタ] 名女
1 覆い, カバー. *cubierta* de un libro (本の) 表紙. *cubierta* de la cama ベッドカバー.
2 屋根.
3 〘海事〙 甲板, デッキ. *cubierta* de vuelos (航空母艦の) 飛行甲板. → barco 図.
4 (タイヤの) 外包; (ケーブルの) 被覆.
── 過分 女 → cubrir.
── 形 女 → cubierto[1].

cu·bier·to[1], ta [kuβjérto, ta クビエルト, タ] 過分 → cubrir.
── 形 [複 ~s] [英 covered] **1 覆いのある**, 屋根付きの. piscina *cubierta* 屋内プール. **2** 曇りの.
3 《+de》 **…で満ちた**, いっぱいの. *cubierto de* polvo ほこりだらけの.

cu·bier·to[2] [kuβjérto クビエルト] 名男
1 (ナイフ・フォーク・スプーンの) 一人分のテーブルセット. poner los *cubiertos* 食卓の用意をする. **2** 定食. **3** 覆い, 屋根. bajo *cubierto* 屋根の下で. **4** 庇護(ひご).
a cubierto de 《+algo》 〈何か〉 から守られて.

cu·bil [kuβíl クビる] 名男 (野生動物の) ねぐら, 巣, 穴.

cu·bi·le·te [kuβiléte クビれテ] 名男
1 (料理用の) 流し型; (冷蔵庫で作る) 角氷.
2 (金属製の) 酒杯, 手品師の使うカップ.

cu·bis·mo [kuβísmo クビスモ] 名男 〘美術〙 立体派, キュービズム: 20世紀初頭にフランスで始まった絵画運動.

cu·bis·ta [kuβísta クビスタ] 形 立体派の.
── 名男女 キュービズム [立体派] の芸術家.

cu·bi·to [kuβíto クビト] 名男 角氷 (= *cubito* de hielo).

cú·bi·to [kúβito クビト] 名男 〘解剖〙 尺骨.

cu·bo [kúβo クボ] 名男 **1** バケツ. *cubo* de la basura ごみバケツ.
2 立方体; 〘数〙 立方, 3乗. elevar al *cubo* 3乗する.

cu·bre·ca·ma [kuβrekáma クブレカマ] 名男 ベッドカバー.

cubriendo 現分 → cubrir.

cu·brir [kuβrír クブリル] 動他 [現分 cubriendo; 過分 cubierto, ta] [英 cover] **1** 《+con, de》 **…で覆う**, 覆い隠す; いっぱいにする. *cubrir* el rostro *con* un velo 顔をベールですっぽり隠す. *cubrir* al niño *con* una manta 子供に毛布を掛ける. *cubrir* a 《+uno》 *de* besos 〈人〉にキスの雨を降らせる.
2 賄う, カバーする; (危険に対して) 保証する. *cubrir* los gastos 経費を賄う.
3 補充する, 埋める. *cubrir* una vacante 欠員を補充する.
4 (距離を) 走破する, 進む. *cubrir* ochenta kilómetros en una hora 80キロメートルを1時間で走る.
5 報道する, レポートする.
6 かばう, 援護射撃をする. **7** 交尾する.
── **cu·brir·*se*** **1** 覆われる. El suelo *se cubrió* de nieve. 地面は一面の雪に覆われた. *cubrirse* de lodo 泥まみれになる. *cubrirse* el cielo 曇る.
2 身にまとう. *cubrirse* con una manta 毛布にくるまる. **3** 帽子をかぶる.

cu·ca·ña [kukáɲa クカニャ] 名女 **1** クカー

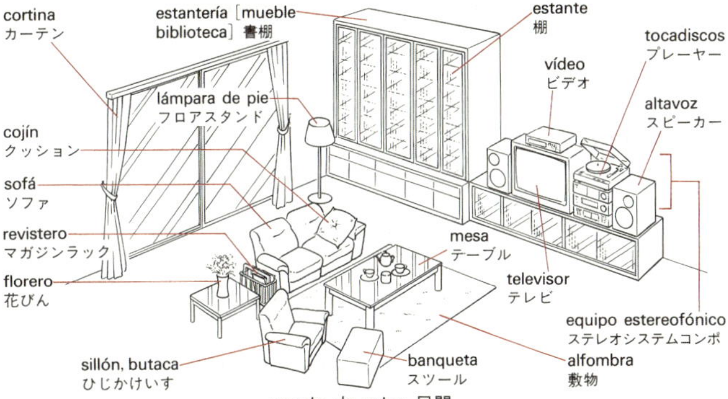

cuarto de estar 居間

ニャ：滑りやすい棒の先の賞品をめざしてよじ登る遊び，その棒．
2《口語》もうけもの；思わぬ幸運．

cu·ca·ra·cha [kukarátʃa クカラチャ] 名女 〘昆虫〙ゴキブリ，アブラムシ（油虫）（＝corredera）．

cu·cha·ra [kutʃára クチャラ] 名女 [複 ～s]〔英 spoon〕
1 スプーン．*cuchara* sopera スープ用のスプーン．➡vajilla 図．
2 おたま，柄杓(ひしゃく)；スプーン形の道具．
meter con cuchara《口語》繰り返し教え込む．
meter* SU *cuchara 余計なお節介を焼く．

cu·cha·ra·da [kutʃaráða クチャラダ] 名女 スプーン１杯（の量）．

cu·cha·ri·lla [kutʃaríʎa クチャリリャ] 名女［cuchara の小］ティースプーン．➡vajilla 図．

cu·cha·rón [kutʃarón クチャロン] 名男［cuchara の大］大さじ；おたま．

cu·chi·che·ar [kutʃitʃeár クチチェアル] 動自 ささやく，ひそひそ話をする．

cu·chi·che·o [kutʃitʃéo クチチェオ] 名男 ささやき，ひそひそ話．

cu·chi·lla [kutʃíʎa クチリャ] 名女 包丁；（各種の）刃；（スケート靴の）ブレード；《ラ米》ナイフ．

cu·chi·lla·da [kutʃiʎáða クチリャダ] 名女 **1** 切りつけ；刀傷，刺し傷，切れ込み．
2 [～s] けんか．andar a *cuchilladas* 激しい敵意を抱く．

cu·chi·llo [kutʃíʎo クチリョ] 名男 [複 ～s]〔英 knife〕
ナイフ，包丁；刃物．*cuchillo* de monte 狩猟用ナイフ．*cuchillo* de postre デザート用ナイフ．*cuchillo* de trinchar 肉切り用大型ナイフ．➡navaja, vajilla 図．
cuchillo de aire 身を刺すようなすき間風．
pasar a cuchillo 殺す．
tener el cuchillo en la garganta 脅迫されている；のっぴきならぬ事態に陥る．

cu·chi·pan·da [kutʃipánda クチパンダ] 名女《口語》ごちそう；宴会．ir de *cuchipanda* どんちゃん騒ぎをする．

cu·chi·tril [kutʃitríl クチトゥリる] 名男 豚小屋；むさくるしい家．

cu·chu·fle·ta [kutʃufléta クチュフれタ] 名女《口語》冗談，からかい．gastar *cuchufletas* a《＋uno》〈人〉をからかう，冗談を飛ばす．

cu·cli·llas [kuklíʎas ククりリャス] ***en cuclillas***《副詞句》しゃがんで．

cu·cli·llo [kuklíʎo ククりリョ] 名男〘鳥〙カッコウ（郭公）．

cu·co, ca [kúko, ka クコ，カ] 形 **1**《口語》きれいな，愛らしい．**2** ずるい，腹黒い．
── 名男女《口語》ずるいやつ．
── 名男〘鳥〙カッコウ（郭公）．reloj de *cuco* はと時計．

cu·cú [kukú クク] 名男《擬》（カッコウの鳴き声）カッコー．➡animal【参考】．

cu·cu·ru·cho [kukurútʃo ククルチョ] 名男 **1**（円錐(えんすい)形の）紙袋．**2**（聖週間の行列でかぶる）とんがりずきん．**3**《ラ米》頂．

cuece- 動 ➡cocer．[34 c ➡ z ; 35 o ➡ ue]

cuelg- 動 ➡colgar．[13 o ➡ ue ; 32 g ➡ gu]

cue·llo [kwéʎo クエリョ] 名男 [複 ～s]〔英 neck〕
1 首；（器物の）首，くびれた部分．agarrar a《＋uno》del [por el] *cuello*〈人〉の襟首をつかまえる．alargar el *cuello* 首を伸ばす．*cuello* de una botella 瓶の首．➡cuerpo 図．
2 襟，カラー．¿Cuál es la medida de su *cuello*? カラーのサイズは何ですか．*cuello* de pajarita [de palomita] ウイングカラー．*cuello* vuelto タートルネック．➡camisa 図．
estar con el agua al cuello 窮地に陥っている．
estar metido en 《＋algo》 ***hasta el cuello***〈何か〉にどっぷりとつかっている．

cuen·ca [kwéŋka クエンカ] 名女 **1**〘解剖〙眼窩(がんか)．**2** 流域；盆地．

Cuen·ca [kwéŋka クエンカ] 固名 クエンカ：スペイン中東部の県；県都．

cuen·co [kwéŋko クエンコ] 名男 **1** どんぶり；鉢１杯（の量）．**2** くぼみ

cuent- 動 ➡contar．[13 o ➡ ue]

cuen·ta [kwénta クエンタ] 名女 [複 ～s]〔英 count; account〕
1 計算，数えること．*cuenta* atrás 秒読み，カウントダウン．*cuenta* redonda 端数を切り捨てた額．hacer (las) *cuentas* 計算する．
2 勘定；勘定書，請求書．la *cuenta* de la electricidad 電気料金の請求書．pagar la *cuenta* 勘定を支払う．
3〘商業〙口座；貸借勘定．abrir una *cuenta* 口座を開設する．*cuenta* bancaria 銀行口座．*cuenta* corriente 当座預金（口座）．
4 なすべきこと，責任．Eso es *cuenta* tuya. それは君の責任だ．de [por] *cuenta* y riesgo de《＋uno》〈人〉の責任で．
5 説明；報告；理由，根拠．¿A *cuenta* de qué? いったいどういう訳で．pedir *cuentas* a《＋uno》〈人〉に説明を求める．
6（ロザリオの）数珠玉．pasar las *cuentas* del rosario（ロザリオの）祈りを唱える．
── 動 ➡contar．
a cuenta 内金として．
a cuenta de《＋uno》〈人〉の勘定で．
ajustar las cuentas a《＋uno》《比喩》〈人〉と話をつける．
caer en la cuenta de (***que***) ... …に気づく，悟る．
con cuenta y razón 慎重に．

correr por [***de***] ***cuenta de*** 《+uno》〈人〉の責任である, 負担になる. Esto *corre por mi cuenta.* この勘定は私が持ちます.
dar cuenta de ... (1) …について報告する, 説明する. (2) 平らげる; 使い果たす.
darse cuenta de (que) ... …に気づく.
en resumidas cuentas 要するに, つまり.
entrar en cuenta 考慮の対象となる.
estar fuera de cuenta (妊婦が) 産み月を迎える, 妊娠9か月を越える.
hacer las cuentas de la lechera 取らぬ狸(たぬき)の皮算用をする.
Las cuentas claras y el chocolate espeso. 《口語》はっきりさせようじゃないか.
llevar las cuentas 会計係をする; 帳簿をつける.
más de la cuenta 度を越して, あまりに. saber *más de la cuenta* とてもよく知っている.
no hacer cuenta de ... …を無視する, 問題にしない.
perder la cuenta de ... …の数が分からなくなる.
por la cuenta que le ***trae*** 自分の利益のために.
por SU ***cuenta*** 自分の考え[判断]で.
tener en cuenta (que) ... …を考慮に入れる, 心に留めておく.
tomar en cuenta (que) ... …に留意する.

cuen·ta·go·tas [kwentaɣótas クエンタゴタス] 名男 [単・複同形] スポイト; 点眼器; 点滴器.
con [***a***] ***cuentagotas*** ほんの少しずつ; けちけちと.

cuen·ta·ki·ló·me·tros [kwentakilómetros クエンタキロメトゥロス] 名男 [単・複同形] 〘車〙走行距離計.

cuen·tis·ta [kwentísta クエンティスタ] 形 **1** 短編作家の. **2**《口語》うわさ好きな.
—— 名男女 **1** 短編作家.
2《口語》おしゃべり.

cuen·to

[kwénto クエント] 名男 [複 ~s]〔英 story, tale〕
1 話, 物語, 短編小説. *cuentos* infantiles 童話.
2《口語》うそ, でっち上げ. *cuento* chino / puro *cuento* まったくのうそっぱち. ¡Váyase con el *cuento* a otra parte! ばか言え, そんなこと信じられるものか.
3《口語》陰口; 面倒なこと. No me vengas con *cuentos*. くだらんことを言ってくるな. ¡Nada de *cuentos*! いいかげんにしろ.
—— 動→contar.
cuento de viejas たわいもない言い伝え[迷信].
dejarse [***quitarse***] ***de cuentos*** 単刀直入にいう. ► 主に命令形で使われる.
Es (un) cuento largo. 話せば長いことだ.
Es el cuento de nunca acabar. (行為・事柄が) 際限がない.
Ése es el cuento. それが肝心な点だ.
Eso es el cuento de la lechera. 取らぬ狸(たぬき)の皮算用をするな.
estar en el cuento よく知っている.
ir con el cuento a 《+uno》〈人〉に告げ口をする.
no querer cuentos con 《+uno》〈人〉とかかわりたくない.
no venir a cuento 適切でない, お門違いである.
ser mucho cuento うんざりである.
sin cuento 無数の. dificultades *sin cuento* さまざまな障害. ► 名詞の後につけて用いる.
tener mucho cuento はったり屋[ほらふき]である.
traer a cuento (筋違いな話を) 持ち出す.

cuer·da [kwérða クエルダ] 名女 [複 ~s] 〔英 rope〕 **1 綱, 縄**, ロープ; ひも. atar con una *cuerda* ひも[ロープ]で縛る. *cuerda* de cáñamo 麻縄. *cuerda* de nailon ナイロン・ロープ[ザイル]. *cuerda* de tripa 腸弦, ガット.
2 ぜんまい. dar *cuerda* a un reloj 時計のねじを巻く.
3 (弓の) つる; (弦楽器の) 弦. instrumento de *cuerda* 弦楽器. → guitarra 図.
a cuerda 一直線に, 一列に.
aflojar [***apretar***] ***la cuerda*** 手心を加える[締め付ける].
andar [***bailar***] ***en la cuerda floja*** 危ない橋を渡る.
bajo [***por debajo de***] ***cuerda*** こっそり, ひそかに.
cuerdas vocales 声帯.
dar cuerda a 《+ uno》〈人〉に水を向ける; その気にさせる.
estar con la cuerda al cuello のっぴきならない状態にいる.
ser de la misma cuerda 同じ穴の狢(むじな)である.
Siempre se rompe la cuerda por lo más delgado. 《諺》弱い者がいつも損をする.
tirar de la cuerda 図に乗る.
tocar la cuerda sensible いちばん痛い点に触れる.

cuer·do, da [kwérðo, ða クエルド, ダ] 形 正気の, 理性ある; 慎重な; 分別のある (↔loco).
—— 名男女 理性のある人.

cuer·no [kwérno クエルノ] 名男 **1** (動物の) 角, (シカの) 枝角.
2 (昆虫の) 触角.
3 角笛, ホルン. *cuerno* de caza 狩猟用らっぱ.
4 [~s]《口語》(妻を寝取られた男の印の) 角 (◆人差し指と小指を立てたこぶしで表

す). Le puso los *cuernos* a su marido. 彼女は浮気して夫をこけにした.

en los cuernos del toro 《口語》危険な状態に.

importar un cuerno 《口語》全然かまわない, 少しも重要でない.

irse al cuerno 《口語》駄目になる, 失敗に帰する.

levantar a 《+uno》 ***hasta*** [***sobre***] ***los cuernos de la Luna*** / ***poner a*** 《+uno》 ***en*** [***por***] ***los cuernos de la Luna*** 《口語》〈人〉を褒めそやす.

saber [***oler***] ***a cuerno quemado*** 《口語》不快感を与える; 不審を抱かせる. El rumor me *supo a cuerno quemado*. そのうわさを聞いて私はおかしいと思った.

¡Un cuerno! 《口語》《驚き・怒りを表して》とんでもない; まさか.

¡Váyase (***usted***) ***al cuerno!*** / ***¡Vete al cuerno!*** 《口語》くたばれ, とっととうせろ.

cue·ro [kwéro クエロ] 名男 **1** 革; なめし革 (= *cuero* curtido); zapatos de *cuero* 革靴. *cuero* artificial 人造皮革, レザー. ➡ piel. **2** 生皮; (人の) 皮膚. *cuero* cabelludo 頭皮. **3** (ぶどう酒・油などを入れる) 革袋 (= odre).

en cueros 《口語》裸の. *en cueros* vivos 丸裸の, 素っ裸の. dejar a 《+uno》 *en cueros* 〈人〉をすっからかんにする. quedarse *en cueros* すっからかんになる.

estar hecho un cuero 《口語》ぐでんぐでんに酔っ払っている.

cuer·po [kwérpo クエルポ] 名男 [複 ~s] 〔英 body〕

1 身体, 体; 肉体.
2 死体. velar toda la noche el *cuerpo* 通夜をする.
3 物体. *cuerpo* sólido 固体. *cuerpo* celeste 天体. *cuerpo* simple y compuesto 《化》単体と化合物.
4 本体, 主要部分. el *cuerpo* de una carta 手紙の本文. armario de dos *cuerpos* 2つの部分に分かれた[2段式]洋服だんす.
5 団体, 組織; 隊, 班. *cuerpo* de bomberos 消防隊. *cuerpo* diplomático 外交団. *cuerpo* docente 教授陣.

a cuerpo descubierto [***limpio***] 丸腰で, 身をさらして, 無防備で.

a medio cuerpo 腰まで.

cuerpo a cuerpo (1) 体と体をぶつけ合って. combate *cuerpo a cuerpo* 白兵戦; 格闘. (2) (口論で) 人身攻撃の.

dar con el cuerpo en tierra 倒れる.

dar cuerpo a ... …を具体化する.

de cuerpo entero 全身の.

de cuerpo presente (遺体が) 安置されて.

de medio cuerpo 上半身の; 体半分だけの.

en cuerpo y alma 《口語》身も心も, すっかり.

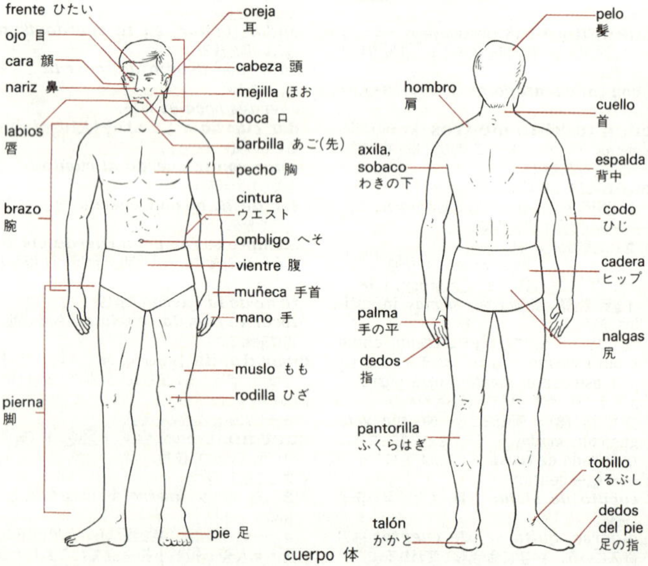

cuerpo 体

formar cuerpo con ... …と一体になる，合体する．
tomar cuerpo 具体化する．

cuer·vo [kwérβo クエルボ] 名男 〘鳥〙カラス(鳥)．

cuest- 動➡costar. [13 o ➡ ue]

cues·ta [kwésta クエスタ] 名女 坂，坂道；斜面 (= pendiente)．ir *cuesta* abajo [arriba] 坂を下る[上る]；《比喩》下り[上り]坂になる．
a cuestas (1) 背負って．(2) 責任を持って．tener a《+uno》*a cuestas*〈人〉を預かる，世話する．
cuesta de enero《口語》(クリスマスの散財による) 1月の金欠病．
en cuesta 傾斜して，坂になって．
hacerse a《+uno》***cuesta arriba***〈人〉にとってむずかしい[辛い]．
llevar a cuestas 背負って行く；(義務・責任・苦難などに) 耐えていく．
—— 動➡costar. [13 o ➡ ue]

cues·ta·ción [kwestaθjón クエスタシオン] 名女 募金．

cues·tión [kwestjón クエスティオン] 名女 [複 cuestiones]〔英 question〕
1 問題，論点；案件．*cuestión* salarial 給与問題．poner una *cuestión* sobre el tapete ある問題を議題にする．plantear una *cuestión* 疑問を投げかける．Eso es *cuestión* mía. それは私の問題だ，人の知ったことではない．Eso es otra *cuestión*. それは別の問題だ．►cuestión は究明すべき問題，pregunta は解答すべき質問，interrogatorio は尋問を意味する．
2 論争，係争．No quiero *cuestiones* con nadie. 私は誰ともごたごたを起こしたくない．
cuestión de ... 約…，ほぼ…．en *cuestión de* un par de meses 約2か月で．
en cuestión 当該の，話題の．autor *en cuestión* 問題の作者．
en cuestión de ... …に関しては．*en cuestión de* gusto 趣味に関しては．
La cuestión es [***está en***] ... 問題は…で[に]ある．*La cuestión es* salir de la crisis actual. 肝心なのは今のこの危機を脱することだ．
ser cuestión de ... …の問題である．

cues·tio·na·ble [kwestjonáβle クエスティオナブレ] 形 疑問の余地のある，議論[問題]になる (= discutible)．

cues·tio·nar [kwestjonár クエスティオナル] 動他 問題にする，論争する．
—— 動自 議論する．

cues·tio·na·rio [kwestjonárjo クエスティオナリオ] 名男 (アンケート・試験などの) 質問事項，質問表；問題集．

cue·va [kwéβa クエバ] 名女 **1** 洞窟(どうくつ)，洞穴．**2** 地下室；地下貯蔵室．

cuez- 動➡cocer. [34 c ➡ z ；35 o ➡ ue]

cui·da·do[1] [kwiðáðo クイダド] 名男 [複 ～s]〔英 care〕 **1 注意；配慮**．¡*Cuidado*! / ¡Ten *cuidado*! 気をつけろ．No hay [tenga] *cuidado*. / Pierda *cuidado*. 心配しないでください．poner *cuidado* en ... …に用心する．con *cuidado* 丹念に．sin *cuidado* うっかり；ぞんざいに．
2 世話；[～s] 看護．bajo el *cuidado* de ... …の世話を受けて．*cuidados* intensivos 集中治療．
3 心配，懸念．vivir libre de *cuidados* 気楽な生活を送る．estar con *cuidado* 心配している．**4** 責任，役目．
al cuidado de ... (1) …の世話になって；…を担当して．(2)《手紙》…様方[気付]《略 a/c》．*al cuidado de*l Sr. Pérez ペレス様方．
andar con cuidado 用心している．
¡Cuidado con ...! …に注意せよ．¡*Cuidado con* la pintura! ペンキ塗りたて注意．¡*Cuidado con* lo que dices! 言葉に気をつけろ．
de cuidado 要注意の．catarro *de cuidado* ひどい風邪．hombre *de cuidado* 危険人物．
dejar a《+uno》***el cuidado de***《+不定詞》…するのを〈人〉に任せる．
tener cuidado (1)《+**con, de**》…に注意する．*Ten cuidado con* los rateros. すりに気をつけなさい．(2)《+**con**》…の世話を焼く．(3)《+**de que** 接続法》…するよう注意する．*Ten cuidado de que* no entren aquí los niños. 子供たちがここへ入らないように気をつけなさい．
traer sin cuidado《口語》構わない，気にしない．Me *trae sin cuidado*. 僕はちっとも構わないよ．

cui·da·do[2]**, da** [kwiðáðo, ða クイダド，ダ] 過分 ➡ cuidar.
—— 形 入念な，手入れのよい．

cui·da·do·so, sa [kwiðaðóso, sa クイダドソ，サ] 形 **1**《+**con, de, en**》…に入念な，きちょうめんな．
2《+**de**》…が気にかかる．

cui·dar [kwiðár クイダル] 動他〔英 take care of〕 **1 …に注意を払う**．*cuidar* los detalles 細かいことに気を配る．
2 …の世話をする，看護する；手入れをする．María *cuida* mucho su jardín. マリアはよく庭の手入れをする．Hay que *cuidar* a los enfermos. 病人を看護しなければならない．
—— 動自 **1**《+**de**》…の世話をする，…の手入れをする．*cuidar de* los niños 子供たちの面倒を見る．
2《+**de que** 接続法》…するように注意する．*Cuide de* que no se lo digan a José. それがホセの耳に入らないように気をつけなさい．
—— **cui·dar·se** 体に気をつける．
cuidarse de ... …に注意する；…を心配

C

する，気にかける．
dejar de cuidarse 羽目を外す．
cui·ta [kwíta クイタ] 名女 心配；悲しみ (= pena).
cui·ta·do, da [kwitáðo, ða クイタド，ダ] 形 苦しんだ；不幸な．
── 名男女 受難者．
C
cu·la·da [kuláða クラダ] 名女 **1** しりもち．**2** 失言，失態．
cu·la·ta [kuláta クラタ] 名女 (銃の) 床尾；〖機械〗シリンダーヘッド；後部．
cu·la·ta·zo [kulatáθo クラタソ] 名男 銃尾での強打；(銃の発射の) 反動．
cu·la·zo [kuláθo クラソ] 名男 しりもち (= culada).
cu·le·bra [kuléβra クレブラ] 名女 〖動物〗ヘビ (蛇) (= serpiente).
hacer culebra ジグザグに歩く．
saber más que las culebras 《口語》実にずる賢い．
cu·le·bre·ar [kuleβreár クレブレアル] 動自 蛇行する．
cu·le·brón [kuleβrón クレブロン] 名男 俗 **1** (くだらない) 長編テレビドラマ，(昼に放映する) メロドラマ．**2** ずる賢い奴．
cu·li·na·rio, ria [kulinárjo, rja クリナリオ，リア] 形 料理 (法) の，調理の．
cul·mi·na·ción [kulminaθjón クるミナしオン] 名女 **1** 最高点，頂点；絶頂，極致．**2**〖天文〗(天体の) 子午線通過，正中．
cul·mi·nan·te [kulminánte クるミナンテ] 形 **1** 最高点の，絶頂の．**2**〖天文〗(天体が) 子午線上の，正中している．
cul·mi·nar [kulminár クるミナル] 動自 **1** 絶頂 [最高潮] に達する；ついに…となる．**2**〖天文〗(天体が) 子午線上にある，正中 [南中] する．
── 動他 (仕事などを) 終わらせる，最高潮にさせる．
cu·lo [kúlo クろ] 名男 **1** 《俗語》尻(しり)；肛門(こうもん)．caer(se) de *culo* しりもちをつく．
2 《口語》(器物の) 底，尻．
ir de culo 《俗語》慌ただしい，大わらわである．
lamer el culo a 《+uno》《俗語》〈人〉にへつらう．
ser culo [***culillo***] ***de mal asiento*** 《口語》尻の落ち着かない人である．
cu·lom·bio [kulómbjo クろンビオ] 名男〖電気〗クーロン：電気量，電荷《略 C》．
cul·pa [kúlpa クるパ] 名女 [複 〜s]〔英 fault, blame〕(過失の) **責任**，せい；罪，科(とが)．¿De quién es la *culpa*? いったい誰の責任だ？ La *culpa* es mía. それは私のせいだ．tener la *culpa* de ... …の責任がある．
echar la culpa a 《+uno》〈人〉に罪を着せる．
por culpa de ... …のせいで．Se enfadó *por culpa de* Juan. フアンのせいで彼は怒ったのだ．

【参 考】 **culpa** は広く法的・道徳的な違反．**falta** は過失，**delito** は刑法に触れる罪，**crimen** はふつう殺人などの重大な犯罪について言う．**pecado** は神の教えに反する罪．

cul·pa·bi·li·dad [kulpaβiliðáð クるパビリダ(ドゥ)] 名女 有罪．
cul·pa·ble [kulpáβle クるパブれ] 形 罪がある，責任がある；〖法律〗有罪の (↔ inocente). declarar *culpable* a 《+uno》〈人〉に有罪を宣告する．declararse *culpable* 有罪を認める．creerse *culpable* de 《+algo》〈何か〉に自分の責任があると思う．
── 名男女 罪のある人，責任を負うべき人；〖法律〗被告人；犯罪人．
cul·par [kulpár クるパル] 動他 《+**de**, **por**》…の罪を問う，…で訴える．
── 動自 《+**a**》…のせいにする．
cul·te·ra·nis·mo [kulteranísmo クるテラニスモ] 名男 **1**〖文〗文飾主義．→ gongorismo. **2** 気取った文体 [様式]．
cul·te·ra·no, na [kulteráno, na クるテラノ，ナ] 形 文飾主義の；気取った．
── 名男女 文飾主義の作家．
cul·tis·mo [kultísmo クるティスモ] 名男 **1**〖文〗〖文法〗教養語：ギリシア・ラテン語から取り入れた語．
2〖文〗文飾主義．→ culteranismo.
cul·ti·va·dor, do·ra [kultiβaðór, ðóra クるティバドル，ドラ] 形 耕作する．
── 名男女 耕作 [栽培] 者．
── 名女 耕耘(こううん)機．
cul·ti·var [kultiβár クるティバル] 動他 **1** 耕作する；栽培する；養殖する；培養する．*cultivar* hortalizas 野菜を栽培する．*cultivar* bacterias 細菌を培養する．
2 (能力・友情を) 育てる，はぐくむ．*cultivar* la amistad 親交を深める．
3 (学問・芸術を) 修める；専念する．
cul·ti·vo [kultíβo クるティボ] 名男 **1** 耕作；栽培；〖生物〗培養；[〜s] 作物．poner en *cultivo* 栽培する．**2** 育成，開発．
cul·to, ta [kúlto, ta クるト，タ] 形 **1** 教養のある；学問のある；気取った．palabra *culta* 教養語．
2 耕作した；栽培した．
── 名男 崇拝；信仰；礼拝；礼賛．*culto* a los santos 諸聖人への崇敬．*culto* de los antepasados 祖先崇拝．*culto* a la personalidad 個人崇拝．
rendir [***tributar***] ***culto a*** ... …を崇拝する；礼賛する．*rendir culto a* la valentía de 《+uno》〈人〉の勇気をたたえる．

cul·tu·ra

[kultúra クるトゥラ] 名女 [複 〜s]〔英 culture〕
1 **文化**．*cultura* clásica (ギリシア・ローマの) 古典文化．*cultura* latinoamericana ラテンアメリカ文化．
2 **教養**；修練．hombre de gran *cultura*

高い教養のある人. *cultura* general 一般教養.

cul·tu·ral [kulturál クるトゥラる] 形 文化の, 文化的な; 教養の.

cum·bre [kúmbre クンブレ] 名女 **1** 頂上, 山頂; 頂点 (= cima). Aconcagua es la *cumbre* más alta de los Andes. アコンカグアはアンデス山脈の最高峰である. *cumbre* de la gloria 栄光の極み.
2 首脳会談, サミット.

cum·ple·a·ños [kumpleáɲos クンプれアニョス] 名男 [単・複同形] 〔英 birthday〕 **誕生日**. ¡Feliz *cumpleaños*! 誕生日おめでとう. Celebramos el día seis el quinto *cumpleaños* de la pequeña. 6 日に末娘の 5 歳の誕生日を祝います. ¿Qué le vas a regalar para su *cumpleaños*? 彼の誕生日に何をプレゼントする?

cum·pli·do, da [kumplíðo, ða クンプりド, ダ] 過分 → cumplir.
—— 形 **1** 完了した; 実現した. tener veinte años *cumplidos* 満20歳である.
2 礼儀正しい, 丁重な. persona muy *cumplida* 義理堅い人.
—— 名男 **1** 礼儀; 儀礼.
2 賛辞 (= alabanza).
de cumplido 儀礼上の, 義理の.
por cumplido 儀礼的に.
sin cumplidos 非公式の[に]

cum·pli·dor, do·ra [kumpliðór, ðóra クンプりドル, ドラ] 形 信頼できる, 務めを果たす. —— 名男女 信頼できる人, 義務を果たす人.

cumpliendo 現分 → cumplir.

cum·pli·men·tar [kumplimentár クンプりメンタル] [42 e → ie] 動他 **1** 祝福する (= felicitar). **2** 表敬訪問する.
3 (命令を) 遂行する.

cum·pli·mien·to [kumplimjénto クンプりミエント] 名男 **1** 遂行; 成就. **2** 礼儀; 褒め言葉. de [por] *cumplimiento* 礼儀として.
3 完了; (期限の) 満了, 満期.
en cumplimiento de ... …に従って, 応じて.

cum·plir [kumplír クンプりル] 動他 [現分 cumpliendo; 過分 cumplido, da] 〔英 carry out〕 **1 果たす, 遂行する**. *cumplir* el servicio 兵役を終える. *cumplir* condena 刑を務める. *cumplir* sus compromisos 取り決めを実行する.
2 …**歳になる**. El mes que viene mi hijo va a *cumplir* veinte años. 来月息子は20歳になります.
—— 動自 **1** 約束を守る; 務めを果たす. No *cumple* y habrá que despedirla. 彼女は仕事をしない, だから首にすべきだろう.
2 《+**con**》…を果たす, 守る, 満たす; …に義理 [礼儀] を尽くす. *cumplir con* sus obligaciones 義務を果たす. *cumplir con* los requisitos 必要条件を満たす. *cumplir con* la Iglesia [*con* Dios] 宗教上の義務を果たす. *cumplir con* todos 皆に義理を尽くす.
3 満期になる; 〘軍事〙兵役を終える. El pagaré *cumple* pasado mañana. 約束手形は明後日で満期になる.
4 都合がよい, …すべきである (= convenir). Creo que no *cumple* vender el coche ahora. 私は今車を売らない方がよいと思う. ► 3 人称単数で使われる.
—— **cum·plir·*se*** **1** 果たされる; かなえられる. *Se cumplieron* sus pronósticos. 彼の予言どおりになった.
2 期限が来る. A finales de este mes *se cumple* el plazo. 今月末に期限が来る.
por* [*para*] *cumplir
儀礼的に, お義理で.

cú·mu·lo [kúmulo クムろ] 名男 **1** 山積み; 多数, 多量. **2** [~s] 〘気象〙積雲.

cu·na [kúna クナ] 名女 **1** 揺りかご; 幼児用ベッド.
2 出生地, 揺籃(ようらん)の地; 幼時. *cuna* de la civilización 文明発祥の地. Ha sido músico desde su misma *cuna*. 彼は生まれながらの音楽家だ.
3 血筋, 家柄 (= estirpe). criarse en buena *cuna* 名門の出である. de ilustre *cuna* 名門の.

cun·dir [kundír クンディル] 動自 **1** 広がる (= propagarse). *Cundió* el pánico entre el vecindario. 住民たちの間にパニックが生じた.
2 成果を上げる; はかが行く (= rendir). Por la mañana le *cunde* más el trabajo. 彼は午前中のほうが仕事がはかどる.
3 膨れる.

cu·nei·for·me [kuneifórme クネイフォルメ] 形 くさび形の; くさび形 [楔形(せっけい)] 文字の.

cu·ne·ta [kunéta クネタ] 名女 **1** (道路の) 側溝; 路肩. **2** 〘築城〙空濠(からぼり)の排水溝.

cu·ña [kúɲa クニャ] 名女 **1** くさび; くさび状のもの; 車輪止め.
2 《口語》後ろだて; 有力者.
3 〘ラジオ〙〘テレビ〙スポット (コマーシャル).
meter cuña 不和を引き起こす.

cu·ña·do, da [kuɲáðo, ða クニャド, ダ] 名男女 [複 ~s] 〔英 brother [sister]-in-law〕 **義兄弟**, 小舅(こじゅうと); **義姉妹**, 小姑(こじゅうとめ).

cu·ño [kúɲo クニョ] 名男 (貨幣・メダルの) 打ち型; 刻印; 痕跡(こんせき).
de buen cuño 本物の, 確かな.
de nuevo cuño 最近の.

cuo·ta [kwóta クオタ] 名女 割り当て; 納付金, 会費; 料金.

cup- 動 → caber. 9

cu·pé [kupé クペ] 名男 **1** クーペ型自動車.
2 クーペ型馬車: 2 人乗り 4 輪有蓋(ゆうがい)馬車.

cu·pi·do [kupíðo クピド] 名男 **1** 漁色家, 女好き. **2** [C-] 〘ローマ神話〙 キューピッド: 恋愛の神. ギリシア神話の Eros.
cu·plé [kuplé クプれ] 名男 歌謡, 俗謡.
cu·ple·tis·ta [kupletísta クプれティスタ] 名男女 cuplé の歌手.
cu·po [kúpo クポ] 名男 **1** 賦課(金), 割り当て分 (= cuota).
2 〘軍事〙 (市・町・村ごとの) 徴兵の割り当て人数. **3** 〘商業〙 割り当て(量).
cu·pón [kupón クポン] 名男 **1** 券, クーポン. **2** (宝くじの) 券. *cupón* de la O.N.C.E. スペイン盲人協会の宝くじ. **3** 〘商業〙 (債券の) 利札.
cu·prí·fe·ro, ra [kuprífero, ra クプリフェロ, ラ] 形 銅を含む.
cú·pu·la [kúpula クプら] 名女 **1** 〘建築〙 丸屋根, ドーム. **2** 〘植物〙 殻斗(かくと): ドングリなどの堅い総包.

cu·ra [kúra クラ] 名男 [複 ~s] 〔英 priest〕 《口語》 **司祭**, 神父. *cura* párroco 教区主任司祭. casa del *cura* 司祭館. ► 一般に呼びかけでは señor *cura* と言う.
— 名女 〔英 care〕 **1** 治療 (法); 手当 (用品). primera *cura* 応急手当. ponerse en *cura* 治療を受ける.
2 治癒, 回復. *cura* milagrosa 奇跡的な回復.
— 動 ➡ curar.
alargar la cura 事を不必要に長びかせる.
cura de almas 魂の救済; 主任司祭としての務め.
tener cura 治療できる. no *tener cura* 《口語》 手の施しようがない.
cu·ra·ción [kuraθjón クラしオン] 名女
1 治療. **2** 治癒, 回復.
3 〘医〙 (包帯など外傷用) 手当用品.
4 燻製(くんせい), (食品の) 保存処理.
cu·ra·do, da [kuráðo, ða クラド, ダ] 過分 ➡ curar.
— 形 **1** 平癒した, 治った.
2 《+de》 …に平気な, 慣れっこの.
3 (燻製(くんせい)・塩漬けなどの) 保存処理された; (皮が) なめされた.
— 名男 **1** 保存処理すること.
2 皮のなめし.
cu·ran·de·ro, ra [kurandéro, ra クランデロ, ラ] 名男女 **1** 偽医者. **2** 祈禱(きとう)師.
curando 現分 ➡ curar.

cu·rar [kurár クラル] 動他 [現分 curando; 過分 curado, da] 〔英 cure〕 **1 治療する**, 治す. *Curaron* al enfermo con antibióticos. 患者は抗生物質で治った. *curar* una herida 傷の手当をする.
2 (肉・魚を) 保存加工する; (皮を) なめす; (木材を) 寝かす.
3 (麻布を) 漂白する.
— 動自 治癒する; 《+de》 …から回復する. *Curó* en un mes. 彼は1か月で回復した.
— **cu·rar·se** (病気・傷が) 治る; (健康を) 回復する. *curarse* de la gripe 流感が治る. ➡ enfermedad 【参考】.
curarse en salud (大事に至らぬよう) 早目に手を打つ.
cu·ra·sa·o [kurasáo クラサオ] / **cu·ra·za·o** [-θáo -さオ] 名男 キュラソー. ◆キュラソー島 Curazao 産のオレンジを原料としたリキュール.
cu·ra·ti·vo, va [kuratíβo, βa クラティボ, バ] 形 病気に効く, 治療用の.
cu·ra·to [kuráto クラト] 名男 〘カトリック〙
1 主任司祭職.
2 (小) 教区, 司祭管区 (= parroquia).
cur·do, da [kúrðo, ða クルド, ダ] 形 クルド族[語]の (= kurdo).
— 名男女 クルド族.
— 名男 クルド語.
cu·ria [kúrja クリア] 名女 **1** 〘カトリック〙 聖庁. *Curia* Romana ローマ教皇庁.
2 〘法律〙 《集合》 法曹界; 裁判所, 法廷.
curiosa 形名女 ➡ curioso.
cu·rio·sa·men·te [kurjósaménte クリオサメンテ] 副 物珍しそうに; 不思議にも, 奇妙なことに.
cu·rio·se·ar [kurjoseár クリオセアル] 動自他 詮索(せんさく)する, かぎ回る.
cu·rio·si·dad [kurjosiðáð クリオシダ(ドゥ)] 名女 [複 ~es] 〔英 curiosity〕 **1 好奇心**, 穿鑿(せんさく)好き. por *curiosidad* 好奇心から. tener *curiosidad* por ... …したがる.
2 [普通 ~es] 珍奇なもの; 骨董(こっとう)品.
3 几帳面(きちょうめん)さ, 潔癖さ.
cu·rio·so, sa [kurjóso, sa クリオソ, サ] [複 ~s] 形 〔英 curious〕 **1** 《+**por, de**》 **…への好奇心が強い**, …を知りたがる. estar *curioso por* conocer la verdad 真実を知りたがっている. *curioso de* noticias 知りたがり屋の.
2 奇妙な, 変な, 変わった. un espectáculo *curioso* 珍しい見せ物. Es un tipo *curioso*. 彼は変なやつだ.
3 きちょうめんな; 清潔好きな. No es nada *curioso* en el vestir. 彼は服装に無頓着(むとんじゃく)だ.
— 名男女 **1** 見物人, 野次馬.
2 穿鑿(せんさく)好きな人, お節介屋.
cu·rrí·cu·lo [kuříkulo クリクろ] 名男
1 カリキュラム. **2** ➡ currículum vitae.
cu·rrí·cu·lum vi·tae [kuříkulumbítae クリクるンビタエ] 名女 履歴書 (= historia personal). [←ラテン語]
cur·sa·do, da [kursáðo, ða クルサド, ダ] 過分形 経験を積んだ, 熟知した.
cur·sar [kursár クルサル] 動他 **1** …の課程を修める, …の講義[授業]を受ける.
2 (申請を) 取り扱う, 受理する.
3 (命令などを) 伝える, 伝達する, 送る.
4 しばしば訪れる (= frecuentar).

cur·si [kúrsi クルシ] 形《口語》上品ぶった, きざな; わざとらしい. —— 名男女《口語》上品ぶった人, きざな人.

cur·si·la·da [kursiláða クルシラダ] 名女《口語》きざな行為.

cur·si·le·rí·a [kursilería クルシレリア] 名女《口語》これ見よがし; 気取り; きざ.

cur·si·llis·ta [kursiʎísta クルシリィスタ] 名男女聴講生, 受講生; 研修生.

cur·si·llo [kursíʎo クルシリョ] 名男 [curso の小] **1** 短期講座; 補講.
2 実習(期間).

cur·si·vo, va [kursíβo, βa クルシボ, バ] 形(書体が)イタリック体の.
—— 名女イタリック体(活字).

cur·so [kúrso クルソ] 名男 [複 ~s] [英 course]
1 課程, 講義, 講座, コース. dar un *curso* de filosofía 哲学の講義を行う. *curso* intensivo [por correspondencia] 集中[通信]講座. *curso* abierto al público 公開講座. *curso* de verano para extranjeros 外国人向け夏期講座.
2 学年度(=*curso* académico). apertura de(l) *curso* 新学期の開講. tercer *curso* 第3学年.
3 経過, 推移. el *curso* de astro 天体の運行. el *curso* de la historia 歴史の流れ. en el *curso* de la semana 1週間の間に.
4 流れ. el *curso* de río 川の流れ.
5〘商業〙(貨幣の)流通, 通用.
dar curso a《+algo》〈何か〉を扱う, 処理する.
dar libre curso a《+algo》〈何か〉に身を任せる. *dar libre curso a* su cólera 怒りに身を任せる.
en curso 進行中で[の]. el año *en curso* 今年. asuntos *en curso* 検討中の諸問題.
en curso de … …が進行中で. El asunto está *en curso de* revisión. その件は再検討中である. *en curso de* realización (仕事などが)進行中で.
seguir su curso(物事が)順調に運ぶ.

cur·sor [kursór クルソル] 名男(コンピュータなどの)カーソル; (計算尺の)カーソル.

cur·ti·do, da [kurtíðo, ða クルティド, ダ] 過分形 **1** 日に焼けた. **2** 経験を積んだ, 老練な; 鍛えられた. **3** (皮が)なめされた.
—— 名男(皮の)なめし; [~s]なめし革.

cur·ti·dor [kurtiðór クルティドル] 名男 皮なめし職人.

cur·tir [kurtír クルティル] 動他 **1** (皮を)なめす. **2** (皮膚を)日に焼く.
3 (辛苦に)耐えさせる.
—— **cur·tir·*se*** **1** 日に焼ける.
2 (辛苦に)耐える; 経験を積む.

cur·va [kúrβa クルバ] 名女 [複 ~s] [英 curve] **1 曲線**; 曲線グラフ. *curva* de natalidad 出生率のグラフ. *curva* de nivel 等高線, 等深線.
2 カーブ, 湾曲部. *curva* cerrada 急カーブ.

cur·var [kurβár クルバル] 動他 曲げる.
—— **cur·var·*se*** 曲がる.

cur·va·tu·ra [kurβatúra クルバトゥラ] 名女湾曲; 曲げること.

cur·vi·lí·ne·o, a [kurβilíneo, a クルビリネオ, ア] 形 曲線の. ►「直線の」は rectilíneo.

cur·vo, va [kúrβo, βa クルボ, バ] 形 曲がった.

cus·cu·rro [kuskúr̄o クスクロ] 名男 (パンの)固い皮.

cús·pi·de [kúspiðe クスピデ] 名女頂上, 絶頂. ➡ cumbre.

cus·to·dia [kustóðja クストディア] 名女
1 保管, 保護. bajo la *custodia* de … …の保護監督のもとで. **2** 管理者, 保護者, 監視人. **3**〘カトリック〙聖体顕示台.

cus·to·diar [kustoðjár クストディアル] 動他 保管する; 監視する; 保護する (= guardar, vigilar).

cus·to·dio [kustóðjo クストディオ] 名男 保護者; 管理者, 監視人.
—— 形[男性形のみ]保護する, 守護の.

cu·tá·ne·o, a [kutáneo, a クタネオ, ア] 形 皮膚の.

cu·tis [kútis クティス] 名男 [単・複同形] (顔の)皮膚.

cu·yo, ya [kujo, ja クヨ, ヤ] 形《所有を表す関係形容詞》[複 ~s] [英 whose, of which] **その**. la casa *cuyo* tejado es rojo 屋根の赤い家. el niño *cuyos* padres [*cuyo* padre y madre] están en Madrid 両親がマドリードにいる子供. por *cuya* causa そうした理由で.

> 【文 法】 **cuyo** は関係代名詞+形容詞の働きをするので, 上記の用例は la casa *de la que* el tejado es rojo, el niño *de quien* los padres están en Madrid と言い換えられる. cuyo を使うと文語調の堅い表現になる. cuyo は後に続く名詞に性・数一致する.

cuz·que·ño, ña [kuθkéɲo, ɲa | kus- クスケニョ, ニャ | クス-] 形 (ペルーの) クスコ Cuzco の.
—— 名男女クスコの住民.

D d 𝒟 𝒹

D, d [dé デ] 名女 **1** スペイン語字母の第4字. **2** [D] (ローマ数字の) 500.
D. 《略》 Don ドン.
D.ª 《略》 Doña ドニャ.
da 動→dar. 16
dac·ti·lar [daktilár ダクティらル] 形 指の.
dac·ti·lo·gra·fí·a [daktiloγrafía ダクティろグラフィア] 名女 タイプライティング.
dac·ti·los·co·pia [daktiloskópja ダクティろスコピア] 名女 指紋鑑定.
dad 動→dar. 16
dada 過分 女→dar.
—— 形 女→dado².
da·da·ís·mo [daðaísmo ダダイスモ] 名男 ダダイズム, ダダ. ◆第1次大戦末期ヨーロッパに起こった前衛的な芸術運動.
dá·di·va [dáðiβa ダディバ] 名女 贈与; 贈り物.
da·di·vo·so, sa [daðiβóso, sa ダディボソ, サ] 形 気前のよい, 物惜しみしない.
da·do¹ [dáðo ダド] 名男 さいころ; [~s] 《遊戯》 ダイス. echar los *dados* ダイスを振る. echar 《+algo》 a los *dados* 〈何か〉をさいころで決める.
da·do², da [dáðo, ða ダド, ダ] 過分 → dar.
—— 形 **1** 所定の. en un caso *dado* ある場合に.
2 《+**a**》 …にふけった, …が好きな; …の傾向のある. *dado a* la bebida 酒におぼれた[て]. **3** (時刻が) 過ぎた. Son las doce *dadas*. もう12時を回っている.
dado 《+名詞》 …を考慮して. *dada* su timidez 彼の内気さを考えれば. *dadas* estas circunstancias こうした状況から.
dado que ... 《+直説法》 …であるから; 《+接続法》 …であるならば. *Dado que* llegues a tiempo, te llevaré. 時間までに来れば連れていってあげるよ. *Dado que* ya es tarde, vamos a despedirnos. もう遅いので失礼しましょう.
da·ga [dáγa ダガ] 名女 短剣.
da·gue·rro·ti·po [daγer̄otípo ダゲロティポ] 名男 《写真》 銀板写真 (機).
dais 動→dar. 16
Da·lí [dalí ダり] 固名 ダリ, Salvador (1904–89): スペインの画家.
da·lia [dálja ダりア] 名女 《植物》 ダリア.
dal·tó·ni·co, ca [daltóniko, ka ダるトニコ, カ] 形 《医》 色覚異常の.
—— 名男女 色覚異常の人.
dal·to·nis·mo [daltonísmo ダるトニスモ] 名男 《医》 色覚異常.

da·ma [dáma ダマ] 名女 [複 ~s] 〔英 lady〕 **1 貴婦人**, 淑女; **婦人**, 女性 (►mujer より丁寧ないい方. ↔ caballero). La *Dama* de Elche エルチェの貴婦人像 (◆スペイン Alicante 県 Elche で出土した先ローマ時代の胸像). ser una *dama* (少女が) もう一人前の大人である; 貴婦人然としている.
2 侍女, 女官. **3** 意中の女性, マドンナ.
4 《演劇》 女優. primera [segunda] *dama* 主演[助演]女優. *dama* joven 娘役の女優. **5** 《遊戯》 (チェッカーの) 成り駒, キング; (チェスの) クイーン (→ ajedrez 図); [普通 ~s] チェッカー. tablero de *damas* チェッカー盤.
dama de honor 侍女, 女官; 花嫁に付き添う若い女性; (美人コンテストの) 1位以外の入賞者.
da·ma·jua·na [damaxwána ダマフアナ] 名女 (柳細工で包んだ) 細首の大瓶.
da·mas·co [damásko ダマスコ] 名男 ダマスク織り, 緞子(どんす).
da·mas·qui·na·do [damaskináðo ダマスキナド] 名男 金[銀]の象眼細工.
da·mi·se·la [damiséla ダミセら] 名女 気取った娘; 《皮肉》 お嬢さん; 娼婦(しょうふ).
dam·ni·fi·ca·do, da [damnifikáðo, ða ダムニフィカド, ダ] 形 損傷した.
—— 名男女 被害者, 罹災(りさい)者.
dam·ni·fi·car [damnifikár ダムニフィカル] [8 c → qu] 動他 損傷を与える.
dan 動→dar. 16
dan·di [dándi ダンディ] 名男 ダンディー, しゃれ者.
dando 現分 → dar.
da·nés, ne·sa [danés, nésa ダネス, ネサ] 形 デンマーク Dinamarca の (= dinamarqués).
—— 名男女 デンマーク人.
—— 名男 **1** グレートデン (犬).
2 デンマーク語.
Da·niel [danjél ダニエる] 固名 **1** ダニエル: 男性の名. **2** 《聖書》 預言者ダニエル; (旧約の) ダニエル書.
dan·tes·co, ca [dantésko, ka ダンテスコ, カ] 形 (イタリアの詩人) ダンテ Dante の; 身の毛のよだつ.
Da·nu·bio [danúβjo ダヌビオ] 固名 el *Danubio* ダニューブ[ドナウ]川.
dan·za [dánθa ダンさ] 名女 **1** ダンス, 舞踏. *danza* folklórica 民俗舞踊.
2 《口語》 厄介; もめ事.
estar en danza じっとしていない; 厄介

なことに巻き込まれている.

dan·zar [danθár ダンさル] [39 z → c] 動他 踊る. *danzar* una habanera ハバネラを踊る. ► 一般には bailar を用いる.
—— 動自 **1** 踊る; 揺れ動く. **2** 《口語》動き回る; わたり歩く.

dan·za·rín, ri·na [danθarín, rína ダンさリン, リナ] 名男女 舞踊家, ダンサー.

da·ñar [daɲár ダニャル] 動他 損なう, 傷つける. ► 直接目的語の前に a を伴うことがある. Los golpes *han dañado* (a) las manzanas. ぶつかってリンゴが傷んだ. *dañar* las cosechas 作物に被害をもたらす. *dañar* su reputación 評判を落とす.
—— **da·ñar·*se*** 損なわれる, 傷つく.

da·ñi·no, na [daɲíno, na ダニィノ, ナ] 形 有害な.

da·ño [dáɲo ダニョ] 名男 [複 ~s] 〔英 damage, harm〕
1 損害, 被害. reparar el *daño* 損傷を修復する. *daño* causado por el granizo 降雹(こうひょう)による損害. *daños* y perjuicios 《法律》損害賠償(金).
2 痛み, 苦痛; 病気.
hacer daño (1) …が痛む. Me *hace daño* el zapato. 私は靴が当たって痛い. (2) 有害である; (食べ物が) 消化不良を起こさせる. La tormenta *hizo daño* a los habitantes de aquella zona. 嵐(あらし)はその地域の住民に被害を与えた. Beber tanto alcohol te *hace daño*. 過度の飲酒は体によくない. (3) 傷つける, 侮辱する. Sus palabras me *hicieron daño*. 彼の言葉に私は傷ついた.
hacerse daño けがをする, 負傷する; ぶつける. ¿*Te has hecho daño*? 君, けがしたの?

da·ño·so, sa [daɲóso, sa ダニョソ, サ] 形 《+**para**》…に有害な. *dañoso para* la salud 健康に悪い.

dar [dár ダル] 16 動他 [現分 dando; 過分 dado, da]
〔英 give〕 **1 与える**, 渡す. ¿Me *da* un vaso de leche? 私に牛乳を1杯くれませんか. *Da*me ese libro. その本をとってくれ. Le *he dado* dos días de descanso. 私は彼に2日間の休暇を与えた.
2 (動作・行為を) する. *dar* un paseo 散歩する. *dar* una bofetada パンチを一発くらわす. *dar* una conferencia 講演する. *Dio* muchas vueltas mientras bailaba. 彼は踊りながらくるくる回った.
3 言う; 伝える; 示す. *dar* las gracias ありがとうと言う. *dar* las buenas noches お休み [今晩は] と言う. La radio *dio* la noticia del golpe de Estado. ラジオはクーデターを報じた.
4 開く, 催す; 上映[上演]する. *Han dado* un banquete de boda fabuloso. 彼らは豪華な結婚披露宴を開いた. Esta noche van a *dar* un reportaje sobre Siberia en televisión. 今晩テレビでシベリアについてのルポ番組が放映される.

直説法	
現在	**未来**
1・単 ***doy***	1・単 **daré**
2・単 **das**	2・単 **darás**
3・単 **da**	3・単 **dará**
1・複 **damos**	1・複 **daremos**
2・複 ***dais***	2・複 **daréis**
3・複 **dan**	3・複 **darán**
点過去	**線過去**
1・単 ***di***	1・単 **daba**
2・単 ***diste***	2・単 **dabas**
3・単 ***dio***	3・単 **daba**
1・複 ***dimos***	1・複 **dábamos**
2・複 ***disteis***	2・複 **dabais**
3・複 ***dieron***	3・複 **daban**

接続法	命令法
現在	2・単 **da**
1・単 ***dé***	2・複 **dad**
2・単 **des**	
3・単 ***dé***	
1・複 **demos**	
2・複 ***deis***	
3・複 **den**	

5 供給する; もたらす, 生む. El río *da* agua a la ciudad. 町はその川から水を引いている. No *des* la luz todavía. まだ電気をつけないでくれ. Esta vaca ya no *da* leche. この牛はもう乳が出ない.
6 (ある感情を) 起こさせる. Me *da* pena ver a esos huérfanos. 私はかわいそうであの孤児たちを見ていられない. A María le *da* miedo andar sola por la noche. マリアは怖くて夜1人で外出できない.
7 《+**por** 形容詞・過去分詞》…と見なす. *dar por* concluida una cosa あることが終わったと考える. Le *dan por* muerto. 彼は死んだと思われている.
8 (時を) 打つ. El reloj acaba de *dar* las tres. 時計が今3時を打ったところだ.
9 (トランプで) (カードを) 配る. ¿A quién le toca *dar* (las cartas)? 今度の親は誰?
—— 動自 **1** 《+**a**》(1) …に面する. Esta ventana *da a* la calle. この窓は通りに面している. (2) …を操作する. *dar a* la manilla hacia la derecha 右にノブを回す. *Dale a* la luz. 明かりをつけなさい.
2 《+**con**》…にばったり出会う; …を見つける. *Dimos con* su hermana en el pasillo. 私たちは廊下で彼の妹に出くわした. No *doy con* la palabra adecuada. 私は適切な言葉が見当たらない.
3 《+**en**》…に固執する, …に徹する. Todos *han dado en* pensar que esto no puede seguir así. 全員がこのままではだめだという考えにかたまった.

4 《+**en, contra**》…に当たる, …にぶつかる; 《+**con**》…をぶつける. Le *ha dado* la pelota *en* el brazo izquierdo. ボールが彼の左腕に当たった. *dar con* la cabeza *contra* la pared 壁に頭をぶつける. *dar con* la puerta *en* la cara 人の鼻先でドアをぴしゃりと閉める. *dar con* el codo ひじでつつく. *dar con* 《+algo》 *en* tierra [el suelo] 〈何か〉を地面[床]に落とす[倒す].

5 (発作・感情などが) 起こる. Le *ha dado* un ataque cardíaco. 彼は心臓発作に見舞われた. Me *dan* muchas ganas de marcharme. 私は帰りたくてしかたがない.

6 (時報が) 鳴る. Acaban de *dar* las tres. 今3時を打ったところだ.

—— **dar·*se*** **1** 《+**a**》 (1) …に没頭する, …にふける; 《+不定詞》 過度に…する. *darse a*l estudio 研究に打ち込む. *darse a* la bebida 酒におぼれる. (2) 《+不定詞》 自分を…させる. *darse a* conocer 自分の素性を知らせる. *darse a* entender 自分を分かってもらう[誇示する].

2 《+**por** 形容詞・過去分詞》 自分を…と見なす. *darse por* vencido 負けたと自認する. no *darse por* enterado 知らない振りをする.

3 起こる. *Se da* pocas veces un fenómeno como éste. こうした現象はめったに起きない.

4 被る, 感じる; ぶつかる (= golpearse). *darse* un chasco [un susto] がっかり[ぎょっと]する. El niño *se* ha *dado* un golpe con la mesa. その子はテーブルにぶつかった.

¡Dale! しつこいな, くどい, いい加減にしろ!

dale que dale / dale que te pego くどくどと, またしても.

dar algo por 《+不定詞》 ぜひとも…したい. Yo *daría algo por* tenerlo. 私は何とかそれを手に入れたいものだ. ▶ 可能形で用いられる.

dar de ... (1) *dar de* puñaladas めった刺しにする. *dar de* patadas 何度も足げりをくらわす. (2) *dar de* espaldas [bruces] あおむけ[ばったり前]に倒れる. (3) *dar de* comer [beber] 食べ物[水・飲み物]を与える. (4) *dar de* betún 靴墨を塗る.

dar de sí 伸びる.

dar igual [***lo mismo***] どちらでも同じだ. Me *da igual*. 私はべつにかまわないよ.

dar a 《+uno》 ***por*** ... 〈人〉が…に熱中する. *A* Pedro *le ha dado por* el griego. ペドロはギリシア語に打ち込み始めた.

dar que decir [***hablar***] うわさの種になる.

dar que hacer 手こずらせる.

dar que pensar 疑惑を抱かせる.

dársela a 《+uno》 〈人〉をだます. *Me la dieron*. 私はだまされた.

dárselas de ... …の振りをする, …を気取る.

ir a dar algo a 《+uno》 《口語》 〈人〉の頭が変になる, かんしゃくを起こす. No te pongas así, que *te va a dar algo*. そんなにかっかすると今にぷっつんするぞ.

no dar para más それ以上やっても効果がない. Estoy cansadísimo. *No doy para más*. ああ, 疲れた. もう限界だ.

¿Qué más da? / ¿Qué se me [***te***] ***da?*** それがどうだと言うんだ.

dar·do [dárðo ダルド] 名男 投げ槍(やり); 〘遊戯〙 ダート.

dár·se·na [dársena ダルセナ] 名女 〘海事〙 ドック, 船渠(きょ).

dar·vi·nis·mo [darβinísmo ダルビニスモ] 名男 ダーウィニズム, 進化論.

dar·vi·nis·ta [darβinísta ダルビニスタ] 形 (英国の博物学者) ダーウィン Darwin (1809–82) の, 進化論の. —— 名男女 進化論者.

da·ta [dáta ダタ] 名女 (文書の) 日付と発信地[作成地]; 日時と場所.

de larga data はるか昔の.

da·tar [datár ダタル] 動他 **1** …に日付を記入する. **2** …の年代を特定する.

—— 動自 《+**de**》 …から始まる. Nuestra amistad *data de* la infancia. われわれは子供のころからの付き合いだ.

dá·til [dátil ダティる] 名男 **1** 〘植物〙 ナツメヤシ (の実). **2** [~es] 《口語》 手の指.

da·ti·vo [datíβo ダティボ] 名男 〘文法〙 与格.

da·to [dáto ダト] 名男 [複 ~s] 〔英 data〕 **資料, データ**. *datos* personales 個人データ. banco de *datos* データ・バンク.

Da·vid [daβíð ダビ(ドゥ)] 固名 **1** ダビ: 男性の名. **2** 〘聖書〙 ダビド, ダビデ: 第2代イスラエル王.

Dcha., dcha., d^{cha} 《略》 derecha 右.

d.de (J.) C. 《略》 después de Jesucristo 西暦紀元 (↔ a. de (J.) C.).

de [dé デ] 名女 アルファベットの d の文字[音].

de [de デ] 前 [定冠詞 el と結合して del となる (▶el が固有名詞の一部の場合は de El Escorial のように切り離す)] 〔英 of, from〕 **1** 《所有・帰属を表して》 **…の**. ¿*De* quién es este sombrero? — Es *de* Pablo. この帽子は誰のですか. —パブロのです. jardín *de* mi casa 我が家の庭. Madrid es la capital *de* España. マドリードはスペインの首都だ.

2 《起点・出身を表して》 **…から; …の出身の**. Vengo *de* la estación. 私は駅から来た. levantarse *de*l suelo 床から立ち上がる. Soy *de* Tokyo. 私は東京の出身です.

3 《材料・材質を表して》 **…でできた**; …製の. camisa *de* seda 絹のワイシャツ. un edificio hecho *de* ladrillos レンガ作りの建物.

4 《内容・数量を表して》…の，…の入った．una botella *de* cerveza ビール 1 本．un libro *de* cien páginas 100ページの本．
5 《種類・用途・性質・特徴を表して》máquina *de* afeitar シェーバー．reloj *de* pulsera 腕時計．moneda *de* cien pesetas 100ペセタ硬貨．clase *de* español スペイン語の授業．hombre *de* mucha habilidad 辣腕(らつわん)家．problema *de* suma importancia 最重要課題．un hombre *de* mediana edad, *de* pelo blanco 中年の白髪の男性．
6 《主題を表して》**…について(の)**，…に関して(の)．¿*De* quién [qué] hablas? 君は誰[何]について話をしているのか．
7 《職業を表して》…として．trabajar *de* camarero ウエーターの仕事をする．
8 (1) 《行為者を表して》…の，…による．una novela *de* Cervantes セルバンテスの小説．llegada *de*l avión 飛行機の到着．(2) 《受け身表現で》…によって．rodeado *de* todos 皆に囲まれて．cubierto *de* nieve 雪で覆われた．
9 《目的を表して》…の，…に対する．construcción *de* hoteles ホテルの建設．miedo *de* morirse 死の恐怖．
10 《部分を表して》…のうちで[の]．algunos *de* ellos 彼らのうちの数人．una *de* sus mejores obras 彼の最高傑作の 1 つ．Ésta es la casa más antigua *de* la ciudad. これはこの町でいちばん古い家だ．
11 《行き先を表して》…への，…に至る．(en camino) *de* vuelta a casa 家に帰る途中で．el tren *de* Madrid マドリード行きの列車．
12 《時間，年月日を表して》trabajar *de* noche 夜間に働く．hacerse *de* día 夜が明ける．*De* niño aprendí a montar a caballo. 私は子供のころ乗馬を習った (►「子供のころから」は desde niño)．a las cinco *de* la mañana 朝の 5 時に．el día siete *de* junio *de* 1993 1993年 6 月 7 日．
13 《同格を表して》…という．el mes *de* agosto 8 月．en la Ciudad Condal *de* Barcelona (伯爵領だった都市すなわち) バルセロナ市で．
14 《比喩を表して》…のような．silencio *de* muerte 深い静寂．mano *de* nieve 白い[冷たい]手．
15 《原因・理由・動機を表して》…で．morir *de* hambre 餓死する．Se enfermó *de* tanto beber. 彼は飲みすぎで病気になった．ir *de* compras 買い物に行く．
16 《様態・手段・方法を表して》estar *de* buen humor 上機嫌である．ir *de* pie 立って行く．vivir *de* limosna 物乞(ものご)いをして暮らす．*de* esta manera このようにして．leer [beber] *de* un tirón 一気に読む[飲む]．
17 《＋不定詞》《仮定を表して》もし…ならば．*De* haberlo sabido antes, no hubiera venido. 前もって知っていたら来なかったのに．
de … en … (1) …から…へ．*de* casa *en* casa 家から家へ．*de* día *en* día 日毎に．(2) …ずつ．*de* dos *en* dos ふたり[2つ]ずつ．

dé 動 → dar. 16

de- / des- 《接頭》「分離，否定」の意を表す．⇒ *de*rivar, *des*confianza など．

de·am·bu·lar [deambulár デアンブらル] 動自 《＋**por**》…をぶらつく，散歩する．

de·án [deán デアン] 名男 〘カトリック〙司教地方代理；大聖堂主任司祭，参事会長．

de·ba·jo

[deβáxo デバホ] 副 〔英 under〕
《下面・下方を表して》**下に** (↔ encima)．Dame ese libro que está *debajo*. その下の本を取ってくれ．Elena no llevaba nada *debajo*. エレナは下に何も着けていなかった．
debajo de … …の下に．El gato está *debajo de* la mesa. 猫はテーブルの下にいる．
por debajo de … …の下を[から]，…を潜って；…以下で．

【参　考】 **debajo (de)** は「(…の) 真下に」，またある物に接して「(…の) 下に」を意味する．**abajo** は arriba に対する語で，単に位置関係が下であることを示す．

El perro está *debajo* (de él). 犬は(彼の)下にいる．
El perro está *abajo*. 犬は下にいる．
Va para *abajo*. 下る．

de·ba·te [deβáte デバテ] 名男 討論，討議．

de·ba·tir [deβatír デバティル] 動他 討論する，討議する．*debatir* el proyecto de ley 法案を審議する．
── de·ba·tir·*se* あがく，じたばたする．*debatirse* entre la vida y la muerte 生と死の狭間(はざま)でもがく．

de·be [déβe デベ] 名男 〘商業〙借方；借方記入．*debe* y haber 借方と貸方．
── 動 → deber.

de·ber

[deβér デベル] 動他自 [現分 debiendo; 過分 debido, da] 〔英 must〕
1 《＋不定詞》**…しなければならない**，…すべきである；《**no deber**＋不定詞》…

してはいけない. *Debes* pagarlo ahora mismo. 君は今すぐそれを払わなければならない. *No debes* beber demasiado. 酒を飲みすぎるな.

【文 法】 **deber** 《+不定詞》と **tener que** 《+不定詞》はほとんど同じに使えるが, deber には自己の義務感からというニュアンスを伴う. **hay** [**hubo** ...] **que** 《+不定詞》は, 主語が表出されないで一般的な義務を表す.

D

2 《+**de** 不定詞》 **…に違いない**, …のはずである. La señora *debe de* tener unos cincuenta años. その婦人は50歳くらいに違いない. *Debe de* estar en casa. 彼は家にいるはずだ. ► 口語ではしばしば前置詞 de が省略される.

3 …の借りがある; …に負うところが大きい. Te *debo* mil pesetas. 私は君に1000ペセタの借りがある. ¿Cuánto le *debo*? いくらですか. Le *debo* mucho a tu padre. 私は君のお父さんに大きな義理がある.

── **de·ber·*se*** 《+**a**》 **1** …に原因がある, …のせいである. ¿*A* qué *se debe* esto? どうしてこんなことになったんだ?

2 …に尽くす義務がある. *deberse a* la patria 祖国に身をささげなければならない.

── 名男 [複 ~es] 〔英 duty〕 **1 義務**, 務め. faltar a SU *deber* 義務を怠る.

2 [~es] **宿 題**. hacer los *deberes* de clase 宿題をする.

de·bi·da·men·te [deβíðaménte デビダメンテ] 副 適切に, 十分に.

de·bi·do, da [deβíðo, ða デビド, ダ] 過分 → deber.

── 形 しかるべき, 正当な. a su *debido* tiempo しかるべき時に, ちょうどよい時に; その時がくれば. como es *debido* きちんと. en *debida* forma 正式に. más de lo *debido* 必要以上に, 度を越して.

debido a (***que***) ... …が原因で, …によって.

debiendo 現分 → deber.

dé·bil [déβil デビる] 形 [複 ~es] 〔英 weak〕 **1 弱い**; 虚弱な (↔fuerte). Quedó muy *débil* después de la operación. 手術後彼は身体が弱くなった. Este papel es muy *débil*. Se rompe en seguida. この紙はとても弱い. すぐ破れてしまう. *débil* de carácter 気の弱い.

2 かすかな, 微弱な. una luz *débil* ぼんやりとした光.

── 名男女 弱い人, 弱者.

de·bi·li·dad [deβiliðáð デビリダ(ドゥ)] 名女 **1** 弱さ, 虚弱. *debilidad* de un enfermo 病人の衰弱. *debilidad* mental 〘医〙 精神薄弱症. **2** 弱点, 弱み.

3 格別の好み. El tango es su *debilidad*. 彼はタンゴに目がない. tener *debilidad* por ... …を特に好む.

de·bi·li·tar [deβilitár デビリタル] 動他 弱める; 衰弱させる.

── **de·bi·li·tar·*se*** 弱まる; 衰弱する.

dé·bi·to [déβito デビト] 名男 〘商業〙 借方; 負債.

de·but [deβút デブ(トゥ)] 名男 [複 debuts] デビュー; 初舞台. hacer SU *debut* en sociedad 社交界にデビューする. [←フランス語]

de·bu·tar [deβutár デブタル] 動自 デビューする, 初登場する.

deca- 「10」の意を表す造語要素. ⇀ *decá*logo, en*deca*sílabo など.

dé·ca·da [dékaða デカダ] 名女 10年. en la *década* de los años noventa 90年代に.

de·ca·den·cia [dekaðénθja デカデンしア] 名女 衰退; 堕落. caer en *decadencia* 衰退する. *decadencia* del Imperio Romano ローマ帝国の衰亡. *decadencia* moral 道徳の退廃.

de·ca·den·te [dekaðénte デカデンテ] 形 衰退した; 退廃的な; デカダン派の.

── 名男女 退廃的な人; デカダン派の作家 [芸術家].

de·ca·er [dekaér デカエル] 10 動自 [現分 decayendo; 過分 decaído, da] 弱る; 廃れる; 《+**en, de**》 …が衰える. *Decayó* mucho con la enfermedad. 彼は病気ですっかり弱ってしまった. *decaer en* fuerza 体力が落ちる. La venta *decae*. 売上げが落ちる.

de·cai·mien·to [dekaimjénto デカイミエント] 名男 衰退, 衰微.

de·cá·lo·go [dekáloɣo デカろゴ] 名男 〘聖書〙 (モーセ Moisés の) 十戒. → mandamiento.

de·cá·me·tro [dekámetro デカメトゥロ] 名男 デカメートル: 10メートル.

de·ca·na·to [dekanáto デカナト] 名男 (大学の) 学部長の地位 [職務, 任期]; 学部長室.

de·ca·no, na [dekáno, na デカノ, ナ] 名男女 **1** (大学の) 学部長. **2** 最古参者.

de·can·ta·ción [dekantaθjón デカンタしオン] 名女 **1** 〘化〙 傾瀉(けいしゃ)(法); 上澄みを移し取ること. **2** 偏向, 傾斜.

de·can·tar [dekantár デカンタル] 動他 …の上澄みを移し取る.

── **de·can·tar·*se*** 《+**hacia, por**》 …に心が傾く.

de·ca·pi·tar [dekapitár デカピタル] 動他 打ち首にする, 斬首(ざんしゅ)する (= degollar).

de·ce·na [deθéna デせナ] 名女 10のまとまり; 約10. *decena* de personas 10人ほどの人. *decenas* de miles de ... 何万もの…. primera *decena* de junio 6月上旬.

por decenas 10ずつ.

de·ce·nal [deθenál デせナる] 形 10年間の; 10年ごとの.

de·cen·cia [deθénθja デせンしア] 名女 品

位，つつましさ．*decencia* de una mujer 女性としてのつつましさ．con *decencia* 控えめに．

de·ce·nio [deθénjo デセニオ] 名男10年間．durante dos *decenios* 20年にわたって．

de·cen·te [deθénte デセンテ] 形 **1** 品位のある，慎みのある．familia *decente* 堅気の家庭．**2** 人並みの．nivel de vida *decente* 世間並みの生活水準．

de·cep·ción [deθepθjón デセプしオン] 名女 幻滅，失望（＝ desilusión）．llevarse una *decepción* 幻滅する，失望する．

de·cep·cio·nar [deθepθjonár デセプしオナル] 動他 幻滅させる，失望させる．Su contestación me *ha decepcionado* mucho. 私はその返事に大変失望した．

deci-「10分の1」の意を表す造語要素．⇒ *deci*litro, *decí*metro など．

de·ci·bel [deθiβél デしベる] / **de·ci·be·lio** [-βéljo -ベりオ] 名男《物理》デシベル：音の強さなどの単位．

de·ci·di·da·men·te [deθiðíðaménte デしディダメンテ] 副 決然と；間違いなく．

de·ci·di·do, da [deθiðíðo, ða デしディド，ダ] 過分 → decidir.

—— 形 **1** 決定した，決意した．Está *decidido* a dimitir. 彼は辞任を決意している．**2** 決然とした，きっぱりした．adversario *decidido* 果敢な敵．con paso *decidido* 決然とした足取りで．

decidiendo 現分 → decidir.

de·ci·dir

[deθiðír デしディル] 動他 [現分 decidiendo; 過分 decidido, da]〔英 decide〕**1 決心する，決定する**；《＋不定詞》**…することに決める**．*Decidieron* regresar lo más pronto posible. 彼らはできるだけ早く戻ることにした．Después de mucho hablar, *decidieron* qué rumbo tomar. とことん話し合ってから彼らはどういう方針で行くかを決めた．El gol *decidió* el partido. そのゴールが試合を決めた．

2 …に決意させる．La revolución le *decidió* a abandonar su patria. 革命で彼は祖国を捨てる決心をした．

—— 動自《＋**de**》…を決定する；《＋**en, sobre**》…に決定を下す．*decidir de* nuestras vidas われわれの未来を左右する．*decidir en* una cuestión 問題に決着をつける．*decidir sobre* qué conviene más 何がいちばんいいか決める．

—— **de·ci·dir·*se***〔英 make up one's mind〕《＋**a** 不定詞》**…することに決める**；《＋**por**》…を選ぶ．Por fin *se decidió a* no comprar la casa. 結局，彼はその家を買うのをあきらめた．*Me decidí por* el coche más grande. 私はいちばん大きい車に決めた．

de·ci·li·tro [deθilítro デしりトゥロ] 名男 デシリットル：10分の1リットル．

décima 形女 → décimo[1].

—— 名女（体温計の）分．tener décimas《口語》微熱がある．

de·ci·mal [deθimál デしマる] 形 十進法の；10分の1の；小数の．

—— 名男 小数．

de·cí·me·tro [deθímetro デしメトゥロ] 名男 デシメートル：10センチ．

dé·ci·mo[1], ma

[déθimo, ma デしモ，マ] 形《数詞》[複 ～s]〔英 tenth〕**10番目の**，第10の；10分の1の．obtener el *décimo* lugar 10位になる．

dé·ci·mo[2] [déθimo デしモ] 名男 **1** 10分の1．**2**（宝くじで）10枚1綴(つ)りのうちの1枚．

de·ci·mo·nó·ni·co, ca [deθimonóniko, ka デしモノニコ，カ] 形 19世紀の；時代遅れの．

de·cir

[deθír デしル] 17 動他自 [現分 diciendo; 過分 dicho, cha]〔英 say, tell〕

直説法	
現在	**未来**
1·単 ***digo***	1·単 ***diré***
2·単 ***dices***	2·単 ***dirás***
3·単 ***dice***	3·単 ***dirá***
1·複 **decimos**	1·複 ***diremos***
2·複 **decís**	2·複 ***diréis***
3·複 ***dicen***	3·複 ***dirán***
点過去	**線過去**
1·単 ***dije***	1·単 **decía**
2·単 ***dijiste***	2·単 **decías**
3·単 ***dijo***	3·単 **decía**
1·複 ***dijimos***	1·複 **decíamos**
2·複 ***dijisteis***	2·複 **decíais**
3·複 ***dijeron***	3·複 **decían**

接続法	
現在	**現在完了**
1·単 ***diga***	1·単 **he dicho**
2·単 ***digas***	2·単 **has dicho**
3·単 ***diga***	3·単 **ha dicho**
1·複 ***digamos***	1·複 **hemos dicho**
2·複 ***digáis***	2·複 **habéis dicho**
3·複 ***digan***	3·複 **han dicho**

命令法
2·単 ***di***
2·複 **decid**

1 言う，述べる．*Dice* que tiene tiempo. 彼は暇だと言っている．No entiendo lo que usted *dice*. あなたのおっしゃることが分かりません．*Dicen* que es muy difícil reservar hotel en esta temporada. このシーズンにホテルを予約するのはとても難しいそうだ．（► 3人称複数形で非人称表現となり，「…という話［うわさ］だ」を意味する）．¿Quién te *ha dicho* eso? 誰が君にそう言ったの？ Oye, *di*me. ¿Cuál te gusta más? ねえ，どっちが好き？ Me *dijo* que sí [no]. 彼は私にうん［嫌だ，駄目だ］

と言った. ¿Cómo *diríamos*? ええと, なんと言ったらいいか. ¿*Decía* Vd.? 今なんとおっしゃいましたか. *digan* lo que *digan* 他人がなんと言おうと. *digas* lo que quieras 君がどう言おうと.

2 《+que 接続法》**…するように言う**, 命じる. Me *dijo* que fuera al día siguiente. 私は彼に翌日来るようにいわれた.

3 示す, 表す; 書いてある. ¿Qué *dice* el periódico de este asunto? この件に関する新聞の論調は? Sus ojos lo *dicen* todo. 彼の目がすべてを物語っている. Aquí *dice* que D. Enrique se casó con una duquesa ... . ここにドン・エンリケが女公爵と結婚して云々(うんぬん)と書いてある.

4 思う. ¿Qué me *dices* de esta corbata? どうだ, このネクタイいいだろう.

5 …と呼ぶ. Todos la *decimos* Pituca, pero se llama Petra. 我々は皆, 彼女のことをピトゥカというが, 本当の名前はペトラだ. ► スペインでは llamar を使う方がふつう.

— de·cir·*se* **1** 《受け身・非人称表現で》**…と言われる**; …という話[うわさ]だ. ¿Cómo *se dice* esto en español? これはスペイン語でなんといいますか. *Se dice* que la obra ha sido suspendida. 工事は中断されたという話だ. ► 非人称表現では decirse は常に 3 人称単数.

2 心に思う, 心の中でつぶやく.

— 名男 **1** 言葉; [普通 ～es] 気の利いた言い回し. **2** うわさ, 風聞. al *decir* de 《+uno》〈人〉の言うところによれば.

como quien dice いわば.

como quien no dice nada 平然と, 易々と.

decir bien con ... と調和する, 似合う.

decir para [***entre***] ***sí*** / ***decir para sus adentros*** 独り言をいう; 心に思う.

Diga [***Dígame***]. 《電話》はい, もしもし. ► メキシコでは Bueno, アルゼンチンでは Holá, ラ米一般では Aló という.

digamos / ***es un decir*** / ***por decirlo así*** 《口語》いわば; 大体, …ほど.

dimes y diretes 《口語》言い争い, 口論.

el qué dirán 世間の評判.

es decir つまり, すなわち.

es un decir 《挿入句的に》言ってみれば, つまり.

He dicho. 《スピーチの終わりで》以上です.

ni que decir tiene que 《+直説法》…であることは言うまでもない.

no decir nada つまらない, 役に立たない, 関心がない. A mí los dulces *no* me *dicen nada*. 甘い物は私は苦手だ.

¡No me digas! / ***¡Qué me dices!*** まさか, なんだって! ¡*No me digas* que no lo sabes! 君がそれを知らないなんてまさか!

querer decir 意味する (= significar).

sin decir tus ni mus うんともすんとも言わずに.

Usted dirá. どうぞあなたが決めてください; 先を続けてください; あなたの意見は?; 《店員の言葉》何をさし上げましょうか.

Y tú que lo digas. 《口語》そのとおり, もちろんだ.

de·ci·sión [deθisjón デしシオン] 名女 [複 decisiones] 〔英 decision〕

1 決 定, 決 断. tomar una *decisión* drástica 思い切った決断を下す.

2 決意, 決心. mostrar *decisión* 決意のほどを示す. con *decisión* ためらわずに.

3 〘法律〙判決, 裁定.

de·ci·si·va·men·te [deθisíβaménte デしシバメンテ] 副 決定的に; 断固として, 果敢に.

de·ci·si·vo, va [deθisíβo, βa デしシボ,バ] 形 **1** 決定的な. momento *decisivo* 決定的瞬間. **2** 断固とした, 果敢な.

de·ci·so·rio, ria [deθisórjo, rja デしソリオ, リア] 形 決定的な.

de·cla·ma·ción [deklamaθjón デクらマしオン] 名女 雄弁; 朗唱; 朗読(術).

de·cla·mar [deklamár デクらマル] 動他 朗唱する. *declamar* versos 詩を朗読する.

de·cla·ra·ción [deklaraθjón デクらラしオン] 名女 **1** 表明, 声明. hacer una *declaración* 声明を発表する. **2** 宣言, 布告; 申告. *Declaración* Universal de los Derechos del Hombre 世界人権宣言 (1948年). *declaración* de aduanas 税関の申告. **3** 〘法律〙供述; 証拠. prestar una *declaración* 供述をする. tomar *declaraciones* a 《+uno》〈人〉から供述を取る.

declarado, da 過分 → declarar.

declarando 現分 → declarar.

de·cla·ran·te [deklaránte デクらランテ] 形 〘法律〙供述する.

— 名男女 〘法律〙供述人.

de·cla·rar

[deklarár デクらラル] 動他 [現分 declarando; 過分 declarado, da] 〔英 declare〕 **1 表明する**. El Ministro de Hacienda *ha declarado* a la Prensa que no se ve síntoma alguno de inflación. 大蔵大臣はインフレの兆候は何一つ見当たらないと記者団に語った.

2 宣言する; 布告する. *declarar* la guerra a un país ある国に宣戦布告する. *declarar* culpable 有罪判決を下す.

3 (税務署などで) 申告する. ¿Tiene algo que *declarar*? (税関で) 何か申告するものがありますか.

— 動自 意見[態度]を表明する; 〘法律〙供述する.

— de·cla·rar·*se* **1** 自分は…だと表明[宣言]する. *declararse* a favor de [por] un candidato ある候補者への支持を表明する. *declararse* culpable 有罪を認める.

2 (火災・疫病などが) 発生する, 起こる. *Se ha declarado* un incendio. 火災が発生した. **3** 愛を告白する, 意中を打ち明ける.

de·cli·na·ción [deklinaθjón デクりナ

しオン] 名女 **1** 傾斜; 衰退. **2**〘天文〙赤緯; (地磁気の) 偏角. **3**〘文法〙語形変化.

de·cli·nar [deklinár デクリナル] 動自 **1** 傾く, 衰える. *declinar* el sol 日が傾く. *declinar* la fiebre 熱が下がる.
2 (正道を) 逸脱する. *declinar* en el vicio 悪の道に入る. **3**〘文法〙語形変化する.
── 動他 **1** 固辞する, 辞退する. *declinar* la invitación 招待を断る.
2〘文法〙語形変化させる.

de·cli·ve [deklíβe デクりべ] 名男 **1** 斜面; 勾配(こうばい). en *declive* 傾斜した.
2 衰退, 凋落(ちょうらく). artista en *declive* 落ちめの芸術家.

de·co·lo·ran·te [dekoloránte デコろランテ] 名男 脱色剤, 漂白剤.

de·co·lo·rar [dekolorár デコろラル] 動他 退色[変色]させる; 脱色する. pelo *decolorado* 脱色した髪の毛.
── **de·co·lo·rar·*se*** 退色[変色]する.

de·co·mi·sar [dekomisár デコミサル] 動他〘法律〙没収する, 押収する.

de·co·mi·so [dekomíso デコミソ] 名男〘法律〙没収.

de·co·ra·ción [dekoraθjón デコラしオン] 名女 装飾; 装飾法[品]. *decoración* de escaparates ショーウインドーの飾り付け.

de·co·ra·do [dekoráðo デコラド] 名男 **1**〘演劇〙舞台装置. **2** 装飾; 装飾品.

de·co·ra·dor, do·ra [dekoraðór, ðóra デコラドル, ドラ] 形 装飾の.
── 名男女 **1** 装飾家, インテリアデザイナー. **2**〘演劇〙美術監督.

de·co·rar [dekorár デコラル] 動他
1《+**con, de**》…で装飾する, 飾る.
2 (部屋の) 内装 [インテリアデザイン] をする. → adornar.

de·co·ra·ti·vo, va [dekoratíβo, βa デコラティボ, バ] 形 装飾の; 派手な.

de·co·ro [dekóro デコロ] 名男 品位; 威厳; 慎み. guardar el *decoro* 品位を保つ.
con decoro (1) 立派に. acabar *con decoro* 有終の美を飾る. (2) きちんと, 作法に従って. comportarse *con decoro* 折りめ正しく振る舞う. una mujer *con decoro* つつましやかな婦人.
sin decoro 下品な[に].

de·cre·cer [dekreθér デクレセル] 40 動自 **1** 減少する; 衰える. *decrecer* en intensidad 激しさが弱まる.
2 水位が下がる.

de·cre·cien·te [dekreθjénte デクレしエンテ] 形 減少する; 衰える (↔ creciente).

de·cre·ci·mien·to [dekreθimjénto デクレしミエント] 名男 **1** 減少; 衰退.
2 水位の低下.

de·cré·pi·to, ta [dekrépito, ta デクレピト, タ] 形 老衰した; 衰退した.

de·cre·pi·tud [dekrepitúð デクレピトゥ(ドゥ)] 名女 老衰; 衰退.

de·cre·tar [dekretár デクレタル] 動他 (布告などを) 発する.

de·cre·to [dekréto デクレト] 名男 法令, 政令; 教皇令. *decreto* ley 政令.

de·cú·bi·to [dekúβito デクビト] 名男〘医〙臥位(がい). *decúbito* lateral 側臥位; 横たわること.

dé·cu·plo, pla [dékuplo, pla デクプろ, プら] 形 10倍の. ── 名男 10倍.

de·cur·so [dekúrso デクルソ] 名男 経過, 推移 (= transcurso). *decurso* de los años 歳月の流れ.

de·dal [deðál デダる] 名男 (裁縫用の) 指ぬき.

dé·da·lo [déðalo デダろ] 名男 **1** 迷路, 迷宮 (= laberinto). ◆クレタ島の迷宮を造ったダイダロス Dédalo の名にちなむ.
2 錯綜(さくそう), 混乱.

de·di·ca·ción [deðikaθjón デディカしオン] 名女 **1** 献身, 傾倒. **2** 献納.

de·di·car [deðikár デディカル] [8 c → qu] 動他〔英 dedicate〕 **1** **ささげる**, 奉納する; (時間・努力などを) **当てる**, 振り向ける. *dedicar* una capilla a San Pedro 聖ペテロに礼拝堂を献納する. Cada día *dedica* dos horas a la lectura. 彼は毎日 2 時間読書に当てている. emisión *dedicada* a España スペイン向け放送.
2 (著書を) 献呈する; (本・写真などに) 献辞を添える. *Dedicó* a sus padres difuntos su primer libro. 彼は最初の著書を亡き両親にささげた.
── **de·di·car·*se*** 《+**a**》…**に専念する**, 専心する; …**に従事する**. *dedicarse al* estudio 勉強に専念する. *dedicarse a* los enfermos 患者のために献身的に働く. *¿A qué se dedica* Vd.? ご職業はなんですか.

de·di·ca·to·ria [deðikatórja デディカトリア] 名女 献詞, 献辞.

de·dil [deðíl デディる] 名男 指サック.

de·di·llo [deðíʎo デディりョ] ***al dedillo***《副詞句》こと細かに. saber《+algo》*al dedillo*〈何か〉を逐一知っている.

dedique(-) / **dedique**(-) 動 → dedicar.

de·do

[déðo デド] 名男 [複 ~s]〔英 finger〕
(手足の) **指**. *dedo* gordo del pie 足の親指.
a dedo だしぬけに, 適当に, 独断で; ヒッチハイクで. Le nombraron director *a dedo*. 彼はいきなり支配人に指名された.
a dos dedos de ... …の寸前に. He estado *a dos dedos de* la muerte. 私は危うく命を落とすところだった.
contarse con los dedos de la mano 非常に少ない. Los que asistieron a la clase *se* podían *contar con los dedos de la mano*. 授業に出席した者はほんの数人だった.
chuparse [***mamarse***] ***el dedo*** うぶで

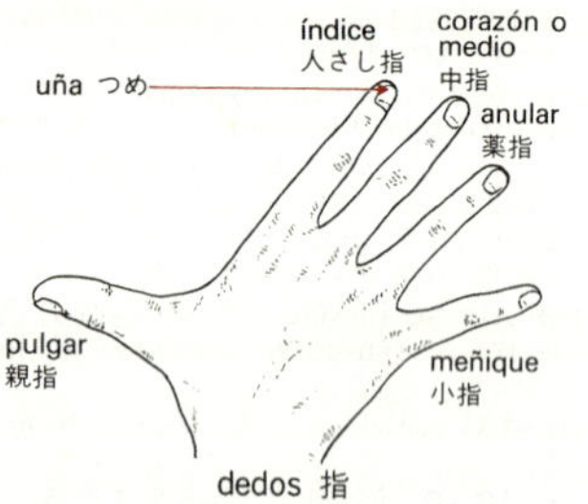

ある，だまされやすい．No creas que *me chupo el dedo*.私がやすやすとだまされるなんて思うな．

chuparse los dedos（食べ物・経験に）たいへん満足する．Aquel pastel estaba como para *chuparse los dedos*. あのケーキは本当においしかった．

poner el dedo en la llaga 痛い所を突く；要点を突く．

señalar a 《＋uno》 ***con el dedo*** 〈人〉に後ろ指をさす．Todos la *señalan con el dedo*. みんなが彼女の陰口をたたいている．

de·duc·ción [deðu*k*θjón デドゥクしオン] 名 女 **1** 推論，推定．**2**〔論理〕演繹(えんえき)(法)．► 帰納(法)は inducción. **3**〔商業〕控除．*deducción* del salario 給与からの天引き．

de·du·cir [deðuθír デドゥしル] 12 動 他
1《＋**de, por**》…から推論する，推定する．
2 控除する（＝descontar）．
—— de·du·cir·*se* …と推論される．

de·duc·ti·vo, va [deðu*k*tíβo, βa デドゥクティボ, バ] 形 演繹(えんえき)の（↔ inductivo）．

deduj- / deduzc- 動 → deducir. 12

de·fe·car [defekár デフェカル] [8 c → qu] 動 自 排便する．

de·fec·ción [defe*k*θjón デフェクしオン] 名 女（主義・主張・党などからの）離反．

de·fec·ti·vo, va [defe*k*tíβo, βa デフェクティボ, バ] 形 **1** 不完全な，不備な．
2〔文法〕(動詞の活用の一部が) 欠如した．
—— 名 男〔文法〕欠如動詞．

de·fec·to [defé*k*to デフェクト] 名 男 [複 ～s]〔英 defect〕**欠陥，欠点**；不足．Este coche tiene muchos *defectos*. この車は欠陥が多い．*defecto* de la vista 視覚障害．

en defecto de ... …の不足のために；…のない場合には．

de·fec·tuo·so, sa [defe*k*twóso, sa デフェクトゥオソ, サ] 形 欠陥[欠点]のある．mercancía *defectuosa* 欠陥商品．

de·fen·der [defendér デフェンデル] [43 e → ie] 動 他〔英 defend〕**1**《＋**contra, de**》**…から守る，防衛する**；保護する（＝proteger）．*defender* nuestro planeta *contra* la contaminación atmosférica 大気汚染から地球を守る．La capa de ozono nos *defiende* de los rayos ultravioletas. オゾン層のお陰で我々は紫外線から守られている．

2 支持する，擁護する；弁護する．*defender* un proyecto de ley ある法案を支持する．*defender* al acusado 被告を弁護する．

—— de·fen·der·*se* **1** 身を守る，自衛する．**2**《口語》なんとかうまくやる．

de·fen·sa [defénsa デフェンサ] 名 女 [複 ～s]〔英 defense〕**1 防御，防衛**；防御物．*defensa* nacional 国防．legítima *defensa* 正当防衛．**2** 擁護，支持；弁護．
3〔スポーツ〕《集合》守備(陣)，ディフェンス，バックス；(サッカー) フルバック．► フルバックの男子[女子]選手は el [la] *defensa*.

en defensa de ... …を守るために．salir *en defensa de* 《＋uno》〈人〉の擁護に立つ．

de·fen·si·vo, va [defensíβo, βa デフェンシボ, バ] 形 防御の，防備の．
—— 名 女 守勢；受け身．ponerse a la *defensiva* 守勢にまわる．

de·fen·sor, so·ra [defensór, sóra デフェンソル, ソラ] 形 防御の；弁護する．
—— 名 男 女 擁護者．

de·fe·ren·cia [deferénθja デフェレンしア] 名 女 **1** 恭順．por [en] *deferencia* a ... …に敬意を表して．
2（目下への）寛容．tener *deferencia* de 《＋不定詞》快く…してくださる．

de·fe·ren·te [deferénte デフェレンテ] 形 恭順な；恭しい．

de·fi·cien·cia [defiθjénθja デフィしエンしア] 名 女 不足；欠損；欠点．*deficiencia* mental〔医〕精神薄弱症．

de·fi·cien·te [defiθjénte デフィしエンテ] 形
1 不十分な．**2** 欠点のある，欠陥の多い．alumno *deficiente* 出来の悪い生徒．
—— 名 男 女〔医〕障害者．*deficiente* mental 知恵遅れ，精神薄弱者．

dé·fi·cit [défiθi*t* デフィし(トゥ)] 名 男 [複 déficits] 欠損，赤字（↔ superávit）．en *déficit* 赤字の．cubrir el *déficit* 赤字を埋める．

de·fi·ci·ta·rio, ria [defiθitárjo, rja デフィしタリオ, リア] 形 赤字の．

defiend- 動 → defender. [43 e → ie]

de·fi·ni·ción [definiθjón デフィニしオン] 名 女 **1** 定義(づけ)．por *definición* 定義上．dar una *definición* 定義を下す．**2** 語義．

de·fi·nir [definír デフィニル] 動 他 **1** 定義する，規定する．*definir* claramente una palabra ある語を明確に定義する．
2（態度などを）明確にする，決定する．Ya es tiempo de que tú también *definas* tu opinión sobre este asunto. この辺りで君も自分の考えをはっきりさせるべきだ．

de·fi·ni·ti·va·men·te [definitíβaménte デフィニティバメンテ] 副 決定的に，最終的に．

de·fi·ni·ti·vo, va [definitíβo, βa

デフィニティボ, バ] 形 決定的な, 最終的な. proyecto *definitivo* 最終案.
en definitiva 最終的に, つまり. *En definitiva* te han suspendido, ¿no? 要するに落第したってわけだね？
de·fla·ción [deflaθjón デフらしオン] 名女 〔経済〕デフレーション, 通貨収縮 (↔ inflación).
de·fo·res·ta·ción [deforestaθjón デフォレスタしオン] 名女 森林伐採 (= desforestación).
de·for·ma·ción [deformaθjón デフォルマしオン] 名女 **1** 歪曲(わいきょく); 変形.
2〔美術〕デフォルメ.
de·for·mar [deformár デフォルマル] 動他
1 歪曲(わいきょく)する; 変形する. *deformar* la verdad 真実をゆがめる.
2〔美術〕デフォルメする.
de·for·me [defórme デフォルメ] 形 歪曲(わいきょく)された; 奇形の; 醜悪な. imagen *deforme* ゆがんだ像.
de·for·mi·dad [deformiðáð デフォルミダ(ドゥ)] 名女 歪曲(わいきょく); 奇形; 欠陥. *deformidad* psíquica 心のゆがみ.
de·frau·dar [defrauðár デフラウダル] 動他 **1** 横領する, 脱税する; 《+**en**》…を詐取する, ごまかす. Nos *defraudó en* 2 millones de yenes. 彼は私たちから200万円をだましとった. *defraudar* al fisco 脱税する.
2 欺く, 失望させる. Nos *defraudó* la película. 私たちはその映画に失望した.
de·fun·ción [defunθjón デフンしオン] 名女 死去, 逝去. cerrado por *defunción* 忌中につき休業.
de·ge·ne·ra·ción [dexeneraθjón デヘネラしオン] 名女 **1** 退廃, 堕落. **2**〔生物〕退化.
de·ge·ne·ra·do, da [dexeneráðo, ða デヘネラド, ダ] 過分 形 退廃した, 堕落した; 退化した. —— 名男女 退廃した人, 堕落した人; 変質者.
de·ge·ne·rar [dexenerár デヘネラル] 動自 **1** 退廃する, 堕落する. **2** 《+**en**》…に変質する. **3**〔生物〕退化する.
de·glu·tir [deɣlutír デグるティル] 動他自 飲み下す, 嚥下(えんか)する.
de·go·llar [deɣoʎár デゴリャル] [18 o → üe] 動他 斬首(ざんしゅ)する (= decapitar).
de·go·lli·na [deɣoʎína デゴリィナ] 名女 《口語》虐殺, 皆殺し.
de·gra·dar [deɣraðár デグラダル] 動他
1 降格させる. *degradar* a un militar 軍人を降等する.
2 堕落させる. Le *degradó* el abuso del alcohol. 酒浸りで彼は駄目になった.
3〔美術〕(色・形を) 徐々にぼかす.
——**de·gra·dar·se** 堕落する.
de·güe·llo [deɣwéʎo デグエリョ] 名男
1 斬首(ざんしゅ). **2** 大虐殺. entrar a *degüello* (占領地で) 虐殺[略奪]を行う.
tirar a 《+uno》 ***a degüello*** 〈人〉をこきおろす.
de·gus·tar [deɣustár デグスタル] 動他 試飲する, 試食する (= probar). *degustar* un vino ワインの味見をする.
de·he·sa [deésa デエサ] 名女 牧草地, 放牧場.
dei·dad [deiðáð デイダ(ドゥ)] 名女 **1** 神性, 神格 (= divinidad). **2** (非キリスト教の) 神. *deidades* griegas ギリシアの神々.
dei·fi·car [deifikár デイフィカル] [8 c → qu] 動他 神格化する, 神聖視する.
deis 動 → dar. 16
de·ís·mo [deísmo デイスモ] 名男 理神論.
de·ja·ción [dexaθjón デハしオン] 名女 放棄, 譲渡. *dejación* de bienes [obligaciones] 財産[義務]の放棄.
dejada 過分 女 → dejar.
de·ja·dez [dexaðéθ デハデす] 名女 怠慢; 投げやり (= abandono).
de·ja·do, da [dexáðo, ða デハド, ダ] 過分 → dejar. 形 怠慢な; 投げやりな.
dejando 現分 → dejar.

de·jar [dexár デハル] 動他 [現分 dejando; 過分 dejado, da] 〔英 leave, let〕
1 置いておく, 残しておく; 置き忘れる. *Deja* el libro donde estaba antes. もとの場所にその本を置いておきなさい. Se llevaron todo y no le *dejaron* ni un céntimo. 彼らは全部持っていって, 彼に1センティモも残さなかった. ¿Dónde *habré dejado* el paraguas? 傘をどこへ置き忘れたかな (►dejarse にすると意味が強まる. ⇒ ¡Ah! *Me* lo *he dejado* en el tren. しまった, 電車に置き忘れたんだ). Os *dejo*. Tengo que marcharme. 私はこれで失礼するよ, 行かなくてはいけないから.
2 託す, 任せる; 遺贈する. *dejar* 《+algo》 en manos de 《+uno》 〈何か〉を〈人〉の手にゆだねる.
3 やめる, 放棄する; 去る, 出発する. *Deje* Vd. lo que está haciendo y venga a mi despacho. 仕事の最中だけどちょっと私の部屋に来てください. *Ha dejado* sus estudios. 彼は勉学を断念した.

> **【文 法】** 前置詞 **de** をとる時 dejar は自動詞扱いとなる.
> **dejar de** 《+不定詞》 (…するのをやめる); **no dejar de** 《+不定詞》 (必ず…する).
> *He dejado de* fumar.
> 　私はタバコをやめた.
> *No dejes de* llamarme.
> 　きっと電話をしなさいね.

4 《+過去分詞など》 **…のままにしておく**, …にしてある. *Dejé* la puerta abierta. 私はドアを開けっぱなしにした. Te *he dejado* la compra hecha. 買い物をしておいてあげたよ. *Dejó* sin escribir el último capítulo. 彼は最後の章を書かずじまい

D

だった. Rellene Vd. este impreso. No *deje* nada en blanco, por favor. 未記入のないようこの用紙に書き込んでください (► dejarse にすると意味が強まる. ⇒ *Te has dejado* dos preguntas en blanco. 君は2問白紙のままだった).
5 《+過去分詞, 形容詞, 不定詞, **que** 接続法》…**させる**. Me *dejó* sorprendido. 私はびっくりさせられた. *Déja*me tranquilo (= *Déja*me en paz). ほっといてくれ. Hacen ruido y no me *dejan* dormir. うるさくて眠れやしない. *Déje*me Vd. que se lo explique. 私にそのことを説明させてください.
6 貸す. *Déja*me tu diccionario. 君の辞書をちょっと見せてくれ. **7** もたらす. Éste es un negocio que *deja* mucha ganancia. これはわりのよい仕事だ.
── **de·jar·*se*** **1** 《+**de**》…をやめる. *Dejaos de* tonterías. ばかなことはやめろ.
2 《+不定詞》…される; …されるがままになる. *dejarse* oír 聞こえる. Es tan inocente que *se deja* engañar fácilmente. 彼は純粋なので, すぐ人にだまされる.
3 身なりに無頓着(むとんちゃく)でいる.
dejar aparte 除く, 別にする.
dejar atrás 追い越す, 引き離す.
dejar dicho 言う, 述べる; 伝言を残して行く.

de·je [déxe デヘ] 名男 **1** 訛(なま)り.
2 名残, 後味. ── 動 ➡ dejar.

del [del デる] [前置詞 de と定冠詞 el の縮約形] ➡ de.

de·la·ción [delaθjón デらしオン] 名女 密告, 暴露.

de·lan·tal [delantál デらンタる] 名男 前掛け, エプロン.

de·lan·te [delánte デらンテ] 副 〔英 in front〕 《位置関係を表して》**前に** (↔ detrás). Va *delante* acompañado de sus alumnos. 彼は生徒の先頭に立って行く. Adelantó al coche de *delante*. 彼は前の車を追い抜いた. inclinarse hacia *delante* 前かがみになる.
delante de … …の前に[で]; …の面前で. Te espero *delante de* la biblioteca. 図書館の前で君を待っているよ. No debes decir esas cosas *delante de* los niños. 子供たちの前でそんなことをいうものではない. pasar por *delante de* … …の前を通る. ► enfrente de を用いると「…の正面に, …の真向いに」の意味.

de·lan·te·ro, ra [delantéro, ra デらンテロ, ラ] 名女 **1** 前部; 〘建築〙ファサード; (劇場の) 前列席.
2 先んじること, 先行 (= ventaja). llevar mucha *delantera* 大きくリードしている. coger [tomar] la *delantera* a 《+uno》〈人〉の先を越す; 〈人〉を引き離す.
3 〘スポ〙フォワード・ライン.
── 名男 〘スポ〙フォワード, 前衛. *delantero* centro センターフォワード.
── 形 **1** 前の, 前部の, 前方の. fila *delantera* 前列. patas *delanteras* 前脚.
2 〘スポ〙フォワードの, 前衛の.

de·la·tar [delatár デらタル] 動他 密告する; 暴露する (= denunciar). *delatar* a los cómplices 共犯者を密告する. El gesto de la cara le *delató*. 顔の表情から彼の本心が分かった.
── **de·la·tar·*se*** 口をすべらせる.

de·la·tor, to·ra [delatór, tóra デらトル, トラ] 形 密告する, 暴露する.
── 名男女 密告者.

de·le·ga·ción [deleɣaθjón デれガしオン] 名女 **1** 委任, 委託. por *delegación* del presidente 議長から委任されて.
2 代表団; 代表の職務. El ministro recibió a una *delegación* de profesores. 大臣は教員の代表たちに会った.
3 代表事務所; 地方支所. *delegación* de Hacienda 地方財務局.
delegación sindical 組合代表[支部].

de·le·ga·do, da [deleɣáðo, ða デれガド, ダ] 名男女 代表 (者), 代議員; 使節; 〘商業〙代理人. ── 形 委任された, 代表の.

de·le·gar [deleɣár デれガル] [32 g ➡ gu] 動他 委任[委託]する; 代理権を与える. *delegar* sus poderes a [en] 《+uno》〈人〉に権限を委任する.

de·lei·ta·ble [deleitáβle デれイタブれ] 形 楽しい, 愉快な.

de·lei·tar [deleitár デれイタル] 動他 楽しませる, 喜ばせる. El gorjeo de los pájaros *deleita* el oído. 鳥のさえずりが耳に快い. ── **de·lei·tar·*se*** 《+**en, con**》…を楽しむ, 喜ぶ. *deleitarse en* la lectura 読書を楽しむ.

de·lei·te [deléite デれイテ] 名男 楽しさ, 喜び. leer con *deleite* 楽しんで読む.

de·le·té·re·o, a [deletéreo, a デれテレオ, ア] 形 致死性の, 有毒な.

de·le·tre·ar [deletreár デれトゥレアル] 動他 (語の) 綴(つづ)りを言う; 解読する.

de·lez·na·ble [deleθnáβle デれすナブれ] 形 **1** もろい. arcilla *deleznable* もろい粘土. **2** 一時的な. amor *deleznable* はかない恋. **3** 薄弱な. razones *deleznables* 薄弱な理由.

del·fín [delfín デるフィン] 名男 [複 delfines] 〘動物〙イルカ (海豚).

delgada 形女 ➡ delgado.

del·ga·dez [delɣaðéθ デるガデす] 名女 やせていること; 薄さ, 細さ.

del·ga·do, da [delɣáðo, ða デるガド, ダ] 形 [複 ～s] 〔英 slender, thin〕 **1 細い, やせた** (↔gordo). Es una chica *delgada*. 彼女はやせた子だ. ponerse *delgado* やせる.
2 薄い (↔grueso). papel muy *delgado* ごく薄い紙.

de·li·be·ra·ción [deliβeraθjón デリベラシオン] 名女 **1** 熟慮, 熟考. **2** 審議, 討議.

de·li·be·rar [deliβerár デリベラル] 動自 《+**sobre**》…について熟慮[熟考]する; …について審議[討議]する.

delicada 形女 → delicado.

de·li·ca·da·men·te [delikáðaménte デリカダメンテ] 副 微妙に, 精巧に, 繊細に.

de·li·ca·de·za [delikaðéθa デリカデサ] 名女 **1** 微妙さ. **2** もろさ, ひ弱さ; 繊細さ, 過敏. falta de *delicadeza* 鈍感さ.
3 心遣い, 思いやり. con *delicadeza* そっと, 親切に. **4** 優美, 上品.
tener mil delicadezas con … …に細かく気を配る.
tener la delicadeza de 《+不定詞》親切に…する.

de·li·ca·do, da [delikáðo, ða デリカド, ダ] 形 [複 ~s] 〔英 delicate〕 **1** **壊れやすい**; (体が) **弱い**, きゃしゃな. una vajilla *delicada* 壊れやすい食器.
2 **微妙な**, 難しい. un problema *delicado* 微妙な問題.
3 気難しい, 扱いにくい. cliente *delicado* 気難しい客.
4 神経が細かい, 繊細な; 思いやりのある. Es un chico muy *delicado*. とても繊細な子です. **5** 上品な, 洗練された.
hacerse el delicado 気難しいことを言う.

de·li·cia [delíθja デリシア] 名女 無上の喜び, 愉悦, 悦楽; その原因. Juanito es la *delicia* de toda la familia. フアニトは一家の大事な宝物だ. Es una *delicia* escuchar a Falla. ファリャを聴くのは実に楽しい.

deliciosa 形女 → delicioso.

de·li·cio·sa·men·te [deliθjósaménte デリシオサメンテ] 副 気持ちよく, 魅惑的に.

de·li·cio·so, sa [deliθjóso, sa デリシオソ, サ] 形 [複 ~s] 〔英 delightful〕 **1** **楽しい, 快い**; かぐわしい. clima *delicioso* さわやかな気候.
2 **おいしい**. comida *deliciosa* おいしい料理. **3** 魅力的な, ほれぼれするような. una persona *deliciosa* 魅力的な人物.

de·lic·ti·vo, va [deliktíβo, βa デリクティボ, バ] 形 犯罪の, 罪深い.

de·li·mi·ta·ción [delimitaθjón デリミタシオン] 名女 **1** 境界の画定. **2** 限定.

de·li·mi·tar [delimitár デリミタル] 動他 …の境界を定める; …の範囲を限定する(= limitar).

de·lin·cuen·cia [deliŋkwénθja デリンクエンシア] 名女 **1** 犯罪, 非行. *delincuencia* juvenil 少年犯罪. **2** 犯罪件数.

de·lin·cuen·te [deliŋkwénte デリンクエンテ] 名男女 犯罪者. *delincuente* principal 〔法律〕正犯者. *delincuente* sin antecedentes penales 初犯者.
—— 形 犯罪を犯した, 違反した.

de·li·ne·an·te [delineánte デリネアンテ] 名男 製図工. *delineante* proyectista 設計者.

de·li·ne·ar [delineár デリネアル] 動他 …の輪郭を描く, 図面を引く. *delinear* el boceto 下絵を描く.

de·li·ran·te [delirànte デリランテ] 形 錯乱した, 無我夢中の. imaginación *delirante* 妄想.

de·li·rar [delirár デリラル] 動自 **1** 錯乱する, うわ言を言う. **2** 《口語》たわ言を言う. **3** 《+**por**》…に無我夢中になる. *Delira por* la música rock. 彼はロック音楽に夢中だ.

de·li·rio [delírjo デリリオ] 名男 **1** 錯乱, 妄想. *delirio* de grandezas 誇大妄想.
2 無我夢中. estar en *delirio* 有頂天になる. tener *delirio* por … 《口語》…に夢中になっている. **3** 〔医〕譫妄(せんもう).

de·li·to [delíto デリト] 名男 犯罪; 違反. *delito* político 政治犯罪. *delito* flagrante 現行犯. *delito* de sangre 殺人[傷害]罪. → culpa 【参考】.

del·ta [délta デルタ] 名女 デルタ (Δ, δ): ギリシア語アルファベットの第 4 字.
—— 名男 〔地理〕三角州, デルタ.

de·ma·crar·*se* [demakrárse デマクラルセ] 動 やつれる.

de·ma·go·gia [demaɣóxja デマゴヒア] 名女 民衆扇動, デマゴギー.

de·ma·gó·gi·co, ca [demaɣóxiko, ka デマゴヒコ, カ] 形 扇動的な.

de·ma·go·go, ga [demaɣóɣo, ɣa デマゴゴ, ガ] 名男女 民衆扇動家, デマゴーグ.

de·man·da [demánda デマンダ] 名女
1 〔法律〕請求; 訴訟. presentar una *demanda* contra 《+uno》〈人〉に対し訴訟を起こす. **2** 〔商業〕需要 (↔ oferta).
en demanda de … …を求めて, …を捜して. *en demanda de* ayuda 援助を求めて.

de·man·da·do, da [demandáðo, ða デマンダド, ダ] 過分 形 〔法律〕被告側の.
—— 名男女 〔法律〕被告 (人).

de·man·dan·te [demandánte デマンダンテ] 名男女 〔法律〕原告.

de·man·dar [demandár デマンダル] 動他
1 要求する; 望む. **2** 〔法律〕訴える.

de·mar·ca·ción [demarkaθjón デマルカシオン] 名女 境界画定; 境界.

de·mar·car [demarkár デマルカル] [8 c → qu] 動他 境界を定める.

de·más

[demás デマス] [性・数不変] 形 《不定》〔英 other〕 **他の**, 残りの. los *demás* profesores 他の教師たち. Andrés y *demás* alumnos アンドレスとその他の生徒たち (► ふつう定冠詞を伴うが, 接続詞 y の後では伴わない場合がある).
—— 代名 《不定》[lo *demás*] **その他のこと**, 残り; [los *demás*, las *demás*] **他の人たち, 他人**. Lo *demás* te lo contaré

luego. 残りはあとで話してあげるよ. Lo *demás* son mentiras. その他は皆うそだ. No importa lo que digan los *demás*. 他人がどう言おうと構わない.
por demás 無駄に (=en vano). Está *por demás* que tratéis de convencerlo. 君たちが彼を説得しようとしても無駄だ.
por lo demás それはそれとして, それを除けば. *Por lo demás* me parece bien. その点を除けばいいと思うよ.
todo lo demás その他のこと全部.
y demás 《口語》…など, 等々. Visitamos el Palacio Real, el Museo del Prado *y demás*. 私たちは王宮やプラド美術館などを訪れた.

de·ma·sí·a [demasía デマシア] 名女 過剰, 過度; 度を越した行動.
en demasía 過度に.

de·ma·sia·do[1]**, da** [demasjáðo, ða デマシアド, ダ] 形 [複 ～s] 〔英 too much, too many〕 **あまりに多くの**, 過度の. Hoy hace *demasiado* frío. 今日は寒すぎる.

de·ma·sia·do[2] [demasjaðo デマシアド] 副 **あまりにも**, 過度に. beber *demasiado* 飲みすぎる.

de·men·cia [deménθja デメンしア] 名女 痴呆(ちほう); 狂気; 精神錯乱.

de·men·te [deménte デメンテ] 形 痴呆(ちほう)の; 狂気の.
── 名男女 痴呆症患者; 狂人.

de·mé·ri·to [demérito デメリト] 名男 デメリット; 欠点 (↔ mérito).

de·mo·cra·cia [demokráθja デモクラしア] 名女 [複 ～s] 〔英 democracy〕 **民主主義**; 民主制; 民主国家. *democracia* directa 直接民主主義[政治]. *democracia* parlamentaria 議会制民主主義.

de·mó·cra·ta [demókrata デモクラタ] 形 民主主義者の, 民主党の.
── 名男女 民主主義者, 民主党員.

de·mo·crá·ti·co, ca [demokrátiko, ka デモクラティコ, カ] 形 民主主義の, 民主的な.

de·mo·cra·ti·za·ción [demokratiθaθjón デモクラティさしオン] 名女 民主化.

de·mo·cra·ti·zar [demokratiθár デモクラティさル] [39 z → c] 動他 民主化する.

de·mo·gra·fí·a [demoɣrafía デモグラフィア] 名女 人口(統計)学.

de·mo·grá·fi·co, ca [demoɣráfiko, ka デモグラフィコ, カ] 形 人口(統計)学の; 人口の.

de·mo·ler [demolér デモれル] [35 o → ue] 動他 取り壊す; 滅ぼす.

de·mo·li·ción [demoliθjón デモりしオン] 名女 取り壊し; 崩壊.

de·mo·nia·co, ca [demonjáko, ka デモニアコ, カ] / **de·mo·ní·a·co, ca** [-níako, ka -ニアコ, カ] 形 悪魔のような.

de·mo·nio [demónjo デモニオ] 名男 [複 ～s] 〔英 devil, demon〕 **1 悪魔**, 鬼; (キリスト教の) 堕天使. poseído por el *demonio* 悪魔に取り憑(つ)かれて.
2 醜い人, 不愉快な人.
a demonios 《口語》ひどく, 恐ろしく. oler [saber] *a demonios* ひどいにおい[味]がする.
¡Demonio(s)! 《口語》これはたまげた; ちくしょう, くそ.
(El) demonio de … 《口語》《怒り・驚き・賞賛を表して》…ときたら, …めが. *Demonio de* niño. このいたずらっ子め.
¡Ni qué demonios! 《口語》ばかな, まさか!
ponerse hecho [como] un demonio 《口語》かんかんに怒る.
¡Qué demonio(s)! 《口語》くそ, ちくしょう! Haré lo que me dé la gana, ¡*qué demonios*! やりたいようにやるさ, くそっ!
¿Qué demonios …? 《口語》いったい何が[を] … ? ¿*Qué demonios* estás pidiéndome? いったいお前は何をして欲しいんだ?
¡Que me lleve el demonio si …! 《口語》もし…なら悪魔にさらわれてもいい!, …なんて断じてあり得ない! ¡*Que me lleve el demonio si* estoy mintiendo! 絶対うそじゃないったら.
¿Quién demonios …? 《口語》いったい誰が…. ¿*Quién demonios* te lo ha dicho? いったい誰が君にそんなことを言ったんだ.

de·mo·ra [demóra デモラ] 名女 遅延; 遅れ.
sin demora すぐに.

de·mo·rar [demorár デモラル] 動他 遅らせる. *demorar* el viaje 旅行を延期する.
── 動自 留まる; 手間取る.
── **de·mo·rar·se** 遅れる, 手間取る.

de·mos·tra·ción [demostraθjón デモストゥラしオン] 名女 **1** 表出, 表明; 証明, 論証. *demostración* de cariño 愛情の表現. *demostración* de fuerza 力の誇示.
2 実演, デモンストレーション. hacer una *demostración* gimnástica 体操の公開演技を行う.

de·mos·trar [demostrár デモストゥラル] [13 o → ue] 動他 〔英 show, demonstrate〕 **1 証明する**, 立証する, 明らかにする. Pero antes hay que *demostrar* que han subido los costes. しかしその前にコストが上昇したことを明らかにしなければならない.
2 示す; (はからずも) 見せる. *demostrar* interés 興味を示す. *Demostró* su ignorancia en la materia. 彼はその問題について無知なことを露呈した. **3** 実演してみせる.

de·mos·tra·ti·vo, va [demostratíβo, βa デモストゥラティボ, バ] 形 **1** 論証する; 明示する. **2** 〘文法〙指示の.
── 名男 〘文法〙指示詞.

de·mu·dar [demuðár デムダル] 動他 (顔色・表情などを) 変える.
—— **de·mu·darse** (顔色・表情などが) 変わる.

demuestr- 動 → demostrar. [13 o → ue]

den 動 → dar. 16

de·ne·ga·ción [deneɣaθjón デネガしオン] 名女 拒否.

de·ne·gar [deneɣár デネガル] [32 g → gu ; 42 e → ie] 動他 拒否する;〘法律〙却下する.

den·gue [déŋge デンゲ] 名男 **1** 気取り, 上品ぶること. **2**〘医〙デング熱.

de·no·da·do, da [denoðáðo, ða デノダド, ダ] 形 大胆な; 決然とした.

de·no·mi·na·ción [denominaθjón デノミナしオン] 名女 命名; 名称.

de·no·mi·na·dor, do·ra [denominaðór, ðóra デノミナドル, ドラ] 形 命名する.
—— 名男女 命名者.
—— 名男〘数〙分母. *denominador común* 共通[公]分母.

de·no·mi·nar [denominár デノミナル] 動他 …と命名する, …と呼ぶ.

de·no·tar [denotár デノタル] 動他 示す; 意味する.

densa 形女 → denso.

den·si·dad [densiðáð デンシダ(ド ゥ)] 名女 **1** 濃度, 密度. *densidad* de población 人口密度. **2**〘物理〙密度, 比重.

den·so, sa [dénso, sa デンソ, サ] 形 [複 ～s]〔英 dense〕 **1** **濃い, 密な**. humo *denso* 濃い煙. bosque *denso* 密生した森. noche *densa* 闇夜(やみよ). discurso *denso* 内容のある演説.
2〘物理〙密度が高い, 比重が大きい.

den·ta·do, da [dentáðo, ða デンタド, ダ] 過分 形 歯のある; ぎざぎざのついた. rueda *dentada* 歯車.

den·ta·du·ra [dentaðúra デンタドゥラ] 名女《集合》歯; 歯並び. *dentadura* postiza 入れ歯.

den·tal [dentál デンタる] 形 歯の. crema *dental* 練り歯磨き (= pasta dentífrica).
—— 名女〘音声〙歯音: t, d など.

den·te·lla·da [denteʎáða デンテリャダ] 名女 かむこと; かみ傷, 歯形. dar *dentelladas* a《+algo》〈何か〉にかみつく.

den·te·llar [denteʎár デンテリャル] 動自 歯をがちがち鳴らす.

den·te·lle·ar [denteʎeár デンテリェアル] 動他 かじる, かむ.

den·tí·fri·co, ca [dentífriko, ka デンティフリコ, カ] 形 歯磨きの.
—— 名男 練り歯磨き.

den·tis·ta [dentísta デンティスタ] 名男女 [複 ～s]〔英 dentist〕 **歯科医**, 歯医者. ir al *dentista* 歯医者に行く.

den·tro [déntro デントゥロ] 副〔英 inside〕《内部を表して》**中に**; 屋内で[に] (↔ fuera). No queda nada *dentro*. 中は空っぽだ. ir hacia [para] *dentro* 中へ入る.
dentro de ... (1)《時間を表して》(今から見て) …後に, …たったら. Volveré *dentro de* dos horas. 2時間後に戻ります. *dentro de* poco 間もなく, すぐに. (2)《場所を表して》…の中に[で]. meter *dentro de* la caja 箱の中にしまう. ►en の方が多く用いられる. (3)《期間を表して》…の期間内に. *dentro de* este año 年内に.
¡Dentro o fuera! どちらかはっきりしろ.
entrar [estar] dentro de lo posible (実現) 可能である.
por dentro 中を[から]; 心の中で. No lo he visto *por dentro*. 私はまだ内部を見ていない. cerrar *por dentro* 中から閉める. forrado *por dentro* 内張りした.

de·nue·do [denwéðo デヌエド] 名男 勇気, 大胆さ.

de·nun·cia [denúnθja デヌンしア] 名女 告発, 密告; 表明.

de·nun·ciar [denunθjár デヌンしアル] 動他 **1** (犯罪を) 告発する, 通報する, 密告する. *denunciar* un robo a la policía 警察に盗難の通報をする. El artículo *denuncia* el abuso de autoridad. 記事は職権の濫用を非難している.
2 示す, あばく. Sus modales *denuncian* su origen campesino. 彼のマナーを見れば, 田舎者だということがわかる.

de·par·ta·men·to [departaménto デパルタメント] 名男 [複 ～s]〔英 department〕 **1** (官庁・企業の) **部局**; 省; (大学の) **学科**. *departamento* de ventas 販売部. *departamento* de historia 歴史学科.
2 区分, 仕切り; 室; 車室;《ラ米》アパート.

de·pen·den·cia [dependénθja デペンデンしア] 名女 **1** 従属, 依存. estar bajo la *dependencia* de ... …に従属[依存]している.
2《集合》従業員.
3 親戚(しんせき)関係, 友人関係.
4 支店. **5** [～s] 付属建築物; 付属品.

de·pen·der [dependér デペンデル] 動自〔英 depend〕《+**de**》**1** …による, **…次第である**. *Depende de* ti. それは君次第だ.
2 …に従属する. Los colegios *dependen del* Ministerio de Educación. 学校は文部省の管轄下にある. **3** …に依存する, 頼る. El chico *depende de* sus hermanos. あいつは兄弟に養ってもらっている.
Eso depende. それは時と場合によりけりだ.

de·pen·dien·ta [dependjénta デペンディエンタ] 名女 女店員.

de·pen·dien·te [dependjénte デペンディエンテ] 名男 [複 ～s]〔英 clerk〕**店員**, 従業員. —— 形《+**de**》…に従属する, 依存する. isla *dependiente de* un país ある国が領有する島.

de·pi·lar [depilár デピらル] 動他 毛を抜く.

D

——de·pi·lar·*se* 脱毛する.
de·plo·ra·ble [deploráβle デプろラブれ] 形哀れな; 嘆かわしい (= lamentable).
de·plo·rar [deplorár デプろラル] 動他 嘆き悲しむ, 残念に思う (= lamentar).
de·po·ner [deponér デポネル] 45動他 [過分 depuesto, ta] **1** 下に置く, 降ろす. **2** 免職にする.
de·por·te [depórte デポルテ] 名男 [複 ~s] 〔英 sport〕 **スポーツ**, 運動, 競技. *deportes* de invierno ウインタースポーツ. hacer *deporte* スポーツをする.
de·por·tis·ta [deportísta デポルティスタ] 名男女 スポーツマン [ウーマン], スポーツ選手. ——形スポーツ好きの.
de·por·ti·vi·dad [deportiβiðáð デポルティビダ(ドゥ)] 名女スポーツマンシップ.
de·por·ti·vo, va [deportíβo, βa デポルティボ, バ] 形 **1** スポーツの. coche *deportivo* スポーツカー. **2** スポーツマンらしい.
de·po·si·ción [deposiθjón デポシしオン] 名女 (王の) 廃位; 免職.
de·po·si·tar [depositár デポシタル] 動他 〔英 deposit〕 **1** 預ける; 託する. *depositar* fondos en el banco 資金を銀行に預ける. *depositar* en manos de 《+uno》 〈人〉の手にゆだねる.
2 (期待・信頼などを) 寄せる. Tengo *depositada* en él toda mi confianza. 私は彼に全幅の信頼をおいている.
——de·po·si·tar·*se* 沈殿する, 底にたまる.
de·po·si·ta·rio, ria [depositárjo, rja デポシタリオ, リア] 形保管の, 受託の.
——名男女保管者, 受託者. hacer a 《+uno》 *depositario* de un secreto 〈人〉を見込んで秘密を打ち明ける.
de·pó·si·to [depósito デポシト] 名男 **1** 預金; 保証金, 供託金. *depósito* a plazo 定期預金.
2 保管所; 倉庫; タンク. *depósito* de armas 武器庫. *depósito* de gasolina ガソリンタンク. **3** 預け入れ; 〘法律〙寄託, 供託. **4** 沈殿物, おり.
en depósito 寄託した; 保税倉庫留置の. mercancías *en depósito* 保税貨物.
de·pra·va·ción [depraβaθjón デプラバしオン] 名女堕落, 退廃.
de·pra·va·do, da [depraβáðo, ða デプラバド, ダ] 過分形堕落した.
——名男女堕落した人.
de·pra·var [depraβár デプラバル] 動他 堕落させる.
——de·pra·var·*se* 堕落する.
de·pre·cia·ción [depreθjaθjón デプレしアしオン] 名女 (価値・価格の) 下落.
de·pre·ciar [depreθjár デプレしアル] 動他 …の価値 [価格] を下げる.
—— de·preciar·*se* 価値 [価格] が下がる.
de·pre·sión [depresjón デプレシオン] 名女 **1** 低下; 沈下. **2** 〘地理〙くぼ地. **3** 意気消沈; 〘医〙抑鬱(ようつ)症. **4** 〘経済〙不況.
de·pre·si·vo, va [depresíβo, βa デプレシボ, バ] 形 押し下げる; 気のめいるような; 〘医〙抑鬱(ようつ)の.
de·pri·men·te [depriménte デプリメンテ] 形気のめいるような.
de·pri·mi·do, da [deprimíðo, ða デプリミド, ダ] 過分形落ち込んだ, 意気消沈した.
de·pri·mir [deprimír デプリミル] 動他 意気消沈させる.
——de·pri·mir·*se* 打ちひしがれる; 〘医〙鬱病(うつびょう)になる.
de·pri·sa [deprísa デプリサ] 副 急いで (= de prisa) (↔ despacio).
de·pu·ra·ción [depuraθjón デプラしオン] 名女 **1** 純化, 浄化. **2** 粛清.
de·pu·rar [depurár デプラル] 動他 **1** 純化する, 浄化する.
2 粛清する; (政治犯を) 復権させる.
——de·pu·rar·*se* 純粋になる.
de·pu·ra·ti·vo, va [depuratíβo, βa デプラティボ, バ] 形浄化 [浄血] 作用のある.
——名男浄化剤.
de·re·cha [derétʃa デレチャ] 名女 [複 ~s] 〔英 the right〕 **右, 右手**, 右側 (↔ izquierda). estar a la *derecha* de 《+uno》 〈人〉の右側にいる. torcer a la *derecha* 右に曲がる.
——形女 → derecho[1].
de·re·cha·men·te [derétʃaménte デレチャメンテ] 副 まっすぐに, 直接に; ただちに; 正しく.
de·re·chis·ta [deretʃísta デレチスタ] 形右翼の, 右派の; 保守的な (↔ izquierdista).
——名男女右派; 保守主義者.
de·re·cho[1], cha [derétʃo, tʃa デレチョ, チャ] [複 ~s] 形 〔英 right; straight〕 **1 右の**, 右側の (↔izquierdo). el brazo *derecho* 右腕. la mano *derecha* 右手.
2 まっすぐの [な]; 直立の, 垂直の. un camino todo *derecho* まっすぐに延びた道. *derecho* como una vela まっすぐに立った. ponerse *derecho* 直立する, まっすぐに立つ.
3 正しい, 公正な. Es un hombre hecho y *derecho*. 彼こそ男の中の男だ.
de·re·cho[2] [derétʃo デレチョ] 副 **まっすぐに**. Siga usted todo *derecho*. まっすぐに行きなさい.
——名男 〔英 law; right〕 **1 法律**; 法律学. estudiar *derecho* 法律を学ぶ. *derecho* civil 民法. *derecho* mercantil 商法. *derecho* penal 刑法.
2 権利. Vd. no tiene *derecho* a hacer eso. あなたにはそれをする権利がない. *derecho* al voto 選挙権. *derechos* fundamentales (del hombre) 基本的人権. *derechos* civiles 市民権, 公民権. Reser-

vados todos los *derechos* 版権所有.
3 [～s] 税, 関税; 手数料, 料金. *derechos* de matrícula 登記料, 登録料. *derechos* aduaneros [arancelarios, de aduana] 関税.
con* [*sin*] *derecho 正当[不当]に.
de pleno derecho 正式の. miembro *de pleno derecho* 正会員.
de·ri·va [deríβa デリバ] 名女 〘海事〙 漂流.
a la deriva 成りゆきまかせに.
de·ri·va·ción [deriβaθjón デリバしオン] 名女 **1** 由来; 誘導; 移行. **2** (道路・水路の) 分岐, 支線, 支流. **3** 〘言語〙 派生.
de·ri·va·do, da [deriβáðo, ða デリバド, ダ] 過分 形 派生した; 誘導された.
— 名男 派生物; 〘言語〙 派生語.
de·ri·var [deriβár デリバル] 動他
1 《+**hacia**》…に向ける, 導く.
2 《+**de**》…から派生させる.
der·ma·ti·tis [dermatítis デルマティティス] 名女 [単・複同形] 〘医〙 皮膚炎.
der·ma·to·lo·gí·a [dermatoloxía デルマトろヒア] 名女 〘医〙 皮膚病学.
der·mis [dérmis デルミス] 名女 [単・複同形] 〘解剖〙 真皮.
de·ro·ga·ción [deroɣaθjón デロガしオン] 名女 〘法律〙 (法律の) 廃止.
de·ro·gar [deroɣár デロガル] [32 g → gu] 動他 **1** 〘法律〙 (法律を) 廃止する.
2 (契約などを) 破棄する; 破壊する.
de·rra·ma [dera̅ma デラマ] 名女 (分担金の) 割り当て, 配分; 分担金.
de·rra·ma·mien·to [dera̅mamjénto デラマミエント] 名男 こぼれること; 流出.
de·rra·mar [dera̅már デラマル] 動他 こぼす, まき散らす. *derramar* lágrimas 涙を流す. *derramar* un vaso de agua コップの水をこぼす. *derramar* ternura 愛情を注ぐ.
— **de·rra·mar·*se*** こぼれる, あふれる; 散らばる. *El aceite se ha derramado* por el suelo. 油が床に飛び散った.
de·rra·me [dera̅me デラメ] 名男 流出; (血液・リンパ液などの) 溢出(いっしゅつ). *derrame* cerebral 脳溢血.
de·rra·par [dera̅pár デラパル] 動自 (自動車が) 横滑りする, スリップする.
de·rre·dor [dere̅ðór デレドル] 名男 周囲.
al* [*en*] *derredor 回りに.
de·rre·tir [dere̅tír デレティル] [41 e → i] 動他 [現分 derritiendo] (熱で) 溶かす, 溶解する. *derretir* la mantequilla バターを溶かす.
— **de·rre·tir·*se*** **1** (熱で) 溶ける, 溶解する. **2** 《+**por**》…に恋い焦がれる.
3 《+**de**》…にいらいらする; 身を焦がす.
de·rri·bar [deri̅βár デリバル] 動他 **1** 倒す; 壊す. *derribar* un edificio 建物を取り壊す. El viento *derribó* los árboles. 風が木々をなぎ倒した. *derribar* un avión 飛行機を撃墜する.
2 失墜させる, 失脚させる. *derribar* el gobierno 政府を倒す.
de·rri·bo [deri̅βo デリボ] 名男 破壊, 倒壊, 取り壊し.
de·rro·car [dero̅kár デロカル] [8 c → q] 動他 失脚させる.
de·rro·char [dero̅tʃár デロチャル] 動他 浪費する, 乱費する.
de·rro·che [dero̅tʃe デロチェ] 名男 浪費, 乱費.
de·rro·ta [dero̅ta デロタ] 名女 敗北. sufrir una *derrota* 敗北を喫する.
de·rro·tar [dero̅tár デロタル] 動他 **1** 打ち破る, 負かす. *derrotar* a su oponente por 2 a 1 相手を2対1で破る.
2 意気阻喪させる.
de·rro·tis·mo [dero̅tísmo デロティスモ] 名男 敗北主義, 悲観主義.
de·rro·tis·ta [dero̅tísta デロティスタ] 形 敗北主義の, 悲観主義の.
— 名男女 敗北主義者, 悲観主義者.
de·rrum·ba·mien·to [deru̅mbamjénto デルンバミエント] 名男 倒壊, 崩壊, 取り壊し.
de·rrum·bar [deru̅mbár デルンバル] 動他 倒す, 壊す, 取り壊す.
— **de·rrum·bar·*se*** 倒壊する.
des 動 → dar. 16
de·sa·bo·ri·do, da [desaβoríðo, ða デサボリド, ダ] 形 味気ない; 《口語》 無愛想な.
— 名男女 《口語》 無愛想な人.
de·sa·bo·to·nar [desaβotonár デサボトナル] 動他 (服の) ボタンを外す.
— **de·sa·bo·to·nar·*se*** (自分の服の) ボタンを外す.
de·sa·bri·do, da [desaβríðo, ða デサブリド, ダ] 形 **1** (食べ物が) まずい, 味がない.
2 (天候が) 不順な. **3** (人が) 無愛想な.
de·sa·bri·ga·do, da [desaβriɣáðo, ða デサブリガド, ダ] 過分 形 見捨てられた; 無防備な.
de·sa·bri·gar [desaβriɣár デサブリガル] [32 g → gu] 動他 **1** コートなどを脱がせる; 覆いを取る. **2** 見捨てる.
de·sa·bri·mien·to [desaβrimjénto デサブリミエント] 名男 **1** (味の) まずさ; 味気なさ.
2 天候不順. **3** 無愛想.
de·sa·bro·char [desaβrotʃár デサブロチャル] 動他 …のホック[ボタン]を外す. *desabrochar* la camisa a un niño 子供のシャツのボタンを外す. *Desabrochó* al niño. 彼女は子供のボタンを外した.
— **de·sa·bro·char·*se*** **1** (自分の服の) ホック[ボタン]を外す. **2** ボタンなどが外れる. ► 衣服が主語になる. **3** 《口語》《+**con**》…に胸の内を打ち明ける.
de·sa·cer·ta·do, da [desaθertáðo, ða デサセルタド, ダ] 過分 形 不適切な; 誤った.
de·sa·cier·to [desaθjérto デサしエルト] 名男 的外れ, 誤り; 失敗.

de·sa·cor·de [desakórðe デサコルデ] 形 **1** (意見が) 合わない. **2** 調子外れの.

de·sa·cos·tum·bra·do, da [desakostumbráðo, ða デサコストゥンブラド, ダ] 形 いつもと違う, 稀(ま)な.

de·sa·cre·di·tar [desakreðitár デサクレディタル] 動他 …の信用を失墜させる.

—— **de·sa·cre·di·tar·*se*** 信用を失う.

de·sa·cuer·do [desakwérðo デサクエルド] 名男 **1** 不一致, 意見の相違; 不和. estar en *desacuerdo* con … …と一致しない. **2** 誤り, 失策.

D

de·sa·fiar [desafjár デサフィアル] [23 i ➙ í] 動他 …に挑む, 立ち向かう; 《+**a**》…に…を挑む.

de·sa·fi·nar [desafinár デサフィナル] 動自 **1** 〘音楽〙調子外れな音を出す. **2** 《口語》場違いなことを言う.

—— **de·sa·fi·nar·*se*** 〘音楽〙調子が狂う.

de·sa·fí·o [desafío デサフィオ] 名男 挑戦; 決闘 (= duelo); 張り合い.

de·sa·fo·ra·do, da [desaforáðo, ða デサフォラド, ダ] 形 とてつもない.

de·sa·for·tu·na·da·men·te [desafortunáðaménte デサフォルトゥナダメンテ] 副 残念ながら, あいにく.

de·sa·for·tu·na·do, da [desafortunáðo, ða デサフォルトゥナド, ダ] 形 運のない, 不幸な (= desgraciado).

de·sa·gra·da·ble [desaɣraðáβle デサグラダブレ] 形 不快な, 嫌な; 無愛想な. sabor *desagradable* 嫌な味. *desagradable* al gusto 好みに合わない. asunto *desagradable* de pensar 考えたくもないこと.

de·sa·gra·dar [desaɣraðár デサグラダル] 動自 不快である. Me *desagrada* lo que has dicho. 君の言ったことが不愉快だ.

de·sa·gra·de·cer [desaɣraðeθér デサグラデセル] 40 動他 …に感謝しない, 恩を感じない.

de·sa·gra·de·ci·do, da [desaɣraðeθíðo, ða デサグラデシド, ダ] 過分 形 恩知らずの.

—— 名男女 恩知らず.

de·sa·gra·do [desaɣráðo デサグラド] 名男 不快, 不満.

con desagrado いやいやながら.

de·sa·gra·viar [desaɣraβjár デサグラビアル] 動他 …に謝罪する; 賠償する. *desagraviar* a 《+uno》 de una ofensa 〈人〉に無礼をわびる.

de·sa·gra·vio [desaɣráβjo デサグラビオ] 名男 謝罪; 賠償.

en desagravio de … …の償いとして.

de·sa·gua·de·ro [desaɣwaðéro デサグアデロ] 名男 排水路[管].

de·sa·guar [desaɣwár デサグアル] [7 gu ➙ gü] 動他 排水する; (容器を) 空(から)にする.

—— 動自 (水が) はける; 《+**en**》…に流れ込む.

de·sa·güe [desáɣwe デサグエ] 名男 排水; 排水溝[口]. tubo de *desagüe* 排水管.

de·sa·gui·sa·do, da [desaɣisáðo, ða デサギサド, ダ] 形 不法な; 理不尽な.

—— 名男 **1** 犯罪; 侮辱; 暴行. **2** 《口語》損害, 支障. ocurrir un *desaguisado* en 《+algo》〈何か〉に不都合が起こる.

de·sa·ho·ga·do, da [desaoɣáðo, ða デサオガド, ダ] 過分 形 **1** 広々とした; (服などが) ゆったりとした; 裕福な. **2** ずうずうしい, 厚かましい.

de·sa·ho·gar [desaoɣár デサオガル] [32 g ➙ gu] 動他 **1** 安心させる; (痛みなどを) 和らげる. **2** (感情などを) あらわにする. *desahogar* su ira con 《+uno》〈人〉に怒りをぶちまける.

—— **de·sa·ho·gar·*se*** **1** くつろぐ; (義務・悩みから) 解放される. **2** 心の中を打ち明ける.

de·sa·ho·go [desaóɣo デサオゴ] 名男 **1** 安心; (痛みの) 軽減; 安らぎ. **2** 生活のゆとり. vivir con *desahogo* 安楽に暮らす. **3** 厚顔, 厚かましさ.

de·sa·hu·ciar [desauθjár デサウシアル] 動他 **1** (借家人を) 立ち退かせる. **2** (医者が) 見放す; あきらめさせる.

—— **de·sa·hu·ciar·*se*** あきらめる.

de·sai·rar [desairár デサイラル] [2 i ➙ í] 動他 冷たくあしらう; はねつける.

de·sai·re [desáire デサイレ] 名男 軽んじること, 拒絶. hacer un *desaire* a 《+uno》〈人〉を袖(そで)にする.

de·sa·jus·tar [desaxustár デサフスタル] 動他 …の調子を狂わせる, 駄目にする, 台無しにする.

—— **de·sa·jus·tar·*se*** 乱れる; 折り合いがつかない, 台無しにする; 故障する.

de·sa·jus·te [desaxúste デサフステ] 名男 混乱, 乱れ; 不一致; (機械の) 故障, 調整不良.

de·sa·len·tar [desalentár デサレンタル] [42 e ➙ ie] 動他 **1** がっかりさせる, 意気消沈させる. **2** 息切れさせる.

—— **de·sa·len·tar·*se*** 気を落とす.

de·sa·lien·to [desaljénto デサリエント] 名男 気落ち, 落胆.

de·sa·li·ña·do, da [desaliɲáðo, ða デサリニャド, ダ] 過分 形 (身なりが) だらしのない; いい加減な.

de·sa·li·ñar [desaliɲár デサリニャル] 動他 (服装などを) だらしなくする.

—— **de·sali·ñar·*se*** だらしのない格好をする.

de·sa·li·ño [desalíɲo デサリニョ] 名男 (身なりの) だらしなさ.

de·sal·ma·do, da [desalmáðo, ða デサルマド, ダ] 形 邪悪な; 残酷な.

—— 名男女 悪党; 残酷な人.

de·sa·lo·ja·mien·to [desaloxamjénto デサロハミエント] 名男 追い立て; 明け渡し.

de·sa·lo·jar [desaloxár デサロハル] 動他

1《+**de**》…から立ち退かせる. *desalojar* a《+uno》*de* SU casa〈人〉を家から追い立てる. **2** 明け渡す.
—— 動自 引っ越す.

de·sam·bien·ta·do, da [desambjentáðo, ða デサンビエンタド, ダ] 形 場違いの, 違和感を覚える.

de·sa·mor·ti·zar [desamortiθár デサモルティサル] [39 z ➡ c] 動他〘法律〙譲渡[移転]する;〘歴史〙(教会などの永代所有財産を) 剝奪する.

de·sam·pa·ra·do, da [desamparáðo, ða デサンパラド, ダ] 過分 形 見捨てられた.

de·sam·pa·rar [desamparár デサンパラル] 動他 見捨てる;〘法律〙放棄する.

de·sam·pa·ro [desampáro デサンパロ] 名男 頼るもののないこと, 寄る辺のなさ.

de·san·grar [desaŋgrár デサングラル] 動他 …の血を抜く; …から絞り取る.
—— **de·san·grar·*se*** 出血する.

de·sa·ni·mar [desanimár デサニマル] 動他 落胆させる, がっかりさせる. El resultado del examen me *ha desanimado*. 私は試験の結果にがっくりきている.
—— **de·sa·ni·mar·*se*** 気落ちする. ¡No *se desanime*! 元気を出しなさい.

de·sá·ni·mo [desánimo デサニモ] 名男 気落ち, 落胆.

de·sa·pa·ci·ble [desapaθíβle デサパシブれ] 形 不快な; (天候が) 不順な; (議論などが) 痛烈な.

de·sa·pa·re·cer [desapareθér デサパレセル] 40 動自〔英 disappear〕**見えなくなる, 消える**; なくなる; 姿を消す, 行方不明になる. Su marido *desapareció* en la guerra. 彼女の夫は戦争で消息不明になった. Me *han desaparecido* las llaves. ぼくの鍵(かぎ)が見当たらない.

desaparezc- 動 ➡ desaparecer. 40

de·sa·pa·ri·ción [desapariθjón デサパリしオン] 名女 見えなくなること; 消滅; 行方不明.

de·sa·pa·sio·nar [desapasjonár デサパシオナル] 動他 …の情熱[関心]を冷まさせる.
—— **de·sa·pa·sio·nar·*se*** 情熱[関心]を失う. *desapasionarse* por《+uno》〈人〉への思いが冷める.

de·sa·pe·go [desapéɣo デサペゴ] 名男 冷淡, 無関心; 疎遠.

de·sa·per·ci·bi·do, da [desaperθiβíðo, ða デサペルしビド, ダ] 形 **1** 出し抜けの. coger *desapercibido* 不意打ちを食わせる.
2 気づかれない (= inadvertido). pasar *desapercibido* 見落とされる.

de·sa·pren·si·vo, va [desaprensíβo, βa デサプレンシボ, バ] 形 無遠慮な, 破廉恥な.

de·sa·pro·ba·ción [desaproβaθjón デサプロバしオン] 名女 不賛成; 非難.

de·sa·pro·bar [desaproβár デサプロバル] [13 o ➡ ue] 動他 …に賛成しない, 反対する; 非難する. *Desaprobó* la política exterior del nuevo gobierno. 彼は新政府の外交政策に反対した.

de·sa·pro·piar [desapropjár デサプロピアル] 動他 取り上げる.
—— **de·sa·pro·piar·*se***《+**de**》…を手放す.

de·sar·mar [desarmár デサルマル] 動他
1 武装解除する; …の軍備を縮小する. **2** 分解する, 解体する. **3**〘海事〙(艤装(ぎそう)を解いて) 係留する. **4** (怒りを) 和らげる.
—— 動自 **de·sar·mar·*se*** **1**〘軍事〙(自らの) 武装を解く; 軍備縮小する.
2 分解される.

de·sar·me [desárme デサルメ] 名男
1 武装解除; 軍備縮小. **2** (機械の) 分解.

de·sa·rrai·gar [desar̄aiɣár デサライガル] [32 g ➡ gu] 動他 根から引き抜く; 根絶する; 追放する.
—— **de·sa·rrai·gar·*se***《+**de**》(祖国・故郷を) 捨てる; …をやめる.

de·sa·rre·gla·do, da [desar̄eɣláðo, ða デサレグらド, ダ] 形 乱れた, 乱雑な; 無秩序な; 故障した, 調子が狂った.

de·sa·rro·llar [desar̄oʎár デサロリャル] 動他〔英 develop〕**1 発達[発展]させる**; 発育[成長]させる. *desarrollar* la industria 産業を発展させる.
2 (理論・活動を) 展開する, 進展させる; (能力を) 発揮する. *desarrollar* actividades subversivas 破壊活動を繰り広げる. *desarrollar* una inteligencia enorme 非常な聡明(そうめい)さを発揮する.
3 (巻いた物・畳んだ物を) 広げる. *desarrollar* un mapa 地図を広げる.
4〘数〙(数式を) 展開する.
—— **de·sa·rro·llar·*se*** **1 発達[発展]する**; 成育する. En esta última década la informática *se ha desarrollado* a pasos agigantados. 最近10年間で情報科学は飛躍的に発展した.
2 進展する, 展開する. La entrevista *se desarrolló* como estaba previsto. 会見は予想どおりに運んだ.

de·sa·rro·llo [desar̄óʎo デサロリョ] 名男〔英 development〕**1 発達, 発展**; 成育. niño en pleno *desarrollo* 育ち盛りの子供. país en vías de *desarrollo* 発展[開発]途上国 (► 「先進国」は país desarrollado). plan de *desarrollo* 開発計画. *desarrollo* de la industria 産業の発展.
2 進展, 展開.
—— 動 ➡ desarrollar.

de·sa·rro·par [desar̄opár デサロパル] 動他 毛布などをはぐ, 衣服を脱がせる.

de·sar·ti·cu·lar [desartikulár デサルティクらル] 動他 …の関節を外す; 分解する.
—— **de·sar·ti·cu·lar·*se*** 脱臼(だっきゅう)する.

de·sa·sir [desasír デサシル] 5 動他 放す.
—— **de·sa·sir·*se***《+**de**》**1** …から離れ

D

る. *desasirse del* grupo グループから抜ける. **2** …を放棄する, 捨てる.

de·sa·so·se·gar [desasoseɣár デサソセガル] [42 e → ie ; 32 g → gu] 動他 不安にさせる.
— **de·sa·so·se·gar·se** 不安になる.

de·sa·so·sie·go [desasosjéɣo デサソシエゴ] 名男 不安 (= inquietud).

de·sas·tre [desástre デサストゥレ] 名男 **1** 災害; 惨事. *desastre* de la guerra 戦禍. correr [ir] al *desastre* 自ら惨事を招く.
2 大失敗, さんざんな結果; ひどいもの[人]. El concierto fue un *desastre*. コンサートはさんざんなものだった.

de·sas·tro·so, sa [desastróso, sa デサストゥロソ, サ] 形 ひどい, 最悪の; 悲惨な, 惨憺(さんたん)たる.

de·sa·tar [desatár デサタル] 動他 **1** ほどく, 解く. *desatar* un nudo 結び目をほどく. *desatar* el perro 犬を放してやる.
2 (感情などを) 爆発させる.
— **de·sa·tar·se** **1** (感情などが) 爆発する. Su cólera *se desató*. 彼の怒りが爆発した. *desatarse* la tempestad 突然嵐(あらし)になる. **2** したい放題をする. *desatarse* en injurias [en improperios] 言いたい放題の悪口を言う.
desatarse a 《+uno》 ***la lengua*** 〈人〉が重い口を開く. *Se* le *desató la lengua*. 彼は沈黙を破ってしゃべり始めた.

de·sa·ten·ción [desatenθjón デサテンシオン] 名女 不注意, 上の空; 無礼.

de·sa·ten·der [desatendér デサテンデル] [43 e → ie] 動他 おろそかにする, 軽んじる, 怠る.

de·sa·ti·na·do, da [desatináðo, ða デサティナド, ダ] 形 愚かな; 無謀な.

de·sa·ti·no [desatíno デサティノ] 名男 **1** 思慮[分別]のなさ; 見当外れ, へま. cometer un *desatino* へまをやらかす.
2 [~s] たわごと; ばかげた振る舞い.

desayunado, da 過分 → desayunar.

desayunando 現分 → desayunar.

de·sa·yu·nar [desaǰunár デサユナル] [現分 desayunando, 過分 desayunado, da] 動自 〔英 breakfast〕 **朝食を取る**. *desayunar* con pan y café パンとコーヒーで朝食を取る.
— 動他 朝食に…を食べる.
— **de·sa·yu·nar·se** 朝食を取る. Aún no *me he desayunado*. まだ私は朝食を取っていない.

de·sa·yu·no [desaǰúno デサユノ] 名男 [複 ~s] 〔英 breakfast〕 **朝食**. tomar el *desayuno* 朝食を取る. → comida.
— 動 → desayunar.

de·sa·zón [desaθón デサソン] 名女 **1** 気まずさ, 後ろめたさ; 不安, 心配.
2 不快感. **3** 味がないこと.

des·ban·car [desβaŋkár デスバンカル] [8 c → qu] 動他 **1** (トランプで親を) 破産させる; 賭(か)け金をさらう.
2 …に取って代わる.

des·ban·da·da [desβandáða デスバンダダ] 名女 ちりぢりになること.
a la desbandada ちりぢりに.

des·ba·ra·jus·te [desβaraxúste デスバラフステ] 名男 乱雑; 混乱 (= desorden).

des·ba·ra·tar [desβaratár デスバラタル] 動他 **1** 壊す, 台無しにする, めちゃくちゃにする. **2** 使い果たす.
— 動自 でたらめを言う.
— **des·ba·ra·tar·se** **1** 壊れる.
2 かっとなる.

des·bas·tar [desβastár デスバスタル] 動他 〘技術〙荒削りする; 滑らかにする; 洗練させる. — **des·bas·tar·se** 洗練される.

des·blo·que·ar [desβlokeár デスブロケアル] 動他 **1** 〘商業〙…の凍結を解除する.
2 〘軍事〙…の封鎖を解除する.

des·blo·que·o [desβlokéo デスブロケオ] 名男 **1** 〘商業〙凍結解除.
2 〘軍事〙封鎖解除.

des·bo·ca·do, da [desβokáðo, ða デスボカド, ダ] 形 **1** 制御できない; 奔放な. **2** (銃砲が) 広口の; (容器の) 口が欠けた. **3** 《口語》下品な言葉を使う (= malhablado).
— 名男女 《口語》口の悪い人, 言葉遣いの下品な人.

des·bor·dar [desβorðár デスボルダル] 動自 《+de》 …でいっぱいである; あふれる.
— 動他 …からあふれ出る; 突破する; …の限界[範囲]を越える (= exceder).
— **des·bor·dar·se** あふれる.

des·ca·bal·gar [deskaβalɣár デスカバルガル] [32 g → gu] 動自 (馬から) 降りる.
— 動他 (大砲を) 台車から降ろす.

des·ca·be·lla·do, da [deskaβeʎáðo, ða デスカベリャド, ダ] 形 髪を乱した; 常軌を逸した.

des·ca·fei·nar [deskafeinár デスカフェイナル] [2 i → í] 動他 …からカフェインを取り除く.

des·ca·la·brar [deskalaβrár デスカラブラル] 動他 …の頭にけがをさせる; 傷を負わせる; 損害を与える.

des·ca·li·fi·car [deskalifikár デスカリフィカル] [8 c → qu] 動他 失格させる; 信用を傷つける.

des·cal·zo, za [deskálθo, θa デスカルソ, サ] 形 はだしの; 極貧の.

des·cam·pa·do, da [deskampáðo, ða デスカンパド, ダ] 形 空き地の.
— 名男 空き地.

des·can·sa·do, da [deskansáðo, ða デスカンサド, ダ] 過分 → descansar.
— 形 休養した; くつろいだ; 気楽な. vida *descansada* 安楽な暮らし.

descansando 現分 → descansar.

des·can·sar [deskansár デスカンサル] 動自 [現分 descansando; 過分 descansado, da] 〔英 rest〕 **1** **休む**, 休息する; 横になる, 眠る. Trabaja día y noche sin *descansar*. 彼は休息もとらずに日夜働いている. *¿Ha descansado* usted bien? よくお休みになれましたか.
2 葬られている, 地下に眠る. Aquí *descansa* .... (墓碑銘などで) …はここに眠る, …の墓. Que en paz *descanse*. 安らかに眠らんことを.
3 安心する, ほっとする. No pude *descansar* hasta que mi hija volvió a casa. 私は娘が帰宅するまで心が安まらなかった.
4 ⟪+**en, sobre**⟫ …に載って[支えられて]いる. La arcada *descansa sobre* columnas. そのアーケードは, たくさんの柱に支えられている.
── 動他 **1** 休ませる; くつろがせる, ほっとさせる. para *descansar* la vista 目を休めるために. ¡*Descansen* armas! ⟪号令⟫ 〔軍事〕 立て銃(つつ). **2** ⟪+**en, sobre**⟫ …に載せる. *descansar* la cabeza *en* [*sobre*] la almohada まくらに頭を載せる.
3 ⟪+**en**⟫ …にゆだねる, 任せる. *Descansa en* sus hijos la mayor parte de su trabajo. 彼は息子たちに仕事の大部分を任せている.
── **des·can·sar·se** **1** **休む**, 休息する; 眠る (= descansar).
2 ⟪+**en**⟫ …を頼りにする, あてにする.

des·can·si·llo [deskansíʎo デスカンシリョ] 名男 (階段の) 踊り場.

des·can·so [deskánso デスカンソ] 名男 [複 ~s] 〔英 rest〕 **1** **休み**, 休息, 休憩. tomar un rato de *descanso* 一服する. día de *descanso* 休日, 休演日. *descanso* eterno 永眠. *descanso* de maternidad 産休. sin *descanso* 休みなく.
2 (興業の) 休憩時間, 幕間(まくあい); 〔スポ〕 (サッカーなどの) ハーフ・タイム.
3 安らぎ, 慰め. no dar el menor *descanso* 心を安める暇も与えてくれない.
── 動 ➡ descansar.

des·ca·po·ta·ble [deskapotáβle デスカポタブれ] 形 幌(ほろ)付きの, コンバーチブル型の.
── 名男 〔車〕 コンバーチブル.

des·ca·ra·do, da [deskaráðo, ða デスカラド, ダ] 形 ずうずうしい, 厚かましい, 生意気な; 恥知らずな. ── 名男女 無礼なやつ.

des·car·ga [deskárɣa デスカルガ] 名女 **1** 荷降ろし. **2** 発砲; 一斉射撃. **3** 〔電気〕 放電.

des·car·gar [deskarɣár デスカルガル] [32 g ➡ gu] 動他 **1** …の荷を降ろす; (荷を) 降ろす. *descargar* el camión トラックの荷を降ろす. El camión *descargó* dos cajones de botellas de vino delante de la tienda. 店の前でトラックがワインの入った大箱を2個降ろした.
2 ⟪+**de**⟫ (義務・負担などを) 取り除く, 軽くする. *descargar* a ⟪+uno⟫ *de* una obligación 〈人〉を義務から解放する. *descargar* a ⟪+uno⟫ *de* la responsabilidad 〈人〉の責任を軽くする.
3 (感情などを) ぶちまける; 浴びせる. *descargar* la ira en [sobre] ⟪+uno⟫ 〈人〉に怒りをぶちまける. **4** 発砲する, 射つ.
5 放電させる. para no *descargar* la batería del coche 車のバッテリーが上がらないように.
6 ⟪口語⟫ (打撃などを) 食らわせる. *descargar* golpes さんざん殴りつける.
7 〔コンピュータ〕 ダウンロードする: データを自分のコンピュータに取り込む.
── **des·car·gar·se** **1** ⟪+**de**⟫ …を免れる, …から楽になる; …を辞職[辞任]する; 〔法律〕 …の疑いを晴らす. *descargarse de* la culpa 身の証(あかし)を立てる.
2 ⟪+**de** ... **en** [**sobre**]⟫ …を…に転嫁する. *descargarse de* sus obligaciones *en* ⟪+uno⟫ 自分の責任を〈人〉に押しつける.
3 ⟪+**en, contra**⟫ …に怒りをぶちまける. *Me descargué en* la niña. 私は幼い娘に当たり散らした. **4** 放電する.

des·car·go [deskárɣo デスカルゴ] 名男 **1** 荷降ろし, 荷揚げ. **2** (義務の) 免除; 安堵(あんど). en *descargo* de conciencia 気安めに. **3** 〔商業〕 貸方. **4** 〔法律〕 (被告側の) 答弁. testigo de *descargo* 弁護側証人.

des·ca·ro [deskáro デスカロ] 名男 厚かましさ; 恥知らず.

des·ca·rriar [deskar̄jár デスカリアル] [23 i ➡ í] 動他 …に道を間違えさせる; 堕落させる. ── **des·ca·rriar·se** 道に迷う; 道を誤る.

des·ca·rri·lar [deskar̄ilár デスカリラル] 動自 **1** (列車が) 脱線する. **2** 本題を外れる.

des·car·tar [deskartár デスカルタル] 動他 排除する, 捨てる.
── **des·car·tar·se** ⟪+**de**⟫ …を逃れる, 回避する.

des·cas·ca·ri·llar [deskaskariʎár デスカスカリリャル] 動他 …の薄皮をむく; はがす.
── **des·cas·ca·ri·llar·se** はげ落ちる.

des·cen·den·cia [desθendénθja デセンデンシア] 名女 ⟪集合⟫ 子孫; 家系, 血統.

des·cen·den·te [desθendénte デセンデンテ] 形 下降する, 下向きの; 減少する (↔ ascendente). marea *descendente* 引き潮.

des·cen·der [desθendér デセンデル] [43 e ➡ ie] 動自 **1** **降りる**, 下る (↔ascender). *descender* del tren 列車を降りる. Los alpinistas *descendieron* de la montaña. 登山家たちは下山した. ►bajar, caer の方が口語的.
2 **下がる**, 低下する. Esta noche *descenderán* las temperaturas en todo el país. 今夜は全国的に冷え込むだろう. Las aguas *han descendido* de nivel. 水位が下がった. El terreno *desciende* hacia

D

el mar. 地形は海に向かって傾斜している. **3** 降格する, 下落する. *descender* de categoría en la empresa 社内人事で降格[左遷]になる. *Ha descendido* mucho en mi estima. 私は彼をすっかり見損なった. **4** 《+**de**》…の出である, …の子孫である. *descender de* ilustre familia 名家の出である. ── 動他 降りる, 下る. *descender* la escalera 階段を降りる.

des·cen·dien·te [desθendjénte デセンディエンテ] 形 《+**de**》…の血を引く.
── 名男女 子孫.

des·cen·di·mien·to [desθendimjénto デセンディミエント] 名男 **1** 降架. *Descendimiento* de la Cruz キリスト降架.
2 ➡ descenso.

des·cen·so [desθénso デセンソ] 名男 **1** 降りること; 低下; 減退; 降格 (↔ ascenso).
2 下り坂. **3** 〘スポーツ〙(スキーの) 滑降競技.

des·cen·tra·do, da [desθentráðo, ða デセントゥラド, ダ] 過分 形 **1** 中心から外れた.
2 (環境に) なじまない.

des·cen·tra·li·za·ción [desθentraliθaθjón デセントゥラりさしオン] 名女 地方分権(化).

des·cen·tra·li·zar [desθentraliθár デセントゥラりさル] [39 z ➡ c] 動他 地方分権にする; 分散させる.

des·cen·trar [desθentrár デセントゥラル] 動他 中心から外す.
── **des·cen·trar·*se*** 中心から外れる.

desciend- 動 ➡ descender. [43 e ➡ ie]

des·ci·frar [desθifrár デしフラル] 動他 判読する; 解読する.

des·co·car·*se* [deskokárse デスコカルセ] [8 c ➡ qu] 動 《口語》厚かましく振る舞う.

des·co·co [deskóko デスココ] 名男 《口語》厚かましさ.

des·col·gar [deskolɣár デスコるガル] [13 o ➡ ue ; 32 g ➡ gu] 動他 降ろす, 外す; (電話の) 受話器を外す; つり降ろす.
── **des·col·gar·*se*** **1** 落ちる, 外れる; (ロープを伝って) 降りる, 滑り降りる.
2 《口語》《+**por**》…に突然現れる, ふいに姿を見せる.
3 《口語》《+**con**》…を突然言い出す.

des·co·lo·ni·zar [deskoloniθár デスコろニさル] [39 z ➡ c] 動他 解放する, 非植民地化する.

des·co·lo·ri·do, da [deskoloríðo, ða デスコろリド, ダ] 形 色あせた; 青白い.

des·co·me·dir·*se* [deskomeðírse デスコメディルセ] [41 e ➡ i] 動 [現分 descomidiéndose] 礼を欠く, 横柄な態度を取る.

des·com·pa·sa·do, da [deskompasáðo, ða デスコンパサド, ダ] 形 **1** 過度の; とんでもない. **2** 横柄な, 失礼な.

des·com·pen·sar [deskompensár デスコンペンサル] 動他 不均衡にする.
── **des·com·pen·sar·*se*** **1** 不均衡になる. **2** 〘医〙(心臓などが) 代償不全になる.

des·com·po·ner [deskomponér デスコンポネル] 45 動他 [過分 descompuesto, ta] **1** 分解する; 腐敗させる. **2** 壊す; 台無しにする. *descomponer* los planes 計画をめちゃめちゃにする. **3** 狼狽(ろうばい)させる.
── **des·com·po·ner·*se*** **1** 分解する; 腐敗する. **2** (機械が) 壊れる; 乱れる; 調子を崩す. **3** 腹を立てる; 取り乱す.

des·com·po·si·ción [deskomposiθjón デスコンポシしオン] 名女 **1** 分解; 腐敗.
2 〘数〙(因数) 分解. **3** 崩壊; 衰亡.
4 故障, 不調.

des·com·pos·tu·ra [deskompostúra デスコンポストゥラ] 名女 **1** 故障; 混乱.
2 厚かましさ, 不作法; だらしなさ.

des·com·pues·to, ta [deskompwésto, ta デスコンプエスト, タ] 過分 ➡ descomponer.
── 形 **1** 分解した; 腐敗した; 故障した; 体調を崩した. **2** 立腹した. ponerse *descompuesto* 腹を立てる. **3** ずうずうしい, 無礼な. **4** 《ラ米》ほろ酔いの.

des·co·mul·gar [deskomulɣár デスコムるガル] [32 g ➡ gu] 動他 〘カトリック〙破門する.

des·co·mu·nal [deskomunál デスコムナる] 形 **1** 巨大な, 途方もない.
2 《口語》とてもすばらしい.

des·con·cer·ta·do, da [deskonθertáðo, ða デスコンセルタド, ダ] 過分 形 当惑した; ふしだらな.

des·con·cer·tar [deskonθertár デスコンセルタル] [42 e ➡ ie] 動他 **1** 混乱させる; 当惑させる. **2** …の関節を外す.
── **des·con·cer·tar·*se*** **1** 混乱する; 当惑する. **2** (体調を) 悪くする; 故障する.
3 脱臼(だっきゅう)する.

des·con·cha·do, da [deskontʃáðo, ða デスコンチャド, ダ] 過分 形 (壁・ペンキが) はげ落ちた.
── 名男 (壁・ペンキの) はげ落ちた箇所.

des·con·char [deskontʃár デスコンチャル] 動他 (壁を) はがす.
── **des·con·char·*se*** (壁が) はげ落ちる.

des·con·cier·to [deskonθjérto デスコンしエルト] 名男 **1** 混乱; 不調; 当惑.
2 脱臼(だっきゅう).

des·co·nec·tar [deskonektár デスコネクタル] 動他 **1** 〘電気〙…の接続を切る; …の電源を切る. **2** 接続[連絡]を断つ.

des·co·ne·xión [deskoneksjón デスコネクシオン] 名女 切断; 断絶.

des·con·fian·za [deskomfjánθa デスコンフィアンさ] 名女 不信, 疑念.

des·con·fiar [deskomfjár デスコンフィアル] [23 i ➡ í] 動自 《+**de**》…を信用しない, 疑う. *Desconfía* del médico. 彼は医者を信用していない.

des·con·ge·la·dor [deskoŋxelaðór デス

コンへらドル] 名男 (冷蔵庫の) 霜取り装置.

des·con·ge·lar [deskoŋxelár デスコンヘらル] 動他 解凍する; (冷蔵庫の) 霜を取る; (予算・施策などの) 凍結を解除する.

des·con·ges·tión [deskoŋxestjón デスコンヘスティオン] 名女 (混雑の) 緩和; (充血の) 軽減.

des·con·ges·tio·nar [deskoŋxestjonár デスコンヘスティオナル] 動他 (混雑を) 緩和する, (充血を) 癒(いや)す.

des·co·no·cer [deskonoθér デスコノセル] 40 動他 **1** 知らない.
2 見違える. **3** 否定する; 認めない.

des·co·no·ci·do, da [deskonoθíðo, ða デスコノしド, ダ] 形 **1** 未知の, 知られていない; 見知らぬ. estrella *desconocida* 未知の星. actor *desconocido* 無名の俳優. *desconocido* de [para] todos 誰にも知られていない.
2 見違えるほど変わった. Desde que volvió de París está *desconocido*. パリ帰りの彼はすっかり変わってしまった.
—— 名男女 知らない人, 見知らぬ人.

des·co·no·ci·mien·to [deskonoθimjénto デスコノしミエント] 名男 知らないこと, 無知.

des·con·si·de·ra·ción [deskonsiðeraθjón デスコンシデラしオン] 名女 思いやりのなさ; 無遠慮.

des·con·si·de·ra·do, da [deskonsiðeráðo, ða デスコンシデラド, ダ] 形 無遠慮な; 思いやりのない. —— 名男女 無遠慮な人; 思いやりのない人.

des·con·so·lar [deskonsolár デスコンソらル] [13 o ➡ ue] 動他 悲しませる; 絶望させる.
—— **des·con·so·lar·*se*** 悲しむ.

des·con·sue·lo [deskonswélo デスコンスエろ] 名男 心痛, 悲嘆.

des·con·ta·mi·nar [deskontaminár デスコンタミナル] 動他 …の汚染を除去する.

des·con·tar [descontár デスコンタル] [13 o ➡ ue] 動他 **1** 差し引く, 割り引く. *descontar* el diez por ciento del precio 10パーセントの値引きをする.
2 割り引いて聞く.

des·con·ten·ta·di·zo, za [deskontentaðíθo, θa デスコンテンタディそ, さ] 形 不平の多い, 気難しい. —— 名男女 気難しい人.

des·con·ten·to, ta [deskonténto, ta デスコンテント, タ] 形 《+**de, con, por**》 …に不満な; 失望した. Está *descontento con* el resultado del examen. 彼は試験の結果に不満だ.
—— 名男 不満.

des·co·rrer [deskor̄ér デスコレル] 動他 (カーテン・幕などを) 開ける; (掛け金を) 外す.

des·cor·tés [deskortés デスコルテス] 形 無礼な, 礼儀を知らない.
—— 名男女 無礼な人.

des·cor·te·sí·a [deskortesía デスコルテシア] 名女 無礼, 礼儀知らず.

des·co·ser [deskosér デスコセル] 動他 (編み物・縫い物を) ほどく.
no descoser la boca [***los labios***] おし黙っている。

des·co·si·do, da [deskosíðo, ða デスコシド, ダ] 過分 形 (縫い目が) ほどけた, ほころびた; (話などが) まとまりのない.
—— 名男 ほころび.

des·cré·di·to [deskréðito デスクレディト] 名男 信用をなくすこと, 不評. caer en *descrédito* 評判が悪くなる.

des·cre·í·do, da [deskreíðo, ða デスクレイド, ダ] 形 信じない; 無信仰の.
—— 名男女 無信仰者.

des·cri·bir [deskriβír デスクリビル] 動他 [過分 descrito, ta] 〔英 describe〕
1 **描写する**, 記述する, 言い表す. *describir* el accidente con todo detalle 事故の模様をこと細かに描写する.
2 (天体が軌道を) 描く.

des·crip·ción [deskripθjón デスクリプしオン] 名女 描写, 記述. La belleza de este paisaje supera a toda *descripción*. この風景の美しさは筆舌に尽くせない.

des·crip·ti·vo, va [deskriptíβo, βa デスクリプティボ, バ] 形 描写的な, 記述的な.

des·cri·to, ta [deskríto, ta デスクリト, タ] 過分 ➡ describir.
—— 形 描写された, 記述された.

des·cuar·ti·zar [deskwartiθár デスクアルティさル] [39 z ➡ c] 動他 **1** 四つに裂く; (動物を) 解体する.
2 《口語》 ばらばらにする.

des·cu·bier·to, ta [deskuβjérto, ta デスクビエルト, タ] 過分 ➡ descubrir.
—— 形 **1** 露出した, むき出しの; 無帽の.
2 (土地が) 広々とした; (空が) 晴れ渡った (= despejado).
al descubierto (1) むき出しで. Las mujeres árabes no pueden llevar la cara *al descubierto*. アラブの女性は顔をむき出しにできない. (2) あからさまに, おおっぴらに. quedar *al descubierto* 公になる, 暴かれる. (3) 野天で.
en todo lo descubierto 至る所で, 全世界に.

des·cu·bri·dor, do·ra [deskuβriðór, ðóra デスクブリドル, ドラ] 形 発見する.
—— 名男女 発見者; 探索者.

descubriendo 現分 ➡ descubrir.

des·cu·bri·mien·to [deskuβrimjénto デスクブリミエント] 名男 **1** 発見 (物). el *descubrimiento* de América アメリカ大陸の発見 (► 中南米ではこの言葉を嫌って「出会い」encuentro などを使う). los grandes *descubrimientos* del siglo XX [veinte] 20世紀の大発見 (物).
2 (彫像・石碑などの) 除幕.

des·cu·brir [deskuβrír デスクブリル] 動他 [現分 descu-

D

briendo; 過分 descubierto, ta]〔英 discover〕 **1 発見する**, 見つける. *descubrir* un nuevo virus 新しいウイルスを発見する. *Han descubierto* la habitación donde guardaban las joyas. 彼らは宝石を隠してあった部屋を見つけた. ►「発明する」は inventar.
2 …の覆いを取る; …の蓋(ふた)を取る; あらわにする. *descubrir* una estatua 彫像の除幕をする. **3** 見抜く; 暴く. *Descubrimos* que todo era mentira. 私たちはそれがすべてうそだと気がついた. *descubrir* un secreto 秘密を暴く.
── des·cu·brir·*se* **1** 明るみに出る, 知れわたる. **2** (帽子を) 取る; 肌 (の一部) をあらわにする. *descubrirse* el pecho 胸をあらわにする. ¡Hay que *descubrirse*! 《口語》まいった, 脱帽するよ.
3 (空が) 晴れる. **4** 見える, 視界に入る.
descubrir América [***el Mediterráneo***] ありふれたことをまるで大発見でもあるかのように言う.

des·cuen·to [deskwénto デスクエント] 名 男 〖商業〗値引き (額), 割引 (額) (= rebaja). hacer un *descuento* del diez por ciento 10%の割引をする. con *descuento* 額面以下で. *descuento* de una letra 手形の割引. tipo oficial de *descuento* bancario 公定歩合.

des·cui·da·da·men·te [deskwiðáðaménte デスクイダダメンテ] 副 不注意に, いい加減に.

des·cui·da·do, da [deskwiðáðo, ða デスクイダド, ダ] 形 **1** 不注意な, 軽率な, 無頓着(むとんちゃく)な; だらしのない. en un momento en que yo estaba *descuidado* 私が油断したすきに. **2** 放任の. niño *descuidado* 構ってもらえない子供. ── 名 男 女 無頓着な人; 身なりを構わない人.
coger [***pillar***] ***a*** 《+uno》 ***descuidado*** 〈人〉の虚を突く.

des·cui·dar [deskwiðár デスクイダル] 動 他 **1** 怠る, なおざりにする. *descuidar* sus deberes 義務を怠る. *Descuida* a sus hijos. 彼は子供たちをほったらかしにしている.
2 油断させる.
── 動 自 心配しない. ¡*Descuida*! 大丈夫, 安心しろ.
── des·cui·dar·*se* **1** 《+de》 …を怠る. *Se descuidó de* su trabajo. 彼は仕事を怠けた.
2 油断する; 気にかけない. *Se ha descuidado* y ahora tiene gripe. 彼は不摂生だから風邪をひいたのだ.

des·cui·do [deskwíðo デスクイド] 名 男
1 不注意, 軽率さ, 無頓着(むとんちゃく).
2 誤り, 過失.
al descuido いい加減に, 投げやりに.
al menor descuido 一瞬の気の緩みで.
con descuido 考えずに, 無頓着に.
por descuido 何気なく, うっかり.

des·de [desðe デスデ] 前〔英 from; since〕
《起点を表して》 **…から** (↔ hasta). *desde* 1954 1954年から. *desde* entonces その時以来. *desde* niño 子供のころから. *desde* el principio hasta el final 初めから終わりまで. *desde* Madrid hasta Burgos マドリードからブルゴスまで. *desde* arriba 上から. *desde* lejos 遠くから.
desde hace ... …以来, …前から. *desde hace* un mes ひと月前から.
desde luego もちろん.
desde que 《+直説法》 …して以来. *Desde que* sales con esa chica, estudias más. 君はあの子と付き合うようになってから, よく勉強するようになったね.
desde ya これから, 以後.

des·de·cir [desðeθír デスデシル] 17 動 自 [現分 desdiciendo; 過分 desdicho, cha] 《+**de**》 **1** …に値しない; …より劣る. *desdecir de* la familia 家名を汚す.
2 …に調和しない.
── des·de·cir·*se* 《+**de**》 …を取り消す. *desdecirse de* su promesa 約束をほごにする.

des·dén [desðén デスデン] 名 男 軽蔑(けいべつ); 無視. hacer una mueca de *desdén* 軽蔑して顔をしかめる.
al desdén さりげなく; わざと無造作に.

des·den·ta·do, da [desðentáðo, ða デスデンタド, ダ] 形 歯がない, 歯が抜けた.

des·de·ña·ble [desðeɲáβle デスデニャブレ] 形 軽蔑(けいべつ)すべき; 取るに足りない. no *desdeñable* ばかにならない.

des·de·ñar [desðeɲár デスデニャル] 動 他 軽蔑(けいべつ)する; 無視する. *Desdeñó* mis ofertas. 彼は私の申し出を断った.
── des·de·ñar·*se* 《+**de** 不定詞》 軽蔑して…しない. *desdeñarse de* hablar (お高くとまって) 話しかけようともしない.

des·de·ño·sa·men·te [desðeɲósaménte デスデニョサメンテ] 副 軽蔑しきって, ばかにしたように.

des·de·ño·so, sa [desðeɲóso, sa デスデニョソ, サ] 形 軽蔑(けいべつ)的な, ばかにした.

des·di·bu·jar·*se* [desðiβuxárse デスディブハルセ] 動 (形・輪郭が) ぼやける.

des·di·cha [desðítʃa デスディチャ] 名 女
1 不運; 災難. **2** 悲惨, 極貧.
por desdicha 不幸にして.

des·di·cha·do, da [desðitʃáðo, ða デスディチャド, ダ] 形 **1** 不運な, 不幸な, かわいそうな, 惨めな. **2** ろくでなしの.
── 名 男 女 かわいそうな人; 見下げはてたやつ.
¡Desdichado de ti [***mí***] ***!*** ああ, 情けない.

de·se·a·ble [deseáβle デセアブレ] 形 望ましい.

deseado, da 過分 → desear.

deseando 現分 → desear.

de·se·ar [deseár デセアル] 動他 [現分 deseando; 過分 deseado, da] 〔英 desire, want〕 **1 欲する; 望む**, 願う. *Deseamos* la paz. 私たちは平和を望む. Le *deseo* mucho éxito. ご成功を祈ります. ¿Qué *desea*? (店などで) 何にいたしましょうか. ¿Qué *desea* de mí? 私に何をしてもらいたいのですか. Cuanto más se tiene más se *desea*. 持てば持つほどますます欲しくなる. ►quererを使うと, より直接的な欲求の表現になる.
2 《+不定詞》 **…したい**; 《+que 接続法》 **…して欲しい**, …であることを望む. ¿Qué *deseas* comer? 君は何が食べたい? *Desearía* hacer un viaje por todo el mundo. 世界1周旅行をしてみたいものだ. *Desearía* que me ayudaras. 君に手伝ってもらいたいんだ. ►desear の主語と次に来る動詞の主語が異なるときは que 接続法となる.
3 欲情を抱く. Te *deseo*. 僕は君が欲しい.
ser de desear 期待される, 望まれる.

de·se·car [desekár デセカル] [8 c ➡ qu] 動他 乾燥させる.
—— **de·se·car·*se*** 乾く, 干上がる.

de·se·char [desetʃár デセチャル] 動他 **1** 捨てる; 遠ざける. **2** 拒絶する.

de·se·cho [desétʃo デセチョ] 名男 くず; 廃棄物. *desechos* de las industrias 産業廃棄物.

de·sem·ba·ra·zar [desembaraθár デセンバラさル] [39 z ➡ c] 動他 《+de》 …を取り除く, 片づける.
—— **de·sem·ba·ra·zar·*se*** 《+de》 …から自由になる; …と別れる.

de·sem·ba·ra·zo [desembaráθo デセンバラそ] 名男 無障害; 自由, 闊達(かったつ).

de·sem·bar·ca·de·ro [desembarkaðéro デセンバルカデロ] 名男 埠頭(ふとう), 桟橋.

de·sem·bar·car [desembarkár デセンバルカル] [8 c ➡ qu] 動他 (船・飛行機から) 降ろす, 上陸させる. *desembarcar* mercancías 荷揚げをする.
—— 動自 上陸する, 下船する; 《口語》 (乗り物から) 降りる. *desembarcar* en Cádiz カディスで下船する. *desembarcar* del avión 飛行機から降りる.

de·sem·bar·co [desembárko デセンバルコ] 名男 下船, 上陸; 荷揚げ.

de·sem·bar·que [desembárke デセンバルケ] 名男 下船, 上陸; 荷揚げ. tarjeta de *desembarque* 入国カード.

de·sem·bo·ca·du·ra [desembokaðúra デセンボカドゥラ] 名女 河口; (街路の) 出口.

de·sem·bo·car [desembokár デセンボカル] [8 c ➡ qu] 動自 《+en》 **1** (川などが) …に注ぐ; (通りが) …に通じる.
2 …の結果になる.

de·sem·bol·sar [desembolsár デセンボるサル] 動他 支払う; 費やす.

de·sem·bol·so [desembólso デセンボるソ] 名男 支払い; [~s] 出費. *desembolso* inicial 手付金.

de·sem·bra·gar [desembraɣár デセンブラガル] [32 g ➡ gu] 動他 (連結・接続を) 切り離す.
—— 動自 〘車〙 クラッチを切る.

de·sem·bra·gue [desembráɣe デセンブラゲ] 名男 連結[接続]を切り離すこと; 〘車〙 クラッチを切ること.

de·sem·pa·tar [desempatár デセンパタル] 動他自 勝敗を決する; 〘スポ〙 (同点) 決勝戦をする. *desempatar* los votos 決選投票をする.

de·sem·pa·te [desempáte デセンパテ] 名男 〘スポ〙 同点決勝 (戦), プレーオフ.

de·sem·pe·ñar [desempeɲár デセンペニャル] 動他 **1** (義務などを) 果たす, 遂行する. *Desempeñó* un cargo importante. 彼は重要な任務を果たした. *desempeñar* el papel de ... …の役を演じる.
2 (質草を) 請け出す; (負債などを) 肩替わりする. *desempeñar* sus alhajas 宝石類を請け戻す.
—— **de·sem·pe·ñar·*se*** (負債などから) 自由になる; 切り抜ける.

de·sem·pe·ño [desempéɲo デセンペニョ] 名男 **1** (義務の) 遂行, 履行.
2 (質草の) 請け出し; 負債の肩替わり.

de·sem·ple·o [desempléo デセンプれオ] 名男 失業.

de·sen·ca·de·nar [deseŋkaðenár デセンカデナル] 動他 **1** …の鎖を解く; 解き放す.
2 駆り立てる, 突発させる.
—— **de·sen·ca·de·nar·*se*** 突発する, 荒れ狂う.

de·sen·ca·ja·do, da [deseŋkaxáðo, ða デセンカハド, ダ] 過分 形 **1** (つなぎ・はめ込みが) 外れた.
2 (顔を) こわばらせた, (目を) むいた.

de·sen·ca·jar [deseŋkaxár デセンカハル] 動他 **1** 脱臼(だっきゅう)させる. **2** 切り離す, 取り外す.
—— **de·sen·ca·jar·*se*** **1** 顔がこわばる, 目をむく. **2** 外れる.

de·sen·can·tar [deseŋkantár デセンカンタル] 動他 失望させる.
—— **de·sen·can·tar·*se*** 迷いから覚める; 幻滅する.

de·sen·chu·far [desentʃufár デセンチュファル] 動他 …の電源プラグを抜く.

de·sen·fa·da·do, da [desemfaðáðo, ða デセンファダド, ダ] 過分 形 屈託のない; 伸び伸びとした, 気兼ねのない.

de·sen·fa·dar [desemfaðár デセンファダル] 動他 なだめる.
—— **de·sen·fa·dar·*se*** 怒りを鎮める.

de·sen·fa·do [desemfáðo デセンファド] 名男 **1** 気楽さ, 気兼ねのなさ. con *desenfado* 気兼ねなく. **2** 厚かましさ.

de·sen·fo·car [desemfokár デセンフォカル] [8 c ➡ qu] 動他 …の焦点を外す.
—— **de·sen·fo·car·*se*** ピントが外れる,

ぼける.

de·sen·fo·que [desemfóke デセンフォケ] 名男 ピンぼけ; 的外れ.

de·sen·fre·no [desemfréno デセンフレノ] 名男 放縦(ほうじゅう); (感情の) 奔流.

de·sen·gan·char [deseŋgantʃár デセンガンチャル] 動他 鉤(かぎ)から外す; (馬を馬車から) 放す.

de·sen·ga·ñar [deseŋgaɲár デセンガニャル] 動他 **1** …の迷いを覚ます, 誤りに気付かせる. **2** 幻滅させる, がっかりさせる. Me *han desengañado* tus notas. お前の成績が悪かったので, 私はがっかりした.

— **de·sen·ga·ñar·*se*** **1** 迷いから覚める, 誤りに気付く. ¡*Desengáñate*! だまされるなよ. **2** 《+**de**》…に幻滅する, がっかりする. *Se desengañó de* las mujeres. 彼は女性に失望した.

de·sen·ga·ño [deseŋgáɲo デセンガニョ] 名男 幻滅, 落胆. llevarse [sufrir] un *desengaño* con ... …に幻滅を感じる.

de·sen·la·ce [desenláθe デセンらせ] 名男 **1** (作品などの) 結末, 大団円. *desenlace* feliz ハッピーエンド.
2 解きほぐすこと; 解決.

de·sen·re·dar [desenr̄eðár デセンレダル] 動他 (もつれを) ほどく; (もめごとを) 解決する; 整理する.

— **de·sen·re·dar·*se*** (困難などから) 抜け出る. *desenredarse* de un asunto complicado 厄介なことから解放される.

de·sen·ro·llar [desenr̄oʎár デセンロリャル] 動他 (巻いたものを) 解く, 広げる.

de·sen·ros·car [desenr̄oskár デセンロスカル] [8 c → qu] 動他 (ねじを) 緩める, (キャップ・ふたなどを) ねじって開ける.

de·sen·ten·der·*se* [desentendérse デセンテンデルセ] [43 e → ie] 動 《+**de**》 **1** …に関与しない.
2 …について知らない振りをする.
hacerse el desentendido とぼける, 聞こえない振りをする.

de·sen·te·rrar [desenter̄ár デセンテラル] [42 e → ie] 動他 (死体を) 掘り出す; 思い出す; 蒸し返す.

de·sen·to·nar [desentonár デセントナル] 動自 **1** 調子外れに歌う; 音程が狂う.
2 調和しない.

— **de·sen·to·nar·*se*** 《+**con**》…に対して無礼な態度をとる; 声を荒らげる.

de·sen·tra·ñar [desentraɲár デセントゥラニャル] 動他 (真相を) 解明する.

de·sen·vai·nar [desembainár デセンバイナル] 動他 (刀剣を) 鞘(さや)から抜く.

de·sen·vol·tu·ra [desemboltúra デセンボるトゥラ] 名女 **1** (動作・態度の) 軽快さ; 自信. con *desenvoltura* 伸び伸びと.
2 厚かましさ, ずうずうしさ.

de·sen·vol·ver [desembolβér デセンボるベル] [35 o → ue] 動他 [過分 desenvuelto, ta] **1** (包み・巻き物などを) 開ける, 広げる. **2** (思想・理論を) 展開する; 解き明かす.

— **de·sen·vol·ver·*se*** **1** (事が) 運ぶ. *desenvolverse* sin incidentes 支障なく進行する. **2** 見事にやってのける; 伸び伸び[物おじせずに]振る舞う. *Se desenvuelve* muy bien explicando la lección. 彼はたいへん上手に生徒たちに説明する. *desenvolverse* bien en la vida 世の中をうまく渡っていく.

de·sen·vuel·to, ta [desembwélto, ta デセンブエるト, タ] 過分 → desenvolver.
— 形 伸び伸びとした; 物おじしない, 自信に満ちた; 厚かましい, ずうずうしい, 慎みのない.

de·se·o [deséo デセオ] 名男 [複 ~s] 〔英 desire〕
1 願い, 願望; 欲求, 欲望. *deseos* de felicidad 幸福へかける願い. según sus *deseos* 自分の思いどおりに. cumplirse el *deseo* 望みがかなう. tener *deseo* de 《+不定詞》…したいと思う. refrenar sus *deseos* 欲望を抑える. buenos *deseos* 善意, 誠意.
2 肉欲, 欲情. **3** 誓い, 願(がん). formular un *deseo* 誓いを立てる.
— 動 → desear.

de·se·o·so, sa [deseóso, sa デセオソ, サ] 形 《+**de**》…を望んでいる, 欲している.

de·se·qui·li·bra·do, da [desekiliβráðo, ða デセキりブラド, ダ] 過分 形 不均衡な; (精神状態が) 錯乱した.
— 名男女 精神不均衡者.

de·se·qui·li·brar [desekiliβrár デセキりブラル] 動他 …の均衡を失わせる; 錯乱させる.
— **de·se·qui·li·brar·*se*** 平衡を失う; 錯乱する.

de·se·qui·li·brio [desekilíβrjo デセキりブリオ] 名男 不均衡, アンバランス; 錯乱.

de·ser·ción [deserθjón デセルしオン] 名女 (軍隊からの) 脱走; 脱退; (義務の) 放棄.

de·ser·tar [desertár デセルタル] 動自 《+**de**》 **1** …から脱走する; …を脱退する. *desertar del* ejército 軍隊から脱走する.
2 (義務を) 放棄する.
— 動他 (地位・場所を) 放棄する.

de·sér·ti·co, ca [desértiko, ka デセルティコ, カ] 形 砂漠の; 不毛の; 人気のない, 寂れた.

de·ser·ti·za·ción [desertiθaθjón デセルティさしオン] 名女 砂漠化.

de·ser·tor, to·ra [desertór, tóra デセルトル, トラ] 形 脱走した. — 名男女 (義務の) 放棄者; 脱退者. — 名男 脱走兵.

de·ses·pe·ra·ción [desesperaθjón デセスペラしオン] 名女 絶望; 自暴自棄; 腹立ち. con *desesperación* やけくそで; 必死に. Se apoderó de él una *desesperación* tremenda. 彼は深い絶望感に襲われた. Es una *desesperación* tener que hacer cola. 列に並ばなければならないなんて我慢ならない.

de·ses·pe·ra·da·men·te [desesperáðaménte デセスペラダメンテ] 副 必死に; 身も世もなく, さめざめと.

de·ses·pe·ra·do, da [desesperáðo, ða デセスペラド, ダ] 過分 形 **1** 絶望的な; 自暴自棄の. una situación *desesperada* 絶望的な状況. **2** 死に物狂いの.

— 名 男 女 絶望した人.

a la desesperada わらをもつかむ思いで.

de·ses·pe·ran·te [desesperánte デセスペランテ] 形 **1** いらいらさせる, 腹の立つ. **2** 絶望的な.

de·ses·pe·rar [desesperár デセスペラル] 動 他 〔英 despair〕 **絶望させる**; 苛立(いらだ)たせる. Su falta de comprensión me *desespera*. 彼の物分かりの悪さにはいらいらする.

— 動 自 《+de》 **…に絶望する**, …をあきらめる. *Desespero de* verle un día. いつか彼に会えるだろうという望みを私は捨てた.

— **de·ses·pe·rar·*se*** **絶望する**; やけになる; いらいらする.

des·fa·cha·tez [desfatʃatéθ デスファチャテす] 名 女 《口語》厚かましさ, ずうずうしさ.

des·fal·car [desfalkár デスファるカル] [8 c → qu] 動 他 横領する, 使い込む.

des·fal·co [desfálko デスファるコ] 名 男 横領.

des·fa·lle·cer [desfaʎeθér デスファリェセル] 40 動 自 **1** 気を失う, 卒倒する. **2** くじける, へこたれる.

— 動 他 衰弱させる.

des·fa·lle·ci·mien·to [desfaʎeθimjénto デスファリェしミエント] 名 男 失神; 衰え.

des·fa·se [desfáse デスファセ] 名 男 **1** 〔電気〕〔物理〕位相差. **2** 食い違い, ずれ.

des·fa·vo·ra·ble [desfaβoráβle デスファボラブれ] 形 好意的でない; 好ましくない; 不利な.

des·fa·vo·re·cer [desfaβoreθér デスファボレセル] 40 動 他 **1** 不利にする; 損をさせる. **2** …に似合わない.

des·fi·gu·rar [desfiɣurár デスフィグラル] 動 他 …の形[容姿]を変える, 醜くする; 歪曲(わいきょく)する.

— **des·fi·gu·rar·*se*** 醜くなる, 変貌(へんぼう)する.

des·fi·la·de·ro [desfilaðéro デスフィらデロ] 名 男 (山間の)狭い道.

des·fi·lar [desfilár デスフィらル] 動 自 列になって進む, 行進する.

des·fi·le [desfíle デスフィれ] 名 男 行進, パレード. *desfile* de modelos [de modas] ファッションショー. *desfile* de la victoria 戦勝パレード.

des·fo·res·ta·ción [desforestaθjón デスフォレスタしオン] → deforestación.

des·ga·jar [desɣaxár デスガハル] 動 他 折り取る; 引きちぎる.

des·ga·li·cha·do, da [desɣalitʃáðo, ða デスガりチャド, ダ] 形 《口語》不格好な, ぶざまな, だらしない.

des·ga·na [desɣána デスガナ] 名 女 **1** 気が進まないこと, 嫌気 (↔gana). Lo hizo, pero con [a] *desgana*. いやいやながらだけれど彼はそれをやったよ. **2** 食欲不振. sufrir una *desgana* 食欲不振に悩む. comer con *desgana* いやいや食べる. **3** 無気力症.

des·ga·nar [desɣanár デスガナル] 動 他 …に食欲をなくさせる.

— **des·ga·nar·*se*** **1** 食欲をなくす. **2** 《+de》…に意欲をなくす.

des·gar·ba·do, da [desɣarβáðo, ða デスガルバド, ダ] 形 ひょろひょろした; 無様な.

des·ga·rra·dor, do·ra [desɣar̄aðór, ðóra デスガラドル, ドラ] 形 胸を引き裂くような, 悲痛な.

des·ga·rrar [desɣar̄ár デスガラル] 動 他 **1** 引き裂く, びりっと破る. *desgarrar* el sobre 封筒を破る. **2** (悲しみが心を)引き裂く.

— **des·ga·rrar·*se*** **1** 裂ける, びりっと破れる. **2** 《+de》…と絶交する, 絶縁する. ***desgarrarse uno a otro*** 互いに傷つけ合う.

des·ga·rro [desɣár̄o デスガロ] 名 男 **1** 引き裂くこと; 裂傷. **2** (布などの)裂け目. **3** 嘆き.

des·ga·rrón [desɣar̄ón デスガロン] 名 男 **1** (大きな)裂け目; 裂傷. **2** (布の)切れ端.

des·gas·tar [desɣastár デスガスタル] 動 他 **1** すり減らす, 磨滅させる. **2** 弱らせる.

— **des·gas·tar·*se*** 擦り切れる, すり減る; 消耗する; へたばる.

des·gas·te [desɣáste デスガステ] 名 男 磨滅; 消耗.

des·gra·cia [desɣráθja デスグラしア] 名 女 〔複 ～s〕〔英 misfortune〕 **不幸, 不運**; **災難**. llevar una temporada de *desgracia* 逆境にある. En la *desgracia* se conoce a los amigos. 《諺》まさかの時の友こそ真の友. Las *desgracias* nunca vienen solas. 《諺》不幸は単独では来ない (泣き面に蜂(はち)). Es una *desgracia* que tu padre haya sufrido el accidente. 君のお父さんが事故に遭ったのはとんだ災難だ.

caer en desgracia 疎まれる.

desgracias personales (事故などの)死亡者.

para colmo de desgracias / para mayor desgracia 挙句の果てに, さらに悪いことに.

por desgracia 不幸なことに, 不運にも, あいにく.

tener la desgracia de 《+不定詞》不運[不幸]にも…する. *Han tenido la desgracia de* perder un hijo en un accidente de coche. 彼らは不幸にも自動車事故で息子を亡くした.

des·gra·cia·da·men·te [desɣraθjáðaménte デスグラしアダメンテ] 副 残念ながら, あ

いにく.

des·gra·cia·do, da [desɣraθjáðo, ða デスグラシアド, ダ] 形 **1** 不運な, 不幸な, かわいそうな (= desa fortunado).
2 惨めな, 貧しい. **3** ろくでなしの.
── 名男女 **1** 不運な人, 不幸な人.
2 見下げはてたやつ.

des·gra·ciar [desɣraθjár デスグラシアル] 動他 駄目にする, 損なう.
── **des·gra·ciar·*se*** 壊れる.

des·gra·nar [desɣranár デスグラナル] 動他 〘農業〙(さや・殻から実・種を) 取り出す.
── **des·gra·nar·*se*** (トウモロコシなどの) 粒 [実] がバラバラになる; (ネックレスなどの) 糸が抜ける.

des·gra·va·ción [desɣraβaθjón デスグラバシオン] 名女 減税, 免税.

des·gra·var [desɣraβár デスグラバル] 動他 減税 [免税] にする.

des·gre·ñar [desɣreɲár デスグレニャル] 動他 (人の) 髪を乱す (= despeinar).
── **des·gre·ñar·*se*** 髪が乱れる; 髪を乱す.

des·guar·ne·cer [desɣwarneθér デスグアルネセル] 40 動他 **1** (飾り・部品・付属物を) 取り除く. **2** (要塞(ようさい)の防備を) 撤去する; 兵を撤退させる.

des·ha·bi·tar [desaβitár デサビタル] 動他 空き家にする; 無人の土地にする.

des·ha·bi·tuar [desaβitwár デサビトゥアル] [14 u → ú] 動他 習慣をなくさせる.
── **des·ha·bi·tuar·*se*** 癖がなくなる.

des·ha·cer [desaθér デサセル] 27 動他 [過分 deshecho, cha] [英 destroy]
1 壊す, 解きほどく. *deshacer* la maleta スーツケースの中身を取り出す. *deshacer* un nudo 結び目をほどく. La tempestad *deshizo* el barco. 嵐(あらし)で船が壊された.
2 駄目にする; 損なう; 無効にする, 破棄する. *deshacer* una intriga 陰謀をくじく. *deshacer* un contrato 契約を破棄する. La carrera me *ha deshecho*. そのレースで私はくたくたになった.
3 溶かす, 溶解させる. El sol *deshace* la nieve. 日差しで雪が溶ける.
── **des·ha·cer·*se*** **1** 壊れる, ばらばらになる; 溶ける, 消える. El jarro *se deshizo* al caer. 壺(つぼ)は落ちて割れた. La sal *se deshace* en el agua. 塩は水に溶ける. *deshacerse* como el humo 雲隠れする. *deshacerse* trabajando 身を粉にして働く.
2 《+de》 …を処分する, 取り除く. *deshacerse de* una costumbre ある習慣をやめる. *Me he deshecho* de las joyas. 私は宝石を手放した.
3 熱中する, 懸命になる. *Se deshizo* por alcanzarme pronto. 彼は早く私に追いつこうと頑張った. *deshacerse* por 《+uno》〈人〉に夢中になる.
4 《+en》 …を極端に行う, 露(あら)にする. *deshacerse en* alabanzas 褒めちぎる. *deshacerse en* cumplidos たっぷりお世辞を言う. *deshacerse en* lágrimas 涙に暮れる.

des·he·cho, cha [desétʃo, tʃa デセチョ, チャ] 過分 → deshacer.
── 形 **1** 壊れた; ほどけた, 乱れた; 擦り切れた; 溶けた.
2 打ちのめされた, 力尽きた.

des·he·lar [deselár デセラル] [42 e → ie] 動他 (氷・雪などを) 溶かす.
── **des·he·lar·*se*** (凍ったものが) 溶ける; 寒さが緩む.

des·he·re·dar [desereðár デセレダル] 動他 相続権を奪う.

des·hi·dra·ta·ción [desiðrataθjón デシドゥラタシオン] 名女 〘医〙 脱水症 (状).

des·hi·dra·tar [desiðratár デシドゥラタル] 動他 〘医〙 脱水状態にする.
── **des·hi·dra·tar·*se*** 〘医〙 脱水症状になる.

des·hie·lo [desʝélo デスイエろ] 名男 雪解け; 緊張緩和.

des·hi·la·char [desilatʃár デシらチャル] 動他 (織物の糸を) ほぐす.
── **des·hi·la·char·*se*** ほぐれる.

des·hi·lar [desilár デシらル] 動他 (織物の糸を) ほぐす.

des·hin·char [desintʃár デシンチャル] 動他 しぼませる; 腫(は)れを引かせる.
── **des·hin·char·*se*** **1** ぺちゃんこになる; 腫れが引く. **2** 《口語》 (やむなく) 低姿勢になる; 譲歩する.

des·ho·jar [desoxár デソハル] 動他 **1** …の葉を落とす [摘む]; …の花弁を取る [摘む].
2 (本の) ページを破り取る.
── **des·ho·jar·*se*** 葉 [花弁] が落ちる.

des·ho·nes·to, ta [desonésto, ta デソネスト, タ] 形 **1** 不正直な, 不誠実な.
2 不道徳な, 破廉恥な. palabras *deshonestas* 下品な言葉.

des·ho·nor [desonór デソノル] 名男 不名誉; 面汚し.

des·hon·ra [desónr̄a デソンラ] 名女 不名誉; 恥さらし. tener a *deshonra* 恥と思う.

des·hon·rar [desonr̄ár デソンラル] 動他 **1** …の面目を失わせる; 侮辱する.
2 (女性を) 辱める, 犯す.
── **des·hon·rar·*se*** 恥をかく.

des·hu·ma·ni·zar [desumaniθár デスマニさル] [39 z → c] 動他 人間らしさを失わせる, 非人間化する.

de·si·de·ra·ti·vo, va [desiðeratíβo, βa デシデラティボ, バ] 形 〘文法〙 願望の.

de·si·dia [desíðja デシディア] 名女 **1** 無頓着(むとんじゃく); 怠惰. **2** (身なりの) だらしなさ.

de·sier·to[1], ta [desjérto, ta デシエルト, タ] [複 ~s] 形 **1** 人気のない, 人の住まない. calle *desierta* 人気のない通り. isla *desierta* 無人島. llanura *desierta* 荒涼とした平原. **2** 該当者のない. El premio que-

dó *desierto*. 受賞者はいなかった.
de·sier·to[2] [desjérto デシエルト] 名男 砂漠; 人気のない場所.
predicar [***clamar***] ***en el desierto*** 砂漠で説教するようなものである (馬の耳に念仏).
de·sig·na·ción [desiγnaθjón デシグナしオン] 名女 **1** 指名, 任命. **2** 指示. **3** 名称.
de·sig·nar [desiγnár デシグナル] 動他 **1** 指名する, 任命する. *designar* a《+uno》para un puesto〈人〉をある地位に任命する. **2** 指摘する. **3** 指定する. **4** 命名する.
de·sig·nio [desíγnjo デシグニオ] 名男 **1** 意図. con el *designio* de ... …の意図をもって. **2** 計画.
de·si·gual [desiγwál デシグアる] 形 **1** 等しくない, 一方的な. **2** 不ぞろいな; 起伏のある. **3** 変わりやすい, 移り気の.
de·si·gual·dad [desiγwaldáð デシグアるダ(ドゥ)] 名女 **1** 不平等; 格差. **2** 起伏. **3** (天気・気分の) 変わりやすさ, むら気. **4**〘数〙不等(式).
de·si·lu·sión [desilusjón デシるシオン] 名女 失望, 幻滅; 覚醒(かくせい). sufrir [tener] una *desilusión* 落胆する. caer en la *desilusión* 迷いから覚める.
de·si·lu·sio·nar [desilusjonár デシるシオナル] 動他 失望させる; 迷いを覚ます.
―― **de·si·lu·sio·nar·*se*** 失望する; 迷いから覚める.
de·si·nen·cia [desinénθja デシネンしア] 名女〘文法〙活用語尾.
de·sin·fec·tan·te [desimfektánte デシンフェクタンテ] 形 殺菌の. ―― 名男 消毒薬.
de·sin·fec·tar [desimfektár デシンフェクタル] 動他 消毒する, 殺菌する.
de·sin·fla·mar [desimflamár デシンフらマル] 動他〘医〙炎症を鎮める.
―― **de·sin·fla·mar·*se***〘医〙炎症が鎮まる.
de·sin·flar [desimflár デシンフらル] 動他 **1** しぼませる. **2** がっかりさせる.
―― **de·sin·flar·*se*** **1** しぼむ, 空気が抜ける. **2**《口語》がっくりくる; 自信をなくす.
de·sin·te·gra·ción [desinteγraθjón デシンテグラしオン] 名女 分解; 崩壊.
de·sin·te·grar [desinteγrár デシンテグラル] 動他 分解する; 崩壊させる.
―― **de·sin·te·grar·*se*** 分解する; 崩壊する.
de·sin·te·rés [desinterés デシンテレス] 名男 無欲; 公平.
de·sin·te·re·sa·do, da [desinteresáðo, ða デシンテレサド, ダ] 形 無欲な; 分け隔てのない, 公平な; 寛大な.
de·sin·te·re·sar·*se* [desinteresárse デシンテレサルセ] 動《+**de**》…に関心を持たない [示さない].
de·sin·to·xi·car [desintoksikár デシントクシカル] [8 c → qu] 動他〘医〙解毒する.
de·sis·tir [desistír デシスティル] 動自 **1**《+**de**》…をやめる, 断念する. **2**〘法律〙(権利を) 放棄する.
des·le·al [desleál デスれアる] 形 **1**《+**a, con**》…に不誠実な. **2** (商売のやり口が) 汚い, 不正な.
des·le·al·tad [deslealtáð デスれアるタ(ドゥ)] 名女 不誠実, 不貞.
des·len·gua·do, da [desleŋgwáðo, ða デスれングアド, ダ] 形 無礼な; 口汚くののしる.
des·lin·dar [deslindár デスりンダル] 動他 境界を定める; 明らかにする.
des·liz [deslíθ デスりす] 名男 [複 deslices] **1** 滑ること; スリップ. **2**《口語》へま, 失策.
des·li·za·di·zo, za [desliθaðíθo, θa デスりさディそ, さ] 形 滑りやすい (= resbaladizo).
des·li·za·mien·to [desliθamjénto デスりさミエント] 名男 滑ること.
des·li·zan·te [desliθánte デスりさンテ] 形 滑りやすい; (ドアなどが) スライド式の.
des·li·zar [desliθár デスりさル] [39 z → c] 動他 **1** 滑らせる. *deslizar* la mano por el pasamanos 手すりに沿って手を滑らせる. *Deslizó* la carta en mi bolsillo. 彼は私のポケットに手紙をそっと滑り込ませた. **2** ついうっかり…する[言う].
―― 動自 滑る.
―― **des·li·zar·*se*** **1** 滑る; すり抜ける. El coche *se deslizó* de lado sobre la carretera helada. 車が凍った路面でスリップした. *deslizarse* por el suelo 床で滑る. *deslizarse* entre la muchedumbre 人込みの中をすり抜けていく. **2** こっそり立ち去る; 忍び込む. *deslizarse* de un sitio ある場所から抜け出す. **3** (時が) ゆっくりと流れる.
des·lu·ci·do, da [desluθíðo, ða デスるしド, ダ] 過分 形 さえない; やぼったい; 不首尾の.
des·lu·cir [desluθír デスるしル] 33 動他 台無しにする; 色あせさせる; 名声を落とす.
―― **des·lu·cir·*se*** 駄目になる; 色あせる; 評判を落とす.
des·lum·bran·te [deslumbránte デスるンブランテ] 形 まぶしい; まばゆい, 華々しい. una luz *deslumbrante* 目のくらむような光.
des·lum·brar [deslumbrár デスるンブラル] 動他 **1** …の目をくらませる. **2** …の目を奪う; 圧倒する.
des·lus·trar [deslustrár デスるストゥラル] 動他 **1** つやを消す. **2** (名声などを) 汚す.
des·ma·de·ja·mien·to [desmaðexamjénto デスマデハミエント] 名男 衰弱.
des·ma·dre [desmáðre デスマドゥレ] 名男《口語》どんちゃん騒ぎ; 混乱.
des·mán [desmán デスマン] 名男 **1** 度を越すこと; 権力の乱用; 暴行. **2** 不運, 不幸.

D

des·man·dar [desmandár デスマンダル] 動他 (命令・法規を) 撤回する.
—— **des·man·dar·se** **1** 反抗する. **2** 集団から離れる. **3** 度を越える.

des·man·te·lar [desmantelár デスマンテラル] 動他 (家具・備品を) 取り払う; (要塞(ようさい)を) 取り壊す.

des·ma·ña·do, da [desmaɲáðo, ða デスマニャド, ダ] 形 不器用な.
—— 名男女 不器用[へま]な人.

D

des·mar·car [desmarkár デスマルカル] [8 c ➡ qu] 動他 〘スポ〙(仲間を) 敵のマークから外す.
—— **des·mar·car·se** 〘スポ〙敵のマークを外す.

des·ma·yar [desmajár デスマヤル] 動自 気力が失せる, くじける.
—— **des·ma·yar·se** 失神する, 気を失う. Así que llegó, *se desmayó* en mis brazos. 彼女は着いた途端に私の腕の中で気を失った.

des·ma·yo [desmáǰo デスマヨ] 名男 **1** 失神, 卒倒. tener un *desmayo* 失神する. **2** 衰弱.
sin desmayo たじろがずに, へこたれずに.

des·me·di·do, da [desmeðíðo, ða デスメディド, ダ] 形 過度の, 度を越した.

des·me·le·na·do, da [desmelenáðo, ða デスメレナド, ダ] 形 髪を振り乱した; 狂乱した.

des·mem·brar [desmembrár デスメンブラル] [42 e ➡ ie] 動他 解体する; …の手足を切断する.

des·me·mo·ria·do, da [desmemorjáðo, ða デスメモリアド, ダ] 形 忘れっぽい; 記憶を失った.
—— 名男女 忘れっぽい人; 記憶喪失者.

des·men·tir [desmentír デスメンティル] [52 e ➡ ie, i] 動他 [現分 desmintiendo] **1** 否定する, 打ち消す; …の偽りであることを示す. *desmentir* a《＋uno》〈人〉に反論する.
2 …に反する, (評判・期待を) 裏切る. **3** 隠す, ごまかす.

des·me·nu·zar [desmenuθár デスメヌサル] [39 z ➡ c] 動他 **1** 小さくちぎる.
2 細かく調べる.
—— **des·me·nu·zar·se** 細かく砕ける.

des·me·re·cer [desmereθér デスメレセル] 40 動他 …に値しない, ふさわしくない.
—— 動自 **1** 劣る. no *desmerecer* de [al lado de] los otros 他と比べて遜色(そんしょく)がない. **2** 価値が下がる.

des·me·su·ra [desmesúra デスメスラ] 名女 行き過ぎ; 無遠慮.

des·me·su·ra·da·men·te [desmesuráðaménte デスメスラダメンテ] 副 ひどく, 異常に, 極端に.

des·me·su·ra·do, da [desmesuráðo, ða デスメスラド, ダ] 形 **1** 並外れた.
2 横柄な, 無礼な.

des·mi·li·ta·ri·zar [desmilitariθár デスミリタリサル] [39 z ➡ c] 動他 武装を解除する; 非軍事化する.

des·mi·rria·do, da [desmir̃jáðo, ða デスミリアド, ダ] 形 《口語》やせこけた.

des·mo·char [desmotʃár デスモチャル] 動他 …の先端を切り落とす; (作品の) 一部を削除する.

des·mon·ta·ble [desmontáβle デスモンタブレ] 形 分解できる; 組み立て式の.

des·mon·tar [desmontár デスモンタル] 動他 **1** 取り外す; 取り壊す, 解体する. *desmontar* una rueda タイヤを外す. *desmontar* un andamio 足場を外す.
2 (馬・乗り物から) 降ろす; (馬が騎手を) 振り落とす.
—— 動自 **des·mon·tar·se** 《＋de》…から降りる.

des·mon·te [desmónte デスモンテ] 名男 山林の伐採; 整地; 開拓地.

des·mo·ra·li·za·ción [desmoraliθaθjón デスモラリさしオン] 名女 意気阻喪; 風紀[道徳]の乱れ.

des·mo·ra·li·zar [desmoraliθár デスモラリさル] [39 z ➡ c] 動他 士気をそぐ; 風紀[風俗]を乱す.
—— **des·mo·ra·lizar·se** 士気をなくす; 風俗が乱れる.

des·mo·ro·na·mien·to [desmoronamjénto デスモロナミエント] 名男 崩壊; 風化.

des·mo·vi·li·zar [desmoβiliθár デスモビリさル] [39 z ➡ c] 動他 〘軍事〙(部隊の) 動員を解く.

des·na·cio·na·li·zar [desnaθjonaliθár デスナしオナリさル] [39 z ➡ c] 動他 民営化する.

des·na·tu·ra·li·za·ción [desnaturaliθaθjón デスナトゥラリさしオン] 名女 **1** 国籍喪失[剝奪(はくだつ)]. **2** 変質, 堕落.

des·na·tu·ra·li·za·do, da [desnaturaliθáðo, ða デスナトゥラリさド, ダ] 過分 形 無慈悲な, むごい.

des·na·tu·ra·li·zar [desnaturaliθár デスナトゥラリさル] [39 z ➡ c] 動他 **1** …の国籍を剝奪(はくだつ)する. **2** …から正当な権利を奪う. **3** …の本来の性質を変える.
—— 動自 国籍を捨てる; 権利を放棄する.

des·ni·vel [desniβél デスニベル] 名男 **1** でこぼこ, 高低差, 起伏. **2** 格差, ギャップ.

des·ni·ve·la·ción [desniβelaθjón デスニべらしオン] 名女 **1** 高低差がつくこと.
2 不均衡.

des·ni·ve·lar [desniβelár デスニべらル] 動他 **1** 高低差をつける. **2** 傾ける.
3 不均衡にする.

desnuda 形女 ➡ desnudo[1].
—— 動 ➡ desnudar.

des·nu·dar [desnuðár デスヌダル] 動他 **1** **裸にする**, …の衣服を脱がす. La madre *desnudó* al bebé. 母親は赤ん坊を裸にした. **2** 《＋de》…をはぎ取る; (金品を) 巻

き上げる. **3** (刀を) 抜く.

—— des·nu·dar·*se* 〔英 undress〕

1 裸になる, 衣服を脱ぐ. *desnudarse* hasta la cintura 上半身裸になる.

2 《+**de**》 …を捨てる; …から自由になる. *desnudarse de* prejuicios 偏見を捨てる.

des·nu·dez [desnuðéθ デスヌデす] 名女 裸; 赤裸々, むき出し.

des·nu·dis·ta [desnuðísta デスヌディスタ] 形 裸体主義(者)の, ヌーディズムの.

—— 名男女 裸体主義者, ヌーディスト.

des·nu·do[1], da [desnúðo, ða デスヌド, ダ] 形 [複 ～s] 〔英 naked〕 **1 裸の**, 裸体の. *desnudo* de la cintura para arriba 上半身裸の.

2 むき出しの, 飾りのない; 《+**de**》 …がない. montaña *desnuda* はげ山. paisaje *desnudo* 荒涼とした風景. **3** ありのままの. la verdad *desnuda* 赤裸々な真実.

des·nu·do[2] [desnúðo デスヌド] 名男 〘美術〙 裸体画, 裸像. pintar un *desnudo* 裸体画を描く.

—— 動 → desnudar.

al desnudo 裸で; ありのままに.

des·nu·tri·ción [desnutriθjón デスヌトゥリしオン] 名女 栄養不良, 栄養失調.

de·so·be·de·cer [desoβeðeθér デソベデせル] 40 動他 …に背く, 逆らう. *desobedecer* a sus padres 両親の言うことを聞かない. *desobedecer* una orden 命令に背く.

de·so·be·dien·cia [desoβeðjénθja デソベディエンしア] 名女 不服従, 違反.

de·so·be·dien·te [desoβeðjénte デソベディエンテ] 形 不従順な, 反抗的な, 手に負えない. —— 名男女 不従順な人, 反抗的な人, 違反者.

de·so·cu·pa·ción [desokupaθjón デソクパしオン] 名女 **1** (家などの) 明け渡し; 撤去; 〘軍事〙 撤退. **2** 暇, 余暇. **3** 失業 (状態).

de·so·cu·pa·do, da [desokupáðo, ða デソクパド, ダ] 過分 形 **1** 暇な, することのない.

2 失業した. **3** 空いた.

—— 名男女 暇人; 怠け者; 失業者.

de·so·cu·par [desokupár デソクパル] 動他 **1** …を引き払う; 〘軍事〙 撤退する.

2 (障害を) 排除する.

3 (容器を) 空にする.

de·so·do·ran·te [desoðoránte デソドランテ] 形 脱臭効果のある. —— 名男 脱臭剤.

de·so·la·ción [desolaθjón デソらしオン] 名女 荒廃; 悲嘆.

de·so·la·do, da [desoláðo, ða デソらド, ダ] 過分 形 荒涼とした; 荒廃した; 悲嘆の.

de·so·la·dor, do·ra [desolaðór, ðóra デソらドル, ドラ] 形 **1** 悲惨な, 痛ましい.

2 過酷な.

de·so·lar [desolár デソらル] [13 o → ue] 動他 **1** 荒廃させる. **2** 悲嘆に暮れさせる.

—— de·so·lar·*se* 悲嘆に暮れる.

de·so·llar [desoʎár デソリャル] [13 o → ue] 動他 **1** (獣の) 皮をはぐ.

2 ひどいめに遭わせる.

3 《口語》 …に損害を与える; 酷評する.

de·sor·bi·ta·do, da [desorβitáðo, ða デソルビタド, ダ] 形 **1** 途方もない.

2 (目を) 見開いた. con los ojos *desorbitados* (驚き・恐怖などで) 目を丸くして.

de·sor·den [desórðen デソルデン] 名男 [複 desórdenes] **1** 無秩序, 混乱 (↔ orden); 乱雑; 乱れ. Había gran *desorden* en la calle por la manifestación. デモのため, その通りはひどく混乱していた. con el pelo en *desorden* 髪を振り乱して.

2 [desórdenes] 騒動, 暴動.

3 [desórdenes] ふしだら, 不摂生; (体の) 不調.

de·sor·de·na·da·men·te [desorðenáðaménte デソルデナダメンテ] 副 無秩序に, 乱雑に.

de·sor·de·na·do, da [desorðenáðo, ða デソルデナド, ダ] 形 **1** 無秩序な, 乱雑な, 乱れた. buhardilla *desordenada* 散らかった屋根裏部屋. **2** ふしだらな, 放縦(ほうじゅう)な. vida *desordenada* ふしだらな生活.

de·sor·de·nar [desorðenár デソルデナル] 動他 乱す.

—— de·sor·de·nar·*se* 散らかる; 混乱に陥る; 変調をきたす.

de·sor·ga·ni·za·ción [desorɣaniθaθjón デソルガニさしオン] 名女 解体; 混乱.

de·sor·ga·ni·zar [desorɣaniθár デソルガニさル] [39 z → c] 動他 …の組織[秩序]を乱す; 解体する.

de·so·rien·ta·ción [desorjentaθjón デソリエンタしオン] 名女 方向を見失うこと; 道に迷うこと; 混乱, 混迷.

de·so·rien·tar [desorjentár デソリエンタル] 動他 …を道に迷わせる; まごつかせる, 混乱させる. **—— de·so·rien·tar·*se*** 方向を見失う, 道に迷う; 混乱する.

des·pa·bi·lar [despaβilár デスパビらル] 動他 **1** (ろうそくの) 芯(しん)を切る. **2** 《口語》 しゃんとさせる; …の頭をはっきりさせる. **3** 《口語》 (食べ物を) 平らげる; (仕事を) さっさと片づける. **—— des·pa·bi·lar·*se*** すっかり目を覚ます; さっさとする.

des·pa·char [despatʃár デスパチャル] 動他 **1** 処理する; 解決する; (仕事を) 片づける. *despachar* los asuntos それらの問題を処理する.

2 売る; 応対する. *despachar* localidades 入場券を売る. Me *despachó* este dependiente. この店員が私に応対してくれた. **3** 派遣する; 〘商業〙 発送する. Lo *despacharemos* a fines de abril. 4 月下旬に出荷します.

4 《口語》 殺す; 首にする; 追い払う. *Despachó* a la criada. 彼は家政婦を首にした.

5 《口語》 食べる, 飲む, 平らげる. *despachar* una botella de vino あっという間にぶどう酒を 1 本空にする.

—— 動自 **1** 急ぐ; さっさと済ます.

D

2 仕事をする；(客に) 応対する．
—— **des·pa·char·*se*** 1《+**de**》…を免れる；手を引く；片づける，済ます．Después de *despacharnos de* este asunto, nos vamos al cine. 用件が片付いたら，私たち映画に行きましょう．
2《口語》平らげる，飲み干す．3 気兼ねなく話す．*despacharse* a (SU) gusto con 《+uno》〈人〉と腹蔵なく話す．

des·pa·cho [despátʃo デスパチョ] 名男［複 ～s］〔英 dispatch ; office〕1 **事務室**，執務室，**書斎**；業務時間．
2 売り場．*despacho* de billetes 切符売り場．3 処理，解決．efectuarse el *despacho* 処理がなされる．4 公用文書．*despacho* diplomático 外交文書．5 発信；発送．*despacho* telegráfico 電報．

des·pa·cio [despáθio デスパシオ] 副〔英 slowly〕
1 **ゆっくりと**．Hable más *despacio*. もっとゆっくり話してください．subir la escalera *despacio* 階段をゆっくりと上がる．
2《ラ米》小声で．

> 【参 考】 **despacio** は **a poca velocidad** ゆっくりとしたスピードで，**sin prisa(s)** 急がずに，**poco a poco** 少しずつ，徐々にの意味を合わせ持つ．**lentamente, con lentitud** の場合も同じ．

des·pa·cio·so, sa [despaθjóso, sa デスパシオソ，サ] 形 ゆっくりした．

des·pa·ci·to [despaθíto デスパシト] 副［despacio の小］《口語》ゆっくりと；そっと．

des·pa·re·jar [desparexár デスパレハル] 動他 片方だけにする．

des·pa·re·jo, ja [desparéxo, xa デスパレホ，ハ] 形 不ぞろいの．

des·par·pa·jo [desparpáxo デスパルパホ] 名男 闊達(かったつ)さ；なれなれしさ，厚かましさ．

des·pa·rra·mar [desparamár デスパラマル] 動他 1 ばらまく；(液体を) こぼす；(ニュースなどを) 広める．2 浪費する．
—— **des·pa·rra·mar·*se*** 1 散らばる；(液体が) こぼれる；(ニュースなどが) 広がる．
2《口語》愉快に過ごす，羽目を外す．

des·pa·ta·rrar [despatarar デスパタラル] 動他《口語》びっくり仰天させる．
—— **des·pa·ta·rrar·*se*** 1 大の字になる．2 びっくり仰天する．

des·pa·vo·ri·do, da [despaβoríðo, ða デスパボリド，ダ] 形 ひどく恐れた．

des·pe·cho [despétʃo デスペチョ] 名男 恨み；憤り；やけっぱち．por *despecho* 腹いせに．
a despecho de … …にもかかわらず．

des·pec·ti·vo, va [despektíβo, βa デスペクティボ，バ] 形 軽蔑(けいべつ)的な；〖文法〗軽蔑を示す．

des·pe·da·zar [despeðaθár デスペダサル] [39 z → c] 動他 ずたずたにする；粉々に砕く．—— **des·pe·da·zar·*se*** ずたずたになる，粉々に砕ける．

des·pe·di·da [despeðíða デスペディダ] 名女 別れ，別離 (の言葉)．*despedida* breve つかの間の別れ．cena de *despedida* 送別の晩餐(ばんさん)会．

des·pe·dir [despeðír デスペディル] [41 e → i] 動他〔英 see off〕1 **見送る**；…と別れる．*despedir* a《+uno》en la estación 駅で〈人〉を見送る．Salió a la puerta a *despedir*me. 彼は戸口まで私を見送ってくれた．
2 **解雇する**，追い出す．*despedir* a un criado 召使いを解雇する．
3 (熱・光・匂(にお)いなどを) **放つ**，発散する．Hoy no *despide* lava el volcán. 今日はその火山は溶岩を噴出していない．*despedir* un chorro de agua 勢いよく水を噴き出す．*Despides* muy mal olor. 君はずいぶんひどい臭(にお)いがするよ．
4 (考えを) 退ける，捨てる．*despedir* una idea de SÍ ある考えを念頭から払いのける．
—— **des·pe·dir·*se*** 《+**de**》**…に別れを告げる**．Se fue sin *despedirse de* su familia. 彼は家族に別れも告げずに行ってしまった．*Me despido de* usted con un saludo afectuoso.《商業文》敬具．*despedirse de* SU empleo 職を辞する．
salir despedido 投げ出される，ほうり出される．

des·pe·gar [despeɣár デスペガル] [32 g → gu] 動他《+**de**》…からはがす，はぎ取る．*despegar* la etiqueta *de* una botella びんのラベルをはがす．
—— 動自 離陸する．El avión para Tokio *despega* en seguida. 東京行きの便は間もなく離陸する．
—— **des·pe·gar·*se*** 1 はがれる，めくれる．2《+**de**》…から離れる；…への愛着がなくなる．*despegarse de* SUS padres 親から独立する．
no despegar la boca [***los labios***] 《口語》おし黙っている．

des·pe·go [despéɣo デスペゴ] 名男 冷淡；無関心．

des·pe·gue [despéɣe デスペゲ] 名男〖航空〗離陸；(ロケットの) 発射．pista de *despegue* 滑走路．

des·pei·nar [despeinár デスペイナル] 動他 …の髪を乱す．
—— **des·pei·nar·*se*** 髪が乱れる．

des·pe·ja·do, da [despexáðo, ða デスペハド，ダ] 形 1 晴れた，雲のない．un día muy *despejado* 快晴の日．
2 遮るもののない，広い．un campo *despejado* 広々とした野原．una frente *despejada* 広い額．
3 頭のきれる，明敏な．mente *despejada* 明晰(めいせき)な頭脳．

des·pe·jar [despexár デスペハル] 動他 1 …

を立ち去る，立ち退く．El público *despejó* la sala. 人々は会場から引き上げた．
2《+**de**》…から取り除く，片づける．La policía *despejó* la calle *de* vehículos. 警察はその通りから車を立ち退かせた．
3 解明する，はっきりさせる．*despejar* las dificultades 難問を解決する．*despejar* la mente 頭をすっきりさせる．
── 動自 **1** 晴れる．**2** 立ち去る，どく．
── **des·pe·jar·*se*** **1** 晴れる．El cielo empezó a *despejarse*. 空が晴れ始めた．**2** 頭をすっきりさせる．dar un paseo para *despejarse* 気分転換のために散歩をする．**3** 解明される，はっきりする．

des·pe·je [despéxe デスペヘ] 名男 **1** (障害物の) 撤去．**2** (サッカー) クリアランス：ボールを遠くへけり，味方のピンチを救うこと．

des·pe·lle·jar [despeʎexár デスペリェハル] 動他 …の皮をはぐ．

des·pe·lo·tar·*se* [despelotárse デスペろタルセ] 動《口語》丸裸になる．

des·pe·luz·nan·te [despeluθnánte デスペるすナンテ] 形 身の毛のよだつ．

des·pen·sa [despénsa デスペンサ] 名女 食料貯蔵室；貯蔵食料．

des·pe·ña·de·ro [despeɲaðéro デスペニャデロ] 名男 断崖，絶壁．

des·per·di·ciar [desperðiθjár デスペルディしアル] 動他 無駄にする；浪費する．*desperdiciar* el tiempo 時間を無駄にする．*desperdiciar* una ocasión チャンスを逃す．

des·per·di·cio [desperðíθjo デスペルディしオ] 名男 **1** [〜s] 残り物，くず．*desperdicios* de comida 残飯．**2** 浪費，無駄遣い．***no tener desperdicio*** 無駄がない；すばらしい．

des·pe·re·zar·*se* [despereθárse デスペレさルセ] [39 z → c] 動 伸びをする．

des·per·fec·to [desperfékto デスペルフェクト] 名男 欠陥，欠点，傷；損傷．

despertado, da 過分 → despertar.

des·per·ta·dor, do·ra [despertaðór, ðóra デスペルタドル，ドラ] 名男 目覚し時計 (= reloj *despertador*).
── 形 目覚めさせる．

despertando 現分 → despertar.

des·per·tar

[despertár デスペルタル] [42 e → ie] 動他 [現分 despertando; 過分 despertado, da]〔英 wake up〕

直説法 現在	
1·単 *despierto*	1·複 **despertamos**
2·単 *despiertas*	2·複 **despertáis**
3·単 *despierta*	3·複 *despiertan*

1 **…の目を覚まさせる**，起こす．Le *despertó* la llamada del teléfono. 電話の音で彼は目が覚めた．
2 (情熱などを) かき立てる，呼び覚ます．Su extraordinaria belleza *despertó* la admiración de todos. 彼女の並みはずれた美貌(ぼう)がみんなを感嘆させた．Esto *despierta* recuerdos de mi infancia. これを見ると子供のころの記憶がよみがえる．
── 動自 / **des·per·tar·*se*** **1 目が覚める**．(*Me*) *desperté* temprano. 私は朝早く目が覚めた．**2**《+**de**》(誤り・迷い) から目覚める．*Se despertó de* su engaño. 彼は迷いから目が覚めた．

des·pia·da·do, da [despjaðáðo, ða デスピアダド，ダ] 形 無慈悲な，残忍な．crítica *despiadada* 辛辣(しんらつ)な批評．

despid- 動 → despedir. [41 e → i]

des·pi·do [despíðo デスピド] 名男 解雇，解職．dar el *despido* 解雇を言い渡す．

despiert- 動 → despertar. [42 e → ie]

des·pier·to, ta [despjérto, ta デスピエルト，タ] 形 **1** 目を覚ました．Pasé la noche *despierto*. 私は一晩中起きていた．**2** 頭の切れる，明敏な．Es una muchacha muy *despierta*. あれはとても利口な娘だ．
── 動 → despertar.

des·pil·fa·rrar [despilfar̄ár デスピるファラル] 動他 浪費する，無駄遣いする．

des·pil·fa·rro [despilfár̄o デスピるファロ] 名男 浪費，乱費．

des·pis·ta·do, da [despistáðo, ða デスピスタド，ダ] 過分 形 ぼんやりした；困惑した，途方に暮れた；無能な．
── 名男女 ぼんやりした人．

des·pis·tar [despistár デスピスタル] 動他 追跡をまく；惑わせる．*despistar* a la policía 警察をまく．
── **des·pis·tar·*se*** **1** 迷う．*Me despisté* por las callejuelas del centro. 僕は繁華街の狭い路地で迷子になった．
2 ぼんやりする，うっかりする．

des·pis·te [despíste デスピステ] 名男 **1** うかつ，手抜かり．**2** 道に迷うこと．

des·plan·te [desplánte デスプらンテ] 名男 無礼な態度；横柄な言葉．

des·pla·za·mien·to [desplaθamjénto デスプらさミエント] 名男 **1** 移動，移転；撤去；更迭．**2** 通勤，通学．**3**〔海事〕排水量．**4**〔コンピュータ〕スクロール．

des·pla·zar [desplaθár デスプらさル] [39 z → c] 動他 **1** 移動させる．*desplazar* una mesa テーブルを動かす．**2** …に取って代わる；更迭する．**3** …の排水量を持つ．
── **des·pla·zar·*se*** 移動する．

des·ple·gar [despleɣár デスプれガル] [32 g → gu; 42 e → ie] 動他 **1** (畳んだ物を) 広げる．*desplegar* un mapa 地図を広げる．**2** (能力を) 発揮する．
── **des·ple·gar·*se*** 広がる．

des·plie·gue [despljéɣe デスプリエゲ] 名男 **1** 広げること．**2** (能力の) 発揮；誇示．**3**〔軍事〕(部隊の) 展開，配置．

des·plo·mar·*se* [desplomárse デスプろ

マルセ] 動 傾く; 倒れる, 倒壊[崩壊]する; 卒倒する.

des·plo·me [desplóme デスプロメ] 名男 傾斜; 倒壊, 崩壊; 卒倒.

des·plu·mar [desplumár デスプるマル] 動他 …の羽毛をむしる; 《口語》身ぐるみはぐ.

des·po·bla·do, da [despoβláðo, ða デスポブらド, ダ] 形 無人の; 寂れた.
── 名男 荒野; 廃村.

des·po·jar [despoxár デスポハル] 動他 《+de》 …を奪う, はぎ取る. *despojar* a 《+uno》 *de* SUS derechos 〈人〉の権利を剝奪(はくだつ)する.
── **des·po·jar·*se*** 《+de》 **1** …を放棄する. *despojarse de* SUS bienes 財産を手放す. **2** (衣服を)脱ぐ.

des·po·jo [despóxo デスポホ] 名男
1 剝奪(はくだつ); 略奪品.
2 [～s] 残骸(ざんがい); [～s] 遺体, 死体; [～s] (鳥獣の臓物・脚・頭など) 肉以外の部分.

des·po·sa·do, da [desposáðo, ða デスポサド, ダ] 形 新婚の. ── 名男女 新婚の人.

des·po·se·er [desposeér デスポセエル] 15 動他 [現分 desposeyendo ; 過分 desposeído, da] 《+de》 …を奪う, 剝奪(はくだつ)する. ── **des·po·se·er·*se*** 《+de》 …を放棄する.

des·po·so·rio [desposórjo デスポソリオ] 名男 [～s] 結婚式; 婚約.

dés·po·ta [déspota デスポタ] 名男 専制君主, 独裁者; 《比喩》暴君. Es un verdadero *déspota*. 彼は実に横暴な男だ.

des·pó·ti·co, ca [despótiko, ka デスポティコ, カ] 形 専制的な, 独裁的な; 横暴な, 暴虐な. marido *despótico* 亭主関白.

des·po·tis·mo [despotísmo デスポティスモ] 名男 **1** 専制政治, 独裁制. *despotismo* ilustrado 〔歴史〕啓蒙(けいもう)専制主義.
2 横暴, 暴虐.

des·pre·cia·ble [despreθjáβle デスプレしアブれ] 形 軽蔑(けいべつ)すべき, 卑しむべき; 取るに足りない. una persona *despreciable* 見下げはてたやつ. una suma nada *despreciable* ばかにならない額.

des·pre·ciar [despreθjár デスプレしアル] 動他 軽蔑(けいべつ)する, 無視する, 軽視する. *despreciar* a un empleado 使用人を見下す. *despreciar* los peligros 危険を無視する. *despreciar* una ayuda 援助をはねつける.

des·pre·cia·ti·vo, va [despreθjatíβo, βa デスプレしアティボ, バ] 形 軽蔑(けいべつ)的な, 見下すような.

des·pre·cio [despréθjo デスプレしオ] 名男 軽蔑(けいべつ), 無視, 軽視. con un gesto de *desprecio* 人をばかにしたような顔をして. con *desprecio* de SU propia vida 自分の命をも顧みないで.

des·pren·der [desprendér デスプレンデル] 動他 **1** 《+de》 …からはがす, 外す. *desprender* la etiqueta *de* la camisa シャツから札を外す. **2** (におい・火花を) 発する.
── **des·pren·der·*se*** **1** はがれる, 外れる. **2** 《+de》 …を手放す; …から自由になる. *desprenderse de* SUS escrúpulos 不安から解放される. **3** 《+de》 …から推論される, …と考えられる.

des·pren·di·do, da [desprendíðo, ða デスプレンディド, ダ] 過分 形 欲の無い; 気前のよい.

des·pren·di·mien·to [desprendimjénto デスプレンディミエント] 名男 **1** はがす[はがれる]こと, 分離. **2** (におい・火花の) 発生.
3 気前のよさ; 無欲.
4 〔美術〕キリスト降架.

des·pre·o·cu·pa·ción [despreokupaθjón デスプレオクパしオン] 名女 無頓着(むとんちゃく), 無関心.

des·pre·o·cu·pa·do, da [despreokupáðo, ða デスプレオクパド, ダ] 過分 形 **1** 無頓着(むとんちゃく)な; 無関心な. *despreocupado* en el vestir 身なりを構わない.

des·pre·o·cu·par·*se* [despreokupárse デスプレオクパルセ] 動 《+de》 …を気にかけない; 忘れる.

des·pres·ti·gio [desprestíxjo デスプレスティヒオ] 名男 権威の失墜; 不評.

des·pre·ve·ni·do, da [despreβeníðo, ða デスプレベニド, ダ] 形 予期せぬ, 不意の; 準備ができていない. coger a 《+uno》 *desprevenido* 〈人〉の不意をつく.

des·pro·por·cio·na·do, da [desproporθjonáðo, ða デスプロポルしオナド, ダ] 形 不釣り合いな, 並外れた. vida *desproporcionada* a SUS ingresos 収入に不相応な生活.

des·pro·pó·si·to [despropósito デスプロポシト] 名男 的外れ, 見当違い. con *despropósito* 関係ないのに.

des·pro·vis·to, ta [desproβísto, ta デスプロビスト, タ] 形 《+de》 …が欠けている, …を持たない.

des·pués [despwés デスプエス] 副 〔英 later, afterwards〕
1 《時間・順序を表して》**あとで, 次に**, それから (↔ antes). Nos veremos *después*. あとで会いましょう. *Después* tomé una ducha muy caliente. それから私は熱いシャワーを浴びた. una semana *después* 1 週間後に.
2 《形容詞的に》次の. el día *después* その翌日.

después de … (1) …のあとで; 《+不定詞》 …したあとで. *después de* la comida 食後に. *después de* terminar la universidad 大学卒業後. *después de* terminada la clase 授業が終わってから. (2) …の次に (= a continuación de). *después de* la última página 最終ページの次に.

después (de) que … (1) …したあとで. Serviremos el aperitivo *después de que* lleguen todos los invitados. お客様が全員そろってから食前酒を出そう. ► 未

来の内容のときは接続法になる. (2) …して以来 (＝desde que ...). *Después* (*de*) *que* nos vimos en la Puerta del Sol, no he vuelto a saber nada de él. プエルタ・デル・ソルで会ってから, 彼がその後どうなったか私は何も知らない. (3) …したのに. *Después de que* llegó por la tarde, quería que le pagáramos la jornada completa. 午後から来たのに彼は１日分の給料を払うよう要求した.

después que ... …よりあとで. Felipe llegó *después que* (llegué) yo. フェリペは私よりあとに着いた.

des·qui·cia·do, da [deskiθjáðo, ða デスキしアド, ダ] 形 常軌を逸した; 錯乱した.

des·qui·te [deskíte デスキテ] 名男 **1** 報復, 仕返し; 〔スポーツ〕リターンマッチ. tomar el *desquite* 報復する. **2** 償い, 埋め合わせ.

des·ta·ca·do, da [destakáðo, ða デスタカド, ダ] 過分 形 顕著な, 際立った, 傑出した. obra *destacada* すばらしい作品. ocupar un lugar *destacado* en ... …で傑出した地位を占める.

des·ta·ca·men·to [destakaménto デスタカメント] 名男 〔軍事〕分遣隊; 特務班.

des·ta·car [destakár デスタカル] [8 c → qu] 動他 〔英 emphasize〕

1 **際立たせる**, 目立たせる; 強調する. El escritor quiso *destacar* ese aspecto. 作家はその観点を強調しようとした.

2 (兵を) 分遣する.

―― 動自 / **des·ta·car·*se*** 〔英 stand out〕 **際立つ**, 傑出する. *Destaca* entre todos por su ingenio. 彼は頭のよさでは群を抜いている. *Se destaca* de sus hermanos en música. 彼は兄弟の中で飛びぬけて音楽の才能がある.

des·ta·jo [destáxo デスタホ] 名男 請負.

a destajo 請負で; 大急ぎで.

des·ta·par [destapár デスタパル] 動他 **1** …の栓を抜く, ふたを取る; 開ける. **2** 暴露する.

―― **des·ta·par·*se*** **1** 服 [帽子] を脱ぐ, 裸になる; 布団をはぐ. **2** 露呈する, 判明する.

des·ta·pe [destápe デスタペ] 名男 《口語》 (映画・ショーでの) 体の露出, ヌード.

destaque(-) / destaqué(-) 動 → destacar. [8 c → qu]

des·tar·ta·la·do, da [destartaláðo, ða デスタルタらド, ダ] 形 **1** がたがたの, 老朽化した. **2** 雑然とした; だだっ広い; 荒れ果てた.

des·te·llar [desteʎár デステリャル] 動自 きらめく, 点滅する.

des·te·llo [destéʎo デステリョ] 名男 きらめき, 閃光(せんこう); ひらめき. *destello* de genio 機知のひらめき.

des·tem·pla·do, da [destempláðo, ða デステンプらド, ダ] 過分 形 **1** (音の) 調子の狂った [外れた], 耳障りな; けばけばしい. guitarra *destemplada* 調子の狂ったギター. **2** 不機嫌な; 気分がすぐれない; (天候が) 不順の. Estoy *destemplado* hoy. 今日私は気分がよくない.

des·tem·plan·za [destemplánθa デステンプらンさ] 名女 調子外れ, 耳障りな音; 不機嫌; (体の) 不調; (天候の) 不順.

des·tem·plar [destemplár デステンプらル] 動他 …の調子を外す, (楽器の) 音を狂わせる.

―― **des·tem·plar·*se*** 調子が外れる; 平静を失う; 体の不調を訴える.

des·te·rrar [desteȓár デステラル] [42 e → ie] 動他 **1** 国外追放にする, 流刑にする. *desterrar* a una isla 島流しにする.

2 (考え・感情などを) 払いのける. *desterrar* la tristeza 悲しみを忘れる.

des·te·tar [destetár デステタル] 動他 乳離れさせる; 独り立ちさせる.

des·te·te [destéte デステテ] 名男 離乳.

des·tiem·po [destjémpo デスティエンポ]

a destiempo 《副詞句》 時機を失して, 時機外れに.

des·tie·rro [destjéȓo デスティエロ] 名男 追放, 流刑; 流刑地; へんぴな所, 僻地(へきち).

des·ti·la·ción [destilaθjón デスティらしオン] 名女 蒸留.

des·ti·lar [destilár デスティらル] 動他 **1** 蒸留する. *destilar* vino ぶどう酒を蒸留する.

2 滴らせる. *destilar* pus 膿(うみ)を分泌する.

―― 動自 滴る; にじみ出る.

des·ti·le·rí·a [destilería デスティれリア] 名女 蒸留所, 蒸留酒製造所.

des·ti·nar [destinár デスティナル] 動他 〔英 assign〕 **1** 《＋**a, para**》 (用途) **に当てる**, 向ける. *destinar* un buque *al* transporte de refugiados 船を難民輸送に当てる. *destinar* una cantidad *para* una obra de caridad. ある金額を慈善事業に振り当てる.

2 配属する; 任命する. Lo *han destinado* a la sucursal de España. 彼はスペイン支店勤務を命ぜられた.

des·ti·na·ta·rio, ria [destinatárjo, rja デスティナタリオ, リア] 名男女 (手形・郵便物の) 受取人, 名宛(あ)て人.

des·ti·no [destíno デスティノ] 名男 [複 ～s] 〔英 destiny〕 **1** **運命**, 宿命.

2 **目的地**, 行き先. el vuelo número 404 con *destino* a Málaga マラガ行き404便. **3** 用途, 目的. Este solar ha cambiado de *destino*. この敷地の用途が変わった. **4** 任地; 職, 仕事.

―― 動 → destinar.

des·ti·tu·ción [destituθjón デスティトゥしオン] 名女 解任, 免職.

des·ti·tuir [destitwír デスティトゥイル] 29 動他 [現分 destituyendo] 罷免する, 解任する.

des·tor·ni·lla·dor [destorniʎaðór デストルニリャドル] 名男 ねじ回し, ドライバー.

des·tor·ni·llar [destorniʎár デストルニ

リャル] 動他 …のねじを外す.
— **des·tor·ni·llar·*se*** 《口語》気がふれる, ばかなことをする[言う].
des·tre·za [destréθa デストゥレさ] 名女 巧みさ, 器用さ. con *destreza* 手際よく. tener mucha *destreza* para ... …が実に巧みである.
des·tri·par [destripár デストゥリパル] 動他 **1** …の内臓を抜く; …から中身を取り出す. **2** (話の) 腰を折る, くちばしを入れる.

D

des·tro·na·mien·to [destronamjénto デストゥロナミエント] 名男 **1** 廃位. **2** (権力の) 失墜.
des·tro·nar [destronár デストゥロナル] 動他 廃位する; (権力の座から) 追う.
des·tro·zar [destroθár デストゥロさル] [39 z → c] 動他 **1** 粉々にする, ずたずたにする; 損傷する. *destrozar* el cristal ガラスを粉々に割る. *destrozar* la salud 健康を損なう. *destrozar* la carrera 経歴に傷をつける. **2** がっくりさせる, 打ちのめす. *destrozar* el corazón de 《+uno》〈人〉の気持ちをくじく.
des·tro·zo [destróθo デストゥロそ] 名男 分断; 破壊; [~s] 被害.
des·truc·ción [destrukθjón デストゥルクしオン] 名女 破壊; 滅亡.
des·truc·ti·vo, va [destruktíβo, βa デストゥルクティボ, バ] 形 破壊的な.
des·truc·tor, to·ra [destruktór, tóra デストゥルクトル, トラ] 形 破壊的な.
— 名男女 破壊者.
— 名男 〔海事〕駆逐艦; 護衛艦.
des·truir [destrwír デストゥルイル] 29 動他 〔英 destroy〕 〔現分 destruyendo〕
1 **破壊する** (↔ construir). *destruir* un edificio ビルを壊す.
2 滅ぼす, 壊滅させる. *destruir* un país 国を滅ぼす. *destruir* un ejército 軍隊を壊滅させる.
3 (希望などを) くじく, 駄目にする.
— **des·truir·*se*** 壊れる.
destruy- 動 現分 → destruir. 29
de·sue·llo [deswéʎo デスエリョ] 名男 **1** 皮をはぐこと. **2** 厚かましさ. **3** 強奪; こき下ろし.
de·su·nión [desunjón デスニオン] 名女 分離, 分裂; 不和.
de·su·nir [desunír デスニル] 動他 分裂させる; 不和にする. *desunir* a dos naciones 2つの国を反目させる.
de·su·sa·do, da [desusáðo, ða デスサド, ダ] 形 **1** 廃れた; 昔の. **2** 異常な, 変わった.
de·su·so [desúso デスソ] 名男 廃止, 廃用. estar en *desuso* 使われていない. caer en *desuso* 廃れる.
des·va·í·do, da [desβaíðo, ða デスバイド, ダ] 形 色あせた; 元気のない; 目立たない.
des·va·li·do, da [desβalíðo, ða デスバリド, ダ] 形 貧しい; 寄る辺のない.
— 名男女 貧しい人; 寄る辺のない人.
des·va·lo·ri·zar [desβaloriθár デスバロリさル] [39 z → c] 動他 …の価値を減じる; 〔経済〕(平価を) 切り下げる (= devaluar).
des·ván [desβán デスバン] 名男 屋根裏 (部屋).
des·va·ne·cer [desβaneθér デスバネせル] 40 動他 散らす; (心配・疑惑を) 追い払う; (色・輪郭を) ぼかす. El fuerte viento *desvaneció* la bruma. 強い風で霧も晴れた.
— **des·va·ne·cer·*se*** **1** 消える; (霧などが) 晴れる; (記憶が) 薄らぐ; (味が) 抜ける. **2** 気を失う.
des·va·ne·ci·mien·to [desβaneθimjénto デスバネしミエント] 名男 消散; 消滅; (色・輪郭の) ぼかし.
des·va·riar [desβarjár デスバリアル] [23 i → í] 動自 うわ言を言う; たわ言を言う.
des·va·rí·o [desβarío デスバリオ] 名男 錯乱, うわ言; たわ言; 狂乱.
des·ve·lar [desβelár デスベラル] 動他 …の眠気を払う. El té (me) *desvela*. (私は) 紅茶を飲むと目がさえる.
— **des·ve·lar·*se*** **1** 眠れない. **2** 《+por》…に心を砕く. Mi madre *se desvelaba por* mí. 母は私のために一生懸命だった.
des·ve·lo [desβélo デスベろ] 名男 **1** 不眠. **2** 気配り, 心遣い.
des·ven·ci·jar [desβenθixár デスベンしハル] 動他 がたがたにする, 破損する.
des·ven·ta·ja [desβentáxa デスベンタハ] 名女 不利; 欠点; 不利益. estar en *desventaja* 不利な立場に立つ. tener una *desventaja* de dos goles 2点のハンディがある.
des·ven·ta·jo·so, sa [desβentaxóso, sa デスベンタホソ, サ] 形 不利な, 不都合な. propuestas *desventajosas* 不利な条件提示.
des·ven·tu·ra [desβentúra デスベントゥラ] 名女 不運, 不幸, 災難.
des·ven·tu·ra·do, da [desβenturáðo, ða デスベントゥラド, ダ] 形 不運な; あいにくの. un día *desventurado* 厄日.
— 名男女 不運な人, 不幸な人.
des·ver·gon·za·do, da [desβerɣonθáðo, ða デスベルゴンさド, ダ] 形 厚かましい, 恥知らずの. — 名男女 厚顔無恥の人.
des·ver·güen·za [desβerɣwénθa デスベルグエンさ] 名女 **1** 厚顔無恥, 恥知らず, 鉄面皮; 横柄. **2** 放縦(ほうじゅう); 下品.
des·via·ción [desβjaθjón デスビアしオン] 名女 **1** 迂回(うかい)路, 回り道 (= desvío). **2** 逸脱, 偏向.
des·viar [desβjár デスビアル] [23 i → í] 動他 (進路から) そらす; 変える. *desviar* un avión 飛行機を航路から外させる. *desviar* la conversación 話題を変える. *desviar* a 《+uno》 de un proyecto 〈人〉に計画を断念させる.
— **des·viar·*se*** (進路から) それる. *desviarse* del tema テーマから外れる.

des·vin·cu·lar [desβiŋkulár デスビンクラル] 動他 (義務・責任から)解放する.
—— **des·vin·cu·lar·se** 《+**con**, **de**》…とのつながりを切る. *Se ha desvinculado del* partido. 彼は党と絶縁した.
des·ví·o [desβío デスビオ] 名男
1 迂回(うかい)路, 回り道. **2** 逸脱.
des·vir·gar [desβirɣár デスビルガル] [32 g → gu] 動他 …の処女を奪う.
des·vir·tuar [desβirtwár デスビルトゥアル] [14 u → ú] 動他 …の品質[価値]を落とす.
—— **des·vir·tuar·se** (ぶどう酒・コーヒーが)駄目になる, 香りが飛ぶ.
des·vi·vir·se [desβiβírse デスビビルセ] 動 《+**por**》…を熱望する; …に一生懸命になる. *desvivirse por* ir al teatro 芝居を見に行きたくてうずうずする. *desvivirse por* una chica 女の子に夢中になる.
de·ta·lla·da·men·te [detaʎáðaménte デタリャダメンテ] 副 詳細に, こと細かく.
de·ta·lla·do, da [detaʎáðo, ða デタリャド, ダ] 過分 形 詳細な, 詳しい.
de·ta·llar [detaʎár デタリャル] 動他 詳しく説明[描写]する.
de·ta·lle [detáʎe デタリェ] 名男 [複 ~s] 〔英 detail〕 **1** **詳細**, 細部. con todo *detalle* / con todos los *detalles* 詳細に, つぶさに. dar *detalles* 詳細に述べる. sin entrar en *detalles* 大まかに.
2 心遣い; 好意. tener muchos *detalles* con 《+uno》〈人〉に親切にする.
al detalle 詳細に.
de·ta·llis·ta [detaʎísta デタリィスタ] 形
1 小売りの. **2** 詳細な.
—— 名男女 **1** 小売商人. **2** 細部にまで気を配る人.
de·tec·tar [detektár デテクタル] 動他 探知する, 見つけ出す; 検出する. *detectar* aviones enemigos 敵機を探知する. *detectar* una fuga 漏出を検知する.
de·tec·ti·ve [detektíβe デテクティベ] 名男女 (私立)探偵; 刑事. [←英語]
de·tec·tor [detektór デテクトル] 名男 探知器; 検波器, センサー. *detector* de incendios 火災報知器. *detector* de mentiras うそ発見器.
detén 動 → detener. 55
de·ten·ción [detenθjón デテンしオン] 名女
1 停止; 制止; 停滞, 遅滞.
2 〘法律〙逮捕; 拘留.
con detención 綿密に; 慎重に.
detendr- 動 → detener. 55
de·te·ner [detenér デテネル] 55 動他 〔英 stop, detain〕 **1** **止める**, 制止する. El guardia *detuvo* la circulación. 警官が交通を遮断した. *detener* la mirada en … …に視線を留める.
2 逮捕する; 拘留する, 留置する. *detener* a un asesino 殺人犯を逮捕する.
3 引き留める; 停滞させる.
—— **de·te·ner·se** **1** **止まる**, 立ち止まる; 停止する. *Se detuvo* un momento a la puerta. 彼は戸口で一瞬立ち止まった.
2 じっくりと考える.
deteng- 動 → detener. 55
de·te·ni·da·men·te [deteníðaménte デテニダメンテ] 副 じっくりと, 綿密に.
de·te·ni·do, da [deteníðo, ða デテニド, ダ] 過分 形 **1** 拘留された, 留置された; 逮捕された. Queda Vd. *detenido*. あなたを逮捕します. **2** 綿密な, 念入りな. un estudio *detenido* きめの細かい研究.
—— 名男女 拘留者, 逮捕者.
de·ter·gen·te [deterxénte デテルヘンテ] 名男 洗剤.
de·te·rio·rar [deterjorár デテリオラル] 動他 損傷する; 悪化させる. *deteriorar* la salud 健康を損ねる.
—— **de·te·rio·rar·se** 損傷する; 悪化する.
de·te·rio·ro [deterjóro デテリオロ] 名男 損傷; 悪化.
de·ter·mi·na·ción [determinaθjón デテルミナしオン] 名女 決心, 決断. tomar una *determinación* 決断を下す. mostrar *determinación* 決意を示す.
de·ter·mi·na·do, da [determináðo, ða デテルミナド, ダ] 過分 形 **1** 特定の, 一定の. en un día *determinado* ある特定の日に.
2 〘文法〙限定の (= definido).
3 意志の堅い, 断固とした.
de·ter·mi·nan·te [determinánte デテルミナンテ] 形 決定する.
—— 名男 〘数〙行列式; 〘生物〙決定子; 〘言語〙限定詞.
de·ter·mi·nar [determinár デテルミナル] 動他 **1** **決める** (= fijar); 特定する, 確定する. *determinar* la fecha 日取りを決める. *determinar* las causas de un accidente 事故の原因を明らかにする.
2 《+不定詞》…することを決心する (= decidir); 《+**a** 不定詞》(人に)…するように決心させる. *Determiné* asistir a la reunión. 私は会合に出席することに決めた. Las circunstancias le *determinaron a* asistir a la reunión. 状況を考えて彼は会合に出席することにした.
3 引き起こす, 原因となる.
—— **de·ter·mi·nar·se** 《+**a** 不定詞》決心[決意]する (= decidirse). Nos hemos *determinado* a no decirle nada. 我々は彼に何も言わないことにした.
de·ter·mi·nis·mo [determinísmo デテルミニスモ] 名男 〘哲〙決定論.
de·tes·ta·ble [detestáβle デテスタブれ] 形 嫌でたまらない; ひどく悪い.
de·tes·tar [detestár デテスタル] 動他 忌み嫌う, 毛嫌いする.
detiene(-) 動 → detener. 55
de·to·na·dor [detonaðór デトナドル] 名男 起爆装置[剤].

D

de·to·nan·te [detonánte デトナンテ] 形 爆発の, 起爆の. ── 名男 爆発物, 火薬.

de·to·nar [detonár デトナル] 動自 爆発する, 轟音(ごうおん)を発する.

de·trás [detrás デトゥラス] 副 〔英 behind〕 《位置関係を表して》 **後ろに**, 背後に (↔ delante). La casa tiene una huerta *detrás*. その家は裏に畑がある. Las chicas van *detrás*. 女の子たちが後ろを行く.

detrás de ... …の後ろに; (当人の) いない所で; …に続いて. Se escondió *detrás de* la puerta. 彼はドアの後ろに隠れた. A ti te dice una cosa y *detrás de* ti dice otra. 彼は君のいる所といない所とでは言うことが違う. Entré en la habitación *detrás de* él. 私は彼に続いて部屋に入った.

por detrás 後ろを [から]; 陰で. pasar *por detrás* 後ろを通る. acercarse *por detrás* 背後から近づく. hablar mal de otro *por detrás* 陰で他人の悪口を言う.

> 【文 法】 **detrás** (**de**) はあるものに対して位置関係が後ろ, **atrás** は方向が後ろであることを示す.
> Se sentó *detrás* (de mí).
> 彼は (私の) 後ろに座った.
> Se sentó *atrás*.
> 彼は後ろの席に座った.

de·tri·to [detríto デトゥリト] 名男 [普通 ~s] 〔地質〕 岩屑(がんせつ), 砕屑; 残骸(ざんがい), がらくた.

de·tri·tus [detrítus デトゥリトゥス] 名男 → detrito.

detuv- 動 → detener. 55

deu·da [déuða デウダ] 名女
1 借金, 負債, 債務. pagar una *deuda* 借金を返す. contraer *deudas* 借金をする. *deuda* externa [interna] 対外[内]債務. *deuda* pública 国債, 公債.
2 恩義, 負い目. estar en [tener una] *deuda* con 《+uno》 〈人〉に借り[義理]がある. **3** 〔宗教〕 罪, 過ち.

deu·dor, do·ra [deuðór, ðóra デウドル, ドラ] 形 負債がある.
── 名男女 借主, 債務者, 負債者.
ser deudor de 《+uno》 〈人〉に借り[恩義]がある.

de·va·lua·ción [deβalwaθjón デバるアしオン] 名女 〔経済〕 平価切り下げ.

de·va·luar [deβalwár デバるアル] [14 u → ú] 動他 〔経済〕 (平価を) 切り下げる.

de·va·nar [deβanár デバナル] 動他 糸巻きに巻く; コイル状に巻く.

de·va·ne·o [deβanéo デバネオ] 名男
1 〔医〕 譫妄(せんもう); 錯乱.
2 戯れの恋, 浮気; 慰みごと, 暇つぶし.

de·vas·tar [deβastár デバスタル] 動他 荒廃させる; 破壊する. *devastar* la ciudad 都市を壊滅させる.

de·ve·nir [deβenír デベニル] 59 動自 [現分 deviniendo] **1** (事が) 起こる, 生じる (= suceder). **2** 〔哲〕 生成する, 転化する.
── 名男 〔哲〕 生成, 転化.

de·vo·ción [deβoθjón デボしオン] 名女
1 敬虔(けいけん), 信仰. con *devoción* 敬虔に.
2 献身; 忠誠. tener *devoción* por ... …に献身する. **3** 熱意; 心酔.

de·vo·lu·ción [deβoluθjón デボるしオン] 名女 返却, 返還; 払い戻し (金). *devolución* al remitente 差出人あて返送.

de·vol·ver [deβolβér デボるベル] [35 o → ue] 動他 [過分 devuelto, ta] 〔英 return〕 **1 返す**, 戻す, 返却する. Tienes que *devolver* el libro cuanto antes. 早く本を返しなさい. *devolver* el importe de la entrada 入場料を払い戻す. *devolver* (el) bien por (el) mal 恩をあだで返す. **2** 回復させる. **3** 《口語》 吐く.

de·vo·rar [deβorár デボラル] 動他 **1** むさぼる. El lobo *devoró* a la abuela de Caperucita Roja. 狼(おおかみ)は赤ずきんのおばあさんをむさぼり食った. *devorar* el plato 料理をがつがつ食べる.
2 むさぼるように読む[聞く]. *devorar* una novela 小説をむさぼり読む.
3 破壊し尽くす.
4 (心身を) さいなむ. Le *devoraban* los celos. 彼女は嫉妬(しっと)にさいなまれていた.

de·vo·to, ta [deβóto, ta デボト, タ] 形
1 敬虔(けいけん)な, 信心深い. Es *devota* de Santa María. 彼女は聖マリアを信仰している. **2** 献身的な; 熱烈な; 心酔した.
── 名男女 **1** 信者, 帰依者.
2 献身的な人; 熱烈な人; 心酔者.

D.F. 《略》 Distrito Federal 連邦区.

di **1** 動 → dar. 16 **2** 動 → decir. 17

di- 動 → dar. 16

di- / dis- 《接頭》 「否定, 分離」 の意を表す. ⇒ *di*fundir, *dis*traer など.

dí·a [día ディア] 名男 [複 ~s] 〔英 day〕
1 日, 1日. *día* laborable [festivo / 《ラ米》 feriado] 平[祝]日. *día* de descanso 休日. *día*(*s*) entre semana ウィークデー. *Día* de Año Nuevo 元日. *día* D 作戦計画実施日. ¿Qué *día* (de la semana) es hoy? きょうは何曜日ですか (→ lunes 【参考】). al *día* siguiente 翌日に. cualquier *día* いつか, いつでも. de *día* en *día* 日増しに, 毎日. de un *día* a otro 今にも, 今か今かと. *día* tras [por, a] *día* 一日一日と, 来る日も来る日も. el *día* de hoy 今日, 現在. todo el *día* 一日中. todos los *días* 毎日. un *día* de éstos 近いうちに. un *día* sí y otro no 1日おきに. → semana, mes, año.

> 【参 考】 日, 1日の区分
> hoy きょう. ayer きのう. anteayer おととい. mañana 明日. pasado maña-

na あさって. por la mañana 朝, 午前(中)に. por la tarde 午後に. por la noche 夜(間)に. esta mañana [tarde, noche] 今朝[きょうの午後, 今晩]. ayer por la mañana きのうの朝. mañana por la mañana あしたの朝. al mediodía 正午に. a medianoche 真夜中に.

日付 fecha のいい方

el *día* siete 7日に. el 7 de julio 7月7日に. 《手紙》7 de julio de 1993 1993年7月7日. ► 「ついたち」だけは序数詞を用いるのがふつう. ⇀ (el) primero de agosto 8月1日.

2 日中, 昼間(↔ noche). De *día* trabaja en una oficina y de noche en otra. 彼は昼間はある会社で働き, 夜はまた別の会社で働いている. *día* y noche 日夜, 絶えず. Ya es de *día*. もう朝だ. hacerse de *día* 夜が明ける.

3 (ある天候の)日. un *día* hermoso よく晴れた日. Hoy hace buen [mal] *día*. きょうはよい[悪い]天気だ.

4 [〜s]時代; 生涯. en nuestros *días* 現代では, 今日. en sus *días* 若いころは. tener contados los *días* 余命いくばくもない.

al día 1日に付き; (支払い・情報などに)遅れずに, きちんと. estar *al día* 最新の事情に通じている.

algún día いつか; かつて, 以前.

¡Buenos días! おはよう, 今日は.

como de la noche al día 月とすっぽん(ほど違う).

el mejor día / el día menos pensado 思いもよらない時に; いずれそのうち.

el otro día 先日, この間.

en su día 以前, かつて; いつか, その時が来れば.

Hasta otro día. 《挨拶》では, また.

un (buen) día ある日; いつか.

dia·be·tes [djaβétes ディアベテス] 名女 [単・複同形] 《医》糖尿病.

dia·bé·ti·co, ca [djaβétiko, ka ディアベティコ, カ] 形 《医》糖尿病の.

—— 名男女 糖尿病患者.

dia·blo [djáβlo ディアブろ] 名男 **1** 悪魔.

2 やんちゃ坊主, いたずら者. Su hijo es un *diablo*. 彼の子供はほんとに手に負えない.

¿Cómo [Qué] diablos …? 一体どういう訳で…?

como el [un] diablo 猛烈に, 激しく.

del diablo / de (todos) los diablos 大きな, 大変な. un problema *de todos los diablos* [*del diablo*] 頭の痛い問題, 大事(おおごと).

¡Diablos! すごい, なんとまあ!

¡Qué diablos! ちくしょう, ちえっ; おいおい!

¡Váyase [Vete, Idos] al diablo! くたばれ, 消えうせろ!

dia·blu·ra [djaβlúra ディアブるラ] 名女 いたずら. hacer *diabluras* いたずらをする.

dia·bó·li·co, ca [djaβóliko, ka ディアボりコ, カ] 形 悪魔のような, 魔性の; 悪辣(あくらつ)な.

diá·co·no [djákono ディアコノ] 名男 《カトリック》助祭; (プロテスタントの)執事.

dia·crí·ti·co, ca [djakrítiko, ka ディアクリティコ, カ] 形 《音声》分音を表す.

—— 名男 《音声》分音符号. ► güe, güi の u の上の diéresis (¨) や ñ の上の tilde (˜) を指す.

dia·de·ma [djaðéma ディアデマ] 名女

1 王冠; 宝冠, ティアラ.

2 (女性用の半円形の)髪飾り, ヘアバンド.

dia·fa·ni·dad [djafaniðáð ディアファニダ(ドゥ)] 名女 透明性, 透明度.

diá·fa·no, na [djáfano, na ディアファノ, ナ] 形 透明な, 澄んだ; 明白な, はっきりとした(↔ opaco).

dia·frag·ma [djafráγma ディアフラグマ] 名男 **1** 《解剖》横隔膜; 隔膜.

2 《光》(カメラなどの)絞り.

3 (避妊具の)ペッサリー.

diag·no·sis [djaγnósis ディアグノシス] 名女 [単・複同形] 《医》診断.

diag·nos·ti·car [djaγnostikár ディアグノスティカル] [8 c → qu] 動他 診断する.

diag·nós·ti·co [djaγnóstiko ディアグノスティコ] 名男 《医》診断.

dia·go·nal [djaγonál ディアゴナる] 形 《数》対角線の; 斜めの. en *diagonal* 斜めに.

—— 名女 《数》対角線.

dia·gra·ma [djaγráma ディアグラマ] 名男 図, 図表, グラフ.

dial [djál ディアる] 名男 (電話・ラジオの)ダイヤル.

dia·léc·ti·co, ca [djaléktiko, ka ディアれクティコ, カ] 形 弁証法の.

—— 名男女 弁証家. —— 名女 弁証法.

dia·lec·to [djalékto ディアれクト] 名男 方言.

dia·lo·gar [djaloγár ディアろガル] [32 g → gu] 動自 対話する, 話し合う.

diá·lo·go [djáloγo ディアろゴ] 名男 **1** 対話, 問答; 討論. mantener un *diálogo* 対談する. → monólogo.

2 (作品中の)会話の部分; 台詞(せりふ).

dia·man·te [djamánte ディアマンテ] 名男

1 ダイヤモンド. *diamante* (en) bruto ダイヤモンドの原石; 磨かれていない資質. *diamante* brillante ブリリアントカット・ダイヤモンド. ► ダイヤの指輪は anillo de brillantes. **2** (トランプ) ダイヤの札.

dia·me·tral [djametrál ディアメトゥラる] 形 **1** 直径の. **2** 正反対の, 全くの.

diá·me·tro [djámetro ディアメトゥロ] 名男 直径, 差し渡し.

dia·na [djána ディアナ] 名女 **1** 《軍事》起床

D

らっぱ．**2** 的の中心．
3 [D-] 〘ローマ神話〙ディアナ：月の女神．ギリシア神話の Artemis．

¡dian·tre! [djántre ディアントゥレ] 間投 《口語》ちくしょう，しまった；おやまあ．► diablo の婉曲(えんきょく)語．

dia·pa·són [djapasón ディアパソン] 名男 〘音楽〙音叉(おんさ)；全音域．

dia·po·si·ti·va [djapositíβa ディアポシティバ] 名女 〘写真〙スライド．

diaria 形女 ➞ diario[1]．

dia·ria·men·te [djárjaménte ディアリアメンテ] 副 日々，毎日．

dia·rio[1], ria [djárjo, rja ディアリオ，リア] 形 〔英 daily〕 **毎日の**．salario *diario* 日当，日給．trabajo *diario* 日々の労働．➞ semanal, mensual, anual．
a diario 毎日，日ごと．
de diario ふだんの．traje *de diario* ふだん着．

dia·rio[2] [djárjo ディアリオ] 名男 [複 ～s] 〔英 daily newspaper〕
1 日刊新聞．*diario* matinal 朝刊．*diario* vespertino 夕刊．**2** 日記，日誌．

dia·rre·a [djaȓéa ディアレア] 名女 〘医〙下痢．

dia·tri·ba [djatríβa ディアトゥリバ] 名女 酷評，痛烈な批判．

di·bu·jan·te [diβuxánte ディブハンテ] 名男女 図案家；（アニメーションの）原画家；製図家．── 形 スケッチする，素描をする．

di·bu·jar [diβuxár ディブハル] 動他 〔英 draw〕 **1** （線で）**描く**；デッサンする，スケッチする；製図する．*dibujar* con [a] pluma ペンで描く．► 絵の具で描く場合は pintar．
2 （文章で）描写する（= describir）．
── ***di·bu·jar·se*** 現れる．En su rostro *se dibuja* una sonrisa enigmática. 彼女の顔には謎(なぞ)の笑みがのぞいている．

di·bu·jo [diβúxo ディブホ] 名男 [複 ～s] 〔英 drawing〕 **1 線画**；**デッサン**，スケッチ；**図柄**；図面．*dibujo* al carbón 木炭画．tela sin *dibujo* 無地の布地．*dibujos* animados アニメ，動画．
2 描写．
── 動 ➞ dibujar．

dic·ción [dikθjón ディクしオン] 名女 **1** 話し方，書き方；語法．**2** 発音（法），発声法．

dic·cio·na·rio [dikθjonárjo ディクしオナリオ] 名男 [複 ～s] 〔英 dictionary〕 **辞書，辞典**．*diccionario* español-japonés 西和辞典．*diccionario* de uso del español スペイン語用法辞典．*diccionario* enciclopédico 百科事典．*diccionario* de bolsillo ポケット辞典．➞ consultar．

【参 考】 **diccionario**（辞書）は，ある言語の言葉を一定の順序で配列し，発音・意味・用法などを記述したもの．**enciclopedia**（百科事典）は，人類の知識全般にわたる事項を記述したもの．**vocabulario**（用語集）は簡易な辞書を指す．

dice(-) 動 ➞ decir． 17

di·cha [dítʃa ディチャ] 名女 幸福；喜び，慶事．¡Qué *dicha*! よかったな！；まあ，うれしい！
── 過分女 ➞ decir．
── 形女 ➞ dicho[1]．
por [a] dicha 幸い，運良く．

di·cha·ra·che·ro, ra [ditʃaratʃéro, ra ディチャラチェロ，ラ] 形 冗談のうまい，面白い．
── 名男女 冗談を言う人，しゃれを飛ばす人．

di·cho[1], cha [dítʃo, tʃa ディチョ，チャ] 過分 ➞ decir．
── 形 [複 ～s] 〔英 said〕 **1 言われた**．Lo *dicho* ayer vale todavía. きのう言ったことは今も有効だ．Lo *dicho*, *dicho*. 言ったことは言ったことだ．
2 《無冠詞で名詞の前に置いて》**前述の**，前記の．*dicha* ciudad 前記の都市．
dicho de otro modo 言い換えれば．
dicho esto こう言って（から）．
dicho sea de paso ついでに言うと．
dicho y hecho 言うやいなや．
mejor dicho むしろ．
propiamente dicho 本来の意味での，いわゆる．

di·cho[2] [dítʃo ディチョ] 名男 **1** 言ったこと，言葉．*dicho* de la gente うわさ，陰口．Del *dicho* al hecho hay mucho trecho. 《諺》言うはやすく行うは難し．un *dicho* desacertado 的外れな意見[批評]．
2 格言，諺(ことわざ)；警句．

di·cho·so, sa [ditʃóso, sa ディチョソ，サ] 形 **1** 幸せな，満足した．
2 《口語》うんざりする；いまいましい．

di·ciem·bre [diθjémbre ディしエンブレ] 名男 [複 ～s] 〔英 December〕 **12月** 《略 dic.》．el 25 de *diciembre* 12月25日．➞ mes【参考】．

diciendo 現分 ➞ decir．

di·co·to·mí·a [dikotomía ディコトミア] 名女 **1** 〘論理〙二分法．**2** 二分，二分裂．

dic·ta·do [diktáðo ディクタド] 名男 **1** 口述；書き取り．hacer un *dictado* 口述する．escribir al *dictado* 口述筆記をする．
2 [～s]（良心・理性の）声．

dic·ta·dor [diktaðór ディクタドル] 名男 独裁者，暴君．

dic·ta·du·ra [diktaðúra ディクタドゥラ] 名女 独裁（制），専制．*Dictadura* de Franco フランコ独裁政権（1939–75）．*dictadura* militar 軍事独裁政権．

dic·ta·men [diktámen ディクタメン] 名男 **1** 意見，考え，判断．**2** 助言；報告（書）．

dic·ta·mi·nar [diktaminár ディクタミナル] 動他 **1** …と判断を下す；…と見なす．
2 （薬・療法などを）指示する，処方する．
── 動自 《+sobre》…について助言す

る; 意見[考え]を述べる.

dic·tar [diktár ディクタル] 動他 **1** 口述する, 書き取らせる.
2 (法令を) 公布する; (命令を) 出す.

dic·ta·to·rial [diktatorjál ディクタトリアる] 形 独裁的な, 独裁者の; 尊大な, 専横な.

di·dác·ti·co, ca [diðáktiko, ka ディダクティコ, カ] 形 教育的な; 教訓的な.
—— 名女 教授法.

die·ci·nue·ve [djeθinwéβe ディエしヌエベ] 形 《数詞》〔英 nineteen〕 19の; 19番目の.
—— 名男 19. ◆ローマ数字XIX.

die·ci·nue·ve·a·vo, va [djeθinweβeáβo, βa ディエしヌエベアボ, バ] 形 《数詞》 19分の1の. —— 名男 19分の1.

die·cio·cha·vo, va [dieθjotʃáβo, βa ディエシオチャボ, バ] 形 ➡ dieciochoavo.

die·cio·cho [djeθjótʃo ディエしオチョ] 形 《数詞》〔英 eighteen〕 18の; 18番目の.
—— 名男 18. ◆ローマ数字XVIII.

die·cio·cho·a·vo, va [djeθjotʃoáβo, βa ディエしオチョアボ, バ] 形 《数詞》 18分の1の.
—— 名男 18分の1.

die·ci·séis [djeθiséis ディエしセイス] 形 《数詞》〔英 sixteen〕 16の; 16番目の.
—— 名男 16. ◆ローマ数字XVI.

die·ci·sei·sa·vo, va [djeθiseisáβo, βa ディエしセイサボ, バ] 形 《数詞》 16分の1の.
—— 名男 16分の1.

die·ci·sie·te [djeθisjéte ディエしシエテ] 〔英 seventeen〕 形 《数詞》 17の; 17番目の.
—— 名男 17. ◆ローマ数字XVII.

die·ci·sie·te·a·vo, va [djeθisjeteáβo, βa ディエしシエテアボ, バ] 形 《数詞》 17分の1の. —— 名男 17分の1.

die·dro [djéðro ディエドゥロ] 形 [男性形のみ] 2平面を持つ, 2面角の.
—— 名男 2面角.

Die·go [djéɣo ディエゴ] 固名 ディエゴ: 男性の名.

dien·te [djénte ディエンテ] 名男 [複 ~s] 〔英 tooth〕
1 歯. caerse a 《+uno》 un *diente* 〈人〉の歯が抜ける. *diente* de leche / *diente* mamón 乳歯. ►diente はふつう前歯の門歯 incisivo, 犬歯 colmillo について言う. 臼歯(きゅうし)は muela, *diente* molar.
2 歯状のもの, ぎざぎざ; (歯車の) 歯. *dientes* de sierra のこぎりの目.
3 《植物》 小鱗茎(しょうりんけい). un *diente* de ajo ニンニクひとかけら.
armado hasta los dientes 《口語》 完全武装して.
dar diente con diente (寒さ・恐怖などで) 歯をがちがち言わせる, 歯の根が合わない.
enseñar [***mostrar***] ***los dientes*** 歯をむく.
entre dientes 口の中で, 不明瞭(ふめいりょう)に.
hincar el diente a ... (困難なことに) 取り組む.
hincar el diente en ... …を利用する, …からうまい汁を吸う; …を酷評する.
tomar [***traer***] ***a*** 《+uno》 ***entre dientes*** 〈人〉を恨んでいる; 〈人〉の陰口をたたく.

dié·re·sis [djéresis ディエレシス] 名女 [単・複同形] 《文法》 (1) 二重母音 [連続母音] の分立. ⇒ sua·ve ➡ su·a·ve.
(2) 分音符号 (¨).

die·sel [djésel ディエセる] 名男 ディーゼルエンジン.

dies·tro, tra [djéstro, tra ディエストゥロ, トゥラ] 形 **1** 右の, 右側の (= derecho) (↔ siniestro). la mano *diestra* 右手.
2 《+en》 …が巧みな, 熟練した (= hábil).
—— 名男 《闘牛》 マタドール.
—— 名女 右手.
a diestro y siniestro あちらこちらに; 手当たりしだいに.

die·ta [djéta ディエタ] 名女 **1** 食餌(しょくじ)療法; ダイエット, 節食. **2** [~s] (議員の) 歳費, 報酬; (出張の) 日当.
3 (日本などの) 議会, 国会. ➡ corte.

die·té·ti·co, ca [djetétiko, ka ディエテティコ, カ] 形 食餌(しょくじ)(療法) の.
—— 名女 食餌療法 (学); 栄養学.

diez [djéθ ディエす] 〔英 ten〕 形 《数詞》
10の; 10番めの. unos *diez* hombres およそ10人の男性.
—— 名男 10. ◆ローマ数字X.

diez·mar [djeθmár ディエすマル] 動他 (疫病・戦争が) 大量殺戮(さつりく)する, 壊滅させる.

diez·mo [djéθmo ディエすモ] 名男 《歴史》 十分の一税.

di·fa·ma·ción [difamaθjón ディファマしオン] 名女 中傷, 誹謗(ひぼう).

di·fa·mar [difamár ディファマル] 動他 中傷する, 誹謗(ひぼう)する.

di·fa·ma·to·rio, ria [difamatórjo, rja ディファマトリオ, リア] 形 中傷の, 名誉毀損(きそん)の.

di·fe·ren·cia [diferénθja ディフェレンしア] 名女 [複 ~s] 〔英 difference〕 **1 相違, 違い**; 差. Entre Madrid y Tokyo hay ocho horas de *diferencia*. マドリードと東京は8時間の時差がある. No hay mucha *diferencia* entre estos dos coches. この2台の車にはたいした違いはない.
2 意見の相違. arreglar una *diferencia* 意見の相違を調整する.
a diferencia de ... …とは異なり, …と違って.

di·fe·ren·cia·ción [diferenθjaθjón ディフェレンしアしオン] 名女 区別, 識別; 区分, 分化.

di·fe·ren·cial [diferenθjál ディフェレンしアる] 形 **1** 相違の, 差を示す; 差別的な.
2 《数》 微分の.

di·fe·ren·ciar [diferenθjár ディフェレン

しアル] 動他 1 区別する; 識別する. Lo que más *diferencia* los dos coches es la fuerza del motor. この2台の車の大きな違いはエンジンのパワーである.
2〘数〙微分する.
── **di·fe·ren·ciar·*se*** 《+en》…において相違する; 《+**de**》…と異なる. *En* esta cuestión *nos diferenciamos* mucho. この問題については僕たちの意見は大きく食い違っている.

D

di·fe·ren·te [diferénte ディフェレンテ] 形 [複 ～s]〔英 different〕 1《+**de**》**…と異なる**, 違った, 別の. Mi opinión es *diferente de* la tuya. 私の意見は君のとは違う. 2《複数名詞の前で》さまざまの, いくつかの (= distintos, diversos). Hay *diferentes* interpretaciones sobre esta novela. この小説に関してはいくつかの解釈がある.

di·fe·ri·do, da [diferíðo, ða ディフェリド, ダ] 形 延期された.
en diferido 〘テレビ〙録画で. ➡ directo.

di·fe·rir [diferír ディフェリル] [52 e ➡ ie, i] 動他 [現分 difiriendo] 延期する.
── 動自《+**de**》…と異なる, 相違する.

di·fí·cil [difíθil ディフィしる] 形 [複 ～es]〔英 difficult〕
1 **難しい, 困難な**; 《+**de** 不定詞》**…しにくい**, …するのが難しい (↔ fácil). un problema *difícil* 難問. Es muy *difícil* encontrarlo. それを見つけるのは難しい. un coche *difícil de* conducir 運転しにくい車. 2 気難しい, 近づきにくい.
ser difícil que 《+接続法》…ということはありそうもない. *Es difícil que* llueva mañana. 明日は雨が降りそうもない.

di·fí·cil·men·te [difíθilménte ディフィしるメンテ] 副 ほとんど…しそうもない; やっとのことで. *Difícilmente* se puede creer. ほとんど信じられない.

di·fi·cul·tad [difikultáð ディフィクるタ(ドゥ)] 名女 [複 ～es]〔英 difficulty〕
1 **難しさ, 困難**; 支障; 窮地. vencer *dificultades* 困難を克服する. sin *dificultad* alguna 楽々と. tener *dificultad* para andar 歩くのに難儀する.
2 [普通 ～es] 異議, 反対. poner *dificultades* 異議を唱える.

di·fi·cul·tar [difikultár ディフィクるタル] 動他 難しくする, 妨げる.

di·fi·cul·to·sa·men·te [difikultósaménte ディフィクるトサメンテ] 副 苦労して, やっと.

di·fi·cul·to·so, sa [difikultóso, sa ディフィクるトソ, サ] 形 困難な, 骨の折れる, 厄介な.

difier- / difir- 動 ➡ diferir. [52 e ➡ ie, i]

dif·te·ria [diftérja ディフテリア] 名女〘医〙ジフテリア.

di·fu·mi·nar [difuminár ディフミナル] 動他 擦筆でぼかす; ぼやかす.

di·fun·dir [difundír ディフンディル] 動他
1 まき散らす, 拡散する.
2 広める, 普及させる.
── **di·fun·dir·*se*** 発散する, 拡散する; 伝播(でんぱ)する, 広まる.

di·fun·to, ta [difúnto, ta ディフント, タ] 形 死亡した, 故人となった.
── 名男女 故人.
Día de (los) Difuntos 〘カトリック〙死者の日, 万霊節 (11月2日). ➡ fiesta【参考】.

di·fu·sión [difusjón ディフシオン] 名女
1 (伝染病などの) 蔓延(まんえん), 流行; (光・熱・水の) 放散, 拡散, 散乱. 2 伝播(でんぱ), 流布; 普及.

di·fu·so, sa [difúso, sa ディフソ, サ] 形 拡散した; 散漫な, 冗長な.

di·fu·sor, so·ra [difusór, sóra ディフソル, ソラ] 形 広める, 流布させる; 拡散する.

dig- 動 ➡ decir. 17

di·ge·rir [dixerír ディヘリル] [52 e ➡ ie, i] 動他 [現分 digiriendo] 1 消化する; 吸収する. *digerir* los alimentos 食べ物を消化する. 2 耐える, こらえる. No pude *digerir* a su tía. 彼女の伯母には我慢がならなかった.

di·ges·tión [dixestjón ディヘスティオン] 名女 消化. Tiene una mala *digestión*. 彼は消化不良を起こしている.

di·ges·ti·vo, va [dixestíβo, βa ディヘスティボ, バ] 形 消化の, 消化力のある, 消化を促進する. ── 名男 消化剤.

di·gi·tal [dixitál ディヒタる] 形 1 指の (= dactilar). 2 デジタルの (↔ analógico). reloj *digital* デジタル時計.

dí·gi·to [díxito ディヒト] 名男〘数〙(0-9までの) アラビア数字; 桁, ディジット. *dígito* binario ビット, 2進数字. ── 形〘数〙(0 – 9までの) アラビア数字の.

digna 形女 ➡ digno.

dig·na·men·te [díɣnaménte ディグナメンテ] 副 堂々と, 立派に, まともに.

dig·nar·*se* [diɣnárse ディグナルセ] 動《敬語》《+不定詞》…してくださる.

dig·na·ta·rio [diɣnatárjo ディグナタリオ] 名男 高官, 高僧.

dig·ni·dad [diɣniðáð ディグニダ(ドゥ)] 名女 1 尊敬, 品位; 誇り. con *dignidad* 威厳をもって. 2 高位, 要職.

dig·no, na [díɣno, na ディグノ, ナ] 形〔英 worthy〕 1《+**de**》**…に値する, ふさわしい**; 《+**de** 不定詞》…するに値する. *digno de* premio 賞に値する. *digno de* ser mencionado 言及されてしかるべき.
2 立派な, 尊敬に値する; まともな. llevar una vida *digna* まともな生活を送る.

digo 動 ➡ decir. 17

di·gre·sión [diɣresjón ディグレシオン] 名女 (話・文章の) 脱線, 余談.

dij- 動 ➡ decir. 17

di·je [díxe ディヘ] 名男 1 (腕輪・首飾り・鎖

などに下げる)飾り,宝石,ロケット.
2《口語》優秀な人;器用な人.

di·la·ción [dilaθjón ディらしオン] 名女 延期;遅延. sin *dilación* 遅滞なく,即刻.

di·la·pi·dar [dilapiðár ディらピダル] 動他 浪費する,乱費する.

di·la·ta·ción [dilataθjón ディらタしオン] 名女 **1**〔物理〕膨張;(瞳孔(どうこう)の)拡張,散大. **2** 延期,延長.

di·la·tar [dilatár ディらタル] 動他 **1** 広げる;膨張させる. **2** 延期する;長引かせる.
—— 動自《ラ米》時間がかかる;遅れる.
—— **di·la·tar·*se*** **1** 広がる;膨張する.
2 長引く,遅れる.

di·la·to·rio, ria [dilatórjo, rja ディらトリオ, リア] 形〔法律〕延期の.
—— 名女 [~s]引き延ばし戦術.

di·le·ma [diléma ディれマ] 名男 板挟み,ジレンマ.

di·le·tan·te [diletánte ディれタンテ] 形 芸術好きの,ディレッタントの. —— 名男女 素人芸術家;愛好家,ディレッタント.

di·le·tan·tis·mo [diletantísmo ディれタンティスモ] 名男 (素人の)芸術趣味,ディレッタンティズム.

di·li·gen·cia [dilixénθja ディりヘンしア] 名女 **1** 精励,勤勉. con *diligencia* 熱心に.
2 手続き,処置;〔法律〕訴訟手続き[行為].
3 用事,業務. **4** 機敏,迅速.

di·li·gen·te [dilixénte ディりヘンテ] 形 **1** 勤勉な,熱心な,入念な. **2** 迅速な,素早い.

di·lu·ci·dar [diluθiðár ディるしダル] 動他 明らかにする,解明する(= aclarar).

di·luir [dilwír ディるイル] 29 動他 [現分 diluyendo] 溶かす,溶解する;(水で)薄める;(色・光を)淡くする,和らげる.

di·lu·vio [dilúβjo ディるビオ] 名男 **1** 大洪水,豪雨. el *Diluvio* ノアの大洪水(→ Noé). **2**《比喩》洪水,嵐(あらし). un *diluvio* de injurias 罵声(ばせい)の渦.

di·ma·nar [dimanár ディマナル] 動自
1 湧(わ)き出る,湧出(ゆうしゅつ)する.
2《+**de**》…から生じる,…に由来する.

di·men·sión [dimensjón ディメンシオン] 名女 **1** 寸法;大きさ,広さ;規模,範囲. de grandes *dimensiones* 大きな,大規模な.
2〔数〕〔物理〕次元,ディメンション. cuarta *dimensión* 四次元.

di·mes y di·re·tes [dímesiðirétes ディメシディレテス] 《名詞句》→ decir.

di·mi·nu·ti·vo, va [diminutíβo, βa ディミヌティボ, バ] 形〔文法〕縮小の,示小の.
—— 名男〔文法〕縮小辞,示小辞(↔ aumentativo).

> **【参考】縮小辞** 主に名詞・形容詞に付いて「小さい」の意を添える接尾辞.多くの場合,親愛または軽蔑(けいべつ)のニュアンスを付加する.いちばんよく使われる縮小辞は **-ito, ta; -illo, lla.** このバリエーションに **-cito, -cillo ; -ecito, -ecillo ; -ececito, -ececillo,** 他に **-ico**がある. ⇒ Juan*ito* ファアニート, hij*ito* 息子, chiqu*illo* 子供, coche*cito* 小さな車, jardin*cito* 小さな庭, mujer*cita* 小柄な女.

di·mi·nu·to, ta [diminúto, ta ディミヌト, タ] 形 微小の,とても小さい,ちっぽけな.

di·mi·sión [dimisjón ディミシオン] 名女 辞職,辞任;辞表.

di·mi·tir [dimitír ディミティル] 動自《+**de**》…を辞職する,辞任する.
—— 動他 辞職する,辞任する.

Di·na·mar·ca [dinamárka ディナマルカ] 固名 デンマーク(王国):首都 Copenhague.

di·na·mar·qués, que·sa [dinamarkés, késa ディナマルケス, ケサ] 形 デンマーク(人)の(= danés). —— 名男女 デンマーク人.
—— 名男 デンマーク語.

di·ná·mi·co, ca [dinámiko, ka ディナミコ, カ] 形 **1** 精力的な,活動的な,力強い.
2 動的な;力学(上)の.
—— 名女〔物理〕力学.

di·na·mis·mo [dinamísmo ディナミスモ] 名男 活力,力強さ;ダイナミズム.

di·na·mi·ta [dinamíta ディナミタ] 名女 ダイナマイト.

di·na·mo [dinámo ディナモ] / **dí·na·mo** [dína- ディナ-] 名女〔電気〕発電機,ダイナモ.

di·nar [dinár ディナル] 名男 ディナール:アルジェリア,イラク,クウェート,クロアチア,チュニジア,バーレーン,リビア,ユーゴスラビア,ヨルダンの通貨単位.

di·nas·tí·a [dinastía ディナスティア] 名女 王朝,王家;名家,名門.

di·nás·ti·co, ca [dinástiko, ka ディナスティコ, カ] 形 王朝の,王家の.

di·ne·ral [dinerál ディネラる] 名男 大金.

di·ne·ro

[dinéro ディネロ] 名男 [英 money]
1 金,金銭(► ふつうは単数形で使う). contar *dinero* 金を数える. gastar *dinero* como agua 湯水のように金を使う. no tener *dinero* 金がない. tener mucho *dinero* 金持ちである. hacer *dinero* negro ブラックマネーを作る[不正にもうける]. *dinero* electrónico 電子マネー.
► 紙幣は billete, 硬貨は moneda, 小銭は suelto.
2 富,財産. hombre de *dinero* 金持ち,資産家. hacer *dinero*《口語》富を築く,金持ちになる.
El dinero no tiene olor.《諺》不正で得た金でも金は金.
Poderoso caballero es don Dinero. / El dinero lo puede todo.《諺》地獄の沙汰(さた)も金次第.

din·tel [dintél ディンテる] 名男〔建築〕楣(まぐ):窓,扉の上部に渡す横木.

dio·ce·sa·no, na [djoθesáno, na ディオセサノ, ナ] 形 《カトリック》司教区の; 教区司教[大司教]の. ── 名男 教区司教[大司教].
── 名男女 教区[司教区]の信徒.

dió·ce·sis [djóθesis ディオセシス] 名女 [単・複同形] 《カトリック》教区, 司教区.

Dio·ni·sio [djonísjo ディオニシオ] 固名 ディオニシオ: 男性の名.

Dio·ni·sos [djonísos ディオニソス] / **Dio·ni·so** [-níso -ニソ] 固名 《ギリシア神話》ディオニソス: 多産と酒と演劇の神. ローマ神話のバッカス Baco.

diop·trí·a [djoptría ディオプトゥリア] 名女 《光》ジオプトリー: レンズの屈折率[度の強さ]の単位.

dios [djós ディオス] 名男 [複 ~es] 〔英 god〕
神; [D-] (キリスト教の) 神. los *dioses* del Olimpo オリンポスの神々. *Dios* Todopoderoso 全能の神. *Dios* Hijo イエス・キリスト.

> **【参 考】 ギリシア[ローマ]神話の主な神の名**: Zeus [Júpiter] (神々の) 最高神. Apolo [Apolo] 太陽神. Hermes [Mercurio] 商業・発明の神. Poseidón [Neptuno] 海神. Hades [Plutón] 冥府(めいふ)の神. Dionisos [Baco] 酒神. Eros [Cupido] 恋愛の神. Ares [Marte] 軍神. Cronos [Saturno] 農業の神.

a la buena de Dios 行き当たりばったりに; 適当に.
como Dios manda きちんと, 正しく.
¡Dios (mío)! ああ, まさか, なんてことだ.
¡Dios sabe! さあ, どうかなあ, 誰にも分からない.
¡Por Dios! ねえお願いだ, 後生だから.
si Dios quiere いずれ, そのうち; 事情が許せば, うまくいけば.
¡Válgame Dios! ああなんてことだ.
¡Vaya con Dios! さようなら; (いなくなって) せいせいするよ; 我慢するしかない.
¡Vaya por Dios! おお嫌だ, なんてことだ.

dio·sa [djósa ディオサ] 名女 女神.

dió·xi·do [djóksiðo ディオクシド] 名男 《化》二酸化物 (= bióxido). *dióxido* de carbono 二酸化炭素.

dio·xi·na [djoksína ディオクシナ] 名女 《化》ダイオキシン.

di·plo·ma [diplóma ディプロマ] 名男 (学位・資格の) 免状, 免許; 卒業[修了]証書; 賞状.

di·plo·ma·cia [diplomáθja ディプロマシア] 名女 **1** 外交 (術); 外交官の職; 外交機関, 外交団.
2 そつのなさ; 外交手腕, 外交辞令.

di·plo·ma·do, da [diplomáðo, ða ディプロマド, ダ] 形 資格のある, 免状を持った.
── 名男女 有資格者, 資格取得者.

di·plo·má·ti·co, ca [diplomátiko, ka ディプロマティコ, カ] 形 **1** 外交上の; 外交官の. problemas *diplomáticos* 外交問題. rotura de relaciones *diplomáticas* 外交関係の断絶. **2** 《口語》そつのない, 如才ない. lenguaje *diplomático* 外交辞令.
── 名男女 外交官.

díp·te·ro, ra [díptero, ra ディプテロ, ラ] 形 《昆虫》双翅(そうし)目の.
── 名男 《昆虫》双翅目の昆虫.

díp·ti·co [díptiko ディプティコ] 名男 《美術》ディプティク: 祭壇背後などの二つ折りの画像.

dip·ton·go [diptóŋgo ディプトンゴ] 名男 《言語》二重母音.

> **【参 考】 二重母音**
> 連続した2母音で1音節を構成するものを言う. 現代スペイン語の二重母音は ai [ay], ei [ey], oi [oy], au, eu, ou, ia, ie, io, ua, ue, uo, iu, ui [uy] の綴(つづ)りで表される14種類.

di·pu·ta·ción [diputaθjón ディプタシオン] 名女 **1** 県議会 (= *diputacion* provincial); 《ラ米》市役所, 町役場.
2 (国会・県議会の) 議員の職務; 議員団.

di·pu·ta·do, da [diputáðo, ða ディプタド, ダ] 名男 議員, 代議士, 下院議員. *diputado* por Salamanca サラマンカ選出の議員. ➞ senador.

di·pu·tar [diputár ディプタル] 動他 **1** 選出する, 任命する. **2** 《+**por**》…と判断する.

di·que [díke ディケ] 名男 **1** 防波堤. *dique* de contención ダム, 堰堤(えんてい).
2 ドック, 船渠(せんきょ). *dique* flotante 浮きドック. ➞ puerto 図.

dir- 動 ➞ decir. 17

di·rec·ción [direkθjón ディレクシオン] 名女 [複 direcciones] 〔英 direction〕 **1 指揮, 指導**; 監督. bajo la *dirección* de 《+uno》〈人〉の指導の下に. llevar la *dirección* de ... …の指揮を取る.
2 方向, 方角. cambiar de *dirección* 方向を変える.
3 執行部, 経営陣; director の職務[執務室]. consultar con la *dirección* 首脳部に相談する.
4 住所, 宛名(あてな). Escriba aquí su *dirección*. ここに住所を記入してください.
5 舵(かじ)取り装置.

di·rec·ta [dirékta ディレクタ] 名女 《車》トップギア.
── 形女 ➞ directo[1].

di·rec·ta·men·te [diréktaménte ディレクタメンテ] 副 直接に, じかに; まっすぐに.

di·rec·ti·vo, va [direktíβo, βa ディレクティボ, バ] 形 **1** 指導的な.
2 経営の, 経営者の.

── 名女 理事会, 取締役会, 役員会.

di·rec·to[1], **ta** [dirékto, ta ディレクト, タ] 形 [複 ~s] 〔英 direct〕 **1 まっすぐな, 一直線の.** línea *directa* 直線.
2 直接の, 直接的な(↔ indirecto); 直行の. Este vuelo es *directo.* これは直航便です. **3** 率直な, 単刀直入の. pregunta *directa* 露骨な質問.
en directo 〘テレビ〙〘ラジオ〙生中継[ライブ]で. retransmitido *en directo* 生中継された. ► 「録画で」は en diferido.

di·rec·to[2] [dirékto ディレクト] 副 〔英 direct〕 **まっすぐに.** ir (todo) *directo* まっすぐに進む.
── 名男 **1** 直通列車. **2** (ボクシング) ストレート.

di·rec·tor, to·ra [direktór, tóra ディレクトル, トラ] 名男女 [複男 ~es, 女 ~s] 〔英 director〕 **1 長;** 校長; 部長, 局長; 取締役, 理事; 支配人. *director* general 局長; 総支配人.
2 〘映画〙監督; 〘演劇〙演出家; 〘音楽〙指揮者. *director* de orquesta オーケストラの指揮者.
── 形 指導的な, 指導的立場にある.

di·rec·triz [direktríθ ディレクトゥリす] 形 [複 directrices][女性形のみ] 基準の, 基本的な. ── 名女 [普通 directrices] 基準, 指針; 指示.

di·ri·gen·te [dirixénte ディリヘンテ] 形 指導的な; 支配する. clase *dirigente* 支配階級. ── 名男女 指導者, リーダー; 首脳陣.

di·ri·gi·ble [dirixíβle ディリヒブれ] 形 〘航空〙(気球が) 操縦できる. ── 名男 飛行船.

dirigido, da 過分 → dirigir.

dirigiendo 現分 → dirigir.

di·ri·gir [dirixír ディリヒル] [19 g → j] 動他 [現分 dirigiendo, 過分 dirigido, da] 〔英 direct〕

直説法 現在	
1·単 *dirijo*	1·複 **dirigimos**
2·単 **diriges**	2·複 **dirigís**
3·単 **dirige**	3·複 **dirigen**

1 《+a, hacia》 **…へ向ける,** 差し向ける. *Dirigió* la pistola *hacia* el atracador. 彼は強盗にピストルを向けた. *dirigir* los pasos *a* la salida 出口に向かって進む. *Dirigí* una carta *a* mi hermano. 私は兄に手紙を出した. El policía me *dirigió a* la estación. 警官は私に駅に行く道を教えてくれた. *dirigir* palabras 話しかける.
2 指揮する, 監督する, 管理する; 経営する. *dirigir* una empresa 会社を経営する. *dirigir* una orquesta オーケストラを指揮する.
3 (飛行機・船・車などを) 操縦する, 運転する. *dirigir* por radio 無線[ラジコン]で操縦する. Iba ella *dirigiendo* el coche. 彼女が車を運転していた.
── **di·ri·gir·se 1** 《+a, hacia》 **…へ向かう.** *dirigirse a* SU casa 家へ向かう, 家路につく.
2 《+a》 **…に向かって話す; …に手紙を書く.** *Me dirijo* a usted. お便り申し上げます. ¿*A* quién tengo que *dirigirme*? どなたに問い合わせればよろしいのですか.

dirij- 動 dirigir. [19 g → j]

dis·cer·nir [disθernír ディせルニル] [20 e → ie] 動他 《+de》 …から識別する, 見分ける (= distinguir). *discernir* lo falso *de* lo verdadero 嘘(うそ)と真実を見分ける.
── 動自 《+entre ... y ...》 …と…とを識別する, 見分ける.

dis·ci·pli·na [disθiplína ディしプリナ] 名女 **1** 規律; 風紀; 訓練. con mucha *disciplina* たいへん厳格に. *disciplina* militar 〘軍事〙軍規. seguir la *disciplina* 規律に従う. **2** 学問分野, 学科.

dis·ci·pli·na·do, da [disθiplináðo, ða ディしプリナド, ダ] 過分 形 規律正しい, 訓練された.

dis·ci·pli·nar [disθiplinár ディしプリナル] 動他 **1** 訓練する; 規律に服させる. **2** 鞭(むち)で打つ. ── 形 教育の, 教育的意義のある.

dis·ci·pli·na·rio, ria [disθiplinárjo, rja ディしプリナリオ, リア] 形 規律上の; 懲戒の. castigo *disciplinario* 懲罰.

dis·cí·pu·lo, la [disθípulo, la ディしプろ, ら] 名男女 弟子. *discípulo* de Platón プラトンの弟子. No quería *discípulos* ni continuadores. 彼は弟子も後継者も好まなかった.

dis·co [dísko ディスコ] 名男 [複 ~s] 〔英 disk〕 **1** 円盤, 円板. lanzamiento de(l) *disco* 〘スポ〙円盤投げ.
2 レコード. poner un *disco* レコードをかける. *disco* compacto コンパクトディスク, CD. ► 「CDプレーヤー」は tocadiscos. **3** 交通信号. *disco* (en) rojo 赤信号. **4** 〘コンピ〙ディスク. *disco* duro ハードディスク.

dis·co·gra·fí·a [diskoɣrafía ディスコグラフィア] 名女 レコード製作; レコード目録.

dis·coi·dal [diskoiðál ディスコイダる] 形 円盤状の.

dís·co·lo, la [dískolo, la ディスコろ, ら] 形 反抗的な, 不従順な.
── 名男女 反逆者; 手に負えない人.

dis·con·for·me [diskomfórme ディスコンフォルメ] 形 《+a》 …に不一致の, …と異なる; 《+con》 …と意見が合わない, …に不承知[不満]の.

dis·con·for·mi·dad [diskomformiðáð ディスコンフォルミダ(ドゥ)] 名女 不一致, 違い; 不承知, 不満.

dis·con·ti·nui·dad [diskontinwiðáð ディスコンティヌイダ(ドゥ)] 名女 不連続 (性), 断続

性, 断絶.
dis·con·ti·nuo, nua [diskontínwo, nwa ディスコンティヌオ, ヌア] 形 不連続の, 断続的な; 一貫性のない.
dis·cor·dan·cia [diskorðánθja ディスコルダンしア] 名女 **1** 不調和, 不一致; 不和, 仲たがい. **2**〔音楽〕不協和(音).
dis·cor·dan·te [diskorðánte ディスコルダンテ] 形 **1** 調和しない, 一致しない; 折り合わない. **2**〔音楽〕不協和の; 耳障りな.
dis·cor·de [diskórðe ディスコルデ] 形 **1** 調和しない, 一致しない; 意見が異なる.
2〔音楽〕不協和の, 調子の外れた; 耳障りな (= disonante).
dis·cor·dia [diskórðja ディスコルディア] 名女 不和, 反目; 意見の不一致.
dis·co·te·ca [diskotéka ディスコテカ] 名女
1 ディスコ.
2 レコード・ライブラリー; レコードの収集.
dis·cre·ción [diskreθjón ディスクレしオン] 名女 **1** 分別, 思慮深さ. **2** 機知, 機転.
a discreción (**de** ...) (…の)意のままに, 好きなだけ; 無条件で. rendirse [entregarse] *a discreción* 無条件降伏する.
dis·cre·cio·nal [diskreθjonál ディスクレしオナる] 形 自由裁量の, 任意の.
dis·cre·pan·cia [diskrepánθja ディスクレパンしア] 名女 不一致; 意見の相違; 不和, 仲たがい.
dis·cre·par [diskrepár ディスクレパル] 動自 《+**de, con**》…と異なる; 意見が異なる; 一致しない.
dis·cre·ta·men·te [diskrétaménte ディスクレタメンテ] 副 控えめに.
dis·cre·to, ta [diskréto, ta ディスクレト, タ] 形 **1** 控えめな; 分別のある.
2 まずまずの, ほどほどの. un sueldo *discreto* そこそこの給料.
—— 名男女 控えめな人; 分別のある人.
dis·cri·mi·na·ción [diskriminaθjón ディスクリミナしオン] 名女 **1** 差別, 差別待遇.
2 識別, 区別.
dis·cri·mi·nar [diskriminár ディスクリミナル] 動他 **1** 差別する.
2 《+**de**》…から識別する, 区別する.
dis·cri·mi·na·to·rio, ria [diskriminatórjo, rja ディスクリミナトリオ, リア] 形 差別的な; 区別を示す.
dis·cul·pa [diskúlpa ディスクるパ] 名女
1 弁解, 言い訳. **2** 容赦, 勘弁.
dis·cul·pa·ble [diskulpáβle ディスクるパブれ] 形 許される, 許してもよい.
dis·cul·par [diskulpár ディスクるパル] 動他
1 許す, 大目に見る. *Disculpe* mi retraso. 遅れてすみません.
2 弁解する. Su juventud le *disculpa*. 若さが彼の言い訳になる. *Discúlpe*me con su esposa. 奥さんに謝っておいてください.
—— **dis·cul·par·*se*** **1** 《+**por, de**》…を詫(わ)びる. **2** 《+**de**》…の弁解をする.
dis·cu·rrir [diskuřír ディスクリル] 動自
1 《+**en, sobre**》…について熟考する, 思案する.
2 (川が)流れる; 経過する; 推移する.
dis·cur·si·vo, va [diskursíβo, βa ディスクルシボ, バ] 形 論証的な; 思慮深い.
dis·cur·so [diskúrso ディスクルソ] 名男 [複 ~s]〔英 speech〕**演説**, 講演. pronunciar un *discurso* 演説をする. *discurso* inaugural 基調演説.
dis·cu·sión [diskusjón ディスクシオン] 名女 [複 discuciones]〔英 discussion〕 **議論**, 討論. una *discusión* acalorada 激論.
en discusión 問題の, 懸案の.
dis·cu·ti·ble [diskutíβle ディスクティブれ] 形 議論[疑問]の余地のある, 問題のある.
dis·cu·tir [diskutír ディスクティル] 動他自〔英 discuss〕 **1 議論する, 討論する**; 口論する. *discutir* (sobre) un asunto ある問題を討議する. *discutir* de política 政治について論じる.
2 …に異議を申し立てる, けちをつける. Juan siempre me *discute* lo que digo. フアンはいつも僕の言うことにけちをつける.
di·se·car [disekár ディセカル] [8 c → qu] 動他 **1** 解剖する; 切り裂く.
2 剝製(はくせい)にする; 押し葉[花]にする.
di·sec·ción [disekθjón ディセクしオン] 名女 解剖; 切開.
di·se·mi·nar [diseminár ディセミナル] 動他 (種子を)ばらまく; 散布する; (説・意見などを)広める, 普及させる.
—— **di·se·mi·nar·*se*** 散らばる; 拡散する; 普及する.
di·sen·te·rí·a [disentería ディセンテリア] 名女〔医〕赤痢.
di·sen·ti·mien·to [disentimjénto ディセンティミエント] 名男 不同意, 意見の相違; 不和.
di·se·ña·dor, do·ra [diseɲaðór, ðóra ディセニャドル, ドラ] 名男女 設計者; デザイナー, 図案家.
di·se·ñar [diseɲár ディセニャル] 動他 …の下図[図案]を描く, 設計する; デザインする.
di·se·ño [diséɲo ディセニョ] 名男 **1** 設計図, 見取り図; デザイン. **2** 構想, あらまし.
di·ser·ta·ción [disertaθjón ディセルタしオン] 名女 論述; 論文; 講演.
di·ser·tar [disertár ディセルタル] 動自 《+**sobre**》…を論ずる, 論述[論考, 論評]する; 講演する.
dis·fraz [disfráθ ディスフラす] 名男 [複 disfraces] **1** 変装, 仮装; 仮面; 変装用の衣装. **2** 見せかけ, カムフラージュ;〔軍事〕偽装, 迷彩.
dis·fra·zar [disfraθár ディスフラさル] [39 z → c] 動他 **1** 偽る; (意図・感情を)隠す. *disfrazar* la voz 作り声をする. Intentaba *disfrazar* sus sentimientos. 彼は感情を隠そうとしていた.
2 《+**de**》…に変装させる.

—— **dis·fra·zar·*se*** 《＋**de**》…に変装する. *disfrazarse de* payaso ピエロに仮装する.

dis·fru·tar [disfrutár ディスフルタル] 動他 **1** 享受する，持っている（＝ gozar）. *Disfruta* muchos beneficios. 多大の利益をあげている. **2** 楽しむ. ¡*Disfrútelo*! 十分にお楽しみください.
—— 動自 《＋**de, con**》 **1** …を享受する，持っている. Yo *disfruto de* buena salud. 私は健康に恵まれている.
2 …を楽しむ；愉快に過ごす.

dis·fru·te [disfrúte ディスフルテ] 名男
1 享受，享有；恵まれること.
2 楽しみ，喜び，愉快.

dis·gre·ga·ción [disɣreɣaθjón ディスグレガしオン] 名女 離散，分散；解体，崩壊.

dis·gre·gar [disɣreɣár ディスグレガル] [32 g → gu] 動他 離散させる，解散させる；解体させる.
—— **dis·gre·gar·*se*** 離散する；解体する，ばらばらになる.

dis·gus·tar [disɣustár ディスグスタル] 動他 不愉快にさせる；怒らせる. Me *disgusta* su actitud. 私は彼の態度が嫌いだ. Me *disgusta* que vayas tanto al bar. 君があんなバーに行くのは気に入らない.
—— **dis·gus·tar·*se*** **1** 《＋**con, de, por**》…で不機嫌になる；怒る. *Se disgustó por* tu culpa. 君のせいで彼は機嫌を損ねた.
2 《＋**con**》…と仲たがいする.

dis·gus·to [disɣústo ディスグスト] 名男 [複 ～s] 〔英 displeasure〕 **1 不愉快**，怒り. sentir *disgusto* 不快に思う. trabajar con *disgusto* いやいや働く.
2 嫌なこと；辛いこと.
3 仲たがい. tener *disgustos* con 《＋uno》〈人〉と悶着(もんちゃく)を起こす.
a disgusto いやいや，しぶしぶ. Estoy *a disgusto* en su compañía. 私は彼と一緒にいるのは嫌だ.
matar a 《＋uno》 ***a disgusto*** 《口語》〈人〉の手を焼かせる.

di·si·den·cia [disiðénθja ディシデンしア] 名女 不一致，相違；分離，脱退.

di·si·den·te [disiðénte ディシデンテ] 形 異論のある；反主流の；離反した.
—— 名男女 意見を異にする人，（体制などへの）反対者；反主流派；分離派.

di·si·dir [disiðír ディシディル] 動自 異なる意見を持つ；《＋**de**》…から離教する，離党する.

di·si·mu·lar [disimulár ディシムラル] 動他 **1** 隠す. *disimular* los años 年齢をごまかす. *disimular* su tristeza 自分の悲しみを隠す. **2** 見逃す. —— 動自 とぼける.

di·si·mu·lo [disimúlo ディシムろ] 名男 偽装，ごまかし. hablar sin *disimulo* 包み隠さず［率直］に話す.
con disimulo 空とぼけて，素知らぬ顔で；こっそり.

di·si·pa·ción [disipaθjón ディシパしオン] 名女 **1** 消失，消散. **2** 浪費；放蕩(ほうとう).

di·si·par [disipár ディシパル] 動他 **1** 消す，消失させる；四散させる，一掃する.
2 浪費する，使い果たす.
—— **di·si·par·*se*** 消え失せる，霧散する.

dis·le·xia [disléksja ディスれクシア] 名女 〘医〙失読症，読書障害.

dis·lo·car [dislokár ディスろカル] [8 c → qu] 動他 **1** 脱臼(だっきゅう)させる. **2** ゆがめる，歪曲(わいきょく)する. **3** はずす；解体する.
—— **dis·lo·car·*se*** 脱臼する.

dis·lo·que [dislóke ディスろケ] 名男 《口語》最高；最悪；極み（＝ colmo）.

dis·mi·nu·ción [disminuθjón ディスミヌしオン] 名女 **1** 減少，軽減；短縮，縮小.
2 低下，下落.

dis·mi·nuir [disminwír ディスミヌイル] 29 動他 ［現分 disminuyendo］減らす，少なくする. *disminuir* las cargas financieras 財政負担を軽くする. *disminuir* la población 人口を減らす. *disminuir* la velocidad 減速する. *disminuir* el dolor ［la pena］痛み［悲しみ］を和らげる.
—— 動自 減る，減少する.

disminuy- 動 → disminuir. 29

di·so·cia·ción [disoθjaθjón ディソしアしオン] 名女 分離，乖離(かいり)，解離.

di·so·lu·bi·li·dad [disoluβiliðáð ディソるビりダ(ドゥ)] 名女 **1** 〘化〙溶解性，可溶度.
2 解消の可能性.

di·so·lu·ble [disolúβle ディソるブれ] 形
1 溶解性の. **2** 解消［解散］できる.

di·so·lu·ción [disoluθjón ディソるしオン] 名女 **1** 〘化〙溶解，融解；溶液.
2 解散；解消. **3** 風紀の乱れ，退廃.

di·so·lu·to, ta [disolúto, ta ディソるト，タ] 形 放埒(ほうらつ)な，自堕落な.
—— 名男女 放蕩(ほうとう)者.

di·sol·ven·te [disolβénte ディソるベンテ] 形 溶かす，溶解力のある.
—— 名男 〘化〙溶剤；シンナー.

di·sol·ver [disolβér ディソるベル] [35 o → ue] 動他 ［過分 disuelto, ta］ **1** 溶かす，溶解する. *disolver* el terrón de azúcar en el café コーヒーに角砂糖を溶かす.
2 解散［解消］する. *disolver* las Cortes 国会を解散する.
—— **di·sol·ver·*se*** **1** 溶ける，溶解する.
2 解散［解消］する.

di·so·nan·cia [disonánθja ディソナンしア] 名女 **1** 〘音楽〙不協和音，不協和（↔ consonancia）. **2** 不調和；不釣り合い；不一致.

di·so·nan·te [disonánte ディソナンテ] 形
1 〘音楽〙不協和音の；耳障りな.
2 調和しない；不似合いな；不一致の.

dis·par [dispár ディスパル] 形 異なった，違った（＝ desigual, diferente）；隔絶した.

dis·pa·ra·dor [disparaðór ディスパラドル] 名男 **1** 発砲者，射撃者.

D

2 (カメラの)シャッター; (銃の)引き金.

dis·pa·rar [disparár ディスパラル] 動 他 〔英 shoot〕 発射する, 発砲する. *disparar* un rifle ライフル銃を撃つ.

── 動 自 発砲する. *disparar* contra el enemigo 敵に発砲する.

── **dis·pa·rar·se** 1 発射される; 暴発する. 2 飛び出して行く. Así que la vio *se disparó* hacia ella. 彼女の姿が目に入ったとたん彼はそっちへすっ飛んで行った.

3 かっとなる, しどろもどろになる.

D

dis·pa·ra·ta·do, da [disparatáðo, ða ディスパラタド, ダ] 過分 形 でたらめな, 非常識な; 途方もない.

dis·pa·ra·tar [disparatár ディスパラタル] 動 自 たわ言を言う; 非常識なことをする.

dis·pa·ra·te [disparáte ディスパラテ] 名 男 ばかげた [非常識な] 言動; でたらめ. soltar un *disparate* 暴言を吐く. decir *disparates* 支離滅裂なことを言う.

¡Qué disparate! なんたること.

un disparate 《副詞的に》すごく, たくさん.

dis·pa·ri·dad [dispariðáð ディスパリダ(ドゥ)] 名 女 不等, 不同; 相違, 不一致. *disparidad* de cultos 〘カトリック〙信仰の違い(による結婚不能).

dis·pa·ro [dispáro ディスパロ] 名 男 1 発射, 発砲; 銃声. 2 〘スポーツ〙シュート. *disparo* a puerta ゴールへのシュート.

── 動 → disparar.

dis·pen·dio [dispéndjo ディスペンディオ] 名 男 無駄遣い, 浪費.

dis·pen·sa [dispénsa ディスペンサ] 名 女 免除. Pidió *dispensa* de sus votos. 彼は誓願の免除を願い出た.

dis·pen·sar [dispensár ディスペンサル] 動 他 1 許す, 容赦する (= perdonar). *Dispénseme* usted. すみません, 失礼ですが.

2 授ける, 与える. *dispensar* elogios 賞賛する. 3 《+de》…を免除する.

dis·pen·sa·rio [dispensárjo ディスペンサリオ] 名 男 無料診療所.

dis·pep·sia [dispépsja ディスペプシア] 名 女 〘医〙消化不良.

dis·per·sar [dispersár ディスペルサル] 動 他 分散させる, まき散らす; 解散させる, 追い払う.

── **dis·per·sar·se** 分散する, 散らばる, 解散する; 敗走する.

dis·per·sión [dispersjón ディスペルシオン] 名 女 1 分散; 離散, 四散. 2 〘軍事〙敗走.

dis·per·so, sa [dispérso, sa ディスペルソ, サ] 形 散らばった, ちりぢりになった.

dis·pli·cen·cia [displiθénθja ディスプリセンシア] 名 女 気乗り薄; 無愛想, 冷淡.

dis·pli·cen·te [displiθénte ディスプリセンテ] 形 気乗り薄な; 冷淡な.

dispón 動 → disponer. 45

dispondr- 動 → disponer. 45

dis·po·ner [disponér ディスポネル] 45 動 他 〔過分 dispuesto, ta〕〔英 dispose〕

1 配置する, 配列する, 並べる. *disponer* los platos en la mesa テーブルに料理を並べる.

2 準備する, 支度する. *disponer* la mesa 食卓を整える.

3 規定する; 命じる, 指示する. La ley *dispone* que … . 法律は…と定めている.

── 動 自 〔英 have〕《+de》…を持っている, 利用する; 自由にできる. No *dispongo de* mucho tiempo. 私にはあまり時間がない.

── **dis·po·ner·se** 〔英 get ready〕

1 《+a, para 不定詞》…する準備をする, 用意をする; …する覚悟をする. *disponerse a* [*para*] marcharse 出発の準備をする, 帰り支度をする. 2 配置につく.

dispong- 動 → disponer. 45

dis·po·ni·ble [disponíβle ディスポニブレ] 形 1 自由に処分できる, 利用できる; 手元にある. 2 空席の, 欠員のある. habitación *disponible* 空き部屋.

dis·po·si·ción [disposiθjón ディスポシシオン] 名 女 [複 disposiciones] 〔英 disposition〕 1 配置, 配列.

2 素質; 気質; (体・心の) 状態.

3 自由に (処分) できること, 裁量. a su libre *disposición* ご随意に. no estar en *disposición* de 《+不定詞》…する気になれない. 4 規定, 条項.

dis·po·si·ti·vo [dispositíβo ディスポシティボ] 名 男 装置, 仕掛け.

dis·pues·to, ta [dispwésto, ta ディスプエスト, タ] 過分 → disponer.

── 形 《+a, para》 1 …の準備ができた, 用意ができた (= listo); …の覚悟ができた; 喜んで…する. Ya estamos *dispuestos a* salir. さあ, いつでも出かけられるぞ. Siempre estoy *dispuesto a* ayudarte. いつでも喜んで君に手を貸すよ. *dispuesto para* la marcha 出発の準備ができている.

2 …に有能な, …に向いている. Es un muchacho muy *dispuesto para* la música. 彼は音楽にとても才能がある.

estar bien dispuesto 機嫌が良い; 都合が良い.

ser bien dispuesto 顔立ちが端正である, ハンサムである.

dispus- 動 → disponer. 45

dis·pu·ta [dispúta ディスプタ] 名 女 口論; 論争. sin *disputa* 議論の余地なく, 異論なく.

dis·pu·tar [disputár ディスプタル] 動 他 争う; 論争する. *disputar* el primer puesto a 《+uno》〈人〉と1位を争う.

── 動 自 《+por, de, sobre》…について口論する; 競う. *disputar sobre* religión 宗教について議論を戦わす. *disputar por* la copa mundial ワールドカップを争う. ── **dis·pu·tar·se** 競い合う.

dis·que·te [diskéte ディスケテ] 名 男 フロッ

ピーディスク(= disco flexible).
dis·qui·si·ción [diskisiθjón ディスキシしオン] 名女 研究, 精査.
dis·tan·cia [distánθja ディスタンしア] 名女 [複 ~s] 〔英 distance〕 **1** **距離**, 間隔. De mi casa al mar hay una *distancia* de quinientos metros. 私の家から海まで500メートルです. de larga *distancia* 長[遠]距離の.
2 隔たり, 差異(= diferencia). Hay mucha *distancia* entre lo que dice y lo que hace. 彼は言うこととやることとがずいぶん違う.
a* (*la*) *distancia 遠くに, 遠くから.
mantener a 《+uno》 ***a distancia*** 〈人〉と距離を置いて接する.
dis·tan·ciar [distanθjár ディスタンしアル] 動他 遠ざける; 疎遠にする, 引き離す.
—— **dis·tan·ciar·*se*** 《+de》 …と距離を置く, …から離れる; 疎遠になる.
dis·tan·te [distánte ディスタンテ] 形
1 (空間的・時間的に) 離れた, 遠い. en época *distante* 遠い昔に. **2** 冷淡な.
dis·tar [distár ディスタル] 動自 《+de》 …から離れている, 距離がある; 隔たっている.
dis·ten·der [distendér ディステンデル] [43 e→ie] 動他 緩める; 緩和させる.
—— **dis·ten·der·*se*** **1** 緩む, 緩和する.
2 〖医〗(筋肉などが) つる, 引きつる; 腫(は)れる, 腫れ上がる.
dis·ten·sión [distensjón ディステンシオン] 名女 **1** 緩み, 弛緩(しかん).
2 (筋肉の) 引きつり.
dis·tin·ción [distinθjón ディスティンしオン] 名女 **1** 区別, 識別. **2** 栄誉, 卓越.
3 気品, 品位. de gran *distinción* 高貴な.
a distinción de ... …とは異なり.
sin distinción 無差別に, 区別なく.
dis·tin·gui·do, da [distiŋgíðo, ða ディスティンギド, ダ] 過分 形 **1** 卓越した; 著名な. un *distinguido* científico 傑出した科学者. *Distinguido* señor 《手紙》拝啓.
2 上品な, 気品のある.
dis·tin·guir [distiŋgír ディスティンギル] [21 gu→g] 動他 〔英 distinguish〕 **1** **識別する, 見分ける**, 区別する. *distinguir* lo bueno de lo malo 良し悪しを判別する. *Distinguió* a lo lejos la torre. 彼は遠くからその塔が目に入った.
2 特徴づける, 際立たせる. La lengua *distingue* al hombre. 言語は人間の特性である.
3 特別扱いする. Siempre me *ha distinguido* con su amistad. 彼はいつも私に格別な友情を寄せてくれる.
4 栄誉を授ける, 特典を与える.
—— **dis·tin·guir·*se*** ぬきんでる, 際立つ; 人目を引く. *Se distingue* por su inteligencia. 彼は知性がぬきんでている.
distinta 形女 → distinto.
dis·tin·ti·vo, va [distintíβo, βa ディスティンティボ, バ] 形 区別する, 特徴的な.
—— 名男 記章; 目印; 象徴, シンボル.
dis·tin·to, ta [distínto, ta ディスティント, タ] 形 [複 ~s] 〔英 different〕 **1** 《+a, de》 **…と異なる, 違った**, 別の(= diferente). Este cuaderno es *distinto* del mío. このノートは私のとは違う.
2 《複数名詞の前で》 種々の, さまざまな(= diferentes, diversos). Hay *distintas* opiniones sobre ese asunto. その件に関してはさまざまな意見がある.
dis·tor·sión [distorsjón ディストルシオン] 名女 **1** ゆがみ; 歪曲(わいきょく), ねじ曲げること, 曲解. **2** (光・音の) ひずみ. **3** 捻挫(ねんざ).
dis·trac·ción [distrakθjón ディストゥラクしオン] 名女 **1** 気晴らし, 娯楽. **2** 注意散漫, 放心(= descuido). por *distracción* うっかりして, 上の空で. tener una *distracción* 気が散る, ぼんやりする.
dis·tra·er [distraér ディストゥラエル] [57] 動他 [現分 distrayendo; 過分 distraído, da] **1** 注意をそらす, 気を散らす.
2 楽しませる; …の気を紛らす. *distraer* a 《+uno》 de su preocupación 〈人〉の心配ごとを忘れさせる.
—— **dis·tra·er·*se*** **1** 楽しむ, 気晴らしをする. *distraerse* con la lectura 読書を楽しむ. *distraerse* viendo la televisión テレビを見て暇をつぶす.
2 気が散る, ぼんやりする. *distraerse* con el ruido 雑音で気が散る.
dis·tra·í·do, da [distraíðo, ða ディストゥライド, ダ] 形 **1** 楽しい, 面白い(= divertido). una película *distraída* 楽しい映画.
2 ぼんやりした, 上の空の.
—— 名男女 ぼんやり者, うかつな人.
hacerse el distraído 知らん振りをする, 聞こえない振りをする.
dis·tri·bu·ción [distriβuθjón ディストゥリブしオン] 名女 **1** 分配; 割り当て; 配給; 配達. *distribución* de la correspondencia 郵便配達. **2** 配置, 配列; 分布.
3 (商品の) 流通, 販売; (水道・ガスなどの) 供給. **4** 授与. *distribución* de premios 賞の授与. **5** 〖車〗配電.
dis·tri·bui·dor, do·ra [distriβwiðór, ðóra ディストゥリブイドル, ドラ] 名男女
1 分配者; 配達人. **2** 販売者; 配給業者.
—— 名男 〖機械〗配電器, 分配器.
—— 形 分配する; 配給の.
dis·tri·buir [distriβwír ディストゥリブイル] [29] 動他 [現分 distribuyendo] 〔英 distribute〕 **1** 分配する, 配分する; 供給する. *distribuir* dinero entre los pobres 貧しい人々にお金を分け与える. *distribuir* el correo 郵便を配達する. *distribuir* el trabajo 仕事を割り当てる.
2 配置[配列]する.
dis·tri·bu·ti·vo, va [distriβutíβo, βa ディストゥリブティボ, バ] 形 分配の; 〖文法〗配分の.

distribuy- 動 現分 → distribuir. 29
dis·tri·to [distríto ディストゥリト] 名 男 地区, 区域. *distrito* electoral 選挙区. *distrito* escolar 学区. *distrito* postal 郵便集配区; 郵便番号.
dis·tur·bio [distúrβjo ディストゥルビオ] 名 男 騒動; 混乱.
di·sua·dir [diswaðír ディスアディル] 動 他 《+de》…を思いとどまらせる, 断念させる.
di·sua·sión [diswasjón ディスアシオン] 名 女 思いとどまらせること, 抑制, 抑止.
di·sua·si·vo, va [diswasíβo, βa ディスアシボ, バ] 形 思いとどまらせる, 制止的な, 抑止する.
di·suel·to, ta [diswélto, ta ディスエるト, タ] 過分 → disolver.
── 形 溶けた, 解決した.
disuelv- 動 → disolver. [35 o → ue]
dis·yun·ti·vo, va [disʝuntíβo, βa ディスユンティボ, バ] 形 〔文法〕分離の.
di·ti·ram·bo [ditirámbo ディティランボ] 名 男 **1** 酒神[バッカス]賛歌; 熱狂的な詩.
2 絶賛, べた褒め.
diu·ré·ti·co, ca [djurétiko, ka ディウレティコ, カ] 形 〔医〕利尿の.
── 名 男 〔医〕利尿剤.
diur·no, na [djúrno, na ディウルノ, ナ] 形 **1** 昼間の, 日中の (↔ nocturno).
2 〔植物〕(花・葉が) 昼間に開く; 〔動物〕昼行性の.
di·va·ga·ción [diβaɣaθjón ディバガしオン] 名 女 (話の) 逸脱, 脱線.
di·va·gar [diβaɣár ディバガル] [32 g → gu] 動 自 (話が) 本筋からそれる, 脱線する.
di·ván [diβán ディバン] 名 男 (クッション付き) 長椅子, カウチ.
di·ver·gen·cia [diβerxénθja ディベルヘンしア] 名 女 **1** 食い違い, 相違.
2 分岐, 分散 (↔ convergencia).
di·ver·gen·te [diβerxénte ディベルヘンテ] 形 **1** 食い違った, 相違する.
2 分岐する, 分散する.
di·ver·gir [diβerxír ディベルヒル] [19 g → j] 動 自 **1** (意見などが) 分かれる, 対立する. **2** 分岐する, 分かれる.
diversa 形 女 → diverso.
di·ver·si·dad [diβersiðáð ディベルシダ(ドゥ)] 名 女 多様性; 相違, 差異.
di·ver·sión [diβersjón ディベルシオン] 名 女 娯楽, 気晴らし. por *diversión* 趣味で.
di·ver·so, sa [diβérso, sa ディベルソ, サ] 形 [複 ~s] 〔英 diverse〕 **1** 《複数名詞の前で》**種々の, さまざまな**, 多様な (= diferentes, distintos, varios). Hablamos de *diversos* problemas. 我々はいろいろな問題について話した. en *diversas* ocasiones 折りにふれ. **2** 異なる, 別の.
di·ver·ti·do, da [diβertíðo, ða ディベルティド, ダ] 過分 → divertir.
── 形 面白い, 楽しい. un cuento *divertido* 面白い話.

di·ver·tir [diβertír ディベルティル] [52 e → ie, i] 動 他
[現分 divirtiendo; 過分 divertido, da] 〔英 amuse〕

直説法 現在	
1·単 *divierto*	1·複 **divertimos**
2·単 *diviertes*	2·複 **divertís**
3·単 *divierte*	3·複 *divierten*

1 楽しませる. Esa novela me *divirtió* mucho. その小説はとても面白かった.
2 注意[関心]をそらす.
── **di·ver·tir·*se*** 〔英 enjoy oneself〕 **楽しむ**, 楽しく過ごす, 面白がる. *divertirse* escuchando la radio ラジオを聞いて楽しむ. ¡Que *se divierta*! 楽しんでいらっしゃい.
di·vi·den·do [diβiðéndo ディビデンド] 名 男 **1** 〔数〕被除数. **2** 〔商業〕配当金, 配当. *dividendo* activo 配当金.
di·vi·dir [diβiðír ディビディル] 動 他 〔英 divide〕 **1 分割する**, 分配する; 〔数〕割る. *dividir* un pastel en ocho partes [entre ocho personas] ケーキを 8 つに切る [8 人で分ける]. *dividir* la herencia con su hermano 兄弟で遺産を分け合う. *dividir* 12 [doce] por 3 [tres] 12を 3 で割る.
2 分断する, 分け隔てる. Una cortina *divide* el cuarto. カーテンで部屋が仕切られている.
3 反目[分裂]させる, 不和にさせる. La guerra *ha dividido* este país. 戦争がこの国を分断した.
── **di·vi·dir·*se*** **1** 分かれる, 枝分かれする. El río *se divide* en tres ramales. 川は 3 つの支流に分かれている.
2 反目し合う, 分裂する.
diviert- 動 → divertir. [52 e → ie, i]
di·vi·na·men·te [diβínaménte ディビナメンテ] 副 **1** 神のように; 神の恵みによって; 神々しく. **2** 《口語》見事に. Este sombrero le sienta *divinamente*. この帽子はあなたによくおにあいです.
di·vi·ni·dad [diβiniðáð ディビニダ(ドゥ)] 名 女 **1** 神性, 神格. **2** (非キリスト教の) 神.
3 非常に美しい人[もの], 優れたもの. ¡Qué *divinidad*! すばらしい, すてきだ.
di·vi·ni·za·ción [diβiniθaθjón ディビニさしオン] 名 女 **1** 神格化. **2** 賞賛, 賛美.
di·vi·ni·zar [diβiniθár ディビニさル] [39 z → c] 動 他 **1** 神格化する, 神聖視する.
2 賞賛する, 賛美する.
di·vi·no, na [diβíno, na ディビノ, ナ] 形 **1** 神の, 神聖な; 神のような. promesa *divina* 神との約束. gracia *divina* 神の恩寵(おんちょう). oficio *divino* 〔カトリック〕聖務日課.
2 《口語》すばらしい, 見事な. Ella es una mujer *divina*. 彼女はすばらしい女性だ.

divirt- 動 現分 → divertir. [52 e → ie, i]

di·vi·sa [diβísa ディビサ] 名 女 **1** [普通 ~s] 〘商業〙外国通貨, 外貨.
2 表徴, 記章, 印.

di·vi·sar [diβisár ディビサル] 動 他 (遠くのものを) 見分ける, 識別する; 見渡す.

di·vi·si·bi·li·dad [diβisiβiliðáð ディビシビリダ(ドゥ)] 名 女 **1** 分割できること.
2 〘数〙割り切れること, 被整除性.

di·vi·si·ble [diβisíβle ディビシブれ] 形 **1** 分けられる, 分割できる. **2** 〘数〙割り切れる.

di·vi·sión [diβisjón ディビシオン] 名 女 [複 divisiones] 〔英 division〕 **1** **分割**, 区分; 分配. *división* administrativa [territorial] 行政区分. *división* celular 細胞分裂.
2 〘数〙割り算, 除法. signo de *división* 除法記号 (··). ► 割り算の読み方. ⇀ 8 ÷ 2 = 4　ocho dividido por dos son cuatro / ocho entre dos a cuatro.
3 〘軍事〙師団. → ejército 【参考】.
4 仕切り, 隔壁.

di·vi·sor [diβisór ディビソル] 名 男 〘数〙除数; 約数. máximo común *divisor* 最大公約数. ► 倍数は múltiplo.

di·vi·so·rio, ria [diβisórjo, rja ディビソリオ, リア] 形 分ける, 境界となる.
— 名 女 分水嶺(れい).

di·vo, va [díβo, βa ディボ, バ] 名 男 女
1 (オペラの) 花形歌手.
2 《口語》うぬぼれ屋.

di·vor·ciar [diβorθjár ディボルしアル] 動 他
1 (法的に) 離婚させる. **2** 分離する.
— **di·vor·ciar·se**
1 《+**de**》…と離婚する. *Se divorció de* ella. 彼は彼女と離婚した.
2 合致しない; 分離する.

di·vor·cio [diβórθjo ディボルしオ] 名 男
1 離婚. ley del *divorcio* 離婚法.
2 分離; 不一致.

di·vul·ga·ción [diβulɣaθjón ディブるガしオン] 名 女 普及; 流布; 暴露, 漏洩(ろうえい).

di·vul·gar [diβulɣár ディブるガル] [32 g → gu] 動 他 **1** 広める, 普及させる.
2 発表する, 暴露する.
— **di·vul·gar·se** 広まる; 暴露される.

do [dó ド] 名 男 〘音楽〙ド, ハ音.
[← イタリア語]

do·bla·di·llo [doβlaðíʎo ドブらディりョ] 名 男 (布・衣服の端の) 折り返し.

do·bla·je [doβláxe ドブらへ] 名 男 〘映画〙〘テレビ〙アテレコ, 吹き替え.

do·blar [doβlár ドブらル] 動 他 **1** 折る, 折り曲げる. *doblar* un papel en dos 紙を 2 つ折りにする. *doblar* una manta 毛布を畳む. *doblar* una vara 棒を曲げる.
2 2 倍[二重]にする (= duplicar). *doblar* el sueldo 給料を倍にする. Le *doblo* la edad. 私の年齢はあなたの倍です.
3 曲がる; 迂回(うかい)する. *doblar* la esquina 角を曲がる.
4 〘映画〙〘テレビ〙吹き替える. *doblar* una película 映画の吹き替えをする.
5 屈服させる; 翻意させる. *doblar* a《+uno》a palos 〈人〉を打ちのめす.
— 動 自 **1** 2 倍になる, 倍増する, 倍加する. El número de clientes *ha doblado* en dos meses. お客の数が 2 か月で倍増した.
2 曲がる. *doblar* a la derecha 右折する.
3 (弔鐘が) 鳴る. Las campanas *están doblando* a muertos. 弔いの鐘が鳴っている. **4** (俳優が) 二役を演じる.
— **do·blar·se** **1** 曲がる, 折れ曲がる. El tejado *se dobla* con el peso de la nieve. 屋根が雪の重みでたわむ. *doblarse* por la cintura 体を折り曲げる.
2 屈する, 負ける. Se *ha doblado* a mis exigencias. 彼は私の要求に屈した.

do·ble [dóβle ドブれ] 形 〔英 double〕
(2) 倍の; 二重の. Esta torre es *doble* de alta que ésa. この塔の高さはその塔の倍ある. de *doble* sentido 二重の意味をもつ. *doble* ventana 二重窓.
— 名 男 女 **1** 〘映画〙〘演劇〙代役; 吹き替え. **2** 瓜(うり)二つの人, 分身; 影武者.
— 名 男 **1** 2 倍. Come el *doble* que tú. 彼は君の 2 倍食べる. *doble* de whisky ウィスキーのダブル.
2 〘服飾〙折り返し (= doblez).
3 弔鐘. **4** 〘スポ〙ダブルス. *doble* masculino [(de) damas, mixto] 男子[女子, 混合]ダブルス.
— 副 二重に; 2 倍に, より一層.
paso doble 〘音楽〙パソ・ドブレ. → pasodoble.

dobleces 名 [複] → doblez.

do·ble·gar [doβleɣár ドブれガル] [32 g → gu] 動 他 **1** 曲げる, 折り畳む (= doblar). **2** 屈服させる, 服従させる; (考えを) 変えさせる.
— **do·ble·gar·se** **1** 曲がる.
2 屈服する; 翻意する.

do·ble·men·te [dóβleménte ドブれメンテ] 副 二重に; 2 倍に, さらにずっと.

do·blez [doβléθ ドブれす] 名 男 [複 dobleces] 〘服飾〙折り目, 折り返し.
— 名 女 表裏のあること, 二枚舌, 偽善.

do·blón [doβlón ドブろン] 名 男 (昔の) ドブロン金貨.

do·ce [dóθe ドせ] 形 《数詞》〔英 twelve〕
12の; 12番目の. los *doce* apóstoles (キリストの) 十二使徒.
— 名 男 12. ◆ ローマ数字XII.

do·ce·a·vo, va [doθeáβo, βa ドせアボ, バ] 形 12分の 1 の (= dozavo).

do·ce·na [doθéna ドせナ] 名 女 [複 ~s] 〔英 dozen〕
ダース. una *docena* de huevos 卵 1 ダ

D

ース.
a docenas (1) 何十（人）と，たくさん．(2) 1ダース単位で，ダース売りで．
por docenas たくさん．
do·cen·te [doθénte ドセンテ] 形 教育の，教育に関する．
dó·cil [dóθil ドしる] 形 従順な，素直な；扱いやすい．
do·ci·li·dad [doθiliðáð ドしりダ(ドゥ)] 名女 従順，素直さ；扱いやすさ．

D

doc·to, ta [dókto, ta ドクト，タ] 形 博学な，学識豊かな．── 名男女 学者，博識家．
doc·tor, to·ra [doktór, tóra ドクトル，トラ] 名男女 [複男 ～es, 女 ～s]〔英 doctor〕
1 博士． *doctor* en filosofía 哲学博士．
2 医師（= médico）；《医師への呼びかけで》先生． ► 博士号の有無とは無関係に用いられる．
doc·to·ra·do [doktoráðo ドクトラド] 名男 博士課程；学位，博士号．
doc·to·ral [doktorál ドクトラる] 形
1 博士の，博士課程の．
2 学者ぶった，もったいぶった．
doc·to·ran·do, da [doktorándo, da ドクトランド，ダ] 名男女 博士号取得希望者，学位申請者．
doc·to·rar [doktorár ドクトラル] 動他 …に博士号を与える，学位を授与する．
── **doc·to·rar·*se*** 博士課程を修める，博士号を取得する．
doc·tri·na [doktrína ドクトゥリナ] 名女
1 教義，教理． *doctrina* cristiana キリスト教要理． **2** 学説；主義． *doctrina* platónica プラトンの学説． **3** 知識，学問． hombre de mucha *doctrina* 博識な人．
doc·tri·nal [doktrinál ドクトゥリナる] 形 教義の，教理上の．
doc·tri·na·rio, ria [doktrinárjo, rja ドクトゥリナリオ，リア] 形 教条的な；理論派の．
── 名男女 教条主義者；理論派．
do·cu·men·ta·ción [dokumentaθjón ドクメンタしオン] 名女 **1**《集合》関係書類，証明書類． **2** 文献調査，考証．
do·cu·men·ta·do, da [dokumentáðo, ða ドクメンタド，ダ] 過分 形 **1** 資料に裏づけられた；身分が証明された．
2 精通している，通じている．
do·cu·men·tal [dokumentál ドクメンタる] 名男〘映画〙〘テレビ〙記録映画，ドキュメンタリー．
── 形 記録の；資料に基づく． prueba *documental* 証拠書類，証書．
do·cu·men·tar [dokumentár ドクメンタル] 動他 **1** 証拠書類で立証する，資料で裏づける． **2** …に情報を与える，資料[データ]を提供する．
── **do·cu·men·tar·*se*** 証拠書類を集める，資料集めをする．
do·cu·men·to [dokuménto ドクメント] 名男 **1** 書類；証明書（類）． *documento* oficial 公文書． *documento* diplomático 外交文書． *Documento* Nacional de Identidad《略 D.N.I.》（スペインの）国民身分証明書．
2 文献，記録文書．
do·de·ca·sí·la·bo, ba [doðekasílaβo, βa ドデカシらボ，バ] 形 12音節からなる．
── 名男 12音節の詩行．
dog·ma [dóγma ドグマ] 名男 **1** 教義，教理． el *dogma* católico カトリックの教義．
2 原理，公理．
dog·má·ti·co, ca [doγmátiko, ka ドグマティコ，カ] 形 **1** 独断的な，教条的な．
2 教義上の，教理に関する．
── 名男女 教条主義者；独断論者．
dog·ma·tis·mo [doγmatísmo ドグマティスモ] 名男 **1** 教条主義；独断的態度．
2《集合》教義，教理．
dog·ma·ti·zar [doγmatiθár ドグマティさル] [39 z ➡ c] 動自 独断的な主張をする．
dó·lar [dólar ドらル] 名男 ドル：米国・カナダ・オーストラリアなどの通貨単位（記号 $）．
do·len·cia [dolénθja ドれンしア] 名女 病，病気（= enfermedad）；持病．
do·ler [dolér ドれル] [35 o ➡ ue] 動自〔英 hurt〕 **1**《常に間接目的語を伴い，3人称単数・複数で用いられる》…が痛む． ¿Qué [Dónde] te *duele*? 君，どこが痛むの． Me *duelen* las muelas. 私は歯が痛い．
2 心が痛む． Me *dolieron* mucho sus palabras. 彼の言葉によって私はとても傷つけられた．
── **do·ler·*se*** 《+**de**》…を後悔する；…に同情する． *Me duelo de* haber dicho tales cosas. あんなことを言って私は後悔している．
Ahí le duele. 《口語》問題はそこだ．
do·li·co·cé·fa·lo, la [dolikoθéfalo, la ドリコせファろ，ら] 形 長頭の．
do·lien·te [doljénte ドリエンテ] 形 病身の；苦しい，つらい，悲しい．
── 名男女 遺族．
dol·men [dólmen ドるメン] 名男〘考古〙ドルメン．
do·lor [dolór ドろル] 名男 [複 ～es]〔英 pain〕
1 痛み，苦痛． Tengo *dolor* de cabeza [estómago]. 私は頭[胃]が痛い． *dolor* de vientre 腹痛． sentir un fuerte *dolor* en la espalda 背中に激痛を感じる．
2 苦しみ，悲しみ． causar *dolor* 悲しませる．
estar con los dolores 陣痛が始まっている．
Do·lo·res [dolóres ドろレス] 固名 ドローレス：女性の名． 愛 Lola, Loli, Lolita.
do·lo·ri·do, da [doloríðo, ða ドろリド，ダ] 形 **1** 痛む，痛い．
2 痛々しい，悲しんでいる；苦しげな．
do·lo·ro·so, sa [doloróso, sa ドろロソ，

ｻ] 形 1 痛い; 苦しい, つらい.
2 痛ましい, 悲惨な; 哀れな.
―― 名女〘美術〙悲しみの聖母マリア(像).

do·ma [dóma ドマ] 名女 手なずけること, 調教.

do·ma·dor, do·ra [domaðór, ðóra ドマドル, ドラ] 名男女 (サーカスの) 猛獣使い; 調教師.

do·mar [domár ドマル] 動他 手なずける, 調教する.

do·mes·ti·car [domestikár ドメスティカル] [⑧ c → qu] 動他 飼い慣らす, 家畜化する.
―― **do·mes·ti·car·*se*** 1 飼い慣らされる. 2 世間に順応する.

do·més·ti·co, ca [doméstiko, ka ドメスティコ, カ] 形 1 家の, 家庭の; 国内の. quehaceres *domésticos* 家事.
2 飼い慣らされた, 家畜の.
―― 名男女 召使い, お手伝い.

do·mi·ci·liar [domiθiljár ドミしリアル] 動他 1 居住させる, 住まわせる.
2 口座振替で支払う, 銀行口座から引き落とす. 3《ラ米》(手紙に) あて名を書く.
―― **do·mi·ci·liar·*se*** 居住する, 住居を定める.

do·mi·ci·lio [domiθíljo ドミしリオ] 名男 [複 ~s] 〔英 domicile〕 **住所**; 住居. *domicilio* social 会社所在地. sin *domicilio* fijo 住所不定の.
a domicilio 家庭で, 自宅で. entrega [servicio] *a domicilio* 宅配.

do·mi·na·ción [dominaθjón ドミナしオン] 名女 支配, 統治.

do·mi·nan·te [dominánte ドミナンテ] 形 1 支配する, 統治する. 2 優勢な, 主要な. 3 見下ろす, そびえ立つ.
―― 名女〘音楽〙第 5 度音, 属音.

do·mi·nar [dominár ドミナル] 動他 〔英 dominate〕 1 **支配する**. *dominar* un territorio 領土を治める.
2 抑える, 鎮圧する, 克服する. *dominar* el incendio 火事を消し止める.
3 **マスターする**, 習得する. *dominar* cinco lenguas 5 か国語をマスターする.
4 そびえ立つ, 見下ろす. La iglesia *domina* las casas de la aldea. 教会は村の家々を見下ろす位置にある.
―― 動自 1 君臨する. 2 優勢である, 際立つ. 3 そびえ立つ.
―― **do·mi·nar·*se*** 自制する, こらえる (= contenerse).

do·min·go [domíŋgo ドミンゴ] 名男 [複 ~s] 〔英 Sunday〕 **日曜日**《略 dom.》. Vendrá el *domingo*. 彼は日曜日に来ます. hacer *domingo* (平日に) 休む, 休業日とする. *Domingo* de Ramos 棕梠(しゅろ)[枝]の主日 (復活祭直前の日曜日). *Domingo* de Resurrección [de Pascua] 復活の主日. → fiesta 【参考】. ► 曜日は月曜日 lunes から数え日曜日 domingo で終えるのが一般的. → lunes 【参考】.

Do·min·go [domíŋgo ドミンゴ] 固名 ドミンゴ: 男性の名.

do·min·gue·ro, ra [domiŋgéro, ra ドミンゲロ, ラ] 名男女《口語》日曜・祭日の行楽者, 日曜ドライバー.
―― 形《口語》日曜日用の; 日曜日・祝日に着飾る.

Do·mi·ni·ca [dominíka ドミニカ] 固名 ドミニカ: 女性の名.

do·mi·ni·cal [dominikál ドミニカる] 形 日曜日の.

Do·mi·ni·ca·na [dominikána ドミニカナ] 固名 〔英 Dominica〕 **República Dominicana ドミニカ共和国**: 西インド諸島中部. 首都 Santo Domingo. 通貨 peso.

do·mi·ni·ca·no, na [dominikáno, na ドミニカノ, ナ] [複 ~s] 〔英 Dominican〕 形 1 **ドミニカ (共和国) の**, サント・ドミンゴ Santo Domingo 島の.
2 ドミニコ会の.
―― 名男女 1 **ドミニカ共和国の人**, ドミニカ (国) Dominica の人. 2 → dominico.

do·mi·ni·co, ca [dominíko, ka ドミニコ, カ] 形 ドミニコ会の, 聖ドミニクスの.
―― 名男女 ドミニコ会修道士[修道女].
―― 名男《ラ米》小形のバナナ.

do·mi·nio [domínjo ドミニオ] 名男 1 支配(権), 統治; 優勢. 2 (感情の) 抑制, 統御. 3 精通, 熟達. 4 [~s] 領土; 領域, 分野.

do·mi·nó [dominó ドミノ] 名男〘遊戯〙ドミノ遊び; ドミノ牌(はい).
―― 動 → dominar.

don [dón ドン] 名男
1 (男子の洗礼名の前につける敬称) **…さん**, …様[師, 先生]《略 D.》. *Don* Diego ディエゴさん. el rey *Don* Juan Carlos フアン・カルロス国王陛下. Señor *don* / Sr. *D.* 《手紙》… 様. → doña, señor.

> **【参　考】 don と doña**
> 1 常に無冠詞で, 洗礼名[ファースト・ネーム]またはフル・ネームの前で用いられる.
> 2 元来は貴族に対する敬称であったが, 現在では社会的に高い地位にある人や, 親しい者にも用いられる.
> 3 中南米では don, doña は一般的に用いられない.

2 天の恵み; 天賦の才能, 天性. *don* de mando 指導者としての資質. tener el *don* de la palabra 弁が立つ.
Don Juan ドン・フアン, 女たらし, 漁色家. ◆ 17世紀スペインの戯曲の主人公の名前から.

do·na·ción [donaθjón ドナしオン] 名女

寄贈，寄付，贈与；寄贈品．

do·nai·re [donáire ドナイレ] 名男
1 優雅な物腰；優美，魅力．
2 才気，機知；警句，しゃれ．

do·nan·te [donánte ドナンテ] 形 寄贈する，提供する．── 名男女 寄贈者，贈与者；(臓器・血液) 提供者，ドナー．

do·nar [donár ドナル] 動他 寄贈[贈与]する，提供する．

do·na·ti·vo [donatíβo ドナティボ] 名男 寄付，寄贈品，贈り物．

D

don·cel [donθél ドンせる] 名男 若者；侍童，小姓．

don·ce·lla [donθéʎa ドンせリャ] 名女 乙女，少女；侍女，腰元．

don·de [donde ドンデ] 副《場所を表す関係副詞》〔英 where〕 **1** …するところの；そしてそこで．la casa (en) *donde* nací 私が生まれた家（► 前置詞を伴った en donde は文語的）．Nos enseñó la ventana por *donde* entró el ladrón. 彼は泥棒が入った窓を私たちに教えた．El primer ministro llegó a Hakone, *donde* pasará unos días con su familia. 首相は箱根に到着した．そこで家族と数日過ごすだろう．Buscaban un sitio *donde* pasar la noche. 彼らは夜眠る場所を探していた．
2《先行詞なしで》…する場所に[で，へ]．Está *donde* tú lo dejaste. それは君が置いた場所にある．Voy (a) *donde* quieras. 僕は君がいう所ならどこへでも行くよ（► 口語ではしばしば前置詞 a が省略される．a donde よりも adonde の方がより文語的）．*donde* sea どこであろうとも．He estado *donde* Pedro. 私はペドロの家にいた（► 前置詞的な用法）．

dón·de [dónde ドンデ] 副《疑問》〔英 where〕 どこに[で]．¿*Dónde* lo compraste? 君はどこでそれを買ったんだ？ ¿(A) *dónde* vas? どこへ行くの？（►adónde とも書かれる．口語ではしばしば前置詞 a が省略される）．¿De *dónde* son Vds.? あなたがたの出身地は？ No sé *dónde* viven. 私は彼らがどこに住んでいるか知らない．No sabíamos por *dónde* empezar. 我々はどこから始めていいか分からなかった．

don·de·quie·ra [dondekjéra ドンデキエラ] 副 どこにでも，あらゆる所に．*dondequiera* que《＋接続法》…する[…である]所ならどこでも．*Dondequiera que* fueres haz lo que vieres.《諺》郷に入っては郷に従え．

don·juan [doŋxwán ドンファン] 名男 女たらし，漁色家．➡ don, tenorio.

don·jua·nes·co, ca [doŋxwanésko, ka ドンファネスコ, カ] 形 ドン・ファン的な，漁色家の．

do·no·so, sa [donóso, sa ドノソ, サ] 形 しゃれた，気の利いた；軽妙な，肩の凝らない；優雅な，品のよい

do·nos·tia·rra [donostjára ドノスティアラ] 形 (スペインの) サン・セバスティアン San Sebastián の．
── 名男女 サン・セバスティアンの住民．

Don Qui·jo·te [dóŋkixóte ドンキホテ] 固名 ➡ Quijote.

do·ña [dóɲa ドニャ] 名女 (既婚女性・地位のある女性の洗礼名の前につける敬称) …さん，…様《略D.ª》．*Doña* Dolores Valdés ドローレス・バルデス夫人．Sra. D.ª … .《手紙》…様．➡ don【参考】．

do·par [dopár ドパル] 動他 (競走馬・競技者に) 興奮剤[増強剤]を与える．
── **do·par·*se*** 薬物を使用する．

do·ping [dópin ドピン] 名男 ドーピング，薬物使用．[← 英語]

do·ra·do, da [doráðo, ða ドラド, ダ] 形
1 金色の；金めっきした，金箔(きんぱく)の．arrozal *dorado* 黄金色に輝く稲田．**2** 黄金の，全盛の．época *dorada* 黄金時代，全盛期．
── 名男 金めっき，金箔張り；[～s] 金めっき[金箔]を施した品．
El Dorado エルドラド，(征服者たちが新大陸にあると信じた) 黄金郷．

do·rar [dorár ドラル] 動他 **1** きつね色に焼く．➡ asar. **2** …に金箔(きんぱく)をかぶせる，金粉を付ける；金めっきをする；金色にする．
── **do·rar·*se*** きつね色になる，こんがりと焼ける．

dó·ri·co, ca [dóriko, ka ドリコ, カ] 形〖建築〗ドーリス様式の．➡ columna 図．

dormido, da 過分 ➡ dormir.

dor·mi·lón, lo·na [dormilón, lóna ドルミろン, ろナ] 形 眠たがり屋の，寝坊の．
── 名男女 寝坊，寝ぼすけ，よく眠る人．
── 名女 (昼寝用の) 安楽椅子，寝椅子．

dor·mir [dormír ドルミル] [22 o ➡ ue, u] 動自 〔現分 durmiendo ; 過分 dormido,da〕〔英 sleep〕

直説法 現在	
1·単 *duermo*	1·複 **dormimos**
2·単 *duermes*	2·複 **dormís**
3·単 *duerme*	3·複 *duermen*

1 眠る．¡A *dormir*! さあ寝なさい．Anoche *durmió* diez horas. 昨夜彼は10時間眠った．►（眠るために）「横になる，寝る」は acostarse.
2 夜を過ごす，泊まる．*Dormimos* en Sevilla. 我々はセビーリャで泊まった．
3 鎮まる，休まる．Su ira *duerme*. 彼の怒りは収まっている．
4 (事が) 放っておかれる．dejar *dormir* un asunto ある案件を棚上げにしておく．
── 動他 眠らせる，寝かしつける．*dormir* a un niño 子供を寝かしつける．
── **dor·mir·*se*** **1** 眠り込む．

2 しびれる. *Se* me *ha dormido* el brazo. 私は腕がしびれた.
dormir a pierna suelta / dormir como un lirón / dormir como un tronco ぐっすり眠る.
dormir con un ojo abierto 用心を怠らないでいる.
dormir el último sueño 永眠する.
echarse a dormir 就寝する; 途中で投げ出す.

dor·mi·tar [dormitár ドルミタル] 動自 うとうとする, 居眠りする.

dor·mi·to·rio [dormitórjo ドルミトリオ] 名男 **1** 寝室; (寝室用の) 家具. cuatro *dormitorios*, dos baños, calefacción, garaje, trastero. 《広告》 4寝室, 2トイレ, 暖房, ガレージ, 物置付き.
2 寄宿舎, 寮.

Do·ro·te·a [dorotéa ドロテア] 固名 ドロテア: 女性の名.

dor·sal [dorsál ドルサる] 形 **1** 背中の; 裏の. **2**〔音声〕舌背 (音) の.
―― 名男 背番号.
―― 名女〔音声〕舌背音.

dor·so [dórso ドルソ] 名男 裏, 裏面; 背中, 背部.

dos [dós ドス] 〔英 two〕 形 《数詞》
2 の; 2番目の. Esas *dos* chicas son primas mías. そのふたりの女の子は私のいとこです.
―― 名男 **2**. ◆ローマ数字 II. *Dos* y tres son cinco. 2足す3は5である.
a dos pasos de aquí ほんの一足の所に, このすぐ近く[そば]に.
cada dos por tres たびたび, しょっちゅう.
de dos en dos 二つずつ, ふたりずつ.
en un dos por tres たちまち, あっと言う間に.
No hay dos sin tres. 《諺》二度あることは三度ある.

dos·cien·tos[1]**, tas** [dosθjéntos, tas ドしエントス, タス] 形 《数詞》〔英 two hundred〕 **200の**; 200番目の.

dos·cien·tos[2] [dosθjéntos ドしエントス] 名男〔英 two hundred〕 **200**. ◆ローマ数字 CC.

do·sel [dosél ドセる] 名男 (祭壇・玉座・ベッドなどの) 天蓋(てんがい).

do·si·fi·ca·ción [dosifikaθjón ドシフィカしオン] 名女 (薬の) 調合; 投薬.

do·si·fi·car [dosifikár ドシフィカル] [8 c ➡ qu] 動他 **1** (薬を) 調合する, 投薬する.
2 配分する, 分量を決める.

do·sis [dósis ドシス] 名女 [単・複同形]
1〔医〕(薬の) 服用量, 一服. Toma esta medicina en dos *dosis* al día. この薬を1日2服飲みなさい. **2** 適量, 分量.
una buena dosis de ... かなりの…, 相当な….

do·ta·ción [dotaθjón ドタしオン] 名女
1 寄贈; 基金. **2** 持参金.
3 《集合》乗組員, 人員.

do·tar [dotár ドタル] 動他 **1** 《+**con**》…を持参金として与える. **2** 《+**con, de**》(素質・能力として) …を与える, 付与する.
3 《+**con, de**》…を寄付する, 寄贈する.
4 (資金を) 提供する, (予算を) 割り当てる.
5 《+**de**》…を設備する, 装備する; (人員を) 配置する.

do·te [dóte ドテ] 名男 (または女) (嫁入り・修道院入りの) 持参金, 婚資, 財産.
―― 名女 [～s] 素質, 天賦の才.

doy 動 ➡ dar. 16

do·za·vo, va [doθáβo, βa ドさボ, バ] 形 《数詞》12分の1の. ―― 名男 12分の1.

dra·ga [dráɣa ドゥラガ] 名女 浚渫(しゅんせつ)機; 浚渫船.

dra·ga·do [draɣáðo ドゥラガド] 名男 浚渫(しゅんせつ), 泥さらい.

dra·ga·mi·nas [draɣamínas ドゥラガミナス] 名男 [単・複同形]〔軍事〕掃海艇.

dra·gar [draɣár ドゥラガル] [32 g ➡ gu] 動他 **1** (海底・川底を) さらう, 浚渫(しゅんせつ)する. **2**〔軍事〕…から機雷を除去する, 掃海する.

dra·gón [draɣón ドゥラゴン] 名男
1 竜, ドラゴン. **2**〔軍事〕竜騎兵.

dra·ma [dráma ドゥラマ] 名男 [複 ～s] 〔英 drama〕 **1** 〔演劇〕 **ドラマ**; 戯曲. *drama* de televisión テレビ・ドラマ. *drama* histórico 史劇.
2 悲劇的な状況[事件].

dra·má·ti·co, ca [dramátiko, ka ドゥラマティコ, カ] 形 **1** 劇の, 戯曲の.
2 劇的な, ドラマチックな; 感動的な.

dra·ma·tis·mo [dramatísmo ドゥラマティスモ] 名男 劇的であること, ドラマ性.

dra·ma·ti·zar [dramatiθár ドゥラマティさル] [39 z ➡ c] 動他 **1** 劇化する, 脚色する. **2** 劇的に表現する, 誇張する.

dra·ma·tur·go, ga [dramatúrɣo, ɣa ドゥラマトゥルゴ, ガ] 名男女 劇作家, 脚本家.

drás·ti·co, ca [drástiko, ka ドゥラスティコ, カ] 形 激越な, ドラスティックな; (薬効が) 強烈な.

dre·na·je [drenáxe ドゥレナヘ] 名男 排水; 排水装置[施設].

dre·nar [drenár ドゥレナル] 動他 (土地の) 排水をする.

dri·blar [driβlár ドゥリブらル] 動自 〔スポーツ〕 ドリブルする; ドリブルでかわす.

dro·ga [dróɣa ドゥロガ] 名女 麻薬.

dro·ga·dic·to, ta [droɣaðíkto, ta ドゥロガディクト, タ] 名男女 麻薬中毒者, 麻薬常用者 (= drogata).

dro·gar [droɣár ドゥロガル] [32 g ➡ gu] 動他 …に麻酔薬を与える[使わせる].
―― **dro·gar·se** 麻薬にふける, 麻薬を使う.

dro·ga·ta [droɣáta ドゥロガタ] 名男女

D

《口語》→ drogadicto.

dro·gue·rí·a [droɣería ドゥロゲリア] 名女 雑貨店, ドラッグストア; 《ラ米》薬屋.

dro·me·da·rio [dromeðárjo ドゥロメダリオ] 名男 〔動物〕ヒトコブラクダ (一瘤駱駝). ► フタコブラクダは camello.

dual [dwál ドゥアる] 形 二つの; 二重の, 二元的な; 〔文法〕双数[両数]の.

dua·li·dad [dwaliðáð ドゥアりダ(ドゥ)] 名女 二重性, 二元性; 二面性.

D

dua·lis·mo [dwalísmo ドゥアりスモ] 名男 〔哲〕〔神〕〔宗教〕二元論, 二元説.

du·bi·ta·ti·vo, va [dußitatíßo, ßa ドゥビタティボ, バ] 形 疑いの, 疑い深い; 〔文法〕疑いを示す.

Du·blín [dußlín ドゥブりン] 固名 ダブリン: アイルランド Irlanda 共和国の首都.

du·ca·do [dukáðo ドゥカド] 名男
1 公爵領, 公国; 公爵の身分[位階].
2 ドゥカド金貨.

du·cal [dukál ドゥカる] 形 公爵の.

du·cha [dútʃa ドゥチャ] 名女 [複 ~s] 〔英 shower〕**シャワー**; シャワー設備[室]. tomar [darse] una *ducha* シャワーを浴びる. habitación con *ducha* y lavabo シャワー・洗面台付きの部屋.
ducha (***de agua***) ***fría*** 《口語》水を差すもの, 幻滅, ショック.
recibir una ducha 《口語》にわか雨に遭う; ずぶぬれになる.

du·char [dutʃár ドゥチャル] 動他 シャワーを浴びさせる; 《口語》(人に) 水を浴びせる.
—— **du·char·*se*** シャワーを浴びる.

dúc·til [dúktil ドゥクティる] 形 **1** (金属が) 引き延ばせる; 変形しやすい.
2 柔軟性のある, 従順な.

duc·ti·li·dad [duktiliðáð ドゥクティりダ(ドゥ)] 名女 **1** (可) 延性.
2 柔軟性, 従順さ.

du·da [dúða ドゥダ] 名女 [複 ~s] 〔英 doubt〕
疑い, 疑惑, 不審; 〔宗教〕〔哲〕懐疑. No cabe la menor *duda*. まったく疑う余地がない. sin *duda* (alguna) / sin ninguna *duda* 疑いなく, 必ず, 確かに. poner en *duda* 疑う, 問題視する. sacar de *dudas* a 《+uno》〈人〉の疑いを晴らす.
—— 動 → dudar.

du·dar [duðár ドゥダル] 動他 〔英 doubt〕**疑う**, 疑問に思う. No lo *dudo*. 僕はきっとそうだと思う. *Dudo* que sea tan pobre. 彼はそんなに貧乏ではないと思う. *Dudo* si llegará a tiempo. 彼が間に合うかどうか確かではありません. ► *dudar* que の後には接続法, *dudar* si の後には直説法を用いる.
—— 動自 **1** 《**+de, sobre**》…**を疑う**; 《**+de**》…に嫌疑をかける (= sospechar). Ella *duda de* lo que dije. 彼女は私の言ったことを疑っている.
2 《**+en, entre**》…**をためらう**; 迷う. *Dudo entre* ir directamente o pasar por su casa. 直接行くか彼の家に寄って行くか迷っている.

du·do·so, sa [duðóso, sa ドゥドソ, サ] 形
1 疑わしい; 怪しい. Es *dudoso* que cumpla su promesa. 彼が約束を守るかどうか疑わしい. un tipo *dudoso* 不審な男.
2 ためらう, 迷っている.

duel- 動 → doler. 35

due·lo [dwélo ドゥエろ] 名男 **1** 決闘.
2 悲嘆, 苦悩. **3** お悔やみ; 喪.
—— 動 → doler. [35 o → ue]

duen·de [dwénde ドゥエンデ] 名男 **1** 小悪魔, 小妖精(ようせい); いたずらっ子, 腕白小僧.
2 魔力, 抗しがたい[妖(あや)しい]魅力; 生まれつきの才能. Tiene *duende* para el cante. 彼は天性のフラメンコ歌手だ.
andar como un duende あちこちに出没する.

due·ño, ña [dwéɲo, ɲa ドゥエニョ, ニャ] 名男 [複 ~s] 〔英 owner〕**持ち主**, 経営者, **オーナー**. *dueño* de la casa 家主. Es *dueña* de un bar. 彼女はバルのオーナーである.
dueño y señor 領主.
hacerse dueño de … …を掌握[統率]する.
ser dueño de … …を掌握している. *Son dueños de* la situación. 彼らは情勢を十分に掌握している. *ser dueño de* sí mismo 自制心を失わない.

duerm- 動 → dormir. [22 o → ue, u]

Due·ro [dwéro ドゥエロ] 固名 el *Duero* ドゥエロ川: スペイン・ポルトガル北部を流れ, 大西洋に注ぐ.

dul·ce [dúlθe ドゥるせ] 形 [複 ~s] 〔英 sweet〕
1 甘い. No me gustan los pasteles demasiado *dulces*. 私は甘すぎるケーキは好きではない. vino *dulce* 甘口のぶどう酒.
2 甘美な, 心地よい, 優しい. *dulces* palabras 甘いささやき. voz *dulce* 甘い声. Tiene un carácter muy *dulce*. 彼はたいへん柔和な性格の持ち主だ.
3 塩分[苦み, 酸味]のない. agua *dulce* 淡水, 軟水.
—— 名男 **1** [普通 ~s] 菓子, キャンデー, ケーキ. **2** (果物の) 砂糖[シロップ]漬け, 砂糖煮. *dulce* de membrillo マルメロの砂糖漬け. en *dulce* 砂糖[シロップ]漬けの, 糖蜜(とうみつ)で煮た.

dul·ce·men·te [dúlθeménte ドゥるせメンテ] 副 甘く, 優しく, 快く, そっと.

dul·ci·fi·car [dulθifikár ドゥるしフィカル] [8 c → qu] 動他 **1** 甘味をつける, 甘くする.
2 和らげる, 穏やかにする (= mitigar).
—— **dul·ci·fi·car·*se*** (天候などが) 穏やかになる, 和らぐ.

dul·za·rrón, rro·na [dulθaŕón, ŕóna ドゥるさロン, ロナ] 形 [dulce の増] **1** 甘った

るい，甘すぎる． **2** 甘ったれの，べたべたする．

dul·zón, zo·na [dulθón, θóna ドゥるそン, そナ] 形 → dulzarrón.

dul·zu·ra [dulθúra ドゥるすラ] 名女
1 甘さ，甘味． **2** 甘美，快さ；優しさ．
3 [普通 ～s] 甘い言葉，愛の言葉．

du·na [dúna ドゥナ] 名女 [普通 ～s] 砂丘．

dú·o [dúo ドゥオ] 名男 《音楽》二重唱 [奏] 曲；二人組，デュオ． cantar a *dúo* ふたりで歌う．

duo·dé·ci·mo, ma [dwoðéθimo, ma ドゥオデしモ，マ] 形 《数詞》12番目の，第12の；12分の1の． ── 名男 12分の1．

duo·de·nal [dwoðenál ドゥオデナる] 形 十二指腸の．

duo·de·no [dwoðéno ドゥオデノ] 名男 《解剖》十二指腸．

dú·plex [dúpleks ドゥプれクス] 名男
1 メゾネット型住宅，複層住居．
2 同時送受信方式；二元放送．

du·pli·ca·ción [duplikaθjón ドゥプりカしオン] 名女 **1** 複写，複製． **2** 倍加，倍増．

du·pli·ca·do, da [duplikáðo, ða ドゥプりカド，ダ] 名男 **1** 副本，写し，複写．
2 複製，コピー．
── 過分 形 副の，写しの，複写の．
por duplicado 正副2通にして．

du·pli·car [duplikár ドゥプりカル] [8 c → qu] 動他 **1** 2倍にする，倍増する．
2 正副2通作る，写しを作る，複写する．

du·pli·ci·dad [dupliθiðáð ドゥプりしダ(ドゥ)] 名女 二重性，二面性．

du·plo, pla [dúplo, pla ドゥプろ，プら] 形 2倍の． ── 名男 2倍．

du·que [dúke ドゥケ] 名男 [複 ～s] 〔英 duke〕 **公爵**；(公国の) 君主，公．

> **【参　考】 títulos de nobleza 爵位**
> (高位から) duque 公爵． marqués 侯爵． conde 伯爵． vizconde 子爵． barón 男爵．

du·que·sa [dukésa ドゥケサ] 名女 公爵夫人，女公爵；(公国の) 公妃．

dura 形女 → duro¹.

du·ra·ble [duráβle ドゥラブれ] 形 → duradero.

du·ra·ción [duraθjón ドゥラしオン] 名女
1 継続，持続；期間． *duración* de la película 映画の上映時間． **2** 寿命，耐用時間． *duración* media de la vida 平均寿命．
de corta [poca] duración 短期間の． felicidad *de poca duración* つかの間の幸せ．
de larga duración 長期にわたる，長続きする．

du·ra·de·ro, ra [duraðéro, ra ドゥラデロ，ラ] 形 耐久性のある，長持ちする． paz *duradera* 恒久的な平和．

du·ra·men·te [dúraménte ドゥラメンテ] 副 激しく，厳しく；冷酷に，無情に．

du·ran·te [durante ドゥランテ] 前 〔英 during〕 《時間》
…の間 (に)，…の間ずっと． *durante* las vacaciones 休暇中に． *durante* la guerra 戦時中．

du·rar [durár ドゥラル] 動自 〔英 last〕
1 続く， 継続する，持続する． La reunión *duró* cuatro horas. 集会は4時間に及んだ． ¿Cuánto *duró* la estancia del Rey Juan Carlos en Caracas? フアン・カルロス国王のカラカス滞在はどのくらいでしたか．
2 長持ちする，耐える． Este abrigo me *ha durado* mucho tiempo. このコートは，ずいぶん長持ちした． No *durará* en el cargo ni un mes. 彼はその責務にひと月も耐えられないだろう．

du·re·za [duréθa ドゥレさ] 名女 **1** 硬さ，硬度；堅牢(けんろう)さ． *dureza* del diamante ダイヤモンドの硬度．
2 厳しさ；冷酷． *dureza* de corazón 非情さ． *dureza* del clima 気候の厳しさ．

durm- 動 現分 → dormir. [22 o → ue,u]

dur·mien·te [durmijénte ドゥルミエンテ] 形 眠っている．

du·ro¹, ra [dúro, ra ドゥロ，ラ] 形 [複 ～s] 〔英 hard〕
1 硬い，堅い； 堅牢(けんろう)な (↔ blando, tierno). ¡Qué *dura* está esta carne! この肉は硬いなあ． huevo *duro* 固ゆで卵．
2 厳しい； 冷酷な． clima *duro* 厳しい気候． ser *duro* de corazón 冷血漢である． sufrir una *dura* prueba 厳しい試練に耐える．
3 困難な． ser *duro* de oído 耳が遠い． ser *duro* de pelar 扱いにくい．
4 頑固な；我慢強い；謹厳な． ser *duro* de cabeza / tener una cabeza *dura* 強情である；頭が鈍い．
ponerse duro 硬くなる；厳しくなる，難しくなる．

du·ro² [dúro ドゥロ] 名男 **1** (スペインで) 5ペセタ硬貨．
2 (ハードボイルド型の) 俳優．
── 副 激しく，ひどく． pegar *duro* 強く殴る． trabajar *duro* 一生懸命働く．
── 動 → durar.

D

E e *E e*

E, e [é エ] 名女 スペイン語字母の第5字.
e [e エ] 接続 [i-, hi- で始まる語の前での y] Federico *e* Isabel フェデリコとイサベル. madre *e* hija 母と娘.
¡e·a! [éa エア] 間投 《強調・督促・激励を表して》さあ, それ, さて, よし.

E

e·ba·nis·ta [eβanísta エバニスタ] 名男女 家具職人, 指物師.
e·ba·nis·te·rí·a [eβanistería エバニステリア] 名女 指物工房;《集合》指物類, 家具類; 指物師の職.
é·ba·no [éβano エバノ] 名男 《植物》コクタン(黒檀).
e·brio, bria [éβrjo, βrja エブリオ, ブリア] 形 **1** 酔った(= embriagado).
2《+de》…に我を忘れた, 目がくらんだ.
── 名男女 酔っぱらい; 陶酔者.
E·bro [éβro エブロ] 固名 el *Ebro* エブロ川: スペイン北東部の川, 地中海に注ぐ.
e·bu·lli·ción [eβuʎiθjón エブリィしオン] 名女 沸騰; 騒然. estar en *ebullición* 沸き返っている.
ec·ce·ho·mo [ekθeómo エクセオモ] 名男
1 イバラの冠をいただいたキリスト像. ◆ラテン語 'ecce homo' 「この人を見よ」から.
2 みすぼらしく哀れな人.
ec·ce·ma [ekθéma エクセマ] / **ec·ze·ma** [ekθéma エクセマ] 名男 《医》湿疹(しっしん).
echado, da 過分 → echar.
echando 現分 → echar.
e·char [etʃár エチャル] 動他 [現分 echando; 過分 echado, da] 〔英 throw〕
1 投げる, 投げ込む, 放る; **注ぐ**, 入れる; 捨てる. *echar* una carta al buzón 手紙を投函する. *Echaron* una moneda al alto para decidir el turno. 彼らは硬貨を投げて順番を決めた. *Echa* un poco de sal. 少し塩をふりなさい.
2 発する, 出す; (根・芽を) 出す, (ひげ・歯・羽が) 生える. *echar* humo [un olor agradable] 煙を出す[いい香りがする]. El niño *está echando* los dientes. その子は歯が生えかかっている. *echar* lágrimas 涙を流す.
3《+de》**…から追い出す**; 解雇する. Le *han echado de* su trabajo. 彼は仕事を首になった.
4 傾ける, 横にする. Le *echaron* en el sofá. 彼をソファに寝かせた.
5《動作の名詞などを伴って》行う. *echar* cuentas [cálculos] 計算する, 見積もる. *echar* una siesta 昼寝をする. *echar* un discurso 演説する. *echar* una mirada ちらっと見る. *echar* un cigarrillo タバコに火をつける, 一服する. *echar* un trago 一杯飲む. *echar* el freno ブレーキをかける. *echar* la llave 鍵(かぎ)をかける. *echar* las cortinas カーテンを閉める[開ける].
6 上演する, 上映する. ¿Qué (película) *echan* en el Astoria? アストリア座ではいま何(の映画)をやってますか.
7 (年齢・金額・距離などを) 推定する. ¿Qué edad le *echas*? 君, 彼はいくつだと思う? *echando* por largo いくら多く見積もっても, せいぜい.
8《+en》(費用・時間を) …に費やす. *Echo* una hora *en* ir de aquí a Madrid. ここからマドリードまで私は1時間で行く. ► tardar よりくだけた言い方.
── 動自 **1**《+a 不定詞》…し始める. Al oír la noticia, *echó a* correr hacia su casa. その知らせを聞くと, 彼は家の方へ走り出した. ► 感情を表す動詞が不定詞の位置に来る場合は, echarse の方がよく用いられる.
2 進む, 行く. *echar* por la derecha 右へ曲がる. *echar* para arriba 上の方へ行く.
── **e·char·se 1 飛び込む**; 飛びかかる. *echarse* en brazos de《+uno》〈人〉の懐に飛び込む; 助けを求める. Al reconocer al delincuente, todos *se echaron* sobre él. 犯人だと分かると皆が彼に飛びかかった.
2 横になる, 寝そべる. *Échate* en la cama. ベッドに横になりなさい.
3《+a 不定詞》(急に) …し始める. *Se echaron a* reír. 彼らはどっと笑い出した.
4 (自分の体に) つける, かける. *Me eché* una manta, porque tenía frío. 寒かったので毛布をかけた. *Te has echado* mucha colonia. 君はオーデコロンのつけすぎだ.
5 友達[恋人]ができる. *Se ha echado* novia. 彼に恋人ができた.
echar abajo (建物などを) 壊す, 倒す; (計画などを) 台無しにする.
echar de menos …が(い)ないのを寂しく思う; …がないのに気づく. *Echa de menos* (a) su pueblo. 彼は故郷を懐かしがっている. *Eché de menos* el anillo. 私は指輪がないのに気づいた.
echar de ver …に気づく, 注目する.
echarse encima (1)不意に起こる, 襲いかかる. De repente *se* nos *echó encima* la niebla. 突然私たちは霧に包まれた. (2)近づく.

echarse a morir [***temblar***]《口語》慌てふためく，怖さにおびえる．
echarse a perder 腐る．
echarse al cuerpo《口語》食べる，平らげる．
echarse atrás 後退[バック]する；(前言を)ひるがえす，思い直す．Cuando vio que perdía *se echó atrás*. 勝ち目がないとみて彼は黙った．
echárselas de ... / echarla de ... …の振りをする；…であるとうぬぼれる．

e·clec·ti·cis·mo [eklektiθísmo エクれクティしスモ] 名男 折衷主義，折衷方式．

e·cléc·ti·co, ca [ekléktiko, ka エクれクティコ，カ] 形 折衷主義の．
―― 名男女 折衷主義者．

e·cle·siás·ti·co, ca [eklesjástiko, ka エクれシアスティコ，カ] 形 聖職者の，教会の．
―― 名男 聖職者，司祭．

e·clip·sar [eklipsár エクリプサル] 動他〘天文〙(天体を)食する；《比喩》…の影を薄くする．La luna *eclipsó* parcialmente el sol. 月が部分日食を起こした．
―― **e·clip·sar·se** 1〘天文〙食になる． 2 姿を消す．

e·clip·se [eklípse エクリプセ] 名男 1〘天文〙食．*eclipse* lunar [de luna] 月食．*eclipse* total [anular] 皆既[金環]食．
2《口語》衰え，かげり；姿を消すこと．

e·clíp·ti·co, ca [eklíptiko, ka エクリプティコ，カ] 形〘天文〙食の；黄道の．
―― 名女 黄道．

e·clo·sión [eklosjón エクろシオン] 名女 開花；孵化(ふか)；出現，勃興(ぼっこう)．

e·co [éko エコ] 名男 1 こだま，反響．el *eco* de los truenos 遠雷． 2《比喩》反響，波紋；風聞．hacer *eco* 評判になる．tener mucho *eco* 大きな反響を呼ぶ．

e·co·lo·gí·a [ekoloxía エコろヒア] 名女 生態学，エコロジー；環境[自然]保護論．

e·co·ló·gi·co, ca [ekolóxiko, ka エコろヒコ，カ] 形 生態学の，生態上の．

e·co·lo·gis·ta [ekoloxísta エコろヒスタ] 形 環境[自然]保護を主張する；生態学の．
―― 名男女 環境[自然]保護主義者[運動家]；生態学者，エコロジスト．

e·co·no·ma·to [ekonomáto エコノマト] 名男 協同組合マーケット，生活協同組合店舗．

e·co·no·mí·a [ekonomía エコノミア] 名女 [複 ～s]〔英 economy〕 1 **経済**；経済学．*economía* capitalista 資本主義経済．*economía* doméstica 家計，家政．estudiar *economía* 経済(学)を勉強する．
2 **節約**，倹約．hacer *economías* 倹約する．hacer una *economía* de quince minutos 15分節約する．Viven con mucha *economía*. 彼らはたいへん質素に暮らしている．

económica 形女 → económico.

e·co·nó·mi·ca·men·te [ekonómikaménte エコノミカメンテ] 副 経済的に；安上がりに．

e·co·nó·mi·co, ca [ekonómiko, ka エコノミコ，カ] 形 [複 ～s]〔英 economic〕
1 **経済の**；経済学の．crecimiento [desarrollo] *económico* 経済成長[発展]．crisis *económica* 経済危機．mundo *económico* 経済界．política *económica* 経済政策．
2 **経済的な**，安上がりな．clase *económica*〘航空〙エコノミークラス．edición *económica* 廉価[普及]版．restaurante *económico* 安上がりなレストラン．

e·co·no·mis·ta [ekonomísta エコノミスタ] 名男女 経済学者，エコノミスト．

e·co·no·mi·zar [ekonomiθár エコノミさル] [39 z → c] 動他 節約する；省く．

e·cua·ción [ekwaθjón エクアしオン] 名女
1〘数〙等式，方程式．*ecuación* de primer grado 一次方程式．*ecuación* diferencial 微分方程式． 2〘化〙化学方程式 (= *ecuación* química)．

e·cua·dor[1] [ekwaðór エクアドル] 名男 [しばしば E-]〔英 equator〕**赤道**． → tierra 図．

E·cua·dor[2] [ekwaðór エクアドル] 固名〔英 Ecuador〕
エクアドル：南米大陸北西部，太平洋岸の共和国．首都 Quito．通貨 sucre．

e·cuá·ni·me [ekwánime エクアニメ] 形 偏らない，公正な；平静な．

e·cua·ni·mi·dad [ekwanimiðáð エクアニミダ(ドゥ)] 名女 不偏，公正；平静．

e·cua·to·rial [ekwatorjál エクアトリアる] 形 赤道の；赤道地帯[付近]の．

e·cua·to·ria·no, na [ekwatorjáno, na エクアトリアノ，ナ] [複 ～s]〔英 Ecuadorean, -dorian〕形 **エクアドルの**．
―― 名男女 **エクアドル人**．

e·cues·tre [ekwéstre エクエストゥレ] 形 馬の，馬術の．

e·cu·mé·ni·co, ca [ekuméniko, ka エクメニコ，カ] 形 全世界の；全キリスト教会の．concilio *ecuménico* (ローマカトリック教会の)公会議．

e·dad [eðáð エダ(ドゥ)] 名女 [複 ～es]〔英 age〕
1 **年**，**年齢**．diez años de *edad* 10歳．¿Qué *edad* tiene? 彼は何歳ですか．de corta *edad* 幼い．de cierta *edad* (かなり)年輩の．de mediana *edad* 中年の．entrado en *edad* 年取った．ser mayor [menor] de *edad* 成人[未成年]である．estar en *edad* de《+不定詞》…する年齢に達している．
2 **時代**，年代；時期．*Edad* de Bronce 青銅器時代．*Edad* Media 中世．*Edad* Contemporánea 現代．*edad* crítica 思春期；更年期；人生の転機．

e·de·ma [eðéma エデマ] 名男〘医〙浮腫(ふしゅ)，水腫．

E

e·dén [eðén エデン] 名男 [主に E-] 〘聖書〙エデン(の園); 《比喩》楽園, 楽土.

e·di·ción [eðiθjón エディしオン] 名女 [複 ediciones] **1** (刊行物の) 版; 出版. *edición* agotada 絶版. *edición* especial (新聞の) 特集版. *edición* revisada 改訂版. *edición* en rústica ペーパーバック. primera *edición* 初版.
2 [普通 Ediciones] 出版社.
3 (大会などの) 回.
ser la segunda edición de … …の二番煎(せん)じ[焼き直し]である.

e·dic·to [eðíkto エディクト] 名男 布告, 公示; (裁判所の) 公告.

e·di·fi·ca·ción [eðifikaθjón エディフィカしオン] 名女 **1** 建築; 建造物. **2** 教化.

e·di·fi·can·te [eðifikánte エディフィカンテ] 形 有益な, 模範的な, 教化的な.

e·di·fi·car [eðifikár エディフィカル] [8 c → qu] 動他 **1** 建てる, 建築[建設]する. *edificar* un castillo 城を築く.
2 教化する, 善導する. *edificar* con el ejemplo 模範を示して教化する.

e·di·fi·cio [eðifíθjo エディフィしオ] 名男 [複 ~s] 〔英 building〕 **建物**, ビルディング. La comisaría está detrás de aquel *edificio*. 警察署はあの建物の後ろです.

e·dil [eðíl エディる] 名男 市会議員, 町会議員.

E·di·po [eðípo エディポ] 固名 〘ギリシア神話〙 オイディプス: 父を殺し, 母を妻としたテーベの王.

e·di·tar [eðitár エディタル] 動他 出版する, 刊行する (= publicar). *editar* un disco レコードを発売する.

e·di·tor, to·ra [eðitór, tóra エディトル, トラ] 形 出版の, 刊行する.
— 名男女 発行人[者], 出版人[者].
— 名女 出版社.

e·di·to·rial [eðitorjál エディトリアる] 形 出版の, 出版業の. — 名男 社説, 論説.
— 名女 出版社.

e·di·to·ria·lis·ta [eðitorjalísta エディトリアりスタ] 名男女 論説委員.

E·duar·do [eðwárðo エドゥアルド] 固名 エドゥアルド: 男性の名.

e·du·ca·ción [eðukaθjón エドゥカしオン] 名女 [複 educaciones] 〔英 education〕
1 教育, 養成, 訓練. *educación* intelectual 知育.

> 【参 考】 **educación** は知育・徳育の両面にわたって人格形成を目指す教育を, **enseñanza** は知識の教授を, **instrucción** は指導・教示を意味する.

2 教養; しつけ. tener buena *educación* 行儀がよい. falta de *educación* 不作法.

e·du·ca·do, da [eðukáðo, ða エドゥカド, ダ] 過分 形 礼儀正しい. bien [mal] *educado* しつけのよい[悪い], 行儀のよい[悪い].

e·du·ca·dor, do·ra [eðukaðór, ðóra エドゥカドル, ドラ] 名男女 教育者, 教師.

e·du·can·do, da [eðukándo, da エドゥカンド, ダ] 名男女 生徒.

e·du·car [eðukár エドゥカル] [8 c → qu] 動他 〔英 educate〕 **教育する**, 養成[育成]する, しつける. *educar* con [en] buenos principios しっかりとした信条でしつける. *educar* el oído para la música 音楽を聴く耳を養う. *educar* a un perro 犬を仕込む.
— **e·du·car·se** 教育を受ける. *Se ha educado* en una escuela pública. 彼は公立学校で教育を受けた.

e·du·ca·ti·vo, va [eðukatíβo, βa エドゥカティボ, バ] 形 教育上の; 教育的な.

eduque(-) / **eduqué**(-) 動 → educar.

EE.UU. 《略》 (los) *E*stados *U*nidos de América アメリカ合衆国.

e·fe [éfe エフェ] 名女 アルファベットの f の文字[音].

e·fe·bo [eféβo エフェボ] 名男 《文語》 青年, 若者.

e·fec·tis·mo [efektísmo エフェクティスモ] 名男 奇を衒(てら)うこと; (芸術・文学の) 扇情主義.

e·fec·tis·ta [efektísta エフェクティスタ] 形 奇を衒(てら)った, 扇情主義の.
— 名男女 奇を衒う人.

e·fec·ti·va·men·te [efektíβaménte エフェクティバメンテ] 副 事実上, 確かに; なるほど, そのとおりだ.

e·fec·ti·vi·dad [efektiβiðáð エフェクティビダ(ドゥ)] 名女 有効性, 効果; 実際性.

e·fec·ti·vo, va [efektíβo, βa エフェクティボ, バ] 形 **1** 有効な, 効果的な.
2 真の, 本当の, 実際の.
— 名男 **1** 現金 (= dinero *efectivo*). pagar en *efectivo* 現金で支払う.
2 [~s] 兵員.
hacer efectivo 実施する; 現金に替える. *hacer efectivo* un cheque 小切手を現金化する.

e·fec·to [efékto エフェクト] 名男 [複 ~s] 〔英 effect〕
1 結果, 帰結. No hay *efecto* sin causa. 原因のない結果はない.
2 効果; 心理的効果, 印象. medicamento de *efecto* inmediato 即効性の薬. El accidente le hizo [causó, produjo] un gran *efecto*. その事故は彼に大きな衝撃を与えた. ser de mal *efecto* 体裁[印象]が悪い. *efectos* especiales (映画などの) 特殊効果. *efectos* sonoros 音響効果. *efecto* Doppler 〘物理〙 ドップラー効果. *efecto* invernadero 温室効果.
3 [普通 ~s] 財産; 所持品. *efectos* de consumo 消費財. *efectos* mobiliarios [inmobiliarios] 動産[不動産]. *efectos*

personales 身の回り品.
a este efecto このために.
en efecto 事実, 確かに.
llevar a* [*poner en*] *efecto 実行する.
para los efectos 実質的には, 実際上.
tener efecto 実行される; 催される.
e·fec·tuar [efektwár エフェクトゥアル] [14 u ➡ ú] 動他 行う, 実行する, 果たす.
e·fe·mé·ri·des [efeméɾiðes エフェメリデス] 名女 [複] 日誌; 同日記録: 過去の同月同日に起きた事実を記した表・新聞欄. ► 1つの事件の場合は, 単数で una *efeméride*.
e·fer·ves·cen·cia [eferβesθénθja エフェルベセンしア] 名女 **1** 熱狂, 興奮, 騒乱.
2 発泡; 沸騰; 〘医〙発疹(はっしん).
e·fer·ves·cen·te [eferβesθénte エフェルベセンテ] 形 **1** かっとなる, 激しやすい.
2 泡立つ, 発泡性の.
eficaces 形 [複] ➡ eficaz.
e·fi·ca·cia [efikáθja エフィカしア] 名女 効果; 効率; 能力. *eficacia* de un medicamento 薬の効能. trabajar con *eficacia* 能率よく働く.
e·fi·caz [efikáθ エフィカす] 形 [複 eficaces]
1 有効な, 効きめがある. una medicina *eficaz* よく効く薬. unos remedios *eficaces* 効果的な手段.
2 有能な, 役に立つ.
e·fi·caz·men·te [efikáθménte エフィカすメンテ] 副 効果[能率]的に.
e·fi·cien·cia [efiθjénθja エフィしエンしア] 名女 効能; 能率; 能力.
e·fi·cien·te [efiθjénte エフィしエンテ] 形 効果的な, 能率的な.
e·fi·cien·te·men·te [efiθjénteménte エフィしエンテメンテ] 副 効果的に, てきぱきと.
e·fi·gie [efíxje エフィヒエ] 名女 像, 肖像; 化身.
e·fí·me·ro, ra [efímero, ra エフィメロ, ラ] 形 はかない, つかの間の.
e·flu·vio [eflúβjo エフるビオ] 名男
1 香気, 匂(にお)い. **2** 雰囲気, 気配.
e·fu·sión [efusjón エフシオン] 名女 **1** (液体の) 流出. **2** (感情の) 発露, ほとばしり. La abrazó con *efusión*. 彼は彼女を思いきり抱きしめた.
e·fu·si·vo, va [efusíβo, βa エフシボ, バ] 形 熱狂的な, 感極まった.
EGB 《略》 *E*ducación *G*eneral *B*ásica (スペインの) 一般基礎教育 (課程). ◆ 6歳で入学して8年間. ➡ BUP, COU.
e·gip·cio, cia [exípθjo, θja エヒプしオ, しア] 形 エジプトの.
── 名男女 エジプト人.
── 名男 古代エジプト語.
E·gip·to [exípto エヒプト] 固名 エジプト. 正称 República Árabe de *Egipto* エジプト・アラブ共和国 (首都 El Cairo).
églo·ga [éɣloɣa エグろガ] 名女 牧歌, 田園詩.
ego- 「自己」の意を表す造語要素. ⇒ *ego*céntrico, *ego*ísmo など.
e·go·cén·tri·co, ca [eɣoθéntriko, ka エゴせントゥリコ, カ] 形 自己中心的な.
── 名男女 自己中心主義者.
e·go·ís·mo [eɣoísmo エゴイスモ] 名男 エゴイズム, 利己主義.
e·go·ís·ta [eɣoísta エゴイスタ] 形 利己的な, わがままな.
── 名男女 エゴイスト, 利己主義者.
e·gó·la·tra [eɣólatra エゴらトゥラ] 形 自己崇拝の, 自画自賛の.
e·go·la·trí·a [eɣolatría エゴらトゥリア] 名女 自己崇拝, 自画自賛.
e·gre·gio, gia [eɣréxjo, xja エグレヒオ, ヒア] 形 傑出した, 優れた; 著名な.
¡eh! [é エ] 間投 **1** 《呼びかけ》 ちょっと, ねえ, もしもし. ¡*Eh*! Aquí estoy. おい, 僕はここだよ.
2 《とがめだて・警告・軽い確認を表して》 …だね, …でしょう. Que no vuelva a ocurrir, ¿*eh*? こんなことは二度とないだろうね?
e·je [éxe エヘ] 名男 **1** 軸; 軸線, 中心線. *eje* delantero [trasero] 前[後]車軸. *eje* de la tierra 地軸. *eje* de coordenadas 〘数〙座標軸. *eje* de ordenadas [de abscisas] Y [X] 軸. *eje* de una calle 道路のセンターライン.
2 核心; 中心人物. idea *eje* 中心概念.
3 [E-] 〘政治〙枢軸. Los países del *Eje* (第二次世界大戦中の) 枢軸国. ► 連合国は Los Aliados.
partir* [*dividir*] *a 《+uno》 ***por el eje*** 《口語》 〈人〉の邪魔をする; 迷惑をかける.
e·je·cu·ción [exekuθjón エヘクしオン] 名女 実施, 遂行; 〘法律〙処刑, 死刑執行. poner en *ejecución* 実行に移す, 実施する.
e·je·cu·tar [exekutár エヘクタル] 動他 **1** 実行する, 遂行する. *ejecutar* la orden 命令を実行する.
2 処刑する. *ejecutar* al reo 罪人に死刑を執行する. **3** 器用にやる; 〘音楽〙演奏する. *Ejecutó* un juego de manos con mucha limpieza. 彼は鮮やかに手品をやってみせた. **4** 演じる.
e·je·cu·ti·va·men·te [exekutíβaménte エヘクティバメンテ] 副 迅速に, 速やかに.
e·je·cu·ti·vo, va [exekutíβo, βa エヘクティボ, バ] 形 **1** 行政 (上) の. el poder *ejecutivo* 行政権.
2 実行する, 執行する. **3** 迅速な.
── 名男女 重役, 役員; [普通 ~s] 首脳部.
── 名女 実行[執行]委員会, 理事会.
e·je·cu·tor, to·ra [exekutór, tóra エヘクトル, トラ] 名男女 死刑執行人; 実行者.
── 形 実行する, 執行する.
e·jem·plar [exemplár エヘンプらル] [複 ~es] 形 〔英 exemplary〕 **模範的な**; 懲戒の. castigo *ejemplar* 見せしめの罰.

E

—— 名男〔英 copy〕 **1** (印刷・刊行物の) **1部**, 1冊. diez mil *ejemplares* 1万部. *ejemplar* gratuito 無料進呈版.
2 典型, 見本.
¡Menudo ejemplar! 《口語》なんてやつだ.

e·jem·pla·ri·dad [exemplariðáð エヘンプラリダ(ドゥ)] 名女 模範になること; 見せしめになること.

e·jem·pli·fi·ca·ción [exemplifikaθjón エヘンプリフィカしオン] 名女 例証, 事例化.

e·jem·pli·fi·car [exemplifikár エヘンプリフィカル] [⑧ c → qu] 動他 例示する, 例証する.

E

e·jem·plo [exémplo エヘンプろ] 名男 [複 ~s] 〔英 example〕
1 例, 実例, 事例. dar [poner] un *ejemplo* 例を挙げる. poner por *ejemplo* 例として挙げる. vivo *ejemplo* 典型的見本. sin *ejemplo* 例[前例]のない.
2 模範, 手本. servir de *ejemplo* 手本となる. dar *ejemplo* 模範[手本]を示す.
a modo de ejemplo 例として.
por ejemplo 例えば, 例を挙げれば 《略 p.e., p.ej.》.

e·jer·cer [exerθér エヘルせル] [㉞ c → z] 動他 〔英 handle, practise〕
1 (権利・権限を) **行使する**. *ejercer* el derecho de voto 投票権を行使する.
2 (作用・影響を) **及ぼす**. *ejercer* influencia sobre 《+uno》〈人〉に影響を与える.
3 行う, 営む; …の職務に就く. *ejercer* la medicina 医者をしている.
—— 動自 《+**de, como**》…として働く.

e·jer·ci·cio [exerθíθjo エヘルししオ] 名男 [複 ~s] 〔英 exercise〕 **1 運動**; 練習, 訓練. *ejercicio* físico 体操. *ejercicio* práctico 実技. hacer *ejercicios* 運動する. El ajedrez es un buen *ejercicio* para el cerebro. チェスはよい頭の運動だ. *ejercicio* de tiro 射撃訓練.
2 練習問題, 練習曲; 課題, 宿題; 試験. *ejercicios* de gramática 文法の練習問題. *ejercicio* escrito [oral] 筆記[口頭]試験.
3 (権利・権限の) 行使, 実践.
4 (職業への) 従事. *ejercicio* de la medicina 医者の仕事, 医療業務. en *ejercicio* 現役の.

e·jer·ci·tar [exerθitár エヘルしタル] 動他
1 (権利・権限を) 行使する.
2 《+**en**》…を修得させる. *ejercitar* a un alumno *en* latín 生徒にラテン語を教える.
—— **e·jer·ci·tar·*se*** 《+**en**》…を練習する. *ejercitarse en* el tiro de arco アーチェリーの練習をする.

e·jér·ci·to [exérθito エヘルしト] 名男 [複 ~s] 〔英 army〕 **1 軍隊**, (特に) 陸軍. *ejército* del Aire 空軍. *ejército* de Tierra 陸軍. *ejército* de ocupación 占領軍. ► 海軍は Marina. → militar 【参考】.

> **【参 考】 cuerpo del ejército** 軍団: división 師団. brigada 旅団. regimiento 連隊. batallón 大隊. tropa 部隊.

2 大群, 群れ. un *ejército* de hormigas アリの大群.

ejerz- 動 → ejercer. [㉞ c → z]

e·ji·do [exíðo エヒド] 名男 村の共有地, 入会地.

el [el エる] 冠 《定》 [男性単数形; 複数形 los. → 女性単数形 la, 複数形 las] 〔英 the〕

定冠詞			
	男性	女性	中性
単数形 複数形	el los	la las	lo

1 (1) 《既述のものであるか, 前後関係・状況からそれとわかる名詞の前に置いて》**その, あの**. *El* alcalde del pueblo ha tenido un accidente. その村の村長は事故に遭った. Me duelen *las* muelas. 私は歯が痛い. ► 日本語では冠詞は特に訳さない場合が多い. (2) 《天体・方向など唯一と見なされるものに付けて》 *el* Sol 太陽. *el* cielo 空. *el* sur 南. (3) 《種類全体を指して》 *El* azúcar es malo para los dientes. 砂糖は歯に悪い. Me gusta *el* té. 私は紅茶が好きだ.
2 《固有名詞と共に》(1) 《川・海・山脈などの名前に付けて》 *el* Tajo タホ川. *los* Alpes アルプス山脈. *las* Baleares バレアレス諸島. *el* Veleta ベレタ山. *el* Mediterráneo 地中海. (2) 《国名・地名に付けて》 (*el*) Perú ペルー. (*el*) Japón 日本. *la* Mancha ラ・マンチャ地方. ► 修飾語句が加わると定冠詞が付けられる. ⇀ *el* Buenos Aires de hoy 今日のブエノスアイレス. (3) 《人名・作品名に付けて》 "*El* Quijote" 『エル・キホーテ』. (4) 《敬称に付けて》 *el* Sr. Pérez ペレス氏. *la* Sra. (de) Pérez ペレス夫人. → los.
3 《名詞の省略》 *el* (paraguas) rojo 赤いの[赤い傘]. *el* (libro) de tu padre 君のお父さんの[お父さんの本].
4 《形容詞の比較級に付けて最上級を作る》 Tú eres *el* mayor entre nosotros. 君が僕たちのなかで一番年上だ. Es *la* plaza más grande de España. それはスペインで一番大きな広場だ.
5 《男性定冠詞を曜日・日付に付けて副詞句を作る》 Vino *el* lunes. 彼は月曜日に来た. *Los* domingos no tengo oficina. 私は

日曜日は休みだ. Nos reuniremos *el* 25 de enero. 1月25日に集まりましょう.

【文 法】**1** アクセントのある **a-** または **ha-** で始まる女性単数名詞の定冠詞は el. ⇀*el* agua, *el* hambre.
2 前置詞 a, de は el と結合して **al**, **del** となる. ➡前置詞 a, de.

él [él エる] 代名《人称》
［3人称男性単数形; 複数形 ellos. ➡ yo【文法】］〔英 he ; him, it〕
1《主語》**彼は[が]**. *Él* es profesor, pero ella es ama de casa. 彼は先生だけど, 彼女は主婦だ.
2《前置詞+》**彼**, (男性単数名詞を受けて) **それ**. Trabajo con *él*. 私は彼と一緒に仕事をしている. Déjame el diccionario, sin *él* no puedo terminar esta traducción. その辞書を貸してくれ, それがないとこの翻訳ができない.

e·la·bo·ra·ción [elaβoraθjón エらボラしオン] 名女 **1** 加工, 作成. de *elaboración* casera 手製の. **2** 立案; 彫琢(ちょうたく).

e·la·bo·rar [elaβorár エらボラル] 動他
1 加工する, 作成する.
2 (計画・文章を) 練る.

e·las·ti·ci·dad [elastiθiðáð エらスティしダ(ドゥ)] 名女 弾力性; 融通性.

e·lás·ti·co, ca [elástiko, ka エらスティコ, カ] 形 弾力性のある; 融通のきく. cuerpo *elástico* 弾性体. horario *elástico* フレックス・タイム.
—— 名男 ゴムひも; ゴム編み.

e·le [éle エれ] 名女 アルファベットの l の文字[音].

e·lec·ción [elekθjón エれクしオン] 名女
1 [普通 elecciones] 選挙, 選出. *elecciones* generales [municipales] 総[地方]選挙.
2 選択; 選択の余地.

e·lec·ti·vo, va [elektíβo, βa エれクティボ, バ] 形 選挙による.

e·lec·to, ta [elékto, ta エれクト, タ] 形 選出された. el presidente *electo* 次期大統領.

e·lec·tor, to·ra [elektór, tóra エれクトル, トラ] 形 選出する, 選挙する.
—— 名男女 選挙人, 有権者.

e·lec·to·ra·do [elektoráðo エれクトラド] 名男《集合》選挙人, 有権者.

e·lec·to·ral [elektorál エれクトラる] 形 選挙の, 選挙人の. censo *electoral* 選挙人名簿. colegio *electoral*《集合》1選挙区の有権者; 投票場.

E·lec·tra [eléktra エれクトゥラ] 固名 〘ギリシア神話〙エレクトラ: Agamenón の娘. 弟 Orestes と共に母を殺して父のあだを討った.

eléctrica 形女 ➡ eléctrico.

e·lec·tri·ci·dad [elektriθiðáð エれクトゥリしダ(ドゥ)] 名女〔英 electricity〕**電気**; 電力; 電気代; 電気学. *electricidad* estática 静電気. producción de *electricidad* 発電.

e·lec·tri·cis·ta [elektriθísta エれクトゥリしスタ] 名男女 電気修理工, 電気技師 (= ingeniero *electricista*); 電気係.
—— 形 電気の.

e·léc·tri·co, ca [eléktriko, ka エれクトゥリコ, カ] 形 [複 ～s]〔英 electric〕**電気の**; 電動の. corriente *eléctrica* 電流. central *eléctrica* 発電所. manta *eléctrica* 電気毛布.

e·lec·tri·fi·car [elektrifikár エれクトゥリフィカル] [8 c ➡ qu] 動他 電化する.

e·lec·tri·zan·te [elektriθánte エれクトゥリさンテ] 形 感動[興奮]させる.

e·lec·tri·zar [elektriθár エれクトゥリさル] [39 z ➡ c] 動他 帯電させる; 感動[興奮]させる.

electro- 「電気」の意を表す造語要素. ⇀ *electro*cardiograma, *electro*doméstico など.

e·lec·tro·car·dio·gra·ma [elektrokarðjoɣráma エれクトゥロカルディオグラマ] 名男 〘医〙心電図.

e·lec·tro·cho·que [elektrotʃóke エれクトゥロチョケ] 名男 〘医〙電気ショック, 電撃療法.

e·lec·tro·cu·tar [elektrokutár エれクトゥロクタル] 動他 感電死させる; 電気椅子で処刑する.
—— **e·lec·tro·cu·tar·*se*** 感電死する.

e·lec·tro·do [elektróðo エれクトゥロド] / **e·léc·tro·do** [eléktro- エれクトゥロ-] 名男 〘物理〙電極.

e·lec·tro·do·més·ti·co, ca [elektroðoméstiko, ka エれクトゥロドメスティコ, カ] 形 家庭電化製品の.
—— 名男 [普通 ～s] 家庭電化製品.

e·lec·tro·en·ce·fa·lo·gra·ma [elektroenθefaloɣráma エれクトゥロエンせファろグラマ] 名男 脳波図, 脳電図.

e·lec·troi·mán [elektroimán エれクトゥロイマン] 名男 〘物理〙電磁石.

e·lec·tró·li·sis [elektrólisis エれクトゥロりシス] 名女 〘化〙電気分解, 電解.

e·lec·tro·mag·né·ti·co, ca [elektromaɣnétiko, ka エれクトゥロマグネティコ, カ] 形 〘物理〙電磁気の, 電磁石の.

e·lec·trón [elektrón エれクトゥロン] 名男 〘物理〙電子, エレクトロン.

e·lec·tró·ni·co, ca [elektróniko, ka エれクトゥロニコ, カ] 形 電子の, 電子工学の. haz *electrónico* 電子ビーム. microscopio *electrónico* 電子顕微鏡.
—— 名女 電子工学.

e·le·fan·te, ta [elefánte, ta エれファンテ, タ] 名男女 〘動物〙ゾウ(象). *elefante* marino ゾウアザラシ.

E

elefante blanco 白象;《口語》無用の長物.

e·le·gan·cia [eleɣánθja エれガンしア] 名女 優雅, 上品; スマートさ. *elegancia* de estilo literario 文体の典雅さ. *elegancia* en el hablar 洗練された話し方.

e·le·gan·te [eleɣánte エれガンテ] 形 [複 ~s]〔英 elegant〕**優雅な, 上品な**; 洗練された. casa *elegante* 瀟洒(しょうしゃ)な邸宅. mujer *elegante* 品のよい婦人. actitud *elegante* スマートな態度. estilo *elegante* 典雅な文体.

e·le·gan·te·men·te [eleɣánteménte エれガンテメンテ] 副 優雅に, 品よく.

E

e·le·gí·a [elexía エれヒア] 名女 挽歌(ばんか), エレジー, 哀歌.

e·le·gí·a·co, ca [elexíako, ka エれヒアコ, カ] 形 哀惜の; 哀愁の; 哀歌の.

e·le·gi·bi·li·dad [elexiβiliðáð エれヒビりダ(ドゥ)] 名女 被選挙権.

e·le·gi·ble [elexíβle エれヒブれ] 形 被選挙権[資格]のある.

e·le·gi·do, da [elexíðo, ða エれヒド, ダ] 過分 形 精選された, えり抜きの.

e·le·gir [elexír エれヒル] [19 g ➡ j ; 41 e ➡ i] 動他 [現分eligiendo]〔英choose; elect〕**1 選ぶ**, 選択する (= escoger). *Eligió* la blusa más cara de la tienda. 彼女はその店で一番高いブラウスを選んだ. *elegir* entre varias cosas いくつかの中から選ぶ. *elegir* por el color 色で選ぶ.
2 選出する. ¿A quién *han elegido* presidente del comité? 委員長には誰が選ばれましたか.

e·le·men·tal [elementál エれメンタる] 形 [複 ~es]〔英 elementary〕**1 基本の**, 初歩の, 基礎的な (= fundamental). gramática *elemental* 初級文法. curso *elemental* 入門課程, 初級. partícula *elemental* 素粒子. **2** 分かりきった, 自明な.

e·le·men·tal·men·te [elementálménte エれメンタるメンテ] 副 基本的に.

e·le·men·to [eleménto エれメント] 名男 [複 ~s]〔英 element〕**1 要素, 成分**; 部分. La fortuna es uno de los *elementos* del éxito. 運は成功の要因の一つである. mueble-biblioteca de siete *elementos* 7点セットの書斎用家具.
2 構成員, メンバー. un buen *elemento* del equipo チームにとってかけがえのない人.
3《化》元素. *elementos* radioactivos 放射性元素.
4 [普通 ~s] 自然の力, 風雨. ◆古代ギリシア哲学で万物は土, 水, 風, 火の四大元素から成ると信じたことから.
5 [普通 ~s] 初歩, 基礎, 原理; 手段, 方策.
6《口語》やつ;《ラ米》間抜け. ¡Menudo *elemento*! とんでもないやつだ!
estar en* SU *elemento 水を得た魚のようである, 所を得ている.

E·le·na [eléna エれナ] 固名 エレーナ: 女性の名.

e·len·co [eléŋko エれンコ] 名男 **1** 目録, 一覧表. **2**《映画》《演劇》キャスト.

e·le·va·ción [eleβaθjón エれバしオン] 名女
1 上げる[上がる]こと, 上昇.
2 高地; 隆起. **3** 昇進, 登用.
4 高揚; 高尚, 荘重.

e·le·va·do, da [eleβáðo, ða エれバド, ダ] 形 **1** 高い, 上昇した. temperatura *elevada* 高温. precio *elevado* 高値.
2 高尚な, 崇高な.

e·le·va·dor, do·ra [eleβaðór, ðóra エれバドル, ドラ] 形 持ち上げる, 高く上げる.
── 名男《ラ米》エレベーター.

e·le·var [eleβár エれバル] 動他〔英 raise, lift〕**1 持ち上げる**, 引き上げる; 昇進[昇任]させる. *elevar* la casa un piso más 1階建て増しする. *elevar* a《+uno》a un alto cargo〈人〉を高い地位に昇進させる. ➡ levantar.
2 (嘆願書などを) 提出する. *elevar* protestas 異議を申し立てる.
3《数》累乗する. *elevar* al cuadrado [al cubo] 2乗[3乗]する.
── **e·le·var·*se*** **1** 上がる; 立つ, そびえる; 昇進する. Un rascacielos *se eleva* en esta calle. 高層ビルがこの通りにそびえ立っている. *elevarse* en la jerarquía 地位が上がる.
2《+**a**》(数量が) …に達する. El Aconcagua *se eleva a* unos siete mil metros. アコンカグアはおよそ7000メートルに達する.

elig- / elij- 動 現分 ➡ elegir. [19 g ➡ j ; 41 e ➡ i]

e·li·mi·na·ción [eliminaθjón エりミナしオン] 名女 **1** 除去; 排除.
2 予選, 選抜. lograr la *eliminación* 予選に勝つ.

e·li·mi·nar [eliminár エりミナル] 動他
1 除去する, 取り除く. *eliminar* a un concursante 応募者を失格にする. *eliminar* los temores 不安の種を除く. *eliminar* una incógnita 未知数を消去する.
2 抹殺する.

e·li·mi·na·to·rio, ria [eliminatórjo, rja エりミナトリオ, リア] 形 予選の, 勝ち抜きの.
── 名女《スポーツ》予選.

e·lip·se [elípse エりプセ] 名女《数》楕円(だえん).

e·lip·sis [elípsis エりプシス] 名女 [単・複同形]《文法》(語句の) 省略.

e·líp·ti·co, ca [elíptiko, ka エりプティコ, カ] 形 **1** 省略の, 省略された. **2** 楕円(だえん)の.

e·lí·se·o, a [elíseo, a エりセオ, ア] 形《ギリシア神話》エリュシオンの, 楽園の.

e·li·sión [elisjón エりシオン] 名女《文法》(母音の) 省略.

é·li·te [élite エりテ] / **e·li·te** [elí- エり-]

名女《集合》エリート，精鋭.

e·lla [éʎa エリャ] 代名《人称》
［3人称女性単数形；複数形 ellas. ➡ yo 【文法】.］〔英 she ; her, it〕
1《主語》**彼女は［が］**. *Ella* no hizo nada. 彼女は何もしなかった.
2《前置詞＋》**彼女**，（女性単数名詞を指して）**それ**. Hablábamos de *ella*. 我々は彼女のことを話していたのだ. Vi una casa muy grande. En *ella* vivía una anciana con su nieto. 私は大きな家を見た. そこに一人の年老いた婦人が孫と暮らしていた.

e·llas [éʎas エリャス] 代名《人称》
［3人称女性複数形. ➡ yo 【文法】］〔英 they ; them〕 **1**《主語》（複数の女性を指して）**彼女たちは［が］**.
2《前置詞＋》（女性複数名詞を指して）**彼女たち，それら**.

e·lle [éʎe エリェ] 名女 旧アルファベットllの文字［音］.

e·llo [éʎo エリョ] 代名《人称》《中性》〔英 it, that〕
《主語》《前置詞＋》**そのこと，それ**，あのこと. Le dolía el estómago, y *ello* le impidió estudiar. 彼は胃が痛かった，それで勉強することが出来なかった. No pienses más en *ello*. もうそのことは考えるな. ►ello はしばしば eso と同じように用いられる. ➡ yo 【文法】.
con ello しかし，とはいえ.
Ello es que … それで［だから］…（ということ）なのである.
por ello それゆえ，そのため. *Por ello* me gusta. だから僕はそれが好きなんだ.

e·llos [éʎos エリョス] 代名《人称》
［3人称男性複数形. ➡ yo 【文法】］〔英 they ; them〕 **1**《主語》（複数の男性または男性＋女性を指して）**彼らは［が］**.
2《前置詞＋》**彼ら**，（男性複数名詞，または男性名詞と女性名詞を指して）**それら**.

e·lo·cu·ción [elokuθjón エロクしオン] 名女（効果的な）言葉の使い方，話術. Tiene la *elocución* fácil. 彼は弁がたつ.

e·lo·cuen·cia [elokwénθja エろクエンしア] 名女 雄弁，能弁；雄弁術.

e·lo·cuen·te [elokwénte エろクエンテ] 形 雄弁な；説得力のある.

e·lo·giar [eloxjár エろヒアル] 動他 賞賛する，褒めたたえる.

e·lo·gio [elóxjo エろヒオ] 名男 賞賛；賛辞. hacer *elogios* de … …を褒めたたえる.

El Sal·va·dor [elsalβaðór エるサるバドル] 固名〔英 El Salvador〕**エルサルバドル**：中米の太平洋岸の共和国. 首都 San Salvador. 通貨 colón.

e·lu·cu·brar [elukuβrár エるクブラル] 動他 思い巡らす，あれこれ考える.

e·lu·dir [eluðír エるディル] 動他 かわす，回避する. *eludir* una pregunta 質問をかわす.

em- ➡ en-.

e-mail / E-mail [iméil, íméil イメイる，イメイる] 名男《インターネット》E メール，電子メール.

e·ma·na·ción [emanaθjón エマナしオン] 名女 発散，流出；発散物.

e·ma·nar [emanár エマナル] 動自《＋de》…から発する，生じる；起因する.
―― 動他 発する（＝ despedir, emitir).

e·man·ci·pa·ción [emanθipaθjón エマンしパしオン] 名女 解放，独立；脱却，離脱.

e·man·ci·par [emanθipár エマンしパル] 動他《＋de》…から解放する，自由にする.
―― **e·man·ci·par·se**《＋de》…から解放される，自由になる.

em·ba·dur·nar [embaðurnár エンバドゥルナル] 動他《＋con, de》（泥・ペンキなど）を塗りたくる；…で汚す.

em·ba·ja·da [embaxáða エンバハダ] 名女［複 ～s］〔英 embassy〕 **1 大使館**. *Embajada* de España スペイン大使館. ► 公使館は legación，領事館は consulado.
2 大使の職務［地位］；親書，メッセージ.

em·ba·ja·dor [embaxaðór エンバハドル] 名男［複 ～es］〔英 ambassador〕**大使**（↔ embajadora）. *embajador* de España en Japón 駐日スペイン大使. 公使は ministro，領事は cónsul.

em·ba·ja·do·ra [embaxaðóra エンバハドラ] 名女［複 ～s］〔英 ambassador, ambassadress〕 **1 大使**（↔ embajador).
2 大使夫人.

em·ba·la·je [embaláxe エンバらへ] 名男 梱包(こんぽう)，包装；包装材；梱包費. papel de *embalaje* 包装紙.

em·ba·lar [embalár エンバらル] 動他 梱包(こんぽう)する，包装する.
―― **em·ba·lar·se** **1** スピードを出す，疾走する. **2**《口語》熱中する，夢中になる.

em·bal·sa·mar [embalsamár エンバるサマル] 動他 **1**（死体に）防腐処理を施す.
2 香りをつける.

em·bal·sar [embalsár エンバるサル] 動他（水を）せき止める，ためる.

em·bal·se [embálse エンバるセ] 名男 ダム，貯水池.

em·ba·ra·za·do, da [embaraθáðo, ða エンバラさド，ダ] 過分 形 **1** 困惑した，困った.
2 妊娠した. ―― 名女 妊婦.

em·ba·ra·zar [embaraθár エンバラさル] [39 z ➡ c] 動他 **1** 困惑させる，困らせる；邪魔する，妨げる. **2** 妊娠させる.
―― **em·ba·ra·zar·se** **1** 困惑する，混乱する. **2** 妊娠する.

em·ba·ra·zo [embaráθo エンバラそ] 名男 **1** 困惑；邪魔. **2** 妊娠.

em·ba·ra·zo·so, sa [embaraθóso, sa エンバラそソ，サ] 形 まごつかせる；邪魔になる.

em·bar·ca·ción [embarkaθjón エンバル

E

カレオン] 名女 **1** 船, 船舶. ➡ barco【参考】, 図. **2** 乗船, 搭乗; 積み込み. **3** 航海日数.

em·bar·ca·de·ro [embarkaðéro エンバルカデロ] 名男 桟橋, 埠頭(ふとう). ➡ puerto 図.

em·bar·car [embarkár エンバルカル] [8 c ➡ qu] 動他 **1** 乗船させる; 積み込む; …に乗船[搭乗]する. *embarcar* a los pasajeros 旅客を乗船させる. *embarcar* las maletas en el avión 飛行機に荷物を積み込む.
2 《口語》巻き込む.
── 動自 **em·bar·car·se** **1** 乗船[搭乗]する. **2** 《口語》着手する; かかわる. *embarcarse* en una aventura 冒険に乗り出す.

E

em·bar·co [embárko エンバルコ] 名男 乗船, 搭乗; 積み込み.

em·bar·gar [embarɣár エンバルガル] [32 g ➡ gu] 動他 〘法律〙差し押さえる.

em·bar·go [embárɣo エンバルゴ] 名男 差し押さえ, 押収.
sin embargo しかしながら.

em·bar·que [embárke エンバルケ] 名男 積み込み; 乗船, 搭乗.
tarjeta de embarque 搭乗券, ボーディング・カード.

em·ba·rrar [embar̄ár エンバラル] 動他 泥で汚す; 塗りたくる.

em·ba·ru·llar [embaruʎár エンバルリャル] 動他 《口語》混乱させる; こんがらからせる, もつれさせる.

em·ba·te [embáte エンバテ] 名男 (波の) 打ちつけ, 大荒れ; (感情の) 激発.

em·bau·ca·dor, do·ra [embaukaðór, ðóra エンバウカドル, ドラ] 形 だます; 口先の上手な.
── 名男女 ぺてん師; 口先の上手な人.

em·bau·car [embaukár エンバウカル] [6 u ➡ ú ; 8 c ➡ qu] 動他 だます, 口車に乗せる. *embaucar* a 《+uno》 con promesas 〈人〉に約束しておいてだます.

em·be·ber [embeβér エンベベル] 動他 **1** 吸い込む, 吸い取る.
2 内にしまい込む, 取り込む.
── 動自 (布地が) 縮む, つまる.
── **em·be·ber·se** **1** 《+con, en》…に夢中になる, 熱中する.
2 《+de》…に通暁する.

em·be·le·co [embeléko エンベレコ] 名男 ぺてん; 甘言.

em·be·le·sar [embelesár エンベレサル] 動他 うっとりさせる, 魅了する.
── **em·be·le·sar·se** うっとりとする. *embelesarse* con un espectáculo うっとりショーに見とれる.

em·be·le·so [embeléso エンベレソ] 名男 うっとりすること; 魅力的なもの.

em·be·lle·ce·dor [embeʎeθeðór エンベリェセドル] 名男 〘車〙ハブキャップ, ホイールキャップ.

em·be·lle·cer [embeʎeθér エンベリェセル] 40 動他 美しくする, 美化する.
── **em·be·lle·cer·se** めかす, 盛装する.

em·be·rren·chi·nar·se [embeȓentʃinárse エンベレンチナルセ] / **em·be·rrin·char·se** [-ȓintʃárse -リンチャルセ] 動 《口語》かんしゃくを起こす, 腹を立てる.

em·bes·ti·da [embestíða エンベスティダ] 名女 **1** 攻撃; 突進.
2 《口語》(金の) 無心, たかり.

em·bes·tir [embestír エンベスティル] [41 e ➡ i] 動他 [現分 embistiendo] **1** 攻撃する; 突進する; 《口語》激突する, 衝突する.
2 《口語》(金を) せびる, 無心する.

em·ble·ma [embléma エンブレマ] 名男 **1** 標章, エンブレム; 象徴. **2** 寓意(ぐう)画.

em·bo·bar [emboβár エンボバル] 動他 うっとりさせる.
── **em·bo·bar·se** うっとりする; 驚嘆する.

em·bo·ca·du·ra [embokaðúra エンボカドゥラ] 名女 **1** (川・水路の) 入り口, 河口.
2 (楽器の) 吹き口.
3 (ぶどう酒の) 口当たり, 風味.

em·bo·car [embokár エンボカル] [8 c ➡ qu] 動他 (狭い場所に) 進入する; (楽器の) 吹き口に口を当てる.

em·bo·lia [embólja エンボリア] 名女 〘医〙塞栓(そくせん)症.

ém·bo·lo [émbolo エンボロ] 名男 〘機械〙ピストン.

em·bol·sar·(se) [embolsár(se) エンボルサル(セ)] 動他 財布[袋]に入れる; (金を) もうける, 稼ぐ.

em·bo·qui·lla·do [embokiʎáðo エンボキリャド] 名男 フィルター[吸い口]付きタバコ.

em·bo·qui·llar [embokiʎár エンボキリャル] 動他 **1** (タバコに) フィルター[吸い口]をつける. **2** (地下道・トンネルなどの) 出入り口を付ける.

em·bo·rra·char [emboȓatʃár エンボラチャル] 動他 酔わせる.
── **em·bo·rra·char·se** 酔う, 酔っ払う.

em·bo·rras·car·se [emboȓaskárse エンボラスカルセ] [8 c ➡ qu] 動 (天気が) 荒れ模様になる. ► 3人称単数のみで活用.

em·bo·rro·nar [emboȓonár エンボロナル] 動他 (書面をインクなどで) 汚す; 書き散らす.

em·bos·ca·da [emboskáða エンボスカダ] 名女 待ち伏せ, 伏兵; わな, 計略. tender una *emboscada* 待ち伏せする, 伏兵を置く.

em·bo·tar [embotár エンボタル] 動他 (刃物などの) 先を丸くする; (感覚を) 鈍化させる.

em·bo·te·lla·do, da [emboteʎáðo, ða エンボテリャド, ダ] 過分 形 **1** 瓶入りの.
2 渋滞した.
── 名男 瓶詰め.

em·bo·te·lla·mien·to [emboteʎa-

mjénto エンボテリャミエント] 名男 **1** 瓶詰め.
2 (交通などの)渋滞.
em·bo·te·llar [emboteʎár エンボテリャル] 動他 **1** 瓶詰めにする.
2 (交通を)渋滞させる.
em·bo·zar [emboθár エンボサル] [39 z → c] 動他 (マントなどで顔の下半分を)隠す; 覆い隠す.
—— **em·bo·zar·*se*** 顔を覆い隠す.
em·bo·zo [embóθo エンボソ] 名男
1 (マントなどの)顔の下半分を隠す部分.
2 (シーツの)折り返し.
hablar con embozo 《口語》(わざと)曖昧(あいまい)な話し方をする, 言葉を濁す.
em·bra·gar [embraɣár エンブラガル] [32 g → gu] 動自 〘車〙クラッチをつなぐ.
em·bra·gue [embráɣe エンブラゲ] 名男 〘車〙クラッチ.
em·bra·ve·cer [embraβeθér エンブラベセル] 40 動他 狂暴にさせる.
—— **em·bra·ve·cer·*se*** **1** 狂暴になる.
2 (海が)荒れ狂う.
em·bria·gar [embrjaɣár エンブリアガル] [32 g → gu] 動他 酔わせる; うっとりさせる.
—— **em·bria·gar·*se*** 酔っぱらう (= emborracharse); 《+**de**》(喜び)で我を忘れる. *embriagarse de* orgullo 得意満面である.
em·bria·guez [embrjaɣéθ エンブリアゲす] 名女 [複 embriagueces] 酔い; 有頂天.
em·brión [embrjón エンブリオン] 名男
1 〘生物〙胚(はい); 胎児. **2** 初期, 萌芽(ほうが). estar en *embrión* 初期の段階である.
em·brio·na·rio, ria [embrjonárjo, rja エンブリオナリオ, リア] 形 初期の; 胚(はい)の, 胎児の.
em·bro·llar [embroʎár エンブロリャル] 動他 (糸を)もつれさせる; 紛糾させる.
—— **em·bro·llar·*se*** 混乱する, こんがらかる.
em·bro·llo [embróʎo エンブロリョ] 名男
1 もつれ; 混乱, 紛糾.
2 うそ, でっちあげ (= embuste).
em·bro·mar [embromár エンブロマル] 動他 **1** からかう, かつぐ.
2 《ラ米》困らせる, うんざりさせる.
em·bru·jar [embruxár エンブルハル] 動他 魅了する, うっとりさせる; …に魔法をかける.
em·bru·te·cer [embruteθér エンブルテセル] 40 動他 **1** 粗暴にする. **2** (感覚・思考を)鈍らせる, 麻痺(まひ)させる.
—— **em·bru·te·cer·*se*** **1** 粗暴になる.
2 麻痺する, ぼうっとする.
em·bru·te·ci·mien·to [embruteθimjénto エンブルテシミエント] 名男 **1** 粗暴(化).
2 鈍化, 麻痺(まひ).
em·bu·cha·do [embutʃáðo エンブチャド] 名男 **1** 腸詰め, ソーセージ (= embutido).
2 〘演劇〙アドリブを入れること (= morcilla). **3** 不正投票.
em·bu·char [embutʃár エンブチャル] 動他
1 腸詰めにする.
2 《口語》大急ぎで食べる, 丸飲みにする.
em·bu·do [embúðo エンブド] 名男 じょうご, 漏斗.
em·bus·te [embúste エンブステ] 名男 うそ, ごまかし. meter *embustes* 《口語》うそをつく.
em·bus·te·ro, ra [embustéro, ra エンブステロ, ラ] 名男女 うそつき, ぺてん師.
—— 形 うその; うそつきの.
em·bu·ti·do [embutíðo エンブティド] 名男 腸詰め, ソーセージ.
em·bu·tir [embutír エンブティル] 動他
1 腸詰め[ソーセージ]を作る.
2 《口語》大急ぎで食べる, 丸飲みにする. ► embutirse でも用いられる.
e·me [éme エメ] 名女 アルファベットの m の文字[音].
e·mer·gen·cia [emerxénθja エメルヘンしア] 名女 **1** 緊急事態, 突発事件. en caso de *emergencia* 緊急の際には, 非常の場合には. salida de *emergencia* 非常口.
2 浮上; 出現. *emergencia* del submarino 潜水艦の浮上.
e·mer·ger [emerxér エメルヘル] [11 g → j] 動自 水面に現れる; 浮上する.
e·mé·ri·to, ta [emérito, ta エメリト, タ] 形 名誉待遇の. profesor *emérito* 名誉教授.
e·mi·gra·ción [emiɣraθjón エミグラしオン] 名女 **1** 移住, 出稼ぎ; 《集合》移民 (↔ inmigración).
2 (動物の)移動, 渡り, 回遊.
e·mi·gra·do, da [emiɣráðo, ða エミグラド, ダ] 名男女 移住者; (政治)亡命者 (= exiliado).
—— 過分 形 移住した.
e·mi·gran·te [emiɣránte エミグランテ] 名男女 移住者, 出稼ぎ者 (↔ inmigrante).
—— 形 (国外へ)移住する; (動物が)移動する, (鳥が)渡りの, (魚が)回遊の.
e·mi·grar [emiɣrár エミグラル] 動自 **1** 移住する, 出稼ぎに行く (↔ inmigrar). *emigrar* al Perú ペルーへ移住する.
2 (動物が)移動する, 渡る, 回遊する.
E·mi·lia [emílja エミリア] 固名 エミリア: 女性の名.
e·mi·nen·cia [eminénθja エミネンしア] 名女 **1** 卓越, 秀逸. **2** 丘, 小高い所. **3** 《枢機卿(けい)などに対する尊称》猊下(げいか). Su *Eminencia* 枢機卿猊下. **4** 傑出した人.
e·mi·nen·te [eminénte エミネンテ] 形
1 優れた, 著名な. **2** (場所が)高い.
e·mi·nen·te·men·te [eminéntemẽnte エミネンテメンテ] 副 とりわけ, 優れて.
e·mir [emír エミル] 名男 アミール. (1)イスラム教国の首長. (2)マホメットの子孫の尊称.
e·mi·ra·to [emiráto エミラト] 名男 首長国 (→ árabe); アミールの地位.
e·mi·sa·rio, ria [emisárjo, rja エミサリオ,

E

リア] 名男女 使者, 密使.

e·mi·sión [emisjón エミシオン] 名女
1 放送; 放送番組. *emisión* en directo 生中継[放送]. *emisión* por satélite 衛星中継[放送]. *emisión* de la tarde 昼の放送. **2** (紙幣・証券などの) 発行, 発券.
3 発散, 放射, 放出.

e·mi·sor, so·ra [emisór, sóra エミソル, ソラ] 名女 放送局 (= estación *emisora*).
── 名男 **1** 送信機. *emisor* receptor トランシーバー. **2** 発行人.
── 形 **1** 放送する. **2** 発行する.

e·mi·tir [emitír エミティル] 動他 **1** 放送する. *emitir* un programa de música 音楽番組を放送する. **2** (光・熱・香り・音などを) 発する, 放出する. **3** (考えなどを) 述べる. *emitir* opiniones 意見を述べる.
4 発行する, 振り出す. *emitir* bonos del Estado 国債を発行する.

E

e·mo·ción [emoθjón エモしオン] 名女 [複 emociones] 〔英 emotion〕(喜怒哀楽の強い) **感情**; **感動**, 感激. reprimir la *emoción* 感情を押さえる. esperar con *emoción* わくわくして待つ. llorar de *emoción* 感きわまって泣く.

e·mo·cio·nal [emoθjonál エモしオナる] 形 感情の, 情緒の.

e·mo·cio·nan·te [emoθjonánte エモしオナンテ] 形 感動的な.

e·mo·cio·nar [emoθjonár エモしオナル] 動他 感動させる. Me *han emocionado* tus pruebas de amistad. 君が見せてくれた友情の証(あか)に僕は感激したよ.
── **e·mo·cio·nar·se** 〔英 to be moved〕《+ **de, por**》…に感動する. *Se emocionó de* alegría. 彼は大喜びした. *Me emocioné por* la victoria. 私は勝利に興奮した.

e·mo·lu·men·to [emoluménto エモるメント] 名男 報酬, 謝礼.

e·mo·ti·có·n [emotikón エモティコン] 名男 〘インターネット〙 スマイリー: 電子メールなどで使用される顔表情マーク. emotico(no) 男, expreicono 男, emoglifo 男 とも綴る.

e·mo·ti·vi·dad [emotiβiðáð エモティビダ(ドゥ)] 名女 感情性, 興奮性.

e·mo·ti·vo, va [emotíβo, βa エモティボ, バ] 形 感動的な; 感受性の強い, 情にもろい.

em·pa·char [empatʃár エンパチャル] 動他 …に消化不良を起こさせる; うんざりさせる; 困惑させる.
── **em·pa·char·se** 《+ **con, de, por**》…にうんざりする.

em·pa·cho [empátʃo エンパチョ] 名男 消化不良; 当惑, 恥ずかしさ.

em·pa·dro·na·mien·to [empaðronamjénto エンパドゥロナミエント] 名男 住民登録; 人口調査.

em·pa·dro·nar [empaðronár エンパドゥロナル] 動他 住民登録簿[選挙人名簿]に登録する.

em·pa·la·gar [empalaɣár エンパらガル] [32 g → gu] 動他 うんざり[げんなり]させる.
── **em·pa·la·gar·se** 食傷する, うんざりする.

em·pa·la·go [empaláɣo エンパらゴ] 名男 食傷, 辟易(へきえき).

em·pa·la·go·so, sa [empalaɣóso, sa エンパらゴソ, サ] 形 うんざりする; 甘ったるい.

em·pa·li·za·da [empaliθáða エンパりさダ] 名女 柵(さく), 囲い.

em·pal·mar [empalmár エンパるマル] 動他 連結する.
── 動自 《+ **con**》…につながる; (列車・バスが) …と接続する. 連絡する.

em·pal·me [empálme エンパるメ] 名男 接合箇所, 継ぎ目; (列車・バスの) 接続; 連絡駅.

em·pa·na·da [empanáða エンパナダ] 名女 〘料理〙 エンパナダ: 肉, 野菜, 魚貝などを詰めたパイ.

em·pa·na·di·lla [empanaðíʎa エンパナディりャ] 名女 〘料理〙 エンパナディジャ: 挽(ひ)き肉, 魚などをパイ皮に包んで揚げたもの.

em·pa·nar [empanár エンパナル] 動他 …にパン粉をまぶす; (具を) パン生地で包む.

em·pan·ta·nar [empantanár エンパンタナル] 動他 **1** 水浸しにする.
2 行き詰まらせる.

em·pa·ñar [empaɲár エンパニャル] 動他 曇らせる; (名誉などを) 汚す.
── **em·pa·ñar·se** (ガラス・眼鏡などが) 曇る. *Se* me *han empañado* las gafas. 私の眼鏡がくもってしまった.

em·pa·par [empapár エンパパル] 動他 浸す. *empapar* una esponja en agua スポンジにたっぷり水を含ませる. *empapar* el agua con un trapo 雑巾で水を吸い取る.
── **em·pa·par·se** **1** ずぶぬれになる.
2 《+ **de**》…を一杯に含む. El vaso se cayó y el mantel *se empapó de* vino. テーブルクロスはこぼれたぶどう酒を吸い取った.
3 《+ **de, en**》(思想など) に染まる.

em·pa·pe·la·do [empapeláðo エンパペらド] 名男 壁紙; 壁紙張り.

em·pa·pe·lar [empapelár エンパペらル] 動他 **1** …に壁紙を張る. **2** 《口語》起訴する.

em·pa·que [empáke エンパケ] 名男
1 《口語》態度, 振る舞い.
2 荷造り, 包装 (材料).

em·pa·que·tar [empaketár エンパケタル] 動他 荷造りする; 《+ **en**》…に詰める.

em·pa·re·da·do, da [empareðáðo, ða エンパレダド, ダ] 過分 形 閉じ込められた.
── 名男女 幽閉された人.
── 名男 サンドイッチ.

em·pa·re·dar [empareðár エンパレダル] 動他 閉じ込める, 幽閉する.

em·pa·re·ja·mien·to [emparexamjénto エンパレハミエント] 名男 **1** 対[組]にする[なる]こと.

2 高さをそろえること，ならすこと．

em·pa·re·jar [emparexár エンパレハル] 動他 **1** 対にする，ペアにする．
2 …の高さをそろえる，ならす．
── 動自《+**con**》**1** …と対になる．
2 …と調和する，マッチする．
3 …に並ぶ，追いつく．
── **em·pa·re·jar·*se*** **1** 対になる；ペアになる． **2**《+**con**》…と並ぶ，対等[同等]になる．

em·pa·ren·tar [emparentár エンパレンタル] [42 e → ie] 動自《+**con**》…と姻戚(いんせき)関係になる．
── 動他 関連づける．

em·pa·rra·do [empar̄áðo エンパラド] 名男 (棚にはわせた) つる；つる棚．

em·pas·tar [empastár エンパスタル] 動他 (虫歯に) 詰め物をする，充塡(じゅうてん)する．

em·pas·te [empáste エンパステ] 名男 (虫歯の) 充塡(じゅうてん)(材)．

em·pa·tar(·*se*) [empatár(se) エンパタル(セ)] 動自 同点になる．*empatar* a dos 2対2の同点で引き分ける．estar *empatados* 互角である．

em·pa·te [empáte エンパテ] 名男 同点，引き分け．

em·pa·ve·sar [empaβesár エンパベサル] 動他 (街路を) 旗などで飾る，(船に) 満艦飾を施す．

empec- 動 → empezar. [39 z → c ; 42 e → ie]

em·pe·ci·na·do, da [empeθináðo, ða エンペシナド，ダ] 過分形 頑固な，強情な．

em·pe·ci·nar·*se* [empeθinárse エンペシナルセ] 動《+**en**》…に固執する，…しようと強情を張る．

em·pe·der·ni·do, da [empeðerníðo, ða エンペデルニド，ダ] 形 根強い，常習的な．fumador *empedernido* ヘビースモーカー．

em·pe·dra·do, da [empeðráðo, ða エンペドゥラド，ダ] 過分形 敷石で舗装した．
── 名男 石畳み；舗石工事．

em·pe·drar [empeðrár エンペドゥラル] [42 e → ie] 動他 砂利[小石]を敷く，舗装する．

em·pei·ne [empéine エンペイネ] 名男 足の甲；靴の甲．

em·pe·llón [empeʎón エンペリョン] 名男 体当たり．dar *empellones* 体でぐいぐい押す．
a empellones ぐいぐい押して，乱暴に．hablar *a empellones* まくしたてる．

em·pe·ñar [empeɲár エンペニャル] 動他
1 担保に入れる；抵当にする．*empeñar* sus joyas 宝石を質に入れる．
2 言質として与える；約束する．*empeñar* su palabra [la fe] 天地神明にかけて誓う．
── **em·pe·ñar·*se*** **1**《+**en**》…に固執する；…しようと努力する．*Se empeñó en* marcharse. 彼は帰ると言ってきかなかった．
2 借金をする．*empeñarse* en tres mil pesos 3000ペソ借金する．*empeñarse* con《+uno》〈人〉に借金する．*empeñarse* por un gasto 出費を賄うために借金をする．
empeñar hasta la camisa《口語》借金で首が回らない．

em·pe·ño [empéɲo エンペニョ] 名男
1 担保，抵当．en *empeño* 抵当として．
2 切望，熱心；熱意，根気．con *empeño* 熱心に，根気よく．poner [tomar] *empeño* en《+不定詞》…するように努力を払う．
3 目的，意図．

em·pe·o·ra·mien·to [empeoramjénto エンペオラミエント] 名男 悪化，劣化．

em·pe·o·rar [empeorár エンペオラル] 動他 悪化させる．
── 動自 **em·pe·o·rar·*se*** 悪くなる，悪化する．

em·pe·que·ñe·cer [empekeɲeθér エンペケニェセル] 40 動他 小さくする；見劣りさせる．

em·pe·ra·dor [emperaðór エンペラドル] 名男 [複 ～es]〔英 emperor〕**皇帝**，帝王，天皇 (↔ emperatriz).

em·pe·ra·triz [emperatríθ エンペラトゥリス] 名女 [複 emperatrices]〔英 empress〕**女帝**，皇后 (↔ emperador).

em·pe·re·zar [empereθár エンペレサル] [39 z → c] 動他 延ばす，遅らせる．
── 動自 **em·pe·re·zar·*se*** 怠ける．

em·pe·ro [empero エンペロ] 接続《文語》しかし，だが；とはいえ，にもかかわらず．

em·pe·rrar·*se* [emper̄árse エンペラルセ] 動《口語》《+**en**》…と言い張る；《+**con**》…に凝る．

empezado, da 過分 → empezar.
empezando 現分 → empezar.

em·pe·zar

[empeθár エンペサル] [39 z → c ; 42 e → ie] 動自 [現分 empezando; 過分 empezado, da]〔英 begin〕

直説法 現在	
1·単 *empiezo*	1·複 **empezamos**
2·単 *empiezas*	2·複 **empezáis**
3·単 *empieza*	3·複 *empiezan*

1 始まる (= comenzar) (↔ acabar, terminar). La clase *empieza* a las nueve [en abril]. 授業は9時[4月]から始まる．
2《+**a** 不定詞》**…し始める**；《+**por** 不定詞》…することから始める．De repente *empezó a* hablar. 彼は突然話し始めた．*Ha empezado a* llover. 雨が降り始めた．*Empezó por* presentar sus excusas. 彼はまず最初に言い訳をした．
── 動他 **始める**．*Empezamos* la clase a las nueve. 私たちは9時に授業を開始する．*Empezó* un nuevo libro. 彼は新しい本を読み[書き]始めた．

empezar con [por, desde] ... …から始まる[始める]. *Hemos empezado con* nada [*desde* cero]. 我々はゼロから出発した. Hay que *empezar por* el principio. 最初から始めなければならない.
para empezar そもそも, まず初めに (= en primer lugar).

empiec- / empiez- 動 → empezar. [39 e → ie ; 42 z → c]

em·pi·na·do, da [empináðo, ða エンピナド, ダ] 過分 形 **1** 急な, 険しい.
2 そびえ立った; 高い場所にある.

em·pi·nar [empinár エンピナル] 動 他 **1** まっすぐに立てる. **2** 《口語》らっぱ飲みにする.
— **em·pi·nar·*se*** **1** つま先立ちする; (動物が) 後ろ脚で立つ. **2** そびえ立つ; 〘航空〙急上昇する.
empinar el codo / empinarla 《口語》大酒を飲む.

em·pin·go·ro·tar [empiŋgorotár エンピンゴロタル] 動 他 出世させる.
— **em·pin·go·ro·tar·*se*** 出世する; 思い上がる.

em·pí·ri·co, ca [empíriko, ka エンピリコ, カ] 形 経験的な; 経験主義の, 経験論派の.
— 名 男 女 経験主義者, 経験論者.

em·pi·ris·mo [empirísmo エンピリスモ] 名 男 経験主義; 〘哲〙経験論.

em·pi·to·nar [empitonár エンピトナル] 動 他 〘闘牛〙(牛が闘牛士を) 角で突く.

em·plas·to [emplásto エンプラスト] 名 男 **1** 膏薬(こうやく), 硬膏. **2** 《口語》一時しのぎの措置. **3** 病弱な人.

em·pla·za·mien·to [emplaθamjénto エンプらさミエント] 名 男 **1** 〘法律〙召喚; 呼び出し. **2** (建物などの) 配置.

em·pla·zar [emplaθár エンプらさル] [39 z → c] 動 他 **1** 〘法律〙(被告・証人を) 召喚する; 呼び出す.
2 (建物などを) 配置する.

em·ple·a·do, da [empleáðo, ða エンプれアド, ダ] 名 男 女 [複 ~s] 〔英 employee〕 **従業員, 職員** *empleado* de banco [de una empresa] 銀行員[会社員]. *empleado* de una tienda 店員 (= dependiente).

> **【参 考】** **empleado** は広い意味での従業員, 職員, **funcionario** は公務員, **obrero** は工場労働者, 肉体労働者, **oficinista** は事務員, ホワイトカラーのサラリーマン.

— 過分 → emplear.

empleando 現分 → emplear.

em·ple·ar [empleár エンプれアル] 動 他 [現分 empleando; 過分 empleado, da] 〔英 use; employ〕
1 用いる, 使用する (= usar, utilizar). *emplear* el ascensor para subir al quinto piso 6階へエレベーターで行く (→ piso). No debes *emplear* palabras feas. 下品な言葉を使うな. *emplear* una táctica 策略を使う.
2 雇う. La han *empleado* de [como] secretaria en una oficina. 彼女はある会社に秘書として雇われた.
3 費やす; 投資する. *emplear* mal el tiempo 時間を空費する. *emplear* mil pesetas en libros 書物に1000ペセタ使う.
dar por bien *empleado* (労力・金など) 払った結果に満足する.
estar bien empleado 当然だ.

em·ple·o [empléo エンプれオ] 名 男 [複 ~s] 〔英 employment〕 **1 職**; 雇用. tener un buen *empleo* いい職に就いている. buscar un *empleo* 職を探す. estar sin *empleo* 失職している.
2 使用; 用い方. hacer buen *empleo* de su tiempo 時間を有効に使う. el *empleo* de una palabra ある単語の用法.
— 動 → emplear.

em·plo·mar [emplomár エンプろマル] 動 他 …に鉛をかぶせる; 鉛で封印する. *emplomar* las vidrieras (ステンドグラスなどで) ガラスを鉛枠でつなぐ.

em·po·bre·cer [empoβreθér エンポブレセル] 40 動 他 貧しくする; 貧弱にさせる.

em·po·bre·ci·mien·to [empoβreθimjénto エンポブレしミエント] 名 男 貧困 (化); 衰退.

em·po·llar [empoʎár エンポリャル] 動 自 他 **1** (親鳥が卵を) 抱く, 孵(かえ)す.
2 《口語》詰め込み勉強をする.

em·po·llón, llo·na [empoʎón, ʎóna エンポリョン, リョナ] 形 《口語》がり勉の.
— 名 男 女 《口語》がり勉屋.

em·pol·var [empolβár エンポるバル] 動 他 ほこりまみれにする.
— **em·pol·var·*se*** (顔に) おしろいをはたく.

em·pon·zo·ñar [emponθoɲár エンポンそニャル] 動 他 **1** …に毒を入れる. **2** 損なう.

em·por·car [emporkár エンポルカル] [8 c → qu ; 13 o → ue] 動 他 汚す; 汚物で汚す.

em·po·rio [empórjo エンポリオ] 名 男 貿易の中心, 交易地; (芸術・文化の) 中心地.

em·po·tra·do, da [empotráðo, ða エンポトゥラド, ダ] 過分 形 (壁・床に) 埋め込んだ, はめ込み式の, 作り付けの. armario *empotrado* 作り付けの洋服箪笥(だんす).

em·po·trar [empotrár エンポトゥラル] 動 他 埋め込む, はめ込む.

em·pren·de·dor, do·ra [emprendeðór, ðóra エンプレンデドル, ドラ] 形 積極的な, 進取の.
— 名 男 女 **1** 事業[企業]家.
2 積極的な人.

em·pren·der [emprendér エンプレンデル] 動 他 企てる, 着手する, 取りかかる. *Hemos* *emprendido* un negocio muy difícil. 我々はとても難しい仕事に取りかかった. *emprender* el viaje 旅に出る. *emprender* el vuelo 飛び立つ. *emprender* la retirada 退却する, 撤収する.

emprenderla con 《+uno》《口語》〈人〉とけんかを始める,…に食ってかかる.

em·pre·sa [empresa エンプレサ] 名女 [複 ~s]〔英 enterprise〕 **1 企業, 会社**. trabajar en una *empresa* privada 民間企業で働く. *empresa* multinacional 多国籍企業.
2 企て, 事業. acometer una *empresa* difícil 困難な事業に取り組む.

em·pre·sa·ria·do [empresarjáðo エンプレサリアド] 名男《集合》雇用者, 経営陣; 企業家集団.

em·pre·sa·rial [empresarjál エンプレサリアる] 形 経営の, 企業の; 経営者の.

em·pre·sa·rio, ria [empresárjo, rja エンプレサリオ, リア] 名男女 企業主, 事業者; 興行主.

em·prés·ti·to [empréstito エンプレスティト] 名男 貸し付け, 貸付金; 公債.

empujado, da 過分 → empujar.

empujando 現分 → empujar.

em·pu·jar [empuxár エンプハル] 動 他 [現分 empujando; 過分 empujado, da]〔英 push〕
1 押す, 押しやる; 突く. *empujar* el coche [la puerta] 車[ドア]を押す.
2 駆りたてる, 促す, 圧力をかける. La necesidad le *empujará* a buscar trabajo. 困れば彼も仕事を探すだろう.

em·pu·je [empúxe エンプへ] 名男 押すこと; 頑張り.

—— 動 → empujar.

em·pu·jón [empuxón エンプホン] 名男 [複 empujones]〔英 push〕
1 押すこと, 突くこと. dar un *empujón* a 《+uno》〈人〉を突き飛ばす.
2 進捗(しんちょく); ひと押し. dar un *empujón* a 《+algo》〈何か〉を推し進める.
a empujones (1) 押しのけて; 荒々しく. abrirse paso *a empujones* 押しのけて道を開く. (2) 間を置いて, 断続的に.

em·pu·ña·du·ra [empuɲaðúra エンプニャドゥラ] 名女 (刀・剣の) つか; (傘・杖(つえ)などの) 柄, 握り.

em·pu·ñar [empuɲár エンプニャル] 動 他 握る, つかむ; (職・地位を) 得る. *empuñar* una arma 武器を取る.

é·mu·lo, la [émulo, la エムろ, ら] 形《+de》…に負けまいとする, 張り合う.
—— 名男女 競争相手, ライバル.

e·mul·sión [emulsjón エムるシオン] 名女〘化〙乳液, 乳剤;〘写真〙感光乳剤.

en [en エン] 前〔英 in, on, at〕
1《場所を表して》**…の中に; …で, …に; …の上に**, …の表に. Nació *en* España. 彼はスペインで生まれた. ¿*En* qué calle vives? 君の住んでいる通りの名前は? Nos esperaban *en* la estación. 彼らは我々を駅で待っていた. Nadamos *en* el río. 我々は川で泳いだ. Había mucha gente *en* la plaza. 広場に大勢人がいた. Se sentó *en* el sofá. 彼はソファーに座った. Entró *en* la habitación. 彼は部屋に入った.
2《時間を表して》(1)《年・月・時代・季節・時点を表して》**…に**. *en* 1993 1993年に. *en*

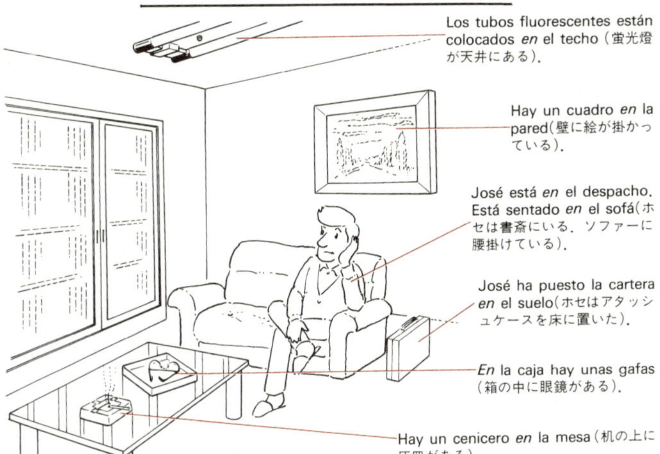

Los tubos fluorescentes están colocados *en* el techo (蛍光燈が天井にある).
Hay un cuadro *en* la pared(壁に絵が掛かっている).
José está *en* el despacho. Está sentado *en* el sofá(ホセは書斎にいる. ソファーに腰掛けている).
José ha puesto la cartera *en* el suelo(ホセはアタッシュケースを床に置いた).
En la caja hay unas gafas (箱の中に眼鏡がある).
Hay un cenicero *en* la mesa (机の上に灰皿がある).

場所を表す **en**

E

abril 4月に. *en* el siglo XX 20世紀に. *en* la época de Felipe II フェリペ2世の時代に. *en* (la) primavera 春に. *en* las vacaciones de verano 夏休みに. *en* ese momento その時. *en* el futuro 将来.
(2)…(以内)で. Tenemos que acabar esto *en* una semana [tres días]. 我々はこれを1週間[3日]で仕上げなければならない.
(3)…たったら(= dentro de). *En* un par de años la situación habrá cambiado. 2, 3年もすれば状況はすっかり変わるだろう.
3《乗り物を表して》…で. viajar *en* avión [tren] 飛行機[電車]で旅行する. subir *en* ascensor エレベーターで上がる.
4《手段・方法・様式を表して》…で. hablar *en* español スペイン語で話す. pagar *en* efectivo キャッシュで払う. No habléis *en* voz alta. 静粛に!
5《状況・状態を表して》cruzar la calle con el semáforo (*en*) rojo 赤信号で通りを渡る. encontrarse *en* una situación difícil 困難な情況にある.
6《範囲・分野・数量・価格を表して》especialista *en* electrónica [automóviles] 電子工学[自動車]の専門家. aumentar *en* número [*en* un diez por ciento] 数が増える[10パーセント増える]. Me han dejado esta moto *en* seiscientas mil pesetas. 私はこのオートバイを60万ペセタで譲ってもらった.
7《変化を表して》…に. Han convertido la sala de estar *en* comedor. 彼らは居間を食堂に変えた.
8《+現在分詞》…すると(すぐ). (*En*) diciendo esto, se marchó. 彼はこう言って出て行った.

en- / em-《接頭》「中」の意を表す. ⇀ *en*cubrir, *en*volver など. 名詞・形容詞について他動詞化する. ⇀ *em*borrachar, *en*cajonar など.

e·na·gua [enáɣwa エナグア] 名女 [普通 ~s] ペチコート, アンダースカート; シュミーズ.

e·na·je·na·ción [enaxenaθjón エナヘナしオン] 名女 **1** 譲渡. **2** 錯乱, 発狂. *enajenación* mental 精神異常.

e·na·je·nar [enaxenár エナヘナル] 動他
1 (財産・権利を)譲渡する. **2** 逆上させる; 夢中にさせる. **3** (同情・友情を)失わせる.
— **e·na·je·nar·se** **1** 逆上する, 放心する. **2** 酔いしれる; 夢中になる.
3《+de》…と疎遠になる; 失う.

e·nal·te·cer [enalteθér エナるテせル] 40 動他 …の品位を高める; 称揚する, 賞賛する.

e·nal·te·ci·mien·to [enalteθimjénto エナるテしミエント] 名男 名声[評判]を上げること; 称揚, 賞賛.

e·na·mo·ra·di·zo, za [enamoraðíθo, θa エナモラディそ, さ] 形 惚(ほ)れっぽい, 気の多い.

e·na·mo·ra·do, da [enamoráðo, ða エナモラド, ダ] 過分 形《+de》
1 …に恋した, 惚(ほ)れた. Está perdidamente *enamorado de* ella. 彼は彼女にぞっこん惚れている.
2 …を愛好する, …に夢中の.
— 名男女 **1** 恋人. una pareja de *enamorados* 愛し合っているふたり. **2**《+de》…の愛好者(= aficionado). Es un *enamorado de* Bach. 彼はバッハのファンだ.

e·na·mo·rar [enamorár エナモラル] 動他
1 …の心をとらえる, …に恋心を抱かせる.
2 …に求愛する, 言い寄る(= cortejar).
— **e·na·mo·rar·se** 〔英 fall in love〕《+de》**1** …と恋に落ちる, …に惚(ほ)れる. *Se enamora de* la primera que encuentra. 彼は女性なら相手かまわず熱を上げる.
2 …が好きになる, …に熱中する.

e·na·no, na [enáno, na エナノ, ナ] 形 背のひどく低い, 小人の; (動・植物が) 矮性(わいせい)の. — 名男女 小人.

e·nar·bo·lar [enarβolár エナルボらル] 動他 **1** (旗などを)高くかざす. *enarbolar* un bastón ステッキを振りかざす.
2 口実[言いがかり]の手だてとする. *enarbolar* SU condición de diplomático 外交官の身分を振りかざす.

e·nar·car [enarkár エナルカル] [8 c → qu] 動他 弓なりにする; (まゆを) つり上げる.

e·nar·de·cer [enarðeθér エナルデせル] 40 動他 熱狂させる, 奮い立たせる.
— **e·nar·de·cer·se** **1** 熱狂する, 興奮する. **2**〔医〕炎症を起こす.

en·ca·be·za·mien·to [eŋkaβeθamjénto エンカベさミエント] 名女 見出し; 前文, 書き出し.

en·ca·be·zar [eŋkaβeθár エンカベさル] [39 z → c] 動他 **1** (名前が名簿などの)筆頭にくる. **2** …の先頭に立つ, 率いる.
3《+con》(文章を)…で書き出す.

en·ca·bri·tar·se [eŋkaβritárse エンカブリタルセ] 動 **1** (馬が) 竿(さお)立ちになる.
2《俗語》怒る.

en·ca·de·na·mien·to [eŋkaðenamjénto エンカデナミエント] 名男 連鎖, つながり.

en·ca·de·nar [eŋkaðenár エンカデナル] 動他 **1** 束縛する; 鎖でつなぐ.
2 (事実・資料を)結びつける, 関連させる.

en·ca·jar [eŋkaxár エンカハル] 動他
1 はめる, はめ込む.
2《口語》(一撃を)食らわす.
3《口語》無理に聞かせる; (合わない服を) 無理に着せる; (偽物などを)つかませる.
4《口語》耐え忍ぶ, 甘んじて受ける.
— 動自 **1** ぴったり合う, はまる.
2《+con, en》…と一致する, 符合する, あてはまる, 適合する. Pedro no *encaja en* el grupo de mis amigos. ペドロは私の仲間に溶け込めない.

en·ca·je [eŋkáxe エンカヘ] 名男 **1** レース, レース編み. una blusa de *encaje* レースのブラウス.
2 挿入, はめ込み; 結合, 接合.

en·ca·jo·nar [eŋkaxonár エンカホナル] 動他 (狭い場所に) 押し込む.
── **en·ca·jo·nar·*se*** ぎゅうぎゅう詰めになる.

en·ca·lar [eŋkalár エンカラル] 動他 (石灰・しっくいで) 白く塗る.

en·ca·llar(·*se*) [eŋkaʎár(se) エンカリャル(セ)] 動自 〔海事〕座礁する.

en·ca·mi·nar [eŋkaminár エンカミナル] 動他 **1** 《+**a, hacia**》…に向かわせる, 差し向ける. **2** 導く, 指導する. *encaminar* a 《+uno》 por el buen camino 〈人〉を正しい道に導く.
── **en·ca·mi·nar·*se*** 《+**a, hacia**》 …に向かって進む; …を意図する.

en·ca·ne·cer(·*se*) [eŋkaneθér(se) エンカネセル(セ)] 40動自 **1** (髪が) 白くなる.
2 老ける, 老け込む.

en·can·ta·do, da [eŋkantáðo, ða エンカンタド, ダ] 過分 ➡ encantar.
── 形 [複 ～s] 〔英 delighted〕 **1 喜んでいる**, 満足した. *Encantado* (de conocerle). 《挨拶》**初めまして**.
2 ぼんやりした, ぼうっとした. Se quedó mirándola como *encantado*. 彼はぼうっとして彼女を眺めていた.
3 《口語》(建物が) 人気のない, 妖怪(ようかい)が出そうな. casa *encantada* お化けでも出そうな家.

en·can·ta·dor, do·ra [eŋkantaðór, ðóra エンカンタドル, ドラ] 形 魅力[魅惑]的な, すばらしい. una muchacha *encantadora* かわいい女の子. una voz *encantadora* うっとりするような声.
── 名男女 魔法使い, 魔術師.

en·can·ta·mien·to [eŋkantamjénto エンカンタミエント] 名男 **1** 魔法にかけること; 魔法. **2** 魅惑, 魅了.

en·can·tar [eŋkantár エンカンタル] 動自 〔英 delight, charm〕 《口語》**…が大好きである**. Me *encanta* el tango argentino. 私はアルゼンチンタンゴが大好きです. A mi abuela le *encanta* vivir en el campo. 祖母は田舎で暮らすのが大好きだ.
── 動他 **1 魅了する**, うっとりさせる. La *encantó* la voz del tenor. 彼女はテノールの声にうっとりした.
2 …に魔法をかける (= hechizar). La bruja lo *encantó* con sus hechizos. 彼は彼女の魔法にかかった.

en·can·to [eŋkánto エンカント] 名男 **1** 魅惑, 魅力. Ella tiene mucho *encanto*. 彼女はとても魅力的だ. el *encanto* de una puesta de sol 落日のすばらしさ.
2 魔法. como por *encanto* 魔法のように.
3 《呼びかけ》お前, 君.
── 動 ➡ encantar.

en·ca·ña·do [eŋkaɲáðo エンカニャド] 名男 **1** 水道管; 配管. **2** 格子.

en·ca·ñar [eŋkaɲár エンカニャル] 動他
1 (水を) 管で通す.
2 (植物に) 添え木をする.

en·ca·ño·nar [eŋkaɲonár エンカニョナル] 動他 (銃で) ねらう.

en·ca·po·tar·*se* [eŋkapotárse エンカポタルセ] 動 曇りだす, 雲行きが怪しくなる.
► 3人称単数のみで活用.

en·ca·pri·char·*se* [eŋkapritʃárse エンカプリチャルセ] 動 **1** 《+**con**》…に固執する, 執心する; 《+**de**》…を欲しがる, …に夢中になる.
2 《口語》《+**con, de**》…にのぼせあがる (= enamorarse).

en·ca·ra·mar [eŋkaramár エンカラマル] 動他 高く上げる; 昇進[昇格]させる.
── **en·ca·ra·mar·*se*** **1** 登る, 上がる. *encaramarse* a [en] un árbol 木によじ登る. **2** 昇進[昇格]する.

en·ca·rar [eŋkarár エンカラル] 動他 …に直面する, 立ち向かう, 挑む.
── **en·ca·rar·*se*** 《+**con, a**》…に反抗する, 刃向かう; …に直面する, 立ち向かう.

en·car·ce·la·mien·to [eŋkarθelamjénto エンカルセラミエント] 名男 投獄.

en·car·ce·lar [eŋkarθelár エンカルセラル] 動他 投獄する.

en·ca·re·cer [eŋkareθér エンカレセル] 40 動他 **1** 値上げする.
2 絶賛する, 褒めそやす; 大げさに言う.
3 力説する, 熱心に勧める.

en·ca·re·ci·mien·to [eŋkareθimjénto エンカレシミエント] 名男 **1** 値上がり, 高騰.
2 賞賛, 絶賛. **3** 力説. con *encarecimiento* 熱心に; 切に.

en·car·ga·do, da [eŋkarɣáðo, ða エンカルガド, ダ] 過分 形 《+**de**》…の担当の, …を任された. ── 名男女 担当者, 係.

en·car·gar [eŋkarɣár エンカルガル] [32 g ➡ gu] 動他 〔英 entrust〕
1 委任する, 任せる. Me *han encargado* un proyecto. 私は立案を任せられた. Me *han encargado* de las obras de restauración. 私は修復を委せられた. ► しばしば前置詞 de を伴う.
2 依頼する. Le *encargué* que me comprara un disco. 私は彼にレコードを1枚買ってくれるように頼んだ. ►que 以下は接続法になる.
3 注文する. *encargar* un vestido a la modista デザイナーにドレスを注文する.
── **en·car·gar·*se*** **1** 《+**de**》**…を引き受ける**, 担当する. *encargarse de* la venta [*de* vender] 販売担当となる. ¡Ya *me encargaré* yo *de* él! 彼のことは私が引き受けるよ.
2 (自分のために) 注文する. *encargarse* un traje 服をあつらえる.

E

en·car·go [eŋkárɣo エンカルゴ] 名男 **1** 依頼；用事，任務. Tengo algunos *encargos* que hacer. 私はしなければならない用事がある. cumplir un *encargo* 任務を果たす.
2〘商業〙注文，注文品. hacer un *encargo* 注文を出す.
── 動 encargar. [32 g ➡ gu]
de encargo あつらえの. traje *de encargo* あつらえの服. como (hecho) *de encargo* おあつらえ向きな，ぴったりした.

encargue(-) / encargué(-) ➡ encargar. [32 g ➡ gu]

E

en·ca·ri·ñar [eŋkariɲár エンカリニャル] 動 他 いとおしくさせる.
── **en·ca·ri·ñar·se** 《＋**con**》…がいとおしくなる，気に入る.

en·car·na·ción [eŋkarnaθjón エンカルナしオン] 名女 **1** 化身，権化；具現化.
2〘宗教〙(キリストの) 受肉，御托身(たくしん).

en·car·na·do, da [eŋkarnáðo, ða エンカルナド，ダ] 過分 形 **1** 具現化した，化身の.
2 赤い. la cara *encarnada* 紅潮した顔.

en·car·nar [eŋkarnár エンカルナル] 動 他
1 具現する，具体化する；象徴化する.
2 (俳優が) 演じる，扮(ふん)する.
── **en·car·nar·se** 〘宗教〙(神が) 受肉 [化身] する.

en·car·ni·za·do, da [eŋkarniθáðo, ða エンカルニさド，ダ] 過分 形 血なまぐさい，残忍な；激しい.

en·car·ni·zar [eŋkarniθár エンカルニさル] [39 z ➡ c] 動 他 残忍にする，残酷にする.
── **en·car·ni·zar·se** 激しくなる.

en·ca·rri·lar [eŋkar̄ilár エンカリらル] 動 他 軌道に乗せる；順調に運ぶ.

en·car·to·nar [eŋkartonár エンカルトナル] 動 他 厚紙で装丁する；ボール紙で包む.

en·ca·si·llar [eŋkasiʎár エンカシリャル] 動 他 分類する，仕分けする；格付けする.

en·cas·que·tar [eŋkasketár エンカスケタル] 動 他 **1** (帽子を) 深くかぶせる.
2 (考えなどを) 植えつける，吹き込む.
── **en·cas·que·tar·se** **1** (帽子を) 深深とかぶる.
2 (考えが) こびりつく，頭から離れない.

en·cas·ti·llar·se [eŋkastiʎárse エンカスティリャルセ] 動 《＋**en**》…に固執する.

en·cau·zar [eŋkauθár エンカウさル] [39 z ➡ c] 動 他 **1** (水路を) 開く；水路で導く.
2 (良いほうに) 誘導する，導く.

en·ce·fá·li·co, ca [enθefáliko, ka エンせファリコ，カ] 形〘解剖〙脳の，脳髄の.

en·ce·fa·li·tis [enθefalítis エンせファリティス] 名女 [単・複同形]〘医〙脳炎.

en·cé·fa·lo [enθéfalo エンせファろ] 名男〘解剖〙脳，脳髄.

en·ce·fa·lo·gra·ma [enθefaloɣráma エンせファろグラマ] 名男〘医〙脳造影[撮影]図.

en·ce·lar [enθelár エンせらル] 動 他 嫉妬(しっと)させる.
── **en·ce·lar·se** **1** 嫉妬する.
2 発情する，さかりがつく.

en·cen·de·dor, do·ra [enθendeðór, ðóra エンセンデドル，ドラ] 名男 ライター，点火器 (= mechero). *encendedor* de [a] gas ガス・ライター.
── 形 発火する，点火用の.

en·cen·der

[enθendér エンせンデル] [43 e ➡ ie] 動 他 [現 分 encendiendo; 過 分 encendido, da]〔英 light〕

直説法 現在	
1・単 ***enciendo***	1・複 **encendemos**
2・単 ***enciendes***	2・複 **encendéis**
3・単 ***enciende***	3・複 ***encienden***

1 …に火をつける (↔ apagar). *encender* una cerilla マッチを擦る. *encender* el gas ガスをつける. *encender* un cigarrillo タバコに火をつける.
2 …のスイッチを入れる，点灯する (= poner). *encender* la luz 明かりをともす. *encender* la televisión テレビをつける.
3 あおる，かきたてる. *encender* el entusiasmo 興奮[熱狂]させる.
4 赤くする，ほてらせる.
── **en·cen·der·se** **1** 火がつく；燃え上がる；明かりがつく.
2 (顔が) 赤くなる. *encenderse* de ira 怒りで真っ赤になる.

en·cen·di·do, da [enθendíðo, ða エンせンディド，ダ] 過分 ➡ encender.
── 形 **1** 火がついた.
2 スイッチが入った；明かりがついた. La televisión está *encendida*. テレビがついている. **3** 熱くなった；赤くなった. un discurso *encendido* 高揚した演説. mejillas *encendidas* ほてった頬(ほお).
── 名男 点火；点灯；(エンジンの) 点火装置. *encendido* automático 自動点火. punto de *encendido* 発火点.

encendiendo 現分 ➡ encender.

en·ce·ra·do, da [enθeráðo, ða エンせラド，ダ] 過分 形 ワックスを塗った，ワックスがけした.
── 名男 **1** ワックスがけ. **2** 防水布.

en·ce·rar [enθerár エンせラル] 動 他 …にワックスをかける.

en·ce·rrar [enθer̄ár エンせラル] [42 e ➡ ie] 動 他〔英 lock up〕
1 閉じ込める，幽閉[監禁]する；しまい込む. *encerrar* en la cárcel 投獄する. *encerrar* el dinero en la caja fuerte お金を金庫の中にしまい込む.
2 (字句を符号で) 囲む. *Encierre* la frase entre comillas. その語句を引用符でくくりなさい.
3 含む. Sus palabras *encierran* un enigma. 彼の言葉は謎(なぞ)を秘めている.
── **en·ce·rrar·se** 閉じこもる，引きこも

る. *encerrarse* en una habitación 部屋に閉じこもる. *Se encerró* en un convento. 彼は修道院に隠遁(いんとん)した.

en·ces·tar [enθestár エンせスタル] 動自 〘スポーツ〙(バスケットボール)シュートを決める.

en·char·car [entʃarkár エンチャルカル] [8 c → qu] 動他 水浸しにする.
—— **en·char·car·se** 水浸しになる;《+en》…にふける, 溺(おぼ)れる.

en·chi·la·da [entʃiláða エンチラダ] 名女 《ラ米》〘料理〙エンチラーダ: トルティージャに具を入れ, チリソースで味つけしたもの.

en·chu·far [entʃufár エンチュファル] 動他 **1**〘電気〙(プラグを)コンセントに差し込む. **2**《口語》コネを使って入れる[採用する].
—— **en·chu·far·se** 《口語》(コネなどで)いい仕事にありつく.

en·chu·fe [entʃúfe エンチュフェ] 名男 **1**〘電気〙コンセント; 差し込みプラグ. **2**《口語》コネ. tener *enchufe* コネがある. por *enchufe* コネを利かせて.

en·cí·a [enθía エンしア] 名女 〘解剖〙歯茎, 歯肉.

en·cí·cli·co, ca [enθíkliko, ka エンしクリコ, カ] 名女 〘カトリック〙回勅. ◆ローマ教皇が全司教にあてて出すラテン語の書簡.
—— 形 〘カトリック〙(教皇の)回勅の.

en·ci·clo·pe·dia [enθiklopéðja エンしクロペディア] 名女 百科事典, 百科全書. *enciclopedia* ilustrada 図解百科事典. *enciclopedia* viviente 生き字引. → diccionario 【参考】.

en·ci·clo·pé·di·co, ca [enθiklopéðiko, ka エンしクロペディコ, カ] 形 **1** 百科事典の. obras *enciclopédicas* 百科全書. **2** 博学な.

en·ci·clo·pe·dis·ta [enθiklopeðísta エンしクロペディスタ] 名男女 **1** 百科事典執筆者. **2**〘歴史〙(フランスの)百科全書家.

enciend- 動 → encender. [43 e → ie]

encierr- 動 → encerrar. [42 e → ie]

en·cie·rro [enθjéro エンしエロ] 名男 **1** 監禁, 幽閉; 隠遁(いんとん); 独房. **2** (牛・羊を)囲いに入れること; 囲い場. **3**〘闘牛〙エンシエロ. ◆スペインの Pamplona の San Fermín 祭(7月7日)で行われる牛追い.
—— 動 → encerrar. [42 e → ie]

en·ci·ma

[enθíma エンしマ] 副〔英 above〕

1 上に. Nosotros vivimos en el bajo, y *encima* viven unos extranjeros. 私たちは1階に住んでいて, 上の階には外国人が住んでいる. Teníamos *encima* la luna llena. 私たちの頭上に満月が輝いていた. Ponte algo *encima*, que hace frío. 寒いから, 何かを羽織りなさい.
2 身につけて. No llevo ni un céntimo *encima*. 私は一銭の持ち合わせもない.
3 差し迫って. Tenemos *encima* los exámenes. 私たちはもうすぐ試験です.
4 その上, さらに. Hacía frío y *encima* comenzó a nevar. 寒かったし, おまけに雪が降り始めた.

encima de ... (1)…の上に. *Encima de* la mesa hay un cuaderno. 机の上にノートが1冊ある. (2)…に加えて. *Encima de* llegar tarde no haces los deberes. 君は遅刻するだけでなく宿題もやってこない.

estar encima de ... …にうるさく干渉する; …に絶えず注意を払う.

llevar 《+algo》 ***encima*** 〈何か〉を引き受ける. Él *lleva encima* toda la responsabilidad del proyecto. 彼はそのプロジェクトの全責任を負っている.

por encima de ... (1)…の上に[を]. *Por encima de* la montaña se veía la media luna. 山の上に三日月が出ていた. (2)…を超越して; …に逆らって. *por encima de todo* 何にもまして; どんなことがあっても.

y encima ... さらに. No hace nada *y encima* se enfada. 彼は何もしないくせに怒る.

> 【参　考】 かなりの高さがある物の上をさす場合には, **sobre** よりも **encima de** のほうがよく用いられる. ⇒ *encima del* armario タンスの上に. *encima del* tejado 屋根の上に.

en·ci·me·ro, ra [enθiméro, ra エンしメロ, ラ] 形 上の, 上に掛ける.

en·ci·na [enθína エンしナ] 名女 〘植物〙カシ(樫)の類.

en·ci·nar [enθinár エンしナル] 名男 カシ(樫)の林.

en·cin·ta [enθínta エンしンタ] 形 妊娠した, 妊娠中の.

en·ci·za·ñar [enθiθaɲár エンしさニャル] 動他 不和にする, 仲たがいさせる.

en·claus·trar [eŋklaustrár エンクらウストゥラル] 動他 修道院に入れる; 隠す.
—— **en·claus·trar·se** 修道院に入る; 身を隠す.

en·clen·que [eŋkléŋke エンクれンケ] 形 病弱の, 病気がちな. —— 名男女 病弱の人.

en·clí·ti·co, ca [eŋklítiko, ka エンクりティコ, カ] 形 〘言語〙前接的な.
—— 名男 前接語. ►Tráemelo の me, lo のようにアクセントがなく, 直前の語について発音・表記される語.

en·co·ger [eŋkoxér エンコヘル] [11 g → j] 動他 **1** 縮める, 収縮させる. El lavado *encogió* la ropa. 洗濯で服が縮んだ. *encoger* el cuerpo 身を縮める. **2** 萎縮(いしゅく)させる.
—— 動自 (布地が)縮む.
—— **en·co·ger·se** 縮む; 身を縮める; 萎縮する. *encogerse* de frío 寒さで身を縮める. *encogerse* de hombros 肩をすくめる.

en·co·gi·do, da [eŋkoxíðo, ða エンコヒド, ダ] 過分 形 **1** 縮んだ, 収縮した. **2** 萎縮(いしゅく)した, すくんだ; 内気な.

—— 名男女 臆病(おくびょう)者, 内気な人.

en·co·le·ri·zar [eŋkoleriθár エンコれりさル] [39 z ➡ c] 動他 憤慨させる.

—— **en·co·le·ri·zar·*se*** 激怒する.

en·co·men·dar [eŋkomendár エンコメンダル] [42 e ➡ ie] 動他 託す, ゆだねる.

—— **en·co·men·dar·*se*** 《+**a**》…に頼る, 身をゆだねる.

en·co·miar [eŋkomjár エンコミアル] 動他 褒める, 絶賛する.

en·co·miás·ti·co, ca [eŋkomjástiko, ka エンコミアスティコ, カ] 形 賞賛の, 絶賛に値する.

E

en·co·mien·da [eŋkomjénda エンコミエンダ] 名女 **1** 委託, 委任, 依頼.

2〔歴史〕エンコミエンダ. (1) レコンキスタの過程でスペイン王室が家臣や騎士団に下賜した恩賞地. (2) 新大陸の征服過程で, スペイン王室が征服者たちにインディオを割り当て, その教化を義務づける代わりに, 徴税権と労役権を与えた制度.

3《ラ米》(郵便) 小包.

en·co·mio [eŋkómjo エンコミオ] 名男 賞賛, 絶賛.

en·co·nar [eŋkonár エンコナル] 動他 **1** 炎症を起こさせる. **2** 怒らせる. **3** (争い・もめごとを) 激化させる.

—— **en·co·nar·*se*** **1** 炎症が起こる.

2 怒る, 憤激する. **3** (争い・もめごとが) 激化する.

en·co·no [eŋkóno エンコノ] 名男 恨み, 敵意.

en·con·tra·di·zo, za [eŋkontraðíθo, θa エンコントゥラディそ, さ] 形 ***hacerse el encontradizo*** 偶然会ったふりをする.

en·con·tra·do, da [eŋkontráðo, ða エンコントゥラド, ダ] 過分 ➡ encontrar.

—— 形 対立した; 正反対の. intereses *encontrados* 対立した利害.

encontrando 現分 ➡ encontrar.

en·con·trar [eŋkontrár エンコントゥラル] [13 o ➡ ue] 動他 [現分 encontrando; 過分 encontrado, da]〔英 find, meet〕

直説法 現在	
1·単 ***encuentro***	1·複 **encontramos**
2·単 ***encuentras***	2·複 **encontráis**
3·単 ***encuentra***	3·複 ***encuentran***

1 **見つける**, 発見する. ¿*Has encontrado* la llave que buscabas? 探していた鍵(かぎ)は見つかったかい? *encontrar* una solución 答えを見つける, 解決策を見いだす.

2 **出会う**, 遭遇する. Ayer *encontré* a un viejo amigo mío en la calle. 昨日通りで旧友に出会った. No *ha encontrado* ninguna dificultad. 彼はいかなる困難にも出会わなかった.

3 …と思う, 判断する. *Encuentro* muy agradable el clima de este pueblo. この町の気候はとても快適だと思います.

—— **en·con·trar·*se*** **1** **会う**; 《+**con**》…**と出会う**, 遭遇する. *Nos encontramos* en un café. 私達は喫茶店で会った. Al salir del museo *me encontré con* María. 美術館を出た時に私はマリアと出会った.

2 (ある場所・状態に) **いる, ある**. Al pie *de los* Pirineos *se encuentra* la ciudad de Jaca. ピレネー山脈のふもとにハカという町がある. Hoy no *me encuentro* bien. 今日は調子がよくない. Los dos equipos *se encuentran* alineados. 2チームが整列している.

3 (偶然) 見つける. *Me encontré* una cartera en el metro. 地下鉄で私は財布を拾った.

en·con·trón [eŋkontrón エンコントゥロン] / **en·con·tro·na·zo** [-tronáθo -トゥロナそ] 名男 《口語》衝突, 激突.

en·co·ñar·*se* [eŋkoɲárse エンコニャルセ] 動 《俗語》《+**con**》…に死ぬほど惚(ほ)れる; 夢中になる.

en·co·pe·ta·do, da [eŋkopetáðo, ða エンコペタド, ダ] 形 《口語》名門の; 思い上がった, うぬぼれた.

en·cor·var [eŋkorβár エンコルバル] 動他 曲げる, 湾曲させる.

en·cres·par [eŋkrespár エンクレスパル] 動他 **1** (水面を) 波立たせる. **2** (髪を) カールする. **3** いらだたせる, 激怒させる.

—— **en·cres·par·*se*** **1** (海が) 荒れる, 波立つ. **2** (髪が) 縮れる, カールする.

3 いらだつ, 激怒する.

en·cru·ci·ja·da [eŋkruθixáða エンクルしハダ] 名女 **1** 十字路, 四つ辻(つじ). **2** 岐路.

en·cua·der·na·ción [eŋkwaðernaθjón エンクアデルナしオン] 名女 製本; 装丁. *encuadernación* en cuero 革装丁.

en·cua·der·na·dor, do·ra [eŋkwaðernaðór, ðóra エンクアデルナドル, ドラ] 名男女 製本工[業者].

en·cua·der·nar [eŋkwaðernár エンクアデルナル] 動他 製本する; 装丁する.

en·cua·drar [eŋkwaðrár エンクアドゥラル] 動他 **1** 枠に入れる; はめ込む.

2 (集団に) 引き込む; 配属する.

en·cua·dre [eŋkwáðre エンクアドゥレ] 名男 **1**〔映画〕フレーミング.

2〔テレビ〕(画像の) 垂直同期の調整.

en·cu·bier·to, ta [eŋkuβjérto, ta エンクビエルト, タ] 過分 ➡ encubrir.

—— 形 隠された, 秘密の.

en·cu·bri·dor, do·ra [eŋkuβriðór, ðóra エンクブリドル, ドラ] 形 隠す.

—— 名男女 隠匿者; 従犯者, 幇助(ほうじょ)者.

en·cu·bri·mien·to [eŋkuβrimjénto エンクブリミエント] 名男 秘匿, 隠匿.

en·cu·brir [eŋkuβrír エンクブリル] 動他 [過分 encubierto, ta] **1** 隠す; 秘密にす

る.
2 (犯人を)かくまう.
encuentr- 動 → encontrar. 13
en·cuen·tro [eŋkwéntro エンクエントゥロ] 名男 [複 ~s] 〔英 encounter〕 1 出会い, 遭遇; (偶然の)発見. 2 会談, 会見. 3 対立, 衝突; 〘ｽﾎﾟｰﾂ〙試合, 対戦.
—— 動 → encontrar. [13 o → ue]
ir al encuentro de 《+uno》〈人〉を迎えに出る.
salir al encuentro de ... …を出迎える; …と対決する; …の機先を制する.
en·cues·ta [eŋkwésta エンクエスタ] 名女 アンケート. hacer una *encuesta* アンケート調査をする.
en·cues·ta·dor, do·ra [eŋkwestaðór, ðóra エンクエスタドル, ドラ] 名男女 アンケート調査員.
en·cues·tar [eŋkwestár エンクエスタル] 動他 アンケートをとる, アンケート調査を行う.
en·cum·bra·mien·to [eŋkumbramjénto エンクンブラミエント] 名男 昇進, 出世.
en·cum·brar [eŋkumbrár エンクンブラル] 動他 高く上げる; 地位を上げる.
en·cur·ti·do [eŋkurtíðo エンクルティド] 名男 [普通 ~s] ピクルス, 野菜類の酢漬け.
en·cur·tir [eŋkurtír エンクルティル] 動他 (野菜などを)ピクルス[酢漬け]にする.
en·de [énde エンデ] 副 ***por ende*** したがって, それゆえ.
en·de·ble [endéβle エンデブれ] 形 虚弱な; 薄弱な, もろい.
en·de·blez [endeβléθ エンデブれす] 名女 虚弱; もろさ.
en·de·ca·sí·la·bo, ba [endekasílaβo, βa エンデカシらボ, バ] 形 11音節の.
—— 名男 11音節の詩行.
en·dé·mi·co, ca [endémiko, ka エンデミコ, カ] 形 1 〘医〙風土病の.
2 慢性的な, 恒常的な.
en·de·mo·nia·do, da [endemonjáðo, ða エンデモニアド, ダ] 形 1 悪魔に取り憑(つ)かれた. 2 《口語》悪い, いたずら好きな; ひどい, いまいましい.
en·de·re·zar [endereθár エンデレさル] [39 z → c] 動他 まっすぐにする.
2 正す, 直す.
3 《+a, hacia》…の方向へ向ける.
—— ***en·de·re·zar·se*** 1 まっすぐになる[立つ]; 背筋を伸ばす.
2 《+a, hacia》…に向かう.
en·deu·dar·se [endeuðárse エンデウダルセ] 動 借金をする.
en·dia·bla·do, da [endjaβláðo, ða エンディアブらド, ダ] 形 → endemoniado.
en·di·bia [endíβja エンディビア] 名女 〘植物〙キクヂシャ(菊萵苣), エンダイブ.
en·dio·sar [endjosár エンディオサル] 動他 神に祭り上げる, 神格化する.
—— ***en·dio·sar·se*** 思い上がる.
en·do·cri·no, na [endokríno, na エンドクリノ, ナ] 形 〘生物〙内分泌の.
en·do·cri·no·lo·gí·a [endokrinoloxía エンドクリノろヒア] 名女 〘医〙内分泌学.
en·do·cri·nó·lo·go, ga [endokrinóloɣo, ɣa エンドクリノろゴ, ガ] 名男女 内分泌専門医.
en·do·ga·mia [endoɣámja エンドガミア] 名女 同族結婚, 族内婚.
en·do·min·gar [endomiŋgár エンドミンガル] [32 g → gu] 動他 晴れ着を着せる.
—— ***en·do·min·gar·se*** 晴れ着を着る.
en·do·sar [endosár エンドサル] 動他
1 〘商業〙裏書きする.
2 《口語》(責任などを)押しつける.
en·do·so [endóso エンドソ] 名男 〘商業〙 (手形の)裏書き, (裏書き)譲渡.
en·dri·no, na [endríno, na エンドゥリノ, ナ] 形 青黒い.
—— 名男 〘植物〙リンボク(橉木).
—— 名女 リンボクの実.
en·dul·zar [endulθár エンドゥるさル] [39 z → c] 動他 甘くする, 甘味をつける; 和らげる, 穏やかにする, 楽しくする. Hay que saber *endulzar* la vida. 人生を楽しむ術(すべ)を知らなければならない.
en·du·re·cer [endureθér エンドゥレセル] 40 動他 1 固くする.
2 強靭(きょうじん)にする, 鍛える.
3 硬化させる; 冷酷にさせる. *Ha endurecido* su actitud. 彼は態度を硬化させた.
—— ***en·du·re·cer·se*** 固くなる; 強靭になる; 冷酷になる.
e·ne [éne エネ] 名女 1 アルファベットの n の文字[音]. 2 (不定・未知などを表す) n.
—— 形 《不定・未知数を表して》いくつかの.
► 名詞の前に付く. → enésimo.
e·ne·bro [enéβro エネブロ] 名男 〘植物〙トショウ(杜松).
e·ne·ma [enéma エネマ] 名女 〘医〙浣腸(かんちょう)(液).
e·ne·mi·go[1], ga [enemíɣo, ɣa エネミゴ, ガ] 名男女 [複 ~s] 〔英 enemy〕 敵, 仇(かたき)(↔ amigo). *enemigo* mortal [natural] 宿[天]敵. *enemigo* de las mujeres 女性の敵. Soy un *enemigo* encarnizado de los cambios. 私は変革は大嫌いだ.
—— 形 敵の. país *enemigo* 敵国.
e·ne·mi·go[2] [enemíɣo エネミゴ] 名男 敵軍. pasarse al *enemigo* 敵に寝返る.
e·ne·mis·tad [enemistáð エネミスタ(ドゥ)] 名女 敵意, 敵対心; 反目.
e·ne·mis·tar [enemistár エネミスタル] 動他 敵対させる, 仲たがいさせる.
—— ***e·ne·mis·tar·se*** 《+con》…と敵対する, 不仲になる.
e·ner·gé·ti·co, ca [enerxétiko, ka エネルへティコ, カ] 形 エネルギーの, エネルギーに関する.
—— 名女 エネルギー論.
e·ner·gí·a [enerxía エネルヒア] 名女 [複

～s]〔英 energy〕 **1 エネルギー**, 力. *energía* nuclear 原子力. *energía* eléctrica 電力. *energía* solar 太陽エネルギー.
2 [～または～s] 活力, 気力. persona de mucha *energía* エネルギッシュな人. Habló con *energía* sobre el nuevo proyecto. 彼は新しい計画について熱っぽく話した. No tengo *energías* para llevar este asunto. 私にはこの仕事を続けていく気力がない.

e·nér·gi·co, ca [enérxiko, ka エネルヒコ, カ] 形 **1** 精力的な, 活力のある. un carácter *enérgico* エネルギッシュな性格.
2 断固たる. una decisión *enérgica* 断固たる決心.

E

e·ner·gú·me·no, na [eneryúmeno, na エネルグメノ, ナ] 名男女 **1** 《口語》気が狂ったように騒ぐ人.
2 悪霊に取り憑(つ)かれた人.

e·ne·ro [enéro エネロ] 名男 [複 ～s]〔英 January〕
1 月 《略 ene.》el cinco de *enero* 1月5日. ➡ mes 【参考】.

e·ner·var [enerβár エネルバル] 動他
1 …の気力を喪失させる; いらいらさせる.
2 (論拠を) 薄弱にする.
—— **e·ner·var·se** **1** 気力をなくす; いらいらする. **2** (論拠などが) 薄弱になる.

e·né·si·mo, ma [enésimo, ma エネシモ, マ] 形 《数》n 番目の, n 次の. por *enésima* vez 《口語》何度も何度も.

en·fa·da·di·zo, za [emfaðaðíθo, θa エンファダディそ, さ] 形 怒りっぽい, 短気な.

en·fa·da·do, da [emfaðáðo, ða エンファダド, ダ] 過分 形 怒っている, 立腹している.

en·fa·dar [emfaðár エンファダル] 動他 怒らせる. No le *enfades*. 彼を怒らせるな.
—— **en·fa·dar·se** 〔英 get angry〕 《+**con, por**》**…に怒る**, 立腹する. *enfadarse por* nada つまらないことに腹を立てる. No *te enfades conmigo*. 私に腹を立てるな.

en·fa·do [emfáðo エンファド] 名男 怒り, 立腹; うんざりすること, 不愉快. con *enfado* 怒って.
—— 動 ➡ enfadar.

én·fa·sis [émfasis エンファシス] 名男 [単・複同形] 強調, 力説.

en·fá·ti·co, ca [emfátiko, ka エンファティコ, カ] 形 強調的な, 強い調子の, 力を込めた.

en·fa·ti·zar [emfatiθár エンファティさル] [39 z ➡ c] 動他 強調する, 力説する.

enferma 形名女 ➡ enfermo.

en·fer·mar [emfermár エンフェルマル] 動自 病気になる. —— 動他 病気にする.

en·fer·me·dad [emfermeðáð エンフェルメダ(ドゥ)] 名女 [複 ～es]〔英 illness〕
1 病気, 疾患 (↔ salud). *enfermedad* grave 重病. *enfermedad* incurable 不治の病. *enfermedad* epidémica 流行病, 疫病. *enfermedad* de Parkinson パーキンソン病. coger [contraer] una *enfermedad* 病気にかかる. tener [padecer, sufrir] una *enfermedad* 病気を患っている. contagiar [pegar, transmitir] una *enfermedad* 病気を移す.
2 病弊, 悪弊. *enfermedad* de nuestra sociedad 現代社会の悪弊.

【参 考】 病気
anemia 貧血(病). anginas / amigdalitis 扁桃(へんとう)炎. apoplejía 卒中. apendicitis 虫垂炎. artritis 関節炎. asma 喘息(ぜんそく). bronquitis 気管支炎. cáncer 癌(がん). caries カリエス; 虫歯. cirrosis 肝硬変. cistitis 膀胱(ぼうこう)炎. conjuntivitis 結膜炎. dermatitis 皮膚炎. diabetes 糖尿病. eczema 湿疹(しっしん). estomatitis 口内炎. gastritis 胃炎. gingivitis 歯肉炎. gota 通風. gripe インフルエンザ. hemofilia 血友病. hemorragia 出血. hemorroide 痔疾(じっ). hepatitis 肝炎. hernia ヘルニア. herpes ヘルペス. inflamación 炎症. leucemia 白血病. neurosis 神経症. oftalmía 眼炎. otitis 耳炎. polinosis 花粉症. pulmonía 肺炎. SIDA エイズ. sífilis 梅毒. tuberculosis 結核. úlcera 潰瘍(かいよう).

en·fer·me·ra [emferméra エンフェルメラ] 名女 [複 ～s]〔英 nurse〕(女性の) **看護師** (↔ enfermero).

en·fer·me·rí·a [emfermería エンフェルメリア] 名女 医務室, 保健室.

en·fer·me·ro [emferméro エンフェルメロ] 名男 [複 ～s]〔英 male nurse〕(男性の) **看護師** (↔ enfermera).

en·fer·mi·zo, za [emfermíθo, θa エンフェルミそ, さ] 形 病弱な; 病的な. niño *enfermizo* 病弱な子供. una pasión *enfermiza* 病的な熱情.

en·fer·mo, ma [emférmo, ma エンフェルモ, マ] [複 ～s] 形〔英 ill, sick〕**病気の** (↔ sano). estar gravemente *enfermo* 重病である. caer [ponerse] *enfermo* 病気になる.
—— 名男女〔英 patient〕**病人**, 患者. ¿Cómo sigue el *enfermo*? 病人の具合はいかがですか.
poner enfermo a 《+uno》〈人〉をうんざりさせる.

en·fer·vo·ri·zar [emferβoriθár エンフェルボリさル] [39 z ➡ c] 動他 熱狂させる; 鼓舞する.

en·fi·lar [emfilár エンフィラル] 動他
1 …に向かう; 向ける.
2 (1列に) 並べる. **3** …に糸を通す.

en·fla·que·cer [emflakeθér エンフラケせル] 40 動他 やせさせる; 衰えさせる.

—— 動自 **en·fla·que·cer·*se*** やせる，やつれる；衰える．

en·fo·car [emfokár エンフォカル] [8 c → qu] 動他 **1** …に光を当てる，照らし出す．
2 焦点[ピント]を合わせる．
3 (問題に) 焦点を当てる，考察する．

en·fo·que [emfóke エンフォケ] 名男
1 ピント；ピント合わせ．
2 (問題への) アプローチ；視点．

en·fras·car [emfraskár エンフラスカル] [8 c → qu] 動他 フラスコに入れる；瓶に詰める．
—— **en·fras·car·*se*** 《+**en**》…に没頭する．

en·fren·ta·mien·to [emfrentamjénto エンフレンタミエント] 名男 対決，対立．

en·fren·tar [emfrentár エンフレンタル] 動他 **1** …と[に]直面する，…に立ち向かう．
2 向かい合わせる，対抗させる．*enfrentar* una persona con otra ふたりを面と向かわせる．
—— **en·fren·tar·*se*** 《+**a, con**》 …に直面する；…に立ち向かう，…と対決する．*enfrentarse al* enemigo 敵と対決する．*enfrentarse con* una dificultad 困難に直面する．*Se ha enfrentado con* su superior. 彼は上司と対立した．

en·fren·te [emfrénte エンフレンテ] 副〔英 in front〕
1 正面に，向き合って．*Enfrente* de mi casa hay un banco. 私の家の向かいに銀行がある．allí *enfrente* あの正面に[で]．casa de *enfrente* 向かいの家．
2 反対して．

en·fria·mien·to [emfrjamjénto エンフリアミエント] 名男 **1** 冷却．**2**〘医〙風邪．

en·friar [emfrjár エンフリアル] [23 i → í] 動他 **1** 冷やす，冷却する．Pon a *enfriar* la cerveza en la nevera. 冷蔵庫に入れてビールを冷やしなさい．
2 (情熱などを) 冷まさせる．*enfriar* el entusiasmo 熱意を失わせる．
—— **en·friar·*se*** 冷える，冷たくなる；風邪をひく；(熱意などが) 冷める．

en·fun·dar [emfundár エンフンダル] 動他 (ケース・さやに) 納める；覆い[カバー]をかける．

en·fu·re·cer [emfureθér エンフレセル] 40 動他 激怒させる．
—— **en·fu·re·cer·se** 《+**con, contra**》…に対して激怒する；《+**de, por**》…の理由で激怒する，憤慨する．

en·fu·re·ci·mien·to [emfureθimjénto エンフレシミエント] 名男 激怒，憤怒．

en·fu·rru·ñar·*se* [emfur̄uɲárse エンフルニャルセ] 動《口語》腹を立てる．

en·ga·la·nar [eŋgalanár エンガラナル] 動他 《+**con, de**》…で飾る，飾り立てる．

en·ga·llar·*se* [eŋgaʎárse エンガリャルセ] 動 威張る，尊大に構える．

en·gan·char [eŋgantʃár エンガンチャル] 動他 **1** (鉤(かぎ)に) 引っかける．
2 (馬を) つなぐ；(車両を) 連結する．
3 (異性を) ハントする．**4** 捕らえる．
—— **en·gan·char·*se*** **1** 《+**en**》…に引っかかる．**2**〘軍事〙入隊する，志願する．

en·gan·che [eŋgántʃe エンガンチェ] 名男
1 (鉤(かぎ)などで) 引っかけること；つなぐこと，連結．**2**〘軍事〙募兵．**3**《ラ米》頭金．

en·ga·ña·bo·bos [eŋgaɲaβóβos エンガニャボボス] 名男 [単・複同形] 詐欺師；まやかし，ぺてん．

engañado, da 過分 → engañar.

engañando 現分 → engañar.

en·ga·ñar [eŋgaɲár エンガニャル] 動他 [現分 engañando; 過分 engañado, da]〔英 deceive〕 **1 だます**，欺く，かつぐ．*engañar* a 《+uno》 con un truco 〈人〉をぺてんにかける．*engañar* en la cuenta 勘定をごまかす．*Engañó* al fisco haciendo una declaración falsa. 彼は偽りの申告をして税務署をごまかした．
2 錯覚させる；紛らわせる．*engañar* el hambre 空腹を紛らわす．
3 浮気する．El marido no sabe que su mujer le *engaña*. 夫は妻が浮気をしていることを知らない．
—— **en·ga·ñar·*se*** 思い違いをする．

en·ga·ñi·fa [eŋgaɲífa エンガニィファ] 名女 《口語》まがいもの．

en·ga·ño [eŋgáɲo エンガニョ] 名男 ごまかし，まやかし；間違い．
—— 動 → engañar.

en·ga·ño·so, sa [eŋgaɲóso, sa エンガニョソ，サ] 形 ごまかしの，欺瞞(ぎまん)的な，人を迷わす．

en·gar·ce [eŋgárθe エンガルセ] 名男 数珠つなぎ；関連づけ；はめ込み．

en·gar·zar [eŋgarθár エンガルサル] [39 z → c] 動他 **1** 鎖状につなげる．
2 (宝石を) はめ込む (= engastar).
3 関連づける，結びつける．
—— **en·gar·zar·*se*** 《口語》もつれる；言い争う．

en·gas·tar [eŋgastár エンガスタル] 動他 《+**en**》(宝石を) …にはめ込む．

en·gas·te [eŋgáste エンガステ] 名男 はめ込み；(宝石の) 台座，(台座の) 爪(つめ)．

en·ga·tu·sar [eŋgatusár エンガトゥサル] 動他 《口語》口車にのせる，丸め込む；甘言でつる．

en·gen·drar [eŋxendrár エンヘンドゥラル] 動他 **1** (子を) もうける，子孫をつくる．
2 生じさせる，引き起こす．

en·gen·dro [eŋxéndro エンヘンドゥロ] 名男
1 胎児．**2** 醜い人，化け物．**3** 駄作，できそこない．

en·glo·bar [eŋgloβár エングロバル] 動他 ひとまとめにする，一括する；包含する．

en·go·la·do, da [eŋgoláðo, ða エンゴラド，ダ] 形 (話し方が) もったいぶった，尊大な．

E

en·gol·far [eŋgolfár エンゴるファル] 動他 没頭させる, 夢中にさせる.
— **en·gol·far·se** 《+en》…に没頭する, 夢中になる, ふける.

en·go·mar [eŋgomár エンゴマル] 動他 (ゴム)糊(のり)付けする; (織物に) 糊を引く.

en·gor·dar [eŋgorðár エンゴルダル] 動自 太る (↔ adelgazar). *Ha engordado* tres kilos. 彼は3キロ太った.
— 動他 太らせる, 肥育する.

en·go·rro [eŋgóro エンゴロ] 名男 《口語》面倒, 厄介.

en·go·rro·so, sa [eŋgoróso, sa エンゴロソ, サ] 形 《口語》面倒な, 厄介な.

E

en·gra·na·je [eŋgranáxe エングラナヘ] 名男 **1** 《集合》歯車, 歯車装置.
2 連動, つながり, 関連.

en·gra·nar [eŋgranár エングラナル] 動他 (歯車を) かみ合わせる.
— 動自 (歯車が) かみ合う; 関連する.

en·gran·de·cer [eŋgrandeθér エングランデセル] 40 動他 **1** (質・価値などを) 高める, 立派にする. **2** 大きくする.
— **en·gran·de·cer·se** 昇進する, 立派になる.

en·gran·de·ci·mien·to [eŋgrandeθimjénto エングランデしミエント] 名男 拡張, 増大; 昇進.

en·gra·sar [eŋgrasár エングラサル] 動他 …に油をさす, 油を塗る; 油で汚す.

en·gra·se [eŋgráse エングラセ] 名男 注油, グリースアップ; 潤滑油[剤].

en·grei·mien·to [eŋgreimjénto エングレイミエント] 名男 うぬぼれ, 高慢.

en·gre·ír [eŋgreír エングレイル] [48 e ➡ i] 動他 [現分 engriendo ; 過分 engreído, da] 思い上がらせる.
— **en·gre·ír·se** うぬぼれる.

en·gro·sa·mien·to [eŋgrosamjénto エングロサミエント] 名男 増大, 増加, 拡大; 太ること, 肥満.

en·gro·sar [eŋgrosár エングロサル] [13 o ➡ ue] 動他 **1** 増やす; 拡大する.
2 太くする, 太らせる, 分厚くする.
— 動自 増える, 増大[拡大]する.

en·gru·do [eŋgrúðo エングルド] 名男 糊(のり).

en·guan·tar [eŋgwantár エングアンタル] 動他 …に手袋をはめる.
— **en·guan·tar·se** 手袋をはめる.

en·gu·llir [eŋguʎír エングリィル] 36 動他 [現分 engullendo] 丸飲みにする, 大急ぎで食べる.

en·he·brar [eneβrár エネブラル] 動他 (針に) 糸を通す; 数珠つなぎにする.

en·hies·to, ta [enjésto, ta エニエスト, タ] 形 まっすぐに立った; そびえ立った.

en·ho·ra·bue·na [enoraβwéna エノラブエナ] 名女 祝辞. dar a 《+uno》 la *enhorabuena* 〈人〉にお祝いを言う. ¡*Enhorabuena*! おめでとうございます, よかったね. ➡felicidad.
— 副 都合よく; 都合のよい時に.
estar de enhorabuena ラッキーである; 喜んでいる.

e·nig·ma [eníɣma エニグマ] 名男 謎(なぞ), 不可解. resolver un *enigma* 謎を解く.

e·nig·má·ti·co, ca [eniɣmátiko, ka エニグマティコ, カ] 形 謎(なぞ)の, 不可解な.

en·ja·bo·nar [eŋxaβonár エンハボナル] 動他 **1** …に石けんをつける, 石けんで洗う.
2 《口語》ごまをする, 媚(こ)びへつらう.

en·ja·e·zar [eŋxaeθár エンハエさル] [39 z ➡ c] 動他 …に馬具をつける.

en·jal·be·gar [eŋxalβeɣár エンハるベガル] [32 g ➡ gu] 動他 しっくいを塗って白くする.

en·jam·bre [eŋxámbre エンハンブレ] 名男 **1** ミツバチの群れ. **2** 《比喩》群れ, 集団.

en·ja·re·tar [eŋxaretár エンハレタル] 動他 **1** 《口語》早口にしゃべる; 慌ててする.
2 《口語》(面倒を) 押しつける.

en·jau·lar [eŋxaulár エンハウらル] 動他 檻(おり)に入れる; 牢屋(ろう)に入れる.

en·jua·gar [eŋxwaɣár エンフアガル] [32 g ➡ gu] 動他 すすぐ, ゆすぐ. *enjuagar* la ropa 洗濯物をすすぐ. *enjuagar* la boca 口をゆすぐ.
— **en·jua·gar·se** うがいをする, 口をすすぐ.

en·jua·gue [eŋxwáɣe エンフアゲ] 名男 **1** 水洗い, すすぎ; うがい.
2 《口語》たくらみ, 陰謀.

en·ju·gar [eŋxuɣár エンフガル] [32 g ➡ gu] 動他 **1** (汗・涙を) ふく. *enjugar* el sudor de la frente 額の汗をぬぐう. Le *enjugó* las lágrimas y la besó. 彼は彼女の涙をふいてキスをした.
2 (負債を) 清算する.
— **en·ju·gar·se** (自分の汗・涙を) ふく.

en·jui·cia·mien·to [eŋxwiθjamjénto エンフイしアミエント] 名男 〖法律〗起訴, 提訴; 審理.

en·jui·ciar [eŋxwiθjár エンフイしアル] 動他 **1** 〖法律〗裁判にかける, 提訴する.
2 …に判断[判定]を下す.

en·jun·dia [eŋxúndja エンフンディア] 名女 **1** (鳥の) 脂肪, 脂身. **2** 中身, 実質. de mucha *enjundia* 内容のある.

en·jun·dio·so, sa [eŋxundjóso, sa エンフンディオソ, サ] 形 **1** 脂身のある, 脂肪の多い.
2 実質のある, 中身の濃い.
3 《口語》かなりの, 相当な.

en·ju·to, ta [eŋxúto, ta エンフト, タ] 形 **1** やせた, 骨と皮の. **2** 乾いた (= seco).

en·la·ce [enláθe エンらせ] 名男 **1** つながり, 関連. **2** (交通機関の) 連絡, 接続.
3 結婚. **4** (地下組織などの) 連絡員.
5 〖インターネット〗リンク.

en·la·dri·llar [enlaðriʎár エンらドゥリリャル] 動他 …にれんがを敷きつめる.

en·la·tar [enlatár エンらタル] 動他 缶詰に

する.

en·la·zar [enlaθár エンらさル] [39 z → c] 動他 **1** 結ぶ; 《＋**con**》…で接続する.
 2 関連づける, 結びつける.
 —— 動自 (交通機関が) 連絡[接続]する.
 —— **en·la·zar·*se*** 結びつく; 姻戚(いんせき)関係を結ぶ.

en·lo·dar [enloðár エンろダル] 動他 泥で汚す; (評判・名などを) けがす.

en·lo·que·cer [enlokeθér エンろケせル] 40 動他 発狂させる, 正気を失わせる; 夢中にさせる. Me *enloquece* la música. 僕は音楽がとても好きなんだ.
 —— 動自 **en·lo·que·cer·*se*** 発狂する, 正気を失う. *enloquecer* de dolor 痛みがひどくてたまらない.

en·lo·que·ci·mien·to [enlokeθimjénto エンろケしミエント] 名男 発狂, 狂乱; 熱狂.

en·lo·sa·do [enlosáðo エンろサド] 名男 石の舗装, タイル張り (の床).

en·lo·sar [enlosár エンろサル] 動他 (石で) 舗装する; タイルを張る.

en·lu·cir [enluθír エンるしル] 33 動他 (壁を) 白塗りする; (金属製品を) 磨く.

en·lu·tar [enlutár エンるタル] 動他 **1** …に喪服を着せる. **2** 悲しみに沈ませる.
 3 (心・雰囲気などを) 暗くさせる.
 —— **en·lu·tar·*se*** 喪服を着る, 喪に服す.

en·ma·ra·ñar [emmaraɲár エンマラニャル] 動他 (髪・糸を) もつれさせる; 紛糾させる (＝ enredar). Su declaración *enmarañó* más el proceso. 彼の供述は審理をますます混乱させた.
 —— **en·ma·ra·ñar·*se*** もつれる; 紛糾する.

en·mar·car [emmarkár エンマルカル] [8 c → qu] 動他 枠にはめる; 額縁に入れる.

en·mas·ca·ra·do, da [emmaskaráðo, ða エンマスカラド, ダ] 過分 形 名男女 仮面[覆面]をつけた (人).

en·mas·ca·rar [emmaskarár エンマスカラル] 動他 **1** 仮面で隠す.
 2 隠す, カムフラージュする.
 —— **en·mas·ca·rar·*se*** 仮面[覆面]をつける.

en·men·dar [emmendár エンメンダル] [42 e → ie] 動他 修正する, 訂正する (＝ corregir). *enmendar* un texto 本文を訂正する. *enmendar* un defecto 欠陥を正す.
 —— **en·men·dar·*se*** 行いを改める; 《＋**de**》…を改める. *enmendarse de* una equivocación 自らの過失を正す.

en·mien·da [emmjénda エンミエンダ] 名女 **1** 修正, 訂正. poner *enmienda* 修正を加える.
 2 修正案.
 no tener enmienda (人が) 箸(はし)にも棒にもかからない, 救いようがない.

en·mo·he·cer [emmoeθér エンモエせル] 40 動他 **1** かびさせる; さびつかせる.
 2 (才能・腕を) 鈍らせる.
 —— **en·mo·he·cer·*se*** **1** かびる; さびつく. **2** (才能・腕が) 鈍る.

en·mu·de·cer [emmuðeθér エンムデせル] 40 動他 言葉に詰まらせる, 黙らせる.
 —— 動自 言葉に詰まる, 黙る.

en·ne·gre·cer [enneɣreθér エンネグレせル] 40 動他 黒くする; 暗くする.
 —— 動自 **en·ne·gre·cer·*se*** 黒くなる; 暗くなる.

en·no·ble·cer [ennoβleθér エンノブれせル] 40 動他 上品にする, …に威厳を添える; 貴族に叙する.
 —— **en·no·ble·cer·*se*** 気品が出る; 爵位を得る.

e·no·jar [enoxár エノハル] 動他 怒らせる; いらだたせる. La suspensión del espectáculo *enojó* al público. 公演の中止は観客を怒らせた.
 —— **e·no·jar·*se*** 《＋**con, contra**》…に怒る. *enojarse con* los niños 子供に腹を立てる.

e·no·jo [enóxo エノホ] 名男 怒り, 立腹; 不快. causar *enojo* a... …をいらだたせる.

e·no·jo·so, sa [enoxóso, sa エノホソ, サ] 形 腹立たしい, 厄介な, 煩わしい.

e·nor·gu·lle·cer [enorɣuʎeθér エノルグリェせル] 40 動他 思い上がらせる, うぬぼれさせる.
 —— **e·nor·gu·lle·cer·*se*** 《＋**de**》…を自慢する, …でうぬぼれる.

e·nor·gu·lle·ci·mien·to [enorɣuʎeθimjénto エノルグリェしミエント] 名男 うぬぼれ, 思い上がり.

e·nor·me [enórme エノルメ] 形 [複 ～s] 〔英 enormous〕 **巨大な**; 並外れた, とほうもない. una ciudad *enorme* 巨大都市. nariz *enorme* 並外れて大きな鼻. *enorme* cantidad de oro y plata 莫大(ばくだい)な量の金銀.

e·nor·me·men·te [enórmeménte エノルメメンテ] 副 並外れて, 非常に.

e·nor·mi·dad [enormiðáð エノルミダ(ドゥ)] 名女 **1** 巨大, 莫大(ばくだい).
 2 でたらめ, 見当違い, 論外なこと.
 una enormidad 《副詞的に》非常に, ものすごく. Pesa *una enormidad*. とても重い.

en·qui·ciar [eŋkiθjár エンキしアル] 動他
 1 (ドア・窓を) 枠にはめる.
 2 《比喩》軌道に乗せる, きちんとさせる.

en·rai·zar(·*se*) [enr̄aiθár(se) エンライさル(セ)] [2 i → í ; 39 z → c] 動自 根付く, 根を下ろす.

en·ra·ma·da [enr̄amáða エンラマダ] 名女 《集合》枝, 茂み.

en·ra·re·cer [enr̄areθér エンラレせル] 40 動他 (気体を) 希薄にする; 乏しくする, 少なくする.
 —— 動自 **en·ra·re·cer·*se*** (気体が) 希薄になる; 欠乏する.

E

en·re·da·de·ra [enr̄eðaðéra エンレダデラ] 形〔植物〕つる性の. planta *enredadera* つる性植物. ── 名女〔植物〕つる植物.

en·re·dar [enr̄eðár エンレダル] 動他
1 (糸・髪などを)絡ませる. *enredar* los hilos 糸をもつれさせる.
2 紛糾させる. *enredar* un asunto 事を面倒にする. *enredar* a dos personas ふたりの仲をこじれさせる.
3 (面倒に)巻き込む. *enredar* a《+uno》en un peligro〈人〉を危険に巻き込む.
── 動自 1 いたずらをする, ふざける.
2《+con》…をいじくる, もてあそぶ. No *enredes con* el despertador. 目覚まし時計をおもちゃにしてはいけません.
── **en·re·dar·se** 1 絡まる, 絡みつく. *Se* le *enredó* el hilo entre las patas de la silla. 糸が椅子の脚に絡みついてしまった.
2 紛糾する, もつれる. 3《口語》関係をもつ. *Se ha enredado* con una mala mujer. 彼は悪い女にひっかかった.

en·re·do [enr̄éðo エンレド] 名男 1 (糸・髪などの)もつれ. 2 紛糾; いたずら; 悪巧み. meterse en un *enredo* 悪事にかかわる.
3 (物語などの)複雑な筋[プロット]. comedia de *enredo* 筋立ての込み入った劇.
4 [普通 ~s] がらくた. 5《口語》情事.

en·re·ja·do [enr̄exáðo エンレハド] 名男《集合》格子; 鉄柵(てっさく). ➡ reja.

en·re·jar [enr̄exár エンレハル] 動他 格子をつける; 鉄柵(てっさく)で囲む.

en·re·ve·sa·do, da [enr̄eβesáðo, ða エンレベサド, ダ] 形 もつれた, 入り組んだ; 厄介な.

En·ri·que [enr̄íke エンリケ] 固名 エンリケ: 男性の名. 愛 Quico, Quique, Cuco.

en·ri·que·cer [enr̄ikeθér エンリケセル] 40 動他 1 富ませる, 豊かにする. *enriquecer* el vocabulario español スペイン語の語彙(ごい)を豊富にする. *enriquecer* la tierra 土地を肥沃(ひよく)にする.
2 立派にする, 飾る.
── 動自 **en·ri·que·cer·se** 金持ちになる; 豊かになる. *enriquecerse* en la cultura 文化的に豊かになる.

en·ri·que·ci·mien·to [enr̄ikeθimjénto エンリケシミエント] 名男 豊かになること; 富裕化.

en·ris·trar [enr̄istrár エンリストゥラル] 動他 (ニンニク・タマネギを)数珠つなぎにする.

en·ro·je·cer [enr̄oxeθér エンロヘセル] 40 動他 赤くする; (顔を)紅潮させる.
── 動自 (顔が)赤くなる. Su rostro *enrojeció* al oír mis palabras. 私の話を聞いて彼女は頬(ほお)を染めた.
── **en·ro·je·cer·se** 赤くなる; (顔が)真っ赤になる.

en·ro·lar [enr̄olár エンロラル] 動他 1 (船員名簿に)登録する.
2〔軍事〕兵籍に入れる.
── **en·ro·lar·se** 1 船員名簿に登録する. 2〔軍事〕入隊する; 入会する.

en·ro·llar [enr̄oʎár エンロリャル] 動他
1 巻く. *enrollar* el saco de dormir 寝袋を巻く. 2 (人を面倒に)巻き込む.
── **en·ro·llar·se**《口語》1 くどくどと話す, 長々と話す.
2 (面倒に)巻き込まれる.
enrollarse bien [***mal***]《口語》口達者[口下手]である.

en·ron·que·cer [enr̄oŋkeθér エンロンケセル] 40 動他 しわがれ声[かすれ声]にする.
── 動自 **en·ron·que·cer·se** しわがれ声[かすれ声]になる.

en·ros·car [enr̄oskár エンロスカル] [8 c ➡ qu] 動他 1 (螺旋(らせん)状に)巻く, 巻き込む. 2 (ふたなどを)ねじって締める.
── **en·ros·car·se** (蛇が)とぐろを巻く.

en·sa·la·da [ensaláða エンサラダ] 名女 [複 ~s]〔英 salad〕1 サラダ. *ensalada* de lechuga y tomate レタスとトマトのサラダ. 2 ごちゃまぜ, 混在. una *ensalada* mental 精神の混乱.

en·sa·la·de·ra [ensalaðéra エンサラデラ] 名女 サラダボウル. ➡ vajilla 図.

en·sa·la·di·lla [ensalaðíʎa エンサラディリャ] 名女 ポテトサラダ (= *ensaladilla* rusa).

en·sal·mo [ensálmo エンサルモ] 名男 祈禱(きとう)療法.
(***como***) ***por ensalmo*** たちどころに.

en·sal·za·mien·to [ensalθamjénto エンサルさミエント] 名男 賞揚, 賞賛.

en·sal·zar [ensalθár エンサルさル] [39 z ➡ c] 動他 称揚する, 褒めたたえる.
── **en·sal·zar·se** 自賛する.

en·sam·bla·je [ensambláxe エンサンブラヘ] 名男 (木工)組み立て, 接合, 継ぎ合わせ.

en·sam·blar [ensamblár エンサンブラル] 動他 (木工)組み立てる, 継ぎ合わす.

en·san·char [ensantʃár エンサンチャル] 動他 広げる, 大きくする. *ensanchar* el estadio 競技場を広くする. *ensanchar* una abertura 穴を大きくする.
── **en·san·char·se** 広がる, 大きくなる. Este jersey *se ha ensanchado*. このセーターは伸びてしまった.

en·san·gren·tar [ensaŋgrentár エンサングレンタル] [42 e ➡ ie] 動他 血まみれにする, 血で汚す.
── **en·san·gren·tar·se** 血まみれになる, 血に染まる.

en·sa·ñar·se [ensaɲárse エンサニャルセ] 動《+con, en》…を残酷に扱う. *ensañarse con* su víctima 手中に落ちた相手を徹底的に痛めつける.

en·sar·tar [ensartár エンサルタル] 動他
1 …に糸[針金]を通す. *ensartar* una aguja 針に糸を通す. 2 突き刺す.
3 たて続けに言う. 4《ラ米》ぺてんにかける.

en·sa·yar [ensaʝár エンサヤル] 動他 1 試

す. *ensayar* un prototipo de coche 試作車をテストする.
2 (芝居などの) 下げいこをする, リハーサルをする. Estamos *ensayando* una obra de teatro. 私たちは芝居のリハーサル中だ.
—— en·sa·yar·*se* 《+**a, en, para**》…を練習する. *ensayarse a* [*para*] cantar 歌の練習をする.

en·sa·yis·ta [ensaǰísta エンサイスタ] 名男女 随筆家, エッセイスト. ➡ escritor.

en·sa·yo [ensájo エンサヨ] 名男 [複 ~s] 〔英 trial; essay〕 **1 試し**, 試験; 試運転. vuelo de *ensayo* テスト飛行. tubo de *ensayo* 〖化〗試験管.
2 随筆, エッセイ.
3 リハーサル, 舞台げいこ. *ensayo* general 〖演劇〗総ざらい.

en·se·gui·da [enseɣíða エンセギダ] 副 〔英 at once〕 **すぐに**, ただちに. Quédate aquí. Vuelvo *enseguida*. ここで待っていて, すぐ戻ってくるから. ► en seguida の形でも用いる.

en·se·na·da [ensenáða エンセナダ] 名女 〖地理〗入り江.

en·se·ña [enséɲa エンセニャ] 名女 旗; 記章 (= insignia).
—— 動 ➡ enseñar.

enseñado, da 過分 ➡ enseñar.

ensenãndo 現分 ➡ enseñar.

en·se·ñan·za [enseɲánθa エンセニャンさ] 名女 [複 ~s] 〔英 teaching〕 **1 教育**; 教育課程. dedicarse a la *enseñanza* 教職に就く. *enseñanza* primaria [media, superior] 初等[中等, 高等] 教育. *enseñanza* por correspondencia / *enseñanza* a distancia 通信教育. ➡ educación 【参考】.
2 教訓, 戒め. El fracaso le servirá de *enseñanza*. この失敗は彼にとって教訓となるだろう.

en·se·ñar

[enseɲár エンセニャル] 動他 [現分 enseñando; 過分 enseñado, da] 〔英 teach ; show〕
1 教える. *enseñar* inglés 英語を教える. Mis padres me *enseñaron* a leer y escribir. 私は両親から読み書きを習った.
2 見せる, **示す**; 案内する, ガイドする. *Enséñe*me esa corbata. そのネクタイを見せて下さい. Quiero *enseñar*te mi pueblo. 君に僕の生まれ故郷を案内したい.
3 のぞかせる. Cuando se ríe, *enseña* los dientes. 彼は笑うと歯が見える.

en·se·ño·re·ar·*se* [enseɲoreárse エンセニョレアルセ] 動 《+**de**》…をわが物にする.

en·se·res [enséres エンセレス] 名男 [複] 道具類; 家具調度. *enseres* domésticos 家具, 什器(じゅうき).

en·si·llar [ensiʎár エンシリャル] 動他 (馬に) 鞍(くら)をつける.

en·si·mis·mar·*se* [ensimismárse エンシミスマルセ] 動 《+**en**》…に没頭する, 沈潜する.

en·so·ber·be·cer [ensoβerβeθér エンソベルベセル] 40動他 傲慢(ごうまん)にする, 思い上がらせる.
—— en·so·ber·be·cer·*se* **1** 傲慢になる. **2** 《+**con, de**》…を鼻にかける.

en·som·bre·cer [ensombreθér エンソンブレセル] 40動他 暗くする; 陰影をつける.
—— en·som·bre·cer·*se* 暗くなる; 陰気になる.

en·so·ña·ción [ensoɲaθjón エンソニャしオン] 名女 夢想.

en·so·ñar [ensoɲár エンソニャル] [13 o ➡ ue] 動他 夢見る, 夢想する.

en·sor·de·ce·dor, do·ra [ensorðeθeðór, ðóra エンソルデセドル, ドラ] 形 耳をつんざくような.

en·sor·de·cer [ensorðeθér エンソルデセル] 40動他 …の耳を聞こえなくする; 耳をつんざく. El ruido del motor nos *ensordecía* a todos. エンジンの音で私たちは何も聞こえなくなった.
—— 動自 耳が聞こえなくなる.

en·sor·de·ci·mien·to [ensorðeθimjénto エンソルデしミエント] 名男 耳を聾(ろう)すること, 耳が聞こえなくなること.

en·sor·ti·jar [ensortixár エンソルティハル] 動他 巻き毛にする, カールする (= rizar). cabello *ensortijado* 巻き毛.

en·su·ciar [ensuθjár エンスしアル] 動他 汚す (= manchar). *ensuciar* el vestido con lodo 泥で服を汚す. *Ensució* su honor. 彼は自分の名誉を傷つけた.
—— en·su·ciar·*se* **1** (自分の体・服などを) 汚す; 汚れる. No *te ensucies* el vestido. 服を汚さないでね. Las manos *se* me *ensuciaron* de tinta. インクで手が汚れた.
2 (名誉・名声が) 傷つく; いかがわしいことをする. *ensuciarse* por dinero 賄賂(わいろ)を受け取る.
3 《口語》(特に子供が) 粗相をする, おねしょする.

en·sue·ño [enswéɲo エンスエニョ] 名男 夢; 夢想, 夢物語. vivir de *ensueños* 夢ばかり追いかける.
¡Ni por ensueño! とんでもない!

en·ta·bla·do [entaβláðo エンタブラド] 名男 板張りの床.

en·ta·blar [entaβlár エンタブラル] 動他
1 始める, 取りかかる. *entablar* conversación con ... …と話をする.
2 (関係を) 結ぶ. *entablar* amistad con ... …と友情を結ぶ.
3 …に板を張る; …に添え木をあてる.
4 (チェスの) 駒(こま)を並べる.

en·ta·bli·llar [entaβliʎár エンタブリリャル] 動他 …に添え木を当てる.

en·ta·llar [entaʎár エンタリャル] 動他
1 (衣服を) 体に合わせる. **2** 彫る, 彫刻する.
—— en·ta·llar·*se* (衣服が) 体に合う, フ

E

イットする.

en·ta·ri·ma·do [entarimáðo エンタリマド] 名男 寄せ木張りの床.

en·ta·ri·mar [entarimár エンタリマル] 動他 (床に)寄せ木を張る.

en·te [énte エンテ] 名男 **1** 組織, 団体.
2 〔哲〕存在. *ente* de razón 論理的存在.
3 《口語》変わり者.

en·te·co, ca [entéko, ka エンテコ, カ] 形 病弱な, 弱々しい.

en·te·le·quia [entelékja エンテレキア] 名女 **1** 〔哲〕(アリストテレス哲学の) エンテレケイア. **2** 《口語》空想, 理想.

en·ten·de·de·ras [entendeðéras エンテンデデラス] 名女 [複] 《口語》頭の回転, 理解力. duro de *entendederas* 頭の働きが鈍い.

E

en·ten·der [entendér エンテンデル] [43 e → ie] 動他 [現分 entendiendo; 過分 entendido, da] 〔英 understand〕

直説法 現在	
1·単 *entiendo*	1·複 **entendemos**
2·単 *entiendes*	2·複 **entendéis**
3·単 *entiende*	3·複 *entienden*

1 理解する, 分かる (= comprender). *entender* (el) español スペイン語が分かる. *entender* mal 誤解する. hacerse *entender* 分かってもらう. No *entiendo* nada. 全然分かりません. Ahora *entiendo* por qué no vino. 今になって彼がなぜ来なかったのか分かった. Hace como que lo *entiende* todo. 彼は何もかも知った振りをする.
2 了解する; 判断する. *Entiendo* que sería peor callarse. 黙っているほうが悪いと思うけど.
—— 動自 **1** 理解する, 了解する. ¿*Entiendes*? — Ya *entiendo*. 分かったか? —ああ, 分かったよ.
2 《+**de, en**》…に詳しい. *Entiendo* poco *de* cocina. 私は料理のことはほとんど分からない. *Entiende en* cine. 彼は映画通だね.
—— **en·ten·der·se** **1** 自分が分かっている. Yo *me entiendo*. 承知の上のことだ.
2 理解し合う; 示し合わせる. *entenderse* por señas 身振りで了解しあう.
3 《+**con**》…と息が合う. *entenderse* con sus socios 仲間と合意する. No *se entiende con* su hermano. 彼は兄[弟]と折り合いが悪い.
4 《+**con**》…と関係を持つ; …と相談する. *Te entenderás con* él para este negocio. この件は彼と相談しなさい.
5 《口語》情を通じる.
—— 名男 判断, 見解. a mi *entender* 私の考えでは.
Allá se las entienda. やつは好きにするがいいさ.
¡Cómo se entiende! 《怒りを表して》いったいどういうわけだ!
dar a entender ほのめかす.
no entender ni jota [***pizca***] 《口語》全く分からない.

en·ten·di·do, da [entendíðo, ða エンテンディド, ダ] 過分 → entender.
—— 形 **1** 理解された, 了解ずみの. ¡*Entendido*! 分かったよ, オーケー. según tengo *entendido* 私の理解しているところによれば.
2 《+**en**》…に精通した. Es muy *entendido en* química. 彼は化学に強い.
—— 名男女 精通した人, 専門家.
bien entendido que ... …を踏まえたうえで, …という条件で.
no darse por entendido 空とぼける.

entendiendo 現分 → entender.

en·ten·di·mien·to [entendimjénto エンテンディミエント] 名男 理解; 理解力; 判断力. corto de *entendimiento* 頭の働きが鈍い.

en·ten·te [enténte エンテンテ] 名女 〔政治〕協定, 協商. [←フランス語]

entera 形女 → entero[1].
—— 動 → enterar.

en·te·ra·do, da [enteráðo, ða エンテラド, ダ] 過分 形 精通した; 博学の. Está *enterada* de nuestra situación. 彼女は私たちの立場をよく心得ています. Es un *enterado* de historia. 彼は歴史に詳しい.
—— 名男女 **1** 有識者, 専門家.
2 《口語》物知り顔をする人, 博識ぶる人.
—— 名男 (書類末尾に記入する) 了承済み.
darse por enterado de 《+algo》〈何か〉をよく知っている振りをする.

en·te·ra·men·te [entéraménte エンテラメンテ] 副 完全に, すっかり.

en·te·rar [enterár エンテラル] 動他 《+**de**》…を知らせる. Me *enteraron del* casamiento de su hija. 彼らは娘の結婚を私に告げた.
—— **en·te·rar·se** 〔英 get to know; realize〕《+**de**》**1** …を知る; …に気づく. ¿*Te enteras*? 君分かったか? No *me enteré de* que estabas allí. 君があそこにいたとは, 知らなかった.
2 《口語》…に注意する. *Entérate de* lo que te dicen. 皆の言うことをよく聞きなさい.
para que te enteres 《口語》念のために言っておくけれども.

en·te·re·za [enteréθa エンテレさ] 名女 **1** 意志の堅固さ, 不屈 (= firmeza). con *entereza* 毅然(きぜん)として.
2 完全さ, 無欠さ.

en·ter·ne·ce·dor, do·ra [enterneθeðór, ðóra エンテルネせドル, ドラ] 形 ほろりとさせる, 心を打つ.

en·ter·ne·cer [enterneθér エンテルネせル] 40 動他 ほろりとさせる, 心を打つ.
—— **en·ter·ne·cer·se** ほろりとする, 感動する.

en·ter·ne·ci·mien·to [enterneθimjénto エンテルネしミエント] 名男 感動; 憐憫(れんびん)の情.

en·te·ro[1]**, ra** [entéro, ra エンテロ, ラ] 形 〔英 whole, entire〕 **1 全体の**, 全部の. comerse un pastel *entero* ケーキを1つ平らげる. viajar por el mundo *entero* 世界中を旅行する. La familia está *entera.* 家族は皆そろっている. un día *entero* 丸一日.
2 完全な, 無傷の. La cristalería no llegó *entera.* ガラス器は無事には着かなかった.
3 不屈の, 気丈な; 厳正な.
4 壮健な. **5** 〘数〙整数の.
por entero 完全に, すっかり. darse *por entero* a ... …に専念する, かかりきりになる.

en·te·ro[2] [entéro エンテロ] 名男 **1** 〘数〙整数 (= número *entero*).
2 〘商業〙(相場の) ポイント.
— 動 → enterar.

en·te·rra·dor [enteřaðór エンテラドル] 名男 墓掘り人, 埋葬者.

en·te·rra·mien·to [enteřamjénto エンテラミエント] 名男 埋葬 (= entierro); 墓, 墓地.

en·te·rrar [enteřár エンテラル] [42 e → ie] 動他 〔英 bury〕 **1** 埋める; 埋葬する. *enterrar* un tesoro 宝物を埋めて隠す. Le *enterraron* en este cementerio. 彼はこの墓地に葬られた.
2 葬り去る, 忘れ (去) る. *enterrar* sus ilusiones 幻想を捨てる.
3 《口語》《諧謔》(人より) 長生きする. *Enterró* a su marido. 彼女は夫よりも長生きした.
— **en·te·rrar·se** 隠遁(いんとん)生活に入る.

en·ti·biar [entiβjár エンティビアル] 動他
1 生ぬるくする, 冷ます.
2 《比喩》(感情を) 冷ます, 気まずくさせる.
— **en·ti·biar·se** 生ぬるくなる, 冷める; 気まずくなる.

en·ti·dad [entiðáð エンティダ(ドゥ)] 名女
1 団体, 組織. *entidad* local 地方団体.
2 〘哲〙実体, 本質.

entiend- 動 → entender. [43 e → ie]

en·tie·rro [entjéřo エンティエロ] 名男 埋葬; 葬儀; 葬列. asistir al *entierro* 葬式に参列する.

en·tol·dar [entoldár エントるダル] 動他 …に日よけをつける, …にテントを張る.

en·to·mo·lo·gí·a [entomoloxía エントモろヒア] 名女 昆虫学.

en·to·na·ción [entonaθjón エントナしオン] 名女 〘音声〙抑揚, イントネーション; 語調.

en·to·nar [entonár エントナル] 動他
1 歌う. *entonar* alto 高い声で歌う.
2 元気づける, 活気づける.
— 動自 **1** 歌う. **2** 《+ con》…と調和する.
— **en·to·nar·se** **1** うぬぼれる. **2** 元気を取り戻す.

en·ton·ces [entónθes エントンセス] 副 〔英 then〕
1 その時, 当時. Me informaron del accidente *entonces.* その時私は事故の報告を受けた. desde *entonces* その時以来. hasta *entonces* その時まで. gente de *entonces* その当時の人々.
2 《接続詞的に》**それなら**, それでは. No tengo clase esta tarde. —*Entonces* vendrás a mi casa. きょうの午後は授業がないんだ. —だったら家に来られるね.
3 それから. ¿*Entonces*? それから [それで] ?
en* [*por*] *aquel entonces 当時は, あのころは.
***entonces fue cuando* [*que*] ...** …したのはその時だった. *Entonces fue cuando* vino a despertarme. 彼が僕を起こしにきたのはまさにその時だった.
¡(*Pues* [*Y*]) *entonces!* それならそれでいいじゃないか, 何を今さら.

en·ton·te·cer [entonteθér エントンテセル] 40 動他 呆然(ぼうぜん)とさせる, ぼうっとさせる.

en·tor·cha·do [entortʃáðo エントルチャド] 名男 〘服飾〙金[銀]モール.

en·tor·nar [entornár エントルナル] 動他 半ば閉じる, 半開きにする. *entornar* los ojos 目を細める.

en·tor·no [entórno エントルノ] 名男 周囲, 環境.

en·tor·pe·cer [entorpeθér エントルペセル] 40 動他 **1** 鈍らせる, 麻痺(まひ)させる.
2 妨害する, 遅らせる.
— **en·tor·pe·cer·se** (手足が) しびれる.

en·tra·da [entráða エントゥラダ] 名女 [複 ~s] 〔英 entrance; ticket; entry〕 **1 入り口**, 玄関 (↔ salida). *entrada* de aire 空気取り入れ口. *entrada* a la ciudad 町への入口. *entrada* principal 正門, 正面玄関. Te espero a la *entrada* del cine. 映画館の入口で待ってるよ.
2 入場券[料], **切符**. ¿Cuánto es la *entrada*? 入場料はいくらですか. ¿Tienes la *entrada*? 入場券は持っているの? *entrada* gratis 入場無料. *entrada* de favor 優待券, 招待券.
3 入ること, 入場; 加入, 加盟. *entrada* prohibida 立入禁止. *entrada* de atletas en el estadio olímpico オリンピック・スタジアムへの選手入場. *entrada* simultánea de las dos Coreas en la ONU 韓国と北朝鮮の国連同時加盟. *entrada* en el gobierno 入閣. No se ha permitido su *entrada* en el club. 彼のクラブへの入会は認められなかった.
4 [~または ~s] 〘商業〙入金, 収入; 興行収益. *entrada* bruta 総収入. asentar

E

una *entrada* 入金を記帳する.
5 頭金, 内金. pagar una *entrada* 頭金を払う. **6** 初め; 出だし. a la *entrada* del invierno 初冬に.
7 〔ｺﾝﾋﾟｭｰﾀ〕インプット, 入力.
8 (野球の) イニング.
9 〔料理〕アントレ: 前菜またはスープの後に出る料理.
10 (左右の額ぎわの) 切れ込み. Tiene *entradas* en la frente. 彼の額の横は大きく後退している.
— 過分 女 → entrar.
dar entrada 入場[入会]させる; (指揮者などが) きっかけを与える.
de entrada 初めに, まず最初に.
tener entrada en ... …に自由に出入りできる.

E

entrado, da 過分 → entrar.
en·tra·ma·do [entramáðo エントゥラマド] 名男 〔建築〕木組み; ハーフティンバー.
en·tram·bos, bas [entrámbos, bas エントゥランボス, バス] 形 [複] 双方の, 両方の (= ambos). — 代名 [複] 双方, 両方.
entrando 現分 → entrar.
en·tran·te [entránte エントゥランテ] 形 次の, 来る. año *entrante* 来年. presidente *entrante* 次期大統領.
— 名男 **1** 〔建築〕壁龕(へきがん), 壁のくぼみ. **2** オードブル (= entremés).
en·tra·ña [entráɲa エントゥラニャ] 名女
1 内臓, はらわた.
2 [〜または 〜s] 深部, 奥底.
3 核心, 本質. *entraña* del asunto 問題の核心.
4 [普通 〜s] 心, 情; 性格. no tener *entrañas* 薄情である.
de malas entrañas 腹黒い.
sacar las entrañas a 《+uno》《口語》〈人〉を殺す; 一文無しにする.
en·tra·ña·ble [entraɲáβle エントゥラニャブレ] 形 **1** 親愛な, 最愛の. amigo *entrañable* 親友. **2** 深い, 心の底からの, 大切な.
en·tra·ñar [entraɲár エントゥラニャル] 動 他 含む, 内包する.

en·trar

[entrár エントゥラル] 動 自 [現分 entrando; 過分 entrado, da] 〔英 enter〕 **1** 《+**en, a**》…に入る; 《+**por**》…から入る. *Entraron en* un restaurante. 彼らは一軒のレストランに入った. ¿Se puede *entrar*? 入ってもいいですか. ¡*Entre*! お入りなさい. *entrar a* escena 舞台に登場する. *entrar por* la puerta 戸口から入る. *entrar* como un torbellino 旋風のように入ってくる.
2 収まる. Este tapón no *entra* en la botella. この栓はその瓶にはまらない.
3 加入する; 《口語》かかわる. *entrar* en la escuela 入学する. *entrar* en una conversación 会話に加わる. *entrar* en el ejército 入隊する. *entrar* en servicio [*entrar* en una profesión] 業務[ある職業]に就く. No *entro* ni salgo. 僕は関係ないよ.
4 含まれる. El servicio no *entra* en el precio. サービス料金は値段に含まれていない. En la paella no *entra* cebolla. パエーリャにはタマネギは入らない.
5 (時期に) 差しかかる. La economía japonesa *ha entrado* en un período de grave recesión. 日本経済は深刻な不況時代に入った. *entrar* en años 年を取る.
6 始まる; 《+**a** 不定詞》…し始める; 《現在分詞》…で始まる. *Entró a* reinar una nueva dinastía. 新しい王朝が君臨し始めた.
7 (習俗に) 染まる. *entrar* en malas costumbres 悪習に染まる.
8 《口語》気に入る; わかる. No me *entra* ese tipo. あいつは虫が好かない. No me *entra* esta lección. この課は難しくて頭に入らない.
9 (ある状態に) 入る, 陥る, 襲う. *entrar* en cólera 怒り出す. *entrar* en deseo 欲しくなる. Me *entra* la llorera. 私は泣きたい気分だ. Me *entró* frío al salir a la calle. 表へ出たとたんに寒いと感じた. Le *entró* sueño. 彼は眠くなった.

en·tre

[entre エントゥレ] 前 〔英 between, among〕
1 《**entre** ... **y**...; +複数 (代) 名詞, +集合名詞》…と…の間に[で], …の中で, …の中間の. vuelos *entre* Tokyo *y* Barcelona 東京・バルセロナ便. *entre* las dos *y* las tres 2時から3時の間に. los errores que se cometen *entre* los estudiantes 学生によくある間違い. Se perdió en seguida *entre* la gente. 人ごみに紛れてすぐ彼の姿は見えなくなった. Elige una (de) *entre* estas corbatas. このネクタイの中から1本選びなさい. Es el más joven (de) *entre* nosotros. 我々の中で彼がいちばん若い. Vaciló *entre* ir o no ir. 彼は行こうか行くまいか迷った. Se escapó por *entre* los árboles. 彼は木立を縫って逃亡した. *entre* dulce *y* amargo 甘いような苦いような. *entre* la vida *y* la muerte 生死の境で.
2 《協同を表して》…がいっしょになって, …と協力して. *Entre* tú y yo vamos a alquilar un coche. 君と僕で車を一台借りよう. Lo mataron *entre* todos. 皆がよってたかって彼を殺した.
3 《内部を表して》…の心のうちで. Eso pensaba yo *entre* mí ... 私も内心そう考えていたが….
entre nosotros / entre tú y yo ここだけの話だが.
entre otras cosas とりわけ.
— [éntre エントゥレ] 動 → entrar.
entre- 《接頭》「中間, 相互」の意を表す. ⇒*entre*acto, *entre*tejer など.
en·tre·a·brir [entreaβrír エントゥレアブリル]

動他[過分 entreabierto, ta](ドア・窓などを)半開きにする.

en·tre·ac·to [entreákto エントゥレアクト] 名男幕間(まく).

en·tre·ca·no, na [entrekáno, na エントゥレカノ, ナ] 形 白髪混じりの.

en·tre·ce·jo [entreθéxo エントゥレセホ] 名男眉間(みけん). fruncir [arrugar] el *entrecejo* 顔をしかめる, まゆをひそめる.

en·tre·cho·car [entretʃokár エントゥレチョカル] [8 c → qu] 動他 何度もぶつける.

—— **en·tre·cho·car·*se*** ぶつかり合う.

en·tre·cor·ta·do, da [entrekortáðo, ða エントゥレコルタド, ダ] 形 (声, 息が) とぎれとぎれの.

en·tre·cru·zar [entrekruθár エントゥレクルサル] [39 z → c] 動他 交差させる.

—— **en·tre·cru·zar·*se*** 交差する.

en·tre·di·cho [entreðítʃo エントゥレディチョ] 名男 **1** 疑い. poner《+algo》en *entredicho*〈何か〉を疑う. **2** 禁止.

en·tre·ga [entréɣa エントゥレガ] 名女 引き渡し; 渡した物. hacer *entrega* de ... …を引き渡す, 授与する.

—— 動 → entregar. [32 g → gu]

entregado, da 過分 → entregar.

entregando 現分 → entregar.

en·tre·gar [entreɣár エントゥレガル] [32 g → gu] 動他 [現分 entregando; 過分 entregado, da] [英 deliver, hand over] **手渡す, 引き渡す**. *entregar* el dinero a《+uno》〈人〉に金を渡す. *entregar* un paquete a domicilio 小荷物を宅配する. *entregar* los deberes al profesor 先生に宿題を提出する. *entregar* una ciudad (敵に) 町を明け渡す. *entregar* al carterista a la policía すりを警察に引き渡す.

—— **en·tre·gar·*se***《+a》**1** …に投降する. **2** …に没頭する. *entregarse al* estudio 研究に専念する. **3** …に任せる. *entregarse a* su suerte 運に任せる.

entregar el alma* / *entregarla《口語》死ぬ.

entregue(-) / entregué(-) 動 → entregar. [32 g → gu]

en·tre·la·zar [entrelaθár エントゥレラサル] [39 z → c] 動他 交錯させる. *entrelazar* los dedos 指を組み合わせる.

en·tre·lí·ne·a [entrelínea エントゥレリネア] 名女 行間の書き込み.

en·tre·me·dias [entreméðjas エントゥレメディアス] 副 中間に; その間に.

en·tre·més [entremés エントゥレメス] 名男 [複 entremeses] **1**〘料理〙前菜, オードブル.
2〘演劇〙幕間(まく)狂言[喜劇], 寸劇.

en·tre·me·ter [entremetér エントゥレメテル] 動他 間に入れる, 差し込む, 挟む.

—— **en·tre·me·ter·*se*** 割り込む; 口出しをする.

en·tre·me·ti·do, da [entremetíðo, ða エントゥレメティド, ダ] 形 お節介な, でしゃばりの.

—— 名男女 お節介な人, でしゃばり.

en·tre·mez·clar [entremeθklár エントゥレメスクラル] 動他 混ぜる.

en·tre·na·dor, do·ra [entrenaðór, ðóra エントゥレナドル, ドラ] 名男女〘スポーツ〙トレーナー, コーチ.

en·tre·na·mien·to [entrenamjénto エントゥレナミエント] 名男〘スポーツ〙トレーニング, 練習.

en·tre·nar [entrenár エントゥレナル] 動他 [英 train] 訓練する, トレーニングする. *entrenar* el equipo チームを鍛える.

—— **en·tre·nar·*se*** トレーニングをする, 練習する. *entrenarse* en el tenis テニスの練習をする.

en·tre·o·ír [entreoír エントゥレオイル] 37 動他 [現分 entreoyendo; 過分 entreoído] かすかに聞こえる.

en·tre·pa·ño [entrepáɲo エントゥレパニョ] 名男〘建築〙柱間壁; ドアパネル; 棚 (板). → puerta図.

en·tre·pier·na [entrepjérna エントゥレピエルナ] 名女 [普通 ~s] (人体・ズボンの) 股(また).

en·tre·sa·car [entresakár エントゥレサカル] [8 c → qu] 動他 **1**《+de》…から選び出す. **2** 間伐する.

en·tre·si·jo [entresíxo エントゥレシホ] 名男 [普通 ~s] 秘密, 謎(なぞ); 難問.
tener muchos entresijos 謎めいている; 難しい, 困難である.

en·tre·sue·lo [entreswélo エントゥレスエロ] 名男 中2階; (昔の呼び方で) 2階. ► デパートなどの中2階はふつう entreplanta. → principal.

en·tre·tan·to [entretánto エントゥレタント] 副 その間に, そうこうするうちに.

en·tre·te·jer [entretexér エントゥレテヘル] 動他 **1** (糸を) 織り込む.
2 混ぜる, 組み込む.

en·tre·te·la [entretéla エントゥレテラ] 名女
1〘服飾〙芯(しん).
2 [~s]《口語》心の底, 胸のうち.

en·tre·te·ner [entretenér エントゥレテネル] 55 動他 **1** 楽しませる. La música latinoamericana me *entretiene* mucho. ラテンアメリカ音楽は私を大いに楽しませてくれる.
2 気をそらす, 紛らす. *entretener* el hambre 空腹を紛らす. *Entretenía* la espera fumando cigarrillos. 彼はタバコを吸いながら待ち時間をつぶしていた.
3 引き延ばす; 保持する. *entretener* la resolución de la cuestión 問題の解決を引き延ばす. *entretener* una esperanza 望みを持ち続ける.

—— **en·tre·te·ner·*se*** **1** 楽しむ. *entretenerse* con la música 音楽を楽しむ. *entretenerse* leyendo [en leer] 読書をして時を過ごす.

2 時間をつぶす, だらだら過ごす. *Me he entretenido* demasiado. Ya me marcho. 長居してしまいました. おいとまします. ***por entretenerse*** 暇つぶしに, 慰みに.

en·tre·te·ni·do, da [entreteníðo, ða エントゥレテニド, ダ] 過分 形 楽しい, 面白い. película *entretenida* 肩のこらない映画.

en·tre·te·ni·mien·to [entretenimjénto エントゥレテニミエント] 名男 **1** 楽しみ, 娯楽. servir de *entretenimiento* 気晴らしになる. **2** 維持.

en·tre·tiem·po [entretjémpo エントゥレティエンポ] 名男 間(あい)の季節, 春と秋. traje de *entretiempo* 合服.

E

en·tre·ver [entreβér エントゥレベル] 60 動他 [過分 entrevisto, ta] **1** かすかに認める, かいま見る. **2** 予見する, 予感する.

en·tre·ví·a [entreβía エントゥレビア] 名女 〘鉄道〙(レールの) ゲージ, 軌間.

en·tre·vis·ta [entreβísta エントゥレビスタ] 名女 [複 ～s] 〔英 interview〕 **会見, 会談**, インタビュー. *entrevista* de prensa 記者会見. hacer una *entrevista* a 《+uno》〈人〉にインタビューする.

en·tre·vis·ta·dor, do·ra [entreβistaðór, ðóra エントゥレビスタドル, ドラ] 名男女 インタビュアー, 会見者.

en·tre·vis·tar [entreβistár エントゥレビスタル] 動他 …にインタビューする.

— **en·tre·vis·tar·*se*** 《+con》 …にインタビューする, …と会談[会見]する.

en·tris·te·cer [entristeθér エントゥリステセル] 40 動他 悲しませる, 陰気にする.

— **en·tris·te·cer·*se*** 《+con, de, por》 …を悲しむ (↔ alegrarse).

en·tro·me·ter·*se* [entrometérse エントゥロメテルセ] 動 干渉する.

en·tron·car [entroŋkár エントゥロンカル] [8 c → qu] 動他 《+con》 …の血縁関係を立証する.

— 動自 **en·tron·car·*se*** **1** …と血縁関係を結ぶ, 親族である.
2 …と接続する, 連絡する.

en·tro·ni·zar [entroniθár エントゥロニサル] [39 z → c] 動他 **1** 即位させる.
2 賞賛する, 称揚する.

en·tuer·to [entwérto エントゥエルト] 名男 悪, 不正.

en·tu·me·cer [entumeθér エントゥメセル] 40 動他 麻痺(まひ)させる, しびれさせる. con los dedos *entumecidos* 指がしびれて.

— **en·tu·me·cer·*se*** 麻痺する, しびれる.

en·tur·biar [enturβjár エントゥルビアル] 動他 **1** 濁らせる. **2** かき乱す. *enturbiar* la mente 頭をぼうっとさせる.

— **en·tur·biar·*se*** **1** 濁る. **2** 乱れる, 混乱する.

en·tu·sias·mar [entusjasmár エントゥシアスマル] 動自 …が大好きである. A María le *entusiasman* los deportes. マリアはスポーツが大好きだ.

— 動他 熱狂させる.

— **en·tu·sias·mar·*se*** 《+con, por》 …に熱狂[熱中]する. *Se entusiasma con* el cómic. 彼はコミックに夢中だ.

en·tu·sias·mo [entusjásmo エントゥシアスモ] 名男 〔英 enthusiasm〕 **熱狂**, 興奮; 歓喜. con *entusiasmo* 熱心に, 熱烈に. oleadas de *entusiasmo* 歓喜の嵐(あらし).

en·tu·sias·ta [entusjásta エントゥシアスタ] 形 熱狂的な. — 名男女 ファン, 熱狂する人.

e·nu·me·ra·ción [enumeraθjón エヌメラシオン] 名女 列挙. hacer *enumeración* de ... …を列挙する.

e·nu·me·rar [enumerár エヌメラル] 動他 列挙する, 数え上げる. *Enumeró* las dificultades del proyecto. 彼はその計画の難点を列挙した.

e·nu·me·ra·ti·vo, va [enumeratíβo, βa エヌメラティボ, バ] 形 列挙する, 数え上げる.

e·nun·cia·ción [enunθjaθjón エヌンしアしオン] 名女 言明, 公表.

e·nun·ciar [enunθjár エヌンしアル] 動他
1 表明する; 明確に述べる.
2 〘数〙設問する.

e·nun·cia·ti·vo, va [enunθjatíβo, βa エヌンしアティボ, バ] 形 〘文法〙陳述の, 平叙文の.

en·vai·nar [embainár エンバイナル] 動他 (剣を) 鞘(さや)に収める.

en·va·len·to·na·mien·to [embalentonamjénto エンバれントナミエント] 名男 大胆, 強気.

en·va·len·to·nar [embalentonár エンバれントナル] 動他 大胆にさせる, 強気にさせる.

— **en·va·len·to·nar·*se*** 強がりを言う, 大見えをきる.

en·va·ne·cer [embaneθér エンバネセル] 40 動他 思い上がらせる; 得意にさせる.

— **en·va·ne·cer·*se*** 《+de, por》 …で思い上がる; …を得意がる. *Se envanece de* tener hijas guapas. 彼は器量のいい娘がいるのを自慢している.

en·va·sa·do [embasáðo エンバサド] 名男 容器に詰めること; 袋詰め.

en·va·sar [embasár エンバサル] 動他 (容器に) 詰める; (袋に) 入れる.

en·va·se [embáse エンバセ] 名男 容器; 容器に詰めること, 袋に入れること.

en·ve·je·cer [embexeθér エンベヘセル] 40 動他 老けさせる; 老朽化させる; 老けて見せる. Ese traje te *envejece*. その服を着ると君は老けて見える.

— 動自 **en·ve·je·cer·*se*** 老ける; 古くなる. (*Se*) *ha envejecido* mucho por la enfermedad. 彼は病気のためすっかり老け込んでしまった.

en·ve·je·ci·mien·to [embexeθimjénto エンベへしミエント] 名男 老化; 熟成.

en·ve·ne·na·mien·to [embenenamjénto エンベネナミエント] 名男 毒殺; 汚染, 公害.

en·ve·ne·nar [embenenár エンベネナル] 動他 **1** 毒殺する, 毒を盛る. Ella *envenenó* a su marido. 彼女は夫に毒を盛った. *envenenar* una bebida 飲み物に毒を入れる.
2 損なう, 害する. El odio *envenenó* su vida. 憎しみが彼の一生を台無しにした.
—— **en·ve·ne·nar·*se*** 毒をあおる; 中毒(死)する.

en·ver·ga·du·ra [emberɣaðúra エンベルガドゥラ] 名女 **1** 重要性. de mucha *envergadura* たいへん重要な.
2 規模; 許容範囲. **3** (帆の) 幅; (鳥・飛行機の) 翼幅.

en·vés [embés エンベス] 名男 裏, 裏面.

enví- 動 → enviar. [23 i → í]

en·via·do, da [embjáðo, ða エンビアド, ダ] 名男女 派遣された人; 使者, 使節. *enviado* especial 特派員. *enviado* extraordinario 特使, 特命大使.
—— 過分 → enviar.

enviando 現分 → enviar.

en·viar [embjár エンビアル] [23 i → í] 動他 [現分 enviando; 過分 enviado, da] 〔英 send〕

直説法 現在	
1·単 *envío*	1·複 **enviamos**
2·単 *envías*	2·複 **enviáis**
3·単 *envía*	3·複 *envían*

1 送る, 発送する. Adjunto le *envío* un cheque por el importe de quince mil pesetas. 1万5千ペセタの小切手を同封します. *enviar* por correo 郵送する.
2 派遣する. Le *enviaron* a Egipto de [como] embajador. 彼は大使としてエジプトへ派遣された. La empresa me *ha enviado* a consultar con usted este asunto. 私は会社からこの件についてあなたと相談するように言われて来ました.
enviar a 《+uno》 ***al diablo*** [***a paseo***] 《口語》〈人〉を歯牙(しが)にもかけない.

en·vi·ciar [embiθjár エンビしアル] 動他 …に悪い癖をつける, 堕落させる.
—— **en·vi·ciar·*se*** **1** 《+**con, en**》…の悪癖にふける. *enviciarse en* la droga 麻薬(まやく)におぼれる. **2** (物が) ゆがむ.

en·vi·dia [embíðja エンビディア] 名女 [複 ~s] 〔英 envy〕 羨望(せんぼう), ねたみ, 嫉妬(しっと). dar *envidia* うらやましがらせる. Tengo *envidia* de tu trabajo. 私は君の仕事がうらやましい. comerse de *envidia* por ... 《口語》…したくて[欲しくて]たまらない.

en·vi·dia·ble [embiðjáβle エンビディアブレ] 形 うらやむべき, ねたましい. posición *envidiable* うらやましい地位.

en·vi·diar [embiðjár エンビディアル] 動他 うらやむ; ねたむ. *Envidio* su vida cómoda. 彼の安楽な暮らしがうらやましい. Te *envidio*. 私は君がうらやましい. *envidiar* a 《+uno》 el cargo / *envidiar* a 《+uno》 por su cargo 〈人〉の地位をうらやむ. *envidiar* el éxito de otros 他人の成功をねたむ.
no tener [***tener poco***] ***que envidiar a*** 《+algo》〈何か〉と比べて劣らない.

en·vi·dio·so, sa [embiðjóso, sa エンビディオソ, サ] 形 《+**de**》…をうらやましがる. *envidioso de* la felicidad ajena 他人の幸福をねたんで.

en·vi·le·cer [embileθér エンビれせル] 40 動他 卑しくする; …の価値を下げる.
—— **en·vi·le·cer·*se*** 卑しくなる.

en·ví·o [embío エンビオ] 名男 **1** 発送; 発送物, 送金. *envío* por correo 郵送. *envío* por avión 空輸. **2** 派遣.
—— 動 → enviar. [23 e → ie]

en·vi·te [embíte エンビテ] 名男 **1** (トランプ) 賭金(かけきん)のつり上げ.
2 押すこと (= empujón).
3 誘い, 招待. aceptar un *envite* 招待を受ける.
al primer envite 最初から, いきなり.

en·viu·dar [embjuðár エンビウダル] 動自 やもめ[未亡人]になる.

en·vol·to·rio [emboltórjo エンボるトリオ] 名男 包み; 包装; 包装紙.

en·vol·tu·ra [emboltúra エンボるトゥラ] 名女 包装; 包装紙 poner una *envoltura* 包装紙をかける.

en·vol·ver [embolβér エンボるベル] [35 o → ue] 動他 [過分 envuelto, ta] 〔英 wrap〕 **1** 包む, すっぽり覆う. Lo *envolvió* en un periódico y me lo entregó. 彼はそれを新聞紙に包んで私に渡した. Dos coches se vieron *envueltos* en llamas. 2台の車が炎に包まれた. *envolver* al enfermo con una manta 病人を毛布でくるむ.
2 (事件などに) 巻き込む.
3 含む, 内包する; 包囲する. Esto *envuelve* algo que yo no entiendo. これには何か訳がありそうだ.
—— **en·vol·ver·*se*** くるまる. *envolverse* en [con] una manta 毛布にくるまる.

en·vuel·to, ta [embwélto, ta エンブエると, タ] 過分 → envolver.
—— 形 **1** 包まれた, くるんだ. *envuelto* en papel 紙で包まれた. **2** 連座した, 巻き込まれた. El ministro se vio *envuelto* en un escándalo. 大臣はスキャンダルに巻き込まれた.

envuelv- 動 → envolver. [35 o → ue]

en·ye·sar [eɲjesár エンジェサル] 動他
1 …にしっくいを塗る.
2 〘医〙石膏(せっこう)で固める.

en·zar·zar [enθarθár エンさルさル] [39 z → c] 動他 …にけんかをけしかける.
—— **en·zar·zar·*se*** **1** けんかを始める.
2 (面倒に) 巻き込まれる.

E

e·ñe [éɲe エニェ] 名女 アルファベットの ñ の文字[音].

epi- 「上，外」の意を表す造語要素．⇀ *epi*centro, *epi*dermis など.

é·pi·ca [épika エピカ] 名女 叙事詩 (↔ lírica).

e·pi·ce·no, na [epiθéno, na エピセノ, ナ] 形〘文法〙両性通用の.
── 名男〘文法〙両性通用語: 1 つの語形で雌雄両方を表すもの．⇀ la rata, el cuervo.

e·pi·cen·tro [epiθéntro エピセントゥロ] 名男〘地質〙震央.

E

é·pi·co, ca [épiko, ka エピコ, カ] 形 叙事的な，叙事詩の (↔ lírico). el poema *épico* 叙事詩.

e·pi·cu·re·ís·mo [epikureísmo エピクレイスモ] 名男 **1**〘哲〙エピクロス哲学.
2 快楽主義.

e·pi·cú·re·o, a [epikúreo, a エピクレオ, ア] 形 エピクロス派の; 快楽主義の.
── 名男女 快楽主義者，エピキュリアン.

e·pi·de·mia [epiðémja エピデミア] 名女 流行病，疫病; (病気の) 流行. *epidemia* de cólera コレラの流行.

e·pi·dé·mi·co, ca [epiðémiko, ka エピデミコ, カ] 形 流行性の. enfermedad *epidémica* 流行病，疫病.

e·pi·der·mis [epiðérmis エピデルミス] 名女〘解剖〙〘植物〙〘動物〙表皮，上皮.

E·pi·fa·ní·a [epifanía エピファニア] 名女〘カトリック〙主の御公現 (の祝日): 1 月 6 日. ➡ mago.

e·pi·glo·tis [epiɣlótis エピグロティス] 名女 [単・複同形]〘解剖〙喉頭蓋(こうとうがい).

e·pí·go·no [epíɣono エピゴノ] 名男 模倣者，亜流，エピゴーネン.

e·pí·gra·fe [epíɣrafe エピグラフェ] 名男
1 碑銘，碑文.
2 (巻頭の) 題辞，(新聞の) 見出し.

e·pi·gra·fí·a [epiɣrafía エピグラフィア] 名女 碑銘[碑文]研究，金石学.

e·pi·gra·ma [epiɣráma エピグラマ] 名男 警句，エピグラム; 風刺詩.

e·pi·lep·sia [epilépsja エピれプシア] 名女〘医〙癲癇(てんかん).

e·pi·lép·ti·co, ca [epiléptiko, ka エピれプティコ, カ] 形〘医〙癲癇(てんかん)の.
── 名男女 癲癇患者.

e·pí·lo·go [epíloɣo エピろゴ] 名男
1 終章，エピローグ (↔ prólogo).
2 終局，結末. tener un trágico *epílogo* 悲惨な結末に終わる.

e·pis·co·pa·do [episkopáðo エピスコパド] 名男〘カトリック〙司教の職[任期]; 《集合》司教団.

e·pis·co·pal [episkopál エピスコパる] 形 司教の.

e·pi·só·di·co, ca [episóðiko, ka エピソディコ, カ] 形 **1** 挿話の，エピソードふうの.
2 一時的な.

e·pi·so·dio [episóðjo エピソディオ] 名男 挿話，エピソード; 挿話的な出来事.

e·pis·te·mo·lo·gí·a [epistemoloxía エピステモろヒア] 名女〘哲〙認識論.

e·pís·to·la [epístola エピストら] 名女 書簡，手紙;〘詩〙書簡体詩.

e·pis·to·lar [epistolár エピストらル] 形 書簡の，手紙の.

e·pis·to·la·rio [epistolárjo エピストらリオ] 名男 書簡集.

e·pi·ta·fio [epitáfjo エピタフィオ] 名男 墓碑銘，墓誌.

e·pi·ta·la·mio [epitalámjo エピタらミオ] 名男 祝婚歌.

e·pi·te·lio [epitéljo エピテリオ] 名男〘解剖〙上皮 (組織).

e·pí·te·to [epíteto エピテト] 名男〘文法〙付加形容詞: 名詞の前に付けてその本来の性質を示す. ⇀ *blanca* nieve 白雪.

é·po·ca [époka エポカ] 名女 [複 ～s] [英 epoch]
1 時代; 時期 (＝período, temporada). *época* de Felipe II [segundo] フェリペ 2 世の時代. en nuestra *época* 現代では. en esta *época* 今は，今の季節には. en aquella *época* あのころは. en otra *época* 昔は，以前は.
2〘地質〙世(せい), 期. *época* glacial 氷河期. ***que hace(n) época*** 画期的な，すばらしい.

e·po·pe·ya [epopéʝa エポペヤ] 名女 **1** 叙事詩 (＝épica). **2** 偉業; 艱難(かんなん)辛苦.

ép·si·lon [épsilon エプシろン] 名女 エプシロン，イプシロン (Ε, ε): ギリシア語アルファベットの第 5 字.

equi- 「均等」の意を表す造語要素. ⇀ *equi*librio, *equi*valente. など.

e·qui·dad [ekiðáð エキダ(ドゥ)] 名女 **1** 公平，公正. juzgar con *equidad* 公正に裁く. **2** 平静，(精神の) 均衡.

e·qui·dis·tan·cia [ekiðistánθja エキディスタンしア] 名女 等距離.

e·qui·dis·tan·te [ekiðistánte エキディスタンテ] 形 等距離の.

e·qui·dis·tar [ekiðistár エキディスタル] 動自《＋de》…から等距離にある.

e·qui·lá·te·ro, ra [ekilátero, ra エキらテロ, ラ] 形〘数〙等辺の.

e·qui·li·bra·do, da [ekiliβráðo, ða エキリブラド, ダ] 過分 形 **1** 均衡の取れた.
2 平静な，分別がある.

e·qui·li·brar [ekiliβrár エキリブラル] 動他 釣り合わせる，…の均衡を取る.
── **e·qui·li·brar·se** 釣り合う，平衡を保つ.

e·qui·li·brio [ekilíβrjo エキりブリオ] 名男
1 平衡，釣り合い，バランス. mantener [perder] el *equilibrio* バランスを保つ[失う]. mantener 《＋algo》 en *equilibrio* 〈何か〉のバランスを取る. sentido del *equilibrio* 平衡感覚. *equilibrio* político 政治

的均衡. *equilibrio* entre la demanda y la oferta 需要と供給のバランス.
2 平静さ, 落ち着き. *equilibrio* mental 精神の安定.
hacer equilibrios 術策を用いる; やりくりする.

e·qui·li·bris·ta [ekiliβrísta エキリブリスタ] 名男女 (綱渡りなどの) 曲芸師, 軽業師.

e·qui·no [ekíno エキノ] 名男 〘動物〙ウニ.

e·qui·noc·cial [ekinokθjál エキノクしアる] 形 昼夜平分の; 春分[秋分]の.

e·qui·noc·cio [ekinókθjo エキノクしオ] 名男 春分, 秋分, 昼夜平分点. *equinoccio* de primavera [otoño] 春[秋]分.

e·qui·pa·je [ekipáxe エキパヘ] 名男 《集合》(旅行用の) 荷物. viajar con mucho *equipaje* たくさんの荷物を持って旅行する. hacer el *equipaje* 荷物をまとめる. *equipaje* de mano 手荷物. exceso de *equipaje* 手荷物の制限重量超過.

e·qui·par [ekipár エキパル] 動 他 《+**con, de**》…を備えさせる, 装備する.
—— ***e·qui·par·se*** 《+**con, de**》…を用意する, 調達する.

e·qui·pa·ra·ción [ekiparaθjón エキパラしオン] 名女 比較, 同一視.

e·qui·pa·rar [ekiparár エキパラル] 動 他 《+**a, con**》…になぞらえる, 同等と見なす (= comparar).

e·qui·po [ekípo エキポ] 名男 [複 ～s] 〔英 team; equipment〕
1 **チーム**. *equipo* de fútbol サッカーチーム. *equipo* de médicos 医師団. trabajar en *equipo* 共同で取り組む.
2 《集合》**装備**, 装具; 衣装. *equipo* de submarinista ダイバーの装備一式. *equipo* de novia 嫁入り道具.
3 システム・コンポ (ーネント).

e·quis [ékis エキス] 名女 **1** アルファベットの x の文字[音]. **2** 未知のもの, 未知数.

e·qui·ta·ción [ekitaθjón エキタしオン] 名女 馬術, 乗馬.

e·qui·ta·ti·vo, va [ekitatíβo, βa エキタティボ, バ] 形 公平な, 公正な. trato *equitativo* 公平な扱い.

e·qui·va·len·cia [ekiβalénθja エキバれンしア] 名女 同等, 等価.

e·qui·va·len·te [ekiβalénte エキバれンテ] 形 《+**a, de, en**》…に相当する, 同等の, 等価値の. una pintura *equivalente a* un millón de pesetas 100万ペセタ相当の絵画.
—— 名男 **1** 同等のもの, 同量, 等価. **2** 相当語句, 類(義)語.

e·qui·va·ler [ekiβalér エキバれル] 58 動 自 《+**a**》…と同等である, …に相当する. Cinco duros *equivalen a* veinticinco pesetas. 5ドゥーロは25ペセタである. Sus palabras *equivalen a* un insulto. 彼の言葉は侮辱も同然だ.

e·qui·vo·ca·ción [ekiβokaθjón エキボカしオン] 名女 [複 equivocaciones] 間違い, 誤り; 思い違い (= error). cometer [tener] una *equivocación* 間違いを犯す. por *equivocación* 間違って.

equivocado, da 過分 ➡ equivocar.

equivocando 現分 ➡ equivocar.

e·qui·vo·car [ekiβokár エキボカル] [8 c ➡ qu]
動 他 [現分 equivocando; 過分 equivocado, da] **1** 間違える, 誤る. He *equivocado* la calle. 私は通りを間違えた. ► equivocarse de の方が多く用いられる.
2 《口語》間違わせる. ¡Estáte quieto! ¡Mira! ¡Ya me *has equivocado*! 黙っていてくれ, ほら, 間違えちゃったじゃないか.
—— ***e·qui·vo·car·se*** 〔英 be mistaken〕《+**de**》…**を間違える**, 誤る (= confundirse). *Me equivoqué de* calle [fecha]. 私は通り[日付]を間違えてしまった. *Te equivocas*. 君の思い違いだ. si no *me equivoco* 私の間違いでなければ.

e·quí·vo·co, ca [ekíβoko, ka エキボコ, カ] 形 **1** 曖昧(あいまい)な, 紛らわしい; 多義の.
2 疑わしい, 怪し気な.
—— 名男 思い違い, 誤解. Hubo un *equívoco* entre nosotros. 私たちの間には誤解があった.

equivoque(-) / **equivoqué**(-) 動 ➡ equivocar. [8 c ➡ qu]

e·ra [éra エラ] 名女 **1** 紀元. *era* cristiana キリスト紀元, 西暦.
2 時代, 時期; 〘地質〙代. *era* atómica 原子力時代. *era* paleozoica 古生代.
3 〘農業〙脱穀場; 菜園の区画.
—— 動 ➡ ser. 53

era(-) / **éra**(-) 動 ➡ ser. 53

e·ra·rio [erárjo エラリオ] 名男 国庫; 公金.

e·re [ére エレ] 名女 アルファベットの r の文字[音].

e·rec·ción [erekθjón エレクしオン] 名女 **1** 建立; 創設, 設立. **2** 勃起(ぼっき).

e·rec·to, ta [erékto, ta エレクト, タ] 形 直立した; 硬直した.

e·re·mi·ta [eremíta エレミタ] 名男 ➡ ermitaño.

eres 動 ➡ ser. 53

er·guir [erɣír エルギル] [21 gu ➡ g ; 41 e ➡ i] 動 他 [現分 irguiendo] まっすぐに立てる.
—— ***er·guir·se*** **1** 《3人称で用いて》まっすぐになる; そびえ立つ. **2** 思い上がる.
erguir la cabeza 顔を上げる; 胸を張る; 悪びれない.

e·rial [erjál エリアる] 形 未開拓の.
—— 名男 荒れ地.

e·ri·gir [erixír エリヒル] [19 g ➡ j] 動 他 **1** 建てる, 建立する. **2** 創設する, 設置する. *erigir* una escuela 学校を創設する. —— ***e·ri·gir·se*** 《+**en**》…だと自任する.

e·ri·za·do, da [eriθáðo, ða エリさド, ダ] 過分 形 毛が逆立った; 《+**de**》(とげ・針など

で) 覆われた; …でいっぱいの. *erizado de* dificultades 困難に満ちた.

e·ri·zar [eriθár エリサル] [39 z → c] 動他 (毛を) 逆立てる.
— **e·ri·zar·*se*** 逆立つ, 鳥肌が立つ. *Se* me *erizó* el pelo del susto. 私は驚きのあまり髪の毛が逆立った.

e·ri·zo [eríθo エリそ] 名男 **1** 〘動物〙ハリネズミ; 〘魚〙ハリセンボン. **2** (クリなどの) いが. **3** 《口語》気難し屋; 手に負えない人.
erizo marino [***de mar***] 〘動物〙ウニ.

er·mi·ta [ermíta エルミタ] 名女 (隠者の) いおり, (人里離れた) 礼拝堂.

er·mi·ta·ño, ña [ermitáɲo, ɲa エルミタニョ, ニャ] 名男女 世捨て人, 隠遁(いんとん)者.
— 名男 〘動物〙ヤドカリ (宿借).

Er·nes·to [ernésto エルネスト] 固名 エルネスト: 男性の名.

E·ros [éros エロス] 固名 〘ギリシア神話〙エロス: Afrodita の息子で恋愛の神. ローマ神話の Cupido.

e·ro·sión [erosjón エロシオン] 名女 **1** 浸食, 風化; 磨滅. *erosión* glacial [pluvial] 氷河[雨]による浸食. **2** 〘医〙糜爛(びらん).

e·ro·sio·nar [erosjonár エロシオナル] 動他 浸食する, 風化させる.

e·ró·ti·co, ca [erótiko, ka エロティコ, カ] 形 **1** 官能的な, エロチックな; 好色の.
2 恋愛の.

e·ro·tis·mo [erotísmo エロティスモ] 名男 官能性, エロチシズム, 好色.

e·rra·bun·do, da [eraβúndo, da エラブンド, ダ] 形 放浪の, 流浪の.

e·rra·di·ca·ción [eraðikaθjón エラディカしオン] 名女 根絶.

e·rra·di·car [eraðikár エラディカル] [8 c → qu] 動他 根こぎにする; 根絶する. *erradicar* un vicio 悪習を一掃する.

e·rran·te [eránte エランテ] 形 放浪の.

e·rrar [erár エラル] [24 e → ye] 動自
1 《+**en**》…を間違える, 誤る. *errar en* la elección 選択を誤る.
2 さまよう, 放浪する.
— 動他 間違える. *errar* el camino 道を間違える. *errar* el blanco 的を外す.

e·rra·ta [eráta エラタ] 名女 誤字, 誤植. fe de *erratas* 正誤表.

e·rre [ére エレ] 名女 スペイン語アルファベットの rr の文字[音]. ► 語頭の r や l, n, s の後の r も, rr と同じように発音される.
erre que erre 《口語》頑固に, しつこく.

e·rró·ne·a·men·te [eróneaménte エロネアメンテ] 副 間違って.

e·rró·ne·o, a [eróneo, a エロネオ, ア] 形 間違った. determinación *errónea* 誤った決定.

e·rror [erór エロル] 名男 [複 ~es] 〔英 error〕
1 誤り, 間違い; 誤差. cometer un *error* 誤りを犯す. un texto lleno de *errores* 間違いだらけの文章. Estás en un *error* si lo crees. 君がそう思っているなら大間違いだ. *error* de cálculo 計算ミス.
2 過失, 過ち. caer en un *error* 過つ. por *error* 過って. Salvo *error* u omisión. (契約書などで) 誤記・脱落はこの限りにあらず.

e·ruc·tar [eruktár エルクタル] 動自 げっぷが出る.

e·ruc·to [erúkto エルクト] 名男 げっぷ.

e·ru·di·ción [eruðiθjón エルディしオン] 名女 学識, 博識. de vasta *erudición* 学識豊かな.

e·ru·di·to, ta [eruðíto, ta エルディト, タ] 形 博識な, 学識のある. un hombre muy *erudito* 博学多識の人.
— 名男女 博識な人, 物知り. *erudito* en 《+algo》〈何か〉に精通した人.

e·rup·ción [erupθjón エルプしオン] 名女
1 噴火, 爆発. entrar en *erupción* 噴火[爆発]する. **2** 〘医〙発疹(はっしん).

es 動 → ser. 53

es- / ex- 《接頭》「外, 除去」の意を表す. ⇒ *es*capar, *ex*poner など.

esa 形 《指示》 女 → ese.

ésa 代名 《指示》 女 → ése.

esas 形 《指示》 女 [複] → ese.

ésas 代名 《指示》 女 [複] → ese.

es·bel·tez [esβeltéθ エスベるテす] 名女 すらりとしていること.

es·bel·to, ta [esβélto, ta エスベるト, タ] 形 ほっそりした, すらりとした.

es·bo·zar [esβoθár エスボさル] [39 z → c] 動他 **1** スケッチする, 素描する.
2 …の概略を述べる.
3 (顔に) 表す. *esbozar* una sonrisa ほほえみを浮かべる.

es·bo·zo [esβóθo エスボそ] 名男 スケッチ, 素描; 素案.

es·ca·be·che [eskaβétʃe エスカベチェ] 名男 **1** マリネード: マリネ用の漬け汁.
2 マリネ, 酢漬け.

es·ca·be·chi·na [eskaβetʃína エスカベチナ] 名女 **1** 大虐殺; 大破壊.
2 《口語》大量の落第生.

es·ca·bel [eskaβél エスカべる] 名男 スツール; 足載せ台.

es·ca·bro·si·dad [eskaβrosiðað エスカブロシダ(ドゥ)] 名女 (土地の) 険しさ; 困難.

es·ca·bro·so, sa [eskaβróso, sa エスカブロソ, サ] 形 **1** (土地が) 険しい.
2 困難な; 厄介な.
3 きわどい, 卑猥(ひわい)な.

es·ca·bu·llir·*se* [eskaβuʎírse エスカブリィルセ] 36 動 [現分 escabulléndose] **1** (手から) 滑り落ちる. **2** 《+**de**》…から抜け出す; 《+**entre**》…に紛れ込む. Logró *escabullirse de* la reunión. 彼は会議をうまく抜け出すことができた.

es·ca·fan·dra [eskafándra エスカファンドゥラ] 名女 潜水服. ► 潜水は buceo.

es·ca·la [eskála エスカら] 名女 **1** 目盛り;

規準, 段階;〘音楽〙音階. *escala* de colores 色度表. *escala* móvil〘経済〙スライド制. *escala* de valores 価値基準, 価値観. *escala* de un termómetro 温度[体温]計の目盛り.

2 規模; 縮尺. a *escala* internacional 世界的規模で. en gran *escala* 大規模な[に]. un mapa a *escala* de uno a veinticinco mil 2万5千分の1の地図.

3（船・飛行機の）寄港（地）. hacer *escala* en ... …へ寄港する, 立ち寄る. vuelo sin *escala* 直行便. **4** はしご.

es·ca·la·da [eskaláða エスカラダ] 名女
1 よじ登ること, 登攀(とうはん). *escalada* en paredes ロッククライミング. **2** 段階的拡大, エスカレーション;（価格の）上昇.

es·ca·la·fón [eskalafón エスカラフォン] 名男 職員[従業員]名簿. seguir [subir en] el *escalafón* 昇進する.

es·ca·lar [eskalár エスカラル] 動他 よじ登る, 登攀(とうはん)する. *escalar* la montaña 山に登る.
—— 動自 **1** 出世する. **2** エスカレートする.

es·cal·dar [eskaldár エスカるダル] 動他 熱湯を通す, ゆでる.

es·ca·le·no [eskaléno エスカれノ] 形〘数〙（三角形が）不等辺の.

es·ca·le·ra [eskaléra エスカれラ] 名女 [複 ~s]〔英 stairs; ladder〕**階段; はしご.** subir (por) la *escalera* 階段を上る. Cayó *escalera* abajo. 彼は階段を転げ落ちた. apoyar la *escalera* contra la pared 壁にはしごを立てかける. *escalera* de caracol らせん階段. *escalera* de cuerda 縄ばしご. *escalera* de tijera 脚立. ► エスカレーターは *escalera* mecánica [automática, móvil].

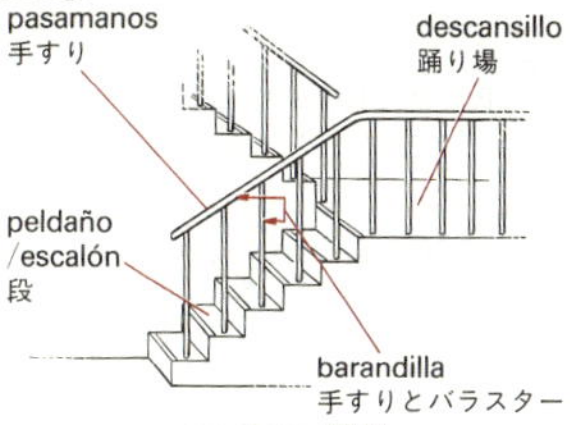

escalera **階段**

es·ca·le·ri·lla [eskaleríʎa エスカれリリャ] 名女（飛行機の）タラップ.

es·cal·far [eskalfár エスカるファル] 動他（卵を）ポーチドエッグにする.

es·ca·li·na·ta [eskalináta エスカリナタ] 名女（玄関前などの）石段.

es·ca·lo·frian·te [eskalofrjánte エスカろフリアンテ] 形 身の毛がよだつ, 背筋の寒くなる.

es·ca·lo·frí·o [eskalofrío エスカろフリオ] 名男 悪寒; 身震い. tener *escalofrío* 身震いする, 寒気がする.

es·ca·lón [eskalón エスカろン] 名男 **1**（階段・はしごの）段; 段差のある地面. ➡ casa 図, escalera 図. **2**（昇進の）ステップ.

es·ca·lo·na·do, da [eskalonáðo, ða エスカろナド, ダ] 過分 形 段階的な.

es·ca·lo·na·mien·to [eskalonamjénto エスカろナミエント] 名男（段階的な）配置, 編成.

es·ca·lo·nar [eskalonár エスカろナル] 動他
1 間隔をおいて配置する; 段階的に行う. *escalonar* soldados 兵士を配置する.
2 段々にする.

es·ca·lo·pe [eskalópe エスカろペ] 名男〘料理〙エスカロップ: パン粉をつけた子牛の薄切り肉などのバター焼き.［←フランス語］

es·ca·ma [eskáma エスカマ] 名女 **1** うろこ; うろこ状のもの;〘植物〙鱗片(りんぺん).
2 不安, 不審.

es·ca·mar [eskamár エスカマル] 動他
1 …のうろこを取る. **2**《口語》…に不安[不審]を抱かせる. Me *escamó* tanto silencio. 私はあまり静かなので不安になった.
—— **es·ca·mar·se**《+de》…を不安に思う, …に不審を抱く.

es·ca·mo·so, sa [eskamóso, sa エスカモソ, サ] 形 うろこに覆われた; うろこ状の.

es·ca·mo·te·ar [eskamoteár エスカモテアル] 動他 **1**（手品で）ぱっと消す. **2**《口語》くすねる, ちょろまかす; ごまかす. *escamotear* la colecta 募金を自分の懐に入れる.

es·cam·pa·da [eskampáða エスカンパダ] 名女 雨の晴れ間.

es·cam·par [eskampár エスカンパル] 動自 雨が上がる. ► 3人称単数のみに活用.

es·can·ciar [eskanθjár エスカンしアル] 動他（酒を）つぐ.

es·can·da·le·ra [eskandaléra エスカンダれラ] 名女《口語》➡ escándalo.

es·can·da·li·zar [eskandaliθár エスカンダリさル] [39 z ➡ c] 動他 …にショックを与える, あきれさせる. La noticia *escandalizó* al público. そのニュースは皆に衝撃を与えた.
—— 動自 騒ぎ立てる. *escandalizar* por nada なんでもないことで騒ぐ.
—— **es·can·da·li·zar·se**《+de, por》…にショックを受ける, あきれ返る. *Se escandalizó de* los resultados. 彼はその結果に憤慨した.

es·cán·da·lo [eskándalo エスカンダろ] 名男 **1** 騒ぎ, 物議, ひんしゅく. armar un *escándalo* 騒ぎを引き起こす. causar [dar] *escándalo* 世間を騒がす, 物議をかもす.
2 醜聞, スキャンダル; 疑獄. *escándalo* político 政治疑獄.
3 言語道断, けしからんこと. Es un *escándalo* cómo atienden a los huéspedes en ese hotel. そのホテルの接客態度は実にひどいものだ.

es·can·da·lo·sa·men·te [eskandalósaménte エスカンダろサメンテ] 副 言語道断にも；大騒ぎして.

es·can·da·lo·so, sa [eskandalóso, sa エスカンダろソ, サ] 形 **1** 言語道断な，破廉恥な，けしからぬ. película *escandalosa* スキャンダラスな映画. una vida *escandalosa* 破廉恥な生き方. precio *escandaloso* 法外な値段.
2 騒々しい. una risa *escandalosa* けたたましい笑い声.

es·can·di·na·vo, va [eskandináβo, βa エスカンディナボ,バ] 形 スカンジナビア Escandinavia の.
── 名男女 スカンジナビア人.

E

es·ca·ne·ar [eskaneár エスカネアル] 動他 〘コンピュータ〙スキャンする，スキャナーに通す.

es·cá·ner [eskáner エスカネル] 名男 〘医〙 CTスキャナー，コンピュータ断層撮影装置.

es·ca·ño [eskáɲo エスカニョ] 名男 **1** 議席.
2 (背もたれ・肘(ひじ)付きの) ベンチ.

es·ca·pa·da [eskapáða エスカパダ] 名女
1 ちょっとした遠出. hacer una *escapada* al campo 田舎へ出かける.
2 さぼり，エスケープ.
── 過分女 → escapar.

es·ca·par [eskapár エスカパル] 動自 〔英 escape〕 **1** 《+de》…から（こっそり）逃げる；逃れる，免れる. *escapar de* la cárcel 脱獄する. El canario *escapó de* la jaula. カナリアがかごから逃げた. *escapar de* un peligro 危険を逃れる.
2 《+a》…の及ばない所にある. Eso *escapa a* mi juicio. それは私には判断できない.
── **es·ca·par·se** **1** 《+de》…から逃げ去る；…を免れる. *escaparse de* casa 家出する. ¡*Te escapaste de* una multa por milagro! 奇跡的に君は罰金を免れたな.
2 漏れる. El agua *se escapa* por la válvula. 水がバルブから漏れている. ¡*Se escapa* la leche! 牛乳がふきこぼれているぞ. *Se* le *escapó* el secreto. 彼はうっかり秘密を漏らしてしまった.
¡De buena hemos escapado! 全く危ないところだった！
dejar escapar 思わず…する；取り逃がす. *dejar escapar* un suspiro 思わずため息をつく. *dejar escapar* una oportunidad 好機を逸する.
escaparse por un pelo きわどいところで助かる，九死に一生を得る.

es·ca·pa·ra·te [eskaparáte エスカパラテ] 名男 **1** ショーウインドー. ¿Quiere enseñarme el collar que está en el *escaparate*? ショーウインドーのネックレスを見せてくれませんか. decorador de *escaparates* ショーウインドー装飾家[デコレーター].
2 ショーケース，陳列ケース（= vitrina).

es·ca·pa·to·ria [eskapatórja エスカパトリア] 名女 **1** 逃亡，逃げ道. **2** 言い逃れ.
3 さぼり，エスケープ.

es·ca·pe [eskápe エスカペ] 名男 **1** (ガス・液体の) 漏出. **2** 活路，逃げ道. buscar un *escape* 活路を求める. **3** 〘機械〙排気.
a escape 大急ぎで，全速力で.
── 動 → escapar.

es·ca·pu·la·rio [eskapulárjo エスカプラリオ] 名男 〘カトリック〙スカプラリオ：前後に垂らす修道士の肩衣(かたぎぬ).

es·ca·ra·ba·jo [eskaraβáxo エスカラバホ] 名男 〘昆虫〙コガネムシ（黄金虫），スカラベ.

es·ca·ra·mu·za [eskaramúθa エスカラムさ] 名女 小競り合い，いざこざ.

es·ca·ra·pe·la [eskarapéla エスカラペら] 名女 (リボンなどの) バラ飾り；花形帽章.

es·car·bar [eskarβár エスカルバル] 動他
1 (地面を) 引っかく，掘り返す. **2** 調べる；詮索(せんさく)する.
── 動自 《+en》…を詮索(せんさく)する. *escarbar en* los archivos 古文書をひっかき回す.

es·car·ce·o [eskarθéo エスカルセオ] 名男
1 さざなみ，小波. **2** [普通 ～s] ちょっかい；小手試し. *escarceos* amorosos 浮気.

es·car·cha [eskártʃa エスカルチャ] 名女 霜. Cae la *escarcha*. 霜が降りる.

es·car·char [eskartʃár エスカルチャル] 動自 霜が降りる. Esta noche *ha escarchado*. 昨夜霜が降りた. ► 3人称単数のみに活用.
── 動他 (果物を) 砂糖漬けにする.

es·car·dar [eskarðár エスカルダル] 動他
1 除草する. *escardar* el huerto 菜園の草取りをする.
2 《+de》…から（悪いものを）除く.

es·car·la·ta [eskarláta エスカルらタ] 名女
1 緋(ひ)色，スカーレット. **2** 〘医〙猩紅(しょうこう)熱.
── 形 [男・女同形] 緋色の，スカーレットの.

es·car·la·ti·na [eskarlatína エスカルらティナ] 名女 **1** 〘医〙猩紅(しょうこう)熱.
2 緋(ひ)色の織物.

es·car·men·tar [eskarmentár エスカルメンタル] [42 e → ie] 動他 懲らしめる，訓戒する.
── 動自 懲りる，自戒する.

es·car·mien·to [eskarmjénto エスカルミエント] 名男 **1** 訓戒；懲らしめ.
2 懲りること，自戒.

es·car·ne·cer [eskarneθér エスカルネセル] 40 動他 からかう，愚弄(ぐろう)する.

es·car·nio [eskárnjo エスカルニオ] 名男 嘲笑(ちょうしょう)，愚弄(ぐろう).

es·ca·ro·la [eskaróla エスカロら] 名女 〘植物〙キクヂシャ，エンダイブ（= endibia).

es·car·pa·do, da [eskarpáðo, ða エスカルパド, ダ] 形 険しい，切り立った，急勾配(きゅうこうばい)の.

es·car·pia [eskárpja エスカルピア] 名女 鉤(かぎ)形の釘(くぎ)，フック.

es·ca·sa·men·te [eskásaménte エスカサメンテ] 副 かろうじて，やっと；わずかに.

es·ca·se·ar [eskaseár エスカセアル] 動自 少

なくなる. En el mercado *escasean* las verduras. 市場では野菜が品薄になっている.

es·ca·sez [eskaséθ エスカセす] 名女 [複 escaseces] **1** 不足, 欠乏. *escasez* de agua 水不足. *escasez* de recursos 資金[資源]の乏しさ. **2** 窮乏, 貧困 (= pobreza).
con escasez かろうじて, やっと; 窮乏して.

es·ca·so, sa [eskáso, sa エスカソ, サ] 形
1 乏しい, 不足した; わずかな. Los medicamentos son [están] *escasos* aquí. 当地では医薬品が不足している. *escaso* tiempo わずかな時間. *escasa* posibilidad わずかな可能性. ser *escaso* de inteligencia 知性が乏しい.
2 たったの, ぎりぎりの. un retraso de cinco minutos *escasos* わずか5分の遅れ.
andar [***estar***] ***escaso de*** ... …に不足している. *Ando escaso de* dinero. 私は金に困っている. *Estoy escaso de* tiempo. 僕は暇がない.

es·ca·ti·mar [eskatimár エスカティマル] 動他 出し惜しむ, けちる, 節約する. *escatimar* gastos 費用を出し惜しむ. no *escatimar* esfuerzos 努力を惜しまない.

es·ca·to·lo·gí·a [eskatoloxía エスカトろヒア] 名女 **1** 糞尿(ふんにょう)趣味, スカトロジー; 糞便学. **2**〘神〙終末論, 終末観.

es·ca·to·ló·gi·co, ca [eskatolóxiko, ka エスカトろヒコ, カ] 形 **1** 糞尿(ふんにょう)趣味の; 糞便学の. **2**〘神〙終末論の, 終末観の.

es·ca·yo·la [eskaǰóla エスカヨら] 名女 焼き石膏(せっこう); 化粧しっくい;〘医〙ギプス.

es·ca·yo·lar [eskaǰolár エスカヨらル] 動他〘医〙ギプスで固定する.

es·ce·na [esθéna エせナ] 名女 [複 ~s] [英 scene] **1** (劇の) **場面**, 場. *escena* de amor ラブシーン. *escena* tercera del acto segundo 第2幕第3場. entrar en [salir a] *escena* 登場する.
2 舞台, ステージ (=escenario); 演劇活動. poner en *escena* 舞台にのせる, 上演する. llamar a *escena* カーテンコールをする. volver a la *escena* カムバックする.
3 光景; (事件の) 現場. *escena* conmovedora [terrible] 感動的な[ぞっとする] 光景. *escena* del crimen 犯行現場.
desaparecer de escena 途中からいなくなる; 死ぬ.
hacer una escena (泣きわめいて) ひと騒動起こす.

es·ce·na·rio [esθenárjo エせナリオ] 名男 **1** 舞台, ステージ; 舞台装置, (映画などの) セット. pisar un *escenario* 舞台を踏む. **2** (事件の) 現場; 周囲の状況. *escenario* del accidente 事故現場.

es·cé·ni·co, ca [esθéniko, ka エせニコ, カ] 形 舞台の; 演劇の. arte *escénico* 舞台芸術. efectos *escénicos* 舞台効果.

es·ce·ni·fi·ca·ción [esθenifikaθjón エせニフィカしオン] 名女 脚色, 劇化; 上演.

es·ce·ni·fi·car [esθenifikár エせニフィカル] [8 c → qu] 動他 脚色する, 劇化する; 上演する.

es·ce·no·gra·fí·a [esθenoɣrafía エせノグラフィア] 名女〘演劇〙舞台美術.

es·ce·no·grá·fi·co, ca [esθenoɣráfiko, ka エせノグラフィコ, カ] 形 舞台美術の.

es·ce·nó·gra·fo, fa [esθenóɣrafo, fa エせノグラフォ, ファ] 名男女 舞台美術家.

es·cep·ti·cis·mo [esθeptiθísmo エせプティしスモ] 名男 懐疑;〘哲〙懐疑論.

es·cép·ti·co, ca [esθéptiko, ka エせプティコ, カ] 形 懐疑的な;〘哲〙懐疑論の.
—— 名男女 懐疑的な人, 疑い深い人.

es·cin·dir [esθindír エしンディル] 動他 分割する.
—— **es·cin·dir·se** 分裂する. El partido *se escindió* en dos grupos. 党は2つのグループに分裂した.

es·ci·sión [esθisjón エしシオン] 名女 分裂. *escisión* nuclear 核分裂. *escisión* celular 細胞分裂.

es·cla·re·cer [esklareθér エスクらレせル] 40 動他 明らかにする, 解明する.
—— 動自 夜が明ける. ► 3人称単数のみに活用.

es·cla·re·ci·mien·to [esklareθimjénto エスクらレしミエント] 名男 解明.

es·cla·vi·na [esklaβína エスクらビナ] 名女 短いマント; (肩を覆う) ケープ.

es·cla·vi·tud [esklaβitúð エスクらビトゥ(ドゥ)] 名女 隷属; 奴隷の身分.

es·cla·vi·zar [esklaβiθár エスクらビさル] [39 z → c] 動他 **1** 奴隷にする. **2** 隷属させる.

es·cla·vo, va [eskláβo, βa エスクらボ, バ] 形 束縛された, 拘束された; とりこになっている. ser *esclavo* de la casa [del trabajo] 家[仕事]に縛られている. ser *esclavo* de sus amigos 友人に献身的に尽くす.
—— 名男女 **1** 奴隷 (= siervo).
2 とりこになった人. un *esclavo* de la bebida 酒におぼれた人. un *esclavo* de la ambición 野望に取りつかれた男.
—— 名女 (リング形の) ブレスレット.

es·cle·ro·sis [esklerósis エスクれロシス] 名女 [単・複同形] **1** 硬化症. *esclerosis* arterial 動脈硬化. **2** 停滞, 麻痺(まひ).

es·clu·sa [esklúsa エスクるサ] 名女 水門, 閘門(こうもん).

es·co·ba [eskóβa エスコバ] 名女 ほうき.
no vender ni una escoba《口語》しくじる, 失敗する.

es·co·bi·lla [eskoβíʎa エスコビリャ] 名女 手ぼうき; ブラシ.

es·co·ce·du·ra [eskoθeðúra エスコせドゥラ] 名女 ひりひりすること; 炎症.

es·co·cer [eskoθér エスコせル] [34 c → z; 35 o → ue] 動自 **1** ひりひりする (= irritar). Me *escuece* la cicatriz. 傷跡がうずく. **2** …の感情を害する.

—— **es·co·cer·*se*** **1** 炎症を起こす，ひりひりする．**2** 感情を害する．

es·co·cés, ce·sa [eskoθés, θésa エスコセス，セサ] [複男 escoceses] 形 (英国の) スコットランド Escocia の；タータンチェックの (= tartán).

—— 名男女 スコットランド人．

—— 名男 スコットランド語．

es·co·ger [eskoxér エスコヘル] [⑪ g ➡ j] 動他 〔英 choose〕《+**de, entre**》…**から選ぶ**，選び取る．*Escoja* usted una corbata. ネクタイを1本選んでください．*escoger* la carrera de abogado 弁護士の道を選ぶ．

E

escoj- 動 ➡ escoger. [⑪ g ➡ j]

es·co·lar [eskolár エスコラル] 形 学校の，学校教育に関する．edad *escolar* 学齢，就学年齢．curso [año] *escolar* 学年．

—— 名男女 生徒，(特に) 小学生．➡estudiante 【参考】．

es·co·la·ri·dad [eskolariðáð エスコラリダ(ドゥ)] 名女 就学；在学期間；学校教育．*escolaridad* obligatoria 義務教育．

es·co·lás·ti·co, ca [eskolástiko, ka エスコラスティコ，カ] 形 スコラ哲学の．

—— 名男女 スコラ哲学者．

—— 名女 スコラ哲学．

es·co·lio [eskóljo エスコリオ] 名男 注釈，注解．

es·co·llo [eskóʎo エスコリョ] 名男 岩礁，暗礁；危険，障害．

es·col·ta [eskólta エスコるタ] 名女 護衛，護送；随員，護衛団，護送隊，〔海事〕護衛艦．dar *escolta* a … …を護衛[護送]する，…のお供をする．

es·col·tar [eskoltár エスコるタル] 動他

1 護衛する，護送する．

2 随行する，エスコートする．*escoltar* el féretro お棺に付き添って行く．

es·com·bro [eskómbro エスコンブロ] 名男 〔普通 ～s〕瓦礫(がれき)，残骸(ざんがい)．

es·con·der [eskondér エスコンデル] 動他 〔英 hide〕 **1 隠す**；見えなくする．¿Dónde *has escondido* el juguete? おもちゃをどこに隠したの？ *esconder* a un fugitivo en el desván 逃亡者を屋根裏部屋にかくまう．*esconder* la verdad 真実を隠す．Ese viejo edificio *esconde* muchos valores artísticos. その古い建物には芸術的価値がたくさんある．

2 秘める．*esconder* una tristeza 悲しみを秘める．

——**es·con·der·*se*** **1** 隠れる．*esconderse* debajo de la mesa 机の下に身を隠す．**2** 潜む，隠されている．En su alma *se esconde* la malicia. 彼の心には悪意が潜んでいる．

es·con·di·das [eskondíðas エスコンディダス] ***a escondidas***《副詞句》隠れて，こっそりと．

es·con·di·te [eskondíte エスコンディテ] 名男 隠れ場所，隠し場所；〔遊戯〕隠れんぼう．jugar al *escondite* 隠れんぼうをする．

es·con·dri·jo [eskondríxo エスコンドゥリホ] 名男 隠し場所，隠れ家．

es·co·pe·ta [eskopéta エスコペタ] 名女 〔英 shotgun〕猟銃，散弾銃．*escopeta* de aire comprimido [de viento] 空気銃．

es·co·pe·ta·zo [eskopetáθo エスコペタそ] 名男 **1** 発砲，銃撃；銃創．matar de un *escopetazo* 一発で仕止める．

2 (突然の) 悪い知らせ．

es·co·plo [eskóplo エスコプろ] 名男 のみ，たがね．

es·cor·bu·to [eskorβúto エスコルブト] 名男 〔医〕壊血病．

es·co·ria [eskórja エスコリア] 名女 **1** 〔冶金〕スラグ，鉱滓(こうさい)．**2** くず，がらくた．*escoria* de la sociedad 社会の落ちこぼれ．

Es·co·rial [eskorjál エスコリアる] 固名 El *Escorial* エル・エスコリアル：スペインの Felipe 2世が建造した Madrid 北西の僧院．

es·cor·pión [eskorpjón エスコルピオン] 名男 **1** 〔動物〕サソリ (蠍)．**2** [E-] 〔天文〕さそり座；〔占星〕天蠍(てんかつ)宮，さそり座．

es·cor·zo [eskórθo エスコルそ] 名男 〔美術〕(遠近法による) 短縮 (画) 法．

es·co·ta·do, da [eskotáðo, ða エスコタド，ダ] 過分 形 襟ぐりの大きい．

—— 名男 襟ぐり．

es·co·tar [eskotár エスコタル] 動他 **1** 〔服飾〕…の襟ぐりを開ける．**2** (割り前を) 払う．

es·co·te [eskóte エスコテ] 名男 **1** 〔服飾〕襟ぐり；胸元．*escote* en pico Vネック．

2 割り前，分担額．pagar a *escote* 各人が自分の分を払う．

es·co·ti·lla [eskotíʎa エスコティリャ] 名女 〔海事〕ハッチ，艙口(そうこう)．

es·co·ti·llón [eskotiʎón エスコティリョン] 名男 (床の) 上げぶた；〔演劇〕迫(せ)り．

es·co·zor [eskoθór エスコそル] 名男 ➡ escocedura.

es·cri·ba·no [eskriβáno エスクリバノ] 名男 **1** (裁判所の) 書記；(昔の) 公証人 (= notario).

2 〔昆虫〕ミズスマシ (水澄し)．

escribiendo 現分 ➡ escribir.

es·cri·bien·te [eskriβjénte エスクリビエンテ] 名男女 筆耕者，写字生；書記．

es·cri·bir [eskriβír エスクリビル] 動他 [現分 escribiendo; 過分 escrito, ta] 〔英 write〕 **1 書く**，綴(つづ)る．*escribir* una carta [un artículo] 手紙[記事]を書く．*escribir* en español [con mayúscula, con lápiz] スペイン語で[大文字で，鉛筆で]書く．*escribir* a mano 手書きする．*escribir* a máquina タイプライターで打つ．

2 手紙で伝える[知らせる]．Me *ha escrito* que vendrá mañana. 彼は手紙で明日来るといってきた．

—— 動自 **…に手紙を書く**．José me *es-*

cribió hace un mes. ホセはひと月前に私に手紙をくれた.

—— **es·cri·bir·*se*** **1** 綴る, 書かれる. ¿Cómo *se escribe* tu nombre? 君の名前はどう書くの?

2 文通する. *Se escriben* cada semana. 彼らは毎週手紙をやりとりしている.

es·cri·to[1], ta [eskríto, ta エスクリト, タ] 過分 → escribir.

—— 形 [複 ~s] 〔英 written〕 **書かれた**; 筆記の. examen *escrito* 筆記試験. una carta *escrita* a máquina [a mano] タイプで打った[手書きの]手紙.

Estaba escrito. そういう宿命であった.

es·cri·to[2] [eskríto エスクリト] 名男 書かれたもの; 著作; 文書, 書類; 書簡.

por escrito 文書で, 書面で. poner *por escrito* 文書にする.

es·cri·tor, to·ra [eskritór, tóra エスクリトル, トラ] 名男女 [複男 ~es, 女 ~s] 〔英 writer〕 **作家**, 文筆家. ► 小説家は novelista, エッセイストは ensayista, 劇作家は dramaturgo.

es·cri·to·rio [eskritórjo エスクリトリオ] 名男 **1** 事務机; 事務室, 事務所.

2 〘コンピュータ〙デスクトップ.

es·cri·tu·ra [eskritúra エスクリトゥラ] 名女 **1** 書くこと, 書き方; 筆跡.

2 表記法, 文字. **3** 書類, 文書; 証書. *escrituras* antiguas 古文書.

es·cro·to [eskróto エスクロト] 名男 〘解剖〙陰嚢(いんのう).

es·crú·pu·lo [eskrúpulo エスクルプロ] 名男 **1** 後ろめたさ; ためらい. **2** 細心, 綿密. con *escrúpulo* 細心の注意を払って.

es·cru·pu·lo·si·dad [eskrupulosiðáð エスクルプロシダ(ドゥ)] 名女 細心さ, 綿密さ; きちょうめんさ.

es·cru·pu·lo·so, sa [eskrupulóso, sa エスクルプロソ, サ] 形 細心の, 綿密な; きちょうめんな.

es·cru·tar [eskrutár エスクルタル] 動他 **1** 細かく調べる, 吟味する; じろじろと見る. *escrutar* a 《+uno》 con la mirada 〈人〉の様子をうかがう. **2** (得票を)集計する.

es·cru·ti·nio [eskrutínjo エスクルティニオ] 名男 **1** 詮索(せんさく), 吟味. **2** 得票計算, 開票.

es·cua·dra [eskwáðra エスクアドゥラ] 名女 **1** 〘軍事〙分隊; 〘海事〙艦隊.

2 直角[三角]定規.

a escuadra 直角に.

es·cua·dri·lla [eskwaðríʎa エスクアドゥリリャ] 名女 〘海事〙小艦隊[船隊]; 〘航空〙編隊.

es·cua·drón [eskwaðrón エスクアドゥロン] 名男 〘軍事〙騎兵中隊; (空軍の)飛行中隊.

es·cua·li·dez [eskwaliðéθ エスクアリデス] 名女 やせこけていること; やつれ.

es·cuá·li·do, da [eskwáliðo, ða エスクアリド, ダ] 形 やせこけた; やつれた.

es·cu·cha [eskútʃa エスクチャ] 名女 聴取; 傍受.

—— 名男 〘軍事〙(夜間の)歩哨(ほしょう), 斥候.

—— 動 → escuchar.

estar a la escucha 傾聴する.

escuchado, da 過分 → escuchar.

escuchando 現分 → escuchar.

es·cu·char [eskutʃár エスクチャル] 動他 [現分 escuchando; 過分 escuchado, da] 〔英 listen〕 **聴く**; 耳を傾ける. Vamos a *escuchar* esta cinta. このテープを聞こう. Juan *está escuchando* la radio. フアンはラジオを聞いている. *Escucha* bien lo que te digo. 私の言うことをよく聞きなさい.

> **【参考】 escuchar と oír の違い**
> *escuchar* は「(聞こうとして)聞く」. *oír* は「(自然に)聞こえてくる」. ⇒ No me *escuchas*. 君は私の言っていることを聞いていないな. No te *oigo*. 君の言っていることが聞き取れないよ.

es·cu·dar [eskuðár エスクダル] 動他 かばう.

—— **es·cu·dar·*se*** 《+**con, en**》…を盾にとって逃げる, …を口実にする. *Se escudó en* su ignorancia para justificar sus errores. 彼は知らなかったことを口実に失策を正当化しようとした.

es·cu·de·ro [eskuðéro エスクデロ] 名男 (騎士の)盾持ち, 従者.

es·cu·di·lla [eskuðíʎa エスクディリャ] 名女 椀(わん), ボウル.

es·cu·do [eskúðo エスクド] 名男 **1** 盾; 〘紋章〙盾形紋章 (= *escudo* de armas).

2 《比喩》盾, 守り. El estrecho fue *escudo* del pueblo contra el enemigo. 海峡は敵から人々を守る盾であった.

3 エスクード: ポルトガルの通貨単位.

es·cu·dri·ñar [eskuðriɲár エスクドゥリニャル] 動他 細かく調べる, 詮索(せんさく)する; 凝視する.

es·cue·la [eskwéla エスクエラ] 名女 [複 ~s] 〔英 school〕

1 **学校**; 各種専門学校; **小学校** (=*escuela* primaria). *escuela* pública [privada] 公立[私立]学校. *escuela* automovilista 自動車教習所 (= autoescuela). *escuela* de comercio ビジネススクール. *escuela* militar 陸軍士官学校. *Escuela* Superior de Ingenieros Agrónomos 農学部.

2 流派, 学派; 学風. *escuela* flamenca 〘美術〙フランドル派. *escuela* freudiana フロイト学派. gente de la vieja *escuela* 旧弊な考えの人々.

3 《比喩》学校, 道場. aprender en la *escuela* de la vida 人生という教育の場に学ぶ. **4** 教育; 教育方針; 訓練. tener buena *escuela* きちんと教育を受けている.

es·cue·to, ta [eskwéto, ta エスクエト, タ]

形 簡潔な; 飾り気のない; むき出しの. informe *escueto* 簡潔な報告書. verdad *escueta* 赤裸々な真実.

es·cul·pir [eskulpír エスクるピル] 動他 彫る.

es·cul·tor, to·ra [eskultór, tóra エスクるトル, トラ] 名男女 [複男 ~es, 女 ~s] 〔英 sculptor〕彫刻家.

es·cul·tó·ri·co, ca [eskultóriko, ka エスクるトリコ, カ] 形 彫刻の.

es·cul·tu·ra [eskultúra エスクるトゥラ] 名女 彫刻; 彫像. *escultura* de bronce ブロンズ像.

E

es·cul·tu·ral [eskulturál エスクるトゥラる] 形 彫刻の; 彫像のような.

es·cu·pi·de·ra [eskupiðéra エスクピデラ] 名女 痰壺(たんつぼ); 《ラ米》溲瓶(しびん).

es·cu·pir [eskupír エスクピル] 動自 つば[痰(たん)]を吐く.

—— 動他 吐く, 吐き出す. *escupir* sangre 血を吐く. El volcán *escupía* lava. 火山は溶岩を噴き出していた.

escupir a 《+uno》 / ***escupir a la cara*** 《口語》〈人〉につばを吐きかける; 軽蔑(けいべつ)する, 侮辱する.

es·cu·pi·ta·jo [eskupitáxo エスクピタホ] 名男 つば, 痰(たん).

es·cu·rre·pla·tos [eskur̄eplátos エスクレプらトス] 名男 [単・複同形] 食器用水切りかご.

es·cu·rri·di·zo, za [eskur̄iðíθo, θa エスクリディそ, さ] 形 滑りやすい; とらえどころのない. problema *escurridizo* 要点のつかめない問題.

es·cu·rri·dor [eskur̄iðór エスクリドル] 名男 水切り棚; (野菜の) 水切りかご; (洗濯機の) 脱水機.

es·cu·rrir [eskur̄ír エスクリル] 動他 **1** …の水を切る, 脱水する. *escurrir* la ropa 洗濯物を絞る. **2** 滑らす, 滑り込ませる.

—— 動自 滴がたれる, 滴り落ちる.

—— **es·cu·rrir·se** 滑り落ちる; すり抜ける. El pez *se escurrió* de [entre] sus manos. 魚はするりと手から逃げた.

es·drú·ju·lo, la [esðrúxulo, la エスドゥルフろ, ら] 形 終わりから 3 番目の音節にアクセントのある.

—— 名男 〘文法〙終わりから 3 番目の音節にアクセントのある語.

e·se[1] [ése エセ] 名女 **1** アルファベットの s の文字 [音]. **2** ジグザグ. andar [ir] haciendo *eses* 千鳥足で歩く.

e·se[2]**, sa** [ése, sa エセ, サ] 形 《指示》[複男 esos, 女 esas] 〔英 that〕その, あの. *ese* chico その男の子. *esas* corbatas それらのネクタイ. En *ese* momento sonó el teléfono. その時電話が鳴った. ➡ este 【文法】.

é·se, sa [ése, sa エセ, サ] 代名 《指示》[複男 ésos, 女 ésas] (► 指示形容詞と混同する恐れのないときは, アクセント符号を省いてもよい. 大文字で書くときは省くのがふつう) 〔英 that〕

1 それ, あれ; その人, あの人. ¿Cuál te gusta más, esta foto o *ésa*? この写真とそれとではどっちがいい? *Ese* es tu defecto. それこそ君の欠点だ. Juana no es una chica de *ésas*. フアナはそういった種類の女の子ではない. ► 人を指す時はしばしば軽蔑(けいべつ)的になる.

2 [女性形] 《手紙》貴地, そちら (↔ ésta).

en una de ésas そうこうするうちに; そのうちに.

ni por ésas どうやってみても…ない, てんで歯が立たない.

e·sen·cia [esénθja エセンしア] 名女 **1** 本質, 真髄. *esencia* del liberalismo 自由主義の本質. **2** エッセンス, エキス; 香水.

en esencia 本質的に; 要約して.

quinta esencia ➡ quintaesencia.

e·sen·cial [esenθjál エセンしアる] 形 本質的な; 《+**a**, **en**, **para**》…に不可欠の. característica *esencial* 本質的特性. La aplicación es *esencial en* los estudios. 勉学に熱意は不可欠である.

es·fe·ra [esféra エスフェラ] 名女 **1** 球, 球体. *esfera* celeste 天球. *esfera* terrestre 地球.

2 範囲, 領域. *esfera* de acción 活動領域. *esfera* de actividad 活動範囲. *esfera* de influencia 勢力範囲. salirse de su *esfera* 自分の殻から抜け出る.

3 階級, 身分. las altas *esferas* 上流社会. **4** (時計・計器の) 文字盤, 目盛り盤.

es·fé·ri·co, ca [esfériko, ka エスフェリコ, カ] 形 球の; 球形の. cuerpo *esférico* 球体.

es·fin·ge [esfíŋxe エスフィンヘ] 名女 〘神話〙スフィンクス; 《比喩》得体の知れない人物.

es·fín·ter [esfínter エスフィンテル] 名男 〘解剖〙括約筋.

es·for·zar [esforθár エスフォルさル] [13 o ➡ ue ; 39 z ➡ c] 動他 無理をさせる. *esforzar* la vista 目を酷使する. *esforzar* la voz 声をふり絞る.

—— **es·for·zar·se** 《+**en**, **para**, **por** 不定詞》…しようと努力する, 頑張る. *esforzarse por* no beber demasiado 飲み過ぎないように努力する. *Esfuérzate por* [*en*, *para*] aprobar el examen. 試験に合格するよう頑張れ. *esforzarse en* el estudio 一生懸命勉強する.

es·fuer·zo [esfwérθo エスフエルそ] 名男 [複 ~s] 〔英 effort〕努力, 頑張り. hacer *esfuerzos* [un *esfuerzo*] para ... …のために努力する. Haré un *esfuerzo* para terminar el trabajo hoy. 今日中にこの仕事を終わらせるよう頑張ってみよう. sin *esfuerzo* 努力しないで, 労せずして.

es·fu·mar [esfumár エスフマル] 動他 (画を) 擦筆でぼかす; (色調を) 和らげる.

—— **es·fu·mar·se** 消える, ぼやける. El

barco *se ha esfumado* en el horizonte. 船は水平線のかなたに姿を消した.

es·gri·ma [esɣríma エスグリマ] 名女 〘スポーツ〙 フェンシング; 剣術.

es·gri·mir [esɣrimír エスグリミル] 動他 (剣を) 振り回す; 《比喩》 武器に使う. *esgrimir* un argumento ある論法を展開する.

es·guin·ce [esɣínθe エスギンセ] 名男 **1** 〘医〙 筋違い; 捻挫(ねんざ). **2** 身をひねること.

es·la·bón [eslaβón エスラボン] 名男 鎖の環; 関連, つながり.

es·la·bo·nar [eslaβonár エスラボナル] 動他 環でつなぐ; 関連づける.

es·la·vo, va [esláβo, βa エスラボ, バ] 形 スラブの.
── 名男女 スラブ人.
── 名男 スラブ語派.

es·lo·gan [eslóɣan エスろガン] 名男 [複 eslóganes] スローガン. lanzar un *eslogan* スローガンをかかげる.

es·lo·ve·no, na [esloβéno, na エスろベノ, ナ] 形 スロベニア Eslovenia の.
── 名男女 スロベニア人.
── 名男 スロベニア語.

es·mal·tar [esmaltár エスマるタル] 動他 エナメル[ほうろう]引きにする; 七宝を施す.

es·mal·te [esmálte エスマるテ] 名男 **1** エナメル, ほうろう; (歯の) エナメル質; 上薬. **2** 七宝(細工). **3** マニキュア液.

es·me·ra·do, da [esmeráðo, ða エスメラド, ダ] 過分 形 入念な, 注意深い. trabajo *esmerado* 念の入った仕事.

es·me·ral·da [esmerálda エスメラるダ] 名女 エメラルド; エメラルド色, 鮮緑色.

es·me·rar·*se* [esmerárse エスメラルセ] 動 《+**en, por**》…に念を入れる. *Se esmera en* la limpieza de la casa. 彼女は家を入念に掃除する.

es·me·ro [esméro エスメロ] 名男 入念, 細心. con *esmero* 丹念に, 細心に. poner *esmero* en 《+algo》 〈何か〉に気を配る.

es·mi·rria·do, da [esmir̄jáðo, ða エスミリアド, ダ] 形 やせこけた, ひょろ長い; ひ弱な.

es·mo·quin [esmókin エスモキン] 名男 [複 esmóquines] 〘服飾〙 タキシード, ディナージャケット.

es·nob [esnoβ エスノ(ブ)] 形 俗物の; きざな. ── 名男女 (上流気取りの) 俗物, スノッブ.

es·no·bis·mo [esnoβísmo エスノビスモ] 名男 スノビズム, 俗物根性.

e·so [éso エソ] 代名 《指示》《中性》〔英 that〕 《抽象的なことを指して》**それ, その事[物]**. a pesar de *eso* それにもかかわらず. ¿No es *eso*? そうではありませんか. ¡Nada de *eso*! そんなことではない. *Eso* no me gusta. 私はそんなことは嫌いだ. ➡ esto【文法】.

a eso de … 《時刻を表して》…ごろに. *a eso de* las nueve 9時ごろに.

eso de 《+名詞, 不定詞, **que** …》…なんて. *Eso de* pasar el examen sin estudiar es demasiado cómodo. 勉強せずに試験に受かろうなんて虫がよすぎる.

eso sí (次に来る文・節を肯定して) とは言え…だ, もちろん…だ. ¡*Eso sí* que es difícil! 確かに難しいことだ. ¡*Eso sí* que no! とんでもない!

por eso それゆえ, だから.

y eso que 《+直説法》…とは言え, …なのに. No me has dicho nada, *y eso que* ya lo sabías. 君は私に何も言ってくれなかった, ちゃんと知っていたくせに.

e·só·fa·go [esófaɣo エソファゴ] 名男 〘解剖〙 食道. ➡ vísceras 図.

E·so·po [esópo エソポ] 固名 イソップ, アイソポス (前620?―560?) : ギリシアの寓話(ぐうわ)作家.

esos 形 《指示》[複] ➡ ese.

ésos 代名 《指示》[複] ➡ ése.

e·so·té·ri·co, ca [esotériko, ka エソテリコ, カ] 形 秘密の, 秘教的な; 難解な.

es·pa·bi·lar [espaβilár エスパビらル] 動他 **1** (ろうそくの) 芯(しん)を切る. **2** 眠気をさます; すっきりさせる (= despabilar). **3** さっさと済ませる.
── 動自 **es·pa·bi·lar·*se*** すっかり目を覚ます, しゃんとする; さっさとする.

es·pa·cial [espaθjál エスパしアる] 形 空間の; 宇宙の. viaje *espacial* 宇宙旅行.

es·pa·ciar [espaθjár エスパしアル] 動他 …に間をおく, 間隔をおく. *espaciar* las sillas 椅子の間隔をあける. *Ha espaciado* las visitas al hospital. 彼が病院へ見舞いに行くのもだんだん間遠になった.

es·pa·cio [espáθjo エスパしオ] 名男 [複 ~s] 〔英 space〕 **1 空間; 宇宙 (空間)**. lanzar un cohete al *espacio* ロケットを宇宙に打ち上げる.
2 場所, 間隔, スペース. Esta cama ocupa mucho *espacio*. このベッドはひどく場所を取る. dejar un *espacio* entre dos cosas 2つの物の間をあける. *espacio* libre 余地, 余白.
3 期間. por *espacio* de dos horas 2時間の間. en el *espacio* de diez años 10年の間に.
4 〘テレビ〙 (番組の) 枠. *espacio* publicitario コマーシャルの時間.
5 〘コンピュータ〙 空き容量.

es·pa·cio·so, sa [espaθjóso, sa エスパしオソ, サ] 形 広々とした, ゆったりした.

es·pa·da [espáða エスパダ] 名女 **1** 剣, 刀; (フェンシング用の) エペ. cruzar la *espada* con 《+uno》〈人〉と剣を交える; 決闘する. desenvainar [desnudar] la *espada* 剣の鞘(さや)を払う; 戦いに備える.
2 (スペイン・トランプ) 剣の札. ◆一般のトランプのスペードに当たる. ➡ naipe 図.
── 名男 〘闘牛〙 マタドール (= primer *es-*

pada).
espada de dos filos 両刃(もろは)の剣.
estar entre la espada y la pared にっちもさっちも行かない，進退窮まっている.
es·pa·da·chín [espaðatʃín エスパダチン] 名男 剣客；けんか好きな人.
es·pa·da·ña [espaðáɲa エスパダニャ] 名女 〘植物〙ガマ(蒲).
es·pa·dín [espaðín エスパディン] 名男 (礼装用の)短剣.
es·pa·gue·ti [espaɣéti エスパゲティ] 名男 [複 espaguetis] スパゲッティー. [←〔伊〕spaghetti]

es·pal·da [espálda エスパるダ] 名女 [複 ~s] 〔英 back〕
1 [~または ~s]**背**，**背中**. Me duele la *espalda*. 私は背中が痛い. ancho de *espaldas* 肩幅の広い. ➡ cuerpo 図.
2 背後[で]. a la *espalda* de la casa 家の裏側に. **3** 〘スポ〙背泳.
a espaldas de 《+uno》〈人〉のいない所で，〈人〉に隠れて.
caerse de espaldas 《口語》びっくり仰天する，たまげる.
dar [***volver***] ***la espalda*** 背を向ける；冷淡な態度をとる.
de espaldas (1)後ろ向きに. caer [dar] *de espaldas* あお向けに倒れる. estar tendido *de espaldas* あお向けに寝そべっている. Sólo le vi *de espaldas*. 私は彼の後ろ姿を見ただけだ. (2)背を向けて. vivir *de espaldas* al mundo 世間に背を向けて暮らす.
echarse 《+algo》 ***sobre las espaldas*** 〈何か〉を引き受ける.
guardar(se) las espaldas 保身をはかる.
por la espalda 背後から；裏切って. visto *por la espalda* 後ろから見て.
tener buenas espaldas / tener espaldas anchas 忍耐強い.
tirar [***tumbar***] ***de espaldas*** 《口語》驚かす.
es·pal·dar [espaldár エスパるダル] 名男 (四足獣の)背中.
es·pal·di·lla [espaldíʎa エスパるディリャ] 名女 (羊・豚の)肩肉.
es·pan·ta·di·zo, za [espantaðíθo, θa エスパンタディそ，さ] 形 怖がりの，びくびくした.
es·pan·ta·jo [espantáxo エスパンタホ] 名男 かかし；虚仮威(こけおど)し；醜い人.
es·pan·ta·pá·ja·ros [espantapáxaros エスパンタパハロス] 名男 [単・複同形] かかし.
es·pan·tar [espantár エスパンタル] 動他
1 怖がらせる.
2 (驚かせて)追い払う；(恐怖・眠気を)振り払う. *espantar* las gallinas 鶏を追い払う. *espantar* el sueño 眠気を払う.
—— **es·pan·tar·*se*** 《+de, por》…におびえる，驚く. Los niños *se espantan por* el trueno. 子供たちは雷の音におびえている.

es·pan·to [espánto エスパント] 名男
1 恐怖；おびえ；脅威. causar *espanto* おびえさせる. **2** 《ラ米》幽霊，お化け.
de espanto 《口語》途方もない，ひどい. Hace un calor *de espanto*. ものすごく暑い.
estar curado de espantos 《口語》もう怖いものはない.
es·pan·to·so, sa [espantóso, sa エスパントソ，サ] 形 **1** 恐ろしい. un terremoto *espantoso* 恐ろしい地震. **2** ものすごい，すさまじい. un ruido *espantoso* ひどい騒音.
3 《口語》醜い.

Es·pa·ña [espáɲa エスパニャ] 固名 〔英 Spain〕**スペイン**：イベリア半島の立憲君主国. 首都 Madrid. 通貨 euro.

A castillo 城(Castillaの紋章).
B león rampante 立ち上がったライオン(Leónの紋章).
C vergetas 金色地に赤の縦の細帯(Aragónの紋章).
D cadenas 鎖(Navarraの紋章).
E granada ザクロの実(Granadaの紋章).
F lis ユリ(Borbón家の紋章).
スペインの国章

es·pa·ñol[1], ño·la [espaɲól, ɲóla エスパニョる，ニョら] [複男 ~es，女 ~s] 〔英 Spanish〕 形 **スペインの**，スペイン人[語]の. un amigo *español* スペイン人の友達. versión *española* スペイン語版[訳].
—— 名男女 **スペイン人**.
es·pa·ñol[2] [espaɲól エスパニョる] 名男 〔英 Spanish〕 **スペイン語**. libro de *español* スペイン語の本. ➡ castellano.
es·pa·ño·li·zar [espaɲoliθár エスパニョりさル] [39 z ➡ c] 動他 スペインふうにする，スペイン化する.
—— **es·pa·ño·li·zar·*se*** スペインふうになる，スペイン化する.
es·pa·ra·dra·po [esparaðrápo エスパラドゥラポ] 名男 〘医〙絆創膏(ばんそうこう).
es·par·ci·mien·to [esparθimjénto エスパルしミエント] 名男 **1** 散布；散乱.
2 くつろぎ；気晴らし.
es·par·cir [esparθír エスパルしル] [61 c ➡ z] 動他 **1** まき散らす；散布する；広める.
2 くつろがせる. Un paseo me *esparce* el ánimo. 散歩は気晴らしになる.
—— **es·par·cir·*se*** **1** 散らばる；広がる；流布する. La noticia *se esparció* rápidamente. そのニュースは瞬く間に広まった.
2 くつろぐ；気晴らしをする.
es·pá·rra·go [espáraɣo エスパラゴ] 名男

〘植物〙アスパラガス. ➡ hortalizas 図. ***mandar a*** 《+uno》 ***a freír espárragos*** 《口語》〈人〉をにべもなく追い返す, はねつける.

es·par·ta·no, na [espartáno, na エスパルタノ, ナ] 形 〘歴史〙(古代ギリシアの) スパルタ Esparta の. ── 名男女 スパルタ人.

es·par·to [espárto エスパルト] 名男 〘植物〙アフリカハネガヤ, エスパルト.

es·pas·mo [espásmo エスパスモ] 名男 〘医〙痙攣(けいれん), 発作.

es·pas·mó·di·co, ca [espasmóðiko, ka エスパスモディコ, カ] 形 痙攣(けいれん)(性) の, 発作性の.

es·pa·ta·rrar·*se* [espatar̄árse エスパタラルセ] 動 《口語》足[股(また)]を大きく開く.

es·pá·tu·la [espátula エスパトゥら] 名女
1 へら; 〘美術〙パレットナイフ.
2 〘鳥〙ヘラサギ (箆鷺).

es·pe·cia [espéθja エスペしア] 名女 香辛料, スパイス.

es·pe·cial [espeθjál エスペしアる] [複 ~es] 形 〔英 special〕
1 特別な; 特殊な. No hay nada de *especial*. 特に変わったことはない. de un modo *especial* 特別なやり方で. caso *especial* 特例. tela *especial* para cortinas カーテン用布地.
2 風変わりな. un carácter *especial* 一風変わった性格.
── 名男 **1** 特別列車.
2 (報道の) 特集, 特別番組.
en especial 特に, ことに.

es·pe·cia·li·dad [espeθjaliðáð エスペしアリダ(ドゥ)] 名女 **1** 専攻, 専門分野. ¿Cuál es su *especialidad*? ご専門は何ですか.
2 得意, 特技; 特産品; お勧めメニュー.
3 特殊性, 特性.

es·pe·cia·lis·ta [espeθjalísta エスペしアりスタ] 形 専門の. médico *especialista* 専門医.
── 名男女 《+**en, de**》…の専門家. *especialista en* neurología 神経科専門医.
── 名男 (映画の) スタントマン.

es·pe·cia·li·zar [espeθjaliθár エスペしアりさル] [39 z ➡ c] 動他 専門化する; 限定する.
── **es·pe·cia·li·zar·*se*** 《+**en**》…を専攻する, 専門にする. *especializarse en* historia romana ローマ史を専攻する.

es·pe·cial·men·te [espeθjálménte エスペしアるメンテ] 副 特に, とりわけ.

es·pe·cie [espéθje エスペしエ] 名女 [複 ~s] 〔英 species〕 **1** 〘生物〙**種**. *especie* humana 人類.
2 種類; タイプ. una *especie* de … 一種の…, …のようなもの. una *especie* de enciclopedia 百科事典のようなもの.
3 うわさ, 話題. propagar una *especie* falsa 事実無根の話を広める.
en especie 現物で. pagar *en especie* 現物で支給する.

es·pe·ci·fi·ca·ción [espeθifikaθjón エスペしフィカしオン] 名女 明細, 詳述; 仕様(書).

es·pe·ci·fi·car [espeθifikár エスペしフィカル] [8 c ➡ qu] 動他 詳述する; 特定する. *especificar* los datos 資料を明記する.

es·pe·ci·fi·ca·ti·vo, va [espeθifikatíβo, βa エスペしフィカティボ, バ] 形 特定化する, 限定的な.

es·pe·cí·fi·co, ca [espeθífiko, ka エスペしフィコ, カ] 形 特有の, 特定の, 固有の.
── 名男 〘医〙特効薬; 売薬.

es·pé·ci·men [espéθimen エスペしメン] 名男 [複 especímenes] 見本, 標本, 実例.

es·pec·ta·cu·lar [espektakulár エスペクタクらル] 形 人目を引く, 壮観な. accidente *espectacular* 派手な事故.

es·pec·ta·cu·la·ri·dad [espektakulariðáð エスペクタクらリダ(ドゥ)] 名女 華々しさ, 壮観.

es·pec·tá·cu·lo [espektákulo エスペクタクろ] 名男 [複 ~s] 〔英 spectacle〕 **1 興行, ショー**. *espectáculo* de luz y sonido 光と音のショー. las principales personalidades del *espectáculo* ショービジネス界のスターたち. guía de *espectáculos* 催し物案内.
2 壮観, 見もの. El desfile de ayer fue todo un *espectáculo*. きのうのパレードは実に壮観だった.

es·pec·ta·dor, do·ra [espektaðór, ðóra エスペクタドル, ドラ] 名男女 観客, 見物人; 傍観者. ── 形 見物の.

es·pec·tro [espéktro エスペクトゥロ] 名男
1 幽霊; 脅威. *espectro* de la muerte 死の影. **2** 〘物理〙〘医〙スペクトル. *espectro* solar 太陽スペクトル.

es·pec·tró·gra·fo [espektróγrafo エスペクトゥログラフォ] 名男 〘物理〙分光写真機, スペクトルグラフ; 音響スペクトルグラフ.

es·pec·tros·co·pio [espektroskópjo エスペクトゥロスコピオ] 名男 〘物理〙スペクトロスコープ, 分光器.

es·pe·cu·la·ción [espekulaθjón エスペクらしオン] 名女 **1** 熟考, 思索. **2** 〘商業〙投機.

es·pe·cu·lar [espekulár エスペクらル] 動他 熟考する.
── 動自 **1** 《+**con, en, sobre**》…に投機をする. *especular en* la bolsa 株に手を出す. **2** 《+**con**》…でうまい汁を吸う.

es·pe·cu·la·ti·vo, va [espekulatíβo, βa エスペクらティボ, バ] 形 **1** 思索的な, 瞑想(めいそう)的な; 思弁的な. **2** 投機的な.

es·pe·jis·mo [espexísmo エスペヒスモ] 名男 蜃気楼(しんきろう); 幻影.

es·pe·jo [espéxo エスペホ] 名男 [複 ~s] 〔英 mirror〕
1 鏡. mirarse al [en el] *espejo* 鏡を覗(のぞ)く, 鏡に姿を映す. *espejo* retrovisor バックミラー.
2 ありのままに映し出すもの; 手本, 模範.

es·pe·luz·nan·te [espeluθnánte エスペるすナンテ] 形 身の毛もよだつ, ぞっとする.

es·pe·luz·nar [espeluθnár エスペるすナル] 動他 震え上がらせる, ぞっとさせる.

—— **es·pe·luz·nar·*se*** 身の毛がよだつ, ぞっとする.

es·pe·ra [espéra エスペラ] 名女 **1** 待つこと; 待ち時間. sala de *espera* 待合室. Tuvimos una *espera* de dos horas. 私たちは2時間待たされた. **2** 忍耐. tener *espera* 辛抱する. **3**〘法律〙猶予(期間).

a la espera 待って, 待機して.

en espera de ... …を待ちながら. *en espera de* su respuesta《手紙》ご返事をお待ちしつつ.

E

esperado, da 過分 → esperar.

esperando 現分 → esperar.

es·pe·ran·to [esperánto エスペラント] 名男 エスペラント語: ポーランドの眼科医 Zamenhof (1859–1917) が考案した国際語.

es·pe·ran·za [esperánθa エスペランさ] 名女 [複 ~s] 〔英 hope〕 **希望**, **期待**, 見込み. con la *esperanza* de ... …という期待で. Tenemos *esperanza* de que venga mañana. 我々は彼が明日来てくれたらと思っている. Hay pocas *esperanzas* de ganar este partido. 今度の試合には勝てそうもない. vivir de *esperanzas* 一縷(いちる)の望みを託す.

esperanza de vida 平均余命.

es·pe·ran·za·dor, do·ra [esperanθaðór, ðóra エスペランさドル, ドラ] 形 有望な, 期待の持てる.

es·pe·ran·zar [esperanθár エスペランさル] [39 z → c] 動他 希望を与える, 期待を抱かせる.

—— **es·pe·ran·zar·*se*** 希望を持つ, 期待を抱く.

es·pe·rar

[esperár エスペラル] 動他 [現分 esperando; 過分 esperado, da] 〔英 wait; hope〕

1 **待つ**, 待ち受ける. Pepe *esperó* dos horas la llegada del avión. ペペは飛行機の到着を2時間待った. Te *espero* en la estación. 駅で君を待っているよ. No sé lo que me *espera*. この先どんなことが私の身に起こるか分からない. ► しばしば直接目的語なしで用いられる. ⇒ *Espere* aquí un momento. ここでしばらくお待ち下さい.

2 **期待する**, 望む. Felipe *espera* sacar buenas notas. フェリペは良い成績を取りたいと思っている. El pueblo *esperaba* con ilusión al nuevo presidente. 国民は新大統領の出現を待ち望んでいた. *Esperaba* que mi padre estuviese mejor. 父はまだ元気だと期待していたのに. *Espero* que sí. そうだといいが.

> **【文 法】** **esperar** の主語と次に来る動詞の主語が異なる時は, ＋**que** 接続法になるのがふつうだが, 確実度が高いと直説法になる.
> *Espero que* vengas. 君に来て欲しい.
> *Espero que* vendrás. 君はきっと来てくれるね.

—— 動自《＋**a que** 接続法》…するのを待つ. La madre *estaba esperando a que* volviera su hijo. 母親は息子の帰りを待っていた.

—— **es·pe·rar·*se*** **1** 予想される, 期待される. *Se espera* una mejora de su salud. 彼の健康がよくなることが期待される. Todo salió tan bien como *se esperaba*. すべて予想どおりうまくいった.

2 予期する. No *me esperaba* tan buen recibimiento. こんなに歓迎されるとは思ってもみなかった.

3 待つ. ¡*Espérate* un momento! ちょっと待て!

esperar como agua de mayo 首を長くして待つ.

esperar*(*se*) *sentado 《口語》当てにならない望みを抱く.

ser de esperar 《＋**que** 接続法》…だと期待[予想]される.

es·per·ma [espérma エスペルマ] 名男 (または女) 精液 (= semen).

es·per·ma·to·zoi·de [espermatoθóiðe エスペルマトそイデ] 名男 〘生物〙精子, 精虫.

es·per·pen·to [esperpénto エスペルペント] 名男 《口語》異様な人[もの]; ばかげたこと.

espesa 形女 → espeso.

es·pe·sar [espesár エスペサル] 動他 (液体を) 濃くする; (布などを) 目を詰めて織る. *espesar* la salsa ソースを濃い目にする.

—— **es·pe·sar·*se*** (液体が) 濃くなる; (草木が) 生い茂る.

es·pe·so, sa [espéso, sa エスペソ, サ] 形 [複 ~s] 〔英 thick〕 **1** **濃い**. caldo *espeso* 濃いスープ.

2 (織物などが) 目の詰んだ, 厚手の; 固練りの; 茂った. pasta *espesa* 固めの練り粉. bosque *espeso* 鬱蒼(うっそう)とした森.

3 (壁が) 厚い, 厚みのある.

es·pe·sor [espesór エスペソル] 名男 **1** 厚さ (= grosor). un libro de mucho *espesor* 分厚い本. **2** 濃さ. el *espesor* de la atmósfera 大気濃度.

es·pe·su·ra [espesúra エスペスラ] 名女 **1** 厚さ (= espesor); (織物などの) 目の詰んでいること; (液体の) 濃度. **2** やぶ, 茂み.

es·pe·tar [espetár エスペタル] 動他 **1** 《口語》(嫌なことを) 聞かせる; 出し抜けに言う. *espetar* una pregunta いきなり質問する. **2** (肉を) くし刺しにする.

es·pí·a [espía エスピア] 名男女 スパイ. *espía* doble 二重スパイ. hacer de *espía* スパイを働く.

es·piar [espjár エスピアル] [23 i → í] 動他 スパイする, こっそり調べる; 見張る.

—— 動自 スパイを働く.

es·pi·ga [espíɣa エスピガ] 名女 (麦などの) 穂.

es·pi·ga·do, da [espiɣáðo, ða エスピガド, ダ] 過分 形 **1** 穂が出た.
2 すらりと背の高い.

es·pi·gar [espiɣár エスピガル] [32 g → gu] 動他 落ち穂を拾う; (資料を) 収集する.
—— 動自 穂が出る.
—— **es·pi·gar·*se*** 背がぐんと伸びる.

es·pi·na [espína エスピナ] 名女 **1** とげ. clavarse una *espina* en el dedo 指にとげがささる. No hay rosa sin *espinas*. 《諺》とげのないバラはない.
2 魚の小骨; 〘解剖〙 とげ (骨の突起); 脊柱 (せきちゅう). *espina* dorsal 背骨, 脊椎(せきつい).
3 悩み事, 心配事; 難点, 不都合. tener clavada una *espina* en el corazón 心に悩みを抱いている. problema lleno de *espinas* 実に厄介な問題.
dar a 《+uno》 ***mala espina*** 〈人〉に危惧(き)の念を抱かせる.
sacarse la espina (ゲームなどで) 失点[損]をとり返す; 胸につかえていた事を一気に吐き出す.

es·pi·na·ca [espináka エスピナカ] 名女 〘植物〙ホウレンソウ. → hortalizas 図.

es·pi·nal [espinál エスピナる] 形 脊柱(せきちゅう)の.

es·pi·na·zo [espináθo エスピナそ] 名男 〘解剖〙脊柱(せきちゅう), 背骨.
doblar el espinazo 《口語》屈服する.

es·pi·ne·ta [espinéta エスピネタ] 名女 〘音楽〙スピネット: チェンバロに似た古楽器.

es·pi·ni·lla [espiníʎa エスピニリャ] 名女 **1** 〘解剖〙 脛骨(けいこつ); 向こうずね. dar una patada en la *espinilla* 向こうずねをける.
2 吹き出物, にきび.

es·pi·no [espíno エスピノ] 名男 **1** 〘植物〙サンザシ (山査子).
2 有刺鉄線 (= alambre de *espino*).

es·pi·no·so, sa [espinóso, sa エスピノソ, サ] 形 **1** とげの多い; (魚が) 小骨の多い.
2 厄介な, 困難な. meterse en un asunto *espinoso* 面倒なことに首を突っ込む.

es·pio·na·je [espjonáxe エスピオナヘ] 名男 スパイ行為 [活動]. *espionaje* industrial 産業スパイ.

es·pi·ra·ción [espiraθjón エスピラしオン] 名女 息を吐くこと, 呼気; 発散 (物).

es·pi·ral [espirál エスピラる] 形 らせん状の, 渦巻き形の.
en espiral らせん状に[の].

es·pi·rar [espirár エスピラル] 動他 **1** (息を) 吐く (↔ aspirar); 発散する.
2 元気づける.
—— 動自 息を吐く.

es·pi·ri·tis·mo [espiritísmo エスピリティスモ] 名男 交霊術, 心霊術.

es·pi·ri·tis·ta [espiritísta エスピリティスタ] 形 交霊[心霊]術の. —— 名男女 交霊術者.

es·pí·ri·tu [espíritu エスピリトゥ] 名男 [複 ~s] 〔英 spirit〕
1 精神, 心. el *espíritu* y la carne 精神と肉体. el *espíritu* de la ley 法の精神. grandeza de *espíritu* 気高さ.
2 霊魂; 精霊; [普通 ~s] 悪霊. los *espíritus* de los antepasados 先祖の霊. los *espíritus* del bosque 森の精. el *Espíritu* Santo 聖霊. Tiene los *espíritus* en el cuerpo. 彼の体には悪霊が取りついている.
3 精神力, 意欲; 精神の持ち主. persona de mucho *espíritu* 意欲的な人. un *espíritu* vivo 活動的な人. pobre de *espíritu* 小心な; 世俗欲のない. *espíritu* de contradicción 反抗心.
4 〘化〙エキス, 精; アルコール.
entregar [***exhalar***] ***el espíritu*** 息を引き取る.
levantar el espíritu a 《+uno》 〈人〉を元気づける.

es·pi·ri·tual [espiritwál エスピリトゥアる] 形 **1** 精神の, 精神的な (↔ material). patria *espiritual* 心のふるさと. salud *espiritual* 精神の健全さ. **2** 霊的な; 宗教的な.

es·pi·ri·tua·li·dad [espiritwaliðáð エスピリトゥアリダ(ドゥ)] 名女 精神性; 霊性.

es·pi·ri·tua·lis·mo [espiritwalísmo エスピリトゥアリスモ] 名男 精神主義 (↔ materialismo); 〘哲〙唯心論.

es·pi·ri·tua·lis·ta [espiritwalísta エスピリトゥアリスタ] 形 精神主義の; 〘哲〙唯心論の.
—— 名男女 精神主義者; 〘哲〙唯心論者.

es·pi·ri·tual·men·te [espiritwálménte エスピリトゥアるメンテ] 副 精神的に, 精神面で.

es·pi·ri·tuo·so, sa [espiritwóso, sa エスピリトゥオソ, サ] 形 アルコール分の多い.

es·pi·ta [espíta エスピタ] 名女 **1** (樽(たる)の) 栓. **2** 《口語》大酒飲み.

es·plen·di·dez [esplendiðéθ エスプれンディデす] 名女 輝かしさ, すばらしさ.

es·plén·di·do, da [espléndiðo, ða エスプれンディド, ダ] 形 **1** すばらしい, 豪華な (= magnífico). Hace un día *espléndido*. 今日はすばらしい天気だ. una comida *espléndida* 豪華で豊富な料理. **2** 気前のよい. Es un tío *espléndido*. Nos compra todo lo que le pedimos. 彼はとても気前がよい. ねだった物は何でも買ってくれる.

es·plen·dor [esplendór エスプれンドル] 名男 すばらしさ; 豪奢(ごうしゃ); 輝き. *esplendor* de la ceremonia 儀式の華麗さ. época de *esplendor* 全盛期, 絶頂期.

es·plen·do·ro·so, sa [esplendoróso, sa エスプれンドロソ, サ] 形 すばらしい, 豪華な; 光り輝く.

es·plie·go [espljéɣo エスプリエゴ] 名男 〘植物〙ラベンダー.

es·po·le·ar [espoleár エスポれアル] 動他

E

1 (馬に)拍車をかける.
2 刺激する, けしかける.

es·po·le·ta [espoléta エスポれタ] 名女 (爆弾の)信管, 導火線.

es·po·lón [espolón エスポろン] 名男 **1** (鳥・馬の)蹴爪(けづめ). **2** (船首・橋脚の)水切り; 堤防, 防波堤. **3** (山の)支脈.

es·pol·vo·re·ar [espolβoreár エスポるボレアル] 動他 (粉末を)ふりかける; ちりを払う.

es·pon·ja [espóŋxa エスポンハ] 名女 **1** 海綿, スポンジ; 海綿[質]のもの. *esponja* sintética 合成樹脂のスポンジ.
2〘動物〙海綿動物.
beber como una esponja《口語》鯨飲する.
pasar la esponja《口語》水に流す.

es·pon·jar [espoŋxár エスポンハル] 動他 海綿状にする; 柔らかくする, ふんわりさせる.
—— **es·pon·jar·se** 得意になる.

es·pon·jo·si·dad [espoŋxosiðáð エスポンホシダ(ドゥ)] 名女 海綿質, スポンジ状; ふんわりしていること.

es·pon·jo·so, sa [espoŋxóso, sa エスポンホソ, サ] 形 海綿質の, スポンジ状の; ふんわりした.

es·pon·sa·les [esponsáles エスポンサれス] 名男 [複] 婚約.

es·pon·tá·ne·a·men·te [espontáneaménte エスポンタネアメンテ] 副 自発的に; 自然に, 伸び伸びと.

es·pon·ta·nei·dad [espontaneiðáð エスポンタネイダ(ドゥ)] 名女 自発性; 自然さ. obrar con *espontaneidad* ごく自然に[のびのびと]振る舞う.

es·pon·tá·ne·o, a [espontáneo, a エスポンタネオ, ア] 形 **1** 自発的な. **2** 自然な, 自然発生の; 自生の. **3** 率直な.

es·po·ra [espóra エスポラ] 名女〘植物〙〘生物〙胞子, 芽胞.

es·po·rá·di·co, ca [esporáðiko, ka エスポラディコ, カ] 形 散発的な; まばらな; 〘医〙特発性の.

es·po·sa [espósa エスポサ] 名女 [複 ~s] [英 wife]
1 妻 (↔ esposo).
2 [~s] 手錠. ◆「互いに切り離せないもの」の比喩(ひゆ)から.

es·po·so [espóso エスポソ] 名男 [複 ~s] [英 husband]
夫 (↔ esposa). los *esposos* 夫婦 (► スペインの口語では el marido y su mujer と言うことが多い).

es·print [esprínt エスプリン(トゥ)] 名男 [複 ~s] 〘スポーツ〙スプリント, 短距離競走; 全力疾走.

es·pue·la [espwéla エスプエら] 名女
1 拍車. **2** 刺激, 激励. poner *espuelas* 刺激する, はっぱをかける.

es·puer·ta [espwérta エスプエルタ] 名女 (取っ手の2つ付いたスパルト編みの) かご. ➡ cesta 図.
a espuertas《口語》どっさり. ganar dinero a *espuertas* 大もうけする.

es·pu·ma [espúma エスプマ] 名女 **1** 泡. hacer *espuma* 泡立てる. *espuma* de caucho フォームラバー, スポンジゴム. *espuma* de cerveza ビールの泡.
2 (スープなどの)あく.
crecer como (la) espuma 急に大きくなる[増える]; にわかに繁栄する.

es·pu·ma·de·ra [espumaðéra エスプマデラ] 名女〘料理〙(あく取り用の)穴杓子(じゃくし).

es·pu·mar [espumár エスプマル] 動他 泡[あく]を取る. —— 動自 泡を出す, 泡立つ.

es·pu·ma·ra·jo [espumaráxo エスプマラホ] 名男 **1** 浮きかす; 汚い泡.
2 唾液(だえき)の泡. echar [arrojar] *espumarajos* por la boca 激怒する.

es·pu·mo·so, sa [espumóso, sa エスプモソ, サ] 形 泡立つ, 泡状の; 発泡性の.
—— 名男 発泡性ぶどう酒, スパークリングワイン.

es·pú·re·o, a [espúreo, a エスプレオ, ア] / **es·pu·rio, ria** [-rjo, rja -リオ, リア] 形 **1** 庶出の, 私生の. **2** 偽の, 虚偽の (= falso). obra *espuria* 贋作(がんさく).

es·pu·tar [esputár エスプタル] 動他 (つば・痰(たん)を)吐く.

es·pu·to [espúto エスプト] 名男 痰(たん), つば.

es·que·la [eskéla エスケら] 名女 **1** 短い手紙. **2** 通知; 招待状. *esquela* mortuoria [de defunción] (新聞の)死亡広告.

es·que·lé·ti·co, ca [eskelétiko, ka エスケれティコ, カ] 形 **1** 骸骨(がいこつ)の; 骨格の.
2《口語》骨と皮ばかりの.

es·que·le·to [eskeléto エスケれト] 名男
1 骸骨(がいこつ); 骨格. estar hecho un *esqueleto* 骨と皮ばかりになっている.
2 (建造物などの) 骨組み, 枠組み; (小説などの) 概要, 粗筋, アウトライン.

es·que·ma [eskéma エスケマ] 名男
1 図式, 図表; 見取り図. dibujar un *esquema* 見取り図を描く. en *esquema* 図式的に. **2** (計画などの) 草案; 大要, 概要.

es·que·má·ti·co, ca [eskemátiko, ka エスケマティコ, カ] 形 図式の, 図式的な; 概略の. explicar de forma *esquemática* ざっと説明する.

es·que·ma·ti·zar [eskematiθár エスケマティさル] [39 z ➡ c] 動他 図式化する; 図式で説明する; 簡略化する.

es·quí [eskí エスキ] 名男 [複 esquíes, esquís] スキー; スキー板. campo [pista] de *esquí* スキー場[ゲレンデ]. *esquí* náutico [acuático] 水上スキー.

es·quia·dor, do·ra [eskjaðór, ðóra エスキアドル, ドラ] 名男女 スキーヤー.

es·quiar [eskjár エスキアル] [23 i ➡ í] 動自 スキーをする.

es·qui·la [eskíla エスキら] 名女 (家畜の)鈴, カウベル.

es·qui·la·dor, do·ra [eskilaðór, ðóra エスキらドル, ドラ] 名男女 (羊の) 毛を刈る人.

es·qui·lar [eskilár エスキらル] 動他
1 (羊の) 毛を刈る, 剪毛(せんもう)する.
2 《口語》髪を刈る.

es·quil·mar [eskilmár エスキるマル] 動他 (財産・資源を) 使い果たす.

es·qui·mal [eskimál エスキマる] 形 エスキモーの. ── 名男女 エスキモー (人).

es·qui·na [eskína エスキナ] 名女 [複 ~s] 〔英 corner〕
角, 曲がり角; 街角. en una *esquina* de la mesa 机の角で. doblar la *esquina* 角を曲がる. hacer *esquina* (建物が) 角にある. en la *esquina* a la calle del Carmen カルメン通りの角で. ►esquina は外側から見た角, rincón は内側から見た隅をいう.
a la vuelta de la esquina すぐ近くに; すぐに, 簡単に.

es·qui·nar [eskinár エスキナル] 動他 …と角を作る, …の角になる; 隅に置く.
── 動自 《+**con**》…の角にある.

es·qui·na·zo [eskináθo エスキナそ] 名男
1 《口語》角, 曲がり角.
2 《ラ米》セレナーデ.
dar esquinazo a 《+uno》《口語》〈人〉との約束をすっぽかす; 〈人〉に待ちぼうけを食わせる.

es·qui·var [eskiβár エスキバル] 動他 巧みに避ける; そらす.

es·qui·vez [eskiβéθ エスキべす] 名女 つれなさ, 無愛想; 内気, 引っ込み思案.

es·qui·vo, va [eskíβo, βa エスキボ, バ] 形 つれない, 無愛想な; 内気な, 引っ込み思案の.

es·qui·zo·fre·nia [eskiθofrénja エスキそフレニア] 名女 〔医〕精神分裂病.

es·qui·zo·fré·ni·co, ca [eskiθofréniko, ka エスキそフレニコ, カ] 形 〔医〕精神分裂病の. ── 名男女 〔医〕精神分裂病患者.

esta 形 《指示》 女 → este.

ésta 代名 《指示》 女 → éste.

esta- / está(-) 動 → estar. 25

es·ta·bi·li·dad [estaβiliðáð エスタビリダ(ドゥ)] 名女 安定 (性); 平衡; 平静さ.

es·ta·bi·li·za·ción [estaβiliθaθjón エスタビりさしオン] 名女 安定化; 平衡化.

es·ta·bi·li·za·dor, do·ra [estaβiliθaðór, ðóra エスタビりさドル, ドラ] 形 安定させる. ── 名男 **1** (食品・化合物の) 安定剤.
2 〔航空〕水平尾翼. → avión 図.
3 〔車〕スタビライザー.

es·ta·bi·li·zar [estaβiliθár エスタビりさル] [39 z → c] 動他 安定させる; 落ち着かせる. *estabilizar* los cambios 為替 (レート) を固定する.
── **es·ta·bi·li·zar·se** 安定する; 正常化する, 落ち着く.

es·ta·ble [estáβle エスタブれ] 形 安定した, しっかりした; 不変の. un edificio *estable* しっかりした建物. un gobierno *estable* 安定した政府. La fiebre del paciente fue *estable* toda la noche. 患者の熱は終夜変わらなかった.

es·ta·ble·cer [estaβleθér エスタブれせル] 40 動他 〔英 establish〕 **1 開設する**, 創設する (= fundar, abrir). *establecer* una sucursal 支店を開設する.
2 制定する, 定める (= determinar); 樹立する. La Constitución *establece* los derechos de los ciudadanos. 憲法が国民の権利を定める. *establecer* un régimen democrático 民主体制を打ち立てる. *establecer* un récord mundial 世界新記録を立てる.
── **es·ta·ble·cer·se** **1** 定住 [定着] する. Después de muchos años de vagabundeo *se estableció* en Buenos Aires. 何年も放浪したあげく彼はブエノスアイレスに居を構えた.
2 《+**de**》…で身を立てる. *establecerse* de abogado 弁護士として身を立てる.

es·ta·ble·ci·mien·to [estaβleθimjénto エスタブれしミエント] 名男 **1** 設立, 確立. *establecimiento* de un nuevo gobierno 新政府の樹立.
2 (学校・会社・病院などの) 施設, 機関. *establecimiento* (comercial) 店舗. *establecimiento* penitenciario 刑務所.

establezc- 動 → establecer. 40

es·ta·blo [estáβlo エスタブろ] 名男 厩舎(きゅうしゃ).

es·ta·ca [estáka エスタカ] 名女 杭(くい), 丸太. clavar [poner] una *estaca* en … …に杭を打つ.

es·ta·ca·da [estakáða エスタカダ] 名女 柵(さく).
dejar a 《+uno》 ***en la estacada*** 《口語》窮地に陥っている〈人〉を見捨てる.

es·ta·ca·zo [estakáθo エスタカそ] 名男 丸太による一撃.

es·ta·ción [estaθjón エスタしオン] 名女 [複 estaciones] 〔英 station ; season〕 **1 駅**, 駅舎. *estación* ferroviaria 鉄道駅. *estación* del metro 地下鉄の駅. la (*estación*) terminal ターミナルステーション. ► バスの停留所は parada. →次ページ図.
2 季節; シーズン. las cuatro *estaciones* del año 四季. la *estación* de las lluvias 雨季. ► スポーツなどのシーズンはふつう temporada を用いる. ⇀ temporada de esquí スキーシーズン, fuera de temporada シーズンオフ.

【参 考】四季 **primavera** 春, **verano** 夏, **otoño** 秋, **invierno** 冬.

3 基地, 施設. la (*estación*) emisora 放送局. la (*estación*) central hidroeléc-

E

trica 水力発電所. *estación* de servicio 〘車〙サービスステーション, ガソリンスタンド (= gasolinera). *estación* de radar レーダー基地.

es·ta·cio·nal [estaθjonál エスタしオナる] 形季節(特有)の.

es·ta·cio·na·mien·to [estaθjonamjénto エスタしオナミエント] 名男 **1** 駐車; 駐車場 (= aparcamiento). *Estacionamiento prohibido*. 《掲示》駐車禁止. **2** 停滞.

es·ta·cio·nar [estaθjonár エスタしオナル] 動他 駐車する (= aparcar); 配置する. ── **es·ta·cio·nar·*se*** 停滞する. El alza del cambio *se ha estacionado*. 為替相場の騰貴も一段落した.

es·ta·cio·na·rio, ria [estaθjonárjo, rja エスタしオナリオ, リア] 形静止した; 停滞した.

es·ta·dí·a [estaðía エスタディア] 名女 滞在, 逗留(とうりゅう)(= estancia).

es·ta·dio [estáðjo エスタディオ] 名男 **1** 競技場, スタジアム. *estadio* olímpico オリンピックスタジアム.
2 段階, 局面.

es·ta·dis·ta [estaðísta エスタディスタ] 名男女 **1** (国家の)指導者, 政治家. **2** 統計学者.

es·ta·dís·ti·co, ca [estaðístiko, ka エスタディスティコ, カ] 形統計学の; 統計上の. ── 名女 統計学, 統計論; 統計 (表). *estadística* económica 経済統計.

es·ta·do [estáðo エスタド] 名男 [複 ～s] 〔英 condition; state〕 **1 状態**; 状況, 事態. La parte exterior de la casa todavía se conserva en buen *estado*. 家の外側はまだ保存状態がいい. *estado* físico 体調; (気体・液体・固体の) 物質の状態. Se declaró el *estado* de excepción. 非常事態宣言が発せられた.
2 国家, 政体; (合衆国の) 州. golpe de *Estado* クーデター. jefe de *Estado* 元首. secreto de *Estado* 国家機密. (los) *Estados* Unidos(de América) アメリカ合衆国. Comunidad de *Estados* Independientes 独立国家共同体. → país 【参考】.
3 身分, 地位. *estado* civil 戸籍上の身分 (► 独身 soltero[ra], 既婚者 casado[da], 寡夫[婦] viudo [da]).
estado mayor 〘軍〙参謀本部.
estar en estado (***interesante***, ***de buena esperanza***) 妊娠中である.
── 過分 → estar.

Es·ta·dos U·ni·dos [estáðos uníðos エスタドスウニドス] 固名 〔英 United States〕 (**los**) ***Estados Unidos de América*** **アメリカ合衆国**: 首都 Washington 《略 EE.UU., E.U.A.》.

es·ta·dou·ni·den·se [estaðouniðénse エスタドウニデンセ] [複 ～s] 〔英 United States, American〕 形 **アメリカ合衆国の**, 米国の.
── 名男女 **アメリカ合衆国市民**, 米国人.

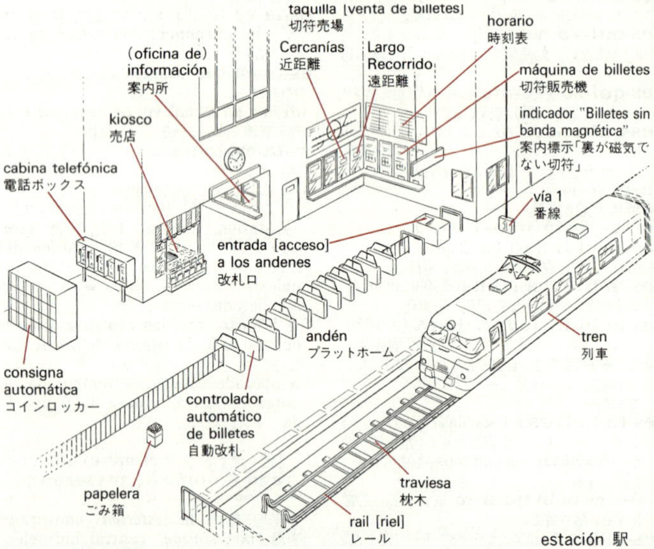

estación 駅

es·ta·fa [estáfa エスタファ] 名女 詐欺，ぺてん．

es·ta·fa·dor, do·ra [estafaðór, ðóra エスタファドル，ドラ] 名男女 詐欺師，ぺてん師．

es·ta·far [estafár エスタファル] 動他 だまし取る，ごまかす；ぺてんにかける．*estafar* en el precio 値段をごまかす．

es·ta·fe·ta [estaféta エスタフェタ] 名女 郵便局（の支局）．➡ correo．

es·ta·lac·ti·ta [estalaktíta エスタらクティタ] 名女 鍾乳(しょうにゅう)石．

es·ta·lag·mi·ta [estalaɣmíta エスタらグミタ] 名女 石筍(せきじゅん)．

es·ta·llar [estaʎár エスタリャル] 動自 **1** 破裂する，爆発する．*estallar* una bomba 爆弾が炸裂(さくれつ)する．El florero *estalló* al caer al suelo. 花瓶は床に落ちて砕け散った．
2 鳴り響く．*estallar* un aplauso 拍手喝采(かっさい)がひびきわたる．
3 勃発(ぼっぱつ)する，突発する．*Estalló* la guerra. 戦争が勃発した．
4（感情が）爆発する．*estallar* de risa どっと笑い出す．*estallar* en llanto わっと泣き出す．

es·ta·lli·do [estaʎíðo エスタリィド] 名男 **1** 破裂（音），爆発（音）．**2** 勃発(ぼっぱつ)，突発．**3**（感情の）爆発．tener un *estallido* de cólera 烈火のごとく怒る．

es·tam·bre [estámbre エスタンブレ] 名男 **1**〘植物〙雄蕊(ゆうずい)，おしべ．
2〘服飾〙梳毛(そもう)；梳毛糸；梳毛織物．

es·ta·men·to [estaménto エスタメント] 名男 階級，階層．

es·ta·me·ña [estaméɲa エスタメニャ] 名女〘服飾〙梳毛(そもう)織物，ウーステッド．

es·tam·pa [estámpa エスタンパ] 名女 **1** 印刷された絵［肖像画］，版画，挿し絵．*estampas* de La Santísima Virgen 聖母マリアの肖像画．
2 姿，外見．una mujer de fina *estampa* きゃしゃな感じの女．**3** 典型，見本．la *estampa* del genio 折り紙付きの天才．

es·tam·pa·do, da [estampáðo, ða エスタンパド，ダ] 過分 形 プリント柄の．
—— 名男 プリント；プリント柄の服地．

es·tam·par [estampár エスタンパル] 動他 **1** 刷る，プリントする；捺印(なついん)する．
2 型を押す；（足跡を）残す．
3（心に）刻みつける．**4**《口語》投げつける．
5《口語》（平手打ちなどを）加える．

es·tam·pí·a [estampía エスタンピア] *de estampía*《副詞句》急いで．►partir, salir, irse, embestir などの動詞とのみ用いられる．

es·tam·pi·da [estampíða エスタンピダ] 名女 **1** 爆音，轟音(ごうおん)．**2** 突然逃げ出すこと．

es·tam·pi·do [estampíðo エスタンピド] 名男 爆音，轟音(ごうおん)．

es·tam·pi·lla [estampíʎa エスタンピリャ] 名女 **1** スタンプ，印，検印．
2《ラ米》郵便切手（＝sello）．

es·tan·ca·mien·to [estaŋkamjénto エスタンカミエント] 名男 **1** 流れを止めること；よどみ．**2** 行き詰まり，停滞．

es·tan·car [estaŋkár エスタンカル] [8 c ➡ qu] 動他 **1** 流れを止める．**2** 中断する，停止する．
—— **es·tan·car·*se*** よどむ；停滞する；行き詰まる．

es·tan·cia [estánθja エスタンしア] 名女 **1** 滞在．La conoció durante su *estancia* en Barcelona. バルセロナ滞在中に彼は彼女と知り合った．**2** 邸宅；（広くて豪華な）居間．**3**《ラ米》農園，農場．

es·tan·co [estáŋko エスタンコ] 名男 **1**（スペインで）タバコ屋，専売品の売店．◆タバコ，切手，絵はがきなどを売っている．
2 専売．mercancías en *estanco* 専売品．

es·tán·dar [estándar エスタンダル] **/ es·tan·dard** [-dar -ダル] 形 標準的な，規格通りの；画一的な．de tipo *estándar* 標準型の．
—— 名男 水準，レベル．

es·tan·da·ri·zar [estandariθár エスタンダリさル] [39 z ➡ c] 動他 標準［規格］化する；画一化する．

es·tan·dar·te [estandárte エスタンダルテ] 名男 軍旗，隊旗；団旗．➡ bandera．

estando 現分 ➡ estar．

es·tan·que [estáŋke エスタンケ] 名男 池；貯水池．*estanque* para el riego 灌漑(かんがい)用貯水池．*estanque* de cría 稚魚池．

es·tan·te [estánte エスタンテ] 名男 棚，棚板；本棚，書架．

es·tan·te·rí·a [estantería エスタンテリア] 名女《集合》棚；本棚．

es·ta·ño [estáɲo エスタニョ] 名男〘化〙スズ，錫．

es·tar

[estár エスタル] 25 動自 ［現分 estando；過分 estado］
〔英 be〕
1《所在を表して》**ある，いる**．¿Dónde *está* el teléfono? 電話はどこですか．Antonio no *está* en casa. 今アントニオは不在です．La Sagrada Familia de Gaudí *está* en Barcelona. ガウディの聖家族教会はバルセロナにある．Nunca *he estado* en Panamá. 私はパナマに行ったことがない．

【文　法】 **estar** は一般に既知の人・動物・事物について，それがどこにあるかを示すのに用いられる．従って主語になれるのは，主語代名詞や固有名詞，定冠詞・指示形容詞・所有形容詞のついた名詞，などである．➡ haber『文法』．

2《＋形容詞・副詞》《状態を表して》**…である**．El taxi *está* libre. タクシーは空車だ．*Estoy* resfriado. 私は風邪を引いてしまった．Mi tío *está* de buen humor. 叔

直説法	
現在	未来
1·単 ***estoy***	1·単 **estaré**
2·単 ***estás***	2·単 **estarás**
3·単 ***está***	3·単 **estará**
1·複 **estamos**	1·複 **estaremos**
2·複 **estáis**	2·複 **estaréis**
3·複 ***están***	3·複 **estarán**
点過去	線過去
1·単 ***estuve***	1·単 **estaba**
2·単 ***estuviste***	2·単 **estabas**
3·単 ***estuvo***	3·単 **estaba**
1·複 ***estuvimos***	1·複 **estábamos**
2·複 ***estuvisteis***	2·複 **estabais**
3·複 ***estuvieron***	3·複 **estaban**
接続法	可能
現在	1·単 **estaría**
1·単 ***esté***	2·単 **estarías**
2·単 ***estés***	3·単 **estaría**
3·単 ***esté***	1·複 **estaríamos**
1·複 **estemos**	2·複 **estaríais**
2·複 **estéis**	3·複 **estarían**
3·複 ***estén***	
過去(ra)	過去(se)
1·単 ***estuviera***	1·単 ***estuviese***
2·単 ***estuvieras***	2·単 ***estuvieses***
3·単 ***estuviera***	3·単 ***estuviese***
1·複 ***estuviéramos***	1·複 ***estuviésemos***
2·複 ***estuvierais***	2·複 ***estuvieseis***
3·複 ***estuvieran***	3·複 ***estuviesen***
命令法	
2·単 ***está***	
2·複 **estad**	

父は上機嫌だ. El enfermo *está* cada día mejor. 病人は日々快方に向かっている. ➡ ser 1.

—— es·tar·*se* 滞在する; じっとしている. Podéis *estaros* unos días con nosotros. 君たち2, 3日ここに泊まっていっていいよ. *Estate* quieto. じっとしていなさい.

—— 助動 **1** 《+現在分詞》《進行形を作る》 **…している, …しつつある.** *Estamos* terminando la lección doce. 私たちはもうすぐ12課が終わるところだ. *Estuvo* dos horas esperándote. 彼は君を2時間待っていたよ.

2 《+過去分詞》《受け身文で結果を表して》 **…してある.** La puerta *está* cerrada. ドアは閉まっている. Este jardín *está* muy bien cuidado. この庭はよく手入れが行き届いている.

Está bien. よくできました; 承知した; 大丈夫だ, 心配ない.

¿Estamos? 準備はいいかい?; 分かりましたか.

estar a … (1)《日付を表して》 ¿*A* cuántos *estamos*? — *Estamos a* cinco de mayo. 今日は何日ですか. —5月5日です. (2)《地点・価格・温度を表して》 *Estuvimos a* diez kilómetros de la ciudad. 我々は町から10キロの所にいた. Todos los artículos *están a* buen precio. すべての商品が安い. En Sevilla *están a* 40 grados. セビーリャは気温が40度だ. (3)《状態を表して》 *Estoy a* sus órdenes. なんなりとお申しつけください. *estar al* acecho 油断なく見張る. *estar a* la escucha じっと聞いている.

estar (a) bien [mal] con 《+uno》〈人〉とうまくいっている[仲たがいしている].

estar con 《+uno》〈人〉と同意見である. *Estoy con*tigo en todo lo que dices. 僕はすべて君の意見と同じだ.

estar de … (1)…しているところである. *estar de* paseo [vacaciones] 散歩[休暇]中である. (2)…として働いている. *Está de* camarero en un restaurante. 彼はレストランでウエーターをしている.

estar en … (1)(ある時点での状況が) …である. *Está en* cama. 彼は病気だ. *Estábamos en* clase. 我々は授業中だった. Ya *estamos en* pleno verano. もうすっかり夏だ. (2)…にある(= consistir). El problema *está en* este punto. 問題はこの点にある. (3)《+不定詞》…するつもりである. *Está en* venir cuanto antes. 彼はできるだけ早く来るつもりだ. (4)…と確信する. *Estoy en* que no ocurrirá nada importante. 大事にはならないと思う. (5)…を理解している. *estar en* todo すべてのことに気を配っている; あらゆることにかかわっている.

estar para … (1)《+不定詞》まさに…しようとしている. (2)《否定文で》…する気になれない. No *estoy para* bromas. 私は冗談に付き合う気分でない.

estar por … (1)《+不定詞》まだ…していない. La cama *está por* hacer. まだベッドメーキングが済んでいない. (2)…の味方[…に賛成]である. Todos *están por* ti. 皆が君に賛成だ.

estar sobre … (いつも)…を監視している.

Ya está. これでよし[出来上がりだ].

¡Ya está bien! もう結構だ, やめろ.

estas 形《指示》[複] ➡ este.

éstas 代名《指示》[複] ➡ éste.

es·ta·tal [estatál エスタタる] 形 国家の, 国立の. empresa *estatal* 国営企業.

es·tá·ti·co, ca [estátiko, ka エスタティコ, カ] 形 **1** 静止した, 不動の(↔ dinámico). **2** 唖然(あぜん)とした, あっけにとられた.

es·ta·ti·fi·car [estatifikár エスタティフィカル] [⑧ c ➡ qu] 動他 国有化する, 国営にする.

es·ta·tua [estátwa エスタトゥア] 名女 彫像. *estatua* ecuestre 騎馬像. *estatua* de bronce ブロンズ像. *estatua* sedente 座像.

quedarse hecho una estatua (驚き・

恐怖のあまり)立ちすくむ.
es·ta·tua·rio, ria [estatwárjo, rja エスタトゥアリオ, リア] 形 彫像の(ような); 無表情な.
es·ta·tu·ra [estatúra エスタトゥラ] 名女 身長. de mediana *estatura* 中背の.
es·ta·tu·to [estatúto エスタトゥト] 名男 法令, 成文法; 規約, 定款. *estatuto* municipal 市条例. *estatuto* de autonomía 自治州条例.
es·te[1] [éste エステ] 名男 〔英 east〕 **1 東**; 東部 《略 E》. al *este* 東に. las provincias del *este* 東部地方. **2** 東風. —— 形 東の, 東方の. viento *este* 東の風. rumbo *este* 東の方角.
es·te[2], **ta** [éste, ta エステ, タ] 形 《指示》[複男 estos, 女 estas] 〔英 this〕 **1 この**. *estas* señoritas こちらのお嬢さんがた. de *este* modo こんなふうに. Añade *estas* palabras : " No he ido a verle, porque ... ." 次の言葉を付け加えておきなさい.「お会いできなかった理由は…」と.

	この	その	あの
単数 複数	este, ta estos, tas	ese, sa esos, sas	aquel, lla aquellos, llas

2 現在の, 今の. *este* mes 今月. *este* invierno 今年の冬. a *estas* horas 今ごろは.

【文 法】 este, ese, aquel
1 空間的・時間的・心理的に日本語の「この, その, あの」に近い. 指示代名詞の場合も同じ.
2 *este* は今話題になっている, またはこれから話題になること, *ese* は今話題になったこと, *aquel* は今の時点とは離れるがそれと分かること, を指す.
por *estas* razones こうした理由から; 以下の理由から.
en *ese* sentido その意味では.
Aquella mujer de la que te hablé el otro día ha venido a verme hoy. 先日君に話したあの[その]女の人が今日訪ねてきた.
3 しばしば非難, 軽蔑(けいべつ)の意味を表す.
¡*Este* Antonio! Siempre está distraído. アントニオときたら, いつもぼんやりしているんだ!
el tío *ese* そいつ.
4 アクセントのある a-, ha- で始まる女性単数名詞の前に付くときは, este [ese, aquel] agua より, *esta* [*esa*, *aquella*] agua の方が正しいとされる.
5 todo を除き, 常に他の修飾語に先行する.

esos tres hombres その3人の男たち. todas *estas* cartas これらの手紙全部.

és·te, ta [éste, ta エステ, タ] 代名 《指示》[複男 éstos, 女 ～s] (► 指示形容詞と混同するおそれのない時はアクセント符号を省いてもよい. 大文字で書くときは省くのがふつう.) 〔英 this〕
1 これ; この人. *Estas* son las fotos. これらがその写真だ. *Este* es mi amigo Juan. こちらは友達のフアンです. A *éste* no le gusta. こいつは嫌がっている (► 人を指す場合はぶしつけ・軽蔑(けいべつ)的なので, este señor などと言い替えた方がよい).
2 (前者に対して) 後者 (↔ aquél).
3 [女性形] 《手紙》当地 (↔ ésa). Estaré en *ésta* hasta fin de mes. 月末までこちらにいるつもりです.
a todas éstas → esto.
Esta y nunca* [*no*] *más. 《口語》これっきりだぞ.
este- / esté(-) 動 → estar. 25
Es·te·ban [estéβan エステバン] 固名 エステバン: 男性の名.
es·te·la [estéla エステラ] 名女 **1** (船・飛行機などの) 航跡; (流星の) 尾. *estela* luminosa 光の尾.
2 余韻, 名残.
3 石碑, 石柱.
es·te·lar [estelár エステラル] 形 **1** 〘天文〙星の, 恒星の. **2** 花形の, スターの.
es·te·nó·gra·fo, fa [estenóɣrafo, fa エステノグラフォ, ファ] 名男女 速記者. ► 普通は taquígrafo のほうが使われる.
es·te·no·ti·pia [estenotípja エステノティピア] 名女 速記(術).
es·te·pa [estépa エステパ] 名女 ステップ, 温帯草原(地帯).
és·ter [éster エステル] 名男 〘化〙エステル.
es·te·ra [estéra エステラ] 名女 むしろ, ござ.
es·ter·co·le·ro [esterkoléro エステルコレロ] 名男 **1** 堆肥(たいひ)場. **2** むさ苦しい場所.
es·té·re·o [estéreo エステレオ] 名男 [estereofónico の省略形] ステレオ. en *estéreo* ステレオで.
estereo- 「堅固, 立体」の意を表す造語要素. ⇒ *estereo*fónico, *estereo*tipo など.
es·te·re·o·fo·ní·a [estereofonía エステレオフォニア] 名女 ステレオ, 立体音響(効果).
es·te·re·o·fó·ni·co, ca [estereofóniko, ka エステレオフォニコ, カ] 形 ステレオの.
es·te·re·o·ti·pa·do, da [estereotipáðo, ða エステレオティパド, ダ] 形 型にはまった, 陳腐な. frases *estereotipadas* 紋切り型の表現.
es·te·re·o·ti·pia [estereotípja エステレオティピア] 名女 ステロ版製版(印刷).
es·te·re·o·ti·po [estereotípo エステレオティポ] 名男 決まり文句; 陳腐, 紋切り型, ステレオタイプ.
es·té·ril [estéril エステリる] 形 〔英 steri-

le] **1** 不毛の (↔ fértil); 不作の. terreno *estéril* 不毛の地. esfuerzos *estériles* 無駄骨.
2 不妊の, 生殖力のない. una mujer *estéril* 石女(うまずめ). **3** 殺菌された. gasas *estériles* 無菌ガーゼ.

es·te·ri·li·dad [esteriliðáð エステリリダ(ドゥ)] 名女 **1** 不毛(性); 不妊(症).
2 無益, 無駄. **3** 無菌[殺菌]状態.

es·te·ri·li·zar [esteriliθár エステリリサル] [39 z → c] 動他 **1** (土地を) 不毛にする.
2 不妊手術をする. **3** 殺菌する. gasas *esterilizadas* 無菌ガーゼ. leche *esterilizada* 殺菌牛乳. **4** 無駄にする. *esterilizar* el talento 才能を無にする.

E

es·ter·li·na [esterlína エステルリナ] 形 スターリング貨[英貨]の. libra *esterlina* ポンド貨.

es·ter·tor [estertór エステルトル] 名男 (臨終・昏睡(こんすい)の際の) 喉(のど)鳴り, 喘鳴(ぜんめい). estar en los últimos *estertores* 死に瀕(ひん)している.

es·te·ta [estéta エステタ] 名男女 審美眼のある人; 唯美[耽美(たんび)]主義者.

es·té·ti·ca·men·te [estétikaménte エステティカメンテ] 副 美的に.

es·te·ti·cis·mo [estetiθísmo エステティしスモ] 名男 唯美主義, 耽美(たんび)主義.

es·te·ti·cis·ta [estetiθísta エステティしスタ] 名男女 エステティック[全身]美容師.

es·té·ti·co, ca [estétiko, ka エステティコ, カ] 形 **1** 美学の. **2** 美の, 美的な. **3** 美容の.
—— 名男女 美学者, 審美家.
—— 名女 **1** 美学. **2** 美容術.

es·te·tos·co·pio [estetoskópjo エステトスコピオ] 名男 〘医〙 聴診器.

es·te·va·do, da [esteβáðo, ða エステバド, ダ] 形 O脚の. —— 名男女 O脚の人.

es·ti·ba·dor [estiβaðór エスティバドル] 名男 沖仲仕.

es·tiér·col [estjérkol エスティエルコる] 名男 (動物の) 糞(ふん); 堆肥(たいひ).

es·tig·ma [estíɣma エスティグマ] 名男 **1** 傷跡, 瘢痕(はんこん); 〘カトリック〙 聖痕.
2 恥辱, 汚名.

es·ti·lar·se [estilárse エスティらルセ] 動 《3人称で用いられて》 …が習慣である, 常である. En este país *se estila* comer tarde. この国では食事はいつも遅めに取ります.

es·ti·le·te [estiléte エスティれテ] 名男 (細身の) 短剣.

es·ti·lis·ta [estilísta エスティリスタ] 名男女 **1** 文章家, 美文家. **2** スタイリスト.

es·ti·lís·ti·co, ca [estilístiko, ka エスティリスティコ, カ] 形 文体の, 文体論の. análisis *estilístico* 文体の分析.
—— 名女 文体論.

es·ti·li·zar [estiliθár エスティりさル] [39 z → c] 動他 **1** 様式化する.
2 《口語》ほっそりさせる, ほっそり見せる.
—— **es·ti·li·zar·se** 《口語》やせる.

es·ti·lo [estílo エスティろ] 名男 [複 ~s] 〔英 style〕 **1** 様式; 流儀, 方法. *estilo* moderno 現代ふう. jardín de *estilo* japonés 日本庭園. No es su *estilo* de obrar. それは彼のやり方ではない.
2 文体; 〘文法〙 話法. *estilo* coloquial 口語体. *estilo* directo [indirecto] 直接[間接]話法.
3 〘スポーツ〙 泳法. *estilo* libre 自由形.
(algo) por el estilo だいたいそんな感じの, ほぼその位の.

es·ti·lo·grá·fi·co, ca [estiloɣráfiko, ka エスティろグラフィコ, カ] 形 万年筆の.
—— 名女 〔英 fountain pen〕 万年筆 (= pluma *estilográfica*). ► 中南米では plumafuente を用いる.

es·ti·ma [estíma エスティマ] 名女 尊敬, 評価. tener a 《+uno》 en gran [mucha] *estima* 〈人〉に多大の敬意を払う, 高く評価する.

es·ti·ma·ble [estimáβle エスティマブれ] 形 **1** 尊敬に値する, 評価すべき. **2** かなりの, 相当な. cantidad *estimable* かなりの量.

es·ti·ma·ción [estimaθjón エスティマしオン] 名女 **1** 尊敬, 高い評価. Su acto merece gran *estimación* de todos. 彼の行為はすべての者に高く評価されて然るべきだ.
2 見積もり; 評価額.

es·ti·ma·do, da [estimáðo, ða エスティマド, ダ] 過分 形 《手紙》 親愛なる, 敬愛する. *Estimado* señor 拝啓.

es·ti·mar [estimár エスティマル] 動他 〔英 esteem, estimate〕 **1** 敬意を払う, 尊重する (= apreciar). Le *estimo* mucho como médico. 私は彼を医者として高く買っている.
2 《+en》 …と評価する, 値をつける. *Estimaron* el cuadro *en* un millón de dólares. その絵に100万ドルの値がつけられた. *estimar en* demasía 過大評価する.
3 判断する, 考える. No *estimo* necesario que usted vaya. あなたが行く必要はないと思います.
—— **es·ti·mar·se** 自負する.

es·ti·ma·ti·vo, va [estimatíβo, βa エスティマティボ, バ] 形 概算の.
—— 名女 判断力.

es·ti·mu·lan·te [estimulánte エスティムらンテ] 形 発奮させる; 刺激的な, 興奮させる.
—— 名男 刺激剤, 興奮剤.

es·ti·mu·lar [estimulár エスティムらル] 動他 《+a》 …するように励ます, 刺激する; 挑発する. *estimular* a 《+uno》 *a* estudiar [*al* estudio] 勉強するように〈人〉を励ます. *estimular* el apetito 食欲をそそる[増進させる].

es·tí·mu·lo [estímulo エスティムろ] 名男 刺激, 刺激するもの; 激励; 誘因. Sus palabras son un *estímulo* para mi hijo. あなたの話は私の息子にとって励ましとなります.
es·tí·o [estío エスティオ] 名男 《文語》夏.
es·ti·pen·dio [estipéndjo エスティペンディオ] 名男 報酬, 謝礼.
es·ti·pu·lar [estipulár エスティプラル] 動他 取り決める; 口頭で契約をする.
es·ti·ra·do, da [estiráðo, ða エスティラド, ダ] 過分 形 《口語》 **1** 高慢な, 威張りくさった. **2** けちな.
es·ti·rar [estirár エスティラル] 動他 **1** 伸ばす; ぴんと張る. *estirar* los brazos 腕を伸ばす. *estirar* el cable コードを伸ばす. *estirar* el alambre 針金をぴんと張る.
2 引き延ばす, 長引かせる.
3 (お金を) ちびちび使う, やりくりする.
── **es·ti·rar·*se*** **1** 伸びをする, 手足を伸ばす; 寝そべる.
2 成長する, 背が伸びる.
es·ti·rón [estirón エスティロン] 名男 **1** 勢いよく引くこと.
2 急激な背丈の伸び[成長].
dar [***pegar***] ***un estirón*** 《口語》(1)ぐいと引っ張る. (2)急成長する.
es·tir·pe [estírpe エスティルペ] 名女 家系, 血統, 家柄.
es·ti·val [estiβál エスティバル] 形 夏の.

es·to

[ésto エスト] 代名 《指示》《中性》 〔英 this〕
これ, この事[物]. ¿Qué es *esto*? これは何ですか; これ[この騒ぎ]はいったい何なんだ. ¿Cuánto es *esto*? これはいくらですか. *Esto* es todo. (説明・演説などの終わりの言葉で) 以上. Con *esto* terminamos por hoy. 今日はこれでおしまいにします.
a todo esto / ***a todas éstas*** ところで, いずれにせよ.
en esto ちょうどその時.
Esto ... ええと…, あのう…. ► 中南米では Este ... が使われる.
esto es すなわち, 換言すれば.
esto y lo otro / ***esto, lo otro y lo de más allá*** あれやこれやと. pensar en *esto y* en *lo otro* あれこれ考える.

> **【文　法】 esto, eso, aquello**
> 1 指示代名詞中性形は抽象的な事柄, 一まとめにした物, 名前や実体のはっきりしない物を指すときに使われる. 時や場所を漠然と指すこともある.
> 2 指しているものが単数でも複数でも形は変化しない.
> ¿Qué es *esto*?—*Eso* son unas revistas. これは何ですか. —それは雑誌です.

es·to·ca·da [estokáða エストカダ] 名女
1 突き刺すこと; 刺し傷.
2 〘闘牛〙とどめの突き.
Es·to·col·mo [estokólmo エストコルモ] 固名 ストックホルム: スウェーデン Suecia の首都.
es·to·fa [estófa エストファ] 名女 《軽蔑》種類, 階層. de baja *estofa* 下層の, 下等な.
es·to·fa·do [estofáðo エストファド] 名男 〘料理〙煮込み, シチュー.
es·to·far [estofár エストファル] 動他 とろ火で煮込む, シチューにする.
es·toi·cis·mo [estoiθísmo エストイしスモ] 名男 **1** 禁欲主義, 克己. **2** ストア哲学.
es·toi·co, ca [estóiko, ka エストイコ, カ] 形 **1** 禁欲的な; 平然とした.
2 ストア哲学の.
── 名男女 **1** 禁欲主義者.
2 ストア学派の哲学者.
es·to·la [estóla エストラ] 名女 **1** (聖職者用の) ストラ, 頸垂(けいすい)帯.
2 (女性用の) 肩掛け, ストール.
es·to·ma·cal [estomakál エストマカル] 形 **1** 胃の. **2** 消化によい. ── 名男 健胃剤.

es·tó·ma·go

[estómaɣo エストマゴ] 名男 [複 ～s]
〔英 stomach〕 **胃**. Tengo dolor de *estómago*. 私は胃が痛い. tener el *estómago* vacío [un vacío en el *estómago*] すきっ腹をかかえている. delicado del *estómago* 胃の弱い. ➡ vísceras 図.
revolver el estómago a 《+uno》《口語》〈人〉をむかむかさせる, 腹にすえかねる思いをさせる.
tener (***buen***, [***mucho***]) ***estómago*** 《口語》面の皮が厚い.
es·to·ma·to·lo·gí·a [estomatoloxía エストマトろヒア] 名女 〘医〙口腔(こうこう)学, 口内病学.
Es·to·nia [estónia エストニア] 固名 エストニア (共和国): 首都 Tallinn.
es·to·pa [estópa エストパ] 名女 麻くず, 糸くず; 粗製麻布, バーラップ.
es·to·que [estóke エストケ] 名男 〘闘牛〙(とどめを刺す) 剣.
es·tor·bar [estorβár エストルバル] 動他
1 妨害する, …の妨げになる. *estorbar* el paso [el casamiento] 通行を妨害する[結婚の妨げになる].
2 (仕事・休息中などに人の) 邪魔をする (= molestar). No se vaya Vd., no me *estorba*. いてくださって結構です, 迷惑ではありませんから.
es·tor·bo [estórβo エストルボ] 名男 邪魔, 障害.
es·tor·ni·no [estorníno エストルニノ] 名男 〘鳥〙ムクドリ (椋鳥).
es·tor·nu·dar [estornuðár エストルヌダル] 動自 くしゃみをする. ► くしゃみをした人に ¡Jesús! / ¡Salud! 「お大事に」と言う. 言われた当人は Gracias. と答える.
es·tor·nu·do [estornúðo エストルヌド] 名男 くしゃみ.
estos 形 《指示》[複] ➡ este.
éstos 代名 《指示》[複] ➡ éste.
estoy 動 ➡ estar. 25
es·tra·bis·mo [estraβísmo エストゥラビス

モ] 名男 〘医〙斜視.

es·tra·do [estráðo エストゥラド] 名男 **1** 壇, 演壇. **2** [～s] 〘法律〙法廷.

es·tra·fa·la·rio, ria [estrafalárjo, rja エストゥラファラリオ, リア] 形 《口語》風変わりな; (服装が) だらしない.

es·tra·gar [estrayár エストゥラガル] [32 g→gu] 動他 害を与える, 荒廃させる.

es·tra·go [estráyo エストゥラゴ] 名男 [普通 ～s] **1** 害, 災害. **2** 荒廃, 堕落.

es·tra·gón [estrayón エストゥラゴン] 名男 〘料理〙エストラゴン: 香草.

es·tram·bo·te [estrambóte エストゥランボテ] 名男 〘詩〙(ソネットなどの) 追加句.

es·tram·bó·ti·co, ca [estrambótiko, ka エストゥランボティコ, カ] 形 常軌を逸した, 突飛な.

es·tran·gu·la·ción [estraŋgulaθjón エストゥラングらしオン] 名女 **1** 絞殺.
2 〘医〙閉塞(へいそく), 狭窄(きょうさく).

es·tran·gu·lar [estraŋgulár エストゥラングラル] 動他 **1** 絞め殺す. La *estranguló* con un cordón. 彼は彼女をひもで絞め殺した.
2 (管を) 狭める, ふさぐ. *estrangular* la vena para detener la hemorragia 止血のため血管を縛る.

es·tra·per·le·ar [estraperleár エストゥラペルれアル] 動自 《口語》《＋**con**》…をやみ取引する.

es·tra·per·lis·ta [estraperlísta エストゥラペルリスタ] 名男女 《口語》やみ商人, やみ屋.

es·tra·per·lo [estrapérlo エストゥラペルろ] 名男 《口語》やみ市, やみ取引; やみ物資.

es·tra·ta·ge·ma [estrataxéma エストゥラタヘマ] 名女 計略; 策略, 裏工作.

es·tra·te·ga [estratéya エストゥラテガ] 名男女 戦略家.

es·tra·te·gia [estratéxja エストゥラテヒア] 名女 戦略; 作戦, 駆け引き.

es·tra·té·gi·co, ca [estratéxiko, ka エストゥラテヒコ, カ] 形 戦略の; 駆け引きの.

es·tra·to [estráto エストゥラト] 名男
1 〘地質〙地層. **2** 〘気象〙層雲.
3 (社会的) 階層.

es·tra·tos·fe·ra [estratosféra エストゥラトスフェラ] 名女 〘気象〙成層圏. → tierra 図.

estrecha 形女 → estrecho[1].

es·tre·cha·men·te [estrétʃaménte エストゥレチャメンテ] 副 **1** 緊密に, 密接に. *estrechamente* unidos きつく結ばれた.
2 余裕なく. vivir *estrechamente* 貧しい暮らしを送る.

es·tre·cha·mien·to [estretʃamjénto エストゥレチャミエント] 名男 **1** 狭まり; 締めつけ.
2 緊密化. *estrechamiento* de los lazos económicos 経済関係の緊密化.

es·tre·char [estretʃár エストゥレチャル] 動他 **1** 狭くする, 細くする. Los coches aparcados *estrechan* la calle. 駐車中の車で通りが狭くなる. *estrechar* un vestido 服を詰める.
2 緊密にする. Con el cambio de gobierno los rusos *estrecharán* más sus relaciones con los países occidentales. 政変によってロシア人は西欧諸国との関係をいっそう強めるだろう.
3 握り締める, 抱き締める. *estrechar* la mano a 《＋uno》〈人〉と握手をする.
—— **es·tre·char·*se*** **1** 狭まる.
2 席を詰める. *Estrechaos* un poco para que quepa este señor. この人が座れるようにもう少し詰めてくれ. **3** 倹約する.

es·tre·chez [estretʃéθ エストゥレチェす] 名女 [複 estrecheces] **1** 狭さ. **2** 困窮, 貧窮. pasar *estrecheces* 金に窮している.
3 厳格さ; 狭量. **4** 不足, 払底.

es·tre·cho[1], cha

[estrétʃo, tʃa エストゥレチョ, チャ] 形 [複 ～s] 〔英 narrow; tight; close〕 **1** 狭い; 窮屈な(↔ancho). calle *estrecha* 狭い通り. Llevaba unos pantalones muy *estrechos*. 彼はとてもぴっちりしたズボンをはいていた. Este traje me queda muy *estrecho*. この服はきつすぎる.
2 親密な, 緊密な. mantener *estrecha* amistad 親密な友情を保つ.
3 厳格な, 厳しい.

es·tre·cho[2] [estrétʃo エストゥレチョ] 名男 〘地理〙海峡. el *estrecho* de Gibraltar ジブラルタル海峡.

es·tre·lla

[estréʎa エストゥレリャ] 名女 [複 ～s] 〔英 star〕
1 星; 恒星 (► 惑星は planeta). *estrella* fugaz 流れ星. *Estrella* Polar 北極星. levantarse con las *estrellas* 非常に早起きする. ► ホテルのランクは星の数で表示する. ⇀ un hotel de cinco *estrellas* 5つ星のホテル.

★★★★★

2 スター, 花形. *estrella* de cine 映画スター.
3 運勢, 星回り. nacer con buena *estrella* / tener buena *estrella* よい星の下に生まれる.
estrella de mar 〘動物〙ヒトデ (海星).
ver las estrellas 《口語》目から火が出る.

es·tre·lla·do, da [estreʎáðo, ða エストゥレリャド, ダ] 過分 形 **1** 〘料理〙目玉焼きの.
2 星の多い; 星形の.

es·tre·llar [estreʎár エストゥレリャル] 動他
1 打ち[投げ]つけて粉々に砕く. *Estrelló* un plato contra el suelo. 彼は皿を床にたたきつけた.
2 〘料理〙(フライパンに卵を) 落とす.
—— **es·tre·llar·*se*** **1** 激突する; 粉々になる. **2** 失敗する, 挫折(ざせつ)する.

es·tre·me·ce·dor, do·ra [estremeθeðór, ðóra エストゥレメせドル, ドラ] 形 **1** ぞっとするような, 身の毛のよだつ.
2 激しい, 猛烈な.

es·tre·me·cer [estremeθér エストゥレメセル] 40 動他 **1** 揺り動かす. El terremoto *estremeció* toda la ciudad. 地震で全市が揺れた. **2** 震え上がらせる.
—— **es·tre·me·cer·*se*** 揺れ動く; 震える, 戦慄(せんりつ)する. *estremecerse* de frío 寒さで身震いする.

es·tre·me·ci·mien·to [estremeθimjénto エストゥレメシミエント] 名男 震え, 戦慄(せんりつ).

es·tre·nar [estrenár エストゥレナル] 動他 **1** 初めて使う. *estrenar* una pluma ペンをおろす. *estrenar* un piso 新築のマンションに入居する. **2** 初演する; 封切る.
—— **es·tre·nar·*se*** 初登場する, デビューする. *estrenarse* como futbolista profesional プロサッカー選手としてデビューする.

es·tre·no [estréno エストゥレノ] 名男 **1** 使い初め; 初めて着る[履く・かぶる]こと. vestido de *estreno* おろしたての服. **2** 〘演劇〙〘映画〙初演, 封切り; デビュー. Su *estreno* como cantante fue un éxito. 彼女の歌手としてのデビューは成功であった.

es·tre·ñi·mien·to [estreɲimjénto エストゥレニィミエント] 名男 〘医〙便秘.

es·tre·ñir [estreɲír エストゥレニィル] [56 e→i] 動他 [現分 estriñendo] 便秘を起こさせる.
—— **es·tre·ñir·*se*** 便秘する.

es·tré·pi·to [estrépito エストゥレピト] 名男 **1** 轟音(ごうおん), 大音響. **2** 派手. con gran *estrépito* 華々しく.

es·tre·pi·to·so, sa [estrepitóso, sa エストゥレピトソ, サ] 形 **1** けたたましい; うるさい. **2** 派手な, 華々しい. éxito *estrepitoso* 大成功.

es·trep·to·mi·ci·na [estreptomiθína エストゥレプトミシナ] 名女 〘薬〙ストレプトマイシン.

es·trés [estrés エストゥレス] 名男 ストレス, 緊張. [←〔英〕stress]

es·trí·a [estría エストゥリア] 名女 溝; すじ; (柱の)縦溝.

es·tri·ba·ción [estriβaθjón エストゥリバシオン] 名女 [普通 estribaciones]〘地質〙支脈.

es·tri·bar [estriβár エストゥリバル] 動自 《+en》 **1** …に支えられる. **2** …に拠(よ)る, 原因する. Su atractivo *estriba en* la sencillez. 彼の魅力は率直なことにある.

es·tri·bi·llo [estriβíʎo エストゥリビリョ] 名男 **1** (詩の)反復句, リフレーン. **2** 口癖, 決まり文句.

es·tri·bo [estríβo エストゥリボ] 名男 **1** 鐙(あぶみ). **2** (馬車・車の)ステップ, 踏み段. **3** 〘建築〙控え壁, バトレス.
estar sobre los estribos 警戒している.
perder los estribos 堪忍袋の緒が切れる, 冷静さを失う.

es·tri·bor [estriβór エストゥリボル] 名男 〘海事〙右舷(うげん)(↔ babor).

es·tric·ni·na [estriknína エストゥリクニナ] 名女 〘薬〙ストリキニーネ.

es·tric·to, ta [estríkto, ta エストゥリクト, タ] 形 厳密な; 厳格な. en el sentido *estricto* 厳密な意味で. Es demasiado *estricto* con su hija. 彼は娘に厳しすぎる.

es·tri·den·cia [estriðénθja エストゥリデンシア] 名女 **1** 甲高いきんきん響く音. **2** 強烈さ.

es·tri·den·te [estriðénte エストゥリデンテ] 形 **1** 甲高い, きんきん響く. gritos *estridentes* 黄色い叫び声. **2** (色調が)けばけばしい.

es·tro·fa [estrófa エストゥロファ] 名女 〘詩〙連.

es·tro·pa·jo [estropáxo エストゥロパホ] 名男 **1** へちま, たわし. **2** 《口語》役立たずの人[物].

es·tro·pe·ar [estropeár エストゥロペアル] 動他 壊す, 故障させる; 駄目にする. La humedad y el calor son los que *estropean* las máquinas electrónicas. 湿気と熱は電子機器の故障の原因になる. No vayas a *estropear* nuestros planes. 我々の計画をぶち壊さないでくれ. La nevera está *estropeada*. 冷蔵庫は故障している. El paquete llegó completamente *estropeado*. 小荷物が着いた時はすっかり壊れていた.
—— **es·tro·pe·ar·*se*** 壊れる, 故障する; 腐る. Llévalo con cuidado para que no *se estropee*. 壊れないようにそっと持って行きなさい. La carne *se estropea* en seguida. 肉はすぐ傷む.

es·tro·pi·cio [estropíθjo エストゥロピシオ] 名男 **1** ぶち壊すこと, めちゃめちゃにすること. **2** (食器などが)派手に割れること. **3** 大混乱, 大騒ぎ.

es·truc·tu·ra [estruktúra エストゥルクトゥラ] 名女 [複 ~s]〔英 structure〕**構造**; 組織, 機構. *estructura* de la sociedad 社会構造. *estructura* administrativa 行政機構. *estructura* de un edificio 建物の構造. *estructura* profunda [superficial] 〘言語〙深層[表層]構造.

es·truc·tu·ral [estrukturál エストゥルクトゥラル] 形 構造の, 構造上の.

es·truc·tu·ra·lis·mo [estrukturalísmo エストゥルクトゥラリスモ] 名男 構造主義.

es·truc·tu·ra·lis·ta [estrukturalísta エストゥルクトゥラリスタ] 形 構造主義の.
—— 名男女 構造主義者.

es·truc·tu·rar [estrukturár エストゥルクトゥラル] 動他 構造化する; 組織化する.

es·truen·do [estrwéndo エストゥルエンド] 名男 轟音(ごうおん), 大音響.

es·truen·do·so, sa [estrwendóso, sa エストゥルエンドソ, サ] 形 騒々しい, やかましい. aplausos *estruendosos* 万雷の拍手.

es·tru·jar [estruxár エストゥルハル] 動他
1 (果汁などを)搾る. *estrujar* un limón レモンを搾る.
2 くしゃくしゃにする[丸める].
3 (両腕で) 締めつける, 抱き締める. Al verla la *estrujó* en sus brazos. 彼は彼女に出会うといきなり強く抱き締めた.
4 《比喩》絞り取る[出す].
── **es·tru·jar·*se*** 押し合う (= apretarse). La muchedumbre *se estrujaba* a la entrada. 群集は入口でひしめき合っていた.
estrujarse los sesos 《口語》知恵を絞る.

E

es·tua·rio [estwárjo エストゥアリオ] 名男 〖地理〗河口.
es·tu·ca·do [estukáðo エストゥカド] 名男 化粧しっくい塗り, スタッコ仕上げ.
es·tu·car [estukár エストゥカル] [8 c → qu] 動他 化粧しっくいを塗る.
es·tu·che [estútʃe エストゥチェ] 名男 ケース, 容器. *estuche* de tocador 化粧道具箱. *estuche* de violín バイオリンのケース. *estuche* de gafas 眼鏡入れ.
es·tu·co [estúko エストゥコ] 名男 化粧しっくい, スタッコ.
es·tu·dia·do, da [estuðjáðo, ða エストゥディアド, ダ] 過分 → estudiar.
── 形 わざとらしい, 計算された; 気取った. gesto *estudiado* わざとらしい態度.
estudiando 現分 → estudiar.
es·tu·dian·ta·do [estuðjantáðo エストゥディアンタド] 名男 《集合》学生, 全校生.

es·tu·dian·te [estuðjánte エストゥディアンテ] 名男女 [複 ~s] 〔英 student〕 **学生**. *estudiante* universitario 大学生. *estudiante* de medicina 医学部の学生. carnet de *estudiante* 学生証.

> 【参 考】 **estudiante** は高校生, 大学生を指す. **alumno** は小・中学生を, 時に個人指導を受けている弟子を指す.

es·tu·dian·til [estuðjantíl エストゥディアンティル] 形 学生の. vida *estudiantil* 学生生活. movimiento *estudiantil* 学生運動.
es·tu·dian·ti·na [estuðjantína エストゥディアンティナ] 名女 (伝統的な衣装でセレナーデを歌い歩く)学生の一団 (= ronda, tuna).

es·tu·diar [estuðjár エストゥディアル] 動他自 [現分 estudiando; 過分 estudiado, da] 〔英 study〕
1 **勉強する**, 学ぶ. *Estoy estudiando* español. 私はスペイン語を勉強している. Tienes que *estudiar* más. 君はもっと勉強しなければならない. ►aprender は学習・体験を通して知識・技術を「習得する」.
2 研究する ; 検討する. Quiero *estudiar* este punto con más calma. 私はこの点をもっとじっくり検討してみたい.

es·tu·dio [estúðjo エストゥディオ] 名男 [複 ~s] 〔英 study〕
1 **勉強**; **研究**; 学問, 学業. Hizo sus *estudios* en Barcelona. 彼はバルセロナで勉強した. *estudios* cursados 学歴. tener *estudios* 学問がある.
2 研究論文[書]. **3** 検討, 調査. estar en *estudio* 検討中である.
4 アトリエ; スタジオ; 書斎. *estudio* de televisión [de fotógrafo] テレビ[フォト]スタジオ. **5** ワンルームマンション.
── 動 → estudiar.
es·tu·dio·so, sa [estuðjóso, sa エストゥディオソ, サ] 形 勉強家の, 学問好きの.
── 名男女 学者, 研究者, 専門家.
es·tu·fa [estúfa エストゥファ] 名女 ストーブ. *estufa* eléctrica 電気ストーブ (→ calefacción 図). *estufa* de gas ガスストーブ.
es·tu·pe·fac·ción [estupefakθjón エストゥペファクしオン] 名女 呆然(ぼうぜん)自失.
es·tu·pe·fa·cien·te [estupefaθjénte エストゥペファしエンテ] 形 **1** 呆然(ぼうぜん)とさせる.
2 麻酔性の. → narcótico.
── 名男 麻酔剤; 麻薬.
es·tu·pe·fac·to, ta [estupefákto, ta エストゥペファクト, タ] 形 呆然(ぼうぜん)とした, びっくりした, あっけに取られた. Se quedó *estupefacto* con la noticia. 彼はそのニュースに接して呆然となった.
estupenda 形女 → estupendo.
es·tu·pen·da·men·te [estupéndaménte エストゥペンダメンテ] 副 じつに良く, すばらしく.
es·tu·pen·do, da [estupéndo, da エストゥペンド, ダ] 形 [複 ~s] 〔英 wonderful〕 **すばらしい**, 見事な. ¡*Estupendo*! すごい, じつにすばらしい. Tiene un coche *estupendo*. 彼はすごく格好いい車を持っている. un tío *estupendo* すごいやつ, 大したやつ. ► 強めの副詞 muy などで修飾されることはない.
estúpida 形名女 → estúpido.
es·tu·pi·dez [estupiðéθ エストゥピデす] 名女 [複 estupideces] 愚かさ; 愚行.
es·tú·pi·do, da [estúpiðo, ða エストゥピド, ダ] [複 ~s] 〔英 stupid〕 形 **愚かな, ばかげた**. una actitud *estúpida* 愚かな態度.
── 名男女 ばか, とんま. ¡*Estúpido*! ばか者, いい加減にしろ.
es·tu·por [estupór エストゥポル] 名男
1 〖医〗昏迷(こんめい); 失神. **2** びっくり仰天.
es·tu·pro [estúpro エストゥプロ] 名男 (未成年者への)強姦(ごうかん).
es·tu·rión [esturjón エストゥリオン] 名男 〖魚〗チョウザメ(蝶鮫).
estuv- 動 → estar. 25
es·vás·ti·ca [esβástika エスバスティカ] 名女 鉤(かぎ)十字.
ETA [éta エタ] 《略》 *E*uskadi *T*a *A*zkatasuna 祖国バスクと自由 (= Patria Vasca

y Libertad). ◆ バスク民族主義組織. [←バスク語]

e·ta·pa [etápa エタパ] 名女 **1** 段階, 時期; 期間. *etapa* de preparativos 準備段階. **2** 行程, 旅程.
por etapas 徐々に, 段階的に.
quemar etapas 《口語》とんとん拍子に運ぶ.

e·ta·rra [etářa エタラ] 形 ETA (祖国バスクと自由) の. —— 名男女 ETA の構成員.

etc. → etcétera.

et·cé·te·ra [etθétera エトゥせテラ] 名男 …など, 等々 《略 etc.》. ► ふつうコンマ (,) の後に etc. と置いて, また etc. etc. と繰り返して使われる.

é·ter [éter エテル] 名男 〘化〙エーテル.

e·té·re·o, a [etéreo, a エテレオ, ア] 形 **1** 《文語》天上の. la bóveda *etérea* 天球, 天空. **2** 捕らえ難い, 微妙な. **3** 〘化〙エーテルの.

eterna 形女 → eterno.

e·ter·na·men·te [etérnaménte エテルナメンテ] 副 永遠に, 果てしなく.

e·ter·ni·dad [eterniðáð エテルニダ(ドゥ)] 名女 **1** 永遠, 永久. por [para] toda la *eternidad* 未来永劫にわたって. **2** 来世. **3** 《口語》恐ろしく長い時間.

e·ter·ni·zar [eterniθár エテルニさル] [39 z → c] 動他 長引かせる; 不朽のものにする.
—— **e·ter·ni·zar·se** 果てしなく続く; 不朽のものになる.

e·ter·no, na [etérno, na エテルノ, ナ] 形 [複 ～s] 〔英 eternal〕 **1 永遠の, 永久の.** verdades *eternas* 恒久の真理. sueño *eterno* 永眠. **2** 《口語》果てしなく続く, 終わりのない.
el Eterno / Padre Eterno 神.

é·ti·co, ca [étiko, ka エティコ, カ] 形 倫理(学)の.
—— 名女 **1** 倫理(学). **2** 《口語》道徳, モラル.

e·tí·li·co, ca [etíliko, ka エティリコ, カ] 形 〘化〙エチルの.

e·ti·mo·lo·gí·a [etimoloxía エティモろヒア] 名女 語源学; 語源.

e·ti·mo·ló·gi·co, ca [etimolóxiko, ka エティモろヒコ, カ] 形 語源(学)の.

e·tí·o·pe [etíope エティオペ] / **e·tio·pe** [etijópe エティオペ] 形 エチオピアの.
—— 名男女 エチオピア人.

E·tio·pí·a [etiopía エティオピア] 固名 エチオピア: 首都 Addis-Abeba.

e·ti·que·ta [etikéta エティケタ] 名女 **1** ラベル; 名札; 荷札, 値札. Pon una *etiqueta* a tu maleta para que no se pierda. 紛失しないようにスーツケースに札を付けておきなさい. **2** 礼法, 礼儀作法; 儀礼; 儀式ばること. La *etiqueta* no lo permite. それは礼法にかなっていない. recibir a 《+uno》 con mucha *etiqueta* 〈人〉を仰々しく迎える. ► 日本語の「エチケット」のような軽い意味では buenos modales を用いる.
de etiqueta (パーティー・音楽会などで) 正装の, 格式ばった. cena *de etiqueta* 正餐(せいさん)(式). función *de etiqueta* 正装の夜会; (オペラなどの) 特別公演. vestirse *de etiqueta* 正装する.
Se ruega [Se suplica] etiqueta. (招待状などで) 正装のこと.

ét·ni·co, ca [étniko, ka エトゥニコ, カ] 形 民族の.

et·no·gra·fí·a [etnoɣrafía エトゥノグラフィア] 名女 民族誌[学].

et·no·grá·fi·co, ca [etnoɣráfiko, ka エトゥノグラフィコ, カ] 形 民族誌[学]の.

et·nó·gra·fo, fa [etnóɣrafo, fa エトゥノグラフォ, ファ] 名男女 民族誌学者.

et·no·lo·gí·a [etnoloxía エトゥノろヒア] 名女 民族学.

et·nó·lo·go, ga [etnóloɣo, ɣa エトゥノろゴ, ガ] 名男女 民族学者.

e·to·lo·gí·a [etoloxía エトろヒア] 名女 動物行動学, 比較行動学, エソロジー.

e·trus·co, ca [etrúsko, ka エトゥルスコ, カ] 形 (古代イタリアの) エトルリア Etruria の.
—— 名男女 エトルリア人.

eu·ca·lip·to [eukalípto エウカリプト] 名男 〘植物〙ユーカリの木.

eu·ca·ris·tí·a [eukaristía エウカリスティア] 名女 〘カトリ〙聖体; 聖体の秘跡: 聖化されたパンとぶどう酒はキリストの体と血であるという秘跡.

eu·ca·rís·ti·co, ca [eukarístiko, ka エウカリスティコ, カ] 形 聖体の.

eu·cli·dia·no, na [eukliðjáno, na エウクリディアノ, ナ] 形 ユークリッド Euclides の.

eu·fe·mis·mo [eufemísmo エウフェミスモ] 名男 婉曲(えんきょく)語法, 遠回しの表現.

eu·fe·mís·ti·co, ca [eufemístiko, ka エウフェミスティコ, カ] 形 婉曲(えんきょく)語法の, 婉曲な, 遠回しな.

eu·fo·ní·a [eufonía エウフォニア] 名女 〘修辞〙好音調 (↔ cacofonía).

eu·fó·ni·co, ca [eufóniko, ka エウフォニコ, カ] 形 好音調の, 口調が良い.

eu·fo·ria [eufórja エウフォリア] 名女 幸福[陶酔]感; 〘医〙多幸症.

eu·ge·ne·sia [euxenésja エウヘネシア] 名女 優生学.

eu·ge·né·si·co, ca [euxenésiko, ka エウヘネシコ, カ] 形 優生学(上)の.

Eu·ge·nio [euxénjo エウヘニオ] 固名 エウヘニオ: 男性の名.

eu·nu·co [eunúko エウヌコ] 名男 宦官(かんがん): 去勢された男子.

eu·ra·siá·ti·co, ca [eurasjátiko, ka エウラシアティコ, カ] 形 ユーラシア Eurasia の.
—— 名男女 ユーラシア人.

eu·ro [éuro エウロ] [複 ～s] 名男 ユーロ (EU の統一通貨). → UE.

eu·ro·co·mu·nis·mo [eurokomunísmo エウロコムニスモ] 名男 ユーロコミュニズム，西欧共産主義.

eu·ro·dó·lar [euroðólar エウロドらル] 名男〘経済〙ユーロダラー.

Eu·ro·pa [európa エウロパ] 固名 [複 ～s]〔英 Europe〕 **ヨーロッパ.**

europea 形名女→europeo.

eu·ro·pei·dad [europeiðáð エウロペイダ(ドゥ)] 名女 ヨーロッパ的特質，ヨーロッパ性.

eu·ro·pe·ís·mo [europeísmo エウロペイスモ] 名男 ヨーロッパ主義[精神]；ヨーロッパ統合主義.

eu·ro·pe·ís·ta [europeísta エウロペイスタ] 形 ヨーロッパ統合主義(者)の.
—— 名男女 ヨーロッパ統合主義者.

eu·ro·pei·za·ción [europeiθaθjón エウロペイさしオン] 名女 ヨーロッパ化，欧化.

eu·ro·pei·zar [europeiθár エウロペイさル] [2 i → í；39 z → c] 動他自 ヨーロッパ化する，欧化する.

eu·ro·pe·o, a [européo, a エウロペオ，ア] [複 ～s]〔英 European〕 形 **ヨーロッパの**，ヨーロッパ人の.
—— 名男女 **ヨーロッパ人.**

Eu·ro·vi·sión [euroβisjón エウロビシオン] 固名 ユーロビジョン：西ヨーロッパ諸国間のテレビ中継放送.

Eus·ka·di [euskáði エウスカディ] 固名 バスク (= el País Vasco).

éus·ca·ro, ra [éuskaro, ra エウスカロ，ラ] 形 バスク語の.
—— 名男 バスク語 (= vasco, vascuense).

eus·ke·ra [euskéra エウスケラ] / **eus·que·ra** [-kéra -ケラ] 形 バスク語の.
—— 名男 バスク語 (= vasco, vascuense).

eu·ta·na·sia [eutanásja エウタナシア] 名女 安楽死.

E·va [éβa エバ] 固名 **1** エバ：女性の名. 愛 Evita. **2**〘聖書〙エバ，イブ.

e·va·cua·ción [eβakwaθjón エバクアしオン] 名女 **1** 避難，立ち退き，明け渡し；〘軍事〙撤退. **2** 排泄(はいせつ).

e·va·cuar [eβakwár エバクアル] [14 u → ú] 動他 **1** 明け渡す，…から避難する；…から立ち退かせる；〘軍事〙撤退する.
2 排泄(はいせつ)する. *evacuar* el vientre 排便する.

e·va·dir [eβaðír エバディル] 動他 避ける，逃れる. *evadir* responsabilidades 責任逃れをする.
—— **e·va·dir·se**《+de》…から逃亡[脱走]する.

e·va·lua·ción [eβalwaθjón エバるアしオン] 名女 評価；見積もり；評価額，見積もり額.

e·va·luar [eβalwár エバるアル] [14 u → ú] 動他 **1** 評価する；《+en》…と見積もる. **2** 採点する.

e·van·gé·li·co, ca [eβaŋxéliko, ka エバンへりコ，カ] 形 **1** 福音(書)の. **2** プロテスタントの.
—— 名男女 プロテスタント，新教徒 (= protestante).

e·van·ge·lio [eβaŋxéljo エバンへりオ] 名男 **1** 福音；(新約聖書の)福音書. el *Evangelio* de Mateo [Marcos, Lucas, Juan] マタイ[マルコ，ルカ，ヨハネ]による福音書.
2 信条，主義. Es un fanático de su *evangelio*. 彼は自分の信念にこり固まっている.

e·van·ge·lis·ta [eβaŋxelísta エバンへりスタ] 名男 福音史家：Mateo, Marcos, Lucas, Juan の福音書の著者.

e·van·ge·li·za·ción [eβaŋxeliθaθjón エバンへりさしオン] 名女 福音伝道.

e·van·ge·li·zar [eβaŋxeliθár エバンへりさル] [39 z → c] 動他 …に福音を説く，キリスト教に改宗させる.

e·va·po·ra·ción [eβaporaθjón エバポラしオン] 名女 蒸発，気化；消滅，消散.

e·va·po·rar [eβaporár エバポラル] 動他
1 蒸発させる，気化させる. El sol *evaporó* las gotas de rocío. 日の光に露の滴が蒸発した. **2** 瞬く間に費やす. *Ha evaporado* el gordo en tres meses. 彼は宝くじの1等賞金を3か月で使ってしまった.
—— **e·va·po·rar·se** **1** 蒸発する，気化する. La tinta *se evaporó*. インクがからからになった. **2** 消える，なくなる. *Se ha evaporado* el aroma del café. コーヒーの香りがとんでしまった.

e·va·sión [eβasjón エバシオン] 名女 **1** 脱走，逃避 (= fuga). **2** (義務などの)回避. *evasión* fiscal 税金逃れ；脱税. **3** 気晴らし. película de *evasión* 娯楽映画.

e·va·si·vo, va [eβasíβo, βa エバシボ，バ] 形 言い逃れの，責任逃れの.
—— 名女 [普通～s] 言い訳，弁解.

e·ven·to [eβénto エベント] 名男 **1** イベント，催し物，行事. **2** 出来事，事件.
a todo* [*cualquier*] *evento いかなる場合でも；万一に備えて.

e·ven·tual [eβentwál エベントゥアる] 形 偶発的な；一時的な，臨時の. trabajo *eventual* 一時的な仕事，アルバイト.

e·ven·tua·li·dad [eβentwaliðáð エベントゥアりダ(ドゥ)] 名女 (起こる)可能性；偶発的な出来事，不測の事態.

e·ven·tual·men·te [eβentwálménte エベントゥアるメンテ] 副 偶然に，思いがけなく；たぶん，おそらく.

e·vi·den·cia [eβiðénθja エビデンしア] 名女 **1** 明白さ；明白な事実. con toda *evidencia* 明らかに.
2 証拠(物件).
poner en evidencia 明らかにする；恥をかかせる.

e·vi·den·ciar [eβiðenθjár エビデンしアル]

動他明らかにする.
—— **e·vi·den·ciar·*se*** 明らかである, 確実である.

e·vi·den·te [eβiðénte エビデンテ] 形 [複 ~s] 〔英evident〕 **明らかな**, 明白な. Es *evidente* que la culpa la tienes tú. 君が悪いのははっきりしている.

e·vi·den·te·men·te [eβiðénteménte エビデンテメンテ] 副明らかに; もちろん.

e·vi·tar [eβitár エビタル] 動他 〔英 avoid〕 **1 避ける**, 回避する. *evitar* un accidente 事故を免れる. *evitar* un peligro 危険を回避する. *Evitamos* hablar con él. 我々は彼と話すのを避けている.
2 防ぐ, 阻む.
—— **e·vi·tar·*se*** 《+不定詞》…しないで済む. *Me he evitado* escribir la carta llamando por teléfono. 電話をしたので手紙を書かずに済んだ.

e·vo·ca·ción [eβokaθjón エボカしオン] 名女喚起, 想起; (死者の霊を)呼び起こすこと.

e·vo·car [eβokár エボカル] [8 c → qu] 動他 **1** 思い起こす. *evocar* recuerdos 記憶を呼び覚ます. **2** 連想させる, 彷彿(ほうふつ)とさせる. **3** (死者の霊を)呼び起こす.

e·vo·lu·ción [eβoluθjón エボるしオン] 名女 **1** 発展, 進展, 推移. *evolución* de una teoría 理論の展開. *evolución* favorable 好転.
2 〘生物〙進化. teoría de la *evolución* 進化論.
3 〘軍事〙機動, 移動.
4 [evoluciones]旋回.

e·vo·lu·cio·nar [eβoluθjonár エボるしオナル] 動自 **1** 発展する, 進化する; 移り変わる.
2 〘軍事〙移動する.

e·vo·lu·cio·nis·mo [eβoluθjonísmo エボるしオニスモ] 名男 〘生物〙〘哲〙進化論 (= teoría de la evolución, darwinismo).

e·vo·lu·cio·nis·ta [eβoluθjonísta エボるしオニスタ] 形進化論(者)の.
—— 名男女進化論者.

e·vo·lu·ti·vo, va [eβolutíβo, βa エボるティボ, バ] 形進化の, 発展[変化]する; 旋回運動の.

ex [eks エクス] 前旧の, 前の, 元の. *ex* ministro 元[前]大臣.

ex- 《+接頭》「外に[へ], …を超えて」の意を表す. ⇒ *ex*ceder, *ex*poner など.

e·xa·brup·to [eksaβrúpto エクサブルプト] 名男 《口語》唐突[乱暴]な話し方, ぶっきらぼうな口の利き方.

e·xa·cer·ba·ción [eksaθerβaθjón エクサせルバしオン] 名女 **1** 憤慨, いらだち.
2 (病気の)悪化; 高揚, 募ること.

e·xa·cer·bar [eksaθerβár エクサせルバル] 動他 **1** 憤慨させる, いらだたせる. **2** (病気などを)悪化させる; (感情などを)募らせる.

exacta 形女 → exacto[1].

e·xac·ta·men·te [eksáktaménte エクサクタメンテ] 副 **1** 正確に.
2 《間投詞》全くだ, そのとおりです.

e·xac·ti·tud [eksaktitúð エクサクティトゥ(ドゥ)] 名女 正確, 精密, 厳密. Copió el cuadro con gran *exactitud*. 彼はその絵をきわめて精密に模写した. *exactitud* de juicios 判断の正しさ. Cumplí con *exactitud* las órdenes recibidas. 私は忠実に命令に従った.

e·xac·to[1], ta [eksákto, ta エクサクト, タ] 形 [複 ~s] 〔英 exact〕 **正確な**, 精密な, 厳密な. la hora *exacta* 正確な時間. una copia *exacta* 精密な模写. tres metros *exactos* きっかり 3 メートル.

e·xac·to[2] [eksákto エクサクト] 間投 全くだ, そのとおりです.

e·xa·ge·ra·ción [eksaxeraθjón エクサヘラしオン] 名女 誇張, 大げさ.

e·xa·ge·ra·do, da [eksaxeráðo, ða エクサヘラド, ダ] 過分 形 誇張された; 過度の. relato *exagerado* 誇張された話. ademanes *exagerados* 仰々しい仕草. precio *exagerado* 法外な値段.

e·xa·ge·rar [eksaxerár エクサヘラル] 動他 〔英 exaggerate〕 **大げさに言う; 誇張する.** El caricaturista *exageró* el tamaño de la nariz. 漫画家は鼻の大きさを誇張して描いた.
—— 動自 オーバーに話をする. No *exageres*. オーバーに言うな.

e·xal·ta·ción [eksaltaθjón エクサるタしオン] 名女 **1** 賞賛, 称揚.
2 高揚, 興奮. *exaltación* de la moral 士気の高揚.

e·xal·tar [eksaltár エクサるタル] 動他
1 褒めたたえる, 賞揚する.
2 興奮させる, 高揚させる.
—— **e·xal·tar·*se*** 興奮する; 激高する.

e·xa·men

[eksámen エクサメン] 名男 [複 exámenes] 〔英 examination〕 **1 試験.** presentarse a [someterse a, sufrir] un *examen* 試験を受ける. aprobar [pasar] un *examen* 試験に合格する.
2 検査, 検討. *examen* médico 〘医〙診察. *examen* de conciencia 自省, 内省.

e·xa·mi·na·dor, do·ra [eksaminaðór, ðóra エクサミナドル, ドラ] 名男女 試験官; 審査官, 検査官.

e·xa·mi·nar [eksaminár エクサミナル] 動他 〔英 examine〕 **1 調べる; 検討する**, 検査する. *examinar* a un enfermo 病人を診察する. *examinar* el proyecto 計画を検討する.
2 《+**de**》 **…の試験をする.** El profesor nos *examinó de* las lecciones que habíamos estudiado en clase. 先生は授業で学習した課の試験をした.
—— **e·xa·mi·nar·*se*** 《+**de**》 …の試験を受ける, 受験する. *examinarse de* matemáticas 数学の試験を受ける.

e·xan·güe [eksáŋgwe エクサングエ] 形

E

1 血の気を失った.
2《口語》気力を失った，ぐったりした.

e·xá·ni·me [eksánime エクサニメ] 形
1 息を引き取った；気絶した.
2《口語》へとへとになった.

e·xan·te·ma [eksantéma エクサンテマ] 名男〖医〗発疹(はっしん).

e·xas·pe·ra·ción [eksasperaθjón エクサスペラしオン] 名女 いらだち；激高，憤激.

e·xas·pe·rar [eksasperár エクサスペラル] 動他 いらだたせる；憤激させる.
── **e·xas·pe·rar·*se*** いらだつ；腹を立てる.

E

ex·ca·va·ción [eskaβaθjón エスカバしオン] 名女 穴掘り，掘削；発掘；掘った穴.

ex·ca·va·dor, do·ra [eskaβaðór, ðóra エスカバドル，ドラ] 形 穴掘りの，掘削の.
── 名男女 穴掘り人；発掘者.
── 名女 掘削機. *excavadora* mecánica パワーシャベル.

ex·ca·var [eskaβár エスカバル] 動他 掘る；発掘する. *excavar* una zanja [un túnel] 溝[トンネル]を掘る.

ex·ce·den·cia [esθeðénθja エスせデンしア] 名女 休職；有給休暇.

ex·ce·den·te [esθeðénte エスせデンテ] 形
1 過度[過大]の. 2 休職中の.
── 名男 超過分，剰余. *excedentes* agrícolas 余剰農産物.

ex·ce·der [esθeðér エスせデル] 動自《+**a, de**》…を超える，超越する，…に勝る(= aventajar). El trabajo *excede a* mi capacidad. その仕事は私の能力を超えるものだ. Los ingresos *exceden a* los gastos en veinte mil pesetas. 収入は支出を2万ペセタ上回っている. Este pantalón *excede de* la talla. このズボンはサイズが大きすぎる. ► 他動詞としても使われる. Su influencia *ha excedido* mi previsión. その影響は私の予想を越えるものであった.
── **ex·ce·der·*se***《+**de**》…を超過する；《+**en**》…で度を越す. *excederse del* presupuesto 予算をオーバーする. *Se excedió en* sus funciones. 彼は職権を乱用した.

ex·ce·len·cia [esθelénθja エスせれンしア] 名女 1 優秀，卓越.
2《大臣・知事・司教などに対する尊称》Su [Vuestra] *Excelencia* 猊下(げいか)，閣下.
por excelencia 特に，とりわけ.

ex·ce·len·te [esθelénte エスせれンテ] 形 [複 ~s]〔英 excellent〕**優秀な**，卓越した；**すばらしい**. un vino *excelente* 極上のぶどう酒. Es un estudiante *excelente* en matemáticas. 彼は数学に秀でた学生である.

ex·ce·len·tí·si·mo, ma [esθelentísimo, ma エスせれンティシモ，マ] 形 [excelente の絶対最上級]《尊称》…閣下《略 Excmo.》. *Excelentísimo* (señor) ministro 大臣閣下.

ex·cel·si·tud [esθelsitúð エスせるシトゥ(ドゥ)] 名女 崇高；卓越，傑出.

ex·cel·so, sa [esθélso, sa エスせるソ，サ] 形 崇高な；卓越した，傑出した；非常に高い. cima *excelsa* 至高の頂.

ex·cen·tri·ci·dad [esθentriθiðáð エスせントゥリしダ(ドゥ)] 名女 とっぴさ，奇抜さ；奇行.

ex·cén·tri·co, ca [esθéntriko, ka エスせントゥリコ，カ] 形 1 風変わりな，奇抜な.
2〖数〗(図形が) 偏心の.
── 名男女 変人，奇人.

ex·cep·ción [esθepθjón エスせプしオン] 名女〔英 exception〕
1 例外，除外. No hay regla sin *excepción*.《諺》例外のない規則はない. hacer (una) *excepción* de ... …を除く，…を例外とする.
2 異例，特例.
a* [*con*] *excepción de ... …を除いて，…のほかは(= excepto). Me gustan todos los vestidos *a excepción del* rojo. 私は赤以外ならどんな色の服でも好きだ.
de excepción 特に優れた，並外れた.

ex·cep·cio·nal [esθepθjonál エスせプしオナる] 形 1 例外的な，異例の.
2《口語》並外れた.

ex·cep·cio·nal·men·te [esθepθjonálménte エスせプしオナるメンテ] 副 例外的に；並外れて.

ex·cep·to [esθepto エスせプト] 前 …を除いて，…以外は(= menos, salvo). Estábamos todos, *excepto* Pedro. ペドロを除いて全員がいた.

ex·cep·tuar [esθeptwár エスせプトゥアル] [14 u → ú] 動他《+**de**》…から除外する；省く. *Exceptuaron* a los niños *de* esta regla. 彼らは子供たちをこの規則の対象から外した.

ex·ce·si·va·men·te [esθesíβaménte エスせシバメンテ] 副 過度に；はなはだしく.

ex·ce·si·vo, va [esθesíβo, βa エスせシボ，バ] 形 過度の；極端な.

ex·ce·so [esθéso エスせソ] 名男 [複 ~s]〔英 excess〕1 **過剰**，**過多**；超過分. *exceso* de peso 重量超過. *exceso* de poder 越権行為. el *exceso* de equipaje 手荷物の超過料金.
2 [普通 ~s] 度を過ごすこと；放蕩(ほうとう)；暴力行為. cometer *excesos* en la bebida 飲みすぎる. pagar los *excesos* de SU juventud 若いときの放蕩の償いをする.
con* [*en*] *exceso あまりに，過度に. fumar *con exceso* タバコを吸いすぎる.

ex·ci·ta·ción [esθitaθjón エスしタしオン] 名女 興奮，刺激；扇動.

ex·ci·tan·te [esθitánte エスしタンテ] 形 興奮させる，刺激的な；興味をそそる.
── 名男 興奮剤，刺激物.

ex·ci·tar [esθitár エスしタル] 動他 1 刺激する，興奮させる. El café *excita* el sistema nervioso. コーヒーは神経を刺激する.

2 扇動する; 促す. *excitar* a un pueblo a la rebelión 民衆を反乱へと駆りたてる.
── **ex·ci·tar·*se*** 興奮する.

ex·cla·ma·ción [esklamaθjón エスクらマしオン] 名女 [複 exclamaciones] **1** 叫び; 感嘆. lanzar una *exclamación* 叫び声を上げる.
2 〘文法〙感嘆符 (¡ !) (= signo de *exclamación*).

ex·cla·mar [esklamár エスクらマル] 動自 叫ぶ; 感嘆[驚き]の声を上げる. La madre *exclamó*, "¡Cuidado!" 母親は「危ない」と叫んだ.

ex·cla·ma·ti·vo, va [esklamatíβo, βa エスクらマティボ, バ] 形感嘆の; 絶叫調の.

ex·cluir [esklwír エスクるイル] 29動他 [現分 excluyendo] 除外する, 排除する. Le *han excluido* de la lista de aspirantes. 彼は志願者のリストからはずされた.

ex·clu·sión [esklusjón エスクるシオン] 名女除外, 排除.

ex·clu·si·va·men·te [esklusíβaménte エスクるシバメンテ] 副独占的に; 専ら…だけ.

ex·clu·si·ve [esklusíβe エスクるシベ] 副除いて (↔ inclusive). Hay clases todo el día, último período *exclusive*. 最後の時限を除いて今日は一日中授業がある.

ex·clu·si·vi·dad [esklusiβiðáð エスクるシビダ(ドゥ)] 名女排他性; 独占権, 専有権.

ex·clu·si·vis·mo [esklusiβísmo エスクるシビスモ] 名男排他主義.

ex·clu·si·vis·ta [esklusiβísta エスクるシビスタ] 形排他主義の.
── 名男女排他主義者.

ex·clu·si·vo, va [esklusíβo, βa エスクるシボ, バ] 形 **1** 独占的な; 排他的な. agente *exclusivo* 一手販売人. **2** 唯一の, もっぱらの. ── 名女 独占権, 専有権. *exclusiva* de venta 独占販売権.

excluy- 動→ excluir. 29

ex·co·mul·gar [eskomulɣár エスコムるガル] [32 g → gu] 動他 〘宗教〙破門する.

ex·co·mu·nión [eskomunjón エスコムニオン] 名女 〘宗教〙破門.

ex·co·riar [eskorjár エスコリアル] 動他 擦りむく, 擦り傷をつける.

ex·cre·cen·cia [eskreθénθja エスクレセンしア] 名女こぶ, いぼ.

ex·cre·ción [eskreθjón エスクレしオン] 名女排泄(はいせつ).

ex·cre·men·to [eskreménto エスクレメント] 名男 [普通 ~s] 排泄(はいせつ)物, 糞便(ふんべん).

ex·cre·tor, to·ra [eskretór, tóra エスクレトル, トラ] 形 〘解剖〙排泄(はいせつ)のための.

ex·cul·par [eskulpár エスクるパル] 動他 《+de》(罪・責任から) 免れさせる, 免罪する.
── **ex·cul·par·*se*** (罪・責任を) 免れる.

ex·cur·sión [eskursjón エスクルシオン] 名女 [複 excursiones] 〔英 excursion〕 遠足, ハイキング; (見学・調査などの) 小旅行. ir de *excursión* / hacer una *excursión* 遠足に行く. *excursión* en bicicleta サイクリング (旅行).

ex·cur·sio·nis·mo [eskursjonísmo エスクルシオニスモ] 名男 ハイキング活動; (短い) 旅行[観光]. → turismo.

ex·cur·sio·nis·ta [eskursjonísta エスクルシオニスタ] 名男女遠足客, ハイカー.

ex·cu·sa [eskúsa エスクサ] 名女 **1** 弁解, 言い訳; 口実. ¡Nada de *excusas*! 弁解無用. dar *excusas* 弁解する, 言い訳をする.
2 陳謝, 詫(わ)び (= disculpa). deshacerse en *excusas* 平謝りに謝る. Le presento mis *excusas*. なにとぞご容謝ください.

ex·cu·sar [eskusár エスクサル] 動他 **1** 言い訳をする, 弁解する. **2** 許す, 大目に見る. **3** 《+不定詞》…する必要がない.
── **ex·cu·sar·*se*** 言い訳をする, 弁解する. *excusarse* con 《+uno》〈人〉に謝る. *excusarse* de [por] ... …を謝る, わびる.
Excusado es decir que .... …と言うまでもない.

e·xé·ge·sis [eksésexis エクセヘシス] 名女 [単・複同形] (聖書の) 釈義.

e·xe·ge·ta [eksexéta エクセヘタ] 名男 (聖書の) 釈義者.

e·xen·ción [eksenθjón エクセンしオン] 名女免除. *exención* del servicio militar 兵役免除.

e·xen·to, ta [ekénto, ta エクセント, タ] 形 《+de》…を免れた, 免除された. artículos *exentos de* aduanas 免税品.

e·xe·quias [eksékjas エクセキアス] 名女 [複] 葬儀, 葬式.

ex·ha·la·ción [eksalaθjón エクサらしオン] 名女 **1** (気体の) 発散. **2** 呼気. **3** 流れ星; 閃光 (せんこう), 稲妻. irse [pasarse] como una *exhalación* 瞬く間に消える[過ぎ去る].

ex·ha·lar [eksalár エクサらル] 動他 **1** 発散する. *exhalar* un olor infecto 刺激臭を発する. **2** (ため息などを) 吐く, もらす. *exhalar* el último suspiro 息を引き取る.
── **ex·ha·lar·*se*** **1** 息せききって走る. **2** 《+por》…を切望する.

ex·haus·ti·va·men·te [eksaustíβaménte エクサウスティバメンテ] 副徹底的に, 余すところなく.

ex·haus·ti·vo, va [eksaustíβo, βa エクサウスティボ, バ] 形徹底的な; 消耗させる.

ex·haus·to, ta [eksáusto, ta エクサウスト, タ] 形 **1** 《+de》…が枯渇した. **2** 力尽きた, 疲れ果てた.

ex·hi·bi·ción [eksiβiθjón エクシビしオン] 名女 **1** 公開, 展示. **2** 誇示, ひけらかし. **3** 〘スポ〙エキジビション, 模範演技.

ex·hi·bi·cio·nis·mo [eksiβiθjonísmo エクシビしオニスモ] 名男 誇示癖, 自己宣伝[顕示]癖; 〘医〙〘心理〙露出症.

ex·hi·bi·cio·nis·ta [eksiβiθjonísta エクシビしオニスタ] 名男女 自己顕示欲の強い人, 自己宣伝家; 露出症患者.

E

ex·hi·bir [ekβiβír エクシビル] 動他 **1** 展示する. *exhibir* la colección de Picasso ピカソのコレクションを展示する.
2 (書類などを) 提示する. *Exhibió* su pasaporte. 彼はパスポートを見せた.
3 誇示する. *exhibir* los conocimientos 知識をひけらかす.
—— **ex·hi·bir·se** (人前で自分を) さらす. Fue arrestado por *haberse exhibido* desnudo en público. 彼はストリーキングのかどで逮捕された.

ex·hor·ta·ción [eksortaθjón エクソルタしオン] 名女 勧告, 奨励.

ex·hor·tar [eksortár エクソルタル] 動他 《+**a** 不定詞》《+**a que** 接続法》…するように勧める, 勧告する, 奨励する.

ex·hor·ta·ti·vo, va [eksortatíβo, βa エクソルタティボ, バ] 形 〘文法〙命令の, 勧告的な.

ex·hu·ma·ción [eksumaθjón エクスマしオン] 名女 (死体の) 発掘.

ex·hu·mar [eksumár エクスマル] 動他
1 (死体を) 掘り出す.
2 (忘れたことを) 蘇(よみがえ)らせる.

e·xi·gen·cia [eksixénθja エクシヘンしア] 名女 無理な要求, 強要; 必要性.

e·xi·gen·te [eksixénte エクシヘンテ] 形 要求の多い. Ella es muy *exigente* en la limpieza. 彼女は掃除については非常にうるさい.
—— 名男女 要求の多い人; 気難しい人.

e·xi·gir [eksixír エクシヒル] [19 g ➡ j] 動他 〔英 demand〕 **1** **要求する**; 強要する. El pueblo *exigió* al gobierno medidas apropiadas. 国民は政府に対してしかるべき措置を要求した.
2 必要とする, 要する. Pilotar un avión *exige* mucha concentración. 飛行機を操縦するには大変な集中力を要する.

e·xi·guo, gua [eksíɣwo, ɣwa エクシグオ, グア] 形 狭い, 小さい; 乏しい, わずかな.

e·xi·lia·do, da [eksiljáðo, ða エクシりアド, ダ] 過分 形 亡命した.
—— 名男女 亡命者. *exiliado* político 政治亡命者.

e·xi·liar [eksiljár エクシりアル] [23 i ➡ í] 動他 (国外に) 追放する.
—— **e·xi·liar·se** 亡命する.

e·xi·lio [eksíljo エクシりオ] 名男 **1** 国外追放; 亡命. **2** 亡命地[先]; 亡命生活.

e·xi·men·te [eksiménte エクシメンテ] 形 (責任を) 免除する.
—— 名女 〘法律〙酌量すべき情状 (= circunstancia *eximente*).

e·xi·mir [eksimír エクシミル] 動他 《+**de**》…から免除する. *eximir de* pagar contribución 納税を免除する.
—— **e·xi·mir·se** 《+**de**》…を免れる, 免除される.

e·xis·ten·cia [eksisténθja エクシステンしア] 名女 〔複 ~s〕〔英 existence〕 **1** **存在**, 実在. Ella cree en la *existencia* del fantasma. 彼女は幽霊の存在を信じている.
2 人生; 生活. a lo largo de la *existencia* 生涯を通して.
3 〔~s〕〘商業〙在庫品, ストック. Se nos han acabado las *existencias* de libros. 本の在庫がなくなってしまった.
dar* (*la*) *existencia a 《+algo》〈何か〉を創作する.

e·xis·ten·cia·lis·mo [eksistenθjalísmo エクシステンしアりスモ] 名男 〘哲〙実存主義.

e·xis·ten·cia·lis·ta [eksistenθjalísta エクシステンしアりスタ] 形 〘哲〙実存主義 (者) の.
—— 名男女 〘哲〙実存主義者.

e·xis·ten·te [eksisténte エクシステンテ] 形 存在する, 既存の.

existido 過分 ➡ existir.

existiendo 現分 ➡ existir.

e·xis·tir [eksistír エクシスティル] 動自 〔現分 existiendo; 過分 existido〕〔英 exist〕 **1** **存在する**, 実在する. Los niños creen que *existe* Papá Noel. 子供たちはサンタクロースが実在すると信じている.
2 生きる, 生存する. Ya no *existen* sus padres. 彼の両親はもうこの世にいない.

é·xi·to [éksito エクシト] 名男 〔複 ~s〕〔英 success〕 **成功**, 上首尾; 大当たり. Su exposición de cuadros fue un *éxito*. 彼の絵画展は大成功であった.
tener éxito 成功する; 大当たりする.

ex li·bris [ekslíβris エクスりブリス] 〔ラテン語〕蔵書票, 蔵書印.

é·xo·do [éksoðo エクソド] 名男 **1** [É-] 〘聖書〙出エジプト記.
2 (集団の) 大移動, 移住; 脱出.

e·xo·ga·mia [eksoɣámja エクソガミア] 名女 族外結婚; 〘生物〙異系交配.

e·xó·ge·no, na [eksóxeno, na エクソヘノ, ナ] 形 外因性の; 〘植物〙外生の.

e·xor·bi·tan·te [eksorβitánte エクソルビタンテ] 形 (価格などが) 法外な, 途方もない.

e·xor·cis·mo [eksorθísmo エクソルしスモ] 名男 悪魔払い (の儀式).

e·xor·cis·ta [eksorθísta エクソルしスタ] 名男女 悪魔払いの祈禱(きとう)師.

e·xor·ci·zar [eksorθiθár エクソルしさル] [39 z ➡ c] 動他 …の悪魔払いをする, 悪魔を追い払う.

e·xo·té·ri·co, ca [eksotériko, ka エクソテリコ, カ] 形 大衆向きの, 通俗的な.

e·xó·ti·co, ca [eksótiko, ka エクソティコ, カ] 形 **1** 外国 (産) の; 異国ふうの, エキゾチックな. **2** 風変わりな, 奇妙な.

e·xo·tis·mo [eksotísmo エクソティスモ] 名男 異国趣味, 異国情緒.

ex·pan·dir [espandír エスパンディル] 動他
1 拡大[拡張]する; 発展させる.
2 (情報・噂(うわさ)などを) 広める, 流布する.

ex·pan·sión [espansjón エスパンシオン] 名女 拡大, 拡張; 発展; 普及. política de *ex-*

pansión 領土拡張政策. *expansión* de la cultura 文化の伝播(でんぱ).
ex·pan·sio·nar·*se* [espansjonárse エスパンシオナルセ] 動 **1** 《口語》《+**con**》…をして気晴らしをする, 気分転換する.
2 《口語》《+**con**》…に胸の内を打ち明ける.
ex·pan·sio·nis·mo [espansjonísmo エスパンシオニスモ] 名男 (領土) 拡張主義.
ex·pan·sio·nis·ta [espansjonísta エスパンシオニスタ] 形 (領土) 拡張主義の. política *expansionista* 領土拡張政策.
—— 名男女 拡張主義者.
ex·pan·si·vo, va [espansíβo, βa エスパンシボ, バ] 形 **1** 開放的な. carácter *expansivo* 気さくな性格. **2** 膨張性の.
ex·pa·tria·ción [espatrjaθjón エスパトゥリアしオン] 名女 国外追放, 亡命; 国外移住.
ex·pa·triar [espatrjár エスパトゥリアル] [23 i → í] 動他 国外に追放する.
—— **ex·pa·triar·*se*** 亡命する; 他国に移住する.
ex·pec·ta·ción [espe*k*taθjón エスペクタしオン] 名女 期待, 待望.
ex·pec·tan·te [espe*k*tánte エスペクタンテ] 形 期待している, 待ち構える.
ex·pec·ta·ti·va [espe*k*tatíβa エスペクタティバ] 名女 期待; 可能性.
estar a la espectativa de 《+algo》〈何か〉を待ち受ける, 期待する.
ex·pe·di·ción [espeðiθjón エスペディしオン] 名女 **1** 遠征, 探検; 遠征隊, 探検隊.
2 発送, 送付; 発送物.
ex·pe·di·cio·na·rio, ria [espeðiθjonárjo, rja エスペディしオナリオ, リア] 形 遠征 (隊) の, 探検 (隊) の.
—— 名男女 遠征[探検]隊員.
ex·pe·dien·te [espeðjénte エスペディエンテ] 名男 **1** 審査, 審理. formar [instruir] *expediente* a 《+uno》〈人を〉審査に付す.
2 書類, 記録; 経歴, 履歴. *expediente* académico (大学の) 成績証明書; 学歴. *expediente* profesional 職歴. **3** 手続き; 手段, 方策; 急場しのぎ, 一時しのぎ.
cubrir el expediente 《口語》必要最低限のことしかしない.
ex·pe·dir [espeðír エスペディル] [41 e → i] 動他 [現分 expidiendo] **1** 送る, 発送する. **2** 交付[発行]する. pasaporte *expedido* en Madrid マドリードで発行されたパスポート. **3** (仕事を) 処理する, 片づける.
ex·pe·di·ti·vo, va [espeðitíβo, βa エスペディティボ, バ] 形 仕事の早い, てきぱきした.
ex·pe·di·to, ta [espeðíto, ta エスペディト, タ] 形 **1** 邪魔のない. vía *expedita* 自由に通れる道路. **2** てきぱきした, 迅速な.
ex·pe·ler [espelér エスペレル] 動他
1 追い出す.
2 吐き出す. *expeler* el humo 煙を吐く.
ex·pen·de·dor, do·ra [espendeðór, ðóra エスペンデドル, ドラ] 形 小売りの, 販売の. máquina *expendedora* de tabaco タバコ自動販売機. —— 名男女 小売り業者.
expendedor automático 自動販売機.
ex·pen·de·du·rí·a [espendeðuría エスペンデドゥリア] 名女 小売り店, 売店.
ex·pen·der [espendér エスペンデル] 動他 小売りする, (入場券などを) 発売する.
ex·pen·sas [espénsas エスペンサス] 名女 [複] 費用, 出費.
a (las) expensas de ... …の費用で; …を犠牲にして. vivir *a expensas de* los padres 親がかりで生活する.
ex·pe·rien·cia [esperjénθja エスペリエンしア] 名女 [複 ~s] 〔英 experience〕 **1** **経験, 体験**. aprender por *experiencia* 経験から学ぶ. Tengo *experiencia* de viajar solo. 私は一人旅の経験がある.
2 試み, 実験 (= experimento). El vuelo de los hermanos Wright fue una *experiencia* histórica. ライト兄弟の飛行は歴史的な試みであった.
ex·pe·ri·men·ta·ción [experimentaθjón エスペリメンタしオン] 名女 **1** 実験, 実験法.
2 経験.
ex·pe·ri·men·tal [esperimentál エスペリメンタる] 形 実験に基づく, 実験[試験]的な; 経験的な. ciencias *experimentales* 実験科学.
ex·pe·ri·men·tar [esperimentár エスペリメンタル] 動他 **1** 実験する, テストする. *experimentar* un nuevo método 新しい方法を試験する. **2** 体験する; 感じる. *experimentar* los desastres 悲惨な体験をする.
ex·pe·ri·men·to [esperiménto エスペリメント] 名男 **1** 実験; テスト. *experimento* de química 化学実験. **2** 経験; 慣れ.
ex·per·to, ta [espérto, ta エスペルト, タ] 形 《+**en**》…に精通した; 老練な. Es muy *experto en* temas internacionales. 彼は国際問題に精通している.
—— 名男女 専門家, エキスパート; 熟練者.
ex·pia·ción [espjaθjón エスピアしオン] 名女 贖罪(しょくざい).
ex·piar [espjár エスピアル] 23 動他 **1** (罪を) 償う; 悔やむ. *expiar* los pecados de juventud 若げの過ちを悔いる.
2 (刑に) 服する.
ex·pia·to·rio, ria [espjatórjo, rja エスピアトリオ, リア] 形 贖罪(しょくざい)の.
ex·pi·ra·ción [espiraθjón エスピラしオン] 名女 満期, 満了; 死亡.
ex·pi·rar [espirár エスピラル] 動自
1 息を引き取る, 死ぬ.
2 (期限が) 切れる. *Expiró* el plazo del contrato. 契約の期限が切れた.
ex·pla·na·ción [esplanaθjón エスプらナしオン] 名女 **1** 地ならし. **2** 説明, 解説.
ex·pla·na·da [esplanáða エスプらナダ] 名女 平地, 平坦(へいたん)な場所.
ex·pla·nar [esplanár エスプらナル] 動他

E

1 (土地を)ならす, 切り開く. *explanar* el monte 山を切り崩す.
2 解説する, 説明する.

ex·pla·yar [esplaʝár エスプらヤル] 動他 広げる, 拡大する. *explayar* la mirada はるかに見渡す; 視野を広げる.
—— **ex·pla·yar·se** 1 広がる, 展開する.
2 長たらしく話す. 3 心を打ち明ける; 気晴らしをする.

ex·ple·ti·vo, va [espletíβo, βa エスプれティボ, バ] 形 〘文法〙付加的な.

ex·pli·ca·ción [esplikaθjón エスプリカしオン] 名女 [複 explicaciones] 〔英 explanation〕 1 **説明**, 解説. *explicación* global 総括的な説明. dar *explicaciones* 説明[解説]する.
2 釈明, 弁解. pedir *explicaciones* 釈明を求める. sin dar ninguna clase de *explicaciones* 一言の弁解もなく.

explicado, da 過分 → explicar.

explicando 現分 → explicar.

ex·pli·car [esplikár エスプリカル] [8 c → qu] 動他 [現分 explicando; 過分 explicado,da] 〔英 explain〕 1 **説明する**, 弁明する. *explicar* la teoría de Einstein アインシュタインの理論を解説する. 2 講義する. *explicar* matemáticas 数学を教える.
—— **ex·pli·car·se** 1 (自分の考えを)説明する. ¿*Me explico*? (私の言うことが)わかりますか. *Explícate* un poco más claro. もう少しはっきり言ってくれ.
2 理解する, 納得する. Ahora *me explico* por qué no has venido. なぜ君が来なかったかやっと分かった. 3 明らかになる.

ex·pli·ca·ti·vo, va [esplikatíβo, βa エスプリカティボ, バ] 形 説明的な; 弁明的な. nota *explicativa* 注釈.

ex·plí·ci·ta·men·te [esplíθitaménte エスプりしタメンテ] 副 明白に.

ex·plí·ci·to, ta [esplíθito, ta エスプりしト, タ] 形 明瞭(めいりょう)な; 明記された (↔ implícito). intenciones *explícitas* 明白な意図. 明文化された条項.

explique(-) / **expliqué**(-) 動 → explicar. [8 c → qu]

ex·plo·ra·ción [esploraθjón エスプろラしオン] 名女 1 探検, 探査; 探究, 調査. *exploración* submarina 海底調査.
2 〘医〙(精密)検査. *exploración* interna 内診.
3 〘テレビ〙〘コンピュータ〙走査, スキャン. línea de *exploración* 走査線.

ex·plo·ra·dor, do·ra [esploraðór, ðóra エスプろラドル, ドラ] 形 1 探検の, 探査の; 探究の, 調査の. avión *explorador* 偵察機. 2 〘テレビ〙〘コンピュータ〙走査の.
—— 名男女 1 探険家; 〘軍事〙偵察兵.
2 ボーイ[ガール]スカウト.
—— 名男 〘テレビ〙〘コンピュータ〙走査装置, スキャナー.

ex·plo·rar [esplorár エスプろラル] 動他
1 探検する; 調査する. *explorar* la superficie de la luna 月面を探査する.
2 〘医〙精密検査をする.

ex·plo·sión [esplosjón エスプろシオン] 名女 [複 explosiones] 1 爆発; (エンジンの)内燃. *explosión* atómica [nuclear] 核爆発. motor de *explosión* interna 内燃機関.
2 (感情の)激発; 激増. *explosión* de entusiasmo [de ira] 熱情[怒り]の爆発. *explosión* demográfica 人口の激増.

ex·plo·sio·nar [esplosjonár エスプろシオナル] 動他 爆発させる, 破裂させる.
—— 動自 爆発する, 破裂する.

ex·plo·si·vo, va [esplosíβo, βa エスプろシボ, バ] 形 1 爆発性の. artefacto *explosivo* 爆破[起爆]装置. 2 爆発的な, 激烈な. declaración *explosiva* 爆弾宣言. 3 〘音声〙破裂音の.
—— 名男 爆薬; 爆発物.
—— 名女 〘音声〙破裂音.

ex·plo·ta·ción [esplotaθjón エスプろタしオン] 名女 1 開発, 開拓; 採掘. *explotación* de los recursos naturales 天然資源の開発. *explotación* petrolífera 石油採掘. 2 搾取. *explotación* de los obreros 労働者からの搾取. 3 経営, 操業. *explotación* agrícola 農場経営.

ex·plo·tar [esplotár エスプろタル] 動他
1 開発する; 経営する; 採掘する. *explotar* los recursos submarinos 海底資源を開発する.
2 搾取する. *explotar* a los trabajadores 労働者を搾取する.
—— 動自 爆発する. *Explotó* una bomba. 爆弾が炸裂した.

ex·po·lia·ción [espoljaθjón エスポりアしオン] 名女 略奪, 強奪.

ex·po·liar [espoljár エスポりアル] 動他 略奪する, 強奪する.

ex·po·lio [espóljo エスポりオ] 名男 略奪, 強奪; 〘カトリック〙(キリストの)聖衣剝奪(はくだつ).

expón 動 → exponer. 45

expondr- 動 → exponer. 45

ex·po·nen·te [esponénte エスポネンテ] 形 表明する; 代表する.
—— 名男 1 代表者, 代弁者; 典型, 象徴.
2 指標; 〘数〙指数.

ex·po·ner [esponér エスポネル] 45 動他 [過分 expuesto, ta] 〔英 expose; exhibit〕 1 《+a》…**にさらす**. *exponer a* la vista de todos 人目にさらす. *exponer a* la luz solar 太陽光線にさらす.
2 **展示する**, 陳列する. Este pintor va a *exponer* su cuadro en la próxima bienal. この画家は次のビエンナーレに作品を出品する予定だ.
3 **表明する**, 陳述する. José no *ha expuesto* claramente su idea. ホセははっきりと自分の意見を示さなかった.

4 危険にさらす (= arriesgar). *exponer* la vida 生命を危うくする.
5 〘写真〙感光させる.
—— **ex·po·ner·*se*** ⟪+**a**⟫ …に身をさらす. *exponerse a* muchos peligros 多くの危険を冒す. Usted *se expone a* que le critiquen mucho. (そんなことをすると) 皆から攻撃されることになりますよ.

expong- 動 → exponer. 45

ex·por·ta·ción [esportaθjón エスポルタしオン] 名女 輸出; 輸出品 (↔ importación). cuota de *exportación* 輸出割り当て. *exportación* de capitales [de tecnología] 資本[技術]輸出.

ex·por·tar [esportár エスポルタル] 動他 輸出する (↔ importar). España *exporta* naranjas. スペインはオレンジを輸出している.

ex·po·si·ción [esposiθjón エスポシしオン] 名女 [複 exposiciones] 〔英 exhibition; exposition〕 1 **展示**, 陳列; **展覧会**, 博覧会, 展示会. sala de *exposición* ショールーム. *exposición* del automóvil モーターショー. *Exposición* Internacional [Universal] 万国博覧会 (►la Expo.92 のように省略しても使われる).
2 (日光・風などに) さらすこと; 〘写真〙露出. exceso [falta] de *exposición* 露出オーバー[不足].
3 表明, 陳述. hacer una *exposición* detallada 詳細に述べる.

ex·po·si·ti·vo, va [espositíβo, βa エスポシティボ, バ] 形 説明的な, 解説的な.

ex·pó·si·to, ta [espósito, ta エスポシト, タ] 形 捨て子の. —— 名男女 捨て子.

ex·po·si·tor, to·ra [expositór, tóra エスポシトル, トラ] 形 1 出品する, 展示する.
2 解説する, 説明する.
—— 名男女 1 (作品・商品の) 出品者.
2 解説者.

ex·prés [esprés エスプレス] 形 急行の.
—— 名男 1 急行列車 (= tren *exprés*).
2 エスプレッソ・コーヒー (= café *exprés*).

ex·pre·sa·men·te [esprésaménte エスプレサメンテ] 副 1 明らかに, はっきりと (= explícitamente).
2 特に, わざわざ (= de propósito).

ex·pre·sar [espresár エスプレサル] 動他 〔英 express〕 **表現する, 表す**. *expresar* su agradecimiento 感謝の言葉を述べる. Su rostro *expresaba* un gran dolor. 彼の顔つきは深い悲しみを表していた.
—— **ex·pre·sar·*se*** 考えを述べる. ¿Puedes *expresarte* en inglés? 英語で思っていることを言えますか. *expresarse* de palabra 言葉で表現する.

ex·pre·sión [esprejón エスプレシオン] 名女 [複 expresiones] 〔英 expression〕
1 **表現**. libertad de *expresión* 表現の自由.
2 言い表し方, 語法. *expresión* familiar 口語的な言い方. 3 表情. cara que tiene una *expresión* triste 悲しげな顔.

ex·pre·sio·nis·mo [espresjonísmo エスプレシオニスモ] 名男 表現主義.

ex·pre·sio·nis·ta [espresjonísta エスプレシオニスタ] 形 表現主義の.
—— 名男女 表現主義者.

ex·pre·si·vo, va [espresíβo, βa エスプレシボ, バ] 形 1 表現力のある; 表情に富む. rostro muy *expresivo* 表情豊かな顔. silencio *expresivo* 意味深長な沈黙.
2 心からの, 愛情のこもった.

ex·pre·so, sa [espréso, sa エスプレソ, サ] 名男 急行列車 (= tren *expreso*, exprés).
—— 形 1 明瞭(めいりょう)に述べられた, 明示された. una condición *expresa* 明示された条件. 2 急行の.
—— 動 → expresar.

ex·pri·mi·dor [esprimiðór エスプリミドル] 名男 (レモンなどの) 絞り器.

ex·pri·mir [esprimír エスプリミル] 動他
1 (液体を) 絞り出す. *exprimir* una naranja オレンジを絞る.
2 ⟪比喩⟫ 絞り取る, 搾取する.

ex·pro·pia·ción [espropjaθjón エスプロピアしオン] 名女 収用, 徴発; 収用した土地, 徴発した物.

ex·pro·piar [espropjár エスプロピアル] 動他 〘法律〙収用する, 徴発する. *expropiar* los terrenos 土地を収用する.

ex·pues·to, ta [espwésto, ta エスプエスト, タ] 過分 → exponer. 形 1 ⟪+**a**⟫ …にさらされた, むき出しの. *expuesto al* sol [peligro] 日 [危険] にさらされた.
2 危険な. 3 展示された, 陳列された.

ex·pul·sar [espulsár エスプるサル] 動他
1 ⟪+**de**⟫ …から追い出す. Le *expulsaron del* colegio. 彼は退学処分を受けた.
2 (煙などを) 吐き出す. La chimenea *expulsa* el humo. 煙突が煙を吐き出している.

ex·pul·sión [espulsjón エスプるシオン] 名女 1 追放, 放逐, 除名. orden de *expulsión* 国外追放令. 2 排出.

ex·pul·sor, so·ra [espulsór, sóra エスプるソル, ソラ] 形 放出する.

ex·pur·ga·ción [espurɣaθjón エスプルガしオン] 名女 1 削除, 抹消.
2 浄化, 粛正, パージ.

ex·pur·gar [espurɣár エスプルガル] [32 g → gu] 動他 1 削除する, 抹消する.
2 浄化する, 粛正する.

expus- 動 → exponer. 45

ex·qui·si·to, ta [eskisíto, ta エスキシト, タ] 形 心地よい, 甘美な; 優美な. música *exquisita* 妙なる音楽. vino *exquisito* 芳醇(ほうじゅん)なぶどう酒. gusto *exquisito* 洗練された趣味.

ex·ta·siar [estasjár エスタシアル] [23 i → í] 動他 うっとりさせる.

E

── **ex·ta·siar·*se*** ⦅+**con, ante**⦆ …にうっとりする, 恍惚(こう)となる.

éx·ta·sis [éstasis エスタシス] 名男 [単・複同形] **1** 恍惚(こう); 忘我, エクスタシー. estar (sumido) en *éxtasis* うっとりとしている.
2 〘宗教〙脱魂, 法悦.

ex·tá·ti·co, ca [estátiko, ka エスタティコ, カ] 形 恍惚(こう)の, うっとりとした.

ex·ten·der [estendér エステンデル] [43 e ➜ ie] 動他 〔英 extend〕 **1 広げる, 伸ばす**; (期間を) 延長する. *extender* las alas 翼を広げる. *extender* el brazo 腕を伸ばす. *extender* los territorios 領土を拡大する. *extender* la estancia en Madrid マドリードの滞在期間を延長する.
2 広める, 普及させる. *extender* la fe cristiana キリスト教を広める.
3 (書類などを) 作成する; 発行する. *extender* un cheque 小切手を切る. *extender* el certificado 証明書を発行する.
── **ex·ten·der·*se*** **1 広がる, 伸びる**; 広まる; (期間が) 続く. Ante nosotros *se extendía* una inmensa llanura. 私達の前方には大平原が広がっていた. El reinado de Carlos I *se extendió* desde el año 1516 hasta el año 1556. カルロス1世の統治は1516年から1556年まで続いた. La noticia *se extendió* por todo el pueblo. その知らせは町中に広まった.
2 長々としゃべる. *extenderse* en consideraciones sobre ⦅+algo⦆〈何か〉を長々と説明する. **3** 横たわる. *extenderse* en el suelo 地面に寝そべる.

ex·ten·sa·men·te [esténsaménte エステンサメンテ] 副 広く, 広範囲に.

ex·ten·si·ble [estensíβle エステンシブれ] 形 広げられる, 伸ばせる.

ex·ten·sión [estensjón エステンシオン] 名女 **1** 伸長, 拡張. *extensión* del mercado 販路の拡大. *extensión* de plazo 期限の延長. **2** 広がり, 範囲. *extensión* de conocimientos 教養の広さ. *extensión* de la protección del seguro 保険の範囲.
3 面積 (= superficie). tener una *extensión* de … …の面積を持つ.
4 (電話の) 内線. Póngame con la *extensión* 269 [dos sesenta y nueve]. 内線の269お願いします.
5 (語義の) 広がり; 〘論理〙〘言語〙〘数〙外延. en toda la *extensión* de la palabra あらゆる意味で. por *extensión* 広義で.

ex·ten·si·vo, va [estensíβo, βa エステンシボ, バ] 形 **1** ⦅+**a**⦆ …に広げうる, 拡大できる; 広義の.
2 〘農業〙粗放の (↔ intensivo).
hacer extensivo 伝える. *Haz extensivos* mis saludos a toda tu familia. 君のご家族によろしく伝えてくれ.

ex·ten·so, sa [esténso, sa エステンソ, サ] 形 **1** 広い, 広大な (= vasto). sala *extensa* ただっ広い広間. *extenso* prado 広々とした牧草地. **2** 広範な, 幅広い. Es un guitarrista de repertorio muy *extenso*. 彼はレパートリーの非常に広いギタリストだ.
3 長い, 長大な. viaje *extenso* 長い旅.
por extenso 十分に, 詳細に.

ex·te·nua·ción [estenwaθjón エステヌアしオン] 名女 憔悴(しょうすい), 衰弱.

ex·te·nuar [estenwár エステヌアル] [14 u ➜ ú] 動他 憔悴(しょうすい)させる; 衰弱させる.
── **ex·te·nuar·*se*** 憔悴する; 衰弱する.

ex·te·rior [esterjór エステリオル] 形 [複 ～es] 〔英 exterior〕 **1 外の**, 外面の (↔ interior). aspecto *exterior* 外見. habitación *exterior* 外に面した部屋. amabilidad *exterior* うわべだけの親切.
2 対外的な. la política *exterior* 対外政策, 外交.
── 名男 **1** 外部; 外面. al *exterior* 外へ[に], 外部へ[に]. el *exterior* de un edificio 建物の外面. **2** 外国. noticias del *exterior* 海外ニュース. **3** [～es] ロケーション. Los *exteriores* fueron filmados en Chile. ロケはチリで行われた.

ex·te·rio·ri·zar [esterjoriθár エステリオリさル] [39 z ➜ c] 動他 (感情などを) 表に出す; 外在化する. *exteriorizar* mal humor 不機嫌な顔をする.
── **ex·te·rio·ri·zar·*se*** (感情が) 表に出る; 外在化する.

ex·ter·mi·na·ción [esterminaθjón エステルミナしオン] 名女 根絶, 絶滅, 撲滅; 壊滅.

ex·ter·mi·nar [esterminár エステルミナル] 動他 根絶する, 絶滅する, 撲滅する; 壊滅させる. *exterminar* la violencia 暴力を一掃する.

ex·ter·mi·nio [estermínjo エステルミニオ] 名男 ➜ exterminación.

ex·ter·no, na [estérno, na エステルノ, ナ] 形 外側の, 外部の (↔ interno). herida *externa* 外傷. medicamento de uso *externo* 外用薬. signos *externos* de riqueza 金持ちらしい外見. ── 名男女 通学生.

extiend- 動 ➜ extender. [43 e ➜ ie]

ex·tin·ción [estinθjón エスティンしオン] 名女 **1** 消火, 消灯. **2** 消滅; 絶滅. en vías de *extinción* 絶滅寸前の.

ex·tin·guir [estiŋgír エスティンギル] [21 gu ➜ g] 動他 消す, 消火する; 消滅[絶滅]させる. *extinguir* la rebelión 反乱を鎮圧する.
── **ex·tin·guir·*se*** 消える, 鎮火する; 絶える, 絶滅する.

ex·tin·to, ta [estínto, ta エスティント, タ] 形 消えた, 鎮火した; 絶えた. volcán *extinto* 死火山. raza *extinta* 絶滅した種族.

ex·tin·tor, to·ra [estintór, tóra エスティントル, トラ] 形 消火用の.
── 名男 消火器 (= *extintor* de incendios).

ex·tir·pa·ción [estirpaθjón エスティルパシオン] 名女 根絶;〘医〗摘出, 切除.
ex·tir·par [estirpár エスティルパル] 動他 根こぎにする; 根絶する;〘医〗摘出する, 切除する. *extirpar* un tumor 腫瘍(しゅよう)を取り除く.
ex·tor·sión [estorsjón エストルシオン] 名女 **1** ゆすり; 強奪. **2** 厄介, 迷惑. causar *extorsión* 迷惑をかける.
ex·tor·sio·nar [estorsjonár エストルシオナル] 動他 **1** 強奪する.
2 迷惑をかける, 手を煩わせる.
ex·tra [éstra エストゥラ] 形 **1** 臨時の, 割り増しの. horas *extras* 時間外労働, 残業時間. **2** 極上の.
── 名男女〘映画〙〘演劇〙エキストラ.
── 名男 臨時手当, 賞与; 臨時費.
extra-《接頭》「範囲外」の意を表す. ⇒ *extra*ordinario, *extra*territorial など.
ex·trac·ción [estrakθjón エストゥラクシオン] 名女 **1** 抜き取り, 摘出; 抽出. **2** 採掘, 採鉱. **3** 家柄, 血筋. de humilde [baja] *extracción* 下層階級の.
ex·trac·to [estrákto エストゥラクト] 名男 要約; 抜粋; 抽出物, エキス. *extracto* de malta 麦芽エキス. *extracto* del registro civil 戸籍抄本.
ex·tra·di·ción [estraðiθjón エストゥラディシオン] 名女 (他国からの逃亡犯人の) 引き渡し, 送還.
ex·tra·er [estraér エストゥラエル] 57 動他 [現分 extrayendo; 過分 extraído, da] **1** 引き抜く, 引き出す; (成分などを) 抽出する; 採掘する. *extraer* una bala 弾丸を摘出する. *extraer* unas conclusiones いくつかの結論を引き出す.
2〘数〙根を求める, 根を開く. *extraer* raíces cuadradas 平方根を求める.
ex·tra·li·mi·ta·ción [estralimitaθjón エストゥラリミタシオン] 名女 乱用, 越権.
ex·tra·li·mi·tar·*se* [estralimitárse エストゥラリミタルセ] 動 やりすぎる, 度を越す; 権利を乱用する. sin *extralimitarse* en nada 決して度を越さずに.
ex·tra·mu·ros [estramúros エストゥラムロス] 副 市外で[に].
── 形 [単・複同形] 町[村]の外にある.
extranjera 形名女 → extranjero¹.
ex·tran·je·ría [estraŋxería エストゥランヘリア] 名女 外国人[在留外国人]であること; 外国人[在留外国人]の身分. ley de *extranjería* 外国人法.
ex·tran·je·ris·mo [estraŋxerísmo エストゥランヘリスモ] 名男 **1** 外国かぶれ, 外国崇拝. **2** 外来語, 外国語ふうの言い回し.

ex·tran·je·ro¹, ra
[estraŋxéro, ra エストゥランヘロ, ラ] 形 [複 ~s]〔英 foreign〕 **外国の**; 外来の. lengua *extranjera* 外国語. turista *extranjero* 外国人観光客. No quisieron aceptar las costumbres *extranjeras*. 彼らは外来の習慣を受け入れようとしなかった.
── 名男女〔英 foreigner〕 **外国人**. Le gusta hablar con *extranjeros*. 彼は外国人と話すのが好きだ. *extranjeros* residentes en Japón 在日外国人.
ex·tran·je·ro² [estraŋxéro エストゥランヘロ] 名男〔英 foreign country〕 **外国**. ir al *extranjero* 外国へ行く. estudiar en el *extranjero* 留学する.
extraña 形名女 → extraño.
ex·tra·ña·men·te [estrápaménte エストゥラニャメンテ] 副 奇妙に, 変に.
ex·tra·ñar [estrapár エストゥラニャル] 動自〔英 surprise, find strange〕《3人称で用いて》不思議に思う. Eso me *extraña*. それは変だな. Me *extraña* que no haya venido. 彼が来ていないのはおかしいな. No es de *extrañar* que venga tarde. 彼が遅れて来ても少しも不思議ではない.
── 動他 **1** …になじめない. No pude dormir bien porque *extrañaba* la cama. 寝床が変わって眠れなかった. Esta niña *extraña* a los desconocidos. この子は人見知りをする. **2** …が (い) ないのを寂しく思う. Te *extraño* mucho. 君がいなくてとても寂しい. **3** (国などから) 追放する.
── **ex·tra·ñar·*se*** **1**《+ **de**》**…を不思議がる, 奇妙に思う**; 驚く. *Me extraño de* que no esté. 彼の姿がここにないのは意外だな. **2** 疎遠になる. *Me he extrañado* mucho de mi tío. おじとはすっかり疎遠になってしまった.
ex·tra·ñe·za [estrapéθa エストゥラニェサ] 名女 奇妙さ, 不思議; 奇異感.

ex·tra·ño, ña
[estrápo, pa エストゥラニョ, ニャ] [複 ~s] 形〔英 strange〕 **1** **奇妙な**, 不思議な (= raro). una voz *extraña* 聞き慣れない声. ¡Qué manera más *extraña* de vestir! なんて変な格好をしているんだ. No es *extraño* que《+接続法》…でも少しも不思議ではない.
2 外来の, よその. país *extraño* 他国.
3《+ **a**》…に無関係の, 無縁の. Somos *extraños a* esta discusión. この議論に我々は関係ない.
── 名男女 よそ者, 部外者.
── 動 → extrañar.
ex·tra·o·fi·cial [estraofiθjál エストゥラオフィシアル] 形 非公式の, 非公認の. por vía *extraoficial* 非公式に.
ex·tra·or·di·na·ria·men·te [estraorðinárjaménte エストゥラオルディナリアメンテ] 副 非常に, 並外れて.
ex·tra·or·di·na·rio¹, ria [estraorðinárjo, rja エストゥラオルディナリオ, リア] 形 [複 ~s]〔英 extraordinary〕 **1** **異常な**, 例外的な; **並外れた**, 驚嘆すべき (= maravilloso, singular). un acontecimiento *extraordinario* 異常な出来事. Tiene

E

una memoria *extraordinaria*. 彼は並外れた記憶力を持っている.
2 特別な, 臨時の. horas *extraordinarias* de trabajo 超過勤務時間.

ex·tra·or·di·na·rio[2] [estraorðinárjo エストゥラオルディナリオ] 名男 **1** 特集版, 号外 (= número *extraordinario*).
2 特別なこと, 異例.

ex·tra·rra·dio [estraȓáðjo エストゥラ**ラ**ディオ] 名男 町[村]外れ.

ex·tra·te·rres·tre [estrateȓéstre エストゥラテ**レ**ストゥレ] 形 地球外の.
—— 名男女 宇宙生物, 異星人, 宇宙人.

ex·tra·te·rri·to·rial [estrateȓitorjál エストゥラテ**リ**トリ**ア**る] 形 〘法律〙治外法権の.

ex·tra·va·gan·cia [estraβaɣánθja エストゥラバ**ガ**ンしア] 名女 奇抜さ; 奇行. decir [hacer] *extravagancias* とっぴなことを言う[する].

ex·tra·va·gan·te [estraβaɣánte エストゥラバ**ガ**ンテ] 形 風変わりな, とっぴな, 奇抜な.
—— 名男女 変人, 奇人.

ex·tra·ver·ti·do, da [estraβertíðo, ða エストゥラベル**ティ**ド, ダ] 形 外向的な (↔ introvertido). carácter *extravertido* 外向的な性格. —— 名男女 外向的な人.

ex·tra·viar [estraβjár エストゥラビ**ア**ル] [23 i → í] 動他 **1** 道に迷わせる; 道を踏み外させる, 堕落させる. **2** 置き忘れる.
—— **ex·tra·viar·*se*** **1** 道に迷う.
2 道を踏み外す, 堕落する.
3 なくなる. *Se* me *ha extraviado* la cartera. 私は財布を紛失した.
extraviar la mirada あらぬ方に目をやる.

ex·tra·ví·o [estraβío エストゥラ**ビ**オ] 名男 道を踏み外すこと, 堕落; 過ち; 紛失.

extrema 形女 → extremo[1].

ex·tre·ma·da·men·te [estremáðaménte エストゥレ**マ**ダ**メ**ンテ] 副 極端に, 甚だしく.

ex·tre·ma·do, da [estremáðo, ða エストゥレ**マ**ド, ダ] 過分 形 **1** 極端な, 度を越した.
2 最高の, 完璧(かんぺき)な.

Ex·tre·ma·du·ra [estremaðúra エストゥレマ**ドゥ**ラ] 固名 エストレマドゥーラ: スペイン中西部の自治州. → autónomo.

ex·tre·mar [estremár エストゥレ**マ**ル] 動他 …の度を越す. *extremar* las precauciones 用心しすぎる.
—— **ex·tre·mar·*se*** 《+ en》…に全力を尽くす, 細心の注意を払う. *extremarse en* el cuidado de la casa 熱心に家事の切り盛りをする.

ex·tre·maun·ción [estremaunθjón エストゥレマウンし**オ**ン] 名女 〘カトリック〙終油 (の秘跡): 臨終の際に司祭が聖油を塗ること.

ex·tre·me·ño, ña [estreméɲo, ɲa エストゥレ**メ**ニョ, ニャ] 形 エストレマドゥーラの.
—— 名男女 エストレマドゥーラの住民.

ex·tre·mi·dad [estremiðáð エストゥレミ**ダ**(ドゥ)] 名女 **1** [〜es] 四肢, 手足. **2** 端, 先端. **3** 極端.

ex·tre·mis·mo [estremísmo エストゥレ**ミ**スモ] 名男 過激主義, 極端論.

ex·tre·mis·ta [estremísta エストゥレ**ミ**スタ] 形 過激主義の, 極端論の.
—— 名男女 過激主義者, 極端論者.

ex·tre·mo[1]**, ma** [estrémo, ma エストゥ**レ**モ, マ] 形 [複 〜s] 〔英 extreme〕
1 **末端の**, 極限の. el *Extremo* Oriente 極東. en caso *extremo* 最悪の場合は.
2 **極端な**, 極度の. *extrema* derecha 極右派.

ex·tre·mo[2] [estrémo エストゥ**レ**モ] 名男
1 端, 末端. de *extremo* a *extremo* 端から端まで.
2 極端, 限度, 限界. llegar al *extremo* de ... …の極みに達する.
3 [〜s] 大げさな態度, 極端な手段.
4 〘スポーツ〙(サッカーなどの) ウイング. *extremo* derecha [izquierda] 右[左]ウイング.
en extremo 極端に, 極度に.
en último extremo 最後の手段として.

ex·tre·mo·so, sa [estremóso, sa エストゥレ**モ**ソ, サ] 形 大げさな, 極端に走る.

ex·trín·se·co, ca [estrínseko, ka エストゥ**リ**ンセコ, カ] 形 外部からの, 付帯的な (↔ intrínseco). factor *extrínseco* 外的要因.

ex·tro·ver·ti·do, da [estroβertíðo, ða エストゥロベル**ティ**ド, ダ] 形名男女 → extravertido.

e·xu·be·ran·cia [eksuβeránθja エクスベ**ラ**ンしア] 名女 豊富, 充満. *exuberancia* de vegetación 植物の繁茂.

e·xu·be·ran·te [eksuβeránte エクスベ**ラ**ンテ] 形 豊富な; 溢(あふ)れんばかりの. alegría *exuberante* 狂喜.

e·xu·da·ción [eksuðaθjón エクスダし**オ**ン] 名女 滲出(しんしゅつ)(液).

e·xu·dar [eksuðár エクス**ダ**ル] 動他自 滲出(しんしゅつ)させる[する].

e·xul·ta·ción [eksultaθjón エクスるタし**オ**ン] 名女 歓喜, 狂喜.

e·xul·tar [eksultár エクスるタ**ル**] 動自 歓喜する, 狂喜する.

e·ya·cu·la·ción [ejakulaθjón エヤクらし**オ**ン] 名女 射精. *eyaculación* precoz 早漏.

e·ya·cu·lar [ejakulár エヤク**ら**ル] 動他自 射精する.

F f

F, f [éfe エフェ] 名㊛ スペイン語字母の第6字.
fa [fá ファ] 名㊚〘音楽〙ファ, ヘ音.
fa·ba·da [faβáða ファバダ] 名㊛〘料理〙白インゲン豆の煮込み料理. ◆スペイン Asturias 地方の代表的料理.
fá·bri·ca [fáβrika ファブリカ] 名㊛ [複 ～s]〔英 factory〕**1** 工場, 製作所. Trabajo en una *fábrica* textil. 私は繊維工場で働いている. *fábrica* de moneda 貨幣鋳造所. *fábrica* de papel 製紙工場.
2 製造, 製作. defectos de *fábrica* 製造上の欠陥.
3〘建築〙(石・れんが造りの) 建物, 建築物. pared de *fábrica* れんが造りの壁.
fa·bri·ca·ción [faβrikaθjón ファブリカしオン] 名㊛ **1** 製造, 生産. *fabricación* de coches 自動車の製造.
2 製品. *fabricación* defectuosa 欠陥品.
fa·bri·can·te [faβrikánte ファブリカンテ] 名㊚㊛ 製造業者, メーカー.
── 形 製造する. un industrial *fabricante* de tejidos 織物製造業者.
fa·bri·car [faβrikár ファブリカル] [⑧ c → q] 動㊀ **1** 製造する; 建造する. *fabricar* automóviles 自動車を生産する. *fabricado* en España スペイン製の.
2 でっち上げる. *fabricar* una mentira うそをでっち上げる.
fa·bril [faβríl ファブリる] 形 製造(業)の.
fá·bu·la [fáβula ファブら] 名㊛ **1** 寓話(ぐう); おとぎ話. *fábulas* de Esopo イソップ物語.
2 神話, 伝説.
3 作り話; ゴシップ.
fa·bu·lis·ta [faβulísta ファブりスタ] 名㊚㊛ 寓話(ぐう)作者; 神話研究者.
fa·bu·lo·so, sa [faβulóso, sa ファブろソ, サ] 形 **1** すばらしい, 想像を絶する, 信じられない; 法外な. fortuna *fabulosa* 巨万の富. aventura *fabulosa* 奇想天外な冒険. precio *fabuloso* 法外な値段.
2 寓話(ぐう)の; 伝説の; 架空の. héroe *fabuloso* 伝説の英雄. personaje *fabuloso* 架空の人物.
fac·ción [fakθjón ファクしオン] 名㊛ **1** 党派; 徒党. *facción* revolucionaria 革命派. *facción* de rebeldes 暴徒の一団.
2 [普通 facciones] 容貌(よう), 目鼻だち. tener *facciones* exóticas エキゾチックな容貌をしている.
fac·cio·so, sa [fakθjóso, sa ファクしオソ, サ] 形 徒党の, 反乱分子の.
── 名㊚㊛ 反乱分子.
faces 名 [複] → faz.
fa·ce·ta [faθéta ファせタ] 名㊛ **1** (多面体の) 面, (宝石の) カット面.
2 側面, 様相. una *faceta* desconocida de España スペインの知られざる一面.
fa·cha [fátʃa ファチャ] 名㊛《口語》**1** 外観; 容姿; 顔つき. tener buena *facha* 容姿端麗である.
2 不器量; みっともない格好.
── 名㊚㊛《口語》ファシスト; 右翼 (＝fascista).
fa·cha·da [fatʃáða ファチャダ] 名㊛ **1** (建物の) 前面, 正面, ファサード.
2 見かけ; うわべ. Tiene una *fachada* imponente. 彼は押し出しが立派だ.
con fachada a ... …に面した. una casa *con fachada a*l mar 海に面した家.
fa·cial [faθjál ファしアる] 形 顔の, 顔面の. nervio *facial* 顔面神経.
fá·cil [fáθil ファしる] 形 [複 ～es]〔英 easy〕
1 簡単な, やさしい, 容易な (↔ difícil). preguntas *fáciles* やさしい設問. en español *fácil* 分かりやすいスペイン語で. No es *fácil* explicarlo. それを説明するのは容易ではない.
2《＋**de** 不定詞》たやすく…できる, …しやすい. un problema *fácil de* resolver 簡単に解決できる問題. Es *fácil de* decir. 言うは易し.
3 安易な, 気楽な. llevar una vida *fácil* 気楽に暮らしている.
4 従順な, 扱いやすい; 気さくな. niño *fácil* 手のかからない子. Es de carácter *fácil* あの子は従順な性格だ.
5 (女が) ふしだらな.
── 副 容易に, 簡単に.
Es fácil que《＋接続法》《口語》たぶん…だろう. *Es fácil que* sean de la misma edad. 彼らは同い年ではなかろうか.
fa·ci·li·dad [faθiliðáð ファしりダ(ドゥ)] 名㊛ [複 ～es]〔英 facility〕**1** たやすさ, 容易さ (↔ dificultad). Ha resuelto el problema con la mayor *facilidad*. 彼はやすやすと問題を解いた. Habla español con mucha *facilidad*. 彼はスペイン語が実に流暢(りゅうちょう)だ.
2 [普通 ～es] 便宜. dar toda clase de *facilidades* あらゆる便宜をはかる.
3 能力, 素質. *facilidad* de palabra 能弁. tener *facilidad* para los idiomas 語学の才がある.

fa·ci·li·tar [faθilitár ファしりタル] 動他
1 容易にする. El puente *facilitó* la comunicación. 橋のお蔭で交通は容易になった. **2** 提供する; 仲介する, 手配する. *facilitar* a 《+uno》 los datos 〈人〉にデータを提供する.

fá·cil·men·te [fáθilménte ファしるメンテ] 副容易に, 楽々と.

fac·sí·mil [faksímil ファクシミる] 名男 複写, 複製; ファクシミリ.

fac·ti·cio, cia [faktíθjo, θja ファクティしオ, しア] 形 人為的な; 不自然な. necesidades *facticias* 作為的な需要.

fac·tor [faktór ファクトル] 名男 **1** 要因, ファクター. *factor* determinante 決定要素. **2**〘生物〙遺伝因子.
3〘数〙(1)因数, 因子. *factor* primo 素因数. (2)約数, 約量.
4〘物理〙〘電気〙係数, 率. *factor* de seguridad 安全率.

fac·to·rí·a [factoría ファクトリア] 名女
1 代理店; 代理業. **2** 工場 (= fábrica).

fac·tu·ra [faktúra ファクトゥラ] 名女 **1**〘商業〙請求書, 勘定書; 送り状, インボイス. *factura* de la reparación [de la electricidad] 修理代金[電気料]の請求書. *factura* proforma 仮送り状. extender una *factura* 請求書[送り状]を作成する.
2 出来栄え, 仕上がり. Este vestido tiene buena *factura*. この服は仕立てがいい.

fac·tu·ra·ción [fakturaθjón ファクトゥラしオン] 名女 **1** (空港・駅での) 荷物託送, チッキ. mostrador de *facturación*〘航空〙チェックインカウンター.
2〘商業〙インボイス[請求書]の作成.

fac·tu·rar [fakturár ファクトゥラル] 動他
1 (空港・駅で荷物を) 預ける, チッキにする.
2〘商業〙インボイス[請求書]を作成する; 勘定を請求する.

fa·cul·tad [fakultáð ファクるタ(ドゥ)] 名女 [複 ~es]〔英 faculty〕 **1** (大学の)**学部**. Está en la *facultad* de Derecho. 彼は法学部に在籍中です. *facultad* de Ingeniería 工学部. *facultad* de Medicina 医学部.
2 能力, 才能. *facultad* de pensar 思考能力. Este muchacho no tiene *facultades* para torero. こいつには闘牛士の才能がない.
3 権限, 権力. tener *facultad* para imponer sanciones 制裁を科する権限を持つ.

fa·cul·tar [fakultár ファクるタル] 動他 《+**para**》…の権限を与える; …を認可する. *facultar para* ejercer de abogado 弁護士開業を認可する.

fa·cul·ta·ti·vo, va [fakultatíβo, βa ファクるタティボ,バ] 形 **1** 任意の, 随意の (↔ obligatorio). **2** 医療の, 医師の. **3** 学部の.
— 名男女 医師.

fa·cun·dia [fakúndja ファクンディア] 名女 多弁. tener *facundia* 口達者である.

fa·do [fáðo ファド] 名男 ファド: ポルトガルの民謡. [←ポルトガル語]

fa·e·na [faéna ファエナ] 名女 **1** 仕事, 労働. *faenas* de la casa 家事. ¡Tengo mucha *faena*! 私には用事がたくさんあるんだよ. **2**〘闘牛〙(各段階の) 技.
3《口語》ひどい仕打ち; 汚い手段. hacer una *faena* a 《+uno》 〈人〉に嫌がらせをする. ¡Vaya [Qué] *faena*! ひどいなあ, 汚いなあ. **4**《ラ米》(農園での) 時間外労働.

fa·got [faɣót ファゴ(トゥ)] 名男〘音楽〙ファゴット, バスーン.
— 名男女〘音楽〙ファゴット[バスーン]奏者. [←フランス語]

Fah·ren·heit [fáreŋxait ファレンハイ(トゥ)] 形 華氏目盛りの, 華氏の. ► 「摂氏の」は centígrado. [←ドイツ語]

fai·sán [faisán ファイサン] 名男〘鳥〙キジ (雉).

fa·ja [fáxa ファハ] 名女 **1** 帯 (状のもの). *faja* del libro 本の帯. *faja* de periódico 新聞の帯封(おびふう).
2〘服飾〙(1)サッシュ, カマーバンド; ガードル. (2)綬(じゅ), 懸章. **3** 帯状の土地.

fa·jar [faxár ファハル] 動他 **1** …に帯[包帯など]を巻く; …に帯封(おびふう)をする.
2《ラ米》殴る.
— **fa·jar·se** **1** (自分で) 帯を締める. *fajarse* un brazo 腕に包帯を巻く.
2《ラ米》殴り合う.

fa·jo [fáxo ファホ] 名男 束, 包み.

falaces 名 [複] → falaz.

fa·la·cia [faláθja ファらしア] 名女 欺瞞(ぎまん), 詭弁(きべん).

fa·lan·ge [faláŋxe ファらンへ] 名女 ***Falange Española*** スペイン・ファランヘ党. ◆1933年に José Antonio Primo de Rivera が結成したファシズム政党.

fa·lan·gis·ta [falaŋxísta ファらンヒスタ] 形 ファランヘ党の.
— 名男女 ファランヘ党員.

fa·laz [faláθ ファらす] 形 [複 falaces] 虚偽の; 詭弁(きべん)の. promesa *falaz* まことしやかな約束.

fal·da [fálda ファるダ] 名女 [複 ~s]〔英 skirt〕
1 スカート. ponerse [quitarse] la *falda* スカートをはく[脱ぐ]. *falda* tubo タイトスカート.
2 山裾(やますそ), ふもと. Mi chalet está a la *falda* de la montaña. 私の別荘は山麓にある. **3** [~s]《口語》女性. cuestión de *faldas* 女性問題.
4 (座った女性の) 膝(ひざ) (= regazo). sentar a un niño en la *falda* 子供を膝に座らせる.
estar pegado* [*cosido*] *a las faldas de 《+uno》 乳離れしていない; 〈女〉に頭が上がらない.

fal·de·ro, ra [faldéro, ra ファるデロ, ラ] 形 **1** スカートにまとわりつく. niño *faldero* お母さん子, 甘えん坊.
2 女好きな.
―― 名男 女好き.

fal·dón [faldón ファるドン] 名男 (フロックコート・カーテンなどの) 垂れ, テール; (ワイシャツの) 裾(すそ). ➡ camisa 図.
agarrarse [***asirse***] ***a los faldones de*** 《+uno》〈人〉につきまとう.

fa·li·ble [falíβle ファりブれ] 形 誤りがちな, 間違いやすい (↔ infalible). memoria *falible* 当てにならない記憶.

fá·li·co, ca [fáliko, ka ファりコ, カ] 形 男根の; 男根崇拝の.

fa·lla [fáʎa ファりャ] 名女 **1** きず, 欠陥; (機械の) 不調, 故障. *falla* de encendido 不点火.
2 ファリャ: スペイン Valencia 地方の San José の火祭り (3月19日) で焼く張り子の人形; [las *Fallas*] その火祭り.
3 〘地質〙断層.

Fa·lla [fáʎa ファりャ] 固名 ファリャ, Manuel de (1876–1946): スペインの作曲家.

fa·llar [faʎár ファりャル] 動自 **1** 駄目になる, 壊れる. *fallar* los frenos ブレーキが利かなくなる.
2 失敗する; …の期待に背く. No me *falles*. 私の期待に背かないでくれ.
―― 動他 **1** 失敗する. *fallar* un penalty ペナルティーキックを外す.
2 裁定する, 宣告する (= sentenciar). *fallar* una sentencia 判決を下す. *fallar* a favor [en contra] de ... …に有利[不利]な裁定を下す.
sin fallar 必ず, 間違いなく.

fa·lle·cer [faʎeθér ファりェセル] 40 動自 亡くなる. *Falleció* a los ochenta años. 彼は80歳で他界した. ► morir (死ぬ) よりもかしこまった表現.

fa·lle·ci·do, da [faʎeθíðo, ða ファりェしド, ダ] 過分 形 死亡した. ―― 名男女 故人.

fa·lle·ci·mien·to [faʎeθimjénto ファりェしミエント] 名男 死亡, 死去.

fa·lli·do, da [faʎíðo, ða ファりィド, ダ] 形 **1** 失敗した, 期待外れの. cosecha *fallida* 不作. esfuerzos *fallidos* 無駄な努力.
2 〘商業〙破産した; こげついた.
―― 名男女 破産者.

fa·llo [fáʎo ファりョ] 名男 **1** 失敗.
2 間違い, 誤り; 欠陥, 欠落.
3 機能の停止[減退].
4 〘法律〙判決, 宣告. emitir un *fallo* 判決を下す.

fa·lo [fálo ファろ] 名男 男根, ファルス; 男根像.

falsa 形 名女 ➡ falso.

fal·se·a·mien·to [falseamjénto ファるセアミエント] 名男 歪曲(わいきょく); 偽造, 贋造(がんぞう).

fal·se·ar [falseár ファるセアル] 動他 歪曲(わいきょく)する; 偽造する (= falsificar). *falsear* los hechos 事実をねじ曲げる.
―― 動自 **1** 力[強度]がなくなる, 弱る.
2 〘音楽〙(弦の) 調子が狂う.

fal·se·dad [falseðáð ファるセダ(ドゥ)] 名女 虚偽; 偽善.

fal·se·te [falséte ファるセテ] 名男 〘音楽〙 (1) 裏声. cantar en *falsete* 裏声で歌う. (2) ファルセータ: 伴奏ギターの独奏部分.

fal·si·fi·ca·ción [falsifikaθjón ファるシフィカしオン] 名女 偽造, 歪曲(わいきょく); 偽造物. *falsificación* de moneda 偽金造り. *falsificación* de la verdad histórica 史実の歪曲.

fal·si·fi·car [falsifikár ファるシフィカル] [8 c ➡ q] 動他 偽造する. *falsificar* una firma 署名を偽る. *falsificar* billetes de banco 紙幣を偽造する.

fal·so, sa [fálso, sa ファるソ, サ] [複 ～s] 形 〔英 false〕 **偽りの**, 虚偽の (↔ auténtico, verdadero). Estas joyas son *falsas*. これらの宝石はイミテーションだ. palabras *falsas* 虚言. billete *falso* 偽札.
―― 名男女 うそつき.
en falso (1) 偽って. jurar *en falso* 偽証する. (2) 不適切に, 誤って. dar un paso *en falso* つんのめる.

fal·ta [fálta ファるタ] 名女 [複 ～s] 〔英 lack; fault〕
1 **欠如**; 不足. *falta* de mano de obra 労働力不足. *falta* de ganas 意欲の欠如, やる気のなさ. *falta* de respeto 無礼.
2 欠席, 欠勤. Hubo muchas *faltas* en la clase. 授業は欠席者が多かった.
3 欠点, 欠陥.
4 **誤り**, 間違い. En este folleto hay algunas *faltas*. このパンフレットにはいくつかの間違いがある.
5 過失, 違反; 〘スポ〙反則, (テニスの) フォールト. cometer una *falta* 過ちを犯す, 違反する. Es *falta* tuya. それは君のせいだ.
―― 動 ➡ faltar.
a falta de ... …がないので, …の代わりに.
echar en falta …がない[いない]のに気づく; ない[いない]のを不便に[寂しく]思う.
hacer falta 足りない, 必要である. Nos *hace falta* un intérprete. 私たちには通訳が1人必要だ. *Hace falta* llamar al médico. 医者を呼ばなくてはいけない.
notar la falta de ... …がない[いない]のを不便に[寂しく]思う.
por falta de ... …がないので, …の代わりに.
sacar faltas a ... …の欠点を指摘する, あらを探す.
sin falta 必ず, きっと. Venga a mi casa *sin falta*. 是非うちへいらしてください.

faltado 過分 ➡ faltar.

faltando 現分 ➡ faltar.

fal·tar [faltár ファるタル] 動自 [現分 faltando; 過分 falta-

do]〔英 lack〕 **1 足りない**, 欠けている. En este libro *faltan* cuatro páginas. この本には4ページの落丁がある. Le *falta* el sentido del humor. 彼にはユーモアのセンスがない. En una buena mesa no debe *faltar* el vino. ちゃんとした料理[ディナー]にワインは欠かせないものだ.
2 (時間・距離が) 残っている. Todavía *faltan* dos semanas para Navidad. クリスマスまでまだ2週間ある.
3《+**a**》…を欠席する, 欠勤する. *faltar a* clase 授業を休む.
4《+**a**》…に背く, 違反する; …を裏切る. *faltar a* SU palabra 約束を破る. *faltar a* SU marido 夫に不貞を働く.
5 失敗する, 故障する, 不発に終わる.
Falta poco [***nada***] ***para***《+不定詞》[***que***《+接続法》]. もう少しで…するところである. *Faltó poco para que* perdiéramos el tren. 私たちはもう少しで列車に乗り遅れるところだった.
faltar por《+不定詞》まだ…しなければならない. Me *falta por* leer un capítulo. 私はあと1章読まなければならない[まだ1章残っている].
Falta que《+接続法》. あと…しなければならない. Sólo *falta que* lo pases a limpio. あとは清書だけすればいい.
¡No faltaría [***faltaba***] ***más!*** もちろんだ; とんでもない; どういたしまして; いいですとも, 喜んで.

fal·to, ta [fálto, ta ファるト, タ] 形《+**de**》…の欠けた; 乏しい. *falto de* cortesía 礼儀知らずの. *falto de* recursos 資源に乏しい.
—— 動 → faltar.

fal·tri·que·ra [faltrikéra ファるトゥリケラ] 名女〔服飾〕内ポケット; ポシェット.

fa·ma [fáma ファマ] 名女〔英 fame〕 **1 名声**. ganar buena *fama* 名声を得る. dar *fama* a《+uno》〈人を〉有名にする. médico de *fama* 有名な医者. tener mucha *fama* 非常に有名である.
2 評判, うわさ. de buena [mala] *fama* 評判の良い[悪い]. Ese hombre tiene *fama* de tacaño. その男はけちだというもっぱらのうわさだ.

fa·mé·li·co, ca [faméliko, ka ファメりコ, カ] 形 空腹の, 飢えた (= hambriento).

fa·mi·lia [famílja ファミりア] 名女 [複 ~s]〔英 family〕
1《集合》**家族**; 家庭, 世帯. Somos cinco de [en la] *familia*. 私の家は5人家族です. Se reunió toda la *familia* en casa del abuelo. 祖父の家に家族全員が集まった. La *familia* Gómez tiene un chalet en Suiza. ゴメス一家はスイスに別荘を持っている. cabeza de *familia* 世帯主.
2 一族, 一門; 家系, 家柄. La señorita es de buena *familia*. 彼女は良家のお嬢さんだ. *familia* real 王室.
3〔植物〕〔動物〕科;〔言語〕語族.
en familia (1) 家族で. hacer un viaje *en familia* 家族旅行をする. (2) 内々に, 内輪で.

fa·mi·liar [familjár ファミりアる] [複 ~es] 形〔英 family; familiar〕 **1 家族の**, 家庭の. lazos *familiares* 家族の絆(きずな). circunstancias *familiares* 家庭環境.
2 親しい, くだけた. actitud *familiar* なれなれしい態度. expresión *familiar* くだけた表現. Su presencia se hizo *familiar* en mi casa. 彼はうちの家族同然になった.
3 熟知した, 精通した. Esa cara me es *familiar*. その顔は見覚えがある. El alemán le es tan *familiar* como el inglés. 彼はドイツ語にも英語にも通じている.

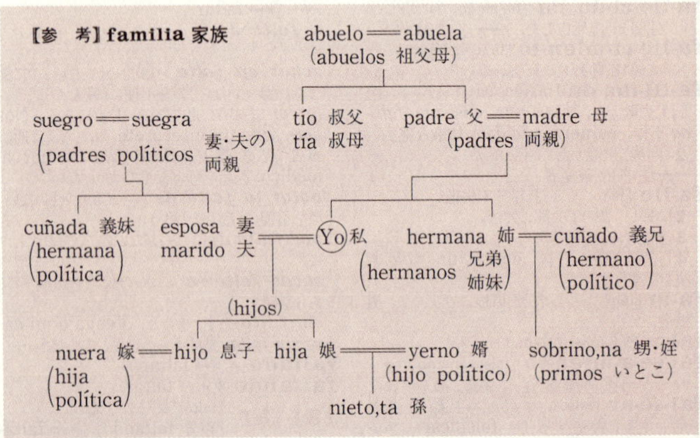

── 名男親戚(しんせき), 近親.
fa·mi·lia·ri·dad [familjariðáð ファミリアリダ(ドゥ)] 名女 親しみ, なじみ; [~es] なれなれしさ.
fa·mi·lia·ri·zar·se [familjariθárse ファミリアリサルセ] [39 z → c] 動 《+con》…と親しくなる, なじむ. *familiarizarse con* las costumbres extranjeras 外国の習慣に慣れる.
fa·mo·so, sa [famóso, sa ファモソ, サ] 形 [複 ~s] 〔英 famous〕 有名な, 名高い, 評判の; 《+por》…で有名な. el cuadro más *famoso* de este museo この美術館でいちばん有名な絵. La ciudad de Ávila es *famosa por* sus murallas. アビラの町は城壁で有名だ.
fan [fán ファン] 名男女 ファン, ひいき. [← 英語]
fa·ná·ti·co, ca [fanátiko, ka ファナティコ, カ] 形 狂信的な, 熱狂的な. creyente *fanático* 狂信的な信者.
── 名男女 狂信者; ファン. *fanático* del fútbol サッカー・ファン.
fa·na·tis·mo [fanatísmo ファナティスモ] 名男 狂信; 熱狂.
fa·na·ti·zar [fanatiθár ファナティサル] [39 z → c] 動他 狂信させる; 熱狂させる.
fan·dan·go [fandáŋgo ファンダンゴ] 名男 **1** 〔音楽〕ファンダンゴ: スペイン Andalucía 地方の踊り[舞曲]. **2** 《口語》騒ぎ.
fan·dan·gui·llo [fandaŋgíʎo ファンダンギリョ] 名男 〔音楽〕ファンダンゴに似た踊り[舞曲].
fa·ne·ga [fanéɣa ファネガ] 名女 **1** ファネガ: 体積の単位; 穀量の単位.
2 ファネガーダ (= *fanega* de tierra): 面積の単位, 約 64 アール.
fan·fa·rria [famfárja ファンファリア] 名女 **1** 虚勢. **2** 〔音楽〕ファンファーレ.
fan·fa·rrón, rro·na [famfarón, róna ファンファロン, ロナ] 形 ほらを吹く, 虚勢を張る.
── 名男女 ほら吹き, 虚勢を張る人.
fan·fa·rro·na·da [famfaronáða ファンファロナダ] 名女 ほら; 虚勢.
fan·fa·rro·ne·ar [famfaroneár ファンファロネアル] 動自 ほらを吹く; 虚勢を張る.
fan·fa·rro·ne·rí·a [famfaronería ファンファロネリア] 名女 ほら, 虚勢.
fan·go [fáŋgo ファンゴ] 名男 **1** 泥, 泥水.
2 不名誉, 不面目. llenar a 《+uno》 de *fango* 〈人〉の顔に泥を塗る.
fan·go·so, sa [faŋgóso, sa ファンゴソ, サ] 形 ぬかるんだ, 泥んこの.
fan·ta·se·ar [fantaseár ファンタセアル] 動自 **1** 空想にふける; 白日夢を見る.
2 《+de》…だとうぬぼれる. *fantasear de* guapa 美人だとうぬぼれる.
── 動他 夢見る, 夢想する.
fan·ta·sí·a [fantasía ファンタシア] 名女 [複 ~s] 〔英 fantasy〕 **1** 空想 (力). dejar correr la *fantasía* 空想をめぐらす.
2 [しばしば ~s] 思いつき, 幻想, 夢想. Esos planes son pura *fantasía*. それらの計画は夢物語にすぎない. Los viajes de que habla son *fantasías* suyas. 旅行の話は彼の頭の中ででっちあげたものだ.
3 〔音楽〕幻想曲.
de fantasía 装飾的な. artículos *de fantasía* ファンシーグッズ. chaleco *de fantasía* ファンシーベスト.
fan·ta·sio·so, sa [fantasjóso, sa ファンタシオソ, サ] 形 **1** うぬぼれの強い. **2** 夢想的な.
── 名男女 **1** うぬぼれ屋. **2** 夢想家.
fan·tas·ma [fantásma ファンタスマ] 名男 **1** 幻, 幻影. *fantasma* de la muerte 死の幻影. **2** 幽霊. **3** 《口語》うぬぼれ屋.
4 〔テレビ〕ゴースト.
── 形 幻の; 見せかけの. buque *fantasma* 幽霊船. sociedad *fantasma* 幽霊会社.
andar como un fantasma ぼけっとしている.
fan·tas·ma·go·rí·a [fantasmaɣoría ファンタスマゴリア] 名女 幻覚, 幻影.
fan·tas·mal [fantasmál ファンタスマル] 形 **1** 幻覚の, 幻影の. **2** 幽霊のような.
fan·tas·món, mo·na [fantasmón, móna ファンタスモン, モナ] 形 《口語》気取り屋の. ── 名男女 気取り屋.
── 名男 **1** 幽霊. **2** 見かけだおしの人.
fan·tás·ti·co, ca [fantástiko, ka ファンタスティコ, カ] 形 **1** 空想的な, 幻想的な. relato *fantástico* 空想物語.
2 すばらしい, すてきな. casa *fantástica* すばらしい家.
fan·to·cha·da [fantotʃáða ファントチャダ] 名女 **1** 奇行, 突飛さ. **2** 気取り, うぬぼれ.
fan·to·che [fantótʃe ファントチェ] 名男 **1** 操り人形; 人の言いなりになる人.
2 気取り屋; 見かけ倒しの人.
fa·ra·dio [faráðjo ファラディオ] 名男 〔電気〕ファラッド: 静電容量の単位 (記号 F).
fa·ra·ón [faraón ファラオン] 名男 ファラオ: 古代エジプト王の称号.
fa·ra·ó·ni·co, ca [faraóniko, ka ファラオニコ, カ] 形 **1** ファラオの.
2 豪華な, きらびやかな.
far·dar [farðár ファルダル] 動自 《口語》《+de》…を自慢する, 見せびらかす; かっこいい, スマートである.
far·do [fárðo ファルド] 名男 **1** (衣類の) 包み; 小荷物. **2** 《口語》でぶ.
far·dón, do·na [farðón, ðóna ファルドン, ドナ] 形 《口語》気取った; 人目を引く.
── 名男女 《口語》気取り屋, 自慢する人.
fa·rin·ge [faríŋxe ファリンヘ] 名女 〔解剖〕咽頭(いんとう).
fa·rín·ge·o, a [faxíŋxeo, a ファリンヘオ, ア] 形 〔解剖〕咽頭(いんとう)の.
fa·rin·gi·tis [fariŋxítis ファリンヒティス] 名

F

㊛[単・複同形]〘医〙咽頭(いんとう)炎.

fa·ri·sai·co, ca [farisáiko, ka ファリサイコ, カ] 形 **1** パリサイ人の. **2** 偽善的な.

fa·ri·se·o [fariséo ファリセオ] 名㊚ **1** パリサイ派の人. **2** 偽善家.

far·ma·céu·ti·co, ca [farmaθéutiko, ka ファルマセウティコ, カ] [複 ～s] 形 〔英 pharmaceutical〕**薬学の**, 製薬の.
—— 名㊚㊛ 薬剤師.

far·ma·cia [farmáθja ファルマしア] 名㊛ [複 ～s]〔英 pharmacy〕**1 薬局**, 薬屋, 調剤室. **2** 薬学, 調剤学.

far·ma·co·lo·gí·a [farmakoloxía ファルマコろヒア] 名㊛ 薬物学, 薬理学.

far·ma·co·pe·a [farmakopéa ファルマコペア] 名㊛ 薬局方, 調剤書.

fa·ro [fáro ファロ] 名㊚ **1** 灯台. → puerto 図.
2〘車〙ヘッドライト; ライト. *faro* antiniebla フォグランプ. *faro* piloto [trasero] テールライト, 尾灯. *faro* de marcha atrás バックライト. → automóvil 図, bicicleta 図, motocicleta 図.

fa·rol [faról ファロる] 名㊚ **1** 街灯; ちょうちん, ランタン.
2《口語》虚勢, はったり; 見えっ張り. tirarse [marcarse, echarse] un *farol* 虚勢を張る, はったりをかける.
3〘闘牛〙ファロル: カポーテを翻す技.
¡Adelante con los faroles!《口語》途中でくじけるな.

fa·ro·la [faróla ファロら] 名㊛ 街灯, ガス灯;〘海事〙標識灯;《口語》灯台.

fa·ro·le·ar [faroleár ファロれアル] 動㊐《口語》虚勢を張る.

fa·ro·le·ro, ra [faroléro, ra ファロれロ, ラ] 形《口語》見えっ張りの, 気取った.
—— 名㊚㊛《口語》見えっ張りの人.

fa·ro·li·llo [farolíʎo ファロりリョ] 名㊚ [farol の小] ちょうちん.

fa·rra [fáṝa ファラ] 名㊛《口語》お祭り騒ぎ. estar [ir] de *farra* どんちゃん騒ぎをする.

fá·rra·go [fáṝaɣo ファラゴ] 名㊚ ごたまぜ; 支離滅裂.

fa·rra·go·so, sa [faṝaɣóso, sa ファラゴソ, サ] 形 ごたまぜの; 支離滅裂な.

far·sa [fársa ファルサ] 名㊛ **1** 笑劇, ファルス; 茶番劇. **2** いんちき, いかさま.

far·san·te, ta [farsánte, ta ファルサンテ, タ] 名㊚㊛ うそつき, 偽善者; 道化役者; 猫かぶり; おとぼけ.

fas·cí·cu·lo [fasθíkulo ファしクろ] 名㊚ (事典・学術誌などの) 分冊. vender en *fascículos* 分冊で販売する.

fas·ci·na·ción [fasθinaθjón ファしナしオン] 名㊛ 魅惑, 魅了. ejercer una *fascinación* 魅惑する.

fas·ci·na·dor, do·ra [fasθinaðór, ðóra ファしナドル, ドラ] 形 → fascinante.

fas·ci·nan·te [fasθinánte ファしナンテ] 形 魅惑的な, うっとりさせる.

fas·ci·nar [fasθinár ファしナル] 動㊀ 魅惑する; 眩惑(げんわく)する. Su discurso *fascinaba* al auditorio. 彼の演説は聴衆を魅了した. —— **fas·ci·nar·*se*** 魅せられる, うっとりする.

fas·cis·mo [fasθísmo ファしスモ] 名㊚ ファシズム.

fas·cis·ta [fasθísta ファしスタ] 形 ファシズムの. —— 名㊚㊛ ファシスト.

fa·se [fáse ファセ] 名㊛ **1** 段階; 局面. *fase* de crecimiento 成長期. *fase* de desarrollo 発展段階.
2〘電気〙〘物理〙位相, 相.

fas·ti·diar [fastiðjár ファスティディアル] 動㊀《口語》**1** うんざりさせる, 不快にさせる. Me *fastidia* este niño con su lloriqueo. この子はめそめそして嫌だ. Me *fastidia* ir mañana a la oficina. 明日会社に行かなければならないなんて. ¡No *fastidies*! /¡No te *fastidia*! まさか冗談だろう; とんでもない.
2 台無しにする, 損なう. La lluvia *ha fastidiado* la cosecha. 雨で収穫が駄目になった.
—— **fas·ti·diar·*se***《口語》**1**《＋con》…にうんざりする. **2** 我慢する, 辛抱する. Si te ha salido mal, *te fastidias*. うまくいかなくても我慢しなさい.
3 台無しになる, 損なわれる.
¡Fastídiate!* / *¡Para que te fastidies!* / *¡Que se fastidie!《口語》いい気味だ, ざまあみろ.

fas·ti·dio [fastíðjo ファスティディオ] 名㊚ **1** 煩わしさ, 面倒. Es un *fastidio* tener que acompañarle. 彼と一緒に行くなんて嫌だなあ. ¡Qué *fastidio*! うるさいなあ.
2 退屈, 飽き.

fas·ti·dio·so, sa [fastiðjóso, sa ファスティディオソ, サ] 形 **1** 厄介な, 迷惑な; うるさい, 口やかましい. **2** 退屈な, 飽き飽きする.

fas·to [fásto ファスト] 名㊚ 華美, 豪奢(ごうしゃ).

fas·tuo·si·dad [fastwosiðáð ファストゥオシダ(ドゥ)] 名㊛ 華麗, 豪華.

fas·tuo·so, sa [fastwóso, sa ファストゥオソ, サ] 形 華麗な, 豪華な; 奢侈(しゃし)を好む, ぜいたく好きな.

fa·tal [fatál ファタる] 形
1 宿命的な, 不可避の. destino *fatal* 避けられない運命.
2 致命的な; 不運な. accidente *fatal* 生死にかかわる事故.
3《口語》ひどい, 最低の. película *fatal* ひどい映画. tener una suerte *fatal* とことんついていない. El examen resultó *fatal*. 試験はさんざんな結果に終わった.
—— 副《口語》ひどく. Esquía *fatal*. 彼のスキーの腕は話にもならない.

fa·ta·li·dad [fataliðáð ファタリダ(ドゥ)] 名㊛ **1** 運命, 宿命. La *fatalidad* lo quiso así. そうなったのも運命だ.

2 不運，災い．**3**《口語》最悪[最低]な人．
fa·ta·lis·mo [fatalísmo ファタリスモ] 名男 宿命論，運命論．
fa·ta·lis·ta [fatalísta ファタリスタ] 形 宿命論的な．── 名男女 宿命論者，運命論者．
fa·tal·men·te [fatálménte ファタるメンテ] 副宿命的に；運悪く；ひどく．
fa·tí·di·co, ca [fatíðiko, ka ファティディコ，カ] 形 不吉な，縁起の悪い．signo *fatídico* 不吉な徴候．
fa·ti·ga [fatíɣa ファティガ] 名女 **1** 疲れ，疲労 (=cansancio)；〖技術〗(金属) 疲労．Me muero de *fatiga*.疲れて死にそうだ．
2 呼吸困難，息切れ．
3 [普通 ～s] 苦労．pasar muchas *fatigas* とても苦労する．
dar a 《+uno》 ***fatiga*** 《口語》〈人〉をうんざりさせる．
fa·ti·gar [fatiɣár ファティガル] [32 g → gu] 動他 **1** 疲れさせる；消耗させる (=cansar). Este trabajo le *fatiga* mucho. この仕事は彼にとってきつい．
2 悩ます，うんざりさせる．Me *fatiga* con sus quejas. 彼の愚痴を聞くのはうんざりだ．
── **fa·ti·gar·*se*** 疲れる；息切れする．*Se fatigó* subiendo la escalera. 彼は階段を上がった時息切れがした．
fa·ti·go·so, sa [fatiɣóso, sa ファティゴソ，サ] 形 **1** 骨の折れる；うんざりする，退屈な．
2 苦しそうな，弱りきった．
fa·tui·dad [fatwiðáð ファトゥイダ(ドゥ)] 名女 **1** 愚鈍；愚行．**2** うぬぼれ，思い上がり．
fa·tuo, tua [fátwo, twa ファトゥオ，トゥア] 形 **1** 愚かな．**2** 思い上がった；中身のない．
fau·ces [fáuθes ファウセス] 名女 [複]〖動物〗喉(ど)．
fau·na [fáuna ファウナ] 名女 動物相，動物生態系．► 植物相は flora．
fau·no [fáuno ファウノ] 名男〖ローマ神話〗ファウヌス，牧神：半人半獣の森の神．
faus·to [fáusto ファウスト] 名男 絢爛(けんらん)豪華．

fa·vor [faβór ファボル] 名男 [複 ～es]〔英 favor, favour〕
1 好意，親切，世話．hacer [prestar] a 《+uno》 un *favor* 〈人〉のために尽くす．pedir a 《+uno》 un *favor* 〈人〉に頼み事をする，お願いをする．
2 引き立て，ひいき，支持．ganarse el *favor* de 《+uno》〈人〉に気に入られる．
a favor de ... (1) …に有利な，…の側[味方]に立って，…に賛成して．dar voto *a favor de* ... …に賛成票を投じる．(2) …のお陰で；…を利用して．
de favor 優待の．entrada *de favor* 招待券．
en favor de ... …のために，…の利益となるように．
favor de 《+不定詞》《ラ米》…してください．*Favor de* mandarme urgentemente el dinero. 至急送金請う．
hacer el favor de 《+不定詞》親切にも…する．¿ Me *hace* usted *el favor de* decirme qué hora es? 何時か教えていただけませんか．*Haga el favor de* firmar aquí. ここに署名をお願いします (► この形はごく丁寧な言い回し)．
por favor どうぞ，どうか；《呼びかけ》あのちょっと，すみません．Su nombre, *por favor*. お名前をどうぞ．La cuenta, *por favor*. お勘定をお願いします．
tener a [***en***] SU ***favor***... …がプラスとして働く，…を味方につけている．*Tiene a su favor* el haber hecho el doctorado en América. アメリカで博士号を取得したことが彼に幸いした．
fa·vo·ra·ble [faβoráβle ファボラブれ] 形 《+**para**》…に有利な，…に好意的な．mostrarse *favorable* a 《+algo》〈何か〉に好意的である，賛同する．
fa·vo·re·cer [faβoreθér ファボレセル] 40 動他 **1** …に幸いする，有利に働く；援助する．La devaluación de la moneda nacional ha *favorecido* la economía del país. 平価の切り下げは国の経済に幸いした．
2 引き立てる，よく見せる．Le *favorece* el pelo largo. 彼女には長い髪がよく似合う．
── **fa·vo·re·cer·*se*** 《+**de**》…を利用する．
favorezc- → favorecer. 40
fa·vo·ri·tis·mo [faβoritísmo ファボリティスモ] 名男 情実，えこひいき．
fa·vo·ri·to, ta [faβoríto, ta ファボリト，タ] 形 気に入りの，ひいきの．deporte *favorito* 大好きなスポーツ．
── 名男女 **1** お気に入り；寵臣(ちょうしん)．
2 (競技の) 本命．
fax [fáks ファクス] 名男 ファックス，ファクシミリ．[←英語]
faz [fáθ ファす] 名女 [複 faces] **1** 《文語》顔；表情．**2** (貨幣などの) 表．
fe [fé フェ] 名女〔英 faith〕
1 信用，信頼．tener *fe* en el porvenir 未来を信じる．prestar *fe* a ... …を信用する．Su palabra es digna de *fe*. 彼の言葉は信じていいよ．
2 信仰；信奉．*fe* cristiana キリスト教．
3 誓い；誠意．a *fe* de caballero 紳士の名誉にかけて．a *fe* mía / por mi *fe* 誓って．de buena [mala] *fe* 善意[悪意]で．
4 証明書．*fe* de bautismo [de matrimonio] 洗礼[結婚] 証明書．*fe* de erratas 正誤表．
dar fe de ... …は確かだと認める；…を証明する．
fea 形女 → feo[1].
fe·al·dad [fealdáð フェアるダ(ドゥ)] 名女 醜さ；卑劣さ．

fe·bre·ro [feβréro フェブレロ] 名男 [複 ～s]〔英 February〕 **2月** 《略 feb., febr.》．→ mes【参考】．

fe·brí·fu·go, ga [feβrífuɣo, ɣa フェブリフゴ, ガ] 形 解熱の. ── 名男 解熱剤.
fe·bril [feβríl フェブりる] 形 **1** 熱のある, 熱っぽい. **2** 激しい, 熱狂的な.
fe·cal [fekál フェカる] 形 糞便(ふんべん)の, 屎尿(しにょう)の.
feces 名[複] → fez.
fe·cha [fétʃa フェチャ] 名女 [複 ～s]〔英 date〕
1 日付, 年月日. poner la *fecha* en una carta 手紙に日付を記す. señalar *fecha* 日時[日取り]を決める. una carta con *fecha* de 3 [tres] de marzo 3月3日付けの手紙.
2 時期. por estas *fechas* このごろ, 今ごろ. hasta la *fecha* 今日現在まで, これまでのところ.

F

fe·char [fetʃár フェチャル] 動他 …に日付を記す; …の年月日を確定する.
fe·cho·rí·a [fetʃoría フェチョリア] 名女 悪事; いたずら. cometer [hacer] *fechorías* 悪事を働く.
fé·cu·la [fékula フェクら] 名女 澱粉(でんぷん).
fe·cu·len·to, ta [fekulénto, ta フェクれント, タ] 形 **1** 澱粉(でんぷん)質の. **2** 濁った.
fe·cun·da·ción [fekundaθjón フェクンダしオン] 名女 肥沃(ひよく)化; 受胎, 受精. *fecundación* externa 体外受精.
fe·cun·dar [fekundár フェクンダル] 動他
1 肥沃(ひよく)にする, 豊かにする.
2 受胎させる, 受精させる.
fe·cun·di·dad [fekundiðáð フェクンディダ(ドゥ)] 名女 肥沃(ひよく); 多産; 豊かさ.
fe·cun·di·zar [fekundiθár フェクンディさル] [39 z → c] 動他 肥沃(ひよく)にする, 豊かにする.
fe·cun·do, da [fekúndo, da フェクンド, ダ] 形 **1** 肥沃(ひよく)な; 多産の; 多作の.
2 《+en》…でいっぱいの.
fe·de·ra·ción [feðeraθjón フェデラしオン] 名女 **1** 連邦; 連邦化. **2** 連合, 連盟. *Federación* Española de Fútbol スペインサッカー連盟《略 F.E.F.》.
fe·de·ral [feðerál フェデラる] 形 連邦制の. 連邦区 (Distrito *Federal*) の.
── 名男女 連邦主義者.
fe·de·ra·lis·mo [feðeralísmo フェデラりスモ] 名男 連邦主義, 連邦制度.
fe·de·ra·lis·ta [feðeralísta フェデラりスタ] 形 連邦主義の, 連邦制の (↔ centralista).
── 名男女 連邦主義者.
fe·de·rar [feðerár フェデラル] 動他 連邦制にする, 連合させる.
fe·de·ra·ti·vo, va [feðeratíβo, βa フェデラティボ, バ] 形 連邦制の.
Fe·de·ri·co [feðeríko フェデリコ] 固名 フェデリコ: 男性の名.
fe·ha·cien·te [feaθjénte フェアしエンテ] 形 真正な, 信頼できる. prueba *fehaciente* 確かな証拠.
felices 形[複] → feliz.
fe·li·ci·dad [feliθiðáð フェりしダ(ドゥ)] 名女 [複 ～es]〔英 happiness〕 幸福, 幸せ; 幸運. Os deseo toda clase de *felicidades*. 皆さんのご多幸を祈ります.
Felicidades.* / *Muchas felicidades. (新年・誕生日・クリスマスなどの) おめでとう.
► 成功・結婚を祝う場合は主に enhorabuena.
fe·li·ci·ta·ción [feliθitaθjón フェりしタしオン] 名女 祝賀, 祝辞; 賛辞, 褒め言葉. Mis mejores *felicitaciones* por su éxito. あなたのご成功を心からお祝い申しあげます.
fe·li·ci·tar [feliθitár フェりしタル] 動他〔英 congratulate〕 祝う, 祝辞を述べる; 称賛する. ¡Te *felicito*! おめでとう. Le *felicito* por haber conseguido ese empleo. ご就職おめでとうございます. ¡Qué raro que Enrique no me *haya felicitado* por mi cumpleaños! 私の誕生日にエンリケが何も言ってくれなかったなんておかしい.
── **fe·li·ci·tar·*se*** 《+de》…をうれしく思う, 喜ぶ (= alegrarse). *Me felicito de* haber conseguido ese empleo tan estupendo. あんなにすばらしいところに就職できてとてもうれしい.
fé·li·do [féliðo フェりド] 名男 [～s]《動物》ネコ科.
fe·li·grés, gre·sa [feliɣrés, ɣrésa フェりグレス, グレサ] 名男女 教区の信者, 教区民.
fe·li·gre·sí·a [feliɣresía フェりグレシア] 名女 (教区の) 教会; 《集合》教区民; 教区.
fe·li·no, na [felíno, na フェりノ, ナ] 形《動物》ネコ科の; ネコのような.
Fe·li·pe [felípe フェりペ] 固名 フェリペ: 男性の名. San *Felipe*《聖書》聖フィリポ (キリストの十二使徒のひとり). *Felipe* II [Segundo] フェリペ2世 (スペイン王. 在位1556–98).
fe·liz [felíθ フェりす] 形 [複 felices]〔英 happy〕
1 幸福な, 幸せな (↔infeliz, desgraciado); 幸運な, 楽しい. un hombre *feliz* 幸せな男. Los padres se sienten más *felices* que nadie. 両親がいちばん喜んでいる. La película terminó en *feliz* desenlace. その映画はハッピーエンドで終わった. encuentro *feliz* 幸運な出合い.
2 的確な, 適切な. una solución *feliz* 適切な方策.
fe·lón, lo·na [felón, lóna フェろン, ろナ] 形 不忠な, 裏切りの.
── 名男女 不忠者, 裏切り者.
fe·lo·ní·a [felonía フェろニア] 名女 不忠, 裏切り.
fel·pa [félpa フェるパ] 名女 **1**《服飾》パイル[ループ]地, フラシ天. oso de *felpa* クマのぬいぐるみ.
2《口語》たたく[殴る]こと; 叱責(しっせき). dar [echar] una *felpa* a《+uno》〈人〉をぶ

つ.

fe·me·ni·no[1], **na** [femeníno, na フェメニノ, ナ] 形 [複 ~s] 〔英 feminine〕 **1 女性の**; 女らしい (↔ masculino); 〘生物〙雌の. gracia *femenina* 女性らしい優しさ. sexo *femenino* 女性.
2 〘文法〙女性(形)の. terminación *femenina* 女性形語尾.

fe·me·ni·no[2] [femeníno フェメニノ] 名男 〘文法〙女性(形).

fe·mi·ni·dad [feminiðáð フェミニダ(ドゥ)] 名女 女性であること, 女らしさ; (男の) めめしさ.

fe·mi·nis·mo [feminísmo フェミニスモ] 名男 男女同権主義, フェミニズム.

fe·mi·nis·ta [feminísta フェミニスタ] 形 男女同権主義の, フェミニズムの.
—— 名男女 男女同権主義者, フェミニスト.

fe·ne·cer [feneθér フェネセル] 40 動自 息をひきとる, 死ぬ; 尽きる, 終わる. El plazo de suscripción *fenece* dentro de tres días. あと3日で申し込みは締め切りとなります.
—— 動他 終わらせる.

fe·ni·cio, cia [feníθjo, θja フェニしオ, しア] 形 〘歴史〙フェニキア Fenicia の.
—— 名男女 フェニキア人.
—— 名男 フェニキア語.

fé·nix [féniks フェニクス] 名男 [単・複同形]
1 不死鳥, フェニックス.
2 第一人者, 逸材. el *fénix* de los ingenios 不世出の天才.

fe·no·me·nal [fenomenál フェノメナる] 形 **1** 自然現象の; 現象の.
2 《口語》並外れた, すてきな; ばかでかい. talento *fenomenal* 驚くべき才能.
—— 副 《口語》すばらしく, 見事に. La chica baila *fenomenal*. あの娘は踊りがとても上手だ. ¡*Fenomenal*! すばらしい!, すごい!

fe·nó·me·no [fenómeno フェノメノ] 名男
1 現象, 事象. La sequía de este año ha sido un *fenómeno* que nunca hemos experimentado. 今年の旱魃(かんばつ)くらい異常な現象はなかった.
2 《口語》並外れた人[もの, こと]. Esta pianista es un *fenómeno*. このピアニストは天才だ. ¡*Fenómeno*! すごい.
—— 副 《口語》すばらしく, 見事に. Lo pasamos *fenómeno*. 我々はすごく楽しい時を過ごした.

fe·o[1], **a** [féo, a フェオ, ア] 形 [複 ~s] 〔英 ugly〕
1 醜い (↔ guapo); 見苦しい; 卑劣な. una cara *fea* 醜い顔. una película muy *fea* 醜悪な映画. Es *feo* chillar en la calle. 外でわめくのはみっともない.
2 (状況が) 悪い. La cosa se está poniendo *fea*. 事態は悪化している.
dejar feo a 《+uno》〈人〉の顔に泥を塗る, 〈人〉に恥をかかせる.

fe·o[2] [féo フェオ] 名男 侮辱, 辱め. hacer un *feo* a 《+uno》〈人〉を侮辱[ばかに]する.

feraces 形 [複] → feraz.

fe·ra·ci·dad [feraθiðáð フェラしダ(ドゥ)] 名女 肥沃(ひよく).

fe·raz [feráθ フェラす] 形 [複 feraces] 肥沃(ひよく)な.

fé·re·tro [féretro フェレトゥロ] 名男 棺, 柩(ひつぎ).

fe·ria [férja フェリア] 名女 [複 ~s] 〔英 fair〕 **1 市**, 見本市. *feria* del libro 書籍フェア. *feria* internacional de muestras 国際見本市.
2 祭り; 縁日. *Feria* de Sevilla セビーリャの春祭り.
3 《ラ米》チップ; 小銭, 釣り銭.

fe·ria·do [ferjáðo フェリアド] 形 《ラ米》休みの. —— 名男 《ラ米》休日.

fe·rial [ferjál フェリアる] 形 市の, 市が開催される. —— 名男 市の立つ場所.

fe·rian·te [ferjánte フェリアンテ] 名男女 市の商人; (見本市の) 出品者.

fe·riar [ferjár フェリアル] 動他 (市で) 売買する.
—— 動自 休業する.

fer·men·ta·ción [fermentaθjón フェルメンタしオン] 名女 **1** 発酵. **2** 興奮, 沸き返り.

fer·men·tar [fermentár フェルメンタル] 動自 **1** 発酵する. **2** 醸成される.
—— 動他 発酵させる.

fer·men·to [ferménto フェルメント] 名男
1 酵素, 酵母. **2** 誘因, 動因. *fermento* revolucionario 革命の火種.

Fer·nan·do [fernándo フェルナンド] 固名 フェルナンド: 男性の名. 愛 Nano. *Fernando* V el Católico フェルナンド5世カトリック王 (カスティーリャ女王 Isabel の夫. アラゴン王としてはフェルナンド2世. 在位1479–1516).

feroces 形 [複] → feroz.

fe·ro·ci·dad [feroθiðáð フェロしダ(ドゥ)] 名女 獰猛(どうもう)さ, 残忍さ.

fe·roz [feróθ フェロす] 形 [複 feroces]
1 獰猛(どうもう)な; 残酷な, 残忍な.
2 激しい; ひどい. resistencia *feroz* 激しい抵抗. tener un hambre *feroz* ひどく腹がすいている.

fé·rre·o, a [fér̄eo, a フェレオ, ア] 形 鉄の; 鉄のような; 不屈の; 冷酷な. voluntad *férrea* 鉄の意志.

fe·rre·te·rí·a [fer̄etería フェレテリア] 名女 **1** 鍛冶(かじ)場; 製鉄所; 金物店.
2 《集合》金物.

fe·rro·ca·rril [fer̄okar̄íl フェロカリる] 名男 鉄道 (= vía férrea). Fuimos por *ferrocarril* hasta Málaga. Allí tomamos un barco. 私たちはマラガまで電車で行って, そこから船に乗った. Red Nacional de los *Ferrocarriles* Españoles スペイン国有鉄道 《略 RENFE》. *ferrocarril* funicu-

F

lar ケーブルカー.

fe·rro·so, sa [fer̄óso, sa フェロソ, サ] 形 鉄分を含む;〘化〙第一鉄の.

fe·rro·via·rio, ria [fer̄oβjárjo, rja フェロビアリオ, リア] 形 鉄道の. red *ferroviaria* 鉄道網. —— 名男女 鉄道員.

fér·til [fértil フェルティる] 形 肥沃(ひよく)な (↔ estéril) ; 豊かな, 富んだ. tierra *fértil* 肥えた土地. mujer en edad *fértil* 出産年齢にある女性. año *fértil* en acontecimientos 事件の多かった年. imaginación *fértil* 豊かな想像力.

fer·ti·li·dad [fertiliðáð フェルティリダ(ドゥ)] 名女 肥沃(ひよく); 豊かさ.

fer·ti·li·zan·te [fertiliθánte フェルティリさンテ] 形 肥沃(ひよく)にする. —— 名男 肥料. *fertilizantes* nitrogenados 窒素肥料.

F

fer·ti·li·zar [fertiliθár フェルティリさル] [39 z → c] 動他 肥沃(ひよく)にする. *fertilizar* la tierra 畑を肥やす.

fé·ru·la [férula フェルら] 名女 (生徒の手をたたく体罰用の) 木べら;〘医〙添え木, 副木. ***estar bajo la férula de*** 《+uno》〈人〉の厳しい監督下にある.

fer·vien·te [ferβjénte フェルビエンテ] 形 熱心な, 熱烈な (= fervoroso). un *ferviente* devoto del budismo 仏教の熱心な信者.

fer·vor [ferβór フェルボル] 名男 熱情, 熱意; 灼熱(しゃくねつ), 炎熱. con *fervor* 熱心に. *fervores* estivales 夏の酷暑.

fer·vo·ro·sa·men·te [ferβorósaménte フェルボロサメンテ] 副 熱心に.

fer·vo·ro·so, sa [ferβoróso, sa フェルボロソ, サ] 形 熱心な, 熱烈な.

fes·te·jar [festexár フェステハル] 動他 **1** 祝う; 歓待する. *festejar* a un invitado 客をもてなす. **2** (女を) 口説く, 言い寄る.

fes·te·jo [festéxo フェステホ] 名男 **1** 歓待; 祝宴. **2** 口説き, 言い寄り. **3** [普通 ~s] 祭り.

fes·tín [festín フェスティン] 名男 宴会, 祝宴 (= banquete).

fes·ti·val [festiβál フェスティバる] 形 祭りの. —— 名男 フェスティバル, 祭典; 音楽祭. *festival* de cine 映画祭.

fes·ti·vi·dad [festiβiðáð フェスティビダ(ドゥ)] 名女 **1** 祭典; 祝祭日. **2** 陽気, 楽しさ.

fes·ti·vo, va [festíβo, βa フェスティボ, バ] 形 **1** 祝祭の.
2 浮かれた; ユーモラスな. estar de un humor *festivo* お祭り気分である.

fes·tón [festón フェストン] 名男 花綱;〘服飾〙スカラップ (裾(すそ)などの波形の縁取り);〘建築〙花綱装飾; 懸花装飾.

fe·tal [fetál フェタる] 形 胎児の. movimiento *fetal*〘医〙胎動.

fe·ti·che [fetítʃe フェティチェ] 名男
1 呪物(じゅぶつ), 物神, フェティッシュ.
2 マスコット; お守り.

fe·ti·chis·mo [fetitʃísmo フェティチスモ] 名男 **1** 呪物(じゅぶつ)崇拝, 物神崇拝.
2〘心理〙フェティシズム: 異性の体の一部や所有物を性愛の対象とすること.

fe·ti·chis·ta [fetitʃísta フェティチスタ] 形
1 呪物(じゅぶつ)崇拝の, 物神崇拝の.
2 フェティシズムの.
—— 名男女 **1** 呪物[物神]崇拝者.
2 フェティシスト.

fe·ti·dez [fetiðéθ フェティデす] 名女 悪臭, 臭気 (= hedor).

fé·ti·do, da [fétiðo, ða フェティド, ダ] 形 悪臭を放つ, 臭い.

fe·to [féto フェト] 名男 **1** 胎児.
2 《口語》醜い人.

fe·ú·cho, cha [feútʃo, tʃa フェウチョ, チャ] 形 《口語》醜い, 不器量な.

feu·dal [feuðál フェウダる] 形 封建制の, 封建的な.

feu·da·lis·mo [feuðalísmo フェウダリスモ] 名男 封建制度.

feu·do [féuðo フェウド] 名男 **1** 領地, 封土. **2** 領域, 分野.

fez [féθ フェす] 名男 [複 feces] (イスラム教徒の) トルコ帽.

fí- 動 → fiar. [23 i → í]

fia·bi·li·dad [fjaβiliðáð フィアビリダ(ドゥ)] 名女 信頼性.

fia·ble [fjáβle フィアブれ] 形 信頼できる.

fia·dor, do·ra [fjaðór, ðóra フィアドル, ドラ] 名男女 保証人, 身元引受人. salir *fiador* por 《+uno》〈人〉の保証人になる.
—— 名男 **1** かんぬき, 掛け金; (銃の) 安全装置. **2** 留め金; (帽子の) 顎(あご)ひも.

fiam·bre [fjámbre フィアンブレ] 名男
1〘料理〙冷肉, ハム・ソーセージ類.
2 《俗語》死体.
—— 形 **1**〘料理〙冷たい. **2** 《口語》新鮮味のない. noticia *fiambre* 旧聞.

fian·za [fjánθa フィアンさ] 名女 担保, 抵当, 保証; 保釈金. *fianza* de arraigo 抵当.

fiar [fjár フィアル] [23 i → í] 動他 **1** 保証する. Puedes emplearle con toda confianza, yo le *fío*. 彼を安心して雇っていいよ, この私が保証するから.
2 信用する; 信用して任せる[託す] (= confiar). **3** 掛けで売る.
—— 動自 **1** 《+ **en**》…を信用する. No *fíes* tanto *en* la opinión ajena. 人の意見をそんなに信じてはいけない. **2** (…に) 掛け売りする. El carnicero no me *fía*. あの肉屋は私に掛け売りしてくれない.
—— **fiar·*se*** 《+ **de**》…を信頼する, 信用する. Es una persona ingenua. *Se fía de* todo el mundo. 彼は純真で世間の人を信じて疑わない. *fiarse de* las apariencias 外見を信じる.
ser de fiar 信用がおける. Este chico no *es de fiar*. この子はどうも信用できない.

fias·co [fjásko フィアスコ] 名男 失敗, 当て外れ (= chasco). hacer *fiasco* しくじる.

fi·bra [fíβra フィブラ] 名女 **1** 繊維, ファイバー; 〘医〙線維質[組織]. *fibra* de vidrio グラスファイバー. *fibra* óptica 光ファイバー. *fibra* muscular 筋(肉)線維.
2 根性; 素質.

fi·bro·so, sa [fiβróso, sa フィブロソ, サ] 形 繊維の多い, 筋だらけの.

fic·ción [fikθjón フィクしオン] 名女 虚構, フィクション; 見せかけ. Es pura *ficción*. あれは全くのでっちあげだ.
ciencia ficción 空想科学小説, SF.

fi·cha [fítʃa フィチャ] 名女 **1** (整理・記録・登録用の) カード. *fichas* bibliográficas 蔵書目録カード. *ficha* policíaca 警察の調書.
2 (電話・遊戯などで用いる) チップ, 代用硬貨. **3** (ドミノ・マージャンの) パイ (牌).
ficha técnica 〘映画〙〘テレビ〙クレジットタイトル.

fi·cha·je [fitʃáxe フィチャヘ] 名男 (スポーツ選手などの) 入団契約; 契約金.

fi·char [fitʃár フィチャル] 動他 **1** カードに記載する. Todavía no *he fichado* ese libro. まだその本の索引カードを作っていないんだ. **2** 要注意人物と見なす, マークする. La *fichó* su jefe. 彼女は上司ににらまれている.
3 〘スポ〙(選手と) 契約を結ぶ.
—— 動自 **1** タイムカードを押す.
2 〘スポ〙(選手が) 契約する.

fi·che·ro [fitʃéro フィチェロ] 名男 ファイル [カード] キャビネット.

fic·ti·cio, cia [fiktíθjo, θja フィクティしオ, しア] 形 虚構の, 架空の; 虚偽の. nombre *ficticio* 仮名. amabilidad *ficticia* うわべだけの親切.

fi·de·dig·no, na [fiðeðíɣno, na フィデディグノ, ナ] 形 信頼できる. fuentes *fidedignas* 確かな情報筋.

fi·dei·co·mi·so [fiðeikomíso フィデイコミソ] 名男 〘法律〙信託処分.

fi·de·li·dad [fiðeliðáð フィデリダ(ドゥ)] 名女 誠実, 忠誠; 貞節; 〘通信〙フィディリティー. alta *fidelidad* 高忠実度, ハイファイ.

fi·de·o [fiðéo フィデオ] 名男 **1** 〘料理〙ヌードル. **2** 《口語》やせた人. hecho un *fideo* やせて骨と皮ばかりの.

fi·du·cia·rio, ria [fiðuθjárjo, rja フィドゥしアリオ, リア] 形 信託の; 受託者の.
—— 名男 〘法律〙受託者, 被信託者.

fie·bre [fjéβre フィエブレ] 名女 **1** 〘医〙熱; 熱病. Tengo mucha *fiebre*. 私は熱が高い. Le ha subido *la fiebre*. 彼は熱が上がった. *fiebre* amarilla 黄熱病. *fiebre* tifoidea 腸チフス.
2 熱狂, 興奮, フィーバー. *fiebre* electoral 選挙フィーバー.

fiel [fjél フィエる] [複 ～es] 形 〔英 faithful〕 **1** 《+**a**, **con**, **para**, **para con**》…**に忠実な**, 誠実な; 貞淑な (↔ infiel). *fiel a* su patria 祖国に忠実な. *fiel a* su marido 夫に貞淑な. *fiel con* [*para con*] sus amigos 友情に厚い.
2 正確な. una reproducción *fiel* del cuadro de Goya ゴヤの絵の忠実な模写. una balanza *fiel* 正確な秤(はかり).
—— 名男女 [普通 ～es] 信者, (特に) キリスト教徒.
—— 名男 (秤の) 指針.

fiel·men·te [fjélménte フィエルメンテ] 副 忠実に.

fiel·tro [fjéltro フィエるトゥロ] 名男 〘服飾〙フェルト; フェルト製品.

fie·ra [fjéra フィエラ] 名女 **1** 肉食獣; [～s] 猛獣類. **2** 〘闘牛〙牛.
3 残忍な人, 凶悪な人; 怒りっぽい人. hecho una *fiera* かんかんに怒って.
ser una fiera para [***en***] 《+algo》〈何か〉に身を入れる. *Es una fiera para* el trabajo. 彼は仕事の鬼だ.

fie·re·za [fjeréθa フィエレさ] 名女 獰猛(どうもう)さ; 残忍; すさまじさ.

fie·ro, ra [fjéro, ra フィエロ, ラ] 形 獰猛(どうもう)な; 残忍な; ものすごい.
—— 名男 [～s] 虚勢. echar *fieros* こけ威(おど)しを言う.

fies·ta [fjésta フィエスタ] 名女 [複 ～s] 〔英 holiday ; party〕
1 祭り; **祝祭日**, 休日 (= día de *fiesta* ; 《ラ米》día feriado). El 19 de marzo es la *fiesta* de San José. 3月19日は聖ヨゼフの祝日だ (◆聖ヨゼフがキリストの父であることから, 日本の「父の日」のようにプレゼントをする習慣がある). *fiesta* de San Fermín サン・フェルミン祭 (◆パンプロナの牛追い祭り. 7月7日). las *fiestas* de San Isidro 聖イシドゥロの祭り (◆5月15日を中心としたマドリードの守護聖人を祝う祭り. この期間の闘牛は有名). las *fiestas* navideñas [de Navidad] クリスマス休暇. hacer *fiesta* 仕事を休む, 休暇を取る.

> **【参　考】主な祝祭日**　día de Año Nuevo 元日 (1月1日). día de los Reyes Magos 主の御公現の祝日 (1月6日). San José 聖ヨゼフの祝日 (3月19日). Semana Santa 聖週間 (Domingo de Ramos 棕櫚(しゅろ) [枝] の祝日, Jueves Santo 聖木曜日, Viernes Santo 聖金曜日, Domingo de Resurrección 復活の主日). día del Trabajo メーデー (5月1日). *Fiesta* Nacional de España スペイン・デー (10月12日. 旧称は día de la Raza [de la Hispanidad]). día de Todos los Santos 諸聖人の祝日 (11月1日). día de los Difuntos 万霊節 (11月2日). Noche Buena クリスマスイブ(12月24日). Navidad クリスマス (12月25日).

2 パーティー, 祝宴; 祝典. Todos sus hijos se reunieron para la *fiesta* familiar. 息子たち全員が家族パーティーに集まっ

た. dar [hacer] una *fiesta* パーティーを開く.

estar de fiesta 休暇中である; 上機嫌である.

hacer fiestas a 《+uno》〈人〉をちやほやする, 〈人〉の機嫌を取る.

no estar para fiestas 機嫌が悪い.

fi·gu·ra [fiɣúra フィグラ] 名女 [複 ~s] 〔英 figure〕

1 姿, 形. *figura* de león ライオンの形. tener buena *figura* スタイルがいい.

2 像, 人物像. En el cuadro aparece una *figura* de mujer con el niño en sus brazos. その絵には子供を抱いた婦人の像が描かれている. *figura* alargada de un joven hecha de cerámica 陶製の細長い青年像. *figura* de frente 正面を向いた像. *figura* central 〘演劇〙主役.

3 図形, 図. Dibujó unas *figuras* de no sé qué. 彼はわけの分からない図を描いた.

4 人物; 名士, 大立て者. una de las grandes *figuras* de la época 当時[現代]の大立て者の1人. *figura* histórica 歴史上の人物. **5** 〘スポーツ〙フィギュア; 〘遊戯〙(トランプの)絵札.

—— 動 → figurar.

fi·gu·ra·do, da [fiɣuráðo, ða フィグラド, ダ] 過分 形 比喩(ゆ)的な, 表象的な. en sentido *figurado* 比喩的な意味で.

fi·gu·rar [fiɣurár フィグラル] 動他 〔英 figure〕 **1 表す**, かたどる. Estas líneas *figuran* los árboles. ここに描いた線は樹木を表している.

2 装う, 見せかける. *Figuró* que no estaba en casa. 彼は居留守をつかった.

—— 動自 **1** (新聞などに) 載る, 記載される. Su nombre no *figura* en la lista. 彼の名はリストに出ていない.

2 姿を見せる; 重きをなす. Él *figura* mucho en el mundo del espectáculo. ショービジネスの世界で彼は重要な位置を占めている.

3 《**+ como, de**》…の役を演じる. *figurar como* [*de*] profesor 先生の役を演じる.

—— **fi·gu·rar·se** 〔英 imagine〕 **想像する**, 心に描く. No *te figures* que puedas hacer todo lo que quieras. やりたいことはなんでもできるなんて思うな. *Figúrate*. ちょっと考えてもごらんよ.

figurarse a 《+uno》 ***que*** ... 〈人〉に…と思える. *Se* me *figura que* no es tan listo como aparenta. 彼は見かけほど利口ではなさそうだ.

fi·gu·ra·ti·vo, va [fiɣuratíβo, βa フィグラティボ, バ] 形 **1** 比喩(ゆ)的な; 表象的な. sentido *figurativo* 転義.

2 〘美術〙具象の (↔ abstracto).

fi·gu·rín [fiɣurín フィグリン] 名男 **1** 服飾[衣装]デザイン; スタイルブック, ファッション雑誌. **2** 《口語》伊達(だて)男. ir [estar] hecho un *figurín* 流行の先端を行く.

fi·gu·rón [fiɣurón フィグロン] 名男 《口語》うぬぼれ屋, 見えっ張り.

figurón de proa 〘海事〙船首像, フィギュアヘッド.

fija 形女 → fijo[1].

—— 動 → fijar.

fi·ja·ción [fixaθjón フィハしオン] 名女

1 固定, 取り付け; 〘写真〙定着.

2 決定, 取り決め. *fijación* de una fecha 日取りの決定. *fijación* del impuesto 税額の決定.

fi·ja·do[1] [fixáðo フィハド] 名男 〘写真〙定着.

fijado[2], **da** 過分 → fijar.

fi·ja·dor, do·ra [fixaðór, ðóra フィハドル, ドラ] 形 固定させる, 定着させる.

—— 名男 整髪剤; 定着剤, 定着液.

fi·ja·men·te [fíxaménte フィハメンテ] 副 しっかりと; じっと.

fijando 現分 → fijar.

fi·jar [fixár フィハル] 動他 [現分 fijando; 過分 fijado, da] 〔英 fix〕

1 定める (= determinar). *fijar* el precio [la fecha de salida] 値段[出発日]を決める. *fijar* el domicilio en ... …に居を定める.

2 (視線・注意を) とめる. *fijar* la mirada [la atención] en ... …を見つめる[に注意する, をじっと聞く].

3 固定する, 打ち込む, 張りつける (= sujetar, clavar, pegar). *fijar* un clavo en la pared 壁に釘(くぎ)を打ちつける. Prohibido *fijar* carteles. 《掲示》張り紙禁止.

—— **fi·jar·se** 《**+en**》〔英 notice; pay attention〕 **1 …に気づく**. No *me he fijado en* nada. 私は何も気がつかなかった.

2 …に注意する, 注意して見る[聞く]. *Fíjese* Vd. *en* lo que le digo. 私の言うことをよく聞いてください. *Se fijó en* la cara de la niña. 彼は女の子の顔をじっと見つめた. ¡*Fíjate*! ねえ; いいかい, 考えてもごらん.

fi·je·za [fixéθa フィへさ] 名女 不動, 確固; 〘化〙不揮発性. mirar 《+algo》 con *fijeza* 〈何か〉をじっと見つめる.

fi·jo[1], **ja** [fíxo, xa フィホ, ハ] 形 [複 ~s] 〔英 fixed〕 **1 固定した** (= sujeto); 定められた, **一定の**. Estos asientos no se pueden quitar. Están *fijos* al [en el] suelo. これらの座席は取りはずせない. 床に固定されている. La máquina debe instalarse [colocarse, ponerse] *fija* en la mesa. その機械は台にしっかり取りつけられなければならない. con la mirada *fija* en los ojos del otro 相手の目をじっと見つめて. Tiene una idea *fija* sobre la política del país. 彼は国政について確たる考えを持っている. a la hora *fija* 決まった時間に. a precio *fijo* 定価で. sueldo *fijo* 固定給. fiesta *fija* 固定祝祭日.

2 恒久的な，常設の．Su puesto no es *fijo*. 彼のポストは常任ではない．
—— 動 ➡ fijar.

fi·jo[2] [físxo フィホ] 副 しっかりと，確実に；じっと（見る）．

fi·la [fíla フィら] 名女 [複 ～s]〔英 row, file〕 **1** 列．ponerse en *fila* 整列する．en primera *fila* 最前列に．en *fila* india 1列縦隊で．
2 [～s]〔軍事〕軍隊；部隊，集団，党（派）．estar en *filas* 兵役についている．llamar a *filas*（軍隊に）召集する．

fi·la·men·to [filaménto フィらメント] 名男 単繊維；線条；〔電気〕フィラメント；〔植物〕花糸．➡ flor 図．

fi·lan·tro·pí·a [filantropía フィらントゥロピア] 名女 博愛，慈善．

fi·lan·tró·pi·co, ca [filantrópiko, ka フィらントゥロピコ，カ] 形 博愛主義の，慈善の．

fi·lán·tro·po, pa [filántropo, pa フィらントゥロポ，パ] 名男女 博愛主義者，慈善家．

fi·lar·mo·ní·a [filarmonía フィらルモニア] 名女 音楽好き，音楽愛好．

fi·lar·mó·ni·co, ca [filarmóniko, ka フィらルモニコ，カ] 形 音楽愛好の；交響楽団の；音楽協会の．
—— 名男女 音楽愛好家．
—— 名女 交響楽団．

fi·la·te·lia [filatélja フィらテリア] 名女 切手収集，切手愛好．

fi·la·té·li·co, ca [filatéliko, ka フィらテリコ，カ] 形 切手収集の，切手愛好の．
—— 名男女 切手収集家[愛好家]．

fi·le·te [filéte フィれテ] 名男 [複 ～s]〔英 fillet〕 **1**〔料理〕ヒレ肉；（肉・魚の骨なしの）切り身，ステーキ．➡ carne 図．
2〔建築〕平縁．

fi·lia·ción [filjaθjón フィリアしオン] 名女 **1** 親子関係；素性．**2**（党・組織などとの）関係，党籍．**3** 個人調書．

fi·lial [filjál フィリアる] 形 子としての；系列の．—— 名女 支部；支店；子会社．

fi·liar [filjár フィリアル] [23 i ➡ í] 動他（警察が…の）個人調書を作る．
——**fi·liar·*se*** 〔軍事〕入隊する；入党する．

fi·li·gra·na [filiɣrána フィリグラナ] 名女 金[銀]線細工，フィリグリー；精巧な細工品．

Fi·li·pi·nas [filipínas フィリピナス] 固名 フィリピン：首都 Manila．通貨 peso．

fi·li·pi·no, na [filipíno, na フィリピノ，ナ] 形 フィリピンの．—— 名男女 フィリピン人．

fi·lis·te·o, a [filistéo, a フィリステオ，ア] 形 **1**〔歴史〕フィリステ人の，ペリシテ人の．
2 俗物の，教養のない．
—— 名男女 **1**〔歴史〕フィリステ人，ペリシテ人．**2** 俗物，教養のない人．
—— 名男 大男．

film [fílm フィるン] 名男 [複 ～s] フィルム，映画作品．► 本来のスペイン語としては película．[←英語]

fil·ma·ción [filmaθjón フィるマしオン] 名女 映画撮影（＝rodaje）．

fil·mar [filmár フィるマル] 動他自 映画に撮る，撮影する（＝rodar）．► ビデオの場合には grabar en vídeo を用いる．

fil·me [fílme フィるメ] 名男 ➡ film.

fil·mo·gra·fí·a [filmoɣrafía フィるモグラフィア] 名女（製作者・監督・俳優・ジャンル別の）映画作品リスト；映画研究．

fil·mo·te·ca [filmotéka フィるモテカ] 名女 フィルム・ライブラリー；フィルム保管所．

fi·lo [fílo フィろ] 名男（刃物の）刃．el *filo* de la navaja かみそりの刃．arma de dos *filos* [de doble *filo*] 両刃（もろは）の剣．dar [sacar] *filo* a《＋algo》〈何か〉に刃をつける；鋭くする；刺激する，そそる．
al filo de ... ちょうど…に．*al filo de* la medianoche ちょうど真夜中に．

filo- / fil-「愛」の意を表す造語要素．⇀ *fil*armonía, *filo*logía など．

fi·lo·lo·gí·a [filoloxía フィろろヒア] 名女 文献学．*filología* comparada 比較文献学．*filología* románica ロマンス語学．► 古くは「言語学」の意味でも使用．

fi·lo·ló·gi·co, ca [filolóxiko, ka フィろろヒコ，カ] 形 文献学の．

fi·ló·lo·go, ga [filóloɣo, ɣa フィろろゴ，ガ] 名男女 文献学者．

fi·lón [filón フィろン] 名男 **1** 鉱脈，鉱床．
2《口語》もうけ口[もの]，うまい仕事．

fi·lo·so·far [filosofár フィろソファル] 動自 哲学的に思索する；哲学者ぶる．

fi·lo·so·fía [filosofía フィろソフィア] 名女 [複 ～s]〔英 philosophy〕 **1** 哲学；哲理，原理．*filosofía* de Aristóteles アリストテレス哲学．*filosofía* del lenguaje 言語哲学．
2 人生観，悟り，達観．

fi·lo·só·fi·co, ca [filosófiko, ka フィろソフィコ，カ] 形 哲学の；悟った，達観した．

fi·ló·so·fo, fa [filósofo, fa フィろソフォ，ファ] 名男女 哲学者；賢人；悟った人．
—— 形 哲学的な；悟った．

fil·tra·ción [filtraθjón フィるトゥラしオン] 名女 濾過（ろか），浸透；漏洩（ろうえい）；横領．

fil·trar [filtrár フィるトゥラル] 動他 濾過（ろか）する，濾（こ）す（＝colar）．
—— 動自 浸透する，にじむ．
—— **fil·trar·*se*** **1** 染み出す．*filtrarse* por [a través de] un papel 紙を通して染み出す．**2**（秘密・光などが）漏れる；（使い込みなどで公金・財産が）消えてなくなる．

fil·tro [fíltro フィるトゥロ] 名男 フィルター，濾過（ろか）装置．*filtro* de aire エア・フィルター．

fi·mo·sis [fimósis フィモシス] 名女 [単・複同形]〔医〕包茎．

fin [fín フィン] 名男 [複 ～es]〔英 end〕
1 終わり，最後（↔ comienzo）．este *fin* de semana 今週末．*fin* de siglo 世紀末．dar [poner] *fin* a la discusión 口論に終

止符を打つ.
2 目的. No sabemos con qué *fin* lo hicieron. 我々には彼らがどういう目的でそれをやったか分からない. con el *fin* de convencerlo 彼を説得するために.
a fin de 《+不定詞》《+**que** 接続法》…するために.
a fines de … (週・月・年など)の終わりに. *a fines de* este mes 今月末に.
al fin / por fin ついに, とうとう, やっと.
al fin y al cabo 結局のところ, やはり.
en fin (de cuentas) / a fin de cuentas 要するに, つまりは.
sin fin 無数[無限]の.

fina 形女 → fino[1].

fi·na·do, da [fináðo, ða フィナド, ダ] 過分 形 今は亡き, 故….
── 名男女 故人, 死者.

F

fi·nal [finál フィナる] [複 ~es] 形 〔英 final〕
1 最後の (= último) ; 究極の. En enero tenemos los exámenes *finales*. 1月に学年末試験がある. decisión *final* 最終決定. punto *final* 終止符, ピリオド.
2 〘文法〙目的の, 目的を表す.
── 名男 最後, 終わり, 末端. No me gustó el *final* de la película. 私はその映画の結末が気に入らなかった. Lea Vd. este libro hasta el *final*. この本を最後まで読んでください. al *final* de la calle [la guerra] その通りの突き当たりに[終戦間際に]. al *final* del año その年の終わりに. a *finales* de este mes 今月末に.
── 名女 **1** 〘スポ〙決勝戦. ► 準決勝は semi*final*, 準々決勝は cuartos de *final*.
2 (路線バスなどの)終点.

fi·na·li·dad [finaliðáð フィナリダ(ドゥ)] 名女 **1** 目的, 目標. **2** 〘哲〙究極性.

fi·na·lis·ta [finalísta フィナリスタ] 形 **1** 決勝戦の. equipo *finalista* 決勝戦出場チーム. novela *finalista* 準入選作. **2** 〘哲〙目的論の.
── 名男女 **1** 決勝戦出場選手; 最終選考まで残った応募者. **2** 〘哲〙目的論者.

fi·na·li·zar [finaliθár フィナリさル] [39 z → c] 動他 終わらせる, 決着をつける.
── 動自 終わる; 尽きる.

fi·nal·men·te [finálménte フィナるメンテ] 副 最後に; ついに.

fi·nan·cia·ción [finanθjaθjón フィナンしアしオン] 名女 出資, 融資.

fi·nan·ciar [finanθjár フィナンしアル] 動他 …に出資[融資]する. *financiar* una empresa 企業に融資する.

fi·nan·cie·ro, ra [finanθjéro, ra フィナンしエロ, ラ] 形 財政の, 財務の; 財界の. compañía *financiera* 金融会社.
── 名男女 融資家; 財界人.
── 名女 金融会社, 金融機関.

fi·nan·zas [finánθas フィナンさス] 名女 [複] 資産; 財務; 金融.

fi·nar [finár フィナル] 動自 死亡する, 死去[逝去]する (= morir).
── **fi·nar·*se*** 《+**por**》…を熱望する, 切望する.

fin·ca [fíŋka フィンカ] 名女 **1** 別荘; 農場. **2** 不動産, 地所; 家屋.

fi·nés, ne·sa [finés, nésa フィネス, ネサ] 形 [複男 fineses] フィンランドの (= finlandés).
── 名男女 フィンランド人.
── 名男 フィンランド語.

fi·ne·za [finéθa フィネさ] 名女 **1** 上質; 精巧さ. Este vestido es una *fineza*. このドレスは見事なものだ.
2 上品さ, 繊細; 思いやり. **3** 贈り物.

fin·gi·mien·to [fiŋximjénto フィンヒミエント] 名男 振り, 欺瞞(ぎまん).

fin·gir [fiŋxír フィンヒル] [19 g → j] 動他 装う, 振りをする (= simular). *fingir* sorpresa 驚いた振りをする. *Finge* que está enfermo. 彼は仮病を使っている.
── 動自 装う, 偽る.
── **fin·gir·*se*** …と見せかける. *fingirse* muerto 死んだ振りをする.

fi·ni·qui·tar [finikitár フィニキタル] 動他
1 〘商業〙清算する, 決済する.
2 《口語》片づける; 殺す.

fi·ni·to, ta [finíto, ta フィニト, タ] 形 有限の. lo *finito* y lo infinito 有限と無限.

fin·lan·dés, de·sa [finlandés, désa フィンらンデス, デサ] 形 [複男 finlandeses] フィンランドの.
── 名男女 フィンランド人.
── 名男 フィンランド語.

Fin·lan·dia [finlándja フィンらンディア] 固名 フィンランド(共和国): 首都 Helsinki.

fi·no[1], na [fíno, na フィノ, ナ] 形 [複 ~s] 〔英 fine〕
1 薄い, 細い, 細かい (↔ gordo, grueso). copa de cristal muy *fino* ごく薄いクリスタルグラス. arena *fina* 細かい砂. *fina* lluvia こぬか雨. hilo *fino* 細い糸. punta *fina* とがった先端.
2 洗練された, 上品な; 繊細な, 鋭敏な. tener un gusto *fino* とても趣味がよい. tener las facciones muy *finas* 上品な顔立ちをしている. oído [olfato] *fino* 敏感な耳[鋭い嗅覚(きゅうかく)].
3 上質の; 交じり気のない, 純粋な. una camisa de *fina* seda 上質の絹のシャツ. madera *fina* 高級家具材. azúcar *fino* 精製糖. oro *fino* 純金.

fi·no[2] [fíno フィノ] 名男 辛口のシェリー酒.

fi·no·lis [finólis フィノリス] 形 [単・複同形] 《口語》気取った, きざな.
── 名男女 《口語》気取り屋, きざな人.

fin·ta [fínta フィンタ] 名女 (ボクシングなどの)フェイント; 牽制(けんせい).

fi·nu·ra [finúra フィヌラ] 名女 繊細さ; 上品; 上質. con *finura* 上品に.

fiord [fjórð フィオル(ドゥ)] / **fior·do** [-ðo

-ド] 名男 〘地理〙峡湾, フィヨルド.

fir·ma [fírma フィルマ] 名女 **1** 署名, サイン; 調印; 《集合》(署名を要する)書類. Ponga Vd. su *firma* al pie. 末尾にご署名ください. Este cuadro, aunque no lleva *firma*, es auténtico. この絵はサインはないが本物だ. recoger *firmas* 署名を集める.
2 会社, 商社 (= empresa).
── 動 → firmar.

fir·ma·men·to [firmaménto フィルマメント] 名男 天空, 蒼穹(そうきゅう); 晴れた夜空.

fir·man·te [firmánte フィルマンテ] 形 署名した, 調印した. países *firmantes* 調印国.
── 名男女 署名者, 調印者 (= signatario). el abajo *firmante* 下に署名する者.

fir·mar [firmár フィルマル] 動他 〔英 sign〕 **…に署名する**; 調印する. *firmar* un contrato 契約にサインする. *firmar* en blanco 白紙委任する. *Han firmado* la paz. 平和条約が締結された.

fir·me [fírme フィルメ] 形 **1** しっかりした, ぐらつかない, 強固な. andar con paso *firme* しっかりした足取りで歩く. hablar con voz *firme* しっかりした声で話す. Está [Se mantiene] *firme* en sus ideas. 彼の考えは微動だにしない. tierra *firme* 大地; 大陸. ¡*Firmes*! 《号令》気をつけ!
2 〘商業〙(市況・市価が) 安定している, 変動しない.
── 名男 (道路の) 路床.
── 副 しっかりと, 堅固に.
── 動 → firmar.
de firme 激しく; 熱心に. llover *de firme* 雨が激しく降る. trabajar *de firme* 一生懸命働く.
en firme 〘商業〙確定的な. pedido *en firme* 確定注文.

fir·me·men·te [fírmeménte フィルメメンテ] 副 しっかりと, 堅固に.

fir·me·za [firméθa フィルメさ] 名女 揺るぎなさ, 堅固.

fis·cal [fiskál フィスカる] 形 **1** 検事の.
2 国庫の; 財政の. contribuciones *fiscales* 国税. año *fiscal* 会計年度.
── 名男 検事, 検察官; 会計官.

fis·ca·lí·a [fiskalía フィスカりア] 名女 検察庁, 検事局; 検事[検察官]の職[執務室].

fis·ca·li·za·ción [fiskaliθaθjón フィスカりさしオン] 名女 監査; 詮索(せんさく).

fis·ca·li·zar [fiskaliθár フィスカりさル] [39 z → c] 動他 **1** 監査する.
2 詮索(せんさく)する; 非難する.

fis·co [físko フィスコ] 名男 国庫, 財政.

fis·gar [fisɣár フィスガル] [32 g → gu] 動他 詮索(せんさく)する, かぎ回る.
── 動自 **1** 詮索する, 首を突っ込む.
2 陰であざ笑う, からかう.

fis·gón, go·na [fisɣón, ɣóna フィスゴン, ゴナ] 形 詮索(せんさく)好きな.
── 名男女 詮索好きな人.

fi·si·ble [fisíβle フィシブれ] 形 〘物理〙核分裂する.

fí·si·ca [físika フィシカ] 名女 物理学.
── 形女 → físico[1].

fí·si·ca·men·te [físikaménte フィシカメンテ] 副 物理的に; 肉体的に.

fí·si·co[1], ca [físiko, ka フィシコ, カ] [複 ～s] 形 〔英 physical〕 **1 物理学の.** cambios *físicos* de los cuerpos 物質の物理的変化.
2 肉体の (↔ mental). fuerza *física* 体力. dolor *físico* 肉体的苦痛. defecto *físico* 身体的欠陥.
3 物質の (= material); 自然の. mundo *físico* 物質界. geografía *física* 自然地理学.
── 名男女 物理学者.

fí·si·co[2] [físiko フィシコ] 名男 肉体, 体格.

fi·sio·lo·gí·a [fisjoloxía フィシオろヒア] 名女 生理学; 器官の働き.

fi·sio·ló·gi·co, ca [fisjolóxiko, ka フィシオろヒコ, カ] 形 生理学の, 生理的な.

fi·sión [fisjón フィシオン] 名女 分裂, 裂開; 〘物理〙核分裂 (= *fisión* nuclear).

fi·sio·te·ra·peu·ta [fisjoterapéuta フィシオテラペウタ] 名男女 理学[物理]療法士.

fi·sio·te·ra·pia [fisjoterápja フィシオテラピア] 名女 理学[物理]療法.

fi·so·no·mí·a [fisonomía フィソノミア] 名女 容貌(ようぼう), 人相; 様相.

fi·so·nó·mi·co, ca [fisonómiko, ka フィソノミコ, カ] 形 容貌(ようぼう)の, 人相の. rasgos *fisonómicos* 人相の特徴.

fís·tu·la [fístula フィストゥら] 名女 〘医〙瘻(ろう), 瘻孔. *fístula* anal 痔瘻(じろう).

fi·su·ra [fisúra フィスラ] 名女 **1** 割れ目, 裂け目. **2** 〘医〙裂, 溝.

fi·tó·fa·go, ga [fitófaɣo, ɣa フィトファゴ, ガ] 形 〘動物〙草食の. ── 名男女 草食動物. ► 肉食動物は carnívoro.

flác·ci·do, da [flákθiðo, ða フらクしド, ダ] / **flá·ci·do, da** [fláθi- フらし-] 形 締まりのない, 緩んだ. músculos *flácidos* たるんだ筋肉.

fla·co, ca [fláko, ka フらコ, カ] 形 **1** やせた, やせ細った (= delgado) (↔ gordo). piernas *flacas* ひょろっとした脚.
2 弱い; 貧弱な. argumento *flaco* 説得力に欠ける論拠.

fla·ge·la·ción [flaxelaθjón フらへらしオン] 名女 鞭(むち)打ち; 非難, 糾弾.

fla·ge·lan·te [flaxelánte フらへらンテ] 形 鞭(むち)打つ. ── 名男女 〘宗教〙(聖週間の) 鞭打ち苦行者.

fla·ge·lar [flaxelár フらへらル] 動他 鞭(むち)打つ; 非難する, 糾弾する.
── **fla·ge·lar·*se*** 自分の体を鞭打つ.

fla·gran·te [flaɣránte フらグランテ] 形 〘法律〙現行の. en *flagrante* (delito) 現行犯で.

fla·man·te [flamánte フらマンテ] 形 派手な; 真新しい; 新米の. coche *flamante* ピ

F

カピカの新車.

fla·me·ar [flameár フらメアル] 動自 炎が上がる; 風に翻る, はためく.

fla·men·co, ca [flaméŋko, ka フらメンコ, カ] 形 1 フラメンコの. guitarra *flamenca* フラメンコ・ギター.
2 フランドルの, フランドル人の.
── 名男 1 フラメンコ. ➡ cante.
2〔鳥〕フラミンゴ. 3 フラマン語.
── 名男女 フランドル人.

flan [flán フらン] 名男〔料理〕(カスタード) プディング, プリン.

flan·co [fláŋko フらンコ] 名男 わき腹;〔軍事〕(部隊・艦隊の) 側面;〔海事〕舷側(げんそく).
coger a 《+uno》 ***por el flanco*** 〈人〉のすきをつく.

Flan·des [flándes フらンデス] 固名 フランドル: 現在のベルギー西部, フランス北部, オランダ南西部にまたがる地域を指す. ◆1516年から1714年までスペイン領.

flan·que·ar [flaŋkeár フらンケアル] 動他 …の両側にある, …を挟んでいる;〔軍事〕…の側面を突く[守る]. Dos centinelas *flanquean* la entrada. 2人の衛兵が入口をかためている.

fla·que·ar [flakeár フらケアル] 動自
1 弱る, 衰える; ぐらつく. Con la edad le *flaquean* las piernas. 彼は年とともに足が弱っている. *flaquear* por los cimientos 土台が緩んでいる.
2 減る; 《+en》 …で劣る. Los envíos *flaquean*. 荷の発送が減っている.

fla·que·za [flakéθa フらケさ] 名女 やせていること; もろさ; 弱点.

flash [flás フらス | fláʃ フらシュ] 名男〔写真〕フラッシュ; ニュース速報. [←英語]

fla·to [fláto フらト] 名男 1〔医〕膨満, (胃) 腸内ガス. echar *flatos* げっぷをする.
2 《ラ米》憂鬱(ゆううつ); 不機嫌.

flau·ta [fláuta フらウタ] 名女〔音楽〕フルート, 横笛. ── 名男女 フルート奏者.

flau·tín [flautín フらウティン] 名男〔音楽〕ピッコロ (奏者).

flau·tis·ta [flautísta フらウティスタ] 名男女 フルート奏者.

fle·cha [flétʃa フれチャ] 名女 矢; 矢状のもの; 矢印.

fle·char [fletʃár フれチャル] 動他 矢で射る; 《口語》…の心を射止める.
── 動自 弓なりに反る.

fle·cha·zo [fletʃáθo フれチャそ] 名男 矢を射ること; 矢傷; 《口語》一目惚(ぼ)れ.

fle·co [fléko フれコ] 名男 1 房飾り.
2 前髪 (= flequillo). 3 裾(すそ)のほつれ.

fle·je [fléxe フれヘ] 名男 帯金, たが.

fle·ma [fléma フれマ] 名女 1 粘液; 痰(たん).
2 沈着; 鈍重.

fle·má·ti·co, ca [flemátiko, ka フれマティコ, カ] 形 1 粘液質の; 痰(たん)の, 痰の多い.
2 沈着な; 鈍重な.

fle·qui·llo [flekíʎo フれキリョ] 名男 前髪.

fle·tar [fletár フれタル] 動他 1 (船・飛行機などを) チャーターする. 2 (旅客・貨物を) 乗せる[運ぶ].
── **fle·tar·*se*** 《ラ米》出て行く; (会合に) 押しかける; うんざりする.

fle·te [fléte フれテ] 名男 船荷; チャーター料, 用船料. contrato de *flete* 用船契約 (書).

fle·xi·bi·li·dad [fleksiβiliðáð フれクシビりダ(ドゥ)] 名女 しなやかさ, 柔軟性; 素直さ; 融通性.

fle·xi·ble [fleksíβle フれクシブれ] 形 1 柔軟な, しなやかな, 曲がりやすい.
2 従順な; 融通の利く.
── 名男 1〔電気〕電線, 電気コード.
2 ソフト帽.

fle·xión [fleksjón フれクシオン] 名女 1 屈曲, 屈折. 2〔文法〕屈折, 活用. *flexión* verbal 動詞の活用.

fle·xi·vo, va [fleksíβo, βa フれクシボ, バ] 形〔言語〕屈折の. lengua *flexiva* 屈折語.

fle·xo [flékso フれクソ] 名男 (支柱が自在に曲げられる卓上の) 電気スタンド.

flir·te·ar [flirteár フリルテアル] 動自
1 情事にふける, いちゃつく.
2 面白半分に手を出す, 興味を示す.

flir·te·o [flirtéo フリルテオ] 名男 情事.

flo·je·ar [floxeár フろヘアル] 動自 1 弱まる, 和らぐ. El calor empieza a *flojear*. 暑さが和らぎ始める. 2 減少する; 怠る.

flo·je·dad [floxeðáð フろヘダ(ドゥ)] 名女 緩み; 無気力; 沈滞; 怠惰.

flo·je·ra [floxéra フろヘラ] 名女 《口語》怠惰, 無気力; 弱さ, 虚弱.

flo·jo, ja [flóxo, xa フろホ, ハ] 形 1 緩い, たるんだ. nudo *flojo* 緩い結び目. cable *flojo* たるんだ綱.
2 弱い; 劣った; 活力のない. *flojo* de voluntad 意志薄弱の. vino *flojo* 水っぽいワイン. *flojo* en matemáticas 数学が苦手の. estudiante *flojo* 出来の悪い学生. La bolsa estaba *floja*. 相場は沈滞していた.

flor
[flór フろル] 名女 [複 ~es] [英 flower]
1 花. En el jardín hay muchas *flores*. 庭にたくさんの花が咲いている. un ramo

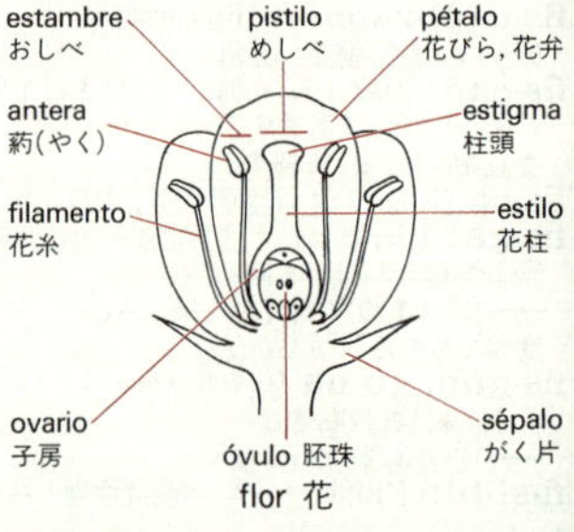

flor 花

de *flores* 花束. *flor* artificial 造花. *flor* seca ドライフラワー; 押し花. ► 花瓶は florero, 花壇は arriate.
2 開花; 盛り. Para primeros de abril ya estarán todos los cerezos en *flor*. 4月上旬には桜はもう満開だろう. estar en la *flor* de la edad [de la vida] 青春の真っ盛りにいる.
3 精髄, 精華, 選りすぐりの物[人]. *flor* (y nata) de la sociedad 社交界の花形. *flor* de harina 極上小麦粉.
4 (女性への) お世辞 (= piropo). echar *flores* a una chica 女の子にうれしがらせを言う.
5 (ワインなどの表面に浮く) 白かび.
6 〔鉱物〕華. *flor* de azufre 硫黄華.
a flor de agua [***tierra***] 水面[地面]すれすれに.
ir de flor en flor 移り気である.

flo·ra [flóra フろラ] 名女 植物相, 植物生態系. ► 動物相は fauna.

flo·ra·ción [floraθjón フろラしオン] 名女 開花; 開花期, 開花期間.

flo·ral [florál フろラる] 形 花の (ような). juegos *florales* 文芸コンクール.

flo·re·ar [floreár フろレアル] 動他 花で飾る.

flo·re·cer [floreθér フろレせル] 40 動自 **1** …が花を咲かせる, 開花する. El rosal *florece* en primavera. バラは春に咲く.
2 栄える. Las artes plásticas *florecían* en esa época. その時代には造形美術が盛んであった.
—— **flo·re·cer·*se*** (食べ物に) かびが生える, かびる.

flo·re·cien·te [floreθjénte フろレしエンテ] 形 花盛りの; 繁栄を誇る, 隆盛の.

flo·re·ci·mien·to [floreθimjénto フろレしミエント] 名男 開花; 繁栄, 隆盛.

flo·ren·ti·no, na [florentíno, na フろレンティノ, ナ] 形 (イタリアの) フィレンツェ Florencia の.
—— 名男女 フィレンツェの住民.

flo·re·o [floréo フろレオ] 名男 **1** おしゃべり; 褒め言葉, お世辞.
2 〔音楽〕(ギター演奏で) アルペッジョ.

flo·re·rí·a [florería フろレリア] 名女 花屋, 生花店.

flo·re·ro, ra [floréro, ra フろレロ, ラ] 名男 花瓶, 花器.
—— 名男女 花屋, 花売り (= florista).

flo·res·ta [florésta フろレスタ] 名女 **1** 木立, 森. **2** 選集, 精選.

flo·re·te [floréte フろレテ] 名男 〔スポーツ〕フルーレ: フェンシング用の剣.

flo·ri·cul·tor, to·ra [florikultór, tóra フろリクるトル, トラ] 名男女 花卉(かき)栽培家, 花作りをする人.

flo·ri·cul·tu·ra [florikultúra フろリクるトゥラ] 名女 花卉(かき)栽培, 花作り.

flo·ri·do, da [floríðo, ða フろリド, ダ] 形 **1** 花盛りの, 花でいっぱいの. jardín *florido* 花の咲き乱れた庭.
2 えり抜きの, 精選された.
3 (文体が) 華麗な.

flo·ri·le·gio [floriléxjo フろリれヒオ] 名男 選集, 詞華集 (= antología).

flo·rín [florín フろリン] 名男 フロリンギルダー: オランダの通貨.

flo·ris·ta [florísta フろリスタ] 名男女 花屋, 花売り. *florista* callejera 街の花売り.

flo·ris·te·rí·a [floristería フろリステリア] 名女 ➡ florería.

flo·ta [flóta フろタ] 名女 船団, 艦隊. *flota* mercante 商船隊. *flota* pesquera 漁船団.

flo·ta·ción [flotaθjón フろタしオン] 名女 浮揚, 浮遊. línea de *flotación* 喫水線 (➡ barco 図).

flo·ta·dor [flotaðór フろタドル] 名男 浮き輪.

flo·tan·te [flotánte フろタンテ] 形 **1** 浮かんだ, 漂う.
2 浮動の, 流動的な. La situación aún está *flotante*. 情況はまだ流動的だ.

flo·tar [flotár フろタル] 動自 **1** 浮く, 漂う. El corcho *flota* en el agua. コルクは水に浮く. Un cierto misterio *flotaba* en el ambiente. あたりには何か不思議な気配が漂っていた.
2 (旗・髪などが) 翻る, なびく. *flotar* al viento 風になびく.

flo·te [flóte フろテ] 名男 浮かぶこと, 浮動, 浮揚.
a flote 浮かんだ[で].
sacar [***poner***] ***a flote*** …を窮地から救う.
salir a flote 窮地を脱する.

flo·ti·lla [flotíʎa フろティリャ] 名女 [flota の小] 小艦隊; 小型船団.

fluc·tua·ción [fluktwaθjón フるクトゥアしオン] 名女 **1** 変動. *fluctuaciones* del mercado de divisas 為替市場の変動.
2 ためらい, 迷い.

fluc·tuar [fluktwár フるクトゥアル] [14 u ➡ ú] 動自 **1** (相場が) 変動する. Los intereses *fluctúan* entre el 8 y el 10 por ciento. 利子は8パーセントから10パーセントの間を上下している.
2 ためらう, 迷う.

flui·dez [flwiðéθ フるイデす] 名女 **1** 流暢(りゅうちょう)さ. con *fluidez* 流暢に. **2** 流動性.

flui·do, da [flwíðo, ða フるイド, ダ] 過分 形 **1** 流動性の; 流れやすい. cuerpo *fluido* / sustancia *fluida* 流体.
2 流暢(りゅうちょう)な. estilo *fluido* 流麗な文体.
—— 名男 **1** 〔物理〕流体. mecánica de *fluidos* 流体力学. **2** 電流.

fluir [flwír フるイル] 29 動自 [現分 fluyendo] **1** 流れる, わき出る.
2 (言葉・考えが) すらすら出てくる.

flu·jo [flúxo フるホ] 名男 **1** 流動; 流出. *flu-*

F

jo de aire 空気の流れ. *flujo* de ideas 次々と浮かんでくるアイデア.
2 上げ潮, 満ち潮.

flú·or [flúor フるオル] 名男 〘化〙フッ素.

fluo·res·cen·cia [flworesθénθja フるオレセンしア] 名女 蛍光.

fluo·res·cen·te [flworesθénte フるオレセンテ] 形 蛍光を放つ.
—— 名男 蛍光灯 (lámpara *fluorescente*). ► 電球は bombilla, 白熱電球は lámpara incandescente.

flu·vial [fluβjál フるビアる] 形 川の, 河川の. tráfico *fluvial* 水上交通. vía *fluvial* 水路.

fo·bia [fóβja フォビア] 名女 病的恐怖, 恐怖症; 嫌悪.

fo·cal [fokál フォカる] 形 焦点の. distancia *focal* 焦点距離.

fo·co [fóko フォコ] 名男
1 〘物理〙焦点. *foco* de una lente レンズの焦点(距離).
2 スポットライト; 〘車〙ヘッドライト.
3 源, 中心. *foco* de luz 光源. *foco* de radiación de calor 熱源. *foco* de infección 感染源.

fo·fo, fa [fófo, fa フォフォ, ファ] 形 ぶよぶよな, 締まりのない.

fo·ga·ta [foɣáta フォガタ] 名女 焚(た)き火, かがり火.

fo·gón [foɣón フォゴン] 名男 かまど; コンロ; (ボイラーの) 火室; (レンジの) 火口. cocina de tres *fogones* 火口が3つのレンジ.

fo·go·na·zo [foɣonáθo フォゴナそ] 名男 閃光(せんこう); 〘写真〙フラッシュ.

fo·go·si·dad [foɣosiðáð フォゴシダ(ドゥ)] 名女 熱情, 激情.

fo·go·so, sa [foɣóso, sa フォゴソ, サ] 形 熱情的な, 血気盛んな.

fo·lio [fóljo フォりオ] 名男 (本・ノートなどの) 紙葉1枚.

fo·lla·je [foʎáxe フォリャヘ] 名男 《集合》葉の茂み, 枝葉. ➞ árbol 図.

fo·lle·tín [foʎetín フォリェティン] 名男
1 (新聞の) 連載小説[記事].
2 大衆[通俗]小説; メロドラマ的な出来事.

fo·lle·to [foʎéto フォリェト] 名男 パンフレット, 小冊子. *folleto* explicativo 使用説明書. *folleto* turístico 観光案内パンフレット.

fo·llón [foʎón フォリョン] 名男 《口語》雑然, 散乱; 混乱, 騒動. armarse un *follón* 一騒動持ち上がる.

fol·klo·re [folklóre フォるクろレ] 名男
1 民間伝承; 民俗学.
2 民謡, 民族舞踊. [←英語]

fol·kló·ri·co, ca [folklóriko, ka フォるクろリコ, カ] 形 民間伝承の; 民俗学の. canciones *folklóricas* 民謡.

fol·klo·ris·ta [folklorísta フォるクろリスタ] 名男女 民俗学者.

fo·men·tar [fomentár フォメンタル] 動他
1 促進する, 振興する; (争い・憎悪を) 助長する, あおる. El nuevo embajador *fomentó* el turismo. 新大使が観光を奨励した. *fomentar* el miedo 恐怖を募らせる.
2 (鶏が卵を) 温める; 〘医〙温湿布する.

fo·men·to [foménto フォメント] 名男 **1** 促進, 振興; 助長, 扇動. *fomento* de las ventas 販売促進.
2 (鶏が卵を) 温めること; 〘医〙温湿布.

fo·na·ción [fonaθjón フォナしオン] 名女 〘音声〙発声.

fon·da [fónda フォンダ] 名女 宿屋 (＝posada, venta).

fon·de·a·de·ro [fondeaðéro フォンデアデロ] 名男 〘海事〙停泊地, 投錨(とうびょう)地. ➞ puerto 図

fon·de·ar [fondeár フォンデアル] 動自他 停泊する, 投錨(とうびょう)する.
—— 動他 **1** (水深を) 測る. **2** 調べる, 探る.

fon·de·o [fondéo フォンデオ] 名男 〘海事〙 (1) 停泊, 投錨(とうびょう). (2) 水深測量.

fon·do

[fóndo フォンド] 名男 [複 ～s] [英 bottom; fund]
1 底; 奥; 奥行き, 深さ. guardar en el *fondo* del cajón 引き出しの底にしまう. en el *fondo* del mar 海底に. en el *fondo* de SU corazón 心の奥底で. al *fondo* del pasillo 廊下の突き当たりに (＝al final de ...). al *fondo* 〘演劇〙舞台奥に. tener cinco metros de *fondo* 深さ[奥行き]が5メートルある (► 幅は ancho, 高さは alto). doble *fondo* 二重底.
2 [～または ～s] 資金, 基金. Se ha quedado sin *fondos*. 彼は資金が底をついた. *fondos* disponibles 手元資金. *fondos* públicos 国債, 公債. *Fondo* Monetario Internacional 国際通貨基金 (英 IMF).
3 背景, バック. Pintó su autorretrato sobre un *fondo* oscuro. 彼は黒をバックにして自画像を描いた. música de *fondo* バックグラウンド・ミュージック.
4 核心; 内容 (↔ forma). ir al *fondo* del asunto 事の核心に迫る. forma y *fondo* 形式と内容.
a fondo 徹底的に, 完全に.
en el fondo 心の底で; 根本的には, 実は.

fo·ne·ma [fonéma フォネマ] 名男 〘言語〙音素.

fo·né·ti·co, ca [fonétiko, ka フォネティコ, カ] 形 〘言語〙音声 (学) の. signo *fonético* 音声記号. —— 名女 〘言語〙音声学.

fó·ni·co, ca [fóniko, ka フォニコ, カ] 形 〘音声〙音の, 音声の.

fono- / fon- 「音」の意を表す造語要素. ⇒ *fon*ética, *fon*ógrafo など.

fo·nó·gra·fo [fonóɣrafo フォノグラフォ] 名男 (旧式の) 蓄音機.

fo·no·lo·gí·a [fonoloxía フォノろヒア] 名女 〘言語〙音韻論.

fo·no·ló·gi·co, ca [fonolóxiko, ka

フォノろヒコ, カ] 形 〘言語〙音韻(論)の.

fo·no·te·ca [fonotéka フォノテカ] 名女 レコード[テープ]ライブラリー.

fontanera 名女 ➡ fontanero.

fon·ta·ne·rí·a [fontanería フォンタネリア] 名女 配管工事.

fon·ta·ne·ro, ra [fontanéro, ra フォンタネロ, ラ] 名男女 [複 ~s] 〔英 plumber〕 **配管工**, 水道工事人.

fo·ra·ji·do, da [foraxíðo, ða フォラヒド, ダ] 名男女 無法者, アウトロー.

fo·rá·ne·o, a [foráneo, a フォラネオ, ア] 形 よその土地の; 外国の.

fo·ras·te·ro, ra [forastéro, ra フォラステロ, ラ] 形 よその土地の, 外部の. costumbres *forasteras* よその土地の習慣.

— 名男女 よそ者.

for·ce·je·ar [forθexeár フォルセヘアル] 動自 《+**para, por** 不定詞》…しようと奮闘する; あがく.

for·ce·je·o [forθexéo フォルセヘオ] 名男 奮闘; あがき; 抵抗.

fo·ren·se [forénse フォレンセ] 形 法廷の. medicina *forense* 法医学.

— 名男 監察医 (= médico *forense*).

fo·res·tal [forestál フォレスタる] 形 森林の.

for·ja [fórxa フォルハ] 名女 **1** 鍛造; 鍛冶(かじ)場. **2** 構築; 捏造(ねつぞう).

for·jar [forxár フォルハル] 動他 **1** 鍛える, 鍛造する. **2** 構築する; 捏造(ねつぞう)する. *forjar* una mentira うそをでっち上げる.

— **for·jar·se** **1** 思い描く, 抱く. *forjarse* un sueño 夢を抱く. **2** 確立する.

for·ma

[fórma フォルマ] 名女 [複 ~s] 〔英 form〕

1 形, 形状. Tiene los ojos en *forma* de almendra. 彼はアーモンドの形の目をしている.

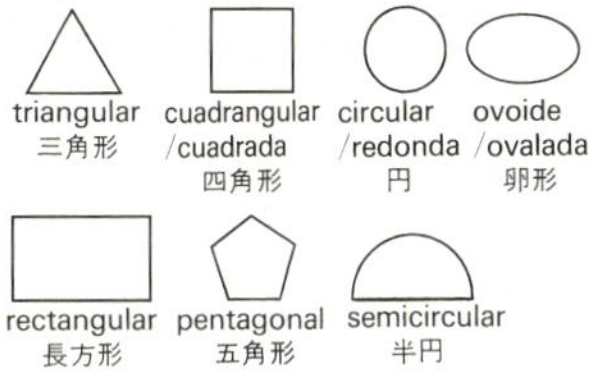

forma 形

2 形式 (↔ fondo); 方法 (= manera, modo). *forma* de pago 支払い方法. Con él no hay *forma* de hablar. 彼には取りつく島もない. en (debida) *forma* しかるべき方法で, 正規の手続に従って. de esta *forma* このようにして. de todas *formas* / de [en] cualquier *forma* ともかく, いずれにしても.

3 [~s] 礼儀, マナー. Contestó con muy buenas *formas*. 彼はとても丁重に答えた. guardar las *formas* 礼儀を守る.

4 [~s] (女性の) 体形, 体つき. **5** 〘文法〙 形式, 形態; 〘哲〙形相; 〘法律〙書式.

— 動 ➡ formar.

dar forma a … 具体化する.

de forma que (1) 《+直説法》従って, それゆえ. (2) 《+接続法》…するように.

estar en forma 《口語》(スポーツ選手の) 調子がいい.

for·ma·ción [formaθjón フォルマしオン] 名女 **1** 形成, 構成. *formación* del gabinete 組閣. *formación* de carácter 人格形成. **2** 教育, 訓練; 教養. *formación* profesional 職業訓練.

3 〘軍事〙隊形, 陣形; 〘スポーツ〙フォーメーション. en *formación* 隊列[編隊]を組んで.

formado, da 過分 ➡ formar.

for·mal [formál フォルマる] 形 **1** 形式の, 形式的な; 正式の. requisito *formal* (書類・手続きの) 所定の要件.

2 きちんとした; まじめな. Es una chica muy *formal*. たいへんきちんとした[まじめな]娘だ.

for·ma·li·dad [formaliðáð フォルマりダ(ドゥ)] 名女 **1** 正規の手続き, 形式; 儀礼. con las *formalidades* precisas 必要な手続きを踏んで. sometido a las *formalidades* 手順に従って.

2 まじめさ; 行儀のよさ.

for·ma·lis·mo [formalísmo フォルマりスモ] 名男 形式主義; フォルマリズム.

for·ma·lis·ta [formalísta フォルマりスタ] 形 形式主義の.

— 名男女 形式主義者; フォルマリスト.

for·ma·li·zar [formaliθár フォルマりさル] [39 z ➡ c] 動他 正規なものにする. *formalizar* un noviazgo 正式に婚約する.

— **for·ma·li·zar·se** まじめになる.

formando 現分 ➡ formar.

for·mar

[formár フォルマル] 動他 [現分 formando; 過分 formado, da] 〔英 form〕 **1 形づくる**; 形成する; 組織する. *formar* un círculo 円陣を組む, 輪になる. *formar* un equipo [una delegación] チームを編成する[代表団を結成する]. Esos tres señores *forman* el comité. その3人が委員会を構成している.

2 教育する, 養成する. *formar* a los jóvenes 青少年を教育する.

— 動自 〘軍事〙整列する, 隊伍を組む; 〘スポーツ〙ラインアップを組む.

— **for·mar·se** **1** 形成される. *Se ha formado* una comisión con cinco representantes de cada región. 各地方の代表者5人によって委員会が結成された.

2 教育を受ける.

formar parte de … …の一部を構成する, …の一員である.

for·ma·te·ar [formateár フォルマテアル] 動他 〘コンピュータ〙初期化する: ディスクを使用機種に対応させる.

for·ma·ti·vo, va [formatíβo, βa フォルマティボ, バ] 形 形成する; 人間形成の.

for·ma·to [formáto フォルマト] 名男
1 (本·紙の) 判型; サイズ, 大きさ.
2〔ｺﾝﾋﾟｭｰﾀ〕ファイル形式, フォーマット. *formato* PostScript ポストスクリプト形式.

for·mi·da·ble [formiðáβle フォルミダブれ] 形 **1** 巨大な, 並外れた; 容易ならざる. de tamaño *formidable* ばかでかい. una competencia *formidable* 大変な競争.
2《口語》すごい, すばらしい (= estupendo, magnífico). una persona [comida] *formidable* すばらしい人[食事]. Escribió una obra *formidable*. 彼はすごい作品を書いた. ¡*Formidable*! すごい!

fór·mu·la [fórmula フォルムら] 名女
1 形式, 書式. por *fórmula* 形式的に, 儀礼的に.
2〔数〕公式, 式;〔化〕化学式;〔医〕処方, 処方箋(せん).
3 方策, 解決策.

for·mu·la·ción [formulaθjón フォルムらしオン] 名女 公[定]式化; 表明, 陳述.

for·mu·lar [formulár フォルムらル] 動他
1 公[定]式化する.
2 表明する, 陳述する. *formular* quejas 不満を表明する. *formular* una petición 請願する.
3 処方する, 処方箋(せん)を作成する.

for·mu·la·rio, ria [formulárjo, rja フォルムらリオ, リア] 形 形式どおりの, 規定の; 形式的な. ── 名男 **1** 用紙, 書式. **2** 書式集; 処方集.

for·mu·lis·mo [formulísmo フォルムりスモ] 名男 形式[公式]主義; 形ばかりのやり方, 儀礼的な振る舞い.

for·ni·ca·ción [fornikaθjón フォルニカしオン] 名女 姦淫(かんいん).

for·ni·car [fornikár フォルニカル] [8 c → q] 動自 姦淫(かんいん)する.

for·ni·do, da [forníðo, ða フォルニド, ダ] 形 筋骨隆々とした.

fo·ro [fóro フォロ] 名男 **1**〔歴史〕フォーラム: 古代ローマ都市の公共広場.
2 法廷; 弁護士業.
3 公開討論会. **4**〔演劇〕舞台正面奥.
desaparecer* [*marcharse, irse*] *por el foro 人目につかないように姿を消す.

fo·rra·je [for̄axe フォラヘ] 名男 飼料, まぐさ.

fo·rrar [for̄ár フォラル] 動他 《+**con, de**》 **1** …で裏張りする, 裏打ちする. *forrar* un abrigo *con* [*de*] seda 外套(がいとう)に絹の裏地をつける.
2 …で覆う, カバーをかける. *forrar* unas paredes *de* madera 壁を板張りにする.
── **fo·rrar·se** **1**《口語》たらふく食べる. **2**《口語》金をためこむ; 大もうけする.

fo·rro [fór̄o フォロ] 名男 **1** 裏張り; 裏地. *forro* de una chaqueta ジャケットの裏(地). **2** 被覆, カバー.
ni por el forro《口語》全然[少しも]…ない. No conoce el griego *ni por el forro*. 彼はギリシア語などこれっぽっちも知らない.

for·ta·le·cer [fortaleθér フォルタれセル] 40 動他 強くする, 丈夫にする.
── **for·ta·le·cer·se** 強くなる, 丈夫になる.

for·ta·le·ci·mien·to [fortaleθimjénto フォルタれしミエント] 名男 強化.

for·ta·le·za [fortaléθa フォルタれさ] 名女
1 要塞(ようさい), 砦(とりで). **2** 頑強, 不屈; 強さ. recobrar SU *fortaleza* 元気を回復する.

fortalezc- 動 → fortalecer. 40

for·ti·fi·ca·ción [fortifikaθjón フォルティフィカしオン] 名女 **1** 要塞(ようさい)化; 防備工事.
2 補強, 強化.

for·ti·fi·car [fortifikár フォルティフィカル] [8 c → q] 動他 **1** 要塞(ようさい)化する; …に防備を施す. **2** 鍛練する, 強化する.
── **for·ti·fi·car·se** **1** 強くなる, 丈夫になる. **2** 防備を固める.

for·tui·to, ta [fortwíto, ta フォルトゥイト, タ] 形 偶然の, 思いがけない. encuentro *fortuito* 偶然の出会い[発見].

for·tu·na [fortúna フォルトゥナ] 名女〔英 fortune〕 **1** 運命, 運 (=suerte); [la F-]〔神話〕運命の女神. buena *fortuna* 幸運. probar *fortuna* 一か八かやってみる.

> **【参　考】** 口語では **suerte** が用いられる.
> Tenemos *suerte*, por poco perdemos el tren. ついている, もう少しで電車に乗り損なうところだった.

2 幸運. por *fortuna* 幸運にも.
3 財産 (= bienes).

for·za·do, da [forθáðo, ða フォルさド, ダ] 過分 形 強いられた; 不自然な. trabajos *forzados* 強制労働. sonrisa *forzada* 作り笑い.

for·zar [forθár フォルさル] [13 o → ue ; 39 z → c] 動他 **1** 無理に…する. *forzar* la cerradura 錠前をこじ開ける. *forzar* una casa 家に押し入る. *forzar* el paso 急がせる; 無理にピッチを速める.
2《+**a** 不定詞》《+**a que** 接続法》…することを強制する, 強いて…させる (=obligar). Las circunstancias me *forzaron a* actuar así. 私は状況でやむを得ずそうしたのだ. La *forzaron a* dimitir. 彼女は無理やり辞職させられた.
3 強姦(ごうかん)する (=violar).

for·zo·sa·men·te [forθósaménte フォルそサメンテ] 副 やむを得ず.

for·zo·so, sa [forθóso, sa フォルそソ, サ] 形 やむを得ない, 不可避の.

fo·sa [fósa フォサ] 名女 **1** 墓穴. *fosa* común 共同墓地.
2 穴, くぼみ. *fosa* oceánica 海溝.
3〔解剖〕窩(か). *fosas* nasales 鼻窩.

fos·fa·to [fosfáto フォスファト] 名男 〖化〗リン酸塩.
fos·fo·res·cen·cia [fosforesθénθja フォスフォレセンしア] 名女 燐光(りんこう).
fos·fo·res·cen·te [fosforesθénte フォスフォレセンテ] 形 燐光(りんこう)性の. pintura *fosforescente* 蛍光塗料.
fós·fo·ro [fósforo フォスフォロ] 名男 **1** マッチ (= cerilla). encender un *fósforo* マッチを擦る. **2**〖化〗リン.
fó·sil [fósil フォシる] 形 **1** 化石の. **2**《口語》時代遅れの, 古臭い.
── 名男 **1** 化石. **2**《口語》時代遅れの人.
fo·si·li·za·ción [fosiliθaθjón フォシりさしオン] 名女 **1** 化石化. **2** 時代遅れになること.
fo·si·li·zar·se [fosiliθárse フォシりさルセ] [39 z → c] 動 **1** 化石化する. **2** 時代遅れになる.
fo·so [fóso フォソ] 名男 **1** 堀; 塹壕(ざんごう). → castillo 図. **2**〖演劇〗オーケストラボックス. **3** 穴, 溝.
fo·to [fóto フォト] 名女 [fotografía の省略形] [複 ~s] [英 photo] **写真**. sacar *fotos* 写真を撮る.
foto- 「光」の意を表す造語要素. ⇒ *fotografía*, *fotómetro* など.
fo·to·co·pia [fotokópja フォトコピア] 名女 (フォト)コピー.
fo·to·co·pia·do·ra [fotokopjaðóra フォトコピアドラ] 名女 コピー機, 複写機.
fo·to·co·piar [fotokopjár フォトコピアル] 動他 …のコピーを取る.
fo·to·e·léc·tri·co, ca [fotoeléktriko, ka フォトエれクトゥリコ, カ] 形〖物理〗光電の. célula *fotoeléctrica* 光電池.
fo·to·gé·ni·co, ca [fotoxéniko, ka フォトへニコ, カ] 形《口語》写真向きの, 写真うつりのよい.
fo·to·gra·ba·do [fotoɣraβáðo フォトグラバド] 名男 写真[グラビア]製版; グラビア写真.
fotógrafa 名女 → fotógrafo.
fo·to·gra·fí·a [fotoɣrafía フォトグラフィア] 名女 [複 ~s] [英 photograph] **写真**; 写真撮影, 写真術. *fotografía* en color カラー写真. sacar [hacer, tomar] una *fotografía* de ... …の写真を撮る.
fo·to·gra·fiar [fotoɣrafjár フォトグラフィアル] [23 i → í] 動他 …の写真を撮る.
fo·to·grá·fi·co, ca [fotoɣráfiko, ka フォトグラフィコ, カ] 形 写真(術)の. copia *fotográfica* 写真プリント.
fo·tó·gra·fo, fa [fotóɣrafo, fa フォトグラフォ, ファ] 名男女 [複 ~s] [英 photographer] **カメラマン**, 写真家. *fotógrafo* de prensa 報道カメラマン.
fo·to·gra·ma [fotoɣráma フォトグラマ] 名男〖映画〗フィルムの一齣(ひとこま).
fo·tó·me·tro [fotómetro フォトメトゥロ] 名男 光度計; (カメラの)露出計.
fo·to·no·ve·la [fotonoβéla フォトノべら] 名女 フォトノベラ. ◆写真にストーリー, 台詞(せりふ)が入った小冊子でメキシコなどで盛ん.
fo·to·pi·la [fotopíla フォトピら] 名女 太陽光電池 (= *fotopila* solar).
fo·to·sín·te·sis [fotosíntesis フォトシンテシス] 名女 [単・複同形]〖生化〗光合成.
fo·to·vol·tai·co, ca [fotoβoltáiko, ka フォトボルタイコ, カ] 形〖物理〗光起電性の.
frac [frák フラ(ク)] 名男 [複 ~s, fraques] 燕尾(えんび)服. [←フランス語]
fra·ca·sa·do, da [frakasáðo, ða フラカサド, ダ] 過分 形 失敗した. candidato *fracasado* 落選した候補者.
── 名男女 敗北者, 落後者.
fra·ca·sar [frakasár フラカサル] 動自 失敗する, 挫折(ざせつ)する. El negocio *fracasó*. 交渉は決裂した. *fracasar* en el examen 試験に失敗する.
fra·ca·so [frakáso フラカソ] 名男 失敗, 挫折(ざせつ). sufrir un *fracaso* 失敗する, 挫折を味わう. Juega bien, pero como entrenador es un *fracaso*. プレーはうまいが, コーチとしては失格だ.
frac·ción [frakθjón フラクしオン] 名女 **1** 分割. **2** 部分, 断片. **3**〖数〗分数.
frac·cio·nar [frakθjonár フラクしオナル] 動他 分割する, 細分する; 分裂させる.
frac·cio·na·rio, ria [frakθjonárjo, rja フラクしオナリオ, リア] 形〖数〗分数の; 断片的な, 端数の.
frac·tu·ra [fraktúra フラクトゥラ] 名女 **1**〖医〗骨折. tener [sufrir] una *fractura* 骨折する. **2** 割れ目, 裂け目.
frac·tu·rar [frakturár フラクトゥラル] 動他 **1** (骨を)折る; 割る, 砕く. **2** (錠を)こじ開ける.
── **frac·tu·rar·se** (骨が)折れる; 砕ける. *fracturarse* una costilla 肋骨(ろっこつ)を折る.
fra·gan·cia [fraɣánθja フラガンしア] 名女 芳香. → perfume【参考】.
fra·gan·te [fraɣánte フラガンテ] 形 芳しい, 芳香性の.
fra·ga·ta [fraɣáta フラガタ] 名女〖海事〗フリゲート艦.
frá·gil [fráxil フラひる] 形 **1** 壊れやすい, 脆(もろ)い. un vaso *frágil* 割れやすいコップ. ¡*Frágil*! (張り紙で) 壊れ物, 取扱注意. **2** 弱い, 虚弱な (= débil). salud *frágil* 病弱. memoria *frágil* はかない記憶. **3** 誘惑されやすい. mujer *frágil* 尻軽(しりがる)女.
fra·gi·li·dad [fraxiliðáð フラひりダ(ドゥ)] 名女 脆(もろ)さ; ひ弱さ.
frag·men·ta·ción [fraɣmentaθjón フラグメンタしオン] 名女 分割, 分裂, 細分.
frag·men·tar [fraɣmentár フラグメンタル] 動他 分割する, ばらばらにする.
── **frag·men·tar·se** ばらばらになる.
frag·men·ta·rio, ria [fraɣmentárjo, rja フラグメンタリオ, リア] 形 断片的な; ばらばらの.

F

frag·men·to [fraɣménto フラグメント] 名男 **1** 断片，かけら． **2** 断章；抜粋．

fra·gor [fraɣór フラゴル] 名男 大音響，轟音(ごう おん)．

fra·go·si·dad [fraɣosiðáð フラゴシダ(ドゥ)] 名女 (地形の) 険しさ；難路．

fra·go·so, sa [fraɣóso, sa フラゴソ, サ] 形 **1** (地形が) 険しい．
2 大音響の，ごうごうたる．

fra·gua [fráɣwa フラグア] 名女 (鍛冶(かじ)屋の) 炉；鍛冶工場 (＝ forja)．

fra·guar [fraɣwár フラグアル] [7 gu → gü] 動他 **1** 鍛える，鍛造する．
2 作り上げる，考え出す．*fraguar* una conspiración 陰謀をたくらむ．
── 動自 (コンクリートなどが) 固まる．

F

frai·le [fráile フライレ] 名男 〘カトリック〙 修道士；(フランシスコ会・ドミニコ会などの) 托鉢(たく はつ) 修道士 (＝ *fraile* mendicante)．→ monje.

fram·bue·sa [frambwésa フランブエサ] 名女 キイチゴ (木苺) の実，ラズベリー．

fram·bue·so [frambwéso フランブエソ] 名男 〘植物〙 キイチゴ (木苺)．

franca 形女 → franco[1].

fran·ca·che·la [fraŋkatʃéla フランカチェラ] 名女 《口語》 どんちゃん騒ぎ．

fran·ca·men·te [fráŋkaménte フランカメンテ] 副 率直に；確かに，明らかに．

fran·cés[1], ce·sa [franθés, θésa フランセス, セサ] [複男 franceses, 女 ～s] 形 〔英 French〕 **フランスの**．a la *francesa* フランスふうの[に]．los países de habla *francesa* フランス語圏の諸国．
── 名男女 フランス人．

fran·cés[2] [franθés フランセス] 名男 〔英 French〕 **フランス語**．

Fran·cia [fránθja フランシア] 固名 〔英 France〕 **フランス** (共和国)：首都 París.

Fran·cis·ca [franθíska フランシスカ] 固名 フランシスカ：女性の名． 愛 Paca, Paquita, Frasquita.

fran·cis·ca·no, na [franθiskáno, na フランシスカノ, ナ] 形 フランシスコ修道会の．
── 名男女 フランシスコ会修道士[女]．

Fran·cis·co [franθísko フランシスコ] 固名 フランシスコ：男性の名． 愛 Paco, Paquito, Pancho, Curro, Frasquito. San *Francisco* de Asís アッシジの聖フランシスコ (1182–1226)．San *Francisco* Javier 聖フランシスコ・ザビエル (1506–52，スペインの宣教師．◆1549 年日本に到着し宣教)．

franc·ma·són, so·na [fraŋkmasón, sóna フランクマソン, ソナ] 名男女 フリーメーソン団員 (＝ masón)．

franc·ma·so·ne·rí·a [fraŋkmasonería フランクマソネリア] 名女 フリーメーソン団 (＝ masonería)．◆18世紀イギリスの石工職人組合に始まる秘密結社．

Fran·co [fráŋko フランコ] 固名 フランコ Francisco *Franco* Bahamonde (1892–1975)：スペインの将軍・政治家．スペイン内戦後に国家元首，総統．

fran·co[1], ca [fráŋko, ka フランコ, カ] 形 〔複 ～s〕 〔英 frank〕 **1 率直な**，遠慮のない，おおらかな．Sea Vd. *franco* conmigo. 私には率直におっしゃってください．*franco* de [en el] trato 人付き合いがざっくばらんな．
2 明らかな，紛れもない．estar en *franca* decadencia はっきりと凋落(ちょう らく)の状態にある． **3** 自由な，無関税の；《＋**de**》…を免除された (＝libre)．puerto *franco* 自由港．*franco de* aduana 免税で．
4 《合成語を作って》フランスの．*franco*-español フランス・スペイン両国の．► 性・数変化をしない．⇀ cooperación *franco*-nipona 仏日共同作業．
franco a bordo 〘商業〙 本船[貨車]渡し〔英 F.O.B〕．
franco de porte 送料発送人払いで．

fran·co[2] [fráŋko フランコ] 名男 **1** フラン：スイスなどの通貨単位；フランス，ベルギーの旧通貨単位 《略 Fr., F.》．
2 [～s] 〘歴史〙 フランク族．

fran·có·fi·lo, la [fraŋkófilo, la フランコフィロ, ラ] 形 フランスびいきの．
── 名男女 親仏家．

fran·co·ti·ra·dor [fraŋkotiraðór フランコティラドル] 名男 狙撃(そ げき)兵，遊撃隊員．

fra·ne·la [franéla フラネラ] 名女 〘服飾〙 フラノ，フランネル．

fran·ja [fráŋxa フランハ] 名女 **1** 縁飾り，房飾り，フリンジ． **2** 帯状のもの．

fran·que·a·ble [fraŋkeáβle フランケアブレ] 形 通行できる；渡れる；越えられる．

fran·que·ar [fraŋkeár フランケアル] 動他 **1** …から邪魔物を取り除く；開放する．*franquear* el paso 通路を開ける．
2 《口語》 渡る；越える；(障害を) 乗り越える．*franquear* un río a nado 川を泳いで渡る． **3** (郵便物に) 切手をはる，…の郵便料金を支払う．
── **fran·que·ar·*se*** 《＋**con**》 …に心を開く．

fran·que·o [fraŋkéo フランケオ] 名男 郵便料金 (＝ *franqueo* postal)，郵税．*franqueo* concertado 料金別納．

fran·que·za [fraŋkéθa フランケサ] 名女 **1** 率直さ．hablar con *franqueza* 率直に，ざっくばらんに話す． **2** 親密，懇意．Es que tengo mucha *franqueza* con él. 彼とは昵懇(じっ こん)の間柄なんだ．

fran·qui·cia [fraŋkíθja フランキシア] 名女 (税金などの) 免除．*franquicia* aduanera 関税免除．

fras·co [frásko フラスコ] 名男 小瓶；フラスコ．un *frasco* de perfume 香水の小瓶．

fra·se [fráse フラセ] 名女 [複 ～s] 〔英 phrase〕 **1 句**，語句．en una *frase* 一言

で言えば. *frase* hecha 決まり文句, 成句. *frase* proverbial 諺(ことわざ), 格言.
2 [～s] 空言. gastar *frases* 美辞麗句を並べる. **3**〘文法〙句; 文 (= oración).

fra·se·o·lo·gí·a [fraseoloxía フラセオロヒア] 名女 **1** 語法, 文体; 用語, 術語.
2 多弁, 大言壮語.

fra·ter·nal [fraternál フラテルナる] 形 兄弟の; 友愛の. amistad *fraternal* 友愛.

fra·ter·ni·dad [fraterniðáð フラテルニダ(ドゥ)] 名女 友愛, 同胞愛; 兄弟関係.

fra·ter·ni·zar [fraterniθár フラテルニさル] [39 z ➙ c] 動自 親しく交わる, 親交を深める.

fra·ter·no, na [fratérno, na フラテルノ, ナ] 形 兄弟の.

fra·tri·ci·da [fratriθíða フラトゥリしダ] 形 兄弟[姉妹]殺しの.
―― 名男女 兄弟[姉妹]殺しの犯人.

fra·tri·ci·dio [fratriθíðjo フラトゥリしディオ] 名男 兄弟[姉妹]殺し.

frau·de [fráuðe フラウデ] 名男 詐欺, 不正行為. *fraude* fiscal 脱税.

frau·du·len·to, ta [frauðulénto, ta フラウドゥれント, タ] 形 詐欺の, 不正な. edición *fraudulenta* 海賊版.

fray [frái フライ] 名男 (修道士に用いる敬称) …師《略 Fr.》. *Fray* Bartolomé de Las Casas バルトロメ・デ・ラス・カサス師 (1484–1566).

fra·za·da [fraθáða フラさダ] 名女 (毛足の長い) 毛布.

fre·cuen·cia [frekwénθja フレクエンしア] 名女 **1** 頻繁, 頻度. con *frecuencia* しばしば. **2**〘物理〙振動数; 周波数.

fre·cuen·tar [frekwentár フレクエンタル] 動他 **1** …によく行く[通う].
2 …と交際する, つきあう.

fre·cuen·te [frekwénte フレクエンテ] 形 [複 ～s] 〔英 frequent〕 **頻繁な**; ありふれた, よくある (= común, corriente). Los accidentes en las carreteras son *frecuentes*. ハイウェーでは交通事故が頻発する. El cura hizo *frecuentes* visitas al enfermo. 司祭は足しげく病人を見舞った. No es muy *frecuente* que llueva en esta época. この時季に雨が降ることはめったにない.

fre·cuen·te·men·te [frekwénteménte フレクエンテメンテ] 副 しばしば, よく.

fre·ga·de·ro [freɣaðéro フレガデロ] 名男 (台所などの) 流し. ➙ cocina 図.

fre·ga·do [freɣáðo フレガド] 名男《口語》もめごと, 争い. tener un *fregado* con 《＋uno》〈人〉と一悶着(ひともんちゃく)起こす. meterse en un *fregado* ごたごたに巻き込まれる.

fre·gar [freɣár フレガル] [32 g ➙ gu ; 42 e ➙ ie] 動他 **1** 洗う; ごしごしこする, 磨く. *fregar* los platos 皿を洗う. *fregar* el suelo 床を磨く[ふく].
2《ラ米》《口語》悩ます, 困らす.

fre·go·na [freɣóna フレゴナ] 名女《口語》**1** モップ. **2** 掃除婦, 皿洗い; 《軽蔑》粗野[下品]な女.

frei·du·rí·a [freiðuría フレイドゥリア] 名女 揚げ物の店[屋台].

fre·ír [freír フレイル] [48 e ➙ i] 動他 [現分 friendo ; 過分 frito, ta または freído, da] **1** 油で揚げる; 炒(いた)める. *freír* el pescado [las patatas] 魚[ジャガイモ]を揚げる. *freír* con [en] aceite 油で揚げる. ➙ cocinar 【参考】.
2《口語》悩ます, いらだたせる. *freír* a preguntas (人を) 質問攻めにする.
3《口語》殺す. Lo *frieron* a tiros. 彼は射殺された.
―― **fre·ír·se** ひどく暑い思いをする. *freírse* de calor 暑さでうだる.

fré·jol [fréxol フレホる] 名男 ➙ frijol.

fre·na·do [frenáðo フレナド] 名男 ブレーキをかけること, 抑制.

fre·nar [frenár フレナル] 動他 **1** …にブレーキをかける. *frenar* el coche a tiempo 間一髪でブレーキをかける. *frenar* bruscamente 急ブレーキをかける.
2 抑制する, 抑える. *frenar* la inflación インフレに歯止めをかける. *frenar* las pasiones 感情を抑える.
―― **fre·nar·se** 自制する (= contenerse).

fre·na·zo [frenáθo フレナそ] 名男 急ブレーキ. dar un *frenazo* 急ブレーキをかける.

fre·ne·sí [frenesí フレネシ] 名男 熱狂, 熱中; 逆上, 狂乱.

fre·né·ti·co, ca [frenétiko, ka フレネティコ, カ] 形 熱狂的な; 逆上した. ponerse *frenético* 熱狂する; 逆上する.

fre·no [fréno フレノ] 名男 **1** ブレーキ, 制動機. echar el *freno* / poner el *freno* ブレーキをかける. soltar el *freno* ブレーキを緩める. *freno* aerodinámico エアブレーキ. *freno* de mano ハンドブレーキ. ➙ bicicleta 図, motocicleta 図.
2 抑制, 歯止め.
3 (馬具の) 馬銜(はみ).

fren·te [frénte フレンテ] [複 ～s] 名女 〔英 forehead〕 **額**(ひたい). Tenía una cicatriz en la *frente*. 彼は額に傷跡があった. arrugar [fruncir] la *frente* 額にしわを寄せる. *frente* despejada 広い額. con la *frente* muy alta 堂々と, 胸を張って. ➙ cuerpo 図.
―― 名男 〔英 front〕 **1** **正面**, 前面. El *frente* del edificio da a la plaza. 建物は広場に面している.
2〘気象〙**前線**. *frente* frío [cálido] 寒冷[温暖]前線.
3〘軍事〙戦線 (= *frente* de batalla) ; 戦場, 戦地. informes llegados del *frente* 戦況報告.
al frente 先頭に立って; 前方へ.
de frente (1) 正面から. Los dos co-

F

ches chocaron *de frente*. 2台の車が正面衝突した. (2)決然と, 断固として. llevar *de frente* un asunto 断固としてことに当たる. (3)《号令》前へ進め!

en frente (= enfrente) (1)向かい側に. casa de *en frente* 向かいの家. (2)《+**de**》…の正面に.

frente a … …の前で, …に対して(= delante de).

frente a frente 向かい合って(= cara a cara).

hacer frente a … …に立ち向かう.

ponerse al frente de … …の先頭に立つ; …の指揮を取る.

fre·sa [frésa フレサ] 名 女 [複 ~s] 〔英 strawberry〕 **1**〘植物〙**イチゴ**(苺). *fresa* silvestre 野イチゴ. ➡ fruta 図.

2〘機械〙(切削用の)フライス.

—— 形 [性・数不変] いちご色の, 赤みがかった.

F

fres·ca [fréska フレスカ] 名 女 **1** 涼しさ, 涼気. **2**《口語》無遠慮な言葉. decir cuatro *frescas* a《+uno》〈人〉をしかりつける.

fres·co[1], ca [frésko, ka フレスコ, カ] [複 ~s] 形 〔英 cool; fresh〕 **1 涼しい**, 冷たい, すがすがしい. Por la noche corre un aire *fresco*. 夜は涼しい風が吹く. Consérvese en sitio *fresco*. 涼しい場所に保管のこと. ¿Quiere Vd. una bebida *fresca*? 冷たい飲み物はいかがですか.

2 新鮮な, 新しい; 鮮明な; (ペンキなどが)塗りたての. pescado *fresco* 鮮魚. huevo *fresco* 産みたての卵. noticia *fresca* 最新の情報. Estos hechos son todavía recuerdos *frescos*. これらの事実はまだ記憶に新しいことだ.

3 さわやかな, 生き生きした, 元気な. tez *fresca* 生き生きした顔. sentirse *fresco* 生き返った気分になる.

4 平然とした; 厚かましい, ずうずうしい. quedarse tan *fresco* 顔色ひとつ変えない. ¡Qué *fresco* eres! なんてずうずうしいやつなんだ, お前は!

—— 名 男 女 厚かましい人.

estar fresco 当てが外れる. *Estás fresco* si crees que te lo voy a hacer todo. なんでもやってもらえると思ったら大間違いだぞ.

fres·co[2] [frésko フレスコ] 名 男 **1** 涼気. tomar el *fresco* 涼みに外へ出る. Hace *fresco* hoy. 今日は涼しい.

2 フレスコ画(= pintura al *fresco*).

3《ラ米》冷たい飲物(= refresco).

al fresco 涼しい所に[で]. pasar la tarde *al fresco* 午後を涼しい場所で過ごす.

mandar a tomar el fresco《口語》追い出す.

traer a 《+uno》 ***al fresco***《口語》〈人〉にとってどうでもよいことである. Su opinión me *trae al fresco*. 彼の意見なんか私にはどうでもいい.

fres·cor [freskór フレスコル] 名 男 涼しさ, 涼風.

fres·cu·ra [freskúra フレスクラ] 名 女 **1** 涼しさ; 冷たさ. **2** 新鮮さ, みずみずしさ. **3**《口語》ずうずうしさ, 厚かましさ.

fre·són [fresón フレソン] 名 男〘植物〙(大粒の)イチゴ(苺).

fres·que·ra [freskéra フレスケラ] 名 女 (金網を張った)戸棚, 蠅帳(はいちょう).

freu·dia·no, na [froiðjáno, na フロイディアノ, ナ] 形 精神病理学者フロイト Freud の, フロイト学派の.

—— 名 男 女 フロイト学派の人.

freu·dis·mo [froiðísmo フロイディスモ] 名 男 フロイト学説.

fri- / frí- 動 ➡ freír. [48 e ➡ i]

fría 形 女 ➡ frío[1].

frial·dad [frjaldáð フリアるダ(ドゥ)] 名 女 冷淡さ; 冷たさ. con *frialdad* よそよそしく, 冷やかに.

fri·can·dó [frikandó フリカンド] 名 男〘料理〙フリカンドー: 子牛肉の煮込み料理.

fri·ca·ti·vo, va [frikatíβo, βa フリカティボ, バ] 形〘音声〙摩擦音の.

—— 名 女〘音声〙摩擦音.

fric·ción [frikθjón フリクしオン] 名 女 **1** 摩擦. **2** 不和. *fricción* entre grupos étnicos 民族間の軋轢(あつれき).

fric·cio·nar [frikθjonár フリクしオナル] 動 他 こする, 摩擦する.

frieg- 動 ➡ fregar. [32 g ➡ gu ; 42 e ➡ ie]

frie·ga [frjéɣa フリエガ] 名 女〘医〙マッサージ.

fri·gi·dez [frixiðéθ フリヒデす] 名 女 **1**〘医〙冷感症, 不感症. **2** 冷淡な;《文》冷たい.

frí·gi·do, da [fríxiðo, ða フリヒド, ダ] 形 冷感[不感]症の.

fri·go·rí·fi·co, ca [friɣorífiko, ka フリゴリフィコ, カ] 名 男 冷蔵庫(= nevera). ➡ cocina 図. ► 冷凍庫は congelador.

—— 形 冷蔵する. cámara *frigorífica* 冷蔵[凍]室. vagón [camión] *frigorífico* 冷蔵貨車[トラック].

fri·jol [frixól フリホる] / **frí·jol** [fríxol フリホる] 名 男《ラ米》〘植物〙フリホール豆. ◆新大陸起源のインゲンマメの総称.

frí·o[1], a [frío, a フリオ, ア] 形 [複 ~s] 〔英 cold〕

1 冷たい, 寒い, 冷えた (↔caliente). Es peligroso tomar una ducha demasiado *fría*. 冷たすぎるシャワーを浴びるのは危険だ. En los días calurosos una cerveza bien *fría* es lo mejor del mundo. 暑い日のよく冷えた1杯のビールは最高だ. Hoy ha hecho un día muy *frío*. 今日はとても寒い一日だった.

2 冷淡な, よそよそしい; 冷静な; 冷酷な. Tuve una acogida muy *fría*. 私はきわめ

て冷淡な歓迎を受けた. Tiene un corazón *frío*. 彼は心の冷たい人だ. El acusado permaneció *frío* durante el interrogatorio. 被告人は尋問中冷静だった.
dejar frío a 《＋uno》〈人〉をぞっと[愕然(がくぜん)と]させる; …で〈人〉が平然としていられる (► 文の主語が原因を表す).
quedarse frío ぞっとする; 平然としている.

frí·o[2] [frío フリオ] 名男 **1** 寒さ, 寒け (↔calor); 風邪. Hace mucho *frío*. 今日はとても寒い. Tengo *frío*. 私は寒い. Pasé mucho *frío* por la noche. 私は夜とても寒い思いをした. coger (un) *frío* 風邪を引く.
2 冷淡, 無感動, 無関心.
en frío 冷たくして; 冷静に, 平然と.
no dar ni frío ni calor a 《＋uno》〈人〉にとってどうでもよいことである.

frio·le·ro, ra [frjoléro, ra フリオレロ, ラ] 形 寒がりの. ── 名女 取るに足らないもの; 《皮肉》大金.

fri·sar [frisár フリサル] 動自 《＋**en**》(…歳に) 近づく.

fri·so [fríso フリソ] 名男 〘建築〙 (1) フリーズ: 軒蛇腹の下の彫刻・浮彫りを施した部分. ➡ columna 図. (2) 帯状装飾.

frita 過分 女 ➡ freír.
── 形 女 ➡ frito[1].

fri·ta·da [fritáđa フリタダ] 名女 〘料理〙揚げ物.

fri·to[1], **ta** [fríto, ta フリト, タ] 過分 ➡ freír.
── 形 [複 ～s] 〔英 fried〕 **1** 油で揚げた; 炒(い)めた. pescado *frito* 魚のフライ. cebollas picadas y *fritas* en una sartén con aceite フライパンで炒めたみじん切りのタマネギ.
2 《口語》 うんざりした; うずうずした. Me tiene *frito* con sus preguntas. 彼の質問にはうんざりだ. El niño está *frito* por ir a nadar. その子は泳ぎに行きたくてうずうずしている. Estoy *frito* de calor. 暑くてたまらない.

fri·to[2] [fríto フリト] 名男 〘料理〙揚げ物, フライ.

fri·tu·ra [fritúra フリトゥラ] 名女 〘料理〙揚げ物. *fritura* de pescado 魚の空揚げ.

fri·vo·li·dad [friβoliđáđ フリボリダ(ドゥ)] 名女 **1** 軽薄. **2** くだらない[ばかげた]こと.

frí·vo·lo, la [fríβolo, la フリボロ, ラ] 形 軽薄な; くだらない.

fron·do·si·dad [frondosiđáđ フロンドシダ(ドゥ)] 名女 《集合》葉の茂み; 密生.

fron·do·so, sa [frondóso, sa フロンドソ, サ] 形 葉の茂った; 密生した.

fron·tal [frontál フロンタル] 形 **1** 前頭の, 前額部の. **2** 正面(から)の. ataque *frontal* 正面攻撃.
── 名男 (祭壇の) 正面飾り[掛け布].

fron·te·ra [frontéra フロンテラ] 名女 [複 ～s] 〔英 frontier〕 国境, 辺境; 境界, 限界. Pasé la *frontera* por Irún. 私はイルンから国境を越えた. Los Pirineos son la *frontera* natural de España y Francia. ピレネー山脈はスペインとフランスを分ける天然の国境だ. Los soldados fueron enviados a las zonas de *frontera*. 兵士たちは国境地帯に派遣された. La amistad no conoce *fronteras*. 友情に国境はない.

fron·te·ri·zo, za [fronteríθo, θa フロンテリソ, サ] 形 国境の; 《＋**con, de**》…と国境を接する. pueblo *fronterizo* 国境の町. México es *fronterizo con* [*de*] Estados Unidos. メキシコはアメリカ合衆国と国境を接している.

fron·te·ro, ra [frontéro, ra フロンテロ, ラ] 形 真向かいの, 向かい合った.

fron·tis [fróntis フロンティス] 名男 [単・複同形] ➡ frontispicio.

fron·tis·pi·cio [frontispíθjo フロンティスピしオ] 名男 **1** (建物の) 正面.
2 (本の) 扉; 口絵.

fron·tón [frontón フロントン] 名男
1 〘スポ〙 フロントン: 球を壁に打ち返すスペイン・バスク地方起源の球技; (フロントン用の) 壁, コート. ➡ pelota.
2 〘建築〙ペディメント, 切妻壁.

fro·ta·ción [frotaθjón フロタしオン] 名女 こすること.

fro·tar [frotár フロタル] 動他 こする; 磨く. *Frote* bien el florero de plata. 銀の花瓶をよく磨いて下さい.
── **fro·tar·se** (自分の手などを) こする. *frotarse* las manos もみ手する. ► 満悦を示すゼスチャー.

fruc·tí·fe·ro, ra [fruktífero, ra フルクティフェロ, ラ] 形 結実性の, 実のなる; 実り多い, 有意義な.

fruc·ti·fi·car [fruktifikár フルクティフィカル] [8 c ➡ qu] 動自 実がなる; 《比喩》実を結ぶ, 好結果を生む.

fruc·tuo·so, sa [fruktwóso, sa フルクトゥオソ, サ] 形 実り多い, 有意義な; よく実のなる.

fru·gal [fruɣál フルガる] 形 質素な, つましい.

fru·ga·li·dad [fruɣaliđáđ フルガリダ(ドゥ)] 名女 質素, つましさ.

frui·ción [frwiθjón フルイしオン] 名女 喜び, 快楽. con *fruición* 嬉々(きき)として.

frun·ce [frúnθe フルンせ] 名男 〘服飾〙 ギャザー, ひだ.

frun·ci·do, da [frunθíđo, đa フルンしド, ダ] 過分 形 **1** ギャザー[ひだ]のついた. falda *fruncida* ギャザースカート.
2 眉(まゆ)をひそめた.
── 名男 〘服飾〙ギャザー, ひだ飾り.

frun·cir [frunθír フルンしル] [61 c ➡ z] 動他 **1** ギャザー[ひだ]をつける.
2 しわを寄せる. *fruncir* el ceño [la frente, la boca] 眉(まゆ)をひそめる[額にしわを寄

せる, 口をへの字に曲げる].

frus·le·rí·a [fruslería フルスれリア] 名女 つまらないもの; くだらないこと.

frus·tra·ción [frustraθjón フルストゥラしオン] 名女 **1** 挫折(ざっ); 失望.
2 欲求不満, フラストレーション.

frus·trar [frustrár フルストゥラル] 動他 駄目にする; 挫折(ざっ)させる. El mal tiempo *frustró* la excursión. 悪天候のためハイキングは駄目になった. *frustrar* las esperanzas de los padres 両親の期待を裏切る.
— **frus·trar·se** **1** 失敗する; 挫折する. El secuestro *se ha frustrado*. 誘拐は失敗に終わった. **2** 裏切られる.

fru·ta

[frúta フルタ] 名女 [複 ~s] 〔英 fruit〕
果物. Vamos a tomar *fruta* de postre. 食後に果物を食べよう. *frutas* secas [tropicales] ドライ[トロピカル]フルーツ. *fruta* prohibida 禁断の木の実.

【文　法】果物全体を言う場合は集合名詞で単数扱い. 個々の種類を意識して言う場合は複数形.
Este niño no come nunca *fruta*. この子は果物を全然食べない.
fruta(s) del tiempo 季節の果物.

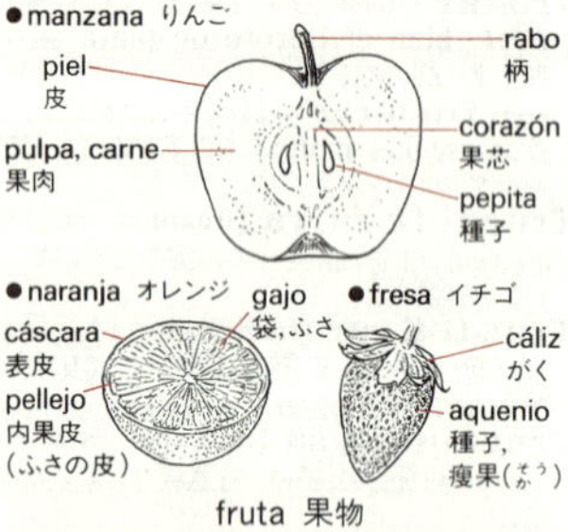

fruta 果物

【参　考】**fruta** は日常的にデザートに供される果物を言う. tomate (トマト) などは verduras (野菜) 扱い.
主な果物: cereza サクランボ. ciruela プラム. fresa イチゴ. higo イチジク. limón レモン. manzana リンゴ. melón メロン. melocotón モモ. naranja オレンジ. pera 洋ナシ. piña パイナップル. plátano / 《ラ米》banana バナナ. pomelo グレープフルーツ. sandía スイカ. uva ブドウ.

fru·tal [frutál フルタる] 形 果実がなる.
— 名男 果樹 (= árbol *frutal*).

fru·te·rí·a [frutería フルテリア] 名女 果物店.

fru·te·ro, ra [frutéro, ra フルテロ, ラ] 名男女 果物屋. — 名男 果物皿, 果物かご.
— 形 **1** 果物の; 果実を売る.
2 《口語》果物好きな.

fru·ti·cul·tu·ra [frutikultúra フルティクるトゥラ] 名女 果樹栽培.

fru·to [frúto フルト] 名男 [複 ~s] 〔英 fruit〕 **1 果実**, 実. Los *frutos* sirven de alimento. 実は食用になる. *frutos* carnosos 多肉果. *frutos* secos (almendra, avellana などの) 乾果.
2 成果, 結果; 収益. sacar *fruto* de 《+algo》〈何か〉から成果を上げる, 〈何か〉を利用する. trabajar sin *fruto* 無駄骨を折る. no dar [producir] *fruto* 成果を生まない. *fruto(s)* de imaginación 想像の産物.
3 [~または ~s] 収穫物. una tierra que no da *fruto(s)* 収穫の上がらない土地.

fu [fú フ] 名男 《擬》(猫のうなり声) フー.
¡Fu! 《嫌悪・軽蔑を表して》へっ, ふん.
hacer fu a … …を鼻であしらう.
ni fu ni fa まあまあの.

fue(-) 動 **1** → ir. 30　**2** → ser. 53

fue·go

[fwéɣo フエゴ] 名男 [複 ~s] 〔英 fire〕
1 火. pegar [prender] *fuego* a 《+algo》〈何か〉に火をつける. apagar el *fuego* 火を消す. ¿Me das *fuego*, por favor? 火を貸してください. Me senté junto al *fuego*. 私は炉端に座った. una cocina a gas de tres *fuegos* バーナーが3口あるガステーブル. ► 物質名詞扱いの時は冠詞をつけない. 「たき火, 炉火, 調理用の火」の時は冠詞を伴い, 複数にもなる.
2 火事, 火災 (= incendio). Hay un *fuego* cerca de mi casa. 家の近くが火事だ. ¡*Fuego*! 火事だ! tocar a *fuego* (サイレンなどで) 火事を知らせる.
3 砲火, 銃撃. abrir [hacer, romper] *fuego* 火ぶたを切る. armas de *fuego* 火器, 銃砲. ¡Apunten! ¡*Fuego*! 《号令》ねらえ, 撃て!
4 激情, 熱情; 炎症, 熱. atizar el *fuego* de la discordia 不和をあおる. tener *fuego* en el estómago 胃が焼けるように痛む.
a fuego lento (1) 〘料理〙とろ火で. (2) じわじわと. matar *a fuego lento* なぶり殺しにする.
a fuego vivo 〘料理〙強火で.
echar fuego por los ojos 烈火のごとく怒る.
echar leña al fuego 火に油をそそぐ.
fuegos artificiales 花火.
jugar con fuego 危険なまねをする.

fue·lle [fwéʎe フエリェ] 名男 **1** ふいご; 〘音楽〙バグパイプの革袋.
2 (写真機などの) 蛇腹; (馬車などの) 幌(ほろ).
3 〘服飾〙アコーディオンプリーツ.
tener (mucho) fuelle 息が続く; タフである.

fuen·te [fwénte フエンテ] 名女 [複 ~s] 〔英 fountain ; source〕 **1 泉**; 噴水; 水くみ[水飲み]場. *fuente* de Neptuno ネプチューンの噴水. Cerca del prado encontraron una *fuente* de agua cristalina. 牧場の近くで彼らはきれいな泉を見つけた. Todas las mañanas las mujeres iban a la *fuente* del pueblo a sacar agua. 毎朝女たちは村の共同水くみ場へ水くみに行った.
2 源泉, 源; 情報源. saber de buena *fuente* [de *fuente* fidedigna] 確かな筋から情報を得る. *fuente* de energía エネルギー源. *fuente* de ingresos 収入源.
3 〘料理〙盛り合わせ皿; ボウル.
4 フォント, 書体 (= tipo de letra).

fue·ra [fwéra フエラ] 副 〔英 out, outside〕
外に, 外で (↔ dentro); 戸外で, 国外で. salir *fuera* 外に出る. cenar *fuera* 外で夕食を食べる.
── 間投 出て行け, 追い出せ; 《野次》 引っ込め, 消えろ. ¡*Fuera* de mi vista! おれの前から失せろ!
── 名男 (引っ込め・消えろという) 野次, ののしり. Aquí se oía un *fuera*, allá un silbido. あちこちから罵声(ばせい)や非難の口笛が聞こえていた.
de fuera (1)よその, 外からの. Ellos son *de fuera*. 彼らはよそ者だ. (2)外側から; 戸外から. La casa es bonita vista *de fuera*. その家は外から見ると美しい.
estar fuera de sí 逆上している.
fuera de (1)…の外に[へ]. vivir *fuera de* la ciudad 郊外に住む. (2)…の及ばないところに[で]. *fuera de* peligro 危険の及ばないところで. estar *fuera de* lo común 普通ではない, 異例なことである. estar *fuera de* moda 流行遅れである. (3)…のほかに, …を別にして.
fuera de serie 並外れた.
por fuera 外側は; 外見は.

fue·ro [fwéro フエロ] 名男 **1** (中世都市の) 特別法, 特権. **2** 法典. a *fuero* 法[慣習]に従って. **3** 権能, 権限. *fuero* eclesiástico 教権. **4** [~s] 《口語》横柄.
en [***para***] su ***fuero interno*** [***interior***] 心の底では, 心ひそかに.
volver por los fueros de 《+algo》〈何か〉を擁護する.

fuer·te [fwérte フエルテ] 形 [複 ~s] 〔英 strong〕
1 強い, 丈夫な, 頑丈な, 強力な (↔ débil). un joven muy *fuerte* たくましい若者. empresa *fuerte* 大企業. moneda *fuerte* 強い通貨. viento *fuerte* 強風.
2 激しい, 強烈な; 乱暴な, 下品な. un golpe *fuerte* 痛烈な一撃. carácter *fuerte* 激しい気性. impresión *fuerte* 強烈な印象. palabras *fuertes* 下品な言葉.
3 (味などが) 強い, 濃い; (アルコール分が) 高い. café *fuerte* 濃いコーヒー. tabaco *fuerte* 強いタバコ.
4 得意な. 詳しい, Está *fuerte* en idiomas. 彼は語学に強い.
── 名男 **1** 得意. La geografía es su *fuerte*. 地理は彼の得意とするところだ.
2 〘軍事〙要塞(ようさい), 砦(とりで).
── 副 **1** 強く; 激しく. pegar *fuerte* 力いっぱい殴る. llover *fuerte* 激しく雨が降る.
2 多量に. Es mejor para la salud desayunar *fuerte*. 健康のためにはしっかり朝食を取ったほうがいい.
hacerse fuerte en ... (1)…に立てこもる. (2)…を頑として守り通す.

fuer·te·men·te [fwérteménte フエルテメンテ] 副 強く; 激しく; しっかりと; 熱心に.

fuerz- 動 → forzar. [13 o → ue ; 39 z → c]

fuer·za [fwérθa フエルさ] 名女 [複 ~s] 〔英 force, power〕
1 [~または ~s] **力**; 気力, 体力; 強度. Grité con todas mis *fuerzas*. 私はあらん限りの声を上げた. No tengo *fuerza*(*s*) suficiente(s) para enfrentarme con este asunto. 私はこの件に立ち向かうだけの勇気がない. recobrar las *fuerzas* 気力を取り戻す, 健康を回復する. Les faltó *fuerza* a las vigas. 梁(はり)の強度が足りなかった.
2 影響力, 効力; 能力. La ley no tiene *fuerza* para obligarme a eso. 法律は私にそれを強制する力はない. medir sus *fuerzas* (可能かどうか) 自分の力をはかる.
3 暴力, 腕力. recurrir a la *fuerza* 暴力に訴える.
4 [普通 ~s] 軍隊; 集団, 隊. *fuerza*(*s*) armada(s) 軍隊. *fuerzas* aéreas [navales, terrestres] 空[海, 陸] 軍. *fuerza* pública 警察 (力). *fuerzas* vivas 財界, 産業界.
5 動力, 電力; 電流.
a fuerza de ... …によって, …のお陰で; あまりに…なのでかえって. *A fuerza de* estudiar aprobé todas las asignaturas. 勉強したお陰で私はどうにか全科目合格できた. Lo ha conseguido *a fuerza de* puños. 彼は自力でそれを達成した.
a la fuerza / por fuerza 無理やり, やむを得ず, どうしても (= por necesidad).
fuerza mayor 不可抗力.
por la fuerza 力ずくで.

fu·ga [fúɣa フガ] 名女 **1** 逃亡, 逃走. *fuga* de la cárcel 脱獄. ponerse en *fuga* 逃げる.
2 漏出; 流出. *fuga* de gas ガス漏れ. *fuga* eléctrica 漏電. *fuga* de cerebros 頭脳の流出.
3 〘音楽〙フーガ, 遁走(とんそう)曲.

fugaces 形 [複] → fugaz.

fu·ga·ci·dad [fuɣaθiðáð フガしダ(ドゥ)] 名女 はかなさ, つかの間.

F

fu·gar·*se* [fuɣárse フガルセ] [32 g → gu] 動逃げる, 逃亡する.

fu·gaz [fuɣáθ フガス] 形[複 fugaces]はかない, つかの間の. felicidad *fugaz* つかの間の幸せ. estrella *fugaz* 流れ星.

fu·gi·ti·vo, va [fuxitíβo, βa フヒティボ, バ] 名男女逃亡者, 脱走者.
── 形 **1** 逃げた, 逃亡中の. **2** はかない, つかの間の.

fui(-) 動 **1** → ir. 30 **2** → ser. 53

fu·la·no, na [fuláno, na フラノ, ナ] 名男女ある人; だれそれ, 某氏, 某女. Don *Fulano* de Tal 某氏. ese *fulano* そいつ, あいつ. → mengano, zutano.
── 名女《口語》売春婦.

ful·gor [fulɣór フるゴル] 名男《文語》きらめき, 輝き. *fulgor* de las estrellas 星の瞬き.

ful·gu·rar [fulɣurár フるグラル] 動自 きらめく, 輝く.

fu·lle·rí·a [fuʎería フリェリア] 名女 ぺてん, いかさま.

fu·lle·ro, ra [fuʎéro, ra フリェロ, ラ] 形 いかさまの, ぺてん師の.
── 名男女いかさま師, ぺてん師.

ful·mi·nan·te [fulminánte フるミナンテ] 形 **1** 爆発性の. pólvora *fulminante* 火薬, 爆薬.
2 突発的な, 突然の. muerte *fulminante* 即死. accidente *fulminante* 突発事故.
3《口語》ものすごい. mirada *fulminante* 恐ろしい目つき.
── 名男 起爆薬; 雷管.

ful·mi·nar [fulminár フるミナル] 動他
1 雷撃する; 感電 (死) させる. morir *fulminado* 落雷で死ぬ.
2 (病気が) 急に襲う.
3 (爆弾などを) 炸裂(さくれつ)させる.
4 非難する, 叱責(しっせき)する.
fulminar a 《+uno》 ***con la mirada*** 〈人〉をにらむ.

fu·ma·da [fumáða フマダ] 名女 (タバコの) 一服. dar una *fumada* 一服吸う.

fu·ma·dor, do·ra [fumaðór, ðóra フマドル, ドラ] 名男女 喫煙者. vagón de no *fumadores* 禁煙車. ── 形喫煙する.

fu·mar [fumár フマル] 動自他 タバコを吸う, 喫煙する. Cada año aumentan los sitios donde no se puede *fumar*. 年毎に喫煙できない場所が増えている. Prohibido *fumar*.《掲示》禁煙. *fumar* un cigarrillo [un canuto] タバコ[マリファナ]を吸う.
── **fu·mar·*se*** **1** タバコを吸う.
2《口語》浪費する. En un año *se ha fumado* todo lo que tenía. 彼は1年で全財産を使い果たした.
3《口語》サボる. *Se fumó* la clase. 彼は授業をサボった.

fu·ma·ra·da [fumaráða フマラダ] 名女 一吹きの煙; (パイプタバコの) 一服.

fu·ma·ro·la [fumaróla フマロら] 名女 (火山の) 噴気孔.

fu·mi·ga·ción [fumiɣaθjón フミガしオン] 名女燻蒸(くんじょう), 燻蒸消毒.

fu·mi·gar [fumiɣár フミガル] [32 g → gu] 動他 燻蒸(くんじょう)(消毒) をする; 噴霧する.

fu·nám·bu·lo, la [funámbulo, la フナンブろ, ら] 名男女 綱渡り師.

fun·ción [funθjón フンしオン] 名女 [複 funciones] 〔英 function; show〕
1 機能, 働き. *función* digestiva del estómago 胃の消化機能.
2 興行, 公演. *función* benéfica 慈善公演. *función* de la tarde [de noche] マチネー[夜の部]. Hoy no hay *función*. 本日休演日.
3 [普通 funciones]職務, 任務, 役目. desempeñar [ejercer] sus *funciones* 職務を遂行する. entrar en *funciones* 職務に就く.
4《宗教》儀式. **5**《数》関数.
en funciones 代理の. presidente *en funciones* 大統領[議長]代理.
en función de … …に応じて, …の点から (= según).

fun·cio·nal [funθjonál フンしオナる] 形
1 機能の; 機能本位の, 機能的な.
2《数》関数の.

fun·cio·na·mien·to [funθjonamjénto フンしオナミエント] 名男 機能, 働き; 作動. poner en *funcionamiento* 実施する, 施行する.

fun·cio·nar [funθjonár フンしオナル] 動自 機能する; 作動する. Esta máquina *funciona* bien. この機械は調子が良い. No *funciona*.《掲示》故障(中).

fun·cio·na·rio, ria [funθjonárjo, rja フンしオナリオ, リア] 名男女 公務員, 役人 (= *funcionario* público). *funcionario* del Estado 国家公務員. alto *funcionario* 高官. → empleado 【参考】.

fun·da [fúnda フンダ] 名女 ケース; カバー, *funda* de almohada まくらカバー (→ cama 図). *funda* de gafas 眼鏡ケース.
── 動 → fundar.

fun·da·ción [fundaθjón フンダしオン] 名女 **1** 創設, 創立. celebrar el centenario de la *fundación* 100周年記念を祝う.
2 財団; 基金. *Fundación* Japón 国際交流基金.

fun·da·cio·nal [fundaθjonál フンダしオナる] 形 創設の, 設立の; 財団の; 基金の.

fun·da·dor, do·ra [fundaðór, ðóra フンダドル, ドラ] 名男女 創設者, 設立者; 開祖, 始祖. ── 形 創設する, 設立する. socio *fundador* 発起人.

fun·da·men·tal [fundamentál フンダメンタる] 形 [複 ~es] 〔英 fundamental〕 **基本的な**, 基礎となる; 根本的な. cuestión *fundamental* 根本的な問題. Lo *fun-*

damental para mí es que venga pronto. 私にとって肝心なことは彼が早く来てくれることだ. ➡ elemental.

fun·da·men·tar [fundamentár フンダメンタル] 動他 《+en》…に根拠を置く.
— **fun·da·men·tar·se** 《+en》…に基づく

fun·da·men·to [fundaménto フンダメント] 名男 **1** 基礎, 基本; 土台.
2 根拠, 理由. sin *fundamento* 根拠[いわれ]のない. no tener *fundamento* para 《+不定詞》…するのは理不尽である.
3 [~s] (知識・学問の) 基礎, 初歩 (= elementos). *fundamentos* de español スペイン語の基礎.

fun·dar [fundár フンダル] 動他 〔英 found〕 **1 創設[創建]する,** 設立する. Su padre *fundó* la compañía. 彼の父親がその会社を設立した. *Fundaron* esta catedral en el siglo XV [quince]. この大聖堂は15世紀に建てられた.
2 《+en, sobre》…に…の基礎[根拠]を置く. *Fundó* su juicio *en* la experiencia de muchos años. 長年の経験に基づいて彼はそう判断した.
— **fun·dar·se** **1** 創建される. Esta universidad *se fundó* a finales del siglo pasado. この大学は前世紀末の創建になる.
2 《+en, sobre》…に基づく. ¡*En* qué *te fundas* para decir esto! 君は何を根拠にそんなことを言うのか.

fun·di·ción [fundiθjón フンディしオン] 名女 **1** 溶かす[溶ける]こと, 溶解.
2 鋳物工場, 製錬所; 鋳鉄.

fun·dir [fundír フンディル] 動他 **1** 溶かす; 鋳造する. *fundir* hierro 鉄を溶かす. *fundir* una estatua 像を鋳造する.
2 一つにする, 融合する, 合併する. *fundir* las opiniones 意見を一つにまとめる.
3 〔電気〕ヒューズを飛ばす.
— **fun·dir·se** **1** 溶ける; 融合する.
2 (電球などが) 切れる; ヒューズが飛ぶ. *Se fundió* la bombilla. 電球が切れた.
3 《ラ米》倒産する.

fú·ne·bre [fúneβre フネブレ] 形
1 葬式の. pompas *fúnebres* 葬儀.
2 死を思わせる; 悲しげな, 陰気な.

fu·ne·ral [funerál フネラる] 名男 [普通~es] 葬式, 葬儀.

fu·ne·ra·rio, ria [funerárjo, rja フネラリオ, リア] 形 葬式の. ceremonias *funerarias* 葬儀. misa *funeraria* 追悼ミサ.
— 名女 葬儀社.

fu·nes·to, ta [funésto, ta フネスト, タ] 形 不吉な, 忌まわしい. día *funesto* 厄日(やくび).

fun·gi·ci·da [fuŋxiθíða フンヒしダ] 名男 防黴(ぼうばい)剤, 黴(かび)取り. — 形 黴を殺す.

fu·ni·cu·lar [funikulár フニクらル] 名男 ケーブルカー. — 形 綱[索]で動く.

fur·gón [furɣón フルゴン] 名男 有蓋(ゆうがい)トラック; 有蓋貨車. *furgón* postal 郵便車.

fur·go·ne·ta [furɣonéta フルゴネタ] 名女 〔車〕ワゴン車, バン.

fu·ria [fúrja フリア] 名女 **1** 激怒; 逆上. estar hecho una *furia* 怒り狂っている.
2 激しさ, 猛威. *furia* del viento 吹き荒れる風. **3** 激情, 熱情. nadar con *furia* がむしゃらに泳ぐ.

fu·ri·bun·do, da [furiβúndo, da フリブンド, ダ] 形 **1** 激怒した; 怒りを含んだ. mirada *furibunda* 恐ろしい目つき.
2 熱狂的な, 熱烈な.

fu·rio·sa·men·te [furjósaménte フリオサメンテ] 副 怒り狂って, 激しく.

fu·rio·so, sa [furjóso, sa フリオソ, サ] 形
1 怒り狂った, 激怒した. ponerse *furioso* 激高する.
2 すさまじい, 猛烈な. *furiosa* tempestad 荒れ狂う嵐(あらし). tener celos *furiosos* 激しく嫉妬(しっと)する.

fu·ror [furór フロル] 名男 **1** 激怒, 激高. sentir un *furor* 激しい怒りを覚える.
2 激しさ, 猛威. *furor* de las olas 波のすさまじさ.
3 激情; 熱中. con *furor* 夢中になって, わき目も振らず.
hacer furor 《口語》人気をさらう, 流行する.

fur·ti·vo, va [furtíβo, βa フルティボ, バ] 形 ひそかな; 隠れた. mirada *furtiva* 盗み見. cazador [pescador] *furtivo* 密猟[漁]者.

fu·sa [fúsa フサ] 名女 〔音楽〕32分音符. ➡ nota 図.

fu·se·la·je [fuseláxe フセらへ] 名男 〔航空〕(飛行機の) 胴体, 機体. ➡ avión 図.

fu·si·ble [fusíβle フシブれ] 名男 可融性の.
— 名男 〔電気〕ヒューズ.

fu·sil [fusíl フシる] 名男 銃; 小銃, ライフル銃. tirar con el *fusil* 銃を発射する. *fusil* automático 自動小銃.

fu·si·la·mien·to [fusilamjénto フシらミエント] 名男 **1** 銃殺. **2** 盗作, 剽窃(ひょうせつ).

fu·si·lar [fusilár フシらル] 動他 **1** 銃殺する. **2** 《口語》盗作する, 剽窃(ひょうせつ)する.

fu·si·le·rí·a [fusilería フシれリア] 名女 **1** 《集合》小銃; 小銃隊. **2** 銃撃, 射撃.

fu·si·le·ro, ra [fusiléro, ra フシれロ, ラ] 形 小銃兵の.
— 名男 ライフル銃兵, 射撃兵.

fu·sión [fusjón フシオン] 名女 **1** 溶解, 融解. temperatura de *fusión* 溶解温度. *fusión* nuclear 〔物理〕核融合.
2 融合; 合併.

fu·sio·nar [fusjonár フシオナル] 動他 融合させる; 合併させる.
— **fu·sio·nar·se** 融合する; 合併する.

fus·ta [fústa フスタ] 名女 **1** (乗馬用の) 鞭(むち). **2** 小枝, 細枝.

fus·te [fúste フステ] 名男 **1** 〔建築〕(柱頭と台石の間の) 柱身. ➡ columna 図. **2** 重要

F

さ. de poco *fuste* 取るに足らない. gente de *fuste* お歴々. **3** 棒, 竿(さお); 槍(やり)の柄.

fút·bol [fútβol フトゥボる] 名男〔英 football, soccer〕〘スポーツ〙**サッカー**. jugar al *fútbol* サッカーをする. *fútbol* americano アメリカン・フットボール.

fut·bo·lín [fuʈβolín フトゥボりン] 名男〘遊戯〙サッカーゲーム(盤).

fut·bo·lis·ta [fuʈβolísta フトゥボりスタ] 名男女 サッカー選手.

fut·bo·lís·ti·co, ca [fuʈβolístiko, ka フトゥボりスティコ, カ] 形 サッカーの. equipo *futbolístico* サッカーチーム.

fú·til [fútil フティる] 形 くだらない, 無意味な. charla *fútil* たわいないおしゃべり.

fu·ti·li·dad [futiliðáð フティりダ(ドゥ)] 名女 くだらなさ, 無意味. hablar de *futilidades* つまらないことを話す.

futura 形女 → futuro[1].

fu·tu·ris·mo [futurísmo フトゥリスモ] 名男 **1**〘美術〙未来派: 1910年ごろイタリアで始まった前衛的な芸術運動. **2** 未来志向.

fu·tu·ris·ta [futurísta フトゥリスタ] 形〘美術〙未来派の, 未来主義の; 未来の. ── 名男女 未来派[主義]の芸術家; 未来志向の人.

fu·tu·ro[1], ra [futúro, ra フトゥロ, ラ] 形 [複 ～s]〔英 future〕**未来の**, 将来の (↔ presente, pasado). en lo *futuro* 将来に. generaciones *futuras* 後世の人々.

fu·tu·ro[2] [futúro フトゥロ] 名男〔英 future〕**1 未来**, 将来. en el *futuro* cercano 近い将来に. No tienes que preocuparte por el *futuro*. 君は先のことは心配しなくてもよい. **2**〘文法〙未来時制, 未来形. *futuro* perfecto 未来完了形.

fu·tu·ro·lo·gía [futuroloxía フトゥロろヒア] 名女 未来学.

fu·tu·ró·lo·go, ga [futuróloγo, γa フトゥロろゴ, ガ] 名男女 未来学者.

【参 考】**fútbol** サッカー

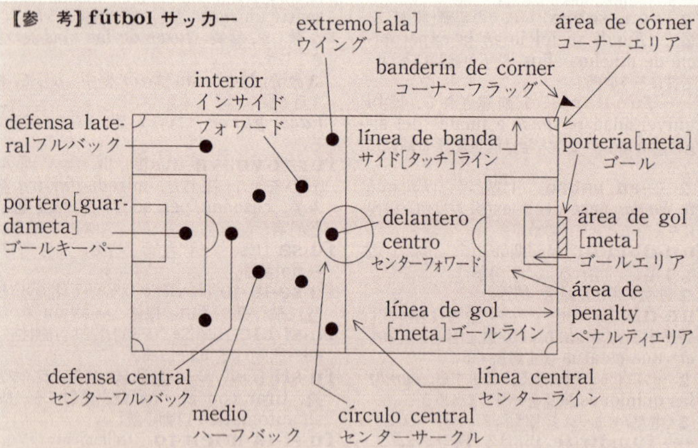

saque inicial キックオフ, gol ゴール, tiro [chut] シュート, pase パス, saque de portería ゴールキック, córner コーナーキック, penalty ペナルティキック, tiro directo [indirecto] 直接[間接]フリーキック, saque lateral [de banda] スローイン, de cabeza [cabezazo] ヘッディング, centrar センタリングする, cortar カットする, driblar ドリブルする, falta [foul] ファウル, mano ハンドリング, empujón プッシング, zancadilla トリッピング, jalón ホールディング, obstrucción オブストラクション, fuera de juego オフサイド, tarjeta[cartulina] amarilla イエローカード.

G g *G g*

G, g [xé ヘ] 名女 スペイン語字母の第７字.

ga·ba·cho, cha [gaβátʃo, tʃa ガバチョ, チャ] 形 **1** ピレネー山脈に住む.
2《口語》《軽蔑》フランス人の.
── 名男女 **1** ピレネー山脈の住人.
2《口語》《軽蔑》フランス人.

ga·bán [gaβán ガバン] 名男〔服飾〕外套(がいとう).

ga·bar·di·na [gaβarðína ガバルディナ] 名女（ギャバジン地の）コート. ► レインコートは impermeable. トレンチコートは trinchera.

ga·bi·ne·te [gabinéte ガビネテ] 名男 **1** 内閣. reunión del *gabinete* 閣議. **2** 診察室, 標本室, 陳列室. **3** 小部屋, 次の間.

Ga·briel [gaβrjél ガブリエる] 固名 **1** ガブリエル: 男性の名. 愛 Gabo.
2〔聖書〕大天使ガブリエル.

Ga·brie·la [gaβrjéla ガブリエら] 固名 ガブリエラ: 女性の名.

ga·ce·la [gaθéla ガせら] 名女 **1**〔動物〕ガゼル; 雌ガゼル. ► 特に雄を区別する時は gacel, gacela macho.
2《口語》すらりとした女性.

ga·ce·ta [gaθéta ガせタ] 名女 **1** 新聞, 定期刊行物. *gaceta* literaria 文芸新報.
2 うわさ好きな人.
mentir más que la gaceta《口語》大うそをつく.

ga·ce·ti·lla [gaθetíʎa ガせティリャ] 名女 **1** ゴシップ欄. **2** うわさ好きの人.

ga·cha [gátʃa ガチャ] 名女 **1** [〜s]〔料理〕ポリッジ: 小麦粉などを水やミルクで煮込んだ料理. *gachas* de avena オートミール.
2 どろどろしたもの.
hacerse unas gachas やたらにべたべたする.

ga·cho, cha [gátʃo, tʃa ガチョ, チャ] 形 下を向いた,（動物の耳・角が）垂れた.
a gachas 四つんばいで.
con las orejas gachas《口語》うなだれて, 意気消沈して.

ga·chó [gatʃó ガチョ] 名男 [複 〜s]《俗語》野郎, やつ; 情人.

ga·di·ta·no, na [gaðitáno, na ガディタノ, ナ] 形 カディス Cádiz の.
── 名男女 カディスの住民.

ga·fas [gáfas ガファス] 名女 [複]〔英 glasses〕眼鏡. llevar *gafas* de sol サングラスをかけている. *gafas* de esquí ゴーグル. ► コンタクトレンズは lentes de contacto, lentillas.

ga·fe [gáfe ガフェ] 名男《口語》不運をもたらす人. Es un *gafe*. やつは疫病神だ.

gai·ta [gáita ガイタ] 名女 **1**〔音楽〕ガイタ: バグパイプに似た楽器（= *gaita* gallega).
2《口語》厄介, 迷惑, 面倒. Es una *gaita* conducir en esta calle. この通りを運転するのはうんざりだ.
estar de gaita 陽気である.

ga·jes [gáxes ガヘス] 名男 [複] 特別[臨時]手当.
gajes del oficio《皮肉》仕事の悩み, 苦労.

ga·jo [gáxo ガホ] 名男 **1** 折れた枝.
2（ブドウの）果穂;（オレンジなどの）果房, ふさ. ➡ fruta 図. **3**（鋤(すき)などの）先端.

ga·la [gála ガら] 名女 **1** [普通 〜s] 晴れ着, 盛装; 装身具. Fue al baile con sus mejores *galas*. 彼女はいちばんの晴れ着でダンスパーティーに行った. *galas* de novia 花嫁衣装.
2（盛装の）パーティー, 宴会.
3 優雅; 花形. *gala* del colegio 学校の花.
de gala 盛装して, 礼服で;〔軍事〕正装で. *de* media *gala* 略装で. función *de gala* 特別興行; 正装の夜会.
hacer gala de《+algo》〈何か〉を見せびらかす, 自慢する.
tener a gala《+不定詞》…するのを自慢にする.

ga·lác·ti·co, ca [galáktiko, ka ガらクティコ, カ] 形〔天文〕銀河(系)の; 大星群の.

ga·lán [galán ガらン] 名男 **1** 伊達(だて)男.
2（女性に）言い寄る男; 情夫, 恋人.
3〔演劇〕二枚目, 主演男優（= primer *galán*).

ga·lan·te [galánte ガらンテ] 形 **1**（女性に）優しい. **2** コケティッシュな, 奔放な.

ga·lan·te·ar [galanteár ガらンテアル] 動他（女性に）やさしくする; 言い寄る.

ga·lan·te·o [galantéo ガらンテオ] 名男（女性に）言い寄ること.

ga·lan·te·rí·a [galantería ガらンテリア] 名女（女性に）優しく[親切に]すること; お世辞.

ga·lá·pa·go [galápaɣo ガらパゴ] 名男〔動物〕(大型の) カメ(亀).

Ga·lá·pa·gos [galápaɣos ガらパゴス] 固名 ガラパゴス: エクアドル西方の太平洋上の同国領の諸島.

ga·lar·dón [galarðón ガらルドン] 名男 褒美; 報酬.

ga·lar·do·nar [galarðonár ガらルドナル] 動他 …に褒美[報酬]を与える. *galardonar*

G

a《+uno》con una medalla〈人〉にメダルを贈る.

ga·la·xia [galáksja ガらクシア] 名女 [G-]〘天文〙銀河, 天の川 (= Vía Láctea); [g-] (銀河系外の) 星雲; 銀河系.

ga·le·ón [galeón ガれオン] 名男〘海事〙ガレオン船: 15-19世紀のスペインの大型帆船.

ga·le·ra [galéra ガれラ] 名女 **1**〘海事〙ガレー船: 地中海で用いられた昔の大型船.
2 [~s]〘歴史〙漕手(そうしゅ)刑.

ga·le·rí·a [galería ガれリア] 名女 **1** 回廊, 歩廊. **2** 画廊, ギャラリー.
3〘演劇〙天井桟敷. **4** 坑道.
5 [~s] アーケード, 商店街; デパート.
galería de tiro 射撃場.
galería de viento〘技術〙風洞.

ga·lés, le·sa [galés, lésa ガれス, れサ] 形 [複男 galeses] (英国の) ウェールズ Gales の. —— 名男女 ウェールズ人.
—— 名男 ウェールズ語.

G

gal·go, ga [gálɣo, ɣa ガるゴ, ガ] 名男女〘動物〙グレーハウンド犬.

Ga·lia [gálja ガりア] 固名 ガリア: 現在のフランス, ベルギー, オランダ, スイスに当たる古代ローマの地方.

Ga·li·cia [galíθja ガりしア] 固名〔英 Galicia〕**ガリシア**: スペイン北西部の地方; 自治州. ➡ autónomo【参考】, 図.

ga·li·cis·mo [galiθísmo ガりしスモ] 名男 ガリシスム: フランス語からの借用語[表現]. ⇀ beige, coñac など.

ga·li·ma·tí·as [galimatías ガりマティアス] 名男 [単・複同形]《口語》ちんぷんかんぷん; 混乱, 乱雑, 紛糾.

ga·llar·da·men·te [gaʎárðaménte ガリャルダメンテ] 副 さっそうと, りりしく.

ga·llar·de·ar(·se) [gaʎarðeár(se) ガリャルデアル(セ)] 動自 さっそうと振る舞う, 気取る.

ga·llar·de·te [gaʎarðéte ガリャルデテ] 名男〘海事〙三角旗; (催事で街などに飾る) 長旗.

ga·llar·dí·a [gaʎarðía ガリャルディア] 名女 りりしさ, さっそうとした振る舞い; 高潔.

ga·llar·do, da [gaʎárðo, ða ガリャルド, ダ] 形 **1** さっそうとした, りりしい.
2 勇敢な. **3** 優雅な, 上品な.

ga·lle·go[1], ga [gaʎéɣo, ɣa ガリェゴ, ガ] [複 ~s]〔英 Galician〕形 **ガリシアの**.
—— 名男女 ガリシア人.

ga·lle·go[2] [gaʎéɣo ガリェゴ] 名男 ガリシア語. ◆スペインの公用語の一つ. ➡ castellano.

ga·lle·ta [gaʎéta ガリェタ] 名女
1 ビスケット, クラッカー; 堅パン.
2《口語》平手打ち, びんた (= bofetada).

ga·lli·na [gaʎína ガリィナ] [複 ~s] 名女〔英 hen〕**雌鶏(めんどり)** (↔ gallo). ► 若鶏は pollo.
—— 形《口語》臆病(おくびょう)な.
—— 名男女《口語》臆病者. Es un *gallina*. 彼は腰抜けだ.
acostarse con las gallinas 早寝をする.

ga·lli·ne·ro, ra [gaʎinéro, ra ガリィネロ, ラ] 名男女 養鶏家; 鶏商人.
—— 名男 **1** 鶏小屋, 鶏舎. **2**〘演劇〙天井桟敷 (= galería, paraíso). ➡ teatro 図.
3 騒々しい場所.

ga·llo [gáʎo ガリョ] 名男 **1** 雄鶏(おんどり) (↔ gallina). cantar el *gallo* 雄鶏が時を告げる. *gallo* de pelea [riña] シャモ (軍鶏).
2《口語》調子外れの甲高い声. soltar un *gallo* 調子外れの声を出す.
3 ボス;《ラ米》強い男, 勇者.
—— 形 挑戦的な態度の, 尊大な.
en menos que canta un gallo《口語》あっという間に.
tener mucho gallo《口語》威張っている.

ga·lo, la [gálo, la ガろ, ら] 形〘歴史〙ガリアの, ゴールの.
—— 名男女 ガリア人, ゴール人.
—— 名男 ガリア語, ゴール語.

ga·lón [galón ガろン] 名男 **1**〘服飾〙(金銀の) モール, 飾りひも; (軍人の) 階級章, 袖章(そでしょう), 肩章.
2 ガロン; 液量単位で約4.5リットル.

ga·lo·pa·da [galopáða ガろパダ] 名女 ギャロップで走ること; 疾駆.

ga·lo·par [galopár ガろパル] 動自 ギャロップで走る; 疾駆する.

ga·lo·pe [galópe ガろペ] 名男〘馬〙ギャロップ.
a [de] galope ギャロップで, 大急ぎで.
a galope tendido フル・ギャロップで, 疾走して.

ga·lo·pín [galopín ガろピン] 名男 **1** 浮浪児; 悪たれ小僧. **2** ごろつき, 悪党.

gal·va·ni·za·ción [galβaniθaθjón ガるバニさしオン] 名女 電気めっき.

gal·va·ni·zar [galβaniθár ガるバニさル] [39 z ➡ c] 動他 **1** 電気めっきする.
2〘電気〙…に直流電気をかける.
3 元気づける, 活気づかせる.

ga·ma [gáma ガマ] 名女 **1**〘音楽〙音階. hacer *gamas* 音階練習をする.
2 段階; 色階. toda la *gama* de azules 青のあらゆる色合い.

gam·ba [gámba ガンバ] 名女〘動物〙芝エビ (蝦).

gam·be·rra·da [gamberáða ガンベラダ] 名女 乱暴, 非行.

gam·be·rro, rra [gambéro, ra ガンベロ, ラ] 形 **1** 乱暴な. **2** 身持ちの悪い.
—— 名男女 **1** 乱暴者, 粗野な人.
2 放蕩(ほうとう)者.
hacer el gamberro 傍若無人に振る舞う.

ga·mu·za [gamúθa ガムさ] 名女 **1**〘動物〙カモシカ (羚鹿), シャモア, アルプスカモシカ.
2 セーム革.

ga·na [gána ガナ] 名女 [複 ~s] 〔英 desire; wish〕 **1** [~または ~s] 欲求, 願望; 意欲. trabajar con poca *gana* いやいや働く.
2 食欲(= *gana*(*s*) de comer). abrir la *gana* [las *ganas*] a 《+uno》〈人〉に食欲を起こさせる.
―― 動 → ganar.
dar ganas a 《+uno》 ***de*** 《+不定詞》〈人〉を…したい気持ちにさせる. *Me dan ganas de* bañarme en el mar. 私は海で泳ぎたい. ►dar la *gana* a 《+uno》はぶしつけで強い口調の言い方. 否定文で使われることが多い. ⇒ No *me da la gana* de decírtelo. お前に誰がそんなことを言うもんか. Voy porque *me da la gana*. 行きたいから行くのさ.
de buena gana 喜んで, 快く, 進んで.
de mala gana いやいや, 不承不承, しぶしぶ.
morirse de ganas de 《+不定詞》たまらなく…したい.
quitar las ganas (人の) 意欲をそぐ. El accidente me *ha quitado las ganas* de comprar una moto. 事故以来私はオートバイを買う気をなくした.
tener ganas de 《+不定詞》…したい. *Tengo* muchas *ganas de* verte. とても君に会いたい.

ganada 過分 女 → ganar.

ga·na·de·rí·a [ganaðería ガナデリア] 名女 **1** 牧畜, 牧畜業, 畜産.
2 牧場, 放牧地.
3 《集合》(特定の地域・個人に属する) 家畜.

ga·na·de·ro, ra [ganaðéro, ra ガナデロ, ラ] 形 牧畜の, 畜産の; 家畜の.
―― 名男女 牧畜業者, 牧場主.

ga·na·do[1] [ganáðo ガナド] 名男 《集合》家畜; 《ラ米》牛. *ganado* mayor (牛・馬など) 大形の家畜. *ganado* menor (羊・豚など) 小形の家畜. *ganado* vacuno 牛.

ganado[2], **da** 過分 → ganar.

ga·na·dor, do·ra [ganaðór, ðóra ガナドル, ドラ] 形 勝利の. equipo *ganador* 勝利チーム.
―― 名男女 勝利者, 勝者.

ga·nan·cia [ganánθja ガナンシア] 名女 [~または ~s] 利益, 収入; 賞金. obtener [sacar] *ganancia* 利潤を得る. Restando los impuestos todavía quedan *ganancias*. 税金を引いてもなお利益が残る. *ganancias* y pérdidas 〔商業〕損益勘定.

ga·nan·cio·so, sa [gananθjóso, sa ガナンシオソ, サ] 形 もうけの多い, 有利な. Salimos *ganancisos* de este negocio. 我々はこの商売でもうけた.
―― 名男女 もうけた人, 得をした人.

ganando 現分 → ganar.

ga·na·pán [ganapán ガナパン] 名男 **1** 使い走り(の人).
2 《口語》粗野な人, がさつ者.

ga·nar [ganár ガナル] 動他 〔現分 ganando ; 過分 ganado,da〕〔英 earn, gain; win〕
1 稼ぐ, 働いて得る. *Gana* doscientas mil pesetas al mes. 彼は月に20万ペセタ稼ぐ.
2 (戦い・勝負に) 勝つ (↔ perder) ; (人に) 勝つ. *ganar* el partido 試合に勝つ. Le *gané* diez mil pesetas al póker [en una apuesta]. 私はポーカー[賭(か)け]で1万ペセタ勝った.
3 獲得する, 手に入れる. *Ganó* el primer premio en el concurso. 彼はコンクールで1等賞を取った. *ganar* fama mundial 世界的な名声を博す.
4 《+**en**》…に勝つ, …で…をしのぐ. Pedro le *gana* a Juan *en* fuerza. ペドロはフアンより力が強い.
5 達する, 届く. *ganar* la cumbre de la montaña 山頂に到達する.
―― 動自 **1** 稼ぐ; 勝つ. *ganar* por dos tantos a cero 2対0で勝つ. → tanto.
2 《+**en**》…がよくなる, 向上する. Con el ejercicio *he ganado en* salud. 運動して私は体力をつけた.
―― **ga·nar·*se*** **1** 稼ぐ. *Me gané* cien mil pesetas con este trabajo. 私はこの仕事で10万ペセタ稼いだ. *ganarse* la vida 生計を立てる.
2 (名声・評判を) 得る, 博す. *ganarse* el respeto de todos 皆の尊敬を集める.
ganársela 《口語》罰を受ける, しかられる.
salir ganando 得をする.

gan·chi·llo [gantʃíʎo ガンチリョ] 名男 〔服飾〕鉤針(かぎ); 鉤針編み.

gan·cho [gántʃo ガンチョ] 名男 **1** 鉤(かぎ), 鉤の手; 掛け鉤; (手芸の) 鉤針.
2 (羊飼いの) 柄の曲がった杖(つえ).
3 《口語》おとり役, さくら.
4 《口語》(特に女性の) 性的魅力, 色っぽさ. Ella tiene *gancho*. 彼女は色っぽい.
echar el gancho a 《+uno》《口語》〈人〉を引っかける.

gan·dul, du·la [gandúl, dúla ガンドゥル, ドゥラ] 形 《口語》役立たずの, 怠惰な.
―― 名男女 《口語》ぐうたら, 怠け者.

gan·du·le·ar [ganduleár ガンドゥレアル] 動自 のらくらする, 怠ける.

gan·ga [gáŋga ガンガ] 名女 《口語》掘り出し物; 楽な仕事. a precio de *ganga* バーゲンの値段で. ¡Menuda [Vaya una] *ganga*! これは掘り出し物だ; なんてぼろい仕事だろう.

gan·glio [gáŋgljo ガングリオ] 名男 〔解剖〕神経節. *ganglio* linfático リンパ節.

gan·go·so, sa [gaŋgóso, sa ガンゴソ, サ] 形 鼻声の, 鼻にかかった. hablar *gangoso* 鼻声で話す.

gan·gre·na [gaŋgréna ガングレナ] 名女 **1** 〔医〕壊疽(えそ), 脱疽. **2** 腐敗, 弊害.

G

gan·gre·nar·*se* [gaŋgrenárse ガングレナルセ] 動 〔医〕壊疽(えそ)にかかる;《比喩》腐敗する.

gángs·ter [gánster ガンステル] 名男 [複 gángsters] ギャング, 悪漢. [←英語]

gan·gue·ar [gaŋgeár ガンゲアル] 動自 鼻声で話す.

gan·so, sa [gánso, sa ガンソ, サ] 名男女
1〔鳥〕ガチョウ(鵞鳥); ガン(雁).
2《口語》間抜け, のろま.
hablar por boca de ganso 人のうわさをする.
hacer el ganso 人を笑わせる.

gan·zúa [ganθúa ガンすア] 名女 錠前をこじ開ける道具.
— 名男女 **1**《口語》こそ泥.
2《口語》人の秘密を聞き出すのが上手な人.

ga·ra·ba·te·ar [garaβateár ガラバテアル] 動自 **1** 殴り書きする. **2** 鉤(かぎ)で引き上げる.
— 動他 殴り書きする.

ga·ra·ba·to [garaβáto ガラバト] 名男
1 殴り書き. hacer *garabatos* 走り書きする. **2** 引っかけ鉤(かぎ), 手鉤.

ga·ra·je [garáxe ガラへ] 名男 **1** ガレージ, 車庫. ➡ casa 図.
2 自動車整備工場.

ga·ran·te [garánte ガランテ] 名男女 保証人. salir *garante* 保証人になる.
— 形 保証する.

ga·ran·tí·a [garantía ガランティア] 名女
1 保証; 保証金. dar [ofrecer] *garantía* 保証する. con *garantía* de dos años 2年間保証付き.
2〔法律〕担保, 抵当. en *garantía* 担保として. *garantía* hipotecaria 不動産抵当.

ga·ran·ti·zar [garantiθár ガランティさル] [39 z ➡ c] 動他 **1** 保証する; 請け合う, 確約する. Compro un reloj si me lo *garantizan* por tres años. 3年間保証してくれるならその時計を買ってもいい.
2 責任を負う, 保証人になる. Necesitas una persona que te *garantice* para la compra de un piso a plazos. ローンでマンションを買うには保証人がいるよ.

ga·ra·pi·ñar [garapiɲár ガラピニャル] 動他 糖衣をかぶせる. almendras *garapiñadas* 糖衣でくるんだアーモンド(菓子).

gar·ban·zo [garβánθo ガルバンそ] 名男 [複 ~s] 〔英 chickpea〕〔植物〕**ガルバンソ, ヒヨコマメ**(雛豆). ➡ legumbres 図.
contar los garbanzos 金にうるさい[細かい].
garbanzo negro 厄介者.

gar·bo [gárβo ガルボ] 名男 **1** 優雅, 気品; (文体などの) 高雅, 流麗. José caminaba con *garbo*. ホセはさっそうと歩いていた.
2 寛大, 太っ腹.

gar·bo·so, sa [garβóso, sa ガルボソ, サ] 形 優雅な, 気品のある.

Gar·cí·a [garθía ガルしア] 固名 ガルシア: 姓. Federico *García* Lorca ガルシア・ロルカ(1898–1936. スペインの詩人・劇作家). Gabriel *García* Márquez ガルシア・マルケス(1928–2014. コロンビアの作家. ノーベル文学賞).

gar·de·nia [garðénja ガルデニア] 名女 〔植物〕クチナシ(梔).

ga·re·te [garéte ガレテ] ***ir(se) al garete*** (船が) 漂流する;《口語》(計画などが) 流れる. El plan de vacaciones *se* nos *fue al garete* por el mal tiempo. 天気が悪くて休みの計画がおじゃんになった.

gar·fio [gárfjo ガルフィオ] 名男 引っかけ鉤(かぎ), フック.

gar·gan·ta [garɣánta ガルガンタ] 名女 [複 ~s]
〔英 throat〕 **1** 喉(のど); 頸部(けいぶ). Me duele la *garganta*. 私は喉が痛い.
2 峡谷, 山峡; (器物の) 首.
3 声. tener buena *garganta* 美声である.
tener atravesado en la garganta a《+uno》〈人〉に反感を抱く.
tener* [*hacerse*] *un nudo en la garganta 胸が詰まる, 感極まる.

gar·gan·ti·lla [garɣantíʎa ガルガンティリャ] 名女 〔服飾〕チョーカー, (短い) ネックレス.

gár·ga·ras [gárɣaras ガルガラス] 名女 [複] うがい. hacer *gárgaras* うがいをする.
mandar a《+uno》***a hacer gárgaras***《口語》〈人〉を追っぱらう[たたき出す].

gár·go·la [gárɣola ガルゴら] 名女 〔建築〕ガーゴイル: 怪獣などの形をした吐水口.

ga·ri·ta [garíta ガリタ] 名女 門衛所, 望楼;〔軍事〕哨舎(しょうしゃ).

ga·ri·to [garíto ガリト] 名男 賭博(とばく)場.

gar·li·to [garlíto ガルりト] 名男 **1** (魚を捕る) 簗(やな).
2《口語》わな. caer en el *garlito* わなにはまる. coger en el *garlito* 陥れる, 不意打ちを食わせる.

gar·lo·pa [garlópa ガルろパ] 名女 (木工) 仕上げかんな.

ga·rra [gářa ガラ] 名女 **1** (鳥獣の) 鉤爪(かぎづめ), 脚.
2《比喩》[~s] 人間の手. caer en las *garras* de《+uno》〈人〉の手中に陥る.
echar la garra a《+uno》〈人〉を捕まえる.

ga·rra·fa [gařáfa ガラファ] 名女 **1** (細首の) ガラス瓶. **2**《ラ米》ボンベ.

ga·rra·fal [gařafál ガラファる] 形《口語》ひどい, とてつもない. falta *garrafal* 大失敗.

ga·rra·pa·ta [gařapáta ガラパタ] 名女 〔動物〕ダニ(蜱).

ga·rra·pa·to [gařapáto ガラパト] 名男 殴り[走り]書き.

ga·rri·do, da [gaříðo, ða ガリド, ダ] 形 容姿の美しい, スタイルのいい. mozo *ga-*

rrido 美青年.
ga·rro·cha [gar̄ótʃa ガロチャ] 名女 (家畜を追う) 鉤竿(かぎざお); 《闘牛》長槍(やり); 《スポーツ》(棒高跳びの) 棒 (= pértiga).
ga·rro·ta·zo [gar̄otáθo ガロタそ] 名男 こん棒による殴打.
ga·rro·te [gar̄óte ガロテ] 名男 こん棒.
ga·rru·cha [gar̄útʃa ガルチャ] 名女 滑車 (= polea).
gar·za [gárθa ガルさ] 名女 《鳥》サギ (鷺).
gas [gás ガス] 名男 〔英 gas〕 **ガス**, 気体. *gas* natural licuado 液化天然ガス《略 GNL》. cocina de *gas* ガスレンジ. *gas* propano プロパンガス. *gas* lacrimógeno 催涙ガス. *gas* tóxico [venenoso] 毒ガス.
a todo gas フルスピードで.
dar gas アクセルを踏み込む, 速力を上げる.
ga·sa [gása ガサ] 名女 **1** ガーゼ.
2 薄絹, 紗(しゃ).
ga·se·o·so, sa [gaseóso, sa ガセオソ, サ] 名女 炭酸水 (= agua con gas).
—— 形 ガス状の; 炭酸ガスを含んだ. cuerpo *gaseoso* 気体.
ga·si·fi·car [gasifikár ガシフィカル] [8 c → qu] 動他 **1** ガス化する, 気化する.
2 (飲み物に) 炭酸ガスを加える.
ga·so·duc·to [gasoðúkto ガソドゥクト] 名男 ガス・パイプライン.
gas-oil [gasóil ガソイる] 名男 → gasóleo. [←英語]
ga·só·le·o [gasóleo ガソれオ] 名男 ガスオイル; ディーゼル油.
ga·so·li·na [gasolína ガソりナ] 名女 ガソリン. Ha subido la *gasolina*. ガソリンが値上がりした. *gasolina* de alto octanaje ハイオクタン・ガソリン (► 口語では súper と言う). *gasolina* regular レギュラーガソリン. *gasolina* sin plomo 無鉛ガソリン.
ga·so·li·ne·ra [gasolinéra ガソりネラ] 名女 ガソリンスタンド.
ga·só·me·tro [gasómetro ガソメトゥロ] 名男 ガスタンク; ガス計量器.
gas·ta·do, da [gastáðo, ða ガスタド, ダ] 過分 → gastar.
—— 形 **1** すり減った, 使い古した; 言い古された. ropa *gastada* ぼろぼろの服.
2 疲れきった, やつれた; 力を失くした.
gastando 現分 → gastar.
gas·tar [gastár ガスタル] 動他 [現分 gastando ; 過分 gastado, da] 〔英 spend〕 **1 費やす**, 消費する; 無駄にする (↔ ahorrar). *gastar* dinero [el tiempo] 金 [時間] を費やす. *gastar* mucha energía [gasolina] エネルギー [ガソリン] を多量に食う. *gastar* las fuerzas físicas 体力を消耗する.
2 (日常的に) 使う, 身につける; 振る舞う. *gastar* bigote 口ひげを生やしている. *gastar* sombrero [gafas] 帽子をかぶっている [眼鏡をかけている]. *gastar* mal humor 機嫌が悪い. *gastar* un lenguaje soez 下品な言葉を使う.
3 (冗談・お世辞などを) 言う. *gastar* bromas 冗談をとばす. *gastar* cumplidos お世辞を言う.
4 すり減らす (= desgastar).
—— **gas·tar·*se*** 擦り切れる, 尽きる, 消耗する.
gas·to [gásto ガスト] 名男 [複 ～s] 〔英 expense〕 **1 出費**, 支出; [～s] **経費**, 費用. cubrir *gastos* 出費を賄う. hacer mucho *gasto* de dinero 大金を使う. *gastos* generales 諸経費. *gastos* de personal 人件費. *gastos* de transporte 運送費.
2 消費 (量). *gasto* de energía エネルギーの消費.
—— 動 → gastar.
***hacer el gasto* (*de la conversación*)** 《口語》長広舌をふるう, 会話を独占する.
gás·tri·co, ca [gástriko, ka ガストゥリコ, カ] 形 胃の. jugo *gástrico* 胃液.
gas·tri·tis [gastrítis ガストゥリティス] 名女 [単・複同形] 《医》胃炎. *gastritis* aguda [crónica] 急性 [慢性] 胃炎.
gas·tro·no·mí·a [gastronomía ガストゥロノミア] 名女 美食学; 料理法.
gas·tro·nó·mi·co, ca [gastronómiko, ka ガストゥロノミコ, カ] 形 美食の, グルメの; 料理法の.
gas·tró·no·mo, ma [gastrónomo, ma ガストゥロノモ, マ] 名男女 美食家, グルメ.
ga·ta [gáta ガタ] 名女 [複 ～s] 〔英 cat〕 **雌ネコ** (猫). → gato.
ga·te·ar [gateár ガテアル] 動自 **1** はって歩く, (乳児が) はいはいする.
2 《+ **por**》 …をはい登る, よじ登る.
ga·ti·llo [gatíʎo ガティリョ] 名男 **1** (銃の) 引き金. apretar el *gatillo* 引き金を引く.
2 (抜歯用の) 鉗子(かんし).
ga·to [gáto ガト] 名男 [複 ～s] 〔英 cat〕
1 ネコ (猫); 雄ネコ. *gato* callejero 野良猫. *gato* montés ヤマネコ. *gato* persa ペルシャネコ. *gato* romano トラ猫.
2 《技術》ジャッキ.
3 《口語》ずる賢いやつ, こそ泥.
caer de pie como los gatos 窮地をうまく切り抜ける.
cuatro gatos 《口語》わずかな人数.
dar gato por liebre 《諺》羊頭を掲げて狗肉(くにく)を売る.
haber gato encerrado 《口語》何か裏がありそうだ.
llevarse el gato al agua 《口語》率先してやる.
no haber ni un gato 《口語》人っ子ひとりいない.
poner el cascabel al gato 《諺》猫に

G

鈴をつける.

ga·tu·no, na [gatúno, na ガトゥノ, ナ] 形 猫の(ような).

gau·cho, cha [gáutʃo, tʃa ガウチョ, チャ] 名男 ガウチョ: pampa のカウボーイ.
—— 形 ガウチョの. un payador *gaucho* ガウチョの歌い手.

Gau·dí [gauðí ガウディ] 固名 ガウディ, Antonio (1852-1926): スペインの建築家.

ga·vi·lán [gaβilán ガビラン] 名男 **1** 〘鳥〙ハイタカ(鷂). **2** (剣の) 十字形つばの片側.

ga·vi·lla [gaβíʎa ガビリャ] 名女 **1** (麦・草などの) 束. ►manojo より大きく, haz より小さい.
2 《口語》悪党の群れ[一味].

ga·vio·ta [gaβjóta ガビオタ] 名女 〘鳥〙カモメ(鷗).

ga·za·po [gaθápo ガサポ] 名男 **1** 〘動物〙子ウサギ (= conejillo).
2 《口語》へま, 言い[書き]間違い.

G

gaz·mo·ñe·rí·a [gaθmoɲería ガスモニェリア] 名女 道徳家[信心家]ぶること; 猫かぶり.

gaz·mo·ñe·ro, ra [gaθmoɲéro, ra ガスモニェロ, ラ] / **gaz·mo·ño,ña** [-móɲo, ɲa -モニョ, ニャ] 形 道徳家[信心家]ぶった; 猫かぶりの.

gaz·na·te [gaθnáte ガスナテ] 名男 喉(のど). refrescarse el *gaznate* 《口語》一杯やる.

gaz·pa·cho [gaθpátʃo ガスパチョ] 名男 〘料理〙ガスパチョ: 冷たい野菜スープ.

ge [xé ヘ] 名女 アルファベットの g の文字[音].

gel [xél ヘる] 名男 〘化〙ゲル.

ge·la·ti·na [xelatína へらティナ] 名女
1 〘化〙ゼラチン. **2** ゼリー; 煮こごり.

ge·la·ti·no·so, sa [xelatinóso, sa へらティノソ, サ] 形 ゼラチン質の; ゼリー状の.

gé·li·do, da [xéliðo, ða へりド, ダ] 形 《文語》凍てつくような. viento *gélido* 身を切るような風.

ge·ma [xéma ヘマ] 名女 **1** 宝石.
2 〘植物〙芽.

ge·me·bun·do, da [xemeβúndo, da ヘメブンド, ダ] 形 うめきを上げる; めそめそする.

ge·me·lo, la [xemélo, la ヘメろ, ら] 名男女 双生児. (= mellizo)
—— 名男 **1** [〜s] 双眼鏡. *gemelos* de teatro オペラグラス.
2 [〜s] カフスボタン. ➡ camisa 図.
—— 形 双生児の; 対をなす, 酷似した. hermanos *gemelos* 双子の兄弟.

ge·mi·do [xemíðo ヘミド] 名男 うめき.

Gé·mi·nis [xéminis ヘミニス] 名男 〘天文〙双子座; 〘占星〙双子宮.

ge·mir [xemír ヘミル] [41 e ➡ i] 動自 [現分 gimiendo] **1** うめく, うなる; 嘆き悲しむ. **2** (物が) うなりをたてる.

gen [xén ヘン] 名男 〘生物〙遺伝(因)子.

gen·dar·me [xendárme ヘンダルメ] 名男 憲兵, 警官. [←フランス語]

ge·ne [xéne ヘネ] 名男 ➡ gen.

ge·ne·a·lo·gí·a [xenealoxía ヘネアろヒア] 名女 家系; 系図, 系譜; 〘生物〙系統.

ge·ne·a·ló·gi·co, ca [xenealóxiko, ka ヘネアろヒコ, カ] 形 系図の, 系統の. árbol *genealógico* 系統樹.

ge·ne·a·lo·gis·ta [xenealoxísta ヘネアろヒスタ] 名男女 系図[系譜]学者.

ge·ne·ra·ción [xeneraθjón ヘネラしオン] 名 女 [複 generaciones] [英 generation] **1** 世代, 代; 《集合》同時代の人々. En esta casa conviven tres *generaciones*. この家には三世代が同居している. de *generación* en *generación* 代々. la *generación* del 98 [noventa y ocho] 98年の世代 (◆1898年の米西戦争敗北をきっかけにスペインの再生を模索した作家たち).
2 発生, 生産; 生殖. *generación* de energía eléctrica 発電. *generación* espontánea 〘生物〙自然発生.

ge·ne·ra·dor, do·ra [xeneraðór, ðóra ヘネラドル, ドラ] 形 発生させる.
—— 名男 〘機械〙発電機, ジェネレーター.

ge·ne·ral

[xenerál ヘ ネ ラ る] [複 〜es] 形 [英 general]
1 一般の, 全般的な; 全体の, 総体的な (↔ especial, específico). opinión *general* 大方の意見. gerente *general* 総支配人. asamblea *general* 総会. público *general* 一般大衆. elecciones *generales* 総選挙. costumbre muy *general* ごく当たり前の習慣.
2 だいたいの, 概略の, おおよその. impresión *general* だいたいの印象. líneas *generales* del nuevo proyecto 新計画の概要.
—— 名男 将軍, (陸・空軍の) 将官. *general* en jefe 総司令官. ➡ militar 【参考】.
en general 一般の; 一般に, 普通.
por lo general 一般に.

ge·ne·ra·la·to [xeneraláto ヘネラらト] 名男 将軍の地位[職務]; 《集合》将軍.

ge·ne·ra·li·dad [xeneraliðáð ヘネラりダ(ドゥ)] 名女 **1** 一般性, 普遍性.
2 [普通 〜es] 総論, 概論. limitarse a *generalidades* 一般論にとどめる.
3 大多数. **4** [G-] ➡ Generalitat.

ge·ne·ra·lí·si·mo [xeneralísimo ヘネラりシモ] 名男 最高司令長官, (大) 元帥; 総統. ◆特に Franco 将軍を指す.

Ge·ne·ra·li·tat [dʒeneralitát ジェネラりタ(トゥ)] 固名 カタルーニャ自治政府. [←カタルーニャ語]

ge·ne·ra·li·za·ción [xeneraliθaθjón ヘネラりさしオン] 名女 **1** 一般化, 普遍化; 概括.
2 普及, 伝播(でんぱ); 波及. *generalización* de un conflicto 紛争の拡大.

ge·ne·ra·li·zar [xeneraliθár ヘネラりサル] [39 z ➡ c] 動自他 **1** 一般化する, 普及させる.
2 概括する; 一般論を述べる. No *generali-*

ce Vd. tanto, concrete más. 一般論ではなく具体的に言ってください.
── **ge·ne·ra·li·zar·se** 一般化する, 普遍化する; 普及する. *Se ha generalizado* la epidemia en toda la región. 一帯に流行病が広まった.
ge·ne·ral·men·te [xenerálménte ヘネラるメンテ] 副 一般的に, 普通は.
ge·ne·rar [xenerár ヘネラル] 動他 **1** 発生させる, 生み出す. **2** 引き起こす, もたらす.
ge·né·ri·co, ca [xenériko, ka ヘネリコ, カ] 形 **1** 一般的な, 包括的な.
2 〔生物〕属の. **3** 〔文法〕性の; 総称の.
gé·ne·ro [xénero ヘネロ] 名男 [複 ~s] 〔英 kind〕 **1 種類**; (芸術などの) 分野, ジャンル. medios de comunicación de distintos *géneros* 各種の交通 [通信] 手段. No tengo ningún *género* de duda. 私は少しも疑問に思っていない. *género* literario 文芸ジャンル. *género* cómico コミックもの.
2 やり方, 流儀. Este *género* de vida no me convence. こうした生活は嫌いだ.
3 商品, 品物; 織物, 布. No tenemos ese *género*. 当店ではその品は扱っていません. *géneros* de punto ニットウエア.
4 〔生物〕属. *género* humano 人類. *género* mamífero 哺乳(ほにゅう)動物.
5 〔文法〕性. *género* masculino [femenino] 男[女]性.
generosa 形女 → generoso.
ge·ne·ro·sa·men·te [xenerósaménte ヘネロサメンテ] 副 親切に, 温かく; 気前よく.
ge·ne·ro·si·dad [xenerosiðáð ヘネロシダ(ドゥ)] 名女 寛大さ; 気前のよさ. con *generosidad* 気前よく.
ge·ne·ro·so, sa [xeneróso, sa ヘネロソ, サ] 形 [複 ~s] 〔英 generous〕 **1** 《+ **con, para con**》…**に寛容な**, 度量の大きい; 気前のよい. *generoso con* los inferiores 目下に優しい.
2 高潔な, 高貴な. *generoso* de espíritu 精神の高潔な.
3 豊富な, たっぷりの; 芳醇(ほうじゅん)な. vino *generoso* 芳醇なワイン.
gé·ne·sis [xénesis ヘネシス] 名女 [単・複同形] **1** 発生, 生成. **2** 起源, 由来.
── 名男 [G-] 〔聖書〕(旧約の) 創世記.
ge·né·ti·co, ca [xenétiko, ka ヘネティコ, カ] 形 **1** 遺伝学の, 遺伝因子による. ingeniería *genética* 遺伝子工学.
2 発生の, 起源の.
── 名女 〔生物〕遺伝学.
ge·nial [xenjál ヘニアる] 形 **1** 天才的な, 非凡な.
2 《口語》すばらしい; 気の利いた. idea *genial* 名案.
ge·nia·li·dad [xenjaliðáð ヘニアリダ(ドゥ)] 名女 **1** 天分, 天才. **2** 奇抜さ, 奇行.
ge·nio [xénjo ヘニオ] 名男 [複 ~s] 〔英 nature; genius〕 **1 性質**, 気性; 短気. tener buen [mal] *genio* 気立てが良い[気難しい]. Tiene *genio*. 彼は怒りっぽい. pronto [vivo] de *genio* 気が短い. estar de mal *genio* 機嫌が悪い.
2 気力, 根性. corto de *genio* 根性[意気地]のない.
3 天才; 天分 (= hombre de *genio*). Es un *genio* para los negocios. 彼には商才がある.
4 精霊 (= espíritu). el *genio* de la lámpara de Aladino アラジンの魔法のランプの精.
5 (時代・国民・言語などの) 特質, 傾向, 精神.
ge·ni·tal [xenitál ヘニタる] 形 生殖 (器) の. ── 名男 [~es] 生殖器 (= órganos *genitales*).
ge·ni·ti·vo [xenitíβo ヘニティボ] 名男 〔文法〕属格.
ge·no·ci·dio [xenoθíðjo ヘノしディオ] 名男 大量殺戮(さつりく), ジェノサイド.
ge·no·vés, ve·sa [xenoβés, βésa ヘノベス, ベサ] 形 [複男 genoveses] (イタリアの) ジェノバ Génova の.
── 名男女 ジェノバの住民.
gen·te [xénte ヘンテ] 名女 [複 ~s] 〔英 people〕 **1 人々**; 世間の人. Se reunió mucha *gente*. 大勢の人が集まった. La mayoría de la *gente* no asintió a la propuesta. 大多数の人が提案に同意しなかった. ¿Qué dirá la *gente*, si te casas con ese chico? お前があんなやつと結婚したら, 世間の人はなんと言うだろうか. *gente* bien 上流階級の人. *gente* joven 若者. *gente* menuda 《口語》子供. *gente* de bien 誠実な人. *gente* de mal vivir 泥棒, かっぱらい. *gente* de mar 船乗り. *gente* de negocios 実業家, ビジネスマン. ►gente を使うと粗野な感じになる場合が多い.

> **【参 考】** 中南米では個々の人を指してしばしば複数形が使われるが, スペインでは普通は単数形が用いられる.
> Buenas *gentes* son éstas. =Buena *gente* es ésta.
> ここにいる人たちは皆いい人だ.

2 《口語》家族; 親類縁者. ►tu gente などの形で用いる.
3 (仕事などの) 仲間; 部下; 側近.
gen·til [xentíl ヘンティる] 形 上品な, 優雅な; 親切な. una mujer *gentil* 上品な女性. ── 名男女 異教徒.
gen·ti·le·za [xentiléθa ヘンティれさ] 名女 **1** 親切, 愛想. Tuvo la *gentileza* de traérmelo a casa. 彼は親切に家まで持って来てくれました. **2** 上品, 優雅.
gen·til·hom·bre [xentilómbre ヘンティろンブレ] 名男 [複 gentileshombres]

G

〘歴史〙廷臣, 侍従.
gen·ti·li·cio, cia [xentilíθjo, θja ヘンティりしオ, しア] 形 国名[地名]を示す.
── 名男 国名[地名]を示す語.
gen·tí·o [xentío ヘンティオ] 名男 群衆, 人込み. ¡Qué *gentío*! すごい人だなあ.
ge·nui·no, na [xenwíno, na ヘヌイノ, ナ] 形 **1** 真の, 正当な; 本物の.
2 純粋の, 混じり気のない. en *genuino* inglés きれいな英語で.
geo- 「地」の意を表す造語要素. ⇒ *geo*físico, *geo*grafía など.
ge·o·cén·tri·co, ca [xeoθéntriko, ka ヘオせントゥリコ, カ] 形 〘天文〙地心の; 地球中心の. teoría *geocéntrica* 天動説 (= sistema de Tolomeo).
ge·o·de·sia [xeoðésja ヘオデシア] 名女 測地学.
ge·o·fí·si·co, ca [xeofísiko, ka ヘオフィシコ, カ] 形 地球物理学の.
── 名男女 地球物理学者.
── 名女 地球物理学.
ge·o·gra·fí·a [xeoγrafía ヘオグラフィア] 名女 地理学; 地理, 地勢. *geografía* física 自然地理学. *geografía* lingüística 言語地理学. *geografía* económica 経済地理学.
ge·o·grá·fi·co, ca [xeoγráfiko, ka ヘオグラフィコ, カ] 形 地理学の, 地理上の.
ge·ó·gra·fo, fa [xeóγrafo, fa ヘオグラフォ, ファ] 名男女 地理学者.
ge·o·lo·gí·a [xeoloxía ヘオろヒア] 名女 地質学; 地質.
ge·o·ló·gi·co, ca [xeolóxiko, ka ヘオろヒコ, カ] 形 地質学の; 地質の.
ge·ó·lo·go, ga [xeóloγo, γa ヘオろゴ, ガ] 名男女 地質学者.
ge·ó·me·tra [xeómetra ヘオメトゥラ] 名男女 幾何学者.
ge·o·me·trí·a [xeometría ヘオメトゥリア] 名女 幾何学.
ge·o·mé·tri·co, ca [xeométriko, ka ヘオメトゥリコ, カ] 形 幾何学の; 幾何学的な. progresión *geométrica* 幾何級数.
ge·o·po·lí·ti·ca [xeopolítika ヘオポりティカ] 名女 地政学.
ge·ra·nio [xeránjo ヘラニオ] 名男 〘植物〙ゼラニウム.
Ge·rar·do [xerárðo ヘラルド] 固名 ヘラルド: 男性の名.
ge·ren·cia [xerénθja ヘレンしア] 名女 **1** 経営, 管理.
2 支配人[経営者]の執務室[職務].
ge·ren·te [xerénte ヘレンテ] 名男 [複 ～s] 〔英 manager〕 **支配人**, マネージャー, 長; 取締役, 理事, 経営者. *gerente* de publicidad 宣伝部長. *gerente* de una tienda 店長.
ge·ria·trí·a [xerjatría ヘリアトゥリア] 名女 〘医〙老人病学.
ger·ma·ní·a [xermanía ヘルマニア] 名女 (盗賊などの)隠語.
ger·má·ni·co, ca [xermániko, ka ヘルマニコ, カ] 形 ゲルマン民族の; ドイツの.
── 名男女 ゲルマン人.
ger·ma·nis·mo [xermanísmo ヘルマニスモ] 名男 ドイツ語からの借用語, ドイツ語ふうの語法.
ger·ma·nis·ta [xermanísta ヘルマニスタ] 名男女 ドイツ語[文化]研究者.
ger·ma·no, na [xermáno, na ヘルマノ, ナ] 形 ゲルマニア Germania の, ゲルマン民族の; 《文語》ドイツ人の.
── 名男女 ゲルマン人; 《文語》ドイツ人.
ger·ma·nó·fi·lo, la [xermanófilo, la ヘルマノフィろ, ら] 形 ドイツびいきの, 親独的な.
── 名男女 親独家.
ger·men [xérmen ヘルメン] 名男 [複 gérmenes] **1** 起源; 芽生え. *germen* de la revolución 革命の兆し.
2 〘生物〙芽; 胚(はい), 胚芽. **3** 〘医〙細菌.
ger·mi·na·ción [xerminaθjón ヘルミナしオン] 名女 芽生え, 萌芽; 発芽.
ger·mi·nar [xerminár ヘルミナル] 動自 芽生える, 生じる; 〘植物〙発芽する.
Ge·ro·na [xeróna ヘロナ] 固名 ヘロナ: スペイン北東部の県; 県都.
ge·ron·to·lo·gí·a [xerontoloxía ヘロントろヒア] 名女 〘医〙老人学.
Ger·tru·dis [xertrúðis ヘルトゥルディス] 固名 ヘルトゥルディス: 女性の名.
ge·run·dio [xerúndjo ヘルンディオ] 名男 〘文法〙現在分詞.
ges·ta [xésta ヘスタ] 名女 《集合》武勲, 功績.
ges·ta·ción [xestaθjón ヘスタしオン] 名女 準備期間; 〘医〙妊娠(期間). en *gestación* 構想中の[で].
ges·ti·cu·la·ción [xestikulaθjón ヘスティクらしオン] 名女 **1** 身ぶり, 手ぶり.
2 しかめっつら.
ges·ti·cu·lar [xestikulár ヘスティクらル] 動自 **1** (大げさに)身ぶり[手ぶり]をする.
2 顔をしかめる.
ges·tión [xestjón ヘスティオン] 名女 **1** 処置, 手続き. hacer *gestiones* 処置を講じる.
2 管理, 経営; [gestiones] 仕事.
ges·tio·nar [xestjonár ヘスティオナル] 動他 **1** …の処置を講じる, 手続きをする. *gestionar* un pasaporte パスポート取得の手続きを取る.
2 管理する, 経営する.
ges·to [xésto ヘスト] 名男 [複 ～s] 〔英 expression of the face; gesture〕 **1** **表情**, 顔つき. Por sus *gestos* entendí que estaba enfadado. 彼の表情から怒っていることが分かった. hacer un *gesto* despectivo 軽蔑(けいべつ)しきった顔をする. fruncir [torcer] el *gesto* / hacer *gestos* / poner mal *gesto* 不快な表情をする, 顔をしかめる.

2 身ぶり, ジェスチャー. Hizo *gestos* de aprobación. 彼はうなずいて賛意を表した. hablar por *gestos* 身ぶり手ぶりで話す. **3** 立派な行為. un *gesto* digno de elogio 称賛に値する行為.

ges·tor, to·ra [xestór, tóra ヘストル, トラ] 名男女 代理人;(会社の)役員, 取締役.
—— 形 管理する, 経営する.

ges·to·rí·a [xestoría ヘストリア] 名女 代理店, 代行事務所.

gi·ba [xíβa ヒバ] 名女 (背中の)こぶ.

gi·bo·so, sa [xiβóso, sa ヒボソ, サ] 形 背骨が曲がって前かがみの.
—— 名男女 背骨が曲がって前かがみの人.

Gi·bral·tar [xiβraltár ヒブラるタル] 固名 ジブラルタル: スペイン南端の英国直轄領.

gi·bral·ta·re·ño, na [xiβraltaréɲo, ɲa ヒブラるタレニョ, ニャ] 形 ジブラルタルの.
—— 名男女 ジブラルタルの住民.

gi·gan·te [xiɣánte ヒガンテ] 形 巨大な, 巨人のような, 非常に大きな.
—— 名男 **1** 巨人, 大男;(祭りの)大人形. **2** 傑物, 大物.

gi·gan·tes·co, ca [xiɣantésko, ka ヒガンテスコ, カ] 形 巨大な, 巨人の(ような), 莫大(ばく)な. empresa *gigantesca* 大事業. una obra *gigantesca* 大作.

gi·gan·tón, to·na [xiɣantón, tóna ヒガントン, トナ] 名男女 (祭列の)大人形;《口語》大男, 大女.

gi·li·po·llas [xilipóʎas ヒリポリャス] 名男女《卑語》ばか, 間抜け.

gim- 動 → gemir. [41 e → i]

gim·na·sia [ximnásja ヒムナシア] 名女 体操, 運動; 訓練, 練習. hacer *gimnasia* 体操をする, 運動をする. *gimnasia* mental 頭の体操.
confundir la gimnasia con la magnesia 《口語》ひどい勘違いをする.

gim·na·sio [ximnásjo ヒムナシオ] 名男 体育館.

gim·nas·ta [ximnásta ヒムナスタ] 名男女 体操教師, 体育家.

gim·nás·ti·co, ca [ximnástiko, ka ヒムナスティコ, カ] 形 体操の, 体育の.

gi·mo·te·ar [ximoteár ヒモテアル] 動自 めそめそ泣く.

gi·mo·te·o [ximotéo ヒモテオ] 名男 めそめそ泣くこと.

gi·ne·bra [xinéβra ヒネブラ] 名女 ジン. *ginebra* con tónica ジントニック.

Gi·ne·bra [xinéβra ヒネブラ] 固名 (スイスの)ジュネーブ.

gi·ne·co·lo·gí·a [xinekoloxía ヒネコろヒア] 名女 〘医〙婦人科学.

gi·ne·có·lo·go, ga [xinekóloɣo, ɣa ヒネコろゴ, ガ] 名男女 婦人科医.

gi·ra [xíra ヒラ] 名女 **1** 周遊; 地方巡業. **2** 遠足, ピクニック. ir de *gira* 遠足に行く.

gi·ral·da [xirálda ヒラるダ] 名女 風見.

gi·rar [xirár ヒラル] 動自 **1** 回る, 回転する, 旋回する. La Luna *gira* alrededor de la Tierra. 月は地球の周りを回る. **2** (話が)めぐる, 展開する. La charla *giraba* alrededor de la Olimpíada. 話はオリンピックについてであった. **3** 曲がる, 方向を変える. *Gira* a la izquierda cuando llegues al final de la calle. この通りの突きあたりまで行ったら左に曲がりなさい.
—— 動他 **1** 回す, 回転させる; めぐらす. *girar* el volante ハンドルを切る. *girar* la vista ぐるっと見回す. **2** 〘商業〙(手形を)振り出す;(郵便為替で)送る.

gi·ra·sol [xirasól ヒラソる] 名男 〘植物〙 ヒマワリ(向日葵).

gi·ra·to·rio, ria [xiratórjo, rja ヒラトリオ, リア] 形 旋回の, 回転式の. puerta *gi-*

gestos ジェスチャー

ratoria 回転ドア.

gi·ro [xíro ヒロ] 名男 **1** 回転, 旋回. dar un *giro* 回転する, 旋回する.
2 成り行き, 展開. tomar un nuevo *giro* 新しい局面を迎える.
3 〔商業〕為替; 手形の振り出し. enviar dinero por *giro* postal 郵便為替で送金する. ► 手形は letra.
4 言い回し, 言葉遣い.

gi·ta·ne·rí·a [xitanería ヒタネリア] 名女 ジプシー的な振る舞い; 《集合》ジプシー.

gi·ta·nes·co, ca [xitanésko, ka ヒタネスコ, カ] 形 ジプシーふうの.

gi·ta·nis·mo [xitanísmo ヒタニスモ] 名男 ジプシーの習俗; ジプシー言葉.

gi·ta·no, na [xitáno, na ヒタノ, ナ] 名男女 ジプシー.
— 形 ジプシーの, ジプシー的な. música *gitana* ジプシー音楽.

G

gla·cial [glaθjál グらしアる] 形 **1** 氷の; 凍りつくような. períodos *glaciales* 氷河期. zona *glacial* 寒帯. viento *glacial* 身を切るように冷たい風.
2 冷淡な.

gla·ciar [glaθjár グらしアル] 名男 〔地質〕氷河.

gla·dia·dor [glaðjaðór グらディアドル] 名男 〔歴史〕(古代ローマの)剣闘士.

gla·dio·lo [glaðjólo グらディオろ] / **gla·dí·o·lo** [-ðíolo -ディオろ] 名男 〔植物〕グラジオラス.

glan·de [glánde グらンデ] 名男 〔解剖〕亀頭(きとう).

glán·du·la [glándula グらンドゥら] 名女 〔解剖〕腺(せん). *glándula* lagrimal 涙腺. *glándula* endocrina [exocrina] 内[外]分泌腺.

glau·co·ma [glaukóma グらウコマ] 名男 〔医〕緑内障.

gli·ce·ri·na [gliθerína グりせリナ] 名女 〔化〕グリセリン.

glo·bal [gloβál グろバる] 形 **1** 全体の; 包括的な. visión *global* 包括的な見方.
2 世界的な, 地球的な.

glo·bal·men·te [gloβálménte グろバるメンテ] 副 全体[包括]的に.

glo·bo [glóβo グろボ] 名男
1 球, 球体. *globo* ocular 〔解剖〕眼球.
2 地球. *globo* terráqueo [terrestre] 地球; 地球儀.
3 (球形の)ランプシェード.
4 気球 (= *globo* aerostático); 風船. *globo* dirigible 飛行船. *globo* sonda 気象観測用気球.
en globo 全体として.

gló·bu·lo [glóβulo グろブろ] 名男 **1** 小球(体).
2 〔解剖〕血球. *glóbulo* rojo [blanco] 赤[白]血球.

glo·ria [glórja グろリア] 名女 [複 ~s] 〔英 glory〕 **1** 栄光, 栄誉, 名声. cubrirse de *gloria* 栄光に包まれる. Es una *gloria* nacional. 彼は国民的栄誉だ.
2 〔宗教〕天上の栄光, 至福, 天国. Dios le tenga en su *gloria*. 神よ彼のみたまを天に導きたまえ. que en *gloria* esté (死者の名などに付けて) 神の至福に包まれていますように; 今は亡き….
3 《口語》喜び, 楽しみ. Da [Es una] *gloria* ir de paseo en coche. ドライブできるなんて素敵だ.
estar en la gloria とても幸せである.
saber a gloria とてもおいしい.

glo·riar·*se* [glorjárse グろリアルセ] [23 i → í] 動 《+de》…を自慢する; 大喜びする.

glo·rie·ta [glorjéta グろリエタ] 名女 広場, 辻(つじ), ロータリー.

glo·ri·fi·ca·ción [glorifikaθjón グろリフィカしオン] 名女 **1** 賛美, 称揚.
2 神の栄光を授けること, 至福を与えること.

glo·ri·fi·car [glorifikár グろリフィカル] [8 c → qu] 動他 **1** 称揚する, 賛美する.
2 …に神の栄光を授ける, 至福を与える.
— **glo·ri·fi·car·*se*** 《+de》…を自慢する; 大喜びする.

glo·rio·sa·men·te [glorjósaménte グろリオサメンテ] 副 輝かしく, 見事に.

glo·rio·so, sa [glorjóso, sa グろリオソ, サ] 形 栄光ある, 輝かしい.
la Gloriosa 聖母マリア.

glo·sa [glósa グろサ] 名女 注解, 注釈; 欄外注.

glo·sar [glosár グろサル] 動他 注解する, 注釈をつける.

glo·sa·rio [glosárjo グろサリオ] 名男 語彙(ごい)集, 用語解説. ► 本の巻末につけられることが多い.

glo·tis [glótis グろティス] 名女 [単・複同形] 〔解剖〕声門.

glo·tón, to·na [glotón, tóna グろトン, トナ] 形 大食らいの; 貪欲(どんよく)な. Es una chica muy *glotona*. 彼女はよく食べる.
— 名男女 大食漢, 暴食家; (良い意味でも) 貪欲な人. Soy un *glotón* de novelas policíacas. 私は推理小説にはまったく目がない.

glu·ce·mia [gluθémja グるせミア] 名女 〔医〕血糖. nivel de *glucemia* 血糖値.

glu·có·ge·no [glukóxeno グるコヘノ] 名男 〔化〕グリコーゲン.

glu·co·sa [glukósa グるコサ] 名女 〔化〕グルコース, ぶどう糖.

glú·te·o, a [glúteo, a グるテオ, ア] 形 〔解剖〕臀部(でんぶ)の. — 名男 〔解剖〕臀筋.

gno·mo [nómo ノモ] 名男 地の精; 小鬼, 小人.

gnos·ti·cis·mo [nostiθísmo ノスティしスモ] 名男 〔宗教〕グノーシス主義. ◆霊知によって救済が得られるという説.

go·ber·na·ción [goβernaθjón ゴベルナしオン] 名女 統治, 支配.

go·ber·na·dor, do·ra [goβernaðór,

ðóra ゴベルナドル, ドラ] [複男 ～es, 女 ～s] 名男女 〔英 governor〕 **知事**, 総督; 長官, 総裁. *gobernador* del Banco de España スペイン銀行総裁. *gobernador* civil 知事, 長官.
―― 形 統治する, 運営する. junta *gobernadora* 運営委員会.

go·ber·nan·ta [goβernánta ゴベルナンタ] 名女 メード頭, 寮母.

go·ber·nan·te [goβernánte ゴベルナンテ] 形 統治する, 支配する.
―― 名男女 統治者, 支配者.

go·ber·nar [goβernár ゴベルナル] [42 e ➡ ie] 動他 **1** 治める, 統治する, 支配する. El rey *gobierna* el país. 国王は国を統治する.
2 管理する, 牛耳(ぎゅうじ)る; 経営する. Se deja *gobernar* por su mujer. 彼は女房の尻(しり)に敷かれている.
―― **go·ber·nar·se** 身を処する, 自己管理をする; 自制する.

go·bier·no [goβjérno ゴビエルノ] 名男 [複 ～s] 〔英 government〕 **1 政府**; 内閣. *gobierno* español スペイン政府. jefe de *gobierno* 首相. *gobierno* interino 臨時政府; 暫定内閣. formar el nuevo *gobierno* 組閣する.
2 統治; 管理, 運営; 操縦. Se destruyeron muchos monumentos históricos durante el *gobierno* del dictador. 独裁治下に多くの歴史的記念碑が破壊された. *gobierno* de la casa 家政.
3 政治(形態), 政体. *gobierno* democrático 民主政治.
4 指針. servir de *gobierno* 指針[参考]となる.

go·ce [góθe ゴセ] 名男 享受; 喜び, 楽しみ. el *goce* de dar un paseo 散歩をする楽しみ.
―― 動 ➡ **gozar**.

goce(-) / gocé(-) 動 ➡ gozar. [39 z ➡ c]

go·do, da [góðo, ða ゴド, ダ] 形 〔歴史〕ゴート族の.
―― 名男 〔歴史〕ゴート族.

gol [gól ゴる] 名男 [複 goles] 〔スポーツ〕ゴール, 得点. meter un *gol* ゴールを決める; ライバルを倒す. ➡ fútbol 【参考】.

go·le·ar [goleár ゴれアル] 動他 〔スポーツ〕《＋**a**》…に対して得点する. conseguir *golear al* equipo contrario 相手チームから点を奪う.
―― 動自 〔スポーツ〕得点する.

go·le·ta [goléta ゴれタ] 名女 〔海事〕スクーナー(型帆船).

golf [gól*f* ゴるフ] 名男 〔スポーツ〕ゴルフ. palo de *golf* ゴルフのクラブ. terreno de *golf* ゴルフコース. [←英語]

gol·fe·ar [golfeár ゴるフェアル] 動自 やくざな生き方をする.

gol·fe·rí·a [golfería ゴるフェリア] 名女
1 《集合》与太者, ごろつき.
2 やくざな生活.

gol·fo [gólfo ゴるフォ] 名男
1 湾. *Golfo* de México メキシコ湾. *Golfo* de Vizcaya ビスケー湾.
2 《俗語》悪党, ならず者; わんぱく小僧.

Gól·go·ta [gólɣota ゴるゴタ] 固名 〔聖書〕ゴルゴタの丘: イエス Jesús が十字架にかけられたエルサレム郊外の丘.

go·lon·dri·na [golondrína ゴろンドゥリナ] 名女 〔鳥〕ツバメ(燕). Una *golondrina* no hace verano. 《諺》燕1羽の飛来で夏になるわけではない(早合点は禁物).

go·lo·si·na [golosína ゴろシナ] 名女
1 おいしい物, 甘い物.
2 食指が動くもの, 欲求. mirar con *golosina* 物欲しげに見る.

go·lo·so, sa [golóso, sa ゴろソ, サ] 形
1 甘い物に目がない; 食いしん坊の.
2 おいしそうな; 魅力的な.
―― 名男女 甘い物好き; 食いしん坊.
tener muchos golosos 垂涎(すいぜん)の的である.

gol·pa·zo [golpáθo ゴるパそ] 名男 強打, 激しい衝撃. cerrar la puerta de un *golpazo* ドアをばたんと閉める.

gol·pe [gólpe ゴるペ] 名男 [複 ～s] 〔英 blow〕
1 打撃, 殴打; 衝突. Dieron *golpes* en

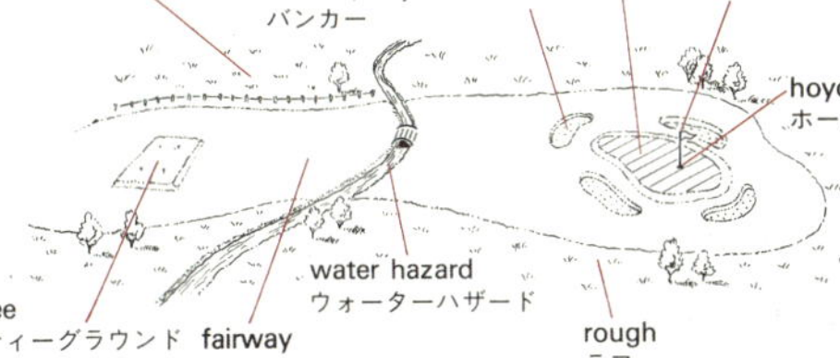

golf ゴルフ

G

la puerta. 彼らはドアをどんどんたたいた. Recibí un *golpe* en la espalda. 私は背中をどんと突かれた. Se dio un *golpe* en el brazo. 彼は腕をぶつけた.
2 襲撃, 攻撃; 《口語》強盗 (= atraco). dar un *golpe* 襲撃する.
3 (精神的な) 衝撃, ショック; 発作; 突発. sufrir un fuerte *golpe* ひどいショックを受ける. un *golpe* de tos [de risa] 咳(せ)きこみ[どっと笑うこと]. *golpe* de viento [de mar] 突風[高波]. *golpe* de gente 人波.
4 機知, ウィット. tener buenos *golpes* [cada *golpe*] ウィットに富んでいる.
5 〔スポーツ〕(テニス・ゴルフ・野球) ショット, ストローク; (サッカー) キック; (ボクシング) ブロー, パンチ; (レガッタ) 1 掻(か)き. *golpe* bien dado ヒット. *golpe* franco フリーキック. *golpe* bajo ローブロー.
a golpe de … …のお陰で, …を使って (= a fuerza de). *a golpe de* alpargata [calcetín] 《口語》徒歩で, 歩いて. *a golpe de* vista ちらっと見ただけで.
a golpes 力ずくで, 強引に; 断続的に.
dar el golpe 《口語》センセーションをまき起こす.
darse golpes de pecho (悔やんで) 胸をかきむしる.
de golpe 突然, 急に; (ドアなどを) バタンと(閉める).
de golpe y porrazo 《口語》急に, 慌てて.
de un golpe 一気に, いっぺんに.
no dar golpe 《口語》何もしないで過ごす.

gol·pe·ar [golpeár ゴるペアル] 動 自 他 打つ, たたく, ぶつかる. La lluvia *golpeaba* fuertemente en la ventana. 雨が窓を強く打っていた.

gol·pe·te·ar [golpeteár ゴるペテアル] 動 他 軽く何度もたたく.
── 動 自 (雨・窓などが) 音を立てる.

gol·pis·mo [golpísmo ゴるピスモ] 名 男 クーデターを手段とする政治思想.

gol·pis·ta [golpísta ゴるピスタ] 名 男 女 クーデターの主謀者[支持者].
── 形 クーデターによる.

go·ma [góma ゴマ] 名 女 〔英 rubber〕
1 ゴム. suelas [neumáticos] de *goma* ゴム底[タイヤ]. *goma* arábiga アラビアゴム[糊(のり)].
2 消しゴム; チューインガム (= *goma* de mascar); ゴムひも, ゴム輪; 《口語》コンドーム (= condón).
3 《ラ米》二日酔い.

go·mi·na [gomína ゴミナ] 名 女 整髪剤.

go·mo·so, sa [gomóso, sa ゴモソ, サ] 形 ゴム(質)の; 粘着性の.

gón·do·la [góndola ゴンドら] 名 女 (気球の) つりかご, ゴンドラ; (ベネチアの) ゴンドラ.

gong [gón | góŋ ゴン] 名 男 どら, ゴング. [←英語]

gon·go·ris·mo [goŋgorísmo ゴンゴリスモ] 名 男 〔文〕ゴンゴリスモ, 文飾主義.
◆ Góngora (1561-1627) ふうの華麗で晦渋(かいじゅう)な文体. → culteranismo.

gor·da [górda ゴルダ] 名 女 《口語》口論, 騒動. Se armó la *gorda*. 一騒ぎあった.
── 形 女 **gordo**[1].

gor·do[1], da
[górðo, ða ゴルド, ダ] 形 [複 ~s] 〔英 fat〕
1 太った; 《口語》太い, 厚い (= grueso, ↔ delgado). un hombre *gordo* 太った男. un libro *gordo* 分厚い本. hilo *gordo* 太糸.
2 《口語》大変な, 重大な; 偉い. Aquí hay un fallo *gordo*. ここに重大な欠陥がある. Debe de haber ocurrido algo *gordo*. 何か大変なことが起こったらしい. gente *gorda* / peces *gordos* 金持ち, お偉方.
3 脂肪分の多い, 脂ののった.

gor·do[2] [górðo ゴルド] 名 男 (宝くじの) 1 等賞 (= premio *gordo*). Me ha tocado el *gordo*. 私は 1 等が当たった.

gor·du·ra [gorðúra ゴルドゥラ] 名 女 肥満; 脂肪, 脂肉.

gor·go·jo [gorɣóxo ゴルゴホ] 名 男 〔昆虫〕ゾウムシ (象虫).

gor·go·ri·tos [gorɣorítos ゴルゴリトス] 名 男 [複] 〔音楽〕ルラード; 震え声.

go·ri·la [goríla ゴリラ] 名 男 **1** 〔動物〕ゴリラ. **2** 《俗語》ボディーガード, 護衛.

gor·je·ar [gorxeár ゴルヘアル] 動 自
1 (鳥が) さえずる.
2 喉(のど)を震わせて歌う.

gor·je·o [gorxéo ゴルヘオ] 名 男 さえずり.

go·rra [góra ゴラ] 名 女 (ひさし付きの) 帽子. *gorra* de montar 乗馬帽. *gorra* militar 軍帽. → sombrero 図.
de gorra 他人の勘定で. comer *de gorra* ただ飯を食う.
pasar la gorra 《口語》(帽子を回して) 金を集める.

go·rre·ar [goreár ゴレアル] 動 自 人にたかる, 居候する.

go·rri·no, na [goríno, na ゴリノ, ナ] 名 男 女 **1** 子豚.
2 《口語》薄汚い人.

go·rrión [gorjón ゴリオン] 名 男 〔鳥〕スズメ (雀).

go·rro [góro ゴロ] 名 男 縁なし帽. → sombrero 図.
estar hasta el gorro de 《+algo》〈何か〉にうんざりしている.

go·rrón, rro·na [gorón, róna ゴロン, ロナ] 形 人にたかる.
── 名 男 女 居候.

go·rro·ne·ar [goroneár ゴロネアル] 動 自 人にたかる, 居候をする.

go·ta [góta ゴタ] 名 女 [複 ~s] 〔英 drop〕
1 滴, 一滴, 滴り; (液体の) 少量, 微量. una *gota* de vino ほんの少しのぶどう酒.

2〘医〙痛風;［〜s］点滴; 点眼薬, 滴剤.
caer cuatro ［***unas***］ ***gotas*** 小雨がぱらつく.
gota a gota (1) ぽたぽたと. caer *gota a gota* 滴る. (2) 少しずつ. (3) 点滴で. transfusión *gota a gota* 点滴.
no ver ni gota 《口語》まるで見えない.
ser la última gota (我慢・苦しみも) これが限度である.

go·te·ar [goteár ゴテアル] 動自 **1** 滴る; 漏れる. Voy a reparar el grifo que *gotea*. 水の漏っている水道の栓を直そう.
2 (雨が) ポツリポツリ降る.

go·te·o [gotéo ゴテオ] 名男 滴り, 滴下; 小出し.

go·te·ra [gotéra ゴテラ] 名女 雨漏り, 水漏れ; 雨漏りの染み[場所].

gó·ti·co, ca [gótiko, ka ゴティコ, カ] 形
1 ゴシック様式の.
2 ゴート族の.
── 名男 **1** ゴシック様式. ►12世紀からルネサンス期まで特に寺院に用いられた様式.
2 ゴート語.

go·to·so, sa [gotóso, sa ゴトソ, サ] 形〘医〙痛風の.
── 名男女 痛風患者.

Go·ya [gója ゴヤ] 固名 ゴヤ Francisco de *Goya* y Lucientes (1746–1828): スペインの画家.

go·yes·co, ca [gojésko, ka ゴイエスコ, カ] 形 ゴヤふうの.

go·zar [goθár ゴサル] [39 z ➡ c] 動自〔英 enjoy〕 **1** 《+**con**, **en**》 …を喜ぶ, 楽しむ, 味わう. *Goza con* las películas. 彼は映画を見て楽しむ.
2 《+**de**》 …を享受する, 享有する, …に恵まれる. *Goza de* buena salud. 彼は健康に恵まれている.
── 動他 **1** 享受する. Aquí *gozamos* un clima templado. こちらは温暖な気候に恵まれております.
2 (女性を) もてあそぶ, ものにする.
── **go·zar·se** 《+**en**》 …を喜ぶ, 楽しむ. *gozarse en* hacer daño 危害を加えて喜ぶ.
gozarla 《口語》楽しく過ごす (= pasarlo bien). *La gozaron* jugando con los animales de la granja. 彼らは農場の動物たちと楽しく遊んだ. ►「…して楽しく過ごす」のように動詞を従える場合は現在分詞が用いられる.

goz·ne [góθne ゴスネ] 名男 蝶番(ちょうつがい). ➡ puerta 図.

go·zo [góθo ゴソ] 名男 喜び, 楽しみ. saltar de *gozo* うれしくて小躍りする. dar *gozo* a 《+uno》 〈人〉を大いに喜ばせる[楽しませる].
── 動 ➡ gozar. [39 z ➡ c]
Mi gozo en un pozo. 《口語》ああ, がっかり.

go·zo·so, sa [goθóso, sa ゴソソ, サ] 形 《+**con**, **de**》 …を喜んでいる; うれしい, 楽しい.

gra·ba·ción [graβaθjón グラバシオン] 名女 録音, 録画.

gra·ba·do [graβáðo グラバド] 名男
1 彫刻, 彫版術, 版画. *grabado* al agua fuerte エッチング. *grabado* en madera 木版.
2 挿し絵, イラスト.
3 録音, 録画.

gra·ba·dor, do·ra [graβaðór, ðóra グラバドル, ドラ] 形 彫版の; 録音[録画]の.
── 名男女 彫刻師, 版画家.
── 名女 録音機. *grabadora* de cinta テープレコーダー.

gra·bar [graβár グラバル] 動他 **1** 彫る, 刻む, 彫刻する. *grabar* al agua fuerte エッチングする. *grabar* en relieve 浮き彫りにする.
2 録音[録画]する. disco *grabado* en directo ライブ録音盤. *grabar* una película televisada en vídeo テレビの映画をビデオに録画する.
3 胸に刻む, 銘記する. *grabar* en la memoria 記憶[脳裏]に焼きつける. El accidente se *grabó* en mi memoria con exactitud. 事故の情景がはっきりと私の心に焼きついた.

gra·ce·jo [graθéxo グラセホ] 名男 機知, ユーモア.

gra·cia

[gráθja グラシア] 名女 〔英 wit, charm, grace〕
1 面白さ, おかしさ, ウイット. La película tiene mucha *gracia*. その映画は非常に面白い.
2 優美, 上品さ, 気品. Tiene *gracia* en su porte. 彼女は立居振る舞いが美しい. bailar con *gracia* あでやかに踊る.
3 好意, 厚情; 寵愛(ちょうあい). disfrutar de la *gracia* de 《+uno》 〈人〉の好意[寵愛]を受ける.
4〘神〙恩寵. estar en estado de *gracia* 神の恩寵に浴している.
5 恩赦; 免除. presentar una petición de *gracia* 恩赦を願い出る.
caer en gracia a 《+uno》 〈人〉に気に入られる.
en gracia a … …を斟酌(しんしゃく)して; …のゆえに.
hacer gracia a 《+uno》 〈人〉を面白がらせる; 〈人〉の気に入る. No me *hace* ninguna *gracia* salir tan temprano. こんなに早く出かけるのは全く気に入らない. ► 物または事柄が主語になる.
¡Qué gracia! 《驚き・喜びなどを表して》これはこれは, なんだこれは.
tener gracia que 《+接続法》《皮肉》…とは結構なことだ. *Tiene gracia que* me lo digas tú. 君にそんなことを言われるとは意外だ.
¡Vaya (***una***) ***gracia!*** いまいましい; ふ

ん, そんなもの.

gra·cias [gráθjas グラしアス] 名女[複]〔英 thanks, thank you〕

1《間投詞》ありがとう. *Gracias* por su atención. ご清聴ありがとうございました. ¿Quieres café?—Bueno [Sí], *gracias* ; No, *gracias*. コーヒーはどう?—ええ, いただきます; いえ, けっこうです. ►*Gracias*. に対して De nada.「どういたしまして」と返すのが普通.

2 感謝, 感謝の言葉. dar las *gracias* a《+uno》〈人〉にお礼を言う.

gracias a ... …のお陰で. He conseguido un buen puesto *gracias a* ti. 君のお陰で良い職[ポスト]に就けた. *gracias a* que《+直説法》…であるお陰で.

¡Gracias a Dios! / ¡A Dios gracias! ああ, ありがたい.

... y gracias …でも多すぎるくらいだ, …で御の字だ. Me robaron en el viaje, pero me devolvieron el pasaporte, *y gracias*. 旅行中に盗難に遭ったが, パスポートは戻ってきた, それだけでもありがたいと思わなきゃ.

gra·cio·so[1], sa [graθjóso, sa グラしオソ, サ] 形[複 ~s]〔英 funny〕 **1** おかしい, 面白い; 機知に富んだ. una cara *graciosa* こっけいな顔.

2(英国の王・女王の称号として)慈悲深い. Su *Graciosa* Majestad. 慈悲深き(女王)陛下.

gra·cio·so[2] [graθjóso グラしオソ] 名男〔演劇〕道化役者, おどけ役(= bufón).

gra·da [gráða グラダ] 名女 **1**(階段の)1段;[~s](玄関・祭壇前の)階段.

2 階段席, 観覧席.

gra·da·ción [graðaθjón グラダしオン] 名女 **1** 漸増, 漸減. *gradación* de colores 色の濃淡.

2〔音楽〕グラデーション.

gra·de·rí·a [graðería グラデリア] 名女《集合》階段席, スタンド.

gra·de·rí·o [graðerío グラデリオ] 名男 ➡ gradería.

gra·do [gráðo グラド] 名男[複 ~s]〔英 degree〕 **1** 程度, 段階. en sumo [alto] *grado* 非常に, 大いに. por *grados* 段階的に, 徐々に.

2(角度・温度などの)度. arco de cuarenta *grados* 40度の弧. La temperatura es de veinte *grados* bajo cero. 気温は零下20度だ.

3 階級; 学位. *grado* de coronel 大佐の階級. *grado* de doctor 博士号.

4 年次, 学年(= curso). alumno de primer *grado* 1年生.

5 喜び, 意欲.

de (buen) grado 喜んで.

de grado o por fuerza / de buen o mal grado いや応なしに.

de mal grado いやいや.

gra·dua·ción [graðwaθjón グラドゥアしオン] 名女 **1** 目盛り付け; 目盛り.

2 階級[等級]付け.

3 学位の授与[取得], 卒業.

4(含有アルコールの)度数.

gra·dua·do, da [graðwáðo, ða グラドゥアド, ダ] 過分 形 **1** 目盛り付きの; 段階のある. gafas *graduadas* 度の入った眼鏡. vaso *graduado* 計量カップ.

2 学位を受けた, 卒業した.

—— 名男女 卒業生.

gra·dual [graðwál グラドゥアる] 形 段階的な, 漸進的な. aumento *gradual* 漸増.

gra·duan·do, da [graðwándo, da グラドゥアンド, ダ] 名男女 卒業予定者.

gra·duar [graðwár グラドゥアル] [14 u ➡ ú] 動他 **1** 調節する, 調整する, 加減する. *graduar* el volumen de la televisión テレビの音量を加減する.

2(品質・度数などを)計る, 測定する. *graduar* la vista 視力を測る. *graduar* el vino ワインのアルコール度を測る.

3 …に目盛りを付ける; 段階分けする. *graduar* un termómetro 温度計に目盛りを付ける.

4《+de》(博士・修士・学士)の学位を授与する,(大学・大学院を)卒業[修了]させる. *graduar* a un estudiante *de* doctor 学生に博士号を授ける.

—— **gra·duar·*se*** **1**《+de》 …の学位を取得する. *Se graduó de* doctor en Derecho. 彼は法学博士の学位を取得した.

2《+en》…を卒業する. Ella *se graduó en* la Universidad de Barcelona. 彼女はバルセロナ大学を卒業した.

grá·fi·ca·men·te [gráfikaménte グラフィカメンテ] 副 図式で; 生き生きと.

grá·fi·co, ca [gráfiko, ka グラフィコ, カ] 形 **1** 文字の, 記号の.

2 グラフ[図表]で示した; グラフィックの. representación *gráfica* 図示.

3 絵に書いたような, 真に迫る.

—— 名男(または女)グラフ, 図表.

—— 名女〔美術〕グラフィックアート.

gra·fi·to [grafíto グラフィト] 名男〔鉱物〕グラファイト, 黒鉛.

gra·fo·lo·gí·a [grafoloxía グラフォろヒア] 名女 筆跡学.

gra·ge·a [graxéa グラヘア] 名女 糖衣錠; 小粒の砂糖菓子.

gra·jo [gráxo グラホ] 名男〔鳥〕ミヤマガラス(深山烏).

gra·má·ti·ca [gramátika グラマティカ] 名女[複 ~s]〔英 grammar〕 **1** 文法. *gramática* descriptiva 記述文法. *gramática* generativa 生成文法.

2 文法書, 文典.

gra·ma·ti·cal [gramatikál グラマティカる] 形 文法の; 文法にかなった.

gra·má·ti·co, ca [gramátiko, ka グラマティコ, カ] 形 文法の.

—— 名男女 文法学者.

gra·mo [grámo グラモ]
名男 [複 ~s] 〔英 gram〕
グラム: メートル法の重さの単位《略 g》.

gra·mó·fo·no [gramófono グラモフォノ] 名男 蓄音機.

gran [grán グラン] 形 ➞ grande.

gra·na [grána グラナ] 名女 **1** (穀物などの)結実(期); 小さな種子.
2 深紅, 緋(ひ).
3 〘昆虫〙コチニールカイガラムシ (貝殻虫), エンジムシ (臙脂虫).

gra·na·da [granáða グラナダ] 名女 **1** 〘植物〙ザクロ (石榴) の実.
2 手榴弾(しゅりゅうだん), 手投げ弾 (= *granada* de mano).

Gra·na·da [granáða グラナダ] 固名 グラナダ: スペイン南部, Andalucía 地方の県, 県都.
Quien no ha visto Granada no ha visto nada. 《諺》グラナダを見たことのない人は何も見ていない (日光を見ずして結構と言うなかれ).

gra·na·de·ro [granaðéro グラナデロ] 名男 〘軍事〙擲弾(てきだん)兵, 手投げ弾兵; 連隊の選抜兵.

gra·na·di·no, na [granaðíno, na グラナディノ, ナ] 形 (スペインの) グラナダの.
—— 名男女 グラナダの住民.
—— 名女 グラナダの民謡[踊り].

gra·na·do [granáðo グラナド] 名男 〘植物〙ザクロ (石榴) の木.

gra·nar [granár グラナル] 動自 (穀物が) 実る; 結実する.

gra·na·te [granáte グラナテ] 名男 〘鉱物〙ざくろ石, ガーネット.
—— 形 暗赤色の.

Gran Bre·ta·ña e Ir·lan·da del Nor·te [grám bretáɲa e irlánda ðel nórte グランブレタニャエイルランダデルノルテ] 固名 Reino Unido de *Gran Bretaña e Irlanda del Norte* グレートブリテンおよび北部アイルランド連合王国, 英国, イギリス: 首都 Londres.

gran·de [gránde グランデ] [複 ~s] 形 [単数名詞の前で gran となる] 〔英 big, great〕
1 大きい, 大型の (↔ pequeño). un edificio *grande* 大きな建物. ¡Qué *grande* está el niño! その子は随分大きくなったものだ(►alto「背が高い」の意味で使うのは主に中南米).
2 甚だしい, 大規模な (= excesivo). una pena *grande* 激しい苦痛. *gran* velocidad 高速, 迅速.
3 偉大な; 豪華な, すばらしい. *gran* maestro 巨匠. *grandes* ideales 崇高な理想. una *gran* fiesta 盛大なパーティー. ► 名詞と共にこの意味で用いられるときはその前に置かれる. ⇒un *gran* hombre 偉人, 大人物. un hombre *grande* 背の高い男.
a lo grande 盛大に, 豪華に.
en grande (1) 全体として, 全体的に. (2) 大規模に; 豪華に. vivir *en grande* 豪勢に暮らす.
venir [***ir, estar***] ***grande a*** 《+uno》〈人〉に (衣服などが) 大き過ぎる; 重荷である, 手にあまる. Nos *viene grande* esta casa. この家は私たちには大き過ぎる.
—— 名男 貴族, 高官. *Grande* de España 〘歴史〙(スペインの) 大貴族, 大公.

gran·de·za [grandéθa グランデサ] 名女
1 大きさ; 壮大.
2 偉大さ, 立派さ. *grandeza* de la obra その作品の見事さ.
3 (スペインの) 大公爵の地位; 大公; 貴族.

gran·di·lo·cuen·cia [grandilokwénθja グランディロクエンシア] 名女 大言壮語, 美文調.

gran·di·lo·cuen·te [grandilokwénte グランディロクエンテ] 形 大言壮語の, 美文調の.

gran·dio·si·dad [grandjosiðáð グランディオシダ(ドゥ)] 名女 荘厳, 壮大; 華麗.

gran·dio·so, sa [grandjóso, sa グランディオソ, サ] 形 荘厳な, 壮大な; 華麗な. paisaje *grandioso* 雄大な景色.

gran·do·te, ta [grandóte, ta グランドテ, タ] 形 [grande の大] 《口語》やたら大きい, ばかでかい.

gra·nel [granél グラネる] ***a granel*** 《副詞句》(1) ばらで; ばら売りで, 一山いくらで. naranjas *a granel* 一山売りのオレンジ. (2) 豊富に, 大量に.

gra·ne·ro [granéro グラネロ] 名男 穀物倉庫; 穀倉地帯.

gra·ni·to [graníto グラニト] 名男 **1** 〘鉱物〙花崗(かこう)岩.
2 にきび.
echar un granito de sal en la conversación 話にちょっぴりユーモア[皮肉]を交える.

gra·ni·za·da [graniθáða グラニサダ] 名女
1 ひょう[あられ]が降ること.
2 《比喩》雨あられ. *granizada* de golpes げんこつの雨.

gra·ni·za·do [graniθáðo グラニサド] 名男 かき氷入りドリンク. *granizado* de café アイスコーヒー.

gra·ni·zar [graniθár グラニサル] [39 z ➞ c] 動自 **1** ひょう[あられ]が降る. ► 3人称単数のみに活用.
2 雨あられと降る.
—— 動他 《+**de**》…を雨あられと降らせる[浴びせる]. *granizar de* piedras 雨あられと石を投げつける.

gra·ni·zo [graníθo グラニソ] 名男 〘気象〙ひょう, あられ. ➞ tiempo 【参考】.

gran·ja [gráŋxa グランハ] 名女 **1** 農場, 農園; 飼育場.
2 乳製品販売店.
La Granja ラ・グランハ: スペイン Segovia 近郊の San Ildefonso にあり, Felipe

5世が建てた夏の離宮がある.

gran·je·ar [graŋxeár グランヘアル] 動他 もうける; 獲得する. *granjear* SU voluntad (人の)心をとらえる, 気に入られる.

—— **gran·je·ar·*se*** 得る, 獲得する. *granjearse* la confianza de 《+uno》〈人〉の信頼を得る.

gran·je·ro, ra [graŋxéro, ra グランヘロ, ラ] 名男女 農夫, 農場主; 農場の雇い人.

gra·no [gráno グラノ] 名男 [複 ~s] 〔英 grain〕 **1** 穀粒; 粒; 種子; [~または ~s] 穀物. *grano* de uva ブドウの粒. *grano* de sal 塩の粒.

2 吹き出物, にきび.

3 小量, 微量.

ir al grano 《口語》話の本題に入る.

ni un grano 少しも…ない (= nada). Ya no me queda *ni un grano* de paciencia. もうこれ以上我慢ならない.

G

gra·nu·ja [granúxa グラヌハ] 名男女 不良; ごろつき.

—— 名女 《集合》ブドウの粒[種].

gra·nu·ja·da [granuxáða グラヌハダ] 名女 悪事, 悪業.

gra·nu·lar [granulár グラヌラル] 形 粒状の; にきびだらけの; (表面が) ざらざらした.

—— 動他 粒にする.

—— **gra·nu·lar·*se*** にきびだらけになる.

gra·pa [grápa グラパ] 名女 〔技術〕留め金, かすがい; ステープル, ホッチキスの針.

gra·pa·do·ra [grapaðóra グラパドラ] 名女 ホッチキス.

gra·sa [grása グラサ] 名女 **1** 脂肪, 脂; 油. Esta comida tiene mucha *grasa*. この料理は脂っこい. *grasa* de pescado 魚油.

2 グリス, 潤滑油.

gra·sien·to, ta [grasjénto, ta グラシエント, タ] 形 脂っこい; 油で汚れた.

gra·so, sa [gráso, sa グラソ, サ] 形 脂肪の多い; 脂肪太りの. cuerpo *graso* 肥満体.

—— 名男 脂身.

gra·ti·fi·ca·ción [gratifikaθjón グラティフィカしオン] 名女 報賞; 賞与.

gra·ti·fi·car [gratifikár グラティフィカル] [⑧ c → qu] 動他 **1** …に報いる, 賞与[謝礼]を出す. **2** 満足させる, 喜ばせる.

gra·tis [grátis グラティス] 副 **1** ただで; 無償で. entrada *gratis* 入場無料. enviar *gratis* los catálogos カタログを無料で送付する.

2 労せずに. No consiguió *gratis* su puesto. 彼は労せずしてそのポスト[職]を手に入れたのではない.

gra·ti·tud [gratitúð グラティトゥ(ドゥ)] 名女 感謝, 謝意 (=agradecimiento). Le guardo *gratitud* por su amabilidad. 私はあなたのご親切に感謝しています.

gra·to, ta [gráto, ta グラト, タ] 形 《**+a, de, para**》…に快い; 楽しい, うれしい. *grato a*l paladar おいしい. *grato de* oír 耳に快い. recuerdo *grato* 楽しい思い出. Me es *grato* decirle que .... 《手紙》…とお伝えできることを喜んでおります.

gra·tui·dad [gratwiðáð グラトゥイダ(ドゥ)] 名女 **1** 無料, 無償性.

2 根拠[いわれ]のないこと.

gra·tui·ta·men·te [gratwítaménte グラトゥイタメンテ] 副 無料で; 労せずに.

gra·tui·to, ta [gratwíto, ta グラトゥイト, タ] 形 **1** 無料の, 無償の. entrada *gratuita* 入場無料.

2 根拠のない, 理由のない. afirmación *gratuita* 根拠のない主張.

gra·va [gráβa グラバ] 名女 砂利, バラスト.

gra·va·men [graβámen グラバメン] 名男 **1** 税, 税金. **2** 義務, 負担.

gra·var [graβár グラバル] 動他 …に課税する; …に義務を課する, 負担をかける. *Han gravado* el aceite en un dos por ciento. オリーブ油に2%の税金がかけられた.

—— **gra·var·*se*** 《ラ米》悪化する.

gra·ve

[gráβe グラベ] 形 [複 ~s] 〔英 grave〕

1 重大な, 深刻な; 重病の. situación *grave* 重大な[深刻な]事態. enfermedad [herida] *grave* 重病[重傷]. estar *grave* 重態である.

2 重々しい; 荘重な; 厳(げん)しい. cara *grave* 厳しい顔. Nos habló en un tono muy *grave*. 彼は私たちに重々しい口調で語った.

3 低音の. voz *grave* 低い声.

4 〔文法〕(単語が) 終わりから2音節目に強勢を持つ (= llano).

gra·ve·dad [graβeðáð グラベダ(ドゥ)] 名女 **1** 重大性, 深刻さ; 由々しさ. la *gravedad* de la situación 事態の深刻さ. herido de *gravedad* 重傷の.

2 重々しさ, 荘重さ. la *gravedad* de SUS palabras 言葉の厳粛さ.

3 〔物理〕重力, 引力; 重さ. la ley de *gravedad* 重力の法則. centro de *gravedad* 重心.

gra·ve·men·te [gráβeménte グラベメンテ] 副 (病気などが) 重く, ひどく.

gra·vi·ta·ción [graβitaθjón グラビタしオン] 名女 〔物理〕〔天文〕重力, 引力. *gravitación* universal 万有引力.

gra·vi·tar [graβitár グラビタル] 動自

1 《**+sobre**》…に重量[負担]がかかる. *gravitar sobre* 《+uno》 la responsabilidad 〈人〉に責任が重くかかる.

2 〔物理〕〔天文〕(重力・引力で) 動く. La Tierra *gravita* alrededor del Sol. 地球は太陽に引きつけられその周囲を回る.

gra·vo·so, sa [graβóso, sa グラボソ, サ] 形 負担となる, (税が) 重い; 厄介な.

graz·nar [graθnár グラすナル] 動自 (カラス・ガチョウが) カアカア[ガアガア]と鳴く. → animal 【参考】.

graz·ni·do [graθníðo グラすニド] 名男

1 (カラス・ガチョウの) 鳴き声.
2 耳障りな話し声, 歌声.
gre·ca [gréka グレカ] 名女 雷文(らいもん), 稲妻模様.
Gre·cia [gréθja グレしア] 固名 ギリシア (共和国): 首都 Atenas.
Gre·co [gréko グレコ] 固名 El *Greco* エル・グレコ, 本名 Doménikos Theotokópoulos (1541–1614): クレタ島生まれのスペインの画家.
gre·co·la·ti·no, na [grekolatíno, na グレコらティノ, ナ] 形 ギリシア・ラテンの.
gre·co·rro·ma·no, na [grekor̄románo, na グレコロマノ, ナ] 形 ギリシア・ローマの; 《スポ》(レスリング) グレコローマンの.
gre·ga·rio, ria [greɣárjo, rja グレガリオ, リア] 形 1 群居性の. instinto *gregario* 群居本能.
2 群れたがる; 付和雷同する.
gre·go·ria·no, na [greɣorjáno, na グレゴリアノ, ナ] 形 ローマ教皇グレゴリウスの.
Gre·go·rio [greɣórjo グレゴリオ] 固名 グレゴリオ: 男性の名.
gre·gue·rí·a [greɣería グレゲリア] 名女 喧騒(けんそう), 騒ぎ.
gre·mio [grémjo グレミオ] 名男 1 組合, 同業者団体; 《歴史》ギルド.
2 《口語》仲間, 同類.
gre·ña [gréɲa グレニャ] 名女 1 [普通 ~s] もじゃもじゃの髪.
2 もつれ, 紛糾.
andar a la greña 《口語》いがみ合う.
gres·ca [gréska グレスカ] 名女 騒動; 口論, けんか. armar [meter] *gresca* 大騒ぎする. andar a la *gresca* 騒々しく口論する.
grey [gréi グレイ] 名女 1 家畜の群れ.
2 集団, 集まり. *grey* de gamberros ごろつきの一味.
grie·go, ga [grjéɣo, ɣa グリエゴ, ガ] 形 ギリシアの.
—— 名男女 ギリシア人.
—— 名男 1 ギリシア語.
2 《口語》ちんぷんかんぷんの言葉. Eso me suena a griego. それは私にはちんぷんかんぷんだ.
grie·ta [grjéta グリエタ] 名女 1 亀裂(きれつ), 割れ目; (氷河の) クレバス.
2 あかぎれ, ひび.
gri·fo [grífo グリフォ] 名男 1 (水道などの) 蛇口; 栓, コック. ➡ baño 図, cocina 図.
2 《ギリシア神話》グリュプス, グリフィン: ワシの頭と翼, ライオンの胴体を持つ怪物.
gri·llo [gríʎo グリリョ] 名男 《昆虫》コオロギ (蟋蟀).
gri·ma [gríma グリマ] 名女 不快感, 嫌悪.
grin·go, ga [gríŋgo, ga グリンゴ, ガ] 形 《ラ米》《軽蔑》米国人の, ヤンキーの.
—— 名男女 《ラ米》《軽蔑》米国人, ヤンキー.
gri·pal [gripál グリパる] 形 《医》流行性感冒の.
gri·pe [grípe グリペ] 名女 《医》インフルエンザ, 流行性感冒. coger la *gripe* 流感にかかる. estar con *gripe* 流感にかかっている.

gris [grís グリス] [複 ~es] 形 〔英 gray〕
1 **灰色の**, グレーの. pantalones *grises* グレーのズボン. cielo *gris* どんより曇った空.
2 生彩のない; 陰気な, 物悲しい. llevar una vida *gris* 灰色の人生を送る.
—— 名男 1 **灰色**.
2 《口語》[普通 ~es] 機動警官 (= policía armada).
gri·sá·ce·o, a [grisáθeo, a グリサセオ, ア] 形 灰色がかった.
gri·sú [grisú グリス] 名男 坑内ガス.
gritado 過分 ➡ gritar.
gritando 現分 ➡ gritar.

gri·tar [gritár グリタル] 動自 [現分 gritando ; 過分 gritado] 〔英 shout〕 **叫ぶ**, 怒鳴る, わめく. *gritar* con fuerza 力いっぱい叫ぶ. No *gritéis* en el pasillo. 廊下では大声で話さないでください.
—— 動他 大声で言う; 罵声(ばせい)を浴びせる.
gri·te·rí·a [gritería グリテリア] 名女 叫び声; 怒号, 野次.
gri·te·rí·o [griterío グリテリオ] 名男 ➡ gritería.
gri·to [gríto グリト] 名男 [複 ~s] 〔英 shout〕 **叫び声**, 大声. dar *gritos* 大声を出す, わめく. lanzar un *grito* 叫び声を上げる. Me llamaron a *gritos* desde la otra acera. 反対側の歩道から彼らは大声で私を呼んだ.
—— 動 ➡ gritar.
andar a gritos 犬猿の仲である.
pedir a gritos 《口語》今すぐに必要としている.
poner el grito en el cielo 激怒する.
ser el último grito 《口語》最新の流行である.
gro·en·lan·dés, de·sa [groenlandés, désa グロエンらンデス, デサ] 形 [複男 groenlandeses] グリーンランド Groenlandia の.
—— 名男女 グリーンランド人.
gro·se·rí·a [grosería グロセリア] 名女 下品, 卑猥(ひわい); 不作法, 無礼. decir una *grosería* 品のないことを言う.
gro·se·ro, ra [groséro, ra グロセロ, ラ] 形
1 下品な, 卑猥(ひわい)な (↔ elegante). palabras *groseras* 下品な言葉.
2 不作法な, 無礼な. Es un tío *grosero*. 失礼なやつだ. una actitud muy *grosera* 無礼な態度.
3 粗末な, 粗悪な; ひどい.
gro·sor [grosór グロソル] 名男 〔英 thickness〕 1 厚さ. de poco *grosor* 厚みのない. 2 太さ.

G

gro·tes·co, ca [grotésko, ka グロテスコ, カ] 形 グロテスクな, 奇怪な.

grú·a [grúa グルア] 名女 クレーン, 起重機; レッカー車. Prohibido aparcar. Llamamos a la *grúa*. 《掲示》駐車禁止. レッカー車を呼びます. *grúa* de pórtico ガントリークレーン. *grúa* de torre タワークレーン.

grue·so[1], sa [grwéso, sa グルエソ, サ] 形 [複 ～s] 〔英 thick〕 **1** 厚い; 太い, 太った (= gordo) (↔delgado). un volumen *grueso* 分厚い本. cristal *grueso* 厚いガラス. hombre *grueso* 太った男. columna *gruesa* 太い円柱.

2 〘海事〙荒れた. mar *gruesa* 荒海.

en* [*por*] *grueso 卸しで.

grue·so[2] [grwéso グルエソ] 名男 **1** 厚み, 太さ (= grosor).

2 〘軍事〙本隊, 主力. el *grueso* del ejército 主力部隊.

gru·lla [grúʎa グルリャ] 名女 〘鳥〙ツル (鶴).

gru·me·te [grumete グルメテ] 名男 〘海事〙見習い水夫.

gru·mo [grúmo グルモ] 名男 凝塊, だま; 凝乳; (ブドウなどの) 房.

gru·ñi·do [gruɲíðo グルニィド] 名男

1 (豚の) 鳴き声; (犬の) うなり声.

2 ぶつくさ言う声. soltar un *gruñido* a 《+uno》 〈人〉に小言を言う.

gru·ñir [gruɲír グルニィル] 36動自 [現分 gruñendo] **1** (豚が) 鳴く; (犬が) うなる; (戸が) きしむ. ➡ animal 【参考】. **2** 不平を言う.

── 動他 (怒り・不満を) 口にする.

gru·ñón, ño·na [gruɲón, ɲóna グルニョン, ニョナ] 形 《口語》 気難しい, よくぶつぶつ言う.

gru·pa [grúpa グルパ] 名女 (馬の) 尻(しり). montar a la *grupa* 馬の尻に乗る.

volver grupas 踵(きびす)を返す, 後戻りする.

gru·po

[grúpo グルポ] 名男 [複 ～s] 〔英 group〕

1 グループ, 集まり. un *grupo* de estudiantes 学生の一団. reunirse en *grupo* ひとまとまりに集まる. discusión en *grupo* グループ・ディスカッション. *grupo* de presión 圧力団体.

2 (分類上の) 群, 区分. *grupo* sanguíneo 血液型.

gru·ta [grúta グルタ] 名女 洞穴, 洞窟(どうくつ).

gua·ca·ma·yo [gwakamájo グアカマヨ] 名男 〘鳥〙コンゴウインコ (金剛鸚哥).

Gua·da·la·ja·ra [gwaðalaxára グアダらハラ] 固名 グアダラハラ. (1)スペイン中部の県, 県都. (2)メキシコ中西部 Jalisco 州の州都.

Gua·dal·qui·vir [gwaðalkiβír グアダるキビル] 固名 el *Guadalquivir* グアダルキビル川: スペイン南部の川.

Gua·da·lu·pe [gwaðalúpe グアダるペ] 固名 グアダルーペ: 女性の名. Nuestra Señora de *Guadalupe* グアダルーペの聖母 (◆スペインの船乗りの守護者). la Virgen de *Guadalupe* グアダルーペの聖母 (◆メキシコの守護者. 黒髪, 暗褐色の肌の聖母).

gua·da·ña [gwaðáɲa グアダニャ] 名女 (長柄の) 鎌(かま). ◆死神・時の神が持ち「死」を象徴する.

Gua·dia·na [gwaðjána グアディアナ] 固名 el *Guadiana* グアディアナ川: スペイン南西部・ポルトガル東南部を流れる川.

gua·gua [gwáɣwa グアグア] 名女 《ラ米》 《口語》バス; 乳飲み子.

gua·ji·ro, ra [gwaxíro, ra グアヒロ, ラ] 名男女 《ラ米》農民.

── 名女 〘音楽〙グアヒラ: キューバの民謡.

gual·do, da [gwáldo, da グアるド, ダ] 形 黄色い. la bandera roja y *gualda* 赤と黄の旗 (◆スペインの国旗).

guan·che [gwántʃe グアンチェ] 形 〘歴史〙 (カナリア諸島の先住民の) グアンチェ族の.

── 名男女 グアンチェ族.

gua·no [gwáno グアノ] 名男 グアノ, 鳥糞(ちょうふん)石. ◆guanay グアナイウの糞の堆積(たいせき)で, リン酸肥料として利用.

guan·ta·da [gwantáða グアンタダ] 名女 《口語》平手打ち.

guan·te [gwánte グアンテ] 名男 [複 ～s] 〔英 glove〕 手袋; グラブ, グローブ. *guantes* de boxeo ボクシング用グラブ. *guantes* de caucho [de goma] ゴム手袋. ponerse (los) *guantes* 手袋をはめる.

arrojar* [*tirar*] *el guante a 《+uno》 〈人〉に決闘を申し込む.

echar el guante a ... …をかすめ取る, 万引きする; 《口語》…を引っ捕える, 逮捕する. La policía le *ha echado el guante* *a*l ladrón de las joyas. 警察は宝石泥棒を逮捕した.

recoger el guante 挑戦を受けて立つ.

sentar a 《+uno》 ***como un guante*** 〈人〉にぴったり合う.

guapa 形名女 ➡ guapo.

gua·pe·tón, to·na [gwapetón, tóna グアペトン, トナ] 形 《口語》 水も滴るような; いなせな.

gua·pe·za [gwapéθa グアペさ] 名女

1 《口語》勇ましさ.

2 派手好み, おしゃれ.

3 空威張り.

gua·po, pa

[gwápo, pa グアポ, パ] [複 ～s] 形 〔英 good-looking, attractive〕 美男の, 美女の; ハンサムな, 美人の. Es un hombre muy *guapo*. 彼は実にハンサムだ. Hoy estás [vas] muy *guapa*. 今日はとてもおしゃれをして来たね.

── 名男女 **1** 美男子, 美女. ➡ hermoso 【参考】.

2 《間投詞》 あんた, 君, お前. ¡Ven acá, *guapa*! お嬢さん, こっちへおいでよ.

echárselas* [*dárselas*] *de guapo 虚

勢を張る; 色男ぶる.

gua·po·te, ta [gwapóte, ta グアポテ, タ] 形《口語》スタイルの良い; グラマーな.

gua·pu·ra [gwapúra グアプラ] 名女《口語》顔だちの良さ.

gua·ra·ní [gwaraní グアラニ] 形 [複 ~es] グアラニ族の.
— 名男女 グアラニ族: 現在はパラグアイおよびブラジルに住む. → indio【参考】.
— 名男 **1** グアラニ語.
2 グアラニ: パラグアイの通貨単位.

guar·da [gwárða グアルダ] 名男女 見張り; 警備員, 監視人. *guarda* de un museo 美術館の守衛. *guarda* nocturno [de noche] 夜警. *guarda* forestal 森林監督官.
— 名女 **1** 保護, 擁護; (法などの) 遵守.
2 (本の) 見返し.
— 動 → guardar.

guar·da·ba·rre·ra [gwarðaβaréra グアルダバレラ] 名男女〔鉄道〕踏切警手, 踏切番.

guar·da·ba·rros [gwarðaβáros グアルダバロス] 名男 [単・複同形]〔車〕泥よけ, フェンダー. → automóvil 図, bicicleta 図.

guar·da·bos·que(s) [gwarðaβóske(s) グアルダボスケ(ス)] 名男 [複 guardabosques] 森林監視人, 猟場管理人.

guar·da·co·ches [gwarðakótʃes グアルダコチェス] 名男 [単・複同形] 駐車場係.

guar·da·cos·tas [gwarðakóstas グアルダコスタス] 名男 [単・複同形]〔海事〕沿岸警備 [巡視] 艇.

guar·da·es·pal·das [gwarðaespáldas グアルダエスパるダス] 名男 [単・複同形] 護衛, ボディーガード.

guar·da·gu·jas [gwarðaɣúxas グアルダグハス] 名男 [単・複同形]〔鉄道〕転轍(てんてつ)手, ポイント操作係.

guar·da·me·ta [gwarðaméta グアルダメタ] 名男〔スポーツ〕ゴールキーパー (= portero).

guar·da·pol·vo [gwarðapólβo グアルダポるボ] 名男〔服飾〕ダスターコート, 上っ張り; (ほこりよけの) カバー.

guar·dar [gwarðár グアルダル] 動他 [英 keep; guard] **1** 保管 [保存] する, 取っておく; ずっと持っている (= conservar). *Guardó* el dinero en el cajón. 彼は金を引き出しにしまった. *guardar* la fruta en sitio fresco 涼しい場所に果物を保存する. *guardar* una parte de la herencia para el futuro 将来のために遺産の一部を取っておく. *Guárdame* el sitio, que vengo enseguida. すぐ戻るから場所 [席] をとっておいてくれ. *guardar* con siete llaves 厳重に保管する. *guardar* un vivo recuerdo 鮮やかに記憶している.
2 見張る, …の番をする;《+**de, contra**》…から守る, 保護する. *guardar* la frontera [la vía] 国境を防衛する [線路の補修点検に当たる]. *guardar* la finca *contra* los ladrones 泥棒に備えて農場 [別荘] の番をする. Que Dios le *guarde* a Vd. 神のご加護がありますように.
3 (ある状態を) 保つ. *guardar* cama (病人が) 回復していない. *guardar* silencio 沈黙を守る. *guardar* las distancias (人と) 距離を置く. *Guarden* su [la] derecha, por favor. 右側を歩いてください.
4 (約束などを) 守る, 遵守する. *guardar* su palabra 約束を守る. *guardar* un secreto 秘密を守る.
5〔コンピュータ〕保存する, セーブする.
— **guar·dar·*se*** **1** しまい込む, 手放さない, 返さない. *Se guardó* el billete en el bolsillo. 彼はポケットに切符をしまいこんだ. *Se ha guardado* el dinero de la rifa. 彼はバザーの収益を着服した.
2《+**de**》…から身を守る; …を差し控える; …しないようにする. *guardarse de*l frío 寒さから身を守る.

guar·da·rro·pa [gwarðaropa グアルダロパ] 名男 [～または ～s] クローク, 携帯品預かり所; 衣装戸棚.
— 名男女 クローク, 携帯品預かり係;〔演劇〕衣装係.

guar·da·rro·pí·a [gwarðaropía グアルダロピア] 名女〔演劇〕《集合》舞台衣装; 衣装部屋.

guar·da·vía [gwarðaβía グアルダビア] 名男〔鉄道〕保線係.

guar·de·rí·a [gwarðería グアルデリア] 名女 保育園, 託児所 (= *guardería* infantil).

guar·dia

[gwárðja グアルディア] [複 ~s] 名女 [英 guard] **1** 警護, 警戒; 監視, 見張り. hacer (la) *guardia* 歩哨(ほしょう)に立つ. estar en *guardia* 警戒している, 見張っている. ponerse en *guardia* 警戒する.
2 警護隊, 警備隊 (= cuerpo de *guardia*); 警察. *guardia* de honor 儀仗(ぎじょう)隊. *guardia* real 近衛隊. *guardia* urbana [municipal] 都市警察 [市警察].
3〔スポーツ〕ガード.
— 名男 **1** 警官. *guardia* de tráfico 交通巡査.
2 警備隊員, 衛兵.
Guardia Civil (スペインの) 治安警察; 治安警備隊員.

guar·dián, dia·na [gwarðján, ðjána グアルディアン, ディアナ] 名男女 ガードマン, 警備員.

gua·re·cer [gwareθér グアレセル] 40 動他 保護する, かくまう.
— **gua·re·cer·*se*** 《+**de**》…を避ける *guarecerse de* la lluvia 雨宿りをする. *guarecerse de*l frío 寒さをしのぐ.

gua·ri·da [gwaríða グアリダ] 名女 (動物の) 巣, 穴; (犯罪者の) 隠れ家, アジト.

gua·ris·mo [gwarísmo グアリスモ] 名男 (アラビア) 数字.

guar·ne·cer [gwarneθér グアルネセル] 40

動他 1《+de, con》…を備え付ける; …で飾る. *guarnecer* la sillería *de* cuero 椅子を革張りにする.
2〔軍事〕駐屯する; …に配備する.

guar·ni·ción [gwarniθjón グアルニしオン] 名女 1〔軍事〕守備隊. estar de *guarnición* en una ciudad ある都市に駐屯している.
2 [guarniciones] 馬具.
3〔料理〕付け合わせ.
4 (宝石の) 台金; (刀剣の) つば.
5 装飾, 飾り (=adorno).

guar·ni·cio·ne·ro [gwarniθjonéro グアルニしオネロ] 名男 馬具職人, 馬具商.

gua·rra·da [gwar̄áða グアラダ] 名女 ➞ guarrería.

gua·rre·rí·a [gwar̄ería グアレリア] 名女《口語》1 汚いこと, 不潔; 散らかすこと, 乱雑. 2 みだら, 卑猥(ひわい)な言葉.
3 汚い手口, 卑劣なやり方.

G

gua·rro, rra [gwár̄o, r̄a グアロ, ラ] 形《口語》汚い, 不潔な (=sucio).
── 名男女 1《口語》不潔な人, 嫌なやつ.
2〔動物〕ブタ (豚).

gua·sa [gwása グアサ] 名女 1《口語》冗談; 皮肉. con *guasa* ふざけて. estar de *guasa* 冗談ばかり言っている.
2 嫌気, うっとうしさ.

gua·se·ar·*se* [gwaseárse グアセアルセ] 動《口語》《+de》…をからかう, 冷やかす.

gua·són, so·na [gwasón, sóna グアソン, ソナ] 形 冗談好きな; 皮肉たっぷりの; うんざりする.
── 名男女 ふざけ屋; うんざりする人.

Gua·te·ma·la [gwatemála グアテマら] 固名〔英 Guatemala〕グアテマラ: 中米中部の共和国. 首都 Guatemala. 通貨 quetzal.

gua·te·mal·te·co, ca [gwatemaltéko, ka グアテマるテコ, カ] [複 ~s] 形〔英 Guatemalan〕グアテマラの.
── 名男女 グアテマラ人.

gua·te·que [gwatéke グアテケ] 名男 ホームパーティー. ► 現代では fiesta がふつう.

¡guau! [gwáu グアウ] 名男《擬》(犬のほえ声) ワン. ➞ animal【参考】.

gua·ya·ba [gwaɟáβa グアヤバ] 名女〔植物〕グアバ, バンジロウの実.

gua·ya·be·ra [gwaɟaβéra グアヤベラ] 名女《ラ米》グアジャベラ: 中米の刺繍(ししゅう)入りのオープンシャツ.

gua·ya·bo [gwaɟáβo グアヤボ] 名男〔植物〕バンジロウ, フシディウム.

gu·ber·na·men·tal [guβernamentál グベルナメンタる] 形 政府の, 行政の; 政府側の. partido *gubernamental* 政府与党.
── 名男女 政府の支持者, 体制派.

gu·ber·na·ti·vo, va [guβernatíβo, βa グベルナティボ, バ] 形 政府の; 行政上の.

gu·bia [gúβja グビア] 名女 (木工) 丸のみ.

gue·de·ja [geðéxa ゲデハ] 名女 長髪, 毛房; (ライオンの) たてがみ.

Guer·ni·ca [gerníka ゲルニカ] 固名 ゲルニカ: スペイン北部, Vizcaya 県の町.
Árbol de Guernica ゲルニカの木: バスク人の自由を象徴するカシの木.

gue·rra [gér̄a ゲラ] 名女 [複 ~s]〔英 war〕
1 戦争 (↔ paz). estallar la *guerra* 戦争が勃発(ぼっ)する. declarar la *guerra* 宣戦布告する. estar en *guerra* 戦争状態にある. *guerra* civil 内戦. *guerra* nuclear 核戦争. *guerra* fría 冷戦. *guerra* santa 聖戦. la Segunda *Guerra* Mundial 第二次世界大戦 (1939–45年). *Guerra* Civil Española スペイン内戦 (1936–39年). ➞ batalla【参考】.
2 戦い, 闘争; 敵対. declarar la *guerra* contra el SIDA エイズ撲滅運動を展開する. tener declarada la *guerra* a [contra]《+uno》〈人〉に敵意をあらわにする.

gue·rre·ar [ger̄eár ゲレアル] 動自 戦う; 逆らう.

gue·rre·ro, ra [ger̄éro, ra ゲレロ, ラ] 形 戦争の; 好戦的な, 戦闘的な. espíritu *guerrero* 戦意.
── 名男女 戦士.

gue·rri·lla [ger̄íʎa ゲリリャ] 名女〔軍事〕ゲリラ, 遊撃隊; ゲリラ戦 (術).

gue·rri·lle·ro [ger̄iʎéro ゲリリェロ] 名男 ゲリラ兵士, パルチザン.

gue·to [géto ゲト] 名男 (ユダヤ人などの) 居住区, ゲットー.

guí·a [gía ギア] 名男女 案内人, ガイド; 指導者. *guía* de turismo 観光ガイド. *guía* del museo 美術館の案内人.
── 名女 1 ガイドブック, 便覧. *guía* de bolsillo ポケットガイド. *guía* telefónica [de teléfonos] 電話帳. *guía* de los cursos universitarios 大学の履修要項.
2 (行動・思考の) 指針. servir de *guía* 指針となる.
3〔技術〕誘導装置, ガイドレール.
4 (銃器の) 携行許可書; (貨物の) 運搬証明書.

guiar [gjár ギアル] [23 i ➞ í] 動他 1 案内する, 導く; 誘導する. *guiar* a unos turistas 観光客を案内する.
2 運転する, 操縦 [操舵(そうだ)] する. *guiar* un avión 飛行機を操縦する.
3 指導する, 指揮する. *guiar* a《+uno》en sus estudios〈人〉の学習を指導する.
── **guiar·*se***《+por》…に導かれる, 従う. *Nos guiamos por* la brújula. 我々は磁石に従って進んだ.

gui·ja·rro [gixár̄o ギハロ] 名男 小さな丸石, 玉石.

gui·jo [gíxo ギホ] 名男 砂利, バラスト.

Gui·ller·mo [giʎérmo ギリェルモ] 固名 ギリェルモ: 男性の名.

gui·llo·ti·na [giʎotína ギリョティナ] 名女 ギロチン, 断頭台; (紙の) 裁断機.

gui·llo·ti·nar [giʎotinár ギリョティナル] 動他 ギロチン刑に処す; (紙を) 裁断機にかける, カッターで切る.

guin·da [gínda ギンダ] 名女 〔植物〕クロサクランボウの実; (カクテルなどに使う) チェリー.

guin·di·lla [gindíʎa ギンディリャ] 名女 〔植物〕赤トウガラシ (唐辛子), レッドペッパー.

guin·do [gíndo ギンド] 名男 〔植物〕クロサクランボウの木.

gui·ña·po [giɲápo ギニャポ] 名男 **1** ぼろ切れ; 古着. **2** 卑しい人物, 品性に欠ける人.
estar hecho un guiñapo (身心が) 弱っている.
poner a 《+uno》 ***como un guiñapo*** 〈人〉をぼろくそに言う.

gui·ñar [giɲár ギニャル] 動他 ウインクする. *guiñar* el ojo 目で合図する.
—— 動自 ウインクする, 目配せする.

gui·ño [gíɲo ギニョ] 名男 ウインク, 目配せ. hacer un *guiño* a 《+uno》 〈人〉にウインク[目配せ]をする.

gui·ñol [giɲól ギニョル] 名男 指人形; 指人形劇.

guión [gjón ギオン] 名男 [複 guiones]
1 〔映画〕〔テレビ〕シナリオ, 台本.
2 ハイフン (-); ダッシュ (−).

guio·nis·ta [gjonísta ギオニスタ] 名男女 〔映画〕〔テレビ〕シナリオライター.

Gui·púz·co·a [gipúθkoa ギプすコア] 固名 ギプスコア: スペイン北部の県. 県都 San Sebastián.

gui·ri·gay [giriɣái ギリガイ] 名男 [複 ～s, guirigayes] 《口語》 **1** ちんぷんかんぷんな言葉. **2** 大騒ぎ; けんか.

guir·la·che [girlátʃe ギルらチェ] 名男 アーモンドヌガー.

guir·nal·da [girnálda ギルナるダ] 名女 花綱. *guirnalda* de platilla (クリスマスツリーなどを飾る) 銀モール.

gui·sa [gísa ギサ] 名女 方法, 流儀 (=modo, manera). a SU *guisa* (自分の) やり方で.
a guisa de … …として, …のように.
de [***en, a***] ***tal guisa*** / ***de*** (***esa, esta***) ***guisa*** そんなふうに, そのようにして.

gui·sa·do, da [gisáðo, ða ギサド, ダ] 過分 形 料理された; 煮込みの.
—— 名男 煮込み料理, シチュー.
estar mal guisado 《口語》 気分を害している.

gui·san·te [gisánte ギサンテ] 名男 〔植物〕エンドウ (豌豆); エンドウ豆, グリーンピース. sopa de *guisantes* エンドウ豆のスープ. ➡ legumbres 図.

gui·sar [gisár ギサル] 動他自
1 料理する, 調理する; 煮込む. Su madre *guisa* muy bien. 彼のお母さんは料理がとてもうまい. *guisar* la costilla a fuego lento スペアリブを弱火で煮込む. ➡ cocinar 【参考】.
2 準備する, 企(たく)らむ. Dicen que se *está guisando* una huelga. ストライキが仕組まれているそうだ.

gui·so [gíso ギソ] 名男 **1** [～または ～s] 料理. **2** 煮込み料理, シチュー.

gui·ta·rra [gitára ギタラ] 名女 [複 ～s] 〔英 guitar〕〔音楽〕**ギター**. tocar la *guitarra* ギターを弾く. *guitarra* eléctrica エレキギター.

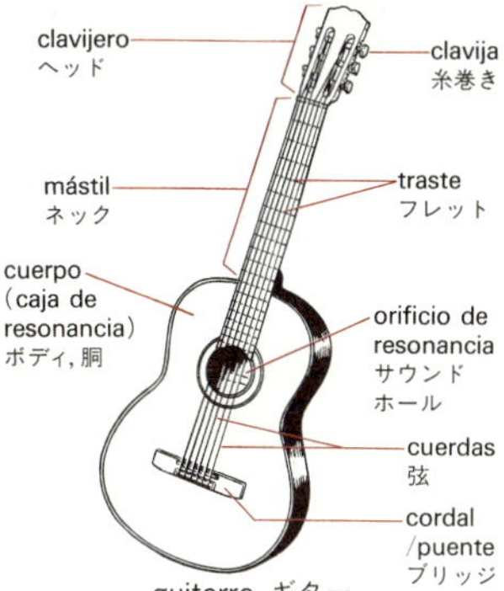

guitarra ギター

gui·ta·rre·ro [gitaréro ギタレロ] 名男 ギター職人[商人].

gui·ta·rris·ta [gitarísta ギタリスタ] 名男女 ギター奏者, ギタリスト.

gu·la [gúla グら] 名女 大食; 貪欲(どんよく). comer con *gula* 貪(むさぼ)り食べる. pecado de *gula* 〔カトリック〕貪食の罪.

gu·sa·ni·llo [gusaníʎo グサニリョ] 名男 [gusano の小] **1** 小さな虫, 蠕虫(ぜんちゅう): ミミズ (蚯蚓), ウジ (蛆) など.
2 (撚(よ)った) 糸, 刺繍(ししゅう)糸.
entrar a 《+uno》 ***el gusanillo de*** … …に夢中になる, 熱中する.
gusanillo de la conciencia 《口語》 良心の呵責(かしゃく).
matar el gusanillo 《口語》 軽い物を食べる; 起き抜けに酒を飲む.

gu·sa·no [gusáno グサノ] 名男 **1** 蠕虫(ぜんちゅう), (ミミズ・毛虫などの) 虫. *gusano* de luz ホタル (蛍). *gusano* de seda カイコ (蚕).
2 虫けらのような人, 卑劣なやつ.
gusano de la conciencia 《口語》 良心の呵責(かしゃく).

gu·sa·ra·po [gusarápo グサラポ] 名男 (水中の) 小さな虫; ボウフラ.

gustado 過分 ➡ gustar.

gustando 現分 ➡ gustar.

gus·tar [gustár グスタル] 動自
[現分 gustando ; 過分 gus-

G

tado]〔英 like〕

1《主に3人称で用いられ, 間接目的語が意味上の主語となって》⑴ …が好きである, 気に入る. Me *gusta* viajar. 私は旅行が好きだ. A mi madre le *gustó* mucho la película que vimos ayer. 母はきのう私たちと見た映画がとても気に入った. ¿Te *gustan* las novelas policíacas? 君は探偵小説が好き? ➞ querer.

⑵《婉曲表現で》…したい. Me *gustaría* verte cuanto antes. できるだけ早い機会に君に会いたい.

⑶《+**que** 接続法》…して欲しい. No me *gusta que* salgas con ese chico. 私はお前にあの男の子と付き合ってもらいたくない.

2《+**de** 不定詞》…するのが好きである, …を趣味にしている. *Gusta de* escuchar la música a todo volumen. 彼は大音量で音楽を聞くのが好きだ.

¿Usted gusta? (他人の前で食事をする時に) ちょっと失礼します. ► 相手が言う「どうぞごゆっくり」は, (Muchas) Gracias. Que aproveche.

G

gus·ta·ti·vo, va [gustatíβo, βa グスタティボ, バ] 形 味覚の.

gus·ta·zo [gustáθo グスタそ] 名男《口語》満足; 快感.

darse el gustazo de《+不定詞》《口語》…で満足する.

gus·ti·llo [gustíʎo グスティリョ] 名男

1 後口, 後味. tener un *gustillo* extraño 変な味がする.

2 (意地悪をする時の) 快感, 小気味よさ.

gus·to

[gústo グスト] 名男 [複 ～s]〔英 taste〕

1 味覚; 味 (= sabor). perder el *gusto* 味覚を失う.

2 趣味, センス, 好み. hombre de buen *gusto* センスのいい人. tener mal *gusto* 趣味が悪い.

3 喜び, 楽しみ. Tengo el *gusto* de《+不定詞》喜んで…します, …するのは私の喜びです. Mucho [Tanto] *gusto* (en conocerle). —El *gusto* es mío. 初めまして, お目にかかれて光栄です. —こちらこそ.

—— 動 ➞ gustar.

a gusto 気持ちよく, 快適に; 気楽に; 喜んで. ► しばしば muy, tan を伴う. ⇒ Comió muy *a gusto*. 彼はとてもおいしそうに食べた.

a [***al***] ***gusto de*** … …の好みに応じて. *a gusto de* todos 皆の意向どおりに. *al gusto de* hoy 当世ふうに. *a* SU *gusto* 勝手に, 気ままに.

con (***mucho***) ***gusto*** 喜んで, 快く; 熱心に. *Con* mucho *gusto*. (依頼に) 喜んでいたします. Estudió *con gusto*. 彼は熱心に勉強した.

que da gusto すてきな, 最高の; すばらしく.

Sobre [***De***] ***gustos no hay nada escrito.***《諺》蓼(たで)食う虫も好きずき.

tomar gusto a《+algo》〈何か〉が気に入る, 好きになる. Le *ha tomado gusto* al vino. 彼はワインが気にいった.

gus·to·so, sa [gustóso, sa グストソ, サ] 形

1 おいしい (=sabroso).

2 楽しい; 喜ばしい.

gu·tu·ral [guturál グトゥラる] 形 **1** 喉(のど)の.

2〔音声〕喉音(こうおん)の; 軟口蓋(なんこうがい)音の.

—— 名女〔音声〕喉音; 軟口蓋音.

H h *H h*

H, h [átʃe アチェ] 名女 スペイン語字母の第８字. ► 通例は無音.

ha 助動 ➡ haber. 26

ha·ba [áβa アバ] 名女 [el *haba*]〘植物〙ソラマメ(空豆). *haba* de las Indias スイートピー. ➡ legumbres 図.

echar las habas a 《＋uno》〈人〉の運命を占う; 〈人〉に魔法をかける.

Eso son habas contadas. それは分かりきったことだ.

Ha·ba·na [aβána アバナ] 固名 La *Habana* ハバナ: キューバ Cuba の首都.

ha·ba·ne·ro, ra [aβanéro, ra アバネロ, ラ] 形 ハバナの.

── 名男女 ハバナの住民.

── 名女〘音楽〙ハバネラ: キューバのハバナを中心に起こったダンスと音楽.

ha·ba·no, na [aβáno, na アバノ, ナ] 形 ハバナ(産)の, キューバ(産)の.

── 名男 (ハバナ産の) 葉巻.

ha·ber

[aβér アベル] 26 助動〔英 have〕《＋過去分詞》《完了時制を作る》Hoy no *he* podido ir a clase. 私は今日学校へ行けなかった. Esta semana *hemos* estado muy ocupados. 今週我々はとても忙しかった. Cuando llegué a la estación, el tren ya *había* salido. 私が駅に着いたとき電車はすでに出た後だった. ¡*Haber* venido a tiempo! 君がもっと早くに来ていれば! ► 特に現在完了形では助動詞 haber と過去分詞の間に副詞などを挿入することはできない.

── 動他 [現分 habiendo ; 過分 habido, da] **1** 《3人称単数形 **hay, había, hubo** … を用いて》〔英there is [are …]〕《有無を表して》ある, いる. *Hay* un libro en la mesa. テーブルの上に本が1冊ある. ¿*Hay* alguien que sepa su teléfono? 彼の電話番号を知っている人はいますか. Ayer *hubo* una fiesta en casa de Pedro. きのうペドロの家でパーティーがあった.

【文 法】 **hay** [**había** …] は人・動物・事物について, その有無を示すのに用いられる. 後に続く語 (*haber* の目的語. 日本語では主語として訳される) は不定代名詞か名詞で, 無冠詞か不定冠詞, 不定形容詞, 数詞を伴う名詞である. ➡ estar **【文法】**.

En Nueva York *hay* muchos hispanoamericanos. ニューヨークにはヒスパニック系の人が多い [多く住んでいる].

No *hay* dinero para pagar el gas. ガス代がない.

No *hay* nadie en esta casa. この家には誰もいない.

直説法	
現在	**未来**
1·単 ***he***	1·単 ***habré***
2·単 ***has***	2·単 ***habrás***
3·単 ***ha (hay)***	3·単 ***habrá***
1·複 ***hemos***	1·複 ***habremos***
2·複 **habéis**	2·複 ***habréis***
3·複 ***han***	3·複 ***habrán***
点過去	**線過去**
1·単 ***hube***	1·単 **había**
2·単 ***hubiste***	2·単 **habías**
3·単 ***hubo***	3·単 **había**
1·複 ***hubimos***	1·複 **habíamos**
2·複 ***hubisteis***	2·複 **habíais**
3·複 ***hubieron***	3·複 **habían**
接続法	**可能**
現在	1·単 ***habría***
1·単 ***haya***	2·単 ***habrías***
2·単 ***hayas***	3·単 ***habría***
3·単 ***haya***	1·複 ***habríamos***
1·複 ***hayamos***	2·複 ***habríais***
2·複 ***hayáis***	3·複 ***habrían***
3·複 ***hayan***	
過去(ra)	**過去(se)**
1·単 ***hubiera***	1·単 ***hubiese***
2·単 ***hubieras***	2·単 ***hubieses***
3·単 ***hubiera***	3·単 ***hubiese***
1·複 ***hubiéramos***	1·複 ***hubiésemos***
2·複 ***hubierais***	2·複 ***hubieseis***
3·複 ***hubieran***	3·複 ***hubiesen***
命令法	
2·単 ***he***	
2·複 **habed**	

2 《3人称単数形 **ha** を用いて》…前に (＝hace). poco antes *ha* しばらく前に. ► 古語だが, 時に気取った文で使われることがある.

── 名男 **1** 〘商業〙資産; 貸方. deber y *haber* 負債と資産, 貸方と借方.

2 [～es] 財産; 給与.

haber de 《＋不定詞》…しなければならない; …のはずだ. *He de* decírselo mañana. 私は明日彼にそのことを話すつもりだ. ¿Cómo *había de* ser de otro modo? 他のやり方があっただろうか, そうなるのが当然

だ．► 文語調で現在ではあまり使われない．
habido y por haber 想像し得る限りの，すべての．► habido は名詞に合わせて性・数変化をする．
hay* [*había*, ...] *que 《+不定詞》…しなければならない． / ***no hay* [*había*, ...] *que*** 《+不定詞》…する必要はない，…には及ばない．*Hay que* decirlo claramente. そのことをはっきり言わなければならない．► tener que 《+不定詞》と違って主語が表出されないので，一般論としての義務，必要性を表す．→ deber 【文法】.
No hay de qué. (Gracias に対して) どういたしまして．
¿Qué hay? / ***¿Qué hay de nuevo?*** 《挨拶》元気ですか，お変わりはないですか．► メキシコでは ¿Qué *hubo*? と言う．

había(-) 助動 動 → haber. 26

ha·bi·chue·la [aβitʃwéla アビチュエら] 名 女 〔植物〕インゲンマメ (隠元豆).

habido, da 過分 → haber.

habiendo 現分 → haber.

há·bil [áβil アビる] 形 **1** 器用な，上手な，熟練した．*hábil* con el pincel 絵の上手な．Es *hábil* para cocinar. 彼女は料理の腕がいい．
2 抜けめのない；ずるい．
días hábiles 平日；猶予日数．

ha·bi·li·dad [aβiliðáð アビリダ(ドゥ)] 名 女 **1** 巧みさ，器用；熟達；能力．tener mucha *habilidad* たいへん上手である．
2 ずるさ，抜けめなさ．
3 〔法律〕資格，権利．

ha·bi·li·do·so, sa [aβiliðóso, sa アビリドソ，サ] 形 巧みな，器用な．

ha·bi·li·ta·ción [aβilitaθjón アビリタしオン] 名 女 **1** 〔法律〕資格 [権利] の付与；認可．
2 会計係の職；会計課．
3 (建物などの) 充当，利用．

ha·bi·li·ta·do, da [aβilitáðo, ða アビリタド，ダ] 過分 形 資格のある．
── 名 男 女 会計係，主計官．

ha·bi·li·tar [aβilitár アビリタル] 動 他
1 …に資格 [権利] を与える．*habilitar* a 《+uno》 para suceder 〈人〉に相続権を付与する．
2 《+**de**》…を供給する．
3 充当する，利用する．*habilitar* el local para biblioteca その部屋を書庫に当てる．

há·bil·men·te [áβilménte アビるメンテ] 副 巧みに；抜けめなく．

ha·bi·ta·ble [aβitáβle アビタブれ] 形 住める，住むのに適した．

ha·bi·ta·ción [aβitaθjón アビタしオン] 名 女 [複 habitaciones] 〔英 room〕
1 部屋，居室；(ホテルの) 客室．¿Cuántas *habitaciones* tiene esta casa? この家にはいくつ部屋がありますか．*habitación* doble ふたり部屋；ツインルーム．*habitación* individual 個室；シングルルーム (= *habitación* sencilla).
2 居住；住居．

ha·bi·tá·cu·lo [aβitákulo アビタクろ] 名 男 **1** 居室；(宇宙船の) 船室．
2 (動・植物の) 生息地．

ha·bi·tan·te [aβitánte アビタンテ] 名 男 女 [複 ～s] 〔英 inhabitant〕 住民，居住者．Esta ciudad tiene cinco millones de *habitantes*. この町の人口は500万人だ．

ha·bi·tar [aβitár アビタル] 動 他 …に居住する；…に生息する．
── 動 自 《+**en**》…に住む．

ha·bi·tat [aβitát アビタ(トゥ)] / **há·bi·tat** [áβitat アビタ(トゥ)] 名 男 **1** 生息環境；生息地．**2** 居住環境；居住地．

há·bi·to [áβito アビト] 名 男 **1** 習慣；習性，癖．Tenía el *hábito* de levantarse temprano. 彼は早起きの習慣があった．
2 [～または ～s] 僧服．tomar el *hábito* 修道士[修道女]になる．ahorcar [colgar] los *hábitos* 僧籍を離れる．

ha·bi·tual [aβitwál アビトゥアる] 形 いつもの，ふだんの．El cansancio no nos permitió levantarnos a la hora *habitual*. 疲れていて我々はいつもの時間に起きられなかった．los *habituales* 常連．

ha·bi·tual·men·te [aβitwálménte アビトゥアるメンテ] 副 ふだん，いつも．

ha·bi·tuar [aβitwár アビトゥアル] [14 u → ú] 動 他 《+**a**》…に慣らす，…を習慣づける．*habituar* a 《+uno》 *a* la nueva situación 〈人〉を新しい環境に慣れさせる．
── **ha·bi·tuar·*se*** 《+**a**》…に慣れる，…が習慣になる (= acostumbrar(se)).

ha·bla [áβla アブら] 名 女 [el *habla*]
1 話すこと，言語能力．negar [quitar] el *habla* a 《+uno》 (けんかなどで) 〈人〉と口を利かない．perder el *habla* 口が利けなくなる．
2 言葉，言語；(特定社会・地域の) 方言，訛(なま)り．países de *habla* española スペイン語圏諸国．el *habla* de los niños 幼児言葉．
3 口調，話し方．Tiene un *habla* muy dulce. 彼の口調はとても優しい．
4 〔言語〕パロール．
── 動 → hablar.
¡Al habla! 《電話》はい，私ですが．
dejar a 《+uno》 ***sin habla*** 〈人〉を唖然(あぜん)とさせる．
estar* [*ponerse*] *al habla con 《+uno》〈人〉と折衝中である [交渉に入る]；〈人〉と電話中である [電話で話す].

ha·bla·do, da [aβláðo, ða アブらド，ダ] 過分 → hablar.
── 形 話された；口頭の，口語の．español *hablado* 口語スペイン語．una persona mal *hablada* 言葉遣いのぞんざいな人．

ha·bla·dor, do·ra [aβlaðór, ðóra アブらドル，ドラ] 形 おしゃべりな；うわさ好きな．

── 名男女 おしゃべりな人; うわさ好きな人.

ha·bla·du·rí·a [aβlaðuría アブらドゥリア] 名女 うわさ, 陰口.

hablando 現分 ➡ hablar.

ha·blan·te [aβlánte アブらンテ] 名男女 話し手, 話者 (↔ oyente).

ha·blar [aβlár アブらル] 動自 [現分 hablando ; 過分 hablado, da] 〔英 speak, talk〕

1 話す, 話をする. *hablar* alto 大声で話す. *hablar* con Pedro ペドロに話す[と話をする]. *hablar* en japonés 日本語で話す. *hablar* en público 人前で話す. ¿Quién *habla*? / ¿Con quién *hablo*? 《電話》どちら様ですか.

2 《+**de**》 …について[…のことを]話す; …のうわさをする. *Habla de* la literatura española. 彼はスペイン文学について話す. *Hablábamos de* ti. 君のうわさをしていたところだ.

3 《+**a**》 …に話しかける. *hablar a* un desconocido 知らない人に話しかける. *Me habló* en inglés. 彼は私に英語で話した.

4 (言葉以外で) 表現する. *hablar* con gestos 身ぶりで表現する.

5 恋仲である. María *habla* con Juan desde hace dos años. 2年前からマリアとフアンはいい仲だ.

── 動他 (言語を) 話す, 話せる. ¿*Habla* usted español? あなたはスペイン語が話せますか. Olga *habla* bien el alemán. オルガはドイツ語がうまい.

── **ha·blar·*se*** **1** 《3人称単数形で非人称表現》話す. *Se habla* japonés. 《店頭の掲示》日本語話します.

2 《否定形で》 (1) 仲たがいしている. Los dos ya no *se hablan*. 2人はもう絶交している. (2) 《+**con**》 …と口を利かない, …と仲たがいしている. Ya no *me hablo con* él. 彼とは絶交だ.

dar* (*mucho*) *que hablar 評判になる, うわさになる.

hablar a 《+uno》 ***de tú*** [***usted***] 〈人〉に tú [usted] を用いて話す. ➡ tutear.

hablar bien [***mal***] ***de*** 《+uno》 〈人〉を褒める[の悪口を言う].

hablar claro はっきりものを言う.

hablar con*SIGO *mismo* / *hablar para sí 独り言を言う; 自分でじっくり考える.

hablar por hablar / hablar por no callar つまらないことを取りとめもなくしゃべる.

¡(***De eso***) ***ni hablar!*** 《口語》駄目だ, てんで話にならん.

sin hablar de ... …は言うに及ばず.

habr- 助動 動 ➡ haber. 26

Habs·bur·go [aβsβúrɣo アブスブルゴ] 固名 Casa de *Habsburgo* (オーストリア, スペインなどの王家) ハプスブルク家. ►Casa de Austria ともいう.

ha·ce·de·ro, ra [aθeðéro, ra アせデロ, ラ] 形 実現可能な; 容易にできる.

ha·cen·da·do, da [aθendáðo, ða アせンダド, ダ] 形 土地[農場]を所有する.

── 名男女 地主; 農場主.

ha·cen·do·so, sa [aθendóso, sa アせんドソ, サ] 形 (家事に) 熱心な, こまめな.

ha·cer [aθér アせル] 27 動他 [現分 haciendo ; 過分 hecho, cha] 〔英 do ; make〕

直説法			
現在		未来	
1·単	***hago***	1·単	***haré***
2·単	**haces**	2·単	***harás***
3·単	**hace**	3·単	***hará***
1·複	**hacemos**	1·複	***haremos***
2·複	**hacéis**	2·複	***haréis***
3·複	**hacen**	3·複	***harán***
点過去		線過去	
1·単	***hice***	1·単	**hacía**
2·単	***hiciste***	2·単	**hacías**
3·単	***hizo***	3·単	**hacía**
1·複	***hicimos***	1·複	**hacíamos**
2·複	***hicisteis***	2·複	**hacíais**
3·複	***hicieron***	3·複	**hacían**
接続法		現在完了	
現在		1·単	**he *hecho***
1·単	***haga***	2·単	**has *hecho***
2·単	***hagas***	3·単	**ha *hecho***
3·単	***haga***	1·複	**hemos *hecho***
1·複	***hagamos***	2·複	**habéis *hecho***
2·複	***hagáis***	3·複	**han *hecho***
3·複	***hagan***		
命令法			
2·単	***haz***		
2·複	**haced**		

1 する, 行う; (役割を) 務める; (役を) 演じる. *hacer* las compras 買い物をする. *hacer* un viaje 旅行する. *hacer* un papel muy importante 重要な役を務める. ¿Y qué *hace* tu padre? で, 君のお父さんの職業は?

2 作る; 生じさせる; 整える; 調達する. *hacer* una caja 箱を作る. *hacer* una ensalada サラダを作る. *hacer* una gran fortuna 巨万の富を築く. *hacer* daño 傷つける; 損害を与える. *hacer* la barba a 《+uno》〈人〉のひげをそる. *hacer* la cama ベッドを整える.

3 《目的補語を伴って》 …にする; …の状態にする. (1) *hacer* a 《+uno》 feliz 〈人〉を幸せにする. *hacer* 《+algo》 pedazos 〈何か〉を粉々にする; ずたずたに引き裂く. (2) *Hizo de* su hijo un abogado. 彼は息子を弁護士にした.

4 《使役を表して》 《+不定詞》; 《+**que** 接

H

続法》…させる. Me *hizo* esperar. 彼は長時間私を待たせた. *Hace que* su hijo vaya a buscarla. 彼女は息子に迎えに来させる.

5《無主語・3人称単数形で》⑴《天候などを表して》*Hace* buen tiempo. いい天気です. Hoy *hace* mucho frío. 今日はとても寒い. *Hace* sol. 日が照っている.

⑵《時間を表して》…前に; …前から. Fuimos a España *hace* dos años. 私たちは2年前にスペインへ行った. Está enferma desde *hace* una semana. 彼女は1週間前から病気です.

⑶《**hace … que …**》**…してから…の時間がたつ**, …前から…している. *Hace* cinco años *que* vivo aquí. 私はここに住んで5年になる. *Hace* tres días *que* llegué a Barcelona. 私がバルセロナに来て3日たつ. *Hacía* mucho tiempo *que* no nos veíamos. 私たちは長い間会っていなかった.

6 …の容量[速度]がある, …の数量[数値]になる. Este tren *hace* 250 kilómetros por hora. この列車は時速250キロを出す. Cinco y siete *hacen* doce. 5足す7は12.

7 訓練する, 慣らす; 調教する. *hacer* el cuerpo al frío 体を寒さに慣らす.

── 動 自 **1**《+**de**》…の役をする. *Ha hecho de* intérprete en la reunión de Madrid. マドリードの会議で彼は通訳を務めた. *Hace de* Carmen. 彼女はカルメンを演じる. **2**《+**para, por** 不定詞》…しようと努める.

3 調和する; 好都合である. Esta corbata *hace* bien con tu traje. このネクタイは君の服によく似合う. ¿*Hace*? これでいいですか. si te *hace* もし君がそれでよければ.

── **ha·cer·*se*** **1** …になる, …の状態になる. *Se hizo* médico. 彼は医者になった. *hacerse* rico 金持ちになる. *hacerse* pedazos 粉々になる. *hacerse* tarde 遅くなる.

2 …の振りをする, …を気取る. *hacerse* el muerto 死んだ振りをする.

3《+不定詞》(自分の何かを) させる, してもらう. *hacerse* retratar 写真を撮ってもらう[肖像画を描かせる].

4《+**a**》…に慣れる. *hacerse al* calor 暑さに慣れる. No *me hice a* vivir solo. 私はひとり暮らしにはなじめなかった.

5《+**con**》…をつかむ, 捕らえる; 用意する, 手に入れる; 横領する. *hacerse con* el poder 権力を握る.

hacer bien en《+不定詞》/ ***hacer bien***《+現在分詞》…して当然だ, …するのは正しい.

hacerse a un lado わきに寄る.

hacerse atrás 後退する.

hacerse a《+uno》***que***《+直説法》〈人〉に…と思われる. *Se me hace que* va a llover. 私には雨が降りだすように思える.

¿Qué le vamos a hacer? どうしようもない, 仕方がない.

¿Qué se hizo [***se habrá hecho***] ***de***《+uno》***?*** 〈人〉はどうなったか[どうなったのだろうか].

haces 名 [複] → haz.

── 動 → hacer. 27

ha·cha [átʃa アチャ] 名 女 [el *hacha*]

1 斧(おの), まさかり.

2《口語》名手, 名人. ser un *hacha* en matemáticas 数学の天才である.

ha·cha·zo [atʃáθo アチャそ] 名 男 斧(おの)の一撃.

ha·che [átʃe アチェ | katʃís ハチス] 名 女 アルファベットの h の文字.

ha·chís [atʃís アチス] 名 男 (麻薬の) ハシッシュ, 大麻.

ha·cia [aθja アしア]
前〔英 towards〕

1《方向・対象を表して》**…の方へ**; …に対して. ir *hacia* la estación 駅の方へ歩いて行く. La ventana mira *hacia* el mar. 窓は海に面している. Ese cuadro está inclinado *hacia* la derecha. その絵は右に傾いている. Enrique sentía afecto *hacia* ella. エンリケは彼女に対して愛情を抱いていた.

2《時間を表して》**…ころ**. *hacia* las ocho 8時ごろに (= a eso de las ocho). Volveré *hacia* mediados de noviembre.私は11月半ばごろに戻ります.

3《場所を表して》…の辺りに. Su casa debe de quedar *hacia* La Moncloa. 彼の家はモンクロアの辺りではなかろうか.

ha·cien·da [aθjénda アしエンダ] 名 女 [複 ~s]〔英 farm; Treasury〕**1** **農場**, 農園.

2 国庫; 国家財政 (= *hacienda* pública); [H-] **大蔵省** (= Ministerio de *Hacienda*). Ministro de *Hacienda* 大蔵大臣.

3 資産, 財産.

4《ラ米》アシエンダ. ◆植民地時代から中南米の地域経済を支えた大農園.

haciendo 現分 → hacer.

ha·ci·nar [aθinár アしナル] 動 他 積み重ねる. *hacinar* la leña 薪(まき)を積み上げる.

── **ha·ci·nar·*se*** ひしめく. vivir *hacinados* en una habitación 1部屋にひしめき合って暮らす.

ha·da [áða アダ] 名 女 [el *hada*] 妖精(ようせい), 仙女. cuento de *hadas* おとぎ話.

Ha·des [áðes アデス] 固名〘ギリシア神話〙ハデス: 死者の国の支配者.

── 名 男 [h-] 冥府, 黄泉(よみ)の国; 地獄.

ha·do [áðo アド] 名 男 宿命, 運命; 因縁.

hag- 動 → hacer. 27

Hai·tí [aití アイティ]
固名〔英 Haiti〕

ハイチ: 西インド諸島中央部の共和国.

hai·tia·no, na [aitjáno, na アイティアノ, ナ] [複 ~s]〔英 Haitian〕形 **ハイチの**.

H

—— 名男女 ハイチ人.

¡ha·la! [ála アら] 間投 **1** 頑張れ; 急げ. ¡*Hala*! ¡A estudiar! さあ, 勉強しなさい!
2 (繰り返して) そら出て行け.

ha·la·gar [alaɣár アらガル] [32 g → gu] 動他 **1** 喜ばせる, 満足させる. Me *halaga* tu invitación. 君が招待してくれて私はうれしい. *halagar* el oído 耳に快い.
2 褒めそやす, おだてる; …にへつらう.

ha·la·go [aláɣo アらゴ] 名男 **1** お世辞, へつらい. **2** 喜ばしいこと.

ha·la·güe·ño, ña [alaɣwéɲo, ɲa アらグエニョ, ニャ] 形 **1** お世辞の, へつらいの.
2 有望な. perspectivas *halagüeñas* 明るい見通し.

hal·cón [alkón アるコン] 名男 〘鳥〙 タカ (鷹), ハヤブサ (隼).

¡ha·le! [ále アれ] 間投 さあ, 早く (= ¡hala!).

há·li·to [álito アりト] 名男 **1** 吐く息, 呼気. **2** 《文語》微風, そよ風.

ha·llar [aʎár アリャル] 動他 〔英 find〕
1 見付ける, 発見する. *Ha hallado* la solución del problema. 彼は問題の解決方法を見いだした. *hallar* un nuevo yacimiento de oro 新しい金の鉱脈を発見する. *hallar* una nueva teoría 新しい理論を考えつく. ► encontrar の方が口語的.
2 …に遭遇する. *hallar* oposición 反対に遭う.
—— **ha·llar·se** **1** (…の場所・状態に) いる, ある (= encontrarse). *Se hallaban* presentes los Reyes. 国王夫妻が臨席しておられた. *hallarse* enfermo 病気にかかっている. *Me hallo* sin dinero. 私は無一文だ. ►hallarse, encontrarse はやや堅い表現で, ふつうは estar を用いる.
2 《+**con**》… に遭遇する, 出くわす. *Me hallé con* un dinero que no esperaba. 予想もしなかった金が入った.
hallarse bien con 《+algo》〈何か〉に満足している.
hallarse en todo 何事にもでしゃばる.
no hallarse しっくりしない, 居心地が悪い, 場違いに感じる. *No me hallo* en este pueblo. この町は居心地がよくない.

ha·llaz·go [aʎáθɣo アリャすゴ] 名男
1 見いだすこと, 発見.
2 発見物, 拾得物; 掘り出し物.

ha·lo [álo アろ] 名男 **1** (太陽・月の) 暈(かさ).
2 (聖像の) 光輪. **3** 名声.

ha·ló·ge·no, na [alóxeno, na アろヘノ, ナ] 形 〘化〙ハロゲンの.
—— 名男 〘化〙ハロゲン (族元素).

hal·te·ro·fi·lia [alterofílja アるテロフィりア] 名女 〘スポーツ〙重量挙げ, ウエートリフティング.

ha·ma·ca [amáka アマカ] 名女 ハンモック; デッキチェア.

ham·bre [ámbre アンブレ] 名女 [el *hambre*] 〔英 hunger〕
1 空腹; 飢え, 飢饉(ききん). Tengo *hambre*. 私はお腹が空いている. matar el *hambre* 空腹を癒(いや)す. Es lamentable que todavía haya quien muera de *hambre*. いまだに飢え死にする人がいることは嘆かわしいことだ.
2 渇望, 切望.
A buen hambre no hay pan duro. 《諺》空腹にまずいものなし.
morir(se) de hambre 腹ぺこで死にそうである.

ham·brien·to, ta [ambrjénto, ta アンブリエント, タ] 形 **1** 飢えた, 腹ぺこの.
2 《+**de**》…を渇望する, 切望する.
—— 名男女 飢えた人, 腹ぺこの人.

ham·bur·gués, gue·sa [amburɣés, ɣésa アンブルゲス, ゲサ] 形 (ドイツの) ハンブルク Hamburgo の.
—— 名男女 ハンブルクの住民.
—— 名女 〘料理〙ハンバーガー, ハンバーグステーキ.

ham·pa [ámpa アンパ] 名女 [el *hampa*] 《集合》ならず者, 悪党; 暗黒街.

han 助動 → haber. 26

hán·di·cap [xándikap ハンディカ(プ)] / **han·di·cap** [andikáp アンディカ(プ)] 男 [複 ~s] **1** 〘スポーツ〙ハンディキャップ.
2 不利, 不利益. [←英語]

han·gar [aŋgár アンガル] 名男 〘航空〙格納庫. → aeropuerto 図. [←フランス語]

har- 動 → hacer. 27

ha·ra·gán, ga·na [araɣán, ɣána アラガン, ガナ] 形 怠惰な (= holgazán).
—— 名男女 怠け者.

ha·ra·pien·to, ta [arapjénto, ta アラピエント, タ] 形 ぼろを着た (= andrajoso).

ha·ra·po [arápo アラポ] 名男 [普通 ~s] ぼろ, ぼろ着.

hard·ware [xárɣwar ハルグアル | xárðwer ハルドゥエル] 名男 〘コンピュータ〙ハードウエア.

ha·rem [arém アレン] / **ha·rén** [arén アレン] 名男 **1** ハレム: イスラム社会の住居の女性の居室. **2** 《集合》ハレムの女たち.

ha·ri·na [arína アリナ] 名女 〔英 flour〕
小麦粉; 粉 (= *harina* de trigo). *harina* de avena オートミール. *harina* de flor 上質の小麦粉. *harina* de maíz トウモロコシの粉. *harina* de pescado 魚粉.
Eso es harina de otro costal. 《口語》それは全く別の問題だ.
hacer harina 粉々に砕く.
meterse en harina 深くかかわる, 専念する.

ha·ri·no·so, sa [arinóso, sa アリノソ, サ] 形 粉の, 粉末状の; 粉っぽい.

harta 形女 → harto[1].

har·ta·da [artáða アルタダ] 名女 → hartazgo.

har·tar [artár アルタル] 動他 **1** 満腹にさせる. **2** 食傷させる, うんざりさせる. Me *estás hartando* con tus historias. 君の話

H

にはもううんざりだ.

3《＋**de**》…をいやというほど与える. *hartar de* insultos さんざんに侮辱する.

── **har·tar·*se*** 《＋**de**》 **1** …を腹いっぱい食べる［飲む］. comer hasta *hartarse* 存分に食べる.

2 …に満足する; 存分に…する. Este verano *me harté de* leer. この夏私は読書三昧(ざんまい)だった.

3 …に飽き飽きする, うんざりする. *hartarse de* esperar 待ちくたびれる.

har·taz·go [artáθɣo アルタスゴ] 名男 満腹; 食傷, うんざり.

darse un hartazgo de … …をいっぱい食べる［飲む］; …を存分にする; …にうんざりする.

har·to[1]**, ta** [árto, ta アルト, タ] 形［複 ～s］〔英 tired; full〕 **1** 《＋**de**》 **…に飽き飽きした**, うんざりした. Estoy *harto de* ir a su casa. 彼の家へ行くのはもうごめんだ.

2 満腹した. Estoy completamente *harto*. お腹がいっぱいだ.

3 十分すぎるほどの, かなりの. Estoy *harta de* verle, pero no sé todavía cómo se llama. 彼とは何度も会っているけど, まだ名前を知らないのよ.

har·to[2] [árto アルト] 副 十分に, 大いに; かなり.

has 助動 ➡ haber. 26

has·ta [asta アスタ] 前〔英 until, as far as〕

1 《到達点・限度を表して》 **…まで**. desde Madrid *hasta* Lisboa マドリードからリスボンまで. *hasta* las ocho 8時まで. Yo me voy andando *hasta* la oficina. 僕は会社まで歩いて行くよ. En la última inundación el agua llegó *hasta* aquí. この前の洪水で水がここまで来た. *Hasta* cierto punto es verdad. それはある程度まで真実だ.

2 《別れの挨拶》 ではまた…まで. *Hasta* luego. では後ほど. *Hasta* mañana. ではまた明日. *Hasta* la vista. さようなら.

── 副 《強調》 **…でさえ**, …までも (＝ incluso). *Hasta* los niños trabajan aquí. ここでは子供でさえ働いている. ¡*Hasta* me insultó! 彼はこの私を侮辱した.

hasta 《＋不定詞》/***hasta que*** 《＋直説法・接続法》 …するまで. Carlos hará lo imposible *hasta* conseguir ese puesto. カルロスはその地位を手に入れるまで最大の努力を払うだろう. Lucharon valientemente *hasta* morir. 彼らは勇敢に戦って死んだ. Juana estuvo esperando allí *hasta que* volvieron sus padres. ファナは両親が戻ってくるまでそこで待っていた. Aquí me quedaré *hasta que* vuelvas. 君が戻ってくるまでここで待っているよ. ► 未来のことを言う場合は hasta que 以下は接続法となる.

> **【文 法】 hasta と para**
> Estaré en mi despacho *hasta* las cinco. 私は5時まで部屋にいる (► 5時までずっと).
> Salgo un momento, pero volveré *para* las cinco. ちょっと出かけてくるが5時には戻ります (► 5時に間に合うように).
> **否定文での hasta と para と antes de**
> El coche no estará arreglado *hasta* el lunes. 車は月曜日にならないと直らない.
> El coche no estará arreglado *antes del* lunes. 車は月曜以前は直らない (► たぶん月曜日に直るが明言できない).
> El coche no estará arreglado *para* el lunes. 車の修理は月曜日には間に合わない.

has·tiar [astjár アスティアル] [23 i ➡ í] 動他 不快にさせる, 吐き気を催させる; うんざりさせる.

── **has·tiar·*se*** 《＋**de**》 …にうんざりする, 飽き飽きする.

has·tí·o [astío アスティオ] 名男 むかつき; 不快, 嫌悪.

ha·ta·jo [atáxo アタホ] 名男 **1** (家畜の) 小さな群れ. **2** 《口語》 たくさん; 連中. *hatajo* de sinvergüenzas ろくでもないやつら.

ha·to [áto アト] 名男 **1** 身の回り品.

2 (家畜の) 群れ; 牧童小屋.

andar con el hato a cuestas 《口語》 居所を転々とする.

liar el hato 《口語》 立ち去る.

hay 動 ➡ haber. 26

ha·ya [ája アヤ] 名女 **1** [el *haya*] 〔植物〕 ブナ(橅).

2 La *Haya* ハーグ: オランダ Holanda 中西部の都市.

── 助動 動 ➡ haber. 26

haya(-) / hayáis 助動 動 ➡ haber. 26

ha·yal [ajál アヤル] / **ha·ye·do** [ajéðo アイエド] 名男 ブナの林.

haz [áθ アす] 名男［複 haces］ **1** 束. *haz* de leña 薪(まき)の束. **2** 〔物理〕 光束, ビーム.

── 動 ➡ hacer. 27

ha·za·ña [aθáɲa アさニャ] 名女 偉業, 手柄 (＝ proeza). *hazañas* del Cid エル・シッドの武勲.

haz·me·rre·ír [aθmer̄eír アすメレイル] 名男 物笑いの種, 笑い者.

he [é エ] 助動 ➡ haber. 26

── 副 《aquí, allí などの副詞や直接目的語の人称代名詞 me, te, le, la, lo などと共に用いられて》 …がある［いる］. *He* aquí las consecuencias de su pereza. これがあなたの怠惰の結果だ. *He*me aquí. 私はこ

こにいる. ► 動詞 haber を用いた文語的な古めかしい言い回し.

he·bi·lla [eβíʎa エビリャ] 名女 バックル, 締め金. *hebilla* de cinturón ベルトのバックル.

he·bra [éβra エブラ] 名女 **1** 糸, 縫い糸.
2 筋道, 脈絡. perder la *hebra* 話の筋道が分からなくなる.
3 (動・植物の) 繊維, 筋.
pegar la hebra 《口語》おしゃべりを始める; 長話を続ける.

he·brai·co, ca [eβráiko, ka エブライコ, カ] 形 → hebreo.

he·bra·ís·mo [eβraísmo エブライスモ] 名男 ヘブライズム, ヘブライ思想; ユダヤ教; ヘブライ語源の言葉.

he·bre·o, a [eβréo, a エブレオ, ア] 形 ヘブライ(人)の, ユダヤの; ユダヤ教の.
── 名男女 ヘブライ人, ユダヤ人; ユダヤ教徒. ── 名男 ヘブライ語.

he·ca·tom·be [ekatómbe エカトンベ] 名女 大量殺戮(さつりく); (多くの死者を伴う) 大惨事.

heces 名[複] → hez.

hecha 過分女 → hacer.
── 形女 → hecho[1].

he·chi·ce·rí·a [etʃiθería エチセリア] 名女 **1** 魔法, 妖術(ようじゅつ); 呪術(じゅじゅつ). **2** 魅力.

he·chi·ce·ro, ra [etʃiθéro, ra エチセロ, ラ] 形 **1** 魔法の, 魔術的な. **2** 魅惑的な.
── 名男女 魔法使い, 魔術[妖術(ようじゅつ)]師.

he·chi·zar [etʃiθár エチサル] [39 z → c] 動他 **1** 魔法にかける; …にのろいをかける.
2 魅惑する.

he·chi·zo [etʃíθo エチソ] 名男 **1** 魔法, 妖術(ようじゅつ); 呪文(じゅもん), まじない. **2** 魅惑, 魅力.

he·cho[1], cha [étʃo, tʃa エチョ, チャ] 過分 → hacer.
── 形 [複 ~s] 〔英 made, done〕 **1 作られた**, …製の; 既製の. bien [mal] *hecho* 出来のよい[悪い]. *hecho* a mano 手製の. *hecho* en México メキシコ製の.
2 完成した, 行われた. Estará *hecho* para el lunes. 月曜までにはできています. Lo *hecho hecho* está. 済んだことは済んだこと.
3 成熟した. hombre *hecho* y derecho 一人前の男.
4 (肉が) よく焼けた (= asado). muy (bien) *hecho* ウエルダンの.

he·cho[2] [étʃo エチョ] 名男 [複 ~s] 〔英 fact〕 **1 事実, 出来事**. *hecho* consumado 既成事実.
2 行為; [普通 ~s] 偉業, 手柄. *hecho* de armas 武勲.
3 〘法律〙(犯罪などの) 事実, 犯行.
¡Bien hecho! お見事; そのとおりだ; 《皮肉》たいしたもんだ!
de hecho 現に; 実際は, 実は.
El hecho es que 《+直説法》実は…だ. *El hecho es que* yo no sabía que estuvieras aquí. 実は君がここに来ているとは知らなかった.
¡Eso está hecho! / ¡Eso es cosa hecha! 《口語》そんなことは簡単だ.
¡Hecho! 結構だ; 承知した; 決まりだ.
hecho un [***una***] 《+名詞》…のようになって. *hecho una* furia かんかんに怒って. ► hecho は主語の性・数に一致する.

he·chu·ra [etʃúra エチュラ] 名女 **1** 作ること, 作ったもの; 製造, 創作.
2 出来栄え, 仕上がり; 作り方, 仕立て.
3 被造物, 創造物; 仕業. Somos *hechuras* de Dios. 我々は神の創造物である.
4 形, 外形, 外見; 体格, 体形.

hec·tá·re·a [ektárea エクタレア] 名女 ヘクタール: 面積の単位. 100アール《略 ha》.

hecto- / hect- 「100」の意を表す造語要素. ⇀ *hect*área, *hect*ómetro など.

hec·to·li·tro [ektolítro エクトリトゥロ] 名男 ヘクトリットル: 容積の単位. 100リットル《略 hl》.

hec·tó·me·tro [ektómetro エクトメトゥロ] 名男 ヘクトメートル: 長さの単位. 100メートル《略 hm》.

Héc·tor [éktor エクトル] 固名 〘ギリシア神話〙ヘクトル: 勇敢なトロヤの戦士.

he·der [eðér エデル] [43 e → ie] 動自 **1** 悪臭を放つ. **2** 不愉快にさせる.

he·dion·dez [eðjondéθ エディオンデす] 名女 悪臭; 悪臭を放つ物.

he·dion·do, da [eðjóndo, da エディオンド, ダ] 形 **1** 悪臭[腐臭]を放つ, ひどく臭い.
2 汚らしい, 胸の悪くなるような; 我慢のならない.

he·do·nis·mo [eðonísmo エドニスモ] 名男 快楽主義.

he·dor [eðór エドル] 名男 悪臭, 腐臭.

he·ge·mo·ní·a [exemonía エヘモニア] 名女 覇権; 主導権, 盟主権, ヘゲモニー.

he·la·da [eláðo エらダ] 名女 **1** 凍結, 厳しい冷え込み. caer una *helada* 気温が氷点下になる. **2** 霜.
── 過分女 → helar.

he·la·de·rí·a [elaðería エらデリア] 名女 アイスクリーム店; アイスクリーム製造(業).

he·la·de·ro, ra [elaðéro, ra エらデロ, ラ] 名男女 アイスクリーム売り.

he·la·do[1] [eláðo エらド] 名男 [複 ~s] 〔英 ice cream〕 **アイスクリーム**. un *helado* de chocolate チョコレート・アイスクリーム.

he·la·do[2], da [eláðo, ða エらド, ダ] 過分 → helar.
── 形 **1** 凍った, 凍結した; 凍らせた.
2 とても冷たい; 氷で冷やした. viento *helado* 凍(い)てつくような風. Se estropeó la calefacción y estábamos *helados*. 暖房が故障で私たちは冷えきってしまった.
3 (驚き・恐怖などで) 口が利けなくなった. Me quedé *helado* al saberlo. それが分かったとたん私は茫然(ぼうぜん)となった. *helado* de

H

vainilla バニラアイスクリーム.

he·lar [elár エらル] [42 e → ie] 動他 [英 freeze] **1** 凍らせる, 凍結させる. **2** (恐怖などで) ぞっとさせる; がっかりさせる, 意気消沈させる.
—— 動自 氷点下になる, ひどく寒くなる. Ayer *heló*. 昨日はひどく寒かった. ► 3人称単数のみ用いられる.
—— **he·lar·se** **1** (体・手足が) 凍える, かじかむ; 凍死する. *Se helará* Vd. si sigue esperándole aquí. こんなところで彼を待っていたら凍えてしまいますよ.
2 凍る, 凍りつく. *Se ha helado* el lago y se puede patinar. 湖が凍ってスケートができる.

he·le·cho [eléʧo エれチョ] 名男 〔植物〕 シダ (羊歯).

He·le·na [eléna エれナ] 固名 **1** エレナ: 女性の名. **2** 〔ギリシア神話〕 ヘレネ: トロヤ戦争の原因となった美女.

he·lé·ni·co, ca [eléniko, ka エれニコ, カ] 形 (古代) ギリシアの.

he·le·nis·mo [elenísmo エれニスモ] 名男 ヘレニズム (文化).

he·le·nis·ta [elenísta エれニスタ] 名男女 古代ギリシア語[文学]研究者.

he·le·nís·ti·co, ca [elenístiko, ka エれニスティコ, カ] 形 ヘレニズム時代の; 〔美術〕 ヘレニズム様式の.

he·le·ni·zar [eleniθár エれニさル] [39 z → c] 動他 ギリシア化する, ギリシアの思想を取り入れる.

hé·li·ce [éliθe エりせ] 名女 〔機械〕 プロペラ; スクリュー. → barco 図.

he·li·coi·dal [elikoiðál エりコイダる] 形 らせん形[状]の.

he·li·cóp·te·ro [elikóptero エりコプテロ] 名男 ヘリコプター.

he·lio [éljo エりオ] 名男 〔化〕 ヘリウム.

he·lio·gra·ba·do [eljoɣraβáðo エりオグラバド] 名男 〔印刷〕 写真版製作 (術); 写真版印刷物.

he·lio·te·ra·pia [eljoterápja エりオテラピア] 名女 〔医〕 日光浴療法.

he·lio·tro·pis·mo [eljotropísmo エりオトゥロピスモ] 名男 〔植物〕 向日性, 屈光性.

he·li·puer·to [elipwérto エりプエルト] 名男 〔航空〕 ヘリポート.

he·ma·tí·e [ematíe エマティエ] 名男 赤血球 (= glóbulo rojo).

he·ma·to·lo·gí·a [ematoloxía エマトろヒア] 名女 〔医〕 血液学, 血液病学.

he·ma·to·ma [ematóma エマトマ] 名男 〔医〕 血腫(けっしゅ).

hem·bra [émbra エンブラ] 名女 **1** (動物の) 雌; (植物の) 雌株 (↔ macho).
2 女性; 女の子 (↔ varón). Pepe tiene cuatro hijos, tres *hembras* y un varón. ペペには子供が4人いる. 女の子が3人と男の子がひとりだ.
3 雌ねじ, ナット; ソケット.
—— 形 女性の; 雌の. el tigre *hembra* 雌のトラ.

hem·bri·lla [embríʎa エンブリリャ] 名女 (機械部品の) 雌; 受け金; アイボルト.

he·me·ro·te·ca [emerotéka エメロテカ] 名女 新聞雑誌図書館 [閲覧室].

hemi- 「半分」の意を表す造語要素. → *hemi*plejía, *hemi*sferio など.

he·mi·ci·clo [emiθíklo エミしクろ] 名男 半円 (形); (議事堂などの) 半円形会議場, 半円形観覧席.

he·mi·ple·jí·a [emiplexía エミプれヒア] 名女 〔医〕 半身不随.

he·mi·plé·ji·co, ca [empléxiko, ka エミプれヒコ, カ] 形 半身不随の.
—— 名男女 半身不随の人.

he·mis·fé·ri·co, ca [emisfériko, ka エミスフェリコ, カ] 形 半球の, 半球形の.

he·mis·fe·rio [emisférjo エミスフェリオ] 名男 半球体; 半球. *hemisferio* austral [sur] 南半球. *hemisferio* boreal [norte] 北半球. *hemisferio* occidental [oriental] 西[東]半球.

he·mo·fi·lia [emofílja エモフィりア] 名女 〔医〕 血友病.

he·mo·glo·bi·na [emoɣloβína エモグろビナ] 名女 〔生化〕 ヘモグロビン, 血色素.

he·mo·rra·gia [emor̄áxja エモラヒア] 名女 〔医〕 出血. *hemorragia* interna 内出血. *hemorragia* nasal 鼻血.

he·mo·rroi·de [emor̄óiðe エモロイデ] 名女 [~s] 〔医〕 痔(じ), 痔疾.

hemos 助動 → haber. 26

hen·chir [entʃír エンチル] [28 e → i] 動他 [現分 hinchendo] 満たす, 膨らます. *henchir* de aire los pulmones 胸いっぱい空気を吸い込む.
—— **hen·chir·se** 膨らむ; 満腹になる, たらふく食べる.

hen·der [endér エンデル] [43 e → ie] 動他 **1** (水を) 切って進む; かき分けて進む.
2 割る, 裂く.
—— **hen·der·se** 亀裂(きれつ)が生じる.

hen·di·du·ra [endiðúra エンディドゥラ] 名女 裂け目, 割れ目, 亀裂(きれつ); すき間.

hen·dir [endír エンディル] [20 e → ie] 動他 → hender.

he·no [éno エノ] 名男 干し草.

he·pá·ti·co, ca [epátiko, ka エパティコ, カ] 形 肝臓の; 肝臓病にかかった. cirrosis *hepática* 肝硬変. insuficiencia *hepática* 肝 (機能) 不全.

he·pa·ti·tis [epatítis エパティティス] 名女 [単・複同形] 〔医〕 肝炎.

hep·ta·go·nal [eptaɣonál エプタゴナる] 形 七角形の.

He·ra [éra エラ] 固名 〔ギリシア神話〕 ヘラ: Zeus の妻で最高の女神. ローマ神話の Juno.

he·rál·di·co, ca [eráldiko, ka エラるディコ, カ] 形 紋章の, 紋章に関する, 紋章学の.

―― 名男女 紋章学者.
―― 名女 紋章学.

he·ral·do [eráldo エラるド] 名男 **1**〔歴史〕王の使者; 伝令官. **2** 前兆, 前触れ.

her·bá·ce·o, a [erβáθeo, a エルバせオ, ア] 形 草の, 草本(性)の.

her·ba·rio, ria [erβárjo, rja エルバリオ, リア] 形 草[草本]の.
―― 名男 植物標本.

her·bi·ci·da [erβiθíða エルビしダ] 名男 除草剤.

her·bí·vo·ro, ra [erβíβoro, ra エルビボロ, ラ] 形 草食(性)の.
―― 名男 草食動物.

her·bo·la·rio, ria [erβolárjo, rja エルボらリオ, リア] 名男女 薬草採集人; 薬草商.
―― 名男 薬草店.

her·cú·le·o, a [erkúleo, a エルクれオ, ア] 形 大力無双の, ヘラクレスのような.

Hér·cu·les [érkules エルクれス] 固名〔ギリシア神話〕ヘラクレス: 大力と勇気で有名な英雄. ―― 名男 [h-]《口語》力持ち, 怪力男. ***Columnas de Hércules*** ヘラクレスの柱: ジブラルタル海峡両岸の岬.

he·re·dad [ereðáð エレダ(ドゥ)] 名女 農地; 所有地, 家屋敷.

he·re·dar [ereðár エレダル] 動他 相続する, 受け継ぐ. *heredar* una casa de SU padre 父親から家を相続する. *heredar* las virtudes de SUS padres 両親の長所を受け継ぐ. El hermano pequeño *hereda* la ropa del mayor.《口語》弟は兄さんのお古をもらって着ている.

he·re·de·ro, ra [ereðéro, ra エレデロ, ラ] 名男女 **1** 相続人, 後継者. instituir (por) *heredero* a《+uno》〈人〉を相続人に指定する. presunto *heredero* 推定相続人. *heredero* forzoso 法定相続人.
2 (両親から性格・特徴などを)受け継いだ人.
―― 形 相続(人)の, 世襲する.

he·re·di·ta·rio, ria [ereðitárjo, rja エレディタリオ, リア] 形 **1** 親譲りの, 世襲による. bienes *hereditarios* 世襲財産.
2 遺伝性の. enfermedad *hereditaria* 遺伝性疾患.

he·re·je [eréxe エレヘ] 名男女〔宗教〕異端者.

he·re·jí·a [erexía エレヒア] 名女 **1**〔宗教〕異端. **2** 異説, 異論; 邪説. **3** 侮辱; 弱い者いじめ.

he·ren·cia [erénθja エレンしア] 名女 **1** 相続財産, 遺産; 相続権. dejar una *herencia* 遺産を残す.
2〔生物〕遺伝.

he·ré·ti·co, ca [erétiko, ka エレティコ, カ] 形〔宗教〕異端[異説]の; 異端者の.

he·ri·da [eríða エリダ] 名女 [複 ~s]〔英 wound〕 **1 傷**, けが. *herida* mortal 致命傷. ➡ cicatriz.
2 (精神的な)痛手, 苦痛. *heridas* del alma 心の痛手.
tocar [***dar***] ***a*** 《+uno》 ***en la herida*** 〈人〉の痛いところをつく.

he·ri·do, da [eríðo, ða エリド, ダ] 過分 ➡ herir.
―― 形 **1** 傷ついた, 負傷した, けがをした. caer *herido* 負傷する.
2 (精神的に) 傷つけられた, 損なわれた. sentirse *herido* むっとする.
―― 名男女 けが人, 負傷者.

he·rir [erír エリル] [52 e ➡ ie, i] 動他 [現分 hiriendo]〔英 hurt, wound〕
1 傷つける, 負傷させる. *herir* a《+uno》en la pierna〈人〉の足を傷つける. *herir* de muerte 致命傷を負わせる. Sus palabras me *han herido*. 彼の言葉は私を傷つけた.
2 (視覚・聴覚に)障る. Un silbido *hiere* mis oídos. 汽笛が耳障りだ.
―― **he·rir·se** 負傷する.

her·ma·fro·di·ta [ermafroðíta エルマフロディタ] 形 両性の; 雌雄同株[同花]の; 両性具有の.

her·ma·na [ermána エルマナ] 名女 [複 ~s]〔英 sister〕
1 姉, 妹. *hermana* política 義姉[妹]. ➡ familia 【参考】, hermano[1].
2〔カトリック〕修道女, シスター. *hermana* de la Caridad 愛徳会修道女.
3 (キリスト教の信者としての)同志, 同僚.
―― 形女 ➡ hermano[2].

her·ma·nar [ermanár エルマナル] 動他 調和させる, 釣り合わせる; 結びつける; 姉妹都市にする.
―― **her·ma·nar·se** 調和する; 結びつく; 友好関係を結ぶ.

her·ma·nas·tro, tra [ermanástro, tra エルマナストゥロ, トゥラ] 名男女 異父兄[弟], 異母兄[弟]; 異父姉[妹], 異母姉[妹].

her·man·dad [ermandáð エルマンダ(ドゥ)] 名女 **1** 兄弟[姉妹]の関係; 兄弟愛; 友愛.
2 信徒団体; 同業者組合, 協会.
3 類似性, 一致.
Santa Hermandad〔歴史〕サンタ・エルマンダー. ◆15-16世紀のスペインの警察組織. 元来は中世 Castilla 地方の自警団.

her·ma·no[1] [ermáno エルマノ] 名男 [複 ~s]〔英 brother〕 **1 兄, 弟** (► 複数形では「兄弟姉妹」). el *hermano* mayor [menor] 長兄[末弟]. ► ふつう, 長幼の区別はしないので, mayor, menor をつけずに hermano, hermana だけで済ます. ➡ familia 【参考】, hermana.
2〔カトリック〕修道士.
3 (キリスト教の信者としての) 兄弟; 同志, 同僚.

her·ma·no[2]**, na** [ermáno, na エルマノ, ナ] 形 兄弟の, 姉妹の. ciudades *hermanas* 姉妹都市. lenguas *hermanas* (スペイン語・イタリア語・フランス語などの)姉妹語.

Her·mes [érmes エルメス] 固名〔ギリシア神

話》ヘルメス：神々の使者で商業の神．ローマ神話の Mercurio.

her·mé·ti·co, ca [ermétiko, ka エルメティコ, カ] 形 **1** 気密性のある，密閉された．
2 心を閉ざした；不可解な，難解な．

her·me·tis·mo [ermetísmo エルメティスモ] 名男 **1** 密封[密閉]性．
2 難解さ，不可解さ．

hermosa 形女 → hermoso.

her·mo·sa·men·te [ermósaménte エルモサメンテ] 副 **1** 美しく，きれいに．
2 すばらしく，見事に．

her·mo·se·ar [ermoseár エルモセアル] 動他 美しくする；飾る．

her·mo·so, sa [ermóso, sa エルモソ, サ] 形 [複 ～s] 〔英 beautiful〕 **1 美しい**，きれいな．mujer *hermosa* 美人．más *hermoso* que un sol (少年・少女が) 輝くように美しい．
2 見事な；広々とした；よく晴れた．paisaje *hermoso* 絶景．*hermosa* puerta del siglo XVI [dieciséis] 16世紀に作られた見事な扉．una mañana *hermosa* 快晴の朝．

H

【参 考】 **hermoso** は人・物について の端整な美しさ，**bonito** はかわいらしさ，愛らしさについていう．美男・美女の意味では **guapo, pa** がよく用いられる．中南米では **lindo, da** がふつう．

her·mo·su·ra [ermosúra エルモスラ] 名女 **1** 美しさ，美．la *hermosura* del paisaje その景色の美しさ．¡Qué *hermosura* de niño! なんてかわいい子供なんだろう．
2 美人．Se han reunido todas las *hermosuras* en este pueblo. この町の美人が勢ぞろいした．
¡Qué hermosura de racimos! 《皮肉》全く大したものだよ．

her·nia [érnja エルニア] 名女 〘医〙 ヘルニア．*hernia* discal [de disco] 椎間板(ついかんばん)ヘルニア．

hé·ro·e [éroe エロエ] 名男 [複 ～s] 〔英 hero〕 (► 女性形は heroína) **1 英雄**，勇士，勇者．Zapata es el *héroe* mejicano. サパタはメキシコの英雄である．un *héroe* moderno 現代のヒーロー．
2 (小説・劇映画などの) 主人公，主役．

he·roi·ca·men·te [eróikaménte エロイカメンテ] 副 英雄的に，壮烈に．

he·roi·ci·dad [eroiθiðáð エロイしダ(ドゥ)] 名女 英雄的行為；武勇，勇壮．

he·roi·co, ca [eróiko, ka エロイコ, カ] 形 **1** 英雄的な，勇敢な；英雄の．acto *heroico* 英雄的な行為．poesía *heroica* 英雄詩．
2 思いきった；果断な．decisión *heroica* 果断な決定．

he·ro·í·na [eroína エロイナ] 名女 **1** 女傑；(小説・劇映画などの) 女主人公，ヒロイン．→ héroe.
2 〘薬〙 ヘロイン．

he·ro·ís·mo [eroísmo エロイスモ] 名男 英雄的行為，勇敢さ．

her·pe [érpe エルペ] 名男女 [普通 ～s] 〘医〙 ヘルペス，疱疹(ほうしん)．

he·rra·du·ra [eraðúra エラドゥラ] 名女 蹄鉄(ていてつ)；馬蹄形(のもの)．→ arco 図．

he·rra·je [eráxe エラヘ] 名男 **1** (補強・装飾用の) 金具，鉄具．**2** 蹄鉄(ていてつ)と釘(くぎ)．

he·rra·mien·ta [eramjénta エラミエンタ] 名女 **1** 工具，道具；工具一式．*herramienta* mecánica / máquina *herramienta* 工作機械．caja de *herramientas* 工具箱．→ instrumento 【参考】．
2 〘コンピュータ〙 ツール，ユーティリティ：コンピュータを快適に使うためのソフト．

he·rrar [erár エラル] [42 e → ie] 動他 **1** (馬に) 蹄鉄(ていてつ)を打つ．
2 (家畜に) 焼き印を押す．

he·rre·rí·a [erería エレリア] 名女 鍛冶(かじ)屋(業)；鍛冶場．

he·rre·ro [eréro エレロ] 名男 鍛冶(かじ)屋，鍛冶職人．

he·rrum·bre [erúmbre エルンブレ] 名女 鉄錆(てつさび)，錆．criar [tener] *herrumbre* 錆が出る[つく]．

he·rrum·bro·so, sa [erumbróso, sa エルンブロソ, サ] 形 錆(さ)びた，錆びついた．

her·vi·de·ro [erβiðéro エルビデロ] 名男 **1** 煮えたぎること；煮えたぎる音．
2 人込み，雑踏；群れ．**3** 温床．un *hervidero* de intrigas 陰謀の巣．

her·vir [erβír エルビル] [52 e → ie, i] 動自 [現分 hirviendo] **1** 沸騰する，煮えたぎる．El agua *hierve* a los cien grados. 水は100度で沸騰する．
2 《＋de》 …がうようよいる，…であふれている．La feria *hierve de* gente. 市(いち)は人でごった返している．
3 《＋en》 (心が) …で沸き立つ，沸き返る．*hervir en* cólera 激高する．
―― 動他 沸かす．*hervir* el agua 湯を沸かす．

her·vor [erβór エルボル] 名男 **1** 沸騰；煮えたぎり．**2** 血気；激情．

hetero- 「異種」の意を表す造語要素．⇒ *hetero*doxo, *hetero*géneo など．

he·te·ro·do·xia [eteroðóksja エテロドクシア] 名女 異端，非正統説 (↔ ortodoxia).

he·te·ro·do·xo, xa [eteroðókso, ksa エテロドクソ, クサ] 形 異端の，非正統説の (↔ ortodoxo).
―― 名男女 異端者，非正統説信奉者．

he·te·ro·ge·nei·dad [eteroxeneiðáð エテロヘネイダ(ドゥ)] 名女 異種性，異質性；不均質性．

he·te·ro·gé·ne·o, a [eteroxéneo, a エテロヘネオ, ア] 形 異種の，異質の；不均質の (↔ homogéneo).

he·te·ro·se·xual [eteroseksswál エテロセクスアる] 形 異性愛の．

—— 名男女 異性愛者 (↔ homosexual).

he·xa·go·nal [eksaɣonál エクサゴナる] 形 六角[辺]形の.

he·xá·go·no [eksáɣono エクサゴノ] 名男 〘数〙六角形.

hez [éθ エす] 名女 [複 heces] **1** 沈殿物, おり, かす; 《比喩》くず. la *hez* de la sociedad 社会のくず.
2 [複] 糞便(ふんべん).

hia·to [játo イアト] 名男 〘音声〙母音分立: 連続した母音が二重母音とならず別の 1 個の音節を形成すること. ⇀ ta·re·a, pa·ís など.

hi·ber·na·ción [iβernaθjón イベルナしオン] 名女 冬眠. pasar el período de *hibernación* 冬眠する.

hi·ber·nar [iβernár イベルナル] 動自 冬眠する, 冬ごもりする.

hí·bri·do, da [íβriðo, ða イブリド, ダ] 形 **1** 雑種の, 混血(種)の, ハイブリッドの.
2 混成の.

hic- 動 → hacer. 27

hi·dal·go, ga [iðálɣo, ɣa イダるゴ, ガ] 名男 [hijo de algo の縮約形] [複 hijosdalgo] 郷士. ◆スペイン中世から近世初頭にかけて貴族階級と平民の間に位置した.

hi·dra [íðra イドゥラ] 名女 **1** 〘動物〙ヒドラ.
2 [H-] 〘ギリシア神話〙ヒュドラ, ヒドラ: Hércules の退治した 7 つの頭を持つ大蛇.

hi·dráu·li·co, ca [iðráuliko, ka イドゥラウリコ, カ] 形 〘技術〙〘機械〙水力の, 水圧の, 油圧式の. fuerza [energía] *hidráulica* 水力.
—— 名女 水力学, 水理学.

hí·dri·co, ca [íðriko, ka イドゥリコ, カ] 形 水の, 水による.

hidro- / hidr- 「水」の意を表す造語要素. ⇀ *hidr*áulico, *hidro*eléctrico など.

hi·dro·a·vión [iðroaβjón イドゥロアビオン] 名男 水上飛行機.

hi·dro·car·bu·ro [iðrokarβúro イドゥロカルブロ] 名男 〘化〙炭化水素.

hi·dro·e·léc·tri·co, ca [iðroeléktriko, ka イドゥロエれクトゥリコ, カ] 形 〘電気〙水力電気の, 水力発電の.

hi·dró·fi·lo, la [iðrófilo, la イドゥロフィろ, ら] 形 親水性の, 吸水性の.

hi·dro·fo·bia [iðrofóβja イドゥロフォビア] 名女 **1** 水恐怖症. **2** 〘医〙狂犬病, 恐水病.

hi·dró·ge·no [iðróxeno イドゥロヘノ] 名男 水素. *hidrógeno* pesado 重水素. bomba de *hidrógeno* 水素爆弾.

hi·dro·gra·fí·a [iðroɣrafía イドゥログラフィア] 名女 〘地理〙水路学; 水路分布(図).

hi·dro·pe·sí·a [iðropesía イドゥロペシア] 名女 〘医〙水症, 水腫(すいしゅ).

hie·dra [jéðra イエドゥラ] 名女 〘植物〙アイビー, ツタ(蔦).

hiel [jél イエる] 名女 **1** 胆汁. **2** 苦々しさ, 苦渋. **3** [普通 〜es] 苦しみ, 苦労. No hay miel sin *hiel*. 《諺》楽あれば苦あり.
echar [***sudar***] ***la hiel*** 骨身を削って働く.
no tener hiel 性格がおとなしい.

hiel- 動 → helar. [42 e → ie]

hie·lo

[jélo イエろ] 名男 [英 ice]
1 氷. cubito de *hielo* 角氷. *hielo* seco ドライアイス.
2 冷淡, 無関心. estar hecho un *hielo* 《口語》冷淡である.
—— 動 → helar. [42 e → ie]
quedarse de hielo 驚きのあまり立ちすくむ.
romper el hielo (雰囲気が) 和む.

hie·na [jéna イエナ] 名女 **1** 〘動物〙ハイエナ. **2** 残酷[残忍]な人.

hier- 動 → herir. [52 e → ie, i]

hie·rá·ti·co, ca [jerátiko, ka イエラティコ, カ] 形 (表情が) 能面のような; 厳かに構えた.

hier·ba [jérβa イエルバ] 名女 [複 〜s] [英 grass] **1** 草; 雑草, 牧草, ハーブ. segar la *hierba* 草を刈る. echarse sobre la *hierba* 草の上に寝そべる. *hierba(s)* aromática(s) 香草.
2 《俗語》マリファナ.
mala hierba 雑草; 与太者, ごろつき.
sentir [***ver***] ***crecer la hierba*** 抜かりがない, 心得ている.
y otras hierbas その他もろもろ, 等々.

hier·ba·bue·na [jerβaβwéna イエルバブエナ] 名女 〘植物〙ハッカ(薄荷); ハーブ.

hie·rro

[jéro イエロ] 名男 [複 〜s] [英 iron]
1 鉄. Al *hierro* candente batir de repente. 《諺》鉄は熱いうちに打て.
2 鉄製品, 鉄製の部分. Hay que reparar el *hierro* del balcón. バルコニーの鉄柵(てっさく)を直さなければならない.
3 焼き印, 烙印(らくいん).
a hierro y fuego 略奪の限りを尽くして; 暴力[武力]に訴えて.
de hierro 頑健な, 強靭(きょうじん)な. voluntad *de hierro* 不屈の意志.
machacar [***martillar***] ***en hierro frío*** (説得などが) 徒労に終わる.

hí·ga·do [íɣaðo イガド] 名男 [複 〜s] [英 liver] **1** 肝臓; 〘料理〙肝臓, レバー. mal de *hígado* 肝臓病. → vísceras 図.
2 [〜s] 《口語》勇気, 根性, 気力. ¡Qué *hígados* tiene! 彼は勇気があるなあ.
echar los hígados 《口語》あくせく動く, 大変な努力をする.

hi·gie·ne [ixjéne イヒエネ] 名女 衛生(学), 保健; 衛生状態, 清潔. *higiene* pública 公衆衛生. *higiene* mental 精神衛生.

hi·gié·ni·co, ca [ixjéniko, ka イヒエニコ, カ] 形 衛生学の; 衛生(上)の, 衛生的な. compresas *higiénicas* 生理用ナプキン (→ paño).

hi·go [íɣo イゴ] 名男 [複 〜s] [英 fig]

〘植物〙イチジク(無花果)の実. ► 年2回収穫するうちの秋果を言い, 夏果は breva.
de higos a brevas ⦅口語⦆ときどき, たまに.
estar hecho un higo ⦅口語⦆しわくちゃである.
higo chumbo 〘植物〙ウチワサボテンの実.
más seco que un higo ⦅口語⦆干からびた, しなびた.
no darse a ⦅+uno⦆ ***un higo*** 〈人〉にとって少しも気にならない. Eso *no se* me *da un higo.* そんなことは私にはどうでもよい.

hi·gró·me·tro [iɣrómetro イグロメトゥロ] 名男 湿度計.

hi·gue·ra [iɣéra イゲラ] 名女 〘植物〙イチジク(無花果)の木.
estar en la higuera 上の空である.

hi·ja [íxa イハ] 名女 [複 ~s] 〔英 daughter〕
1 娘; 子供. la *hija* mayor [menor] 長女[末娘]. *hija* política 嫁. ➡ familia 【参考】, hijo.
2 ⦅呼びかけ⦆お前(= *hija* mía).

hi·jas·tro, tra [ixástro, tra イハストゥロ, トゥラ] 名男女 まま子, 義理の息子[娘].

hi·jo [íxo イホ] 名男 [複 ~s] 〔英 son〕
1 息子; 子供. Tiene un *hijo* y dos hijas. 彼には息子がひとりと娘がふたりいる. *hijo* adoptivo 養子. *hijo* natural [bastardo] 私生児. *hijo* político 娘婿. ➡ familia 【参考】, hija.
2 ⦅呼びかけ⦆あなた(= *hijo* mío).
3 …生まれ[出身]の人.
4 [~s] 末孫, 末裔(まつえい). *hijos* de los godos ゴート族の末裔. **5** 所産, 産物.
Cada uno es hijo de sus obras. ⦅諺⦆氏より育ち.
cualquier hijo de vecino 誰でも.
¡Hijo de puta! ⦅俗語⦆このばか野郎!

hi·jue·la [ixwéla イフエラ] 名女 **1** 付属物[施設], 付加物. **2** わき道. **3** 継ぎ足し用の布, まち. **4** 遺産の相続分(目録).

hi·la [íla イラ] 名女 **1** 行列, 列. a la *hila* 一列になって, 順々に. **2** 糸つむぎ.

hi·la·cha [ilátʃa イラチャ] 名女 糸のほつれ, 糸くず.

hi·la·do, da [iláðo, ða イラド, ダ] 過分 形 糸状の.
── 名男 紡績; 紡(績)糸. fábrica de *hilados* 紡績工場.
── 名女 連なり, 列.

hi·lan·de·rí·a [ilandería イランデリア] 名女 紡績; 紡績工場.

hi·lan·de·ro, ra [ilandéro, ra イランデロ, ラ] 名男女 紡績工.

hi·lar [ilár イラル] 動他 **1** 紡ぐ; 糸状にする. máquina de *hilar* 紡績機.
2 (クモが巣を)かける; (蚕が繭を)作る.
3 (構想などを)練る.
── 動自 ⦅+con⦆…と関連する.
hilar delgado [***fino***] ***en*** [***sobre***] ... …について綿密に検討する; …を厳格[正確]に扱う.

hi·la·ri·dad [ilariðáð イラリダ(ドゥ)] 名女 笑い, 爆笑.

hi·la·tu·ra [ilatúra イラトゥラ] 名女 紡績; [普通 ~s] 紡績業.

hi·le·ra [iléra イレラ] 名女 列, 並び, 連なり. *hilera* de árboles 並木. en *hilera* 1列になって.

hi·lo [ílo イロ] 名男 [複 ~s] 〔英 thread〕
1 糸. *hilo* de coser 縫い糸. *hilo* de algodón 木綿糸.
2 リネン, 亜麻織物.
3 (金属の)線, 針金. *hilo* de cobre 銅線.
4 (糸のように)細いもの, 筋. un *hilo* de sangre 一筋の血.
5 (話・思考の)筋道, 脈絡. el *hilo* de la narración 話の筋道.
al hilo 木目[布目]に沿って. cortar *al hilo* (木・布を)切る, 裁断する.
colgar [***pender***] ***de un hilo / estar colgado*** [***pendiente***] ***de un hilo*** 危険にさらされている.
el hilo de la vida (人間の)寿命.
estar hecho un hilo やせ細っている.
mover los hilos 陰で糸を引く.
Por el hilo se saca el ovillo. ⦅諺⦆物事の初めですべてが分かってしまう.

hil·ván [ilβán イるバン] 名男 〘服飾〙しつけ縫い; しつけ糸.

hil·va·nar [ilβanár イるバナル] 動他 **1** 〘服飾〙…にしつけ縫いをする. **2** 思いつくままに話す[書く]. **3** 筋道を立てる, 概要を決める.

hi·men [ímen イメン] 名男 〘解剖〙処女膜.

him·no [ímno イムノ] 名男 聖歌, 賛美歌; 賛歌; 国歌(= *himno* nacional). *himno* de la escuela 校歌.

hin·ca·pié [iŋkapjé インカピエ] 名男 (足を)踏んばること.
hacer hincapié en ⦅+algo⦆〈何か〉を強調する; …に固執する. *hacer hincapié en* la necesidad de una reforma 改革の必要性を強調する.

hin·car [iŋkár インカル] [8 c ➡ qu] 動他 打ち込む, 突き刺す. *hincar* unas estacas en la tierra 地面に杭(くい)を打ち込む. *hincar* un alfiler ピンを突き刺す.
── **hin·car·se** (突き)刺さる.
hincarla ⦅口語⦆働く, 仕事をする.

hin·cha [íntʃa インチャ] 名男女 ⦅口語⦆〘スポーツ〙ファン. Es un *hincha* del Real Madrid. 彼はレアル・マドリードのファンだ.
── 名女 ⦅口語⦆憎しみ, 反感. tener *hincha* a ⦅+uno⦆〈人〉に反感を持つ.

hin·cha·do, da [intʃáðo, ða インチャド, ダ] 過分 形 **1** 腫(は)れた, 膨らんだ. Tengo las piernas *hinchadas*. 私の足は腫れてい

る. **2** うぬぼれた; (文体が) 大げさな, 気取った. ── 名女《口語》《集合》〔ｽﾎﾟｰﾂ〕ファン.

hin·char [intʃár インチャル] 動他 **1** 膨らます, 腫(は)れ上がらせる. *hinchar* un globo 風船を膨らます.

2 (文体・内容を) 誇張する. Algunos periódicos *hincharon* el suceso. いくつかの新聞は事件を誇張して伝えた.

── **hin·char·*se*** **1** 腫れ上がる. *Se* te ha *hinchado* la cara. 君は顔がむくんでいる. **2**《口語》うぬぼれる. *hincharse* con sus éxitos 自分の成功を鼻に掛ける. *hincharse* como un pavo ひどく気取る.

3《**+de**》《口語》…をたらふく食べる (= *hincharse de* comer).

hinchar de palos a 《+uno》《口語》〈人〉をひどく殴る.

hin·cha·zón [intʃaθón インチャソン] 名女 腫(は)れ (上がること). *hinchazón* de la cara 顔の腫れ[むくみ].

hin·dú [indú インドゥ] 形 [複 hindúes] インドの; ヒンドゥー教の.

── 名男女 インド人; ヒンドゥー教徒.

hin·duis·mo [indwísmo インドゥイスモ] 名男 ヒンドゥー教.

hi·no·jo [inóxo イノホ] 名男 **1**〔植物〕ウイキョウ (茴香), フェネル. **2** [普通 ～s] 膝(ひざ). arrodillarse de *hinojos* ひざまずく.

hi·par [ipár イパル] 動自 **1** しゃっくりをする; しゃくりあげて泣く.

2《+**por**》…を熱望する, 渇望する.

hi·per·mé·tro·pe [ipermétrope イペルメトゥロペ] 形〔医〕遠視の.

── 男女 遠視の人.

hiper- 「過度の」の意を表す造語要素. ⇀ *hipér*baton, *hiper*tensión など.

hi·pér·ba·ton [ipérβaton イペルバトン] 名男 [複 hiperbatones, hipérbatos]〔修辞〕転置法.

hi·pér·bo·la [ipérβola イペルボら] 名女〔数〕双曲線.

hi·pér·bo·le [ipérβole イペルボれ] 名女〔修辞〕誇張法.

hi·per·bó·li·co, ca [iperβóliko, ka イペルボリコ, カ] 形 **1** 誇張法を用いた; 大げさな. estilo *hiperbólico* 大仰な文体.

2〔数〕双曲線の.

hi·per·mer·ca·do [ipermerkáðo イペルメルカド] 名男 大規模スーパーマーケット.

hi·per·me·tro·pí·a [ipermetropía イペルメトゥロピア] 名女〔医〕遠視. ► 近視は miopía.

hi·per·sen·si·ble [ipersensíβle イペルセンシブれ] 形 過敏な; 過敏症の.

hi·per·ten·sión [ipertensjón イペルテンシオン] 名女〔医〕高血圧 (症) (↔ hipotensión).

hi·per·tex·to [ipertésto イペルテスト]〔ｺﾝﾋﾟｭｰﾀ〕ハイパーテキスト: 別のファイルとリンクづけをしたもの.

hi·per·tro·fia [ipertrófja イペルトゥロフィア] 名女 **1**〔医〕肥大. *hipertrofia* del corazón 心臓肥大. **2** 異常発達.

hí·pi·co, ca [ípiko, ka イピコ, カ] 形 馬の; 馬術の. concurso *hípico* 馬術大会.

── 名女 馬術競技;《口語》競馬場.

hi·pi·do [ipíðo イピド] 名男 しゃくり泣き.

hip·no·sis [ipnósis イプノシス] 名女 [単・複同形]〔医〕催眠 (状態).

hip·nó·ti·co, ca [ipnótiko, ka イプノティコ, カ] 形〔医〕催眠 (学) の, 催眠術の. método *hipnótico* 催眠術. pastillas *hipnóticas* 催眠剤.

── 名男 催眠薬.

hip·no·tis·mo [ipnotísmo イプノティスモ] 名男 催眠術.

hip·no·ti·zar [ipnotiθár イプノティさル] [39 z → c] 動他 **1** …に催眠術をかける. **2** 魅了する.

hi·po [ípo イポ] 名男

1 しゃっくり. El niño tiene *hipo*. その子はしゃっくりをしている.

2 渇望, 熱望. **3** 恨み, 敵意.

quitar el hipo 《口語》びっくりさせる. una chica que *quita el hipo* どきっとするほどきれいな女の子. ► この形で用いることが多い.

hipo- 「下の」の意を表す造語要素. ⇀ *hipo*dérmico, *hipó*tesis など.

hipo- / hip- 「馬」の意を表す造語要素. ⇀ *hipó*dromo, *hí*pico など.

hi·po·con·drí·a [ipokondría イポコンドゥリア] 名女〔医〕心気症, ヒポコンデリー.

hi·po·con·dria·co, ca [ipokondrjáko, ka イポコンドゥリアコ, カ] / **hi·po·con·drí·a·co, ca** [-dríako, ka -ドゥリアコ, カ] 形 心気症の. ── 名男女 心気症患者.

hi·po·cre·sí·a [ipokresía イポクレシア] 名女 偽善, 猫かぶり.

hi·pó·cri·ta [ipókrita イポクリタ] 名男女 偽善者, 猫かぶり.

── 形 偽善の, 偽善 (者) 的な. modales *hipócritas* 偽善的な態度.

hi·po·dér·mi·co, ca [ipoðérmiko, ka イポデルミコ, カ] 形 皮下の.

hi·pó·dro·mo [ipóðromo イポドゥロモ] 名男 競馬場; 馬場.

hi·po·pó·ta·mo [ipopótamo イポポタモ] 名男〔動物〕カバ (河馬).

hi·po·te·ca [ipotéka イポテカ] 名女 抵当, 担保, 抵当権. pedir prestado dinero sobre *hipoteca* 担保で金を借りる. El edificio tiene [está gravado con] una *hipoteca*. 建物は抵当に入っている.

hi·po·te·car [ipotekár イポテカル] [8 c → qu] 動他 抵当に入れる, 担保にする.

hi·po·te·ca·rio, ria [ipotekárjo, rja イポテカリオ, リア] 形 抵当 (権) に関する, 担保付きの. préstamo *hipotecario* 抵当貸し, 担保付き融資.

hi·po·ten·sión [ipotensjón イポテンシオン] 名女〔医〕低血圧 (症) (↔ hiperten-

H

sión).

hi·pó·te·sis [ipótesis イポテシス] 名女 [単・複同形] 仮説; 仮定, 推測. *hipótesis* atrevida 大胆な仮説.

hi·po·té·ti·co, ca [ipotétiko, ka イポテティコ, カ] 形 仮説の, 仮説に基づく; 仮定の, 推測の.

hir- 動 → herir. [52 e → ie, i]

hi·rien·te [irjénte イリエンテ] 形 人を傷つけるような, 辛辣(しんらつ)な.

hir·su·to, ta [irsúto, ta イルスト, タ] 形 剛毛質の; 毛深い. brazo *hirsuto* 毛むくじゃらの腕.

hir·vien·te [irβjénte イルビエンテ] 形 沸騰した, 煮えたぎった.

hi·so·po [isópo イソポ] 名男 **1** 《植物》ヤナギハッカ (柳薄荷). **2** 《カトリック》灌水器(かんすいき): 聖水撒布(さんぷ)に用いる.

His·pa·nia [ispánja イスパニア] 固名 《歴史》ヒスパニア: イベリア半島のローマ時代の名称. → Iberia.

his·pá·ni·co, ca [ispániko, ka イスパニコ, カ] 形 [複 〜s] 〔英 Hispanic, Spanish〕 **スペイン系の**, スペイン語圏の, スペインの. cultura *hispánica* スペイン (語) 文化. mundo *hispánico* スペイン語圏.
── 名男女 スペイン系の人; ヒスパニック (ラテンアメリカ系米国人).

his·pa·ni·dad [ispaniðáð イスパニダ(ドゥ)] 名女 スペインらしさ [的なもの]; スペイン系文化.

his·pa·nis·mo [ispanísmo イスパニスモ] 名男 **1** スペイン語[文学, 文化]研究.
2 スペイン語法; スペイン語からの借用語.
3 スペイン主義, スペイン好み.

his·pa·nis·ta [ispanísta イスパニスタ] 名男女 スペイン語[文学, 文化, 歴史]研究家.

his·pa·ni·zar [ispaniθár イスパニさル] [39 z → c] 動他 スペイン化する, スペイン的にする.

his·pa·no, na [ispáno, na イスパノ, ナ] 形 **1** スペインの. → español. **2** スペイン系の. ── 名男女 スペイン人; ヒスパニック.

His·pa·no·a·mé·ri·ca [ispanoamérika イスパノアメリカ] 固名 〔英 Spanish America〕 イスパノアメリカ, **スペイン系アメリカ**. ► ラテンアメリカのスペイン語圏諸国を指す. → Latinoamérica 【参考】.

his·pa·no·a·me·ri·ca·no, na [ispanoamerikáno, na イスパノアメリカノ, ナ] [複 〜s] 〔英 Spanish American〕 形 **スペイン系アメリカ (人) の**. literatura *hispanoamericana* (ブラジルを除く) ラテンアメリカ文学.
── 名男女 スペイン系アメリカ人.

his·pa·nó·fi·lo, la [ispanófilo, la イスパノフィろ, ら] 形 スペイン好きの, スペインびいきの. ── 名男女 スペイン好きの人, スペインびいき.

his·pa·no·ha·blan·te [ispanoaβlánte イスパノアブらンテ] 形 スペイン語を話す. países *hispanohablantes* スペイン語を国語とする国々.
── 名男女 スペイン語圏の人; スペイン語を話す人.

his·te·ria [istérja イステリア] 名女 《医》ヒステリー (症). *histeria* colectiva 集団ヒステリー.

his·té·ri·co, ca [istériko, ka イステリコ, カ] 形 ヒステリー (性) の; 異常に興奮した. ponerse *histérico* ヒステリックになる.

his·te·ris·mo [isterísmo イステリスモ] 名男 ヒステリー (症) (= histeria).

his·to·ria [istórja イストリア] 名女 [複 〜s] 〔英 history〕
1 歴史, 史学; 歴史書. *historia* contemporánea 現代史. *historia* universal 世界史.
2 物語, 話. contar la *historia* de su vida 自分の一生を語る.
3 履歴; 身の上, 過去. *historia* personal 履歴 (書) (= currículum vitae).
4 [普通 〜s] 《口語》作り話; うわさ話; 厄介ごと. No me vengas con *historias* y dime la verdad. 言いわけするな, 本当のことを言え.
la historia de siempre [***de todos los días***] / ***la misma historia*** 決まりきった話.
pasar a la historia (1)歴史に残る. Su estudio *pasará a la historia*. 彼の研究は後世に残るであろう. (2)古くなる. Esa moda ya *pasó a la historia*. そのモードはもはや過去のものだ.

his·to·ria·dor, do·ra [istorjaðór, ðóra イストリアドル, ドラ] 名男女 歴史家, 歴史学者.

his·to·rial [istorjál イストリアる] 名男
1 履歴, 経歴. Tiene excelente *historial*. 彼は輝かしい経歴の持ち主だ.
2 (事件などの) 記録, 記述.

his·to·riar [istorjár イストリアル] [23 i → í] 動他 (経緯・沿革などを) 物語る.

his·tó·ri·ca·men·te [istórikaménte イストリカメンテ] 副 歴史的に.

his·to·ri·cis·mo [istoriθísmo イストリしスモ] 名男 歴史主義.

his·tó·ri·co, ca [istóriko, ka イストリコ, カ] 形 歴史の, 歴史的な. estudios *históricos* 歴史研究. documentos *históricos* 史的資料. un acontecimiento *histórico* 歴史に残る出来事. hecho *histórico* 史実.

his·to·rie·ta [istorjéta イストリエタ] 名女 **1** 劇画, 続きこま漫画. **2** 逸話, 小話.

his·to·rio·gra·fí·a [istorjoɣrafía イストリオグラフィア] 名女 史料編纂(へんさん).

his·trión [istrjón イストゥリオン] 名男 **1** 古典劇の役者[俳優]. **2** 道化師, 芸人.
3 おどけ者, ひょうきん者.

hi·ti·ta [itíta イティタ] 形 《歴史》ヒッタイト (人) の.
── 名男女 《歴史》ヒッタイト人: 小アジア

の古代民族.

―― 名男 ヒッタイト語(派).

hi·to [íto イト] 名男 **1** 境界石, 里程標; 道標. **2** 画期的な事件, 重大な時点.

dar en el hito 的中する, 要点をつく.

mirar de hito (***en hito***) じっと[じろじろ]見る.

hizo 動 → hacer. 27

hoces 名[複] → hoz.

ho·ckey [xókei ホケイ |-ki -キ] 名男 〘スポーツ〙 ホッケー. *hockey* sobre hierba フィールドホッケー. *hockey* sobre hielo アイスホッケー. [←英語]

ho·ci·car [oθikár オしカル] [8 c → qu] 動他 (動物が) 鼻面で掘り起こす.

―― 動自 《口語》 **1** 顔面をぶつける.

2 かぎ回る, 詮索(せんさく)する.

ho·ci·co [oθíko オしコ] 名男 **1** (動物の) 鼻面, 鼻.

2 《俗語》 口, 分厚い唇. ¡Cierra el *hocico*! 黙れ.

3 《口語》顔. dar con la puerta en los *hocicos* a 《+uno》〈人〉の鼻先でドアをバタンと閉める. romper a 《+uno》 los *hocicos* 〈人〉の顔をぶん殴る.

4 《口語》 不機嫌な顔, 仏頂面. estar de [hacer, poner] *hocico* 嫌な顔をする.

meter el hocico en todo やたらに詮索(せんさく)する.

ho·gar [oɣár オガル] 名男 [複 ~es] 〔英 home ; fireplace〕 **1** 家庭, 家; 家族. sin casa ni *hogar* 天涯孤独の. volver a sus *hogares* 家族のもとへ帰る. artículos para el *hogar* 家庭用品.

2 炉, 暖炉, かまど.

ho·ga·re·ño, ña [oɣaréɲo, ɲa オガレニョ, ニャ] 形 **1** 家庭的な, 家庭を愛する.

2 家の, 家庭の. vida *hogareña* 家庭生活.

ho·ga·za [oɣáθa オガさ] 名女 大きな丸パン.

ho·gue·ra [oɣéra オゲラ] 名女 焚(た)き火, (大きな) かがり火. encender una *hoguera* かがり火を焚く.

ho·ja [óxa オハ] 名女 [複 ~s] 〔英 leaf〕

1 〘植物〙 葉. *hoja* seca [muerta] 枯れ葉. árbol de *hoja* perenne [caduca] 常緑[落葉]樹. al caer la *hoja* 秋に. → árbol 図.

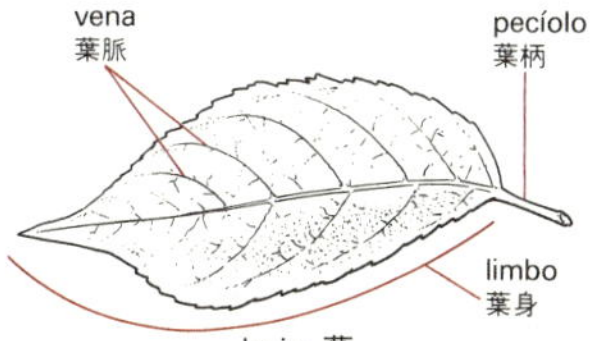

hoja 葉

2 (1枚の) 紙, 紙片; (本の) 一葉. pasar [volver] *hojas* (ぱらぱらと) ページをめくる. *hoja* suelta リーフレット. *hoja* volante ちらし. *hoja* de estudios 成績(表).

3 (金属・木などの) 薄板, 薄片; (ドアなどの) 1枚. *hoja* de estaño スズ箔(はく). ventana de dos *hojas* 両開きの窓.

4 刃, 刀身. *hoja* de afeitar 安全カミソリの(替え)刃.

temblar como una hoja (恐怖で) 震えおののく.

volver la hoja 話題を変える; 考えを改める, 意見を変える.

ho·ja·la·ta [oxaláta オハらタ] 名女 ブリキ.

ho·ja·la·te·ro [oxalatéro オハらテロ] 名男 ブリキ職人.

ho·jal·dre [oxáldre オハるドゥレ] 名男 〘料理〙 パイ (生地).

ho·ja·ras·ca [oxaráska オハラスカ] 名女 《集合》 落ち葉, 枯れ葉; 葉の繁茂.

ho·je·ar [oxeár オヘアル] 動他 (本の) ページをめくる; ざっと目を通す.

¡ho·la! [óla オら] 間投 〔英 hello!,hi!〕

1 《挨拶》 やあ. ► 親しい人に対するくだけた言い方で, 「おはよう, こんにちは, 今晩は, ただいま, お帰り」 などの意味で用いられる.

2 《驚きを表して》 へえ, まあ.

Ho·lan·da [olánda オらンダ] 固名 オランダ: 首都 Amsterdam. → Países Bajos.

ho·lan·dés, de·sa [olandés, désa オらンデス, デサ] 形 [複男 holandeses] オランダの. ―― 名男女 オランダ人.

―― 名男 オランダ語.

―― 名女 オランダ紙: 28センチ×22センチ.

hol·ga·da·men·te [olɣáðaménte オるガダメンテ] 副 楽に, ゆったりと; 快適に, 気楽に.

hol·ga·do, da [olɣáðo, ða オるガド, ダ] 過分 形 **1** ゆったりした, だぶだぶの; 広々とした. chaqueta *holgada* ゆったりとした上着. **2** (経済的に) 余裕のある. vida *holgada* ゆとりのある暮らし.

hol·gan·za [olɣánθa オるガンさ] 名女 怠惰; 暇; 気晴らし.

hol·gar [olɣár オるガル] [13 o → ue ; 32 g → gu] 動自 **1** 余計である, 無駄である. *Huelga* decir que ... . …と言うまでもない. **2** 休む, 休暇を取る.

―― **hol·gar·*se*** **1** 楽しむ, 気晴らしをする (= divertirse).

2 《+de, con》 …を喜ぶ.

hol·ga·zán, za·na [olɣaθán, θána オるガさン, さナ] 形 怠惰な, 無精な.

―― 名男女 怠け者, 無精者.

hol·ga·za·ne·ar [olɣaθaneár オるガさネアル] 動自 怠ける, 無精する.

hol·ga·za·ne·rí·a [olɣaθanería オるガさネリア] 名女 怠惰, 無精, 無為徒食.

hol·go·rio [olɣórjo オるゴリオ] 名男 お祭り騒ぎ, どんちゃん騒ぎ (= jolgorio).

hol·gu·ra [olɣúra オるグラ] 名女 **1** ゆとり,

H

余裕; 裕福, 豊かさ. vivir con *holgura* ゆとりのある暮らしをする.
2 (機械類の) 遊び.

ho·llar [oʎár オリャル] [13 o → ue] 動他 **1** 踏む, 踏みしめる (= pisar).
2 踏みにじる, 辱しめる. *hollar* los derechos de 《+uno》〈人〉の権利を蹂躪(じゅうりん)する.

ho·lle·jo [oʎéxo オリェホ] 名男 (ブドウなどの) 皮, 薄皮.

ho·llín [oʎín オリィン] 名男 煤(すす).

ho·lo·caus·to [olokáusto オろカウスト] 名男 **1** 大虐殺, ホロコースト; 犠牲.
2 〔歴史〕(ユダヤ教で) 全燔祭(はんさい)の供物.

ho·lo·gra·fí·a [oloɣrafía オろグラフィア] 名女 〔光〕ホログラフィー: レーザー光線の干渉による物体の記録再生技術.

ho·ló·gra·fo, fa [olóɣrafo, fa オろグラフォ, ファ] 形 (遺言状などが) 自筆の, 直筆の.

hom·bra·da [ombráða オンブラダ] 名女 男らしい振る舞い, 勇敢な行為.

hom·bre

[ómbre オンブレ] 名男 [複 ～s] 〔英 man〕
1 人間, 人; 人類. Todos los *hombres* son iguales. すべて人は平等である. buen *hombre* いいやつ, お人好し. gran *hombre* 偉人, 立派な人 (►*hombre* grande は大男). *hombre* público 公人. *hombre(s)* rana フロッグマン, ダイバー.
2 男 (↔ mujer). Había más *hombres* que mujeres en la plaza. 広場には女よりも男の方がたくさんいた.
3 大人, 成人男子; 男らしい男. Está ya hecho un *hombre*. 彼はもういっぱしの大人だ. poco *hombre* 男らしくない人.
4 《+**de** 名詞》(その性質・職業を持った) 人. *hombre de* bien まじめで誠実な人. *hombre de* negocios 実業家, ビジネスマン. *hombre de* la calle 普通の人, 一般人.
5 夫; 恋人.
— 間投 《驚き・非難などを表して》おや, まあ, まさか. ¡*Hombre*! ¿Qué haces aquí? おや, ここで何をしているんだ?
como un solo hombre 一斉に, 一糸乱れずに.
de hombre a hombre 腹を割って, 率直に.
nuestro hombre (話題・物語の) ヒーロー, 主人公.
¡Pero, hombre! 《怒り・不快・驚きを表して》そんな, そんなことを言ったって.
ser otro hombre 全く別人のようである.

hom·bre·ra [ombréra オンブレラ] 名女 **1** (ドレス・スリップなどの) 肩ひも, ストラップ; 肩パッド. **2** (軍服の) 肩章.

hom·brí·a [ombría オンブリア] 名女 男らしさ, 男っぽさ; 勇敢さ.

hom·bro

[ómbro オンブロ] 名男 [複 ～s] 〔英 shoulder〕 肩; [～s] 両肩, (衣服の) 肩. llevar a *hombros* 肩に担いで運ぶ, 肩車をする. al *hombro* (バッグなどを) 肩から下げて. → cuerpo 図.
echarse 《+algo》 ***al hombro*** 〈何か〉を引き受ける.
encogerse de hombros 肩をすくめる.
mirar por encima del hombro 見下す.
sacar a hombros a 《+uno》 (勝利などを祝って) 〈人〉を肩車で連れ出す.

hom·bru·no, na [ombrúno, na オンブルノ, ナ] 形 男のような, 男っぽい. andares *hombrunos* 男のような歩き方.

ho·me·na·je [omenáxe オメナヘ] 名男 **1** 敬意, 尊敬. rendir [tributar] *homenaje* a 《+uno》〈人〉に敬意を表する. en *homenaje* a ... …に敬意を表して, …を記念して. en *homenaje* de cariño y respeto 愛情と敬意の印として.
2 忠誠の誓い, 臣下の礼. **3** 記念論集.

ho·me·na·je·ar [omenaxeár オメナヘアル] 動他 …に敬意を表する; …を祝う.

ho·mé·ri·co, ca [oméiko, ka オメリコ, カ] 形 ホメロス (ふう) の.

Ho·me·ro [oméro オメロ] 固名 ホメロス: 紀元前 8 世紀のギリシアの叙事詩人.

ho·mi·ci·da [omiθíða オミしダ] 名男女 人殺し, 殺人犯.
— 形 殺人 (犯) の. arma *homicida* 凶器; 殺人兵器.

ho·mi·ci·dio [omiθíðjo オミしディオ] 名男 殺人 (罪), 人殺し.

ho·mi·lí·a [omilía オミりア] 名女 説教, 法話.

homo- 「同種」の意を表す造語要素. ⇒ *homo*fonío, *homo*géneo など.

ho·mó·fo·no, na [omófono, na オモフォノ, ナ] 形 〔文法〕同音異義の.
— 名男女 〔文法〕同音異義語.

ho·mo·ge·nei·dad [omoxeneiðáð オモヘネイダ(ドゥ)] 名女 均質性, 同質性, 等質性.

ho·mo·gé·ne·o, a [omoxéneo, a オモヘネオ, ア] 形 均質の, 同質の, 同種の.

ho·mo·lo·ga·ción [omoloɣaθjón オモろガしオン] 名女 **1** 承認, 認可.
2 〔スポーツ〕(記録の) 公認; 認定.

ho·mo·lo·gar [omoloɣár オモろガル] [32 g → gu] 動他 **1** 承認する, 認可する.
2 〔スポーツ〕(記録を) 公認する.

ho·mó·lo·go, ga [omóloɣo, ɣa オモろゴ, ガ] 形 対応する, 同等の; 〔数〕相同の.
— 名男女 同じ地位[職階]の人, 同僚.

ho·mo·ni·mia [omonímja オモニミア] 名女 〔文法〕同音[同綴(どうてつ)]異義.

ho·mó·ni·mo, ma [omónimo, ma オモニモ, マ] 形 〔文法〕同音[同綴(どうてつ)]異義の.
— 名男 〔文法〕同音[同綴]異義語.
— 名男女 同名異人.

ho·mo·se·xual [omosekswál オモセクスアる] 形 同性愛の.
— 名男女 同性愛者 (↔ heterosexual).

ho·mo·se·xua·li·dad [omosekswaliðáð オモセクスアリダ(ドゥ)] 名女 同性愛.

hon·da·men·te [óndaménte オンダメンテ] 副 深く; 心から.

hon·do, da [óndo, da オンド, ダ] 形 [複 〜s] 〔英 deep〕 **1** 深い (= profundo). pozo *hondo* 深い井戸. plato *hondo* 深皿.
2 痛切な, 衷心からの; 深刻な. una *honda* preocupación 深い悩み.
── 名男 **1** 底 (= fondo). **2** 深さ (= profundidad). Tiene unos diez metros de *hondo*. 深さが約10メートルある.

hon·do·na·da [ondonáða オンドナダ] 名女 くぼ地, 低地.

hon·du·ra [ondúra オンドゥラ] 名女 深さ.
meterse en honduras (よく知らないことに) 深入りしすぎる.

Hon·du·ras [ondúras オンドゥラス] 固名 〔英 Honduras〕 ホンジュラス: 中央アメリカの共和国. 首都 Tegucigalpa. 通貨 lempira.

hon·du·re·ño, ña [onduréɲo, ɲa オンドゥレニョ, ニャ] [複 〜s] 〔英 Honduran〕 形 ホンジュラスの.
── 名男女 ホンジュラス人.

ho·nes·ti·dad [onestiðáð オネスティダ(ドゥ)] 名女 **1** 正直, 誠実, 公正.
2 礼儀正しさ; 慎み, 貞節.

ho·nes·to, ta [onésto, ta オネスト, タ] 形
1 正直な, 誠実な; (職務に) 忠実な. empleado *honesto* まじめな従業員.
2 礼儀正しい; 慎みのある, 貞節な.
3 公正な, 妥当な. una *honesta* recompensa 相応の報酬.

hon·go [óŋgo オンゴ] 名男 **1** 〘植物〙 キノコ (茸); [〜s] 菌類. *hongo* comestible [venenoso] 食用[毒] キノコ.
2 キノコ雲.
3 山高帽. → sombrero 図.
crecer como hongos 急速に成長する.

ho·nor [onór オノル] 名男 [複 〜es] 〔英 hono(u)r〕
1 名誉, 栄誉; 名声, 体面. hombre de *honor* 名誉[信義]を重んずる人. salvas de *honor* 礼砲. recibir a 《+uno》 con *honores* de Jefe de Estado 〈人〉を国家元首として迎える. tener a *honor* 《+不定詞》 …することを誇りとする.
2 (女の) 貞節, 純潔. perder el *honor* 純潔を失う.
3 敬意, 尊敬; [〜es] 儀礼, 礼遇. rendir *honores* a 《+uno》 〈人〉に敬意を表する. himno en *honor* a los muertos 死者をたたえる歌.
4 [〜es] 名誉のしるし; 名誉職. aspirar a los *honores* de … …の肩書きを欲しがる.
en honor a la verdad 実を言えば, 本当は.
en honor de 《+uno》 〈人〉に敬意を表して.
hacer honor a 《+algo》 〈評判・名声など〉を辱めない; 〈契約・約束など〉を履行する, 守る.
hacer los honores de la casa ホスト役を務める.
tener el honor de 《+不定詞》 …をする光栄を得る, 慎んで…いたします.

ho·no·ra·bi·li·dad [onoraβiliðáð オノラビリダ(ドゥ)] 名女 尊敬に値すること; 信望, 名声.

ho·no·ra·ble [onoráβle オノラブれ] 形 尊敬すべき, 名誉な; 恥を知る, 高潔な. hombre *honorable* 立派な男.

ho·no·ra·rio, ria [onorárjo, rja オノラリオ, リア] 形 名誉職の. miembro *honorario* 名誉会員.
── 名男 [〜s] (医師・弁護士など自由業の人への) 謝礼(金), 報酬.

ho·no·rí·fi·co, ca [onorífiko, ka オノリフィコ, カ] 形 名誉の, 名誉ある; 敬称[尊称]の. cargo *honorífico* 名誉職. título *honorífico* 肩書き. término *honorífico* 敬語.

ho·no·ris cau·sa [onóriskáusa オノリスカウサ] 名誉のために (= a causa del honor). doctor *honoris causa* 名誉博士. [←ラテン語]

hon·ra [ónr̄a オンラ] 名女 **1** 体面, 面目; 名誉. en defensa de SU *honra* 名誉を守って.
2 名声, 評判. adquirir [ganar] *honra* 名声を博する.
3 貞節, 純潔. manchar la *honra* 貞節を汚す.
4 光栄, 栄誉; [〜s] 法要 (= *honras* fúnebres). tener a mucha *honra* 《+不定詞》 …することを光栄に[うれしく]思う.
¡A mucha honra! (侮辱を受けて開き直り) それがどうした, 光栄の至りだよ.

hon·ra·dez [onr̄aðéθ オンラデす] 名女 正直, 誠実, 高潔.

hon·ra·do, da [onr̄áðo, ða オンラド, ダ] 過分 形 **1** 正直な, 誠実な; まともな, 堅気の.
2 (行為が) 立派な, 正しい; 慎み深い. un negocio *honrado* 公明正大な取引.

hon·rar [onr̄ár オンラル] 動他 **1** …に栄誉を与える. Me *honró* con su visita. わざわざ我が家に来てくれた.
2 敬意を払う, 崇拝する. *honrar* a Dios 神を崇(あが)める. *honrar* a los mayores 年長者を尊ぶ.
── **hon·rar·*se*** 《+con, de, en》 …を光栄に思う, 誇りとする.

hon·ri·lla [onr̄íʎa オンリリャ] 名女 自尊心; 片意地. por la negra *honrilla* 意地で.

hon·ro·so, sa [onr̄óso, sa オンロソ, サ] 形 名誉な; 立派な, 高潔な. una actividad *honrosa* 立派な行動.

hon·ta·nar [ontanár オンタナル] 名男 泉, 水源.

H

ho·ra [óra オラ] 名女 [複 ~s] 〔英 hour, time〕

1 1時間. La esperé dos *horas*. 私は彼女を2時間待った. trabajar ocho *horas* al día 1日に8時間働く. De aquí a su casa se tarda una *hora* y media. ここから彼の家まで1時間半かかる. La conferencia dura tres cuartos de *hora*. 講演は45分続く. *horas* y *horas* 何時間も. dentro de una *hora* 1時間後に. durante dos *horas* 2時間(の間). en dos *horas* 2時間で. hace una *hora* 1時間前に. una *hora* después / después de una *hora* (それから) 1時間後に.

2 時刻; 時期, ころ. ¿A qué *hora* empieza el partido de fútbol?—A las cuatro (en punto). サッカーの試合は何時に始まりますか. —(きっかり) 4時に. ¿Tienes *hora*? / ¿Qué *hora* tienes?—Tengo la una. (君の時計で) 今何時ですか. —1時です. a altas *horas* de la noche 夜ふけに. a cualquier *hora* いつ何時でも. a esta(s) *hora(s)* 今ごろは. a primera *hora* 朝一番に. a todas *horas* いつも, 絶えず. *hora(s)* punta ラッシュアワー. *hora(s)* de visita 面会時間. *horas* libres 暇. *horas* muertas 無駄な時間. *hora* de Greenwich グリニッジ標準時. la *hora* fatal 最期, 臨終. una *hora* fatal 都合の悪い時[時間], 最悪の時[時間]. la *hora* de irse a la cama 寝る時間.

【参 考】 時刻の言い方

¿Qué hora es? 何時ですか.

Es la una.

Es la una y cuarto.

Son las dos y media.

Son las cinco y diez.

Son las cinco menos cinco.

Son las dos menos veinte.

次のような表現も

Son las ocho de la mañana. 朝の8時です.
Son las cinco de la tarde. 午後の5時です.
Son las once de la noche. 夜の11時です.

3 死期. Le llegó la *hora*. 彼の最期の時が訪れた.

a la hora (1) 定刻に. *a la hora* justa [en punto] 時間きっかりに. (2) 《+de 不定詞》…する時に; いざ…する時になると.

a última hora (1) 遅くに; 遅くなって. (2) 終わりごろに, 間際に.

dar hora 約束の時間を指定する. El dentista me *dió hora* para las tres. 歯医者は私の予約を3時と指定した.

dar la hora (時計が) 時を打つ; 終了の時刻を告げる.

de última hora 最新の. noticia *de última hora* 最新のニュース.

en su hora その時に(なったら), 然るべき時に.

pedir hora 約束の時間を取りつける.

por hora 1時間につき. a cien kilómetros *por hora* 時速100キロで. cobrar mil yenes *por hora* 時給1000円をもらう.

por horas 時間給で. trabajar *por horas* パートタイムで働く.

ser hora de 《+不定詞》 / ***ser hora de que*** 《+接続法》 (今や) …すべき時だ. *Es hora de* marcharnos. もう我々の出発する時間だ. *Es hora de que* me vaya. そろそろおいとまします.

tener hora 約束[予約]してある.

ho·ra·rio, ria [orárjo, rja オラリオ, リア] 形 時(間)の, 時刻の; 毎時の.
—— 名男 **1** 時間割, 時刻表; 勤務[営業]時間. *horario* de verano 夏時間.
2 時針, 短針 (→ minutero).

hor·ca [órka オルカ] 名女 **1** 絞首台.
2 (農作業用の) くま手.
3 (樹木を支える) 又木.

hor·ca·ja·das [orkaxáðas オルカハダス]
a horcajadas 《副詞句》 またがって, 馬乗りになって.

hor·cha·ta [ortʃáta オルチャタ] 名女 オルチャタ (= *horchata* de chufas): カヤツリの地下茎, アーモンドなどから作った飲み物.

hor·da [órða オルダ] 名女 **1** 遊牧民.
2 (武装した盗賊・暴徒などの) 群れ, 一団.

ho·ri·zon·tal [oriθontál オリそんタる] 形 水平(線)の, 地平線の (↔ vertical). línea *horizontal* 水平線. plano *horizontal* 水平面.

ho·ri·zon·tal·men·te [oriθontálménte オリそんタるメンテ] 副 水平に, 横に.

ho·ri·zon·te [oriθónte オリそンテ] 名男
1 水平線, 地平線. perderse en el *horizonte* 水平[地平]線のかなたに消える.
2 範囲, 領域; 視野. Tiene *horizontes* muy estrechos [limitados]. 彼の視野は狭い. **3** 見通し, 展望. nuevo *horizonte* 新局面.

hor·ma [órma オルマ] 名女 (靴・帽子などの) 木型.
encontrar [***hallar***] ***la horma de*** SU ***zapato*** うってつけのものを見つける; 手ごわい相手に出会う.

hor·mi·ga [ormíɣa オルミガ] 名女 〘昆虫〙 アリ(蟻). *hormiga* blanca シロアリ.

H

hormiga león アリジゴク.
ser una hormiga 《口語》倹約家[勤勉]である.

hor·mi·gón [ormiɣón オルミゴン] 名男 コンクリート. *hormigón* armado 鉄筋コンクリート.

hor·mi·go·ne·ra [ormiɣonéra オルミゴネラ] 名女 セメントミキサー, コンクリートミキサー.

hor·mi·gue·ar [ormiɣeár オルミゲアル] 動自 **1** むずがゆい, むずむずする.
2 群がる, ひしめく.

hor·mi·gue·o [ormiɣéo オルミゲオ] 名男 むずがゆさ; ひしめき; 不快, 不安.

hor·mi·gue·ro, ra [ormiɣéro, ra オルミゲロ, ラ] 形 **1** アリの. **2** 蟻走(ぎそう)感の, 蟻痒(ぎよう)の. ── 名男 **1** アリの巣, アリ塚. **2** 群衆, 雑踏.

hor·mi·gui·llo [ormiɣíʎo オルミギリョ] 名男 むずがゆさ.

hor·mo·na [ormóna オルモナ] / **hor·món** [-món -モン] 名女 〘生物〙ホルモン.

hor·na·ci·na [ornaθína オルナシナ] 名女 〘建築〙(聖像を祭る)壁龕(へきがん). ➡ nicho.

hor·na·da [ornáða オルナダ] 名女 **1** (パン・れんが・石炭などの)一窯分. *hornada* de pan パンの一焼き分.
2 《口語》同期の仲間.

hor·ni·llo [orníʎo オルニリョ] 名男 こんろ; (ガスレンジの) バーナー. *hornillo* de gas ガスコンロ.

hor·no [órno オルノ] 名男
1 オーブン, 天火. asar al *horno* オーブンで焼く. *horno* de microondas 電子レンジ. ➡ cocina 図.
2 窯(かま), 炉; 溶鉱炉. *horno* de esmalte ほうろう細工用窯. *horno* crematorio 火葬炉. alto *horno* 高炉.
3 非常に暑い場所. Esta casa es un *horno*. この家はまるで蒸し風呂(ぶろ)だ.
No está el horno para bollos [***tortas***]. 《口語》今は潮時ではない.

Hor·nos [órnos オルノス] 固名 Cabo de *Hornos* ホーン岬: チリ領, 南米最南端の岬.

ho·rós·co·po [oróskopo オロスコポ] 名男 星占い, 占星術; 運勢. ➡ zodiaco.

hor·qui·lla [orkíʎa オルキリャ] 名女
1 (農作業用の) フォーク; (樹木を支える) 又木. **2** ヘアピン, ヘアクリップ.

ho·rren·do, da [ōréndo, da オレンド, ダ] 形 ➡ horroroso.

hó·rre·o [ōreo オレオ] 名男 (スペイン Asturias, Galicia 地方の) 高床式穀物倉, 穀倉.

ho·rri·ble [oříβle オリブれ] 形 **1** 恐ろしい, 身の毛もよだつ. un crimen *horrible* ぞっとするような犯行.
2 ひどい, ものすごい. Yo vi el accidente. Fue *horrible*. 私はこの事故を目撃した. ひどかったね!

ho·rri·pi·lan·te [ōripilánte オリピらンテ] 形 身の毛もよだつ, ぞっとする.

ho·rri·pi·lar [ōripilár オリピらル] 動他 ぞっとさせる, 怖がらせる, 身の毛をよだたせる.

ho·rror [ōrór オロル] 名男 [複 ～es] 〔英 horror〕 **1 恐怖**, 戦慄(せんりつ). temblar de *horror* 恐怖で震えおののく.
2 嫌悪; 不快感; うんざりするもの. Tengo *horror* a la mentira. 私はうそが大嫌いだ.
3 むごたらしさ; [～es] 残虐な行為, 惨事.
── 副 《複数形で用いて》《口語》ものすごく, とても. divertirse *horrores* ものすごく楽しい思いをする.
decir horrores de 《+uno》〈人〉の悪口を言う.
¡Qué horror! 《驚き・憤慨》なんてことだ.
un horror de … 《口語》大変な…. ***un horror de*** calor ひどい暑さ.

ho·rro·ri·zar [ōroriθár オロリさル] [39 z ➡ c] 動他 ぞっとさせる, 怖がらせる, 震え上がらせる.
── **ho·rro·ri·zar·*se*** 《+**de**》…にぞっとする, …を怖がる.

ho·rro·ro·so, sa [ōroróso, sa オロロソ, サ] 形 **1** 恐ろしい, 怖い.
2 ものすごい, ひどい; 最悪の; 醜い. Hace un tiempo *horroroso*. ひどい天気だ.

hor·ta·li·za [ortalíθa オルタリさ] 名女 野菜 (= verdura). *hortalizas* tempranas

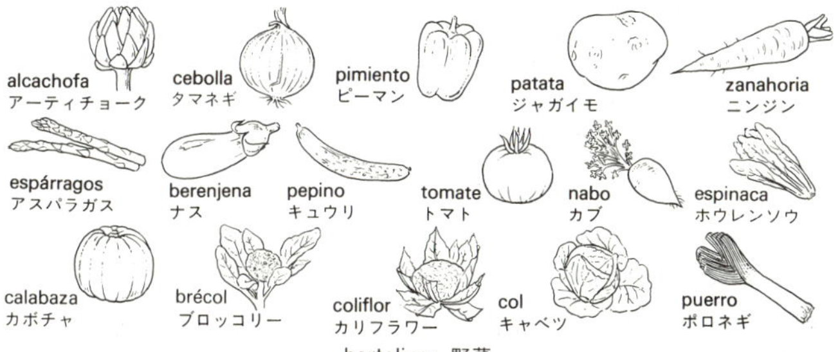

hortalizas 野菜

H

はしりの野菜.

hor·te·la·no, na [orteláno, na オルテラノ, ナ] 形 菜園の, 野菜[果実]栽培の.

—— 名男女 野菜[果実]栽培者.

hor·ten·se [orténse オルテンセ] 形 ➡ hortelano.

hor·ten·sia [orténsja オルテンシア] 名女 〘植物〙アジサイ(紫陽花).

hor·te·ra [ortéra オルテラ] 形 《口語》趣味の悪い. —— 名男女 《口語》野暮ったい人, 泥臭い人.

hor·tí·co·la [ortíkola オルティコラ] 形 野菜[果実]栽培の.

hor·ti·cul·tor, to·ra [ortikultór, tóra オルティクルトル, トラ] 名男女 野菜[果実]栽培農家.

hor·ti·cul·tu·ra [ortikultúra オルティクルトゥラ] 名女 野菜[果実]栽培.

hos·co, ca [ósko, ka オスコ, カ] 形 **1** 無愛想な, 不機嫌な. **2** 暗い, 暗鬱(あんうつ)な.

hos·pe·da·je [ospeðáxe オスペダヘ] 名男 **1** 宿泊. dar *hospedaje* (客を)泊める. tomar *hospedaje* en un hotel ホテルに泊まる. **2** 宿泊料金, 家賃.

hos·pe·dar [ospeðár オスペダル] 動他 泊める, 宿泊させる. *hospedar* a un invitado お客を泊める.

—— **hos·pe·dar·se** 泊まる, 宿泊する. *hospedarse* en casa de un amigo 友達の家に泊まる.

hos·pe·de·rí·a [ospeðería オスペデリア] 名女 宿屋, 旅館.

hos·pi·cio [ospíθjo オスピしオ] 名男 **1** 孤児院. **2** 〘カトリック〙(巡礼者・困窮者の)宿泊施設.

hos·pi·tal [ospitál オスピタる] 名男 [複 ~es] 〔英 hospital〕 病院, 総合病院. Está en el *hospital*. 彼は入院している. *hospital* de urgencia 救急病院. ► 診療所は clínica, 総合病院は hospital, policlínica.

hos·pi·ta·la·rio, ria [ospitalárjo, rja オスピタらリオ, リア] 形 **1** 温かく迎え入れる, 歓迎する. **2** 病院の.

hos·pi·ta·li·dad [ospitaliðáð オスピタりダ(ドゥ)] 名女 厚遇, 歓待. dar *hospitalidad* a 《+uno》〈人〉を手厚くもてなす.

hos·pi·ta·li·za·ción [ospitaliθaθjón オスピタりさしオン] 名女 入院.

hos·pi·ta·li·zar [ospitaliθár オスピタりさル] [39 z ➡ c] 動他 入院させる.

hos·que·dad [oskeðáð オスケダ(ドゥ)] 名女 **1** 無愛想, 不機嫌. **2** 暗鬱(あんうつ).

hos·tal [ostál オスタる] 名男 オスタル. ◆規模・設備は hotel と pensión の中間.

hos·te·le·rí·a [ostelería オステれリア] 名女 **1** ホテル業, ホテル経営.
2 《集合》宿泊施設.

hos·tia [óstja オスティア] 名女 **1** 〘カトリック〙ホスチア, 聖餅(せいへい): 聖餐(せいさん)用の薄いパン.
2 《俗語》殴打; 衝突. pegar [dar] una *hostia* a 《+uno》〈人〉をぶん殴る.

estar* [*ponerse*] *de mala hostia 《俗語》不機嫌である[になる].

¡Hostia! 《俗語》《驚き・喜び・痛みなどを表して》おや, うわぁ; しまった; いたっ.

ser la hostia 《俗語》全くすごい; ひどい.

hos·ti·ga·mien·to [ostiɣamjénto オスティガミエント] 名男 苦しめること, 悩ませること.

hos·ti·gar [ostiɣár オスティガル] [32 g ➡ gu] 動他 **1** 苦しめる, 悩ませる.
2 (馬などに)鞭(むち)を当てる; せきたてる.

hos·til [ostíl オスティる] 形 敵意のある, 敵対する. mirada *hostil* 敵意に満ちた目つき. relaciones *hostiles* 敵対関係.

hos·ti·li·dad [ostiliðáð オスティりダ(ドゥ)] 名女 **1** 敵意, 敵対.
2 [~es] 戦闘行為. reanudar las *hostilidades* 戦闘を開始する.

ho·tel [otél オテる] 名男 [複 ~es] 〔英 hotel〕 ホテル. reservar un *hotel* ホテルを予約する. *hotel* de lujo デラックスホテル. ➡ estrella.

ho·te·le·ro, ra [oteléro, ra オテれロ, ラ] 形 ホテルの.

—— 名男女 ホテルの経営者[支配人].

hoy [ói オイ] 副 〔英 today〕
1 きょう, 本日. *Hoy* es lunes. 今日は月曜日だ. *hoy* por la mañana 今日の午前中. desde *hoy* / de *hoy* en adelante 今日から. ➡ día 【参考】.
2 今日(こんにち), 現在. juventud de *hoy* 現代の若者.

de hoy a mañana ほどなく, やがて.

hoy (en) día 今日(こんにち), 現今.

hoy por hoy 今のところは, さしあたり.

por hoy 今日のところは.

ho·ya [ója オヤ] 名女 (地面の大きな) 穴; 墓穴, 墓.

ho·yo [ójo オヨ] 名男 **1** (地面の) 穴, くぼみ; 墓, 墓穴.
2 (天然痘による) あばた.
3 (ゴルフ) ホール. ➡ golf 図.

echar al hoyo a 《+uno》〈人〉の命を縮めるようなまねをする.

ho·yue·lo [ojwélo オユエろ] 名男 えくぼ.

hoz [óθ オす] 名女 [複 hoces] **1** 円形鎌(がま). **2** 峡谷, 山峡.

ho·zar [oθár オさル] [39 z ➡ c] 動他 (イノシシなどが) 鼻面で掘り起こす.

hub- 助動 動 ➡ haber. 26

hu·cha [útʃa ウチャ] 名女 貯金箱; 貯金. tener buena *hucha* たっぷりためこんでいる.

hue·co, ca [wéko, ka ウエコ, カ] 形 **1** 空洞になった; 内容のない. árbol *hueco* 空洞になった木. estilo *hueco* 誇張で飾った文体.
2 鈍く響く, 反響する. sonido *hueco* うつろな音.

3 お高くとまった，うぬぼれた；ご満悦の．ponerse *hueco* すっかり悦に入る．
— 名男 **1** へこみ．くぼみ，穴，空間．el *hueco* de la escalera 階段の吹き抜け．
2 すき間；空き時間．hacer a 《+uno》 (un) *hueco* (膝(ひざ)送りで)〈人〉のために空席を作る．
3 欠員．dejar un *hueco* 欠員ができる．
llenar un hueco 穴を埋める；役に立つ．
sonar a hueco うつろに響く．

hue·co·gra·ba·do [wekoɣraβáðo ウエコグラバド] 名男 写真凹版術，グラビア印刷；グラビア(写真)．

huel- 動→oler. [38 o → hue]

huel·ga [wélɣa ウエるガ] 名女 ストライキ．estar en *huelga* ストライキ中である．suspender la *huelga* ストを中止する．*huelga* de hambre ハンガー・ストライキ．*huelga* general ゼネスト．derecho de *huelga* スト権．

huel·guis·ta [welɣísta ウエるギスタ] 名男女 ストライキ参加者．

hue·lla [wéʎa ウエリャ] 名女 **1** 足跡，わだち．► 物が置いてあった所に残る跡は marca. **2** 形跡，痕跡(こんせき)．
dejar huellas 足跡[形跡]を残す．
huella digital [***dactilar***] 指紋．El ladrón dejó sus *huellas digitales* en el vaso. 泥棒はコップに指紋を残した．
seguir las huellas de 《+uno》〈人〉の(先)例に倣う．

Huel·va [wélβa ウエるバ] 固名 ウエルバ：スペイン南西部の県；県都．

huér·fa·no, na [wérfano, na ウエルファノ，ナ] 名男女 孤児．*huérfano* de guerra 戦争孤児．*huérfano* de madre [padre] 母[父]のいない子．
— 形 **1** 孤児の，両親のいない．
2 《+**de**》…に欠ける，…に恵まれない．*huérfano de* cariño 愛情に恵まれない．

hue·ro, ra [wéro, ra ウエロ，ラ] 形
1 中がからの；空虚な，内容のない．
2 (卵が)無精の．huevo *huero* 無精卵．

huer·ta [wérta ウエルタ] 名女 **1** 農園，果樹園，菜園．
2 (特にスペイン Valencia, Murcia 地方で)灌漑(かんがい)農業地帯．

huer·to [wérto ウエルト] 名男 野菜畑；果樹園．►huerta よりも小さい．

Hues·ca [wéska ウエスカ] 固名 ウエスカ：スペイン北東部の県；県都．

hue·so [wéso ウエソ] 名男 [複 ～s] 〔英 bone〕
1 骨．*huesos* del brazo 腕の骨．►hueso は脊椎(せきつい)動物の骨，魚などの小骨は espina. **2** (果実の) 芯(しん)，実(さね)．→ semilla 【参考】．
3 《口語》難儀なこと；厳しい先生；手ごわい相手．El profesor de francés es un *hueso*. フランス語の教師は厳しい．
4 [～s] 遺骨．
calado [***empapado, mojado***] ***hasta los huesos*** びしょ濡れになって．
dar con sus ***huesos en tierra*** 《口語》転ぶ，ばったり倒れる．
soltar la sin hueso 《口語》しゃべりまくる．
estar [***quedarse***] ***en los huesos*** やせこけている．
no dejar a 《+uno》 ***hueso sano*** 〈人〉に文句をいう，〈人〉をこき下ろす．
no poder con sus ***huesos*** / ***tener los huesos molidos*** 疲れきっている．

hués·ped, pe·da [wéspeð, peða ウエスペ(ド ゥ)，ペダ] 名男女 客；宿泊[滞在]客；下宿人．estar de *huésped* en casa de … …の家に客として滞在して[招かれて]いる．casa de *huéspedes* 下宿屋．

hues·te [wéste ウエステ] 名女 **1** 《古》軍，軍勢．**2** [～s] 同調者，支持者，信奉者．
3 群衆．

hue·su·do, da [wesúðo, ða ウエスド，ダ] 形 骨の浮き出た；骨ばった．

hue·va [wéβa ウエバ] 名女 魚卵，腹子．

hue·ve·ro, ra [weβéro, ra ウエベロ，ラ] 名女 卵ケース；エッグスタンド．→ vajila 図．
— 名男女 卵売り．

hue·vo [wéβo ウエボ] 名男 [複 ～s] 〔英 egg〕
1 卵；(特に)鶏卵．poner *huevos* [un *huevo*] 卵を産む．*huevo* duro 固ゆで卵．*huevo* estrellado 目玉焼き．*huevo* frito フライド・エッグ，目玉焼き．*huevos* revueltos スクランブル・エッグ．*huevo* de Pascua イースター・エッグ．
2 [～s] 《俗語》睾丸(こうがん)．
andar [***ir***] ***pisando huevos*** 《口語》用心深くそっと歩く．
costar un huevo 《俗語》目の玉が飛び出るほど高い．
el huevo de Colón [***de Juanelo***] コロンブスの卵．
parecerse como un huevo a otro huevo 瓜(うり)二つである．
parecerse como un huevo a una castaña 月とスッポンである．
por huevos 《俗語》何がなんでも．

hu·go·no·te, ta [uɣonóte, ta ウゴノテ，タ] 形 〔歴史〕ユグノーの．
— 名男女 〔歴史〕ユグノー教徒．► フランスのカルバン派プロテスタント．

hui·da [wíða ウイダ] 名女 逃亡，逃走，脱出．

hui·di·zo, za [wiðíθo, θa ウイディソ，サ] 形 **1** すぐ逃げようとする，驚きやすい，臆病(おくびょう)な．mirada *huidiza* おどおどした目つき．**2** はかない．

huir [wír ウイル] 29 動 自 [現分 huyendo] 〔英 flee〕 **1** 《+**de**》…から逃げる，逃亡する．*huir del* país 国外逃亡する．*huir de* la cárcel 脱獄する．

2《+**de**》…を避ける，回避する．*huir de* las aglomeraciones 人ごみを避ける．Siempre me *huye*. 彼はいつも私を避けている．

hu·le [úle ウれ] 名男 防水布；ビニールカバー；ゴム．

haber hule 騒ぎ[いざこざ]が起こる．

hu·lla [úʎa ウりャ] 名女 石炭，瀝青(れきせい)炭．

hulla blanca 水力（エネルギー）．

humana 形女 → humano[1].

hu·ma·na·men·te [umánaménte ウマナメンテ] 副 人間として；人間らしく，人間的に．

hu·ma·ni·dad [umaniðáð ウマニダ(ドゥ)] 名女 **1** 人間性；人間味；人情．la *humanidad* y la divinidad de Jesucristo イエス・キリストの人性と神性．

2《集合》人間，人類；多数の人々．

3 [～es]（特にギリシア・ラテンの）古典研究；人文学．

hu·ma·nis·mo [umanísmo ウマニスモ] 名男 人文主義，ヒューマニズム；人間中心主義．

hu·ma·nis·ta [umanísta ウマニスタ] 名男女 人文主義者，ヒューマニスト；人間中心主義者．

hu·ma·ni·ta·rio, ria [umanitárjo, rja ウマニタリオ，リア] 形 **1** 人道的な，博愛の．misión *humanitaria* 人道的任務．

2 人間味のある，人情の厚い．

hu·ma·ni·ta·ris·mo [umanitarísmo ウマニタリスモ] 名男 人道主義，博愛主義．

hu·ma·ni·zar [umaniθár ウマニさル] [39 z → c] 動他 …に人間味を与える．

—— hu·ma·ni·zar·se 柔和になる．

hu·ma·no[1], na [umáno, na ウマノ，ナ] 形 [複 ～s]〔英 human〕**1** 人間の，人の．ser *humano* 人間．cuerpo *humano* 人体．

2 人間的な，人間らしい；思いやりのある．Es *humano* equivocarse. 過ちは人間の常である．

hu·ma·no[2] [umáno ウマノ] 名男 人間（＝hombre）．Dios se hizo hombre para salvar a los *humanos*. 神は人類を救わんがために人となり給(たも)うた．

hu·ma·ra·da [umaráða ウマラダ] 名女 → humareda.

hu·ma·re·da [umaréða ウマレダ] 名女 噴煙；辺り一面の煙．

hu·me·an·te [umeánte ウメアンテ] 形 湯気の立つ．sopa *humeante* 湯気の立っているスープ．

hu·me·ar [umeár ウメアル] 動自

1 煙を出す[吐く]，くすぶる．

2 湯気を立てる，蒸気を出す．

3（けんかなどが）尾を引く，くすぶり続ける．

hu·me·dad [umeðáð ウメダ(ドゥ)] 名女 湿気；湿度；水分．Hay mucha *humedad* en este cuarto. この部屋は湿気が多い．*humedad* relativa 相対湿度．

hu·me·de·cer [umeðeθér ウメデせル] 40 動他 湿らせる，少しぬらす．

—— hu·me·de·cer·se 湿る，うっすらぬれる．

hú·me·do, da [úmeðo, ða ウメド，ダ] 形 **1** 湿った，湿気のある．Hace calor *húmedo*. 蒸し暑い．suelo *húmedo* じとじとした地面．los ojos *húmedos* 潤んだ瞳(ひとみ)．

2 湿潤な，雨の多い．región *húmeda* 雨の多い地方．

hu·mil·dad [umildáð ウミるダ(ドゥ)] 名女 **1** 謙虚，謙遜(けんそん)；卑下．con toda *humildad* 謹しんで．**2** 下賤(げせん)，卑しさ．

hu·mil·de [umílde ウミるデ] 形 **1** 謙虚な，謙遜(けんそん)する．Es siempre *humilde* con todos. 彼は誰に対してもいつも謙虚だ．

2 卑しい，下賤(げせん)な；貧しい．hombre de *humilde* condición 下層（階級）の人．

hu·mil·de·men·te [umíldeménte ウミるデメンテ] 副 へりくだって．

hu·mi·lla·ción [umiʎaθjón ウミりャしオン] 名女 屈辱，侮辱，辱しめ．

hu·mi·llan·te [umiʎánte ウミりャンテ] 形 屈辱的な，侮辱的な；不面目な．

hu·mi·llar [umiʎár ウミりャル] 動他 **1** 辱しめる，屈辱を与える，面目を失わせる．Me *humilla* tener que obedecerle. 彼に従わなければならないなんて屈辱的だ．*humillar* a los enemigos 敵の鼻をへし折る．

2（体の一部を）下げる，低くする，曲げる．*humillar* la frente 頭を下げる．

—— hu·mi·llar·se《+**ante**》…に屈伏する；卑下する；ひざまずく．

hu·mo

[úmo ウモ] 名男 [複 ～s]〔英 smoke〕

1 煙；蒸気．Donde fuego no se hace, *humo* no sale.《諺》火のない所に煙は立たぬ．

2 [～s] うぬぼれ，高慢．tener muchos *humos* 高慢ちきである．bajar los *humos* a《+uno》〈人〉の鼻をへし折る．

a humo de pajas《口語》軽々しく．

echar humo 煙を吐く；頭から湯気をたてて怒る．

irse todo en humo すべてが水泡に帰する．

hu·mor [umór ウモル] 名男 [複 ～es]〔英 humo(u)r〕**1** 気分，機嫌．estar de buen *humor* 上機嫌である．ponerse de mal *humor* 不機嫌になる．

2 ユーモア；機知．sentido del *humor* ユーモアのセンス．*humor* negro ブラックユーモア．

3〘解剖〙分泌液；体液．*humor* acuoso（眼球の）房水．

remover humores 悩ます．

seguir el humor a《+uno》〈人〉に調子を合わせる，〈人〉の機嫌を取る．

hu·mo·ra·da [umoráða ウモラダ] 名女 **1** しゃれ，冗談，ジョーク．**2** 気紛れ，酔狂．

hu·mo·ris·mo [umorísmo ウモリスモ] 名

㊚ ユーモア，諧謔(かいぎゃく)(味).

hu·mo·ris·ta [umorísta ウモリスタ] 名男女 ユーモアのある人；ユーモア作家.

hu·mo·rís·ti·co, ca [umorístiko, ka ウモリスティコ, カ] 形 ユーモアのある，こっけいな，しゃれっ気のある.

hu·mus [úmus ウムス] 名男 〔農業〕腐植(質)，腐葉土.

hun·di·mien·to [undimjénto ウンディミエント] 名男 **1** 沈下，陥没；沈没. *hundimiento* del terreno 地盤沈下.
2 倒壊；崩壊；倒産.

hun·dir [undír ウンディル] 動他 〔英 sink〕
1 **沈める**，沈没させる；(水などに) 浸(つ)ける，浸す. *hundir* un barco 船を沈める.
2 陥没させる，沈下させる. El continuo paso de camiones *hundió* la calle. ひっきりなしにトラックが通過したために道が陥没した.
3 突き刺す，打ち込む. *hundir* una daga 短剣をぐさりと刺す.
4 崩す，倒す；潰す；打ちのめす，意気消沈させる.
—— **hun·dir·*se*** **1 沈む**；潜る. El barco *se hundió* en el mar. 船は海の藻くずと消えた.
2 沈下する，陥没する；たわむ.
3 突き刺さる.
4 崩れる，倒れる；落ち込む；打ちのめされる. La familia *se hundió* al morir el padre. 父親が死んで一家は没落した.
5 《口語》上を下への大騒ぎになる. *Se hundía* la sala de tantos aplausos. ホールは拍手で割れんばかりであった.

hún·ga·ro, ra [úŋgaro, ra ウンガロ, ラ] 形 ハンガリーの.
—— 名男女 ハンガリー人.
—— 名男 ハンガリー語.

Hun·grí·a [uŋgría ウングリア] 固名 ハンガリー(共和国)：首都 Budapest.

hu·no, na [úno, na ウノ, ナ] 形 〔歴史〕フン族の.
—— 名男女 〔歴史〕フン族の人.

hu·ra·cán [urakán ウラカン] 名男 **1** ハリケーン：メキシコ湾・カリブ海で発生する熱帯性低気圧. → tiempo 【参考】.
2 《比喩》突風，嵐(あらし).

hu·ra·ño, ña [urápo, pa ウラニョ, ニャ] 形 引っ込み思案な；社交嫌いの，無愛想な.

hur·gar [urɣár ウルガル] [32 g → gu] 動他 **1** 詮索(せんさく)する，かぎ回る.
2 かき回す，ほじくる. *hurgar* la lumbre 火をかき立てる.
—— **hur·gar·*se*** 《口語》つっつく，ほじくる. *hurgarse* las narices 鼻をほじくる.

hu·rón, ro·na [urón, róna ウロン, ロナ] 名男 〔動物〕フェレット：白子のケナガイタチ(毛長鼬).
—— 名男女 《口語》詮索好きな人；付き合いの悪い人.
—— 形 《口語》詮索(せんさく)好きな，身辺をかぎ回る；付き合いの悪い.

¡hu·rra! [úr̄a ウラ] 間投 フレー，(歓声の)うわーっ，万歳.

hur·ta·di·llas [urtaðiʎas ウルタディリャス] ***a hurtadillas*** 《副詞句》こっそりと，ひそかに. Entró *a hurtadillas* en el cuarto. 彼はこっそり部屋に入った.

hur·tar [urtár ウルタル] 動他 **1** 盗む，くすねる，かすめ取る (＝ robar).
2 隠す；それさせる. *hurtar* de la vista de《＋uno》〈人〉の目から隠す.
—— **hur·tar·*se*** 隠れる；避ける. *hurtarse* a los ojos [a la vista] de《＋uno》〈人〉の目を逃れる.
hurtar el cuerpo a ... …をよける，…をうまくかわす.

hur·to [úrto ウルト] 名男 盗み，ちょろまかし；盗品，くすねたもの.

hus·me·ar [usmeár ウスメアル] 動他 詮索(せんさく)する，かぎ回る；(においを) かぐ.

hu·so [úso ウソ] 名男 紡錘，つむ，スピンドル.

¡huy! [úi ウイ] 間投 《口語》痛い！《驚きを表して》おお.

huy- 動 → huir. 29

H

I i 𝒥 𝒾

I, i [í イ] 名女 **1** スペイン語字母の第 9 字. **2** [I]（ローマ数字の）1. ⇀ XI 11.
i griega（スペイン語字母の）y.

i- ➡ in-.

iba(-) / íbamos 動 ➡ ir. 30

I·be·ria [iβérja イベリア] 固名 イベリア（半島）(＝la Península Ibérica)：スペイン, ポルトガルを含むヨーロッパ南西部の半島.

i·bé·ri·co, ca [iβériko, ka イベリコ, カ] 形 イベリア（半島）の.

i·be·ro, ra [iβéro, ra イベロ, ラ] **/ í·be·ro, ra** [íβe- イベ-] 形 〘歴史〙イベリア（人）の.
—— 名男女 〘歴史〙イベリア族（の人).

I·be·ro·a·mé·ri·ca [iβeroamérika イベロアメリカ] 固名 イベロアメリカ. ◆イベリア半島のスペイン・ポルトガルの文化が及んだ中南米地域. ➡ Latinoamérica 【参考】.

I

i·be·ro·a·me·ri·ca·no, na [iβeroamerikáno, na イベロアメリカノ, ナ] 形 イベロアメリカの.
—— 名男女 イベロアメリカ人.

i·bí·dem [iβíðem イビデン] 副 同書に, 同箇所[ページ]に (＝ en el mismo lugar).《略 ibid., ibíd., ib.》. [←ラテン語]

i·ce·berg [iθeβérk イセベル(ク) | iθeβér(x) -ベル(フ) | áisβerk アイスベル(ク)] 名男 [複～s] 氷山. [←英語]

i·co·no [ikóno イコノ] 名男 **1** 〘美術〙聖画像, イコン. **2** 〘コンピュータ〙アイコン.

i·co·no·clas·ta [ikonoklásta イコノクラスタ] 形 **1** 聖画像破壊の.
2 因習打破の, 伝統破壊の.
—— 名男女 **1** 聖画像破壊者. **2** 因習[伝統]破壊主義者.

i·co·no·gra·fí·a [ikonoɣrafía イコノグラフィア] 名女 図像学[集], イコノグラフィー.

ic·te·ri·cia [ikteríθja イクテリシア] 名女 〘医〙黄疸(おうだん).

ic·tio·lo·gí·a [iktjoloxía イクティオろヒア] 名女 魚類学.

id 動 ➡ ir. 30

i·da [íða イダ] 名女 行き, 往路 (↔ vuelta).
—— 過分 女 ➡ ir.
idas y venidas 東奔西走; 右往左往.

i·de·a [iðéa イデア] 名女 [複 ～s] 〔英 idea〕
1 アイディア, 着想. ¿Qué tal una cerveza?—Buena *idea*. ビールでもどう?—いいね. Es una buena *idea* pasar la noche en Sitges. シッチェスに泊まるというのは名案だ. A José se le ocurrió una *idea*. ホセにある考えが浮かんだ. Tu *idea* es estupenda, pero creo que es muy difícil realizarla. 君の着想はすばらしい, だが実現は難しいよ.
2 意見, 見解 (＝ opinión). ¿Qué *idea* tienes sobre el nuevo director? 今度の新しい所長をどう思う?
3 意図, 計画. Fui al mercado con la *idea* de comprar carne, pero estaba muy cara. 肉を買うつもりで市場に行ったが高すぎた.
4 見当, 判断. No tengo ni *idea* [la menor *idea*]. 全く知らない, 想像[見当]もつかない. No tienes *idea* de lo que te he echado de menos. 君がいなくなって僕がどんなに寂しい思いをしたことか. formarse [hacerse] una *idea* de《＋algo》〈何か〉についてある判断を下す, 想像する.
5 観念, 理念; [～s] 思想, 信条. *idea* fija 固定観念. *idea* preconcebida 先入観. *idea* eje [central] 中心理念. cambiar de *ideas* 信条を変える. de *ideas* fijas 主義信条を変えない.

i·de·al [iðeál イデアる] [複 ～es] 〔英 ideal〕 形 **1** 理想的な, 申し分のない. un marido *ideal* 理想的な夫. sitio *ideal* para estudiar 勉強に最適な場所. Lo *ideal* sería que la decisión fuera unánime. 万場一致で決議すれば理想的なのだが.
2 観念的な, 想像上の (↔ real). el mundo *ideal* 観念的な世界.
—— 名男 **1** 理想; 理想像. Su *ideal* es vivir tranquilo en el campo. 彼の理想は田舎で静かに暮らすことだ.

i·de·a·lis·mo [iðealísmo イデアりスモ] 名男 **1** 理想主義. ► 現実主義は realismo.
2 〘哲〙観念論.

i·de·a·lis·ta [iðealísta イデアりスタ] 形 **1** 理想主義の; 夢想的な. **2** 観念論の.
—— 名男女 夢想家; 観念論者.

i·de·a·li·zar [iðealiθár イデアりさル] [39 z ➡ c] 動他 理想化する. No *idealices* a tus padres. 両親をあまり理想化してはいけない.

i·de·ar [ideár イデアル] 動他 考案する, 工夫する. *idear* un plan 計画を立てる. *idear* una nueva teoría 新理論を打ち出す.

i·de·a·rio [iðeárjo イデアリオ] 名男 イデオロギー, 思想. *ideario* romántico ロマン主義の理念.

í·dem [íðem イデン] 代名 同上（の), 同じく (＝ el [lo] mismo).《略 id.》. [←ラテン語]

i·dén·ti·co, ca [iðéntiko, ka イデンティコ, カ] 形 **1** ⦅+**que**⦆…と同じの. He llegado a *idéntica* conclusión *que* tú. 僕は君と同じ結論に達した. Esos cuadros son *idénticos*. それらの絵はまったく同じだ.
2 ⦅+**a**⦆ …によく似た, 瓜(うり)二つの. Es *idéntico* al padre. 彼は父親に生き写しだ.

i·den·ti·dad [iðentiðáð イデンティダ(ドゥ)] 名㊛ **1** 同一性, 一致; 類似. *identidad* de pareceres 意見の一致.
2 本人であること; 身元, 素性; アイデンティティ. probar la *identidad* 身元を証明する. tarjeta [documento, carnet] de *identidad* 身分証明書. *identidad* del pueblo mejicano メキシコ国民としてのアイデンティティ.

i·den·ti·fi·ca·ción [iðentifikaθjón イデンティフィカしオン] 名㊛ (身元の) 証明, 確認; 〘心理〙 同一視. la *identificación* del cadáver 死体の身元確認.

i·den·ti·fi·car [iðentifikár イデンティフィカル] [8 c → q] 動他 **1** 同一視する. El testigo *identificó* al detenido como el asesino. 証人は逮捕者が殺人犯であると認めた.
2 …の身元を確認する. La policía ha conseguido *identificar* a los verdaderos autores del crimen. 警察はついにその犯罪の真犯人を突きとめた.
—— **i·den·ti·fi·car·*se*** ⦅+**con**⦆ …と一体化する; 一致する.

i·de·o·gra·ma [iðeoɣráma イデオグラマ] 名㊚ 表意文字.

i·de·o·lo·gí·a [iðeoloxía イデオろヒア] 名㊛ イデオロギー, 観念形態. *ideología* burguesa ブルジョア的思想.

i·de·o·ló·gi·co, ca [iðeolóxiko, ka イデオろヒコ, カ] 形 イデオロギーの, 観念的な.

i·de·ó·lo·go, ga [iðeóloɣo, ɣa イデオろゴ, ガ] 名㊚㊛ イデオローグ, 理論的指導者.

i·dí·li·co, ca [iðíliko, ka イディりコ, カ] 形 **1** 牧歌的恋愛詩の. **2** 甘美な. paisaje *idílico* うっとりするような風景.

i·di·lio [iðíljo イディりオ] 名㊚ 牧歌的恋愛詩; 恋愛関係.

i·dio·ma

[iðjóma イディオマ] 名㊚ [複 ～s] 〔英 language〕
言語 (＝lengua). *idioma* español スペイン語. El inglés es un *idioma* internacional. 英語は国際語である. Habla cuatro *idiomas*. 彼は 4 か国語を話す.

i·dio·má·ti·co, ca [iðjomátiko, ka イディオマティコ, カ] 形 ある言語に特有の; 慣用語法の. expresión *idiomática* 慣用表現.

i·dio·sin·cra·sia [iðjosiŋkrásja イディオシンクラシア] 名㊛ 気質, 特質; 特異性 (＝carácter). *idiosincrasia* de un pueblo 国民性.

i·dio·ta [iðjóta イディオタ] 名㊚㊛ **1** ばか, あほう, 間抜け. No seas *idiota*. ばかなことやめろ[言うな]. **2** 〘心理〙〘医〙 白痴.
—— 形 **1** ばかな, 間抜けな, 無知な. **2** 〘心理〙〘医〙 白痴の.

i·dio·tez [iðjotéθ イディオテす] 名㊛ [複 idioteces] 愚劣さ; ばかげた言動. decir *idioteces* ばかげたことを言う.

i·dio·tis·mo [iðjotísmo イディオティスモ] 名㊚ 〘言語〙 (ある言語に) 特有の語法.

i·do, da [íðo, ða イド, ダ] 過分 → ir.
—— 形 **1** 放心した. Perdóname, estaba *ido*. ごめんなさい, うっかりしていました.
2 気のふれた. María está *ida* de la cabeza. マリアは頭がいかれている.

i·dó·la·tra [iðólatra イドらトゥラ] 形 **1** 偶像崇拝の. **2** 心酔する, 偏愛する.
—— 名㊚㊛ 偶像崇拝者.

i·do·la·trar [iðolatrár イドらトゥラル] 動他 **1** …に心酔する; 偏愛する. Gustarle el dinero es poco, lo *idolatra*. 彼は金が好きなんてもんじゃない, 金の亡者だよ. *idolatrar* a sus padres 両親を偶像視する.
2 (偶像を) 崇拝する.

i·do·la·trí·a [iðolatría イドらトゥリア] 名㊛ **1** 偶像崇拝. **2** 偶像視; 崇拝, 偏愛.

í·do·lo [íðolo イドろ] 名㊚ **1** 偶像.
2 偶像視される人[物], アイドル. Es el *ídolo* de la juventud. 彼は若者たちのアイドルだ.

i·do·nei·dad [iðoneiðáð イドネイダ(ドゥ)] 名㊛ 適当, 適格(性).

i·dó·ne·o, a [iðóneo, a イドネオ, ア] 形 ⦅+**para**⦆ …に適当な; 適任の. Es una chica *idónea para* el cargo de secretaria. 彼女は秘書にうってつけだ.

i. e. ⦅略⦆ id est すなわち (＝esto es). [←ラテン語]

i·gle·sia

[iɣlésja イグれシア] 名㊛ [複 ～s] 〔英 church〕
1 教会, 教会堂; (組織としての) 教会. Todas las mañanas mi abuela iba a la *iglesia* a oír la primera misa. 毎朝, 祖母は早朝ミサに教会へ行った. *Iglesia* de Santa Ana 聖アンナ教会. *iglesia* románica ロマネスク様式の教会. *Iglesia* Católica カトリック教会.
2 ⦅集合⦆ 聖職者.

> 【参　考】 **basílica** バシリカ聖堂. **catedral** カテドラル, 大聖堂. **mezquita** モスク, イスラム教寺院. **parroquia** 教区教会. **sinagoga** シナゴーグ, ユダヤ教会. **templo** 神殿, 寺院.

Ig·na·cio [iɣnáθjo イグナしオ] 固名 イグナシオ: 男性の名. 愛 Nacho, Nachín. San *Ignacio* de Loyola 聖イグナティウス・デ・ロヨラ (1491?-1556, イエズス会の創立者).

íg·ne·o, a [íɣneo, a イグネオ, ア] 形 **1** 火の, 燃えさかる. **2** 〘地質〙 火成の.

ig·ni·ción [iɣniθjón イグニしオン] 名㊛ 発火, 引火; 燃焼, 白熱. punto de *ignición*

着火点.

ig·no·mi·nia [iɣnomínja イグノミニア] 名 女 **1** 不名誉, 屈辱; 恥辱.
2 恥ずべき行為; 言語道断.

ig·no·mi·nio·so, sa [iɣnominjóso, sa イグノミニオソ, サ] 形 不名誉な, 恥ずべき.

ig·no·ran·cia [iɣnoránθja イグノランしア] 名 女 **1** 無知, 不案内. estar en la *ignorancia* de …を知らない. **2** 無学, 無教養.

ig·no·ran·te [iɣnoránte イグノランテ] 形 《+**de**》…を知らない; 無学の, 無知の. Está *ignorante de* lo que ha pasado. 彼は何があったのか知らない.
── 名 男 女 無学な人, 無知な人. Es un *ignorante* en temas científicos. 彼は科学にはうとい人間である.

ig·no·rar [iɣnorár イグノラル] 動 他 **1** 知らない, 知らずにいる. Yo *ignoraba* cuáles eran sus verdaderos motivos. 彼の本当の動機がなんなのか私は知らなかった.
2 無視する, 黙殺する. No podemos *ignorar* sus sugerencias. 我々は彼の言ったことを無視することはできない. ► 英語からの影響.

i·gual [iɣwál イグアる] 形 [複 ~es] 〔英 equal〕
1 等しい, 同じ; 平等な. un triángulo con dos lados *iguales* 2辺が等しい三角形. Todos somos *iguales* ante la ley. 我々はすべて法の前に平等である.
2 《+**a, que**》…と同じ, 等しい. X *igual a* Y. 〘数〙XはYに等しい (► 等号に相当する). Mi raqueta es *igual a* la tuya. 私のラケットは君のと同じだ. Llevas un sombrero *igual que* el mío. 君のかぶっている帽子は私のと同じだ (► これらの2例文には mismo を用いることは出来ない). Es *igual que* su padre. 彼は父親にそっくりだ.
3 一様な, 平らな. respiración *igual* 規則正しい呼吸. terreno *igual* 平地.
── 副 **1** 《+**que**》…と同様に. Lo haremos *igual que* el año pasado. 去年と同じようにやろう. Habla inglés *igual que* un americano. 彼はアメリカ人みたいに英語を話す.
2 《口語》もう少しで; 恐らく (= a lo mejor). *Igual* podías haber perdido la vida. もう少しで君は命を失うところだった. *Igual* no ha llegado a tiempo. 恐らく彼は間に合わなかっただろう.
── 名 男 同等の人; 同類, 匹敵するもの.
al igual que … …と同様に.
cosa igual そのようなもの[こと]. No he visto *cosa igual*. そんなものは見たことがない.
Da [Es] igual. どちらでも同じだ. Me *da igual*. 私にはどうでもいいことだ. *Es igual* que vengas a las tres que a las cuatro. 君は3時に来ても4時に来てもいい.
de igual a igual 対等に.
por igual 均等に; 平等に.
sin igual 比類ない, 抜群の.

i·gua·la [iɣwála イグアら] 名 女 (医療機関・共済組合などとの) 契約; 掛け金.

i·gua·la·ción [iɣwalaθjón イグアらしオン] 名 女 平等化, 均等化.

i·gua·la·do, da [iɣwaláðo, ða イグアらド, ダ] 過分 形 同等の, 互角の; 高さがそろった. Quedamos *igualados*. これでおあいこだ. un partido muy *igualado* 大接戦.
── 名 女 〘ｽﾎﾟ〙同点, 引き分け. conseguir la *igualada* 同点にこぎつける.

i·gua·lar [iɣwalár イグアらル] 動 他
1 …に等しい, …に匹敵する. Nadie le *igualaba* en valor. 彼ほど勇気のある人はいなかった. **2** 等しくする; 均等にする.
3 平らにする, 高さをそろえる.
── 動 自 **1** 《+**a, con**》…に等しい, 匹敵する. **2** 〘ｽﾎﾟ〙同点になる. *igualar* a 2 2 対 2 の同点になる.
── **i·gua·lar·*se*** 均衡する; 《+**con**》…と同等になる. *Se igualan* en fuerza. それらは力が拮抗(きっこう)している.

i·gual·dad [iɣwaldáð イグアるダ(ドゥ)] 名 女 **1** 平等, 同格, 対等. la *igualdad* de los seres humanos 人間の平等. *igualdad* de oportunidades 機会均等. a *igualdad* de tanteo 同点で. en *igualdad* de condiciones 対等の条件で.
2 一致; 一定. *igualdad* de opiniones 意見の一致. *igualdad* de ánimo 平静, 落ち着き. **3** 〘数〙等式.

i·gua·li·ta·rio, ria [iɣwalitárjo, rja イグアリタリオ, リア] 形 平等主義の, 公平な. recibir un trato *igualitario* 平等な扱いを受ける.

i·gual·men·te [iɣwálménte イグアるメンテ] 副 **1** 同様に; 均等に, 平等に.
2 …もまた.

i·gua·na [iɣwána イグアナ] 名 女 〘動物〙イグアナ: 主に中米, 南米に生息. 食用になる.

i·ja·da [ixáða イハダ] 名 女 **1** わき腹, 横腹; (魚の) 腹部. **2** わき腹の痛み.

i·jar [ixár イハル] 名 男 → ijada 1.

i·la·ción [ilaθjón イらしオン] 名 女 (論理の) つながり, 脈絡 (= conexión).

i·le·gal [ileɣál イれガる] 形 非合法の, 不法の, 違法の. actividades *ilegales* 非合法活動.

i·le·ga·li·dad [ileɣaliðáð イれガリダ(ドゥ)] 名 女 違法, 非合法; 違法行為.

i·le·gal·men·te [ileɣálménte イれガるメンテ] 副 不法に, 違法に.

i·le·gi·bi·li·dad [ilexiβiliðáð イれヒビりダ(ドゥ)] 名 女 読みづらさ, 判読不能.

i·le·gi·ble [ilexíβle イれヒブれ] 形 読みづらい, 判読不能の; 読んではならない.

i·le·gi·ti·mi·dad [ilexitimiðáð イれヒティミダ(ドゥ)] 名 女 不法, 違法; 私生, 庶出.

i·le·gí·ti·mo, ma [ilexítimo, ma イれヒティモ, マ] 形 **1** 不法な, 違法の. competen-

cia *ilegítima* 不当な競争.
2 私生の, 庶出の. hijo *ilegítimo* 私生児.

i·le·so, sa [iléso, sa イれソ, サ] 形 無傷な, 無事な. Los viajeros resultaron [salieron] *ilesos*. 乗客は無事だった.

i·le·tra·do, da [iletráðo, ða イれトゥラド, ダ] 形 読み書きのできない, 文盲の; 無学の.
—— 名㊚㊛ 読み書きのできない人, 文盲; 無学な人.

I·lí·a·da [ilíaða イりアダ] 固名 “La *Ilíada*” 『イリアス』: ホメロス Homero 作と伝えられる, トロヤ戦争をうたった叙事詩.

i·lí·ci·ta·men·te [ilíθitaménte イりしタメンテ] 副 不法に, 違法に.

i·lí·ci·to, ta [ilíθito, ta イりしト, タ] 形 **1** 不法の, 違法の. el tráfico *ilícito* de divisas 違法な外貨の取引. **2** 不義の, 不倫の.

i·li·ci·tud [iliθitúð イりしトゥ(ドゥ)] 名㊛ 不法, 違法; 不倫.

i·li·mi·ta·do, da [ilimitáðo, ða イりミタド, ダ] 形 無限の; 限定されない. fuente *ilimitada* de energía 無限のエネルギー源.

i·ló·gi·co, ca [ilóxiko, ka イろヒコ, カ] 形 非論理的な, 不合理な. Su comportamiento es totalmente *ilógico*. 彼の行動はまるで筋が通っていない.

i·lu·mi·na·ción [iluminaθjón イるミナしオン] 名㊛ **1** 照明, 明るさ; [iluminaciones] イルミネーション. *iluminación* artificial 人工照明.
2 天啓; 啓蒙(けいもう).

i·lu·mi·nar [iluminár イるミナル] 動他
1 照らす, 照明する; イルミネーションを施す. *iluminar* un monumento 記念碑に照明を当てる.
2 啓蒙(けいもう)する; 天啓を与える.
3 (版画・写本などを)彩色する, 彩飾する.
—— **i·lu·mi·nar·*se*** (顔・目などが) 輝く. Nada más abrir la carta *se* le *iluminó* la cara. 手紙を開くやいなや彼の顔がぱっと明るくなった.

i·lu·sión [ilusjón イるシオン] 名㊛ [複 ilusiones] 〔英 illusion〕 **1 幻影**, 幻覚 (= visión). *ilusión* óptica 錯視.
2 期待, 夢, 幻想; 喜び. esperar con *ilusión* 期待して待つ. Miraba con *ilusión* a su hija. 彼女は娘をうっとりと見つめた. Me quitó la *ilusión* que tenía sobre él. 私は彼に抱いていた幻想を打ち砕かれた. Me hace mucha *ilusión* vivir en una casa tan grande como ésta. こんな大きな家に住めるなんて本当に楽しみだ. concebir [forjarse, hacerse] *ilusiones* 幻想[夢]を抱く.

i·lu·sio·nar [ilusjonár イるシオナル] 動他 …に夢を抱かせる, わくわくさせる. Me *ilusiona* mucho poder pasar unos días contigo. 君と数日過ごせることをとても楽しみにしている.
—— **i·lu·sio·nar·*se*** 《+**con**》…に夢を抱く. *Se ilusionaron con* la propuesta que les hice. 私の提案に彼らは大いに喜んだ.

i·lu·sio·nis·ta [ilusjonísta イるシオニスタ] 名㊚㊛ 手品師, 奇術師.

i·lu·so, sa [ilúso, sa イるソ, サ] 形 夢見がちな; だまされやすい, ばかな.
—— 名㊚㊛ 夢見がちな人; だまされやすい人, 間抜けな人.

i·lu·so·rio, ria [ilusórjo, rja イるソリオ, リア] 形 **1** むなしい; 見せかけの. promesa *ilusoria* いい加減な約束. esperanza *ilusoria* むなしい期待. **2** 架空の.

i·lus·tra·ción [ilustraθjón イるストゥラしオン] 名㊛ **1** 挿し絵, イラスト; グラフ.
2 例証, 例示. servir como *ilustración* 例証として役立つ.
3 知識, 教養. una persona de poca *ilustración* 教養に欠ける人.
4 啓発, 教化; [I-] 〘歴史〙 啓蒙(けいもう)主義.

i·lus·tra·do, da [ilustráðo, ða イるストゥラド, ダ] 形 **1** 挿し絵入りの. diccionario *ilustrado* 図版入り辞典.
2 知識の豊かな, 教養のある.
3 啓蒙(けいもう)の. despotismo *ilustrado* 〘歴史〙 啓蒙専制主義.

i·lus·tra·dor, do·ra [ilustraðór, ðóra イるストゥラドル, ドラ] 名㊚㊛ イラストレーター.
—— 形 図解する, 図示する.

i·lus·trar [ilustrár イるストゥラル] 動他
1 説明する, 明らかにする; 例証[例示]する. Su conferencia me *ha ilustrado* mucho. 彼の講演はとても参考になった. *ilustrar* con dibujos 図で説明する.
2 (印刷物に) 挿し絵[写真, 図版]を入れる; 図解する. **3** 啓発する, 教化する.
—— **i·lus·trar·*se*** 《+**sobre**》…について知る, 学ぶ.

i·lus·tra·ti·vo, va [ilustratíβo, βa イるストゥラティボ, バ] 形 実例となる, 例証する.

i·lus·tre [ilústre イるストゥレ] 形 **1** 著名な; 傑出した; 名門の. un *ilustre* científico 著名な科学者. una familia *ilustre* 名門, 名家.
2 《尊称》…様[殿]. *Ilustre* señor director 社長殿.

i·lus·trí·si·mo, ma [ilustrísimo, ma イるストゥリシモ, マ] 形 [ilustre の最上級] 《尊称》 閣下; 猊下(げいか). 《略 Ilmo.》 Su *Ilustrísima* 司教猊下. *Ilustrísimo* señor gobernador 知事閣下.

i·ma·gen [imáxen イマヘン] 名㊛ [複 imágenes] 〔英 image〕 **1 像**, 映像, 画像; 姿. *imagen* invertida 〘物理〙 倒立像. *imagen* real [virtual] 〘物理〙 実[虚]像. Vio su *imagen* reflejada en el espejo. 彼は鏡に映った自分の姿を見た.
2 イメージ, 心像. cuidar mucho su *imagen* 自分のイメージを大切にする.
3 彫像; 偶像. una *imagen* de bronce ブロンズ像. **4** 〘修辞〙 比喩(ひゆ)的表現.

a imagen (***y semejanza***) ***de*** ... …のように. Dios creó al hombre *a* su *imagen y semejanza*. 〔聖書〕神は自分の形に似せて人を創造された.
ser la viva imagen de 《+uno》〈人〉に生き写しである.

i·ma·gi·na·ción [imaxinaθjón イマヒナしオン] 名女 [複 imaginaciones] 〔英 imagination〕 **1** 想像力; 創作力, 創意. un novelista lleno de *imaginación* 創作力に満ちた作家. tener mucha *imaginación* 想像力が豊かである.
2 想像 (の産物); 妄想, 夢想. Todo eso no es verdad, son *imaginaciones* suyas. それはすべて真実ではない, 彼の妄想だ.
ni por imaginación 絶対に…ない.

i·ma·gi·nar [imaxinár イマヒナル] 動他 〔英 imagine〕 想像する, 思う, 考える. *Imagino* que la niña estará hecha toda una mujercita. あの子はもう立派な一人前の女性になっていると思います. Yo *estaba imaginando* lo que les iba a suceder. 私は彼らの身に何が降りかかるか考えていた. ► 口語では imaginarse の方が多く用いられる.
── **i·ma·gi·nar·se** 想像する, 思う, 考える. ¡No *te* puedes *imaginar* cuánto te agradezco que hayas venido! 君が来てくれてとても感謝しています. *Me imagino* que será verdad lo que ha dicho. 彼が言ったことは本当だと思う.
¡Imagínese [***Imagínate***] ***!*** ねえ, 考えてもごらんなさい.

i·ma·gi·na·rio, ria [imaxinárjo, rja イマヒナリオ, リア] 形 想像上の, 架空の. mundo *imaginario* 想像の世界.

i·ma·gi·na·ti·vo, va [imaxinatíβo, βa イマヒナティボ, バ] 形 **1** 想像力の豊かな. facultad *imaginativa* 想像力. **2** 想像上の.

i·ma·gi·ne·rí·a [imaxinería イマヒネリア] 名女 〔宗教〕聖像彫刻.

i·mán [imán イマン] 名男 **1** 磁石. *imán* de herradura 馬蹄(ていい)形磁石.
2 魅力, 引きつけるもの. Tiene *imán* para las mujeres. 彼には女性を引きつけるものがある.

i·ma·na·ción [imanaθjón イマナしオン] 名女 → imantación.

i·ma·nar [imanár イマナル] 動他 磁化する (= magnetizar).

i·man·ta·ción [imantaθjón イマンタしオン] 名女 磁化.

i·man·tar [imantár イマンタル] 動他 → imanar.

im·bé·cil [imbéθil インベしル] 名男女 ばか. ¡No seas *imbécil*! ばかなことをするな[言うな].
── 形 ばかな, とんまな.

im·be·ci·li·dad [imbeθiliðáð インベしリダ(ドゥ)] 名女 愚かさ, 愚かな言動.

im·ber·be [imbérβe インベルベ] 形 ひげの生えていない.

im·bo·rra·ble [imbořáβle インボラブレ] 形 消えない, ぬぐい去れない. recuerdo *imborrable* 忘れられない思い出.

im·buir [imbwír インブイル] 29 動他 [現分 imbuyendo] 感化する, (思想などを) …に吹き込む. Les *imbuyen* (de) ideas falsas. 彼らに間違った考えを吹き込む.
── **im·buir·se** 《+de》 …に染まる, かぶれる. En su juventud *se imbuyó del* socialismo. 若いころ彼は社会主義にかぶれた.

i·mi·ta·ble [imitáβle イミタブレ] 形 まねのできる; 模範となる.

i·mi·ta·ción [imitaθjón イミタしオン] 名女 **1** 模倣, 模造, まね. a *imitación* de ... …をまねて.
2 模造品, イミテーション; (文学の) 模作. Desconfíe de las *imitaciones*. (商品の表示などで) 模造品にご注意ください.

i·mi·ta·dor, do·ra [imitaðór, ðóra イミタドル, ドラ] 名男女 模倣者; 物まねの芸人.
── 形 模倣する, まねる.

i·mi·tar [imitár イミタル] 動他 **1** まねる, 見習う, 手本とする. Los niños *imitan* los gestos de su padre. 子供は父親の仕草をまねる.
2 模造する, …に似せて作る. *imitar* la firma サインを偽造する. *imitar* la voz 声をまねる.

im·pa·cien·cia [impaθjénθja インパしエンしア] 名女 性急; じれったさ, いらだち, 焦り. con *impaciencia* もどかしげに.

im·pa·cien·tar [impaθjentár インパしエンタル] 動他 じらす; いらだたせる.
── **im·pa·cien·tar·se** 《+**por, con**》 …にじれる; いらだつ.

im·pa·cien·te [impaθjénte インパしエンテ] 形 **1** 性急な, せっかちな. No seas tan *impaciente*, que me pones nervioso. そうせかせかするな, こっちまでいらいらする.
2 《+**de, con, por**》 …をしたくてたまらない; もどかしがる; 落ち着かない. estar *impaciente por* salir 出かけたくてうずうずしている. Estábamos *impacientes con* su tardanza. 彼が遅いので私たちはじりじりしていた.

im·pa·cien·te·men·te [impaθjénteménte インパしエンテメンテ] 副 もどかしげに, じりじりして.

im·pac·to [impákto インパクト] 名男 **1** 衝撃, インパクト; 影響; 効果. causar un *impacto* 衝撃を与える. suponer un *impacto* para 《+uno》〈人〉にとって衝撃である. **2** 着弾, 命中; 弾痕(だんこん). hacer *impacto* 命中する.

im·pa·ga·do, da [impaɣáðo, ða インパガド, ダ] 形 未払いの, 未受領の.

im·pal·pa·ble [impalpáβle インパるパブれ] 形 触知できない; 微細な; ごく薄い.

im·par [impár インパル] 形 **1** 〔数〕奇数の

(↔ par). día *impar* 奇数日.
2 比類のない. una mujer de *impar* belleza たぐい稀(ﾏﾚ)な美女.
── 名男 [～es] 奇数.
im·par·cial [imparθjál インパルしアる] 形 偏らない, 公平な. juicio *imparcial* 公平な判定. juez *imparcial* 公明正大な裁判官.
── 名男女 公平な人, 公明正大な人.
im·par·cia·li·dad [imparθjaliðáð インパルしアリダ(ドゥ)] 名女 不偏, 公平. Es dudosa la *imparcialidad* de su testimonio. 彼の証言が公正なものかどうかは疑わしい.
im·par·tir [impartír インパルティル] 動他 賦与する, 授ける. *impartir* la bendición 祝福する. *impartir* clases 授業をする.
im·pa·si·bi·li·dad [impasiβiliðáð インパシビリダ(ドゥ)] 名女 無感動; 平静. Esperábamos el resultado con *impasibilidad*. 我々は冷静に結果を待っていた.
im·pa·si·ble [impasíβle インパシブれ] 形 無感動の, 平静な.
im·pa·vi·dez [impaβiðéθ インパビデす] 名女 **1** 大胆不敵, 豪胆. **2** 冷静, 沈着.
im·pá·vi·do, da [impáβiðo, ða インパビド, ダ] 形 **1** 大胆不敵な, 豪胆な. **2** 冷静な, 沈着な. Recibió *impávido* la noticia. 彼は冷静にその知らせを受け取った.
im·pe·ca·ble [impekáβle インペカブれ] 形 欠点のない, 完璧(ｶﾝﾍﾟｷ)な. Se presentó vestido de una forma *impecable*. 彼は非の打ち所のない服装をして現れた. estar *impecable* 新品同様だ.
im·pe·ca·ble·men·te [impekáβleménte インペカブれメンテ] 副 完璧に.
im·pe·di·do, da [impeðíðo, ða インペディド, ダ] 過分 形 不随の, 不自由な (= inválido). *impedido* de una pierna 片足が利かない.
── 名男女 体の不自由な人, 身体障害者.
im·pe·di·men·to [impeðiménto インペディメント] 名男 妨害, 邪魔; 障害物.
im·pe·dir [impeðír インペディル] [41 e → i] 動他 [現分 impidiendo] 〔英 prevent〕 **妨げる**; 邪魔をする, …の障害となる. El ruido me *impidió* dormir. うるさくて眠れなかった. La policía *impidió* la manifestación. 警察はデモを阻止した. Esto no *impide* que sea verdad lo que has dicho. とはいえ君が言ったことが正しいことには変わりがない (► que に続く動詞は接続法を用いる).
im·pe·ler [impelér インペれル] 動他 押し進める; 駆り立てる.
im·pe·ne·tra·bi·li·dad [impenetraβiliðáð インペネトゥラビリダ(ドゥ)] 名女 貫通できないこと, 入り込めないこと; 不可解.
im·pe·ne·tra·ble [impenetráβle インペネトゥラブれ] 形 貫通できない, 入り込めない; 不可解な. bosque *impenetrable* 踏み込めないほどの深い森.
im·pe·ni·ten·te [impeniténte インペニテンテ] 形 **1** 悔い改めない, 改心しない.
2 常習的な, 根っからの.
im·pen·sa·do, da [impensáðo, ða インペンサド, ダ] 形 予期しない, 思いがけない.
im·pe·pi·na·ble [impepináβle インペピナブれ] 形 《口語》 確かな, 間違いない. hecho *impepinable* 紛れもない事実.
im·pe·ran·te [imperánte インペランテ] 形 **1** 優勢な, 圧倒的な. La falda pantalón volverá a ser moda *imperante*. キュロットスカートがまた大流行するだろう.
2 君臨する, 支配する. régimen *imperante* 支配体制.
im·pe·rar [imperár インペラル] 動自 **1** 優勢である, 圧倒する. **2** 君臨する; 支配する.
im·pe·ra·ti·va·men·te [imperatíβaménte インペラティバメンテ] 副 有無を言わせずに.
im·pe·ra·ti·vo, va [imperatíβo, βa インペラティボ, バ] 形 **1** 命令的な, 高圧的な. con tono *imperativo* 有無を言わせない口調で. **2** 〚文法〛 命令の.
── 名男 **1** 〚文法〛 命令法 (= modo *imperativo*). **2** [普通 ～s] 緊要. *imperativos* económicos 経済上の急務.
im·per·cep·ti·ble [imperθeptíβle インペルセプティブれ] 形 知覚できない, 微細な. sonido *imperceptible* 聞き取れないほどの音.
im·per·di·ble [imperðíβle インペルディブれ] 名男 安全ピン.
── 形 失敗のない, 必勝の.
im·per·do·na·ble [imperðonáβle インペルドナブれ] 形 許しがたい, 容赦できない. crimen *imperdonable* 許しがたい犯罪.
im·pe·re·ce·de·ro, ra [imvereθeðéro, ra インペレせデロ, ラ] 形 不滅の, 永遠の. obra *imperecedera* 不朽の名作. amor *imperecedero* 永久(ﾄﾜ)の愛.
im·per·fec·ción [imperfekθjón インペルフェクしオン] 名女 不完全; 欠陥, 欠点. Todos tienen sus *imperfecciones*. 誰しも欠点はあるものだ.
im·per·fec·to, ta [imperfékto, ta インペルフェクト, タ] 形 **1** 不完全な, 未完成の; 欠陥[欠点]のある. **2** 〚文法〛 不完了の.
im·pe·rial [imperjál インペリアる] 形 帝国の; 皇帝の. familia *imperial* 帝室, 皇室. Su Majestad *Imperial* 皇帝[天皇]陛下.
im·pe·ria·lis·mo [imperjalísmo インペリアリスモ] 名男 帝国主義.
im·pe·ria·lis·ta [imperjalísta インペリアリスタ] 形 帝国主義の. doctrina *imperialista* 帝国主義(政策).
── 名男女 帝国主義者.
im·pe·ri·cia [imperíθja インペリしア] 名女 不器用, 拙劣; 未熟.
im·pe·rio [impérjo インペリオ] 名男 [複 ～s] 〔英 empire〕 **1 帝国**; 帝政 (時代); 帝位. *Imperio* Romano ローマ帝国. *imperio* inca インカ帝国.
2 支配, 統治, 勢力.

I

3 尊大，傲慢(ごうまん).
valer un imperio 非常に価値のある.
im·pe·rio·sa·men·te [imperjósaménte インペリオサメンテ] 副 横柄に.
im·pe·rio·so, sa [imperjóso, sa インペリオソ, サ] 形 **1** 横柄な，尊大な. actitud *imperiosa* 傲慢(ごうまん)な態度.
2 緊急の；やむを得ない. Tengo *imperiosa* necesidad de salir. 私は火急の用事で出かけなければならない.
im·per·me·a·bi·li·dad [impermeaβiliðáð インペルメアビリダ(ドゥ)] 名 女 不浸透性，防水性.
im·per·me·a·ble [impermeáβle インペルメアブれ] 名 男 レインコート.
— 形 液体を通さない，防水の. tela *impermeable* 防水布.
im·per·so·nal [impersonál インペルソナる] 形 **1** 非個人的な；没個性的な. una oficina fría e *impersonal* 寒々として殺風景なオフィス. **2**〘文法〙非人称の. oración *impersonal* 非人称文. ⇨ 文法用語の解説.
im·per·ti·nen·cia [impertinénθja インペルティネンしア] 名 女 無礼，横柄；しつこさ. decir a《+uno》una *impertinencia*〈人〉に失礼なことを言う.
con impertinencia 無礼にも；不適切にも.
im·per·ti·nen·te [impertinénte インペルティネンテ] 形 **1** 無礼な，横柄な；しつこい. pregunta *impertinente* ぶしつけな質問.
2 不適切な，見当違いの.
— 名 男 女 無礼な人，横柄な人.
im·per·tur·ba·ble [imperturβáβle インペルトゥルバブれ] 形 物に動じない，平然とした.
ím·pe·tu [ímpetu インペトゥ] 名 男 激しさ，勢い；意気込み. con mucho *ímpetu* 大変な意気込みで.
im·pe·tuo·sa·men·te [impetwósaménte インペトゥオサメンテ] 副 激しく；せっかちに.
im·pe·tuo·si·dad [impetwosiðáð インペトゥオシダ(ドゥ)] 名 女 → ímpetu.
im·pe·tuo·so, sa [impetwóso, sa インペトゥオソ, サ] 形 **1** 激しい，猛烈な. ritmo *impetuoso* 強烈なリズム. torrente *impetuoso* 奔流. **2** 性急な，衝動的な.
im·pí·o, a [impío, a インピオ, ア] 形 **1** 不敬虔(けいけん)な，不信心な. **2** 冷酷な，無慈悲な.
im·pla·ca·ble [implakáβle インプらカブれ] 形 容赦のない，妥協のない；執拗(しつよう)な. odio *implacable* 根の深い憎しみ. juez *implacable* 非情な判事.
im·pla·ca·ble·men·te [implakáβleménte インプらカブれメンテ] 副 情け容赦なく；執拗に.
im·plan·ta·ción [implantaθjón インプらンタしオン] 名 女 **1** 導入，設置.
2〘医〙内移植，組織移植.
im·plan·tar [implantár インプらンタル] 動 他 **1** 導入する. *implantar* un nuevo estilo 新しい様式を取り入れる.
2〘医〙移植する.
im·pli·car [implikár インプりカル] [8 c → qu] 動 他 **1** 巻き込む，巻き添えにする；連座させる. Está *implicado* en un delito. 彼は犯罪に巻き込まれている.
2 含む，意味する. Eso no *implica* que lo haya hecho con mala intención. それは彼が悪意でやったという意味ではない.
— **im·pli·car·se**《+en》…に巻き込まれる，巻き添えをくう；連座する.
im·plí·ci·ta·men·te [implíθitaménte インプりしタメンテ] 副 暗に.
im·plí·ci·to, ta [implíθito, ta インプりしト, タ] 形 暗黙の，言外の (↔ explícito).
im·plo·ra·ción [imploraθjón インプろラしオン] 名 女 嘆願，懇願.
im·plo·rar [implorár インプろラル] 動 他 嘆願する，懇願する. *implorar* perdón 許しを請う.
im·po·lu·to, ta [impolúto, ta インポるト, タ] 形 汚染されてない，清浄な.
im·pon·de·ra·ble [imponderáβle インポンデラブれ] 形 計り知れない，想像を絶する.
— 名 男 [普通 ~s] 不測の事態.
im·po·nen·te [imponénte インポネンテ] 形 堂々とした，壮大な，威厳のある；《口語》ものすごい，すばらしい. un edificio *imponente* 壮麗な建物. un frío *imponente* 凍えるような寒さ.
im·po·ner [imponér インポネル] 45 動 他 [過分 impuesto, ta]
1（義務・税・罰などを）課す，負わせる；強要する. *imponer* el gravamen de un diez por ciento sobre el valor de los productos importados. 輸入品に10%の関税をかける. *imponer* cinco años de prisión a《+uno》〈人〉に5年の禁固刑を科す. *imponer* una condición ある条件を課す. *imponer* sus ideas a《+uno》〈人〉に自分の考えを押しつける.
2（敬意・畏怖(いふ)などを）起こさせる. Su solemne modo de hablar me *impuso* mucho respeto. 彼の荘重な話しぶりに私は深い敬意を抱いた. ► しばしば直接目的語なしで用いられる.
3 振り込む，預金する. *imponer* una cantidad en el banco. 銀行にある額を振り込む.
4（名前を）付ける. Al niño le *impusieron* el nombre de su abuelo. おじいさんの名がその子に付けられた.
5《+en》…を教える.
— **im·po·ner·se** **1** はやる，主流を占める；優位に立つ. *Se están imponiendo* los colores no llamativos. 今はけばけばしくない色が主流だ.
2 尊敬を集める，幅をきかす；《+a》…を心服させる. ► しばしば saber *imponerse* の形で用いられる.
3《+de, en》…を知る，…に精通する.

imponer las manos sobre ... 〘カトリ ック〙…に按手(あんしゅ)して祝福する.

im·po·pu·lar [impopulár インポプらル] 形 人気がない, 不評の.

im·po·pu·la·ri·dad [impopularidád インポプらリダ(ドゥ)] 名女 不人気, 不評.

im·por·ta·ción [importaθjón インポルタしオン] 名女 [複 importaciones]〔英 importation〕 **輸 入**, 移 入; [importaciones] 輸入品 (↔ exportación). licencia de *importación* 輸入許可 (書). exceso de *importaciones* 輸入超過.

im·por·ta·dor, do·ra [importaðór, ðóra インポルタドル, ドラ] 形 輸入する (↔ exportador). país *importador* 輸入国.
―― 名男女 輸入[移入]業者.

im·por·tan·cia [importánθja インポルタンしア] 名女〔英 importance〕
重要性, 重大性; 価値; 権威. conceder [dar] *importancia* a ... …を重要視する. No tiene la menor *importancia*. それはなんら重要ではない. de suma *importancia* 非常に重要[重大]な. sin *importancia* 重要でない, つまらない. persona de *importancia*要人.
darse importancia 偉そうな顔をする, もったいぶる.

im·por·tan·te [importánte インポルタンテ] 形
[複 ~s]〔英 important〕 **1 重要な**, 重大な, 大切な. Esto es muy *importante*. No lo olvides. これは非常に大事なことだから忘れるな. datos *importantes* 重要なデータ. persona *importante* 重要人物. lo más *importante* いちばん重要なこと. Es *importante* acostumbrarse cuanto antes a la vida en el extranjero. 外国生活に早く慣れることが大切だ (► 後に続く動詞 (不定詞) の主語が明示されると que + 接続法になる. ⇀ Es *importante que* vengas. 君が来ることが肝心なのだ).
2 かなりな (= considerable). una suma *importante* de dinero 多額の金.

im·por·tar [importár インポルタル] 動他〔英 import〕 **輸入する**; (外国の風習・習慣などを) 持ち込む, 導入する. *importar* petróleo de los países de Oriente Medio 中東諸国から石油を輸入する. productos *importados* de España スペインからの輸入品.
―― 動自〔英 matter〕 **1**《3人称単数形で》 **重 要 で あ る**, 問 題 に な る; 迷 惑 である, 気になる. No *importa* cómo has solucionado el problema. 君がどうやって問題を解決したかは問題でない. Si no te *importa*, podemos ir andando. 君さえよければ歩いて行ってもいい. ¿Le *importaría* cerrar la ventana? 窓を閉めていただけませんか? Lo que más me *importa* es saber si está contento o no con el resultado. 私がいちばん気にしていることは, 彼が結果に満足しているかどうかだ. ¿A ti qué te *importa*? 君には関係のないことだ.

> **【文 法】 importar** の (間接目的語によって表される) 意味上の主語と次に続く動詞の主語が同じ場合は不定詞, 異なれば + que 接続法が用いられる.
> No me *importa* hacerlo.
> 私はそうしても構わない.
> No me *importa que* me llamen tonto. 人がばかだと言おうが私は構わない.

2 金額[総額]が…になる (= valer, ascender).

im·por·te [impórte インポルテ] 名男 代金, 金 額; 総 額. hasta el *importe* de un millón de pesetas 総額100万ペセタまで.
―― 動 → importar.

im·por·tu·nar [importunár インポルトゥナル] 動他 煩わす, 迷惑をかける. Desearía hablar con usted unos momentos si no le *importuno*. ご迷惑でなければちょっとお話がしたいのですが.

im·por·tu·no, na [importúno, na インポルトゥノ, ナ] 形 **1** 時機を失した, 場違いの (= inoportuno). **2** 厄介な, 煩わしい.

im·po·si·bi·li·dad [imposiβiliðáð インポシビリダ(ドゥ)] 名女 不可能性. Estoy en la *imposibilidad* de ayudarte. 私は今君を助けられる状態ではありません. *imposibilidad* física 身体障害.

im·po·si·bi·li·ta·do, da [imposiβilitáðo, ða インポシビリタド, ダ] 過分 形 (手足が) 不自由な (= impedido). *imposibilitado* de una pierna 片足が不自由な.

im·po·si·bi·li·tar [imposiβilitár インポシビリタル] 動他 不可能にする, 妨げる. La nevada me *imposibilitó* salir. 私は雪で外出できなかった.
―― **im·po·si·bi·li·tar·*se*** (手足が) 不自由になる.

im·po·si·ble [imposíβle インポシブれ] [複 ~s] 形
〔英 impossible〕 **1 不可能な**, ありえない (↔ posible). Eso es *imposible*. そんなことはありえない. Es *imposible* convencerlo. 彼を説得することは不可能だ (► 後に続く動詞 (不定詞) の主語が明示されると que + 接続法となる. ⇀ Es *imposible que* estéis en casa a las siete. 君たちが7時に家に着くのはとても無理だ. Parece *imposible que* hayan tardado tanto. そんなに時間がかかったなんてうそみたいだ).
2《口語》手に負えない, 我慢ならない (= *imposible* de tratar); ひどい. Mi padre está hoy *imposible*. 今日の父は取りつく島もない.
―― 名男 不可能なこと, あり得ないこと. pedir un *imposible* できないことを要求する.

I

hacer lo imposible por … …のために最善を尽くす.

im·po·si·ción [imposiθjón インポシシオン] 名女 **1** 押しつけ, 無理強い. **2** 預金. *imposición* a plazo fijo 定期預金.
imposición de manos 〘カトリック〙按手(あんしゅ).

im·po·si·tor, to·ra [impositór, tóra インポシトル, トラ] 名男女 預金者.

im·pos·tor, to·ra [impostór, tóra インポストル, トラ] 形 **1** 中傷の, 誹謗(ひぼう)の. **2** 他人になりすました, 詐称の.
── 名男女 **1** 中傷者. **2** 偽者, 詐欺師.

im·pos·tu·ra [impostúra インポストゥラ] 名女 **1** 中傷, 誹謗(ひぼう). **2** 詐称, 詐欺.

im·po·ten·cia [impoténθja インポテンシア] 名女 無力, 無能; 〘医〙性的不能症, インポテンツ. tener una sensación de *impotencia* 無力感を味わう.

im·po·ten·te [impoténte インポテンテ] 形 無力な, 無能な; 〘医〙性的不能な, インポテンツの. ── 名男女 無能者; 性的不能者.

im·pre·ci·sión [impreθisjón インプレシシオン] 名女 不正確, 曖昧(あいまい).

im·pre·ci·so, sa [impreθíso, sa インプレシソ, サ] 形 不正確な, 不明確な, 曖昧(あいまい)な.

I

im·preg·nar [impreɣnár インプレグナル] 動他 《+con, de, en》 **1** …で満たす; (思想などを) 吹き込む. con una cara *impregnada de* tristeza 悲しみに満ちた顔で.
2 …を染み込ませる. *impregnar* el algodón *de* alcohol 綿にアルコールを含ませる.
── **im·preg·nar·*se*** 《+de》 …で充満する, いっぱいになる.

im·pren·ta [imprénta インプレンタ] 名女 **1** 印刷, 印刷術; 印刷所. dar a la *imprenta* 印刷に出す. escribir en letras de *imprenta* 活字体で書く. prueba de *imprenta* 校正刷り.
2 出版; 出版物, 印刷物. libertad de *imprenta* 出版の自由.

im·pres·cin·di·ble [impresθindíβle インプレシンディブレ] 形 不可欠の, 絶対必要な. Ella es *imprescindible* para el equipo de baloncesto. 彼女はそのバスケットチームに欠かすことができない.

im·pre·sión [impresjón インプレシオン] 名女 [複 impresiones] 〔英 impression〕
1 印象; 感想, 意見. ¿Cuál es tu primera *impresión* de España? 君のスペインの第一印象は? Todavía conservo buena *impresión* de la gente de allí. 私は今でもその土地の人々を好ましく思っている. causar [producir] fuerte *impresión* en 《+uno》〈人〉に深い感銘を与える. Me da [Tengo] la *impresión* de que su propuesta no es irrealizable. 私には彼の提案が実現不可能だとは思えない. cambiar *impresiones* con 《+uno》〈人〉と意見を交わす.
2 印刷, プリント; 痕跡(こんせき)(= huella), 刻印. *impresiones* digitales 指紋.

im·pre·sio·na·ble [impresjonáβle インプレシオナブレ] 形 感受性の強い, 影響を受けやすい.

im·pre·sio·nan·te [impresjonánte インプレシオナンテ] 形 印象的な, 感銘を与える[覚える]; 驚くべき, 驚異的な.

im·pre·sio·nar [impresjonár インプレシオナル] 動他 **1** 印象づける, 感銘を与える. Me *impresionó* la conferencia. その講演に私は感銘を受けた. quedar bien [mal] *impresionado* 良い[悪い]印象を抱く.
2 録音する; 録画する.
── **im·pre·sio·nar·*se*** 感銘[強烈な印象]を受ける.

im·pre·sio·nis·mo [impresjonísmo インプレシオニスモ] 名男 〘美術〙印象派[主義].

im·pre·sio·nis·ta [impresjonísta インプレシオニスタ] 形 〘美術〙印象派[主義]の.
── 名男女 印象主義者.

im·pre·so, sa [impréso, sa インプレソ, サ] 名男 **1** [~s] 印刷物. **2** 書類; 記入用紙.
── 過分 → imprimir.
── 形 印刷された. circuito *impreso* 〘電気〙プリント配線.

im·pre·sor, so·ra [impresór, sóra インプレソル, ソラ] 名男女 印刷工; 印刷業者.
── 名女 〘コンピュータ〙プリンター. *impresora* láser レーザープリンター.

im·pre·vi·si·ble [impreβisíβle インプレビシブレ] 形 予見できない, 不測の.

im·pre·vi·sión [impreβisjón インプレビシオン] 名女 先見の明のないこと, 不明.

im·pre·vis·to, ta [impreβísto, ta インプレビスト, タ] 形 予期しない, 意外な. suceso *imprevisto* 予期せぬ出来事. lance *imprevisto* どんでん返し. si ocurre algo *imprevisto* 不測の事態が生じた場合は. Estaba *imprevisto*. それは予定外だった.
── 名男 [普通 ~s] 予備費, 臨時支出.

im·pri·mir [imprimír インプリミル] 動他 [過分 impreso, sa または imprimido, da] **1** 印刷する, プリントする; 出版する. *imprimir* un texto テキストを印刷する.
2 跡を残す, 刻印する; (心に) 刻みつける. *imprimir* las huellas digitales 指紋を押す.

im·pro·ba·ble [improβáβle インプロバブレ] 形 ありそうにない; 確かではない.

im·pro·ce·den·te [improθeðénte インプロセデンテ] 形 不適切な; 不当な. respuesta *improcedente* 的はずれな答え.

im·pro·duc·ti·vo, va [improðuktíβo, βa インプロドゥクティボ, バ] 形 非生産的な, 不毛な.

im·pron·ta [imprónta インプロンタ] 名女 型押し; 刻印. dejar una *impronta* (業績などの) 足跡を残す.

im·pro·pe·rio [improperjo インプロペリオ] 名男 悪口, 雑言 (= insulto).

im·pro·pie·dad [impropjeðáð インプロ

ピエダ(ドゥ)] 名女 不適当, 不適切.

im·pro·pio, pia [imprópjo, pja インプロピオ, ピア] 形 《+**de, en, para**》…として不適当な; …に不適切な (= inadecuado). Es *impropio de* ti decir eso. そんなことを言うなんて君らしくない. uso *impropio de* una palabra 言葉の誤用.

im·pro·rro·ga·ble [impror̄oɣáβle インプロロガブれ] 形 延期できない; ぎりぎりの.

im·pro·vi·sa·ción [improβisaθjón インプロビサしオン] 名女 即興; 即興詩[曲].

im·pro·vi·sar [improβisár インプロビサル] 動他 即興で作る; 即興で演奏する; 急ごしらえする. *improvisar* un discurso 即席の演説をする.

im·pro·vi·so [improβíso インプロビソ] *de* [*al*] *improviso* 思いがけなく, 出しぬけに. coger *de improviso* 不意打ちする.

im·pru·den·cia [impruðénθja インプルデンしア] 名女 無分別, 軽率, 無謀; 軽率[無謀]な行為. obrar con *imprudencia* 軽はずみに行動する. Es una *imprudencia* preguntarle su edad. 彼女に年を聞くなんて失礼だ.
imprudencia temeraria 〖法律〗過失.

im·pru·den·te [impruðénte インプルデンテ] 形 無分別な, 軽はずみな; 無謀な. conductor *imprudente* 無謀なドライバー.
―― 名男女 分別のない人, 軽はずみな人.

im·pru·den·te·men·te [impruðénteménte インプルデンテメンテ] 副 うかつに, 軽率に.

im·pú·ber [impúβer インプベル] 形 未成年の. ―― 名男女 未成年.

im·pú·di·co, ca [impúðiko, ka インプディコ, カ] 形 ずうずうしい, 恥知らずな; 慎みのない.

im·pues·to, ta [impwésto, ta インプエスト, タ] 名男 税, 税金. *impuesto* al [sobre el] valor añadido 付加価値税 《略 IVA》. *impuesto* al consumo [de lujo] 消費[奢侈(しゃ)]税. *impuesto* directo [indirecto] 直接[間接]税. *impuesto* sobre la renta 所得税. pagar *impuestos* 納税する. ➡ contribución, tributo.
―― 過分 ➡ imponer. 形 (税・罰・義務などを)課せられた.
estar impuesto de [*en*] … 《口語》…に詳しい, …をよく知っている.

im·pug·nar [impuɣnár インプグナル] 動他 反駁(はく)する; 非難する. *impugnar* la decisión 決定に異議を唱える.

im·pul·sar [impulsár インプるサル] 動他 推し進める, 促進する. *impulsar* el comercio 貿易を促進する.

im·pul·si·vi·dad [impulsiβiðáð インプるシビダ(ドゥ)] 名女 衝動性, 直情性.

im·pul·si·vo, va [impulsíβo, βa インプるシボ, バ] 形 衝動的な, 直情的な.

im·pul·so [impúlso インプるソ] 名男
1 刺激; 推進力. dar un fuerte *impulso* a … …を大いに刺激[促進]する.
2 衝動, 弾み, 勢い. en el *impulso* del momento その場の成り行きで. llevado por un *impulso* 衝動に駆られて. por propio *impulso* 自発的に.
a impulso de … …に駆られて, …に促されて.

im·pu·ne [impúne インプネ] 形 罰を免れた. El crimen quedó *impune*. その犯罪は処罰されずに終わった.

im·pu·ni·dad [impuniðáð インプニダ(ドゥ)] 名女 無処罰.

im·pu·re·za [impuréθa インプレさ] 名女 不純, 濁り; [普通 ～s] 不純物.

im·pu·ro, ra [impúro, ra インプロ, ラ] 形 不純な, 濁った; 不道徳な.

im·pu·tar [imputár インプタル] 動他 …の責任を負わせる. *imputar* el fracaso a …失敗を…のせいにする.

in- / im- 《接頭》「中」の意を表す. ⇒ *in*cluir, *im*plicar. など

in- / im- / i- 《接頭》「否定」の意を表す. ⇒ *in*exacto, *im*posible, *i*legal. など

i·na·ca·ba·ble [inakaβáβle イナカバブれ] 形 終わりのない, 延々と続く.

i·nac·ce·si·ble [inakθesíβle イナクせシブれ] 形 《+**a, para**》…には近づきにくい; 理解できない; (値段が) 手の届かない.

i·nac·ción [inakθjón イナクしオン] 名女 活動停止, 無為.

i·na·cep·ta·ble [inaθeptáβle イナせプタブれ] 形 受け入れられない, 容認できない.

i·nac·ti·vi·dad [inaktiβiðáð イナクティビダ(ドゥ)] 名女 無活動; 休眠状態.

i·nac·ti·vo, va [inaktíβo, βa イナクティボ, バ] 形 活動しない; 休眠状態の.

i·na·dap·ta·ble [inaðaptáβle イナダプタブれ] 形 《+**a**》…に適応できない, 順応しない.

i·na·dap·ta·do, da [inaðaptáðo, ða イナダプタド, ダ] 形 適応しない, 順応しない.
―― 名男女 不適応者, 環境になじめない人.

i·nad·mi·si·ble [inaðmisíβle イナドゥミシブれ] 形 容認できない, 受け入れられない; 〖法律〗受理できない.

i·nad·ver·ten·cia [inaðβerténθja イナドゥベルテンしア] 名女 不注意. por *inadvertencia* うっかりして. ►descuido, ignorancia よりも語感が柔らかい.

i·na·go·ta·ble [inaɣotáβle イナゴタブれ] 形 尽きない, 限りない; 疲れを知らない.

i·na·guan·ta·ble [inaɣwantáβle イナグアンタブれ] 形 耐えられない, 我慢できない.

i·na·lám·bri·co, ca [inalámbriko, ka イナらンブリコ, カ] 形 無線の, コードレスの. tele'fono *inalámbrico* コードレスフォン.

i·nal·can·za·ble [inalkanθáβle イナるカンさブれ] 形 到達できない, 手の届かない.

i·nal·te·ra·ble [inalteráβle イナるテラブれ] 形 変わらない; 変質しない; 平然とした.

i·na·ne [ináne イナネ] 形 空虚な, 無駄な.

i·na·ni·ción [inaniθjón イナニしオン] 名女 〖医〗飢餓による衰弱, 栄養失調. morir de *inanición* 栄養失調で死ぬ.

i·na·ni·ma·do, da [inanimáðo, ða イナニマド, ダ] 形生命のない.

i·na·pe·la·ble [inapeláβle イナペらブれ] 形上告できない, 確定判決の; どうしようもない.

i·na·pla·za·ble [inaplaθáβle イナプらさブれ] 形延期できない, 緊急の.

i·na·pre·cia·ble [inapreθjáβle イナプレしアブれ] 形 **1** 感知できない. diferencia *inapreciable* 微々たる相違. **2** 計り知れない, この上ない (= inestimable).

i·na·se·qui·ble [inasekíβle イナセキブれ] 形 **1** 到達できない; 達成できない. **2** 打ち解けない, 近づきがたい; 理解できない.

i·na·ta·ca·ble [inatakáβle イナタカブれ] 形 攻撃できない, 難攻不落の; 反駁(はんばく)できない.

i·nau·di·to, ta [inauðíto, ta イナウディト, タ] 形前代未聞の, 空前の.

i·nau·gu·ra·ción [inauɣuraθjón イナウグラしオン] 名女 開会[開業] (式), 落成 (式), 除幕 (式). la *inauguración* de una nueva línea 新幹線の開通 (式).

i·nau·gu·ral [inauɣurál イナウグラる] 形 開会[開業]の, 落成の, 除幕の.

i·nau·gu·rar [inauɣurár イナウグラル] 動他 **1** …の開会[落成, 除幕] 式を行う. *inaugurar* un monumento 記念碑の除幕式を行う.
2 開始する, 始める, 発足させる. *inaugurar* una tienda 開店する.
— **i·nau·gu·rar·se** 始まる. El próximo curso *se inaugurará* el lunes. 次期講座は月曜日に始まる.

in·ca [íŋka インカ] 名男女 インカ族 (の人). imperio de los *incas* インカ帝国 (◆15世紀後半, Andes を中心に帝国を形成. 1532年スペイン人 Pizarro によって征服された). ➡ indio 【参考】.
— 形インカ (族) の.

in·cai·co, ca [iŋkáiko, ka インカイコ, カ] 形インカ (族) の.

in·cal·cu·la·ble [iŋkalkuláβle インカるクらブれ] 形数えきれない, 測り知れない.

in·ca·li·fi·ca·ble [iŋkalifikáβle インカりフィカブれ] 形評価できない; 非難されるべき.

in·can·des·cen·te [iŋkandesθénte インカンデせンテ] 形白熱した (= candente).

in·can·sa·ble [iŋkansáβle インカンサブれ] 形疲れを知らない, 不屈の.

incapaces 形 [複] ➡ incapaz.

in·ca·pa·ci·dad [iŋkapaθiðáð インカパしダ(ドゥ)] 名女 **1** (…する) 能力がないこと; 不適格. *incapacidad* de andar 歩行不能. *incapacidad* para gobernar 統率力のなさ. **2** 〖法律〗無能力, 資格喪失. *incapacidad* legal 法的無能力.

in·ca·pa·ci·tar [iŋkapaθitár インカパしタル] 動他 **1** 《+ para》 …をできなくさせる. **2** 〖法律〗(準) 禁治産を宣告する.

in·ca·paz [iŋkapáθ インカパす] 形 [複 incapaces] **1** 《+ de 不定詞》 …することができない. ser *incapaz de* gobernar 統治[統率]能力がない.
2 《+ para》 …に不適格な, 役に立たない; 無能な. Ella es *incapaz* para estos trabajos. 彼女はこうした仕事には向いていない. **3** 〖法律〗無能力の, 資格のない.

in·cau·ta·ción [iŋkautaθjón インカウタしオン] 名女 〖法律〗差し押さえ, 押収.

in·cau·tar·se [iŋkautárse インカウタルセ] 動 《+ de》 〖法律〗 …を差し押さえる, 押収する.

in·cau·to, ta [iŋkáuto, ta インカウト, タ] 形不注意な, 軽率な; だまされやすい.

in·cen·diar [inθendjár インせンディアル] 動他 …に火をつける, …に放火する.
— **in·cen·diar·se** 火事になる, 焼け落ちる.

in·cen·dia·rio, ria [inθendjárjo, rja インセンディアリオ, リア] 形 **1** 火災を起こす.
2 扇動的な, 挑発的な.
— 名男女 **1** 放火犯. **2** 扇動者.

in·cen·dio [inθéndjo インせンディオ] 名男 火事, 火災. La capilla quedó destruida por el *incendio* de anoche. 礼拝堂は昨夜の火災で灰燼(かいじん)に帰した. ➡ fuego, quemar.

in·cen·sa·rio [inθensárjo インせンサリオ] 名男 〖カトリック〗提げ香炉.

in·cen·ti·vo, va [inθentíβo, βa インセンティボ, バ] 形刺激的な, 誘発的な.
— 名男動機, 刺激; 魅力.

in·cer·ti·dum·bre [inθertiðúmbre インセルティドゥンブレ] 名女 不確実, 不確定; 疑念, 迷い.

in·ce·san·te [inθesánte インせサンテ] 形絶え間のない, 不断の, 間断のない. una lluvia *incesante* 降り続く雨.

in·ce·san·te·men·te [inθesánteménte インせサンテメンテ] 副絶え間なく.

in·ces·to [inθésto インせスト] 名男 近親相姦(そうかん).

in·ces·tuo·so, sa [inθestwóso, sa インせストゥオソ, サ] 形近親相姦(そうかん)の.

in·ci·den·cia [inθiðénθja インしデンしア] 名女 **1** 付随的な出来事. por *incidencia* 偶然に. **2** 影響, 反響.

in·ci·den·tal [inθiðentál インしデンタる] 形 付随的な. observación *incidental* 付随的な意見.

in·ci·den·te [inθiðénte インしデンテ] 名男 事件, 衝突, 紛争, 偶発事件. un *incidente* diplomático 外交上の摩擦. una vida llena de *incidentes* 波瀾(はらん)万丈の人生.

in·cien·so [inθjénso インしエンソ] 名男 **1** 香, 香の煙. **2** へつらい.

in·cier·to, ta [inθjérto, ta インしエルト, タ] 形不確かな, はっきりしない, 曖昧(あいまい)な.

in·ci·ne·ra·ción [inθineraθjón インしネラしオン] 名女 焼却; 火葬.

in·ci·ne·rar [inθinerár インしネラル] 動他 焼却する; 火葬にする.

in·ci·pien·te [inθipjénte インしピエンテ] 形 始まりの. resfriado *incipiente* ひき始めの風邪.

in·ci·sión [inθisjón インしシオン] 名女 切り込み, 切り口; 〖医〗切開.

in·ci·si·vo, va [inθisíβo, βa インしシボ, バ] 名男 門歯, 切歯 (= diente *incisivo*).
—— 形 よく切れる, 鋭利な; 辛辣(しんらつ)な.

in·ci·so [inθíso インしソ] 名男 余談, 挿話. hacer un *inciso* 話を脱線させる.

in·ci·ta·ción [inθitaθjón インしタしオン] 名女 唆し, 扇動. *incitación* al crimen 犯罪の教唆.

in·ci·tan·te [inθitánte インしタンテ] 形 唆す, 扇動する; (性的に) 興奮させる.

in·ci·tar [inθitár インしタル] 動他 唆す, 扇動する. *incitar* al pueblo a la rebelión 民衆を反乱へ駆り立てる.

in·cle·men·cia [iŋkleménθja インクれメンしア] 名女 **1** 無慈悲, 冷酷. **2** (天候の) 厳しさ. a la *inclemencia* 吹きさらしで.

in·cle·men·te [iŋklemén̄te インクれメンテ] 形 **1** 無慈悲な, 冷酷な. **2** (天候が) 厳しい.

in·cli·na·ción [iŋklinaθjón インクリナしオン] 名女 **1** 傾き, 傾斜, 勾配(こうばい).
2 お辞儀, 会釈. **3** 傾向, 性向; 好み. tener *inclinación* hacia [por] la música 音楽好きである. de malas *inclinaciones* 性癖の悪い. ► 形容詞を伴うと複数形を用いることが多い. ⇒ Tiene *inclinaciones* liberales. 彼はリベラルな考え方をする傾向がある.

in·cli·nar [iŋklinár インクリナル] 動他 **1** 傾ける, かがめる, 曲げる. El viento *inclina* el árbol. 風で木が傾く. *inclinar* la cabeza 首をかしげる.
2 《+**a** 不定詞》…する気にさせる.
—— **in·cli·nar·*se*** **1** 傾く, かしぐ; 会釈する. *inclinarse* hacia adelante 前に傾く. **2** 《+**por**》…の方を選ぶ[好む]; 《+**a** 不定詞》…する気になる, …する傾向がある.

in·cluir [iŋklwír インクるイル] 29 動他 [現分 incluyendo] 〔英 include〕
1 含める, 入れる; 同封する. *Incluyo* en esta carta una foto. この手紙に写真を1枚同封いたします. No te olvides de *incluir*me en la lista. 忘れずに私もリストに加えておいてくれ.
2 含む. El precio *incluye* el desayuno. 料金には朝食代も含まれている.

in·clu·sión [iŋklusjón インクるシオン] 名女 含めること, 包含; 封入.

in·clu·si·ve [iŋklusíβe インクるシベ] 副 含めて (↔ exclusive). hasta el día diez *inclusive* 10日まで (►10日を含む).

in·clu·so [iŋklúso インクるソ] 副〔英 even〕…さえ, …までも (=hasta). Ha nevado *incluso* en algunas zonas costeras. 沿岸地方にまで雪が降った.

incluy- 動 → incluir. 29

in·co·ar [iŋkoár インコアル] 動他 (審理などを) 開始する. *incoar* expediente 訴訟を起こす.

in·cóg·ni·to, ta [iŋkóɣnito, ta インコグニト, タ] 形 未知の. regiones *incógnitas* 秘境. —— 名男 匿名.
—— 名女 〖数〗未知数.
de incógnito 身分を隠して. viajar *de incógnito* お忍びで旅行をする.

in·co·he·ren·cia [iŋkoerénθja インコエレンしア] 名女 一貫しないこと, つじつまの合わないこと.

in·co·he·ren·te [iŋkoerénte インコエレンテ] 形 一貫しない, つじつまの合わない.

in·co·lo·ro, ra [iŋkolóro, ra インコろロ, ラ] 形 色のない, 無色の (↔ coloreado); 目立たない.

in·có·lu·me [iŋkólume インコるメ] 形 無傷の, 損傷のない (= indemne).

in·com·bus·ti·ble [iŋkombustíβle インコンブスティブれ] 形 不燃性の; 耐火性の.

in·có·mo·da·men·te [iŋkómoðaménte インコモダメンテ] 副 窮屈に.

in·co·mo·dar [iŋkomoðár インコモダル] 動他 煩わしさを感じさせる; …に迷惑をかける. Me *incomodan* las gafas. 眼鏡がうっとうしい.
—— **in·co·mo·dar·*se*** 煩わしい[窮屈な]思いをする; 腹を立てる.

in·co·mo·di·dad [iŋkomoðiðáð インコモディダ(ドゥ)] 名女 不都合; 迷惑, 厄介. tener muchas *incomodidades* とても居心地が悪い, 不便な点が多い.

in·có·mo·do, da [iŋkómoðo, ða インコモド, ダ] 形 〔英 uncomfortable〕
1 快適でない, 不快な, 窮屈な. calor *incómodo* 不快な暑さ. silla *incómoda* 座り心地の悪い椅子.
2 気まずい, 落ち着かない, 居心地が悪い.

in·com·pa·ra·ble [iŋkomparáβle インコンパラブれ] 形 比較できない; 比類のない.

in·com·pa·ti·bi·li·dad [iŋkompatiβiliðáð インコンパティビリダ(ドゥ)] 名女 非両立性, 相いれないこと. *incompatibilidad* de caracteres 性格の不一致.

in·com·pa·ti·ble [iŋkompatíβle インコンパティブれ] 形 両立できない, 相いれない; (役職などが) 兼任できない.

in·com·pe·ten·cia [iŋkompeténθja インコンペテンしア] 名女 **1** 無能力; 不適格.
2 権限外, 管轄違い.

in·com·ple·to, ta [iŋkompléto, ta インコンプれト, タ] 形 不完全な, 未完成の; 不備な.

in·com·pren·si·ble [iŋkomprensíβle インコンプレンシブれ] 形 理解できない, 不可解な, 訳が分からない.

in·com·pren·sión [iŋkomprensjón

I

インコンプレンシオン] 名女 無理解.

in·co·mu·ni·ca·ble [iŋkomunikáβle インコムニカブれ] 形 連絡できない; 伝達できない.

in·co·mu·ni·ca·ción [iŋkomunikaθjón インコムニカしオン] 名女 伝達[通信・交通]の欠如; 孤立, 隔離, 隔絶.

in·co·mu·ni·car [iŋkomunikár インコムニカル] [8 c → qu] 動他 **1** …から伝達[通信・交通]の手段を奪う, 孤立させる.
2 …の面会[立入り]を禁止する.

in·con·ce·bi·ble [iŋkonθeβíβle インコンせビブれ] 形 想像できない; 考えられない. Esto es *inconcebible* en mi país. こんなことは私の国では考えられない.

in·con·ci·lia·ble [iŋkonθiljáβle インコンしりアブれ] 形 相いれない, 折り合いのつかない.

in·con·clu·so, sa [iŋkoŋklúso, sa インコンクるソ, サ] 形 終了していない, 未完の.

in·con·di·cio·nal [iŋkondiθjonál インコンディしオナる] 形 無条件の; 信頼できる, 忠実な. —— 名男女 無条件的支持者.

in·con·fe·sa·ble [iŋkomfesáβle インコンフェサブれ] 形 口に出せないような, 恥ずかしい.

in·con·fe·so, sa [iŋkomféso, sa インコンフェソ, サ] 形 告白[自白]しない.

in·con·fun·di·ble [iŋkomfundíβle インコンフンディブれ] 形 紛れもない, 間違いようのない.

in·con·gruen·te [iŋkoŋgrwénte インコングルエンテ] 形 ちぐはぐな; つじつまの合わない (= incoherente). respuesta *incongruente* とんちんかんな回答.

in·con·men·su·ra·ble [iŋkommensuráβle インコンメンスラブれ] 形 《口語》計り知れない; 莫大(ばく)な.

in·con·mo·vi·ble [iŋkommoβíβle インコンモビブれ] 形 堅固な; 動じない. amistad *inconmovible* 揺るぎない友情.

in·cons·cien·cia [iŋkonsθjénθja インコンしエンしア] 名女 **1** 無意識. **2** 意識不明, 人事不省. estado de *inconsciencia* 失神状態. **3** 無自覚, 思慮のなさ. *inconsciencia* del riesgo 危険に対する不注意.

in·cons·cien·te [iŋkonsθjénte インコンしエンテ] 形 **1** 無意識の.
2 意識を失った, 人事不省の. Ha estado *inconsciente* unos minutos. 彼は数分間意識を失った. dejar *inconsciente* a 《+ uno》〈人〉を気絶させる.
3 気づかない; 思慮[自覚]のない. *inconsciente* del peligro 危険に気づかないで.
—— 名男 《心理》無意識.

in·cons·cien·te·men·te [iŋkonsθjénteménte インコンしエンテメンテ] 副 無意識に.

in·con·se·cuen·cia [iŋkonsekwénθja インコンセクエンしア] 名女 一貫性のなさ; 無定見.

in·con·se·cuen·te [iŋkonsekwénte インコンセクエンテ] 形 一貫性のない; 無定見な.

in·con·si·de·ra·do, da [iŋkonsiðeráðo, ða インコンシデラド, ダ] 形 無分別な, 軽率な.

in·con·sis·ten·te [iŋkonsisténte インコンシステンテ] 形 脆弱(ぜいじゃく)な; 根拠の薄弱な. teoría *inconsistente* 説得力のない理論.

in·con·so·la·ble [iŋkonsoláβle インコンソらブれ] 形 慰めようのない; やるせない.

in·cons·tan·cia [iŋkonstánθja インコンスタンしア] 名女 変わりやすさ; 移り気, 無節操.

in·cons·tan·te [iŋkonstánte インコンスタンテ] 形 変わりやすい; 移り気な, 無節操な.

in·cons·ti·tu·cio·nal [iŋkonstituθjonál インコンスティトゥしオナる] 形 憲法違反の, 違憲の.

in·con·ta·ble [iŋkontáβle インコンタブれ] 形 **1** 数えきれない, 無数の.
2 口にしてはいけない. Ese asunto es *incontable* en una reunión como ésta. その種の事柄はこういった会合では話せない.

in·con·te·ni·ble [iŋkonteníβle インコンテニブれ] 形 抑えきれない, 抑制できない. alegría *incontenible* あふれんばかりの喜び.

in·con·tes·ta·ble [iŋkontestáβle インコンテスタブれ] 形 議論の余地のない, 明白な (= indiscutible).

in·con·tro·la·ble [iŋkontroláβle インコントゥロらブれ] 形 制御できない, 管理できない.

in·con·ve·nien·cia [iŋkombenjénθja インコンベニエンしア] 名女 **1** 不都合, 不便; 不適切. **2** 不作法; 軽はずみ.

in·con·ve·nien·te [iŋkombenjénte インコンベニエンテ] [複 ~s] 形 〔英 inconvenient〕 **1 不都合な**, 不便な. horas *inconvenientes* 都合の悪い時間帯.
2 不作法な. conducta *inconveniente* 不作法な振る舞い.
—— 名男 〔英 objection〕 **1 不都合**, 妨げ, 支障. Saldremos hoy si no tiene *inconveniente*. 差し支えがなければ今日出かけましょう. No tengo ningún *inconveniente*. 私には何も不都合はありません.
2 不利(益); 迷惑; 欠点.

in·cor·diar [iŋkorðjár インコルディアル] 動他 《口語》困らせる (= fastidiar). Es un tipo que disfruta *incordiando* a la gente. 彼は人に嫌がらせをして喜ぶタイプの人間だ.

in·cor·dio [iŋkórðjo インコルディオ] 名男 《口語》迷惑, 厄介.

in·cor·po·ra·ción [iŋkorporaθjón インコルポラしオン] 名女 合体, 合併; 加入; 《軍事》入隊.

in·cor·po·rar [iŋkorporár インコルポラル] 動他 **1** 合体[合併]する, 加入させる, 参加させる. *incorporar* un territorio a España 領土をスペインに併合する.
2 上体を起こさせる. La enfermera *incorporó* al enfermo para que tomara la comida. 食事が摂れるように看護婦が病人の上体を起こした.

I

—— in·cor·po·rar·*se* **1**《+**a**》…に合体[合併]する，加入する，参加する. *incorporarse a* filas 入隊する，戦列に加わる. *incorporarse a* SU cargo 職務に就く.
2 上体を起こす.

in·cor·pó·re·o, a [iŋkorpóreo, a インコルポレオ，ア] 形 実体のない，無形の.

in·co·rrec·ción [iŋkoȓekθjón インコレクしオン] 名 女 **1** 間違い，不正確.
2 不作法. cometer una *incorrección* 失礼なことをする.

in·co·rrec·to, ta [iŋkoȓékto, ta インコレクト，タ] 形 **1** 正しくない，不正確な，誤った.
2 不作法な；だらしない.

in·co·rre·gi·ble [iŋkoȓexíβle インコレヒブれ] 形 矯正できない. error *incorregible* 修正のきかない誤り. pereza *incorregible* 手のつけようのないものぐさ.

in·co·rrup·to, ta [iŋkoȓúpto, ta インコルプト，タ] 形 腐敗していない；堕落していない.

in·cre·du·li·dad [iŋkreðuliðáð インクレドゥりダ(ドゥ)] 名 女 **1** 疑い深さ.
2 〔宗教〕不信仰.

in·cré·du·lo, la [iŋkréðulo, la インクレドゥろ，ら] 形 **1** 疑い深い. **2** 〔宗教〕信仰のない. —— 名 男 女 疑い深い人；信仰のない人.

in·cre·í·ble [iŋkreíβle インクレイブれ] 形 信じられない，信じがたい；とてつもない，すごい. ¡Es *increíble*! まさか. ¡Es *increíble* que pueda creer tal cosa! 彼がそんなことを信じるなんてとても考えられない.

in·cre·men·tar [iŋkrementár インクレメンタル] 動 他 増やす；発展[増進]させる（= aumentar).
—— in·cre·men·tar·*se* 増える.

in·cre·men·to [iŋkreménto インクレメント] 名 男 増加，増進；発展. *incremento* de una renta 所得の増大. *incremento* térmico 温度の上昇.

in·cre·pa·ción [iŋkrepaθjón インクレパしオン] 名 女 叱責(しっせき)；ののしり.

in·cre·par [iŋkrepár インクレパル] 動 他 叱責(しっせき)する；ののしる.

in·cruen·to, ta [iŋkrwénto, ta インクルエント，タ] 形 血を流さない，無血の（↔ sangriento).

in·crus·tar [iŋkrustár インクルスタル] 動 他 はめ込む；象眼する. *incrustado* con piedras preciosas 宝石をちりばめた.

in·cu·ba·do·ra [iŋkuβaðóra インクバドラ] 名 女 孵卵(ふらん)器；(未熟児の) 保育器.

in·cu·bar [iŋkuβár インクバル] 動 他
1 (卵を) 抱く；人工孵化(ふか)する.
2 (病・変化を) 潜ませている.

in·cues·tio·na·ble [iŋkwestjonáβle インクエスティオナブれ] 形 議論の余地のない，明白な（= indiscutible).

in·cul·car [iŋkulkár インクるカル] [8 c → qu] 動 他 教え込む；心に刻みつける. *inculcar* 《+algo》 en la mente 〈何か〉を頭にたたき込む.

in·cul·par [iŋkulpár インクるパル] 動 他 《+**de**》…の罪を負わせる；…のかどで告発する（= acusar). *inculpar de* robo 盗みの容疑で告発する.

in·cul·to, ta [iŋkúlto, ta インクるト，タ] 形
1 無教養な，無学な. **2** 未開墾の.
—— 名 男 女 無教養な人，無学の者.

in·cul·tu·ra [iŋkultúra インクるトゥラ] 名 女 **1** 無教養，無学. **2** 未開墾.

in·cum·ben·cia [iŋkumbénθja インクンベンしア] 名 女 責任，義務；権限. No es asunto de mi *incumbencia*. それは私には関係のない事だ.

in·cum·bir [iŋkumbír インクンビル] 動 自 《+**a**》…の責任である；権限である. Eso te *incumbe a* ti. それは君の義務だ.

in·cum·pli·mien·to [iŋkumplimjénto インクンプりミエント] 名 男 不履行，違反. *incumplimiento* del contrato 契約不履行.

in·cum·plir [iŋkumplír インクンプりル] 動 他 (約束などを) 果たさない；(規則などを) 守らない.

in·cu·na·ble [iŋkunáβle インクナブれ] 名 男 揺籃(ようらん)期本：ヨーロッパの活字印刷術の初期 (1500年まで) に印刷された本.

in·cu·ra·ble [iŋkuráβle インクラブれ] 形 治らない；救いがたい. enfermedad *incurable* 不治の病. —— 名 男 女 不治の病人.

in·cu·rrir [iŋkuȓír インクリル] 動 自 《+**en**》 **1** …に陥る，…を犯す. *incurrir en* falta [delito] 過失[犯罪]を犯す. *incurrir en* olvido 忘れる.
2 (怒りなどを) 受ける. *incurrir en* la ira del rey 国王の怒りを買う.

in·cur·sión [iŋkursjón インクルシオン] 名 女 襲撃；侵入，乱入.

in·da·ga·ción [indaɣaθjón インダガしオン] 名 女 調査；捜査.

in·da·gar [indaɣár インダガル] [32 g → gu] 動 他 調査する；捜査する. *indagar* las causas de la explosión 爆発の原因を究明する.

in·de·bi·do, da [indeβíðo, ða インデビド，ダ] 形 不適切な；不法な. respuesta *indebida* 適切でない答え. conducta *indebida* 不当行為.

in·de·cen·cia [indeθénθja インデセンしア] 名 女 俗悪，下品；卑猥(ひわい).

in·de·cen·te [indeθénte インデセンテ] 形
1 俗悪な，下品な；卑猥(ひわい)な. película *indecente* 猥褻(わいせつ)な映画. lenguaje *indecente* 下品な言葉遣い. mujer *indecente* 尻軽(しりがる)女.
2 不潔な，汚らしい；みすぼらしい.

in·de·ci·ble [indeθíβle インデしブれ] 形 言葉では表せない（= inefable). dolor *indecible* 言語に絶する苦しみ.

in·de·ci·sión [indeθisjón インデしシオン] 名 女 優柔不断，躊躇(ちゅうちょ).

in·de·ci·so, sa [indeθíso, sa インデしソ，サ] 形 **1** 優柔不断な，決断力のない. Está

I

indeciso sobre si decírselo o no. 彼はそれを言うべきかどうか決めかねている.
2 未決定の. resultado *indeciso* まだはっきりしない結果.
—— 名男女優柔不断な人.

in·de·co·ro·so, sa [indekoróso, sa インデコロソ, サ] 形不作法な; 不体裁な; 下品な.

in·de·fec·ti·ble [indefektíβle インデフェクティブれ] 形お決まりの, いつもの. su *indefectible* mal humor いつもの不機嫌さ.

in·de·fen·di·ble [indefendíβle インデフェンディブれ] 形弁護の余地のない, 防ぎようのない.

in·de·fen·so, sa [indefénso, sa インデフェンソ, サ] 形無防備の; 孤立無援の.

in·de·fi·ni·ble [indefiníβle インデフィニブれ] 形 定義できない; 名状しがたい, 漠然とした.

in·de·fi·ni·do, da [indefiníðo, ða インデフィニド, ダ] 形 **1** はっきりしない; 無限の. tiempo *indefinido* 無窮の時. espacio *indefinido* 果てしない空間.
2 〘文法〙不定の.

in·de·le·ble [indeléβle インデれブれ] 形 消すことのできない (= imborrable).

in·de·li·ca·de·za [indelikaðéθa インデりカデさ] 名女粗野; 無神経な言動, 不作法.

in·dem·ne [indémne インデムネ] 形 けがのない; 損傷のない. salir *indemne* 無事である.

in·dem·ni·za·ción [indemniθaθjón インデムニさしオン] 名女 賠償, 補償; 賠償金, 補償金 (= compensación).

in·dem·ni·zar [indemniθár インデムニさル] [39 z ➡ c] 動他 賠償する, 補償する. *indemnizar* a las víctimas del accidente 事故の犠牲者に対して補償する.

in·de·pen·den·cia [independénθja インデペンデンしア] 名女 〔英 independence〕
1 独立, 自立. conseguir [obtener] la *independencia* 独立を達成する. declarar [proclamar] la *independencia* 独立を宣言する. guerra de la *independencia* 独立戦争. luchar por la *independencia* 独立のために闘う.
2 独立心, 自立心.
con independencia de ... …にかかわりなく, …とは別個に.

in·de·pen·den·tis·mo [independentísmo インデペンデンティスモ] 名男独立運動.

in·de·pen·den·tis·ta [independentísta インデペンデンティスタ] 形独立運動の.
—— 名男女独立主義者.

in·de·pen·dien·te [independjénte インデペンディエンテ] 形 **1** 独立した, 自立した; 独立心の強い. Esta nación se declaró *independiente* en 1875. この国は1875年に独立を宣言した. Tengo una habitación *independiente*. 私は独立した自分だけの部屋を持っている.
2 他と無関係の, 独自の; 無所属の. Quiso mantenerse *independiente* del asunto 彼はその件とは無関係の立場にいたかった. *independiente* en sus opiniones 独自の意見を持った. un candidato *independiente* 無所属候補.

in·de·pen·dien·te·men·te [independjénteménte インデペンディエンテメンテ] 副 独自に, 別個に.

in·de·pen·di·zar [independiθár インデペンディさル] [39 z ➡ c] 動他独立させる, 自立させる.
—— ***in·de·pen·di·zar·se*** 《+de》 …から独立する, 自立する.

in·des·ci·fra·ble [indesθifráβle インデしフラブれ] 形解読[判読]できない; 不可解な.

in·des·crip·ti·ble [indeskriptíβle インデスクリプティブれ] 形言い表せない, 名状しがたい (= inefable). una alegría *indescriptible* えも言われぬ喜び.

in·de·se·a·ble [indeseáβle インデセアブれ] 形望ましくない, 好ましくない.

in·des·truc·ti·ble [indestruktíβle インデストゥルクティブれ] 形不滅の, 堅固な. alianza *indestructible* 恒久的な同盟.

in·de·ter·mi·na·ción [indeterminaθjón インデテルミナしオン] 名女 不確定, 不明確; 不決断, 優柔.

in·de·ter·mi·na·do, da [indetermináðo, ða インデテルミナド, ダ] 形 **1** 不確定の; 不明確な. **2** 〘文法〙不定の.

In·dia [índja インディア] 固名 インド: 首都 Nueva Delhi.

india 形名女➡ indio.

in·dia·no, na [indjáno, na インディアノ, ナ] 形 (スペイン統治時代の) 新大陸の, インディアスの; 西インド諸島の.

In·dias [índjas インディアス] 固名 (スペイン統治時代の) 新大陸, インディアス. ◆コロンブス Colón が新大陸をインドの一部と考えたことに始まる名称. アジアのインド *Indias* Orientales と区別するために西インド *Indias* Occidentales とも呼ばれた.

in·di·ca·ción [indikaθjón インディカしオン] 名女 **1** 指図, 指示; 示唆. por *indicación* de ... …の指示[示唆]に従って. He seguido las *indicaciones* que me dio. 私は彼の言うとおりにしてきた.
2 表示, 標識.
3 [普通 indicaciones] 説明, 使用法.

in·di·ca·dor, do·ra [indikaðór, ðóra インディカドル, ドラ] 名男 指示器; 標識; 指針. *indicador* de dirección 方向標示板. *indicador* de velocidad スピード・メーター.
—— 形 指示する, 表示する. lámpara *indicadora* 警報ランプ; パイロットランプ.

in·di·car [indikár インディカル] [8 c ➡ qu] 動他 〔英 indicate〕 **1** 指し示す; 指摘する, 指定する, 表示する (= señalar). Me *indicó* algunos errores. 彼は私にいくつかの誤りを指摘した. En la pantalla se *indican* las horas. 時刻は画面に表示さ

I

れる. La cifra *indica* que el pueblo no está satisfecho con las directrices del partido. 党の方針に対する国民の不満は数字に表れている. José llegó puntual a la hora *indicada*. ホセはきちんと（あらかじめ連絡してきた）時間に着いた.
2 教える, 指示する. ¿Podrías *indicar*me un hotel barato? 安いホテルを教えてくれないか. Ya te *indicaré* mañana cuándo me viene bien que vengas. 君がいつ来ればいいのか明日指示します. El médico me *indicó* que tomara esta pastilla después de la comida. 医者は食後にこの錠剤を飲むように私に言った.

in·di·ca·ti·vo, va [indikatíβo, βa インディカティボ, バ] 形 **1** 表示する, 指示する. gráfica *indicativa* de la situación económica 経済状態を示すグラフ.
2 〘文法〙直説法の.
── 名男 〘文法〙直説法 (= modo *indicativo*). ⇨ 文法用語の解説.

ín·di·ce [índiθe インディセ] 名男 **1** 索引, インデックス. *índice* general 目次.
2 指標; 〘統計〙〘物理〙指数, 率. *índice* de precios 物価指数. *índice* de inflación インフレ率.
3 人差し指 (= dedo *índice*). → dedo 図.

in·di·cio [indíθjo インディしオ] 名男 徴候; 形跡. Esos síntomas son *indicios* de una enfermedad grave. その症状は重い病気の徴候だ.

in·di·fe·ren·cia [indiferénθja インディフェレンしア] 名女 無関心, 冷淡. tratar con *indiferencia* 冷たくあしらう.

in·di·fe·ren·te [indiferénte インディフェレンテ] 形 **1** 《+**a**》…に無関心な; 冷淡な. Es *indiferente a* la política. 彼は政治には無関心である.
2 どうでもよい; 重要でない, 取るに足らない. Me es *indiferente* que compres un coche o no. 君が車を買おうが買うまいが私にはどうでもよい. dejar *indiferente* かかわりを持たない.
── 名男女 無関心な人; 冷淡な人.

in·dí·ge·na [indíxena インディヘナ] 形 《+**de**》…に土着の, 先住の; 原産の. planta *indígena de* América アメリカ（大陸）原産の植物. ── 名男女 先住民, 土地の人.

in·di·gen·te [indixénte インディヘンテ] 形 極貧の, 貧窮した.
── 名男女 生活困窮者.

in·di·ges·tar·*se* [indixestárse インディヘスタルセ] 動 消化不良になる. *indigestarse* de [por, con] tanto comer 食べすぎて消化不良を起こす.

in·di·ges·tión [indixestjón インディヘスティオン] 名女 消化不良, 胃のもたれ.

in·di·ges·to, ta [indixésto, ta インディヘスト, タ] 形 消化しにくい; 消化不良の. estar [sentirse] *indigesto* 胃がもたれる.

in·dig·na·ción [indiɣnaθjón インディグナしオン] 名女 [複 indignaciones] 憤慨, 激怒, 立腹. expresar *indignación* 怒りをぶちまける.

in·dig·nar [indiɣnár インディグナル] 動他 憤慨させる, 怒らせる, 激怒させる. Su actitud *indignó* a todos. 彼の態度にみんなは憤慨した.
── **in·dig·nar·*se*** 《+**con, contra, por, de**》…に怒る, 憤慨する (► con, contra は人に, por, de は事柄について用いる). *Se indigna* mucho *con* nosotros. 彼は私たちにひどく腹を立てている.

in·dig·ni·dad [indiɣniðáð インディグニダ(ドゥ)] 名女 ふさわしくないこと; 下劣, 恥.

in·dig·no, na [indíɣno, na インディグノ, ナ] 形 **1** 《+**de**》…に値しない, ふさわしくない. Es una conducta *indigna de* una persona culta. 教養ある人にあるまじき行為だ. **2** 下劣な, 恥ずかしい.

in·dio, dia [índjo, dja インディオ, ディア] [複 ～s] 〔英 Indian〕 形 **1 インディオの**; (アメリカ) インディアンの. **2** インドの, インド人の.
── 名男女 **1 インディオ**; (アメリカ) インディアン: 通例イヌイットを除く南北アメリカの先住民を指す. **2** インド人. ► 1, 2 の混同を避けるため前者を amerindio, 後者を hindú と言うことがある.

【参　考】 Indios de América 中南米のインディオ: los aztecas アステカ族. los caribes カリブ族. los guaraníes グアラニ族. los incas インカ族. los mayas マヤ族. los quechuas ケチュア族.

indique(-) / **indiqué**(-) 動 → indicar. [8 c → qu]

in·di·rec·to, ta [indirékto, ta インディレクト, タ] 形 **1** 間接的な; 遠回しの (↔ directo). luz *indirecta* 間接照明. **2** 〘文法〙間接の.
── 名女 ほのめかし, 当てこすり. tirar [soltar, lanzar] una *indirecta* それとなくにおわす.

in·dis·ci·pli·na·do, da [indisθiplináðo, ða インディしプリナド, ダ] 過分 形 規律を守らない, 従順でない (= desobediente). niño *indisciplinado* 反抗的な子供.

in·dis·ci·pli·nar·*se* [indisθiplinárse インディしプリナルセ] 動 規律を守らない, 逆らう.

in·dis·cre·ción [indiskreθjón インディスクレしオン] 名女 無分別, 軽率; 不用意な言動. si no es *indiscreción* もし失礼でなければ.

in·dis·cre·to, ta [indiskréto, ta インディスクレト, タ] 形 無分別な, 軽率な, 不用意な. miradas *indiscretas* 無遠慮な視線. una pregunta *indiscreta* ぶしつけな質問.

in·dis·cu·ti·ble [indiskutíβle インディス

クティブれ] 形 議論の余地のない, 明白な. prueba *indiscutible* 明白な証拠. jefe *indiscutible* 誰もが認める指導者.

in·di·so·lu·bi·li·dad [indisoluβiliðáð インディソるビりダ(ドゥ)] 名女 不溶解性; 不解消性.

in·di·so·lu·ble [indisolúβle インディソるブれ] 形 溶解できない; 解消できない. sustancia *indisoluble* en agua 水に溶けない物質. lazo *indisoluble* 変わらぬ絆(きずな).

in·dis·pen·sa·ble [indispensáβle インディスペンサブれ] 形 [複 ~s] 〔英 indispensable〕 **不可欠な**, 絶対に必要な (= imprescindible, necesario). Sólo he traído lo más *indispensable* para el viaje. 私は旅行に最小限必要なものしか持ってこなかった. Para desplazarse al campo es *indispensable* un coche. 郊外へ行くには車は欠かすことができない.

in·dis·po·ner [indisponér インディスポネル] 45 動他 [過分 indispuesto, ta]
1 《+**con, contra**》…の気を悪くさせる, …と仲たがいさせる. Con malevolencia trató de *indisponer* a Don Fermín *con* su esposa. 彼は悪意を持ってフェルミンさん夫妻を仲たがいさせようとした.
2 体調を悪くさせる. El calor *indispone* a muchas personas. 暑さで多くの人が体調を崩している.
— **in·dis·po·ner·se** **1** 《+**con, contra**》…と仲たがいする, …に対して悪感情を抱く. **2** 気分が悪くなる, 体調を崩す.

in·dis·po·si·ción [indisposiθjón インディスポシしオン] 名女 体の不調; 不快.

in·dis·pues·to, ta [indispwésto, ta インディスプエスト, タ] 過分 → indisponer.
— 形 **1** 体調が悪い.
2 不快な; 《+**con, contra**》…と仲たがいをした. Está *indispuesto con* su hermano. 彼は兄[弟]と仲たがいしている.

in·dis·tin·ta·men·te [indistíntaménte インディスティンタメンテ] 副 区別なく.

in·dis·tin·to, ta [indistínto, ta インディスティント, タ] 形 **1** どちらでもよい, 違いがない. **2** はっきりしない, 不明瞭(ふめいりょう)な.

in·di·vi·dual [indiβiðwál インディビドゥアる] 形 個人の, 個々の. diferencias *individuales* 個人差. casos *individuales* 個々の事例. de uso *individual* 一人用の.
— 名男 〔スポ〕 シングルス.

in·di·vi·dua·li·dad [indiβiðwaliðáð インディビドゥアリダ(ドゥ)] 名女 個性, 特性; 個性的な人物. El equipo tiene *individualidades*. そのチームはそれぞれ個性のある選手を抱えている.

in·di·vi·dua·lis·mo [indiβiðwalísmo インディビドゥアりスモ] 名男 個人主義 (↔ colectivismo).

in·di·vi·dua·li·zar [indiβiðwaliθár インディビドゥアりさル] [39 z → c] 動他 個性化する; 個別化する.

in·di·vi·dual·men·te [indiβiðwálménte インディビドゥアるメンテ] 副 個人的に, 個々に.

in·di·vi·duo [indiβíðwo インディビドゥオ] 名男 [複 ~s] 〔英 individual〕 **1 個人**; (氏名不詳の)誰か. el *individuo* en cuestión 当人. Se ve que un *individuo* entró por la ventana y se llevó el cuadro que había en la sala. 何者かが窓から侵入して部屋にあった絵を持ち去ったことは確かだ.
2 《軽蔑》男, やつ.

in·di·vi·si·ble [indiβisíβle インディビシブれ] 形 分割できない, 不可分の. número *indivisible* 割り切れない数字.

in·do·cu·men·ta·do, da [indokumentáðo, ða インドクメンタド, ダ] 形 **1** 身分証明書を持たない. **2** 無能な; 取るに足りない.

in·do·eu·ro·pe·o, a [indoeuropéo, a インドエウロペオ, ア] 形 インド・ヨーロッパ語の. familia *indoeuropea* インド・ヨーロッパ語族, 印欧語族.
— 名男女 インド・ヨーロッパ語系民族[の人].

ín·do·le [índole インドれ] 名女 **1** 性質, 性格, 気質. de *índole* perezosa 怠惰な性質の. **2** 特徴, 典型, タイプ. regalos de toda *índole* あらゆる種類の贈り物.

in·do·len·cia [indolénθja インドれンしア] 名女 怠惰, 無気力.

in·do·len·te [indolénte インドれンテ] 形 怠惰な, 無気力な (= perezoso).

in·do·ma·ble [indomáβle インドマブれ] 形 調教しにくい, 人に慣れない; 制御しがたい. caballo *indomable* 荒馬.

in·dó·mi·to, ta [indómito, ta インドミト, タ] 形 → indomable.

in·do·ne·sio, sia [indonésjo, sja インドネシオ, シア] 形 インドネシア Indonesia の.
— 名男女 インドネシア人.
— 名男 インドネシア語.

in·duc·ción [indukθjón インドゥクしオン] 名女 **1** 教唆, 誘発. por *inducción* de 《+uno》〈人〉に唆されて.
2 〔電気〕 誘導, 感応. bobina de *inducción* インダクションコイル.
3 推論; 〔論理〕 帰納(法) (↔deducción).

in·du·cir [induθír インドゥしル] 12 動他
1 《+**a**》…に仕向ける, そそのかす, 誘う. La falta de trabajo le *indujo a* emigrar. 仕事がなかったので彼は移住した.
2 《+**de**》…から推論する, 帰納する.
3 〔電気〕 誘導する.

in·duc·ti·vo, va [induktíβo, βa インドゥクティボ, バ] 形 帰納的な (↔deductivo). método *inductivo* 帰納法.

in·du·da·ble [induðáβle インドゥダブれ] 形 疑う余地のない, 明白な. Es *indudable* que tiene talento para la música. 彼に音楽の才能があることは明らかだ.

in·du·da·ble·men·te [induðáβleménte インドゥダブれメンテ] 副疑いもなく，明らかに．

in·dul·gen·cia [indulxénθja インドゥるヘンしア] 名女 **1** 寛大 (= tolerancia).
2 〘カトリック〙免償，贖宥(しょくゆう).

in·dul·gen·te [indulxénte インドゥるヘンテ] 形 《+ **con, hacia, para**》…に寛大な．

in·dul·tar [indultár インドゥるタル] 動他 《+ **de**》(罪を) 許す；(義務・責任などを) 免除する．*indultar de* la pena de muerte 死刑を減免する．

in·dul·to [indúlto インドゥるト] 名男 恩赦，赦免；免除，減免．

in·du·men·ta·ria [indumentárja インドゥメンタリア] 名女 《集合》衣装，衣服 (= vestimenta). Lleva una *indumentaria* extravagante. 彼はとっぴな服装をしている．

in·dus·tria [indústrja インドゥストゥリア] 名女 [複 ～s] 〔英 industry〕 **1 産業，工業**；産業界．El turismo sigue siendo una *industria* importante del país. 観光は国の重要産業の一つであることに変わりはない．*industria* vinícola ぶどう酒醸造業．*industria* automovilística 自動車産業．
2 製造所，工場．
3 巧知，術策．con *industria* 手際よく．

in·dus·trial [industrjál インドゥストゥリアる] [複 ～es] 形 〔英 industrial〕 **産業の，工業の**，企業の．complejo *industrial* 工業コンビナート．planta *industrial* 製造工場．zona *industrial* 工業地帯．
―― 名男女 企業家，実業家；製造業者．

in·dus·tria·li·za·ción [industrjaliθaθjón インドゥストゥリアりさしオン] 名女 工業化，産業化．

in·dus·tria·li·zar [industrjaliθár インドゥストゥリアりさル] [39 z → c] 動他 工業化する，産業化する．
―― **in·dus·tria·li·zar·*se*** 工業化する，産業化する．

in·dus·trio·so, sa [industrjóso, sa インドゥストゥリオソ，サ] 形 勤勉な；器用な．

i·né·di·to, ta [inéðito, ta イネディト，タ] 形 **1** 未刊の，未発表の．documentos *inéditos* 未刊資料．
2 未知の (= desconocido).

i·ne·fa·ble [inefáβle イネファブれ] 形 言葉で表せない．alegría *inefable* 言いようのないうれしさ．

i·ne·fi·caz [inefikáθ イネフィカす] 形 [複 ineficaces] 効力がない，効果のない；無能な．medicamento *ineficaz* 効き目のない薬．

i·ne·fi·cien·te [inefiθjénte イネフィしエンテ] 形 効率の悪い，役に立たない．

i·ne·luc·ta·ble [ineluktáβle イネるクタブれ] 形 避けられない；抗しがたい．destino *ineluctable* 逃れられない運命．

i·ne·lu·di·ble [ineluðíβle イネるディブれ] 形 避けられない．compromiso *ineludible* のっぴきならない約束．

i·nep·ti·tud [ineptitúð イネプティトゥ(ドゥ)] 名女 無能，不器用；不適格．

i·nep·to, ta [inépto, ta イネプト，タ] 形 無能な，不器用な；不適格な．hombre *inepto* para el puesto そのポストにふさわしくない人．

i·ne·quí·vo·co, ca [inekíβoko, ka イネキボコ，カ] 形 紛れもない，明白な．*inequívocas* señales はっきりとした証拠．

i·ner·cia [inérθja イネルしア] 名女 **1** 不活発，無気力．por *inercia* 習慣で，惰性で．
2 〘物理〙慣性，惰性．fuerza de la *inercia* 慣性力．

i·ner·me [inérme イネルメ] 形 武器を持たない，無防備の．

i·ner·te [inérte イネルテ] 形 **1** 不活発な；生気のない，無気力な．**2** 〘化〙不活性の．

I·nés [inés イネス] 固名 イネス：女性の名．

i·nes·cru·ta·ble [ineskrutáβle イネスクルタブれ] 形 計り知れない；不可解な．misterio *inescrutable* 不可解な謎(なぞ).

i·nes·pe·ra·da·men·te [inesperáðaménte イネスペラダメンテ] 副 突然に，不意に．

i·nes·pe·ra·do, da [inesperáðo, ða イネスペラド，ダ] 形 予期しない，意外な．acontecimiento *inesperado* 思わぬ出来事．de forma *inesperada* 思いがけず，不意に．

i·nes·ta·ble [inestáβle イネスタブれ] 形 不安定な，変わりやすい．tiempo *inestable* 不順な天候．carácter *inestable* 気まぐれな性格．

i·nes·ti·ma·ble [inestimáβle イネスティマブれ] 形 計り知れない．de *inestimable* valor とてつもなく価値のある．ayuda *inestimable* 貴重な援助．

i·ne·vi·ta·ble [ineβitáβle イネビタブれ] 形 不可避の，逃れられない．accidente *inevitable* 回避しえない事故．

i·ne·xac·ti·tud [ineksaktitúð イネクサクティトゥ(ドゥ)] 名女 不正確；間違い，誤り．

i·ne·xac·to, ta [ineksákto, ta イネクサクト，タ] 形 不正確な；虚偽の．

i·nex·cu·sa·ble [ineskusáβle イネスクサブれ] 形 **1** 言い訳のたたない．conducta *inexcusable* 許しがたい行為．
2 避けられない．

i·ne·xis·ten·te [ineksisténte イネクシステンテ] 形 存在[実在]しない．

i·ne·xo·ra·ble [ineksoráβle イネクソラブれ] 形 無情な，冷酷な (= implacable). *inexorable* paso del tiempo 非情な時の流れ．

i·nex·pe·rien·cia [inesperjénθja イネスペリエンしア] 名女 未経験；未熟，不慣れ．

i·nex·per·to, ta [inespérto, ta イネスペルト，タ] 形 経験がない；未熟な，不慣れな．
―― 名男女 未経験者，未熟者．

i·nex·pli·ca·ble [inesplikáβle イネスプりカブれ] 形 説明がつかない，不可解な．

i·nex·plo·ra·do, da [insploráðo, ða イネスプろラド, ダ] 形 探検されていない. territorios *inexplorados* 人跡未踏の地.

i·nex·pre·sa·ble [inespresáβle イネスプレサブれ] 形 言い表せない, 言語に絶する.

i·nex·pre·si·vo, va [inespresíβo, βa イネスプレシボ, バ] 形 無表情な; 表現力に乏しい.

i·nex·pug·na·ble [inespuɣnáβle イネスプグナブれ] 形 攻め落とせない; かたくなな. fortaleza *inexpugnable* 難攻不落の城塞(じょうさい).

i·nex·tin·gui·ble [inestiŋgíβle イネスティンギブれ] 形 消えることのない; 癒(いや)されない.

i·nex·tri·ca·ble [inestrikáβle イネストゥリカブれ] 形 込み入った, 錯綜(さくそう)した.

in·fa·li·ble [imfalíβle インファりブれ] 形 絶対確実な, 全く誤りのない.

in·fa·man·te [imfamánte インファマンテ] 形 恥ずべき, 屈辱的な. castigo *infamante* 屈辱的な罰.

in·fa·mar [imfamár インファマル] 動 他 中傷する, 誹謗(ひぼう)する.

in·fa·me [imfáme インファメ] 形 破廉恥な, 忌まわしい; 非常に悪い, ひどい. tiempo *infame* 悪天候.

I

in·fa·mia [imfámja インファミア] 名 女 汚名, 恥辱.

in·fan·cia [imfánθja インファンしア] 名 女 **1** 幼少, 幼時, 幼年時代. en la primera *infancia* 幼年期に. desde la tierna *infancia* まだほんの幼いころから.
2《集合》子供. Fondo de las Naciones Unidas para la *Infancia* 国連児童基金, ユニセフ. **3** 初期, 揺籃(ようらん)期.

in·fan·ta [imfánta インファンタ] 名 女 (王位継承権のない) 王女, 内親王; infante の妻. ➡ princesa.

in·fan·te [imfánte インファンテ] 名 男 **1** (王位継承権のない) 王子, 親王. ➡ príncipe. **2**〔軍事〕歩兵.

in·fan·te·rí·a [imfantería インファンテリア] 名 女〔軍事〕歩兵隊. *infantería* de marina 海兵隊. *infantería* ligera 遊撃隊.

in·fan·ti·ci·dio [imfantiθíðjo インファンティしディオ] 名 男 嬰児(えいじ)殺し, 幼児殺害.

in·fan·til [imfantíl インファンティる] 形 **1** 幼児の, 子供の. enfermedad *infantil* 小児病. literatura *infantil* 児童文学.
2 子供じみた, 幼稚な. comportamiento *infantil* 子供じみた行為.

in·far·to [imfárto インファルト] 名 男〔医〕梗塞(こうそく). *infarto* de miocardio 心筋梗塞.

in·fa·ti·ga·ble [imfatiɣáβle インファティガブれ] 形 疲れを知らない, 根気のよい (= incansable).

in·faus·to, ta [imfáusto, ta インファウスト, タ] 形 不幸な, 痛ましい. suceso *infausto* 惨事.

in·fec·ción [imfekθjón インフェクしオン] 名 女 感染, 伝染 (病); 化膿(かのう). *infección* secundaria 二次感染.

in·fec·cio·so, sa [imfekθjóso, sa インフェクしオソ, サ] 形 感染する, 伝染性の. enfermedad *infecciosa* 伝染病. foco *infeccioso* 病巣, 感染巣.

in·fec·tar [imfektár インフェクタル] 動 他 感染させる; 汚染する.

in·fec·to, ta [imfékto, ta インフェクト, タ] 形 **1** 感染した. *infecto* de una ideología ある思想にかぶれた. **2** 汚い; 嫌な. negocio *infecto* 不正取引.

in·fe·cun·do, da [imfekúndo, da インフェクンド, ダ] 形 (土地が) 不毛の; 不妊の, 実を結ばない (= estéril).

infelices 形 名〔複〕➡ infeliz.

in·fe·li·ci·dad [imfeliθiðáð インフェりしダ(ドゥ)] 名 女 不幸, 不運.

in·fe·liz [imfelíθ インフェりす] 形〔複 infelices〕**1** 不幸な, 不運な; 惨めな (=desgraciado). suerte *infeliz* 不運. llevar una vida *infeliz* 悲惨な生活を送る.
2《口語》人のよい, 悪気のない.
―― 名 男 女 **1** 不幸な人, 不運な人.
2《口語》お人よし.

in·fe·ren·cia [imferénθja インフェレンしア] 名 女 推論, 推定.

in·fe·rior [imferjór インフェりオル] [複 ～es] 形〔英 inferior〕《+a》**1** …より少ない, …より劣った (↔ superior). No se admite una cantidad *inferior a* mil pesetas. 1000ペセタ以下の金額は受け付けません (►menos de と同じく, 厳密には1000ペセタ未満を指す). edad *inferior a* 18 años 18歳未満. La calidad de esta tela es muy *inferior*. この布の方が質ははるかに劣る.
2 …より下の, 下部の. La parte *inferior* de la muralla es del siglo XV. 城壁の最下層は15世紀の創建になる.
―― 名 男 女 部下, 目下.

in·fe·rio·ri·dad [imferjoriðáð インフェりオりダ(ドゥ)] 名 女 劣等; 下級, 下位 (↔ superioridad). estar en *inferioridad* de condiciones 劣勢である.

in·fe·rir [imferír インフェりル] [52 e ➡ ie, i] 動 他〔現分 infiriendo〕
1《+de, por》…から推論する, 推定する (= deducir). *De* su actitud *infiero* que no hizo nada. 様子から見て彼は何もしなかったと思う.
2 (苦痛・侮辱などを) 与える.
―― **in·fe·rir·se**《+de》…から推量される, 結論される.

in·fer·nal [imfernál インフェルナる] 形
1 地獄の. fuego *infernal* 地獄の火.
2 すさまじい; ものすごい. ruido *infernal* 耳をつんざく音.

in·fes·tar [imfestár インフェスタル] 動 他
1 荒す, はびこる.

2 汚染する. *infestar* el aire 大気を汚染する. **3** 《+**de**》…だらけにする.

in·fi·cio·nar [imfiθjonár インフィしオナル] 動他 → infectar.

in·fi·de·li·dad [imfiðeliðáð インフィデリダ(ドゥ)] 名女 不誠実. *infidelidad* conyugal 浮気. *infidelidad* de la traducción 翻訳の不正確さ.

in·fiel [imfjél インフィエる] 形 **1** 不実な; 当てにならない. marido *infiel* 不貞な夫. *infiel* con [a] sus promesas 約束を守らない. **2** 不信心な, 異教徒の.
—— 名男女 〔カトリック〕不信心者, (キリスト教徒から見た) 異教徒.

in·fier·ni·llo [imfjerníʎo インフィエルニリョ] 名男 卓上こんろ.

in·fier·no [imfjérno インフィエルノ] 名男 [複 ~s] 〔英 hell〕 **1** 地獄. ir al *infierno* 地獄に落ちる.
2 《比喩》 地獄, 修羅場. La vida es un *infierno* para ella. 彼女にとって人生は地獄だ.
¡Anda [***Vete, Que se vaya***] ***al infierno!*** 《口語》 くたばれ; だまれ; 消えろ.

in·fil·tra·ción [imfiltraθjón インフィるトゥラしオン] 名女 浸透; 浸入; 〘医〙浸潤.

in·fil·trar [imfiltrár インフィるトゥラル] 動他 《+**en**》 …に染み込ませる, 浸透させる; (思想などを) 吹き込む. *infiltrar* las ideas de respeto 尊敬の念を抱かせる.
—— **in·fil·trar·se** 《+**en**》 …に染み込む, 浸透する. *infiltrarse* el agua *en* la tierra 水が地面に染み込む. *infiltrarse en* las filas enemigas 敵陣にもぐり込む.

ín·fi·mo, ma [ímfimo, ma インフィモ, マ] 形 最低の; 最劣等の. precio *ínfimo* 大安値.

in·fi·ni·dad [imfiniðáð インフィニダ(ドゥ)] 名女 無限; 無数, 莫大(ばく). Experimentó *infinidad* de sinsabores. 彼はさまざまな逆境に出会った.

in·fi·ni·ta·men·te [imfinítaménte インフィニタメンテ] 副 無限に, 非常に.

in·fi·ni·te·si·mal [imfinitesimál インフィニテシマる] 形 〘数〙無限小の. cálculo *infinitesimal* 微積分.

in·fi·ni·ti·vo, va [imfinitíβo, βa インフィニティボ, バ] 形 〘文法〙不定詞の.
—— 名男 〘文法〙不定詞.

in·fi·ni·to[1], **ta** [imfiníto, ta インフィニト, タ] 形 無限の; 無数の. el universo *infinito* 広大無辺の宇宙. un amor *infinito* 限りない愛情. *infinitas* veces 何度も何度も.

in·fi·ni·to[2] [imfiníto インフィニト] 副 無限に, 非常に. Se lo agradezco *infinito*. 心から感謝します.
—— 名男 無限; 〘数〙無限大.

in·fi·ni·tud [imfinitúð インフィニトゥ(ドゥ)] 名女 無限, 無窮.

in·fla·ción [imflaθjón インフラしオン] 名女 〘経済〙インフレーション (↔ deflación). *inflación* monetaria 通貨膨張. luchar contra la *inflación* インフレに対処する.

in·fla·cio·na·rio, ria [imflaθjonárjo, rja インフラしオナリオ, リア] 形 インフレの, 通貨膨張の. política *inflacionaria* インフレ政策.

in·fla·cio·nis·ta [imflaθjonísta インフラしオニスタ] 形 インフレ政策の, 通貨膨張論の.
—— 名男女 通貨膨張論者.

in·fla·ma·ble [imflamáβle インフラマブれ] 形 可燃性の, 引火性の.

in·fla·ma·ción [imflamaθjón インフラマしオン] 名女 **1** 点火, 燃焼; 激高, 興奮.
2 〘医〙炎症.

in·fla·mar [imflamár インフラマル] 動他 **1** 激高させる; あおり立てる, たきつける. *inflamar* los ánimos 鼓舞する.
2 炎症を起こさせる. **3** 燃え上がらせる.
—— **in·fla·mar·se** **1** 炎症を起こす.
2 激高する. *inflamarse* de [en] ira 激怒する. **3** 燃え上がる.

in·fla·ma·to·rio, ria [imflamatórjo, rja インフラマトリオ, リア] 形 炎症性の.

in·flar [imflár インフらル] 動他 **1** 膨らませる. *inflar* un globo 風船を膨らませる.
2 誇張する. *inflar* un suceso 出来事を大げさに話す.
—— **in·flar·se** **1** 膨らむ.
2 《口語》《+**de**》 …で満腹になる.

in·fle·xi·ble [imfleksíβle インフれクシブれ] 形 **1** 曲がらない. **2** 不屈の; 頑固な.

in·fle·xión [imfleksjón インフれクシオン] 名女 **1** 屈曲, 屈折. **2** (声の) 抑揚.
3 〘文法〙屈折, 語尾変化.

in·fli·gir [imflixír インフリヒル] [19 g → j] 動他 (苦痛などを) 与える, 負わせる. *infligir* un castigo a 《+uno》 〈人〉に罰を科す. *infligir* una derrota al adversario 敵を敗北させる.

in·fluen·cia [imflwénθja インフるエンしア] 名女 [複 ~s] 〔英 influence〕 **1** 影響, 感化. la *influencia* de la Guerra del Golfo sobre la economía mundial 湾岸戦争の世界経済に対する影響. En sus inclinaciones a la música se nota la *influencia* de su padre. 彼の音楽好きには父親の影響が見てとれる.
2 影響力, 発言力, 信望; コネ. Tiene mucha *influencia* en el Ministerio de Obras Públicas. 彼は建設省に顔が利く. Su padre tiene *influencia* con el presidente de la compañía aérea. 彼の父親は航空会社の社長とコネがある. Se valió de sus *influencias* para colocar a su hijo. 彼はコネを使って息子を就職させた.

in·fluir [imflwír インフるイル] 29 動自 [現分 influyendo] 《+**en**》 …に影響を与える, 作用する; 圧力をかける. *influir en* la decisión 決定を左右する.
—— 動他 影響を与える, 感化する.

── in·fluir·*se* ⟪＋de⟫ …から影響を受ける，感化される．

in·flu·jo [imflúxo インフるホ] 名男 影響，感化（＝influencia）．

in·flu·yen·te [imflujénte インフるイエンテ] 形 影響力のある，勢力のある．

in·for·ma·ción [imformaθjón インフォルマしオン] 名女 [複 informaciones]〔英 information〕 **1** 情報，知識；通知．De buena fuente hemos conseguido esta *información*. 我々のこの情報は信頼できる筋から得たものだ．según la *información* que acabamos de recibir 我々の得た情報によると．un libro lleno de *informaciones* útiles 有益な情報のいっぱい詰まった本．*informaciones* meteorológicas 気象情況．servicio de *información* 情報部．
2 ⟪集合⟫ ニュース．A las siete daremos *información* más detallada sobre la dimisión del presidente. 7時に大統領の辞任について更に詳しくお伝えします．*información* financiera 金融情報．
3 案内；インフォメーション，案内所．Vete a *información* a preguntar la hora de llegada del avión. インフォメーションへ行って飛行機の到着時間を聞いてきなさい． ➡ estación 図．

I

in·for·mal [imformál インフォルマる] 形
1 略式の，くだけた．
2 当てにならない，不作法な．

in·for·ma·li·dad [imformaliðáð インフォルマリダ(ドゥ)] 名女 略式；くだけること；信頼のおけないこと，不まじめ，不作法．

in·for·man·te [imformánte インフォルマンテ] 名男女 情報提供者；通報者．
── 形 情報を提供する．agencia *informante* 通信社．

in·for·mar [imformár インフォルマル] 動他
1 ⟪しばしば **de, sobre** を伴って自動詞的⟫ 報告する，知らせる，伝える．*informar de* [*sobre*] las decisiones de una comisión ある委員会の決定を報告する．*informar que* ⟪＋直説法⟫ …であることを知らせる．**2** 特徴づける，形成する．
── 動自〖法律〗(法廷で) 弁論する；論告する．
── **in·for·mar·*se*** ⟪＋**de, sobre**⟫ …について尋ねる，調べる；知る．*Infórmate de* la hora de salida del tren. 電車の出発時間を調べてくれ．

in·for·má·ti·ca [imformátika インフォルマティカ] 名女 情報科学；情報処理．

in·for·ma·ti·vo, va [imformatíβo, βa インフォルマティボ，バ] 形 情報を提供する，知識を与える．servicios *informativos* 情報提供サービス．oficina *informativa* 駐在員事務所．
── 名男 ニュース番組（＝programa *informativo*）．

in·for·me [imfórme インフォルメ] 名男
1 報告 (書)，答申，レポート．el *informe* de la comisión 委員会の答申．*informe* anual 年報．presentar un *informe* 報告書を提出する．**2** 情報（＝información）．pedir *informes* sobre [de] … …についての資料を請求する．dar un *informe* 情報を提供する．**3** [しばしば ～s]（身元・技術などの）証明書，保証 (書)．
── 形 形のはっきりしない，ゆがんだ．sombras *informes* ぼんやりした影．

in·for·tu·na·do, da [imfortunáðo, ða インフォルトゥナド，ダ] 形 不運な，不幸な；悲惨な．── 名男女 不運な人，不幸な人．

in·for·tu·nio [imfortúnjo インフォルトゥニオ] 名男 不運，不幸；惨事．

in·frac·ción [imfrakθjón インフラクしオン] 名女 違反．*infracción* del contrato 契約違反．*infracción* contra el código de la circulación 道路交通法違反．

in·frac·tor, to·ra [imfraktór, tóra インフラクトル，トラ] 名男女 違反者．
── 形 違反の．

in·fra·es·truc·tu·ra [imfraestruktúra インフラエストゥルクトゥラ] 名女 **1** (社会の) 下部構造；〖経済〗インフラストラクチャー，経済基盤．**2** (道路・港湾などの) 基幹施設；(空港の) 地上施設；(建物の) 基礎構造．

in·fra·hu·ma·no, na [imfraumáno, na インフラウマノ，ナ] 形 人間以下の，獣のような．

in·fran·que·a·ble [imfraŋkeáβle インフランケアブれ] 形 通り抜けられない；打開できない，克服できない．

in·fra·rro·jo, ja [imfrar̄óxo, xa インフラロホ，ハ] 形〖物理〗赤外線の．
── 名男 赤外線． ➡ ultravioleta.

in·fre·cuen·te [imfrekwénte インフレクエンテ] 形 稀(ま)な，めったにない．suceso *infrecuente* 稀有(け)な出来事．

in·frin·gir [imfriŋxír インフリンヒル] [⑲ g ➡ j] 動他 (法律・契約などを) 犯す，破る（＝violar）．*infringir* una orden 命令に背く．

in·fruc·tuo·so, sa [imfruktwóso, sa インフルクトゥオソ，サ] 形 無益の，むなしい．esfuerzo *infructuoso* 徒労．

ín·fu·las [ímfulas インフらス] 名女 [複] てらい，うぬぼれ．darse [tener] muchas *ínfulas* 大いに気取る．

in·fun·da·do, da [imfundáðo, ða インフンダド，ダ] 形 根拠のない，事実無根の．rumores *infundados* 根も葉もないうわさ．

in·fun·dio [imfúndjo インフンディオ] 名男 うそ（＝mentira）；うわさ．

in·fun·dir [imfundír インフンディル] 動他 (感情などを) 抱かせる．*infundir* terror 恐怖の念を起こさせる．*infundir* sospecha a ⟪＋uno⟫〈人〉に疑いを抱かせる．

in·fu·sión [imfusjón インフシオン] 名女 煎(せん)じ茶，ハーブティー，煎じ薬．

in·ge·niar [iŋxenjár インヘニアル] 動他 工夫する，考案する．

ingeniárselas para 《＋不定詞》…のために工夫を凝らす，知恵を働かせる．
ingeniera 名女 → ingeniero.
in·ge·nie·rí·a [iŋxenjería インヘニエリア] 名女 工学，エンジニアリング．*ingeniería* civil 土木工学．
in·ge·nie·ro, ra [iŋxenjéro, ra インヘニエロ，ラ] 名男女 [複 ～s]〔英 engineer〕技師，**エンジニア**．
in·ge·nio [iŋxénjo インヘニオ] 名男 **1** 才能；機知，ウイット．tener mucho *ingenio* 才知に富んでいる．aguzar el *ingenio* 《口語》頭を働かせる．
2 天才．**3** 仕掛け，装置；兵器．
in·ge·nio·so, sa [iŋxenjóso, sa インヘニオソ，サ] 形 才覚 [才能] のある；創意に富んだ；機知に富んだ；巧妙な．persona *ingeniosa* 才人．
in·gen·te [iŋxénte インヘンテ] 形 巨大な，莫大(ばく)な．una *ingente* masa de fuentes históricas 膨大な史料の山．sumas *ingentes* de dinero 巨額の金．
in·ge·nui·dad [iŋxenwiðáð インヘヌイダ(ドゥ)] 名女 純真，無邪気 (＝ inocencia)．
in·ge·nuo, nua [iŋxénwo, nwa インヘヌオ，ヌア] 形 純真な，無邪気な；うぶな，お人よしの．
—— 名男女 純真な人，無邪気な人；世間知らず，お人よし．
in·ge·rir [iŋxerír インヘリル] [52 e → ie, i] 動他 [現分 ingiriendo] 摂取する．*ingerir* alimentos 食べ物を摂取する．
In·gla·te·rra [iŋglatéra イングラテラ] 固名 〔英 England〕**イギリス**，英国；イングランド (地方)．→ Gran Bretaña.
in·gle [íŋgle イングレ] 名女 〘解剖〙鼠径(そけい)部．
in·glés[1]**, gle·sa** [iŋglés, glésa イングレス，グレサ] [複 男 ingleses, 女 ～s]〔英 English〕形 **1 イギリス(人)の**，イングランド (人) の．**2 英語の**．
—— 名男女 **イギリス人**；イングランド人．
in·glés[2] [iŋglés イングレス] 名男 〔英 English〕**英語**．
in·go·ber·na·ble [iŋgoβernáβle インゴベルナブレ] 形 統治不能な；手に負えない．
in·gra·ti·tud [iŋgratitúð イングラティトゥ(ドゥ)] 名女 忘恩，恩知らず．
in·gra·to, ta [iŋgráto, ta イングラト，タ] 形 **1** 《＋**con, para con**》…に対して恩知らずの．hijo *ingrato* 親不孝者．
2 不快な，嫌な (＝desagradable)．tiempo *ingrato* うっとうしい天気．
3 報われない．una labor *ingrata* わりの悪い仕事．
in·grá·vi·do, da [iŋgráβiðo, ða イングラビド，ダ] 形 軽やかな；重みのない；〘物理〙無重力の．
in·gre·dien·te [iŋgreðjénte イングレディエンテ] 名男 成分，含有物，材料．
in·gre·sar [iŋgresár イングレサル] 動自 《＋**en**》…に入る，入会する；入院する．*ingresar en* una universidad 大学に入る．*ingresar en* el partido 入党する．
—— 動他 **1** 預金する．*ingresar* dinero en el banco 銀行に入金する．
2 …の収入を得ている．**3** 入院させる．
in·gre·so [iŋgréso イングレソ] 名男 **1** 入ること；入会，入学，入院；入金．examen de *ingreso* 入学試験．hacer un *ingreso* 入金する．
2 [～s] 収入，所得；(国家の) 歳入 (↔ gasto)．*ingresos* anuales 年収．
in·há·bil [ináβil イナビル] 形 **1** 不器用な，下手な；能力に欠ける，不適任の；〘法律〙無資格の．*inhábil* para el trabajo [para trabajar] 仕事に不向きな．
2 業務を行わない，休みの．
in·ha·bi·li·tar [inaβilitár イナビリタル] 動他 《＋**para**》…の資格を取り上げる，失格させる．
in·ha·bi·ta·ble [inaβitáβle イナビタブレ] 形 人の住めない，居住に適さない．
in·ha·la·dor, do·ra [inalaðór, ðóra イナラドル，ドラ] 形 吸い込む，吸入用の．
—— 名男 吸入器．
in·ha·lar [inalár イナラル] 動他 吸い込む，吸入する．
in·he·ren·te [inerénte イネレンテ] 形 《＋**a**》…に固有の，本来の．*inherente a* la naturaleza humana 人間性に固有の．
in·hi·bi·ción [iniβiθjón イニビシオン] 名女 抑制，抑止；(身体の一時的) 機能停止．muerte por *inhibición* ショック死．
in·hi·bir [iniβír イニビル] 動他 **1** 〘法律〙(審理を) 停止させる．
2 〘生物〙〘心理〙抑制する．
—— **in·hi·bir·*se*** 《＋**de, en**》…を差し控える．*inhibirse en* un asunto 問題とのかかわりを避ける．
in·hos·pi·ta·la·rio, ria [inospitalárjo, rja イノスピタラリオ，リア] 形 **1** 無愛想な，もてなしの悪い．**2** 住みにくい．
in·hós·pi·to, ta [inóspito, ta イノスピト，タ] 形 住みにくい；無愛想な．
in·hu·ma·no, na [inumáno, na イヌマノ，ナ] 形 **1** 非人間的な；無情な．
2 耐えきれない，ひどい．
in·hu·mar [inumár イヌマル] 動他 埋葬する (↔ exhumar)．
i·ni·cia·ción [iniθjaθjón イニシアシオン] 名女 **1** 開始，手始め；入門．*iniciación* a la filosofía 哲学入門．curso de *iniciación* 初級．
2 加入．*iniciación* religiosa 入信．
i·ni·cial [iniθjál イニシアル] 形 始めの，初期の．plan *inicial* 初めの計画．
—— 名女 頭文字，イニシャル．
i·ni·ciar [iniθjár イニシアル] 動他 **1** 始める，開始する，着手する (＝empezar)．*iniciar*

I

las negociaciones 交渉を始める.
2 《+**en**》…の手ほどきをする. Ella me *inició en* el español. 彼女が私にスペイン語の手ほどきをしてくれた.
3 〘コンピ〙起動する.
── **i·ni·ciar·*se*** **1** 《+**en**》…を習い始める, …に入門する. *iniciarse en* el arte de tocar la guitarra ギターの奏法を初めて習う. **2** 始まる.
i·ni·cia·ti·va [iniθjatíβa イニしアティバ] 名女 **1** 主導(権), 率先; 発意. tomar la *iniciativa* イニシアチブを取る. obrar por propia *iniciativa* 率先して行動する.
2 進取の気性, 創意. persona de mucha *iniciativa* 進取の気性に富んでいる人.
i·ni·cio [iníθjo イニしオ] 名男 開始; 冒頭, 端緒 (= principio).
i·ni·cuo, cua [iníkwo, kwa イニクオ, クア] 形 不公平な, 不公正な; よこしまな.
i·ni·gua·la·ble [iniɣwaláβle イニグアらブれ] 形 比類のない, 抜群の.
i·ni·ma·gi·na·ble [inimaxináβle イニマヒナブれ] 形 想像できない, 思いもよらない.
i·ni·mi·ta·ble [inimitáβle イニミタブれ] 形 まねのできない, 独特の.
I
i·nin·te·li·gi·ble [inintelixíβle イニンテりヒブれ] 形 理解できない, 判読できない.
i·nin·te·rrum·pi·do, da [ininte-r̄umpíðo, ða イニンテルンピド, ダ] 形 途切れない, 連続した.
i·ni·qui·dad [inikiðáð イニキダ(ドゥ)] 名女 不公平, 不公正 (↔ equidad); 邪悪.
in·je·ren·cia [iŋxerénθja インヘレンしア] 名女 介入, 干渉.
in·je·rir·*se* [iŋxerírse インヘリルセ] [52 e ➞ ie, i] 動 [現分 injiriéndose] 《+**en**》…に介入する, 干渉する. *injerirse en* los asuntos ajenos 他人のことに口出しする.
in·jer·tar [iŋxertár インヘルタル] 動他
1 接ぎ木[接ぎ穂]する.
2 〘医〙移植する. ➞ implantar.
in·jer·to [iŋxérto インヘルト] 名男
1 〘農業〙接ぎ木; 接ぎ穂, 挿し穂.
2 〘医〙移植. *injerto* de piel 皮膚移植.
in·ju·ria [iŋxúrja インフリア] 名女 侮辱; 罵倒(ばとう). proferir *injurias* contra 《+uno》〈人〉に悪口雑言を浴びせる.
in·ju·riar [iŋxurjár インフリアル] 動他 侮辱する, 罵倒(ばとう)する.
in·ju·rio·so, sa [iŋxurjóso, sa インフリオソ, サ] 形 侮辱的な, 無礼な.
in·jus·ti·cia [iŋxustíθja インフスティしア] 名女 不正, 不当; 不公平; 不正行為. cometer una *injusticia* 不正を働く.
in·jus·to, ta [iŋxústo, ta インフスト, タ] 形
1 不正な, 不当な. un pago *injusto* 不当な支払い.
2 《+**con, para**》…に対して不公平な. Eres *injusto con* él. 君は彼に対して公正を欠いている.
in·ma·cu·la·do, da [immakuláðo, ða インマクらド, ダ] 形 無垢(むく)な, 汚れのない; 〘カトリ ック〙無原罪の.
in·ma·du·rez [immaðuréθ インマドゥレす] 名女 未熟, 子供っぽさ.
in·ma·du·ro, ra [immaðúro, ra インマドゥロ, ラ] 形 未熟の; まだ子供の. proyecto *inmaduro* 十分練れていない計画.
in·ma·te·rial [immaterjál インマテリアる] 形 非物質的な, 実体のない, 無形の; 霊的な.
in·me·dia·cio·nes [immeðjaθjónes インメディアしオネス] 名女 [複] 近郊, 郊外.
in·me·dia·ta·men·te [immeðjáta-ménte インメディアタメンテ] 副 直ちに, すぐに.
in·me·dia·to, ta [immeðjáto, ta インメディアト, タ] 形 [複 ～s] 〔英 immediate〕
1 すぐの, 即座の. La droga tiene un efecto *inmediato*. 麻薬には即効性がある. Se necesita una solución *inmediata*. 即断が要求される. Espero tu respuesta *inmediata*. 折り返し君の返事を待っています. de *inmediato* 直ちに.
2 直接の; 《+**a**》…のすぐ近くの, 直後の. causa *inmediata* 直接の原因. en el futuro *inmediato* ごく近い将来に. Fue un suceso *inmediato a* la contienda. それは戦闘の直後に起こった.
in·me·jo·ra·ble [immexoráβle インメホラブれ] 形 極上の, 申し分のない. La calidad es *inmejorable*. 品質は最高です.
in·me·mo·rial [immemorjál インメモリアる] 形 遠い昔の, 太古の. desde tiempo *inmemorial* 大昔から.
inmensa 形女 ➞ inmenso.
in·men·si·dad [immensiðáð インメンシダ(ドゥ)] 名女 広大, 無限; 無数, 莫大(ばくだい). *inmensidad* del océano 果てしない大海原.
in·men·so, sa [imménso, sa インメンソ, サ] 形 [複 ～s] 〔英 immense〕 **広大な**, 莫大(ばくだい)な; 無限の, 計り知れない. Hacia el norte se extiende una llanura *inmensa*. 北に向かって広大な平原が広がっている. una *inmensa* cantidad de dinero 莫大な金. poder *inmenso* 絶大な権力. *inmensa* alegría 非常な喜び.
in·me·re·ci·do, da [immereθíðo, ða インメレしド, ダ] 形 過分な, 不当な.
in·mer·sión [immersjón インメルシオン] 名女 沈めること, 浸(つ)けること; 潜水.
in·mer·so, sa [imméerso, sa インメルソ, サ] 形 沈んだ, 潜った; 《+**en**》…の状況に陥った. *inmerso en* una crisis 危機に見舞われた.
in·mi·gra·ción [immiɣraθjón インミグラしオン] 名女 移住; 入国; 《集合》移民 (↔ emigración).
in·mi·gran·te [immiɣránte インミグランテ] 名男女 移住者, 移民 (↔ emigrante).
── 形 移住する, 移民してくる.
in·mi·grar [immiɣrár インミグラル] 動自 (他国・他都市から) 移住する, 移民する (↔ emigrar).

in·mi·gra·to·rio, ria [immiɣratórjo, rja インミグラトリオ, リア] 形移住の, 移民の.
in·mi·nen·cia [imminénθja インミネンしア] 名女切迫, 緊迫した状態.
in·mi·nen·te [imminénte インミネンテ] 形切迫した, 緊迫した.
in·mis·cuir·*se* [immiskwírse インミスクイルセ] 29 動[現分 inmiscuyéndose]《+**en**》…に干渉する, 介入する. *inmiscuirse en* la vida de los demás 他人の生活に口出しする.
in·mo·bi·lia·rio, ria [immoβiljárjo, rja インモビりアリオ, リア] 形不動産の. especulación *inmobiliaria* 不動産投機.
—— 名女不動産会社.
in·mo·ral [immorál インモラる] 形不道徳な, 不品行な.
in·mo·ra·li·dad [immoraliðáð インモラりダ(ドゥ)] 名女不道徳, 不品行; 猥褻(わいせつ).
in·mor·tal [immortál インモルタる] 形不滅の, 不朽の; 不死の. obra *inmortal* 不朽の名作. —— 名男女不朽の名声を保つ人.
in·mor·ta·li·dad [immortaliðáð インモルタりダ(ドゥ)] 名女不滅, 不朽; 不死.
in·mor·ta·li·zar [immortaliθár インモルタりさル] [39 **z** ➡ **c**] 動他不滅[不朽]にする.
in·mó·vil [immóβil インモビる] 形不動の; 静止した. permanecer *inmóvil* 動かずにじっとしている.
in·mo·vi·li·dad [immoβiliðáð インモビりダ(ドゥ)] 名女不動, 静止, 固定.
in·mo·vi·lis·mo [immoβilísmo インモビりスモ] 名男保守主義, 事なかれ主義.
in·mo·vi·li·zar [immoβiliθár インモビりさル] [39 **z** ➡ **c**] 動他動かなくする, 固定する; (機能を) 停止させる.
in·mue·ble [immwéβle インムエブれ] 名男建物, ビル; [〜s] 不動産.
—— 形不動産の.
in·mun·di·cia [immundíθja インムンディしア] 名女汚さ, 不潔; 下劣.
in·mun·do, da [immúndo, da インムンド, ダ] 形汚い, 不潔な; 下劣な.
in·mu·ne [immúne インムネ] 形 **1**〘医〙《+**a, contra**》…に免疫[抗体]を持つ. estar *inmune a*l cólera コレラに対して免疫がある. **2** 免れた, 特権を与えられた.
in·mu·ni·dad [immuniðáð インムニダ(ドゥ)] 名女 **1**〘医〙免疫(性), 抗体. **2** 免除; 特権. *inmunidad* parlamentaria [diplomática] 議員[外交官]特権.
in·mu·no·de·fi·cien·cia [immunoðefiθjénθja インムノデフィしエンしア] 名女〘医〙免疫不全. síndrome de *inmunodeficiencia* adquirida 後天性免疫不全症 (=SIDA)〔英 AIDS〕. virus de *inmunodeficiencia* humana エイズウィルス (=VIH)〔英 HIV〕.
in·mu·ta·bi·li·dad [immutaβiliðáð インムタビりダ(ドゥ)] 名女不変(性), 不易.
in·mu·ta·ble [immutáβle インムタブれ] 形不変の, 変わらない; 動じない.
in·mu·tar·*se* [immutárse インムタルセ] 動動揺する, 顔色を変える.
in·na·to, ta [innáto, ta インナト, タ] 形生まれつきの, 生得の. dolencia *innata* 先天性疾患.
in·ne·ce·sa·rio, ria [inneθesárjo, rja インネせサリオ, リア] 形不必要な, 不要[無用]な.
in·ne·ga·ble [inneɣáβle インネガブれ] 形否定できない, 明白な. Es *innegable* que tiene buen gusto. 彼の趣味がいいことは否定できない.
in·no·ble [innóβle インノブれ] 形卑劣な; 下劣な, 下品な.
in·no·va·ción [innoβaθjón インノバしオン] 名女刷新, 革新; 新機軸;〘経済〙イノベーション.
in·no·var [innoβár インノバル] 動他刷新する, 革新する.
in·nu·me·ra·ble [innumeráβle インヌメラブれ] 形無数の, おびただしい.
i·no·cen·cia [inoθénθja イノせンしア] 名女 **1** 潔白, 無罪. demostrar la *inocencia* de un acusado 被告の潔白を証明する. **2** 無邪気, 無垢(く), あどけなさ. con toda *inocencia* 全く無心に.
i·no·cen·ta·da [inoθentáða イノせンタダ] 名女《口語》**1** 無邪気な言動. **2** (スペインなどで) 12月28日のいたずら. ➡ inocente.
i·no·cen·te [inoθénte イノせンテ] 形 **1** 潔白な, 無罪の (↔ culpable). declararse *inocente* 無罪を主張する.
2 無邪気な, 天真爛漫(らんまん)な, たわいのない. alma *inocente* 純真無垢(く)な心. broma *inocente* 悪気のないいたずら.
—— 名男女 **1** 無邪気な人; ばか正直な人. **2** 無実の人.
los Santos* (*Niños*) *Inocentes〘聖書〙(ヘロデ王が虐殺した) 嬰児(えいじ)の殉教者. ◆その日 Día de los *inocentes* 12月28日はスペインなどでエープリルフールに当たる.
i·no·cu·lar [inokulár イノクらル] 動他 **1**〘医〙接種する. *inocular* la vacuna a《+uno》〈人〉にワクチンを接種する. **2** (思想などを) 植えつける.
i·no·cuo, cua [inókwo, kwa イノクオ, クア] 形 **1** 無害の, 無毒の. **2** つまらない, 面白みのない. discurso *inocuo* 面白くない演説.
i·no·do·ro, ra [inoðóro, ra イノドロ, ラ] 形無臭の. —— 名男水洗便所.
i·no·fen·si·vo, va [inofensíβo, βa イノフェンシボ, バ] 形害にならない, 無害の; 悪気のない, 当たり障りのない. juguete *inofensivo* 安全なおもちゃ.
i·nol·vi·da·ble [inolβiðáβle イノるビダブれ] 形忘れられない, 脳裏に残る. espectáculo *inolvidable* 忘れがたい光景.
i·no·pe·ran·te [inoperánte イノペランテ] 形効果のない.

i·no·pia [inópja イノピア] 名女 貧困, 困窮. ***estar en la inopia***《口語》ぼんやりしている.

i·no·pi·na·da·men·te [inopináðaménte イノピナダメンテ] 副 思いがけなく, 不意に.

i·no·pi·na·do, da [inopináðo, ða イノピナド, ダ] 形 予期しない, 思いがけない.

i·no·por·tu·ni·dad [inoportuniðáð イノポルトゥニダ(ドゥ)] 名女 折悪(おり)しさ, 不都合.

i·no·por·tu·no, na [inoportúno, na イノポルトゥノ, ナ] 形 折の悪い, 不都合な. una llamada *inoportuna* 間の悪い電話.

i·nor·gá·ni·co, ca [inorɣániko, ka イノルガニコ, カ] 形 **1** 無生物の;〘化〙無機質の.
2 非組織的な.

i·no·xi·da·ble [inoksiðáβle イノクシダブれ] 形 錆(さ)びない, 酸化しない.

in·que·bran·ta·ble [iŋkeβrantáβle インケブランタブれ] 形 壊れない, 破れない; 確固とした. fe *inquebrantable* 揺るぎない信仰.

inquieta 形女 → inquieto.

in·quie·tan·te [iŋkjetánte インキエタンテ] 形 心配させる, 気をもませる.

in·quie·tar [iŋkjetár インキエタル] 動他 気をもませる, 不安にする, 心配させる. Su tardanza *inquieta* a sus padres. 彼の帰りが遅いので両親は気が気でない.
—— **in·quie·tar·se** 《+con, de, por》…に気をもむ, 心配する. No debes *inquietarte por* su silencio. 連絡がないからといって心配することはないよ.

in·quie·to, ta [iŋkjéto, ta インキエト, タ] 形 [複 ~s]〔英 restless〕**1 落ち着かない**, そわそわした; 騒がしい. niño *inquieto* 落ち着きのない子供.
2 気がかりな, 心配な, 不安な.
3 活動的な, 進取的な.

in·quie·tud [iŋkjetúð インキエトゥ(ドゥ)] 名女 [複 ~es]〔英 anxiety, worry〕**1 不安, 心配**, 気がかり. esperar con *inquietud* そわそわ[いらいら]して待つ. Sus hijos le causan gran *inquietud*. 彼には息子たちが心配の種だ. Durante la época nazi una gran *inquietud* se apoderó de los judíos que vivían en Alemania. ナチスの支配下, ドイツに住むユダヤ人は大変な不安にかられた. Se nota una *inquietud* general en las empresas de construcción. 建設業界全体に動揺が見られる.
2 [普通 ~es] 強い関心, 野心. tener *inquietudes* literarias 文学にあこがれる.

in·qui·li·no, na [iŋkilíno, na インキリノ, ナ] 名男女 借家人, 間借り人.

in·qui·na [iŋkína インキナ] 名女 反感, 恨み. tener [tomar] *inquina* a 《+uno》〈人〉に反感を抱く.

in·qui·rir [iŋkirír インキリル] [1 i → ie] 動他自 調査する; 尋問する.

in·qui·si·ción [iŋkisiθjón インキシしオン] 名女 **1** [I-]〘カトリック〙異端審問(所), 宗教裁判(所). ◆カトリック世界で異端者の告発と処罰を目的として13世紀に設けられた.
2 調査, 取り調べ; 詮索(せんさく); 尋問.

in·qui·si·dor, do·ra [iŋkisiðór, ðóra インキシドル, ドラ] 形 調査する, 尋問する. mirada *inquisidora* 探るような目つき.
—— 名男 異端審問官.

in·qui·si·ti·vo, va [iŋkisitíβo, βa インキシティボ, バ] 形 調査の; 詮索(せんさく)するような.

in·qui·si·to·rial [iŋkisitorjál インキシトリアる] 形 **1** 厳格な, 過酷な.
2 異端審問の, 宗教裁判の.

I.N.R.I. [ínr̄i インリ] 名男 **1** *I*esus *N*azarenus *R*ex *I*udaeorum ユダヤ人の王ナザレのイエスの略.
2 [i-] 嘲(あざ)り. poner el *inri* a《+uno》〈人〉を嘲る. (y) para mayor [más] *inri* そのうえ悪いことには.

in·sa·cia·ble [insaθjáβle インサしアブれ] 形《+de》…に飽くことを知らない, 貪欲(どんよく)な. codicia *insaciable* 飽くことなき貪欲.

in·sa·lu·bre [insalúβre インサるブレ] 形 健康によくない, 非衛生的な.

in·sa·lu·bri·dad [insaluβriðáð インサるブリダ(ドゥ)] 名女 不健康, 非衛生.

in·sa·no, na [insáno, na インサノ, ナ] 形 体によくない, 不健康な.

in·sa·tis·fe·cho, cha [insatisfétʃo, tʃa インサティスフェチョ, チャ] 形《+con》…に不満足な, 飽き足りない.

ins·cri·bir [inskriβír インスクリビル] 動他 [過分 inscrito, ta] **1** 刻む, 彫りつける. *inscribir* el epitafio 墓碑銘を刻む.
2 記載する, 登録する. *inscribir* a《+uno》en el registro civil〈人〉を戸籍簿に記載する.
—— **ins·cri·bir·se 1** (自分の名前を)記入する; 登録する, 申し込む.
2《3人称で用いられて》含まれる, 入る.

ins·crip·ción [inskripθjón インスクリプしオン] 名女 **1** 記載; 登録, 申し込み.
2 銘, 碑文.

in·sec·ti·ci·da [insektiθíða インセクティしダ] 名男 殺虫剤.
—— 形 殺虫の.

in·sec·tí·vo·ro, ra [insektíβoro, ra インセクティボロ, ラ] 形〘動物〙〘植物〙食虫性の.
—— 名男 食虫動物; [~s] 食虫目.

in·sec·to [insékto インセクト] 名男 [複 ~s]〔英 insect〕**昆虫**; 虫. → bicho, gusano. →次ページ図

in·se·gu·ri·dad [inseɣuriðáð インセグリダ(ドゥ)] 名女 不確実, 不安定; 不安, 心もとなさ. con *inseguridad* あやふやに.

in·se·gu·ro, ra [inseɣúro, ra インセグロ, ラ] 形 不確実な, 不安定な; 不安な.

in·se·mi·na·ción [inseminaθjón インセミナしオン] 名女 授精. *inseminación* artificial 人工授精.

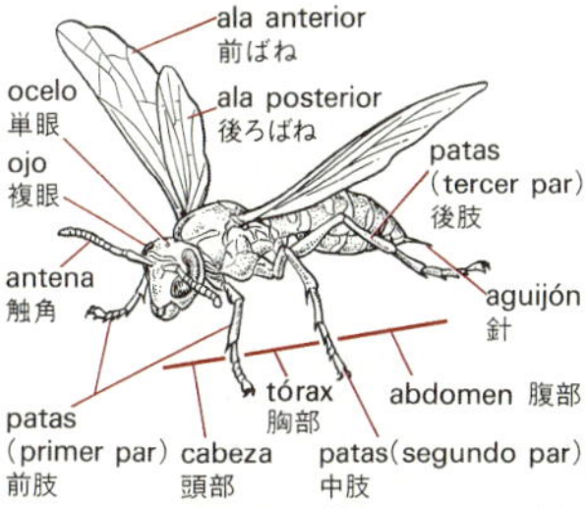

insecto 昆虫

in·sen·sa·tez [insensatéθ インセンサテす] 名女 無分別, 思慮のなさ; ばかげた言動.

in·sen·sa·to, ta [insensáto, ta インセンサト, タ] 形 無分別な, 思慮のない; ばかげた.
—— 名男女 無分別な人, 思慮のない人.

in·sen·si·bi·li·dad [insensiβiliðáð インセンシビリダ(ドゥ)] 名女 無感覚; 鈍感, 冷淡.

in·sen·si·ble [insensíβle インセンシブれ] 形 **1** ⦅+a⦆ …に無感覚な, 鈍感な; 冷淡な. *insensible al* frío 寒さに強い. *insensible a* la tristeza ajena 他人の悲しみに鈍感な. **2** 感じられないほどの. aumento *insensible* わずかな上昇.

in·se·pa·ra·ble [inseparáβle インセパラブれ] 形 ⦅+de⦆ …から切り離せない, 不可分の; 離れられない. amigos *inseparables* 大の仲良し.

in·ser·ción [inserθjón インセルしオン] 名女 **1** 挿入, 差し込み. **2** 掲載, 掲載記事.

in·ser·tar [insertár インセルタル] 動他 **1** ⦅+en⦆ …に挿入する, 差し込む. *insertar* una cláusula *en* un tratado 条約に条項を挿入する. **2** 掲載する.

in·ser·to, ta [insérto, ta インセルト, タ] 形 挿入された, 差し込まれた; 掲載された.

in·ser·vi·ble [inserβíβle インセルビブれ] 形 役に立たない, 使い物にならない. La plancha ya está *inservible*. そのアイロンはもう使えない.

in·si·dia [insíðja インシディア] 名女 [普通 ～s] **1** わな, 策略. **2** 悪意に満ちた言動.

in·si·dio·so, sa [insiðjóso, sa インシディオソ, サ] 形 陰険な, 腹黒い; 〘医〙潜行性の. enfermedad *insidiosa* 潜行性疾患.

in·sig·ne [insíɣne インシグネ] 形 著名な, 高名な.

in·sig·nia [insíɣnja インシグニア] 名女 記章, バッジ; 団旗, 隊旗.

in·sig·ni·fi·can·cia [insiɣnifikánθja インシグニフィカンしア] 名女 無意味; 取るに足りないもの; 少量. alarmarse con unas *insignificancias* つまらぬことで騒ぎたてる.

in·sig·ni·fi·can·te [insiɣnifikánte インシグニフィカンテ] 形 無意味な, 取るに足りない. una persona *insignificante* くだらない人物. una cantidad *insignificante* de dinero はした金.

in·si·nua·ción [insinwaθjón インシヌアしオン] 名女 示唆, ほのめかし; 思わせぶり.

in·si·nuan·te [insinwánte インシヌアンテ] 形 示唆する, ほのめかす; 思わせぶりな.

in·si·nuar [insinwár インシヌアル] [14 u → ú] 動他 暗示する, ほのめかす. Ella me *insinuó* algo, pero no me lo dijo con detalles. 彼女からそれとなくほのめかされたが, 詳しくは話してくれなかった.
—— **in·si·nuar·*se*** …の気を引く. *insinuarse* a una mujer 女に色目を使う.

in·sí·pi·do, da [insípiðo, ða インシピド, ダ] 形 **1** 味のない. alimento *insípido* 風味のない食べ物. **2** 面白味のない, つまらない. comedia *insípida* 退屈な芝居.

in·sis·ten·cia [insisténθja インシステンしア] 名女 固執, しつこさ, 執拗(しつよう)さ. con *insistencia* しつこく.

in·sis·ten·te [insisténte インシステンテ] 形 固執する, しつこい, 執拗(しつよう)な.

in·sis·ten·te·men·te [insisténtemente インシステンテメンテ] 副 しつこく.

in·sis·tir [insistír インシスティル] 動自 〔英 insist〕⦅+en⦆ **1** **…を繰り返し言う,** 主張する. No *insistas* más. くどいぞ. *Insiste en* su inocencia. 彼は自分が無実だと主張している. *Insisto en* que no tienes nada que ver con esto. もう一度言うが君はこの件には関係がないんだ. **2** **…を強く要求する.** Si *insistes*, te acompañaré. 君がどうしてもと言うなら, 一緒に行ってやろう. *Insiste en* que vaya con él. 彼は私に一緒に行けと言ってきかない (►que に続く動詞は接続法が用いられる).

in·so·bor·na·ble [insoβornáβle インソボルナブれ] 形 賄賂(わいろ)のきかない, 買収されない.

in·so·cia·ble [insoθjáβle インソしアブれ] 形 交際嫌いの, 非社交的な.

in·so·la·ción [insolaθjón インソらしオン] 名女 **1** 〘医〙日射病. coger una *insolación* 日射病にかかる. **2** 日照時間 (= horas de *insolación*).

in·so·len·cia [insolénθja インソれンしア] 名女 無礼, 傲慢(ごうまん), 横柄; 横柄な言動.

in·so·len·tar [insolentár インソれンタル] 動他 無礼な態度を取らせる.
—— **in·so·len·tar·*se*** ⦅+con⦆ …に無礼な態度を取る, 横柄な口を利く.

in·so·len·te [insolénte インソれンテ] 形 無礼な, 傲慢(ごうまん)な, 横柄な.

in·so·lu·ble [insolúβle インソるブれ] 形 溶けない, 不溶性の; 解決できない.

in·sol·ven·cia [insolβénθja インソるベンしア] 名女 〘法律〙支払い不能, 破産.

in·sol·ven·te [insolβénte インソるベンテ] 形 支払い不能の. declararse *insolvente* 破産宣告する.

in·som·ne [insómne インソムネ] 形 眠れな

い, 不眠(症)の.

in·som·nio [insómnjo インソムニオ] 名男 不眠(症).

in·son·da·ble [insondáβle インソンダブれ] 形 底知れぬ, 計り知れない. misterio *insondable* うかがい知れない神秘.

in·so·no·ri·za·ción [insonoriθaθjón インソノリさしオン] 名女 防音(工事); 消音化.

in·so·no·ri·zar [insonoriθár インソノリさル] [39 z → c] 動他 防音する.

in·so·por·ta·ble [insoportáβle インソポルタブれ] 形 耐えがたい, 我慢できない. calor *insoportable* 耐えられない暑さ. Cuando bebe se pone *insoportable*. 彼は飲むと手がつけられない.

in·sos·la·ya·ble [insoslajáβle インソスらヤブれ] 形 避けがたい, 不可避の.

in·sos·pe·cha·ble [insospetʃáβle インソスペチャブれ] 形 思いも寄らない, 予想外の.

ins·pec·ción [inspekθjón インスペクしオン] 名女 **1** 検査, 監査, 視察. *inspección* ocular 現場[実地]検証. *inspección* sanitaria 衛生検査. **2** 検査所, 監督局.

ins·pec·cio·nar [inspekθjonár インスペクしオナル] 動他 検査[監査]する; 視察する.

I

ins·pec·tor, to·ra [inspektór, tóra インスペクトル, トラ] 名男女 検査官, 監査役, 視察官; 検札係. *inspector* de cuentas 会計監査役. *inspector* de policía 警部.

ins·pi·ra·ción [inspiraθjón インスピラしオン] 名女 **1** 霊感, インスピレーション; 着想. **2** 吸気, 息を吸うこと. **3** 影響, 感化.
bajo la inspiración de 《+uno》〈人〉の感化で.

ins·pi·rar [inspirár インスピラル] 動他 着想[インスピレーション]を与える; (感情を)抱かせる. *inspirar* confianza 信頼を抱かせる. —— **ins·pi·rar·*se*** 《+en》…から着想[インスピレーション]を得る.

ins·ta·la·ción [instalaθjón インスタらしオン] 名女 **1** 取り[据え]付け, 設置.
2 《集合》設備; [~s]施設.

ins·ta·lar [instalár インスタらル] 動他 〔英 install〕 **1** (設備などを) **取り付ける**, 据え付ける; 設置する. *instalar* el aire acondicionado エアコンを取り付ける.
2 定住させる, 住まわせる.
3 〘コンピュータ〙 インストールする: コンピュータソフトを組み込む.
—— **ins·ta·lar·*se*** 定住する, 居を定める. *Se han instalado* en la nueva casa. 彼らは新居に落ち着いた.

ins·tan·cia [instánθja インスタンしア] 名女 **1** 請願; 請願書, 申請書. a *instancia* de ... …の申し立て[請求]により. a *instancias* de ... …の依頼により.
2 〘法律〙 審級. tribunal de primera *instancia* 第一審裁判所.
en última instancia 最後の手段として.

ins·tan·tá·ne·o, a [instantáneo, a インスタンタネオ, ア] 形 即時の, 瞬間的な; 即席の. café *instantáneo* インスタントコーヒー. —— 名女 スナップ写真 (=fotografía *instantánea*).

ins·tan·te [instánte インスタンテ] 名男 [複 ~s] 〔英 instant〕 **瞬間**; 《este, ese などを伴って》まさにその瞬間 (= momento). Sólo pude verlo un *instante*. ほんの一瞬ちらっと見えただけだ. En ese *instante* sonó el teléfono. その時電話が鳴った.
a cada instante いつも, 絶えず.
al instante すぐに, その場で.
en este instante 今, たった今.
en un instante すぐに, たちまち. Volvió *en un instante*. 彼はすぐ戻ってきた.
por instantes 急に, ぐんぐん, どんどん.
por un instante 一瞬.

ins·tar [instár インスタル] 動自他 切願する. *instar* una solución 解決を強く望む.

ins·tau·rar [instaurár インスタウラル] 動他 設立する, 創設する; 制定する. *instaurar* un instituto 研究所を創立する.

ins·tin·ti·vo, va [instintíβo, βa インスティンティボ, バ] 形 本能的な, 直感的な.

ins·tin·to [instínto インスティント] 名男 [複 ~s] 〔英 instinct〕 **本能**. *instinto* sexual [materno] 性[母性]本能.
por instinto 本能的に; 直感的に.

ins·ti·tu·ción [instituθjón インスティトゥしオン] 名女 **1** 機関, 団体, 協会, 施設. *institución* benéfica 慈善団体.
2 [しばしば instituciones] 社会制度, 体制. **3** 設立; 制定.

ins·ti·tu·cio·nal [instituθjonál インスティトゥしオナる] 形 制度の, 機構の. reforma *institucional* 機構の改革.

ins·ti·tuir [institwír インスティトゥイル] 29 動他 [現分 instituyendo] 設立する, 創設する; 制定する, 制度化する.

ins·ti·tu·to [institúto インスティトゥト] 名男 [複 ~s] 〔英 institute〕 **1** **研究所**, 高等教育機関; 協会. *Instituto* de Bellas Artes 美術大学. *Instituto* Cervantes セルバンテス協会. *instituto* de segunda enseñanza (スペインの昔の) 中[高等]学校.
2 各種学校.

ins·ti·tu·triz [institutríθ インスティトゥトゥリす] 名女 [複 institutrices] (女性の)家庭教師.

ins·truc·ción [instrukθjón インストゥルクしオン] 名女 [複 instrucciones] 〔英 instruction〕 **1** [普通 instrucciones] **指示**. dar a 《+uno》 *instrucciones* sobre 《+algo》〈人〉に〈何か〉について指示を与える. *instrucciones* para el uso 使用説明書. recibir *instrucciones* 指示[訓令]を受ける.
2 **教育**. *instrucción* pública 公教育. *instrucción* militar 〘軍事〙 教練. → educación. **3** 知識, 教養. **4** 〘コンピュータ〙 命令.

ins·truc·ti·vo, va [instruktíβo, βa

インストゥルクティボ, バ] 形教育的な, 教訓的な.

ins·truc·tor, to·ra [instruktór, tóra インストゥルクトル, トラ] 名男女 指導員, 教官; 〘スポーツ〙コーチ, インストラクター.
—— 形 **1** 教育の, 教育担当の.
2 予審の. juez *instructor* 予審判事.

ins·truir [instrwír インストゥルイル] 29 動他 [現分 instruyendo]] **1** 《+**en**》…を教える, 教育する, 訓練する. *instruir* a 《+uno》 *en* el manejo de una máquina 〈人〉に機械の操作を教える. **2** 《+**de, sobre**》…を知らせる. **3** 〘法律〙予審をする.
—— **ins·truir·*se*** 学ぶ; 知識を得る.

ins·tru·men·tal [instrumentál インストゥルメンタる] 形楽器の; 道具の, 器具の.
—— 名男 《集合》楽器; 器具.

ins·tru·men·to [instruménto インストゥルメント] 名男 [複 ～s] 〔英 instrument〕
1 器具, 道具. *instrumentos* de labranza [de medida] 農具[測定器具]. *instrumentos* de precisión 精密器機.

> 【参　考】 **máquina** は一般的には動力を用いる機械, **herramienta** は工具を指す. 台所用品などには **utensilio** が用いられる.

2 楽器 (= *instrumento* musical). *instrumento* de cuerda [de percusión, de viento] 弦[打, 吹奏]楽器.
3 手段, 方便 (= medio).

instruy- 動 → instruir. 29

in·su·bor·di·na·ción [insuβorðinaθjón インスボルディナしオン] 名女 不服従, 反抗, 反逆.

in·su·bor·di·nar [insuβorðinár インスボルディナル] 動他 反抗させる (= sublevar).
—— **in·su·bor·di·nar·*se*** 《+**contra**》…に反抗する, 反逆する.

in·su(b)s·tan·cial [insu (β) stanθjál インス(ブ)スタンしアる] 形 実体のない; 内容のない; 浅薄な.

in·su(b)s·ti·tui·ble [insu(β)stitwíβle インス(ブ)スティトゥイブれ] 形 代替不可能な, かけがえのない.

in·su·fi·cien·cia [insufiθjénθja インスフィしエンしア] 名女 **1** 不十分, 不足. **2** 〘医〙不全(症). *insuficiencia* cardiaca 心不全.

in·su·fi·cien·te [insufiθjénte インスフィしエンテ] 形不十分な, 足りない.
—— 名男 不可, 不合格. Tengo un *insuficiente* en álgebra. 僕は代数が不可だ.

in·su·lar [insulár インスらル] 形島の.
—— 名男女 島民.

in·su·li·na [insulína インスりナ] 名女 〘生化〙〘薬〙インシュリン.

in·sul·so, sa [insúlso, sa インスるソ, サ] 形 味がない; 面白みのない (= soso).

in·sul·tan·te [insultánte インスるタンテ] 形侮辱的な, 無礼な.

in·sul·tar [insultár インスるタル] 動他 侮辱する, あざける, ばかにする. Me *insultó* delante de mis hijos. 彼は子供たちの前で私をばかにした.

in·sul·to [insúlto インスるト] 名男 侮辱; 侮辱的な言動.

in·su·mi·sión [insumisjón インスミシオン] 名女不服従, 不従順.

in·su·mi·so, sa [insumíso, sa インスミソ, サ] 形服従しない, 従順でない.

in·su·pe·ra·ble [insuperáβle インスペラブれ] 形 **1** 凌駕(りょうが)しえない, 極上の.
2 打ち勝ちがたい, 克服できない. dificultad *insuperable* 克服しがたい困難.

in·sur·gen·te [insurxénte インスルヘンテ] 形 反乱を起こした, 蜂起(ほうき)した. tropas *insurgentes* 反乱軍.
—— 名男女反徒, 暴徒.

in·su·rrec·ción [insur̄ekθjón インスレクしオン] 名女反乱, 蜂起(ほうき).

in·su·rrec·to, ta [insur̄ékto, ta インスレクト, タ] 形反乱を起こした, 蜂起(ほうき)した.
—— 名男女反乱者.

in·ta·cha·ble [intatʃáβle インタチャブれ] 形完璧(かんぺき)な, 申し分のない.

in·tac·to, a [intákto, ta インタクト, タ] 形 元のままの, 無傷な; 手をつけていない.

in·tan·gi·bi·li·dad [intaŋxiβiliðáð インタンヒビりダ(ドゥ)] 名女不可触性, 不可侵性.

in·tan·gi·ble [intaŋxíβle インタンヒブれ] 形触れることができない, 不可侵の.

in·te·gra·ción [inteɣraθjón インテグラしオン] 名女統合; 一体化.

in·te·gral [inteɣrál インテグラる] 形 総合的な, 完全な. plan *integral* 総合計画.
—— 名女 〘数〙積分 (記号 ∫).

in·te·gral·men·te [inteɣrálménte インテグラるメンテ] 副全面的に, そっくり.

ín·te·gra·men·te [ínteɣraménte インテグラメンテ] 副全く, すっかり, 完全に.

in·te·gran·te [inteɣránte インテグランテ] 形 全体を構成する, 一部を成す; (要素として) 必要不可欠の.
—— 名男女構成員[要素].

in·te·grar [inteɣrár インテグラル] 動他
1 構成する. *integrar* la federación 連邦を構成する.
2 《+**en**》…に統合する, 一体化する. *integrar* a los refugiados *en* la sociedad 難民を社会に同化させる. **3** 〘数〙積分する.

in·te·gri·dad [inteɣriðáð インテグリダ(ドゥ)] 名女 全体, 全部; 完全, 無傷, 保全. *integridad* territorial 領土保全.

ín·te·gro, gra [ínteɣro, ɣra インテグロ, グラ] 形全部の; 完全な, 無傷の. en versión *íntegra* 無削除版で(の), カットなしで(の). suma *íntegra* 総計.

in·te·lec·to [intelékto インテれクト] 名男 知力, 理解力.

in·te·lec·tual [intelektwál インテれクトゥアる] [複 ～es] 〔英 intellectual〕 形 **知的な**, 知能の. facultades *intelectuales*

I

知能. ocupaciones *intelectuales* 知的職業. clase *intelectual* 知識階級.
── 名男女**知識人**, インテリ.

in·te·lec·tua·li·dad [inteleктwaliðáð インテレクトゥアリダ(ドゥ)] 名女 **1** 知性, 知力.
2 知識階級, インテリゲンチャ.

in·te·li·gen·cia [intelixénθja インテリヘンシア] 名女 [複 ～s] 〔英 intelligence〕
1 知能; **知性**; 理解力, 知恵. Es un chico de poca *inteligencia*. あいつは頭が鈍い. Dio muestras de su *inteligencia*. 彼はなかなか頭の良いところを見せた. Obró con mucha *inteligencia*. 彼はとても要領よく立ち回った.
2 知性の持ち主. Fue una de las grandes *inteligencias* de su época. 彼は当時最高の知識人のひとりだった.
3 相互理解, 合意. No existió *inteligencia* entre ambas partes. 両者間に意志の疎通がなかった.

in·te·li·gen·te [intelixénte インテリヘンテ] 形 [複 ～s] 〔英 intelligent〕 **聡明(そうめい)な**, 賢い; 知性の高い. Pepe es el más *inteligente* de todos. ペペがいちばん頭がいい. un perro *inteligente* 人の言うことがよく分かる犬. Han tomado unas medidas muy *inteligentes*. 彼らの取った処置は賢明だった.
── 名男女 聡明な人.

in·te·li·gi·ble [intelixíβle インテリヒブレ] 形 理解できる; 明瞭(めいりょう)な.

in·tem·pe·ran·cia [intemperánθja インテンペランシア] 名女 節度のなさ, 勝手気まま; 不寛容さ, 狭量.

in·tem·pe·ran·te [intemperánte インテンペランテ] 形 度を越した, 乱暴な; 偏狭な.

in·tem·pe·rie [intempérje インテンペリエ] 名女 天候不順, 悪天候.
a la intemperie 戸外で. dormir *a la intemperie* 野宿する.

in·tem·pes·ti·vo, va [intempestíβo, βa インテンペスティボ, バ] 形 折の悪い, 場違いな. visita *intempestiva* 不時の客.

in·ten·ción [intenθjón インテンシオン] 名女 [複 intenciones] 〔英 intention〕
1 意図, 意向, 目的. Ésas son sus *intenciones*. それが彼の意図するところだ. Tengo (la) *intención* de ir a la reunión de esta noche, pero no sé si podré. 今夜の集まりに出るつもりだが, 行けるかどうか分からない. con *intención* 意図的に, 故意に. de buena [mala] *intención* 善[悪]意から[の].
2 〘法律〙 故意, 意志, 決意. *intención* delictiva 犯意.
de primera intención すぐさま, まず第一に. curar *de primera intención* a 《+uno》〈人〉に応急処置を施す.
primera intención (1)素直さ, 率直さ. obrar con *primera intención* 率直に振舞う. (2)心積もり, 予定.
segunda intención 底意, 裏の意味, 下心.

in·ten·cio·na·da·men·te [intenθjonáðaménte インテンシオナダメンテ] 副 わざと, 故意に.

in·ten·cio·na·do, da [intenθjonáðo, ða インテンシオナド, ダ] 形 故意の, 意図的な. bien [mal] *intencionado* 善[悪]意の.

in·ten·cio·na·li·dad [intenθjonaliðáð インテンシオナリダ(ドゥ)] 名女 故意, 意図性.

in·ten·den·cia [intendénθja インテンデンシア] 名女 **1** 監督(職), 管理(職).
2 〘軍事〙 補給部(隊), 主計部.

in·ten·den·te [intendénte インテンデンテ] 名男 **1** 監督官, 管理官.
2 〘軍事〙 軍需品[補給]部長.

in·ten·sa·men·te [inténsaménte インテンサメンテ] 副 強く, 激しく; 熱心に; 切に; 非常に, とても.

in·ten·si·dad [intensiðáð インテンシダ(ドゥ)] 名女 激しさ; 強度. con gran *intensidad* 激しく. *intensidad* del sonido 音の強さ. *intensidad* de la luz 光度.

in·ten·si·fi·car [intensifikár インテンシフィカル] [8 c → qu] 動他 強化する. *intensificar* la vigilancia 警戒を強める.

in·ten·si·vo, va [intensíβo, βa インテンシボ, バ] 形 強化した; 集中的な. curso *intensivo* 集中[速成]コース. entrenamiento *intensivo* ハードトレーニング.

in·ten·so, sa [inténso, sa インテンソ, サ] 形 〔英 intense〕 激しい, 強い; 濃い. dolor *intenso* 激痛. emoción *intensa* 強烈な感動. frío *intenso* 厳しい寒さ. hacer un esfuerzo *intenso* 大変な努力をする.

in·ten·tar [intentár インテンタル] 動他 〔英 intend〕 **試みる**, 企てる; 《+不定詞》…しようと努める. *Intenté* abrir la ventana. 私は窓を開けようとした. *Inténtalo* si quieres. 君さえよければやってみたら.

in·ten·to [inténto インテント] 名男 **1** 意図 (=intención). **2** 試み, 企て (=tentativa). al primer *intento* 1回目で. *intento* de suicidio 自殺未遂.
── 動 → intentar.
de intento わざと, 故意に. como *de intento* わざとらしく.
tener intento de … …するつもりである.

inter- 《接頭》「相互」の意を表す. ⇒ *inter*cambiar, *inter*nacional など.

in·te·rac·ción [interakθjón インテラクシオン] 名女 相互作用, 相互の影響.

in·ter·ca·lar [interkalár インテルカラル] 動他 間に入れる, 挿入する.

in·ter·cam·biar [interkambjár インテルカンビアル] 動他 交換する, 取り交わす. *intercambiar* correspondencia 文通する.

in·ter·cam·bio [interkámbjo インテルカンビオ] 名男 交換; 交流; 交易. *intercam-*

bio cultural 文化交流.

in·ter·ce·der [interθeðér インテルセデル] 動自《+**con**》…に取りなす, 仲介の労を取る. *Intercederé* por él, no te preocupes. 彼のために話をつけてやる, 心配するな.

in·ter·cep·tar [interθeptár インテルセプタル] 動他 遮断する; (通信を) 傍受する. *interceptar* los rayos del sol 太陽光線を遮る. *interceptar* la calzada 車道をふさぐ. *interceptar* una comunicación telefónica電話の盗聴をする.

in·ter·cep·tor, to·ra [interθeptór, tóra インテルセプトル, トラ] 形 横取りする, 遮断する.

── 名男〔軍事〕迎撃機 (= avión *interceptor*).

in·ter·ce·sión [interθesjón インテルセシオン] 名女 仲裁, 調停.

in·ter·ce·sor, so·ra [interθesór, sóra インテルセソル, ソラ] 形 仲裁の, 仲介の.

── 名男女 仲裁者, 仲介者.

in·ter·con·ti·nen·tal [interkontinentál インテルコンティネンタル] 形 大陸間の.

in·ter·dic·ción [interðikθjón インテルディクしオン] 名女〔法律〕禁止, 停止. *interdicción* civil〔法律〕禁治産宣告; 市民権停止.

in·ter·dis·ci·pli·na·rio, ria [interðisθiplinárjo, rja インテルディしプりナリオ, リア] 形 学際的な.

in·te·rés

[interés インテレス] 名男 [複 intereses]〔英 interest〕

1 興味, 関心; 価値, 意義. Tengo mucho *interés* en todo lo que haces. 私は君のやることすべてに大いに関心を持っている. El tema es de gran *interés* para mí. そのテーマは私には非常に興味がある. lugar de *interés* turístico 観光名所. merecer *interés* 注目に値する. mostrar *interés* en [por] ... …に興味を示す. sentir [tomarse] *interés* por ... …に興味[関心]を抱く.

2 利益, 利害関係. *interés* público 公益. Te lo dije por tu *interés*. 君のために言ったんだよ.

3 利率; 利子. *interés* compuesto [simple] 複[単]利. dar a [prestar con] *interés* 利子つきで金を貸す. devengar [dar] *intereses* 利子を生む.

4 [intereses] 所有物, 財産.

tener interés en [por] ... …に関心がある; …を切望する. *Tengo interés en* que vengan. 彼らが来てくれればよいのだが.

in·te·re·sa·do, da [interesáðo, ða インテレサド, ダ] 過分 → interesar.

── 形 **1**《+**en, por**》…に関心がある; 関係する. *interesado en* un negocio ある事業に関与した. **2** 打算的な, 私心のある. de una manera *interesada* 欲得ずくで.

── 名男女 当事者, 関係者.

in·te·re·san·te

[interesánte インテレサンテ] 形 [複 ~s]〔英 interesting〕興味深い, 面白い; 魅力的な. película *interesante* 面白い映画.

hacerse el [la] interesante 人目を引こうとする, 目立とうとする.

in·te·re·sar [interesár インテレサル] 動自〔英 interest〕**1**《主に人の間接目的語を伴って》…に興味がある, 関心がある; 関係がある. Esta revista me *interesa* mucho. 私はこの雑誌がたいへん面白い. ¿Le *interesa* el cine? 映画に興味をお持ちですか. Su propuesta no *interesó* a nadie. 彼の提案に誰も興味を示さなかった. Es un caso que os *interesa* a todos. それは君たち全員にかかわる問題だ.

2 重要である (= importar). Esto no *interesa*. これは重要ではない.

── 動他 **1**《+**en**》…に参加させる; …に資金を出す, 投資する. *interesar* a《+uno》*en* una empresa〈人〉を事業の仲間に入れる. *Interesó* mil pesetas *en* la lotería. 彼は宝くじに千ペセタ注ぎこんだ.

2 害する, 損なう. La herida *interesa* la garganta y no puede hablar. 傷でのどをやられているので彼はしゃべれないんです.

── **in·te·re·sar·*se*** **1**《+**en, por**》…に興味[関心]を持つ; 《+**en**》…に関係[関与]する. Llegó a *interesarse en* el idioma. 彼は語学に興味を持つようになった.

2《+**por**》…の状態を聞く, …のことを尋ねる. Si vas a casa de ella, *interésate por* su marido. 彼女の家へ行ったら, 旦那(だんな)さんの具合を尋ねてごらんなさい.

in·ter·fec·to, ta [interfékto, ta インテルフェクト, タ] 形〔法律〕惨殺された, 事故死した.

── 名男女 **1**〔法律〕死者, 犠牲者.

2《口語》あの人. ► 話題の主をふざけて指すのに用いる.

in·ter·fe·ren·cia [interferénθja インテルフェレンしア] 名女 干渉, 口出し;〔物理〕電波妨害, 混信;〔スポーツ〕インターフェア.

in·ter·fe·rir [interferír インテルフェリル] [52 e → ie, i] 動他 [現分 interfiriendo]

1 …に干渉する. *interferir* una emisión 放送を妨害する.

2〔スポーツ〕インターフェアをする.

── 動自《+**en, con**》…に干渉する.

── **in·ter·fe·rir·se**《+**en**》…に割り込む, 口出しする.

in·ter·fo·no [interfóno インテルフォノ] 名男 インターホン.

in·ter·gla·cial [interɣlaθjál インテルグらしアる] 形〔地質〕間氷期の.

ín·te·rin [ínterin インテリン] 名男 合間, 暫時. en el *ínterin* その間に, 取りあえず.

in·te·ri·no, na [interíno, na インテリノ, ナ] 形 代理の; 臨時の; 暫定的な (= provisional). solución *interina* 仮決定, 中間

答申. ── 名男女代理(人).

in·te·rior [interjór インテリオル] [複 ～es] 形 〔英 interior〕 **内部の**, 内側の; 内心の, 精神的な; 国内の (↔ exterior). patio *interior* 中庭. ropa *interior* 下着. política *interior* 国内政策.
── 名男 **1 内部**, 内側; 内心; 内情; 国内; 内陸. decoración de *interiores* 室内装飾. Dijo para su *interior*. 彼は自分に言い聞かせた. Ministro del *Interior* 内務大臣. **2** (サッカー) インサイド・フォワード. → fútbol 【参考】.

in·te·rior·men·te [interjórménte インテリオルメンテ] 副 心のうちで; 内側で.

in·ter·jec·ción [interxekθjón インテルヘクしオン] 名女 〔文法〕 間投詞.

in·ter·lo·cu·tor, to·ra [interlokutór, tóra インテルろクトル, トラ] 名男女 対話者, 対談者.

in·ter·lu·dio [interlúðjo インテルるディオ] 名男 〔音楽〕 間奏(曲); 〔演劇〕 幕間(まくあい)の寸劇.

in·ter·me·dia·rio, ria [intermeðjárjo, rja インテルメディアリオ, リア] 形 仲介の, 仲裁の.
── 名男女 **1** 仲介者, 仲裁者; 仲人. **2** 〔商業〕 仲買人.

in·ter·me·dio, dia [interméðjo, ðja インテルメディオ, ディア] 形 中間の.
── 名男 合間; 休憩時間, 幕間(まくあい).

in·ter·mi·na·ble [intermináβle インテルミナブれ] 形 果てしない, 長たらしい. trabajo *interminable* 切りのない仕事.

in·ter·mi·ten·te [intermiténte インテルミテンテ] 形 断続的な; 間欠性の.
── 名男 〔車〕 ウインカー; ハザードランプ. → automóvil 図.
── 名女 〔医〕 間欠熱 (= fiebre *intermitente*).

in·ter·na·cio·nal [internaθjonál インテルナしオナる] 形 [複 ～es] 〔英 international〕 **国際的な**, 国際の. a escala *internacional* 国際的な規模で. conflicto *internacional* 国際紛争. congreso *internacional* 国際会議. derecho *internacional* 国際法. feria *internacional* 国際見本市.
── 名男女 国際競技出場選手.
── 名女 [I-] インターナショナル: 労働運動の国際組織.

in·ter·na·cio·na·li·zar [internaθjonaliθár インテルナしオナりさル] [39 z → c] 動他 国際化する.

in·ter·na·do [internáðo インテルナド] 名男 寄宿制度; 寄宿舎.

in·ter·nar [internár インテルナル] 動他 収容する, 入院させる; 拘留する.
── **in·ter·nar·*se*** **1** 《+en》 …に入り込む, 侵入する. *internarse en* la selva 密林の奥深くに入る.
2 〔スポ〕 相手陣内に入る.

in·ter·net [internét インテルネ(トゥ)] 名女 〔インターネット〕 インターネット.

in·ter·nis·ta [internísta インテルニスタ] 名男女 〔医〕 内科医. → cirujano.

in·ter·no, na [intérno, na インテルノ, ナ] 形 **1** 内部の (↔ externo); 内政の, 国内の; 内服の. medicamento de uso *interno* 内服薬.
2 寄宿の; インターンの.
── 名男女 寄宿生; 〔医〕 インターン.

in·ter·pe·la·ción [interpelaθjón インテルペらしオン] 名女 (議会の) 質問.

in·ter·pe·lar [interpelár インテルペらル] 動他 (議会で) 質問する, 説明を求める.

in·ter·po·lar [interpolár インテルポらル] 動他 挿入する; 加筆する, 改竄(かいざん)する.

in·ter·po·ner [interponér インテルポネル] 45 動他 [過分 interpuesto, ta] 間に置く; (異議などを) 差し挟む; (権力などを) 行使する.
── **in·ter·po·ner·*se*** 介入する.

in·ter·po·si·ción [interposiθjón インテルポシしオン] 名女 介在, 介入; 仲裁.

in·ter·pre·ta·ción [interpretaθjón インテルプレタしオン] 名女 **1** 〔音楽〕〔演劇〕 演奏, 演技.
2 解釈. la nueva *interpretación* del texto テキストの新解釈. mala *interpretación* 誤った解釈.

in·ter·pre·tar [interpretár インテルプレタル] 動他 **1** 演奏する, 歌う; 演じる. Van a *interpretar* una obra de Tirso de Molina. ティルソ・デ・モリナの芝居が上演される.
2 解釈する. *He interpretado* mal sus palabras. 私は彼の言葉を誤解していた.

in·tér·pre·te [intérprete インテルプレテ] 名男女 **1** 通訳(者).
2 代弁者; 解釈者. **3** 演奏者; 出演俳優.

in·te·rreg·no [interéɣno インテレグノ] 名男 (君主の) 空位期間; 政治的空白.

in·te·rro·ga·ción [interoɣaθjón インテロガしオン] 名女 **1** 質問, 尋問.
2 〔文法〕 疑問 (文); 疑問符 (= signo de *interrogación*) (¿...?).

in·te·rro·gan·te [interoɣánte インテロガンテ] 形 物問いたげな.
── 名男女 質問者, 尋問者.
── 名男 (時に女) 疑問点, 問題点.

in·te·rro·gar [interoɣár インテロガル] [32 g → gu] 動他 質問する; 尋問する. *interrogar* a un testigo 証人を尋問する.

in·te·rro·ga·ti·vo, va [interoɣatíβo, βa インテロガティボ, バ] 形 〔文法〕 不審そうな; 疑問の.

in·te·rro·ga·to·rio [interoɣatórjo インテロガトリオ] 名男 尋問; 調書. someter a 《+uno》 a un *interrogatorio* 〈人〉を尋問にかける.

in·te·rrum·pir [interumpír インテルンピル]

動他 **1** 中断する，打ち切る．El conferenciante *interrumpió* su charla. 講演者は話を中断した．
2 遮断する，妨げる．Un camión volcado *interrumpía* el tráfico. 横転したトラックが道をふさいでいた．
3 口を挟む，話の腰を折る．Perdone que le *interrumpa*. お話の途中ですみませんが．

in·te·rrup·ción [interupθjón インテルプシオン] 名女 中断；遮断，妨害．sin *interrupción* 間断なく．

in·te·rrup·tor, to·ra [interuptór, tóra インテルプトル，トラ] 名男 〔電気〕スイッチ，遮断器．── 形 遮断する，妨害する．

in·ter·sec·ción [intersekθjón インテルセクシオン] 名女 交差；（道路の）交差点；〔数〕交点，交線．

in·ters·ti·cio [interstíθjo インテルスティシオ] 名男 すき間，割れ目．filtrarse por los *intersticios* 裂け目から浸透［侵入］する．

in·te·rur·ba·no, na [interurβáno, na インテルルバノ，ナ] 形 都市間の；〔通信〕市外の．poner una conferencia *interurbana* 市外電話をかける．

in·ter·va·lo [interβálo インテルバロ] 名男 **1** 間隔．diez minutos de *intervalo* entre clase y clase 授業と授業の合い間の10分間．**2** 〔音楽〕音程．
a intervalos 時々；ところどころに．

intervén 動 → intervenir. 59

in·ter·ven·ción [interβenθjón インテルベンシオン] 名女 **1** 干渉，介入；仲裁；関与．*intervención* militar 軍事介入．
2 会計検査官［監査役］の職．
3 〔医〕外科手術（= *intervención* quirúrgica）．

in·ter·ven·cio·nis·mo [interβenθjonísmo インテルベンシオニスモ] 名男 干渉政策［主義］．

intervendr- 動 → intervenir. 59

interveng- 動 → intervenir. 59

in·ter·ve·nir [interβenír インテルベニル] 59 動自 ［現分 interviniendo］〔英 intervene〕《+en》 **1** …に干渉する，介入する，口出しする；仲裁する，調停する．Al fin tuvo que *intervenir* la policía. 結局，警察が介入せざるを得なかった．*intervenir en* los asuntos ajenos 他人の問題に口出しする．
2 …に参加する，関係する．*intervenir en* la guerra 参戦する．
── 動他 **1** 統制する；管理する；盗聴する．
2 （会計などを）検査する，監査する．
3 〔医〕手術する．

in·ter·ven·tor, to·ra [interβentór, tóra インテルベントル，トラ] 名男女 会計検査官，監査役；選挙管理人．
── 形 干渉する；仲裁する．

interviene(-) 動 → intervenir. 59

intervin- 動 → intervenir. 59

in·ter·viú [interβjú インテルビウ] 名女 インタビュー（= entrevista）．hacer una *interviú* a《+uno》〈人〉にインタビューする．［← 〔英〕interview］

in·tes·ti·nal [intestinál インテスティナル] 形 腸の．

in·tes·ti·no, na [intestíno, na インテスティノ，ナ] 名男 〔解剖〕腸．*intestino* ciego 盲腸．*intestino* delgado 小腸．*intestino* grueso 大腸．→ vísceras 図．
── 形 内部の；内輪の（= interno）．discordia *intestina* 内輪もめ．luchas *intestinas* 内紛．

íntima 形女 → íntimo[1]．

ín·ti·ma·men·te [íntimaménte インティマメンテ] 副 親しく，親密に；内々で．

in·ti·mar [intimár インティマル] 動他 通告する；要請する．*intimar* la entrega de las armas 武器の引き渡しを求める．Me *intimaron* a que le ayudara. 彼を援助するように言われた．
── 動自 《+**con**》…と親しくなる，打ち解ける．

in·ti·mi·dad [intimiðáð インティミダ（ドゥ）] 名女 **1** 親密，ねんごろ．
2 私生活，プライバシー；《集合》身内．
3 ［普通 ～es］性器．
en la intimidad 内々で，内輪で．

in·ti·mi·dar [intimiðár インティミダル] 動他 威嚇する，脅す．*intimidar* a《+uno》con amenazas 脅迫で〈人〉をおびえさせる．
── **in·ti·mi·dar·*se*** おびえる，びくびくする．

ín·ti·mo[1], ma [íntimo, ma インティモ，マ] 形 ［複 ～s］〔英 intimate〕 **1** 親密な，密接な；形式ばらない，仲間内の．amigo *íntimo* 親友．una fiesta *íntima* 内輪だけのパーティー．►íntimo はしばしば性的な親しさを暗示する．⇒ relaciones *íntimas* 肉体関係．
2 心の奥底の，内心の．en lo más *íntimo* del alma 心の奥底で．

ín·ti·mo[2] [íntimo インティモ] 名男 親友；側近，腹心．un *íntimo* de la casa 家族の親友．

in·to·ca·ble [intokáβle イントカブレ] 形 触れてはならない，不可侵の．

in·to·le·ra·ble [intoleráβle イントレラブレ] 形 許し難い，我慢できない．

in·to·le·ran·cia [intoleránθja イントレランシア] 名女 不寛容，偏狭．

in·to·le·ran·te [intolerante イントレランテ] 形 寛容でない，偏狭な．

in·to·xi·ca·ción [intoksikaθjón イントクシカシオン] 名女 **1** 中毒．*intoxicación* alimenticia 食中毒．*intoxicación* por el monóxido de carbono 一酸化炭素中毒．
2 宣伝，情報操作．

in·to·xi·car [intoksikár イントクシカル] ［8 c → qu］ 動他 **1** 中毒させる．
2 （情報を）操作する．

in·tra·mu·ros [intramúros イントゥラム

ロス] 副市内に; 城内で.

in·tran·qui·li·dad [intraŋkiliðáð イントゥランキリダ(ドゥ)] 名女 不安, 心配; 落ち着きのなさ.

in·tran·qui·lo, la [intraŋkílo, la イントゥランキろ, ら] 形 不安な, 心配な; 落ち着かない.

in·tran·si·gen·cia [intransixénθja イントゥランシヘンしア] 名女 妥協しないこと, 頑固.

in·tran·si·gen·te [intransixénte イントゥランシヘンテ] 形非妥協的な, 頑固な.

in·tran·si·ta·ble [intransitáβle イントゥランシタブれ] 形通行不能な.

in·tran·si·ti·vo, va [intransitíβo, βa イントゥランシティボ, バ] 形 〖文法〗自動詞の.
—— 名男 〖文法〗自動詞.

in·tra·ta·ble [intratáβle イントゥラタブれ] 形扱いにくい, 手に負えない; 無愛想な.

in·tra·ve·no·so, sa [intraβenóso, sa イントゥラベノソ, サ] 形静脈内の.

in·tré·pi·do, da [intrépiðo, ða イントゥレピド, ダ] 形大胆な; 無謀な, 無鉄砲な.

in·tri·ga [intríγa イントゥリガ] 名女 陰謀, 策略. *intriga* política 政治的策謀. tramar [urdir] *intrigas* 陰謀を企てる.

in·tri·gan·te [intriγánte イントゥリガンテ] 形 **1** 陰謀を巡らす; 策略にたけた. **2** 興味をそそる.
—— 名男女 陰謀家, 策略家.

in·tri·gar [intriγár イントゥリガル] [32 g → gu] 動自 《+**contra**》…に対して陰謀を企てる, 策を巡らす.
—— 動他 …の好奇心[興味]をそそる.

in·trin·ca·do, da [intriŋkáðo, ða イントゥリンカド, ダ] 形込み入った, 錯綜(さくそう)した.

in·trín·gu·lis [intríŋgulis イントゥリングリス] 名男 形 [単・複同形] 《口語》複雑さ, 困難さ.

in·trín·se·co, ca [intrínseko, ka イントゥリンセコ, カ] 形固有の; 内在する (↔ extrínseco).

in·tro·duc·ción [introdukθjón イントゥロドゥクしオン] 名女 **1** 序論, 序文; 入門(書); 〖音楽〗序奏(部), 導入部.
2 導入; 挿入. *introducción* de la música europea en Japón ヨーロッパ音楽の日本への紹介[導入].

in·tro·du·cir [introðuθír イントゥロドゥしル] 12 動他 **1** 入れる, 挿入する, 差し込む. *introducir* el dedo en un agujero 穴に指を入れる.
2 導入する; 取り入れる; 持ち込む. *introducir* una nueva técnica 新技術を導入する. *introducir* el desorden 混乱を持ち込む.
3 招じ入れる; 紹介する. *Introdujo* al visitante en el salón. 彼は客を広間に通した. *introducir* a 《+uno》 en la alta sociedad 〈人〉を上流社会にデビューさせる.
► 人を引き合わせる時には presentar を使う.
—— **in·tro·du·cir·*se*** 《+**en**》…に入る, 入り込む.

in·tro·duc·tor, to·ra [introðuktór, tóra イントゥロドゥクトル, トラ] 名男女 導入者, 紹介者. —— 形導入する.

in·tro·mi·sión [intromisjón イントゥロミシオン] 名女 干渉, 口出し.

in·tros·pec·ción [introspekθjón イントゥロスペクしオン] 名女 内省, 内観.

in·tros·pec·ti·vo, va [introspektíβo, βa イントゥロスペクティボ, バ] 形 内省の, 内観による.

in·tro·ver·ti·do, da [introβertíðo, ða イントゥロベルティド, ダ] 形 内向的な (↔ extravertido). —— 名男女 内向的な人.

in·tru·so, sa [intrúso, sa イントゥルソ, サ] 名男女 侵入者, よそ者; 無資格者, もぐり.
—— 形 侵入する, 割り込む; 無資格の.

in·tui·ción [intwiθjón イントゥイしオン] 名女 直観(力), 勘. por *intuición* 直観で.

in·tuir [intwír イントゥイル] 29 動他 [現分 intuyendo] 直観する. *intuir* el porvenir 未来を洞察する.

in·tui·ti·va·men·te [intwitíβaménte イントゥイティバメンテ] 副 直観的に.

in·tui·ti·vo, va [intwitíβo, βa イントゥイティボ, バ] 形 直観の; 勘のよい.

i·nun·da·ción [inundaθjón イヌンダしオン] 名女 [複 inundaciones]
1 洪水, 氾濫(はんらん), 浸水. En aquel tiempo hubo una *inundación* aquí. そのころここで洪水があった.
2 《比喩》氾濫; 満ちあふれること. *inundación* de revistas pornográficas ポルノ雑誌の氾濫.

i·nun·dar [inundár イヌンダル] 動他 …に氾濫(はんらん)する; 《+**de**》…であふれさせる. *inundar* el mercado *de* productos asiáticos 市場をアジア製品であふれさせる.
—— **i·nun·dar·*se*** 出水する, 水浸しになる.

i·nu·si·ta·do, da [inusitáðo, ða イヌシタド, ダ] 形 普通でない, ただごとでない; 珍しい, 並外れた.

i·nú·til [inútil イヌティる] [複 ~es] 形 〔英 useless〕 **役に立たない**, 無駄な, 無益な. Es *inútil* decirlo. そんなことは言うだけ無駄だ. trastos *inútiles* がらくた. Nuestros esfuezos son *inútiles*. 我々の努力は無駄です. Es *inútil* que insistas. 君がいくら言っても無駄さ.
—— 名男女 《口語》役立たず, ごくつぶし.

i·nu·ti·li·dad [inutiliðáð イヌティりダ(ドゥ)] 名女 無益, 無駄.

i·nu·ti·li·zar [inutiliθár イヌティりさル] [39 z → c] 動他 (意図的に) 使えなくする, 台無しにする. *Inutilizaron* uno de los ascensores. エレベーターの 1 機が使用停止になった.

i·nú·til·men·te [inútilménte イヌティるメ

ンテ] 副無駄に，むなしく．

in·va·dir [imbaðír インバディル] 動他

1 侵入する，侵略する；侵害する．*invadir* un país vecino 隣国を侵略する．

2 …にあふれる；満たす．Los automóviles de los turistas *invadían* las carreteras. 国道は観光客の車であふれていた．Le *invadió* un profundo sentimiento de soledad. 彼は深い孤独感に襲われた．

in·va·li·dar [imbaliðár インバリダル] 動他 無効にする，失効させる．*invalidar* un acta 証書を無効にする．

in·va·li·dez [imbaliðéθ インバリデす] 名女 [複 invalideces] **1** 無効．

2 病弱；身体障害．

in·vá·li·do, da [imbáliðo, ða インバリド，ダ] 形 **1** 身体障害の．**2**〘法律〙無効の．

—— 名男女 身体障害者；〘軍事〙傷病兵．

in·va·ria·bi·li·dad [imbarjaβiliðáð インバリアビリダ(ドゥ)] 名女 不変(性)．

in·va·ria·ble [imbarjáβle インバリアブれ] 形 不変の，一定の．

in·va·sión [imbasjón インバシオン] 名女

1 侵入，侵略；(権利などの)侵害．las *invasiones* de los bárbaros 蛮族の侵入．

2 蔓延(まんえん)，氾濫(はんらん)．

in·va·sor, so·ra [imbasór, sóra インバソル，ソラ] 形 侵入する，侵略の．tropa *invasora* 侵略軍．—— 名男女 侵入者，侵略者．

in·vec·ti·va [imbektíβa インベクティバ] 名女 罵倒(ばとう)，非難．lanzar [fulminar] *invectivas* contra《+uno》〈人〉を罵倒する．

in·ven·ci·ble [imbenθíβle インベンしブれ] 形 無敵の，無敗の；克服できない．

in·ven·ción [imbenθjón インベンしオン] 名女 **1** 発明，考案，創作；発明品．patente de *invención* 新案特許，パテント．

2 でっち上げ，捏造(ねつぞう)．

in·ven·tar [imbentár インベンタル] 動他〔英 invent〕**1 発明する**，考案する；創作する．Gutenberg *inventó* la imprenta en el siglo XV. グーテンベルグは15世紀に印刷術を発明した．*inventar* historias 物語を創作する．► 発見するは descubrir.

2 でっち上げる，捏造(ねつぞう)する．*inventar* una patraña 話をでっち上げる．

in·ven·ta·riar [imbentarjár インベンタリアル] 動他 (商品・財産の) 目録を作る，棚卸しをする．

in·ven·ta·rio [imbentárjo インベンタリオ] 名男 財産[商品]目録；棚卸し．

in·ven·ti·vo, va [imbentíβo, βa インベンティボ，バ] 形 発明の；機略に富んだ．

—— 名女 発明の才；独創性．

in·ven·to [imbénto インベント] 名男 **1** 発明品，考案品．

2 でっち上げ，うそ．

—— 動→inventar.

in·ven·tor, to·ra [imbentór, tóra インベントル，トラ] 名男女 発明者，考案者．

in·ver·na·de·ro [imbernaðéro インベルナデロ] 名男 **1** 温室．**2** 避寒地；冬季用牧場．

in·ver·nal [imbernál インベルナる] 形 冬季の．

in·ver·nar [imbernár インベルナル] [42 e→ie] 動自 冬を過ごす，避寒する；〘動物〙冬眠する．

in·ve·ro·sí·mil [imberosímil インベロシミる] 形 ありそうにもない，本当らしくない．relato *inverosímil* うそのような話．

in·ver·sión [imbersjón インベルシオン] 名女 **1**〘商業〙投資，出資．hacer una buena *inversión* よい投資をする．

2 反転；逆転；倒置(法)．

in·ver·sio·nis·ta [imbersjonísta インベルシオニスタ] 名男女〘商業〙投資者[家]，出資者．

in·ver·so, sa [imbérso, sa インベルソ，サ] 形《+a》…と反対の，反転した (= opuesto)．en orden *inverso* 逆の順序で．en sentido *inverso* 反対方向に．

a la inversa de … …とは逆に．

in·ver·sor [imbersór インベルソル] 名男 投資家，出資者．

in·ver·te·bra·do, da [imberteβráðo, ða インベルテブラド，ダ] 形 **1**〘動物〙無脊椎(せきつい)の．**2** 弱い，結束力のない．

—— 名男 [〜s]〘動物〙無脊椎動物．

in·ver·ti·do, da [imbertíðo, ða インベルティド，ダ] 過分 形 性的倒錯の，同性愛の．

—— 名男女 性的倒錯者，同性愛者．

in·ver·tir [imbertír インベルティル] [52 e→ie, i] 動他 [現分 invirtiendo] **1**《+en》…に投資する．**2**《+en》…に (時間を) かける．**3** 反対にする，反転させる．*invertir* los papeles 役割を取り換える．

in·ves·ti·du·ra [imbestiðúra インベスティドゥラ] 名女 (位階などの) 授与，叙任(式)．

in·ves·ti·ga·ción [imbestiɣaθjón インベスティガしオン] 名女 調査，研究；研究[調査]報告(書)．*investigación* científica 学術研究．*investigación* criminal (犯罪) 捜査．hacer una *investigación* de … …の研究[調査]をする．*investigación* de mercados 市場調査．

in·ves·ti·ga·dor, do·ra [imbestiɣaðór, ðóra インベスティガドル，ドラ] 形 研究の，調査の；詮索(せんさく)的な．—— 名男女 研究者．

in·ves·ti·gar [imbestiɣár インベスティガル] [32 g→gu] 動他〔英 investigate〕

1 調べる，調査する．*investigar* los móviles de un crimen 犯罪の動機を調べる．

2 研究する．*investigar* nuevas formas de curación 新しい治療法を研究する．

in·ves·tir [imbestír インベスティル] [41 e→i] 動他 [現分 invistiendo]《+con, de》(位階など) を授与する．*investir* a《+uno》*con* una condecoración〈人〉に勲章を授ける．

in·ve·te·ra·do, da [imbeteráðo, ða

I

インベテラド, ダ] 形 根深い, 年来の. costumbre *inveterada* 古来の風習.

in·vic·to, ta [imbíkto, ta インビクト, タ] 形 常勝の, 不敗の, 無敵の.

in·vi·den·te [imbiðénte インビデンテ] 形 目の不自由な. —— 名男女 盲人 (= ciego).

in·vier·no [imbjérno インビエルノ] 名男 [複 ~s] 〔英 winter〕 **冬**, 冬季. Ha sido un *invierno* muy suave. 今年は暖冬だった. en lo más crudo del *invierno* 真冬に. ➡ estación 【参考】.

in·vio·la·ble [imbjoláβle インビオらブれ] 形 不可侵の; 神聖な.

in·vi·si·ble [imbisíβle インビシブれ] 形 目に見えない.

in·vi·ta·ción [imbitaθjón インビタしオン] 名女 [複 invitaciones] 〔英 invitation〕 **招待**, 誘い; 招待状 (=carta de *invitación*). recibir una *invitación* 招きを受ける. *invitación* para el concierto コンサートへの招待.

in·vi·ta·do, da [imbitáðo, ða インビタド, ダ] 名男女 お客, 招待客. Esta tarde tengo *invitados*. 今日の午後は来客がある. —— 過分 ➡ invitar. —— 形 招待された. Estás *invitado* hoy. 今日は僕のおごりだ.

in·vi·tar [imbitár インビタル] 動他 〔英 invite〕 《+a》 **1 …に招待する**, 招く, 招聘(しょうへい)する, 誘う; おごる. Me *han invitado a* una cena. / Me *han invitado a* cenar. 私は夕食に招待された. Te *invito a* una copa. 一杯おごるよ. *invitar a* la boda. 結婚式に呼ぶ.
2 …する気を起こさせる. El tiempo *invita a* viajar. 天気がいいので旅に出たくなる.

in vitro [imbítro インビトゥロ] ➡ vitro.

in·vo·ca·ción [imbokaθjón インボカしオン] 名女 (神への) 祈願.

in·vo·car [imbokár インボカル] [8 c ➡ qu] 動他 **1** 祈願する.
2 引き合いに出す.

in·vo·lu·ción [imboluθjón インボるしオン] 名女 **1** 〘生物〙退化, 退行. **2** 後退, 逆行.

in·vo·lu·crar [imbolukrár インボるクラル] 動他 **1** (余談を) 差し挟む.
2 巻き添えにする.
—— **in·vo·lu·crar·*se*** 巻き添えになる.

in·vo·lun·ta·ria·men·te [imboluntárjaménte インボるンタリアメンテ] 副 不本意ながら, 心ならずも.

in·vo·lun·ta·rio, ria [imboluntárjo, rja インボるンタリオ, リア] 形 不本意の; 無意識の. error *involuntario* 過失.

in·vul·ne·ra·ble [imbulneráβle インブるネラブれ] 形 傷つかない, 不死身の; 《+a》 …に動じない.

in·yec·ción [injekθjón インジェクしオン] 名女 [複 inyecciones] 注射, 注入; 注射液, 注入薬. poner una *inyección* a ... …に注射を打つ. *inyección* hipodérmica 皮下注射. *inyección* intravenosa 静脈注射.

in·yec·tar [injektár インジェクタル] 動他 注射する, 注入する. *inyectar* morfina a 《+uno》 〈人〉にモルヒネを注射する.

ió·ni·co, ca [ióniko, ka イオニコ, カ] 形 〘物理〙〘化〙イオンの.

ion [ión イオン] / **ión** [ión イオン] 名男 〘物理〙〘化〙イオン. *ion* positivo 陽イオン. *ion* negativo 陰イオン.

io·ni·zar [ioniθár イオニさル] [39 z ➡ c] 動他 〘物理〙〘化〙イオン化する, 電離する.

io·nos·fe·ra [ionosféra イオノスフェラ] 名女 イオン圏, 電離圏, 電離層.

ir [ír イル] 30 動自 [現分 yendo ; 過分 ido, da] 〔英 go〕

直説法

現在	未来
1·単 ***voy***	1·単 **iré**
2·単 ***vas***	2·単 **irás**
3·単 ***va***	3·単 **irá**
1·複 ***vamos***	1·複 **iremos**
2·複 ***vais***	2·複 **iréis**
3·複 ***van***	3·複 **irán**
点過去	**線過去**
1·単 ***fui***	1·単 ***iba***
2·単 ***fuiste***	2·単 ***ibas***
3·単 ***fue***	3·単 ***iba***
1·複 ***fuimos***	1·複 ***íbamos***
2·複 ***fuisteis***	2·複 ***ibais***
3·複 ***fueron***	3·複 ***iban***

接続法 現在	命令法
1·単 ***vaya***	2·単 ***ve***
2·単 ***vayas***	2·複 **id**
3·単 ***vaya***	
1·複 ***vayamos***	
2·複 ***vayáis***	
3·複 ***vayan***	

1 《+a》 **…へ行く**; …に通う; …しに行く. El verano pasado *fui a* Barcelona. この前の夏私はバルセロナへ行った. *Fui al* hospital a ver a un amigo mío. 私は友人を病院に見舞った. María *iba* cantando por la calle. マリアは歌いながら通りを行った.
2 至る, 達する, 伸びる; 伝わる. El terreno *va* de aquí a la otra esquina. 敷地はここから向こうの角までになる. Las noticias *van* de boca en boca. ニュースは口づてに広まっている.
3 《+形容詞·副詞》 (…の状態に) ある, なっている. Japón *va* atrasado en este terreno. この分野では日本は遅れている. *Van* vendidos veinticinco mil ejemplares.

すでに2万5千部売れている. ¿Cómo te *van* los estudios? 勉強の進み具合はどう? ¿Cómo te [le] *va*? 元気ですか. *Vamos* por la página ciento ocho. 今私たちは108ページを読んでいる.

4 《+**a** 不定詞》《近い未来のことを表して》 **…しようとしている, …するつもりである.** ¿*Vas a* trabajar mañana? 君, 明日仕事をするの? Yo *iba a* decir lo mismo.私も同じことを言おうとしていたところだ.

5 《+現在分詞》(1)《進行中のことを表して》…しつつある, だんだん…する. *Va* haciendo calor. だんだん暑くなっていく. Su salud *iba* empeorando. 彼の健康状態は悪化していった. (2)《命令を表して》…し始めなさい. *Id* saliendo vosotros, que voy enseguida. すぐ行くから先に外に出ていてくれ.

— ir·se **1 立ち去る**, 出かける, 行ってしまう. *Vete*. 君出て行け, 帰れ. ¡*Vámonos*! さあ行こう. *Se fueron* sin decirme nada. 彼らは私に何も言わずに帰ってしまった. *irse* al otro mundo《口語》亡くなる.

2 滑る, つまずく; (手・口が) 思わず動く. *Se* le *fueron* los pies y cayó escalera abajo. 彼は足を滑らせて階段から転げ落ちた. *Se* me *fue* la lengua. 私はうっかり口を滑らせてしまった.

3 (水・ガスなどが) 漏れる, こぼれる, 抜ける. *Se ha ido* el aire de la cámara. (タイヤの) チューブの空気が抜けてしまった.

4 なくなる, 蒸発する; (痛み・染みなどが) 消える, 薄れる. ¡Ay! El título *se* me *ha ido* de la memoria. なんてことだ. 題名が思い出せない. ¡Cómo *se va* el dinero! 金がなくなるのは全く早いものだ. *Se* me *fue* un punto, y tengo que volver a empezar. 私, 1目編み落としちゃった, 最初からやり直さなくちゃ.

ir bien (1)うまくいく, 順調である. El coche no *va bien* aunque me lo han reparado. 修理してもらったのに車の調子が良くない. No me *va bien* el francés. 私はフランス語が上達しない. Que te *vaya* muy *bien*. お元気で, さようなら. (2) 合う, 似合う. No te *va* muy *bien* ese sombrero. 君にはその帽子あまり似合わないね.

A eso voy [***vamos***]. 《口語》それそれ, 今ちょうどそう言おうと思っていた.

ir con … (1)…と調和する, …に合う. (2)(いいかげんなことを) 言う, (作り話を) 聞かせる. No le *vayas con* historias. 根も葉もないことを彼の耳に入れるな. (3)…に関係がある. Esto también *va con*migo. このことは私にも関連がある.

ir de … (1)《+行為を表す名詞》…しに行く. *ir de* compras [*de* paseo, *de* viaje] 買物 [散歩, 旅行] に行く. (2)…について扱う, …を問題にする. No me interesó nada la conversación; pues no sabía *de* qué *iba*. 話は全然面白くなかった. だって何のことだか分からなかったんだもの.

ir en … (1)《+乗り物を表す名詞》…で[に乗って] 行く. (2)名誉・安全などが) …に依存する, …にかかっている. Te *va en* ello el honor. 君の名誉はそのことにかかっている. ¿Qué le *va en* ello? そのことがあなたにどんなかかわりがあるのですか.

ir por … (1)…を取りに行く, 呼びに行く. *Vaya por* vino a la bodega. 酒倉へぶどう酒を取りに行ってください. *ir por* el médico 医者を呼びに行く. ► ir a por … を使うこともある. (2)…に関係がある. Eso no *va por* usted. それはあなたのことではありませんよ.

irse [***venirse***] ***abajo*** (建物が) 倒壊する, (計画などが) 駄目になる, つぶれる.

ir tras [***detrás de, tras de***] … …を追いかける, しつこく追い求める; …に熱中する, 夢中になる; 盲従する.

ir y … 《口語》《後に続く表現を強める》 Cuando me insultó, *fui y* le di una torta. 私を侮辱したので彼を思いきり殴ってやった. *Va y* me dice que me calle la boca. それでもって私に黙れって言うんだ.

no ir ni venir a 《+uno》 《口語》〈人〉にとってどうでもよい, 興味がない; 関係がない. Esto *no* me *va ni* me *viene*. こんなことは私にはどうでもよい.

no vaya a 《+不定詞》 / ***no vaya a ser que*** 《+接続法》…しないように, …するといけないから. Ponte el abrigo, *no vaya a ser que* te enfríes. 風邪をひくといけないからオーバーを着なさい.

¡Qué va! ばかな, とんでもない.

si vamos a eso / ***si a eso fuésemos*** (相手の言ったことが正しいと仮定して) もしそうなら, そういうことなら.

Vamos. (1)《督促・説得・激励を表して》さあさあ. ¡*Vamos*, una sonrisita! さあ, 少し笑って. (2)《ためらいを表して》あのう, いや, まあ. Es guapa, *vamos* no es fea. 彼女は美人だ, いやまあ醜くはないよ. (3)《驚きを表して》おやおや, まあ. (4)《憤りを表して》いいかげんにしろ, ふざけるな.

vamos a 《+不定詞》《勧誘を表して》…しよう. *Vamos a* descansar un poco. 少し休もう.

¡Vaya! 《口語》(1)《意外・不満・失望などを表して》へえー, まさか, いいかげんにしろ. (2)《同情・慰めを表して》まあ, ねえ, とにかく. (3)《文末で》…ということだ. Es buen chico, ¡*vaya*! あいつはいいやつってことさ. (4)《強調で》なんとまあ, 全く, すごい. ¡*Vaya* calor! なんて暑さだ.

¡Váyase lo uno por lo otro! 《口語》損することもあれば得することもある.

¡Vete a saber! 《口語》(そんなこと) 分かるものか.

i·ra [íra イラ] 名女 激怒, 憤怒. llenarse de *ira* 激怒する.

i·ra·cun·do, da [irakúndo, da イラクン

ド, ダ] 形 怒った; 怒りっぽい.
I·rak [irák イラ(ク)] / **I·raq** [irák イラ(ク)] 固名 イラク(共和国): 首都 Bagdad.
I·rán [irán イラン] 固名 イラン(イスラム共和国): 首都 Teherán.
i·ra·ní [iraní イラニ] 形 [複 iraníes] イランの. ── 名 男 女 イラン人.
i·ra·quí [irakí イラキ] 形 [複 iraquíes] イラクの. ── 名 男 女 イラク人.
i·ras·ci·bi·li·dad [irasθiβiliðáð イラしビりダ(ドゥ)] 名 女 怒りっぽいさ, 短気.
i·ras·ci·ble [irasθíβle イラしブれ] 形 怒りっぽい, 短気な.
i·ris [íris イリス] 名 男 **1** 虹(にじ) (= arco *iris*). **2** 〘解剖〙 虹彩(こうさい). → ojo 図.
i·ri·sa·do, da [irisáðo, ða イリサド, ダ] 過分 形 虹(にじ)色の, 玉虫色の.
Ir·lan·da [irlánda イルらンダ] 固名 アイルランド: 首都 Dublín.
ir·lan·dés, de·sa [irlandés, désa イルらンデス, デサ] 形 [複男 irlandeses] アイルランドの. ── 名 男 女 アイルランド人.
── 名 男 アイルランド語.
i·ro·ní·a [ironía イロニア] 名 女 **1** 皮肉, 当てこすり. hablar con *ironía* 皮肉を言う.
2 〘修辞〙 反語, アイロニー.

I

i·ró·ni·co, ca [iróniko, ka イロニコ, カ] 形 皮肉な; 反語的な.
i·ro·ni·zar [ironiθár イロニさル] [39 z → c] 動 他 皮肉る, 皮肉を言う.
i·rra·cio·nal [iraθjonál イラしオナる] 形 理性のない; 不合理な, ばかげた (↔ racional). número *irracional* 〘数〙 無理数.
i·rra·cio·na·li·dad [iraθjonaliðáð イラしオナりダ(ドゥ)] 名 女 理性の欠如; 不合理.
i·rra·dia·ción [iraðjaθjón イラディアしオン] 名 女 **1** 発光, 放射; 照射.
2 〘医〙 放射線治療.
i·rra·diar [iraðjár イラディアル] 動 他
1 (光・熱などを) 発散させる, 放射する; (影響などを) 広く及ぼす.
2 …に放射線を照射する.
── **i·rra·diar·*se*** (影響などが) 広く及ぶ.
i·rre·al [ireál イレアる] 形 非現実的な; 実在しない. mundo *irreal* 架空の世界.
i·rre·a·li·dad [irealiðáð イレアりダ(ドゥ)] 名 女 非現実性; 架空, 虚構.
i·rre·a·li·za·ble [irealiθáβle イレアりさブれ] 形 実現できない, 達成不可能な.
i·rre·ba·ti·ble [ireβatíβle イレバティブれ] 形 反駁(はんばく)しえない, 論破できない.
i·rre·con·ci·lia·ble [irekonθiljáβle イレコンしりアブれ] 形 和解できない; 相いれない.
i·rre·cu·pe·ra·ble [irekuperáβle イレクペラブれ] 形 取り返せない, 回収不能な.
i·rre·duc·ti·ble [ireðuktíβle イレドゥクティブれ] 形 **1** 削減しえない, 減少できない.
2 ((+a)) …に還元しえない. **3** 不屈の.
i·rre·em·pla·za·ble [ireemplaθáβle イレエンプらさブれ] 形 取り替えられない, 他をもって替えがたい.
i·rre·fle·xión [irefleksjón イレフれクシオン] 名 女 無思慮, 無分別, 軽率.
i·rre·fle·xi·vo, va [irefleksíβo, βa イレフれクシボ, バ] 形 思慮の足りない, 無分別な, 軽率な.
i·rre·fre·na·ble [irefrenáβle イレフレナブれ] 形 抑えきれない, 制止できない.
i·rre·fu·ta·ble [irefutáβle イレフタブれ] 形 反駁(はんばく)しえない, 論破できない.
i·rre·gu·lar [ireɣulár イレグらル] 形
1 不規則な, 不ぞろいの; 不正規の (↔ regular). terreno *irregular* 凸凹の土地. un alumno *irregular* (成績などに) むらのある生徒. polígono *irregular* 〘数〙 不等辺多角形.
2 規律のない, ふしだらな. conducta *irregular* 不品行.
i·rre·gu·la·ri·dad [ireɣulariðáð イレグらリダ(ドゥ)] 名 女 **1** 不規則(性), ふぞろい, 不整. **2** 不正(行為).
i·rre·le·van·te [ireleβánte イレれバンテ] 形 重要でない, 取るに足らない; 関係ない.
i·rre·li·gio·so, sa [irelixjóso, sa イレりヒオソ, サ] 形 無宗教の; 不信心な.
i·rre·me·dia·ble [iremeðjáβle イレメディアブれ] 形 手の施しようがない, 取り返しのつかない; 避けられない.
i·rre·mi·si·ble [iremisíβle イレミシブれ] 形 許しがたい, 容赦できない.
i·rre·pa·ra·ble [ireparáβle イレパラブれ] 形 修繕不能の; 償えない.
i·rre·pri·mi·ble [ireprimíβle イレプリミブれ] 形 抑えきれない, 抑止できない.
i·rre·pro·cha·ble [ireprotʃáβle イレプロチャブれ] 形 非の打ちどころのない, 完璧(かんぺき)な.
i·rre·sis·ti·ble [iresistíβle イレシスティブれ] 形 逆らえない, 抗しがたい; 耐えがたい.
i·rre·so·lu·ble [iresolúβle イレソるブれ] 形 解決できない.
i·rre·so·lu·to, ta [iresolúto, ta イレソるト, タ] 形 優柔不断の, 煮えきらない.
i·rres·pe·tuo·so, sa [irespetwóso, sa イレスペトゥオソ, サ] 形 不敬な, 無礼な.
i·rres·pi·ra·ble [irespiráβle イレスピラブれ] 形 呼吸不可能な, 窒息しそうな.
i·rres·pon·sa·ble [iresponsáβle イレスポンサブれ] 形 **1** 無責任な.
2 責任能力のない, 免責の.
── 名 男 女 無責任な人, 無自覚な人.
i·rre·ve·ren·cia [ireβerénθja イレベレンしア] 名 女 不敬虔(ふけいけん); 無礼な言動.
i·rre·ve·ren·te [ireβerénte イレベレンテ] 形 不敬な, 無礼な.
i·rre·ver·si·ble [ireβersíβle イレベルシブれ] 形 逆にできない; 取り消しえない.
i·rre·vo·ca·ble [ireβokáβle イレボカブれ] 形 取り消せない, 撤回不能の.
i·rri·ga·ción [iriɣaθjón イリガしオン] 名 女 灌漑(かんがい), 灌水; 〘医〙 灌注, 洗浄.

i·rri·gar [iriɣár イリガル] [32 g → gu] 動他 灌漑(かんがい)する;〘医〙灌注する，洗浄する.

i·rri·so·rio, ria [irisórjo, rja イリソリオ, リア] 形 **1** こっけいな; ばかばかしい. **2** 取るに足りない; 格安の.

i·rri·ta·ble [iritaβle イリタブれ] 形 **1** 短気な，怒りっぽい. **2**〘医〙過敏な.

i·rri·ta·ción [iritaθjón イリタしオン] 名女 **1** いらだち，立腹. **2**〘医〙軽い炎症.

i·rri·tan·te [iritánte イリタンテ] 形 **1** いらだたせる，怒らせる. **2** 炎症を起こさせる.

i·rri·tar [iritár イリタル] 動他 **1** いらだたせる，怒らせる. Su actitud indiferente me *irritó* mucho. 彼の冷たい態度に私は無性に腹が立った. **2**〘医〙(生体を) 刺激する，炎症を起こさせる.
— **i·rri·tar·*se*** **1** いらだつ，怒る. *irritarse* con [por] 《+algo》〈何か〉に怒る. *irritarse* con [contra] 《+uno》〈人〉に腹を立てる. **2**〘医〙(皮膚などが) 炎症を起こす，かぶれる.

i·rrum·pir [irumpír イルンピル] 動自 《+en》…に押し入る，乱入する.

i·rrup·ción [irupθjón イルプしオン] 名女 乱入; 急襲.

I·sa·bel [isaβél イサベる] 固名 イサベル: 女性の名. 愛 Belita. *Isabel* I イサベル1世 (カスティーリャ女王，在位1474–1504). → católico.

i·sa·be·li·no, na [isaβelíno, na イサベリノ, ナ] 形〘歴史〙イサベル (2世) 派の; (英国の) エリザベス朝の.

I·sa·í·as [isaías イサイアス] 固名 **1** イザヤ: 男性の名. **2**〘聖書〙(1)イザヤ: ヘブライの預言者. (2)(旧約の) イザヤ書.

I·si·do·ro [isiðóro イシドロ] 固名 イシドーロ: 男性の名.

-ísimo, ma 《接尾》形容詞，副詞の絶対最上級を作る. ⇀ bell*ísimo* (とてもきれいな), precios*ísimo* (とてもすばらしい) など.

is·la [ísla イスら] 名女 [複 ~s]〔英 island〕 **1** 島. *islas* volcánicas 火山島. *Islas* Baleares バレアレス諸島. *Islas* Canarias カナリア諸島.
2 ブロック，街区 (= manzana).

is·lá·mi·co, ca [islámiko, ka イスらミコ, カ] 形 イスラム教の.

is·la·mis·mo [islamísmo イスらミスモ] 名男 イスラム教; イスラム世界.

is·lan·dés, de·sa [islandés, désa イスらンデス, デサ] 形 [複男 islandeses] アイスランドの. — 名男女 アイスランド人.
— 名男 アイスランド語.

Is·lan·dia [islándja イスらンディア] 固名 アイスランド (共和国): 首都 Reikiavik.

is·le·ño, ña [isléɲo, ɲa イスれニョ, ニャ] 形 島の. — 名男女 島民.

is·le·ta [isléta イスれタ] 名女 (道路の) 安全地帯.

is·lo·te [islóte イスろテ] 名男 (無人の) 小島; 海面にぽつんと出ている大岩.

iso- 《接頭》「同位」の意を表す. ⇀ *iso*termo, *isó*topo など.

i·so·ba·ra [isoβára イソバラ] 名女〘気象〙等圧線.

i·sós·ce·les [isósθeles イソセれス] 形 [性・数不変]〘数〙二等辺の.

i·so·ter·mo, ma [isotérmo, ma イソテルモ, マ] 形 **1**〘物理〙等温の. **2**〘気象〙等温を示す. — 名女〘気象〙等温線.

i·só·to·po [isótopo イソトポ] 名男〘物理〙アイソトープ，同位元素.

Is·ra·el [israél イスラエる] 固名 イスラエル (国): 首都 Jerusalén.

is·ra·e·lí [israelí イスラエり] 形 [複 israelíes] イスラエル (国) の.
— 名男女 イスラエル人.

is·ra·e·li·ta [israelíta イスラエリタ] 形 (古代) イスラエルの，ヘブライの，ユダヤの; ユダヤ教 (徒) の. — 名男女 (古代) イスラエル人，ヘブライ人，ユダヤ人; ユダヤ教徒.

ist·mo [ístmo イストゥモ] 名男 **1** 地峡. *Istmo* de Panamá パナマ地峡.
2〘解剖〙峡部.

I·ta·lia [itálja イタリア] 固名〔英 Italy〕 **イタリア** (共和国): 首都 Roma.

i·ta·lia·no[1], na [italjáno, na イタリアノ, ナ] [複 ~s]〔英 Italian〕 形 **イタリアの**. a la *italiana* イタリアふうに[の]. restaurante *italiano* イタリアン・レストラン.
— 名男女 **イタリア人**.

i·ta·lia·no[2] [italjáno イタリアノ] 名男〔英 Italian〕 **イタリア語**.

i·ti·ne·ran·te [itineránte イティネランテ] 形 巡回する，移動する (= ambulante).

i·ti·ne·ra·rio, ria [itinerárjo, rja イティネラリオ, リア] 名男 道程，行程; 旅行日程.

i·zar [iθár イさル] [39 z → c] 動他 (旗を) 揚げる.

iz·quier·da [iθkjérða イすキエルダ] 名女 [複 ~s]〔英 the left〕 **1 左**，左手，左側 (↔ derecha). Conserve su *izquierda*. 《交通標識》左側通行. doblar a la *izquierda* 左に曲がる. escribir con la *izquierda* 左手で書く.
2〘政治〙左翼，左派. ser de *izquierdas* 左翼である. partido de *izquierda* 左派政党. extrema *izquierda* 極左.
— 形女 → izquierdo.

iz·quier·dis·ta [iθkjerðísta イすキエルディスタ] 形 左翼の，左派の.
— 名男女 左翼[左派]の人.

iz·quier·do, da [iθkjérðo, ða イすキエルド, ダ] 形 [複 ~s]〔英 left〕 **左の**，左側の (↔ derecho). a mano *izquierda* 左手に.

J j

J, j [xóta ホタ] 名女 スペイン語字母の第10字.
¡ja, ja, ja! [xá xá xá ハハハ] 間投 《笑い声》ハッハッハッ.
ja·ba·lí [xaβalí ハバリ] 名男 [複 ～es] 〘動物〙イノシシ(猪).
ja·ba·li·na [xaβalína ハバリナ] 名女
1 〘動物〙雌イノシシ(猪).
2 (槍(やり)投げの)槍.
ja·ba·to [xaβáto ハバト] 名男 **1** 〘動物〙子イノシシ(猪). **2** 《口語》向こう見ずな若者.
ja·bón [xaβón ハボン] 名男 [複 jabones] 〔英 soap〕
石けん. lavarse las manos con *jabón* 石けんで手を洗う. *jabón* de tocador 化粧石けん. *jabón* en polvo 粉石けん. ► 合成[中性]洗剤は detergente.
dar jabón a 《+uno》《口語》〈人〉にこびる, おべっかを使う.
dar [***echar***] ***un jabón a*** 《+uno》《口語》〈人〉をこっぴどくしかる.
ja·bo·nar [xaβonár ハボナル] 動他 石けんをつける, 石けんで洗う.
ja·bon·ci·llo [xaβonθíʎo ハボンシリョ] 名男 **1** 化粧石けん. **2** (裁縫用の)チャコ.
ja·bo·ne·ra [xaβonéra ハボネラ] 名女 石けん箱[入れ].
ja·ca [xáka ハカ] 名女 〘動物〙小馬.
ja·ca·ran·do·so, sa [xakarandóso, sa ハカランドソ, サ] 形 《口語》陽気な; さっそうとした; うぬぼれた.
ja·cin·to [xaθínto ハシント] 名男 **1** 〘植物〙ヒヤシンス. **2** [J-] ハシント: 男性の名.
Ja·cob [xakóβ ハコブ] 固名 **1** ハコブ: 男性の名. **2** 〘聖書〙ヤコブ: Isaac の子で, イスラエルの12族の祖.
ja·co·be·o, a [xakoβéo, a ハコベオ, ア] 形 使徒ヤコブの. ➡ Santiago.
ja·co·bi·no, na [xakoβíno, na ハコビノ, ナ] 形 ジャコバン党の; 急進派の.
—— 名男女 ジャコバン党員; 急進派.
Ja·co·bo [xakóβo ハコボ] 固名 ハコボ: 男性の名.
jac·tan·cia [xaktánθja ハクタンシア] 名女 うぬぼれ, 自慢.
jac·tan·cio·so, sa [xaktanθjóso, sa ハクタンシオソ, サ] 形 うぬぼれた, 自慢する.
—— 名男女 うぬぼれや.
jac·tar·*se* [xaktárse ハクタルセ] 動 《+**de**》…を自慢する. *Se jacta de* sus éxitos. 彼は成功を鼻にかけている.
ja·de [xáðe ハデ] 名男 〘鉱物〙翡翠(ひすい).
ja·de·an·te [xaðeánte ハデアンテ] 形 息を切らした.
ja·de·ar [xaðeár ハデアル] 動自 あえぐ, 息を切らす.
ja·de·o [xaðéo ハデオ] 名男 あえぎ, 息切れ.
jaeces 名[複] ➡ jaez.
Ja·én [xaén ハエン] 固名 ハエン: スペイン南部の県, 県都.
ja·ez [xaéθ ハエス] 名男 [複 jaeces]
1 [普通 jaeces] 馬具.
2 《軽蔑》質(たち), 性質. gente de ese *jaez* ああいう類(たぐい)の連中.
ja·guar [xaɣwár ハグアル] 名男 〘動物〙ジャガー.
Jai·me [xáime ハイメ] 固名 ハイメ: 男性の名.
ja·lar [xalár ハラル] 動他 《口語》食う.
ja·le·a [xaléa ハレア] 名女 ゼリー.
hacerse [***volverse***] ***una jalea*** 《口語》いやに愛想がよい.
ja·le·ar [xaleár ハレアル] 動他 **1** (踊り手や歌い手に)拍手を送る, 掛け声をかける.
2 (犬などを)けしかける.
ja·le·o [xaléo ハレオ] 名男 《口語》 **1** お祭り騒ぎ, 大騒ぎ.
2 混乱, 騒動. armarse un *jaleo* 一騒動もち上がる; 頭がこんがらかる.
3 口論, けんか. Rosa tuvo un *jaleo* con su padre por llegar tarde a casa. ロサは帰宅が遅れて父親と口論になった.
ja·lón [xalón ハロン] 名男 **1** (測量用の)標尺, ポール. **2** (歴史・人生の)節目.
ja·lo·nar [xalonár ハロナル] 動他 標尺[ポール]を立てる; 印をつける, 点在させる.
ja·mai·ca·no, na [xamaikáno, na ハマイカノ, ナ] 形 ジャマイカ Jamaica の.
—— 名男女 ジャマイカ人.
ja·más [xamás ハマス] 副 〔英 never〕
1 決して…しない, いまだかつて…ない (＝nunca). No iré *jamás*. 二度と行くもんか. *Jamás* lo he visto. / No lo he visto *jamás*. 私は一度もそれを見たことがない. ► 動詞の前に来る場合は単独で, 動詞の後ろに来る場合は no と重複して用いられる.
2 かつて, 今までに. ¿Has visto *jamás* algo semejante? こんなこと前に見たことあるかい?
(***en***) ***jamás de los jamases*** 《口語》決して[絶対に]…しない.
jam·ba [xámba ハンバ] 名女 〘建築〙(戸・窓の)抱き, わき柱. ➡ puerta 図.

ja·mel·go [xamélɣo ハメるゴ] 名男 やせ馬.

ja·món [xamón ハモン] 名男 [複 jamones]〔英 ham〕 **生ハム**, ハム. *jamón* (de) York ヨークハム. El *jamón* con melón es un plato exquisito. 生ハムとメロンの取り合わせは絶妙な味わいだ.
¡Y un jamón!《口語》駄目だ. ¿Vienes conmigo? — ¡*Y un jamón*! いっしょに行くかい? —ふん, 誰が行くものか.

ja·mo·na [xamóna ハモナ] 形 [女性形のみ]《俗語》中年太りした.
—— 名女《俗語》太った中年女.

Ja·pón [xapón ハポン] 固名〔英 Japan〕
日本(国): 首都 Tokio または Tokyo.

ja·po·nés[1], **ne·sa** [xaponés, nésa ハポネス, ネサ] [複男 japoneses, 女 ～s]〔英 Japanese〕 形 **日本(人, 語)の**. coche *japonés* 日本(製の)車. nacionalidad *japonesa* 日本国籍.
—— 名男女 **日本人**.

ja·po·nés[2] [xaponés ハポネス] 名男 **日本語**.

ja·que [xáke ハケ] 名男 (チェス) チェック. dar *jaque* y mate (キングを) チェックメイト[王手詰め]する. estar en *jaque* (キングが) チェックされている.
tener* [*traer, poner*] *en jaque a 《+uno》〈人〉を脅す, 不安に陥れる.

ja·que·ca [xakéka ハケカ] 名女
1〘医〙偏頭痛.
2《口語》厄介, 面倒, 悩みの種.

ja·ra·be [xaráβe ハラベ] 名男 シロップ. *jarabe* de arce メープルシロップ. *jarabe* para la tos 咳(せき)止めシロップ.
dar a 《+uno》 ***jarabe de palo*** 《口語》〈人〉を(お仕置きで) ひっぱたく, 懲らしめる.
jarabe de pico《口語》空約束; 口先だけの人.

ja·ra·na [xarána ハラナ] 名女《口語》ばか騒ぎ; その騒音. ir de *jarana* 浮かれ騒ぐ.

ja·ra·ne·ro, ra [xaranéro, ra ハラネロ, ラ] 形 騒ぎ好きの.

jar·cia [xárθja ハルしア] 名女 [～または～s]〘海事〙索具; 釣り道具.

jar·dín [xarðín ハルディン] 名男 [複 jardines]〔英 garden〕 **庭**, 庭園. *jardín* botánico 植物園. *jardines* del Generalife (スペイン Granada の) ヘネラリフェの庭園. *jardín* zoológico 動物園.
jardín de (la) infancia 幼稚園.

jar·di·ne·ra [xarðinéra ハルディネラ] 名女
1 プランター; フラワースタンド.
2 ➡ jardinero.
a la jardinera〘料理〙温野菜を添えた.

jar·di·ne·rí·a [xarðinería ハルディネリア] 名女 園芸, 造園.

jar·di·ne·ro, ra [xarðinéro, ra ハルディネロ, ラ] 名男女〔英 gardener〕
庭師, 園芸家.

ja·re·ta [xaréta ハレタ] 名女〘服飾〙折り返し; ピンタック.

ja·re·tón [xaretón ハレトン] 名男 (シーツなどの) 折り返し. ➡ embozo.

ja·rra [xár̄a ハラ] 名女 (取っ手が1つまたは2つの) 水差し, ピッチャー; ジョッキ. una *jarra* de cerveza ジョッキ一杯のビール. ➡ copa 図.
de* [*en*] *jarras 両手を腰に当てて.

ja·rro [xár̄o ハロ] 名男
(取っ手が1つの) 水差し.
a jarros《口語》どしゃ降りの.
echar a 《+uno》 ***un jarro de agua fría*** 《口語》〈人〉を失望させる, がっかりさせる.

ja·rrón [xar̄ón ハロン] 名男 [複 jarrones] 花瓶 (= florero); (大形の) 飾り壺(つぼ); (庭園などの) 壺形飾り.

jas·pe [xáspe ハスペ] 名男〘鉱物〙 **1** 碧玉(へきぎょく). **2** 縞(しま)模様の大理石.

jas·pe·a·do, da [xaspeáðo, ða ハスペアド, ダ] 過分 形 縞(しま)[墨流し]模様の.

jas·pe·ar [xaspeár ハスペアル] 動 他 縞(しま)[墨流し]模様をつける.

Jau·ja [xáuxa ハウハ] 名女 楽園, 桃源郷. ¡Esto es *Jauja*! これぞ極楽.

jau·la [xáula ハウら] 名女
檻(おり); 鳥かご.

Ja·vier [xaβjér ハビエル] 固名 ハビエル: 男性の名.

jaz·mín [xaθmín ハすミン] 名男〘植物〙
ジャスミン.

jazz [ʤáθ ジャす | ʤás ジャス] 名男〘音楽〙
ジャズ. [←英語]

J.C.《略》Jesucristo イエス・キリスト.

jeep [ʤíp ジ(プ)] 名男〘車〙ジープ.
[←英語]

je·fa [xéfa ヘファ] 名女 (女性の) 長, 指導者. ➡ jefe.

je·fa·tu·ra [xefatúra ヘファトゥラ] 名女
1 本部. *Jefatura* Superior de Policía 警察本部.
2 長 jefe の地位[職務].

je·fe [xéfe ヘフェ] 名男 [複 ～s]〔英 boss, chief〕
長, 上司, ボス. Hoy el *jefe* no está de buen humor. きょうはボスの機嫌が悪い. comandante en *jefe* 総司令官. *jefe* de cocina コック長, シェフ. *jefe* de estación 駅長. *jefe* de Estado Mayor 参謀長; 陸軍参謀総長. redactor *jefe* 編集長.
➡ jefa.

jen·gi·bre [xeŋxíβre ヘンヒブレ] 名男〘植物〙ショウガ(生姜), ジンジャー.

je·rar·ca [xerárka ヘラルカ] 名男 要人; 大物, 実力者.

je·rar·quí·a [xerarkía ヘラルキア] 名女
1 位階; 序列; 階級制. elevarse [ascen-

der] en la *jerarquía* 階級が上がる.
2 高官, 要人.
je·rár·qui·co, ca [xerárkiko, ka ヘラルキコ, カ] 形 序列的な; 階級制の.
jereces 名[複] → jerez.
Je·re·mí·as [xeremías ヘレミアス] 固名
1 ヘレミーアス: 男性の名.
2〘聖書〙(1) エレミヤ: 大預言者の一人.
(2) (旧約の) エレミヤ書.
── 名男 [j-][単·複同形] 愚痴っぽい人.
je·rez [xeréθ ヘレす] 名男 [複 jereces] シェリー酒. ◆スペイン南部の Jerez de la Frontera 地域で作られるぶどう酒.
jer·ga [xérɣa ヘルガ] 名女 隠語; 訳の分からない言葉.
jer·gón [xerɣón ヘルゴン] 名男 わら布団.
je·ri·be·que [xeriβéke ヘリベケ] 名男 [普通 ~s] しかめっ面. hacer *jeribeques* 顔をしかめる.
je·ri·gon·za [xeriɣónθa ヘリゴンさ] 名女 隠語; 訳の分からない言葉.
je·rin·ga [xeríŋga ヘリンガ] 名女 注入器, 注射器, 浣腸(かんちょう)器.
je·rin·gar [xeriŋgár ヘリンガル] [32 g → gu] 動他《口語》悩ます, うんざりさせる.
je·rin·gui·lla [xeriŋgíʎa ヘリンギリャ] 名女 (小型) 注射器.
je·ro·glí·fi·co, ca [xeroɣlífiko, ka ヘログリフィコ, カ] 形 象形文字の.
── 名男 象形文字, 絵文字.
Je·ró·ni·mo [xerónimo ヘロニモ] 固名 ヘロニモ: 男性の名.
je·ro·so·li·mi·ta·no, na [xerosolimitáno, na ヘロソリミタノ, ナ] 形 エルサレムの.
── 名男女 エルサレムの住民.
jer·sey [xerséi ヘルセイ] 名男 [複 ~s, jerséis] セーター (= suéter).
Je·ru·sa·lén [xerusalén ヘルサれン] 固名 エルサレム: イスラエルの首都. ◆ユダヤ教, キリスト教, イスラム教の聖地.
Je·su·cris·to [xesukrísto ヘスクリスト] 固名 イエス·キリスト.
je·sui·ta [xeswíta ヘスイタ] 形〘カトリック〙イエズス会の.
── 名男〘カトリック〙イエズス会士. → compañía.
je·suí·ti·co, ca [xeswítiko, ka ヘスイティコ, カ] 形〘カトリック〙イエズス会の.
Je·sús [xesús ヘスス] 固名 **1** イエス, イエス·キリスト (前7? - 後30?) (= Jesucristo). El Niño *Jesús* 幼子イエス. → Cristo.
2 ヘスス: 男性の名. 愛 Chucho, Jesusín.
── 間投 **1**《驚き·苦痛·安心·落胆などを表して》ああ, えっ, やれやれ. ¡*Jesús*(, María y José)! おやおや, とんでもない.
2 (くしゃみをした人に) お大事に. ►¡Salud! とも言い, Gracias. で答える.
en un (***decir***) ***Jesús***《口語》あっという間に.
jet [jét ジェ(トゥ)] 名男 ジェット機. [←英語]
je·ta [xéta ヘタ] 名女 **1**《口語》顔; しかめっ面. No pongas esa *jeta*. そんな顔をするなよ. romper a《+uno》la *jeta*〈人〉の横っ面を張る. **2** 豚の鼻面.
jí·ba·ro, ra [xíβaro, ra ヒバロ, ラ] 形《ラ米》田舎の, 粗野な; 野生の.
── 名男女 **1**《ラ米》農民, 小作人; 田舎者. **2** ヒバロ族: アマゾン川流域に住むインディオ.
ji·bia [xíβja ヒビア] 名女〘動物〙コウイカ (甲烏賊).
jí·ca·ra [xíkara ヒカラ] 名女 **1** (ココア用の) カップ. **2**《ラ米》(ヒョウタン製の) 椀(わん).
ji·jo·na [xixóna ヒホナ] 名男〘料理〙トゥロン. → turrón.
jil·gue·ro [xilɣéro ヒるゲロ] 名男〘鳥〙ヒワ (鶸).
ji·ne·ta [xinéta ヒネタ] 名女 女性の騎手.
ji·ne·te [xinéte ヒネテ] 名男 騎手, 騎馬の人; 乗馬の名手.
ji·ra [xíra ヒラ] 名女 **1** 細長い布切れ.
2 野外パーティー; ピクニック; 周遊旅行, ツアー.
ji·ra·fa [xiráfa ヒラファ] 名女〘動物〙キリン (麒麟).
ji·rón [xirón ヒロン] 名男 断片; (布などの) 切れ端.
¡jo! [xó ホ] 間投《驚き·怒りを表して》わっ, あれ!
Jo·a·quín [xoakín ホアキン] 固名 ホアキン: 男性の名.
Job [xóβ ホ(ブ)] 固名〘聖書〙(1) ヨブ: 信仰のあついウズ国の族長. (2) (旧約の) ヨブ記.
jo·ckey [xók(e)i ホケイ, ホキ | jók(e)i ジョケイ, ジョキ] 名男 (競馬の) 騎手, ジョッキー. [←英語]
jo·co·si·dad [xokosiðáð ホコシダ(ドゥ)] 名女 ひょうきん, おどけ.
jo·co·so, sa [xokóso, sa ホコソ, サ] 形 ひょうきんな, おどけた.
jo·cun·do, da [xokúndo, da ホクンド, ダ] 形 陽気な; 楽しい.
jo·der [xoðér ホデル] 動自《俗語》性交する.
── 動他《俗語》**1** うんざりさせる, いらいらさせる. **2** 台無しにする.
── **jo·der·*se***《俗語》**1** うんざりする.
2 台無しになる.
¡Joder!《俗語》ちくしょう; なんてことだ.
¡No(***me***)***jodas!*** / ***¡No joda!***《俗語》ばか言うな, いい加減にしろ.
¡Que te jodas!《俗語》このおたんこなす, くたばれ.
jo·fai·na [xofáina ホファイナ] 名女 洗面器.
jol·go·rio [xolɣórjo ホるゴリオ] 名男 どんちゃん騒ぎ, お祭り騒ぎ.
¡jo·lín! [xolín ホりン] / **¡jo·li·nes!** [xolínes ホりネス] 間投《俗語》あれ!, ちくしょう.

Jo·nás [xonás ホナス] 固名 〘聖書〙(1)ヨナ：不信心のため海に投げ込まれ 3 日間鯨の腹中にいた預言者．(2)(旧約の)ヨナ書．

jó·ni·co, ca [xóniko, ka ホニコ, カ] 形 〘建築〙イオニア式の．→ columna 図．

Jor·da·nia [xorðánja ホルダニア] 固名 ヨルダン．Reino Hachemita de *Jordania* ヨルダン・ハシミテ王国(首都 Ammán)．

jor·da·no, na [xorðáno, na ホルダノ, ナ] 形 ヨルダンの．
—— 名男女 ヨルダン人．

Jor·ge [xórxe ホルヘ] 固名 ホルヘ：男性の名．

jor·na·da [xornáða ホルナダ] 名女 **1** 1 日の労働(時間)．*jornada* de ocho horas 8 時間労働．
2 1 日の行程[旅程]．**3** 〘演劇〙幕．
a grandes jornadas 根をつめて，強行軍で．

jor·nal [xornál ホルナる] 名男 日給；1 日の仕事．trabajar a *jornal* 日雇いで働く．

jor·na·le·ro, ra [xornaléro, ra ホルナれロ, ラ] 名男女 (農場などの)日雇い労働者．

jo·ro·ba [xoróβa ホロバ] 名女 **1** 丸く曲がった背；こぶ．**2** 《口語》膨らみ，出っ張り．

jo·ro·ba·do, da [xoroβáðo, ða ホロバド, ダ] 過分 形 背骨が丸く曲がった；猫背の．
—— 名男女 背骨が丸く曲がった人；猫背の人．

jo·ro·bar [xoroβár ホロバル] 動他 《俗語》いらいらさせる，うんざりさせる．
—— **jo·ro·bar·*se*** 《俗語》うんざりする；腹の虫を抑える，じっと我慢する．
¡No (me) jorobes! / ¡No jorobe! 《俗語》そんなばかな；いい加減にしてくれ．

Jo·sé [xosé ホセ] 固名 ホセ：男性の名．愛 Pepe, Pepín, Pepito. San *José* 〘聖書〙聖ヨセフ(聖母マリアの夫でイエス・キリストの養父)．

Jo·se·fa [xoséfa ホセファ] 固名 ホセファ：女性の名．愛 Pepa, Pepita.

Jo·se·fi·na [xosefína ホセフィナ] 固名 ホセフィーナ：Josefa の小．

Jo·sué [xoswé ホスエ] 固名 〘聖書〙(1)ヨシュア：モーセ Moisés の後継者．(2)(旧約の)ヨシュア記．

jo·ta [xóta ホタ] 名女 **1** スペイン語字母 j の文字[音]．
2 《主に否定文で》わずかなもの，少量．No entiendo ni *jota* (de eso). 私にはさっぱり分からない．
3 ホタ：スペイン Aragón, Valencia, Navarra 地方の民俗舞踊(曲)．

jo·ven [xóβen ホベン] [複 jóvenes] 形 〔英 young〕
若い，年下の；若々しい，はつらつとした．Ana es tres años más *joven* que yo. アナは私より 3 歳年下です．país *joven* 新興国．de aspecto *joven* 若々しい風貌(ふうぼう)の．
—— 名男女 **若者**，青年，若い人．

jo·ven·ci·to, ta [xoβenθíto, ta ホベンしト, タ] 形 [joven の小] とても若い，まだ若い．
—— 名男女 若者，少年，少女．

jo·ven·zue·lo, la [xoβenθwélo, la ホベンスエろ, ら] 形 [joven の軽] 若僧の．
—— 名男女 若僧．

jo·vial [xoβjál ホビアる] 形 陽気な，愉快な．

jo·via·li·dad [xoβjaliðáð ホビアりダ(ドゥ)] 名女 陽気，愉快．

jo·ya [xója ホヤ] 名女 [複 ～s] 〔英 jewel〕 **1 宝石**；(金銀・宝石の)装身具．*joyas* de imitación 人造宝石．
2 貴重なもの[人]，宝物．La *joya* de esta biblioteca es este libro. この図書館の宝はこの本です．

【参　考】宝石と装身具
diamante ダイヤモンド．esmeralda エメラルド．granate ガーネット．jade ひすい．ópalo オパール．oro blanco ホワイトゴールド．perla 真珠．rubí ルビー．topacio トパーズ．turquesa トルコ石．zafiro サファイア．
anillo, sortija 指輪．aretes ピアス，(リング形の)イヤリング．brazalete / pulsera ブレスレット．broche ブローチ．colgante ペンダント．collar ネックレス．diadema ティアラ．pendientes イヤリング．

jo·ye·rí·a [xoǰería ホイエリア] 名女 宝石店，装身具店．

jo·ye·ro, ra [xoǰéro, ra ホイエロ, ラ] 名男女 宝石商；宝石職人．
—— 名男 宝石箱．

Juan [xwán フアン] 固名 フアン：男性の名．San *Juan* Evangelista 〘聖書〙使徒聖ヨハネ (キリストの十二使徒のひとり；ヨハネによる福音書の著者)．*Juan* Carlos フアン・カルロス(スペイン国王．在位1975－　)．
Don Juan → don.

Jua·na [xwána フアナ] 固名 フアナ：女性の名．Santa *Juana* de Arco 聖女ジャンヌ・ダルク (1412–31, フランスの愛国者)．

ju·bi·la·ción [xuβilaθjón フビらしオン] 名女 退職；年金，恩給．

ju·bi·la·do, da [xuβiláðo, ða フビらド, ダ] 過分 形 退職した；年金[恩給]を受けている．
—— 名男女 退職者；年金[恩給]生活者．

ju·bi·lar [xuβilár フビらル] 動他 退職させる．
—— **ju·bi·lar·*se*** 退職する；年金[恩給]生活に入る．

jú·bi·lo [xúβilo フビろ] 名男 大喜び，歓喜．

ju·bi·lo·so, sa [xuβilóso, sa フビろソ, サ] 形 大喜びの，歓喜に満ちた．

ju·dai·co, ca [xuðáiko, ka フダイコ, カ] 形 ユダヤ(人)の．

ju·da·ís·mo [xuðaísmo フダイスモ] 名男 ユダヤ教．

J

Ju·das [xúðas フダス] 固名 〔聖書〕ユダ. *Judas* Iscariote イスカリオテのユダ(キリストの十二使徒のひとりで主を裏切った). *Judas* llamado Tadeo タダイと呼ばれたユダ(十二使徒のひとり).
—— 名男 [j-] [単・複同形] 裏切り者.
Ju·de·a [xuðéa フデア] 固名 ユダヤ: 古代パレスチナの南部地方.
ju·de·o·es·pa·ñol, ño·la [xuðeoespaɲól, ɲóla フデオエスパニョる, ニョら] 形 ユダヤ系スペイン人の.
—— 名男女 ユダヤ系スペイン人.
—— 名男 ユダヤ系スペイン語: 15世紀末バルカン半島に移住したユダヤ人の言語. ➡ sefardí.
ju·de·rí·a [xuðería フデリア] 名女 (中世の)ユダヤ人街, ゲットー.
ju·dí·a [xuðía フディア] 名女 〔植物〕インゲンマメ(隠元豆). *judía* verde サヤインゲン. ➡ legumbre 図.
ju·dia·da [xuðjáða フディアダ] 名女 卑劣な行為.
ju·di·ca·tu·ra [xuðikatúra フディカトゥラ] 名女 裁判官の職務[任期]; 《集合》裁判官.
ju·di·cial [xuðiθjál フディしアる] 形 司法の; 裁判の. intervención *judicial* 裁判所の調停[仲裁].
ju·dí·o, a [xuðío, a フディオ, ア] 形
1 ユダヤの, ユダヤ人の; ユダヤ教(信者)の.
2 《口語》強欲な, けちな.
—— 名男女 **1** ユダヤ人; ユダヤ教信者.
2 《口語》強欲な人.
ju·do [júðo ジュド] 名男 柔道. [←日本語]
jueces 名 [複] ➡ juez.
jueg- 動 ➡ jugar. [31 u ➡ ue ; 32 g ➡ gu]
jue·go [xwéɣo フエゴ] 名男 [複 ~s] 〔英 play, game〕
1 遊び, ゲーム; **競技**, プレー. *juego* de manos 手品, 奇術. *juego* de palabras しゃれ, 語呂(ごろ)合わせ. *Juegos* Olímpicos オリンピック競技. *juegos* malabares 曲芸, 軽業.
2 賭事(かけごと), ギャンブル (= *juego* de azar). ¡Hagan *juego*, señores! 《胴元の言葉》賭けてください. *juego* de la Bolsa 投機, 相場. poner en *juego* su posición 自分の地位を賭ける.
3 一そろい, 一式, セット. He comprado un *juego* de café en las rebajas. 私はバーゲンでコーヒーセットを買った.
4 (トランプ)持ち札, 手; 手口, やり方. tener buen *juego* 手がいい. Sé muy bien su *juego*. 彼の手口はよく分かっている. *juego* limpio フェアプレー.
—— 動 ➡ jugar. [31 u ➡ ue ; 32 g ➡ gu]
dar juego 大騒ぎを起こす.
entrar en juego 関係する, 作用する.
hacer juego (***con*** ...) …と合う, 調和する. Esa corbata *hace juego con* la chaqueta blanca. そのネクタイは白い上着とマッチしている.
ser juego de niños 取るに足りない.
juer·ga [xwérɣa フエルガ] 名女 飲めや歌えの大騒ぎ, どんちゃん騒ぎ. correrse una *juerga* 《口語》羽目を外して遊ぶ. ► huelga のアンダルシア訛(なま)り.
juer·guis·ta [xwerɣísta フエルギスタ] 形 どんちゃん騒ぎの好きな.
—— 名男女 お祭り騒ぎの好きな人.
jue·ves [xwéβes フエベス] 名男 [単・複同形] 〔英 Thursday〕
木曜日 《略 jue., juev.》. el *jueves* que viene 今度[来週]の木曜日. el *jueves* pasado この前[先週]の木曜日. *Jueves* Santo 聖木曜日(復活祭前週の木曜日). ➡ lunes 【参考】, fiesta 【参考】.
No es cosa [***nada***] ***del otro jueves.*** 《口語》大したことはない, 大騒ぎするほどのことではない.
juez [xwéθ フエす] 名男 [複 jueces] 〔英 judge〕 **1 裁判官**, 判事.
2 (競技などの) **審判(員)**, 審査員. *juez* de salida スターター. *juez* de silla (テニスの)審判.
el Juez Supremo 〔宗教〕(最高審判者としての)神.
ju·ga·da [xuɣáða フガダ] 名女 **1** (スポーツ・ゲームの)一勝負, 一局, 一手.
2 ひどい仕打ち, 汚い手 (=mala *jugada*). Nos hizo una (mala) *jugada*. 彼は我々に汚い手を使った.
—— 過分 女 ➡ jugar.
jugado, da 過分 ➡ jugar.
ju·ga·dor, do·ra [xuɣaðór, ðóra フガドル, ドラ] [複男 ~es, 女 ~s] 名男女 〔英 player〕 **1 競技者**, 選手, プレーヤー. *jugador* de fútbol サッカーの選手.
2 賭事(かけごと)の好きな人; 賭博(とばく)師.
—— 形 遊ぶ, スポーツをする; 賭事が好きな.
jugando 現分 ➡ jugar.
ju·gar [xuɣár フガル] [31 u ➡ ue ; 32 g ➡ gu] 動自 [現分 jugando ; 過分 jugado,da] 〔英 play〕

直説法 現在	
1・単 ***juego***	1・複 **jugamos**
2・単 ***juegas***	2・複 **jugáis**
3・単 ***juega***	3・複 ***juegan***

1 遊ぶ; 《+**a**》 **(ゲーム・スポーツ)をする**. Los niños *están jugando* con el perro en el jardín. 子供たちは庭で犬と遊んでいる. *jugar a* las cartas トランプをする. *jugar a*l tenis [fútbol] テニス[サッカー]をする.
2 賭事(かけごと)をする; 投機する. *jugar* a la lotería 宝くじを買う. *jugar* a la Bolsa 株に手を出す.
3 《+**con**》…をもてあそぶ, いじる. *jugar*

con la vida 命を粗末にする. *jugar con* 《+uno》〈人〉をからかう; もてあそぶ.
4 かかわる, 関与する. Mi tío no *juega* en este asunto. おじがこの件にはかんでいない.
5 調和する, 似合う.
—— 動他 **1** (ゲーム・スポーツを) する. *jugar* un partido de fútbol サッカーの試合をする.
2 (トランプの札を) 出す, 捨てる; (チェスの駒(こま)を) 動かす.
3 賭ける. *Juego* diez mil pesetas en el próximo sorteo de la lotería. 今度の宝くじに私は1万ペセタを賭ける.
—— **ju·gar·*se*** 賭ける; 危険にさらす. *Me jugué* cien dólares en la última carrera y los perdí. 私は最後のレースに100ドル賭けて負けた. *jugarse* la vida 生命を賭ける.
jugar limpio フェアプレーをする; 正々堂々と振る舞う.
jugársela a 《+uno》〈人〉にひどい仕打ちをする.
jugar sucio 反則をする; 汚い手を使う.

ju·ga·rre·ta [xuɣaȓéta フガレタ] 名女 《口語》汚い手段.

ju·glar [xuɣlár フグラル] 名男女 (中世の) 吟遊詩人. ◆スペイン民衆の伝統に根ざした武勲詩を語り歩いた.

ju·gla·res·co, ca [xuɣlarésko, ka フグラレスコ, カ] 形 吟遊詩人の. poesía *juglaresca* 〘文〙スペイン中世の民衆詩.

ju·gla·rí·a [xuɣlaría フグラリア] 名女 吟遊詩人の文芸 (=mester de *juglaría*).

ju·go [xúɣo フゴ] 名男 [複 ~s] 〔英 juice〕 **1 ジュース** (= zumo). *jugo* de limón [tomate] レモン[トマト]ジュース.
2 〘料理〙肉汁, グレービー. *jugo* de carne 肉汁.
3 体液; 分泌物. *jugo* gástrico 胃液.
4 中身; 利益. un discurso con mucho *jugo* 非常に充実した内容の講演.
sacar el jugo a… 《口語》…から絞れるだけ絞り取る, 利益を引き出す.

ju·go·si·dad [xuɣosiðáð フゴシダ(ドゥ)] 名女 水気の多いこと.

ju·go·so, sa [xuɣóso, sa フゴソ, サ] 形
1 水気の多い. fruta *jugosa* みずみずしい果物. **2** 実入りのよい; 内容豊かな.

jugue(-) / jugué(-) 動 → jugar. [31 u → ue ; 32 g → gu]

ju·gue·te [xuɣéte フゲテ] 名男 おもちゃ, 玩具(がんぐ). coche de *juguete* おもちゃの自動車. ser el *juguete* de 《+uno》〈人〉の慰みものになる.

ju·gue·te·ar [xuɣeteár フゲテアル] 動自 《+con》…をもてあそぶ.

ju·gue·te·o [xuɣetéo フゲテオ] 名男 もてあそぶこと.

ju·gue·te·rí·a [xuɣetería フゲテリア] 名女 おもちゃ屋, 玩具(がんぐ)商.

ju·gue·tón, to·na [xuɣetón, tóna フゲトン, トナ] 形 ふざけ好きな, いたずらな.

jui·cio [xwíθjo フイしオ] 名男 [複 ~s] 〔英 judgement〕 **1 判断**, 判定, 評価. someter a *juicio* de 《+uno》〈人〉の判断に任せる. a *juicio* de 《+uno》〈人〉の意見によれば.
2 良識, 分別; 正気, 理性. perder el *juicio* 理性を失う. tener poco *juicio* 良識がない. estar en su *juicio* 正気である.
3 裁判, 審理; 審判. *Juicio* Final 〘宗教〙最後の審判. llevar a 《+uno》 a *juicio* 〈人〉を告訴する.

jui·cio·so, sa [xwiθjóso, sa フイしオソ, サ] 形 分別のある, 思慮深い.

ju·le·pe [xulépe フレペ] 名男 **1** 〘医〙シロップ薬. **2** 《口語》叱責(しっせき).
3 トランプ遊びの一種.
dar un julepe a 《+uno》〈人〉を無理に働かせる

Ju·lia [xúlja フリア] 固名 フリア: 女性の名.

Ju·lián [xulján フリアン] 固名 フリアン: 男性の名.

ju·lia·na [xuljána フリアナ] 名女
1 〘料理〙(千切りの) 野菜スープ (= sopa *juliana*). **2** [J-] フリアナ: 女性の名.

ju·lio
[xúljo フリオ] 名男 [複 ~s] 〔英 July〕
1 7月 《略 jul.》. el 5 de *julio* 7月5日. → mes 【参考】.
2 [J-] フリオ: 男性の名.

ju·men·to, ta [xuménto, ta フメント, タ] 名男女 〘動物〙ロバ (驢馬) (=asno).

jun·cal [xuŋkál フンカる] 形 細い, すらりとした.
—— 名男 イグサの原.

jun·co [xúŋko フンコ] 名男 **1** 〘植物〙イグサ (藺草). **2** 杖(つえ), ステッキ.

jun·gla [xúŋgla フングら] 名女 ジャングル, 密林.

ju·nio
[xúnjo フニオ] 名男 [複 ~s] 〔英 June〕
6月 《略 jun.》. el 24 de *junio* 6月24日. → mes 【参考】.

jú·nior [xúnjor フニオル] 名男 **1** 〘スポーツ〙ジュニア級. **2** (同名の子を父と区別して指す) ジュニア. [←英語]

Ju·no [xúno フノ] 固名 **1** 〘ローマ神話〙ユノ: 最高の女神で Júpiter の妻. ギリシア神話の Hera.
2 〘天文〙(小惑星) ジュノー.

jun·que·ra [xuŋkéra フンケラ] 名女 〘植物〙イグサ (藺草); イグサの群生地.

jun·ta [xúnta フンタ] 名女 [複 ~s] 〔英 meeting, board〕 **1** 評議会, **委員会**; **会議**; 〘歴史〙(スペインの) 地方評議会. *junta* general 総会. *junta* administrativa 役員会. *junta* de accionistas 株主会. *junta* directiva 重役会. *junta* militar 軍事評議会.
2 〘技術〙〘機械〙接合, 継ぎ目; 継ぎ手, ジョ

J

イント(＝juntura).
―― 動 → juntar.
―― 形女 → junto[1].

jun·ta·men·te [xúntaménte フンタメンテ] 副 いっしょに; 同時に.

jun·tar [xuntár フンタル] 動他〔英 join, unite〕**1** **合わせる**, いっしょにする; 結びつける, つなぐ(＝unir). *Juntamos* los dos bancos y cupimos todos. ベンチを2つつなげたら全員が座れた.
2 集める, 召集する(＝reunir). *Juntaron* en su casa a todos los familiares que estaban en Madrid. マドリードにいる親戚(しんせき)全員を家に集めた.
―― **jun·tar·se** **集まる**, 合流する(＝reunirse). Los dos ríos *se juntan* a diez kilómetros del mar. 海から10キロの地点で2つの川が合流する. *Nos juntamos* dieciocho personas en total. 合計18人が集まった.
Dios los cría y ellos se juntan. 《諺》神は人を創り人は集まる(類は友を呼ぶ).

jun·to[1], ta [xúnto, ta フント, タ] 形〔複 ～s〕〔英 joined, united〕**いっしょの**; 合わせた, 接合した, 隣り合った. Si quieres, vamos *juntos*. もしよかったらいっしょに行かないか. Han colocado las sillas demasiado *juntas*. 椅子の並べ方がくっつきすぎている.

J

jun·to[2] [xúnto フント] 副 近くに.
en junto 全部で, まとめて.
junto a ... …のそばに, …の隣に. Siéntate *junto a* mí. 私の隣に座りなさい.
junto con ... …といっしょに, …と共に. *Junto con* el aparato le enviamos las instrucciones para su uso. 機械といっしょに説明書をお送りします.

jun·tu·ra [xuntúra フントゥラ] 名女 接合部, 継ぎ目.

Jú·pi·ter [xúpiter フピテル] 固名 **1** 〘ローマ神話〙ユピテル, ジュピター: 最高神. ギリシア神話の Zeus.
2 〘天文〙木星. → solar 図.

ju·ra [xúra フラ] 名女 誓い, 宣誓(式).
―― 動 → jurar.

ju·ra·do, da [xuráðo, ða フラド, ダ] 名男 陪審(員); 審査(員).
―― 過分 形 宣誓した. intérprete *jurado* 公認通訳官.

ju·ra·men·to [xuraménto フラメント] 名男 **1** 誓い, 宣誓. prestar *juramento* 宣誓する. **2** ののろい, 悪態.

ju·rar [xurár フラル] 動他〔英 swear〕**誓う**, 宣誓する. Te *juro* que yo no he dicho nada. 僕は何もしゃべっていないってば. *jurar* sobre el Evangelio 聖書に手を置いて誓う. *jurar* por (la salud de) mi madre 母にかけて誓う.
―― 動自 ののしる, 悪態をつく(＝blasfemar).
jurársela(s) a 《＋uno》《口語》〈人〉に仕返しをすることを誓う.
Lo juraría. 私はそう思うよ.

ju·rá·si·co, ca [xurásiko, ka フラシコ, カ] 形 〘地質〙ジュラ紀の.
―― 名男 〘地質〙ジュラ紀.

ju·rí·di·co, ca [xuríðiko, ka フリディコ, カ] 形 法律上の. lenguaje *jurídico* 法律用語.

ju·ris·con·sul·to [xuriskonsúlto フリスコンスるト] 名男 法律家, 法律顧問.

ju·ris·dic·ción [xurisðikθjón フリスディクしオン] 名女 管轄権, 権限; 管轄区域. Este problema no cae bajo la *jurisdicción* del alcalde. これは市長が裁量すべき問題ではない.

ju·ris·dic·cio·nal [xurisðikθjonál フリスディクしオナる] 形 管轄権の. aguas *jurisdiccionales* 領海(► 公海は aguas internacionales).

ju·ris·pru·den·cia [xurispruðénθja フリスプルデンしア] 名女 法学, 法律学; 判例. sentar *jurisprudencia* 判例となる.

ju·ris·ta [xurísta フリスタ] 名男女 法学者, 法律家.

jus·ta [xústa フスタ] 名女 **1** (中世騎士の)馬上槍(やり)試合. **2** (文芸の)コンクール.
―― 形女 → justo[1].

jus·ta·men·te [xústaménte フスタメンテ] 副 **1** まさに, ちょうど; 正しく.

jus·ti·cia [xustíθja フスティしア] 名女〔複 ～s〕〔英 justice〕**1** **正義**, 公正.
2 裁判; 司法, 法廷. hacer *justicia* 裁きを下す. llevar a la *justicia* 裁判に訴える. Ministerio de *Justicia* 法務省.

jus·ti·cie·ro, ra [xustiθjéro, ra フスティしエロ, ラ] 形 正義感の強い, 厳正な.

jus·ti·fi·ca·ble [xustifikáβle フスティフィカブれ] 形 正当化できる; 弁明できる.

jus·ti·fi·ca·ción [xustifikaθjón フスティフィカしオン] 名女 正当化; 弁明. Su comportamiento no tiene *justificación*. 彼の行動は弁明の余地がない.

jus·ti·fi·can·te [xustifikánte フスティフィカンテ] 名男 証明書(＝certificado).
―― 形 正当化する.

jus·ti·fi·car [xustifikár フスティフィカル] [⑧ c → qu] 動他 **1** 正当化する, 弁明する. *justificar* el retraso 遅れたことを弁解する. *justificar* sus defectos 欠点を正当化する.
2 裏付ける, 証明する. *justificar* los gastos con los recibos 経費を領収証で証明する.
―― **jus·ti·fi·car·se** 自己弁護する, 弁明する. *justificarse* con 《＋uno》〈人〉に身の証(あかし)を立てる.

jus·ti·fi·ca·ti·vo, va [xustifikatíβo, βa フスティフィカティボ, バ] 形 正当化する, 弁明する.

jus·ti·pre·ciar [xustipreθjár フスティプレしアル] 動他 評価する, 見積もる.

jus·to[1]**, ta** [xústo, ta フスト, タ] [複 ~s] 形 〔英 just, right〕 **1** **正しい**, **公正な**, 公平な. La decisión es *justa*. その決定は正しい. castigo justo 公正な処罰.
2 **正確な**, ちょうどの, ぎりぎりの. mil pesetas *justas* きっかり1000ペセタ. palabra *justa* 適切な言葉. Llegué a la hora *justa* para comer. 私は食事の時間にぎりぎり間に合った.
3 《muy, demasiado を伴って》きつい, 窮屈な. La falda está muy *justa*. スカートがきつい.
── 名男女 正義の人, 公正な人; 篤信(とくしん)の人. los *justos* 正義の人々.
más de lo justo 十分に, たっぷりと.

jus·to[2] [xústo フスト] 副 〔英 just, exactly〕 **ちょうど**, まさしく, きっかり. Llegué *justo* cuando se iba. 私はちょうど彼が出かけようとしているときに着いた.

ju·ve·nil [xuβeníl フベニる] 形 青年の; 若々しい.

ju·ven·tud [xuβentúð フベントゥ(ドゥ)] 名女 [複 ~es] 〔英 youth〕 **1** **青年時代**, 青春; 若さ (↔ vejez). conservar la *juventud* 若さを保つ.
2 《集合》青年, 若い人. *juventud* de hoy 近ごろの若い人.

juz·ga·do, da [xuθɣáðo, ða フすガド, ダ] 名男 **1** 《集合》裁判官.
2 裁判所; 裁判所の管轄区.

juz·gar [xuθɣár フすガル] [32 g → gu] 動他 〔英 judge〕 **1** **裁く**, 裁判する, 審理する. El tribunal le *juzgó* culpable. 法廷は被告に有罪の判決を下した.
2 **判断する**, 考える. *juzgar* mal 誤解する. *juzgar* como improcedente 不適当と判断する. No se debe *juzgar* a la gente por las apariencias. 外見で判断してはいけない.
a juzgar por ... …から判断すると. *a juzgar por* su conducta 彼の行動から考えて.

juzgue(-) / **juzgué**(-) 動 → juzgar. [32 g → gu]

J

K k

K, k [ká カ] 名女 スペイン語字母の第11字. ► 外来語だけに使われる. ka, ke, ki, ko, ku は ca, que, qui, co, cu に書き換えられる場合が多い.

ka·ki [káki カキ] 形 カーキ色の (＝caqui).
── 名男 **1** カーキ色. **2** 〔植物〕カキ (柿).

Kái·ser [káiser カイセル] 名男 〔歴史〕カイザー, カイゼル: 神聖ローマ帝国皇帝の称号.

kan·tia·no, na [kantjáno, na カンティアノ, ナ] 形 カント Kant (哲学) の.

ka·ra·te [karáte カラテ] 名男 〔スポーツ〕空手. [← 日本語]

ket·chup [ké(*t*)tʃu*p* ケチュ(プ)] 名男 ケチャップ. [← 英語]

ki·lo [kílo キろ] 名男 [複 ～s] 〔英 kilo(gram)〕 [kilogramo の省略形] **キログラム**.

kilo– 「1000」の意を表す造語要素. ⇀ *kilo*gramo, *kilo*litro など.

ki·lo·ca·lo·rí·a [kilokaloría キろカろリア] 名女 〔物理〕キロカロリー《略 kcal》.

ki·lo·ci·clo [kiloθíklo キろしクろ] 名男 〔電気〕キロサイクル《略 kc》.

ki·lo·grá·me·tro [kiloɣrámetro キろグラメトゥロ] 名男 〔物理〕キログラムメートル: 仕事量の単位《略 kgm》.

ki·lo·gra·mo [kiloɣrámo キろグラモ] 名男 [複 ～s] 〔英 kilogram(me)〕 **キログラム**《略 kg》.

ki·lo·li·tro [kilolítro キろリトゥロ] 名男 キロリットル《略 kl》.

ki·lo·me·tra·je [kilometráxe キろメトゥラヘ] 名男 走行キロ数.

ki·lo·mé·tri·co, ca [kilométriko, ka キろメトゥリコ, カ] 形 **1** キロメートルの. **2**《口語》非常に長い. cola *kilométrica* 長蛇の列.
── 名男 キロメートル切符 (＝billete *kilométrico*). ◆ スペインの鉄道クーポン券でキロ数に応じて割引され, 一定期間有効.

ki·ló·me·tro [kilómetro キろメトゥロ] 名男 [複 ～s] 〔英 kilometer〕 **キロメートル**《略 km》. *kilómetro* cuadrado 平方キロメートル. *kilómetro* por hora キロメートル時《略 km / h》.

ki·lo·tón [kilotón キろトン] 名男 〔物理〕キロトン: 爆発力の単位《略 kt》.

ki·lo·va·tio [kiloβátjo キろバティオ] 名男 〔電気〕キロワット《略 kv》.

kios·co [kjósko キオスコ] 名男 **1** キオスク, 売店 (＝quiosco). **2** (公園などの) あずまや.

ki·wi [kíwi キウィ] 名男 **1** 〔植物〕キーウィ (フルーツ). **2** 〔鳥〕キーウィ.

ku·wai·tí [kuwaití クワイティ] 形 [複 kuwaitíes] クウェート Kuwait の.
── 名男女 クウェート人.

L l *ℒ ℓ*

L, l [éle エれ] 名女 **1** スペイン語字母の第12字. **2** [L] (ローマ数字の) 50.

la [lá ら] 名男 〘音楽〙ラ, イ音.

la [la ら] 冠 《定》[女性単数形; 複数形 las] 〔英 the〕
➡ el. 《女性定冠詞の特別な用法》
(1) 《時刻を表して》 a *la* una 1時に. Son *las* ocho en punto. 8時ちょうどです.
(2) 《**a la**＋地名形容詞の女性形で方法・様式を表して》 *a la* italiana イタリアふうに [の]. ➡ a (前置詞) 6.
―― 代名 《人称》[3人称女性単数弱形代名詞; 複数形 las. ➡ me 【文法】] 〔英 her, you, it〕 **1** 《直接目的語》(女性単数名詞を指して) **それを**; **彼女を**, (女性を指して) **あなたを**. ¿Qué te parece esta corbata? *La* compré ayer. このネクタイはどう？きのう買ったんだけど. ¿Vino ayer Teresa?—Sí, *la* vi a la puerta. きのうテレサは来た？—ええ, 玄関で見かけましたよ.
2 《成句の中で特定の物を指さずに》 armar*la* 面倒を起こす. hacer*la* ひどいことをする.
***la* (*cantidad*) *de* ...** 《口語》大量の…, 多数の…. Con *la de* veces que nos habíamos visto, y no se acordaba de mí. しょっちゅう会っていたのに私のことを覚えていなかったなんて.

la·be·rín·ti·co, ca [laβeríntiko, ka らベリンティコ, カ] 形 入り組んだ, 錯綜(さくそう)した.

la·be·rin·to [laβerínto らベリント] 名男 **1** 迷路, 迷宮. **2** 錯綜(さくそう)(した事件).

la·bia [láβja らビア] 名女 《口語》口達者. tener mucha *labia* 弁が立つ, 口がうまい.

la·bial [laβjál らビアる] 形 唇の, 唇状の; 〘音声〙唇音の. ―― 名女 〘音声〙唇音.

la·bio [láβjo らビオ] 名男 [複 ～s] 〔英 lip〕
1 [普通 ～s] **唇**, 口唇. *labio* superior [inferior] 上[下]唇. apretar los *labios* 口をきっと結ぶ. pintarse los *labios* 口紅を差す. ➡ cuerpo 図.
2 [普通 ～s] (しゃべる) 口.
3 (容器・器官の) 口, 縁, へり. *labios* mayores [menores] 〘解剖〙大[小]陰唇.
morderse los labios (笑いをこらえたり, 自制・自責の念で) 唇をかむ.
sellar a 《＋uno》 ***los labios*** 〈人〉の口を封じる.

la·bio·den·tal [laβjoðentál らビオデンタる] 形 〘音声〙唇歯音の.
―― 名女 〘音声〙唇歯音.

la·bor [laβór らボル] 名女 [複 ～es] 〔英 labo(u)r〕 **1** **労働**, 仕事, 作業; 業績. una *labor* productiva 生産的な仕事. *labores* domésticas [de la casa] 家事. *labores* del campo 農作業.
2 手芸; 手芸品. hacer *labores* de punto 編み物をする. **3** 農耕, 耕作.
sus labores 《文書の職業欄の決まり文句》主婦, 家事手伝い.

la·bo·ral [laβorál らボラる] 形 労働の. conflictos *laborales* 労働争議. accidente *laboral* 労働災害.

la·bo·ra·lis·ta [laβoralísta らボラリスタ] 名男女 労働法が専門の弁護士.
―― 形 労働法が専門の.

la·bo·ra·to·rio [laβoratórjo らボラトリオ] 名男 研究所, 実験室, 試験所, ラボ. *laboratorio* fotográfico (写真の) 現像所.

la·bo·rio·si·dad [laβorjosiðáð らボリオシダ(ドゥ)] 名女 勤勉, 仕事熱心.

la·bo·rio·so, sa [laβorjóso, sa らボリオソ, サ] 形 **1** 勤勉な. **2** 骨の折れる, 困難な.

la·bo·ris·ta [laβorísta らボリスタ] 形 労働党の. partido *laborista* 労働党.
―― 名男女 労働党員.

la·bra·do, da [laβráðo, ða らブラド, ダ] 形 **1** 細工[加工]した.
2 刺繍(ししゅう)した, 紋様を浮き出した.
―― 名男 **1** 細工[加工].
2 刺繍紋様の浮き出し.

la·bra·dor, do·ra [laβraðór, ðóra らブラドル, ドラ] 名男女 農民, 自作農.

la·bran·tí·o, a [laβrantío, a らブランティオ, ア] 形 耕作用の. ―― 名男 耕作地.

la·bran·za [laβránθa らブランさ] 名女 耕作, 農耕.

la·brar [laβrár らブラル] 動他 **1** 彫る; 細工する. *labrar* en piedra un busto 胸像を石に彫る. *labrar* el cuero 革を加工する.
2 耕す.
3 《比喩》…の種をまく, …のもとを築く. *labrar* SU perdición 自ら破滅を招く. ► この意味では labrarse の形も用いられる. ⇒ *labrarse* un porvenir 未来を切り開く.

la·brie·go, ga [laβrjéɣo, ɣa らブリエゴ, ガ] 名男女 農夫; 農婦.

la·ca [láka らカ] 名女 **1** ラッカー, 漆; 漆器. *laca* para uñas マニキュア用のエナメル. **2** ヘアスプレー. poner *laca* en el [al] pelo 髪にヘアスプレーをかける.

la·ca·yo [lakájo らカヨ] 名男 従僕; お追従者.

la·ce·rar [laθerár らせラル] 動他 傷つける; 引き裂く, ずたずたにする.

la·cio, cia [láθjo, θja らしオ, しア] 形

L

1 縮れていない, 直毛の.
2 しぼんだ, しおれた.

la·cón [lakón らコン] 名男 豚の肩肉.

la·có·ni·co, ca [lakóniko, ka らコニコ, カ] 形 口数の少ない; (文章が) 簡潔な (= conciso).

la·co·nis·mo [lakonísmo らコニスモ] 名男 寡黙; 簡潔さ, 簡明さ.

la·cra [lákra らクラ] 名女 **1** 傷跡, (やけど・出来物などの) 痕(あと). **2** 汚点, 悪; 欠点.

la·crar [lakrár らクラル] 動他 …に封蠟(ふうろう)で封をする.

la·cre [lákre らクレ] 名男 封蠟(ふうろう).

la·cri·mal [lakrimál らクリマる] 形 涙の.

la·cri·mó·ge·no, na [lakrimóxeno, na らクリモへノ, ナ] 形 催涙性の; 涙を誘う.

la·cri·mo·so, sa [lakrimóso, sa らクリモソ, サ] 形 **1** 涙ぐんだ; 涙もろい.
2 涙を誘う, 哀れな.

lac·tan·cia [laktánθja らクタンしア] 名女 授乳; 授乳期.

lac·tan·te [laktánte らクタンテ] 形 授乳期の. —— 名男女 乳児.

lác·te·o, a [lákteo, a らクテオ, ア] 形 乳の, ミルクの. productos *lácteos* 乳製品.

la·cus·tre [lakústre らクストゥレ] 形 湖(水)の; 湖畔の. vivienda *lacustre* 湖上住居.

la·de·ar [laðeár らデアル] 動他 傾ける. *ladear* la cabeza 頭を傾ける.
—— 動自 傾く.
—— **la·de·ar·*se*** **1** 傾く; 体を反らす, 身をかわす. **2** 《+a》…に傾倒する, 引かれる.

la·de·o [laðéo らデオ] 名男 **1** 傾けること, 傾斜. **2** 傾倒, 嗜好(しこう).

la·de·ra [laðéra らデラ] 名女 山腹, 山の斜面.

la·di·no, na [laðíno, na らディノ, ナ] 形
1 抜けめのない, 腹黒い.
2 《ラ米》(インディオが) スペイン語が話せる; メスティーソの.
—— 名男 〘言語〙ユダヤ・スペイン語.

la·do

[láðo らド] 名男 [複 ～s] 〔英 side〕

1 側面, わき; 片側. Pasemos al otro *lado* de la calle. 通りの向こう側に渡ろう. Desde este *lado* se ve la sierra. こちら側から山が見える. de uno y otro *lado* 両側に[から].
2 局面, 一面. *lado* débil [flaco] 弱点. ver el *lado* bueno de las cosas 物事のよい面だけを見る.
3 場所, すき間, 余地. por todos *lados* いたる所に. hacer *lado* 場所 [席] を空ける.
4 血統, 血筋. pariente mío por el *lado* materno 私の母方の親戚(しんせき).
5 〘数〙辺.

al lado そばに, 近くに. la casa de *al lado* 隣の家.
al lado de ... (1) …のそばに, 横に; …の指導を受けて. Siéntate *al lado de* papá. お父さんの隣に座りなさい. (2) …と比べて.
a un lado 一方に, わきへ. echar *a un lado* わきへどける. echarse [hacerse] *a un lado* わきに寄る. poner *a un lado* わきに押しやる, 片寄せる.
cada uno por su lado めいめい勝手に.
dar de lado (人を) 敬遠する, 無視する, のけ者にする.
de lado (1) 斜めに, 傾けて. llevar el sombrero *de lado* 帽子をはすにかぶっている. (2) 横に, 横から. volverse *de lado* 横を向く. mirar *de lado* 横目で見る; 見下す.
de un lado para otro あちこちに[へ]. andar *de un lado para otro* 行ったり来たりする.
dejar de lado 抜かす; 無視する.
estar [***ponerse***] ***del lado de*** 《+uno》〈人〉の味方である[になる].
ir lado a lado 並んで行く; 匹敵する.
irse [***echar***, ***tirar***] ***por otro lado*** 別の道を行く; 別の手段を取る.
poner de SU ***lado a*** 《+uno》〈人〉を味方につける.
por SU ***lado*** …としては.
por un lado ..., por otro (***lado***) ***...*** 一方では…また一方では….

la·dra·dor, do·ra [laðraðór, ðóra らドゥラドル, ドラ] 形 (犬が) よくほえる; (人が) がみがみ言う.

la·drar [laðrár らドゥラル] 動自 **1** (犬が) ほえる. Ve con cuidado para que no *ladre* el perro. 犬がほえないように用心して行きなさい. → animal 【参考】.
2 《口語》がみがみ言う, 怒鳴る, ののしる. ¿Qué le pasa a José? Esta mañana está que *ladra*. ホセはどうしたのか. 今朝は当たり散らしているが.
Me ladra el estómago. 腹がごろごろ鳴っている.

la·dri·do [laðríðo らドゥリド] 名男 (犬の) ほえ声. dar *ladridos* ほえる.

la·dri·llo [laðríʎo らドゥリリョ] 名男 れんが. Construyeron una casa con *ladrillos*. 彼らは家をれんがで作った. un edificio de *ladrillo* れんが造りの建物. color *ladrillo* れんが色.
ser un ladrillo 《口語》(書物が) 分厚いだけで内容がない; 退屈である.

la·drón, dro·na [laðrón, ðróna らドゥロン, ドゥロナ] [複男 ladrones, 女 ～s] 名男女 〔英 thief〕 泥棒, 窃盗. ¡Al *ladrón*! / ¡*Ladrones*! 泥棒だ! La ocasión hace al *ladrón*. 《諺》機会が泥棒を作る.
—— 形 盗みの.

la·dron·zue·lo, la [laðronθwélo, la らドゥロンすエろ, ら] 名男女 万引き, こそ泥.

la·gar [layár らガル] 名男 (ブドウ・オリーブなどの) 圧搾所; 圧搾用桶(おけ).

la·gar·ti·ja [layartíxa らガルティハ] 名女 〘動物〙小トカゲ (蜥蜴).

la·gar·to, ta [layárto, ta らガルト, タ] 名 男女 〘動物〙トカゲ(蜥蜴).
—— 名女 《口語》あばずれ; 売春婦.
la·go [láyo らゴ] 名男 [複 ~s] 〔英 lake〕 **湖**, 湖水, 湖沼. *lago* de agua salada 塩水湖.
lá·gri·ma [láyrima らグリマ] 名 女 涙. Me pidió perdón con los ojos llenos de *lágrimas*. 彼は目に涙をいっぱい浮かべて私に謝った. derramar *lágrimas* 涙を流す. enjugarse las *lágrimas* 涙をふく. llorar a *lágrima* viva 号泣する. llorar *lágrimas* de cocodrilo 空涙を流す.
la·gri·mal [layrimál らグリマる] 形 → lacrimal.
la·gri·mo·so, sa [layrimóso, sa らグリモソ, サ] 形 → lacrimoso.
la·gu·na [layúna らグナ] 名 女 **1** 潟, 潟湖; 小さな湖. **2** 空白, とぎれ; 欠落.
lai·ca·do [laikáðo らイカド] 名男 《集合》平信徒, 在家.
lai·cis·mo [laiθísmo らイしスモ] 名男 世俗主義; 政教分離主義.
lai·co, ca [láiko, ka らイコ, カ] 形 世俗の, 非宗教的な. —— 名男女 平信徒, 在家.
la·ís·mo [laísmo らイスモ] 名男 〘文法〙ライスモ: 女性を指す間接目的語の le, les の代わりに la, las を誤用すること.
la·ja [láxa らハ] 名女 板石; スラブ.
la·ma [láma らマ] 名女 **1** 軟泥, 沈泥. **2** 〘植物〙緑藻植物, アオサ(石蓴).
—— 名男 ラマ僧.
la·me·cu·los [lamekúlos らメクろス] 名男 女 [単・複同形] 《俗語》へつらう人, おべっか使い.
la·men·ta·ble [lamentáβle らメンタブれ] 形 悲しむべき, 哀れな, 痛ましい. estado *lamentable* 惨状. ser *lamentable* que 《+接続法》…とは嘆かわしい.
la·men·ta·ción [lamentaθjón らメンタしオン] 名女 嘆き, 悲嘆; 愚痴, 不平. Déjate de *lamentaciones*. 愚痴はやめろ.
la·men·tar [lamentár らメンタル] 動他 残念に思う; 気の毒に思う. *Lamento* no poder estar contigo. 君と一緒にいられなくて残念だ. *Lamento* que hayas perdido a tu padre. 君がお父さんを亡くされて気の毒でならない.
—— **la·men·tar·*se*** 《+**de, por**》…について不平を言う; 嘆き悲しむ. *lamentarse de* las desgracias de SU familia 家族の不幸を嘆き悲しむ.
la·men·to [laménto らメント] 名男 嘆き, 泣き言; 叫び.
la·mer [lamér らメル] 動他 なめる; なでるように触れる. El gato *lame* el plato. 猫が皿をなめている. Las olas *lamen* la orilla. 波が岸辺をひたひたと洗っている.
la·me·tón [lametón らメトン] 名男 なめること. comer a *lametones* ぺろぺろなめる.
lá·mi·na [lámina らミナ] 名女 **1** 薄板, 薄片. **2** 挿し絵, 図版. *lámina* en color カラー図版.
la·mi·na·ción [laminaθjón らミナしオン] 名女 〘技術〙圧延. tren de *laminación* 圧延機.
la·mi·na·do [lamináðo らミナド] 名男 〘技術〙圧延. *laminado* en frío 冷間圧延.
la·mi·nar [laminár らミナル] 動他 〘技術〙圧延する, 薄板[箔(はく)]にする; 薄板[箔]で覆う.

lám·pa·ra

[lámpara らンパラ] 名女 [複 ~s] 〔英 lamp〕 **電灯**, **ランプ**, 明かり; 電球. *lámpara* de mesa 卓上電気スタンド. *lámpara* de pie フロアスタンド. *lámpara* de techo 〘車〙車内灯. *lámpara* de (vapor de) mercurio 水銀灯. *lámpara* fluorescente 蛍光灯. → cuarto 図.
lam·pa·ri·lla [lamparíʎa らンパリリャ] 名女 豆電球, 小さいランプ; 常夜灯.
lam·pa·rón [lamparón らンパロン] 名男 《口語》油の染み, 油汚れ.
lam·pi·ño, ña [lampíɲo, ɲa らンピニョ, ニャ] 形 ひげのない[薄い].
lam·pre·a [lampréa らンプレア] 名女 〘魚〙ヤツメウナギ(八つ目鰻).

la·na

[lána らナ] 名女 [複 ~s] 〔英 wool〕 **羊毛**; ウール, 毛織物; 毛糸. de pura *lana* 純毛の. tejido de *lana* 毛織物. batir la *lana* 羊の毛を刈る. ovillo de *lana* 毛糸玉.
ir por lana y volver trasquilado 《諺》羊毛を取りに行って坊主頭にされる(もうけるどころか大損をする).
la·nar [lanár らナル] 形 (動物が) 毛の採れる. ganado *lanar* 羊, 綿羊.
lan·ce [lánθe らンセ] 名男 **1** 出来事, 事件; 局面, 場面. *lance* de amor 情事. *lance* de fortuna 運命の転機. *lance* apretado 窮地. **2** 〘闘牛〙ランセ: カポーテさばき.
de lance 中古の; バーゲンの.
lance(-) / **lancé**(-) 動 → lanzar. [39 z → c]
lan·ce·ro [lanθéro らンせロ] 名男 槍(そう)騎兵.
lan·cha [lántʃa らンチャ] 名女 ランチ, ボート. *lancha* motora モーターボート. *lancha* salvavidas 救命ボート.
lan·da [lánda らンダ] 名女 荒野, 荒れ地.
la·ne·ro, ra [lanéro, ra らネロ, ラ] 形 羊毛の, 毛織物の.
—— 名男女 羊毛商.
lan·gos·ta [laŋgósta らンゴスタ] 名女 **1** 〘動物〙ロブスター, イセエビ(伊勢海老). **2** 〘昆虫〙バッタ(蝗虫), イナゴ(蝗) (=saltamontes).
lan·gos·ti·no [laŋgostíno らンゴスティノ] 名男 〘動物〙クルマエビ(車海老)類.
lan·gui·de·cer [laŋgiðeθér らンギデせル] 40 動自 衰弱する; 活気[元気]がなくなる.

L

languideces 名[複] → languidez.
lan·gui·dez [laŋgiðéθ らンギデす] 名女[複 languideces] 衰弱; 無気力.
lán·gui·do, da [láŋgiðo, ða らンギド, ダ] 形 衰弱した, 活気[気力]のない.
la·ni·lla [lanίʎa らニリャ] 名女 (毛織物の) けば; 薄地の毛織物.
lanta 形女 → lento[1].
la·nu·do, da [lanúðo, ða らヌド, ダ] 形 毛の多い; 綿毛のような, 柔毛で覆われた.
lan·za [lánθa らンさ] 名女 **1** 槍(やり). *lanza* en ristre 槍を構えて.
2 (馬車の) 轅(ながえ), 梶棒(かじぼう).
── 動 → lanzar. [39 z → c]
medir lanzas con 《+uno》〈人〉と決闘する; 論争[議論]する.
romper lanzas [***una lanza***] ***por*** [***en defensa de***] ... …を擁護する, …に味方する.
lan·za·co·he·tes [lanθakoétes らンさコエテス] 名男[単・複同形] ロケット発射台.
lan·za·da [lanθáða らンさダ] 名女 槍(やり)の突き; 槍傷(やりきず).
lan·za·de·ra [lanθaðéra らンさデラ] 名女 (織機の) 杼(ひ), シャトル.
lanzadera espacial 〔航空〕スペースシャトル.
lan·za·do, da [lanθáðo, ða らンさド, ダ] 過分 形 **1** 決然とした, 果敢な.
2 迅速な, 早い. ir *lanzado* 疾走する, 突進する.
lan·za·lla·mas [lanθaʎámas らンさリャマス] 名男[単・複同形] 火炎放射器.
lan·za·mien·to [lanθamjénto らンさミエント] 名男 **1** 投げること; 〔スポーツ〕投擲(とうてき). *lanzamiento* de disco [jabalina] 円盤[槍(やり)]投げ. → atletismo 図.
2 発射, 投下, 打ち上げ.
3 新発売.
lan·zar [lanθár らンさル] [39 z → c] 動他 〔英 throw〕 **1** **投げる**. *lanzar* una pelota ボールを投げる. *lanzar* disco [jabalina] 円盤[槍(やり)]を投げる.
2 発射する, 投下する, 打ち上げる; (船を) 進水させる. *lanzar* un satélite artificial 人工衛星を打ち上げる.
3 (悲鳴・言葉などを) 発する. *lanzar* un grito 叫び声を上げる. *lanzar* un insulto 罵声(ばせい)を浴びせる. *lanzar* un suspiro ため息をつく.
4 広める; 着手する; 売り出す. *lanzar* un producto 製品を発売する. *lanzar* una nueva línea 新路線を打ち出す.
── **lan·zar·*se*** **1** 飛び出す, 突進する; 突撃する; 飛び降りる, 飛び込む. *lanzarse* contra la pared 壁に体当たりする. *lanzarse* al agua 水中に飛び込む.
2 《+**a**》…に着手する; 《+**a** 不定詞》突然…する. *Se lanzó a* criticar a todo el mundo. 彼はいきなり皆の批判をし始めた.
La·o-Tse [laotsé らオツェ] 固名 老子: 紀元前6世紀後半の中国の思想家, 道教の祖.
La Paz [lapáθ らパす | lapás らパス] 固名 ラ・パス: ボリビア Bolivia 共和国の首都.
la·pi·ce·ro [lapiθéro らピせロ] 名男 **1** シャープペンシル. **2** 《ラ米》ペン軸; ボールペン.
lápices 名[複] → lápiz.
lá·pi·da [lápiða らピダ] 名女 石碑; 墓碑.
la·pi·da·rio, ria [lapiðárjo, rja らピダリオ, リア] 形 **1** 宝石の, 宝石細工の.
2 碑銘の. **3** (文体が) 簡潔な.
── 名男女 宝石細工人.
la·pis·lá·zu·li [lapisláθuli らピスらすり] 名男 〔鉱物〕ラピスラズリ, 青金石.

lá·piz

[lápiθ らピす] 名男 [複 lápices] 〔英 pencil〕
鉛筆; 鉛筆状のもの. escribir con *lápiz* 鉛筆で書く. dibujo a *lápiz* 鉛筆画. *lápiz* de labios 口紅. *lápiz* óptico 〔コンピュータ〕ライトペン.
La Pla·ta [lapláta らプらタ] 固名 → Plata.
la·pón, po·na [lapón, póna らポン, ポナ] 形[複男 lapones] ラップ (ランド) Laponia の.
── 名男女 ラップ (ランド) 人.
── 名男 ラップ語.
lap·so [lápso らプソ] 名男 **1** (時間の) 流れ, 経過, 期間. **2** 失敗, 間違い.
lar [lár らル] 名男 **1** [普通 ~es] (古代ローマの) 家の守護神.
2 かまど; [~または ~es] 家庭.
lar·ga [lárɣa らルガ] 名女 **1** 遅れ. **2** 〔闘牛〕片手でカポーテを使って牛をかわす技.
a la larga ついには, 長い目で見れば.
dar largas a ... …を遅らせる.
── 形女 → largo[1].
lar·ga·men·te [lárɣaménte らルガメンテ] 副 **1** 長々と, くどくどと.
2 気前よく; たっぷりと; 悠々と.
lar·gar [larɣár らルガル] [32 g → gu] 動他 **1** 《口語》与える; 《口語》(厄介なものを) 押しつける. *largar* una bofetada びんたを食らわせる.
2 《俗語》追いやる, 首にする.
3 〔海事〕(綱などを) 緩める. *largar* las velas 帆を張る.
── 動自 《口語》まくし立てる, ぺらぺらしゃべる.
── **lar·gar·*se*** **1** 《口語》立ち去る, 出ていく, ずらかる. ¡*Lárgate*! とっとと行ってしまえ. **2** 《ラ米》《+**a** 不定詞》…し始める.

lar·go[1], ga

[lárɣo, ɣa らルゴ, ガ] 形[複 ~s] 〔英 long〕
1 (空間的・時間的に) **長い** (↔ corto). ¿Cuál es el río más *largo* de España? スペインで一番長い川は何ですか. Es *largo* de contar. 話せば長いことだ. camisa de manga *larga* 長袖(そで)のワイシャツ. conferencia de [a] *larga* distancia 長距離電話. a *largo* plazo 長期の.

2 たっぷりの. Vienen unos veinte millones *largos* de turistas. 優に2000万を超す観光客がやって来る. Su discurso duró dos horas *largas*. Quedamos cansadísimos. を超す観光客がやって来る. Su discurso duró dos horas *largas*. Quedamos cansadísimos. 彼の演説はたっぷり2時間も続いたので我々はすっかりくたびれてしまった.

3 《+**en** 不定詞》…に寛大な, 気前のよい. Don Rafael es *largo en* prodigar alabanzas. ラファエルさんは人に賛辞を惜しまない人だ.

a lo largo 縦に, 縦方向に.

a lo largo de ... (1) …に沿って, …伝いに. *a lo largo de* la costa 海岸沿いに. (2) …の間ずっと, …の間中. *a lo largo del* año 1年を通して.

a lo largo y a lo ancho (***de***...) (…の)至る所に. *a lo largo y a lo ancho de* este mundo 世界中で.

a lo más largo せいぜい, 多くても.

cuan largo [***todo lo largo que***] ***es*** [***era***]大の字に. ►caer, estar tendido などと共に用いられる.

de largo 以前[昔]からの. un asunto que viene *de largo* 長い間の懸案.

ir para largo 遅れる, 長引く, 手間取る.

pasar de largo 素通りする; 無視する.

ponerse [***vestirse***] ***de largo*** ロングドレスを着る; 社交界にデビューする.

tener una cara (***así de***) ***larga*** [***poner cara larga***] 不機嫌な顔をしている[顔をする].

lar·go[2] [lárɣo らルゴ] 名男 **1** 長さ; 縦(の長さ); (服の)丈. Tiene diez metros de *largo*. 長さが10メートルある. ► 幅は ancho, 高さは alto.

2 〘スポーツ〙身長差; 艇身差.

3 〘音楽〙ラルゴ, 非常に緩やかなテンポ.

—— 副 **1** 長々と, 長く. hablar *largo* y tendido じっくりと話をする. **2** 遠くに.

de largo a largo 端から端まで.

¡Largo! / ¡Largo de aquí [***ahí***] ***!*** 出て行け!

lar·go·me·tra·je [larɣometráxe らルゴメトゥラヘ] 名男 〘映画〙長編映画 (↔ cortometraje).

lar·gue·ro [larɣéro らルゲロ] 名男 **1** 縦材; 梁(はり). **2** 〘スポーツ〙ゴールポスト.

lar·gue·za [larɣéθa らルゲさ] 名女 気前よさ, 鷹揚(おうよう).

lar·gui·ru·cho, cha [larɣirútʃo, tʃa らルギルチョ, チャ] 形 《口語》ひょろ長い.

lar·gu·ra [larɣúra らルグラ] 名女 長さ, 縦 (= longitud).

la·rin·ge [laríŋxe らリンヘ] 名女 〘解剖〙喉頭(こうとう).

la·rín·ge·o, a [laríŋxeo, a らリンヘオ, ア] 形 〘解剖〙喉頭(こうとう)の.

la·rin·gi·tis [lariŋxítis らリンヒティス] 名女[単・複同形] 〘医〙喉頭(こうとう)炎.

lar·va [lárβa らルバ] 名女 〘動物〙幼虫; 幼生.

las [las らス] 冠《定》
[女性複数形] 〔英 the〕 ➡ el, la.

—— 代名 《人称》[3人称女性複数弱形代名詞. ➡ me 【文法】] 〔英 them, you〕

1 《直接目的語》(女性複数名詞を指して) **それらを; 彼女たちを,** (女性を指して) **あなたがたを.** *Las* vi en la estación. 駅で私は彼女たちを見かけた.

2 《成句の中で特定の物を指さずに》 dárse-*las* de … …を気取る, …の振りをする.

las·ca [láska らスカ] 名女 石片; 一切れ.

las·ci·via [lasθíβja らしビア] 名女 淫乱(いんらん), 好色.

las·ci·vo, va [lasθíβo, βa らしボ, バ] 形 好色な, 淫(みだ)らな.

lá·ser [láser らセル] 名男 〘物理〙レーザー. rayo *láser* レーザー光線. [←英語]

la·so, sa [láso, sa らソ, サ] 形 **1** (髪が) 縮れていない; (繊維が) 縒(よ)ってない.

2 疲れきった, 弱々しい.

lás·ti·ma [lástima らスティマ] 名女
[複 ~s] 〔英 pity〕

1 **同情,** 哀れみ. sentir [tener] *lástima* de [por] … 気の毒に思う.

2 **残念,** 遺憾. Es una *lástima* que Felipe no haya sacado las oposiciones. フェリペが選抜試験に受からなかったのは残念だ. ► 「残念に思う」のいろいろな表現. ⇀ Es (una) *lástima*./¡Qué *lástima* [pena]! / Me da pena. / Lo siento.

3 惨めな有り様, 惨状. estar hecho una *lástima* 目もあてられない状態である.

dar lástima 同情をさそう. Me *dan lástima* los niños hambrientos de África. 私はアフリカの飢えた子供たちが気の毒でならない.

las·ti·mar [lastimár らスティマル] 動他 傷つける, 痛める.

—— **las·ti·mar·*se*** けがをする, 負傷する. *lastimarse* la mano 手にけがをする.

las·ti·me·ro, ra [lastiméro, ra らスティメロ, ラ] 形 悲しげな, 哀れっぽい.

las·ti·mo·so, sa [lastimóso, sa らスティモソ, サ] 形 哀れな, 気の毒な; 惜しい, もったいない.

las·trar [lastrár らストゥラル] 動他 〘海事〙バラストを積む; (気球に) 重りを積む.

las·tre [lástre らストゥレ] 名男 **1** 〘海事〙バラスト; (気球の) 重り. en *lastre* バラストだけ積んで, 空荷で.

2 堅実, 落ち着き, 分別.

3 足手まとい, 重荷, 束縛.

la·ta [láta らタ] 名女 [複 ~s] 〔英 can〕

1 **缶,** 缶詰. Compra una *lata* de mejillones. ムール貝の缶詰を一つ買いなさい.

►lata はふつう平たい缶, bote は縦長の筒形

L

の缶を指す.
2 ブリキ (= hojalata).
3 《口語》面倒, 厄介; うるさい人. Es una *lata* tener que estudiar ahora. これから勉強なんてうんざりだ. Ese tío es una *lata*. あいつにはうんざりするよ.
dar la lata 不愉快にする, うんざりさせる. Me *daba la lata* con sus quejas. 彼の不平には私はうんざりしていた.
¡Qué lata! / ¡Vaya una lata! うんざりだ, まっぴらだ.

la·ta·zo [latáθo らタそ] 名男 《口語》厄介なこと[人]; 退屈な話.

la·ten·te [laténte らテンテ] 形 潜在性の, 隠れた. en estado *latente* 潜伏状態の.

la·te·ral [laterál らテラる] 形 **1** 側面の, 横の; 傍系の. **2** 〘音声〙側音の.
── 名男 **1** 側面. **2** (サッカーなどの) ウイング.
── 名女 〘音声〙側音.

lá·tex [látek*s* らテクス] 名男 [単・複同形] 〘植物〙(ゴムの木などの) 樹液; 〘化〙ラテックス.

la·ti·do [latíðo らティド] 名男 (心臓の) 鼓動, 動悸(どうき).

la·ti·fun·dio [latifúndjo らティフンディオ] 名男 大土地所有制 (↔minifundio). ◆スペインではレコンキスタのなかで, ラテンアメリカでは征服期に始まった.

la·ti·fun·dis·ta [latifundísta らティフンディスタ] 形 大土地所有の.
── 名男女 大土地所有者, 大地主.

la·ti·ga·zo [latiɣáθo らティガそ] 名男 鞭(むち)打ち; 鞭の音; 痛烈な言葉.

lá·ti·go [látiɣo らティゴ] 名男 鞭(むち). hacer restallar el *látigo* 鞭を鳴らす.

la·ti·gui·llo [latiɣíʎo らティギりョ] 名男 決まり文句; 〘演劇〙演技過剰.

la·tín [latín らティン] 名男 〔英 Latin〕 **ラテン語**. *latín* clásico 古典ラテン語. *latín* vulgar 俗ラテン語 (後のロマンス語の母体となる). *latín* moderno 近代ラテン語 (16世紀以降の書き言葉としてのラテン語).
saber* (*mucho*) *latín 抜けめがない, 賢い.

latina 形名女 ➡ latino.

la·ti·na·jo [latináxo らティナホ] 名男 《軽蔑》ラテン語 (句).

la·ti·ni·dad [latiniðáð らティニダ(ドゥ)] 名女 ラテン (語) 文化 (圏).

la·ti·nis·mo [latiní*s*mo らティニスモ] 名男 ラテン語法.

la·ti·nis·ta [latinísta らティニスタ] 名男女 ラテン語学者.

la·ti·ni·zar [latiniθár らティニさル] [39 z ➡ c] 動他 ラテン (語) 化する.

la·ti·no, na [latíno, na らティノ, ナ] [複 ～s] 〔英 Latin〕 形 **1 ラテン系の**; 《ラ米》ラテンアメリカ (人) の. temperamento *latino* ラテン気質.
2 ラテン語の. gramática *latina* ラテン語文法.
3 ローマ・カトリックの. La Iglesia *Latina* ラテン[西方]教会, ローマ・カトリック教会.
── 名男女 **ラテン系の人**; ラテンアメリカ人.

La·ti·no·a·mé·ri·ca [latinoamérika らティノアメリカ] 固名 〔英 Latin America〕 **ラテンアメリカ**, 中南米.

> **【参 考】中南米の呼称**
> **América Latina** と **Latinoamérica:** 元来はカナダ, ハイチを含めたラテン系アメリカを意味したが, 現在ではメキシコ, 中米, 南米, カリブ海域を含む地域の総称として使われている.
> **Hispanoamérica** と **Iberoamérica:** 主にスペインで使われる呼称で, ブラジルを含めたスペイン語圏諸国をイベロアメリカ, 含めない場合をイスパノアメリカという.

la·ti·no·a·me·ri·ca·no, na [latinoamerikáno, na らティノアメリカノ, ナ] [複 ～s] 〔英 Latin American〕 形 **ラテンアメリカの**, 中南米の.
── 名男女 ラテンアメリカ人, 中南米人.

la·tir [latír らティル] 動自 (心臓が) 鼓動する, 脈打つ, どきどきする; (傷口が) ずきずきする.

la·ti·tud [latitúð らティトゥ(ドゥ)] 名女 〘地理〙緯度. ► 経度は longitud.

la·to, ta [láto, ta らト, タ] 形 広い. en sentido *lato* 広義では.

la·tón [latón らトン] 名男 真鍮(しんちゅう).

la·to·so, sa [latóso, sa らトソ, サ] 形 うるさい, うんざりする.

la·tro·ci·nio [latroθínjo らトゥロしニオ] 名男 盗み.

la·úd [laúð らウ(ドゥ)] 名男 〘音楽〙リュート.

lau·da·ble [lauðáβle らウダブれ] 形 賞賛に値する.

lau·do [láuðo らウド] 名男 〘法律〙仲裁, 裁定.

lau·re·a·do, da [laureáðo, ða らウレアド, ダ] 形 月桂(げっけい)冠を授与された, 栄誉を与えられた. poeta *laureado* 桂冠詩人.
── 名男女 受賞者.

lau·rel [laurél らウレる] 名男 **1** 〘植物〙ゲッケイジュ (月桂樹); 〘料理〙ローリエ.
2 [普通 ～es] 栄冠, 栄誉. cosechar *laureles* 栄冠を勝ち得る.
dormirse en los laureles 過去の栄光の上にあぐらをかく.

la·va [láβa らバ] 名女 溶岩.
── 動 ➡ lavar.

la·va·ble [laβáβle らバブれ] 形 洗濯可能な.

la·va·bo [laβáβo らバボ] 名男
1 洗面台. El *lavabo* está sucio. 洗面台は汚れている. ➡ baño 図.

2 洗面所; 便所, トイレ.

la·va·co·ches [laβakótʃes らバコチェス] 名男女 [単・複同形] 洗車係.

lavada 過分 女 → lavar.

la·va·de·ro [laβaðéro らバデロ] 名男
1 洗濯場, 洗濯室. 2 《鉱物》洗鉱場.

la·va·do[1] [laβáðo らバド] 名男 洗うこと, 洗濯. *lavado* en seco ドライ・クリーニング.
lavado de cerebro 《口語》洗脳.

la·va·do[2], **da** 過分 → lavar.

la·va·do·ra [laβaðóra らバドラ] 名女 洗濯機. *lavadora* superautomática 全自動洗濯機.

la·van·da [laβánda らバンダ] 名女 《植物》ラベンダー; ラベンダー香水.

la·van·de·rí·a [laβandería らバンデリア] 名女 洗濯屋, クリーニング店; 洗濯室.

la·van·de·ro, ra [laβandéro, ra らバンデロ, ラ] 名男女 洗濯屋; 洗濯女.

lavando 現分 → lavar.

la·va·pla·tos [laβaplátos らバプらトス] 名男 [単・複同形] → lavavajillas.
— 名男女 皿洗い (人).

la·var

[laβár らバル] 動他 [現分 lavando ; 過分 lavado, da] 〔英 wash〕 1 洗う, 洗濯する. *lavar* la ropa 衣類を洗濯する. *lavar* el coche 洗車する. *lavar* con jabón 石けんで洗う.
2 (罪・汚名などを) そそぐ, 晴らす. *lavar* la ofensa con sangre 侮辱に血の報復をする.
— **la·var·*se*** (自分の体を) 洗う. *lavarse* la cara [la cabeza] 顔[頭]を洗う. *lavarse* los dientes 歯を磨く.

la·va·ti·va [laβatíβa らバティバ] 名女 《医》浣腸(かんちょう)(液, 器).

la·va·va·ji·llas [laβaβaxíʎas らババヒリャス] 名男 [単・複同形] 皿洗い機.

la·vo·te·ar [laβoteár らボテアル] 動他 さっと洗う.
— **la·vo·te·ar·*se*** (自分の体を) さっと洗う.

la·xan·te [laksánte らクサンテ] 形 下剤の.
— 名男 下剤.

la·xi·tud [laksitúð らクシトゥ(ドゥ)] 名女 緩み, たるみ; 《医》弛緩(しかん).

la·xo, xa [lákso, ksa らクソ, クサ] 形 緩い, たるんだ; だらけた.

la·za·da [laθáða らさダ] 名女 ちょう結び.

la·za·re·to [laθaréto らさレト] 名男 隔離病院; 検疫所; ハンセン病病院.

la·za·ri·llo [laθaríʎo らさリリョ] 名男 盲導犬 (= perro *lazarillo*).

Lá·za·ro [láθaro らさロ] 固名 ラサロ: 男性の名. San *Lázaro* 《聖書》聖ラザロ (死後4日目にイエス Jesús がよみがえらせた男).

la·zo [láθo らそ] 名男
1 結び目; ちょう結び, 飾り結び; リボン. atar un *lazo* 結び目をつくる.
2 投げ縄.
3 絆(きずな), つながり. *lazos* de amistad 友情の絆.
4 わな, 計略 (= trampa). caer en el *lazo* 《口語》わなにはまる, だまされる. tender un *lazo* わなを仕掛ける.

le

[le れ] 代名 《人称》 [3人称単数弱形代名詞, 男・女同形; 複数形 les. → me 【文法】] (►le が3人称直接目的語代名詞 la(s), lo(s) と一緒に用いられる場合. → se) 〔英 him, her, you〕
1 《間接目的語》(1) 彼[彼女, あなた, それ]に; 彼[彼女, …]のために; 彼[彼女, …]の. Vamos a escribir*le* una carta. 彼女に手紙を書こう. ¿Qué quieres que *le* haga? 私にどうしろって言うのよ. (2) 彼[彼女, あなた, それ]から. Quíta*le* al niño la ropa sucia. あの子の汚れた服を脱がせなさい. A María *le* gusta la música clásica. マリアはクラシック音楽が好きです.
2 《直接目的語》彼を, (男性を指して) あなたを. *Le* conocemos desde pequeño. 我々は小さい時から彼を知っている. ► 人を表す男性単数代名詞 lo の代わりに用いられる. ⇨ 文法用語の解説「人称代名詞」.

le·al [leál れアる] 形 忠実な, 誠実な. amigo *leal* 誠実な友人.
— 名男女 支持者; 忠臣.

le·al·men·te [leálménte れアるメンテ] 副 忠実に, 誠実に.

le·al·tad [lealtáð れアるタ(ドゥ)] 名女 忠実, 忠誠. jurar *lealtad* a … …に忠誠を誓う.

le·brel [leβrél れブレる] 名男 ハウンド種の猟犬.

le·bri·llo [leβríʎo れブリリョ] 名男 洗い鉢.

lec·ción

[lekθjón れクしオン] 名女 [複 lecciones] 〔英 lesson〕
1 (教科書の) 課. repasar la *lección* primera 第1課を復習する.
2 教訓; 忠告. dar a 《+uno》 una *lección* 〈人〉を戒める; 〈人〉に教訓を与える. Esto te servirá de *lección*. 君にはこれがいい薬だ.
3 授業, 講義, レッスン (= clase). dar *lección* 教える; 講義 [授業] を受ける. tomar [recibir] *lecciones* レッスンを受ける.

le·chal [letʃál れチャる] 形 (動物が) 授乳期の. — 名男女 離乳前の動物[子羊].

le·che

[létʃe れチェ] 名女 〔英 milk〕
1 ミルク, 乳. Pidió un vaso de *leche* caliente. 彼はホットミルクを注文した. *leche* desnatada 脱脂乳. *leche* en polvo 粉ミルク. *leche* condensada コンデンスミルク.
2 乳状の液.
estar de [***tener***] ***mala leche*** 《俗語》ひどく不機嫌である.
hacer 《+algo》 ***con mala leche*** 《俗

L

語》〈何か〉をしぶしぶやる.
¡Leche! 《俗語》ちくしょう.
¡Leches! 《俗語》いやなこった.
mamar 《＋algo》 ***en la leche*** 《口語》〈何か〉を幼いころに覚える.
ser la leche 《俗語》厄介者［うるさい人］だ.
tener mala leche 《俗語》意地［根性］が悪い.

le·che·rí·a [letʃería れチェリア] 名女 牛乳店.

le·che·ro, ra [letʃéro, ra れチェロ, ラ] 名男女 牛乳屋; 酪農家.
── 名女 ミルク入れ.
── 形 乳の, 牛乳の. industria *lechera* 酪農.

le·cho [létʃo れチョ] 名男 **1** 《文語》寝台; 寝床 (= cama). estar en un *lecho* de rosas 安楽な暮らしを送る. **2** 川床.

le·chón, cho·na [letʃón, tʃóna れチョン, チョナ] 名男女 (離乳前の) 子豚.

le·cho·so, sa [letʃóso, sa れチョソ, サ] 形 乳のような, 乳状の. líquido *lechoso* 乳液. color *lechoso* 乳白色.

le·chu·ga [letʃúɣa れチュガ] 名女 [複 ～s] 〔英 lettuce〕 **1** 〘植物〙 (サニー) レタス, チシャ. ensalada de *lechuga* レタスサラダ. **2** ひだ襟.
como una lechuga 《口語》みずみずしい, はつらつとした.
ser más fresco que una lechuga 《口語》厚かましい.

le·chu·gui·no [letʃuɣíno れチュギノ] 名男 《口語》おしゃれな青年.

le·chu·za [letʃúθa れチュさ] 名女 〘鳥〙 フクロウ (梟).

lec·ti·vo, va [lektíβo, βa れクティボ, バ] 形 授業のある. día *lectivo* 授業のある日.

lec·tor[1]**, to·ra** [lektór, tóra れクトル, トラ] [複男 ～es, 女 ～s] 名男女 〔英 reader〕 **1** 読者. En todos los números se publican cartas de los *lectores*. 各号に読者の投書欄が掲載されている.
2 外国人語学講師. *lector* de español スペイン語の外国人教師.
── 形 読む, 読み取る. aficiones *lectoras* 読書の趣味.

lec·tor[2] [lektór れクトル] 名男 読み取り装置. *lector* óptico de caracteres 光学式文字読み取り装置.

lec·tu·ra [lektúra れクトゥラ] 名女 [複 ～s] 〔英 reading〕 **1** 読書, 読むこと, 講読; 読本 (= libro de *lectura*). disfrutar con la *lectura* 読書を楽しむ.
2 教養, 知識. una persona de mucha *lectura* 博識家.
3 〘コンピュータ〙 読み取り.

le·er [leér れエル] 15 動他自 [現分 leyendo ; 過分 leído, da] 〔英 read〕 **1** 読む; 読書する. Se pasó *leyendo* toda la tarde. 彼は午後を読書で過ごした. *Lea* usted el párrafo siguiente. 次の段落を読んでください. *leer* en voz alta [baja] 大きな［小さな］声で読む. *leer* de corrido すらすらと読む. *leer* de un tirón 一気に読む.
2 読み取る, 察する. *leer* en los ojos [en la mirada] de 《＋uno》〈人〉の目を読む, 気持ちを読み取る. *leer* entre líneas 行間を読む. *leer* la mano 〈人〉の手相を見る.
3 〘コンピュータ〙 読み取る.

le·ga·ción [leɣaθjón れガしオン] 名女 **1** 公使館; 《集合》公使館員. ➡ embajada. **2** 使節の職務; 《集合》使節団.

le·ga·do [leɣáðo れガド] 名男 **1** 使節; 教皇特使. **2** 遺産.

le·ga·jo [leɣáxo れガホ] 名男 書類の束.

le·gal [leɣál れガる] 形 法律に基づく, 法定の (↔ilegal). procedimientos *legales* 法的手続き. acudir a medios *legales* 法的手段に訴える. medicina *legal* 法医学. contrato *legal* 法にかなった契約.

le·ga·li·dad [leɣaliðáð れガリダ(ドゥ)] 名女 適法性, 合法性.

le·ga·lis·ta [leɣalísta れガリスタ] 形 法律尊重主義の.
── 名男女 法律尊重主義者.

le·ga·li·za·ción [leɣaliθaθjón れガリさしオン] 名女 **1** 合法化. **2** 認定, 公的証明.

le·ga·li·zar [leɣaliθár れガリさル] [39 z ➡ c] 動他 **1** 合法化する, 適法と認める. **2** (書類・署名を) 真正と認める.

lé·ga·mo [léɣamo れガモ] 名男 軟泥, 泥土; ローム, 粘土質.

le·ga·ña [leɣáɲa れガニャ] 名女 目やに.

le·ga·ño·so, sa [leɣaɲóso, sa れガニョソ, サ] 形 目やにだらけの.

le·gar [leɣár れガル] [32 g ➡ gu] 動他 遺贈する; (伝統などを) 後世に残す, 伝える.

le·gen·da·rio, ria [lexendárjo, rja れヘンダリオ, リア] 形 伝説 (上) の, 伝説的な, 架空の; 有名な. ── 名男 聖人伝.

le·gi·ble [lexíβle れヒブれ] 形 読める, 判読できる.

le·gión [lexjón れヒオン] 名女 **1** 〘軍事〙 (特殊) 部隊. *Legión* Extranjera 外人部隊. **2** 群れ; 多数.

le·gio·na·rio, ria [lexjonárjo, rja れヒオナリオ, リア] 形 〘軍事〙 (特殊) 部隊の.
── 名男 〘軍事〙 (特殊) 部隊の兵士.

le·gis·la·ción [lexislaθjón れヒスらしオン] 名女 《集合》 (一国・一分野の) 法律. la *legislación* mercantil 商法.

le·gis·lar [lexislár れヒスらル] 動自 法律を制定する.

le·gis·la·ti·vo, va [lexislatíβo, βa れヒスらティボ, バ] 形 立法 (上) の. asamblea *legislativa* 立法議会. poder *legislativo* 立法権.

le·gis·la·tu·ra [lexislatúra れヒスらトゥラ] 名女 立法府; 立法議会の会期, 立法期間.

le·gi·ti·ma·ción [lexitimaθjón れヒティ

マしオン] 名女 是認，合法化；(子の) 認知.

le·gi·ti·mar [lexitimár れヒティマル] 動他 **1** 正当と認める，適法[合法]と認める. **2** 〘法律〙(庶子を) 嫡出子と認知する.

le·gi·ti·mi·dad [lexitimiðáð れヒティミダ(ドゥ)] 名女 適法性，合法性；(子の) 嫡出性.

le·gí·ti·mo, ma [lexítimo, ma れヒティモ, マ] 形 **1** 法にかなった，合法的な；正当な (↔ilícito). *legítima* defensa 正当防衛.
2 嫡出の (↔ilegítimo). hijo *legítimo* 嫡出子.
3 本物の. champán *legítimo* 正真正銘のシャンペン. oro *legítimo* 純金.

le·go, ga [léɣo, ɣa れゴ, ガ] 形 **1** 聖職者でない，世俗の. hermano *lego* 平修士，助修士. **2** 無知な；門外漢の. Soy *lego* en derecho. 私は法律のことは何も分からない.
── 名男女 一般信徒，俗人.

le·gua [léɣwa れグア] 名女 レグア：距離の単位. ◆5572メートル.
a la* [*una*] *legua* / *a cien leguas 遠くに，遠くから.

le·gum·bre [leɣúmbre れグンブレ] 名女 [普通 ～s] **1** 豆類，豆. *legumbres* secas 乾燥した豆. **2** 野菜 (＝hortaliza, verduras).

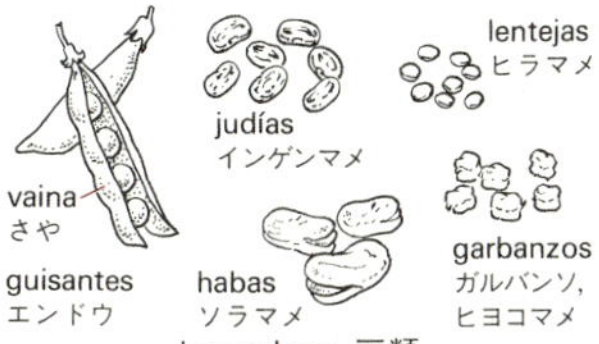

legumbres 豆類

le·gu·mi·no·so, sa [leɣuminóso, sa れグミノソ, サ] 形 マメ科の.
── 名女 [～s] マメ科の植物.

le·í·do, da [leíðo, ða れイド, ダ] 過分 → leer.
── 形 **1** 博学の，物知りの. ser muy *leído* 博識である. **2** 《muy, poco などと用いられ》読まれている. una obra muy *leída* 広く愛読されている作品.

le·ís·mo [leísmo れイスモ] 名男 〘文法〙レイスモ：直接目的語の lo, la, los, las の代わりに le, les を用いること. ⇨ 文法用語の解説「人称代名詞」.

leit·mo·tiv [leitmotíf れイトゥモティフ | laitらイトゥ-] 名男 ライトモチーフ；中心思想，主題. [←ドイツ語]

le·ja·ní·a [lexanía れハニア] 名女 遠い所，離れた場所. en la *lejanía* 遠くに[で].

le·ja·no, na [lexáno, na れハノ, ナ] 形 遠い，遠方にある (↔ cercano). en épocas *lejanas* はるか昔の時代に. lugar *lejano* 遠隔地. pariente *lejano* 遠い親類.

le·jí·a [lexía れヒア] 名女 灰汁(あく)；漂白剤.

le·jos
[léxos れホス] 副 〔英 far〕
1 (空間的に) **遠くに** (↔ cerca). ¿Está *lejos* tu casa? 君の家は遠いの？ ¿Queda *lejos* el hotel? ホテルは遠いですか.
2 (時間的・心理的に) 遠く隔たって，かけ離れて. Veo muy *lejos* la terminación del proyecto. その計画の達成はずっと後になると思う.
a lo lejos 遠くに.
de* [*desde*] *lejos 遠くから，離れて.
ir* [*llegar*] *lejos 《未来形で》前途有望である. Con esto no *llegarás* muy *lejos*. こんなことでは成功はおぼつかないぞ.
lejos de … (1) …から遠く(に). Mi pueblo está *lejos de* Tokyo. 私の生まれ故郷は東京から遠い. (2) …どころか. *Lejos de* eso. それどころではない.
llevar demasiado lejos やりすぎる，度を過ごす.
sin* [*para no*] *ir más lejos 手近な例を挙げると，早い話が.

le·lo, la [lélo, la れろ, ら] 形 ばかな；ぼうっとした. ── 名男女 愚鈍，ばか者.

le·ma [léma れマ] 名男 スローガン，モットー，標語；(紋章などの) 銘句.

lem·pi·ra [lempíra れンピラ] 名男 レンピラ：ホンジュラスの貨幣単位.

len·ce·rí·a [lenθería れンせリア] 名女 **1** (女性の) 下着類，ランジェリー；リンネル類. **2** ランジェリー売り場[専門店]；リンネル類販売店.

len·gua
[léngwa れングア] 名女 [複 ～s] 〔英 tongue ; language〕 **1** **舌**；舌状のもの. *lengua* de vaca 〘料理〙牛タン. *lengua* de gato ラングドシャ (クッキー). *lengua* de fuego 火炎. *lengua* de tierra 岬.
2 **言語**，国語 (＝ idioma). *lengua* española スペイン語. ¿Qué *lengua* hablas? 君は何語を話せるの？ Es muy difícil dominar una *lengua* extranjera en dos años. 2年間で外国語をマスターするのは困難だ. *lengua* oficial 公用語. *lengua* materna 母国語；〘言語〙母語. *lengua* muerta 死語.
3 言葉遣い，言い回し.
andar en lenguas うわさに上る.
con la lengua fuera へとへとに疲れて.
escaparse* [*irse*] *a* 《+uno》 *la lengua 〈人〉が口を滑らす.
lengua de escorpión* / *mala lengua 毒舌(家)，中傷(家).
no morderse la lengua 言いたい放題を言う.
sacar la lengua a 《+uno》《口語》〈人〉を嘲(あざけ)る.
ser largo de lengua うわさ好きである.
ser ligero de lengua 口が軽い.
tener 《+algo》 ***en la punta de la***

L

lengua 〈何か〉が（のどまで出かかっているが）思い出せない.
tirar a 《+uno》 ***de la lengua*** 〈人〉に白状させる.

len·gua·do [leŋgwáðo れングアド] 名男 〘魚〙シタビラメ（舌鮃）.

len·gua·je [leŋgwáxe れングアヘ] 名男 [複 ～s]〔英 language〕 **1 言葉**, 用語; 言葉遣い;〘言語〙ランガージュ. *lenguaje* típico de gente de pueblo 田舎の人特有の話し方. *lenguaje* literario [coloquial] 文語[口語]体. facultad de *lenguaje* 言語能力. ➙ lengua.
2（自然言語以外の）伝達手段, 記号体系.

len·gua·raz [leŋgwaráθ れングアラす] 形 [複 lenguaraces] おしゃべりな; 口の悪い.

len·güe·ta [leŋgwéta れングエタ] 名女（靴の）舌革;（楽器の）リード;（バックル・ブローチなどの）ピン;〘解剖〙喉頭蓋(こうとうがい).

le·ni·dad [leniðáð れニダ(ドゥ)] 名女 過度の寛容, 甘すぎること.

le·ni·fi·car [lenifikár れニフィカル] [⑧ c ➙ qu] 動他 和らげる, 軽減する.

le·ni·nis·mo [leninísmo れニニスモ] 名男 レーニン Lenin (1870–1924) 主義.

le·ni·ti·vo, va [lenitíβo, βa れニティボ, バ] 形 鎮痛作用のある.
—— 名男〘医〙鎮痛剤, 鎮静剤.

le·no·ci·nio [lenoθínjo れノしニオ] 名男 売春周旋. casa de *lenocinio* 売春宿.

lenta 形女 ➙ lento[1].

len·ta·men·te [léntaménte れンタメンテ] 副 ゆっくりと, 遅く. El muchacho se acercó *lentamente* a nuestra mesa. その男の子はゆっくりと我々のテーブルに近づいてきた.

len·te [lénte れンテ] 名女 レンズ. *lente* cóncava [convexa] 凹[凸]レンズ. *lentes* de contacto コンタクトレンズ（= lentillas).
—— 名男 [～s] 眼鏡（= gafas).

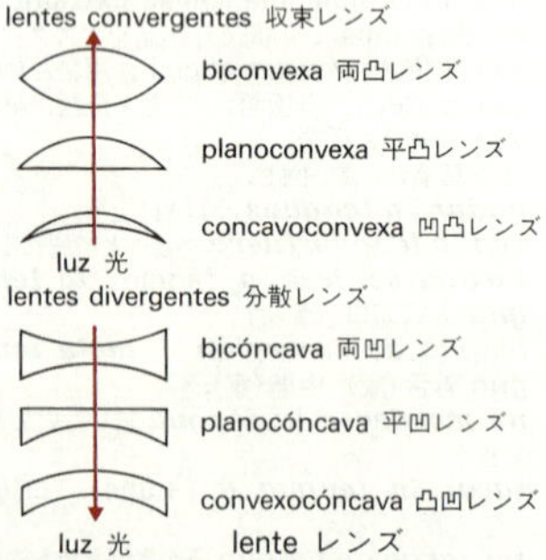

lente レンズ

len·te·ja [lentéxa れンテハ] 名女 〘植物〙ヒラマメ（扁豆）, レンズマメ. ➙ legumbre 図.

len·te·jue·la [lentexwéla れンテフエら] 名女 スパンコール.

len·ti·lla [lentíʎa れンティリャ] 名女 [普通 ～s] コンタクトレンズ.

len·ti·tud [lentitúð れンティトゥ(ドゥ)] 名女 遅さ, のろさ. con *lentitud* ゆっくりと.

len·to[1], ta [lénto, ta れント, タ] 形 [複 ～s]〔英 slow〕
1 遅い, のろい（= despacio)（↔ rápido). Los bueyes iban a paso *lento* tirando de la carreta. 牛がのろのろと荷車を引いて行った. *lento* en actuar 動作が緩慢な. **2** 鈍感な, 鈍い.

len·to[2] [lénto れント] 副 **ゆっくりと**, 遅く. El río corre muy *lento* a su paso por la ciudad. 川は市内をゆったりと流れている.

le·ña [léɲa れニャ] 名女 **1** 《集合》まき, 薪(たきぎ). hacer *leña* 薪を拾う, まきを割る.
2 《口語》殴打. Me han dado *leña*. 私は彼らに殴られた.
3 〘スポーツ〙ラフプレー. Ese jugador da mucha *leña*. あの選手はラフプレーが多い.
añadir [***echar, poner***] ***leña al fuego*** 火に油を注ぐ, 煽(あお)る.
llevar leña al monte 余計な骨折りをする.

le·ña·dor, do·ra [leɲaðór, ðóra れニャドル, ドラ] 名男女 木こり; 薪(たきぎ)売り.

¡le·ñe! [léɲe れニェ] 間投 《俗語》ちくしょう, くそっ.

le·ño [léɲo れニョ] 名男 **1** 丸太, 丸木.
2 《口語》薄のろ, 間抜け.

le·ño·so, sa [leɲóso, sa れニョソ, サ] 形 木質の.

Le·o [léo れオ] 名男 〘天文〙獅子(し)座;〘占星〙獅子宮.

le·ón [león れオン] 名男 [複 leones] **1** 〘動物〙ライオン, 雄ライオン; 《ラ米》ピューマ. melena de *león* ライオンのたてがみ. valiente como un *león* ライオンのように勇猛な. ▶ 雌ライオンは leona.
2 勇気のある人.
león marino 〘動物〙アシカ（海驢).
No es tan fiero [***bravo***] ***el león como lo pintan***. 《諺》ライオンも絵に描いたほど獰猛(どうもう)ではない（案ずるより産むがやすし).
ponerse como un león 怒り狂う.

Le·ón [león れオン] 固名 レオン: スペイン北西部の県; 県都.

le·o·na·do, da [leonáðo, ða れオナド, ダ] 形 黄褐色の.

le·o·ne·ra [leonéra れオネラ] 名女
1 ライオンの檻(おり).
2 《口語》乱雑な部屋.

le·o·nés, ne·sa [leonés, nésa れオネス, ネサ] 形 [複男 leoneses] レオンの.
—— 名男女 レオンの住民.

le·o·ni·no, na [leoníno, na れオニノ, ナ]

形 **1** ライオンの(ような).
2 〘法律〙不公平な.
Le·o·nor [leonór れオノル] 固名 レオノール: 女性の名.
le·o·par·do [leopárðo れオパルド] 名男 〘動物〙ヒョウ(豹).
Le·o·pol·do [leopóldo れオポるド] 固名 レオポルド: 男性の名. 愛 Polo.
le·o·tar·do [leotárðo れオタルド] 名男 [〜または 〜s] レオタード.
Le·pan·to [lepánto れパント] 固名 レパント: ギリシア西部の港. batalla de *Lepanto* レパントの海戦(◆1571年, スペイン・ベネチア・教皇庁の連合軍がトルコ軍を破った).
le·po·ri·no, na [leporíno, na れポリノ, ナ] 形 ウサギの(ような). labio *leporino* 兎唇(としん).
le·pra [lépra れプラ] 名女 〘医〙ハンセン病.
le·pro·so, sa [lepróso, sa れプロソ, サ] 形 ハンセン病の. —— 名男女 ハンセン病患者.
ler·do, da [lérðo, ða れルド, ダ] 形 のろまな; 鈍い(＝torpe).
Lé·ri·da [lérida れリダ] 固名 レリダ: スペイン北東部の県; 県都.

les

[les れス] 代名《人称》
[3人称複数弱形代名詞; 男・女同形. ➡ me 【文法】(►les が3人称直接目的語代名詞 la(s), lo(s) と一緒に用いられる場合. ➡ se) 〔英 them, you〕
《間接目的語》(1) **彼ら[彼女たち, あなたがた, それら]に**; 彼ら[彼女たち, …]のために; 彼ら[彼女たち, …]の. A las niñas *les* compraré unas blusas. 娘たちにブラウスを買ってあげよう. *Les* rogamos a ustedes que se abstengan de fumar. 禁煙にご協力ください.
(2) 彼ら[彼女たち, あなたがた, それら]から. ¿*Les* compraste este coche? 君, 彼らからこの車を買ったんだって?

les·bia·nis·mo [lesβjanísmo れスビアニスモ] 名男 女性の同性愛.
les·bia·no, na [lesβjáno, na れスビアノ, ナ] 形 レスビアンの. amor *lesbiano* 女性の同性愛.
—— 名女 女性の同性愛者, レスビアン.
le·sión [lesjón れシオン] 名女 **1** 傷, 傷害, 損傷. *lesión* cerebral 脳損傷. *lesión* grave [leve] 重[軽]傷.
2 損害; 〘法律〙侵害. *lesión* en los derechos de otro 他人の権利に対する侵害.
le·sio·nar [lesjonár れシオナル] 動他 傷を負わす; 損害を及ぼす; 侵害する.
—— **le·sio·nar·*se*** けがをする.
le·si·vo, va [lesíβo, βa れシボ, バ] 形 《＋**para**》…に害を及ぼす; 損害を与える.
le·so, sa [léso, sa れソ, サ] 形 **1** 損害を受けた. crimen [delito] de *lesa* majestad 〘法律〙大逆罪. **2** 《ラ米》ばかな, 愚かな.
le·tal [letál れタる] 形 《文語》致命的な, 命にかかわる(＝mortal). un arma *letal* 凶器.
le·ta·ní·a [letanía れタニア] 名女 **1** [〜または 〜s] 〘カトリック〙連禱(れんとう).
2 《口語》(苦情などを)くどくど言うこと. una *letanía* de reclamaciones 相次ぐクレーム.
le·tár·gi·co, ca [letárxiko, ka れタルヒコ, カ] 形 〘医〙昏睡(こんすい)(状態)の.
le·tar·go [letárɣo れタルゴ] 名男 **1** 〘医〙昏睡(こんすい). caer en (estado de) *letargo* 昏睡状態に陥る.
2 無気力, 倦怠(けんたい). **3** 〘動物〙冬眠.

le·tra

[létra れトゥラ] 名女 [複 〜s] 〔英 letter〕
1 文字, 字; 書体, 筆跡. *letra* mayúscula [minúscula] 大[小]文字. *letra* inicial 頭文字, イニシャル. Escríbase con *letra* de imprenta [de molde]. 活字体で記入のこと. *letra* cursiva [bastardilla, itálica] イタリック体(⇀ *LETRA*, *letra*). *letra* doble 複文字(►ch, ll, rr などのように2字で1音を表わすもの). *letra* gótica ゴシック体. *letra* negrita ボールド体(⇀ **LETRA, letra**). *letra* versalita スモールキャピタル体(⇀ LETRA). Tiene buena *letra*. 彼は字がきれいだ.

【参 考】 **letra** はふつうアルファベットなどの表音文字を言い, 漢字などの表意文字には **carácter** を用いる.

2 [〜s] 文学, 文芸; 学問, 教養. hombre de *letras* 学者; 文学者, 著述家. ciencias y *letras* 自然科学と人文科学.
3 歌詞. autor de la *letra* 作詞者.
4 〘商業〙手形. *letra* de cambio 為替手形. girar una *letra* 手形を振り出す. protestar una *letra* 手形の支払いを拒否する.
► 小切手は cheque.
al pie de la letra 文字どおりに, 忠実に, きちんと.
dos* [*cuatro*, *unas*] *letras 簡単なメモ, 短信.
letra muerta 死文, 空文.
letra por letra 一語一語, 逐語的に.
poner unas letras 手紙を書く.
primeras letras 読み書き・算数などの初等教育.

le·tra·do, da [letráðo, ða れトゥラド, ダ] 名男女 弁護士(＝abogado).
—— 形 学問[教育]のある, 博学な; ペダンチックな.
le·tre·ro [letréro れトゥレロ] 名男 張り紙, ポスター; 掲示(板), 看板. *letrero* luminoso ネオンサイン(＝anuncio de neón).
le·tri·lla [letríʎa れトゥリリャ] 名女 〘詩〙レトリーリャ: 各連の末尾にリフレインが付いた短い詩行の詩.
le·tri·na [letrína れトゥリナ] 名女 (野営地などの)便所.
leu·ce·mia [leuθémja れウセミア] 名女

〘医〙白血病.

leu·co·ci·to [leukoθíto れウコしト] 名男 〘解剖〙〘医〙白血球.

le·va [léβa れバ] 名女 **1** 〘軍事〙徴兵, 召集 (＝reclutamiento).
2 〘海事〙出帆. **3** 〘機械〙カム.

le·va·di·zo [leβaðíθo れバディそ] 形 上げ下げできる. puente *levadizo* 跳ね橋.

le·va·du·ra [leβaðúra れバドゥラ] 名女 パン種, イースト; 酵母(菌). *levadura* en polvo ベーキングパウダー.

levantado, da 過分 → levantar.

le·van·ta·mien·to [leβantamjénto れバンタミエント] 名男 **1** 反乱, 蜂起(ほうき).
2 解除. *levantamiento* de la veda (猟の) 解禁. **3** 持ち上げること. *levantamiento* de pesos 重量挙げ.

levantando 現分 → levantar.

le·van·tar [leβantár れバンタル] 動他 [現分 levantando; 過分 levantado, da] 〔英 raise〕
1 **上げる**, 持ち上げる (↔ bajar); (倒れた物などを) 起こす, 立てる. Pesa mucho; hace falta una grúa para *levantar*lo. それは重くてクレーンがないと持ち上がらない (► 決まった高さ・水準まで持ち上げる場合は elevar を用いる). *Levanté* la cabeza a ver qué había pasado. 私は頭をもたげて何が起きたのか見た. *Levantó* el bastón como para amenazar al muchacho. まるでその子を脅かすかのように彼はステッキを振り上げた.
2 建てる. *levantar* un templo [un monumento] 寺院[記念碑]を建てる. *levantar* una tapia 塀を作る.
3 取り除く; 解除する. *levantar* el campamento キャンプを畳む. *levantar* el vendaje (治癒して) 包帯を外す. *levantar* la sesión 閉会する. *levantar* el asedio 包囲を解く.
4 引き起こす; 高める; 蜂起(ほうき)させる (＝sublevar). *levantar* protestas [revuelo] 抗議行動[騒動]を起こす. *levantar* rumores [una calumnia] 風評を立てる[中傷する]. *levantar* el ánimo [el espíritu] 元気づける. *levantar* a 《+uno》 la voz 〈人〉に対して声を荒げる. *levantar* al pueblo (en armas) 民衆を蜂起させる.
5 (議事録などを) 作成する.
6 (獲物を) 狩り出す.
── **le·van·tar·*se*** 〔英 get up; stand up〕

直説法 現在	
1·単 me levanto	1·複 nos levantamos
2·単 te levantas	2·複 os levantáis
3·単 se levanta	3·複 se levantan

1 **起きる** (↔ acostarse); **立つ**, 立ち上がる (↔ sentarse). *Me levanté* a las siete. 私は7時に起きた (► 目を覚ますは despertar(se)). *levantarse* de la cama 起床する; 全快する. *Se levantó* del suelo [de la silla]. 彼は床[椅子]から立ち上がった. **2** (建物などが) 立っている.
3 (風・波・ほこりなどが) 立つ; (幕などが) 上がる. **4** 蜂起する.

le·van·te [leβánte れバンテ] 名男 **1** 東, 東方. **2** 東風. **3** [L-] レバンテ地方: スペイン東部の Valencia および Murcia 地方.
2 レバント: 地中海東部地方.
── 動 → levantar.

le·van·ti·no, na [leβantíno, na れバンティノ, ナ] 形 レバンテ地方の.
── 名男女 レバンテ地方の住民.

le·van·tis·co, ca [leβantísko, ka れバンティスコ, カ] 形 反逆的な, 不穏な.

le·var [leβár れバル] 動他 〘海事〙(錨(いかり)を) 上げる. *levar* anclas 出航する.

le·ve [léβe れベ] 形 軽い; 軽微な; かすかな. herida *leve* 軽傷.

le·vi·ta [leβíta れビタ] 名女 〘服飾〙フロックコート.

le·vi·ta·ción [leβitaθjón れビタしオン] 名女 (心霊術・物理現象での) 空中浮揚.

Le·ví·ti·co [leβítiko れビティコ] 固名 〘聖書〙(旧約の) レビ記.

lé·xi·co, ca [léksiko, ka れクシコ, カ] 形 語彙(ごい)の.
── 名男 《集合》語彙, 用語; 用語集.

le·xi·co·gra·fí·a [leksikoɣrafía れクシコグラフィア] 名女 辞書編集(法); 語彙(ごい)研究.

le·xi·co·grá·fi·co, ca [leksikoɣráfiko, ka れクシコグラフィコ, カ] 形 辞書編集(法)の; 語彙(ごい)研究の.

le·xi·có·gra·fo, fa [leksikóɣrafo, fa れクシコグラフォ, ファ] 名男女 辞書編集者.

le·xi·co·lo·gí·a [leksikoloxía れクシコろヒア] 名女 語彙(ごい)論.

le·xi·cón [leksikón れクシコン] 名男 〘言語〙語彙(ごい)目録; 辞書.

ley [léi れイ] 名女 [複 ～es] 〔英 law〕
1 **法律**, 法令. Vivimos conforme a la *ley*. 我々は法を遵守している. respetar la *ley* 法を守る. violar la *ley* 法を犯す. estudiar *leyes* [derecho] 法律学を学ぶ. ► 法学部は Facultad de Derecho.
2 法則, 原則 (＝principio). la *ley* de la gravedad [Ohm] 重力[オーム]の法則.
3 掟(おきて), 律法. la *ley* de Moisés モーセの律法.
con todas las de la ley 申し分のない, 本物の.
dictar sus ***propias leyes*** 勝手に振る舞う.
en buena ley 正しく, 正当に.
ser de buena ley 本物である, 信頼できる.

ley- 動 現分 → leer. ⑮

le·yen·da [lejénda れイエンダ] 名女

L

1 伝説，言い伝え．según la *leyenda* 言い伝えによれば．➡ tradición.
2（貨幣・紋章などの）銘，刻銘；（地図などの）凡例，（挿画などの）説明文．
leyenda negra 黒い伝説．◆スペインの新大陸経営におけるインディオへの圧制を批判するもの．

lez·na [léθna れすナ] 名女（靴職人の）突き錐(ぎり)；千枚通し．

lia·do, da [ljáðo, ða りアド，ダ] 過分 形
1《口語》こんがらかっている．
2《俗語》情交関係にある．

liar [ljár りアル] [23 i ➡ í] 動他
1（縄・ひもで）縛る，結わえる（＝atar）．*liar* un paquete con una cuerda 小包をひもでくくる．
2 くるむ，包む；（糸などを）巻いて玉にする．*liar* un cigarrillo タバコを巻く．
3《口語》（面倒に）追い込む，巻き込む．
4《口語》混乱させる．*liar* un asunto 事を面倒にする．
── **liar·*se*** **1** くるまる．*liarse* en una manta 毛布にくるまる． **2**《口語》紛糾する，混乱する．El asunto *se lió* inesperadamente. 問題は意外にもこじれてしまった．
3《俗語》情交を結ぶ，関係する．

li·ba·nés, ne·sa [liβanés, nésa りバネス，ネサ] 形［複男 libaneses］レバノンの．
── 名男女 レバノン人．

Lí·ba·no [líβano りバノ] 固名 レバノン（共和国）：首都 Beirut.

li·bé·lu·la [liβélula りべるら] 名女〘昆虫〙トンボ（蜻蛉）（＝caballito del diablo).

li·be·ra·ción [liβeraθjón りベラしオン] 名女 解放，釈放；免除．movimiento de *liberación* 解放運動．

li·be·ra·dor, do·ra [liβeraðór, ðóra りベラドル，ドラ] 形 自由にする，解放する．
── 名男女 解放者．

li·be·ral [liβerál りベラる] 形 **1** 自由主義の；自由な，縛られない．régimen *liberal* 自由主義体制．mentalidad *liberal* ものにとらわれない考え方．profesión *liberal* 自由業．
2《＋con》…に気前のよい．Siempre ha sido *liberal con* nosotros. 彼は我々に対していつも気前がよかった．
── 名男女 自由主義者；自由党員．

li·be·ra·li·dad [liβeraliðáð りベラりダ(ドゥ)] 名女 気前のよさ；寛大，寛容．

li·be·ra·lis·mo [liβeralísmo りベラりスモ] 名男 自由主義，リベラリズム．

li·be·ra·li·za·ción [liβeraliθaθjón りベラりさしオン] 名女 自由化．

li·be·ra·li·zar [liβeraliθár りベラりさル] [39 z ➡ c] 動他 自由化する．*liberalizar* el comercio internacional 国際貿易を自由化する．

li·be·ral·men·te [liβerálménte りベラるメンテ] 副 自由に；気前よく．

li·be·rar [liβerár りベラル] 動他 **1** 自由にする，解放する，釈放する．*liberar* a un prisionero 囚人を釈放する．
2《＋de》…を免除する．*liberar* a《＋uno》*de* su promesa 約束の履行を免ずる．*liberar de*l servicio militar 兵役義務を免除する．

li·bé·rri·mo, ma [liβérimo, ma りベりモ，マ] 形［libre の絶対最上級］全く自由な．

li·ber·tad
[liβertáð りベルタ(ドゥ)] 名女［複 ～es］〔英 freedom, liberty〕 **1** 自由；解放．*libertad* política 政治的自由．*libertad* de pensamiento 思想の自由．*libertad* bajo fianza〘法律〙保釈．*libertad* provisional 仮釈放．
2 奔放（＝libertinaje）；気楽，気まま．Tienes plena *libertad* para marcharte a la hora que quieras. 君は好きな時に出発していいんだよ．
3 なれなれしさ，気安さ．tomarse demasiadas *libertades* con《＋uno》〈人〉にあまりになれなれしい．
tomarse la libertad de《＋不定詞》勝手ながら…する．

li·ber·ta·dor, do·ra [liβertaðór, ðóra りベルタドル，ドラ] 形 自由にする，解放する．
── 名男女 解放者．

li·ber·tar [liβertár りベルタル] 動他 **1** 自由にする，解放する，釈放する．
2《＋de》…を免除する．

li·ber·ta·rio, ria [liβertárjo, rja りベルタリオ，リア] 形 絶対自由主義の；無政府主義の． ── 名男女 絶対自由主義者；無政府主義者（＝anarquista).

li·ber·ti·na·je [liβertináxe りベルティナへ] 名男 放縦(ほうじゅう)，放埒(ほうらつ)，放蕩(ほうとう)．

li·ber·ti·no, na [liβertíno, na りベルティノ，ナ] 形 放縦(ほうじゅう)な，放埒(ほうらつ)な，放蕩(ほうとう)の． ── 名男女 放蕩者，道楽者．

Li·bia [líβja りビア] 固名 リビア．República Popular Socialista Árabe de *Libia*. 社会主義人民リビア・アラブ国（首都 Trípoli).

li·bi·di·no·so, sa [liβiðinóso, sa りビディノソ，サ] 形 好色な，淫乱(いんらん)な．

li·bi·do [liβíðo りビド] 名女〘心理〙リビドー；性的衝動．

li·bio, bia [líβjo, βja りビオ，ビア] 形 リビアの．
── 名男女 リビア人．

li·bra [líβra りブラ] 名女 **1** ポンド：イギリスなどの通貨単位（記号 £，L).
2 ポンド：重さの単位．約454グラム．
3 [L-]〘天文〙天秤(てんびん)座；〘占星〙天秤宮．

li·bra·dor, do·ra [liβraðór, ðóra りブラドル，ドラ] 名男女〘商業〙（手形などの）振出人．

li·bra·mien·to [liβramjénto りブラミエント] 名男〘商業〙支払命令書；為替手形．

li·bran·za [liβránθa りブランさ] 名女〘商業〙支払命令書．

L

li·brar [liβrár りブラル] 動他 **1** ⦅＋**de**⦆ …から解放する, 自由にする; 免除する. *librar* a ⦅＋uno⦆ *de* un peligro 〈人〉を危険から救う.
2 (手形・小切手などを) 振り出す. *librar* una letra contra ⦅＋uno⦆ 〈人〉に手形を振り出す.
3 (戦いを) 開始する.
── 動自 ⦅口語⦆ (労働者が) 休みを取る.
── **li·brar·se** **1** ⦅＋**de**⦆ …から解放される, …を免れる; …を追い払う. *librarse de* la tiranía 圧政から解放される. *librarse de* las obligaciones 義務を免れる.
2 (戦端が) 開かれる. A las afueras de París *se libró* la batalla definitiva. パリ郊外で決戦の火ぶたが切って落とされた.
¡Dios me libre! / ¡Líbreme Dios! そんなことのないように, そんなことがあってたまるものか.
librarse por los pelos ⦅口語⦆ 間一髪で助かる, 九死に一生を得る.

li·bre [líβre りブレ] 形 [複 ～s] 〔英 free〕
1 自由な; 拘束[束縛]されない. expresión *libre* 自由な表現. entrada *libre* 入場無料.
2 空いている; 暇のある, 時間のある (↔ocupado). ¿Estás *libre* esta noche? 君, 今晩暇かい? taxi *libre* 空車のタクシー.
3 ⦅＋**de**⦆ …を免除された, 免れた. Están *libres de*l servicio militar. 彼らは兵役を免除されている. Ya estoy *libre de* preocupaciones. もう私は心配する必要がない. *libre de* impuestos 免税の, 非課税の.
4 大胆な, 遠慮のない, 奔放な. llevar una vida *libre* 奔放な生活を送る. **5** 独身の.

li·bre·cam·bio [liβrekámbjo りブレカンビオ] 名男 自由貿易.

li·bre·pen·sa·dor, do·ra [liβrepensaðór, ðóra りブレペンサドル, ドラ] 形 自由思想の. ── 名男女 自由思想家.

li·bre·rí·a [liβrería りブレリア] 名女 [複 ～s] 〔英 bookstore〕 **1 書店**, 本屋; 書籍販売業. **2** 書棚, 書架.

li·bre·ro, ra [liβréro, ra りブレロ, ラ] 名男女 本屋, 書籍販売人.
── 名男 ⦅ラ米⦆ 本箱, 書棚.

li·bre·ta [liβréta りブレタ] 名女 メモ帳; 通帳. *libreta* de banco [de depósitos, de ahorros] 預金通帳.

li·bre·tis·ta [liβretísta りブレティスタ] 名男女 (歌劇などの) 台本作者, 作詞家.

li·bre·to [liβréto りブレト] 名男 (歌劇などの) 台本.

li·bro [líβro りブロ] 名男 [複 ～s] 〔英 book〕
1 本, 書物, 書籍. No he leído todavía ese *libro*. 私はまだその本を読んでいない. *libros* raros y *libros* recién publicados 稀覯本(きこうぼん)と新刊書. *libro* de texto 教科書, テキスト.
2 帳簿, 台帳; 日誌. *libro* de a bordo 〔海事〕 航海日誌. *libro* de contabilidad 〔商業〕 会計簿. llevar los *libros* 〔商業〕 帳簿をつける, 会計を担当する.
ahorcar [***colgar***] ***los libros*** ⦅口語⦆ 学業を放棄する.
hablar como un libro 能弁である; 気取った話し方をする.

li·cen·cia [liθénθja りセンシア] 名女 許可, 認可; 許可証, 免許証. con *licencia* de los jefes 上司たちの許可を得て. *licencia* de conducir [de conductor] 運転免許(証) (► 主に中南米で使われる). *licencia* de caza [de pesca] 狩猟[釣り] ライセンス. *licencia* de armas 銃砲所持許可証. *licencia* de trabajo 労働許可(証).

li·cen·cia·do, da [liθenθjáðo, ða りせンシアド, ダ] 名男女 修士. *licenciado* en derecho 法学修士.
── 名男 〔軍事〕 除隊兵.
── 過分 形 **1** 修士号を受けた. **2** 〔軍事〕 除隊した.

li·cen·ciar [liθenθjár りせんしアル] 動他 〔軍事〕 除隊させる.
── **li·cen·ciar·se** 修士号を取得する. *licenciarse* en Derecho 法学修士になる.

li·cen·cia·tu·ra [liθenθjatúra りセンシアトゥラ] 名女 修士号; 修士課程.

li·ce·o [liθéo りセオ] 名男 **1** 文芸サークル, 文化団体. **2** ⦅ラ米⦆ 中等学校; 小・中学校.

li·ci·tar [liθitár りしタル] 動他 (競売で) 値を付ける, 入札する.

lí·ci·to, ta [líθito, ta りしト, タ] 形 合法的な, 適法の; 妥当な, 正当な (↔ilícito).

li·ci·tud [liθitúð りしトゥ(ドゥ)] 名女 合法性, 適法性; 妥当性, 正当性.

li·cor [likór りコル] 名男 リキュール; 蒸留酒.

li·co·re·ra [likoréra りコレラ] 名女 (酒瓶・グラスの) キャビネット・ケース; 洋酒セット.

lid [líð り(ドゥ)] 名女 **1** 戦い, 抗争.
2 論争, 議論. **3** [～es] 活動, 業務.
en buena lid 正々堂々と, 合法的に.

lí·der [líðer りデル] 名男女 指導者, リーダー; 党首.

li·de·ra·to [liðeráto りデラト] 名男 党首の地位, 指導者の任務[身分]; リーダーシップ.

li·de·raz·go [liðeráθɣo りデラスゴ] 名男 →liderato.

li·dia [líðja りディア] 名女 **1** 〔闘牛〕 闘牛. toros de *lidia* 闘牛用の牛. **2** 闘争.

li·diar [liðjár りディアル] 動他 〔闘牛〕 (牛と) 闘う, 闘牛をする.
── 動自 ⦅＋**con, contra**⦆ **1** …と争う; 対立する.
2 …をあしらう, いなす. Está acostumbrada a *lidiar* a los vendedores impertinentes. 彼女は押し売りをあしらうのに慣れている.

lie·bre [ljéβre りエブレ] 名女

L

1〔動物〕ノウサギ(野兎).
2《口語》臆病(おくびょう)者, 意気地なし.
correr como una liebre 《口語》脱兎(だっと)のごとく走る.
Donde menos se piensa salta la liebre. 《口語》思いがけない所で[ときに] 事件は起きる.

Liech·tens·tein [líktenstein リクテンステイン] 固名 リヒテンシュタイン (公国): 首都 Vadoz.

lien·zo [ljénθo リエンそ] 名男 **1**〔美術〕カンバス, 画布; 油絵. **2** (麻・木綿などの) 布; ハンカチ (=pañuelo).
3〔建築〕(建物の) 正面; 壁面.

li·ga [líɣa リガ] 名女 **1** 連盟, 同盟.
2〔スポ〕リーグ. *liga* de fútbol サッカーリーグ. **3**〔服飾〕ガーター. **4** 鳥もち.
hacer buena [mala] liga con 《+uno》〈人〉と折り合いが良い[悪い].

li·ga·do, da [liɣáðo, ða リガド, ダ] 過分 形《+**a**》…と結ばれた; 関連のある.

li·ga·du·ra [liɣaðúra リガドゥラ] 名女
1 (結んだ) ひも, 縄; 結び目. **2** 絆(きずな); 拘束, 束縛. **3**〔音楽〕スラー; タイ.

li·ga·men·to [liɣaménto リガメント] 名男〔解剖〕靭帯(じんたい).

li·gar [liɣár リガル] [32 **g → gu**] 動他
1 縛る, 結ぶ, くくる (=atar, sujetar). *ligar* las manos a la espalda両手を後ろ手に縛る.
2 結びつける, 関連させる. *ligar* la enfermedad con la pobreza 病気と貧困を関連づける. Además de los intereses los *ligaba* la amistad.利害関係だけでなく彼らは友情で結びついていた.
3 束縛する, 拘束する, 縛りつける. Estamos *ligados* por este contrato. 私たちはこの契約に拘束されています.
── 動自 **1**《口語》ガール[ボーイ] ハントする. *ligar* con una chica 女の子をひっかける. **2**《+**con**》…と一致する. Esto no *liga con* lo que has dicho antes. 今のことと君がさっき言ったことは一致しない.

li·ga·zón [liɣaθón リガそン] 名女 つながり, 結合, 絆(きずな).

ligera 形女 → ligero.

li·ge·ra·men·te [lixéraménte リヘラメンテ] 副 軽く, そっと; 少しばかり, かすかに.

li·ge·re·za [lixeréθa リヘレさ] 名女
1 軽さ; 軽快, 敏捷(びんしょう).
2 軽薄さ (=frivolidad). obrar con *ligereza* 軽率に振る舞う.

li·ge·ro, ra

[lixéro, ra リヘロ, ラ] 形 [複 ~s]〔英 light〕
1 軽い (↔ pesado) ; 薄い. maleta *ligera* 軽いスーツケース. abrigo *ligero* 薄手のコート. ► タバコなどが「軽い, マイルド」は suave.
2 軽快な, 敏捷(びんしょう)な. una embarcación *ligera* 快速艇. *ligero* de manos 手先の器用な.
3 わずかな, 少しの; 軽度の. herida *ligera* 軽傷. sueño *ligero* 浅い眠り.
4 軽率な, 浅薄な. tener fama de *ligera* 尻軽(しりがる)女との評判である. Es un chaval un poco *ligero* de cascos. 《口語》彼はちょっと軽い[軽率な] やつだ.
a la ligera 軽率に, 軽々しく, ぞんざいに.

li·gón, go·na [liɣón, ɣóna リゴン, ゴナ] 形《口語》プレーボーイ[ガール] である.

li·gue [líɣe リゲ] 名男《口語》ガール[ボーイ] ハント; ハントした相手.

li·gue·ro, ra [liɣéro, ra リゲロ, ラ] 形〔スポ〕リーグの. campeonato *liguero* リーグ選手権.

li·ja [líxa リハ] 名女 サンド・ペーパー, 紙やすり.

li·jar [lixár リハル] 動他 紙やすり[サンド・ペーパー] で磨く.

li·la [líla リら] 名女〔植物〕ライラック, リラ (の花). ── 名男 ライラック色, 薄紫色.

li·ma [líma リマ] 名女 **1**〔植物〕ライム.
2 やすり; やすりで磨くこと. *lima* para uñas 爪(つめ)やすり. pasar [dar con] la *lima* やすりをかける. **3** 推敲(すいこう), 磨き.
comer como una lima 大食する.

Li·ma [líma リマ] 固名 リマ: ペルー Perú の首都.

li·ma·du·ra [limaðúra リマドゥラ] 名女 やすりかけ, やすり仕上げ; [~s] やすりくず.

li·mar [limár リマル] 動他 **1** やすりをかける. **2** 推敲(すいこう)する.
limar diferencias 反目をやめる, 敵意を捨てる.

lim·bo [límbo リンボ] 名男 **1**〔植物〕葉身, 葉片. → hoja 図. **2** (太陽などの) 周縁.
3 (衣服などの) へり.
4〔数〕(分度器などの) 目盛り縁.
5〔カトリ〕リンボ, 地獄の辺土. ◆洗礼を受けずに死んだ幼児などの霊魂が住む場所.
estar en el limbo ぼんやりしている.

li·me·ño, ña [liméɲo, ɲa リメニョ, ニャ] 形 リマの.
── 名男女 リマの住民.

li·mi·ta·ción [limitaθjón リミタしオン] 名女 **1** 制限, 限定. *limitación* de velocidad スピード制限. sin *limitación* de edad 年齢を問わず. **2** 限界, 限度.

li·mi·ta·do, da [limitáðo, ða リミタド, ダ] 過分 形 **1** 限られた; 少しの, わずかな. un número *limitado* de aprobados ごく少数の合格者たち. **2** 頭の鈍い.

li·mi·tar [limitár リミタル] 動他〔英 limit〕 **1 限定する**, 制限する. *limitar* los gastos 出費を抑える. **2** 境界を定める.
── 動自《+**con**》…と境界を接する, 隣接する. España *limita* al nordeste *con* Francia. スペインは北東部でフランスと接している.
── **li·mi·tar·*se*** 《+**a**》…に限定する, とどめる; 《+**a** 不定詞》…するだけにとどめる.

L

lí·mi·te [límite リミテ] 名男 [複 ～s] 〔英 limit〕 **1 境界** (線); [普通 ～s] 国境. Montañas y ríos pueden ser los *límites* naturales de un país. 川や山は国の自然の境界線になる.
2 限度; 制限; 終わり (= término). precio *límite* 上限価格. tierra sin *límite* 果てしなく続く大地. poner (un) *límite* a《+algo》〈何か〉を終わらせる, 終わりにする.

li·mí·tro·fe [limítrofe リミトゥロフェ] 形 《+**de**》…に国境[境界]を接する, 隣接する. México y sus países *limítrofes* メキシコとその近隣諸国.

li·mo [límo リモ] 名男 泥土; ローム.

li·món [limón リモン] 名男 [複 limones] 〔英 lemon〕〔植物〕**レモン**. ➡ fruta 【参考】.
estrujar a 《+uno》 ***como un limón*** 〈人〉から搾れるだけ搾り取る.

li·mo·na·da [limonáða リモナダ] 名女 レモネード.

li·mo·nar [limonár リモナル] 名男 レモン畑.

li·mo·ne·ro, ra [limonéro, ra リモネロ, ラ] 形 レモンの.
—— 名男 〔植物〕レモンの木.

li·mos·na [limósna リモスナ] 名女 施し物, お布施. dar *limosna* 施しをする. pedir *limosna* 施しを求める. vivir de *limosna* 他人の施しで暮らす.

limpia 形女 ➡ limpio.
—— 動 ➡ limpiar.

lim·pia·bo·tas [limpjaβótas リンピアボタス] 名男女 [単・複同形] 靴磨き (人).

limpiado, da 過分 ➡ limpiar.

lim·pia·dor, do·ra [limpjaðór, ðóra リンピアドル, ドラ] 形 清掃[掃除]する, 汚れを落とす. —— 名男女 掃除人, 清掃人.

lim·pia·men·te [límpjaménte リンピアメンテ] 副 **1** きれいに, 清潔に.
2 巧妙に, 手際よく.
3 正直に, 公明正大に.

limpiando 現分 ➡ limpiar.

lim·pia·pa·ra·bri·sas [limpjaparaβrísas リンピアパラブリサス] 名男 [単・複同形] 〔車〕ワイパー. ➡automóvil 図.

lim·piar [limpjár リンピアル] 動他 [現分 limpiando ; 過分 limpiado, da] 〔英 clean〕
1 掃除する, きれいにする. *limpiar* la habitación 部屋を掃除する.
2 《+**de**》…から…を取り除く, 一掃する. *limpiar* la ciudad *de* maleantes 街から危険人物を一掃する.
3 《俗語》盗む, 奪う (= robar); (賭事(とばく)で)金を巻き上げる. Me *limpiaron* el reloj. 私は時計を盗まれた.
—— **lim·piar·*se*** (体の汚れなどを) きれいにする, ぬぐう.

lím·pi·do, da [límpiðo, ða リンピド, ダ] 形 《文語》澄みきった, 清らかな.

lim·pie·za [limpjéθa リンピエさ] 名女
1 掃除; 一掃, 掃討. hacer la *limpieza* del cuarto. 部屋の掃除をする. operación de *limpieza* 〔軍事〕掃討作戦.
2 清潔; 誠実; フェアプレー. *limpieza* de sangre 〔歴史〕血の純潔 (◆キリスト教徒として先祖に異教徒がいないこと). actuar con *limpieza* 公正に振る舞う. *limpieza* de corazón 正直, 誠実.

lim·pio, pia [límpjo, pja リンピオ, ピア] 形 [複 ～s] 〔英 clean〕 **1 きれいな**, 清潔な; きれい好きな (↔ sucio). suelo *limpio* きれいな床. Las camisas están *limpias*. それらのシャツはクリーニングが済んでいる.
2 混じり気のない, 純粋な. *limpio* de sangre 純血の.
3 純粋な, 公正な. juego *limpio* フェアプレー.
4 掛け値なしの, 正味の.
a … ***limpio*** (1)《golpe, grito, palo, tirón など単数の名詞につき, その意味を強調する》llamar *a* grito *limpio* 大声を張り上げる. (2) …だけで. *a* cuerpo *limpio* 無防備で (➡ cuerpo).
—— 動 ➡ limpiar.
en limpio (1) 正味で, 実質で. ganar tres millones de pesetas *en limpio* 手取りで300万ペセタ稼ぐ. (2) (原稿などを) きれいに. poner *en limpio* 清書する.
hacer una limpia (試験で) 落とす.
quedar en limpio que … …ということは明らかである.
sacar 《+algo》 ***en limpio*** 〈何か〉をはっきり理解する, 正確につかむ.

li·mu·si·na [limusína リムシナ] 名女 〔車〕リムジン; リムジンバス.

li·na·je [lináxe リナへ] 名男 血統, 血筋, 家柄 (=estirpe). de alto [ilustre] *linaje* 名門の. el *linaje* humano 人類.

li·na·za [lináθa リナさ] 名女 亜麻仁. aceite de *linaza* 亜麻仁油.

lin·ce [línθe リンせ] 名男 **1** 〔動物〕オオヤマネコ (大山猫). **2** 《口語》頭の切れる人.
—— 形 《口語》頭の切れる.
ojos de lince 鋭い目つき.

lin·cha·mien·to [lintʃamjénto リンチャミエント] 名男 リンチ, 私刑.

lin·char [lintʃár リンチャル] 動他 リンチにかける, 私刑にかける.

linda 形女 ➡ lindo.

lin·dan·te [lindánte リンダンテ] 形 《+**con**》…に隣接する, 隣り合った. *lindante con* el jardín 庭に接した.

lin·dar [lindár リンダル] 動自 《+**con**》
1 …に隣接する, 隣り合う. Deseo comprar el solar que *linda con* el parque. 私は公園に隣接する土地を買いたい.
2 …と紙一重である. *lindar con* la locura 気違いじみている.

lin·de [línde リンデ] 名女 (時に男) 境界, 境界線 (=límite).
lin·de·ro, ra [lindéro, ra リンデロ, ラ] 形 → lindante.
—— 名男 境界 (=linde).
lin·de·za [lindéθa リンデさ] 名女 **1** きれいさ, 愛らしさ.
2 [～s] 《口語》悪口雑言 (=insultos). Me soltó mil *lindezas*. 彼は口汚く私をののしった.
lin·do, da [líndo, da リンド, ダ] 形 [複 ～s] 〔英 pretty〕 **1** かわいい, 愛らしい; すばらしい, すてきな (= bonito, precioso). ► 中南米で多く用いられる. → hermoso【参考】.
2 《口語》《反語》結構な, ご立派な.
de lo lindo 大いに, 非常に.
lí·ne·a [línea リネア] 名女 [複 ～s] 〔英 line〕
1 線. trazar una *línea* 線を引く. *línea* punteada [de puntos] 点線. *línea* curva 曲線. *línea* ecuatorial [equinoccial] 〔地理〕赤道(線).
2 輪郭, 外形. un coche esbelto de *línea* スマートなボディーラインの車.
3 列, 並び. *línea* de casas 家並み.
4 (文書の)行. un párrafo de diez *líneas* 10行からなる節. poner unas *líneas* a 《+uno》〈人〉に一筆したためる.
5 電線, 電話線; 路線. La *línea* está ocupada. 《電話》ただ今お話し中です. *línea* marítima [aérea] 航[航空]路.
6 家系, 血統. de *línea* paterna [materna] 父方[母方]の.
7 戦線, 戦列 (= *línea* de batalla).
8 方針. *línea* de conducta 行動の指針.
9 種類, 等級. en primera *línea* 一流の.
en línea recta じかに, 単刀直入に.
en líneas generales おおよそ, 大ざっぱに.
en toda la línea (1) あらゆる点で, 完全に. ►triunfar, vencer, ganar, derrotar などの動詞と共に用いられる. (2) 全線にわたって.
línea recta 直線; (家系が)直系.
una línea de ... 一連の…, 一続きの….
li·ne·al [lineál リネアる] 形 線状の; 線形の. dibujo *lineal* 線画.
lin·fa [línfa リンファ] 名女 〔解剖〕リンパ(液).
lin·fá·ti·co, ca [limfátiko, ka リンファティコ, カ] 形 **1** 〔解剖〕リンパ(液)の. glándula *linfática* リンパ腺(せん). **2** 無気力な.
lin·go·te [liŋgóte リンゴテ] 名男 鋳塊, インゴット. *lingote* de oro 金の延べ棒, 金塊.
lin·güis·ta [liŋgwísta リングイスタ] 名男女 言語学者.
lin·güís·ti·co, ca [liŋwístiko, ka リングイスティコ, カ] 形 言語の; 言語学の. atlas *lingüístico* 言語地図.
—— 名女 言語学.
li·ni·men·to [liniménto リニメント] 名男 〔薬〕リニメント剤, 塗布剤.
li·no [líno リノ] 名男 **1** 〔植物〕アマ(亜麻).
2 亜麻布, リンネル.
li·nó·le·o [linóleo リノれオ] / **li·nó·leum** [-leum -れウン] 名男 リノリウム.
lin·ter·na [linterna リンテルナ] 名女 **1** 懐中電灯. **2** カンテラ, ランタン, ちょうちん.
lí·o [lío リオ] 名男 **1** 《口語》紛糾; 面倒なこと. andar siempre metido en *líos* いつも面倒なことに首を突っ込む. armar [formar] un *lío* 面倒を起こす. En buen *lío* nos hemos metido. やれやれ厄介なことになったもんだ.
2 包み. *lío* de ropa 衣類の包み.
3 色恋ざた, 情事. Tiene un *lío* con la secretaria. 彼は秘書といい仲になっている.
4 《ラ米》うわさ, ゴシップ.
lio·so, sa [ljóso, sa りオソ, サ] 形 《口語》いざこざを起こす; もつれた, 込み入った.
li·quen [líken りケン] 名男 〔植物〕地衣類.
líquida 形女 → líquido[1].
li·qui·da·ción [likiðaθjón りキダしオン] 名女 **1** 〔商業〕清算, 決済. *liquidación* judicial 会社更正法による清算. hacer *liquidación* 清算する.
2 大安売り, 在庫一掃. vender en *liquidación* バーゲンセールをする.
li·qui·dar [likiðár りキダル] 動他
1 清算する, 決済する. *liquidar* las deudas 借金を返済する.
2 (在庫一掃の)安売りをする. *liquidar* todas las mercancías 全商品を売り払う.
3 解決する, けりをつける; 殺す, 消す. *liquidar* una situación difícil 苦境を脱する.
li·qui·dez [likiðéθ りキデす] 名女 (資産などの)流動性, 換金性.
lí·qui·do[1], da [líkiðo, ða りキド, ダ] 形 [複 ～s] 〔英 liquid〕 **1** 液体の, 液状の. alimento *líquido* 流動食.
2 〔商業〕決算した; 正味の. sueldo *líquido* 手取りの給料.
lí·qui·do[2] [líkiðo りキド] 名男 [複 ～s] 〔英 liquid〕 **1** 液体, 流動体. ► 固体は sólido, 気体は gas.
2 〔商業〕決算高; 正味金額, 資産額. *líquido* imponible 課税対象純所得.
li·ra [líra りラ] 名女 **1** リラ: イタリアの旧通貨単位. **2** 〔音楽〕リラ, 竪琴(たてごと).
3 〔詩〕リラ: 叙情詩の一種.
lí·ri·co, ca [líriko, ka りリコ, カ] 形 叙情的な, 叙情詩の (↔ épico). poesía *lírica* 叙情詩.
—— 名男女 叙情詩人.
—— 名女 叙情詩. ► 叙事詩は épica.
li·rio [lírjo りリオ] 名男 〔植物〕アイリス, アヤメ(菖蒲). *lirio* blanco 白ユリ.
li·ris·mo [lirísmo りリスモ] 名男 叙情性,

リリシズム.

li·rón [lirón リロン] 名男 〘動物〙ヤマネ (冬眠鼠).
dormir como un lirón 《口語》ぐっすり眠る.

lis [lís リス] 名女 〘植物〙➡ lirio. flor de *lis* 〘紋章〙ユリの花.

Lis·bo·a [lisβóa リスボア] 固名 リスボン: ポルトガル Portugal の首都.

lis·bo·e·ta [lisβoéta リスボエタ] 形 リスボンの. ── 名男女 リスボンの住民.

li·sia·do, da [lisjáðo, ða リシアド, ダ] 過分 形 体に障害のある.
── 名男女 身体障害者.

li·siar [lisjár リシアル] 動他 (体を) 傷つける.

li·so, sa [líso, sa リソ, サ] 形 **1** 滑らかな; 平らな; (髪が) 縮れていない. superficie *lisa* 滑らかな表面. tener un cutis *liso* すべすべした肌をしている.
2 〘服飾〙飾りのない; 無地の. falda *lisa* (プリーツのない) シンプルなスカート. camisa *lisa* 無地のシャツ.
3 障害のない; 容易な. carrera de cien metros *lisos* 100メートル競走.
4 《ラ米》厚かましい, ずうずうしい.
liso y llano 率直な, 単刀直入の; ありのままの.

L

li·son·ja [lisóŋxa リソンハ] 名女 へつらい, おべっか, 追従.

li·son·je·ar [lisoŋxeár リソンヘアル] 動他
1 へつらう, おもねる. Le gusta que los hombres la *lisonjeen*. 彼女は男たちにちやほやされるのが好きだ.
2 得意がらせる, うぬぼれさせる; 自尊心をくすぐる.

li·son·je·ro, ra [lisoŋxéro, ra リソンヘロ, ラ] 形 おべっかを使う, へつらいの. palabras *lisonjeras* お世辞.
── 名男女 へつらう人, おべっか使い.

lis·ta [lísta リスタ] 名女 [複 ~s] 〔英 list; stripe〕 **1** 表; リスト, 名簿. poner en la *lista* リストに載せる. *lista* de pasajeros 〘航空〙乗客名簿. *lista* negra ブラックリスト.
2 縞(しま), 縞模様. camiseta a *listas* azules y blancas 青と白の縞模様のシャツ.
3 〘料理〙メニュー. *lista* de vinos ワインリスト.
── 形女 ➡ listo.
pasar lista 出席を取る, 点呼を取る.

lis·ta·do, da [listáðo, ða リスタド, ダ] 過分 形 縞(しま)模様の. un jersey *listado* de azul y blanco 青と白の縞のセーター.

lis·tar [listár リスタル] 動他 リスト[名簿]に載せる (= alistar).

lis·tín [listín リスティン] 名男 小型の名簿 [リスト]. *listín* de teléfonos 電話帳.

lis·to, ta [lísto, ta リスト, タ] 形 [複 ~s] 〔英 clever; ready〕 **1** 賢い, 利口な; 抜けめがない (= inteligente) (↔ tonto).
2 用意のできた, 準備の整った. ¿Estás *listo* para el viaje? 旅行の用意はできた? Todo está *listo*. 準備万端整っています.
¡Estamos listos! 《口語》困ったことになったぞ.
pasarse de listo 利口すぎる, 考えすぎて誤る.

lis·tón [listón リストン] 名男 **1** 細長い板.
2 〘スポーツ〙(ハイジャンプなどの) バー.

li·su·ra [lisúra リスラ] 名女 **1** 滑らかさ, 平坦(へいたん). *lisura* de cutis 肌の滑らかさ.
2 飾り気のなさ, 率直さ.
3 《ラ米》厚かましさ.

li·te·ra [litéra リテラ] 名女 **1** (船・列車の) 作りつけ寝台. **2** 輿(こし).

li·te·ral [literál リテラル] 形 文字どおりの; 逐語的な. traducción *literal* 逐語訳.

li·te·ral·men·te [literálménte リテラルメンテ] 副 文字どおりに; 完全に. Estoy *literalmente* molido. 私はへとへとに疲れている.

li·te·ra·rio, ria [literárjo, rja リテラリオ, リア] 形 文学の, 文学的な. obra *literaria* 文学作品. estilo *literario* 文語体.

li·te·ra·to, ta [literáto, ta リテラト, タ] 名男女 文学 (研究) 者; 作家 (= escritor).
── 形 文学に通じた.

li·te·ra·tu·ra [literatúra リテラトゥラ] 名女 [複 ~s] 〔英 literature〕 **文学**; 文学研究. *literatura* latinoamericana ラテンアメリカ文学. *literatura* comparada 比較文学. ► 文学部は Facultad de Letras.

lí·ti·co, ca [lítiko, ka リティコ, カ] 形 石の; 〘医〙結石の.

li·ti·gan·te [litiɣánte リティガンテ] 形 〘法律〙訴訟している, 係争中の. las partes *litigantes* 訴訟当事者.

li·ti·gar [litiɣár リティガル] [32 g ➡ gu] 動自 **1** 〘法律〙訴訟を起こす. *Litigó* contra su hermano por [sobre] la herencia. 彼は遺産をめぐって兄[弟]に対する訴訟を起こした.
2 論争する, 言い争う.

li·ti·gio [litíxjo リティヒオ] 名男 **1** 〘法律〙訴訟, 係争. **2** 論争, 紛争.

li·tio [lítjo リティオ] 名男 〘化〙リチウム.

li·to·gra·fí·a [litoɣrafía リトグラフィア] 名女 リトグラフ, 石版画; 石版印刷 (術).

li·to·ral [litorál リトラル] 形 沿岸の, 沿海の. ── 名男 沿岸, 沿海地方.

li·tro [lítro リトゥロ] 名男 [複 ~s] 〔英 liter〕 **リットル**: 容積の単位 《略 l》. veinte *litros* de gasolina ガソリン20リットル. botella de tres cuartos de *litro* 750 cc 入りの瓶.

li·tua·no, na [litwáno, na リトゥアノ, ナ] 形 リトアニア Lituania の.
── 名男女 リトアニア人.
── 名男 リトアニア語.

li·tur·gia [litúrxja リトゥルヒア] 名女 〘宗教〙典礼, 礼拝式. *liturgia* romana カトリック典礼.

li·túr·gi·co, ca [litúrxiko, ka リトゥルヒコ, カ] 形 典礼の.

li·vian·dad [liβjandáð リビアンダ(ドゥ)] 名女 ささいなこと; 軽薄; ふしだら.

li·via·no, na [liβjáno, na リビアノ, ナ] 形 **1** (程度の) 軽い; つまらない, ささいな. **2** 軽薄な; ふしだらな.

li·vi·dez [liβiðéθ リビデす] 名女 青白さ, 蒼白(そうはく).

lí·vi·do, da [líβiðo, ða リビド, ダ] 形 青白い, 蒼白(そうはく)の.

Ll, ll [éʎe エリェ] 名女 旧スペイン語字母の一つ.

lla·ga [ʎáɣa リャガ] 名女 潰瘍(かいよう), 傷口; 心の傷, 痛手. renovar la *llaga* 古傷にさわる.

lla·ma [ʎáma リャマ] 名女 **1** 炎, 火炎. Las *llamas* se extendieron a la casa vecina. 火の手は隣家まで広がった. la *llama* de amor 愛の炎. **2** 〘動物〙ラマ, リャマ. ◆Andes の高地に生息するラクダ科の家畜.
—— 動 ➡ llamar.

lla·ma·da [ʎamáða リャマダ] 名女 〔英 call〕 **1** 呼ぶこと, 呼び声; ノック, (呼び鈴の) 音. acudir a la *llamada* de《+uno》〈人〉に呼ばれて行く. **2**《電話》呼び出し, 通話; 呼び出し音. hacer una *llamada* 電話をかける. *llamada* internacional 国際電話. *llamada* gratuita フリーダイヤル (= teléfono gratuito). **3** 点呼; 召集. **4** 使命感; 誘惑. sentir la *llamada* del deber 使命を感じる. **5** 参照記号, 注意記号 (*, †, ‡, §).
—— 過分女 ➡ llamar.
—— 形女 ➡ llamado.

lla·ma·do, da [ʎamáðo, ða リャマド, ダ] 過分 ➡ llamar.
—— 形 …という名の, いわゆる. los *llamados* juegos de la suerte いわゆる賭博(とばく). una ciudad *llamada* Ávila アビラという名の町.
—— 名男 呼び声.

lla·ma·dor [ʎamaðór リャマドル] 名男 (ドアの) ノッカー, 呼び鈴.

lla·ma·mien·to [ʎamamjénto リャマミエント] 名男 呼びかけ, 訴え, 要請; 〘軍事〙召集; 神のお召し. hacer un *llamamiento* a la opinión pública 世論に訴える.

llamando 現分 ➡ llamar.

lla·mar

[ʎamár リャマル] 動他 [現分 llamando ; 過分 llamado, da] 〔英 call〕
1 呼ぶ; 呼び出す, 呼び寄せる, 招集する. Me *llamó* desde la otra acera. 向こう側の歩道から彼は私を呼んだ. Me *llamó* con la mano. 彼は私を手招きした. Por favor, *llame* usted un taxi. タクシーを一台呼んでください. *Llá*meme mañana a las seis. 明朝6時に私を起こしてください. Le *llamaron* a Tokyo a dirigir la orquesta. 彼はオーケストラを指揮するために東京に呼ばれた.
2 …に電話する (=*llamar* por teléfono). Te *llamaré* esta noche. 今晩君に電話するよ.
3 …と呼ぶ, 通称で呼ぶ. La *llamamos* Maite. 私たちは彼女をマイテと呼ぶ. Teme que le *llamen* avaro. 彼はけちと言われることを恐れている. Ya nadie le *llama* por su nombre. 今では誰も彼のことを本名で呼ばない.
4 引き付ける, 魅了する (=atraer). Dinero *llama* dinero. 金は金を呼ぶ.
—— 動自 ノックする, 呼び鈴を鳴らす (=*llamar* a la puerta).
—— **lla·mar·*se*** 〔英 be called, be named〕

直説法 現在	
1·単 **me llamo**	1·複 **nos llamamos**
2·単 **te llamas**	2·複 **os llamáis**
3·単 **se llama**	3·複 **se llaman**

…という名前である, …と呼ばれる. ¿Cómo *te llamas*?—*Me llamo* Pepe. 君の名前は? —ペペです. El tren más rápido de España *se llama* AVE. スペインでいちばん速い列車はAVEです.

lla·ma·ra·da [ʎamaráða リャマラダ] 名女 ぱっと燃え上がる炎; (感情の) ほとばしり.

lla·ma·ti·vo, va [ʎamatíβo, βa リャマティボ, バ] 形 けばけばしい; 人目を引く. una corbata *llamativa* 派手なネクタイ.

lla·me·an·te [ʎameánte リャメアンテ] 形 炎を上げる; 燃えるような. horizonte *llameante* 赤く染まった地平線.

lla·me·ar [ʎameár リャメアル] 動自 めらめらと燃える.

lla·na [ʎána リャナ] 名女 (左官の) こて
—— 形女 ➡ llano[1].

lla·na·men·te [ʎánaménte リャナメンテ] 副 気取らずに, 率直に.

lla·ne·za [ʎanéθa リャネさ] 名女 飾り気のなさ, 気さくさ; 平易さ.

lla·no[1], na [ʎáno, na リャノ, ナ] 形 [複 ~s] 〔英 flat〕 **1 平らな**, 平坦(へいたん)な. terreno *llano* 平地. **2** 飾り気のない, 気さくな. modales *llanos* 飾らない態度. persona *llana* 気さくな人. **3** 平易な, 普通の. expresión *llana* 平易な表現. pueblo *llano* 平民. **4** 〘文法〙最後から2番目の音節にアクセントがある (=grave).
a la llana 飾らずに, 気取らずに, 率直に.
de llano 率直に, あからさまに, はっきりと.

L

lla·no² [ʎáno リャノ] 名男 平地，平原 (＝llanura).

llan·ta [ʎánta リャンタ] 名女 《車》(車輪の)リム;《ラ米》タイヤ. ➡ automóvil 図.

llan·te·ra [ʎantéra リャンテラ] 名女 《口語》おいおい泣くこと. coger una *llantera* 泣きじゃくる.

llan·ti·na [ʎantína リャンティナ] 名女 《口語》➡ llantera.

llan·to [ʎánto リャント] 名男 泣くこと; 号泣; すすり泣き; 涙. prorrumpir [romper] en *llanto* わっと泣き出す.

lla·nu·ra [ʎanúra リャヌラ] 名女 平原，平野. la *Llanura* Pampeana パンパ平原 (➡ pampa).

lla·ve [ʎáβe リャベ] 名女 [複 ～s] 〔英 key〕

1 鍵(かぎ), キー. cerrar la puerta con *llave* / echar la *llave* a la puerta ドアに鍵をかける. *llave* maestra [duplicada] マスター[スペア]キー. ► 錠は cerradura.

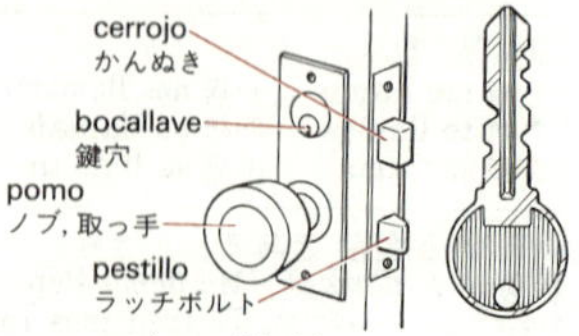

cerradura cilíndrica シリンダー錠　llave 鍵

2 スパナ，レンチ; (時計の)ねじ. *llave* ajustable 自在スパナ.

3 (ガス・水道などの)栓，コック; (電気の)スイッチ. *llave* de paso バルブ.

4 《比喩》鍵，秘訣(ひけつ); 手掛かり，糸口. José tiene la *llave* para resolver este conflicto. ホセが紛争解決の鍵を握っている.

5 中括弧 ({　}); 角括弧 (＝corchete) ([　]).

bajo [***debajo de***] ***llave*** 鍵をかけて.

bajo [***debajo de***] ***siete llaves*** 厳封して，厳重に保管して.

llave de la mano (手を開いて)親指の先から小指の先までの長さ. ➡ palmo.

lla·ve·ro [ʎaβéro リャベロ] 名男 キーホルダー.

lla·vín [ʎaβín リャビン] 名男 [llave の小] (小形の)鍵(かぎ).

lle·ga·da [ʎeɣáða リェガダ] 名女 [複 ～s] 〔英 arrival〕 **到着**，到来 (↔salida). esperar la *llegada* del avión 飛行機の到着を待つ. la *llegada* del verano 夏の訪れ.
—— 過分 女 ➡ llegar.

llegado, da 過分 ➡ llegar.

llegando 現分 ➡ llegar.

lle·gar [ʎeɣár リェガル] [32 g ➡ gu] 動自 [現分 llegando ; 過分 llegado, da] 〔英 arrive〕

1 《＋a》 **…に着く**，到着する; 届く，到来する. Dentro de poco *llegaremos a*l aeropuerto. 間もなく飛行場に到着します. Anoche *llegué a* casa muy tarde. ゆうべ私はとても遅く家に帰った. Siempre *llega* puntual. 彼はいつも来る時間が正確だ. El paquete *llegó* completamente destrozado. 荷物が届いたとき完全に壊れていた. *Ha llegado* la hora de decir la verdad. もう本当のことを言うべき時だ.

2 《＋**a, hasta**》…に達する，…まで到達する. *llegar a* un acuerdo [*a* la conclusión] 合意[結論]に達する. *llegar a* la mayoría de edad 成年に達する. La autopista no *ha llegado* todavía *hasta* este pueblo. ハイウエーはまだこの村まで延びていない. La planta ha crecido tanto que pronto *llegará a*l techo. その植物は成長が早いので，やがて天井まで達するだろう. El agua le *llegó a*l cuello. 水は彼の首の高さまで来た. Los aspirantes no *llegaron a* cien. 応募者は100人に達しなかった.

3 《**a**＋不定詞》 **…するに至る**; …になる，することになる. El que fue actor de cine *llegó a* ser Presidente de la nación. 映画俳優だった人が大統領の位にまで登りつめた. Aún no *llego a* comprenderlo bien. まだ私にはよく飲み込めない. Me da mucha pena pensar que esa chica tan feliz pueda *llegar a* ser una desgraciada. あんなに幸せな娘が不幸になることもあるかと思うと哀れでならない.

llena 形女 ➡ lleno.
—— 動 ➡ llenar.

llenado, da 過分 ➡ llenar.

llenando 現分 ➡ llenar.

lle·nar [ʎenár リェナル] 動他 [現分 llenando ; 過分 llenado, da] 〔英 fill〕

1 《＋**de**》 **…でいっぱいにする**，満たす. *Llene* el depósito (de gasolina), por favor. 満タンにしてください. Las banderas del equipo *llenaron* la plaza. チームの旗が広場を埋めつくした. Su respuesta me *llenó de* confusión. 彼の返事を聞いて何がなんだかさっぱり訳が分からなくなった. *llenar* a 《＋uno》 *de* elogios [injurias] 〈人〉をほめちぎる[罵倒(ばとう)する].

2 (要求などを)満たす (＝cumplir, satisfacer).

3 書き込む，記入する (＝rellenar).

—— **lle·nar·*se*** 《＋**de**》…でいっぱいになる. La sala *se llenó de* humo de tabaco. 部屋にタバコの煙が充満した. Sus ojos *se llenaron de* alegría [lágrimas]. 彼女の目は喜び[涙]であふれた.

lle·no, na [ʎéno, na リェノ, ナ] 形 [複 ～s] 〔英 full〕

1 《＋**de**》 **…でいっぱいの**，…に満ちた. Por la huelga de los barrenderos las calles están *llenas de* basura. 清掃人の

ストライキで通りはごみだらけだ. una caja *llena de* bombones チョコレートボンボンのいっぱい詰まった箱. El tren iba *lleno* hasta los topes. 電車は超満員だった. Ya estoy *lleno*. もう満腹だ. Di un paseo por el jardín a la luz de la luna *llena*. 満月の光を浴びて私は庭を散歩した.

2 やや太りぎみの, ぽっちゃりした.

── 動 ➡ llenar.

de lleno 完全に (＝enteramente).

afectar *de lleno* a 《＋uno》〈人〉が影響などをもろに受ける.

lle·va·de·ro, ra [ʎeβaðéro, ra リェバデロ, ラ] 形 我慢できる, 辛抱できる.

llevado, da 過分 ➡ llevar.

llevando 現分 ➡ llevar.

lle·var

[ʎeβár リェバル] 動 他 [現分 llevando ; 過分 llevado, da] 〔英 carry, take〕

1 持って行く, 連れて行く, 運んで行く (↔ traer). *llevar* el coche al taller 車を修理工場へ持って行く. *llevar* la maleta en el coche スーツケースを車で運ぶ. *llevar* a 《＋uno》 de la mano 〈人〉の手を引いて連れて行く.

2 身につけている, 着ている; 持っている. *llevar* (una) chaqueta [(unos) vaqueros, gafas] 上着を着ている[ジーンズをはいている, 眼鏡をかけている]. *llevar* el pelo largo [bigote] 長い髪をしている[ひげを生やしている]. Este coche *lleva* dirección asistida. この車はパワステだ. La moneda *lleva* una cruz en el reverso. コインの裏には十字架の模様が付いている. No *llevo* mucho dinero. 私はあまり金を持っていない. ¿Qué *llevas* en la mano? 手の中は何?

3 《期間を表す語を伴って》 (1) …を経過している. ¿Cuánto tiempo *llevas* en Tokyo? 君は東京にどのくらい住んでいるの? *Llevo* dos años estudiando español. 私はスペイン語を勉強し始めて 2 年になる. *llevar* un mes en la cama 1 か月病床にいる. (2) …がかかる. Este trabajo me *ha llevado* tres meses. この仕事は 3 か月かかった.

4 指揮する, 運営する, 担当する. ¿Quién *lleva* la empresa? 会社は誰が采配(さいはい)を振るっているのか? Aquella señorita *lleva* la correspondencia. 通信業務の担当はあの彼女です. Con tantos estudiantes no sé cómo *llevar* la clase. こんなに学生が多くてはどんな授業をしたらいいのか分からない.

5 《＋過去分詞》…してある. *Lleva* muy atrasado el estudio. 彼は勉強がとても遅れている.

6 (生活を) 送る. *Llevaba* una vida miserable. 彼は貧しい生活を送っていた.

7 《間接目的語を伴って》…より上回る. Sólo le *llevo* unos centímetros [dos años] a tu hermano. 僕の方が君の兄さんより数センチ高い[2 歳年上な]だけだ.

8 《口語》(代金を) 請求する (＝cobrar). ¿Cuánto nos van a *llevar* por la reparación? 修理代はいくらかかるだろうか.

── 動 自 《＋ **a**》…に導く. *llevar a* la victoria 勝利に導く. *llevar a* la práctica 実行に移す. ¿*A* dónde *lleva* este camino? この道を行くとどこへ行けるのだろう?

── **lle·var·se 1** 持って行く; 持ち去る. *Llévate* el paraguas. 傘を持って行きなさい. El ladrón *se llevó* todo el dinero que había en la caja. 泥棒は金庫にあった金を全部持っていってしまった.

2 (賞を) 獲得する; (罰などを) 受ける.

3 (不快なことを) 経験する. *llevarse* un susto ぎくりとする.

4 流行している (＝estar de moda).

dejarse llevar de [***por***] … 人の言いなりになる; …にとらわれやすい. *dejarse llevar de* prejuicios 先入観にとらわれやすい.

***llevar con*SIGO** (必然的に) 伴う; 連れて行く.

llevar en sí 包含する.

llevarse bien con 《＋uno》〈人〉とうまくいく[気が合う].

【参 考】llevar と traer

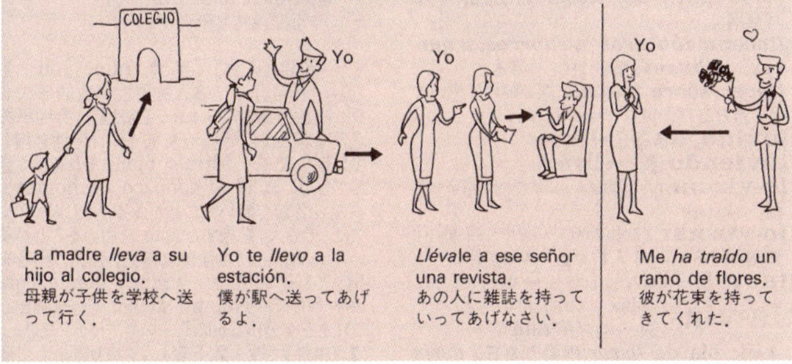

La madre *lleva* a su hijo al colegio.
母親が子供を学校へ送って行く.

Yo te *llevo* a la estación.
僕が駅へ送ってあげるよ.

Llévale a ese señor una revista.
あの人に雑誌を持っていってあげなさい.

Me *ha traído* un ramo de flores.
彼が花束を持ってきてくれた.

L

llorado, da 過分 → llorar.
llorando 現分 → llorar.

llo·rar [ʎorár リョラル] 動自 [現分 llorando ; 過分 llorado, da] 〔英 cry〕 泣く, 涙を流す. No *llores*, por favor. お願いだから泣かないで. *llorar* de pena 悲しくて泣く. Me *lloran* los ojos continuamente por el polen. 花粉症で涙が出て止まらない (► しばしば間接目的語を伴う).
—— 動他 **1** 悲しむ, 嘆く. *llorar* la muerte de … …の死を嘆き悲しむ.
2 後悔する. Un día *llorarás* tu pereza. 億劫(おっくう)がっているといつか後悔するぞ.
El que no llora no mama. 《諺》泣かぬ子は乳にありつけない.

llo·ri·ca [ʎoríka リョリカ] 名男女 《口語》泣き虫.
llo·ri·que·ar [ʎorikeár リョリケアル] 動自 すすり泣く, しくしく泣く.
llo·ri·que·o [ʎorikéo リョリケオ] 名男 すすり泣き, しくしく泣くこと.
llo·ro [ʎóro リョロ] 名男 泣くこと.
—— 動 → llorar.
llo·rón, ro·na [ʎorón, róna リョロン, ロナ] 形 泣き虫の. —— 名男女 泣き虫.
llo·ro·so, sa [ʎoróso, sa リョロソ, サ] 形 泣きはらした; 涙ぐんだ, 今にも泣きそうな.

L

llo·ver [ʎoβér リョベル] [35 o → ue] 動自 [現分 lloviendo ; 過分 llovido, da] 〔英 rain〕

直説法 現在	
1·単 ***lluevo***	1·複 **llovemos**
2·単 ***llueves***	2·複 **llovéis**
3·単 ***llueve***	3·複 ***llueven***

1 雨が降る. Mañana *lloverá*. 明日は雨だろう. ► この意味では 3 人称単数.
2 《比喩》雨あられと降る, わんさと押し寄せる. Este año me *han llovido* las desgracias. 今年はいろいろな災難が降りかかってきた.
como llovido (del cielo) 不意に, 出し抜けに, 降ってわいたように.
como quien oye llover 知らん顔で, 馬耳東風で.
llover a cántaros [a chorros, a mares, a chuzos] 雨がはげしく降る.
llover sobre mojado 悪い時には悪いことが重なる(弱り目にたたり目).

llovido, da 過分 → llover.
lloviendo 現分 → llover.
llo·viz·na [ʎoβíθna リョビスナ] 名女 霧雨, こぬか雨.
llo·viz·nar [ʎoβiθnár リョビスナル] 動自 霧雨が降る. ► 3 人称単数のみに活用.
lluev- 動 → llover. [35 o → ue]

llu·via [ʎúβja リュビア] 名女 [複 ～s] 〔英 rain〕
1 雨. día de *lluvia* 雨降りの日. *lluvia* ácida 酸性雨. **2** 《比喩》雨; 多量. *lluvia* de preguntas 質問の雨.

llu·vio·so, sa [ʎuβjóso, sa リュビオソ, サ] 形 雨の多い, 多雨の.

lo [lo ロ] 冠 《定》《中性》〔英 the〕
《抽象名詞化・集合名詞化の働きをする》(1) 《＋形容詞・過去分詞・副詞》(…な) こと, もの, 場所. *lo* útil y *lo* agradable 有益さと快適さ. en *lo* alto de la montaña 山の上に. Quédate con *lo* tuyo, que yo me quedo con *lo* mío. 自分の分はしまっておきなさい, 私も自分の分を取っておくから. hacer todo *lo* posible できる限りのことをする.
(2) 《比較級に付けて最上級を作る》いちばん…なこと[もの]. un vestido de *lo* más elegante 最も優雅なドレス. *Lo* mejor es no decir nada. 黙っていた方がいい. No me interesa *lo* más mínimo su opinión. 彼がどう言おうと私はちっとも構わない (► しばしば副詞句を作る).

【文 法】 **lo**＋形容詞・副詞 **que** …
《程度についての強調構文で》どんなに…であるか.
¿Has visto *lo* serio *que* está papá (＝qué serio está papá)? ¿Qué habrá pasado?
お父さんが難しい顔をしているのに気がついた？何があったんだろう？
¡*Lo* guapas *que* iban las niñas(＝qué guapas iban…)!
女の子たちはなんときれいだったことか (► 形容詞は que 以下の主語の性・数に一致する).
No sabes *lo* (mucho) *que* me ha dolido tu actitud(＝cuánto me ha dolido…).
君の態度が僕にはとても悲しかったよ.
Es increíble *lo* poco *que* saben los alumnos (＝ qué poco saben …).
生徒たちがこんなにもできないなんて信じられない.
¡*Lo* bien *que* te sienta ese traje (＝ Qué bien te sienta …)!
その服とっても似合うよ.

—— 代名 《人称》〔英 it, him, you〕 **1** 《直接目的語》(1) [3 人称男性単数弱形代名詞; 複数形 los. → me 【文法】] (男性単数名詞を指して) それを; 彼を, (男性を指して) あなたを. Míra*lo* bien. それをよく見てごらん. A él *lo* conozco de nombre. 彼なら名前を聞いたことがある. ► スペインでは「男の人」を指すとき le を用いることが多い. (2) 《中性》《抽象的な事柄, 前出の内容を指して》 そのこと. ¿Sabes dónde está ese cine?—No, no *lo* sé. その映画館どこにあるか分かるかい？—いや, 分からないよ.
2 《中性》[性・数不変] 《主格補語として形

容詞・無冠詞名詞・過去分詞などの代わりに用いて》そう, それ. ¿Sois japoneses? — Sí, *lo* somos. 君たちは日本人かい？—そうだよ. María está muy cansada, pero yo no *lo* estoy tanto. マリアはとても疲れているけど, 私はそれほどでもない.

a lo 《＋形容詞》(► 副詞句を作る.) Tu tío vive *a lo* grande. 君の叔父さんはぜいたくな暮らしをしているなあ.

lo de ... …のこと, …の件 (＝eso [aquello] de ...). *Lo de* ayer no tiene importancia. No te preocupes. きのうのことは大したことではない. 心配しなくていいよ. *Lo de* ir a Roma se ha estropeado. ローマに行く計画はだめになった. *Lo de*l libro de Pedro no ha resultado. ペドロの本の件はうまくいかなかった.

lo·a [lóa ろア] 名女 **1** 賞賛 (＝elogio).
2 (古典劇の) 前口上; 寸劇.

lo·a·ble [loáβle ろアブれ] 形 賞賛に値する.

lo·ar [loár ろアル] 動他 賞賛する.

lo·ba·to [loβáto ろバト] / **lo·bez·no** [loβéθno ろベすノ] 名男 オオカミ (狼) の子.

lo·bo [lóβo ろボ] 名男 〘動物〙 (1) オオカミ (狼). (2) 《ラ米》コヨーテ.

Está como boca de lobo. 真っ暗である.

meterse en la boca del lobo 虎穴(こけつ)に入る, 危険に身をさらす.

ser un lobo con piel de oveja 《口語》羊の皮を着たオオカミだ.

ló·bre·go, ga [lóβreɣo, ɣa ろブレゴ, ガ] 形 暗い, 陰鬱(いんうつ)な.

lo·bre·guez [loβreɣéθ ろブレゲす] 名女 暗さ; 陰鬱(いんうつ).

lo·bu·la·do, da [loβuláðo, ða ろブらド, ダ] 形 小葉に分かれた. arco *lobulado* 小葉状アーチ. ➡ arco 図.

ló·bu·lo [lóβulo ろブろ] 名男 **1** 〘植物〙 小葉. **2** 〘解剖〙 葉. *lóbulo* del hígado 肝葉. **3** 〘建築〙 小葉状切れ込み. ➡ lobulado.
4 耳たぶ.

lo·bu·no, na [loβúno, na ろブノ, ナ] 形 オオカミ (狼) の (ような).

loca 形名女 ➡ loco.

lo·cal [lokál ろカる] [複 ～es] 形 〔英 local〕 **1 地方の**, その土地 (だけ) の. equipo *local* 地元チーム. hora *local* 現地時間.
2 局地の; 局部の. guerra *local* 局地戦. anestesia *local* 局部麻酔.
—— 名男 (建物内の) 場所, 部屋; 施設. alquilar un *local* ビルの一室を借りる. *local* público 公共施設.

lo·ca·li·dad [lokaliðáð ろカりダ(ド ゥ)] 名女 **1** (劇場などの) 座席; 座席券, 入場券 (＝entrada). sacar una *localidad* 入場券を買う. venta de *localidades* チケットの発売; 切符売り場.
2 町, 村; (ある) 場所, 土地, 地方.

lo·ca·lis·mo [lokalísmo ろカりスモ] 名男 **1** 地方訛(なま)り. **2** 郷土愛; 地方主義.

lo·ca·li·za·ción [lokaliθaθjón ろカりさしオン] 名女 **1** 所在[位置]の確認.
2 局限, 局地化.

lo·ca·li·zar [lokaliθár ろカりさル] [39 z ➡ c] 動他 **1** …の所在[位置]を突きとめる.
2 局限する, 局地化する. *localizar* una epidemia [un fuego] 伝染病[火事]を食い止める.
—— **lo·ca·li·zar·*se*** 局部に限定される. El dolor *se* me *ha localizado* en la espalda. 痛みは背中に集中した.

lo·ca·men·te [lókaménte ろカメンテ] 副 狂ったように, 夢中で; むやみやたらに.

lo·ca·tis [lokátis ろカティス] 名男女 [単・複同形] 《口語》気がふれた人 (＝loco).

lo·ción [loθjón ろしオン] 名女 化粧水, ローション. *loción* capilar ヘアローション.

lo·co, ca

[lóko, ka ろコ, カ] [複 ～s] 形 〔英 mad〕
1 気の狂った, 狂気の (↔cuerdo). No seas *loco*. ばかなことを言う[する] な. ¿Estás *loco*? ¿Cómo se te ocurre una cosa así? 気でも狂ったのか？どうしてそんなことを考えるんだ.
2 途方もない, 常軌を逸した; すばらしい. precio *loco* 法外な値段. un éxito *loco* 大成功.
3 《口語》《＋**con, por**》…に熱狂した, 夢中になった. estar *loco con* el niño 子供を溺愛(できあい)している. estar *loco por* el fútbol サッカーに夢中になっている.
—— 名男女 狂人.

a lo loco しゃにむに; 無分別に. Bailaban *a lo loco*. 彼らは狂ったように踊っていた. decisión tomada *a lo loco* 軽率な決定.

a locas / a tontas y a locas めちゃくちゃに.

Cada loco con su tema. 《諺》誰でも自分の意見に固執するものだ.

hacer el loco 羽目を外す.

hacerse el loco 知らんぷりをする.

volver [***traer***] ***loco*** 気を狂わせる; 熱狂させる.

lo·co·mo·ción [lokomoθjón ろコモしオン] 名女 移動; 輸送.

lo·co·mo·tor, to·ra [lokomotór, tóra ろコモトル, トラ] 名女 機関車.
—— 形 移動の, 運動の.

lo·co·mo·triz [lokomotríθ ろコモトゥりす] 形 [複 locomotrices] [女性形のみ] 移動の, 運動の. energía *locomotriz* 運動エネルギー.

locuaces 形 [複] ➡ locuaz.

lo·cua·ci·dad [lokwaθiðáð ろクアしダ(ド ゥ)] 名女 饒舌(じょうぜつ), 多弁, おしゃべり.

lo·cuaz [lokwáθ ろクアす] 形 [複 locuaces] 多弁な, おしゃべりな.

L

lo·cu·ción [lokuθjón ろクしオン] 名女 表現, 言葉遣い; 〘文法〙句, 慣用的な言い回し. *locución* adverbial 副詞句.

lo·cu·ra [lokúra ろクラ] 名女 **1** 狂気, 精神錯乱; 愚かな行為. hacer [cometer] *locuras* ばかげたことをする.
2 《口語》熱狂, 夢中, 熱愛. con *locura* 狂ったように, 猛烈に. Manolo quiere con *locura* a la hija del alcalde. マノロは市長の娘にぞっこんだ. Tiene *locura* por el ciclismo. 彼はサイクリングに夢中だ.
gastar una locura 大金を費やす.

lo·cu·tor, to·ra [lokutór, tóra ろクトル, トラ] 名男女 〘ラジオ〙〘テレビ〙アナウンサー, ニュースキャスター.

lo·cu·to·rio [lokutórjo ろクトリオ] 名男
1 (修道院·刑務所の) 面会室.
2 電話室, 電話ボックス.

lo·da·zal [loðaθál ろダさる] 名男 泥地, ぬかるみ.

lo·do [lóðo ろド] 名男 泥 (＝barro).
arrastrar por el lodo / poner [***cubrir***] ***de lodo*** …に泥を塗る, …を辱める.

lo·ga·rit·mo [loɣarítmo ろガリトゥモ] 名男 〘数〙対数. tabla de *logaritmos* 対数表.

lo·gia [lóxja ろヒア] 名女 〘建築〙柱廊.

ló·gi·ca [lóxika ろヒカ] 名女 論理学; 論理性, 筋道. carecer de *lógica* 筋が通っていない. La opinión en sí carece de toda *lógica*. その意見自体全然筋が通っていない.
―― 形名女 → lógico.

ló·gi·ca·men·te [lóxikaménte ろヒカメンテ] 副 論理上, 必然的に.

ló·gi·co, ca [lóxiko, ka ろヒコ, カ] 形 論理的な, 筋道の通った, 当然の; 論理学 (上) の. como es *lógico* 当然のことだが. Es *lógico* que con tanta lluvia no quieras salir. こんな大雨では君が外に出たがらないのももっともだ.
―― 名男女 論理学者.

lo·gís·ti·co, ca [loxístiko, ka ろヒスティコ, カ] 形 〘軍事〙兵站(へいたん)学の.
―― 名女 〘軍事〙兵站学.

lo·go·pe·dia [loɣopéðja ろゴペディア] 名女 言語障害矯正法.

lo·go·ti·po [loɣotípo ろゴティポ] 名男 ロゴ (タイプ), シンボルマーク.

lo·grar [loɣrár ろグラル] 動他 〔英 get, achieve〕 **1 得る**, 獲得する (＝ conseguir). *Logró* el puesto que pretendía. 彼はついに望んでいた地位を手にした.
2 成し遂げる, 達成する; 《＋不定詞》《＋que 接続法》…し遂げる, なんとかうまく…する. *lograr* el deseo 望みをかなえる. *He logrado que* consintiera en la boda de su hija. 彼の娘が結婚することをやっと承諾させることができた.

lo·gro [lóɣro ろグロ] 名男 **1** 達成; 成果.
2 利益, もうけ.

lo·gro·ñés, ñe·sa [loɣroɲés, ɲésa ろグロニェス, ニェサ] 形 [複男 logroñeses] ログローニョの.
―― 名男女 ログローニョの住民.

Lo·gro·ño [loɣróɲo ろグロニョ] 固名 ログローニョ: スペイン中北部 La Rioja 県の県都.

lo·ís·mo [loísmo ろイスモ] 名男 〘文法〙ロイスモ: 男性を指す間接目的語の le の代わりに lo を誤用すること.

Lo·la [lóla ろラ] 固名 ロラ: (María) Dolores の愛称. 小 Lolita.

lo·ma [lóma ろマ] 名女 丘陵(きゅうりょう).

lom·briz [lombríθ ろンブリす] 名女 [複 lombrices] ミミズ (蚯蚓) (＝*lombriz* de tierra); 蠕虫(ぜんちゅう). *lombriz* intestinal 回虫.

lo·mo [lómo ろモ] 名男
1 (動物の) 背. arquear el *lomo* (猫が) 背中を丸くする.
2 (豚などの) 背肉, ロース. → carne 図.
3 (書物·刃物の) 背.

lo·na [lóna ろナ] 名女 **1** 帆布, カンバス. *lona* de toldo 日よけのシート.
2 〘スポーツ〙(ボクシングなどの) マット.

lon·cha [lóntʃa ろンチャ] 名女 薄切り, スライス, 薄片 (＝lonja). cortar en *lonchas* 薄切りにする. una *loncha* de jamón ハム一切れ.

lon·di·nen·se [londinénse ろンディネンセ] 形 ロンドンの.
―― 名男女 ロンドンの住民.

Lon·dres [lóndres ろンドゥレス] 固名 ロンドン: 英国 Inglaterra の首都.

lon·ga·ni·za [loŋganíθa ろンガニさ] 名女 ソーセージ, 腸詰め.

lon·ge·vo, va [loŋxéβo, βa ろンヘボ, バ] 形 長生きの, 長寿の.

lon·gi·tud [loŋxitúđ ろンヒトゥ(ドゥ)] 名女
1 長さ; (横に対して) 縦. Tiene tres metros de *longitud* y dos de anchura 長さ[縦] 3 メートル, 幅 2 メートルある. *longitud* de onda 〘物理〙波長. salto de *longitud* 〘スポーツ〙走り幅跳び.
2 〘地理〙経度, 経線. estar a 35 grados de *longitud* Oeste 西経35度に位置する.
► 緯度は latitud.

lon·gi·tu·di·nal [loŋxituðinál ろンヒトゥディナる] 形 **1** 縦の. **2** 経度の, 経線の.

lon·gui(s) [lóŋgi(s) ろンギ(ス)] ***hacerse el longui(s)*** 《口語》知らん振りをする, しらばくれる.

lon·ja [lóŋxa ろンハ] 名女 **1** 薄切り, スライス (＝loncha). una *lonja* de jamón 一切れのハム. **2** 商品取引所.
3 〘建築〙(教会などの) 前廊.

lon·ta·nan·za [lontanánθa ろンタナンさ] 名女 〘美術〙遠景, 背景. en *lontananza* 遠くに.

lo·or [loór ろオル] 名男 《文語》賞賛, 称揚. en *loor* de … …を賞賛して.

lord [lór ろル] 名男 [複 lores] (英国の) 卿(きょう); 貴族, 上院議員. [←英語]

Lo·ren·zo [lorénθo ろレンそ] 固名 ロレンソ：男性の名．愛 Loren.

lo·ro [lóro ろロ] 名男 **1**〘鳥〙オウム（鸚鵡），インコ（鸚哥）（＝papagayo）.
2 おしゃべりな人.

los [los ろス] 冠《定》［男性複数形］〔英 the〕➡ el.
《男性複数定冠詞の特別な用法》
⑴《形容詞，過去分詞につけて》…な人々．*los* ricos 金持ち．*Los* invitados llegarán a las siete. お客様は7時に見えます.
⑵《姓に付けて》…一家；《敬称に付けて》…夫妻．*los* Pérez ペレス家の人々．*los* Srs. Pérez ペレス夫妻.
⑶《男女一対を表す名詞に付けて》*los* padres 両親.
⑷《年齢を表す数詞に付けて》a *los* quince (años) 15歳で.
―― 代名《人称》［3人称男性複数弱形代名詞．➡ me【文法】.］〔英 them, you〕
《直接目的語》（男性複数名詞または男性名詞と女性名詞を指して）**それらを**；（複数の男性または男性・女性を指して）**彼らを，あなたがたを**．No *los* veo desde hace mucho tiempo. 彼らとは随分会っていない．¿Hay castillos en Francia?—Sí, *los* hay. フランスには城がありますか—ええ，あります.

lo·sa [lósa ろサ] 名女 **1** 板石；敷石；タイル（＝baldosa）. **2** 墓石.
tener una losa encima 気が重い.

lo·se·ta [loséta ろセタ] 名女 [losa の小] 小敷石；小さなタイル.

lo·te [lóte ろテ] 名男 **1** 分け前，割り当て；当たりくじ．*lote* de herencia 遺産の取り分. **2** 一組，一口，ロット.
darse [***pegarse***] ***el lote*** 《俗語》愛撫(あいぶ)し合う.

lo·te·rí·a [lotería ろテリア] 名女 宝くじ；宝くじの売店．jugar a la *lotería* 宝くじを買う.
caer [***tocar***] ***a*** 《＋uno》 ***la lotería*** 〈人〉に宝くじが当たる；ついている．Me *ha tocado la lotería.* 僕は宝くじに当たった.
ser una lotería まぐれ当たりである.

lo·te·ro, ra [lotéro, ra ろテロ, ラ] 名男女 宝くじ売り.

lo·to [lóto ろト] 名男〘植物〙ハス（蓮），スイレン（睡蓮）；ハス[スイレン]の実[花].

lo·za [lóθa ろさ] 名女《集合》陶磁器，磁器；陶土.

lo·za·ní·a [loθanía ろさニア] 名女 生気，みずみずしさ.

lo·za·no, na [loθáno, na ろさノ, ナ] 形
1（草木が）青々とした，みずみずしい.
2 生き生きとした，はつらつとした.

lu·bi·na [luβína るビナ] 名女〘魚〙スズキ（鱸）.

lu·bri·ca·ción [luβrikaθjón るブリカしオン] 名女 注油.

lu·bri·can·te [luβrikánte るブリカンテ] 形 滑りを良くする.
―― 名男 潤滑油（＝aceite *lubricante*）；潤滑剤.

lu·bri·car [luβrikár るブリカル] [8 c ➡ qu] 動他 注油する.

lú·bri·co, ca [lúβriko, ka るブリコ, カ] 形 みだらな，淫乱(いんらん)な．mirada *lúbrica* 好色な目つき.

Lu·cas [lúkas るカス] 固名 ルカ，ルカス：男性の名．San *Lucas*〘聖書〙聖ルカ（キリストの弟子．『ルカによる福音書』『使徒言行録』の著者）.

lu·ce·ro [luθéro るせロ] 名男 **1** 明星，金星；明るい星．*lucero* del alba [de la mañana] 明けの明星．*lucero* de la tarde 宵の明星.
2 [～s]《文語》澄んだ瞳(ひとみ)，明眸(めいぼう).

luces 名［複］➡ luz.

lu·cha [lútʃa るチャ] 名女 [複 ～s]〔英 fight〕 **1 戦い**，争い．*lucha* por la existencia 生存競争.
2〘スポーツ〙レスリング，格闘技．*lucha* grecorromana グレコローマン・スタイルのレスリング．*lucha* libre《ラ米》プロレス.
―― 動 ➡ luchar.

lu·cha·dor, do·ra [lutʃaðór, ðóra るチャドル, ドラ] 名男女 闘う人，闘士；〘スポーツ〙レスラー，格闘技の選手.

lu·char [lutʃár るチャル] 動自〔英 fight〕**戦う**，争う．*luchar* con [contra] … …と争う．*luchar* por la libertad 自由のために戦う.

Lu·cí·a [luθía るしア] 固名 ルシア：女性の名.

lu·ci·dez [luθiðéθ るしデす] 名女 **1** 明晰(めいせき)，明敏；明快. **2** 正気，覚醒(かくせい).

lu·ci·do, da [luθíðo, ða るしド, ダ] 過分 形 輝かしい，見事な.

lú·ci·do, da [lúθiðo, ða るしド, ダ] 形
1 明晰(めいせき)な，明敏な；明快な．mente *lúcida* 明晰な頭脳. **2** 正気の．intervalo *lúcido*〘医〙覚醒(かくせい)期.

lu·ciér·na·ga [luθjérnaɣa るしエルナガ] 名女〘昆虫〙ホタル（蛍）（＝gusano de luz）.

Lu·ci·fer [luθifér るしフェル] 名男 **1**〘聖書〙ルシファー，反逆天使，悪魔，サタン.
2 [l-] 明けの明星；悪党；傲慢(ごうまん)な人.

lu·cir [luθír るしル] 33 動自
1 光る，輝く，照る．¡Cómo *luce* la luna esta noche! 今夜の月は明るいなあ．Esta lámpara *luce* poco. この電灯はあまり明るくない.
2 目立つ；成果が現れる．Es un trabajo duro y que no *luce.* それはきつくて目立たない仕事だ．No le *luce* lo que estudia. 彼には勉強の成果が現れていない.
3 ぬきんでる，異彩を放つ.
―― 動他 見せびらかす，誇示する．*lucir* su sabiduría 知識をひけらかす.
―― **lu·cir·se** **1** 着飾る，盛装する. **2** 成

L

功する. *lucirse* en un examen 試験で良い成績をとる. **3**《口語》《皮肉》失敗する.

lu·cra·ti·vo, va [lukratíβo, βa るクラティボ, バ] 形 利益を上げる, もうけのある. institución no *lucrativa* 非営利団体.

lu·di·brio [luðíβrjo るディブリオ] 名男 愚弄(ぐろう), 嘲笑(ちょうしょう) (= burla).

lú·di·co, ca [lúðiko, ka るディコ, カ] / **lú·di·cro, cra** [-kro, kra -クロ, クラ] 形 遊戯の, 遊びの.

lue·go [lwéɣo るエゴ] 副 〔英 then, afterwards〕

後で, それから (= después). Primero dijo que sí, pero *luego* se negó a aceptarlo. 彼は最初いいと言っていたが, 後でそれを引き受けるのを断った.

— 接続 だから, それ故に. Pienso, *luego* existo. 我思う, 故に我あり.

desde luego もちろん. ¿Quieres ir a la fiesta?—*Desde luego* que sí. パーティーへ行くかい？—もちろん行くさ.

Hasta luego.《挨拶》ではまた, さようなら.

luego de《+不定詞》…するとすぐに.

luego que《+接続法》《+直説法》…したらすぐに. *Luego que* cenes vete a la cama. 夕飯が済んだら寝なさい. *Luego que* comimos, nos pusimos en marcha. 食事をした後, 私たちはすぐに出発した.

L

lu·gar [luɣár るガル] 名男 〔複 ~es〕〔英 place〕

1 場所, 所 (= sitio). Nos encontraremos en el *lugar* de siempre. いつもの場所で会いましょう. Pon esos juguetes en su *lugar*. そのおもちゃを元の所に片付けなさい.

2 順位; 地位, ポスト (= puesto). Nuestro equipo quedó en tercer *lugar*. 我々のチームは3位になった. Llegó a ocupar un buen *lugar* en la empresa. ついに彼は会社でいい地位についた.

dar lugar a ... …を生じさせる原因[口実]となる.

dejar en mal lugar a《+uno》〈人〉の信用[威信]を失墜させる.

en lugar de ... …の代わりに.

en* SU *lugar …の立場に (あったら). Yo *en tu lugar*, no iría. 私が君だったら行かないけど.

en primer lugar まず第一に.

en segundo lugar 第二に, 次に.

en último lugar 最後に; とうとう.

fuera de lugar 場違いの, 的外れの.

hacer lugar 場所[席]を空ける.

lugar común ありふれた考え, 陳腐な表現.

no dejar lugar a dudas 疑問の余地がない.

no haber lugar a [para] ... …のための正当な理由がない; …する暇[余裕]がない.

tener lugar 行われる, 催される; 起こる. ¿A qué hora *tendrá lugar* la boda? 結婚式は何時に行われるのでしょうか.

lu·ga·re·ño, ña [luɣaréɲo, ɲa るガレニョ, ニャ] 形 村の, 田舎の.

— 名男女 村人, 田舎の人.

lu·gar·te·nien·te [luɣartenjénte るガルテニエンテ] 名男 代理人, 代行者.

Lu·go [lúɣo るゴ] 固名 ルゴ: スペイン北西部の県; 県都.

lú·gu·bre [lúɣuβre るグブレ] 形 陰気な, 陰鬱(いんうつ)な; 不吉な.

Luis [lwís るイス] 固名 ルイス: 男性の名.

Lui·sa [lwísa るイサ] 固名 ルイサ: 女性の名.

lu·jo [lúxo るホ] 名男 [複 ~s] 〔英 luxury〕 **1** ぜいたく; 豪華. vivir con mucho *lujo* 豪勢な暮らしをする. impuesto de *lujo* 奢侈(しゃし)税.

2 豊富, たくさん. con todo *lujo* de detalles (必要以上に) こと細かに.

de lujo ぜいたくな; 豪華な. artículo *de lujo* ぜいたく品.

permitirse el lujo de《+不定詞》ぜいたくにも…する. *Se permite el lujo de* tener varios coches. 彼はぜいたくにも何台も車を持っている.

lu·jo·sa·men·te [luxósaménte るホサメンテ] 副 豪華に, きらびやかに.

lu·jo·so, sa [luxóso, sa るホソ, サ] 形 ぜいたくな, 豪華な.

lu·ju·ria [luxúrja るフリア] 名女 好色, 淫乱(いんらん). pecado de *lujuria* 邪淫(じゃいん)の罪.

lu·ju·rio·so, sa [luxurjóso, sa るフリオソ, サ] 形 淫乱(いんらん)な, みだらな.

— 名男女 好色者.

lum·bre [lúmbre るンブレ] 名女 **1** 火; 炉火, かまどの火. encender la *lumbre* 火をつける.

2 (タバコの) 火. ► 現在では fuego のほうがより一般的.

3 光, 輝き. la *lumbre* de los ojos 目の輝き.

lum·bre·ra [lumbréra るンブレラ] 名女 **1** 指導的人物, 大物. **2** 明かり取り, 天窓.

lu·mi·na·ria [luminárja るミナリア] 名女 **1** [普通 ~s] (祭りの街頭の) イルミネーション. **2** (教会の祭壇脇(わき)にある, 聖体安置を示す) 明かり, 灯明.

lu·mi·nis·cen·te [luminisθénte るミニセンテ] 形 冷光を発する.

lu·mi·no·si·dad [luminosiðáð るミノシダ(ドゥ)] 名女 光輝, 明るさ; (天体の) 光度; 〘テレビ〙輝度.

lu·mi·no·so, sa [luminóso, sa るミノソ, サ] 形 **1** 光る, 明るい. cuerpo *luminoso* 発光体. fuente *luminosa* 照明付きの噴水; 光源.

2 明快な; 適切な. idea *luminosa* すばらしい考え.

lu·mi·no·tec·nia [luminotéknja るミノテクニア] 名女 照明技術.

lu·na [lúna るナ] 名女 [複 ~s] 〔英 moon〕
1 月; 月光. *luna* creciente [menguante] 上弦[下弦]の月. Hay *luna*. 月が出ている. *luna* de miel 蜜月(みつげつ), ハネムーン. Media *luna* トルコ帝国; イスラム教(国).
2 (惑星の)衛星.
3 (ショーウインドーの)ガラス; (大きな)鏡.
4 気まぐれ; 逸脱. coger la *luna* 気まぐれを起こす. ◆月が人間の性格に影響を及ぼすという信仰に基づく.
estar en la luna ぼんやりしている, 上の空である.
ladrar a la luna 《口語》(かなわぬ相手に)かみつく.
pedir la luna ないものねだりをする.
vivir en la luna ぼんやりしている; 世間離れしている.

lu·nar [lunár るナル] 名男 **1** ほくろ. *lunar* postizo つけぼくろ.
2 〘服飾〙水玉. corbata de *lunares* 水玉模様のネクタイ.
—— 形 月の.

lu·ná·ti·co, ca [lunátiko, ka るナティコ, カ] 形 精神異常の; 気まぐれな.
—— 名男女 狂人; 変人.

lu·nes [lúnes るネス] 名男 [単・複同形] 〔英 Monday〕
月曜日 《略 lun.》. Vendré el *lunes* que viene. 来週の月曜にまた伺います. Trabaja los domingos y descansa los *lunes*. 彼は日曜日に働いて月曜日は休む.
cada lunes y cada martes 毎日; 頻繁に.

> **【参 考】 días de la semana 曜日**
> lunes 月曜日. viernes 金曜日.
> martes 火曜日. sábado 土曜日.
> miércoles 水曜日. domingo 日曜日.
> jueves 木曜日.
> 曜日はふつう小文字で書く. sábado と domingo 以外は単・複同形.

lun·far·do [lumfárðo るンファルド] 名男 (Buenos Aires で使われる)隠語.

lu·pa [lúpa るパ] 名女 拡大鏡, 虫眼鏡, ルーペ.

lú·pu·lo [lúpulo るプろ] 名男 〘植物〙ホップ.

Lu·si·ta·nia [lusitánja るシタニア] 固名 ルシタニア: ローマ時代の呼称で, 現在のポルトガルの大半とスペイン西部に当たる.

lu·si·ta·no, na [lusitáno, na るシタノ, ナ] 形 ルシタニアの; ポルトガルの.
—— 名男女 ルシタニア人; ポルトガル人.

lu·so, sa [lúso, sa るソ, サ] 形名男女 ➡ lusitano.

lus·trar [lustrár るストゥラル] 動他 磨く, つや[光沢]を出す.

lus·tre [lústre るストゥレ] 名男 **1** つや, 光沢. dar [sacar] *lustre* a ... …のつやを出す. **2** 輝き; 栄誉.

lus·tro [lústro るストゥロ] 名男 5年間.

lus·tro·so, sa [lustróso, sa るストゥロソ, サ] 形 光沢がある; 色つやの良い.

lu·te·ra·nis·mo [luteranísmo るテラニスモ] 名男 〘宗教〙ルター Lutero 派, ルター主義.

lu·te·ra·no, na [luteráno, na るテラノ, ナ] 形 ルター派の.
—— 名男女 ルター派の人.

lu·to [lúto るト] 名男 **1** 喪, 喪中; 喪服. estar [ir] de *luto* 喪に服している. llevar *luto* por la muerte de su padre 父親の喪に服す. ponerse [vestirse] de *luto* 喪服を着る. medio *luto* 半喪; (グレーなど地味な色の)半喪服.
2 哀悼(あいとう), 哀惜.

Lu·xem·bur·go [luksembúrɣo るクセンブルゴ] 固名 ルクセンブルク(大公国): 首都 Luxemburgo.

luz [lúθ るす] 名女 [複 luces] 〔英 light〕
1 光, 光線. Con tan poca *luz* no podemos leer la carta. こんなに暗くては手紙が読めないよ. *luz* solar [del sol] 太陽光線, 日光.
2 明かり, ライト; 電気, 電気代. ¡Se ha ido la *luz*! 停電だ. cortar la *luz* 電気を切る. encender [apagar] la *luz* 電灯をつける[消す]. pagar la *luz* 電気代を払う. *luces* de cruce 〘車〙ロービーム. *luces* largas 〘車〙ハイビーム(遠くを照らす自動車のヘッドライト). *luz* piloto パイロットランプ.
3 (壁・天井の)明かり取り.
a la luz de ... …に照らして, …から判断して.
a la luz del día 白昼公然と, おおっぴらに.
a media luz 薄明かりで.
arrojar luz sobre ... …を明らかにする, 解明する.
a toda luz / a todas luces 明らかに, はっきりと; いずれにせよ.
claro como la luz del día 明々白々な.
con luz 明るいうちに.
dar a luz 出産する; 出版する.
entre dos luces 夜明けに; 夕暮れに; ほろ酔いの, 一杯機嫌で.
luz de la razón 知性, 理性の光.
sacar a (la) luz 出版する; 明るみに出す, 暴露する.
salir a luz 出版される; 明るみに出る, 暴露される.
ver la luz 誕生する.

L

M m *M m*

M, m [éme エメ] 名女 **1** スペイン語字母の第13字. **2** [M] (ローマ数字の) 1000.

ma·ca [máka マカ] 名女 (果物・布地などの) 傷, 傷み; 汚れ, 染み.

ma·ca·bro, bra [makáβro, βra マカブロ, ブラ] 形 無気味な, ぞっとする. danza *macabra* 死の舞踏.

ma·ca·co, ca [makáko, ka マカコ, カ] 形 **1** ばかな, 間抜けな. **2** 《ラ米》醜い.
— 名男女 〖動物〗マカク: 尾の短いサルの総称.

ma·ca·na [makána マカナ] 名女 **1** でたらめ; ばかげたこと. **2** (インディオが使用した) こん棒; 《ラ米》警棒.

ma·ca·nu·do, da [makanúðo, ða マカヌド, ダ] 形 《俗語》すごい, すばらしい.

ma·ca·rra [makára マカラ] 名男 《俗語》ぽん引き; ごろつき, 悪党.

ma·ca·rrón [makarón マカロン] 名男 [複 macarrones] [普通 macarrones] 〖料理〗マカロニ. *macarrones* al gratén マカロニグラタン.

ma·ca·rró·ni·co, ca [makaróniko, ka マカロニコ, カ] 形 雅俗混交体の; (言語が) 不正確な, 崩れた.

ma·ce·do·nio, nia [maθeðónjo, nja マセドニオ, ニア] 形 マケドニア Macedonia の.
— 名男女 マケドニア人.
— 名男 マケドニア語.
— 名女 〖料理〗マセドワーヌ・サラダ. *macedonia* de frutas フルーツ・ポンチ.

ma·ce·rar [maθerár マセラル] 動他
1 (水などに漬けたり, たたいて) 柔らかくする. **2** 苦行を課す; 苦しめる.

ma·ce·ta [maθéta マセタ] 名女
植木鉢 (= tiesto).

ma·ce·te·ro [maθetéro マセテロ] 名男 フラワー・スタンド, 植木鉢台.

mach [mátʃ マチュ] 名男 〖物理〗マッハ: 音速の単位. [← 〖独〗Mach]

ma·cha·car [matʃakár マチャカル] [8 c → qu] 動他 **1** 砕く, つぶす. *machacar* los ajos ニンニクをつぶす.
2 《口語》猛勉強する; 執拗(しつよう)に繰り返す; 大幅に値引きする.
3 《口語》壊す, 打ち負かす. *machacar* al enemigo 敵を撃破する.

ma·cha·cón, co·na [matʃakón, kóna マチャコン, コナ] 形 《口語》くどい, しつこい; がり勉の. — 名男女 《口語》くどい人, しつこい人; がり勉屋.

ma·cha·mar·ti·llo [matʃamartíʎo マチャマルティリョ] ***a machamartillo*** 《副詞句》(1) 徹底して, 心底からの. cristiano *a machamartillo* 正真正銘のキリスト教徒. cumplir *a machamartillo* 間違いなく履行する. (2) 頑固に, 執拗(しつよう)に. repetir *a machamartillo* くどくど繰り返す.

ma·cha·que·o [matʃakéo マチャケオ] 名男 **1** 砕くこと, 突きつぶすこと.
2 《口語》執拗(しつよう)さ, 強情.

ma·che·te [matʃéte マチェテ] 名男 マチェテ, 山刀; 狩猟用ナイフ.

ma·chis·mo [matʃísmo マチスモ] 名男 男性優位 (主義), マチスモ. → macho

ma·cho [mátʃo マチョ] 形
1 雄の (↔ hembra). la ardilla *macho* 雄リス. enchufe *macho* プラグ.
2 《口語》男らしい, 頼もしい.
— 名男 **1** 雄; 雄株, 雄花.
2 雄ねじ; 鉤(かぎ)ホックの爪(つめ); プラグ; ほぞ.
3 《口語》男らしい人, たくましい男.
4 《俗語》《呼びかけ》よお, お前.

ma·cho·te [matʃóte マチョテ] 形 《口語》男らしい; 勇気のある.
— 名男 《口語》男らしい男, 勇敢な男.

ma·chu·car [matʃukár マチュカル] [8 c → qu] 動他 ぶつける, つぶす, へこませる.

ma·ci·len·to, ta [maθilénto, ta マシレント, タ] 形 青白い, やつれた.

ma·ci·llo [maθíʎo マシリョ] 名男 (ピアノの) ハンマー.

ma·ci·zo, za [maθíθo, θa マシソ, サ] 形
1 中身の詰まった, 空洞でない; めっきでない. de oro *macizo* 金むくの.
2 がっしりした, 頑丈な; 堅固な, 確かな. mueble *macizo* がっしりとした家具.
— 名男 **1** 塊; 山塊.
2 木立, 茂み; 植え込み.

macro- 「大」の意を表す造語要素. ⇒ *macro*cosmo など.

ma·cro·cos·mo [makrokósmo マクロコスモ] 名男 [普通 ～s] 大宇宙, 大世界 (↔ microcosmo).

má·cu·la [mákula マクラ] 名女 《文語》斑点(はんてん), 染み; 〖天文〗(太陽の) 黒点.

ma·cu·to [makúto マクト] 名男 〖軍事〗背嚢(はいのう), 雑嚢. → mochila.

ma·de·ja [maðéxa マデハ] 名女 桛(かせ), 一桛分の糸; (女性の) 長い髪.
— 名男 《口語》怠け者, ぐうたら.

ma·de·ra [maðéra マデラ] 名女 [複 ～s] 〔英 wood〕
1 材木, 木材. silla de *madera* 木製の椅子. *madera* contrachapada 合板, ベニヤ板. **2** 素質, 才, 適性. Tiene *madera* de

M

poeta. 彼は詩人の才がある.

ma·de·re·ro, ra [maðeréro, ra マデレロ, ラ] 形 製材の. industria *maderera* 製材業. ── 名男女 製材業者, 材木商.

ma·de·ro [maðéro マデロ] 名男 **1** 丸太, 原木; 角材. **2** 《口語》間抜け, 薄のろ.

ma·dras·tra [maðrástra マドゥラストゥラ] 名女 継母(ままはは), 義母.

ma·dra·za [maðráθa マドゥラさ] 名女 《口語》子を溺愛(できあい)する母.

ma·dre [máðre マドゥレ] [複 ～s] 名女 〔英 mother〕

1 母, 母親. María es *madre* de cinco hijos. マリアは5人の子供の母親だ. *madre* soltera 未婚の母. leona *madre* 母ライオン. *madre* suplente [de alquiler] 代理母. ➡ familia 【参考】, padre.

2 〔カトリック〕マザー: 修道女に対する敬称. *Madre* superiora 女子修道院長. la *Madre* Teresa マザー・テレサ.

3 源, 起源.

4 (ぶどう酒などの) おり, 沈殿物.

── 形 母の; 自国の; 本部[本店]の. *madre* patria 母国. casa *madre* 本部, 本店.

como su madre lo echó al mundo [***lo parió***] 素裸で, 生まれたままの姿で.

¡Madre mía! / ¡Mi madre! おや, まあ, なんということだ, いやはや.

¡Maldita sea la madre que te parió! 《俗語》畜生! ばか野郎.

sacar de madre a 《+uno》〈人〉を憤慨させる; 不安にさせる.

salirse de madre (川が) 氾濫(はんらん)する; 度がすぎる.

ma·dre·per·la [maðrepérla マドゥレペルら] 名女 〔貝〕真珠貝; 真珠層[母].

ma·dre·sel·va [maðreselβa マドゥレセるバ] 名女 〔植物〕スイカズラ(忍冬).

Ma·drid [maðríð マドゥリ(ドゥ)] 固名 マドリード: スペインの首都; 県都; 州都. Comunidad de *Madrid* マドリード自治州. ➡ autónomo 【参考】.

ma·dri·gal [maðriɣál マドゥリガる] 名男

1 〔詩〕マドリガル, 叙情短詩.

2 〔音楽〕マドリガル: 多声部の声楽曲.

ma·dri·gue·ra [maðriɣéra マドゥリゲラ] 名女 (ウサギ・キツネなどの) 巣, 穴; 巣窟(そうくつ).

ma·dri·le·ño, ña [maðriléɲo, ɲa マドゥリれニョ, ニャ] 形 マドリードの. ── 名男女 マドリードの住民.

ma·dri·na [maðrína マドゥリナ] 名女

1 (洗礼に立ち会う) 代母, 名親; 新郎の付添人 (◆スペインではふつう花婿の母親が務め, 挙式の証人にもなる). ➡ padrino, comadre.

2 (催し物・行事の) 女性の主役. la *madrina* en la botadura de un barco 進水式の祝福役. **3** (女性) 後援者, スポンサー.

ma·dro·ño [maðróɲo マドゥロニョ] 名男 〔植物〕ヤマモモ(山桃).

ma·dru·ga·da [maðruɣáða マドゥルガダ] 名女 **1** 明け方, 夜明け, 早朝.

2 (夜の12時から明け方までの) 夜中, 深夜. a las dos de la *madrugada* 夜中の2時に.

3 早起き. pegarse una *madrugada* 早起きする.

de madrugada 明け方に, 夜明けに.

ma·dru·ga·dor, do·ra [maðruɣaðór, ðóra マドゥルガドル, ドラ] 形 早起きの. ── 名男女 早起きする人.

ma·dru·gar [maðruɣár マドゥルガル] [32 g ➡ gu] 動自 早起きする. A quien *madruga*, Dios le ayuda. 《諺》早起きは三文の得. No por mucho *madrugar* amanece más temprano. 《諺》果報は寝て待て.

ma·dru·gón [maðruɣón マドゥルゴン] 名男 《口語》早起き. darse [pegarse] un *madrugón* 早起きする.

madura 形女 ➡ maduro.

ma·du·ra·ción [maðuraθjón マドゥラしオン] 名女 成熟, 熟成.

ma·du·rar [maðurár マドゥラル] 動他 **1** 熟させる, 熟れさせる.

2 (計画などを) 練り上げる. *madurar* un proyecto 企画を練る.

── 動自 **ma·du·rar·*se*** **1** 熟す; 熟成する; 分別がつく.

2 〔医〕膿(う)む, 化膿(かのう)する.

ma·du·rez [maðuréθ マドゥレす] 名女

1 成熟, 円熟; 分別盛り, 円熟期.

2 食べごろ; 機が熟すこと.

ma·du·ro, ra [maðúro, ra マドゥロ, ラ] 形 [複 ～s] 〔英 ripe〕 **1** 熟した, 熟れた. uvas muy *maduras* よく熟れたブドウ.

2 熟慮した, 熟考した. El plan ya está *maduro*. 計画はすでに十分に練り上げられている.

3 円熟した, 思慮深い; 中年の, 壮年の. hombre *maduro* 中年[壮年]の人.

maestra 名形女 ➡ maestro.

ma·es·trí·a [maestría マエストゥリア] 名女

1 巧みさ, 熟練. pintar con *maestría* 上手に絵を描く.

2 教職; 親方の身分.

3 《ラ米》(大学院の) 修士課程.

ma·es·tro, tra [maéstro, tra マエストゥロ, トゥラ] [複 ～s] 名男女 〔英 teacher, master〕

1 (主に小学校の) 教師, 先生. *maestro* de escuela 小学校教師. *maestro* de guitarra ギターの先生. ➡ profesor 【参考】.

2 巨匠, 大家, 名人 (= gran *maestro*). Es un *maestro* en el arte de la escultura. 彼は彫刻芸術の大家だ. ► しばしば敬称として用いられる.

3 親方, 師匠, 師.

── 形 **1** 主な, 主要な. palo *maestro* 〔海事〕メーンマスト. llave *maestra* マスターキー.

M

2 優れた，巧みな．obra *maestra* 傑作，名作．de mano *maestra* 見事な[に]．

ma·fia [máfja マフィア] 名女 マフィア；犯罪組織．[←イタリア語]

ma·fio·so, sa [mafjóso, sa マフィオソ，サ] 形 マフィアの．
—— 名男女 マフィアの一員，暴力団員．

Ma·ga·lla·nes [maɣaʎánes マガリャネス] 固名 マゼラン (1480?-1521)：ポルトガルの航海者．el Estrecho de *Magallanes* (南米大陸南端の) マゼラン海峡．

Mag·da·le·na [maɣðaléna マグダレナ] 固名 マグダレナ：女性の名．Santa María *Magdalena*〘聖書〙マグダラの聖女マリア．
—— 名女 [m-] **1** 改悛(かいしゅん)した女性．
2〘料理〙マドレーヌ：小型のスポンジケーキ．
estar hecho una Magdalena / llorar como una Magdalena《口語》さめざめと泣く．

ma·gia [máxja マヒア] 名女 **1** 魔術，魔法．por arte de *magia* 魔法のように，不思議にも．*magia* negra 黒魔術；妖術(ようじゅつ)．
2 魅力，魅惑，不思議な力．

ma·giar [maxjár マヒアル] 形 マジャールの，ハンガリーの．
—— 名男女 マジャール[ハンガリー]人．
—— 名男 マジャール[ハンガリー]語．

má·gi·co, ca [máxiko, ka マヒコ，カ] 形 **1** 魔法の，魔術による．poder *mágico* 魔力，神通力．**2** 魅惑的な，不思議な．
—— 名男女 魔法使い，魔術師，呪術(じゅじゅつ)師．

ma·gis·te·rio [maxistérjo マヒステリオ] 名男 教職；《集合》(初等教育の) 教員．

ma·gis·tra·do [maxistráðo マヒストゥラド] 名男 (特に最高裁判所の) 裁判官，判事；行政官．

ma·gis·tral [maxistrál マヒストゥラる] 形 **1** 優れた，見事な，秀でた．
2 もったいぶった．en tono *magistral* もったいぶった口調で．

ma·gis·tra·tu·ra [maxistratúra マヒストゥラトゥラ] 名女 **1**《集合》裁判官，判事；行政官．**2** 裁判官[判事・行政官]の地位[職務]．

mag·ma [máɣma マグマ] 名男〘地質〙マグマ，岩漿(がんしょう)；〘化〙マグマ剤．

mag·na·ni·mi·dad [maɣnanimiðáð マグナニミダ(ドゥ)] 名女 度量の広さ，寛大．

mag·ná·ni·mo, ma [maɣnánimo, ma マグナニモ，マ] 形 度量の広い，寛大な．

mag·na·te [maɣnáte マグナテ] 名男 実力者，大立者．

mag·ne·sia [maɣnésja マグネシア] 名女〘化〙マグネシア，酸化マグネシウム．

mag·ne·sio [maɣnésjo マグネシオ] 名男〘化〙マグネシウム．

mag·né·ti·co, ca [maɣnétiko, ka マグネティコ，カ] 形 磁石の；磁気の，磁性を帯びた．campo *magnético* 磁場，磁界．cinta *magnética* 磁気テープ．

mag·ne·tis·mo [maɣnetísmo マグネティスモ] 名男 **1** 磁気，磁性；磁力．**2** 魅力．

mag·ne·ti·zar [maɣnetiθár マグネティさル] [39 z→c] 動他 **1** 磁化する，磁気を帯びさせる．**2** 魅了する，引きつける．
3 催眠術をかける．

mag·ne·to·fón [maɣnetofón マグネトフォン] / **mag·ne·tó·fo·no** [-tófono -トフォノ] 名男 テープレコーダー．

mag·ni·ci·da [maɣniθíða マグニしダ] 名男女 要人の暗殺者，刺客．—— 形 暗殺の．

mag·ni·ci·dio [maɣniθíðjo マグニしディオ] 名男 要人の暗殺．

magnífica 形女 → magnífico.

mag·ni·fi·cen·cia [maɣnifiθénθja マグニフィせンしア] 名女 豪華絢爛(けんらん)，壮麗，壮大．

mag·ní·fi·co, ca [maɣnífiko, ka マグニフィコ，カ] 形 [複 ~s]〔英 magnificent〕
1 すばらしい；立派な，壮麗な．un palacio *magnífico* 壮麗な宮殿．un *magnífico* panorama すばらしい眺望．
2《学長などに対する敬称》殿．*Magnífico* Señor Rector 学長[総長]殿．

mag·ni·tud [maɣnitúð マグニトゥ(ドゥ)] 名女 **1** 大きさ，広さ，強度；規模の大きさ，重要性．un proyecto de gran *magnitud* 大規模な計画．un terremoto de *magnitud* 6 [seis] マグニチュード 6 の地震．
2〘天文〙(星の) 光度，等級．

mag·no, na [máɣno, na マグノ，ナ] 形 大きい，偉大な．aula *magna* 大講堂．

ma·go [máɣo マゴ] 名男 魔術師，魔法使い．
los tres Reyes Magos〘カトリック〙東方の三博士：Melchor, Gaspar, Baltasar の 3 人．◆ día de los Reyes *Magos* 主の御公現の祝日 (1 月 6 日) にスペインでは子供たちにクリスマスプレゼントをする．→ fiesta【参考】．

ma·gre·ar [maɣreár マグレアル] 動他《俗語》愛撫(あいぶ)する．

ma·gro, gra [máɣro, ɣra マグロ，グラ] 形 (肉が) 脂身のない．
—— 名男 (豚肉の) 赤身．

ma·gu·lla·du·ra [maɣuʎaðúra マグリャドゥラ] 名女 打撲傷，打ち身，挫傷(ざしょう)．

ma·gu·llar [maɣuʎár マグリャル] 動他 打撲傷を負わせる，(あざができるほど) 強く打つ．
—— **ma·gu·llar·*se*** 打撲傷を負う，あざができる．

Ma·ho·ma [maóma マオマ] 固名 マホメット，ムハンマド (570?-632)：イスラム教の創始者．

ma·ho·me·ta·no, na [maometáno, na マオメタノ，ナ] 形 マホメットの；イスラム教(徒) の．—— 名男女 イスラム教徒．

ma·ho·me·tis·mo [maometísmo マオメティスモ] 名男 イスラム教．

ma·ho·ne·sa [maonésa マオネサ] 名女 マヨネーズ (＝mayonesa)．

M

mai·ce·na [maiθéna マイせナ] 名女 トウモロコシ粉; コーンスターチ.

maíces 名[複] → maíz.

mai·ti·nes [maitínes マイティネス] 名男 [複]《カトリック》朝課: 真夜中すぎに唱える聖務日課. llamar [tocar] a *maitines* 朝課の鐘を鳴らす.

ma·íz [maíθ マイす] 名男 [複 maíces]〔英 corn〕《植物》**トウモロコシ**. *maíz* tostado 炒(い)りトウモロコシ. roseta de *maíz* ポップコーン (=palomita). → tortilla, chicha.

mai·zal [maiθál マイさる] 名男 トウモロコシ畑.

ma·ja·de·rí·a [maxaðería マハデリア] 名女 ばかげたこと[言動].

ma·ja·de·ro, ra [maxaðéro, ra マハデロ, ラ] 形 ばかな. —— 名男女 ばか, 間抜け.

ma·jar [maxár マハル] 動他 **1** 砕く, つぶす, 挽(ひ)く. **2**《口語》うんざりさせる, 困らせる. **3**《口語》こっぴどくたたく.

ma·ja·re·ta [maxaréta マハレタ] 形《口語》頭のおかしい, 気のふれた.
—— 名男女 頭のおかしな人, 気違い.

ma·jes·tad [maxestáð マヘスタ(ドゥ)] 名女
1 威厳, 威光; 気高さ.
2《君主・王に対する称号》陛下. Su *Majestad* 陛下.

ma·jes·tuo·sa·men·te [maxestwósaménte マヘストゥオサメンテ] 副 堂々と.

ma·jes·tuo·si·dad [maxestwosiðáð マヘストゥオシダ(ドゥ)] 名女 威厳, 荘厳.

ma·jes·tuo·so, sa [maxestwóso, sa マヘストゥオソ, サ] 形 威厳のある, 荘厳な, 堂々とした.

ma·jo, ja [máxo, xa マホ, ハ] 形《口語》魅力的な, すてきな, ハンサムな; しゃれた, 小粋(こいき)な. ir muy *majo* めかし込んでいる.
—— 名男女 **1** すてきな人, 感じのいい人.
2《呼びかけ》よう, おい, ねえ.
3 (18, 19世紀のスペイン Madrid でボヘミアン的生活を送っていた) しゃれ者.

mal

[mál マる]
副〔英 badly〕
1 悪く, 不正に (↔ bien). Siempre hablan *mal* de María. 彼らはいつもマリアの悪口を言っている. ¡Muy *mal*! 最低だ!
2 まずく; 不完全に. Comimos muy *mal*. ひどい食事だった. ver [oír] *mal* よく見え[聞こえ]ない.
3 不快に, ひどく. oler *mal* 嫌なにおいがする.
4 体調[気分]が悪く. Me siento *mal*. 気分が悪い. estar *mal* de dinero《諧謔》金欠病である.
—— 形 → malo[1].
—— 名男 [複 ~es]〔英 harm; illness〕
1 悪, 悪事, 不正; (精神的な) 打撃; 不幸. Le hicimos mucho *mal*. 我々は彼に随分ひどいことをした. Ella trajo el *mal* a mi casa. 彼女が私の家に不幸をもたらした. el bien y el *mal* 善悪.
2 病気. Los médicos no supieron identificar el *mal* que tenía. 医師団は彼の病気が何か特定できなかった.
3 不都合な点. El *mal* está en que nadie puede asistir a la reunión en mi lugar. 都合の悪いことに誰も私の代わりに会議に出席できない.
a mal 悪く, 敵意をもって. tomar *a mal* 悪く取る, 曲解する. Mi mujer está *a mal* con su suegra. 妻は姑(しゅうとめ)とそりが合わない.
de mal en peor ますます悪く. La situación va *de mal en peor*. 情況はますます悪くなっている.
mal que《+接続法》たとえ…であっても. *Mal que* te pese, tendrás que hacerlo así. 気が進まないだろうが, 君はそうしなければならないよ.
mal que bien どうにかこうにか.
¡Menos mal! 不幸中の幸いだ, まあよかった.
menos mal que ... 幸いにも…. *Menos mal que* hemos podido evitar un accidente. 事故にならなくてやれやれよかった.

mal- / mala- 「悪」の意を表す造語要素. ⇒ *mal*entendido, *mala*gana など.

mala 形女 → malo[1].

ma·la·ba·ris·mo [malaβarísmo マらバリスモ] 名男 曲芸.

ma·la·ba·ris·ta [malaβarísta マらバリスタ] 名男女 曲芸師.

ma·la·cos·tum·bra·do, da [malakostumbráðo, ða マらコストゥンブラド, ダ] 形 甘やかされた, しつけの悪い; 悪習に染まった.

Má·la·ga [málaɣa マらガ] 固名 マラガ: スペイン南部の県・県都.
—— 名男 [m-] マラガ産の甘口ぶどう酒.

ma·la·ga·na [malaɣána マらガナ] 名女
1《口語》失神, 気絶; 衰え. tener *malagana* 気力が衰えている.
2《ラ米》ぐずな人, のろまな人.

ma·la·gra·de·ci·do, da [malaɣraðeθíðo, ða マらグラデしド, ダ] 形 恩知らずな.

ma·la·gue·ño, ña [malaɣeɲo, ɲa マらゲニョ, ニャ] 形 マラガの.
—— 名男女 マラガの住民.
—— 名女 マラゲーニャ: Málaga の民謡, 舞踊.

ma·la·men·te [málaménte マラメンテ] 副 まずく, へたに.

ma·lan·dan·za [malandánθa マらンダンさ] 名女 不幸, 不運.

ma·la·qui·ta [malakíta マらキタ] 名女《鉱物》マラカイト, 孔雀(くじゃく)石.

ma·la·ria [malárja マらリア] 名女《医》マラリア (=paludismo).

ma·la·som·bra [malasómbra マらソンブラ] 名男女《口語》迷惑者, 厄介者.

ma·la·ú·va [malaúβa マらウバ] 形《俗語》嫌な性格の.

M

── 名男女《俗語》性格の悪い人，ろくでなし．

ma·la·yo, ya [maláǰo, ǰa マらヨ, ヤ] 形 マレーの，マレー半島[諸島]の．
── 名男女 マレー人． ── 名男 マライ語．

mal·ba·ra·tar [malβaratár マるバラタル] 動他 **1** 捨て値で売る，投げ売りする．
2 浪費する，無駄使いする（＝malgastar）．

mal·co·mer [malkomér マるコメル] 動自 食べ物に事欠く；粗食する．

mal·cria·do, da [malkrjáðo, ða マるクリアド, ダ] 過分形 しつけの悪い，甘やかされた． ── 名男女 不作法な人．

mal·criar [malkrjár マるクリアル] [23 i ➡ í] 動他（子供を）甘やかして育てる．

mal·dad [malðað マるダ(ドゥ)] 名女 悪，邪悪；悪事，不正（行為）．cometer *maldades* 悪事を働く．

mal·de·cir [maldeθír マるデしル] 17 動他 [現分 maldiciendo] **1** ののしる，けなす，非難する． **2** のろう．*maldecir* su suerte 自分の運命をのろう．
── 動自《＋**de**》…の悪口を言う，ののしる；文句[不平]を言う，ぐちる．

mal·di·ción [maldiθjón マるディしオン] 名女 **1** 悪口，悪態，ののしり．soltar una *maldición* 罵倒(ばとう)する．
2 のろい，呪詛(じゅそ)．
¡*Maldición*!《口語》ちくしょう，くそっ！

mal·di·to, ta [maldíto, ta マるディト, タ] 形 **1**《口語》いまいましい，腹立たしい，劣悪な；のろわれた．¡*Maldito* tifón! いまいましい台風め．no hacer *maldito* caso 全く気にしない．
2《定冠詞つきの名詞の前で》全然…ない，…さえもない．No tiene *maldito* el gusto estético. 彼は美的センスが全くない．
── 名男女《口語》腹立たしい人；いたずらっ子．
¡*Maldita sea*!《口語》なんてこった，こんちくしょう！

ma·le·a·ble [maleáβle マれアブれ] 形（金属が）可鍛(かたん)性のある，展性のある．

ma·le·an·te [maleánte マれアンテ] 形 ごろつきの，無法な；たちの悪い．
── 名男女 悪党，ごろつき．

ma·le·ar [maleár マれアル] 動他 損なう，駄目にする；堕落させる．
── **male·ar·se** 悪くなる，傷む；堕落する．

ma·le·cón [malekón マれコン] 名男〘海事〙突堤，防波堤．

ma·le·di·cen·cia [maleðiθénθja マれディセンしア] 名女 中傷，陰口．

ma·le·du·ca·do, da [maleðukáðo, ða マれドゥカド, ダ] 形名男女 ➡ malcriado.

ma·le·fi·cio [malefíθjo マれフィしオ] 名男 呪詛(じゅそ)，のろい．

ma·lé·fi·co, ca [maléfiko, ka マれフィコ, カ] 形 有害な，悪意を込めた；のろいの．
── 名男女 妖術(ようじゅつ)師，魔術師．

ma·len·ten·di·do [malentendíðo マれンテンディド] 名男 誤解，曲解．

ma·les·tar [malestár マれスタル] 名男 **1** 体の不調．sentir un *malestar* 体調が悪い．
2 不愉快．causar *malestar* a《＋uno》〈人〉を不愉快にする．

ma·le·ta [maléta マれタ] 名女 [複 ～s]〔英 suitcase〕**スーツケース**，旅行かばん．hacer la *maleta* 旅支度をする；荷物をまとめる．► トランクは baúl.

ma·le·te·ro [maletéro マれテロ] 名男
1（駅などの）赤帽，ポーター．
2（車の）トランク．➡ automóvil 図．

ma·le·tín [maletín マれティン] 名男 [maleta の小] 小型旅行かばん；アタッシュケース．

ma·le·vo·len·cia [maleβolénθja マれボれンしア] 名女 悪意，敵意，憎悪．

ma·lé·vo·lo, la [maléβolo, la マれボろ, ら] 形 悪意の，敵意に満ちた． ── 名男女 悪意のある人，底意地の悪い人．

ma·le·za [maléθa マれさ] 名女《集合》茂み，藪(やぶ)；生い茂った雑草．

mal·gas·tar [malɣastár マるガスタル] 動他 無駄にする，無駄遣いする．*malgastar* el tiempo 時間を無駄に使う．*malgastar* la salud 健康を損ねる．

mal·ha·bla·do, da [malaβláðo, ða マらブらド, ダ] 形 口汚い，口の利き方を知らない．

mal·he·chor, cho·ra [maletʃór, tʃóra マれチョル, チョラ] 名男女 犯罪者，悪人（↔ bienhechor）．
── 形 悪事を働く．jóvenes *malhechores* 不良グループ．

mal·he·ri·do, da [maleríðo, ða マれリド, ダ] 形 重傷を負った，ひどく傷ついた．

mal·hu·mo·ra·do, da [malumoráðo, ða マるモラド, ダ] 形 不機嫌な，気難しい．responder con tono *malhumorado* つっけんどんに答える．

ma·li·cia [malíθja マりしア] 名女 **1** 悪意；邪心，邪念；邪推．sin *malicia* 悪意のない．Eso es una *malicia* suya. それは彼の邪推だ．
2 狡猾(こうかつ)さ，悪知恵．Ese chico tiene mucha *malicia*. その子はとても悪賢い．

ma·li·cio·so, sa [maliθjóso, sa マりしオソ, サ] 形 **1** 邪悪な，悪意のある；狡猾(こうかつ)な，悪賢い． **2**（目付き・冗談などが）みだらな，下心のある．
── 名男女 邪悪な人，狡猾な人．

ma·lig·no, na [malíɣno, na マりグノ, ナ] 形 **1** よこしまな，邪悪な．intención *maligna* 悪意． **2**〘医〙悪性の．

Ma·lin·che [malíntʃe マりンチェ] 固名 マリンチェ（？－1527）：Cortés の azteca 征服の際に通訳を務めた女性．◆ メキシコでは売国奴，裏切り者の代名詞．

ma·lin·ten·cio·na·do, da [malintenθjonáðo, ða マりンテンしオナド, ダ] 形 悪意の

ある，敵意を持った． —— 名男女 邪心のある人，悪意を持った人．

ma·lla [máʎa マリャ] 名女 **1** 網，ネット；網状のもの．hacer *malla*《ラ米》編み物をする（＝hacer punto）．
2 [～s] タイツ，レオタード．

Ma·llor·ca [maʎórka マリョルカ] 固名 マジョルカ（島）：スペイン領 Baleares 諸島最大の島．

ma·llor·quín, qui·na [maʎorkín, kína マリョルキン，キナ] 形 [複男 mallorquines] マジョルカの．
—— 名男女 マジョルカ（島）人．
—— 名男（カタルーニャ語の）マジョルカ方言．

mal·mi·ra·do, da [malmiráðo, ða マるミラド，ダ] 形 鼻つまみ者の，憎まれている．

ma·lo[1], la [málo, la マろ，ら] 形 [複 ～s] [男性単数名詞の前で mal となる；比較級 peor, más malo]〔英 bad; ill〕 **1** 悪い；邪悪な；粗悪な，有害な（↔ bueno）．*mala* idea 邪悪な考え．*mal* olor 悪臭．El tiempo está muy *malo* hoy．今日は天気がとても悪い．El tabaco es *malo* para la salud．タバコは健康に悪い．
2 病気の；傷んだ，腐った．Se puso *malo* al regresar del viaje．旅行から帰って彼は病気になった．
estar de malas 運が悪い；不機嫌である，怒っている．
lo malo es que … あいにくなことに…だ．Me gustaría ir ; *lo malo es que* no tengo tiempo．行きたいんだが，時間がないんだ．
ni un(a) mal(a) …《否定語》…さえもなく．No hay *ni una mala* cerveza en toda la casa．家じゅう探してもビール1本ありゃしない．
por las malas 力ずくで，無理やりに．
ser malo《口語》(1)《＋**con**》…をひどく扱う．*Es malo con* sus empleados．彼は従業員にひどく当たる．(2)《＋**para**》…が苦手である．Yo *soy malo para* los deportes．僕はスポーツが苦手だ．

ma·lo[2] [málo マろ] 名男〔演劇〕悪役．hacer de *malo* 悪役を演じる．

ma·lo·grar [maloɣrár マろグラル] 動他 無駄にする，台無しにする；(機会を) 逃す．*malograr* una oportunidad 好機を逸する．*malograr* la vida 一生を棒に振る．

ma·lo·lien·te [maloljénte マろりエンテ] 形 悪臭を発する，臭い．

mal·pa·rar [malparár マるパラル] 動他 虐待する，いじめる．salir *malparado* de … …でさんざんなめに遭う．

mal·pen·sa·do, da [malpensáðo, ða マるペンサド，ダ] 形 疑い深い，邪推する．

mal·sa·no, na [malsáno, na マるサノ，ナ] 形 健康に悪い，体に良くない．

mal·so·nan·te [malsonánte マるソナンテ] 形 耳障りな；(言葉などが) 下品な，聞くに耐えない．

mal·ta [málta マるタ] 名女 麦芽，モルト；麦芽ビール．

Mal·ta [málta マるタ] 固名 マルタ（共和国）；マルタ島．caballero de *Malta* マルタ騎士団；洗礼者ヨハネ騎士団．

mal·tés, te·sa [maltés, tésa マるテス，テサ] 形 [複男 malteses] マルタ（島）の．
—— 名男女 マルタ人．
—— 名男 マルタ語．

mal·tra·tar [maltratár マるトゥラタル] 動他 **1** 虐待する，いじめる；酷使する．*maltratar* a los animales 動物を虐待する． **2** 損傷を与える．un edificio *maltratado* por las inclemencias del tiempo 風雪で傷んだ建物．

mal·tre·cho, cha [maltrétʃo, tʃa マるトゥレチョ，チャ] 形 虐待された，痛めつけられた．dejar *maltrecho* al enemigo 敵をさんざんなめに遭わせる．

ma·lu·cho, cha [malútʃo, tʃa マるチョ，チャ] 形《口語》**1** 気分が悪い，調子が悪い．
2 安物の，質の悪い．

mal·va [málβa マるバ] 名女〔植物〕アオイ（葵）；ゼニアオイ（銭葵）．
—— 形 [単・複同形] ふじ色の，薄紫色の．
—— 名男 [単・複同形] ふじ色，薄紫色．
estar criando malvas《口語》《諧謔》草葉の陰にいる，埋葬されている．
ser [estar] como una malva《口語》おとなしい．

mal·va·do, da [malβáðo, ða マるバド，ダ] 形 邪悪な，極悪の，非道な．Son unos hombres *malvados*．ひどいやつらだ．
—— 名男女 悪人，悪党，悪漢．

mal·ven·der [malβendér マるベンデル] 動他 投げ売りする，二束三文で売る．

mal·ver·sa·ción [malβersaθjón マるベルサしオン] 名女 横領，使い込み．*malversación* de fondos 公金横領．

mal·ver·sar [malβersár マるベルサル] 動他（公金などを）横領[着服]する，使い込む．

mal·vi·vir [malβiβír マるビビル] 動自 苦しい[ひどい]生活をする．

ma·ma [máma ママ] 名女 **1** 乳房． **2**《口語》《幼児語》ママ，お母さん（＝mamá）．

ma·má [mamá ママ] 名女 [複 mamás]〔英 mummy, mama, mamma〕《口語》ママ，お母さん．Tengo hambre, *mamá*．ママ，おなかがすいたよ．► 呼びかけに限らず，無冠詞で使われることが多い．➡ madre．

ma·ma·da [mamáða ママダ] 名女 乳を吸うこと；一回の乳の量．dar una *mamada* 乳を飲ませる．
coger [agarrar] una mamada《俗語》酔っ払う．

ma·mar [mamár ママル] 動他自 乳を飲む[吸う]．dar de *mamar* a … …に乳を飲ませる．

M

— 動他 1《口語》(幼いときに) 覚える, 体得する. 2《俗語》(酒を) 飲む.
— **ma·mar·se**《俗語》酔っ払う.

ma·ma·rra·cha·da [mamar̄atʃáða ママラチャダ] 名女《口語》げてもの, がらくた; ばかげたこと.

ma·ma·rra·cho [mamar̄átʃo ママラチョ] 名男《口語》1 ひどい格好; 間抜け, とんま. 2 げてもの, がらくた. Este cuadro es un *mamarracho*. この絵は駄作だ.

ma·me·lu·co [mamelúko マメるコ] 名男 1《口語》ばか, 間抜け. 2《ラ米》〔服飾〕オーバーオール, つなぎ (= mono).

ma·mí·fe·ro, ra [mamífero, ra マミフェロ, ラ] 形〔動物〕哺乳(ほにゅう)類の. animal *mamífero* 哺乳動物.
— 名男〔動物〕哺乳動物; [～s] 哺乳類.

mam·pa·ra [mampára マンパラ] 名女 衝立(ついたて), 間仕切り. *mampara* de cristal (オフィスなどの) ガラスの衝立.

mam·po·rro [mampór̄o マンポロ] 名男《口語》殴ること; ぶつけること.

mam·pos·te·rí·a [mampostería マンポステリア] 名女〔建築〕粗石積み.

ma·mut [mamút マム(トゥ)] 名男 [複 mamutes, mamuts]〔古生物〕マンモス.

man-「手」の意を表す造語要素. ⇀ *man*go, *man*tener など.

ma·na·da [manáða マナダ] 名女 1 (動物の) 群れ. una *manada* de lobos オオカミの群れ. reunirse a *manadas* 群れをなす. 2 大勢の人. en *manada* どやどやと.

ma·na·ger [mánajer マナジェル | -xer -ヘル] 名男 [複 managers] マネージャー; (企業の) 経営者. [←英語]

Ma·na·gua [manáɣwa マナグア] 固名 マナグア: 中米ニカラグア Nicaragua の首都.

ma·nan·tial [manantjál マナンティアる] 名男 1 湧(わ)き水, 泉; 水源. 2 源, 根源, 原因.
— 形 泉の, 湧き出る. agua *manantial* 湧き水, 泉水.

ma·nar [manár マナル] 動自 1《+de》…から湧(わ)き出る, あふれる. 2《+en》…が豊富である, たくさんある.
— 動他 湧き出させる.

ma·na·tí [manatí マナティ] 名男〔動物〕マナティー, カイギュウ (海牛).

ma·na·zas [manáθas マナさス] 名男女 [単・複同形]《口語》不器用な人, 下手くそ.

man·ce·bo [manθéβo マンせボ] 名男 若者, 少年.

man·cha [mántʃa マンチャ] 名女 [複 ～s]〔英 stain〕1 **染み, 汚れ**. Llevas una *mancha* en la camisa. 君のシャツに染みがついているよ. *mancha* de sangre 血痕(けっこん). 2 斑点(はんてん), あざ. *mancha* amarilla (網膜の) 黄斑. 3 きず, 汚点, 不名誉. honor sin *mancha* 汚点のない名声. 4〔天文〕(太陽の) 黒点 (= *mancha* solar).
extenderse como mancha de aceite (うわさなどが) ぱっと広がる.

Man·cha [mántʃa マンチャ] 固名 La *Mancha* ラ・マンチャ: スペイン中南部地方.
◆Cervantes の『ドン・キホーテ』の舞台.

man·char [mantʃár マンチャル] 動他 1 染みをつける, 汚す. *Manché* la carta con tinta. 手紙をインクの染みで汚してしまった. 2 (名声などを) 汚す, 傷をつける. *Mancharon* su honor con bromas de mal gusto. 彼らはたちの悪い冗談で彼の名誉を傷つけた.

man·che·go, ga [mantʃéɣo, ɣa マンチェゴ, ガ] 形 ラ・マンチャ (産) の.
— 名男女 ラ・マンチャの住民.
— 名男 ラ・マンチャ産のチーズ (= queso *manchego*).

man·ci·lla [manθíʎa マンしリャ] 名女 (名誉・純潔などの) 汚れ, 汚点, 傷.

man·ci·llar [manθiʎár マンしリャル] 動他 (名誉を) 汚す, (名声に) 傷をつける.

man·co, ca [máŋko, ka マンコ, カ] 形 1 片腕 [片手] のない, (腕・手が) 不自由な. *manco* de la izquierda 左腕のない. 2 不完全な, 欠陥のある, 不備な.
— 名男女 片腕 [片手] のない人, 腕 [手] が不自由な人.

man·co·mu·nar [maŋkomunár マンコムナル] 動他 1 (人・資金などを) 結集する, まとめる. *mancomunar* los esfuerzos 力を合わせる. 2〔法律〕連帯責任とする.
— **man·co·mu·nar·se**《+con》…と連帯 [連合] する, 一致協力する.

man·co·mu·ni·dad [maŋkomuniðáð マンコムニダ(ドゥ)] 名女 1 連帯, 連合, 協力. 2 連邦, 連合体; 自治団体連合.

mandada 過分 女 → mandar.

man·da·de·ro, ra [mandaðéro, ra マンダデロ, ラ] 名男女 使者, 使い走り.

man·da·do[1] [mandáðo マンダド] 名男 1 使い, 用足し; 使い走り. 2 命令, 指図.

man·da·do[2]**, da** 過分 → mandar.

man·da·más [mandamás マンダマス] 名男女《口語》お偉方, ボス.

man·da·mien·to [mandamjénto マンダミエント] 名男 1 命令, 指令;〔法律〕令状. *mandamiento* de arresto [de detención] 逮捕令状. 2〔宗教〕戒律. Los Diez *Mandamientos* 神 [モーセ] の十戒 (= decálogo).

mandando 現分 → mandar.

man·dar [mandár マンダル] 動他 〔現分 mandando; 過分 mandado, da〕〔英 command; send〕1《+不定詞》《+que 接続法》**…するよう命じる**, 頼む (= ordenar). Me *mandó* ir a la inauguración. 彼は私に開会式に出るように命じた. *Mandé* al alumno

que saliera a la pizarra. 私はその生徒に黒板の前に来るように命じた.
2《口語》送る, 郵送する; 派遣する (= enviar). *mandar* un paquete 小包を送る. Lo *mandaron* en busca del portero. 守衛を捜しに彼を行かせた.
3 指揮する; 支配する (= dirigir). *Manda* una compañía de aviación. 彼は航空会社を経営している.
Lo que usted mande. / ¡Mande! なんなりとご用命ください.
mandar decir que ... …と申し送る, 伝言する.
mandar por ... …を探しに [呼びに] やる, 取りに行かせる.
¿Mande?《ラ米》なんとおっしゃいましたか, もう一度言ってください.

man·da·ri·na [mandarína マンダリナ] 名女 **1**〘植物〙(マンダリン) ミカン (蜜柑).
2 北京官話, 標準中国語.

man·da·ta·rio [mandatárjo マンダタリオ] 名男〘法律〙代理人. el primer *mandatario* 国家元首.

man·da·to [mandáto マンダト] 名男
1 命令, 指令. *mandato* judicial〘法律〙令状, 召喚状.
2 任期. **3**〘法律〙委託; 委任統治.

man·dí·bu·la [mandíβula マンディブら] 名女〘解剖〙下あご, 下顎骨(かがく).
reír(se) a mandíbula batiente [a carcajadas]《口語》大笑いする.

man·dil [mandíl マンディる] 名男 (職人などの) 前掛け, エプロン.

man·do [mándo マンド] 名男 **1** 指揮, 統率, 支配. ejercer [tomar] el *mando* 統率する, 指揮を執る. estar bajo el *mando* [al *mando*] de ... …の指揮下にある. tener el [estar al] *mando* de ... …を指揮している. ir al *mando* 先頭に立つ.
2 任期.
3 制御 [操縦] 装置. *mando* a distancia リモコン.
4 [普通 ~s] 首脳陣, 幹部.
── 動 → mandar.

man·do·li·na [mandolína マンドリナ] 名女〘音楽〙マンドリン.

man·dón, do·na [mandón, dóna マンドン, ドナ] 形 威張りくさった.
── 名男女 威張りくさった人.

man·dril [mandríl マンドゥリる] 名男
1〘動物〙マンドリル.
2〘機械〙(旋盤の) 心棒, 主軸.

ma·ne·ci·lla [maneθíʎa マネしリャ] 名女
1 (時計などの) 針.
2〘印刷〙指標, 指印.

ma·ne·ja·ble [manexáβle マネハブれ] 形 扱いやすい; 操作[操縦] しやすい.

ma·ne·jar [manexár マネハル] 動他〔英 manage〕 **1** 操る, 扱う, 用いる;《ラ米》(車を) 運転する; 思いどおりに動かす. *manejar* los remos 櫂(かい)を操る. *manejar* (el) español スペイン語をこなす. *manejar* a《+uno》a SU antojo〈人〉を意のままに動かす. **2** 管理する; やりくりする.
── **ma·ne·jar·se** うまくやる, 振る舞う; (病後などに) 体の自由がきく. Sabe *manejarse* solo. 彼はひとりでやっていける.
manejárselas《口語》(なんとか) うまくやる (= arreglárselas).

ma·ne·jo [manéxo マネホ] 名男 **1** 取り扱い; 操作, 操縦. de fácil *manejo* 扱いやすい. instrucciones de *manejo* 使用説明書. **2** 運営; やりくり; 小細工.
3《ラ米》(車の) 運転.
── 動 → manejar.

ma·ne·ra [manéra マネラ] 名女 [複 ~s]〔英 manner, way〕 **1** やり方, 様式 (= modo). Hágalo de esta *manera*. このようにやりなさい. de la misma *manera* 同様に. de otra *manera* 別のやり方で; そうでなければ.
2 [普通 ~s] 行儀, 作法; 態度. No nos gustan sus *maneras*. 我々は彼の態度が気に入らない.
a la manera de ... …のやり方で, …のとおりに.
a manera de ... …の代わりに, …として; …であるかのように.
a* SU *manera その人に特有のやり方で, 自分流に.
de cualquier manera 雑に; 容易に; いずれにせよ.
de ninguna manera 決して…ない;《応答で》とんでもない.
de (tal) manera que (1)《+直説法》従って, そんなわけで. Se alegró *de tal manera que* comenzó a dar besos a todo el mundo. 彼は喜びのあまり, 誰かれかまわずキスを始めた. (2)《+接続法》…する [できる] ように. Todos le ayudamos *de manera que* tuviera éxito. 彼が成功するようにみんなは彼を助けた.
de todas maneras / de una manera o de otra とにかく, いずれにしても.
de una manera ひどく…, ものすごく…, 非常に…. Actuó *de una manera*. すばらしい演技だった.
en cierta manera ある程度, ある意味では.
no haber manera 仕方がない, どうしようもない;《+**de** 不定詞》…のしようがない.
¡Qué [Vaya una] manera de ...! なんという…だ, …とはなんということだ.
sobre manera ひどく, とても, 大いに.

man·ga [máŋga マンガ] 名女 **1**〘服飾〙袖(そで), スリーブ. *manga* corta [larga] 半[長] 袖. *manga* raglán [ranglán] ラグラン袖. → camisa 図, chaqueta 図.
2 筒状のもの; ホース (の筒先). *manga* de riego 散水用ホース.
3 円錐(えんすい)状のもの; (クリームなどの) 絞り出し器.

4〘ｽﾎﾟｰﾂ〙(競技の) 1回戦.
andar [***estar, ir***] ***manga por hombro*** 乱雑な状態にある.
sacarse 《+algo》 ***de la manga*** 《口語》〈何か〉を考えつく; でっち上げる.
ser de [***tener*** (***la***)] ***manga ancha*** 《口語》寛大である.
traer [***tener***] 《+algo》 ***en la manga*** 〈何か〉をひそかに準備している.

man·ga·ne·so [maŋganéso マンガネソ] 名男〘化〙マンガン.

man·go [máŋgo マンゴ] 名男 **1** 柄, 握り. *mango* de sartén フライパンの取っ手.
2〘植物〙マンゴー(の木・実).

man·go·ne·ar [maŋgoneár マンゴネアル] 動自《口語》**1** お節介をする, でしゃばる; あごで使う. **2** ぶらぶら歩く, うろつく.

man·gos·ta [maŋgósta マンゴスタ] 名女〘動物〙マングース.

man·gue·ra [maŋgéra マンゲラ] 名女
1 ホース. **2** 通風管, 換気筒.

man·gui·to [maŋgíto マンギト] 名男
1〘服飾〙マフ; 袖(そで)カバー.
2〘機械〙入れ子; 継ぎ手, スリーブ.

ma·ní [maní マニ] 名男 [複 manises]〘植物〙ラッカセイ(落花生) (=cacahuete).

ma·ní·a [manía マニア] 名女 **1** 熱狂, 偏執, 熱中. **2** 奇行; 癖, 習癖. Tiene la mala *manía* de mentir siempre. 彼はいつもうそをつく悪い癖がある.
3〘医〙躁(そう)病; 妄想. *manía* de grandezas 誇大妄想.
tener [***coger***] ***manía a*** 《+uno》《口語》〈人〉を嫌う, 目の敵にする.

ma·nia·co, ca [manjáko, ka マニアコ, カ] / **ma·ní·a·co, ca** [-níako, ka -ニアコ, カ] 形 躁(そう)病の; 偏執狂の.
── 名男女 躁病患者; 偏執狂, …狂.

ma·nia·tar [manjatár マニアタル] 動他 (両)手を縛る.

ma·niá·ti·co, ca [manjátiko, ka マニアティコ, カ] 形 偏執的な, 熱狂的な; 風変わりな. ── 名男女 マニア; 変人.

ma·ni·co·mio [manikómjo マニコミオ] 名男 精神病院.

ma·ni·cu·ro, ra [manikúro, ra マニクロ, ラ] 名男女 マニキュア師.
── 名女 マニキュア. hacerse la *manicura* マニキュアをする.

ma·nie·ris·mo [manjerísmo マニエリスモ] 名男 **1**〘美術〙マニエリスム: ルネッサンスからバロックに至る過渡期の様式.
2 マンネリズム.

ma·ni·fes·ta·ción [manifestaθjón マニフェスタシオン] 名女 [複 manifestaciones] [英 manifestation] **1 表明**, 明示; 声明, 言明. *manifestaciones* de cariño 愛情の表現.
2 デモ, 示威運動. prohibir la *manifestación* デモを禁止する.

ma·ni·fes·tan·te [manifestánte マニフェスタンテ] 名男女 デモ参加者.

ma·ni·fes·tar [manifestár マニフェスタル] [42 e → ie] 動他 表明する, 明示する. *manifestar* cariño por 《+uno》〈人〉に対して愛情を示す.
── **ma·ni·fes·tar·*se*** **1** 明らかになる, 現れる. *Se* le *ha manifestado* la satisfacción en la cara. 彼女の顔に満足の色が浮かんだ.
2 意志表示をする, デモをする. Miles de personas *se manifestaron* por la calle en favor de una amnistía. 大勢の人が恩赦を求めて街頭デモを行った.

manifiest- → manifestar. 42

ma·ni·fies·to, ta [manifjésto, ta マニフィエスト, タ] 形 明白な, 明らかな; 明示された. una verdad *manifiesta* 明白な事実. poner de *manifiesto* 明らかにする.
── 名男 宣言, 声明; 声明文.

ma·ni·ja [maníxa マニハ] 名女 取っ手, 柄; 操作レバー.

ma·ni·lar·go, ga [manilárɣo, ɣa マニラルゴ, ガ] 形 **1** 手の長い.
2 手癖が悪い, 盗癖のある.

ma·ni·lla [maníʎa マニリャ] 名女
1 取っ手, 柄. **2** ブレスレット. **3** 手錠.

ma·ni·llar [maniʎár マニリャル] 名男 (自転車・オートバイの) ハンドル. → bicicleta 図, motocicleta 図.

ma·nio·bra [manjóβra マニオブラ] 名女
1 操作, 運転;〘海事〙操舵(そうだ), 操船;〘鉄道〙操車, 転轍(てんてつ).
2 策略, 術策, 計略. *maniobra* política 政治的駆け引き.
3 [～または ～s]〘軍事〙機動演習.

ma·nio·brar [manjoβrár マニオブラル] 動自 **1** 操作する; 操縦する, 運転する.
2〘軍事〙機動演習をする.

ma·ni·pu·la·ción [manipulaθjón マニプラシオン] 名女 **1** 取り扱い, 操作.
2 駆け引き, 裏工作.

ma·ni·pu·lar [manipulár マニプラル] 動他 **1** 取り扱う, 操作する.
2《比喩》操る; 裏工作する.

ma·ni·que·ís·mo [manikeísmo マニケイスモ] 名男 **1** マニ教. **2** (善悪)二元論.

ma·ni·que·o, a [manikéo, a マニケオ, ア] 形 マニ教の. ── 名男女 マニ教徒.

ma·ni·quí [manikí マニキ] 名男 [複 maniquíes, maniquís] マネキン(人形), (仕立て用の)人台; 人体模型.
── 名男女 **1** 他人の言うなりに動く人, 傀儡(かいらい). **2** (ファッション)モデル.

ma·ni·ve·la [maniβéla マニベラ] 名女〘機械〙クランク, クランクハンドル.

man·jar [maŋxár マンハル] 名男 ごちそう, 料理, 食べ物.
manjar blanco〘料理〙ブラマンジェ.

ma·no [máno マノ] 名女 [複 ～s] [英 hand]

M

1 手; (動物の) 前足. Lávate las *manos* antes de comer. 食事の前に手を洗いなさい. Me dio las gracias y me estrechó la *mano*. 彼はありがとうと言って私に握手した. La niña iba de la *mano* de su padre. 女の子は父親に手をひかれて行った. ¡*Manos* arriba! ¡La bolsa o la vida! 手を挙げろ！金を出さないと殺すぞ！ hablar con las *manos* 身振り手振りで話す. *mano* de cerdo 〘料理〙豚足. ➡ cuerpo 図, dedo 図.
2 (左右の) 側. La oficina de correos queda a *mano* izquierda. 郵便局は左手にある.
3 (1回の) 動作, (ペンキなどの) 一塗り. Hay que dar la última *mano* a este banco. このベンチに仕上げ塗りをしなければならない.
4 仕事; 手腕, 腕前. una tabla anónima del siglo XVI, de *mano* maestra 作者不詳だが, 16世紀の巨匠級の手になるタブロー. Su hermana tiene buena *mano* para la costura. 彼の姉は裁縫が得意だ.
5 支配力, 影響力; [しばしば複] 掌中, 権限. Tiene mucha *mano* con el ministro. 彼はその大臣に顔が利く. Sólo haz lo que esté en tu *mano*. 君の権限内のことだけやりなさい. La dirección de la empresa pasará a sus *manos*. 会社の経営権は彼の手に移るだろう. Tienes el éxito en tus *manos*. 君の成功は目前だ. caer en *manos* de《+uno》〈人〉に捕まる. dejar [poner] en *manos* de《+uno》〈人〉にゆだねる. dejar en buenas *manos* 信頼できる人の手にゆだねる.
6 人手, 労働力. Necesitamos más *mano* de obra para la siega. 刈り入れにもっと人手が必要だ.
7 罰, 叱責(しっせき). ¡Buena *mano* le espera a ése! やつは今にひどい目に遭うぞ.
8 〘遊戯〙(トランプなどの) 一勝負; 持ち札; 先手. **9** 〘スポ〙(サッカー) ハンドリング. ➡ fútbol【参考】.
abrir la mano (規制などを) 緩める.
a mano (1) 手製の; 手書きの. (2) 手近の, 手元の (= al alcance de la *mano*). tener *a mano*. 手元にある.
a manos llenas 惜しげもなく.
a mano armada 武器を持って.
a manos de《+uno》〈人〉の手にかかって.
coger a《+uno》***con las manos en la masa***〈人〉を現行犯で捕まえる.
con las manos vacías 手ぶらで, むなしく.
con las manos en la cabeza 困り果てて.
dar la mano a《+uno》〈人〉に手を貸す; 〈人〉の手を取る; 〈人〉に握手を求める.
darse la mano 握手を交わす;《+con》…と酷似する.
dar SU ***mano*** (女性が) 結婚の承諾をする.
de manos a boca 突然, 思いがけなく.
de primera mano 直接の[に].
de segunda mano 中古の.
echar mano a ... …に手を伸ばす; …を捕らえる.
echar una mano a《+uno》〈人〉に手を貸す.
ensuciarse las manos 手を汚す; 不正事件に関与する.
estar mano sobre mano 何もしないでいる.
lavarse las manos 手を洗う; (悪事などから) 手を引く.
llegar [***venir***] ***a las manos*** 殴り合いになる.
llevar [***tener, traer***] ***entre manos*** (計画などを) 温めている, たくらんでいる.
pedir la mano de《+uno》〈人〉に結婚を申し込む.
ponerse de manos (犬が) ちんちんする, 後足で立つ.
ser la mano derecha de《+uno》〈人〉の右腕である.
ser largo [***listo***] ***de manos*** / ***tener las manos largas*** 手が早い.
tender la mano a《+uno》〈人〉を援助する; 〈人〉に施し物を求める.
tener mano izquierda《口語》抜けめがない, 手抜かりがない.
vivir de la mano a la boca その日暮らしをする.

ma·no·jo [manóxo マノホ] 名男 束, 把(わ); 一つかみのもの. un *manojo* de leña 一束の薪(まき).
a manojos 大量に, ふんだんに.

Ma·no·la [manóla マノら] / **Ma·no·li** [manóli マノリ] 固名 Manuela の愛称.

Ma·no·lo [manólo マノろ] 固名 マノロ: Manuel の愛称.

ma·nó·me·tro [manómetro マノメトゥロ] 名男 〘物理〙圧力計, マノメーター.

ma·no·pla [manópla マノプら] 名女
1 〘服飾〙ミトン; 〘スポ〙(ボクシングなどの) グローブ (► 野球のグローブは guante).
2 (甲冑(かっちゅう)の) 籠手(こて).

ma·no·se·ar [manoseár マノセアル] 動他 いじり回す; 繰り返し扱う. un tema *manoseado* 手あかのついたテーマ.

ma·no·se·o [manoséo マノセオ] 名男 いじり回すこと.

ma·no·ta·zo [manotáθo マノタそ] 名男 平手打ち. dar un *manotazo* ひっぱたく.

man·sa·men·te [mánsaménte マンサメンテ] 副 おとなしく, のんびりと.

man·se·dum·bre [manseðúmbre マンセドゥンブレ] 名女 温和; (動物が) 飼い慣らされていること.

man·sión [mansjón マンシオン] 名女
1 (大) 邸宅, 館(やかた). *mansión* señorial 豪壮な大邸宅. ► 日本のマンションに相当するものは piso.
2 滞在. hacer *mansión* 逗留(とうりゅう)する.

man·so, sa [mánso, sa マンソ, サ] 形 **1** 温和な; (動物が) 飼い慣らされた. *manso* como un cordero 子羊のようにおとなしい.
2 ゆったりした. corriente *mansa* 穏やかな流れ.
—— 名男 群れを先導する家畜.

man·ta [mánta マンタ] 名女 [複 ~s] 〔英 blanket〕 **1** 毛布. ➡ cama 図.
2 《口語》殴ること, 殴打.
a manta 大量に, たくさん.
liarse la manta a la cabeza 思いきってやる, 冒険をする.
tirar de la manta 秘密を暴く.

man·te·ar [manteár マンテアル] 動 他 (毛布で) 胴上げをする.

man·te·ca [mantéka マンテカ] 名女 **1** 脂肪, ラード; 料理用バター. untar *manteca* ラードを塗る. *manteca* de cacahuete ピーナッツバター. *manteca* de vaca バター. ► 食卓用バターは mantequilla.
2 《口語》(人の) 脂肪, 贅肉(ぜいにく). tener buenas *mantecas* 太っている.
ser como manteca きわめて従順である.

man·te·ca·do [mantekáðo マンテカド] 名男 **1** (豚の脂身を使った) 菓子. **2** アイスクリームの一種 (= *mantecado* helado).

man·te·co·so, sa [mantekóso, sa マンテコソ, サ] 形 脂肪質の, 脂っこい.

man·tel [mantél マンテる] 名男
1 テーブル掛け, テーブルクロス.
2 〘宗教〙祭壇布, 聖壇布.
comer a manteles 豪勢な食事をする.

man·te·le·rí·a [mantelería マンテれリア] 名女 テーブルクロスとナプキンのセット.

mantén 動 ➡ mantener. 55

mantendr- 動 ➡ mantener. 55

man·te·ner
[mantenér マンテネル] 55 動 他 [現分 manteniendo ; 過分 mantenido, da] 〔英 maintain〕

直説法 現在	
1·単 ***mantengo***	1·複 **mantenemos**
2·単 ***mantienes***	2·複 **mantenéis**
3·単 ***mantiene***	3·複 ***mantienen***

1 (ある状態を) 保つ, 維持する (= conservar, sostener). *mantener* buenas relaciones con los países vecinos 近隣諸国と友好関係を保つ. *mantener* los ojos cerrados 目をつむったままでいる. El acusado *mantuvo* silencio sin contestar a la pregunta del fiscal. 被告は検事の質問に沈黙を守った. *mantener* el coche a ochenta kilómetros por hora 車で時速80キロを維持する.
2 養う, 扶養する. *mantener* a la familia 家族を養う.
3 支える. Aunque son antiguas, estas columnas *mantienen* muy bien el techo. これらの円柱は古いが, 天井をよく持ちこたえている.
4 (意見・立場などを) 保ち続ける. *mantener* la opinión 自説を曲げない.
—— **man·te·ner·*se*** **1** 《+**con, de**》…で十分生活して [生きて] いける; …で生計を立てる.
2 (姿勢・状態を) 保つ, 持続する. *mantenerse* derecho 背筋をピンと伸ばす; (物が) 真っ直ぐ立っている. *mantenerse* tranquilo 平静を保つ. *mantenerse* a distancia 一定の距離を保つ. *mantenerse* en SU puesto [sitio] 自分の分をわきまえる. *mantenerse* en SUS trece 《口語》一歩も譲らない.

mantenido, da 過分 ➡ mantener.

manteniendo 現分 ➡ mantener.

man·te·ni·mien·to [mantenimjénto マンテニミエント] 名男 **1** 保守, 維持; 維持費. *mantenimiento* de una carretera 道路の整備. **2** 扶養, 養育. *mantenimiento* de una familia 家族の扶養.
3 食品; [~s] 貯蔵食料品.

man·te·que·rí·a [mantekería マンテケリア] 名女 乳製品店 [工場].

man·te·qui·lla [mantekíʎa マンテキリャ] 名女 〔英 butter〕 バター.

mantiene(-) 動 ➡ mantener. 55

man·ti·lla [mantíʎa マンティリャ] 名女 マンティーリャ: スペイン, メキシコなどで女性がかぶるショール. *mantilla* de encaje レース編みのマンティーリャ.

mantilla

man·ti·llo [mantíʎo マンティリョ] 名男 腐葉土; 堆肥(たいひ).

man·to [mánto マント] 名男 **1** マント; (礼装の) ガウン.
2 覆い隠すもの; 庇護(ひご). tapar con un *manto* 隠蔽(いんぺい)する, ふたをする. coger bajo SU *manto* かばう. bajo el *manto* de la indiferencia 無関心を装って.
3 (暖炉の) マントルピース.

man·tón [mantón マントン] 名男 肩掛け, ショール. *mantón* de Manila 刺繍(ししゅう)の入った絹のショール.

mantuv- 動 ➡ mantener. 55

ma·nual [manwál マヌアる] 形 **1** 手を使う, 手製の. trabajo *manual* 手仕事.
2 扱いやすい, 手軽な.
—— 名男 手引き, 便覧, マニュアル, ハンドブック.

ma·nu·brio [manúβrjo マヌブリオ] 名男 〘機械〙クランク; ハンドル, 取っ手.

Ma·nuel [manwél マヌエる] 固名 マヌエル：男性の名. 愛 Manolo.

Ma·nue·la [manwéla マヌエら] 固名 マヌエラ：女性の名. 愛 Manola, Manoli.

ma·nu·fac·tu·ra [manufaktúra マヌファクトゥラ] 名女 **1** 手工業製品.
2 製造, 製作.
3 製造所, 工場.
4〘歴史〙工場制手工業, マニュファクチュア.

ma·nu·fac·tu·rar [manufakturár マヌファクトゥラル] 動他 製造する, 製作する.

ma·nus·cri·to, ta [manuskríto, ta マヌスクリト, タ] 形 手書きの, 肉筆の.
── 名男 写本, 手稿, 肉筆本; 手書き原稿.

ma·nu·ten·ción [manutenθjón マヌテンしオン] 名女 **1** 扶養. *manutención* de una familia 妻子を養うこと.
2 維持, 保存.

man·za·na [manθána マンさナ] 名女 [複 ～s]〔英 apple〕**1**〘植物〙リンゴ(林檎)の実. pastel de *manzana* アップルパイ. ➡ fruta 図.
2 (都市の) 区画, ブロック. La cola daba la vuelta a la *manzana*. 行列が1ブロックをぐるっと1周していた. ➡ ciudad 図.
3 (旗竿(ざお)・柱頭などの) 球飾り.
estar sano como una manzana* / *estar más sano que una manzana きわめて元気である.

man·za·nar [manθanár マンさナル] 名男 リンゴ畑[園].

man·za·ni·lla [manθaníʎa マンさニリャ] 名女 **1**〘植物〙カミツレ; カミツレ茶, カモミル (= té de *manzanilla*). ◆花を煎(せん)じたもので, 消化・解熱の効果がある.
2 マンサニージャ：スペイン Andalucía 産の辛口のシェリー酒.

man·za·no [manθáno マンさノ] 名男〘植物〙リンゴ(林檎)の木.

ma·ña [máɲa マニャ] 名女 **1** 器用さ, 腕の良さ. tener *maña* para [en]《+不定詞》…するこつを心得ている. darse *maña* para《+不定詞》うまく…する.
2 [普通 ～s] 抜けめのなさ, ずるさ; 術策.

ma·ña·na [maɲána マニャナ] 名女 [複 ～s]〔英 morning〕朝; 午前. Salimos de casa muy de mañana. 私たちは朝早く家を出た. a la *mañana* siguiente 翌朝(に). desde la *mañana* hasta la noche 朝から晩まで. Por las *mañanas* íbamos de paseo. 午前中よく私たちは散歩をしたものだ. ◆スペインでは午後2時ごろの昼食までを mañana, それ以降を tarde という. ➡ día【参考】.
── 副〔英 tomorrow〕明日, あした. *Mañana* vendré a las ocho. 明日8時に来ます. *Mañana* es domingo. 明日は日曜日だ. pasado *mañana* あさって, 明後日.
── 名男 未来, 将来.
Hasta mañana.《挨拶》ではまた明日.
Mañana será otro día. 明日は明日の風が吹く.
No dejes para mañana lo que puedes hacer hoy. 今日できることを明日に延ばすな.

ma·ña·ne·ro, ra [maɲanéro, ra マニャネロ, ラ] 形 早起きの; 朝の.

ma·ña·ni·ta [maɲaníta マニャニタ] 名女 **1**《口語》朝方, 早朝.
2 (女性用の) ベッド・ジャケット.

ma·ño·so, sa [maɲóso, sa マニョソ, サ] 形 **1** 器用な, 腕のいい. **2** 抜けめのない

ma·o·ís·mo [maoísmo マオイスモ] 名男 毛沢東思想.

ma·pa [mápa マパ] 名男 [複 ～s]〔英 map〕地図. *mapa* de España スペイン地図. *mapa* de carreterras 道路地図. desaparecer del *mapa*《口語》この世から姿を消す.

【参考】 **mapa** は一枚の地図, **atlas** は地図帳, **plano** は市街地図[区分地図].

ma·pa·mun·di [mapamúndi マパムンディ] 名男 **1** 世界地図. **2**《俗語》尻(しり).

ma·que·ta [makéta マケタ] 名女 模型, ひな形.

ma·quia·vé·li·co, ca [makjaβéliko, ka マキアベりコ, カ] 形 マキャベッリ(主義)の; 老獪(ろうかい)な.

ma·quia·ve·lis·mo [makjaβelísmo マキアベりスモ] 名男 **1** マキャベリズム：目的のためには手段を選ばないというイタリアの政治家マキャベッリ Maquiavelo (1469–1527) の説. **2** 老獪(ろうかい)さ.

ma·qui·lla·je [makiʎáxe マキリャヘ] 名男 メーキャップ, 化粧; 化粧品. ponerse *maquillaje* 化粧をする. *maquillaje* de fondo ファンデーション.

ma·qui·llar [makiʎár マキリャル] 動他 …にメーキャップする, 化粧する. *maquillar* a los actores 俳優の顔をこしらえる.
── **ma·qui·llar·*se*** メーキャップをする, 化粧をする. Siempre *se maquilla* excesivamente. 彼女はいつも厚化粧だ.

má·qui·na [mákina マキナ] 名女 [複 ～s]〔英 machine〕**1** 機械, 器械. andar [funcionar, marchar] bien la *máquina* 機械が正常に作動する. *máquina* de vapor 蒸気機関. *máquinas* electrónicas 電子機器. *máquina* de afeitar [de coser, de escribir] シェーバー[ミシン, タイプライター]. *máquina* fotográfica カメラ. escrito [hecho] a *máquina* タイプで打った[機械製の]. ➡ instrumento【参考】.
2 機関車 (= *máquina* del tren).

3 機構, 組織.

ma·qui·na·ción [makinaθjón マキナシオン] 名女 陰謀, 奸策(かんさく).

ma·qui·nal [makinál マキナる] 形 機械的な, 自動的な; 無意識の.

ma·qui·nal·men·te [makinálménte マキナるメンテ] 副 機械的に; 無意識に.

ma·qui·nar [makinár マキナル] 動他 (陰謀を) 企てる, …の策を巡らす.

ma·qui·na·ria [makinárja マキナリア] 名女 **1** 《集合》機械. *maquinaria* agrícola 農業機械.
2 機構. *maquinaria* administrativa 行政組織.

ma·qui·ni·lla [makiníʎa マキニりャ] 名女 **1** 安全かみそり (=*maquinilla* de afeitar).
2 小型機器. *maquinilla* para cortar el pelo バリカン.

ma·qui·nis·ta [makinísta マキニスタ] 名男女 機関士; 〖演劇〗大道具方; (機械の) 操作係.

mar [már マル] 名男 (時に女) [複 ～es] 〔英 sea〕
海 (↔ tierra); 内海; 海域. nadar en el *mar* 海で泳ぐ. *Mar* Mediterráneo 地中海. *Mar* Caribe カリブ海. *Mar* Muerto 死海. hombre de *mar* 船乗り. en alta *mar* 沖[外洋]で. *mar* agitado [picado] 荒海[三角波の立つ海]. ► 詩や海事用語で, また地方により女性名詞になることがある. ➡ costa, océano, playa.
a mares 《口語》多量に.
la mar de ...《口語》多量の, たくさんの; とても, 非常に. *la mar de* veces 何度も. *la mar de* guapa とても美人な. *la mar de* bien とても快適に; とても上手に[すばらしく].
mar de fondo 《口語》複雑な[深い]事情.
un mar de ... …の海, 多量の…. *un mar de* sangre 血の海. María estaba hecha *un mar de* lágrimas. マリアはわあわあ泣いていた.

ma·ra·ca [maráka マラカ] 名女 [普通 ～s] 〖音楽〗マラカス.

ma·ra·ña [maráɲa マラニャ] 名女 **1** (糸などの) もつれ. una *maraña* de pelo 髪のもつれ.
2 紛糾, ごたごた. una *maraña* de mentiras うその塊.
3 やぶ, 茂み.

ma·ras·mo [marásmo マラスモ] 名男 〖医〗消耗(症), 衰弱; 無気力.

ma·ra·tón [maratón マラトン] 名男 〖スポーツ〗マラソン; (一般に) 耐久競走.

ma·ra·ve·dí [maraβeðí マラベディ] 名男 [複 maravedís, maravedíes, maravedises] マラベディ: 19世紀半ばまで通用したスペインの貨幣.

ma·ra·vi·lla [maraβíʎa マラビりャ] 名女 すばらしいこと[人], 驚嘆すべきこと[人]. ¡Qué *maravilla*! 実にすばらしい, 全く見事だ. las siete *maravillas* del mundo 世界の七不思議.
a las (mil) maravillas すばらしく, 見事に.
contar [decir] maravillas de ... …を褒めちぎる, 絶賛する.
hacer maravillas 驚くべき成果を上げる; 妙技を見せる. *Hace maravillas* con la cocina española. 彼女はスペイン料理がとても上手だ.
venir a 《+uno》 ***de maravilla*** 〈人〉にちょうど必要なものだ, おあつらえ向きである.

ma·ra·vi·llar [maraβiʎár マラビりャル] 動他 驚嘆させる. Me *maravilla* su delicadeza. 彼の心遣いに私は感心している.
── **ma·ra·vi·llar·*se*** 《+**con, de**》 …に驚嘆する. *Me maravillo de* su paciencia. 彼の辛抱強さには感心する.

maravillosa 形女 ➡ maravilloso.

ma·ra·vi·llo·sa·men·te [maraβiʎósaménte マラビりョサメンテ] 副 驚くほど, すばらしく.

ma·ra·vi·llo·so, sa [maraβiʎóso, sa マラビりョソ, サ] 形 [複 ～s] 〔英 marvelous〕
すばらしい, 驚嘆すべき; 不思議な. paisaje *maravilloso* すばらしい景色, 絶景. fenómeno *maravilloso* 不思議な現象. Era un día *maravilloso*. すばらしい日だった.

Mar·be·lla [marβéʎa マルベりャ | -ja ·ヤ] 固名 マルベジャ: スペイン南部 Costa del Sol にある観光地.

mar·be·te [marβéte マルベテ] 名男 ラベル, 荷札; 《比喩》烙印(らくいん), レッテル.

mar·ca [márka マルカ] 名女 [複 ～s] 〔英 mark〕 **1 印**, マーク; **商標**, ブランド. poner una *marca* 印をつける. *marca* registrada 登録商標. *marca* imitada 偽造ブランド. coche de *marca* japonesa 日本車. de *marca* 一流ブランドの.
2 (家畜の) 焼き印.
3 跡, 痕跡(こんせき).
4 〖スポーツ〗記録. batir [mejorar] una *marca* 記録を破る[新記録を出す].
── 動 ➡ marcar.
de marca mayor 《口語》途方もない.

mar·ca·dor, do·ra [markaðór, ðóra マルカドル, ドラ] 名男女 **1** 〖スポーツ〗スコアラー.
2 検定員, 検査官. *marcador* de votos 得票数の計算者.
── 名男 **1** 〖スポーツ〗スコアボード.
2 マーカー, フェルトペン.
── 形 印を付ける.
abrir el marcador 〖スポーツ〗先取得点をあげる.

mar·ca·je [markáxe マルカへ] 名男 〖スポーツ〗得点(すること); (相手を) マークすること.

mar·car [markár マルカル] [⑧ c ➡ qu] 動他 〔英 mark〕 **1 印をつける**, 標示す

る. *marcar* con hierro [a fuego] 焼き印を押す.
2 意味する; 示す; 指す. La unificación alemana *marca* el comienzo de una nueva época. ドイツ統一は新しい時代の始まりだ. El reloj *marca* las cuatro. 時計は 4 時を指している.
3 (電話番号を) **回す, 押す**.
4 痕跡(こんせき)をとどめる, 跡を残す.
5 拍子を取る. *marcar* el compás リズムに合わせる.
6 〘スポーツ〙 得点をあげる; (相手の選手を) マークする. *Marcó* tres canastas. (バスケットで) 彼は 3 本のシュートを決めた.
7 (髪型を) セットする.
—— **mar·car·se** **1** 〘スポーツ〙 得点する, 点を入れる. **2** 《口語》 点数を稼ぐ, 名をあげる, 獲得する.

mar·cha [mártʃa マルチャ] 名女 [複 ~s] 〔英 march〕 **1** **行進**; 歩み, 歩行. abrir [cerrar] la *marcha* (行進の) 先頭[最後尾]を行く. ¡En *marcha*! 発進!, 前進!
2 **出発**, 出立. ¿A qué hora es tu *marcha*? 何時に出発するんだい?
3 (機械などの) 稼動, 運行; 進展, 経過. la *marcha* de los asuntos 事態の成り行き.
4 〘車〙 (変速) ギア. *marcha* segunda [directa, atrás] セカンド [トップ, バック] ギア. **5** 〘音楽〙 行進曲, マーチ. *Marcha* Real 国王行進曲 (♦スペイン国歌).
—— 動 → marchar.
a marchas forzadas 強行軍で; 大急ぎで.
a toda marcha 全速力で.
coger la marcha こつをつかむ.
dar marcha atrás a ... (車) を後退させる; (考えを) 元に戻す. A última hora *dio marcha atrás al* plan. いざという時になって彼は計画を引っ込めた.
estar en marcha 進行中である; 稼動している.
llevar buena marcha (仕事などが) 順調に進む.
poner en marcha 始動させる, 発進させる; 操業開始する.
sobre la marcha 成り行きを見て, 臨機応変に.

marchado 過分 → marchar.

mar·cha·mo [martʃámo マルチャモ] 名男 通関証票; (製品の) 検査済みマーク.

marchando 現分 → marchar.

mar·chan·te, ta [martʃánte, ta マルチャンテ, タ] 形 商業の.
—— 名男女 **1** 商人. **2** 《ラ米》 得意客.

mar·char [martʃár マルチャル] 動自 [現分 marchando ; 過分 marchado] 〔英 go, run〕
1 **進む**. El tren *marchaba* muy lentamente. 電車はとてもゆっくり走っていた. *marchar* en fila 行進する. ¡*Marchen*! 〘軍事〙 進め!
2 (機械などが) 動く, 作動する; (事柄が) 進展する. El negocio *marcha* sobre ruedas. 事業は順調にいっている. Todo *marcha* bien. すべて順調だ. ► 口語では andar, ir の方が多く使われる.
—— 動自 **mar·char·se** 〔英 leave, go away〕 **立ち去る, 帰る**, 出発する. *Se ha marchado* hace una hora. 彼は 1 時間前に帰った[出発した]. *Se marchó* de la universidad a mitad de curso. 彼は学期半ばで大学を去った.

mar·chi·tar [martʃitár マルチタル] 動他 (草花を) しおれさせる, しなびさせる; (体力・容色などを) 衰えさせる. Las penas *marchitaron* su rostro. 苦労で顔がやつれてしまった.
—— **mar·chi·tar·se** しおれる, しなびる; 衰える.

mar·chi·to, ta [martʃíto, ta マルチト, タ] 形 (草花が) しおれた, しなびた; 衰えた, 生気を失った. un aspecto *marchito* さえない表情.

mar·cial [marθjál マルしアる] 形 軍隊の; 戦争の. artes *marciales* 武道, 武術.

mar·cia·no, na [marθjáno, na マルしアノ, ナ] 形 火星の; 軍神マルスの.
—— 名男女 火星人.

mar·co [márko マルコ] 名男 **1** 枠; 額縁, 窓枠. el *marco* de la puerta 戸のかまち. → puerta 図.
2 範囲; 枠組み; 環境. *marco* económico 経済情勢.
3 マルク: ドイツの旧通貨単位.
4 〘スポーツ〙 ゴールポスト.
—— 動 → marcar.

Mar·co [márko マルコ] 固名 マルコ: 男性の名.

Mar·cos [márkos マルコス] 固名 マルコス: 男性の名. San *Marcos* 〘聖書〙 聖マルコ (『マルコによる福音書』の著者).

ma·re·a [maréa マレア] 名女 **1** 潮 (の干満), 潮汐(ちょうせき). *marea* creciente [entrante, ascendiente] 上げ潮. *marea* menguante [saliente, descendente] 引き潮. *marea* alta [baja] 満潮[干潮].
2 人の流れ, 殺到. *marea* humana 人波.

ma·re·ar [mareár マレアル] 動他 **1** 《口語》 悩ます, 困らせる. Ella me *marea* con tanta charla. 彼女のおしゃべりにはまいってしまう.
2 乗り物酔いさせる; むかつかせる; めまいを起こさせる. Este olor me *marea*. このにおいは鼻にむっとくる.
—— **ma·re·ar·se** **1** 乗り物に酔う; 気分が悪くなる, むかつく. *Se mareó* en cuanto subió al autobús. 彼はバスに乗りこむとすぐに気分が悪くなった.
2 頭を悩ます. No *te marees* con esas tonterías. そんなばかげたことに頭を使うな.
3 《口語》 ほろ酔い機嫌になる.

ma·re·ja·da [marexáða マレハダ] 名女

大波，うねり．

ma·re·mag·no [maremáɣno マレマグノ] **/ ma·re·mág·num** [-num -ヌン] 名男 群衆，人波；多数，おびただしさ．

ma·re·mo·to [maremóto マレモト] 名男 海底地震．➡ terremoto.

ma·re·o [maréo マレオ] 名男 **1** めまい；むかつき；乗り物酔い．
2《口語》煩わしさ；困惑．

mar·ke·ting [márketin マルケティン] 名男〔経済〕マーケティング（リサーチ），市場調査．［←英語］

mar·fil [marfíl マルフィる] 名男 **1** 象牙(ぞうげ)．objeto de *marfil* 象牙細工(品)．
2（歯の）象牙質．
── 形 象牙色の，アイボリーの．

mar·ga·ri·na [marɣarína マルガリナ] 名女〔料理〕マーガリン．

mar·ga·ri·ta [marɣaríta マルガリタ] 名女
1〔植物〕ヒナギク（雛菊）；マーガレット．deshojar la *margarita* 花びらを抜きながら恋占いをする．
2 真珠（＝perla）．echar *margaritas* a los cerdos [puercos] 豚に真珠．
3 マルガリータ：tequila をベースにレモン果汁を加えて作るカクテル．

Mar·ga·ri·ta [marɣaríta マルガリタ] 固名 マルガリータ：女性の名．愛 Margara.

mar·gen [márxen マルヘン] 名男（または女）［複 márgenes］**1**（ページの）余白，欄外；傍注．dejar *margen* en cada página 各ページに余白を残す．
2 へり，縁．las *márgenes* del río 川の両岸．
3 余裕，余地；許容範囲．dejar *margen* a《＋uno》〈人〉に（行動・選択の）余地を与える，猶予する．
4〔商業〕利ざや，マージン．
al margen 欄外に；埒外(らちがい)に，疎外されて．firmar *al margen* 余白に署名する．mantenerse *al margen* 埒外にいる，傍観する．

mar·gi·na·do, da [marxináðo, ða マルヒナド，ダ] 形 社会の周辺の，疎外された．
── 名男女 社会から疎外された人；アウトサイダー．

mar·gi·nal [marxinál マルヒナる] 形
1 欄外の．**2** 周縁の，二義的な．
3 社会から孤立した，疎外された．

mar·gi·nar [marxinár マルヒナル] 動他
1 余白を残す．**2** 注をつける．
3 無視する；疎外する．

Ma·rí·a [maría マリア] 固名 マリア：女性の名．愛 Mari, Mariquita, Maruja. Santa [Virgen] *María* 聖母マリア．La Santa *María* サンタ・マリア号（新大陸到達時のコロンブス Colón の旗艦）．*María* de Guadalupe マリア・デ・グアダルーペ（愛 Lupe）．*María* del Carmen マリア・デル・カルメン（愛 Mari Carmen, Carmina, Carmela, Carmenchu, Menchu）．

ma·ria·chi [marjátʃi マリアチ] **/ ma·ria·che** [-tʃe -チェ] 名男〔音楽〕マリアッチ：メキシコの民俗舞踊音楽[楽団]．

Ma·ria·na [marjána マリアナ] 固名 マリアナ：女性の名．

ma·ria·no, na [marjáno, na マリアノ，ナ] 形 聖母マリア(信仰)の．

ma·ri·ca [maríka マリカ] 名男《俗語》ホモ，同性愛の男；なよなよした男．

Ma·ri Car·men [marikármen マリカルメン] 固名 マリ・カルメン：María del Carmen の愛称．

ma·ri·cón [marikón マリコン] 名男《俗語》ホモ，同性愛の男．

ma·ri·co·na·da [marikonáða マリコナダ] 名女《俗語》卑劣な行為；ばかげたこと．

ma·ri·co·ne·ra [marikonéra マリコネラ] 名女（男性用）セカンド・バッグ，ポシェット．

ma·ri·da·je [mariðáxe マリダヘ] 名男
1 結婚生活；同棲(どうせい)生活．**2** 調和，協調．
3 結合；結託．

ma·ri·do
[maríðo マリド] 名男［複 ～s］〔英 husband〕**夫**（↔mujer, esposa）．➡ familia【参考】．

ma·ri·gua·na [mariɣwána マリグアナ] **/ ma·ri·hua·na** [-wána -ワナ] **/ ma·ri·jua·na** [-xwána -フアナ] 名女 マリファナ；〔植物〕タイマ（大麻）．

ma·ri·ma·cho [marimátʃo マリマチョ] 名男《口語》男っぽい女，男勝りの女．

Ma·ri [mári マリ] **/ Ma·ry** [-ri -リ] 固名 マリ：María の愛称．

ma·rim·ba [marímba マリンバ] 名女〔音楽〕マリンバ．

ma·ri·ne·ra [marinéra マリネラ] 名女
1 セーラー服（＝traje de *marinero*, blusa *marinera*）．**2**《ラ米》〔音楽〕マリネラ：エクアドル，チリ，ペルーの舞曲．

ma·ri·ne·rí·a [marinería マリネリア] 名女 **1**《集合》船員，船乗り．**2** 船員暮らし．

ma·ri·ne·ro[1] [marinéro マリネロ]［複 ～s］名男〔英 sailor〕**船員**，船乗り；水兵．

ma·ri·ne·ro[2]**, ra** [marinéro, ra マリネロ，ラ] 形 **1** 海の，海洋の；海岸の，海辺の．
2 船員の；水兵の．
3（船舶が）航海に適する；操船しやすい．
salsa a la marinera 白ぶどう酒・タマネギ・魚の出し汁を煮詰めたソース．

ma·ri·no, na [maríno, na マリノ，ナ] 形 海の，海洋の．vegetación *marina* 海洋植物．
── 名女 **1** 海軍（＝*marina* de guerra）．Ministerio de *Marina* 海軍省．Ministro de *Marina* 海軍大臣．➡militar【参考】．
2《集合》（一国の）船舶，船団．*marina* mercante 商船(団)；海運力．
── 名男 船員；水兵．

Ma·rio [márjo マリオ] 固名 マリオ：男性の

M

名.

ma·rio·ne·ta [marjonéta マリオネタ] 名 女 マリオネット, 操り人形 (=títere); [~s] 人形芝居.

ma·ri·po·sa [maripósa マリポサ] 名 女 1〘昆虫〙チョウ (蝶); ガ (蛾) (=*mariposa* nocturna). 2〘機械〙蝶(ちょう)ナット. 3〘スポーツ〙バタフライ (泳法) (=braza *mariposa*).

ma·ri·po·se·ar [mariposeár マリポセアル] 動 自 つきまとう; 次々に女に言い寄る.

ma·ri·qui·ta [marikíta マリキタ] 名 女〘昆虫〙テントウムシ (天道虫).
—— 名 男《俗語》同性愛者, おかま.

Ma·ri·qui·ta [marikíta マリキタ] 固名 マリキータ: María の愛称.

ma·ri·sa·bi·di·lla [marisaβiðíʎa マリサビディリャ] 名 女《口語》インテリぶる女.

ma·ris·cal [mariskál マリスカル] 名 男〘軍事〙陸軍元帥.

ma·ris·co [marísko マリスコ] 名 男 [複 ~s]〔英 shellfish〕(エビ・カニ・貝類などの) 海産物. restaurante de *mariscos* シーフード・レストラン.

ma·ris·ma [marísma マリスマ] 名 女 塩沢. ***Las Marismas*** ラス・マリスマス: スペイン Guadalquivir 河口の低湿地帯.

Ma·ri·sol [marisól マリソル] 固名 マリソル: María de la Soledad の愛称.

ma·ris·que·rí·a [mariskería マリスケリア] 名 女 シーフード・レストラン; 海産物店.

ma·ri·tal [maritál マリタル] 形 1 結婚の. vida *marital* 結婚生活. 2 夫の.

ma·rí·ti·mo, ma [marítimo, ma マリティモ, マ] 形 1 海の, 海洋の; 海事の. derecho *marítimo* 海事法. transporte *marítimo* 海上輸送, 海運. 2 海に面する, 海辺の. ciudad *marítima* 臨海都市.

mar·mi·ta [marmíta マルミタ] 名 女 ふたつき鍋(なべ), 圧力釜(がま).

már·mol [mármol マルモル] 名 男 大理石. estatua de *mármol* 大理石像. ***de mármol*** 冷たい, 冷酷な.

mar·mó·re·o, a [marmóreo, a マルモレオ, ア] 形 大理石の (ような).

mar·mo·ta [marmóta マルモタ] 名 女 1〘動物〙マーモット. 2《口語》寝坊. dormir como una *marmota* ぐっすり眠る.

ma·ro·ma [maróma マロマ] 名 女 1 太綱, ケーブル. 2《ラ米》綱渡り.

marqu- 動 → marcar. [⑧ c → qu]

mar·qués [markés マルケス] 名 男 侯爵. los *marqueses* 侯爵夫妻. → duque【参考】.

mar·que·sa [markésa マルケサ] 名 女 侯爵夫人; 女侯爵.

mar·que·sa·do [markesáðo マルケサド] 名 男 侯爵領; 侯爵の位.

mar·que·si·na [markesína マルケシナ] 名 女 (入り口の) 張り出し屋根, (駅などの) ガラス張り屋根.

mar·que·te·rí·a [marketería マルケテリア] 名 女 1 寄せ木細工. 2 家具指物工芸[工房].

ma·rra·na·da [mar̄anáða マラナダ] 名 女《口語》汚いやり方, 卑劣なこと; 汚らしさ, 不潔.

ma·rra·no, na [mar̄áno, na マラノ, ナ] 形 汚らしい.
—— 名 男〘動物〙ブタ (豚) (=cerdo).
—— 名 男 女《口語》汚らしい人, 卑劣な人.

ma·rrar [mar̄ár マラル] 動 他 自 誤る, 失敗する, それる, 外す. *marrar* el tiro 的を撃ち損じる.

ma·rras [már̄as マラス] ***de marras***《副詞句》《口語》昔からの; 例の. el cuento *de marras* よくある話. el asunto *de marras* 例の一件.

ma·rrón [mar̄ón マロン] 形 [複 marrones]〔英 brown〕茶色の, 栗(くり)色の. ► 目や髪の茶色には castaño を用いる.
—— 名 男 1 茶色, 栗色. 2 マロン・グラッセ (=*marrón* glacé). ► 栗は castaña.

ma·rro·quí [mar̄okí マロキ] 形 [複 marroquíes] モロッコの.
—— 名 男 女 モロッコ人.
—— 名 男 モロッコ革.

ma·rro·qui·ne·rí·a [mar̄okinería マロキネリア] 名 女 モロッコ革製造[品].

Ma·rrue·cos [mar̄wékos マルエコス] 固名 モロッコ: アフリカ北西部の王国. 首都 Rabat.

ma·rru·lle·rí·a [mar̄uʎería マルリェリア] 名 女 甘言, おだて.

ma·rru·lle·ro, ra [mar̄uʎéro, ra マルリェロ, ラ] 形 口のうまい.

mar·se·llés, lle·sa [marseʎés, ʎésa マルセリェス, リェサ] 形 (フランスの) マルセイユ Marsella の.
—— 名 男 女 マルセイユの住民.

mar·ta [márta マルタ] 名 女〘動物〙テン (貂); テンの毛皮. *marta* cebellina クロテン (黒貂).

Mar·te [márte マルテ] 固名 1〘ローマ神話〙マルス: 軍神. 2〘天文〙火星. → solar 図.

mar·tes [mártes マルテス] 名 男 [単・複 同形]〔英 Tuesday〕火曜日《略. mart.》. Viene los *martes*. 彼は毎週火曜日にやって来る. En *martes*, ni te cases ni te embarques.《諺》(縁起の悪い) 火曜日には結婚するな, 船にも乗るな. → lunes【参考】.

mar·ti·llar [martiʎár マルティリャル] 動 他 1 ハンマーで打つ. 2 苦しめる, さいなむ.

mar·ti·lla·zo [martiʎáθo マルティリャソ] 名 男 ハンマーで打つこと[音]. a *martillazos* 金槌(かなづち) [ハンマー] でたたいて.

mar·ti·lle·ar [martiʎeár マルティリェアル] 動 他 1 ハンマーで打つ. 2 しつこく繰り返す.

mar·ti·lle·o [martiʎéo マルティリェオ] 名

M

㊚ ハンマーで打つこと[音]; 単調な音の繰り返し.

mar·ti·llo [martíʎo マルティリョ] 名㊚ **1** 金槌(かなづち), ハンマー. a *martillo* 金槌[ハンマー]でたたいて.

2 (ピアノの) ハンマー; (時計の) 打ち子; (ハンマー投げの) ハンマー.

3 〘魚〙シュモクザメ (撞木鮫).

Mar·tín [martín マルティン] 固名 マルティン: 男性の名.

mar·tin·ga·la [martiŋgála マルティンガら] 名㊛ 仕掛け, 策略.

már·tir [mártir マルティル] 名㊚㊛ 殉教者; 犠牲者.

dársela de mártir 殉教者ぶる.

mar·ti·rio [martírjo マルティリオ] 名㊚ **1** 殉教, 殉死. **2** 苦悩, 苦痛.

mar·ti·ri·zar [martiriθár マルティリさル] [39 z → c] 動他 **1** 殉教者として殺す, 迫害する. **2** 責めさいなむ.

Ma·ru·ja [marúxa マルハ] 固名 マルーハ: María の愛称.

mar·xis·mo [marsísmo マルシスモ] 名㊚ マルクス Marx 主義. *marxismo*-leninismo マルクス・レーニン主義.

mar·xis·ta [marsísta マルシスタ] 形 マルクス主義の. ── 名㊚㊛ マルクス主義者.

mar·zo [márθo マルそ] 名㊚ [複 ~s] 〔英 March〕 3月《略 mzo.》. → mes 【参考】.

mas [mas マス] 接続 《文語》 しかし (= pero).

más [más マス] 副 [mucho の比較級] 〔英 more〕

1 《比較級・比較構文を作る》

(1) **もっと**, さらに, いっそう (↔menos); 《否定文で》 それ以上…ない. *más* blanco もっと白い. *más* tarde もっとあとで. Antes yo fumaba *más*. 私は以前はもっとタバコを吸っていた. No estudies *más*. Te va a dar algo. それ以上勉強するな, 頭がおかしくなるぞ. He leído dos libros *más*. 私はさらにもう2冊読んだ.

(2) **más ... que ...** …よりも…; …よりむしろ. → 【文法】.

2 《定冠詞などの限定語+比較級で最上級を作る》**いちばん**, 最も. el que ha trabajado *más* いちばんよく働いた男の人. la casa *más* antigua de este barrio この地区でいちばん古い家. Lo *más* importante es esto. いちばん大事なのはこの点だ. ►「…の中で (いちばん)」を表すには前置詞 **de**, **entre** を用いる.

3 《前置詞または接続詞的に》プラス. El libro se compone de doce capítulos *más* un índice muy detallado. その本は12章と詳細極まる索引からなっている. Dos *más* tres son cinco. 2足す3は5.

4 特に, とりわけ (= sobre todo). Esto tiene su importancia, y *más* por tratarse de vosotros. このことは特に諸君にかかわることなので重要だ.

5 《感嘆文で》本当に, 実に (= tan). ¡Qué bibliografía *más* completa! 実に完璧(かんぺき)な文献目録だ.

── 形 [性・数不変] **より多数[多量]の**; 《否定文で》…しかない. Se usa con *más* frecuencia esta palabra. この単語の方がもっと頻繁に使われる. No tengo *más* dinero. 私はそれしか金がない. → 【文法】.

── 代名 《複数定冠詞を伴って》大多数, 大部分; 《無冠詞で》より多数. las *más* de las veces 多くの場合. No hay sitio para *más*. それ以上の人の席はない.

【文 法】 **1 más [menos] ... que ...**

(1) …よりも….

《+名詞》

Tengo *más* libros *que* él. 私は彼より本をたくさん持っている.

Tengo *menos* dinero *que* mi hermano. 私は兄ほど金を持っていない.

《+形容詞》

Es *más* alta *que* él. 彼女の方が彼より背が高い.

Son *menos* estudiosos *que* los del año pasado. 今年の方が昨年の学生より勉強しない.

《+副詞》

La visita *más* [*menos*] frecuentemente *que* antes. 彼は以前よりもっと頻繁に彼女の家に行っている[以前ほど行っていない].

《動詞+》

Trabaja *más* [*menos*] *que* yo. 彼は私より働いている[いない].

(2) …よりむしろ.

Tengo *más* ganas de estudiar inglés *que* francés. 私はフランス語よりむしろ英語を勉強したい.

2 no ... más ... que ... …しかない.

No tengo *más* remedio (= otro remedio) *que* resignarme. 私は諦(あきら)めるしかしようがない.

No tengo *más que* veinte mil pesetas. 私は2万ペセタしかない.

a lo más せいぜい, 多くても.

a más 《+不定詞》 できるだけ…して. *a más* tardar どんなに遅くても. *a más* no poder 力いっぱい, 最大限.

cuanto más ...* (*tanto*) *más ... → cuanto 【文法】.

de más 余分に.

el que más y el que menos 誰でも, 皆.

es más それどころか.

lo más 《+形容詞・副詞》 …としても; 《posible などの語を伴って》 できるだけ…. *lo más* tarde 遅くとも. *lo más* pronto posible できるだけ早く. *lo más* mínimo 最

低限.
más bien → bien.
más de … …以上の[に]. Tengo *más de* mil discos. 私はレコードを1000枚以上持っている. No caben *más de* tres personas. 3人以上は入れない. Era *más* difícil *de* lo que pensaba. 思っていたより難しかった. ► 数量を表すときはその基準点を含まないので, 厳密には日本語の「以上」とは異なる.
más o menos だいたい, およそ.
más y más ますます, いっそう.
mucho más なおいっそう; ずっと多くの. Tienes que estudiar *mucho más*. 君はもっと一生懸命勉強しなければならない. Los problemas son *muchos más* de los que imaginábamos. 問題は我々が想像した以上に多かった(►mucho は性・数変化をする).
ni más ni menos ちょうど, まさに; ただ.
por más … que … → por.
sin más それだけで, 以上で.
sin más ni más 理由もなく; いきなり, 慌てて.
(***sobre***) ***poco más o menos*** だいたい, ほぼ.
sus más y sus menos 厄介な問題; 欠点.

ma·sa [mása マサ] 名女 [複 ～s] 〔英 mass〕 **1 塊**, 集団, 一団.
2 [～または ～s] **大衆**, 民衆, 庶民.
3 モルタル, しっくい; (パンの) 練り粉, 生地.
en masa (1)一団となって; 全体として; 一括して. el peso *en masa* 総重量. (2)大量の, 大規模の. producción *en masa* 大量生産.

ma·sa·cre [masákre マサクレ] 名女 殺戮(さつりく), 大量虐殺.

ma·sa·je [masáxe マサヘ] 名男 マッサージ. dar *masajes* [un *masaje*] a … …をマッサージする.

ma·sa·jis·ta [masaxísta マサヒスタ] 名男女 マッサージ師.

mas·car [maskár マスカル] [8 c → qu] 動他 **1** かむ, かみ砕く. goma de *mascar* チューインガム.
2 《口語》分かりやすくする. darlo todo *mascado* a 《+uno》〈人〉にかみ砕いて説明する.

más·ca·ra [máskara マスカラ] 名女 **1** 仮面, マスク; 覆面. *máscara* de oxígeno 酸素マスク. → careta
2 仮装, 変装; [～s] 仮装パーティー.
3 見せかけ, ごまかし. quitar la *máscara* a … …の化けの皮をはぐ.
—— 名男女 仮装した人.

mas·ca·ra·da [maskaráða マスカラダ] 名女 仮装舞踏会[行列]; 見せかけ, まやかし.

mas·ca·ri·lla [maskaríʎa マスカリリャ] 名女 **1** 麻酔[酸素]マスク.
2 (美顔用の) パック.
3 デスマスク.

mas·ca·rón [maskarón マスカロン] 名男 〔建築〕(装飾用の) 怪人面. *mascarón* de proa 〔海事〕船首像.

mas·co·ta [maskóta マスコタ] 名女 マスコット, お守り.

masculina 形女 → masculino[1].

mas·cu·li·ni·dad [maskuliniðáð マスクリニダ(ドゥ)] 名女 男らしさ.

mas·cu·li·no[1], na [maskulíno, na マスクリノ, ナ] 形 [複 ～s] 〔英 male〕
1 男の (↔ femenino); 男性用の; 男らしい. carácter *masculino* 男性的な性格.
2 〔文法〕男性(形)の.

mas·cu·li·no[2] [maskulíno マスクリノ] 名男 〔文法〕男性(形).

mas·cu·llar [maskuʎár マスクリャル] 動他 口の中でぶつぶつ言う.

ma·si·vo, va [masíβo, βa マシボ, バ] 形 大量の; 大集団の. manifestación *masiva* 大規模なデモ.

ma·són, so·na [masón, sóna マソン, ソナ] 名男女 フリーメーソン会員.

ma·so·ne·rí·a [masonería マソネリア] 名女 フリーメーソン (= francmasonería).

ma·so·quis·mo [masokísmo マソキスモ] 名男 マゾヒズム, 被虐性愛 (↔ sadismo).

ma·so·quis·ta [masokísta マソキスタ] 形 マゾヒズムの.
—— 名男女 マゾヒスト, 被虐性愛者.

mas·ti·ca·ción [mastikaθjón マスティカしオン] 名女 咀嚼(そしゃく).

mas·ti·car [mastikár マスティカル] [8 c → qu] 動他 **1** かむ, かみ砕く. *masticar* un chicle チューインガムをかむ. *Mastica* bien la comida. よくかんで食べなさい.
2 思案する, 思い巡らす.

más·til [mástil マスティる] 名男
1 〔海事〕マスト, 帆柱. → yate 図.
2 支柱.
3 〔音楽〕(弦楽器の) 棹(さお).

mas·tín [mastín マスティン] 名男 〔動物〕マスチフ(犬).

mas·to·don·te [mastoðónte マストドンテ] 名男 〔古生物〕マストドン.

mas·tur·ba·ción [masturβaθjón マストゥルバしオン] 名女 自慰, マスターベーション.

mas·tur·bar [masturβár マストゥルバル] 動他 …にマスターベーションを行う.
—— **mas·tur·bar·*se*** マスターベーションをする.

ma·ta [máta マタ] 名女 低木, 灌木(かんぼく); [～s] 茂み, 藪(やぶ) (= matorral).
—— 動 → matar.

ma·ta·chín [matatʃín マタチン] 名男 《口語》けんか早い男.

matada 過分女 → matar.

ma·ta·de·ro [mataðéro マタデロ] 名男 畜殺場.
llevar a 《+uno》 ***al matadero*** 〈人〉を生命の危険にさらす, 窮地に追い込む.

M

matado, da 過分 → matar.

ma·ta·dor, do·ra [mataðór, ðóra マタドル, ドラ] 名男 〘闘牛〙 マタドール: picador, banderillero の後に登場し, 剣でとどめを刺す闘牛の主役. ◆現在は女性の matadora もいる.

—— 形 **1** 殺す, 殺人の. **2** 《口語》 死にそうな, 骨の折れる. **3** ばかげた, 滑稽(こっけい)な.

ma·ta·mos·cas [matamóskas マタモスカス] 名男 [単・複同形] ハエたたき, ハエ取り紙.

matando 現分 → matar.

ma·tan·za [matánθa マタンさ] 名女 殺戮(さつりく), 虐殺.

ma·tar [matár マタル] 動他 [現分 matando ; 過分 matado, da] 〔英 kill〕 **1 殺す**. *Mató* un ciervo de un tiro. 彼は一発でシカをしとめた. Según la noticia, *mataron* a más de dos mil ciudadanos. ニュースによれば2000人以上の市民が殺されたそうだ. *matar* a cuchilladas [de hambre] ナイフで刺し殺す[飢え死にさせる].

2 《口語》 癒(いや)す, 紛らす; (時間を) つぶす. Con unas chocolatinas *mataron* el hambre. わずかなチョコレートで彼らは飢えをしのいだ. *Mató* el tiempo fumando cigarrillos. 彼はタバコを吸って時間をつぶした.

3 《口語》 うんざりさせる, 疲れさせる (＝fastidiar). Los periodistas y los reporteros de la televisión la *mataron* a preguntas. 新聞記者やテレビのレポーターが彼女を質問責めにした.

4 (火・色つやを) 消す; (切手に) 消印を押す; (角を) 落とす, 丸くする.

—— **ma·tar·se** **1 自殺する** (＝suicidarse).

2 (事故で) 死ぬ. *Se mató* en un accidente de tráfico. 彼は交通事故で死んだ.

3 《＋**por** 不定詞》 …しようと必死になる, 一生懸命…する.

estar a matar con 《＋uno》 〈人〉と仲が悪い.

matarlas callando 猫をかぶる.

¡Que me maten si …! …でないなら命を賭(か)けてもいい. *¡Que me maten si* no lo consigo! (命を賭けても) 絶対手に入れるぞ.

ma·ta·ri·fe [matarífe マタリフェ] 名男 畜殺人[業者].

ma·ta·rra·tas [matar̄átas マタラタス] 名男 [単・複同形] **1** 猫いらず. **2** 安酒.

ma·ta·sa·nos [matasános マタサノス] 名男 [単・複同形] 《口語》 やぶ医者.

ma·ta·se·llos [mataséʎos マタセリョス] 名男 [単・複同形] (郵便切手の) 消印; ハンド[ローラー]スタンプ.

ma·te [máte マテ] 形 くすんだ, つや消しの; (音が) 鈍い. plata *mate* いぶし銀.

—— 名男 **1** (チェス) チェックメイト, 王手. → jaque. **2** 《ラ米》 マテ茶 (＝ hierba *mate*). ◆マテ茶の入ったひょうたんに熱湯を注ぎ, 先端の膨らんだ管 bombilla で吸う.

—— 動 → matar.

ma·te·má·ti·ca [matemátika マテマティカ] 名女 〔英 mathematics〕 [普通 ～s] **数学**.

—— 形女 → matemático.

ma·te·má·ti·co, ca [matemátiko, ka マテマティコ, カ] 形 数学の, 数学的な. lingüística *matemática* 数理言語学.

—— 名男女 数学者.

Ma·te·o [matéo マテオ] 固名 マテオ: 男性の名. San *Mateo* 〘聖書〙 聖マタイ (キリストの十二使徒のひとり).

ma·te·ria [matérja マテリア] 名女 [複 ～s] 〔英 material ; matter〕 **1 物質**, 物体. *materia* orgánica [inorgánica] 有機[無機]物.

2 材料, 材質. ¿De qué *materia* está hecho esto? これは何でできていますか. *materia* prima 原料.

3 事柄, 題材, 論題. Hasta ahora no ha tratado ningún libro sobre esta *materia*. この件について扱っている本は今までにない. entrar en *materia* 本題に入る. en *materia* de … …に関して言えば.

4 教科, 科目.

ma·te·rial [materjál マテリアる] [複 ～es] 形 〔英 material〕 **1 物質の**, 物質的な; 肉体の. daño *material* 物質的損害. goce *material* 肉体的快楽.

2 実質上の, 具体的な. autor *material* del hecho 事件の張本人. tiempo *material* 実際にかかる時間, 実質時間.

—— 名男 **1 材料**, **素材**, 資材. El vaso es de *material* plástico. そのコップはプラスチック製だ. nuevo *material* 新素材. *material* informativo 情報資料. *materiales* de construcción 建築資材.

2 《集合》 用具, 器具; 機材. *material* bélico [de guerra] 軍需品, 軍事物資. *material* escolar 学用品. *material* de oficina 事務用品. *material* deportivo スポーツ用品.

ma·te·ria·lis·mo [materjalísmo マテリアりスモ] 名男 物質主義; 〘哲〙 唯物論. *materialismo* histórico 史的唯物論.

ma·te·ria·lis·ta [materjalísta マテリアりスタ] 形 物質主義の; 唯物論の.

—— 名男女 物質主義者; 唯物論者.

ma·te·ria·li·zar [materjaliθár マテリアりさル] [39 z → c] 動他 物質化する; 具体化する. *materializar* un proyecto 計画を実現する.

ma·te·rial·men·te [materjálménte マテリアるメンテ] 副 事実上, 文字どおり.

ma·ter·nal [maternál マテルナる] 形 母の, 母親らしい. cariño *maternal* 母性愛.

ma·ter·ni·dad [materniðáð マテルニダ(ドゥ)] 名女 **1** 母であること, 母性.

M

2 産院 (＝casa de *maternidad*).
ma·ter·no, na [matérno, na マテルノ, ナ] 形 母の, 母親としての; 母方の, 母系の (↔ paterno).
Ma·tí·as [matías マティアス] 固名 マティアス: 男性の名. San *Matías* 〔聖書〕聖マチア (キリストの十二使徒のひとり).
matices 名 [複] ➡ matiz.
Ma·til·de [matílde マティるデ] 固名 マティルデ: 女性の名.
ma·ti·nal [matinál マティナる] 形 朝の.
ma·ti·née [matiné マティネ] 名 女 〔演劇〕昼興行, マチネー. [←フランス語]
ma·tiz [matíθ マティす] 名 男 [複 matices]
1 色合い, 色調.
2 ニュアンス, 意味合い, あや.
ma·ti·zar [matiθár マティさル] [39 z ➡ c] 動 他 1 《＋**con**, **de**》…の色合いをつける. 2 …に変化をつける. *matizar* el tono de voz 声の調子を微妙に変える.
ma·to·jo [matóxo マトホ] 名 男 低木, 灌木(かんぼく).
ma·tón [matón マトン] 名 男 1 《口語》けんか早い男. 2 用心棒, 殺し屋.
ma·to·rral [matoȓál マトラる] 名 男 茂み, 藪(やぶ).
ma·triar·cal [matrjarkál マトゥリアルカる] 形 母系家族制の, 母権制の, 女家長制の.
matrices 名 [複] ➡ matriz.
ma·trí·cu·la [matríkula マトゥリクら] 名 女 1 登録; 登録簿, 名簿; 〔海事〕船名録; 〔車〕ナンバープレート.
2 (大学などへの) 入学手続き. derechos de *matrícula* 登録料. *matrícula* de honor 特待生資格.
3 《集合》登録者数, (新年度の) 学生数.
ma·tri·cu·lar [matrikulár マトゥリクらル] 動 他 入学させる; 登録する.
— **ma·tri·cu·lar·se** 《＋**en**》…に入学する; 登録する. *matricularse en* la Universidad de Granada グラナダ大学に入学する. *matricularse* como [de] médico 医者として登録をする.
ma·tri·mo·nial [matrimonjál マトゥリモニアる] 形 結婚の, 夫婦の. vida *matrimonial* 結婚生活.
ma·tri·mo·nio [matrimónjo マトゥリモニオ] 名 男 [複 ～s] 〔英 married couple〕
1 **夫婦**. Vive cerca de mi casa un *matrimonio* alemán. 家の近くにドイツ人の夫婦が住んでいる. cama de *matrimonio* ダブルベッド.
2 **結婚**, 婚姻 (関係). contraer *matrimonio* con ... …と婚姻を結ぶ. *matrimonio* civil (宗教的儀式によらない) 民事婚.
ma·tri·ten·se [matriténse マトゥリテンセ] 形 ➡ madrileño.
ma·triz [matríθ マトゥリす] 名 女 [複 matrices] 1 母胎; 〔解剖〕子宮 (útero).
2 〔機械〕鋳型(いがた); 〔印刷〕(活字の) 母型; (レコードの) 原盤.
3 (小切手帳などの) 控え.
4 原簿, 台帳.
5 〔数〕〔言語〕行列, マトリックス; 〔コンピュータ〕マトリックス.
— 形 [女性形のみ] 母体となる, 主な. casa *matriz* 本部, 本局, 本社.
ma·tro·na [matróna マトゥロナ] 名 女
1 助産婦, 産婆.
2 (貫禄(かんろく)のある) 中年以上の女性.
ma·tu·te [matúte マトゥテ] 名 男 密輸 (品).
ma·tu·ti·no, na [matutíno, na マトゥティノ, ナ] 形 朝の. periódico *matutino* 朝刊.
mau·llar [mauʎár マウリャル] [6 u ➡ ú] 動 自 (猫が) ニャーニャー鳴く. ➡ animal 【参考】.
mau·lli·do [mauʎíðo マウリィド] 名 男 猫の鳴き声. dar *maullidos* (猫が) ニャーニャー鳴く.
máu·ser [máuser マウセル] 名 男 モーゼル拳銃(けんじゅう).
mau·so·le·o [mausoléo マウソれオ] 名 男 霊廟(れいびょう).
ma·xi·lar [maksilár マクシらル] 形 〔解剖〕顎骨(がっこつ)の. — 名 男 顎骨. *maxilar* superior 上顎.
má·xi·ma [máksima マクシマ] 名 女 1 規律; 主義. 2 格言, 金言.
— 形 女 ➡ máximo[1].
má·xi·me [máksime マクシメ] 副 ことに, とりわけ. Me interesa participar, *máxime*, cuando se trata de un proyecto tan importante. そのように重要な計画であればなおのことぜひ参加したいものだ.
ma·xi·mi·zar [maksimiθár マクシミさル] 動 他 〔コンピュータ〕最大化にする: ウィンドウサイズを画面全体の大きさにする.
má·xi·mo[1], ma [máksimo, ma マクシモ, マ] 形 [複 ～s] 〔英 maximum〕 **最大の** 《略 máx.》, 最高の, 最上の (↔ mínimo). la temperatura *máxima* 最高気温.
má·xi·mo[2] [máksimo マクシモ] 名 男 最大限, 最高, 極限. al *máximo* 最大限に, 最高に. hacer el *máximo* 全力を尽くす.
como máximo せいぜい, 多くて; 遅くても. Saldremos *como máximo* a las ocho. 遅くても 8 時には出かけよう.
ma·ya [máǰa マヤ] 形 マヤ (族) の.
— 名 男 女 マヤ族 (の人): Yucatán 半島, メキシコ南部からホンジュラスに住むインディオ. ◆ 4 − 9 世紀に高度な文明を発展させたが, 16世紀前半にスペイン人に征服された. ➡indio 【参考】.
— 名 男 マヤ語: Yucatán 半島・中米インディオ語の総称.
ma·yes·tá·ti·co, ca [maǰestátiko, ka マイエスタティコ, カ] 形 威厳のある, 堂々とした (＝majestuoso). el plural *mayestático* 〔言語〕威厳の複数 (◆国王などが公式の場で自分のことを 1 人称複数で述べる表現法. ⇀

M

Nos, el rey 余は).

ma·yo [májo マヨ] 名男 [複 ~s] 〔英 May〕
5月 (► 略語はない). En *mayo* llueve poco. 5月は雨が少ない. ➡ mes 【参考】.

ma·yó·li·ca [majólika マヨリカ] 名女 マジョリカ焼き: イタリアの陶器.

ma·yo·ne·sa [majonésa マヨネサ] 名女 マヨネーズ (=salsa *mayonesa*).

ma·yor [majór マヨル] [複 ~es] 形 [grande の比較級] 〔英 bigger, larger; older〕
1 より大きい; 年上の (↔menor). Soy *mayor* que él. 私は彼より年上だ. hermano *mayor* 兄. Su casa es mucho *mayor* que la mía. 彼の家は私の家よりずっと広い. ganado *mayor* 大形家畜. ►「背丈・体の大きさ」また「偉大さ」について言う場合には, más grande を用いる.
2 《定冠詞・所有形容詞を伴って》《最上級》最大の; 最年長の. mi hija *mayor* 私のいちばん上の娘. la *mayor* parte 大部分. Esa es la *mayor* falta que ha cometido. それが彼の犯した最大の過ちだ.
3 成人した, 年のいった. Su hija ya es *mayor*. 彼の娘はもう成人している. Ayer vino a verte una señora *mayor*. 昨日年配の婦人が君に会いに来た. ¡Qué *mayor* está D. Pedro! ペドロじいさんは年を取ったなあ.
4 主な, 主要な. altar *mayor* 中央[主]祭壇. por *mayores* razones のっぴきならない理由で.
5 〔音楽〕長調の. escala *mayor* 長音階.
—— 名男女 [~es] 年長者; 大人, 成人. reservada para *mayores* 〔映画〕成人向け.
al por mayor 卸で, 卸の. venta *al por mayor* 卸売り.
—— 名男 **1** 〔軍事〕(主に英・米の) 司令官 (=comandante). **2** [~es] 先祖.

ma·yo·ral [majorál マヨラる] 名男 牧夫頭, 人夫頭.

ma·yo·raz·go [majoráθɣo マヨラすゴ] 名男 長子相続権[制]; 長子が相続する世襲財産; 長子相続人.

ma·yor·do·mo [majorðómo マヨルドモ] 名男 執事, 家令.

ma·yo·rí·a [majoría マヨリア] 名女 [複 ~s] 〔英 majority〕 大多数, 過半数; 多数派 (↔minoría). En la *mayoría* de los casos no hay problema. ほとんどの場合問題はない. La *mayoría* de las veces que viene llega tarde. 来る時はほとんどいつも遅刻だ. *mayoría* abrumadora [absoluta] 圧倒[絶対]的多数. tres votos de *mayoría* 3票差の優勢.
mayoría de edad 成年, 成人 (► スペイン, メキシコでは18歳). llegar a la *mayoría* 成年に達する.

ma·yo·ris·ta [majorísta マヨリスタ] 名男 卸売り業者 (↔ detallista).
—— 形 卸売りの.

ma·yo·ri·ta·rio, ria [majoritárjo, rja マヨリタリオ, リア] 形 大多数の, 多数派の (↔ minoritario). decisión *mayoritaria* 多数決.

ma·yor·men·te [majórménte マヨルメンテ] 副 とりわけ, 主に, もっぱら.

ma·yús·cu·lo, la [majúskulo, la マユスクろ, ら] 形 **1** 大文字の.
2 《口語》でっかい, 途方もなく大きい. un susto *mayúsculo* びっくり仰天.
—— 名女 大文字 (=letra *mayúscula*) (↔ minúscula). con [en] *mayúscula* 大文字で.

ma·za [máθa マさ] 名女 **1** 大槌(おおつち); 棍棒(こんぼう). **2** 《口語》うんざりさせる人, 厄介者.

ma·za·co·te [maθakóte マさコテ] 名男 **1** コンクリート; 固いもの; 《口語》出来損ない. El bizcocho está hecho un *mazacote*. スポンジケーキが出来損なってしまった.
2 《口語》うんざりさせる人, 厄介者.

ma·za·pán [maθapán マさパン] 名男 〔料理〕マジパン: アーモンドの粉に砂糖を加えて練り, いろいろな形に作った菓子. スペインでは Toledo のが有名.

maz·mo·rra [maθmóřa マすモラ] 名女 地下牢(ろう), 土牢.

ma·zo [máθo マそ] 名男 **1** 木槌(きづち).
2 〔スポーツ〕(ゴルフ) クラブ; (野球などの) バット.
3 束. un *mazo* de llaves 鍵(かぎ)束.
A Dios rogando, y con el mazo dando. 《諺》天は自ら助くる者を助く.

ma·zor·ca [maθórka マそルカ] 名女 トウモロコシの穂 (軸).

ma·zur·ca [maθúrka マすルカ] 名女 〔音楽〕マズルカ.

me [me メ] 代名 《人称》
[1人称単数弱形代名詞, 男・女同形; 複数形 nos] 〔英 me〕 **1** 《直接目的語》私を. No *me* fastidie más. これ以上私を困らせないでください. *Me* mataron a preguntas. 私は質問攻めにあった.
2 《間接目的語》私に; 私のために; 私から; 私の. No *me* dijeron nada. 私には何も言ってくれなかった. *Me* es difícil explicarlo bien. 私にはそれを上手に説明するのは難しい. No *me* lo quites. 私からそれを取り上げないでよ.

> **【文 法】** 1 弱形代名詞は動詞が活用している場合は一般にそのすぐ前に置かれるが, 肯定命令, 不定詞, 現在分詞に対してはその後ろに付いて一語となる.
> No *lo* pude oír. / No pude oír*lo*. 私はそれが聞こえなかった.
> *Lo* conozco muy bien. 私は彼をよく知っている.
> Déja*me* en paz. 私のことはほっといてくれ.

2 直接目的語と間接目的語がともに弱形代名詞である場合は，間接，直接の順に置かれる．
Me lo dieron. 私にそれをくれた．
Te lo traigo. 君にそれを持ってきます．
3 直接目的語の前置詞 a＋代名詞は単独では用いられず，弱形代名詞を伴う．
¿Conoces a María?―Sí, *la* conozco *a ella*. 君，マリアを知ってる？―うん，彼女なら知ってるよ．
4 間接目的語の弱形代名詞は前置詞 a＋名詞[代名詞]と重複して用いられることがある．
A mí no *me* dijeron nada. 私は何も言われなかった．

人称弱形代名詞	
間接目的語	直接目的語
me 私に	me 私を
te 君に	te 君を
le [se] 彼[彼女…]に	lo [le] それ[彼]を la それ[彼女]を
nos 我々に	nos 我々を
os 君たちに	os 君たちを
les [se] 彼ら[彼女たち…]に	los それら[彼ら]を las それら[彼女たち]を
	lo (中性) そのことを

3 《再帰文などを作る》私自身を[に，の]，自分を[に，の]．*Me* pregunto si de verdad no estoy equivocada. 本当に自分が間違っていないか私は自問している．*Me* levanté al verla venir hacia mí. 私は彼女が私の方へ来るのを見て立ち上がった．*Me* divertí mucho ayer. 昨日はとても楽しかった．➡ se 2-4.

me·a·da [meáða メアダ] 名女 《俗語》放尿；小便の染み．

me·an·dro [meándro メアンドゥロ] 名男
1 (河川・道の)蛇行．
2 〔建築〕稲妻模様，雷文．

me·ar [meár メアル] 動自 《口語》小便をする．

Me·ca [méka メカ] 固名 La *Meca* メッカ：サウジアラビア西部の都市．イスラム教の聖地．
── 名女 [m-] 聖地，あこがれの地，中心地．Hollywood es la *meca* del cine. ハリウッドは映画のメッカである．

¡me·ca·chis! [mekátʃis メカチス] 間投 ちえっ，しまった．

me·cá·ni·ca [mekánika メカニカ] 名女
1 力学．*mecánica* aplicada 応用力学．*mecánica* celeste 天体力学．
2 仕組み．la *mecánica* de un aparato 装置の仕組み．
── 名形女 ➡ mecánico.

me·ca·ni·ca·men·te [mekánikaménte メカニカメンテ] 副 機械的に．

me·cá·ni·co, ca [mekániko, ka メカニコ，カ] [複 ～s] 名男女 〔英 mechanic〕 **整備士**，修理工．
── 形 **1** 機械の，機械に関する，機械による．
2 機械的な；無意識の．trabajo *mecánico* 機械的な作業，単純労働．

me·ca·nis·mo [mekanísmo メカニスモ] 名男 **1** メカニズム，構造，仕組み，機構．*mecanismo* político 政治機構．
2 機械装置．

me·ca·ni·za·ción [mekaniθaθjón メカニさしオン] 名女 機械化．*mecanización* contable 会計事務の機械化．

me·ca·ni·zar [mekaniθár メカニさル] [39 z ➡ c] 動他 機械化する．*mecanizar* una fábrica 工場を機械化する．agricultura *mecanizada* 機械化農業．

me·ca·no·gra·fí·a [mekanoɣrafía メカノグラフィア] 名女 タイプライターの技能．

me·ca·no·gra·fiar [mekanoɣrafjár メカノグラフィアル] [23 i ➡ í] 動他 タイプライターで打つ．(＝escribir a máquina)

me·ca·nó·gra·fo, fa [mekanóɣrafo, fa メカノグラフォ，ファ] 名男女 タイピスト．

me·ce·dor, do·ra [meθeðór, ðóra メせドル，ドラ] 名女 揺り椅子，ロッキングチェアー．► 中南米では男性形が使われる．➡ silla 図．── 名男 **1** ぶらんこ．**2** 攪拌(かくはん)棒．

me·ce·nas [meθénas メせナス] 名男女 [単・複同形] 文芸[学術]の後援者，メセナ．◆Horacio, Virgilio 等の後援者であったローマの政治家マエケナス Cayo Cilnio *Mecenas* (？－前8) の名にちなむ．

me·cer [meθér メせル] [34 c ➡ z] 動他
1 揺する，揺り動かす．*mecer* la cuna 揺りかごを揺らす．
2 (液体を)かき混ぜる，攪拌(かくはん)する．
── **me·cer·*se*** 揺れる；(風に)そよぐ．Las flores *se mecían* con el viento. 花が風にそよいでいた．

me·cha [métʃa メチャ] 名女 **1** (ランプ・ろうそくなどの)芯(しん)；(銃の)火縄，導火線．
2 〔料理〕詰め物用の脂肉[ベーコン]の細切れ．
aguantar (la) mecha 《口語》辛抱する，黙って耐える．
a toda mecha 《口語》全速力で，一目散に．

me·che·ro [metʃéro メチェロ] 名男
1 ライター，点火器 (＝encendedor)．
2 (ガス・ランプの)火口，バーナー．*mechero* de gas ガス・バーナー．

me·chón [metʃón メチョン] 名男 [複 mechones]髪の房; 毛の束.

me·da·lla [meðáʎa メダリャ] 名女 **1** メダル, 賞牌(しょうはい); 勲章. *medalla* de oro [de plata, de bronce] 金[銀, 銅]メダル.
2 (聖人像などを刻んだ) メダイユ, 護符.

me·da·llón [meðaʎón メダリョン] 名男
1 大型のメダル. **2** 形見入れ, ロケット.
3 〘建築〙円形浮き彫り.
4 〘料理〙メダイヨン: 小円盤形の肉.

me·dia [méðja メディア] 名女 [複 ～s] 〔英 stocking〕
1 [普通 ～s] ストッキング. ► ソックスは calcetines, パンティストッキングは pantys.
2 平均. *media* aritmética [proporcional] 算術平均[比例中項].
3 《口語》《時刻を表して》30分, 半. Llegaron a la *media*. 彼らは30分過ぎに着いた.
a medias 中途半端に[な]. solución *a medias* 一時しのぎの解決策.
── 形女 ➡ medio¹.

me·dia·ción [meðjaθjón メディアしオン] 名女 仲裁, 調停; 仲介. por *mediación* de ... …の仲裁で, …を介して.

me·dia·do, da [meðjáðo, ða メディアド, ダ] 過分 形 半分の; 半ばの, 半分になった. una botella *mediada* de vino 半分ほどあけたぶどう酒の瓶.
a mediados de ... …の中ごろに. *a mediados de* agosto 8月中旬に. *a mediados de* los años setenta 70年代の半ばに.

M

me·dia·dor, do·ra [meðjaðór, ðóra メディアドル, ドラ] 形 調停の; 仲介の, 介在する.
── 名男女 調停者, 仲裁人; 仲介人.

me·dia·na·men·te [meðjánaménte メディアナメンテ] 副 まずまず, 中くらいに.

me·dia·ne·rí·a [meðjanería メディアネリア] 名女 境界壁[塀].

me·dia·ne·ro, ra [meðjanéro, ra メディアネロ, ラ] 形 **1** (壁・塀などが) 共有の, 境界の. **2** 仲裁の, 調停の.
── 名男女 **1** 仲裁人, 調停者.
2 (境界壁を共有する) 隣人; 共有者.

me·dia·ní·a [meðjanía メディアニア] 名女
1 中流の生活. vivir en la *medianía* 人並みに生活を送る. **2** 凡人, 平凡な人.

me·dia·no, na [meðjáno, na メディアノ, ナ] 形 **1** 中くらいの, 平均的な; 並みの, 平凡な. *mediano* de cuerpo 中肉中背の.
2 つまらない, 並み以下の. un trabajo *mediano* 三流の作品.

me·dia·no·che [meðjanótʃe メディアノチェ] 名女 真夜中, 夜半. a *medianoche* 真夜中に. ➡ día 【参考】.

me·dian·te [meðjánte メディアンテ] 前 〔英 by means of〕 …によって, …を使って. Movió la gran piedra *mediante* una palanca. 彼はバールで大きな石を動かした. Lo conseguí *mediante* su ayuda. 私は彼の助けを借りてそれを入手した.
Dios mediante 神のご加護で. ► この表現では名詞の後にくる.

me·diar [meðjár メディアル] 動自 **1** 間にある, 介在する. Entre los dos pueblos *mediaba* una distancia de tres kilómetros. その2つの村の間は3キロあった.
2 経過する, たつ; 間に起こる. *Mediaron* dos años desde que salió de casa hasta que apareció de nuevo. 彼が家を出て再び姿を見せるまで2年の歳月が流れた. *Media* el hecho de que ... (考慮すべき) …という事実がある.
3 間に入る, 取りなす. *mediar* entre dos enemigos 敵同士の間を仲裁する. *mediar* en un asunto 事件の調停に立つ. *mediar* por [en favor de] 《＋uno》〈人〉のために取りなす.
4 (月・季節などが) 半ばになる. *mediado* el mes 月の半ばに. *Mediaba* el otoño. 秋も半ばであった.

me·dia·ti·zar [meðjatiθár メディアティさル] [39 z ➡ c] 動他 間接的に支配する, 干渉する, 牛耳る. El ejército *mediatizaba* la política del Gobierno. 軍が政治を左右していた.

me·dia·to, ta [meðjáto, ta メディアト, タ] 形 間接の, 間を隔てた.

médica 名形女 ➡ médico.

me·di·ca·ción [meðikaθjón メディカしオン] 名女 投薬, 薬物治療; 《集合》薬剤, 医薬品; 治療行為.

me·di·ca·men·to [meðikaménto メディカメント] 名男 薬, 医薬.

me·di·ci·na [meðiθína メディしナ] 名女 [複 ～s] 〔英 medicine〕 **1** 医学; 医療. ejercer la *medicina* 医療を行う, 医者として働く. doctor en *medicina* 医学博士. *medicina* preventiva 予防医学. *medicina* forense 法医学.
2 薬, 薬剤. tomar una *medicina* 薬を飲む.

me·di·ci·nal [meðiθinál メディしナル] 形 薬用の, 薬効のある. hierbas [plantas] *medicinales* 薬草.

mé·di·co, ca [méðiko, ka メディコ, カ] [複 ～s] 名男女 〔英 doctor〕 医者, 医師. *médico* de cabecera [de familia] 主治医, 家庭医. *médico* forense 監察医. *médico* general 一般医. *médico* militar [castrense] 軍医. ── 形 医学の, 医療の. receta *médica* 処方箋(せん). reconocimiento [examen] *médico* 健康診断, 診察.

me·di·da [meðíða メディダ] 名女 [複 ～s] 〔英 measure, size〕 **1** [普通 ～s] 寸法, サイズ. tomar a 《＋uno》 las *medidas* 〈人〉の体の寸法を測る. pesos y *medidas* 度量衡.
2 程度, 比率. en gran *medida* 大いに. hasta cierta *medida* ある程度まで. en la

medida de lo posible できるだけ. en menor *medida* 最小限に, 小規模に. sin *medida* 際限なく; 慎みなく.
3 [普通 ～s] **対策**, 処置, 措置, 手段. adoptar *medidas* necesarias 必要な措置を講じる.
4 節度, 慎重. hablar con *medida* 控えめに話す.
5 測定, 計測.
a la medida 注文して. traje *a la medida* オーダメードのスーツ.
a (la) medida de ... …に従って, 比例して. *a medida de* mi capacidad 私の能力に応じて.
a medida que ... …につれて.

me·di·dor, do·ra [meðiðór, ðóra メディドル, ドラ] 形 測定する, 計量する. fiel *medidor* 計量検査官.
── 名男 **1** 度量測定器, 計量器.
2 《ラ米》(ガス・電気などの) メーター.
── 名男女 測定者, 測量士.

me·die·val [meðjeβál メディエバる] 形 中世の, 中世的[ふう]な.

me·die·vo [meðjéβo メディエボ] 名男 中世(期) (＝Edad Media).

me·dio¹, dia

[méðjo, ðja メディオ, ディア] 形 [複 ～s] 〔英 half, middle〕 **1** **半分の**, 2分の1の. Pedí *media* botella de vino tinto. 私は赤ワインのハーフボトルを注文した. Estoy aquí desde hace *media* hora. 私は30分前からここにいます. *medio* kilo de carne picada 挽(ひ)き肉500グラム.

> **【文 法】** 形容詞 **medio** の名詞化
> (un) metro y *medio* 1メートル半.
> dos millas y *media* 2マイル半.
> Son las ocho y *media*. 8時半です (➡ hora 参考).

2 中間の, 中等の. clase *media* 中流階級. enseñanza *media* 中等教育.
3 平均の, 平均的な, 普通の. un español *medio* 平均的スペイン人. temperatura *media* 平均気温. por término *medio* 平均して.
4 《誇張》ほとんどの, かなりの. Ha recorrido *medio* mundo. 彼は世界各地を旅行した.
a medio 《＋名詞》…の半ばで, 半分の…で. *a medio* camino 途中で. *a media* tarde 午後も半ばに (► 4時か5時ごろを指す). *a media* luz 薄明かりで.

me·dio²

[méðjo メディオ] 名男 [複 ～s] 〔英 middle; means〕 **1** **真ん中**, 中間. En los asientos yo iba en el *medio*. 私は真ん中の座席に座って行った. Han colocado una mampara en el *medio*. 真ん中に衝立(ついたて)が置かれた. ►medio は左右, 上下など両端から等距離の中間点, centro は周囲から等距離の中心をいう.
2 [普通 ～s] **手段**, 方策; 機関. recurrir a todos los *medios* あらゆる手段に訴える. No hay *medio* de convencerle. 彼を納得させようがない. *medios* de vida 生活手段. *medios* de transporte 交通機関. *medios* informativos 情報手段, 報道機関.
3 [～s] 資産, 財産 (＝*medios* económicos). ser hombre de pocos *medios* 裕福な男ではない.
4 社会, …界; 環境. vivir en un *medio* rural 地方社会に生活する. *medio* ambiente 生活[住]環境.
5 中指 (＝dedo *medio*). ➡ dedo 図.
6 〘数〙2分の1.
7 〘スポ〙(サッカー) ハーフバック. *medio* derecho [izquierdo] ライト[レフト]ハーフバック. ➡ fútbol 図
── 副 〔英 half〕 半ば; 不十分に, 不完全に, 中途半端に. Lo dijo *medio* en broma. 彼は冗談半分にそう言った. con los ojos *medio* dormidos 寝ぼけまなこで. carne *medio* pasada ミディアムに焼いた肉.
a medio 《＋不定詞》不完全に…して[した]. *a medio* abrir 半開きで[の]. *a medio* terminar やりかけで[の].
en medio de ... …の真ん中に[で]. *en medio de* la calle 通りの真ん中で.
en medio de todo それにもかかわらず.
estar en medio 《口語》邪魔をする.
estar [***encontrarse, vivir***] ***en*** su ***medio*** 居心地の良い所にいる; 本領を発揮する.
meterse [***ponerse***] ***de por medio*** 仲裁する, 干渉する.
por medio (1) 半分に. Partió el pan *por medio*. 彼はパンを半分に切った. (2) やりかけで, 途中で. (3) 邪魔して; 間に. pared *por medio* 壁を挟んで.
por medio de ... …によって, …を介して; …の真ん中を通って.
quitar de en medio 取り除く, 追い払う.
quitarse de en medio どく, 立ち去る.

me·dio·cre [meðjókre メディオクレ] 形 並みの, 平凡な; 二流の. una obra *mediocre* 二流の作品. un estudiante *mediocre* あまりぱっとしない学生.

me·dio·cri·dad [meðjokriðáð メディオクリダ(ドゥ)] 名女 平凡, 月並み; 凡人.

me·dio·día [meðjoðía メディオディア] 名男 〔英 noon〕 **1** **正午**, 昼. A(l) *mediodía* me llamaron desde Valencia. 正午にバレンシアから私に電話があった. Está cansadísimo. No se levantará hasta *mediodía*. 彼は疲れきっているので, 正午まで起きないだろう. ➡ día 【参考】.
2 南 (＝sur). La ventana da al *mediodía*. 窓は南に面している.

me·dir [meðír メディル] [41 e ➡ i] 動他 [現分 midiendo] 〔英 measure〕 **1** **測る**, 測定する; 計量する; (寸法が) …ある.

M

medir a ojo 目測する; 目分量で計る. ¿Cuánto *mide* usted? 身長はどれだけですか. ► 体重の場合には pesar を用いる.
2 見積もる, 推しはかる; 吟味する. *medir* las palabras 言葉を選ぶ, よく考えてものを言う.
—me·dir·se **1** 《+con》…と競う, 張り合う. **2** 自制する, 慎重に振る舞う.
medir de arriba abajo 頭のてっぺんから足の先までじろじろと見る.

me·di·ta·bun·do, da [meðitaβúndo, da メディタブンド, ダ] 形 考えこんだ, 沈思[黙考]した. en actitud *meditabunda* 何やら考えこんだ様子で.

me·di·ta·ción [meðitaθjón メディタシオン] 名女 黙想, 思索; (宗教的な) 瞑想(めいそう). sumirse en profundas *meditaciones* 瞑想にふける.

me·di·tar [meðitár メディタル] 動自 思いを巡らす, 熟考する; 瞑想(めいそう)にふける. *meditar* en [sobre] ... …についてよく考える.
— 動他 **1** 瞑想する, 熟考する.
2 (計画などを) 練る, もくろむ.

me·di·ta·ti·vo, va [meðitatíβo, βa メディタティボ, バ] 形 瞑想(めいそう)的な; 考えこんだ.

me·di·te·rrá·ne·o, a [meðiteráneo, a メディテラネオ, ア] 形 地中海 (性) の, 地中海沿岸の. clima *mediterráneo* 地中海性気候.
El (Mar) Mediterráneo 地中海.

me·drar [meðrár メドゥラル] 動自 **1** 成長する, 伸びる. **2** 成功する, 出世する.
¡Medrados estamos! 《口語》困ったことになったぞ. Si este año llueve poco, *medrados estamos*. 今年も雨が少ないと困ったことになるぞ.

me·dro·so, sa [meðróso, sa メドゥロソ, サ] 形 **1** 臆病(おくびょう)な; おどおどした, びくついた. **2** ぎょっとさせる, 恐ろしい.

mé·du·la [méðula メドゥラ] **/ me·du·la** [meðúla メドゥラ] 名女 **1** 〘解剖〙髄, 髄質; 〘植物〙髄. *médula* espinal 脊髄(せきずい). *médula* ósea 骨髄.
2 真髄, 精髄, 主要部. llegar a [hasta] la *médula* 本質をつく, 核心に迫る.
hasta la médula 《口語》徹底的に. Hay que analizar los problemas *hasta la médula*. 問題の本質を調べなければならない.

me·du·lar [meðulár メドゥラル] 形 〘解剖〙髄の, 髄質の; 〘植物〙髄の.

me·du·sa [meðúsa メドゥサ] 名女 **1** 〘動物〙クラゲ (水母).
2 [M-] 〘ギリシア神話〙メドゥーサ: 髪が蛇で, これを見た者は石になったという.

mega- 「大, 100万」の意を表す造語要素. ⇒ *megá*fono, *mega*tón など.

me·ga·fo·ní·a [meɣafonía メガフォニア] 名女 音響技術; 《集合》音響装置.

me·gá·fo·no [meɣáfono メガフォノ] 名男 メガホン, 拡声器.

me·ga·li·to [meɣalíto メガリト] 名男 (有史前の) 巨石建造物: ドルメン, メンヒルなど.

me·ga·lo·ma·ní·a [meɣalomanía メガロマニア] 名女 〘医〙誇大妄想 (狂).

me·ga·ló·ma·no, na [meɣalómano, na メガロマノ, ナ] 形 〘医〙誇大妄想 (狂) の.
— 名男女 誇大妄想患者.

me·ga·tón [meɣatón メガトン] 名男 〘物理〙メガトン, 100万トン.

me·ji·ca·nis·mo [mexikanísmo メヒカニスモ] 名男 ➡ mexicanismo.

me·ji·ca·no, na [mexikáno, na メヒカノ, ナ] 形名男女 ➡ mexicano.

Mé·ji·co [méxiko メヒコ] 固名 ➡México.
► スペインでは発音どおり j で表記する.

me·ji·lla [mexíʎa メヒリャ] 名女 [複 ～s] [普通 ～s] 〔英 cheek〕 **頬(ほお)**, ほっぺた. una niña de *mejillas* rosadas ばら色の頬の少女. ➡ cuerpo 図.

me·ji·llón [mexiʎón メヒリョン] 名男 〘貝〙ムールガイ. ➡ molusco 図.

me·jor [mexór メホル] 形 [bueno, bien の比較級] [複 ～es] 〔英 better〕 **1 より良い**, より優れた, より好ましい, より適切な (↔peor). Tu opinión es mucho *mejor* que la suya. 君の意見の方が彼より格段優れている. No he visto una película *mejor*. こんなすばらしい映画は見たことがない. Es *mejor* no decir nada. 何も言わない方がいい.
► 道徳的な意味や「善良な」の意味では más bueno が用いられる. ⇒Julia es menos guapa pero *más buena* que Dolores. フリアはドロレスに比べると美人ではないが人はいい.
2 《定冠詞・所有形容詞を伴って》《最上級》 **最良の**, 最高の, 最も大切な. Eres uno de mis *mejores* alumnos. 君は私の学生の最も優秀なうちの一人だよ. Eso es lo *mejor* que podemos hacer. それが私たちに出来る最善のことだ. en las *mejores* condiciones 最高の条件で. mi *mejor* amigo 私の親友.
— 副 [bien の比較級] 〔英 better〕
1 より良く, もっとうまく. Hablas español *mejor* que él. 君は彼よりスペイン語が上手だ. Afortunadamente, el enfermo está *mejor* hoy. 幸いなことに, 病人は今日は具合が良くなっている. Creo que ves *mejor* con estas gafas. このメガネをすればもっと良く見えると思うよ. Canta *mejor* que nadie. 彼は誰よりも歌がうまい.
2 《限定語を伴って》《最上級》最高に, 最良に. el trabajo *mejor* remunerado 一番わりのよい仕事. Es la que se viste *mejor*. 彼女が着こなしは一番上手だ.
3 《間投詞》結構だね; 構わないさ. Te doy té en vez de café. — ¡*Mejor*! コーヒーの代わりにお茶にしますよ. —それでいい. No te llevamos al cine con nosotros.

— ¡*Mejor*! ¡Me quedo viendo la tele! 映画に連れていってやらないから. —いいんだもん, テレビ見ているから.

a lo mejor たぶん, おそらく. *A lo mejor* vendrán ellos. たぶん彼らは来るだろう. ► 動詞は直説法.

en el mejor de los casos せいぜい良くても, とどのつまり.

mejor dicho むしろ.

mejor o peor 良かれ悪(あ)しかれ, どっちみち.

querer mejor ... …のほうがずっといい, ましである. *Quiero mejor* no ir que llegar tarde. 遅れて行くくらいなら行かないほうがいい.

me·jo·ra [mexóra メホラ] 名女〔英 improvement〕 **1** 改良, 改善, 向上.
2 進歩, 発展.
3 (競売で) 高値をつけること, 競り上げ.
—— 動➡ mejorar.

me·jo·ra·mien·to [mexoramjénto メホラミエント] 名男 改良, 改善; 向上, 進歩. Exigimos el *mejoramiento* de las condiciones de trabajo. 私たちは労働条件の改善を要求した.

me·jo·ra·na [mexorána メホラナ] 名女〔植物〕マヨラナ, ハナハッカ.

me·jo·rar [mexorár メホラル] 動他〔英 improve〕 **1 改良する**, 改善する, よくする. *mejorar* la situación económica 経済の状況を好転させる.
2 (病状を) 回復させる, 快方に向かわせる. El reposo le *ha mejorado* mucho. 休養したので彼の調子はよくなった.
3 (給料などを) 増やす; …の待遇を改善する.
4 (…を) 凌(しの)ぐ; 〔スポ〕(記録を) 更新する, 破る.
—— 動自《+**de**, **en**》**…がよくなる**, 進歩する, 発展する. *mejorar de* salud 健康状態がよくなる. Las condiciones de trabajo *mejoran* año tras año. 労働条件は年々よくなっている.
—— **me·jo·rar·se 快方に向かう**, 回復する, よくなる. ¡Que *se mejore* pronto! 早く元気になってください.

me·jo·rí·a [mexoría メホリア] 名女 **1** (病状の) 回復, 快方. **2** 優位.

me·la·do, da [meláðo, ða メラド, ダ] 形 蜂蜜(はちみつ)色の, あめ色をした.

me·lan·co·lí·a [melaŋkolía メランコリア] 名女 **1** 憂鬱(ゆううつ), メランコリー. caer en un estado de *melancolía* 憂鬱な状態になる. Le invadió la *melancolía*. 彼はふさぎ込んでしまった.
2〔医〕鬱病, 抑鬱症.

me·lan·có·li·co, ca [melaŋkóliko, ka メランコリコ, カ] 形 **1** 憂鬱(ゆううつ)な, ふさぎ込んだ; 物寂しい. Esta mañana estás muy *melancólico*. 今朝の君は落ち込んでいるねえ.
2〔医〕鬱病にかかった, 鬱病の.
—— 名男女 憂いのある人; 〔医〕鬱病患者.

me·la·ni·na [melanína メラニナ] 名女〔生化〕黒色素, メラニン.

me·la·za [meláθa メラさ] 名女 糖蜜(とうみつ).

me·le·na [meléna メレナ] 名女 **1** 長髪. estar en *melena* 髪を垂らしている.
2 (ライオンの) たてがみ.

me·le·nu·do, da [melenúðo, ða メレヌド, ダ] 形 長髪の, 長いぼさぼさの毛の.

me·li·fluo, flua [melíflwo, flwa メリフるオ, フるア] 形 甘ったるい, 甘美な. palabras *melifluas* 甘美な言葉.

me·lin·dre [melíndre メリンドゥレ] 名男
1 [普通 ~s] 気取り, 上品ぶること. andarse con *melindres*/hacer [gastar] *melindres* 気取る, 上品ぶる.
2 蜜(みつ)と小麦粉で作った揚げ菓子; (糖衣でくるんだ) マジパン.

me·lin·dro·so, sa [melindróso, sa メリンドゥロソ, サ] 形 気取った, 上品ぶった.

me·lla [méʎa メリャ] 名女 **1** 刃こぼれ, (皿などの) 欠け, (歯が抜けた後の) すき間.
2 損傷, 損害. hacer *mella* en la fortuna de《+uno》〈人〉の財産に損害を与える.
hacer mella en ...《口語》…に影響を与える, 効きめがある.

me·lla·do, da [meʎáðo, ða メリャド, ダ] 形 刃の欠けた; 縁が欠けた; 歯の抜けた.

me·llar [meʎár メリャル] 動他 **1** …の刃を欠く, (容器などの) 縁を欠く.
2 損なう, 傷つける. *mellar* la honra 名誉を傷つける.

me·lli·zo, za [meʎíθo, θa メリィそ, さ] 名男女 双子, 双生児 (=gemelo).
—— 形 双子の, 双生児の; 〔植物〕対生の.

me·lo·co·tón [melokotón メろコトン] 名男 [複 melocotones]〔英 peach〕〔植物〕**モモ** (桃) (の木・実).

me·lo·co·to·ne·ro [melokotonéro メろコトネロ] 名男〔植物〕モモ (桃の木).

me·lo·dí·a [meloðía メろディア] 名女〔音楽〕旋律, メロディー.

me·lo·dio·so, sa [meloðjóso, sa メろディオソ, サ] 形 旋律の豊かな, 歌うような. con una voz *melodiosa* 美しい声で.

me·lo·dra·ma [meloðráma メろドゥラマ] 名男 メロドラマ.

me·lo·dra·má·ti·co, ca [meloðramátiko, ka メろドゥラマティコ, カ] 形 メロドラマ (ふう) の, 芝居がかった, 感傷的で大げさな.

me·lo·ma·ní·a [melomanía メろマニア] 名女 音楽狂, 音楽好き.

me·ló·ma·no, na [melómano, na メろマノ, ナ] 形 音楽好きな.
—— 名男女 音楽狂.

me·lón [melón メろン] 名男 [複 melones]〔英 melon〕 **1**〔植物〕**メロン**.
2《口語》ばか, 間抜け. ► 女性形は melona.

M

me·lo·nar [melonár メろナル] 名男 メロン畑.
me·lo·pe·a [melopéa メろペア] 名女
1 鼻歌.
2 《口語》酔い. coger [agarrar, tener] una *melopea* 酔っ払う.
me·lo·si·dad [melosiðáð メろシダ(ドゥ)] 名女 1 甘さ, 甘味.
2 優しさ; 甘言.
me·lo·so, sa [melóso, sa メろソ, サ] 形
1 蜂蜜(はちみつ)のような, 甘い.
2 優しい, 物柔らかな, 甘美な.
mem·bra·na [membrána メンブラナ] 名女 1 膜, 皮膜. *membrana* celular 細胞膜. *membrana* mucosa 粘膜.
2 (水鳥の) 水かき.
mem·bre·te [membréte メンブレテ] 名男 レターヘッド: 便箋(びんせん)上部に印刷された個人・会社の名前・住所・所在地など.
mem·bri·llo [membríʎo メンブリリョ] 名男 〖植物〗マルメロ (の木・実). carne de *membrillo* マルメロの砂糖煮.
mem·bru·do, da [membrúðo, ða メンブルド, ダ] 形 がっしりした, 屈強な. brazos *membrudos* たくましい腕.
me·mo, ma [mémo, ma メモ, マ] 形 ばかな. ── 名男女 愚か者, 間抜け, ぼんくら.
me·mo·ra·ble [memoráβle メモラブれ] 形 記憶に残る, 記憶すべき. una fecha *memorable* 忘れられない日付.
me·mo·rán·dum [memorándum メモランドゥン] 名男 [単・複同形] 覚書; メモ帳.

M

me·mo·ria [memórja メモリア] 名女 [複 ~s] 〔英 memory〕 **1 記憶力**. tener buena [mala] *memoria* 記憶力がよい[悪い]. tener una *memoria* como un colador 非常に忘れっぽい.
2 思い出, 回想. guardar una *memoria* muy grata とても楽しい思い出として心に刻む. hacer *memoria* de ... …を思い起こす, 思い出す. irse de la *memoria* 忘れ去られる. traer [venir] a la *memoria* 思い出される.
3 [~s] 回顧録, 回想録, メモワール.
4 報告(書), 記録, 覚書.
5 〖コンピューター〗記憶装置, メモリー.
de memoria 暗記して; 記憶によって. aprender *de memoria* 暗記する. hablar *de memoria* 記憶を頼りに話す.
en [a la] memoria de ... …の記念に, …を偲(しの)んで.
si la memoria no me falla / si tengo buena memoria 私の記憶違いでなければ.
me·mo·rial [memorjál メモリアる] 名男
1 請願書, 申請書. 2 備忘録, 覚え書き.
me·mo·ri·za·ción [memoriθaθjón メモリさしオン] 名女 記憶すること.
me·mo·ri·zar [memoriθár メモリさる] [39 z → c] 動他 記憶する, 丸暗記する, 覚える.
me·na [ména メナ] 名女 〖鉱物〗鉱石, 原鉱.
me·na·je [menáxe メナへ] 名男 調度, 家財.
men·ción [menθjón メンしオン] 名女 言及, 指摘. hacer *mención* de ... …に言及する. digno de *mención* 特筆に値する.
mención honorífica 佳作 (賞), 選外 (賞).
men·cio·nar [menθjonár メンしオナル] 動他 言及する, …について触れる, 指摘する. sin *mencionar* (a)... …は言うまでもなく. *Mencionó* tu nombre muchas veces en la conversación. 彼の話に君の名が何度も出た.
men·di·can·te [mendikánte メンディカンテ] 形 物ごいをする, 托鉢(たくはつ)をする. las órdenes *mendicantes* 托鉢修道会.
── 名男女 物ごい; 托鉢修道士.
men·di·ci·dad [mendiθiðáð メンディしダ(ドゥ)] 名女 物ごいをすること; こじき生活.
men·di·gar [mendiɣár メンディガル] [32 g → gu] 動他 1 物ごいをする. *mendigar* la comida 食べ物をもらい歩く. 2 嘆願する. ── 動自 こじきをする.
men·di·go, ga [mendíɣo, ɣa メンディゴ, ガ] 名男女
こじき, 物もらい (= pordiosero).
men·dru·go [mendrúɣo メンドゥルゴ] 名男 1 固いパンのかけら.
2 《口語》分からず屋, 石頭.
me·ne·ar [meneár メネアル] 動他 動かす, 揺する, 振る. *menear* la cola 尻尾(しっぽ)を振る.
── **me·ne·ar·*se*** 1 動く, 揺れる.
2 《口語》急ぐ, さっさと歩く. ¡*Meneáte*, que llegamos tarde! 早くしろよ, 遅れるぞ.
de no te menees 《口語》すごい, ひどい, 途方もない. una bofetada *de no te menees* すごい平手打ち.
me·ne·o [menéo メネオ] 名男 1 動かす[揺する, 振る]こと.
2 《口語》こっぴどくたたくこと, しかること.
dar un meneo a ... 《口語》(1) …をこっぴどく殴る, しかりつける. (2) …を乱暴に扱う[揺する, 引っ張る].
me·nes·ter [menestér メネステル] 名男
1 必要, 入用.
2 [~または ~es] 仕事, 勤め, 職務. hacer sus *menesteres* 仕事をする.
3 [~es] 用便.
4 [~es] 《口語》必需品, 道具.
ser menester 《+不定詞》[《que+接続法》] …の必要がある, …しなければならない. No *es menester* hacerlo. それをする必要はありません. No *es menester que* vengas aquí. 君がここに来ることはない.
me·nes·te·ro·so, sa [menesteróso, sa メネステロソ, サ] 形 困窮した.
── 名男女 貧困者.

me·nes·tra [menéstra メネストゥラ] 名女 〘料理〙メネストラ：ハムなどの入った野菜の煮込み.

men·ga·no, na [meŋgáno, na メンガノ, ナ] 名男女 だれそれ, なにがし (► 単独では用いられない). fulano y *mengano* / *mengano* y zutano なんのだれそれ.

men·guan·te [meŋgwánte メングアンテ] 形 減少する；(月が) 欠けていく；潮が引く.
—— 名女 水位の低下；引き潮；(月の) 欠け.

men·guar [meŋgwár メングアル] [⑦ gu → gü] 動自 **1** 減少する.
2 (編み物で) 減らし目をする.
—— 動他 減少させる.

me·nin·gi·tis [meniŋxítis メニンヒティス] 名女 [単・複同形] 〘医〙髄膜炎, 脳膜炎.

me·no·pau·sia [menopáusja メノパウシア] 名女 〘医〙閉経期；更年期.

me·nor [menór メノル] [複 ～es] 形 [pequeño の比較級]
〔英 smaller, lesser, minor; younger〕
1 **より小さい；年下の**；より重要でない (↔mayor). Estos datos son viejos y de *menor* importancia que aquellos. これらのデータは古くて, あれらほど重要でない. hermano *menor* 弟. niñas *menores* de diez años 10歳未満の女の子たち.
► 「背丈・体の大きさ」については, más pequeño を用いる. ⇒María es más pequeña que yo. マリアは私より小柄だ.
2 《定冠詞・所有形容詞を伴って》《最上級》**最も小さい；最年少の**；最低の. Soy el *menor* del grupo. 私が仲間の中で一番年下だ. Se asusta del *menor* ruido que hacen. 彼はちょっとでも物音をたてると怖がる. No me hicieron el *menor* caso. 私は全く相手にされなかった.
3 未成年の, 子供の. Eres todavía *menor* de edad, y tienes que obedecerme. 君はまだ未成年なんだから, 私の言うことを聞かなくては駄目だ.
4 〘音楽〙短調の. escala *menor* 短音階.
—— 名男女 [～es] 年少者；未成年者. No apto para *menores*. 〘映画〙成人向き.
(al) por menor (1)小売りの, 小売りで. (2)詳しく, 詳細に. Cuéntame (*al*) *por menor* lo que ha sucedido. どういうことだったのか詳しく話してくれよ.

Me·nor·ca [menórka メノルカ] 固名 メノルカ (島)：スペイン Baleares 諸島の一つ.

me·nor·quín, qui·na [menorkín, kína メノルキン, キナ] 形 メノルカ島の.
—— 名男女 メノルカ島の住民.

me·nos [ménos メノス] 副 [poco の比較級] 〔英 less〕
1 《比較級・比較構文を作る》(1)**より少なく**, より…でない (↔más). *menos* limpio より清潔でない. En esta zona llueve *menos*. ここの方が雨が少ない. Le veo cada vez *menos*. 彼に会う機会はだんだん少なくなってきている.
(2) **menos ... que ...** …より[ほど] …でない. →más 【文法】.
2 《定冠詞などの限定語＋比較級で最上級を作る》**いちばん…でない**. el que come *menos* いちばん食べない人. el alumno *menos* inteligente de la clase クラスでいちばん頭の良くない生徒. → más 【文法】.
3 《前置詞的に》(1)…を除いて；マイナス. La convence cualquiera *menos* yo. 彼女は私以外の人ならすぐ言いなりになる. todo incluido *menos* el transporte 運賃以外はすべて込み. Veinte *menos* cinco son quince. 20引く5は15.
(2) 《時刻》…分前. Son las cinco *menos* diez. 5時10分前だ. → hora.
—— 形 [性・数不変] **より少数[少量]の**. El año pasado hubo *menos* accidentes. 昨年の方が事故が少なかった. Hoy hace *menos* frío que ayer. 今日はきのうほど寒くない. → más 【文法】.
al [a lo] menos / cuando menos / por lo menos 少なくとも, せめて.
a menos 《＋**que** 接続法》[《＋**de** 不定詞》] …でない限り, …でなければ.
cuanto menos ... (tanto)menos ... → cuanto 【文法】.
de menos 不足して, 足りずに.
ir [venir] a menos 落ちぶれる, (事業などが) 傾く.
lo menos (1)少なくとも. (2)最小限 (のこと). Es *lo menos* que puede hacerse. できるのはせいぜいこれくらいだ.
menos de ... …以下の[に], …未満の. (a) *menos de* dos mil pesetas 2000ペセタ以下で. en *menos de* nada ただちに. *menos de* lo que pensaba 思っていたより少なく. ► 数量を表すときはその基準点を含まないので, 厳密には「未満」を表す.
mucho menos (...) ずっと少なく[少数の] (↔mucho más).
nada menos que ... → nada.
ni mucho menos (…だなんて) とんでもない.
no menos de ... …ほども. Se reunieron *no menos de* quinientas personas. 500人もの人が集まった.
ser lo de menos 大したことではない, 問題にならない.

me·nos·ca·bar [menoskaβár メノスカバル] 動他 減じる；損なう.

me·nos·ca·bo [menoskáβo メノスカボ] 名男 減少；不名誉, 不評. sin *menoscabo* けちがつかずに, 信用を損なわずに.
con menoscabo de ... …を犠牲にして, …を害して.

me·nos·pre·ciar [menospreθjár メノスプレしアル] 動他 **1** 軽蔑(けいべつ)する, 見下す, ないがしろにする.
2 過小評価する. *menospreciar* la importancia de un acontecimiento 事の重大さを見くびる.

M

me·nos·pre·cio [menospréθjo メノスプレシオ] 名男 軽蔑(けいべつ); 軽視, 無視. con *menosprecio* de ... …を無視して. hacer *menosprecio* de ... …を軽視する.

men·sa·je [mensáxe メンサヘ] 名男
1 伝言, メッセージ. Quiero dejarle un *mensaje*. 彼に伝言を残したいのです. *mensaje* cifrado [en clave] 暗号文.
2 教書, 親書; (行政府などにあてた) 意見書. *Mensaje* de la Corona 国王[女王]のお言葉.
3 (作品などの) ねらい, 意図.

men·sa·je·ro, ra [mensaxéro, ra メンサヘロ, ラ] 名男女 使者, メッセンジャー. las golondrinas, *mensajeras* de la primavera 春の使者, ツバメ.
── 形 伝言を伝える, 使者の. paloma *mensajera* 伝書バト.

mens·trua·ción [menstrwaθjón メンストゥルアしオン] 名女 月経, 生理.

men·sual [menswál メンスアる] 形 **1** 毎月の, 月決めの, 月刊の. revista *mensual* 月刊誌.
2 一月あたりの, 月々の. 300 [trescientas] pesetas *mensuales* 月々300ペセタ.

men·sua·li·dad [menswaliðáð メンスアリダ(ドゥ)] 名女 **1** 月給, 1か月の給料. cobrar su *mensualidad* 月給をもらう.
2 毎月の支払い(額), 月賦(金). pagar en doce *mensualidades* 12か月の分割払いにする.

men·su·ra·ble [mensuráβle メンスラブれ] 形 計測[計量]可能な, 測定できる.

men·ta [ménta メンタ] 名女 《植物》ハッカ(薄荷). con sabor a *menta* ハッカの風味のする. licor de *menta* ペパーミント.

men·tal [mentál メンタる] 形 [複 ~es] 〔英 mental〕 **心の**, 精神の (↔ físico); 頭脳活動の, 知的な. cálculo *mental* 暗算. higiene *mental* 精神衛生.

men·ta·li·dad [mentaliðáð メンタリダ(ドゥ)] 名女 物の考え方, メンタリティー. *mentalidad* infantil 子供っぽい考え方. *mentalidad* japonesa 日本人の物の考え方. tener una *mentalidad* abierta 偏見のない考え方をする.

men·tal·men·te [mentálménte メンタるメンテ] 副 心の中で; 精神的に.

men·tar [mentár メンタル] [42 e → ie] 動他 …に言及する; …の名を挙げる.

men·te [ménte メンテ] 名女 **1** 知力, 知能. persona de *mente* lúcida 頭脳明晰(めいせき)な人.
2 考え. No está en su *mente* viajar tan lejos. 彼女はそんな遠くまで旅するなんて考えてもいない.
3 ものの考え方; 精神, 心性. *mente* abierta 偏見のない考え方.
Mente sana en cuerpo sano. 《諺》健全な精神は健全なる肉体に宿る.

-mente 《接尾》形容詞の女性形に付けて副詞を作る. ⇒fácil*mente*, precisa*mente*.
►-mente を伴う副詞は元の形容詞のアクセントと -mente [ménte] のアクセントの2つのアクセントを持つ.

men·te·ca·to, ta [mentekáto, ta メンテカト, タ] 形 ばかな, 愚かな.
── 名男女 ばか, うすのろ, 間抜け.

men·tir [mentír メンティル] [52 e → ie, i] 動自 [現分 mintiendo] 〔英 lie〕 **うそをつく**, 偽る; (人を) 欺く. No me *mientas*. 私にはうそを言っても駄目だよ. *Miente* más que habla. 《口語》彼は大うそつきだ.

men·ti·ra

[mentíra メンティラ] 名女 [複 ~s] 〔英 lie〕 **うそ**; 作り話, でたらめ. decir una *mentira* うそをつく. Me dijo que había estado en casa todo el día. Pero es *mentira*. Por la mañana lo vi en la calle. 彼は一日中家に居たと言ったが, それはうそだ. 朝方彼を町で見かけたから. aunque te parezca *mentira* 君には信じられないかもしれないが.

men·ti·ri·ji·llas [mentirixíʎas メンティリヒリャス] ***de mentirijillas*** 《副詞的》冗談に, 戯れに.

men·ti·ro·so, sa [mentiróso, sa メンティロソ, サ] 形 うそつきの; 偽りの, まことしやかな. niño *mentiroso* うそつきの子.
── 名男女 うそつき.

men·tís [mentís メンティス] 名男 [単・複同形] 否認, 反証. dar un *mentís* a ... …に反証する, …を打ち消す.

men·tol [mentól メントる] 名男 《化》メントール, ハッカ脳.

men·tón [mentón メントン] 名男 《解剖》(下) 顎(あご), 顎先.

men·tor [mentór メントル] 名男 助言者, 指導教師.

me·nú [menú メヌ] 名男 [複 menús] メニュー, 献立表; 献立. *menú* de hoy [del día] 本日のおすすめ料理, 日替わり定食.

me·nu·de·ar [menuðeár メヌデアル] 動他 何度も繰り返す, 頻繁に…する. *menudear* visitas al bar バルに足繁(しげ)く通う.
── 動自 たびたび生じる, ひっきりなしに起こる. *Menudearon* las nevadas el invierno pasado. 去年の冬はよく雪が降った.

me·nu·den·cia [menuðénθja メヌデンしア] 名女 細目, 細事; 取るに足りないこと.

me·nu·di·llo [menuðíʎo メヌディリョ] 名男 **1** (馬の) 球節: 蹄(ひづめ)上部後方の関節.
2 [~s] (鶏などの) 臓物.

me·nu·do, da [menúðo, ða メヌド, ダ] 形 **1** 小さい; 細かい, ほっそりした. lluvia *menuda* 霧雨. moneda *menuda* 小銭. mano *menuda* かわいらしい手.
2 《名詞の前につけて反語・強調で》すごい; ひどい, 大変な. ¡*Menuda* novela! すばらしい小説だ. ¡*Menudo* trabajo! 大変な仕事だ.
3 ささいな, くだらない, 取るに足りない. trabajo *menudo* つまらない仕事.
4 事細かな, 綿密な. hacer una *menuda* relación 事細かに報告する.
── 名男 **1** [～s] (鳥獣の) 臓物, もつ.
2 [～s] 小銭, ばら銭.
a menudo しばしば, たびたび.
a la menuda / por (la) menuda 事細かに, 綿密に; 小売りで.

me·ñi·que [meɲíke メニィケ] 名男 小指. ➡ dedo 図.

me·o·llo [meóʎo メオリョ] 名男 核心, 要所. ir al *meollo* de la cuestión 問題の核心に触れる.

me·que·tre·fe [meketréfe メケトゥレフェ] 名男女 《口語》お節介, でしゃばり.

mer·ca·der, de·ra [merkaðér, ðéra メルカデル, デラ] 名男女 (昔の) 商人, 商売人.

mer·ca·de·rí·a [merkaðería メルカデリア] 名女 (昔の) 商品 (＝mercancía).

mer·ca·do [merkáðo メルカド] 名男 [複 ～s] 〔英 market〕
1 市場(いちば), 市; 市場の建物. Fui al *mercado* a comprar carne. 私は市場へ肉を買いに行った. En el *mercado* hay de todo. 市場には何でもそろっている. *mercado* municipal (市営) 公設市場. *mercado* al por mayor 卸売市場.
2 市場(しじょう), マーケット; 需要. investigación [estudio] de *mercados* 市場調査, マーケットリサーチ. *Mercado* Común 欧州共同体 [市場]. *mercado* de cambios [de divisas] 外国為替市場. *mercado* de valores (有価) 証券市場, 株式市場. *mercado* exterior 海外市場. *mercado* interior [nacional] 国内市場. *mercado* negro ブラックマーケット. *mercado* monetario 金融市場. Hay mucho [un gran] *mercado* para 《＋algo》. 〈何か〉の需要が大いにある.
3 市況, 取引. *mercado* sostenido 手堅い市況.

mer·can·cí·a [merkanθía メルカンシア] 名女 商品. tren de *mercancías* 貨物列車.

mer·can·te [merkánte メルカンテ] 形 商業の, 貿易の. ── 名男 商船.

mer·can·til [merkantíl メルカンティル] 形 商業の (＝comercial). derecho *mercantil* 〔法律〕商法. operaciones *mercantiles* 商取引.

mer·can·ti·lis·mo [merkantilísmo メルカンティリスモ] 名男 〔経済〕重商主義; 営利 [金もうけ] 主義.

mer·ced [merθéð メルセ(ドゥ)] 名女 **1** 恩恵, 好意. Nos hizo la *merced* de recibirnos. 彼は私たちを温かく迎えてくれた.
2 慈悲, 哀れみ. pedir la *merced* 哀れみを請う.
3 随意, 意のまま.
a (la) merced de ... …のなすがままに. *a merced de* la corriente 流れにまかせて.
la Merced 〔カトリック〕メルセス会: 1218年にスペインで設立された修道会.

mer·ce·da·rio, ria [merθeðárjo, rja メルセダリオ, リア] 形 メルセス会の.
── 名男女 〔カトリック〕メルセス会修道士 [女].

Mer·ce·des [merθéðes メルセデス] 固名 メルセデス: 女性の名. 愛 Merche.

mer·ce·na·rio, ria [merθenárjo, rja メルセナリオ, リア] 形 金で雇われた. tropas *mercenarias* 外人 (傭兵(ようへい)) 部隊. soldado *mercenario* 傭兵.
── 名男女 外国人傭兵.

mer·ce·rí·a [merθería メルセリア] 名女 洋品店, 手芸品店; 《集合》小間物.

Mer·che [mértʃe メルチェ] 固名 メルチェ: Mercedes の愛称.

Mer·cu·rio [merkúrjo メルクリオ] 固名
1 〔ローマ神話〕メルクリウス, マーキュリー: 商売の神. ギリシア神話の Hermes.
2 〔天文〕水星. ➡ solar 図.
── 名男 [m-] 〔化〕水銀 (＝azogue).

me·re·ce·dor, do·ra [mereθeðór, ðóra メレセドル, ドラ] 形 《＋de》 …に値する, ふさわしい. *merecedor de* confianza 信用するに足る.

me·re·cer [mereθér メレセル] 40 動他 〔英 deserve〕 **1 …に値する**, ふさわしい. *merecer* un premio 賞に値する. El museo *merece* una visita. その美術館は一見に値する.
2 獲得する, 手に入れる. *merecer* el fin 目的を達成する.
estar en la edad de merecer 結婚適齢期である.
merecer bien de 《＋uno》 〈人〉の感謝を受けるにふさわしい. *Mereció bien de* toda la familia. 彼は家族のみんなから当然感謝された.
merecer la pena (de) ... ➡ pena.

me·re·ci·do, da [mereθíðo, ða メレシド, ダ] 過分 形 (受けるのに) 値する, ふさわしい, 当然の.
── 名男 当然の報い. A cada uno su *merecido*. 因果応報. recibir su *merecido* 当然の報いを受ける. dar su *merecido* 恨みをはらす.

me·ren·dar [merendár メレンダル] [42 e ➡ ie] 動自他 おやつ [軽食] を食べる. *merendar* un bocadillo おやつにボカディーリョを食べる. ► 名詞は merienda.
── **me·ren·dar·se** 《口語》 **1** 手に入れる, わが物とする. *Se merendó* el puesto de presidente. 彼は会長の地位を手に入れた. **2** 《＋a》 (論争などで相手を) 負かす, 制する.

me·ren·de·ro [merendéro メレンデロ] 名男 (郊外・浜辺の) 軽食堂.

me·ren·gue [meréŋge メレンゲ] 名男
1 〔料理〕メレンゲ.
2 〔音楽〕メレンゲ: ドミニカ起源の 2 拍子の

舞曲．**3**《口語》虚弱者，病弱な人．

merezc- 動→ merecer. 40

me·ri·dia·no, na [meriðjáno, na メリディアノ, ナ] 形 **1** 正午の，真昼の．a la hora *meridiana* 正午に．
2 子午線の，経線の．línea *meridiana* 子午線，経線．
3 明白な．ser de una claridad *meridiana* 明々白々である．
── 名男 子午線，経線．→ tierra 図．

me·ri·dio·nal [meriðjonál メリディオナる] 形 南の (↔ septentrional). América *meridional* 南アメリカ，南米．Europa *meridional* 南ヨーロッパ，南欧．
── 名男女 南部の人．

me·rien·da [merjénda メリエンダ] 名女 [複 ～s] 〔英 snack〕 **1** (午後の) **おやつ**，軽食，スナック．tomar una *merienda* おやつを食べる．
2 ピクニック；(野外での) 弁当，食事．ir de *merienda* ピクニックに行く．
merienda de negros 《口語》奪い合い；大騒ぎ，混乱．

me·ri·no, na [meríno, na メリノ, ナ] 形 (羊が) メリノ種の．
── 名男 メリノ種のヒツジ；メリノ羊毛 [毛織物]．◆スペイン原産で繊維が良質．

mé·ri·to [mérito メリト] 名男 [複 ～s] 〔英 merit〕 **1 価値**，値打ち，真価；長所 (↔ demérito). quitar *méritos* 価値を減じる；けなす．tener *mérito* 価値 [長所] がある．
2 功績，手柄．atribuirse el *mérito* de ... …を自分の手柄 [功績] とする．*méritos* académicos (学問上の) 業績．*méritos* de guerra 武勲．
de mérito 立派な，賞賛さるべき．autor *de* gran *mérito* 必読に値する作家．
hacer méritos para ... …のためにお膳(ぜん)立てをする．

me·ri·to·rio, ria [meritórjo, rja メリトリオ, リア] 形 賞賛すべき，価値のある．
── 名男女 (無給の) 見習い職人，研修生．

mer·lu·za [merlúθa メルるさ] 名女 **1** 〘魚〙 メルルサ：タラ科の食用魚．
2 《口語》ばか，間抜け．
3 《口語》泥酔；酔っ払い．coger [tener] una *merluza* 酔っ払う．

mer·ma [mérma メルマ] 名女 減少，損失．*merma* de vista 視力減退．

mer·mar [mermár メルマル] 動他 減らす．
── **mer·mar·*se*** 減る．*mermarse* en peso 体重が減る．De repente empezó a *mermarse* la luz. 突然明かりが暗くなっていった．

mer·me·la·da [mermeláða メルメらダ] 名女 [複 ～s] 〔英 jam〕 **ジャム**，マーマレード．*mermelada* de manzana リンゴジャム．

me·ro, ra [méro, ra メロ, ラ] 形 **1** 単なる，ただの，ほんの．por el *mero* hecho de ... 単に…ということで．
2 《ラ米》真の，紛れもない；正確な，ちょうどの．a la *mera* hora ちょうどその時間に．
── 名男 〘魚〙 スズキ科マハタ属の食用魚．

me·ro·de·ar [meroðeár メロデアル] 動自 うろつき回る，徘徊(はいかい)する．

me·ro·de·o [meroðéo メロデオ] 名男 徘徊(はいかい)，うろつき回ること．

mes [més メス] 名男 [複 ～es] 〔英 month〕
1 (暦の) **月**；1か月．el *mes* pasado 先月．este *mes* / el *mes* corriente 今月．el *mes* próximo [que viene] 来月．dentro de un *mes* 一月後に．cobrar 500 [quinientas] mil pesetas al [por] *mes* 月に50万ペセタ稼ぐ．pagar por *meses* 月払いにする．

【参 考】

1月 enero	7月 julio
2月 febrero	8月 agosto
3月 marzo	9月 septiembre
4月 abril	10月 octubre
5月 mayo	11月 noviembre
6月 junio	12月 diciembre

► 月名は頭文字も小文字で書く．

2 月給．cobrar el *mes* 月給をもらう．

me·sa [mésa メサ] 名女 [複 ～s] 〔英 desk, table〕
1 机，テーブル；台．Sobre [En] la *mesa* había una foto donde aparecían todos sus familiares. 机の上に家族全員が写っている写真が飾ってあった．*mesa* de operaciones 手術台．*mesa* plegable [de tijera] 折り畳み式テーブル．
2 食卓，食事．poner la *mesa* 食卓の用意をする．reservar una *mesa* (レストランで) テーブルを予約する．sentarse a la *mesa* 食卓につく．servir (a) la *mesa* 給仕をする．
estar a mesa y mantel 居候している．
mesa redonda 円卓；円卓会議，討論会．
mesa revuelta 混乱，ごちゃまぜ．
tener mesa franca en casa de 《+uno》〈人〉の家に気楽な食事に招かれている．
vivir a mesa puesta 左うちわで暮らす．

me·sa·na [mesána メサナ] 名女 〘海事〙 ミズンマスト (の縦帆)．

me·sar [mesár メサル] 動他 (髪・ひげを) かきむしる，ひっぱる．
── **me·sar·*se*** (自分の髪・ひげを) かきむしる．

me·se·ta [meséta メセタ] 名女 メセタ，台地，高原．la *meseta* de Castilla カスティーリャ地方のメセタ．◆スペインの国土の大半を高度300–900メートルのメセタが占めている．

me·siá·ni·co, ca [mesjániko, ka メシアニコ, カ] 形 メシアの，救世主の；キリストの．

me·sí·as [mesías メシアス] 名男 〘宗教〙 メ

M

シア，救世主．el *Mesías* イエス・キリスト．

me·si·lla [mesíʎa メシリャ] 名女 小机．*mesilla* de noche ナイト・テーブル．*mesilla* de ruedas（料理などを運ぶ）ワゴン．

Me·so·a·mé·ri·ca [mesoamérika メソアメリカ] 固名 メソアメリカ．◆メキシコ中央高原を中心に Yucatán 半島，グアテマラ，ホンジュラスなどの地域を含むスペイン統治以前の文明圏．

me·so·cra·cia [mesokráθja メソクラしア] 名女 中産階級（主導の政治）．

me·so·lí·ti·co, ca [mesolítiko, ka メソりティコ，カ] 形 中石器時代の．
―― 名男 中石器時代．

me·són [mesón メソン] 名男 **1** メソン，居酒屋；（田舎の）料理屋兼宿屋．
2〘物理〙中間子．

me·so·ne·ro, ra [mesonéro, ra メソネロ，ラ] 名男女 mesón の亭主［女将(おかみ)］．

mes·ti·za·je [mestiθáxe メスティさへ] 名男 混血，混交；《集合》混血児．

mes·ti·zo, za [mestíθo, θa メスティそ，さ] 名男女 **1**（特に白人とインディオの間の）混血児，メスティーソ．
2 交配種，雑種．
―― 形 **1** 混血の，メスティーソの．cultura *mestiza* メスティーソ文化．
2 交配してできた，雑種の．

me·su·ra [mesúra メスラ] 名女 慎しみ，節度．con *mesura* 控えめに；冷静に．

me·ta [méta メタ] 名女 **1** 目標，目的．llegar a la *meta* 目標に達する．
2〘スポーツ〙ゴール；決勝点．➡ fútbol 【参考】．

meta- 《接頭》「変化，超」の意を表す．⇀ *meta*física, *meta*morfosis など．

me·ta·bó·li·co, ca [metaβóliko, ka メタボりコ，カ] 形〘生物〙（物質）代謝の．

me·ta·bo·lis·mo [metaβolísmo メタボりスモ] 名男〘生物〙（物質）代謝．*metabolismo* basal 基礎代謝，維持代謝．

me·ta·fí·si·co, ca [metafísiko, ka メタフィシコ，カ] 形 形而(けいじ)上学の，形而上学的な．―― 名男女 形而上学者．
―― 名女 形而上学．

me·tá·fo·ra [metáfora メタフォラ] 名女〘修辞〙隠喩(いんゆ)，暗喩，メタファー．

me·ta·fó·ri·co, ca [metafóriko, ka メタフォリコ，カ] 形 隠喩(いんゆ)の，比喩的な．expresión *metafórica* 隠喩表現．

me·tal [metál メタる] 名男［複 ～es］〔英 metal〕 **1 金属**，合金．*metal* amarillo 真鍮(しんちゅう)．*metal* blanco ホワイト・メタル．*metales* preciosos [nobles] 貴金属．*metal* ligero [pesado] 軽［重］金属．
2 金属的な声［音］．**3** 特質，性質．
4〘音楽〙金管楽器（= instrumentos de *metal*）．
el vil metal 《口語》金，銭．

me·ta·len·gua [metaléŋgwa メタれングア] / **me·ta·len·gua·je** [-gwáxe -グアへ] 名女〘言語〙メタ言語，記述用言語．

me·tá·li·co, ca [metáliko, ka メタりコ，カ] 形 金属の；金属的な．voz *metálica* 金切り声．
―― 名男 現金；硬貨．pagar en *metálico* 現金で支払う．

me·ta·loi·de [metalóiðe メタろイデ] 名男〘化〙メタロイド；半金属（ケイ素，ヒ素など）．

me·ta·lur·gia [metalúrxja メタるルヒア] 名女 冶金(やきん)；冶金学，冶金術．

me·ta·lúr·gi·co, ca [metalúrxiko, ka メタるルヒコ，カ] 形 冶金(やきん)の；冶金学の，冶金術の．industria *metalúrgica* 冶金工業．
―― 名男 冶金技術者；冶金学者．

me·ta·mor·fis·mo [metamorfísmo メタモルフィスモ] 名男〘地質〙変成（作用）．

me·ta·mor·fo·se·ar [metamorfoseár メタモルフォセアル] 動他 変える，変形させる；〘動物〙変態させる；〘地質〙変成させる．El tiempo le *ha metamorfoseado* completamente. 時は彼をすっかり変えてしまった．
―― **me·ta·mor·fo·se·ar·se** 変わる，変形する；〘動物〙変態する；〘地質〙変成する．

me·ta·mor·fo·sis [metamorfósis メタモルフォシス] 名女［単・複同形］ **1** 変貌(へんぼう)；変容．sufrir una *metamorfosis* 変容する．
2〘動物〙変態．*metamorfosis* de ranas カエルの変態．

me·ta·no [metáno メタノ] 名男〘化〙メタン（ガス）．

me·tás·ta·sis [metástasis メタスタシス] 名女［単・複同形］〘医〙転移．

me·tá·te·sis [metátesis メタテシス] 名女［単・複同形］〘文法〙音位転換，隣接転倒．

me·te·du·ra [meteðúra メテドゥラ] 名女《口語》挿入，導入．
metedura de pata 《口語》しくじり，へま．

me·te·ó·ri·co, ca [meteóriko, ka メテオリコ，カ] 形 **1** 気象（上）の；流星の．fenómenos *meteóricos* 気象現象．piedra *meteórica* 隕石(いんせき)．
2 一時的に華々しい．Su vida política ha sido *meteórica*. 彼の政治生命は短くも華々しかった．

me·te·o·ri·to [meteoríto メテオリト] 名男 隕石(いんせき)．

me·te·o·ro·lo·gí·a [meteoroloxía メテオロろヒア] 名女 気象学．

me·te·o·ro·ló·gi·co, ca [meteorolóxiko, ka メテオロろヒコ，カ] 形 気象の，気象学上の．parte *meteorológico* 気象通報［情報］，天気予報．observación *meteorológica* 気象観測．

me·te·o·ro [meteóro メテオロ] / **me·té·o·ro** [metéoro メテオロ] 名男 気象現象．

me·ter [metér メテル] 動他［現分 metiendo；過分 metido, da］〔英 put〕
1 《＋en》**…に入れる**；はめる，詰める；し

M

まう. *meter* el pañuelo *en* el bolsillo ハンカチをポケットに突っ込む. *Metió* todo el dinero *en* el banco. 彼は全財産を銀行に入れた. No hay quien le *meta* eso *en* la cabeza. それを彼に分からせる者はいない.

2 (施設などに) 入れる, 収容する; (仕事に) 就かせる. *meter* a SU hijo en un colegio 子供をある学校へ入れる. *meter* a《+uno》a un oficio〈人〉をある仕事に就かせる. *meter* a《+uno》a trabajar〈人〉を働きに出す.

3《口語》生じさせる, 引き起こす. *meter* ruido 音を立てる; 騒ぎを起こす. *meter* jaleo 騒動を引き起こす.

4《口語》《+**en**》…に巻き込む; (嫌なこと) を押しつける. No quiero que me *metas en* líos. 僕は面倒なことに巻き込まれたくないね.

5《口語》(打撃を) 食らわす. *meter* un golpe 殴りつける. *meter* una paliza 棒でたたく.

6〖服飾〗寸法を縮める, 上げをする.

— me·ter·*se* 〔英 get into〕

1《+**en**》**…に入る**, 入り込む. *meterse en* la cama ベッドにもぐり込む. *Se metió en* un bar. 彼はあるバルに入った. ¿Dónde *os habéis metido*? 君たちはどこに行っていたんだ?

2 …になる, …の仕事に就く. *meterse* monja 修道女になる. *meterse* a escritor 作家になる; 作家気取りでいる (► a を伴うと軽蔑(けいべつ)のニュアンスを持つことが多い).

3《+**a** 不定詞》…に取りかかる. *meterse a* escribir 書き始める.

4《+**con**》…を構う, …のあら捜しをする, …をいじめる. Deja de *meterte con* tu hermana. 妹をかまうのをやめなさい. Los críticos *se meten con* él. 批評家はこぞって彼を攻撃している.

5《+**en**》(1)…に干渉する. *Se mete en* todo. 彼は何事にも干渉する[口出しする]. (2) …に陥る, 巻き込まれる. *Se han metido en* un asunto poco claro. 彼らはいかがわしい事件に巻き込まれた. *meterse en* una discusión 議論になる.

a todo meter《口語》大急ぎで.

meterse donde no lo [***le***] ***llaman*** 余計なことに口出しする.

meterse en SÍ ***mismo*** 自分の殻に閉じこもる; 熱中する.

me·ti·cu·lo·sa·men·te [metikulósaménte メティクロサメンテ] 副 綿密に, 細心の注意を払って.

me·ti·cu·lo·si·dad [metikulosiðáð メティクロシダ(ドゥ)] 名 女 細心, 綿密, 緻密(ちみつ). trabajar con gran *meticulosidad* 細心の注意を払って仕事をする.

me·ti·cu·lo·so, sa [metikulóso, sa メティクロソ, サ] 形 細心の, 細かい.

— 名 男 女 綿密[緻密(ちみつ)]な人.

me·ti·do, da [metíðo, ða メティド, ダ] 過分 → meter.

— 形《+**en**》…でいっぱいの. *metido en* carnes 肉づきのよい, 太った. *metido en* años 年老いた.

— 名 男 打撃, パンチ; ひと押し, 突き. dar a《+uno》un *metido* en la espalda〈人〉の背中をどやす.

estar muy metido con《+uno》〈人〉を深く信頼している;〈人〉と親交がある.

estar muy metido en《+algo》〈何か〉に没頭している; 深くかかわっている.

metiendo 現分 → meter.

me·tó·di·ca·men·te [metóðikaménte メトディカメンテ] 副 きちんと, 整然と.

me·tó·di·co, ca [metóðiko, ka メトディコ, カ] 形 整然とした; 几帳面(きちょうめん)な. llevar una vida muy *metódica* 規則正しい生活を送る.

mé·to·do [métoðo メトド] 名 男 [複 ～s] 〔英 method〕 **1 方法**, 方式, 手順; 教授法. Un buen *método* para mantenerse en forma es andar una hora todos los días. 健康を維持する良い方法は毎日 1 時間歩くことだ. *método* deductivo 演繹(えんえき)法. *método* inductivo 帰納法.

2 教本, 入門書.

con método 順序立てて; きちんと.

me·to·do·lo·gí·a [metoðoloxía メトドロヒア] 名 女 方法論. *metodología* de enseñanza de español スペイン語教授法.

me·to·men·to·do [metomentóðo メトメントド] 形《口語》お節介な, でしゃばる.

— 名 男 女《口語》お節介, でしゃばり.

me·tra·je [metráxe メトゥラへ] 名 男〖映画〗作品の長さ. → cortometraje, largometraje.

me·tra·lla [metráʎa メトゥラリャ] 名 女 散弾.

me·tra·lle·ta [metraʎéta メトゥラリェタ] 名 女 自動小銃, 軽機関銃.

mé·tri·co, ca [métriko, ka メトゥリコ, カ] 形 **1** メートル (法) の. sistema *métrico* メートル法.

2 韻律 (学) の, 韻文の.

— 名 女 韻律 (学).

me·tro

[métro メトゥロ] 名 男 [複 ～s] 〔英 meter; metro〕

1 メートル《略 m》. Su despacho tiene veinte *metros* cuadrados. 彼の部屋は20平方メートルある. *metro* cúbico 立法メートル《略 m³》. *metro* patrón メートル原器. medir [vender] por *metros* メートル単位で測る[売る].

2 [metropolitano の省略形] **地下鉄**, メトロ. tomar el *metro* 地下鉄に乗る.

3〖詩〗韻律, 格調; 歩格.

4 (1 メートルの) 定規; 巻き尺.

me·tró·po·li [metrópoli メトゥロポリ] 名 女 **1** 首都; 大都市.

2 (植民地に対して) 本国, 宗主国.

M

3 〘ｶﾄﾘｯｸ〙首都大司教座.
me·tro·po·li·ta·no, na [metropolitáno, na メトゥロポリタノ, ナ] 形 **1** 首都の, 大都市の; 本国の. área *metropolitana* 首都圏.
2 首都大司教(座)の. iglesia *metropolitana* 首都大司教座聖堂.
── 名男 **1** 地下鉄(＝metro).
2 〘ｶﾄﾘｯｸ〙首都大司教.
mexicana 形名女 → mexicano.
me·xi·ca·nis·mo [mexikanísmo メヒカニスモ] 名男 メキシコ特有の語彙(ごい)［語法］.
me·xi·ca·no, na [mexikáno, na メヒカノ, ナ] [複 ～s] 〔英 Mexican〕 形 **メキシコ(人)の**. el valor del peso *mexicano* メキシコ・ペソの価値.
── 名男女 **メキシコ人**.
Mé·xi·co [méxiko メヒコ] 固名 〔英 Mexico〕 **メキシコ**: 米国の南に位置する合衆国. 首都 (Ciudad de) México. 通貨 peso.
mez·cla [méθkla メすクら] 名女 **1** 混合; 混合物.
2 〘ラジオ〙〘テレビ〙ミキシング.
3 モルタル(＝argamasa).
mez·cla·dor, do·ra [meθklaðór, ðóra メすクらドル, ドラ] 名男女 〘映画〙〘ラジオ〙〘テレビ〙音量調整技師, ミキサー.
── 名女 〘機械〙ミキサー. *mezcladora* de hormigón コンクリート・ミキサー.
mez·clar [meθklár メすクらル] 動他 〔英 mix〕 **1 混ぜる**, 混ぜ合わせる, 混合する. *mezclar* la harina y el agua 小麦粉と水を混ぜ合わせる.
2 まぜこぜにする, ごっちゃにする. *mezclar* las cartas トランプを切る.
3 (人を) 巻き込む. *mezclar* en un alboroto 騒動に巻き込む.
── **mez·clar·*se*** **1** 混ざる, 混じり合う. No *se mezclan* el aceite y el agua. 油と水は混ざらない. *Se mezcló* entre la gente. 彼は人々の中にまぎれ込んだ.
2 口を出す, 干渉する, 介入する. No *te mezcles* en la discusión. 議論に首を突っ込むな.
3 (好ましくない人と) 交際する. *mezclarse* con los malhechores 悪党と付き合う.
mez·co·lan·za [meθkolánθa メすコらンさ] 名女 《口語》ごたまぜ, 寄せ集め.
mez·quin·dad [meθkindáð メすキンダ(ドゥ)] 名女 **1** けち; さもしさ, 卑しさ.
2 乏しさ.
mez·qui·no, na [meθkíno, na メすキノ, ナ] 形 **1** けちな; さもしい, 卑しい.
2 乏しい, わずかな. un salario *mezquino* 安月給.
── 名男女 けちな人, さもしい人.
mez·qui·ta [meθkíta メすキタ] 名女 メスキータ, モスク: イスラム教寺院. *Mezquita* de Córdoba コルドバのメスキータ(◆786年ごろモスクとして建設され, 現在はキリスト教会). → iglesia【参考】.
mi [mí ミ] 名男 〘音楽〙ミ, ホ音.
mi [mi ミ] 形 《所有》 [前置形; 複数形 mis. → su【文法】] 〔英 my〕 **私の**. *mi* madre 私の母. *mis* zapatos 私の靴. Retrasé *mi* salida. 私は出発を遅らせた.
mí [mí ミ] 代名 《人称》 [1人称単数形, 男・女同形; 複数形 nosotros, nosotras] 〔英 me〕 《前置詞＋》**私**, 僕. A *mí* me da lo mismo. 私にはどちらでも同じことだ. No hables mal de *mí*. 私のことを悪く言わないでよ. ► 前置詞 con に続く場合 → conmigo. → su【文法】
mía 形代名女 → mío.
mia·ja [mjáxa ミアハ] 名女 **1** パンくず, パンのかけら.
2 わずか, 少量. No me quedan más que unas *miajas* de fortuna. 私にはわずかな財産しか残っていない.
mias·ma [mjásma ミアスマ] 名男 (腐敗物・淀(よど)みから発する) ガス, 毒気.
miau [mjáu ミアウ] 《擬》 **1** (猫の鳴き声) ニャーオ. → animal【参考】.
2 《俗語》《感嘆》あらまあ, うわー.
mi·cé·ni·co, ca [miθéniko, ka ミせニコ, カ] 形 (ギリシアの) ミケーネ[ミュケナイ] Micenas の. civilización *micénica* ミケーネ文明.
── 名男女 ミケーネ人.
mi·co [míko ミコ] 名男 **1** 〘動物〙オナガザル(尾長猿).
2 《口語》醜男(ぶおとこ); 《子供を指して》坊主.
dejar a 《＋uno》 ***hecho un mico*** 《口語》〈人〉に恥をかかせる.
quedarse hecho un mico 《口語》恥をかく.
volverse mico てんてこまいする.
mi·cra [míkra ミクラ] 名女 → micrón.
mi·cro [míkro ミクロ] 名男 [micrófono, microbús の省略形] 《口語》マイク; マイクロバス.
micro- 「微小, 100万分の1」の意を表す造語要素. ⇒ *micro*bio, *micro*segundo (マイクロ秒: 100万分の1秒) など.
mi·cro·bio [mikróβjo ミクロビオ] 名男 微生物, 細菌.
mi·cro·bio·lo·gí·a [mikroβjoloxía ミクロビオろヒア] 名女 微生物学, 細菌学.
mi·cro·bio·ló·gi·co, ca [mikroβjolóxiko, ka ミクロビオろヒコ, カ] 形 微生物学の, 細菌学の.
mi·cro·bús [mikroβús ミクロブス] 名男 マイクロバス.
mi·cro·film [mikrofílm ミクロフィるン] / **mi·cro·fil·me** [-fílme -フィるメ] 名男 [複 microfilms, microfilmes] マイクロフィルム.
mi·cró·fo·no [mikrófono ミクロフォノ] 名男 マイクロフォン, マイク. *micrófono* de

M

pie スタンドマイク. *micrófono* de mano ハンドマイク.

mi·crón [mikrón ミクロン] 名男 ミクロン: 1ミリの1000分の1 (= micra).

mi·cro·on·das [mikroóndas ミクロオンダス] 名男 [単・複同形] 電子レンジ (= horno de *microondas*). ➡ cocina 図.

mi·cro·or·ga·nis·mo [mikrooryanísmo ミクロオルガニスモ] 名男 微生物.

mi·cros·có·pi·co, ca [mikroskópiko, ka ミクロスコピコ, カ] 形 **1** 顕微鏡による. examen *microscópico* 顕微鏡検査.
2 微小な.

mi·cros·co·pio [mikroskópjo ミクロスコピオ] 名男 顕微鏡. *microscopio* electrónico 電子顕微鏡.

mi·cro·sur·co [mikrosúrko ミクロスルコ] 名男 **1** LPレコード.
2 微細溝, マイクログループ.

mid- 動 現分 ➡ medir. [41 e ➡ i]

mie·di·tis [mjeðítis ミエディティス] 名女 [単・複同形] 《口語》 恐れ, 恐怖. tener *mieditis* 怖がる.

mie·do [mjéðo ミエド] 名男 [複 ～s] 〔英 fear〕 **恐れ**, 恐怖; 不安, 心配, 気掛かり. Le da *miedo* ir sola. 彼女は一人で行くのを怖がっている. pasar mucho *miedo* 恐ろしいめに遭う. por *miedo* a (que) 《＋接続法》/ por *miedo* de que 《＋接続法》 …を恐れて[心配して]. temblar de *miedo* 恐ろしさで震える.
de miedo 《口語》 すばらしい, 見事な.
morirse de miedo 怖くて死にそうである.
tener miedo de 《＋不定詞》 《＋que 接続法》 …するのではないかと心配する. No *tengas miedo de* cometer errores. 間違えることを恐れるな.
tener miedo hasta de la sombra de sí mismo 自分の影にもおびえる.

M

mie·do·so, sa [mjeðóso, sa ミエドソ, サ] 形 怖がりの, 臆病(おくびょう)な.

miel [mjél ミエル] 名女 [複 ～es] 〔英 honey〕 **1** **蜂蜜**(はちみつ), 蜜. dulce como la *miel* 蜜のように甘い.
2 甘さ, 優しさ. palabras de *miel* 甘い言葉.
dejar a 《＋uno》 ***con la miel en los labios*** 〈人〉をぬか喜びさせる.
hacerse de miel とても親切に[優しく]する.
No hay miel sin hiel. 楽あれば苦あり.
quedarse a media miel ぬか喜びに終わる.

miem·bro [mjémbro ミエンブロ] 名男 [複 ～s] 〔英 member〕
1 **メンバー**, 会員. *miembro* con plenos poderes 正会員. *miembro* vitalicio 終身会員. estado *miembro* 加盟国.
2 肢, 手足. *miembros* superiores e inferiores 上肢と下肢.
3 〔数〕 (等式・不等式の) 辺.
miembro viril 陰茎.

mient- 動 ➡ mentir. [52 e ➡ ie, i]

mien·tras [mjentras ミエントゥラス] 接続 〔英 while; as long as〕 **1** (1) **…する間**, …するうち. *Mientras* comía, no hablaba nada. 食べている間, 彼は一言も口を利かなかった. *Mientras* preparo la ensalada, ve poniendo la mesa. 私がサラダを用意する間にテーブルを支度しなさい.
(2) 《＋接続法》 《未来の内容を表して》 …する限り. *Mientras* (que) pueda, seguiré trabajando. 私は働ける限り働くつもりだ.
2 **…する一方で**, …なのに, …に反して. *Mientras* que unos sufren, otros se divierten. 苦しんでいる者がいる一方で, 生活をエンジョイしている者がいる. ►que を省略すると(1)の「…する間」の意味に近くなる.
—— 副 [mjéntras ミエントゥラス] **1** その間に, そうこうするうちに (= entretanto).
2 その一方で, それに反して.
mientras más ... …すればするほど. *Mientras más* tiene, más desea. 持てば持つほどますます欲しくなる. ► 中南米で多く用いられる.
mientras tanto そうこうするうちに; その一方で.

miér·co·les [mjérkoles ミエルコレス] 名男 [単・複同形] 〔英 Wednesday〕 **水曜日** 《略 miérc.》. el *miércoles* pasado [que viene] この前の[次の] 水曜日. ➡ lunes 【参考】.
miércoles de ceniza [***corvillo***] 〔カトリック〕 灰の水曜日: 四旬節の初日. 信者は額に灰による十字の印を受ける.
Miércoles Santo 聖水曜日: 聖週間中の水曜日.

mier·da [mjérða ミエルダ] 名女 **1** 《俗語》 糞(くそ).
2 《俗語》 くだらないこと.
¡A la mierda! 《俗語》 まさか, くそっ!
Vete [***Váyase, Que se vaya,...***] ***a la mierda.*** 《俗語》 出て行け; ばか言うな.

mies [mjés ミエス] 名女 [複 ～es] **1** (実った) 穀物; 収穫期. segar la(s) *mies* (*es*) 穀物を刈り取る.
2 [～es] 穀物畑. Las *mieses* están a punto para ser segadas. どの畑も刈り入れ間近である.

mi·ga [míya ミガ] 名女 **1** パンの中身.
2 パンくず; かけら (=migaja).
3 《口語》 中身, 実質; 要点. tener mucha *miga* 含蓄に富んでいる.
4 [～s] 〔料理〕 ミガス: パン切れを炒(いた)めたもの.
hacer buenas [***malas***] ***migas con*** 《＋uno》 《口語》 〈人〉と折り合いが良い [悪い].
hacer migas 《口語》 粉々 [めちゃくちゃ] にする.

mi·ga·ja [miɣáxa ミガハ] 名女 **1** パンくず（＝*migaja* de pan）.
2 かけら，わずかなもの．no tener ni una *migaja* de conciencia 良心のかけらもない．
3 [～s] 残り物，余り物．

mi·gar [miɣár ミガル] [32 g → gu] 動他 **1** （パンなどを）小さくちぎる．
2 （浮き実として）パンの小片を入れる．*migar* la leche パンの小片をミルクに浸して食べる．

mi·gra·ción [miɣraθjón ミグラしオン] 名女 **1** 移住，移民．
2 （鳥・魚などの）季節移動，回遊．

mi·gra·to·rio, ria [miɣratórjo, rja ミグラトリオ，リア] 形 **1** 回遊性の，渡りの．aves *migratorias* 渡り鳥．
2 移住する，移動する；流浪する．movimiento *migratorio* 人口移動．

Mi·guel [miɣél ミゲる] 固名 ミゲル：男性の名．San *Miguel* Arcángel 大天使［天使長］聖ミカエル．*Miguel* Angel ミケランジェロ（1475–1564，イタリアの画家・彫刻家・建築家）．*Miguel* Angel Asturias ミゲル・アンヘル・アストゥリアス（1899–1974，グアテマラの作家，外交官）．

mil [míl ミる] 形《数詞》〔英 thousand〕
1 1000の；1000番目の．*mil* personas 1000人．tres *mil* trescientos veintiún hombres 3321人．*mil* millones de pesetas 10億ペセタ．
2 多数の，無数の．¡Ya te lo he dicho *mil* veces! もう何度も君に言ったぞ．
―― 名男 [複 ～es] **1** 1000．◆ローマ数字 M．en *mil* novecientos noventa y tres 1993年に．
2 [～es] 数千，多数．*miles* de veces 何度も何度も．*miles* y *miles* de personas 何千何万という人々．muchos *miles* de dólares 何千ドルものお金．
a las mil y quinientas 《口語》ひどく遅れて．

mi·la·gro [miláɣro ミらグロ] 名男 [複 ～s] 〔英 miracle〕 **1** 奇跡；驚異，驚嘆すべきこと．Su éxito es un *milagro*. 彼の成功は驚くべきことだ．
2 《宗教》《演劇》奇跡劇．
de [***por***] ***milagro*** 奇跡的に．
hacer milagros 奇跡を起こす；驚くべき成果を上げる．
vivir de milagro 苦しい生活を送る；何とか生きている．

mi·la·gro·so, sa [milaɣróso, sa ミらグロソ，サ] 形 奇跡的な；驚くべき．

mi·la·nés, ne·sa [milanés, nésa ミらネス，ネサ] 形 （イタリアの）ミラノ Milán の．
―― 名男女 ミラノの住民．

mi·la·no [miláno ミらノ] 名男 《鳥》トビ（鳶）．

mi·le·na·rio, ria [milenárjo, rja ミれナリオ，リア] 形 1000年の．
―― 名男 1000年祭．

mi·le·nio [milénjo ミれニオ] 名男 1000年間．

mi·lé·si·mo, ma [milésimo, ma ミれシモ，マ] 形 《数詞》1000番目の；1000分の1の．
―― 名男 1000分の1．

mi·li [míli ミり] 名女 《口語》兵役（＝servicio militar）．estar en la *mili* 兵役に就いている．hacer la *mili* 兵役に服する．

mili- 「1000分の1」の意を表す造語要素．⇒ *mili*gramo, *mili*litro など．

mi·li·bar [miliβár ミりバル] 名男 《気象》ミリバール：気圧の旧単位．► 新単位は hectopascal.

mi·li·cia [milíθja ミりしア] 名女 **1** 兵役（＝servicio militar）．
2 民兵軍（組織）；軍隊，軍団．

mi·li·cia·no, na [miliθjáno, na ミりしアノ，ナ] 名男女 民兵；（スペイン内戦時の共和国側の）市民兵．

mi·li·gra·mo [miliɣrámo ミりグラモ] 名男 ミリグラム：1000分の1グラム《略 mg》．

mi·li·li·tro [mililítro ミりりトゥロ] 名男 ミリリットル：1000分の1リットル《略 ml》．

mi·lí·me·tro [milímetro ミりメトゥロ] 名男 ミリメートル：1000分の1メートル《略 mm》．

mi·li·tan·te [militánte ミりタンテ] 形 戦闘的な，闘争的な．
―― 名男女 闘士，活動家．

mi·li·tar [militár ミりタル] [複 ～es] 形 〔英 military〕 軍の；軍事上の；軍人の．academia *militar* 士官学校．base *militar* 軍事基地．gobierno *militar* 軍事政権．servicio *militar* 兵役．
―― 名男 （職業）軍人，兵士．los *militares* y los civiles 軍人と民間人．

> **【参 考】スペインの将校の名称**
> **ejércitos de Tierra y Aire**（陸・空軍）：capitán general 大将．teniente general 中将．general de división 師団長，少将．general de brigada 旅団長，准将．coronel 大佐．teniente coronel 中佐．comandante 少佐．capitán 大尉．teniente 中尉．alférez 少尉．
> **Marina**（海軍）：almirante 大将．vicealmirante 中将．contraalmirante 少将．capitán de navío [de fragata, de corbeta] 大佐［中佐，少佐］．teniente de navío 大尉．alférez de navío 中尉．alférez de fragata 少尉．

―― 動自 **1** 兵役に就く．*Milita* en artillería. 彼は砲兵隊に入営する．
2 （団体・運動などで）活動する．*Milita* en el partido socialista. 彼は社会党の活動

M

家である.
3 作用する. *Militan* muchos testimonios en su favor. 多くの証言が彼に有利に働いている.

mi·li·ta·ris·mo [militarísmo ミリタリスモ] 名男 軍国主義.

mi·li·ta·ris·ta [militarísta ミリタリスタ] 形 軍国主義(者)の.
── 名男女 軍国主義者.

mi·li·ta·ri·za·ción [militariθaθjón ミリタリさしオン] 名女 軍国化.

mi·li·ta·ri·zar [militariθár ミリタリさル] [39 z → c] 動他 …に軍人精神を吹き込む; 軍隊[軍国]化する. *militarizar* un país 軍国化する.

mi·lla [míʎa ミリャ] 名女 **1** マイル: 距離の単位. 1609.3メートル.
2 海里 (= *milla* marina): 海上での距離の単位. 1852メートル.

mi·llar [miʎár ミリャル] 名男 [複 ~es] [英 one thousand] **1** **1000のまとまり**. un *millar* de hombres 1000名の人.
2 [~es] 数千, 無数. *millares* y *millares* de personas 何千何万もの人々. a *millares* 無数に.

mi·llón [miʎón ミリョン] 名男 [複 millones] [英 million] **1** 《数詞》 **100万**. un *millón* [dos *millones*] de personas 100 [200] 万人 (► 名詞と共に用いるときは必ず前置詞 de を伴う). mil *millones* 10億. *millones* de habitantes 数百万人の人口. → numeral 【参考】.
2 [~または millones] 無数. Un *millón* de gracias. 本当にありがとう. a *millones* 数限りなく.
3 [millones] 大金. Vale *millones*. すごく高い.

mi·llo·na·da [miʎonáða ミリョナダ] 名女 すごい大金. El arreglo del jardín japonés cuesta una *millonada*. 日本庭園の手入れにはすごく金がかかる.

mi·llo·na·rio, ria [miʎonárjo, rja ミリョナリオ, リア] 名男女 百万長者, 大富豪.
── 形 百万長者の, 大富豪の.

mi·llo·né·si·mo, ma [miʎonésimo, ma ミリョネシモ, マ] 形 《数詞》 100万番目の; 100万分の1の.
── 名男 100万分の1.

mi·lon·ga [milóŋga ミろンガ] 名女 〘音楽〙 ミロンガ: ラプラタ地方の音楽と踊り.

mi·mar [mimár ミマル] 動他 **1** 甘やかす, 溺愛(できあい)する; かわいがる. niño *mimado* 甘えん坊. *Mima* mucho a su hija. 彼は娘をとても甘やかす.
2 身ぶり手ぶりで表現する, パントマイムで演じる; …に振りをつける.

mim·bre [mímbre ミンブレ] 名男 ヤナギの小枝.

mim·bre·ar(·se) [mimbreár(se) ミンブレアル(セ)] 動自 ゆらゆら揺れる, しなう.

mim·bre·ra [mimbréra ミンブレラ] 名女 〘植物〙 ヤナギ (柳); ヤナギの林.

mi·me·sis [mimésis ミメシス] 名女 [単・複同形] 人まね, 模倣.

mi·mé·ti·co, ca [mimétiko, ka ミメティコ, カ] 形 **1** 模倣の; 模倣する.
2 〘動物〙 擬態の.

mi·me·tis·mo [mimetísmo ミメティスモ] 名男 **1** 人まね; 模倣, 模写.
2 〘動物〙 擬態.

mí·mi·co, ca [mímiko, ka ミミコ, カ] 形 身振り手振りの, パントマイムの. lenguaje *mímico* 手まね[身振り]言語.
── 名女 身振り手振り, ジェスチャー, パントマイム.

mi·mo [mímo ミモ] 名男 **1** 甘やかし, 溺愛(できあい). dar *mimos* a 《+uno》 〈人〉を甘やかす. **2** 《口語》 細心の注意.
3 パントマイム役者; 物まねのうまい人.

mi·mo·so, sa [mimóso, sa ミモソ, サ] 形 甘ったれの; 甘やかす.
── 名女 〘植物〙 ミモザ.

mi·na [mína ミナ] 名女
1 鉱山; 鉱坑. *mina* de oro 金鉱脈.
2 〘軍事〙 地雷, 機雷. **3** 宝庫, 宝の山.
4 鉛筆の芯(しん) (= *mina* de lápiz).

mi·nar [minár ミナル] 動他 **1** 採鉱する; …に坑道を掘る. **2** 〘軍事〙 …に地雷[機雷]を敷設する. *minar* un puerto 港に機雷を敷く. **3** 浸食する.

mi·na·re·te [minaréte ミナレテ] 名男 ミナレット: イスラム教寺院の高塔 (= alminar).

mi·ne·ral [minerál ミネラる] 形 鉱物の, 鉱物性の.
── 名男 鉱物; 鉱石, 原鉱. *mineral* de hierro 鉄鉱. ► 動物は animal, 植物は vegetal.

mi·ne·ra·lo·gí·a [mineraloxía ミネラろヒア] 名女 鉱物学.

mi·ne·rí·a [minería ミネリア] 名女
1 鉱業; 採鉱.
2 《集合》 鉱山; 鉱山労働者.

mi·ne·ro, ra [minéro, ra ミネロ, ラ] 形 鉱山の, 鉱業の. ── 名男 鉱山労働者.

Mi·ner·va [minérβa ミネルバ] 固名 〘ローマ神話〙 ミネルバ: 知恵の女神. ギリシア神話の Atenea.
── 名女 [m-] 知恵, 頭脳. de propia *minerva* 自分の頭で考えた.

mi·nia·tu·ra [minjatúra ミニアトゥラ] 名女 **1** 細密画; ミニアチュール.
2 小型[縮小]模型; 小さなもの. coche *miniatura* ミニチュアカー. en *miniatura* ミニチュアの.

mi·nia·tu·ris·ta [minjaturísta ミニアトゥリスタ] 名男女 細密画家.

mi·ni·fal·da [minifálda ミニファるダ] 名女 ミニスカート.

mi·ni·fun·dio [minifúndjo ミニフンディオ] 名男 小規模農地 (所有) (↔ latifundio).

mínima 形女 → mínimo[1].

mi·ni·mi·zar [minimiθár ミニミさル] [39 z → c] 動他 **1** 過小評価する，みくびる． **2** 〘コンピ〙 最小化にする：ウィンドウをアイコンに縮める．

mí·ni·mo, ma [mínimo, ma ミニモ，マ] 形 [複 ～s] 〔英 minimum〕 **1** 最小の，最低の (↔ máximo). la temperatura *mínima* 最低気温. con el *mínimo* esfuerzo 最小限の努力で. sin hacer el más *mínimo* esfuerzo なんの努力もしないで. *mínimo* común múltiplo 〘数〙 最小公倍数.
2 綿密な，詳細な.

mí·ni·mo[2] [mínimo ミニモ] 名男 [複 ～s] 最小，最低. Gana un *mínimo* de cien mil pesetas al mes. 彼は１か月に最低10万ペセタ稼いでいる.
al mínimo / a lo más mínimo 最小限に.
como mínimo 《口語》 少なくとも，せいぜい；せめて.
(en) lo más mínimo 《口語》 少しも[全然] …でない[しない].

mi·ni·no, na [miníno, na ミニノ，ナ] 名男女 《口語》 猫.

mi·nis·te·rial [ministerjál ミニステリアる] 形 大臣の；内閣の，政府(側)の.

mi·nis·te·rio [ministérjo ミニステリオ] 名男 [複 ～s] 〔英 ministry〕 **1** 省；庁舎. *Ministerio* de Asuntos Exteriores 外務省. *Ministerio* de Hacienda 大蔵省. *Ministerio* de Educación y Ciencia (スペインの) 文部省. *Ministerio* de Justicia 法務省.
2 《集合》 全閣僚，内閣. Dimitió el *ministerio* en pleno. 内閣は総辞職した.
3 大臣の職務[任期].
4 (聖職者などの) 職務.

mi·nis·tro, tra [minístro, tra ミニストゥロ，トゥラ] 名男女 [複 ～s] 〔英 minister〕
1 大臣，閣僚；閣僚[大臣]夫人. *ministro* de Asuntos Exteriores [de Hacienda] 外務[大蔵]大臣. el primer *ministro* 首相 (= el presidente del gobierno). ► 女性の首相は la primera ministra または la primer ministro.
2 公使. *ministro* plenipotenciario 全権公使. → embajador.
3 (神の) しもべ，聖職者，司祭. *ministro* de Dios [del Señor, de la Iglesia] 司祭.

mi·no·rí·a [minoría ミノリア] 名女 [複 ～s] 〔英 minority〕 **1** 少数派，少数勢力 (↔ mayoría). *minoría* parlamentaria 議会の少数派.
2 マイノリティー，少数集団. *minorías* marginadas 社会的に虐げられた少数民族.
3 未成年 (= *minoría* de edad).

mi·no·ris·ta [minorísta ミノリスタ] 形 小売りの.
── 名男女 小売り商(人).

mi·no·ri·ta·rio, ria [minoritárjo, rja ミノリタリオ，リア] 形 少数派の.

mint- 動 現分 → mentir. [52 e → ie, i]

mi·nu·cia [minúθja ミヌしア] 名女 ささいなこと[もの]，細部.

mi·nu·cio·sa·men·te [minuθjósaménte ミヌしオサメンテ] 副 詳細に，精密に.

mi·nu·cio·si·dad [minuθjosiðáð ミヌしオシダ(ドゥ)] 名女 細心；綿密.

mi·nu·cio·so, sa [minuθjóso, sa ミヌしオソ，サ] 形 細心な；綿密な，緻密(ちみつ)な，精密な.

mi·nué [minwé ミヌエ] 名男 〘音楽〙 メヌエット：３拍子の舞踏(曲).

mi·nús·cu·lo, la [minúskulo, la ミヌスクろ，ら] 形 **1** きわめて小さい[少ない]；取るに足りない. **2** 小文字の.
── 名女 小文字 (↔ mayúscula).

mi·nus·va·lí·a [minusβalía ミヌスバりア] 名女 価値の下落.

mi·nus·vá·li·do, da [minusβáliðo, ða ミヌスバりド，ダ] 形 身体障害の.
── 名男女 身体障害者.

mi·nu·ta [minúta ミヌタ] 名女 **1** メニュー. **2** 草稿；メモ.
3 (弁護士などの) 請求書，費用明細書.

mi·nu·te·ro [minutéro ミヌテロ] 名男 (時計の) 長針，分針. ► 短針は horario，秒針は segundero.

mi·nu·to [minúto ミヌト] 名男 [複 ～s] 〔英 minute〕
1 分 《略m》；短い時間. Se tarda cinco *minutos* hasta la parada. 停留所まで５分です. Vuelvo dentro de un *minuto*. すぐに戻ります. → hora, segundo.
2 (角度の単位の) 分：１度の60分の１. → grado.
al minuto すぐに，ただちに.
minuto a minuto 刻一刻.

Mi·ño [míɲo ミニョ] 固名 el *Miño* ミーニョ川：スペイン北西部から大西洋に注ぐ.

mí·o, a [mío, a ミオ，ア] 形 《所有》 [後置形；複数形 míos, mías; → suyo 【文法】] 〔英 (of) mine〕
1 《名詞の後につけて》 私の. un amigo *mío* 私のひとりの友人. este libro *mío* この私の本.
2 《主格補語として》 私のもの. Esto no es *mío*. これは私のじゃない.
── 代名 《所有》《定冠詞を伴って》 私のもの. ¿Este libro es tuyo?— No, el *mío* está en la cartera. この本，君の？—いや，僕のはかばんの中だよ.

mio·car·dio [mjokárðjo ミオカルディオ] 名男 〘解剖〙 心筋(層).

mio·pe [mjópe ミオペ] 形 **1** 近視の，近眼の.

M

2 近視眼的な, 先見の明のない.
―― 名男女 近視の人. (↔ hipermetrope)

mio·pí·a [mjopía ミオピア] 名女 **1** 〘医〙近視, 近眼. ► 遠視は hipermetropía.
2 視野の狭さ.

mi·ra [míra ミラ] 名女 **1** 照準具.
2 (測量用の) 水準測桿(そっかん), 標尺.
3 意図; 目標. con *miras* poco honradas けしからぬ魂胆で. poner la(s) *mira(s)* en ... …を目指す, …にねらいをつける. tener sus *miras* en ... …に野心を抱く. Este proyecto entra en sus *miras*. この計画は彼の考えに入っている.
con miras a ... …をにらんで.
de amplias miras 度量の大きい; 視野の広い.
estar a la mira de ... …に気をつける.

mi·ra·da [miráða ミラダ] 名女 [複 ～s] 〔英 look, gaze〕 **1 視線**, 一瞥(いちべつ), 注視. echar [lanzar] una *mirada* a ... …を一瞥する. dirigir una *mirada* hacia ... …の方に視線を向ける. clavar [fijar] la *mirada* en ... …に注視する, 目を凝らす. levantar la *mirada* 視線を上げる, 上を向く. seguir con la *mirada* 目で追う.
2 目つき, まなざし. La miró con una *mirada* muy triste. 彼はとても悲しそうな目で彼女を見た.
―― 過分 女 → mirar.

mi·ra·do, da [miráðo, ða ミラド, ダ] 過分 → mirar.
―― 形 **1** 慎重な, 用心深い. Es muy *mirado* en lo que dice. 彼は(言葉を選んで)慎重に話す人だ.
2 《bien, mal を伴って》良く[悪く]見られた. estar bien [mal] *mirado* よく[悪く]思われている.

mi·ra·dor [miraðór ミラドル] 名男 **1** 展望台. **2** 張り出し窓, 出窓.

mi·ra·mien·to [miramjénto ミラミエント] 名男 配慮, 考慮; 遠慮. andar con *miramientos* 慎重に振る舞う. tener *miramientos* con las personas de edad 年配の人を敬う.
sin miramientos 遠慮なく.

mirando 現分 → mirar.

mi·rar [mirár ミラル] 動他 [現分 mirando ; 過分 mirado, da] 〔英 look〕 **1** (注意して) **見る**, じっくり眺める; 調べる. Estaba sentado en un sofá *mirando* la televisión. 彼はソファーに座ってテレビを見ていた (► スペインでは「テレビを見る」はふつう ver を用いる). *Mira* este libro. A ver si encuentras la cita que buscas. この本をみてごらん. 君が探している引用文が出ているかもしれないよ. En la aduana me *miraron* las maletas. 税関でスーツケースを調べられた. ► 視野に入る, 見えるの意味の動詞は ver.
2 考える; 注意する. ¡*Mira* lo que hiciste! 自分のしたことをよく考えてごらん.
―― 動自 **1** 見る, 眺める. *mirar* hacia la calle 通りの方を見る.
2 《+**a**》(1)…を考える. Siempre *mira a* su provecho. 彼はいつも自分のこと[損得]を考える. (2)…に面する, 向く. Las ventanas de la habitación *miran al* sur. 部屋の窓は南向きだ.
3 《+**por**》…に注意する; …の世話をする. *Mira por* tu salud. 自分の健康に気を付けろ.
―― **mi·rar·*se*** 自分の姿を見る. *mirarse* en el espejo 自分の姿を鏡に映して見る.
bien mirado* / *mirándolo bien よく考えてみると.
¡Mira! 《命令形で注意を促して》ねえ, ほら. ¡*Mira*! Ya ha llegado papá. ほら, お父さんがもう帰って来たよ.
¡Mira quién habla! 君だって大きなことは言えないぞ, 君にそんなことを言う資格はないはずだ.
mirar atrás 後ろを振り返る; 回顧する.
mirar bien* [*mal*] *a 《+uno》〈人〉を好く[嫌う], 〈人〉に好意[反感]を持つ.
mirar por encima ざっと目を通す.

mi·rí·a·da [miríaða ミリアダ] 名女 無数. *miríadas* de estrellas 無数の星.

mi·ri·lla [miríʎa ミリリャ] 名女 (壁・扉の)のぞき穴, のぞき窓.

mir·lo [mírlo ミルロ] 名男 〘鳥〙クロウタドリ (黒歌鳥).
un mirlo blanco 稀有(けう)なこと[もの]. buscar *un mirlo blanco* ありもしないものを探し求める.

Mi·ró [miró ミロ] 固名 ジョアン・ミロ, Joan (1893-1983) : スペインの画家・版画家.

mi·rón, ro·na [mirón, róna ミロン, ロナ] 形 詮索(せんさく)好きな; 野次馬の.
―― 名男女 詮索好きな人; 野次馬; 《俗語》のぞき趣味の人.

mi·rra [míra ミラ] 名女 没薬(もつやく), ミルラ. ◆香料, 薬剤用.

mi·sa [mísa ミサ] [複 ～s] 名女 〔英 Mass〕 〘カトリック〙 **ミサ**; ミサ曲. celebrar [decir] *misa* ミサを執行する. oír *misa* ミサにあずかる. *misa* de difuntos 死者追悼ミサ. *misa* del gallo (クリスマス・イブの) 深夜ミサ. *misa* mayor [solemne] 荘厳ミサ.
estar como en misa しんと静まり返っている.
***no saber de la misa la media* [*la mitad*]** 《口語》事情に通じていない.

mi·sal [misál ミサル] 名男 〘カトリック〙ミサ典書; 祈禱(きとう)書.

mi·san·tro·pí·a [misantropía ミサントゥロピア] 名女 人間嫌い, 厭人(えんじん)癖 (↔ filantropía).

mi·sán·tro·po [misántropo ミサントゥロ

ボ] 形 [男性形のみ] 人間嫌いの.
── 名男 人間嫌いの人, 交際嫌いの人.

mis·ce·lá·ne·o, a [misθeláneo, a ミセラネオ, ア] 形 種々雑多の, 多方面にわたる.
── 名女 **1** 寄せ集め.
2 作品集, 雑文集; (新聞の) 雑録 (欄).

mi·se·ra·ble [miseráβle ミセラブレ] 形
1 哀れな, 悲惨な, 惨めな. una vida *miserable* 悲惨な生活.
2 貧弱な, わずかばかりの. una casa *miserable* みすぼらしい家. un sueldo *miserable* スズメの涙ほどの給金.
3 卑劣な, あさましい.
── 名男女 **1** 卑劣なやつ, 見下げ果てたやつ, ろくでなし. **2** けちな人, しみったれ.
3 哀れな人; 貧しい人.
¡Miserable de mí! ああ, 情けない.

mi·se·re·re [miserére ミセレレ] 名男 〖カトリ〗ミゼレーレ. ◆「神よ, わたしを憐(あわ)れんでください」で始まる詩編第51.

mi·se·ria [misérja ミセリア] 名女
1 悲惨; 貧困; 不幸, 苦難. vivir en la *miseria* どん底の生活を送る. Quedé muy impresionado de la *miseria* que asola el país. 貧困にあえぐその国を見て私は暗澹(あんたん)たる思いであった.
2 《口語》はした金, 二束三文; けち, しみったれ. trabajar por una *miseria* ただ同然の給金で働く.

mi·se·ri·cor·dia [miserikórðja ミセリコルディア] 名女 慈悲, 哀れみ, 情け. pedir *misericordia* 慈悲を請う.

mi·se·ri·cor·dio·so, sa [miserikorðjóso, sa ミセリコルディオソ, サ] 形 慈悲深い, 哀れみ深い.

mí·se·ro, ra [mísero, ra ミセロ, ラ] 形 ➡ miserable.

mi·sil [misíl ミシル] 名男 〖軍事〗ミサイル. *misil* balístico intercontinental 大陸間弾道ミサイル〔英 ICBM〕. *misil* tierra-aire 地対空ミサイル.

mi·sión [misjón ミシオン] 名女 **1** 任務, 使命; 成すべき仕事, 本分. El gobierno le envió con una *misión* importante a España. 政府は彼に重要な使命を託してスペインへ派遣した.
2 使節; 代表団, 派遣団. *misión* diplomática 外交使節 (団). *misión* científica 学術調査団.
3 伝道, 布教; 伝道団; 伝道所, 会堂. Estuvieron diez años en las *misiones* de Bolivia. 彼らは10年間ボリビアで伝道に従事した.

mi·sio·ne·ro, ra [misjonéro, ra ミシオネロ, ラ] 形 伝道の, 布教の.
── 名男女 宣教師, 伝道師.

mi·si·va [misíβa ミシバ] 名女 書状, 書簡.

misma 形 代名 女 ➡ mismo[1].

mis·mí·si·mo, ma [mismísimo, ma ミスミシモ, マ] 形 《口語》《強調を表して》まさにその, 当の, まぎれもない. en el *mismísimo* lugar まさにそこで.

mis·mo[1], ma [mísmo, ma ミスモ, マ] [複 ~s] 形 〔英 same〕 **1 同じ**, 同一の; 同種の. en la *misma* época 同時代に. A ella le gusta el *mismo* deporte que a mí. 彼女は僕と同じスポーツが好きだ.
2 《強調を表して》 (1) **まさに同じ; …自身**. yo *mismo* 私自身. en el *mismo* suelo じかに床の上に. Ocurrió delante de la *misma* policía. それはまさに警察の前で起こった. ► しばしば名詞・代名詞の後につけて用いられる. (2) …さえ, …すら. Su *mismo* hermano le odiaba. 実の兄さえ彼を憎んでいた. (3) 《同種のうちひとり・一つを指して》 Venga uno cualquiera: Vd. *mismo*. 誰でもいいから来てくれ. あなたでいいから.
── 代名 《定冠詞を伴って》同一人, 同じ物. Este señor y el que vi ayer son el *mismo*. この方と昨日私が会った人は同一人物です. el *mismo* que viste y calza 同一人物, 本人.
estar [***quedar***] ***en las mismas*** 少しも進歩しない.
lo mismo con ... …についても同様に.
lo mismo que ... …と同じように.
lo mismo ... ***que*** ... …も…も.
lo mismo si ... ***que si*** ... …しようとしなかろうと.
por lo [***eso***] ***mismo*** それだからこそ.
volver a las mismas 同じ過ちを再び犯す.

mis·mo[2] [mísmo ミスモ] 副 まさに, ちょうど. aquí *mismo* まさにここで. ahora *mismo* 今すぐに, たった今. mañana *mismo* 明日かならず.

mi·so·gi·nia [misoxínja ミソヒニア] 名女 女嫌い.

mi·só·gi·no, na [misóxino, na ミソヒノ, ナ] 形 女嫌いの. ── 名男 女嫌い (の人).

mis·te·rio [mistérjo ミステリオ] 名男 [複 ~s] 〔英 mystery〕 **1 神秘**, 不可思議; 謎(なぞ). *misterios* de la naturaleza 自然界の神秘.
2 秘密, 隠し事.
3 秘義, 奥義; 〖演劇〗(中世の) 神秘劇. *misterio* de la Santísima Trinidad 三位一体の教義. los quince *misterios* del Rosario ロザリオの15奥義.
con misterio(***s***) ひそかに, こっそりと. andar *con misterios* ひそひそ話をする, 隠し立てをする.

mis·te·rio·so, sa [misterjóso, sa ミステリオソ, サ] 形 神秘的な, 不思議な; いわくありげな. acciones *misteriosas* 不可解な行動.

mis·ti·cis·mo [mistiθísmo ミスティシスモ] 名男 神秘主義; 神秘思想.

mís·ti·co, ca [místiko, ka ミスティコ, カ] 形 神秘主義の, 神秘論者の.
── 名男女 神秘主義者; 神秘主義作家.

M

—— 名女神秘主義文学;〘宗教〙神秘神学.
mis·ti·fi·ca·ción [mistifikaθjón ミスティフィカしオン] 名女歪曲(わいきょく), 曲解.
mis·ti·fi·car [mistifikár ミスティフィカル] [8 c → qu] 動他歪曲(わいきょく)する, 曲解する (= falsificar).
mi·tad [mitáð ミタ(ドゥ)] 名女 [複 ~es] 〔英 half〕
1 半分, 半数. a *mitad* de precio 半値で. partir [dividir] por (la) *mitad* 半分に割る[分ける].
2 半ば, 中間. a [en] la *mitad* del camino 半分来たところで, 中間点で.
3 《名詞・形容詞の前に付けて》 半分だけ. *mitad* hombre *mitad* animal 半人半獣.
en mitad de ... …の真ん中で, …の半ばで; …の最中に.
mitad y mitad 《副詞的に》半々に, 同量に (= a medias).
mi cara mitad 《口語》伴侶(はんりょ), 妻, 夫, ベターハーフ.
mí·ti·co, ca [mítiko, ka ミティコ, カ] 形 伝説(上)の, 神話(上)の, 架空の.
mi·ti·fi·car [mitifikár ミティフィカル] 動他 神話化する; 神格化する.
mi·ti·ga·ción [mitiɣaθjón ミティガしオン] 名女 (苦痛などの) 緩和, 鎮静; (刑罰の) 軽減; (寒気の) 緩み.
mi·ti·gar [mitiɣár ミティガル] [32 g → gu] 動他 軽減する; (暑さなどを) 和らげる. *mitigar* un dolor 痛みを和らげる. *mitigar* una pena 刑罰を軽くする.
—— **mi·ti·gar·*se*** 和らぐ; 軽くなる.

M

mi·tin [mítin ミティン] 名男 [複 mítines] 政治集会. [← 〔英〕 meeting]
mi·to [míto ミト] 名男 神話; 架空のこと; 作り話.
mi·to·lo·gí·a [mitoloxía ミトろヒア] 名女 《集合》神話(体系); 神話学.
mi·to·ló·gi·co, ca [mitolóxiko, ka ミトろヒコ, カ] 形 神話(上)の.
mi·tó·ma·no, na [mitómano, na ミトマノ, ナ] 形 誇張症(者)の, 虚言症(患者)の.
—— 名男女 虚言症患者; 誇大妄想癖の人.
mi·tón [mitón ミトン] 名男 指先のない手袋.
mi·tra [mítra ミトゥラ] 名女〘カトリック〙司教冠, ミトラ; 司教の位[職].
mi·tra·do, da [mitráðo, ða ミトゥラド, ダ] 形〘カトリック〙司教冠をかぶった.
—— 名男 高位聖職者.
mix·to, ta [místo, ta ミスト, タ] 形 **1** 混合の, 混成の; 男女混合の. coro *mixto* 混声合唱. escuela *mixta* 男女共学の学校.
2 混血の. 雑種の.
—— 名男 マッチ (= fósforo).
mix·tu·ra [mistúra ミストゥラ] 名女 混合物.
mne·mo·tec·nia [nemotéknja ネモテクニア] / **mne·mo·téc·ni·ca** [-nika -ニカ] 名女 記憶術.
mo·bi·lia·rio, ria [moβiljárjo, rja モビりアリオ, リア] 名男 **1** 《集合》家具. **2** 〘商業〙動産.
—— 形 動産の (↔ inmobiliario).
mo·bla·je [moβláxe モブらヘ] 名男 《集合》家具, 調度品 (= mobiliario).
mo·ca [móka モカ] 名男 モカコーヒー.
mo·ca·sín [mokasín モカシン] 名男 モカシン: 柔らかい革の靴. → calzado 図.
mo·ce·dad [moθeðáð モせダ(ドゥ)] 名女 [~または ~es] 青年期, 青春時代. → mozo.
mo·ce·rí·o [moθerío モせリオ] 名男 《集合》若者, 青年男女.
mo·ce·tón, to·na [moθetón, tóna モせトン, トナ] 名男女 [mozo の大] 大柄な若者[娘]; たくましい青年.
mo·chi·la [motʃíla モチら] 名女 リュック(サック), ナップザック; 〘軍事〙背嚢(はいのう). → bolsa 図.
mo·cho, cha [mótʃo, tʃa モチョ, チャ] 形 先の欠けた, 先が丸い. torre *mocha* 尖頭(せんとう)のない塔.
—— 名男 (柄先などの) 太い部分. *mocho* de una escopeta ライフル銃の銃床.
mo·chue·lo [motʃwélo モチュエろ] 名男
1 〘鳥〙 フクロウ (梟). → búho, lechuza.
2 《口語》厄介, 面倒.
Cada mochuelo a su olivo. 《諺》フクロウはそれぞれそのオリーブの木に (分をわきまえよ).
mo·ción [moθjón モしオン] 名女 動議, 発議. *moción* de censura 不信任動議. presentar una *moción* 動議を提出する.
mo·co [móko モコ] 名男 **1** 鼻汁; 鼻くそ. limpiarse los *mocos* はなをかむ.
2 燭涙(しょくるい): 溶けて垂れ下がった蠟(ろう).
3 (七面鳥の) 肉垂.
llorar a moco tendido おいおい泣く, 泣きじゃくる.
no ser moco de pavo 《口語》軽々しいものではない, (金額などが) ばかにならない.
mo·co·so, sa [mokóso, sa モコソ, サ] 形 はな垂れの; 小生意気な, 青二才の.
—— 名男女 はな垂れ小僧; 若僧.
mo·da [móða モダ] 名女 [複 ~s] 〔英 mode, fashion〕 流行, モード, ファッション. revista de *modas* モード雑誌. seguir la *moda* 流行を追う. tienda de *modas* ブティック.
a la (última) moda 流行の, はやりの. *a la moda* de París パリモードの. vestir *a la moda* ファッショナブルに着こなす.
de moda 流行の, はやりの. un color muy *de moda* 今大流行の色. ponerse *de moda* はやりだす.
fuera [pasado] de moda 流行遅れの.
pasarse de moda 廃れる.
mo·dal [moðál モダる] 形 様式の; 〘文法〙様態を示す.
—— 名男 [~es] 行儀, マナー. *modales*

finos 上品なマナー. tener buenos [malos] *modales* 行儀が良い[悪い]. ¡Vaya *modales*!《口語》《皮肉》なんとお行儀が良いこと.

mo·da·li·dad [moðaliðáð モダリダ(ドゥ)] 名女 様式, 方式; 様態, 様相.

mo·de·la·do [moðeláðo モデラド] 名男〘美術〙彫塑, 型取り; 塑像, 彫刻の原型. *modelado* de una escultura 彫刻の型取り.

mo·de·lar [moðelár モデラル] 動他
1 …の型を取る. *modelar* un busto 胸像の型を取る.
2 (精神・性格などを) 形成する; 合わせる. *modelar* su conducta según ... …に自分の行動を合わせる.

mo·de·lo[1] [moðélo モデろ] [複 ~s] 〔英 model〕 名男 **1 模範**, 手本. tomar por *modelo* 手本とする.
2 ひな形, モデル. presentar《+algo》como un *modelo* 1つのモデルとして〈何か〉を提示する. *modelo* de tamaño natural 実物大の模型. *modelo* reducido ミニチュア.
3 型, 型式. el último *modelo* 最新型.

mo·de·lo[2]**, la** [moðélo, la モデろ, ら] 名男女 モデル; ファッションモデル. desfile de *modelos* ファッションショー.

mó·dem / mo·dem [móðem モデン] 名男〘コンピューター〙モデム: 電話線経由でコンピュータを接続するための機器.

mo·de·ra·ción [moðeraθjón モデラしオン] 名女 節度; 平穏. obrar con *moderación* 節度をもって行動する.

mo·de·ra·do[1]**, da** [moðeráðo, ða モデラド, ダ] 過分 形 **1** 程よい, 控えめな. precio *moderado* 手ごろな値段. **2** 穏健な.

mo·de·ra·do[2] [moðeráðo モデラド] 副〘音楽〙モデラート, 中くらいの速さで.

mo·de·ra·dor, do·ra [moðeraðór, ðóra モデラドル, ドラ] 形 緩和する, 調整する.
── 名男女 司会者, 議事進行役.
── 名男〘物理〙減速材.

mo·de·rar [moðerár モデラル] 動他 抑制する; 調節する. *moderar* sus deseos 自分の欲望を抑える. *moderar* la velocidad 速度を落とす.
── **mo·de·rar·se** 慎む, 自制する. *moderarse* en las palabras 言葉を慎む.

moderna 形女 → moderno[1].

mo·der·na·men·te [moðérnaménte モデルナメンテ] 副 最近では; 現代的に.

mo·der·ni·dad [moðerniðáð モデルニダ(ドゥ)] 名女 近代[現代]性.

mo·der·nis·mo [moðernísmo モデルニスモ] 名男 **1**〘文〙モデルニスモ: Rubén Darío を中心とした19世紀末の文学思潮.
2 (建築・美術などの) モダニズム, 近代主義.
3 近代趣味, 当世ふう.

mo·der·nis·ta [moðernísta モデルニスタ] 形 近代[現代]主義の.
── 名男女 **1** 近代[現代]主義者.
2〘文〙モデルニスモの作家.

mo·der·ni·za·ción [moðerniθaθjón モデルニさしオン] 名女 近代化, 現代化.

mo·der·ni·zar [moðerniθár モデルニさル] [39 z → c] 動他 近代化する, 現代ふうにする.
── **mo·der·ni·zar·se** 近代的になる, 当世ふう[モダン]になる.

mo·der·no[1], na [moðérno, na モデルノ, ナ] [複 ~s] 形〔英 modern〕**近代の, 現代の** (↔ antiguo). a la *moderna* 現代ふうに. historia *moderna* 近代史. edificio *moderno* 近代的なビルディング.
── 名男女 流行の先端を行く人.

mo·der·no[2] [moðérno モデルノ] 名男〔英 moderns〕[~s] **現代人**.

mo·des·ta·men·te [moðéstaménte モデスタメンテ] 副 慎み深く, 控えめに.

mo·des·tia [moðéstja モデスティア] 名女
1 謙虚, 謙譲; 質素.
2 (特に女性の) 節操.

mo·des·to, ta [moðésto, ta モデスト, タ] 形 **1** 謙虚な, 控えめな. actitudes *modestas* 控えめな態度.
2 質素な, つましい, 地味な. una casa *modesta* 質素な家.
── 名男女 謙虚な人.

mó·di·co, ca [móðiko, ka モディコ, カ] 形 (価格が) 手ごろな, 安い. pagar una suma *módica* 妥当な金額を払う.

mo·di·fi·ca·ción [moðifikaθjón モディフィカしオン] 名女 変更, 修正;〘文法〙修飾.

mo·di·fi·car [moðifikár モディフィカル] [8 c → qu] 動他 **1** 変更する, 修正する. *modificar* el horario de los trenes 電車の時刻表を改正する. **2**〘文法〙修飾する.

mo·dis·mo [moðísmo モディスモ] 名男 熟語, 慣用句.

mo·dis·ta [moðísta モディスタ] 名男女 婦人服デザイナー, ファッションデザイナー; 婦人服仕立屋. →sastre.

mo·dis·to [moðísto モディスト] 名男 (男性の) 婦人服デザイナー. ►el modista ともいう.

mo·do [móðo モド] 名男 [複 ~s] 〔英 mode, way〕
1 方法, 仕方; 様式, 形式; 流儀 (= manera). a mi *modo* de ver 私の見るところでは. del mismo *modo* 同じようにして, 同様に. *modo* de pensar 考え方. *modo* de empleo 使用法. *modo* de gobierno 統治[政治]形態.
2 [普通 ~s] 行儀, 作法. tener buenos *modos* 行儀よい. con malos *modos* 不作法に. **3**〘文法〙法. *modo* indicativo 直説法. *modo* subjuntivo 接続法.
a modo de ... …として.
al modo de ... …のやり方で.
de cualquier modo とにかく, いずれにせ

M

よ.
de modo que (1)《+直説法》従って，そのため．(2)《+接続法》…するように．Póngalo aquí *de modo que* no lo vea ella. 彼女に見られないようにそれをここに置きなさい．
de ningún modo 決して(…ない).
de otro modo さもなければ.
de todos modos いずれにせよ，とにかく.
de un modo o de otro どうにかして；いずれにせよ.
en cierto modo ある程度，ある意味では.

mo·do·rra [moðóra モドラ] 名女 睡魔，ひどい眠気. ➡ sueño.

mo·du·la·ción [moðulaθjón モドゥらしオン] 名女 **1** (音・声の)抑揚，変化.
2 〔音楽〕転調；〔ラジオ〕変調. *modulación* de frecuencia 周波数変調.

mo·du·lar [moðulár モドゥらル] 動他 抑揚をつける，変化させる；〔電気〕変調する；〔音楽〕転調する.
── 形 モジュールの，ユニット方式の.

mó·du·lo [móðulo モドゥろ] 名男 **1** モジュール；〔建築〕基準寸法，規格寸法；〔コンピュータ〕モジュール. muebles de *módulo* ユニット家具.
2 (宇宙船の)モジュール. *módulo* lunar 月着陸船.
3 型，タイプ.

mo·fa [mófa モファ] 名女 愚弄(ぐろう). hacer *mofa* de ... …を愚弄する，からかう.

mo·far(·se) [mofár(se) モファル(セ)] 動自 《+de》…をからかう，あざける.

M

mo·fe·ta [moféta モフェタ] 名女 〔動物〕スカンク.

mo·fle·te [mofléte モフれテ] 名男 《口語》ふっくらした頬(ほお).

mo·fle·tu·do, da [mofletúðo, ða モフれトゥド，ダ] 形 頬(ほお)がふっくらとした.

mo·go·llón [moɣoʎón モゴリョン] 名男 《口語》(雑然と)たくさんあること；混乱，紛糾. un *mogollón* de gente 群集.
de mogollón 《口語》ただで；苦労せずに.

mo·hín [moín モイン] 名男 (冗談半分の)膨れっ面，しかめっ面.

mo·hí·no, na [moíno, na モイノ，ナ] 形 ふさぎ込んだ，沈んだ，不機嫌な.

mo·ho [móo モオ] 名男 **1** かび. oler a *moho* かび臭い. **2** 錆(さび)，緑青.

mo·ho·so, sa [moóso, sa モオソ，サ] 形 かびた；さびた.

Moi·sés [moisés モイセス] 固名 〔聖書〕モーセ：古代イスラエルの立法者・指導者.
── 名男 [m-] 揺りかご.

mo·jar [moxár モハル] 動他
1 ぬらす，湿らせる；散水する. La lluvia *mojó* a todos. 雨で皆がぬれた.
2 浸す，つける. *mojar* las galletas en la leche ビスケットをミルクにつける.
3 《口語》(乾杯をして)祝う. *mojar* su cumpleaños con vino (人の)誕生日をワインで祝う.
── 動自 《+en》…にかかわる，入り込む.
── **mo·jar·se** ぬれる，ずぶぬれになる. *Me mojé* hasta los huesos. 私は全身びしょぬれになった.

mo·ji·cón [moxikón モヒコン] 名男 《口語》顔を殴ること. pegar un *mojicón* a 《+uno》〈人〉の顔を殴る.

mo·ji·gan·ga [moxiɣáŋga モヒガンガ] 名女 **1** 仮装パーティ.
2 笑劇；茶番. **3** あざけり，あざ笑い.

mo·ji·ga·te·rí·a [moxiɣatería モヒガテリア] 名女 猫かぶり，偽善.

mo·ji·ga·to, ta [moxiɣáto, ta モヒガト，タ] 形 猫をかぶった，偽善的な.
── 名男女 猫かぶり，偽善者.

mo·jón [moxón モホン] 名男 境界石，道標.

mo·lar [molár モらル] 形 (大)臼歯(きゅうし)の.
── 名男 大臼歯.

mol·de [mólde モるデ] 名男 〔英 mold〕
1 型，枠，(菓子などの)流し型.
2 手本，模範，モデル.
3 〔印刷〕組み版.
de molde ぴったり合った.

mol·de·ar [moldeár モるデアル] 動他 **1** 型に入れて作る；鋳造する.
2 形成する，形づくる.

mol·du·ra [moldúra モるドゥラ] 名女 刳形(くりかた). ➡ puerta 図.

mo·le [móle モれ] 名女 巨大なもの，巨塊.

mo·lé·cu·la [molékula モれクら] 名女 〔化〕分子.

mo·le·cu·lar [molekulár モれクらル] 形 分子の. peso *molecular* 分子量.

mo·ler [molér モれル] [35 o ➡ ue] 動他
1 挽(ひ)く，粉にする，砕く. *moler* trigo 小麦を挽く.
2 《口語》疲れさせる；うんざりさせる.
3 《口語》痛めつける，壊す. *moler* a golpes [a palos] たたきのめす.

mo·les·tar [molestár モれスタル] 動他 〔英 bother, disturb〕**迷惑[面倒]をかける**，邪魔をする，困らせる，悩ます，いらいらさせる，うんざりさせる. ¿Le *molesta* el humo? (タバコの)煙が気になりますか. ¿Le *molesta* a Vd. venir? お越しいただけますか. ¿No le *molesta* que yo esté aquí un rato? ちょっとの間ここにいてもかまいませんか (►que のあとは接続法). Perdone que le *moleste*. お邪魔して申し訳ありません. Se ruega no *molestar*. 《ホテルの部屋などにかける札》入室ご遠慮ください.
── **mo·les·tar·se** **1** 《+por》…に気をつかう. No *se moleste por* mí. 私のことはどうぞご心配[おかまい]なく.
2 《+por》…に対して不愉快になる，腹を立てる.
3 《+en 不定詞》わざわざ…する.

mo·les·tia [moléstja モれスティア] 名女
1 煩わしさ，迷惑；労，手数. No es ninguna *molestia*. いっこうにかまいませんよ.

Siento darle a Vd. tanta *molestia*. ご迷惑をおかけすることになって申し訳ございません. causar *molestia* a 《+uno》〈人〉を不愉快にさせる. tomarse la *molestia* de 《+不定詞》わざわざ…する.
2 〘医〙不快感, 不調, 痛み. acusar [tener] *molestia* en la garganta のどの調子が悪い.

mo·les·to, ta [moléstо, ta モレスト, タ] 形
1 煩わしい, 面倒な, 嫌な. un trabajo muy *molesto* とても嫌な仕事. una pregunta *molesta* 不愉快な質問. Es *molesto* viajar con los trenes tan llenos. こんなすし詰めの電車で行くのは嫌なことです.
2 不快に感じる, 窮屈な; 体調が悪い. Está *molesto* en un apartamento pequeño. 彼は狭いアパートで窮屈な思いをしている.
► 動詞は estar を用いる.
—— 動 → molestar.

mo·lib·de·no [moliβðéno モリブデノ] 名 男 〘化〙モリブデン.

mo·li·do, da [molíðo, ða モリド, ダ] 過分 形 《口語》ぐったり疲れた.

mo·lien·da [moljénda モリエンダ] 名 女 《口語》骨の折れる仕事, 厄介なこと; 疲労困憊(ぱい).

mo·lien·te [moljénte モリエンテ]
corriente y moliente → corriente.

mo·li·ne·ro, ra [molinéro, ra モリネロ, ラ] 形 製粉の.
—— 名 男 女 粉屋; 粉ひき小屋の主人; 製粉業者.
a la molinera 〘料理〙ムニエルにした.

mo·li·ni·llo [moliníʎo モリニリョ] 名 男
1 粉ひき器, ミル. *molinillo* de café [de pimienta] コーヒーミル[コショウひき].
2 (おもちゃの) 風車.

mo·li·no [molíno モリノ] 名 男 **1** 風車 (= *molino* de viento), 水車 (= *molino* de agua); 製粉場.
2 ひき割り器, 粉砕機.
ir al molino 《口語》(賭事(かけごと)などで) 共謀する.
molinos de viento 空想の敵. luchar contra los *molinos de viento* (ドン・キホーテのように) 空想の敵と戦う; 出来ないことをする.

mo·lla [móʎa モリャ] 名 女 **1** 肉; 果肉; パンの柔らかい中身.
2 [～s] 《口語》ぜい肉.

mo·lle·ja [moʎéxa モリェハ] 名 女
1 〘鳥〙砂嚢(さのう).
2 〘料理〙(子牛・子羊の) 胸腺(きょうせん).

mo·lle·ra [moʎéra モリェラ] 名 女 **1** 《口語》知能, 頭脳. cerrado [duro] de *mollera* ばかな; 頑固な. tener poca *mollera* 利口でない.
2 〘解剖〙頭頂部; (胎児・乳児の) ひよめき, 泉門.

mo·lus·co [molúsko モルスコ] 名 男 〘動物〙軟体動物.

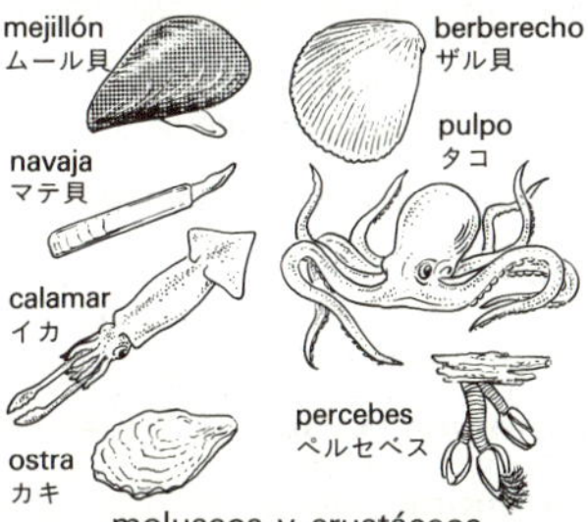

moluscos y crustáceos
軟体動物類・甲殻類

mo·men·tá·ne·a·men·te [momentáneaménte モメンタネアメンテ] 副 一時的に, 瞬間に; 取りあえず, 目下のところ.

mo·men·tá·ne·o, a [momentáneo, a モメンタネオ, ア] 形 一瞬の; 一時的な.

mo·men·to [moménto モメント] 名 男 [複 ～s] 〔英 moment〕 **1 瞬間**, 瞬時. en un *momento* たちまち, すぐに. hace un *momento* ちょっと前に. No tiene ni un *momento* libre. 彼にはいっときの暇もない. ¡Un *momento*! ちょっと待ってください.
2 時機, 機会. desde [a partir de] ese *momento* その時以来. en buen [mal] *momento* ちょうどよい[悪い]時に. *momento* oportuno 好機, チャンス.
3 今, 現在.
a cada momento 絶えず, ひっきりなしに.
a cualquier momento いつ何時でも; 今にも.
al momento ただちに.
del momento 今の, 現在の. ser el hombre *del momento* 時の人である.
de momento 一時の; 今のところ.
de un momento a otro すぐに, 今にも.
en el momento actual 現在, 目下.
en el momento menos pensado 思いがけない時に.
en el [***un***] ***primer momento*** 最初は.
en este momento / en estos momentos / en los momentos actuales 今, 現在.
en todo momento いつ何時でも.
por el momento 取りあえず, さしあたって.
por momentos 刻々, 絶えず.
tener buenos momentos 絶頂をきわめる.

mo·mia [mómja モミア] 名 女 ミイラ. estar hecho una *momia* 《比喩》骨と皮だけになっている.

mo·mi·fi·car [momifikár モミフィカル] [8 c → qu] 動 他 ミイラにする.
—— **mo·mi·fi·car·se** ミイラ化する.

M

mo·na [móna モナ] 名女 《口語》酩酊(めいてい). coger una *mona* 酔っぱらう.
── 形名女 → mono[1].
corrido como una mona 赤面した, 恥じ入った.
¡Vete [Anda] a freír monas! 《口語》くたばれ, とっとと消え失せろ!

mo·na·cal [monakál モナカる] 形 修道士の, 修道女の. vida *monacal* 修道生活.

mo·na·ca·to [monakáto モナカト] 名男 修道士[修道女]の身分; 修道院生活.

Mó·na·co [mónako モナコ] 固名 モナコ (公国): 首都 Mónaco.

mo·na·da [monáđa モナダ] 名女 《口語》
1 (子供の) かわいらしさ. ¡Qué *monada*! なんてかわいいんでしょう.
2 かわいらしいもの, きれいなもの. ¡Qué *monada* de pulsera! とてもすてきなブレスレットね.
3 おべっか, 追従.

mo·na·gui·llo [monaγíʎo モナギリョ] 名男 〘カトリック〙(ミサの) 侍者, 侍祭.

mo·nar·ca [monárka モナルカ] 名男 君主.

mo·nar·quí·a [monarkía モナルキア] 名女 君主制, 君主政体; 君主国. *monarquía* absoluta 絶対君主制. *monarquía* constitucional 立憲君主制.

mo·nár·qui·co, ca [monárkiko, ka モナルキコ, カ] 形 君主 (制) の, 君主政体下の; 王党派の.
── 名男女 君主制支持者.

mo·nas·te·rio [monastérjo モナステリオ] 名男 修道院, 僧院. → convento.

mo·nás·ti·co, ca [monástiko, ka モナスティコ, カ] 形 修道院の; 修道士の, 修道女の.

mon·da [mónda モンダ] 名女 **1** 皮むき; [〜s] むいた皮[くず]. **2** 剪定(せんてい).
ser la monda 《口語》すごい; とても面白い.

mon·da·dien·tes [mondađjéntes モンダディエンテス] 名男 [単・複同形] 爪楊枝(つまようじ).

mon·dar [mondár モンダル] 動他 **1** (果実などの) 皮をむく, 殻を取る. *mondar* cacahuetes ピーナッツの殻をむく.
2 剪定(せんてい)する.
3 浚渫(しゅんせつ)する.
mondarse de risa 《口語》笑い転げる.

mon·do, da [móndo, da モンド, ダ] 形 純然たる; 正味の; 無一文の. quedarse *mondo* 無一文になる.
mondo y lirondo 《口語》純然たる, あるがままの; 無一文[すっからかん]の. la verdad *monda y lironda* あるがままの真実.

mo·ne·da [monéđa モネダ] 名女 [複 〜s] 〔英 coin; currency〕 **硬貨**, コイン; **通貨**, 貨幣. *moneda* española スペイン通貨. Casa de la *Moneda* 造幣局. *moneda* de papel / papel *moneda* 紙幣 (= billete). *moneda* suelta 小銭. ► 硬貨の表は anverso, 裏は reverso, 周りのぎざぎざは cordoncillo. お金一般は dinero.

moneda 硬貨

pagar a 《+uno》 ***en [con] la misma moneda*** 〈人〉に同じ方法で返礼[仕返し]をする.
ser moneda corriente よくあることだ, ごく普通である.
Se ruega moneda fraccionaria. 《掲示》釣り銭のないようお願いします.

mo·ne·de·ro [moneđéro モネデロ] 名男 小銭入れ. → cartera.

mo·ne·rí·a [monería モネリア] 名女 → monada.

mo·ne·ta·rio, ria [monetárjo, rja モネタリオ, リア] 形 貨幣の, 通貨の. crisis *monetaria* 通貨危機.

mon·gol, go·la [moŋgól, góla モンゴる, ゴら] 形 モンゴル Mongolia の.
── 名男女 モンゴル人.
── 名男 モンゴル語.

mon·gó·li·co, ca [moŋgóliko, ka モンゴリコ, カ] 形 **1** モンゴルの.
2 〘医〙ダウン症候群の.
── 名男女 **1** モンゴル人.
2 〘医〙ダウン症候群患者.

mon·go·lis·mo [moŋgolísmo モンゴリスモ] 名男 〘医〙ダウン症候群.

mon·go·loi·de [moŋgolóiđe モンゴろイデ] 形 モンゴロイドの, モンゴル系人種の.
── 名男女 モンゴロイド, モンゴル系人種.

mo·ni·go·te [moniγóte モニゴテ] 名男
1 へんてこな人形[絵].
2 《口語》人の言いなりになる人, ばか.

mo·ni·tor, to·ra [monitór, tóra モニトル, トラ] 名男 モニターテレビ, モニター装置; (コンピュータ・ワープロなどの) ディスプレー装置. ── 名男女 〘スポーツ〙コーチ, 指導員.

mon·ja [móŋxa モンハ] 名女 修道女. meterse a *monja* 修道女になる.

mon·je [móŋxe モンヘ] 名男 修道士, 僧; 隠者.

mon·jil [moŋxíl モンヒる] 形 修道女の(ような); あまりに控えめ[地味]な.
mono- 「単一の, 一つの」の意を表す造語要素. ⇀ *mono*carril, *mono*gamia など.
mo·no¹, na [móno, na モノ, ナ] [複 ～s] 形 〔英 cute, pretty〕《口語》**かわいい**, 愛らしい; すてきな. una niña muy *mona* とてもかわいらしい女の子.
── 名男女 〔英 monkey〕 **1** 〖動物〗**サル**(猿), 雄ザル; 雌ザル. *mono* sabio 芸を仕込んだ猿. **2** まねをする人, ふざける人. ¡*Mono*! おちゃめさんね.
mo·no² [móno モノ] 名男 **1** 〖服飾〗つなぎ, 胸当て付き作業ズボン.
2 へんてこな人形[絵] (= monigote); 《口語》ひどい醜男(ぶおとこ).
3 《俗語》(麻薬の) 禁断症状.
¡Tengo monos en la cara! 《口語》(見つめられた人が不快感を表して) 顔に何かついているかい?
mo·no·ca·rril [monokaříl モノカりる] 形 モノレールの. ── 名男 モノレール.
mo·no·cor·de [monokórðe モノコルデ] 形 単調な, 一本調子の, 退屈な.
mo·no·cro·mí·a [monokromía モノクロミア] 名女 モノクロ, 単色使用.
mo·no·cro·mo, ma [monocrómo, ma モノクロモ, マ] 形 モノクロの, 白黒の.
mo·nó·cu·lo [monókulo モノクろ] 名男 片眼鏡; 眼帯.
mo·no·cul·ti·vo [monokultíβo モノクるティボ] 名男 〖農業〗単作, 単一栽培.
mo·no·ga·mia [monoɣámja モノガミア] 名女 一夫一婦(制). ► 一夫多妻(制)は poligamia.
mo·nó·ga·mo, ma [monóɣamo, ma モノガモ, マ] 形 一夫一婦(制)の.
── 名男女 一夫一婦主義者.
mo·no·gra·fí·a [monoɣrafía モノグラフィア] 名女 モノグラフ: 一つのテーマに限定した学術論文.
mo·no·grá·fi·co, ca [monoɣráfiko, ka モノグラフィコ, カ] 形 モノグラフの; (特殊) 専門的な.
mo·no·lí·ti·co, ca [monolítiko, ka モノりティコ, カ] 形 (碑・柱などが) 一本石[一枚岩]でできた; 《比喩》一枚岩の.
mo·no·li·to [monolíto モノりト] 名男 モノリス, 一本石[一枚岩]で造られた碑[柱].
mo·nó·lo·go [monóloɣo モノろゴ] 名男 〖演劇〗モノローグ, 独白; 独り言.
mo·no·ma·ní·a [monomanía モノマニア] 名女 偏執狂. *monomanía* de grandezas 誇大妄想狂.
mo·no·ma·nia·co, ca [monomanjáko, ka モノマニアコ, カ] / **mo·no·ma·ní·a·co, ca** [-níako, ka -ニアコ, カ] / **mo·no·ma·niá·ti·co, ca** [njátiko, ka -ニアティコ, カ] 形 偏執狂の.
── 名男女 偏執(狂)者.
mo·no·pa·tín [monopatín モノパティン] 名男 スケートボード.
mo·no·pla·za [monopláθa モノプらさ] 形 ひとり乗りの.
── 名男 単座(飛行)機; ひとり乗りの乗り物.
mo·no·po·lio [monopóljo モノポりオ] 名男 独占(権), 専売(権); 一手販売; 専有.
mo·no·po·li·zar [monopoliθár モノポりさル] [39 z → c] 動他 独占する; 専売する.
mo·no·sí·la·bo, ba [monosílaβo, βa モノシらボ, バ] 形 〖文法〗単音節の.
── 名男 〖文法〗単音節語.
mo·no·te·ís·mo [monoteísmo モノテイスモ] 名男 一神教, 一神論. ► 多神教は politeísmo.
mo·no·to·nía [monotonía モノトニア] 名女 単調さ, 平板, 一本調子.
mo·nó·to·no, na [monótono, na モノトノ, ナ] 形 単調な, 変化のない; 退屈な. vida *monótona* 単調な生活.
mon·se·ñor [monseɲór モンセニョル] 名男 《司教・枢機卿(けい)に対する尊称》猊下(げいか).
mon·ser·ga [monsérɣa モンセルガ] 名女 《口語》退屈な話; お説教; たわ言.
dar la monserga a 《+uno》《口語》〈人〉をうんざりさせる.
¡Qué monserga! 《口語》困ったもんだ, 厄介だなあ.
mons·truo [mónstrwo モンストゥルオ] 名男 **1** 怪物, 怪獣, 化け物. **2** 恐ろしい物; 醜い人; 極悪人. **3** 傑物, 第一人者.
── 形 [男・女同形] 《口語》すごい, 立派な. una comida *monstruo* 豪勢な食事.
mons·truo·si·dad [monstrwosiðáð モンストゥルオシダ(ドゥ)] 名女 **1** 奇怪さ, 醜さ.
2 極悪非道, ひどいこと.
mons·truo·so, sa [monstrwóso, sa モンストゥルオソ, サ] 形 **1** 奇怪な, 醜悪な; 巨大な. **2** ひどい, とてつもない; 極悪非道の.
mon·ta [mónta モンタ] 名女 **1** 価値, 値打ち. de mucha *monta* 重要な.
2 乗ること, 騎乗. **3** 総額, 合計.
── 動 → montar.
mon·ta·car·gas [montakárɣas モンタカルガス] 名男 [単・複同形] フォークリフト; 貨物用エレベーター[リフト].
mon·ta·dor, do·ra [montaðór, ðóra モンタドル, ドラ] 名男女 **1** 組立工. **2** 〖演劇〗演出家; 〖映画〗(フィルム) 編集者.
mon·ta·je [montáxe モンタへ] 名男 **1** 組み立て; 据えつけ.
2 〖演劇〗(舞台装置の) 設定; 演出; (作品の) 舞台化.
3 〖映画〗(フィルムの) 編集; モンタージュ.
mon·tan·te [montánte モンタンテ] 名男 **1** 〖建築〗(ドアの) 上窓; (窓の) 縦仕切り; (機械の) 脚. **2** 総額, 総計.
mon·ta·ña [montáɲa モンタニャ] 名女 [複 ～s] 〔英 mountain〕 **1** **山**, 山岳. cadena de *montañas* 山並み, 連峰.

M

【参 考】「…山」として山の名前に付けられるのは montaña ではなく **monte**.「…峰」は **pico**.「…山脈」は **montes, montañas, sierra, cordillera**. ふつう大規模な山脈には, sierra よりも cordillera のほうが使われる.

2 山積み. una *montaña* de libros 本の山. **3** 難問, 難事.
hacer de todo una montaña 針小棒大に言う.
montaña rusa ジェット・コースター.

mon·ta·ñe·ro, ra [montaɲéro, ra モンタニェロ, ラ] 名男女 登山家, 登山者.

mon·ta·ñés, ñe·sa [montaɲés, ɲésa モンタニェス, ニェサ] 形 山地の, 山岳地方の.
── 名男女 山岳人, 高地人.

mon·ta·ñis·mo [montaɲísmo モンタニィスモ] 名男 登山, 山登り (=alpinismo).

mon·ta·ño·so, sa [montaɲóso, sa モンタニョソ, サ] 形 山の, 山地の, 山の多い.

mon·tar [montár モンタル] 動自〔英ride〕
1 乗る. *montar* a caballo 馬に乗る. Le gusta *montar* en bicicleta. 彼は自転車に乗るのが好きだ.
2 重要である. Este negocio *monta* mucho. この取引はとても大切だ.
── 動他 **1** 組み立てる; 据えつける; 備えつける. *montar* una fábrica 工場を建てる. *montar* una casa 家財道具を備えつける.
2 …の額に達する. La cuenta *monta* (a) diez mil pesetas. 合計すると1万ペセタになる. **3** …に乗る, 乗り回す; 乗せる. Ella *montó* al niño en el burro. 彼女は子供をロバに乗せた. **4**〘演劇〙演出する;〘映画〙〘テレビ〙編集する.
── **mon·tar·*se*** 乗る, 乗っかる.

mon·ta·raz [montaráθ モンタラす] 形 [複 montaraces] 粗野な; 人付き合いの悪い; 野生の.

mon·te [mónte モンテ] 名男 [複 ～s]〔英 mountain〕 **1** 山, 山岳; [～s] 山脈, 連峰. el *monte* Fuji 富士山. el *monte* Everest エベレスト山. los *montes* Pirineos ピレネー山脈. ➡ montaña【参考】.
2 山林, 未開墾地. *monte* espeso 森林地帯. administración de *montes* 森林局. *monte* alto [bajo] 高木 [低木] 林.
── 動 ➡ montar.
monte de piedad 公設質屋.

mon·te·pí·o [montepío モンテピオ] 名男 互助基金; 互助会.

mon·te·ra [montéra モンテラ] 名女 闘牛士の帽子.

mon·te·rí·a [montería モンテリア] 名女 狩猟; 狩猟術.

mon·te·ro [montéro モンテロ] 名男 〘狩猟〙勢子(せこ).

mon·tés [montés モンテス] 形 野生の.

Mon·te·vi·de·o [monteβiðéo モンテビデオ] 固名 モンテビデオ: 南米ウルグアイの首都.

mon·tí·cu·lo [montíkulo モンティクろ] 名男 小山, 築山.

mon·to [mónto モント] 名男 総額.
── 動 ➡ montar.

mon·tón [montón モントン] 名男 [複 montones]〔英 pile, heap〕 **1** 多数, 多量. un *montón* de gente 大勢の人々. tener *montones* de dinero うなるほど金を持っている. un *montón* de días 何日も. tener un *montón* de cosas que hacer 山ほどすることがある. salirse del *montón* 衆に秀でる.
2 山積, 堆積(たいせき). un *montón* de papeles 紙[書類]の山.
a montones たくさんの, たっぷりとある. Hay pasteles *a montones*. ケーキがどっさりとある.
del montón 平凡な, 変哲もない. un hombre *del montón* 凡人.

mon·tuo·so, sa [montwóso, sa モントゥオソ, サ] 形 山の多い, 起伏の多い.

mon·tu·ra [montúra モントゥラ] 名女
1 (馬・ロバなどの) 乗用の動物.
2 (宝石の) 台座; (眼鏡の) フレーム; 支柱.
3 《集合》馬具.

mo·nu·men·tal [monumentál モヌメンタる] 形 **1** 記念碑の; 記念碑的な.
2 《口語》ばかでかい; すさまじい; 立派な.

mo·nu·men·to [monuménto モヌメント] 名男 **1** 記念碑, 記念像, 記念塔. *monumento* a Colón コロンブス記念碑.
2 (歴史的・美術的価値のある) 建造物, 遺物. *monumentos* históricos 歴史的建造物. **3** 不朽の業績; すばらしいもの. "El Quijote" es un *monumento* del Siglo de Oro.『ドン・キホーテ』は黄金世紀の傑作だ.
4 《口語》美人, 美女. Esa chica es un *monumento*. 彼女は文句なしの美人だ.

mon·zón [monθón モンそン] 名男 季節風, モンスーン.

mo·ña [móɲa モニャ] 名女 **1** リボン飾り.
2 《口語》酔い.

mo·ño [móɲo モニョ] 名男 **1** (アップにして) 丸めた髪, シニョン. **2**〘鳥〙羽冠.
estar hasta el moño 《口語》飽き飽きする, うんざりする.

mo·que·ar [mokeár モケアル] 動自 鼻水をたらす. ➡ moco.

mo·que·ta [mokéta モケタ] 名女 じゅうたん, カーペット, マット; モケット織り.

mo·ra [móra モラ] 名女〘植物〙クワ (桑) の実.

mo·ra·da [moráða モラダ] 名女《文語》
1 住まい, すみか. **2** 滞在, 逗留(とうりゅう).

mo·ra·do, da [moráðo, ða モラド, ダ] 形 紫の, 暗紫色の.
── 名男 紫, 暗紫色. ➡ color【参考】.

M

estar morado 《口語》酔っ払っている.
pasarlas moradas 《口語》とてもつらい思いをする, ひどいめに遭う.
ponerse morado 《口語》満腹になる.

mo·ra·dor, do·ra [moraðór, ðóra モラドル, ドラ] 名男女 住人, 居住者.

mo·ral [morál モラる] [複 ～es] 形 〔英 moral〕 **1** 道徳の, 倫理の. principios *morales* 倫理基準. valor *moral* 道徳観. llevar una vida *moral* 品行方正な生活を送る.
2 精神的な, 心の (↔ físico). facultades *morales* 精神力.
—— 名女 〔英 morals; morale〕 **1** 道徳, モラル, 倫理.
2 意気, 士気. *moral* de un equipo チームの士気. levantar [elevar] la *moral* 士気を高める. tener la *moral* baja / estar bajo de *moral* 意気が上がらない.

mo·ra·le·ja [moraléxa モラれハ] 名女 (寓話(ぐうわ)などから得られる) 教訓.

mo·ra·li·dad [moraliðáð モラりダ(ドゥ)] 名女 道徳性, 倫理性; 品行, 品性.

mo·ra·lis·ta [moralísta モラりスタ] 名男女 **1** 道徳家; 倫理学者. **2** 人間探求家, モラリスト.
—— 形 教訓[道徳]的な.

mo·ra·li·zar [moraliθár モラりさル] [39 z → c] 動他 道徳を植えつける, 教化する.

mo·ral·men·te [morálménte モラるメンテ] 副 道徳的に; 精神的に.

mo·ra·pio [morápjo モラピオ] 名男 《口語》(安価な) 赤ぶどう酒. → vino.

mo·rar [morár モラル] 動自 《文語》住む; 滞在する.

mo·ra·to·ria [moratórja モラトリア] 名女 〘法律〙支払い猶予 (期間), モラトリアム.

mór·bi·do, da [mórβiðo, ða モルビド, ダ] 形 **1** 病的な.
2 (女性の体・肌が) 柔らかい; 繊細な.

mor·bo [mórβo モルボ] 名男 病気, 疾患 (＝enfermedad).

mor·bo·si·dad [morβosiðáð モルボシダ(ドゥ)] 名女 **1** 病的状態. **2** 罹病(りびょう)率.

mor·bo·so, sa [morβóso, sa モルボソ, サ] 形 病気の, 病気にかかった; 病的な, 不健康な.

mor·ci·lla [morθíʎa モルしリャ] 名女
1 〘料理〙モルシーリャ: 豚の血入り腸詰め.
2 〘演劇〙アドリブ.
¡Que te den morcilla! 《口語》犬にでも食われちまえ, くたばっちまえ.

mor·ci·llo [morθíʎo モルしリョ] 名男 〘料理〙(牛肉・豚肉の) もも肉. → carne 図.

mordaces 形[複] → mordaz.

mor·da·ci·dad [morðaθiðáð モルダしダ(ドゥ)] 名女 辛辣(しんらつ)さ, 痛烈さ.

mor·daz [morðáθ モルダす] 形 [複 mordaces] 辛辣(しんらつ)な, 手厳しい. críticas *mordaces* 辛辣な批評.

mor·da·za [morðáθa モルダさ] 名女 猿轡(さるぐつわ).

mor·de·du·ra [morðeðúra モルデドゥラ] 名女 かむこと; かみ傷.

mor·der [morðér モルデル] [35 o → ue] 動他 **1** かみつく, かむ. No tengas miedo. Este perro no *muerde* a nadie. 怖がらないで, この犬はかみつかないよ. *morder* una manzana リンゴをかじる.
2 (歯車などが) かむ, 挟む. La máquina le *mordió* un dedo. 彼は機械に指を挟んでしまった.
3 少しずつ削る, すり減らす.
4 悪口を言う, けなす.
—— **mor·der·*se*** (自分の体の一部を) かむ. *morderse* las uñas 爪(つめ)をかむ.
estar que muerde 《口語》かんかんになっている. Tomás *está que muerde*. トマスはかんかんだぞ.
morderse las manos [***los dedos, los puños***] 臍(ほぞ)をかむ.

mor·dien·te [morðjénte モルディエンテ] 名男 **1** 〘化〙媒染剤; (金属板の) 腐食剤.
2 活気, ファイト.

mor·dis·co [morðísko モルディスコ] 名男
1 かむ [食いつく] こと. dar [pegar] un *mordisco* ひとかじりする. **2** (軽い) かみ傷.
3 (かみ切られた) 一片, 一口.

mor·dis·que·ar [morðiskeár モルディスケアル] 動他 少しずつかじる.

mo·re·no, na [moréno, na モレノ, ナ] [複 ～s] 形 〔英 brown〕
1 (皮膚が) 浅黒い; 黒髪の; (黒) 褐色の. Está muy *moreno* de cara. 彼の顔はよく日に焼けている. pan *moreno* 黒パン.
2 黒人の, 黒色人種の; ムラートの.
—— 名男女 **1** (髪・皮膚が) 黒い [浅黒い] 人.
2 《口語》黒人; ムラート: 白人と黒人の混血. →mestizo.

mo·re·ra [moréra モレラ] 名女 〘植物〙クワ (桑) の木.

mo·re·rí·a [morería モレリア] 名女 モーロ人街.

mor·fe·ma [morféma モルフェマ] 名男 〘言語〙形態素.

mor·fi·na [morfína モルフィナ] 名女 〘薬〙モルヒネ.

mor·fi·nó·ma·no, na [morfinómano, na モルフィノマノ, ナ] 形 モルヒネ常用 [中毒] の. —— 名男女 モルヒネ常用者 [中毒患者].

mor·fo·lo·gí·a [morfoloxía モルフォろヒア] 名女 〘生物〙形態学; 〘言語〙形態論.

mor·fo·ló·gi·co, ca [morfolóxiko, ka モルフォろヒコ, カ] 形 〘生物〙形態学の; 〘言語〙形態の, 形態論の.

mo·ri·bun·do, da [moriβúndo, da モリブンド, ダ] 形 死にかけた, 瀕死(ひんし)の.
—— 名男女 瀕死の人, 危篤の病人.

mo·rir [morír モリル] [22 o → ue, u] 動自

M

〔現分 muriendo；過分 muerto, ta〕〔英 die〕

直説法 現在	
1・単 ***muero***	1・複 **morimos**
2・単 ***mueres***	2・複 **morís**
3・単 ***muere***	3・複 ***mueren***

1 死ぬ, 死亡する. Tres personas *murieron* en el accidente de ayer. きのうの事故で3人が死亡した. *morir* helado [de frío] 凍死する. *morir* de hambre 餓死する. *morir* en el acto 即死する. *morir* de vejez [de viejo] 高齢[老衰]で死ぬ. *morir* vestido [con las botas puestas] 非業の死を遂げる. *morir* fusilado 銃殺される.

2 (音・光が) 薄らぐ, 消える; (火勢が) 衰える; (日が) 暮れる.

3 なくなる, 終わる.

── mo·rir·se **1** 死ぬ. *Está muriéndose* desde hace unos días. 彼は数日前から危篤だ.

2 《+**de**》 …で死ぬ思いである. *morirse de* aburrimiento 退屈で死にそうだ. *morirse de* ganas de ... 死ぬほど…したい. Es para *morirse de* risa. 非常に滑稽(こっけい)だ.

3 《口語》《+**por**》 …が好きでたまらない, …がしたくてたまらない. *morirse por* el fútbol サッカーが好きでたまらない. *morirse por* salir con ella 彼女と出かけたくてしようがない.

¡Muera! 倒せ, やっつけろ.

mo·ris·co, ca [morísko, ka モリスコ, カ] 名男女 **1** 〔歴史〕モリスコ. ◆キリスト教に改宗してスペインに残留したモーロ人. **2** 《ラ米》モリスコ: ムラートと白人との混血児.

── 形 〔歴史〕モリスコの.

mor·món, mo·na [mormón, móna モルモン, モナ] 名男女 〔宗教〕モルモン教徒.

mor·mo·nis·mo [mormonísmo モルモニスモ] 名男 〔宗教〕モルモン教.

mo·ro, ra [móro, ra モロ, ラ] 名男女

1 モーロ人, ムーア人. ◆アフリカ北西部のベルベル人とアラビア人の混血.

2 (特に8–15世紀にイベリア半島を支配した) イスラム教徒.

3 モロ族: ミンダナオ, マレーシア諸島のイスラム教民族.

── 形 **1** モーロ人の. La Reconquista terminó con la toma del reino *moro* de Granada. レコンキスタはモーロ人支配下のグラナダ王国攻略とともに終結した.

2 イスラム教徒の; 《口語》非キリスト教徒の, 洗礼を受けていない.

A más moros más ganancia. 《諺》虎穴(こけつ)に入らずんば虎児を得ず.

haber moros y cristianos 《口語》騒ぎ[争い]が起こる.

¡Hay moros en la costa! 《口語》壁に耳あり障子に目ありだ, 気をつけろ.

mo·ron·do, da [morόndo, da モロンド, ダ] 形 (頭が) 坊主刈りの; (木が) 葉を落とした, 短く刈られた.

mo·ro·si·dad [morosiðáð モロシダ(ドゥ)] 名女 **1** ぐずぐずすること, 緩慢.

2 〔法律〕支払いの滞り.

mo·ro·so, sa [moróso, sa モロソ, サ] 形

1 ぐずぐずした, 緩慢な.

2 (支払いの) 遅れがちな, 滞納した.

mo·rral [moȓál モラる] 名男 (ハンターの) 獲物入れ; (馬の首につるす) 飼い葉袋.

mo·rra·lla [moȓáʎa モラりャ] 名女

1 《集合》雑魚, 小魚; 烏合(うごう)の衆; くず, がらくた. **2** 《ラ米》小銭, ばら銭.

mo·rro [móȓo モろ] 名男 **1** (動物の) 鼻面; 《口語》突き出た厚い唇. **2** 先端; 機首, (自動車の) 前部. → avión 図.

beber a morro (蛇口・泉などに直接) 口をつけて飲む.

estar de morro(s) 《口語》腹を立てている.

torcer el morro / poner morros 《口語》不機嫌な顔をする.

mo·rro·co·tu·do, da [moȓokotúðo, ða モろコトゥド, ダ] 形 《口語》ものすごい.

mor·sa [mórsa モルサ] 名女 〔動物〕セイウチ.

mor·ta·de·la [mortaðéla モルタデら] 名女 〔料理〕モルタデッラ: イタリア Bolonia 産の太いソーセージ.

mor·ta·ja [mortáxa モルタハ] 名女

1 経かたびら, 屍衣(しい).

2 〔建築〕枘穴(ほぞあな).

3 《ラ米》タバコ用の巻き紙.

mor·tal [mortál モルタる] 形 **1** 死すべき, 死を免れない (↔ inmortal). Todos somos *mortales*. 我々はみんないつかは死ぬものだ.

2 致命的な (= fatal). herida *mortal* 致命傷. un veneno *mortal* 猛毒.

3 耐えがたい, うんざりする; 疲れる. dolor *mortal* 耐えがたい苦痛.

── 名男女 人間, 人.

quedarse mortal de 《+algo》〈何か〉に度肝をぬかれる.

mor·ta·li·dad [mortaliðáð モルタりダ(ドゥ)] 名女 **1** 死亡率, 死亡者数 (↔ natalidad). **2** 死すべき運命.

mor·tal·men·te [mortálménte モルタるメンテ] 副 **1** 命にかかわるほどに. herirse *mortalmente* 致命傷を負う.

2 死ぬほど, 耐えがたいほど. odiar a 《+uno》 *mortalmente* 〈人〉を死ぬほど憎む.

mor·tan·dad [mortandáð モルタンダ(ドゥ)] 名女 大量死.

mor·te·ci·no, na [morteθíno, na モルテしノ, ナ] 形 消え入りそうな, 弱々しい. color *mortecino* あせた色. luz *mortecina* 弱々しい光.

mor·te·ro [mortéro モルテロ] 名男 **1** 乳鉢.

M

2 モルタル. **3**〔軍事〕臼砲(きゅうほう).

mor·tí·fe·ro, ra [mortífero, ra モルティフェロ, ラ] 形 致命的な, 命取りの.

mor·ti·fi·ca·ción [mortifikaθjón モルティフィカしオン] 名 女 **1** 苦行, 禁欲.
2 苦悩; 屈辱.

mor·ti·fi·car [mortifikár モルティフィカル] [39 c → qu] 動 他 **1** (苦行で肉体を) 苦しめる.
2 悩ます, さいなむ; 屈辱を味わわせる.

mor·tuo·rio, ria [mortwórjo, rja モルトゥオリオ, リア] 形 死の, 死者の; 埋葬の. casa *mortuoria* 忌中の家.

mo·sai·co, ca [mosáiko, ka モサイコ, カ] 形 名 男 モザイク. *mosaico* de madera 寄せ木のモザイク (模様).
—— 形 **1** モザイクの.
2 モーセ Moisés の. la ley *mosaica*〔宗教〕モーセの律法.

mos·ca [móska モスカ] 名 女 [複 ～s]〔英 fly〕 **1**〔昆虫〕**ハエ** (蠅).
2《口語》厄介な人, うっとうしい人.
3《口語》金, 現なま.
4 (下唇と顎(あご)の間の) ひげ.
5 (釣りの) 蚊針, フライ, 毛針.
caer como moscas ばたばたと死ぬ[落ちる].
estar con la mosca detrás de la oreja 疑ってかかる, 用心している.
estar mosca うんざりする.
Más moscas se cogen con miel que con hiel.《諺》ハエは胆汁より蜜(みつ)のほうがよく取れる (厳しくするより優しいほうが効果がある).
mosca muerta《口語》猫かぶり, 油断のならない人.
(***no***) ***oírse ni una mosca*** 非常に静かだ.
por si las moscas《口語》万一に備えて.
ser incapaz de matar una mosca 虫も殺さない大人しい人である.

mos·car·dón [moskarðón モスカルドン] 名 男〔昆虫〕ウマバエ (馬蠅); アブ (虻).

mos·ca·tel [moskatél モスカテる] 名 男 マスカットブドウ; マスカットワイン.
—— 形 マスカットブドウの.

mos·cón [moskón モスコン] 名 男
1《口語》うるさいやつ, しつこいやつ.
2〔昆虫〕大型のハエ (蠅).

mos·co·ne·ar [moskoneár モスコネアル] 動 他 困らせる, (うるさく) 邪魔をする.
—— 動 自 **1** しつこくせがむ.
2 ブンブンうなる.

mos·co·vi·ta [moskoβíta モスコビタ] 形 モスクワの. —— 名 男 女 モスクワっ子.

Mos·cú [moskú モスク] 固名 モスクワ: ロシア連邦の首都.

mos·que·ar [moskeár モスケアル] 動 他 怒らせる.
—— ***mos·que·ar·se*** むっとする, 怒る.

mos·que·te [moskéte モスケテ] 名 男〔軍事〕マスケット銃.

mos·que·te·ro [mosketéro モスケテロ] 名 男〔軍事〕マスケット銃兵.

mos·que·tón [mosketón モスケトン] 名 男
1〔軍事〕小型カービン銃.
2〔スポーツ〕(登山用の) カラビナ.

mos·qui·te·ro [moskitéro モスキテロ] 名 男 蚊帳(かや), 網戸.

mos·qui·to [moskíto モスキト] 名 男 [複 ～s]〔英 mosquito〕〔昆虫〕**カ** (蚊); (ブヨ・羽虫などの) 双翅(そうし)類の昆虫.

mos·ta·cho [mostátʃo モスタチョ] 名 男 口ひげ. → barba.

mos·ta·za [mostáθa モスタさ] 名 女〔料理〕マスタード;〔植物〕カラシ (芥子).

mos·to [mósto モスト] 名 男 ブドウの搾り汁; ブドウの果汁.

mos·tra·dor [mostraðór モストゥラドル] 名 男 カウンター; 陳列台. ► バルなどのカウンターは barra.

mos·trar [mostrár モストゥラル] [13 o → ue] 動 他〔英 show〕 **1 見せる**, 示す. Aquella flecha *muestra* la salida. 出口はあの矢印の方向です.
2 (意志・感情などを) 表す; 表明する. *mostrar* simpatía 親愛の情を表す.
3 明らかにする; 説明する.
—— ***mos·trar·se*** **1** 姿を見せる, 現れる. *mostrarse* en público 人前に出る.
2 …の態度を示す. *Se muestra* amable con la chica. 彼はその女の子にやさしい態度を示す.

mos·tren·co, ca [mostréŋko, ka モストゥレンコ, カ] 形 **1**〔法律〕所有権者のいない.
2《口語》薄のろの; 太った.
—— 名 男 女《口語》のろま, 間抜け; 太っちょ.

mo·ta [móta モタ] 名 女 **1** 斑点(はんてん); 微細なもの; 取るに足りないきず. a *motas* 水玉模様の, 斑点の入った.
2《否定文中で》全く, 少しも. No hace (ni) una *mota* de viento. 風は全くない.
3《ラ米》縮れ毛.

mo·te [móte モテ] 名 男 **1** あだ名, ニックネーム (= apodo). poner *mote* あだ名をつける. → nombre【参考】.
2〔紋章〕(軍旗・紋章の) 銘.

mo·te·jar [motexár モテハル] 動 他《+**de**》…とあだ名をつける; からかう.

mo·tel [motél モテる] 名 男 モーテル: ドライバー用のホテル. [←英語]

mo·tín [motín モティン] 名 男 暴動; (軍隊などの) 反乱.

mo·ti·va·ción [motiβaθjón モティバしオン] 名 女 動機づけ, モティベーション.

mo·ti·var [motiβár モティバル] 動 他
1 …の動機[原因]となる, 引き起こす.
2 …の理由を述べる.

mo·ti·vo

[motíβo モティボ] 名 男 [複 ～s]〔英 motive〕
1 動機, 理由; 口実, 弁解. *motivo* de

M

disputa 議論の原因. No me des *motivos* para que me enfade. 私を怒らせるようなことはしないでくれ. bajo (por) ningún *motivo* どんなことがあっても. por *motivos* de salud 健康上の理由で. sin *motivo* alguno これといった理由もなく.

2〘音楽〙〘芸術〙主題, モチーフ. *motivo* decorativo [ornamental] 装飾用モチーフ. *motivo* principal 主題.

con motivo de … …のために; …に際して.

tener sus ***motivos*** それなりの理由を持つ.

mo·to [móto モト] 名女 [motocicleta の省略形] [複 ~s]〔英 motorcycle〕**オートバイ**, バイク, 単車. montar en *moto* 単車に乗る.

mo·to·ci·cle·ta [motoθikléta モトしクれタ] 名女 オートバイ, モーターバイク.

mo·to·ci·clis·mo [motoθiklísmo モトしクりスモ] 名男〘スポ〙オートバイレース.

mo·to·ci·clis·ta [motoθiklísta モトしクりスタ] 名男女 オートバイ乗り, ライダー.

mo·to·náu·ti·ca [motonáutika モトナウティカ] 名女〘スポ〙モーターボートレース.

mo·to·na·ve [motonáβe モトナベ] 名女 (大型) モーターボート.

mo·tor, to·ra [motór, tóra モトル, トラ] 名男 エンジン; モーター. *motor* de arranque (エンジンの) スターター, セルモーター. *motor* diesel ディーゼルエンジン. *motor* de cuatro tiempos 4サイクルエンジン. *motor* fuera borda 船外機. *motor* rotativo ロータリーエンジン. ➡ motocicleta 図.

── 名女 モーターボート.

── 形 **1** エンジン付きの. lancha *motora* モーターボート.

2 起動の, 発動の. elemento *motor* 動因. fuerza *motora* 原動力. idea *motora* 原動力となる理念。► 女性形は motriz もある.

mo·to·ris·mo [motorísmo モトりスモ] 名男〘スポ〙オートレース; オートバイレース.

mo·to·ris·ta [motorísta モトりスタ] 名男女 オートバイ乗り, ライダー;〘スポ〙(オートレース・オートバイの) レーサー.

mo·to·ri·zar [motoriθár モトりさル] [39 z ➡ c] 動他 動力化する, 機械化する.
── **mo·to·ri·zar·se**《口語》車を備える.

mo·triz [motríθ モトゥりす] 形 [女性形のみ] [複 motrices] 原動の; 推進力となる. fuerza *motriz* 原動力. ► motor の女性形.

mo·ve·di·zo, za [moβeðíθo, θa モベディそ, さ] 形 可動の; 動きやすい; 不安定な.

mo·ver [moβér モベル] [35 o ➡ ue] 動他 [現分 moviendo; 過分 movido, da]〔英 move〕

直説法 現在	
1·単 ***muevo***	1·複 **movemos**
2·単 ***mueves***	2·複 **movéis**
3·単 ***mueve***	3·複 ***mueven***

1 動かす, 移動させる; 揺する. ¿Quién *ha movido* la mesa? 誰が机を動かしたのか? Hablaba casi sin *mover* los labios. 彼はいつもほとんど口を動かさずに話をした. *mover* la cabeza de arriba abajo 頭を上下に振る; うなずく.

2 促す, 誘う, 原因となる;《+ **a**》(同情・哀れみなどを) かき立てる. *mover a* la rebelión 反乱へと駆り立てる. *mover* a《+ uno》*a* risa〈人〉の笑いを誘う. *mover* alboroto 騒ぎを起こす.

── 動自 **1** 動く, 動き出す.
2 (植物が) 芽ぶく, 萌(も)え出る.

── **mo·ver·se 1 動く**, うごめく. ¡Quieto! ¡No *te muevas*! じっとして! 動くな!

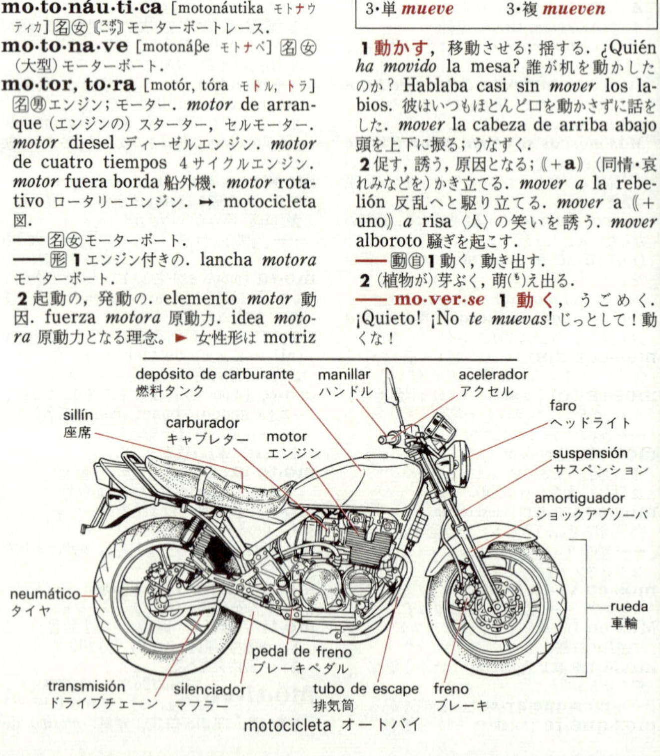

motocicleta オートバイ

M

2 行動する; 急ぐ. Si no *se mueve*, no conseguirá nada. 行動を起こさないと何にもなりません. ¡*Muévete*! 早く!
3 心を動かされる. *Se mueve* por dinero. 金に彼の心が動く.
mover cielo y tierra あらゆる手段を尽くす.
moverse más que el rabo de una lagartija [***que un saco de ratones***] 《口語》そわそわする.

mo·vi·ble [moβíβle モビブれ] 形 **1** 動かせる; 可動性の. **2** 変わりやすい, 不安定な.

mo·vi·do, da [moβíðo, ða モビド, ダ] 過分 → mover.
— 形 **1** 駆り立てられた; 感動した. *movido* de [por] la piedad 同情して.
2 活発な; 落ち着きのない.
3 〔写真〕ピンぼけの, ぶれた.

moviendo 現分 → mover.

mó·vil [móβil モビる] 形 **1** 移動できる, 固定されていない. fiesta *móvil* 移動祝祭日 (◆Semana Santa 聖週間など年によって日が変わる祝祭日).
2 不安定な, 変わりやすい.
— 名男 **1** 動機, 原因 (= motivo).
2 〔美術〕モビール. **3** 印紙. **4** 携帯電話

mo·vi·li·dad [moβiliðáð モビリダ(ドゥ)] 名女 **1** 可動性, 移動性. **2** 不安定, 変わりやすさ (= inestabilidad).

mo·vi·li·za·ción [moβiliθaθjón モビリさしオン] 名女 〔軍事〕動員; 徴用.

mo·vi·li·zar [moβiliθár モビりさル] [39 z → c] 動他 **1** 〔軍事〕動員する; 徴用する.
2 運用する.

mo·vi·mien·to [moβimjénto モビミエント] 名男 [複 ~s] 〔英 movement〕 **1** 動き, 運動, 活動. poner en *movimiento* 動かす, 作動させる. *movimiento* sísmico 地震. Hay mucho *movimiento* en esta calle. この通りは人の往来が多い.
2 変動, 変化, 移動. *movimiento* de precios 値動き. Ha habido mucho *movimiento* en la Bolsa. 証券取引所に活発な動きがあった. *movimiento* del personal 人事異動.
3 (政治·社会·芸術的な)運動, 展開. *movimiento* revolucionario 革命運動. *movimiento* obrero 労働運動. *movimiento* romántico ロマン主義思潮.
4 動作, 身ぶり; 感情の動き. *movimiento* de brazos 腕の動き. De repente tuvo un *movimiento* de ira. 突然彼は怒りがこみ上げてくるのを感じた.
5 〔音楽〕楽章. segundo *movimiento* 第2楽章.

mo·zal·be·te [moθalβéte モさるベテ] 名男 少年; 《軽蔑》青二才, 若僧.

mo·zá·ra·be [moθáraβe モさラベ] 名男女 〔歴史〕モサラベ. ◆イスラム支配下のスペインで信仰を守ったキリスト教徒. → mudéjar.
— 形 〔歴史〕モサラベの; 〔建築〕モサラベ様式の.

mo·zo, za [móθo, θa モそ, さ] 名男女
1 若者, 青年, 娘; 独身者. un buen [real] *mozo* 男前.
2 使用人, 召使い. *mozo* de almacén 倉庫番[係]. *mozo* de labranza 作男.
— 名男 ウエーター, ボーイ; ポーター. *mozo* (de café) 喫茶店のウエーター.
— 形 若い, 年少の; 独身の.

mu [mú ム] 《擬》(牛の鳴き声) モー.
ni mu 《口語》絶対に…ない (= absolutamente nada). Yo no he dicho *ni mu*. 一言もしゃべらなかったよ.

mu·ca·mo, ma [mukámo, ma ムカモ, マ] 名男女 《ラ米》使用人, お手伝い.

mu·ce·ta [muθéta ムセタ] 名女 **1** 〔カトリック〕モゼタ: 高位聖職者が着用するケープ. **2** 大学式服: 博士号取得者などが着用する絹服.

mucha 形 代名 女 → mucho.

mu·cha·cha [mutʃátʃa ムチャチャ] 名女 [複 ~s] 〔英 girl〕 **1** 少女; 娘. → chico 【参考】, muchacho. **2** お手伝い.

mu·cha·cha·da [mutʃatʃáða ムチャチャダ] 名女 子供っぽい行為; 《集合》子供たち.

mu·cha·cho [mutʃátʃo ムチャチョ] 名男 [複 ~s] 〔英 boy〕 少年; 青年; 学生. ¿Qué edad tiene el *muchacho*? お子さんはいくつになったの? → chico 【参考】, muchacha.

mu·che·dum·bre [mutʃeðúmbre ムチェドゥンブレ] 名女 〔英 crowd〕
1 群衆; 人込み, 雑踏. Una *muchedumbre* invadía la plaza. 群衆が広場に詰めかけた.
2 多数; 集まり, 群れ. una *muchedumbre* de ovejas 羊の群れ.

mu·chí·si·mo[1], ma [mutʃísimo, ma ムチシモ, マ] 形 [mucho の絶対最上級] 非常に多くの, 大量の.

mu·chí·si·mo[2] [mutʃísimo ムチシモ] 副 非常に, たいへん.

mu·cho[1], cha [mútʃo, tʃa ムチョ, チャ] [複 ~s] 形 〔英 many, much〕 **1** たくさんの, 多くの, 多量の (↔poco); 《否定文 **no** … **mucho** … で》あまり[さほど]…ない. He leído *muchos* libros. 私はたくさん本を読んだ. Los japoneses comen *mucho* arroz. 日本人は米をよく食べる. Se levantó con *mucha* dificultad. 彼はやっとの思いで立ち上がった. No tengo *mucho* dinero. 私はあまり金を持っていない (► 否定文の場合 mucho の位置によって意味が異なる. ⇒ *Muchos* libros no tratan de este punto. 多くの本はこの点について触れていない). Tengo otros *muchos* problemas que resolver. 私は解決しなければならない問題をそのほかにたくさん抱えている. Sus

M

muchas riquezas se perdieron en la guerra. 彼の莫大(ばくだい)な財産は戦争で失われた(► 定冠詞, 所有形容詞が mucho の前に付く場合がある).

2《**mucho más** [**menos**]+名詞の比較構文で》ずっと多く[少し]の. Han venido *muchos más* turistas que el año pasado. 今年は昨年よりはるかに多くの観光客が来た. ►mucho mayor, mucho mejor などの場合は性・数変化をしない.

── 代名 **1** [muchos] 多くの人々 (► 女性だけの場合は muchas). *Muchos* piensan así. 多くの人はそう考えている. *Muchos* de los asistentes no me tomaron en serio. 出席者の多くは私の言ったことを本気にしなかった.

2 [mucho のみ] 多くのこと, たくさん. Todavía hay *mucho* (=muchas cosas) que hacer. まだまだやることがいっぱいある.

mu·cho² [mútʃo ムチョ] 副〔英 much, a lot〕 **1**《動詞の後に付けて》たくさん, たいへん, 非常に, とても;《否定文で》あまり…ない. Anoche llovió *mucho*. 昨夜は大雨だった. Ha trabajado *mucho* para pagar la casa. 彼は家を買うために一生懸命働いた. No me gustó *mucho* esa película. その映画はそれほど良くなかった (► 強調で mucho を動詞の前に置くことがある. ⇀ *Mucho* habla ese señor. 話しすぎるよ, あの人は). ➡ muy【文法】.

2 長い間 (=mucho tiempo). Hace *mucho* que no la veo. 私は彼女に長い間会っていない.

3《形容詞, 副詞の比較級に付けて》ずっと, はるかに. Esta novela es *mucho* más interesante. この小説の方がはるかに面白い. Me levanté *mucho* más temprano. 私はずっと前に起きた.

como mucho せいぜい, 多くても.

ni mucho menos それどころか (…でない); とんでもない, 全く逆だ.

por mucho que … ➡ por.

mu·co·si·dad [mukosiðáð ムコシダ(ドゥ)] 名女 粘性; 粘液性.

mu·co·so, sa [mukóso, sa ムコソ, サ] 形 粘液の, 粘液を分泌する. ── 名女 粘膜.

mu·da [múða ムダ] 名女 **1** (羽毛の) 抜け変わり; (蛇・蚕などの) 脱皮, 抜け殻.

2 (一揃(そろ)えの) 下着, 替え着. **3** 声変わり.

mu·da·ble [muðáβle ムダブれ] 形 変わりやすい; 不安定な; 気まぐれな.

mu·dan·za [muðánθa ムダンさ] 名女 **1** 転居, 移転. estar de *mudanza* 引っ越し中である. hacer la *mudanza* 引っ越しをする. **2** 変化; 心変わり, 移り気.

mu·dar [muðár ムダル] 動他《しばしば **de** を伴って自動詞的》 **1** 変える, 取り替える; 変化させる. *mudar de* opinión 意見を変える. *Está mudando* la voz. 彼は声変わりしている. *mudar* el [*de*] carácter 性格が変わる. ► 間接目的語を伴うと「変えさせる」の意味になる. ⇀Los años le *han mudado* el [*de*] carácter. 歳月は彼の性格を変えてしまった.

2 引っ越す, 移す; 転属[転勤]させる. *mudar de* domicilio 転居する.

3 着替える; 着替えさせる. *mudar de* camisa ワイシャツを着替える.

4 (羽毛・角・表皮などが) 生え変わる; 脱皮する.

── **mu·dar·*se*** 〔英 change〕 **1** 変わる, 変化する. *Se ha mudado* la alegría en tristeza. 喜びが一転して悲しみに変わった. **2**《+**de**》…を着替える. *mudarse de* pantalón ズボンをはき替える.

3《+**a**》…へ引っ越す (=trasladarse);《+**de**》(場所を) 移す, 転居する. *mudarse a*l nuevo edificio 新しい建物に移る. *mudarse de* casa 転居する. **4** 声変わりする.

mu·dé·jar [muðéxar ムデハル] 名男女〔歴史〕ムデハル. ◆改宗せずにキリスト教国に住んだイスラム教徒. ➡ mozárabe.

── 形〔歴史〕ムデハルの;〔建築〕ムデハル様式の.

mu·dez [muðéθ ムデす] 名女 **1** 口の利けないこと, 唖(あ). **2** 無言, 沈黙.

mu·do, da [múðo, ða ムド, ダ] 形 **1** 口の利けない, 唖(あ)者の.

2 無言の, 無声の; 無口な. quedarse *mudo* 無言でいる.

3〔言語〕無音の. ► スペイン語の h- など. ⇀*h*oy, *h*ijo, *h*ombre.

── 名男女 唖者, 口の利けない人.

mue·ble [mwéβle ムエブれ] [複 ~s] 名男〔英 furniture〕**家具**, 調度. un piso con *muebles* 家具付きのマンション. fábrica de *muebles* 家具製作所. *mueble* bar 酒類キャビネット, サイドボード. *mueble* cama ユニット式折り畳みベッド.

── 形 動かせる, 移動できる. bienes *muebles* 動産 (► 不動産は bienes inmuebles).

mue·blis·ta [mweβlísta ムエブりスタ] 名男女 指物師; 家具商(人).

mue·ca [mwéka ムエカ] 名女 **1** しかめっ面, 渋面. hacer *muecas* a … …に対してしかめっ面をする. **2** おどけ顔.

mue·la [mwéla ムエら] 名女 [複 ~s]〔英 molar〕 **1** **臼歯**(きゅうし), 奥歯. sacar [extraer] a《+uno》una *muela*〈人〉の歯を抜く. Tengo dolor de *muelas*. 私は歯が痛い. *muela* cordal [del juicio] 親知らず. ► 一般的に歯は diente だが, 奥歯を指す場合は muela を使うほうがふつう.

2 (ひき臼(うす)の) 上石, 上臼.

3 丸砥(まると), 車砥.

mue·lle [mwéʎe ムエリェ] 名男 **1** ばね, ぜんまい.

2 埠頭(ふとう), 桟橋 (➡ puerto 図); (鉄道の) 貨物プラットホーム.

── 形 **1** 柔らかい, ふかふかの.

2 安楽な, 享楽的な.

M

muer- 動 → morir. [22 o → ue, u]
muerd- 動 → morder. [35 o → ue]
muér·da·go [mwérðaɣo ムエルダゴ] 名男 〘植物〙ヤドリギ(宿り木).
muerta 過分 女 → morir.
— 形名女 → muerto.

muer·te [mwérte ムエルテ] 名女 [複 ~s] 〔英 death〕
1 死. *muerte* accidental 不慮の死. dar la *muerte* a 《+uno》〈人〉を殺す, 殺害する. *muerte* cerebral 脳死.
2 破滅, 終焉(しゅうえん). *muerte* de la monarquía 君主制の終焉.
3 [主に M-] 死; 死神. ◆大鎌(おおがま)を持った骸骨(がいこつ)の姿で表される.
a muerte 死ぬほど(の), 必死の; ひどく. combate *a muerte* 死闘. odiar *a muerte* ひどく憎む.
de mala muerte 《口語》価値のない, ひどい.
de muerte 《口語》極度の[に], ひどい[ひどく].
hasta la muerte 最後まで, 徹底的に.

muer·to, ta [mwérto, ta ムエルト, タ] 過分 → morir.
— 形 [複 ~s] 〔英 dead〕 **1** 死んだ. *muerto* en el acto 即死の. cuerpo *muerto* 死体. Los dieron por *muertos*. 彼らは死んだものと見なされた.
2 死んだような, 生気のない. una ciudad *muerta* 静まり返った街. estar *muerto* de cansancio ぐったり疲れている. ¡Estoy medio *muerto*! ああ, 疲れた.
3 《+de》死ぬほどの. estar *muerto de* hambre [risa] 死ぬほど空腹である[おかしい].
— 名男女 死者, 死亡者; 死体. En el monte han encontrado un *muerto* no identificado. その山で身元不明の死体が発見された.
callarse como un muerto 《口語》死人のように口を閉ざす.
cargar con el muerto 《口語》責任を負わされる.
cargar [***echar***] ***a*** 《+uno》 ***el muerto*** 《口語》〈人〉に責任を負わせる, 〈人〉のせいにする. Querían *cargar*le *a* Luis *el muerto*. 彼らはルイスにぬれ衣(ぎぬ)を着せようとした.
hacer el muerto 《口語》(泳ぐときに)仰向けに浮かぶ.
hacerse el muerto 《口語》死んだふりをする.

muestr- 動 → mostrar. [13 o → ue]
mues·tra [mwéstra ムエストゥラ] 名女
1 見本, サンプル. Feria Internacional de *Muestras* 国際見本市.
2 手本, 模範. una *muestra* de bordado 刺繍(ししゅう)の型見本.
3 証(あかし), 証明. *muestra* de cariño 愛情のしるし. dar *muestras* de … …の様子[証拠, 実例]を示す.
mues·tra·rio [mwestrárjo ムエストゥラリオ] 名男 《集合》見本, サンプル.
mues·tre·o [mwestréo ムエストゥレオ] 名男 見本[標本]抽出, 試料採取, サンプリング.
muev- 動 → mover. [35 o → ue]
mu·gi·do [muxíðo ムヒド] 名男 **1** (牛の)鳴き声. **2** (風などの)うなり.
mu·gir [muxír ムヒル] [19 g → j] 動自
1 (牛が)鳴く. → animal【参考】.
2 (風などが)うなる; (怒り・苦痛で)うめく.
mu·gre [múɣre ムグレ] 名女 脂垢(あか), (襟・袖(そで)などの)汚れ.
mu·grien·to, ta [muɣrjénto, ta ムグリエント, タ] 形 垢(あか)だらけの, 垢で汚れた.

mu·jer [muxér ムヘル] 名女 [複 ~es] 〔英 woman〕
1 女, 女性; 成人女性(↔ hombre). derechos de la *mujer* 女性の権利. Su hija es ya una *mujer*. 彼の娘さんはもう一人前の女性だ.
2 妻(= esposa). mi *mujer* 私の妻.
► かしこまって言う場合は esposa を用いる.
¡Mujer! 《呼びかけ》おい, お前.
mujer pública 売春婦.

mu·je·rie·go, ga [muxerjéɣo, ɣa ムヘリエゴ, ガ] 形 好色な, 漁色家の.
— 名男 女好き, 女たらし.
mu·je·ril [muxeríl ムヘリル] 形 **1** 女性特有の. **2** (男が)女性的な.
mu·je·rí·o [muxerío ムヘリオ] 名男 《集合》女性(たち).
mu·jer·zue·la [muxerθwéla ムヘルスエラ] 名女 売春婦(=puta); 不品行な女.
mu·la·dar [mulaðár ムラダル] 名男 ごみ捨て場; 堆肥(たいひ)置き場; いかがわしい場所.
mu·la·dí [mulaðí ムラディ] 名男女 〘歴史〙ムラディー. ◆イスラム教に改宗したキリスト教徒.
— 形 〘歴史〙ムラディーの.
mu·la·to, ta [muláto, ta ムラト, タ] 名男女 ムラート: 白人と黒人の混血児.
— 形 **1** ムラートの, 白人と黒人の混血の.
2 (皮膚が)淡褐色の.
mu·le·ro, ra [muléro, ra ムレロ, ラ] 名男女 ラバ飼い.
mu·le·ta [muléta ムレタ] 名女 **1** 松葉杖(づえ). **2** 〘闘牛〙ムレータ: マタドールが用いる赤布.
mu·le·ti·lla [muletíʎa ムレティリャ] 名女 口ぐせ, 繰り返される文句.
mu·lli·do, da [muʎíðo, ða ムリィド, ダ] 過分 形 ふわふわの, 柔らかい.
— 名男 (ベッド・椅子などの)詰め物, パンヤ.
— 名女 (厩舎(きゅうしゃ)用の)わら, 枯れ草.
mu·llir [muʎír ムリィル] 36 動他 [現分 mullendo] **1** (布団などを)ふっくらさせる.
2 鋤(す)き返す.
mu·lo, la [múlo, la ムロ, ラ] 名男女

M

1〘動物〙ラバ(騾馬), 雄ラバ; 雌ラバ.
2《口語》薄のろ, ばか; 頑固者.
estar hecho un mulo 頑健である.
hacer la mula 《口語》怠ける.
trabajar como un mulo 身を粉(こ)にして働く.

mul·ta [múlta ムるタ] 名女 罰金, 科料; 交通違反チケット[切符]. imponer [poner, echar] una *multa* 罰金を科する.

mul·tar [multár ムるタル] 動他 …に罰金を科する. *multar* a 《+uno》 en diez mil pesetas 〈人〉に1万ペセタの罰金を科す.

multi- 「多数の」の意を表す造語要素. ⇒ *multi*lateral, *múlti*ple など.

mul·ti·co·lor [multikolór ムるティコろル] 形 多色の, 多彩な.

mul·ti·co·pis·ta [multikopísta ムるティコピスタ] 名女 複写機, コピー機 (=copiadora).

mul·ti·for·me [multifórme ムるティフォルメ] 形 いろいろな形をした, 多様な.

mul·ti·la·te·ral [multilaterál ムるティらテラる] 形 多面的な; 多数間の. acuerdo *multilateral* 多国間協定.

mul·ti·mi·llo·na·rio, ria [multimiʎonárjo, rja ムるティミリョナリオ, リア] 名男女 大富豪, 大金持ち. ── 形 億万長者の.

mul·ti·na·cio·nal [multinaθjonál ムるティナしオナる] 形 多国籍(企業)の.
── 名女 多国籍企業 (=empresa *multinacional*).

M

múl·ti·ple [múltiple ムるティプれ] 形
1 [~s] 多様な, さまざまの.
2 複式の; 多重の.

mul·ti·pli·ca·ción [multiplikaθjón ムるティプりカしオン] 名女 1〘数〙掛け算, 乗法.
2 増加, 増大;〘植物〙増殖.

mul·ti·pli·ca·dor, do·ra [multiplikaðór, ðóra ムるティプりカドル, ドラ] 形 増加させる. ── 名男〘数〙乗数.

mul·ti·pli·can·do [multiplikándo ムるティプりカンド] 名男〘数〙被乗数.

mul·ti·pli·car [multiplikár ムるティプりカル] [⑧ c → qu] 動他 1 増やす; 増殖させる. *multiplicar* los ingresos 収入を増やす.
2〘数〙乗じる, 掛ける. *multiplicar* tres por cinco 3に5を掛ける. Cinco *multiplicado* por cuatro son veinte. 5掛ける4は20.
── **mul·ti·pli·car·*se*** 1 増加する; 繁殖する. *multiplicarse* las posibilidades 可能性が増す.
2 精一杯努力する.

mul·ti·pli·ci·dad [multipliθiðáð ムるティプりしダ(ドゥ)] 名女 多数; 多様性, 種々雑多.

múl·ti·plo, pla [múltiplo, pla ムるティプろ, プら] 形〘数〙倍数の.
── 名男 倍数. mínimo común *múltiplo* 最小公倍数. ► 約数は divisor.

mul·ti·tud [multitúð ムるティトゥ(ドゥ)] 名女 多数; 群衆. Hay una *multitud* de gente en la plaza. 広場には大群衆が集まっている.

mul·ti·tu·di·na·rio, ria [multituðinárjo, rja ムるティトゥディナリオ, リア] 形 多数の; 大勢の, 大衆の.

mun·da·nal [mundanál ムンダナる] 形《文語》世俗の, 俗界の.

mun·da·no, na [mundáno, na ムンダノ, ナ] 形 1 世俗の; この世の.
2 上流社会の; 社交(好き)の. fiesta *mundana* 社交パーティー.

mun·dial [mundjál ムンディアる] 形 世界の, 世界的な. la Segunda Guerra *Mundial* 第二次世界大戦. Congreso *Mundial* del Medio Ambiente 世界環境会議. récord *mundial* 世界記録. fama *mundial* 世界的名声. → universal.

mun·di·llo [mundíʎo ムンディリョ] 名男 小世界; …界. *mundillo* teatral 演劇界.

mun·do

[múndo ムンド] 名男 [複 ~s] 〔英 world〕
1 世界; 地球. tercer *mundo* 第三世界.
2 世の中, 世間; 現世. este *mundo* 現世. hombre de *mundo* 世知に長(た)けた男. el otro *mundo* あの世. venir al *mundo* この世に生を受ける.
3 (特定の)社会, …界.
correr [***recorrer***, ***ver***] ***mundo*** 世界中を旅行する; 世の中を見る.
hacer un mundo de 《+algo》〈何か〉を大げさに考える, 重大視する. *Hizo un mundo de* esa tontería. 彼はその冗談を本気にとってしまった.
no ser de este mundo 俗世間から超然としている; とても人がよい.
por esos mundos de Dios ここかしこに, 諸々方々に.
tener (***mucho***) ***mundo*** 世俗の才に長けている, 世慣れている.
todo el mundo 皆, すべての人々; 全世界 (= el mundo entero).
un mundo (1) 大差 (= gran diferencia). Hay *un mundo* entre el uno y el otro. 二人の間には格段の差がある. (2) 《副詞的に》大いに. valer *un mundo*. とても値打ちがある.
vivir en el otro mundo へんぴな所に住んでいる.
vivir en otro mundo 現実離れしている.

mun·do·lo·gí·a [mundoloxía ムンドろヒア] 名女《口語》世知; 処世術. Te falta *mundología*. 君は世間知らずだ.

mu·ni·ción [muniθjón ムニしオン] 名女〘軍事〙弾薬; [普通 municiones] 軍需品, 軍需物資. *municiones* de boca 糧食.

mu·ni·ci·pal [muniθipál ムニしパる] 形 (地方)自治体の, 市[町, 村]の. guardia [policía] *municipal* 市警察. funcionario *municipal* 市役所[町村役場]職員.

mu·ni·ci·pa·li·dad [muniθipaliðáð ムニしパリダ(ドゥ)] 名女 地方自治体, 市町村 (当局).

mu·ni·ci·pio [muniθípjo ムニしピオ] 名男 **1** (自治体としての)市; 市町村.
2 《集合》市民, 町村民.
3 市議会, 町村議会.

mu·ñe·ca [muɲéka ムニェカ] 名女 [複 ~s] 〔英 wrist; doll〕 **1** 手首. Me he roto la *muñeca* jugando al golf. 私はゴルフをしていて手首を骨折した. ➡ cuerpo 図.
2 人形, 女の人形.
3 《口語》お人形さん, かわい子ちゃん.

mu·ñe·co [muɲéko ムニェコ] 名男 **1** 男の人形; 案山子(かかし). *muñeco* de nieve 雪だるま.
2 人の言うなりになる人, 傀儡(かいらい).

mu·ñei·ra [muɲéira ムニェイラ] 名女 《音楽》ムニェイラ: スペイン Galicia 地方の踊り[曲].

mu·ñe·que·ra [muɲekéra ムニェケラ] 名女 《スポーツ》手首用のサポーター.

mu·ñón [muɲón ムニョン] 名男 (切断後の手足の)断端.

mu·ral [murál ムラる] 形 壁の, 壁面の, 壁上の. —— 名男 壁画 (=pintura *mural*).

mu·ra·lla [muráʎa ムラリャ] 名女 城壁; 防壁. ➡ muro 【参考】.

Mur·cia [múrθja ムルしア] 固名 ムルシア: スペイン南東部の地方; 自治州 (➡autónomo 【参考】); 県; 県都.

mur·cia·no, na [murθjáno, na ムルしアノ, ナ] 形 ムルシアの.
—— 名男女 ムルシアの住民.

mur·cié·la·go [murθjélaɣo ムルしエらゴ] 名男 《動物》コウモリ (蝙蝠).

muri- 動 現分 ➡ morir. [22 o ➡ ue, u]

mur·mu·llo [murmúʎo ムルムリョ] 名男 つぶやき, ささやき; (流れ・風などの) ざわめき.

mur·mu·ra·ción [murmuraθjón ムルムラしオン] 名女 うわさ話, 陰口, 中傷.

mur·mu·rar [murmurár ムルムラル] 動 自
1 つぶやく, ぶつぶつ言う, 不平を言う. Tenemos que hacerlo sin *murmurar*. 文句を言わずにやるしかない.
2 悪口を言う, 陰口をたたく. *murmurar* de … …の悪口を言う.
3 (風などが) ざわめく; (川が) さらさらいう.

mu·ro [múro ムロ] 名男 **1** 壁; 塀. *muro* cortafuegos 防火壁. *muro* de defensa 漏水防止壁.
2 《比喩》壁, 障壁. *muro* de silencio 沈黙の壁.

> 【参 考】 **muro** は石やコンクリートなどの高い外壁・塀, **muralla** は城壁, **pared** は家屋の内壁・外壁, **tabique** は pared より薄い室内の間仕切り壁.

mus [mús ムス] 名男 (スペイン・トランプのゲーム) ムス.
No hay mus. おあいにくさま.

mu·sa [músa ムサ] 名女 **1** 詩才, 詩的霊感; [普通 ~s] 詩作.
2 [M-] 《ギリシア神話》ミューズ, ムーサ.

mus·cu·lar [muskulár ムスクらル] 形 筋肉の. dolor *muscular* 筋肉痛.

mús·cu·lo [múskulo ムスクろ] 名男 **1** 筋肉, 筋. *músculo* cardíaco 心筋. *músculo* dorsal 背筋.
2 [普通 ~s] 筋力, 腕力. desarrollar los *músculos* 筋肉を鍛える.

mus·cu·lo·so, sa [muskulóso, sa ムスクろソ, サ] 形 筋肉質の; 筋骨たくましい.

mu·se·o [muséo ムセオ] 名男 [複 ~s] 〔英 museum〕 博物館, 美術館. *Museo* de Arte Moderno 現代美術館. *Museo* Nacional de Antropología 国立人類学博物館.

mus·go [músɣo ムスゴ] 名男 《植物》コケ (苔).

mus·go·so, sa [musɣóso, sa ムスゴソ, サ] 形 コケで覆われた; コケのような.

mú·si·ca [músika ムシカ] 名女 [複 ~s] 〔英 music〕
1 音楽. *música* clásica 古典音楽. *música* moderna 現代音楽.
2 楽団, バンド.
3 楽譜. No sé leer *música*. 私は譜面が読めない.
4 《口語》《皮肉で》騒音; [~s] たわ言, ナンセンス. No me vengas con esas *músicas*. ばかなことを言ってくるな.
irse* [*marcharse*] *con la música a otra parte 《口語》とっとと消える, 立ち去る.

mu·si·cal [musikál ムシカる] 形 音楽の; 音楽的な. instrumento *musical* 楽器.
—— 名男 《演劇》ミュージカル.

mu·si·ca·li·dad [musikaliðáð ムシカりダ(ドゥ)] 名女 音楽性, 音楽的なこと.

mú·si·co, ca [músiko, ka ムシコ, カ] [複 ~s] 名男女 〔英 musician〕 音楽家, 演奏家.
—— 形 音楽の; 音楽的な.

mu·si·co·lo·gí·a [musikoloxía ムシコろヒア] 名女 音楽学.

mu·si·tar [musitár ムシタル] 動 自 ささやく, つぶやく.

mus·lo [múslo ムスろ] 名男 [複 ~s] 〔英 thigh〕 **1** 腿(もも), 大腿(だいたい). ➡ cuerpo 図.
2 (料理した鶏・カモなどの) 足, もも肉.

mus·tio, tia [mústjo, tja ムスティオ, ティア] 形 **1** 活気[元気]のない, 物思いに沈んだ.
2 (植物が) しおれた.

mu·sul·mán, ma·na [musulmán, mána ムスるマン, マナ] 形 [複男 musulmanes] イスラム教の, イスラム教徒の. cultura *musulmana* イスラム文化.

M

── 名男女 イスラム教徒；モスレム人.

mu·ta·bi·li·dad [mutaβiliðáð ムタビリダ(ドゥ)] 名女 変わりやすさ；気まぐれ.

mu·ta·ble [mutáβle ムタブれ] 形 変わりやすい；気まぐれな.

mu·ta·ción [mutaθjón ムタしオン] 名女 **1** 変化，転換. **2** 〔生物〕突然変異.

mu·ti·la·ción [mutilaθjón ムティらしオン] 名女 **1** (手足の) 切断.
2 (検閲などによる) 削除.
3 破損.

mu·ti·la·do, da [mutiláðo, ða ムティらド, ダ] 過分 形 (手足の) 切断された；(一部を) 削除された. ── 名男女 手足を失った人.

mu·ti·lar [mutilár ムティらル] 動他
1 (手足を) 切断する.
2 (一部を) 削除する.
3 破損する.

mu·tis [mútis ムティス] 名男 [単・複同形] 〔演劇〕退場.
hacer mutis 黙る；立ち去る；(俳優が) 退場する.
¡Mutis! 黙れ！ (=¡Silencio!).

mu·tis·mo [mutísmo ムティスモ] 名男 沈黙，無言.

mu·tua·li·dad [mutwaliðáð ムトゥアりダ(ドゥ)] 名女 **1** 相互関係；相互扶助.
2 共済組合，互助会.

mu·tua·lis·ta [mutwalísta ムトゥアりスタ] 形 相互主義[扶助]の.
── 名男女 共済組合員，互助会員.

mu·tua·men·te [mútwaménte ムトゥアメンテ] 副 互いに，相互に.

mu·tuo, tua [mútwo, twa ムトゥオ, トゥア] 形 相互の，互いの (=recíproco). amor *mutuo* 相思相愛. ayuda *mutua* 相互扶助.
── 名女 共済組合，互助会.

muy [múi ムイ] 副 〔英 very〕

1 《形容詞(句)，副詞(句)の前に付けて》**たいへん，非常に**，とても；《否定文で》あまり…ない. Es un chico *muy* simpático. 彼はとてもいいやつだ. Vive *muy* lejos de la ciudad. 彼は町からとても遠い所に住んでいる. No está *muy* contento. 彼はあまり喜んでいない. Salimos *muy* de mañana. 我々は朝早く出発した. Es *muy* de lamentar que Rodrigo no pueda venir. ロドリーゴが来られないのはとても残念だ.

> **【文 法】mucho と muy**
> 1 **mucho**＋名詞
> Hace *mucho* frío. 今日はとても寒い.
> Tengo *mucha* hambre. とてもお腹が空いた.
> *Muchas* gracias. どうもありがとう.
> 動詞＋**mucho**
> Se asustó *mucho*. 彼はとても怖がった.
> **mucho**＋形容詞·副詞の比較級
> Aquel libro es *mucho* mejor. あの本の方がはるかにいい.
> El AVE corre *mucho* más rápido. ＡＶＥ（スペインの新幹線）の方がずっと速い.
> ►superior, inferior, anterior, posterior などの形容詞は本来比較級だが, mucho でなく muy をとる.
> 2 **muy**＋形容詞·副詞
> Está *muy* asustado. 彼はとても怖がった.
> Este tren corre *muy* rápido. この電車はとても速い.
> *Muy* bien, gracias. (元気ですか？の問いに) お陰様で.

2 《名詞に付けて》Es *muy* hombre [*muy* dueño de sí mismo]. 彼は男らしい[自制心に富んだ]男だ. el *muy* canalla あのろくでなし.

N n *N n*

N, n [éne エネ] 名女 **1** スペイン語字母の第14字. **2** [N] 某. la condesa *N* 某伯爵夫人.

na·bo [náβo ナボ] 名男 《植物》 カブ (蕪). → hortaliza 図.

ná·car [nákar ナカル] 名男 (貝殻の) 真珠層.

na·ca·ra·do, da [nakaráðo, ða ナカラド, ダ] 形 真珠層のような; 螺鈿(らでん)をちりばめた.

na·cer [naθér ナセル] 40 動自 [現分 naciendo; 過分 nacido, da] 〔英 be born〕

直説法 現在	
1·単 ***nazco***	1·複 **nacemos**
2·単 **naces**	2·複 **nacéis**
3·単 **nace**	3·複 **nacen**

1 生まれる, 誕生する (↔ morir). José García *nació* en 1942 en un pueblo de León. ホセ・ガルシアは1942年にレオン県のある村に生まれた.

2 生じる, 現れる. *Nació* la sospecha en su mente. 彼の心に疑いが芽生えた. Este río *nace* en la vertiente norte de la Cordillera Cantábrica. この川はカンタブリア山脈の北斜面に源を発する.

—— **na·cer·*se*** 芽吹く.

nacer para ... 生まれついての…である. *Nació para* poeta. 彼は生まれながらの詩人だ.

volver a nacer 命拾いをする.

na·ci·do, da [naθíðo, ða ナシド, ダ] 過分 → nacer.

—— 形 生まれの, …に生まれついた. un bebé recién *nacido* 生まれたばかりの赤ん坊.

—— 名男女 [普通 ～s] 人, 人間. Todos los *nacidos* tienen que morir. 人は誰しも死ぬものだ.

naciendo 現分 → nacer.

na·cien·te [naθjénte ナシエンテ] 形 生まれかけた, 現れ始めた. —— 名男 東.

na·ci·mien·to [naθimjénto ナシミエント] 名男 **1** 誕生, 出生. fecha y lugar de *nacimiento* 生年月日と出生地. ► 誕生日は cumpleaños.

2 出身, 生まれ. Su esposa es noble de *nacimiento*. 彼の奥さんは貴族の出だ.

3 始まり, 起源, 源. El río tiene 400 kms. de longitud desde su *nacimiento* hasta su desembocadura en el mar. その川は源から海に注ぐまで長さが400キロメートルある.

4 キリスト降誕の場面を表現した人形飾り (= belén). ◆クリスマスの前から主の御公現の祝日 (1月6日) まで飾る.

de nacimiento 生まれついての. Es ciego *de nacimiento*. 彼は生まれながらに目が不自由だ.

dar nacimiento a ... …を生む, …のもととなる.

na·ción [naθjón ナシオン] 名女 [複 naciones] 〔英 nation〕 **1** 国家, 国. (Organización de) las *Naciones* Unidas 国際連合 《略 O.N.U. 〔英〕 UN, UNO》. → país 【参考】.

2 国民; 民族. *nación* española スペイン国民.

na·cio·nal [naθjonál ナシオナル] 形 [複 ～es] 〔英 national〕 **1** 国家の, 国の; 国立[国有]の; 国内の. himno *nacional* 国歌. empresa *nacional* 国営企業, 公社. parque *nacional* 国立公園. producto *nacional* 国産品.

2 国民の; 民族の.

na·cio·na·li·dad [naθjonaliðáð ナシオナリダ(ド)] 名女 国籍. obtener la *nacionalidad* japonesa 日本国籍を取得する.

na·cio·na·lis·mo [naθjonalísmo ナシオナリスモ] 名男 ナショナリズム, 民族主義; 国家主義.

na·cio·na·lis·ta [naθjonalísta ナシオナリスタ] 形 民族主義の, 国家主義(者)の.

—— 名男女 民族主義者, 国家主義者.

na·cio·na·li·za·ción [naθjonaliθaθjón ナシオナリサシオン] 名女 **1** 国有化, 国営化.

2 帰化.

na·cio·na·li·zar [naθjonaliθár ナシオナリサル] [39 z → c] 動他 **1** 国有化する, 国営にする.

2 帰化させる.

—— **na·cio·na·li·zar·*se*** 帰化する.

na·cis·mo [naθísmo ナシスモ] 名男 → nazismo.

na·da [náða ナダ] 代名 《不定》 [否定語, 性・数不変; ↔ algo] 〔英 nothing〕 **1** 《動詞の否定形の後で》《動詞の前に置いて》何も…ない, 少しも…ない. No me dijeron *nada*. 私は何も言われなかった. No hay *nada* nuevo. 目新しいことは何もない. No hay *nada* como un vaso de buen vino. 1杯の美酒に勝るものはない. No se discutirá *nada* que te inte-

N

rese. 君の興味のあることは何も論じられないだろう. *Nada* se pierde si lo intentas. 君がそれをやったからって何も損はない.
► 動詞の前に nada を置くと否定の意味が強められる. ➡ ninguno.
2《話の継ぎ目で》ええとね, ところでね. *Nada*, que hablamos mucho sobre este asunto y ... それでね, この問題についてよく話をしたんだけど….
—— 副 少しも…ない, 全然…ない. No nos ayudaron *nada*. 私たちは何も手伝ってもらわなかった. Tu plan no es *nada* original. 君の案には何もユニークなところがない.
—— 名 女 無, 空(くう).
—— 動 ➡ nadar.
¡Ahí es nada!《口語》大したもんだ.
antes de nada まず第一に, 何よりもまず.
como si nada 何事もなかったかのように, 平然と; 簡単に, 楽々と.
con nada ほんの少しのことで. *Con nada* que hicieras, pasarías el examen. ほんの少しの努力で君は試験に受かるのに.
de nada つまらない, 取るに足りない. Es un regalillo *de nada*. つまらないプレゼントだ.
De nada. / No es nada. どういたしまして (= No hay de qué.).
dentro de nada すぐ, ただちに.
más que nada 何よりも. La salud es *más* importante *que nada*. 健康は何にもまして大切だ. Me interesa hablar con él *más que nada*. 私は何よりも彼と話したい.
(*no*) *estar en nada que*《+接続法》危うく…するところである, もう少しで…である. *Estuvo en nada que* perdiera toda su fortuna. 彼はもう少しで全財産を失うところだった.
Nada de eso. / No hay nada de eso. / De eso nada. そんなことはない, とんでもない; そんなことには関係ない.
nada más (1) それで終わりだ [以上です], それだけだ; ただ…だけである, …しかない. Tengo siete pesetas *nada más* (= No tengo *nada más* que siete pesetas). 私は 7 ペセタしかない. (2)《+不定詞》…するやいなや. *Nada más* ver a su madre corrió hacia ella. 彼はお母さんの姿を見るや走り寄った.
nada más y nada menos (***que*** ...) (…) 以上でも以下でもなく, まさしく; (話などが) それで終わりだ.
nada menos que ... …にほかならない, それこそ…, まさに; …ほども. Ese señor es *nada menos que* el presidente. あの人こそ会長ご本人です. Ha heredado *nada menos que* cien millones de pesetas. 彼は 1 億ペセタも相続した.
ni nada《口語》全然, 全く, 少しも, …さえもない. ¿Que es listo? ¡Qué va, ni listo *ni nada*! 彼が利口だって? とんでもない! 利口であるわけがない.
no ser nada 大したことではない.
para nada 無駄に, つまらないことに.
por nada (1) ちょっとしたことで, 理由もなく, すぐに. (2) ただ同様で. Lo compré *por nada*. 私はそれをただ同様で手に入れた. (3) 少しも, 全く. (4) *Por nada*.《ラ米》どういたしまして (= De *nada*).
por nada del mundo 頑として…しない, どんなことがあっても…しない.

na·da·dor, do·ra [naðaðór, ðóra ナダドル, ドラ] 名 男 女 泳ぎ手; 水泳選手.

na·dar [naðár ナダル] 動 自 〔英 swim〕
1 泳ぐ. *nadar* de espaldas 背泳ぎで泳ぐ.
2 浮かぶ, 漂う. Las algas *nadan* sobre las aguas. 藻が水面に浮かんでいる.
3《+**en**》…がふんだんにある. *nadar en* deudas 借金だらけである.

na·de·rí·a [naðería ナデリア] 名 女 ささいなこと, つまらないもの.

na·die

[náðje ナディエ] 代名《不定》
[否定語, 性・数不変; ↔ alguien]
〔英 nobody, no one〕
《動詞の否定形の後で》《動詞の前に置いて》
誰も…ない. No lo sabe *nadie*. 誰もそれを知らない. Nunca habla mal de *nadie*. 彼は誰の悪口も言わない人だ. No he hablado con *nadie*. 私は誰とも話さなかった. A *nadie* le parece bien eso. 誰もそれがいいとは思わない. ► 動詞の前に nadie を置くと否定の意味が強められる. ➡ ninguno.
—— 名 男 つまらない人, 取るに足りない人; 地位の低い人. un don *nadie* 取るに足りない人. El jefe es un *nadie*, y todos hacen lo que quieren. ボスがパッとしない人だから, 皆勝手なことばかりやっている.
más que nadie 誰よりも. Sabe *más que nadie*. 彼は誰よりもよく知っている.
no ser nadie 取るに足りない者である; ひとかどの人物である.

na·do [náðo ナド] ***a nado*** 泳いで.
—— 動 ➡ nadar.

naf·ta [náfta ナフタ] 名 女 〖化〗ナフサ.

naf·ta·li·na [naftalína ナフタリナ] 名 女 〖化〗ナフタリン.

ná·huatl [náwatl ナワトゥる] 形 ナワトル (語) の.
—— 名 男 ナワトル語. ◆マヤ語などと並ぶメソアメリカ・インディオの主要言語の一つ.

nai·lon [náilon ナイろン] 名 男 ナイロン.

nai·pe [náipe ナイペ] 名 男 (トランプ・タロットの) カード; [〜s] 一組みのトランプ (= baraja).
◆ oro は diamante「ダイヤ」, copa は corazón「ハート」, espada は pica「スペード」, basto は trébol「クラブ」に当たる.
tener buen [***mal***] ***naipe*** 運が良い [悪

copa 杯　espada 剣
oro 金　basto こん棒
naipes トランプ

い].

nal·ga [nálɣa ナるガ] 名㊛ [普通 ～s] 尻(しり), 臀部(でんぶ). ➡ cuerpo 図.

na·na [nána ナナ] 名㊛ **1** 子守歌.
2 《口語》《幼児語》おばあちゃん.
el año de la nana [***nanita***] ずっと遠い昔.

¡na·nay! [nanái ナナイ] 間投 《口語》とんでもない, 冗談じゃない.

na·po·le·ó·ni·co, ca [napoleóniko, ka ナポれオニコ, カ] 形 ナポレオン Napoleón の.

na·po·li·ta·no, na [napolitáno, na ナポりタノ, ナ] 形 (イタリアの) ナポリ Nápoles の. ── 名㊚㊛ ナポリの住民.

na·ran·ja [naráŋxa ナランハ] 名㊛ [複 ～s] 〔英 orange〕〔植物〕**オレンジ**. zumo de *naranja* オレンジジュース. *naranja* valenciana バレンシアオレンジ. ➡ mandarina.
── 形 [性・数不変] **オレンジ色の**.
media naranja 伴侶(はんりょ), 夫, 妻.
¡Naranjas (***de la China***)***!*** 《口語》とんでもない; ばか言え.

na·ran·ja·do, da [naraŋxáðo, ða ナランハド, ダ] 形 オレンジ色の.
── 名㊛ オレンジエード.

na·ran·jal [naraŋxál ナランハる] 名㊚ オレンジ畑.

na·ran·jo [naráŋxo ナランホ] 名㊚ 〔植物〕オレンジの木.

nar·ci·sis·mo [narθisísmo ナルしシスモ] 名㊚ 自己愛, ナルシシズム.

nar·ci·sis·ta [narθisísta ナルしシスタ] 形 ナルシスト的な, 自己陶酔の.
── 名㊚㊛ ナルシスト.

nar·ci·so [narθíso ナルしソ] 名㊚ **1** 〔植物〕スイセン (水仙). **2** ナルシスト.

nar·co·sis [narkósis ナルコシス] 名㊛ [単・複同形] 〔医〕麻酔状態, 昏睡(こんすい).

nar·có·ti·co, ca [narkótiko, ka ナルコティコ, カ] 形 麻酔[催眠]性の.
── 名㊚ 麻酔剤; 麻薬.

nar·co·ti·zar [narkotiθár ナルコティさル] [39 z ➡ c] 動他 …に麻酔をかける.

nar·co·tra·fi·can·te [narkotrafikánte ナルコトラフィカンテ] 名㊚㊛ 麻薬密売人.

nar·co·trá·fi·co [narkotráfico ナルコトラフィコ] 名㊚ 麻薬の売買.

narices 名 [複] ➡ nariz.

na·ri·gón, go·na [nariɣón, ɣóna ナリゴン, ゴナ] 名㊚㊛ ➡ narigudo.

na·ri·gu·do, da [nariɣúðo, ða ナリグド, ダ] 形 《口語》大鼻の.
── 名㊚㊛ 《口語》大鼻の人.

na·riz

[naríθ ナリす] 名㊛ [複 narices] 〔英 nose〕

1 [時に narices] **鼻**; 鼻孔. *nariz* aguileña わし鼻. *nariz* chata 低い鼻. limpiarse las *narices* 洟(はな)をかむ. sonarse las *narices* 音を立てて洟をかむ. ➡ cuerpo 図. ► 犬・馬などの鼻は hocico, 豚などの鼻は jeta, 象の鼻は trompa.
2 鼻先; 船首; 突出部. Lo tienes delante de tus [las] *narices*. それは君の目の前にあるよ.
3 嗅覚(きゅうかく). tener largas *narices* / tener *narices* de perro perdiguero 鼻が利く, 勘が鋭い.
caerse [***darse***] ***de narices*** うつ伏せに倒れる, つんのめる.
dar a 《+uno》 ***con la puerta en las narices*** 〈人〉の鼻先でドアを閉める.
dar en la nariz a 《+uno》 〈人〉が…の予感がする, …じゃないかと思う. *Me da en la nariz* que no vendrá. 私は彼が来ないような気がする.
darse de narices en … (障害・困難など) にぶつかる, 難渋する.
de narices 《俗語》すごい, すばらしい.
en las (***mismas***) ***narices de*** 《+uno》 〈人〉の面前で.
estar hasta las narices de … 《口語》 …にうんざりしている.
hablar con [***por***] ***la nariz*** [***las narices***] 鼻声で話す.
hacer lo que sale a 《+uno》 ***de*** [***por***] ***las narices*** 《口語》 〈人〉が自分の気の向くことをする.
hacer narices a 《+uno》 《口語》 〈人〉をいじめる, 虐待する.
hincharse a 《+uno》 ***las narices*** 《口語》〈人〉がかんかんになる, かっとなる, むかっ腹を立てる.
meter las narices [***la nariz***] ***en*** … 《口語》…に口を出す, 首を突っ込む.
¡Narices! 《俗語》ちくしょう!, いまいましい!, ばか!, とんでもない!
¡Ni … ni narices! 《口語》…だなんてとんでもない! ¡*Ni* postre *ni narices*! デザートなんてとんでもない!
¡Qué narices! 《俗語》ばかを言うな!; ちくしょう!

N

na·rra·ción [nar̄aθjón ナラしオン] 名女 叙述; 語り; 物語.

na·rra·dor, do·ra [nar̄aðór, ðóra ナラドル, ドラ] 名男女 語り手, ナレーター; 物語作者, 小説家 (= novelista).

na·rrar [nar̄ár ナラル] 動他 物語る, 話す (= contar).

na·rra·ti·vo, va [nar̄atíβo, βa ナラティボ, バ] 形 叙述体の, 物語(ふう)の.
—— 名女 《集合》(ジャンルとしての) 小説, 物語. *narrativa* contemporánea 現代小説. ➡ novela, cuento.

na·sa [nása ナサ] 名女 (魚捕りの) 仕掛け; 魚籠(びく).

na·sal [nasál ナサる] 形 **1** 鼻の.
2 鼻にかかった; 〘音声〙鼻音の.

na·sa·li·za·ción [nasaliθaθjón ナサりさしオン] 名女 〘音声〙鼻音化.

na·ta [náta ナタ] 名女 [複 ~s] 〔英 (fresh) cream〕 **1** **生クリーム**.
2 (液体表面の) 薄い膜; 乳皮.
3 最良の部分, 粋.

na·ta·ción [nataθjón ナタしオン] 名女 〘スポーツ〙水泳.

na·tal [natál ナタる] 形 出生の. mi país *natal* 私の故国.

na·ta·li·cio, cia [natalíθjo, θja ナタりしオ, しア] 形 誕生日の.
—— 名男 誕生; 誕生日 (= cumpleaños).

na·ta·li·dad [nataliðáð ナタりダ(ドゥ)] 名女 出生率 (= tasa de *natalidad*).

na·ti·llas [natíʎas ナティリャス] 名女 [複] ナティーリャス: カスタード菓子.

na·ti·vi·dad [natiβiðáð ナティビダ(ドゥ)] 名女 **1** キリストの降誕の図.
2 [N-] クリスマス (= Navidad).

na·ti·vo, va [natíβo, βa ナティボ, バ] 形 出生地の, 土着の; 生まれつきの.
—— 名男女 土地の人, 現地人; 先住民.

na·to, ta [náto, ta ナト, タ] 形 生まれながらの.

na·tu·ral [naturál ナトゥラる] 形 [複 ~es] 〔英 natural〕 **1** **自然の**, 天然の, 手を加えていない (↔ artificial). recursos *naturales* 天然資源. fenómeno *natural* 自然現象. zumo *natural* フレッシュジュース.
2 飾り気のない, 気取らない. actuar de forma *natural* 自然に振る舞う.
3 **当然の**, 道理にかなった. Es muy *natural* que haya tenido éxito. 彼が成功したのも当たり前だ (► que 以下の動詞は接続法になる).
4 《+**de**》…生まれの, …出身の. Lucía es *natural de* Perú. ルシアはペルー生まれである.
5 私生の, 庶出の. hijo *natural* 私生児.
—— 名男女 現地の住民.
—— 名男 性質, 気質 (= carácter). de buen [mal] *natural* 性質が良い[悪い].
al natural 自然のままの[で]. fruta *al natural* シロップに漬けただけの果物の缶詰.
pintar del natural 写生する.

na·tu·ra·le·za [naturaléθa ナトゥラれさ] 名女 [複 ~s] 〔英 nature〕 **1** **自然**, 天然. fuerzas de la *naturaleza* 自然の力. Vive en plena *naturaleza*. 彼は大自然の中で生活している.
2 **本性**, 本質; 性質. *naturaleza* humana 人間性.
3 (外国人に与える) 市民権; 帰化. carta de *naturaleza* 帰化証明書.
naturaleza muerta 〘美術〙静物画 (= bodegón).
por naturaleza 本来, もともと.

na·tu·ra·li·dad [naturaliðáð ナトゥラりダ(ドゥ)] 名女 自然さ; 率直; 平然. hablar con *naturalidad* 肩ひじ張らずに話す.

na·tu·ra·lis·mo [naturalísmo ナトゥラりスモ] 名男 自然主義.

na·tu·ra·lis·ta [naturalísta ナトゥラりスタ] 形 自然主義の.
—— 名男女 自然主義者; 博物学者.

na·tu·ra·li·za·ción [naturaliθaθjón ナトゥラりさしオン] 名女 帰化; (外国の言語・習慣などの) 移入.

na·tu·ra·li·zar [naturaliθár ナトゥラりさル] [39 z ➡ c] 動他 帰化させる; (外国の習慣・言語などを) 移入する.
—— **na·tu·ra·li·zar·se** 帰化する; (外国の習慣・言語などが) 土着化する.

na·tu·ral·men·te [naturálménte ナトゥラるメンテ] 副 **1** 自然に, ひとりでに.
2 生来, 生まれつき. **3** 当然, もちろん.

na·tu·ris·mo [naturísmo ナトゥリスモ] 名男 自然生活運動; 自然療法.

na·tu·ris·ta [naturísta ナトゥリスタ] 名男女 自然生活運動家, 裸体主義者; 自然療法主義者.
—— 形 自然生活運動の; 自然療法の.

nau·fra·gar [naufraɣár ナウフラガル] [32 g ➡ gu] 動自 **1** 〘海事〙難破する.
2 失敗する.

nau·fra·gio [naufráxjo ナウフラヒオ] 名男 〘海事〙難破, 難船, 遭難.

náu·fra·go, ga [náufraɣo, ɣa ナウフラゴ, ガ] 名男女 〘海事〙難破した人, 遭難者, 漂流者.
—— 形 〘海事〙難破した, 難船した.

náu·se·a [náusea ナウセア] 名女 [普通 ~s] **1** 吐き気, むかつき. sentir [tener] *náuseas* 吐き気がする. **2** 不快, 嫌悪.

nau·se·a·bun·do, da [nauseaβúndo, da ナウセアブンド, ダ] 形 むかつくような; 嫌な.

náu·ti·co, ca [náutiko, ka ナウティコ, カ] 形 航海の; 水上の. —— 名女 航海術.

na·va·ja [naβáxa ナバハ] 名女 (折り畳み式の) ナイフ; 小刀; マテ貝. *navaja* de muelle 飛び出しナイフ. *navaja* de afeitar かみそり.

N

na·va·ja·zo [naβaxáθo ナバハそ] 名男 (ナイフで) 刺すこと; (ナイフによる) 刺し傷.

na·va·je·ro, ra [naβaxéro, ra ナバヘロ, ラ] 名男女 (ナイフを使う) 強盗.

na·val [naβál ナバる] 形 船の; 航海の. constructor *naval* 造船業者. base *naval* 海軍基地.

Na·va·rra [naβára ナバラ] 固名 ナバラ: スペイン北部の地方; 自治州 (→ autónomo 【参考】); 県; 県都.

na·va·rro, rra [naβáro, ra ナバロ, ラ] 形 ナバラの. ── 名男女 ナバラの住民.

na·ve [náβe ナベ] 名女 **1** 船, 船舶, 艦艇. *nave* espacial 宇宙船. → barco 【参考】.
2 (教会堂外陣の) 身廊 (= *nave* central). *nave* lateral 側廊.
3 (工場・倉庫の) 建物, 棟.
quemar las naves 背水の陣を敷く.

na·ve·ga·ble [naβeɣáβle ナベガブれ] 形 (川・海などが) 航行可能な.

na·ve·ga·ción [naβeɣaθjón ナベガしオン] 名女 [複 navegaciones] **1** 航行, 航海; 航空. *navegación* a vela 帆船航海. *navegación* de altura 遠洋航海. *navegación* por el espacio 宇宙飛行. abierto a la *navegación* 航行自由の, 航行できる. carta de *navegación* 海図.
2 航法, 航海[航空]術.

na·ve·ga·dor [naβeɣaðór ナベガドル] 名男 〘ｺﾝﾋﾟｭｰﾀ〙 ブラウザー, 閲覧ソフト.

na·ve·gan·te [naβeɣánte ナベガンテ] 形 航海する.
── 名男女 航海者; ナビゲーター.

na·ve·gar [naβeɣár ナベガル] [32 g → gu] 動自 航海する, 船で行く; 飛行する. *navegar* por el Océano Pacífico 太平洋を航行する.
saber navegar 世渡りがうまい.

Na·vi·dad [naβiðáð ナビダ(ドゥ)] 名女 [複 ~es] 〔英 Christmas〕 **1** **クリスマス**, キリスト降誕祭 (= pascua de *Navidad*); [普通 ~es] クリスマスの季節 (◆クリスマスから1月6日の主の御公現の祝日までを指す). ¿Cómo has pasado las *Navidades*? 君はクリスマス休暇をどう過ごしましたか. ¡Feliz *Navidad*! / ¡Felices *Navidades*! クリスマスおめでとう, メリー・クリスマス. árbol de *Navidad* クリスマス・ツリー. tarjeta de *Navidad* クリスマス・カード (= christmas,navidal). → fiesta 【参考】.
2 〘宗教〙 キリストの降誕.

na·vi·dal [naβiðál ナビダる] 名男 クリスマスカード.

na·vi·de·ño, ña [naβiðéɲo, ɲa ナビデニョ, ニャ] 形 クリスマス (用) の.

na·vie·ro, ra [naβjéro, ra ナビエロ, ラ] 形 船舶の, 海運の.
── 名男女 船主.
── 名女 船 (舶) 会社 (= compañía *naviera*).

na·ví·o [naβío ナビオ] 名男 (大型の) 船; 艦艇. capitán de *navío* 海軍大佐.

na·za·re·no, na [naθaréno, na ナさレノ, ナ] 形 **1** (イスラエルの) ナザレ Nazaret の. **2** 原始キリスト教徒の.
── 名男女 **1** ナザレの住民.
2 原始キリスト教徒.
── 名男 **1** イエス・キリスト (= El *Nazareno*). **2** 〘ｶﾄﾘｯｸ〙 (聖週間の行列で) フード付きのマントをまとった人.

nazc- 動 → nacer. 40

na·zi [náθi ナし] 形 ナチ (ス) の.
── 名男女 ナチ党員; ドイツ国家社会主義者.

na·zis·mo [naθísmo ナしスモ] 名男 ナチズム, ドイツ国家社会主義.

ne·bli·na [neβlína ネブりナ] 名女 霧; 視界[理解]を妨げるもの, かすみ.

ne·bu·lo·si·dad [neβulosiðáð ネブろシダ(ドゥ)] 名女 **1** 〘気象〙 曇り, 曇天.
2 不明瞭(ふめいりょう).

ne·bu·lo·so, sa [neβulóso, sa ネブろソ, サ] 形 **1** 〘気象〙 曇った; 霧の多い, もやのかかった. **2** 曖昧(あいまい)な, 不鮮明な.
── 名女 〘天文〙 星雲.

ne·ce·dad [neθeðáð ネせダ(ドゥ)] 名女 愚かさ, ばかげたこと. decir *necedades* / soltar una *necedad* ばかなことを言う.

necesaria 形女 → necesario.

ne·ce·sa·ria·men·te [neθesárjaménte ネせサリアメンテ] 副 **1** 必然的に; 必ず. Tengo que ir *necesariamente*. どうしても私は行かなくてはならない.
2 《否定語と共に用いられて》 必ずしも…でない.

ne·ce·sa·rio, ria [neθesárjo, rja ネせサリオ, リア] 形 [複 ~s] 〔英 necessary〕
1 **必要な**, 欠くことのできない. condiciones *necesarias* 必要条件. El ejercicio es *necesario* a [para] la salud. 健康のために運動は必要だ. No es *necesario* que vayas. 君は行かなくてもいいよ (►que 以下の動詞は接続法になる).
2 必然の, 当然の. consecuencia *necesaria* 当然の結果.
hacer necesario 要求する, 必要である. El estado del enfermo *hace necesaria* una transfusión de sangre. 患者の容態から見て輸血が必要だ. ►necesario は目的語の性・数によって変化する.

ne·ce·ser [neθesér ネせセル] 名男 小道具入れ. *neceser* de costura [tocador] 裁縫[化粧]箱. [←〔仏〕nécessaire]

ne·ce·si·dad [neθesiðáð ネせシダ(ドゥ)] 名女 [複 ~es] 〔英 necessity〕 **1** **必要 (性)**; 必需品; 必然 (性). No tiene Vd. *necesidad* de enviármelo. それを送ってくださらなくても結構です. *necesidad* lógica 論理的必然.

N

2 窮乏; 飢餓; 苦境. morir de *necesidad* 飢え死にする. ayudar a 《+uno》 en la *necesidad* 困っている〈人〉を助ける.
3 [~es] 排泄(はいせつ). hacer sus *necesidades* 用をたす.
de primera necesidad 必要不可欠な.
por necesidad 必要から, 必要に迫られて; 必然的に.

ne·ce·si·ta·do, da [neθesitáðo, ða ネせシタド, ダ] 過分 ➟ necesitar.
── 形 **1** 困窮した, 貧乏な.
2 《+**de**》 …を必要とする. Anda un poco *necesitado de* dinero. 彼はちょっと金に困っている.
── 名男女 困窮者, 貧者 (= pobre).

necesitando 現分 ➟ necesitar.

ne·ce·si·tar [neθesitár ネせシタル] 動他 [現分 necesitando ; 過分 necesitado, da] 〔英 need〕 **必要とする**. ¿Cuándo *necesita* usted el coche? いつ車が必要ですか. *Necesito* tu consejo. 君の助言が必要だ. No *necesito* añadir más palabras. これ以上言葉を付け加える必要はありません. *Necesito* que me digas la verdad. 君には本当のことを言ってもらわねばならない (► que 以下は接続法になる). Se *necesita* secretaria. 《広告》秘書募集.
── 動自 《+**de**》 …を必要とする.

ne·cio, cia [néθjo, θja ネしオ, しア] 形 ばかな, 愚かな (= tonto).

ne·cró·fa·go, ga [nekrófaɣo, ɣa ネクロファゴ, ガ] 形 腐肉[死肉]を食べる.

ne·cro·fi·lia [nekrofílja ネクロフィリア] 名女 屍姦(しかん), 死体(性)愛.

ne·cro·lo·gí·a [nekroloxía ネクロろヒア] 名女 (新聞などの) 死亡記事; 故人略歴.

ne·cro·ló·gi·co, ca [nekrolóxiko, ka ネクロろヒコ, カ] 形 死亡記事の; 故人略歴の.

ne·cró·po·lis [nekrópolis ネクロポリス] 名女 [単・複同形] **1** (古代の) 埋葬地, 古墳.
2 《文語》 (大規模な) 墓地, 霊園.

néc·tar [néktar ネクタル] 名男 **1** 《ギリシア神話》 ネクタル: 神々の飲む不老不死の酒. ➟ ambrosía. **2** 美酒.
3 《植物》 (花の) 蜜(みつ).

ne·er·lan·dés, de·sa [neerlandés, désa ネエルらンデス, デサ] 形 [複男 neerlandeses] ネーデルランドの, オランダの. ➟ Países Bajos.
── 名男女 オランダ人.
── 名男 オランダ語.

ne·fan·do, da [nefándo, da ネファンド, ダ] 形 忌まわしい. pecado *nefando* 男色.

ne·fas·to, ta [nefásto, ta ネファスト, タ] 形 不吉な, 不幸をもたらす.

ne·fri·tis [nefrítis ネフリティス] 名女 [単・複同形] 《医》 腎(臓)炎.

ne·fro·sis [nefrósis ネフロシス] 名女 [単・複同形] 《医》 ネフローゼ.

ne·ga·ción [neɣaθjón ネガしオン] 名女 否定 (↔ afirmación); 拒絶; 正反対. Es la *negación* de la inteligencia. 彼はとても理知的とは言えない.

ne·ga·do, da [neɣáðo, ða ネガド, ダ] 過分 形 **1** 否定[拒否]された.
2 能力のない, 役に立たない. una persona *negada* para las matemáticas 数学の才のない人.
── 名男女 役立たず.

ne·gar [neɣár ネガル] [32 g ➟ gu ; 42 e ➟ ie] 動他 〔英 deny〕 **1 否定する**; 否認する (↔ afirmar). *negar* su responsabilidad 責任を回避する. No *niego* que sea verdad. それが真実らしいことは否定しない (► 確実なことを述べる場合には que 以下の動詞は直説法になる).
2 拒否する, 拒絶する. Nunca me *ha negado* nada. 彼は私に一度も嫌だと言ったことがない. *negar* el paso 立ち入りを拒む.
── **ne·gar·se** 《+**a**》 …を拒む, 拒絶する. *Se niega a* asistir a la asamblea. 彼は集会に出席することを拒んでいる.

ne·ga·ti·vo, va [neɣatíβo, βa ネガティボ, バ] 形 **1** 否定の, 否認の; 拒否の; 反対の (↔afirmativo).
2 消極的な, 否定的な (↔ positivo). resultado *negativo* 思わしくない結果. crecimiento *negativo* 《経済》マイナス成長.
3 《数》負の, マイナスの; 《電気》陰(極)の; 《医》陰性の; 《写真》陰画の, ネガの.
── 名男 《写真》陰画, ネガ.
── 名女 否定; 拒否. contestar con la *negativa* 否[ノー]と答える. *negativa* rotunda きっぱりとした拒絶.

ne·gli·gen·cia [neɣlixénθja ネグリヘンしア] 名女 怠慢, 不注意; だらしなさ.

ne·gli·gen·te [neɣlixénte ネグリヘンテ] 形 怠慢な, 不注意な; だらしのない (↔ diligente).
── 名男女 怠慢な人, 不注意な人; だらしない人.

ne·go·cia·ble [neɣoθjáβle ネゴしアブれ] 形 (証券などが) 譲渡[売買]できる.

ne·go·cia·ción [neɣoθjaθjón ネゴしアしオン] 名女 交渉, 商談.

ne·go·cia·do [neɣoθjáðo ネゴしアド] 名男 局, 部, 課 (= sección).

ne·go·cia·dor, do·ra [neɣoθjaðór, ðóra ネゴしアドル, ドラ] 名男女 交渉者.
── 形 交渉の.

ne·go·cian·te [neɣoθjánte ネゴしアンテ] 名男女 **1** 商人, 取引業者.
2 駆け引き上手, やり手.

ne·go·ciar [neɣoθjár ネゴしアル] 動自 **1** 《+**en**》 …を取引する, 売買する. *negociar en* naranjas オレンジを商う.
2 交渉する, 協議する. *negociar* con el gobierno mexicano メキシコ政府と折衝する.
── 動他 **1** …を話し合う, …について交渉す

N

る. *negociar* un tratado 条約の交渉をする. **2** うまく処理する; (証券などを) 譲渡する, 売却する; (手形を) 割り引く.

ne·go·cio [neɣóθjo ネゴしオ] 名男 [複 ~s] 〔英 business〕
1 商売, 取引, 事業, ビジネス. Tiene un *negocio* de comestibles. 彼は食料品を扱っている. hombre de *negocios* 実業家. Hizo un buen *negocio* vendiendo coches usados. 彼は中古車を売ってしこたまもうけた.
2 交渉; 商談.
3 商店, 小売り店.
hacer* SU *negocio 私利私欲に走る; 私腹を肥やす.

negra 形名女 → negro[1].

ne·gre·ro, ra [neɣréro, ra ネグレロ, ラ] 形 黒人奴隷売買の.
—— 名男 黒人奴隷商人.

ne·gri·lla [neɣríʎa ネグリリャ] 名女 〘印刷〙ボールド体. ◆この辞典で見出し語に使用している活字.

ne·gro[1], gra [néɣro, ɣra ネグロ, グラ] [複 ~s] 形 〔英 black〕 **1** 黒い. corbata *negra* 黒いネクタイ. El cielo se está poniendo *negro*. 空が暗くなってきた. → oscuro.
2 陰鬱(いんうつ)な, 悲観的な, 希望のない. Veo el futuro completamente *negro*. お先真っ暗だ.
3 不正な, 邪悪な.
4 《口語》腹を立てた, 怒った. estar *negro* 怒っている. ponerse *negro* 激怒する.
5 黒人 (種) の.
—— 名男女 黒人.
poner negro a 《+uno》〈人〉を激怒させる. Estos niños *me han puesto negro*. この子供たちには全く頭にきた.
trabajar como un negro 《口語》真っ黒になって[一生懸命に]働く.
verse negro* [*vérselas negras*] *para 《+不定詞》…するのに一苦労する. *Me vi negro para* abrir la puerta. ドアを開けるのに一苦労した.

ne·gro[2] [néɣro ネグロ] 名男 黒, 黒色.
negro de la uña 爪(つめ)のあか; ほんの少し.

ne·groi·de [neɣróiðe ネグロイデ] 形 黒色人種の, ネグロイドの.
—— 名男女 黒色人種, ネグロイド.

ne·gru·ra [neɣrúra ネグルラ] 名女 黒さ.

ne·gruz·co, ca [neɣrúθko, ka ネグルすコ, カ] 形 黒みがかった, 黒ずんだ.

negué 動 → negar. [32 g → gu ; 42 e → i]

ne·mo·tec·nia [nemotéknja ネモテクニア] 名女 記憶術.

ne·ne, na [néne, na ネネ, ナ] 名男女 赤ん坊, 赤ちゃん.
—— 名女 《呼びかけ》お前.

ne·nú·far [nenúfar ネヌファル] 名男 〘植物〙スイレン (睡蓮).

neo- 「新」の意を表す造語要素. ⇒ *neo*clásico, *neo*rrealismo など.

ne·o·ce·lan·dés, de·sa [neoθelandés, désa ネオせらンデス, デサ] 形 [複男 neocelandeses] ニュージーランド Nueva Zelanda の.
—— 名男女 ニュージーランド人.

ne·o·cla·si·cis·mo [neoklasiθísmo ネオクらシしスモ] 名男 新古典主義.

ne·o·clá·si·co, ca [neoklásiko, ka ネオクらシコ, カ] 形 新古典主義の.
—— 名男女 新古典主義者.

ne·o·co·lo·nia·lis·mo [neokolonjalísmo ネオコろニアりスモ] 名男 新植民地主義.

ne·ó·fi·to, ta [neófito, ta ネオフィト, タ] 名男女 新規加入者, 初心者.

ne·o·la·ti·no, na [neolatíno, na ネオらティノ, ナ] 形 ロマンス語 (系) の. lenguas *neolatinas* ロマンス諸語. → romance.

ne·o·lí·ti·co, ca [neolítiko, ka ネオりティコ, カ] 形 新石器時代の. → paleolítico.
—— 名男 新石器時代.

ne·o·lo·gis·mo [neoloxísmo ネオろヒスモ] 名男 新語 (法), 新造語.

ne·ón [neón ネオン] 名男 〘化〙ネオン.

ne·o·pla·tó·ni·co, ca [neoplatóniko, ka ネオプらトニコ, カ] 形 新プラトン主義の.

ne·o·rre·a·lis·mo [neor̄ealísmo ネオレアりスモ] 名男 ネオリアリズム, 新写実主義.

ne·o·yor·qui·no, na [neoǰorkíno, na ネオヨルキノ, ナ] 形 ニューヨーク Nueva York の.
—— 名男女 ニューヨークの住民.

ne·pa·lés, le·sa [nepalés, lésa ネパれス, れサ] 形 [複男 nepaleses] ネパール Nepal の.
—— 名男女 ネパール人.

Nep·tu·no [neptúno ネプトゥノ] 固名
1 〘ローマ神話〙ネプトゥヌス, ネプチューン: 海神. ギリシア神話の Poseidón.
2 〘天文〙海王星. → solar 図.

Ne·rón [nerón ネロン] 固名 ネロ: ローマ皇帝 (在位54–68). ◆暴君として有名.

Ne·ru·da [nerúða ネルダ] 固名 ネルーダ, Pablo (1904–73): チリの詩人. ノーベル文学賞 (1971年).

ner·va·du·ra [nerβaðúra ネルバドゥラ] 名女 **1** 〘建築〙リブ: 円天井などの肋材(ろくざい).
2 〘植物〙葉脈; 〘昆虫〙翅脈(しみゃく).

ner·vio [nérβjo ネルビオ] 名男 **1** 神経, 神経組織; [~s] 神経の興奮. calmar los *nervios* 神経を鎮める.
2 筋, 腱(けん), 靭帯(じんたい).
3 中枢; 要(かなめ), 核心.
4 気力, 活力, 原動力. una persona con mucho *nervio* 気力にあふれた人.
estar con los nervios en punta いらいらしている.
estar hecho un manojo de nervios ひどくいらだっている.
poner a 《+uno》 ***los nervios de***

punta 〈人〉をいらいらさせる.
nerviosa 形女 ➡ nervioso.
ner·vio·sa·men·te [nerβjósaménte ネルビオサメンテ] 副 神経をぴりぴりさせて, いらいらして.
ner·vio·si·dad [nerβjosiðáð ネルビオシダ(ドゥ)] 名女 神経質, 神経過敏; 緊張, 焦り.
ner·vio·sis·mo [nerβjosísmo ネルビオシスモ] 名男 ➡ nerviosidad.
ner·vio·so, sa [nerβjóso, sa ネルビオソ, サ] 形 [複 ~s] 〔英 nervous〕 **1 神経質な; いらいらした**, 興奮した. Es *nerviosa*. 彼女は神経質だ. ponerse *nervioso* いらいらする, 神経質になる; あがる.
2 神経の, 神経性の. tejido *nervioso* 神経組織. Tiene depresión *nerviosa*. 彼は神経が参っている.
ner·vu·do, da [nerβúðo, ða ネルブド, ダ] 形 筋ばった, 血管が浮き出た; 強靭(きょうじん)な.
ne·to, ta [néto, ta ネト, タ] 形 **1** 正味の, 掛け値なしの (↔ bruto). peso *neto* 正味重量. sueldo *neto* (給料の) 手取り額.
2 はっきりした, 明瞭(めいりょう)な. perfil *neto* はっきりした輪郭.
neu·má·ti·co, ca [neumátiko, ka ネウマティコ, カ] 名男 タイヤ. *neumático* de repuesto スペアタイヤ. ➡ automóvil 図, bicicleta 図, motocicleta 図.
—— 形 空気の, 気体の; 圧搾空気による. colchón *neumático* エアーマット.
neu·mo·ní·a [neumonía ネウモニア] 名女 〘医〙 肺炎 (= pulmonía).
neu·ral·gia [neurálxja ネウラるヒア] 名女 〘医〙 神経痛.

neu·rál·gi·co, ca [neurálxiko, ka ネウラるヒコ, カ] 形 神経痛の.
punto neurálgico 微妙な点.
neu·ras·te·nia [neurasténja ネウラステニア] 名女 〘医〙 神経衰弱(症); 憂鬱(ゆううつ).
neu·ro·ci·ru·gí·a [neuroθiruxía ネウロしルヒア] 名女 〘医〙 神経外科(学).
neu·ro·lo·gí·a [neuroloxía ネウロろヒア] 名女 神経(病)学.
neu·ró·lo·go, ga [neuróloɣo, ɣa ネウロろゴ, ガ] 名男女 〘医〙 神経(病)学者, 神経科医.
neu·ro·na [neuróna ネウロナ] 名女 〘解剖〙 ニューロン: 神経細胞.
neu·ro·sis [neurósis ネウロシス] 名女 [単・複同形] 〘医〙 神経症, ノイローゼ.
neu·ró·ti·co, ca [neurótiko, ka ネウロティコ, カ] 形 神経症の, ノイローゼになった.
—— 名男女 神経症[ノイローゼ]患者.
neu·tral [neutrál ネウトゥラる] 形 中立の. mantenerse *neutral* 中立を保つ. punto *neutral* 〘車〙 (ギアの) ニュートラル.
—— 名男 中立国.
neu·tra·li·dad [neutraliðáð ネウトゥラリダ(ドゥ)] 名女 中立 (状態), 不偏不党. *neutralidad* permanente 永世中立.
neu·tra·lis·mo [neutralísmo ネウトゥラリスモ] 名男 中立主義.
neu·tra·lis·ta [neutralísta ネウトゥラリスタ] 名男女 中立主義者.
—— 形 中立主義の.
neu·tra·li·za·ción [neutraliθaθjón ネウトゥラリさしオン] 名女 **1** 中立化.
2 相殺. **3** 〘化〙 中和.
neu·tra·li·zar [neutraliθár ネウトゥラリさル] [39 z ➡ c] 動他 **1** 中立化する.
2 相殺する, 無効にする.
3 〘化〙 中和させる.
—— **neu·tra·li·zar·*se*** 中立になる, 中和する; 相殺される.
neu·tro, tra [néutro, tra ネウトゥロ, トゥラ] 形 **1** 中立の; いずれでもない; はっきりしない, 曖昧(あいまい)な. color *neutro* 中間色. palabras *neutras* 曖昧な言葉.
2 〘文法〙 中性の.
neu·trón [neutrón ネウトゥロン] 名男 〘物理〙 中性子, ニュートロン.
ne·va·do, da [neβáðo, ða ネバド, ダ] 名女 降雪; 積雪.
—— 名男 《ラ米》 万年雪の山.
—— 過分 形 **1** 雪の積もった, 雪で覆われた. montañas *nevadas* 雪で覆われた山々.
2 《文語》 雪のように白い. cabeza *nevada* 白髪 (の頭).
Sierra Nevada (1)ネバダ山脈: スペイン南部の山脈. (2)シエラ・ネバダ: 米国西部の山脈.
ne·var [neβár ネバル] [42 e ➡ ie] 動自 〔英 snow〕 **雪が降る**. *Ha nevado* mucho. 大雪が降った. *Nevará* en las zonas del norte. 北部は雪になるでしょう. ► 3人称単数のみに活用.
ne·ve·ra [neβéra ネベラ] 名女 冷蔵庫 (=frigorífico); 氷室; たいへん寒い場所. Este dormitorio es una *nevera*. この寝室はまるで冷蔵庫だ.
ne·xo [nékso ネクソ] 名男 つながり; 関連.
ni [ni ニ] 接続 〔英 neither, nor〕
《主に **no** ... **ni** ... または **ni** ... **ni** ... の形で用いて》 **…でもなく…でもない**. El anciano no sabe leer *ni* escribir. その老人は読むことも書くこともできない. Juan no asistió a la reunión, *ni* (=y) yo tampoco. フアンは会合に出席しなかったし, 私も出席しなかった. No duermen *ni* Juan *ni* Pedro. フアンもペドロも眠らない.

> **【文　法】 1 ni** が動詞の前に置かれると否定の副詞 **no** は省かれる. この場合, 否定の意味が強調される.
> José *ni* (=no) fuma *ni* bebe. ホセはタバコも酒もやらない.
> *Ni* Juan *ni* Pedro duermen. フアンもペドロも眠らない.
> 2 主語と動詞[形容詞]の一致
> **no** ... A **ni** B の構文ではふつう動詞に

近い方の主語に人称・数を一致させる.
No lo hizo ella *ni* yo. 彼女もそれをやらなかったし, 私もしなかった.
Yo *no* soy rico *ni* ella tampoco. 私も金持ちでないが, 彼女も金持ちでない.
ni A **ni** B の構文では, 動詞［形容詞］はふつう複数. A, Bの人称が異なれば動詞は必ず複数になる.
Ni tú *ni* yo oímos el ruido. 君も僕もその音を聞かなかった.

―― 副〔英 not even〕…さえ…ない. Ya no puedo esperar *ni* un minuto. もう1分たりと待っていられない. No dijo *ni* adiós. 彼はさようならも言わなかった. *Ni* pienso hacerlo. そんなことをやろうとは思ったこともない. ¡*Ni* idea! さっぱり見当がつかない.
ni que ... …でもないのに, …なんてとんでもない. No se entera nada de lo que le he dicho. ¡*Ni que* fuera tonto! あいつは私が言ったことがちっとも分かっていない. ばかでもあるまいに.
ni siquiera …さえ…ない. *Ni siquiera* me preguntó. 彼は私に尋ねようともしなかった. No me queda *ni siquiera* una peseta. 私には1ペセタも残っていない.

Ni·ca·ra·gua [nikaráɣwa ニカラグア] 固名〔英 Nicaragua〕ニカラグア: 中米の共和国. 首都 Managua. 通貨 córdoba oro.

ni·ca·ra·güen·se [nikaraɣwénse ニカラグエンセ] / **ni·ca·ra·güe·ño, ña** [-ɣwéɲo, ɲa -グエニョ, ニャ]［複 ~s］〔英 Nicaraguan〕形 ニカラグアの.
―― 名男女 ニカラグア人.

ni·cho [nítʃo ニチョ] 名男 **1**〘建築〙壁龕(へきがん): 聖像などを置く壁のくぼみ.
2 柩(ひつぎ)や骨壺(こつつぼ)を安置する壁穴.

Ni·co·lás [nikolás ニコラス] 固名 ニコラス: 男性の名.

ni·co·ti·na [nikotína ニコティナ] 名女〘化〙ニコチン.

ni·dal [niðál ニダル] 名男 **1** (卵を産むための) 巣. **2** 行きつけの場所.

ni·do [níðo ニド] 名男［複 ~s］〔英 nest〕
1 巣. Hay un *nido* de golondrinas en el portal de la iglesia. 教会の入り口にツバメの巣がある.
2 たまり場; 隠し場所; (悪事などの) もと, 温床. *nido* de malvados 悪党の巣窟(そうくつ). *nido* de disputas 口論の種.
caer del nido 人の言うことをうのみにする.
caerse del nido / parecer que se ha caído del nido うぶである.
encontrar el pájaro en el nido お目当ての人が見つかる.

nie·bla [njéβla ニエブラ] 名女 **1** 霧, もや. Por la mañana habrá *niebla* densa. 午前中は深い霧が出るだろう. De repente se nos echó encima la *niebla*. 突然我々は霧に包まれた.
2 曖昧(あいまい), 不明瞭(ふめいりょう).
3〘医〙角膜片雲.

nieg- 動 → negar.［32 g → gu ; 42 e → ie］

nie·to, ta [njéto, ta ニエト, タ] 名男女［複 ~s］〔英 grandson, granddaughter〕 **1** 孫. Los abuelos tienen mucho cariño a sus *nietos*. 祖父母は孫をとてもかわいがっている. → familia【参考】.
2 子孫.

niev- 動 → nevar.［42 e → ie］

nie·ve [njéβe ニエベ] 名女［複 ~s］〔英 snow〕 **1** 雪. Cae la *nieve* copiosamente. 雪が激しく降る. copo de *nieve* 雪片. bola de *nieve* 雪つぶて. muñeco de *nieve* 雪だるま.
2〘詩〙白さ (＝blancura) ; 白髪.

ni·gro·man·cia [niɣrománθja ニグロマンシア] / **ni·gro·man·cí·a** [-manθía -マンシア] 名女 交霊術, 黒魔術.

ni·hi·lis·mo [niilísmo ニイリスモ] 名男〘哲〙ニヒリズム, 虚無主義.

ni·hi·lis·ta [niilísta ニイリスタ] 名男女 ニヒリスト. ―― 形 ニヒリズムの.

Ni·lo [nílo ニロ] 固名 el *Nilo* ナイル川.

nim·bo [nímbo ニンボ] 名男 **1** (聖像の) 光輪;〘天文〙(日・月などの) かさ.
2〘気象〙乱雲, 雨雲.

ni·mie·dad [nimjeðáð ニミエダ(ドゥ)] 名女 **1** 取るに足りないこと. **2** 詳細.

ni·mio, mia [nímjo, mja ニミオ, ミア] 形 **1** 取るに足りない. **2** 細か過ぎる.

nin·fa [nímfa ニンファ] 名女 **1** 美しい娘.
2 [N-]〘神話〙ニンフ, 妖精(ようせい).

nin·fó·ma·na [nimfómana ニンフォマナ] / **nin·fo·ma·ní·a·ca** [-fomaníaka -フォマニアカ] 名女 (女性の) 色情狂.

nin·fo·ma·ní·a [nimfomanía ニンフォマニア] 名女〘医〙ニンフォマニア: 女性の色情狂.

nin·gún [niŋgún ニングン] 形《不定》→ ninguno.

nin·gu·no, na [niŋgúno, na ニングノ, ナ]［複 ~s］形《不定》［否定語; 男性単数名詞の前で ningún ; ↔alguno］〔英 none, not any〕《動詞の否定形の後で》《動詞の前に置いて》一つの…も…ない, ひとりの…も…ない; いかなる…もない. Aquí no hay *ningún* hombre que se comporte de ese modo. ここにはそんな態度を取る人は誰もいない. *Ninguna* casa le conviene. 彼にはどの家も気に入らない. De *ninguna* manera, yo no te dije eso. 私は絶対そんなことを言わなかったよ. No está en *ninguna* parte. それはどこにもない. No tiene valor *ninguno*. それは何の価値もない.

N

Eso no es *ningún* problema. それはまったく問題ではない. No es *ninguna* mentira. それは決して作り話ではない. ► ninguno は形容詞・代名詞とも複数形では用いない. また ninguno が動詞の前に置かれると否定の意味が強められる.
── 代名《不定》《動詞の否定形の後で》《動詞の前に置いて》**一つ[ひとり]も…ない,** 何も[誰も]…ない. *Ninguno* de ellos vendrá. 彼らのうちの誰も来ないだろう. No he leído *ninguna* de sus obras. 私は彼の作品は何も読んだことがない. ¿*Ninguno* ha visto mi cartera? 誰も私のかばんを見なかった? ► nada, nadie と異なり, ninguno は「(特定のもの[人たち]の中で)何も[誰も]…ない」という意味で用いられる.

ni·ña [níɲa ニニャ] 名女 [複 ~s] 〔英 (little) girl〕
1 幼児, 子供; 少女 (↔ niño¹).
2 (親から見て) 子, 赤ん坊.
3 《呼びかけ》かわいい子, いとしい人.
4 瞳(ひとみ) (= pupila).
── 形女 → niño².
ser (como) las niñas de SUS ***ojos*** とても大事な人[もの]である.

ni·ñe·rí·a [niɲería ニニェリア] 名女 子供っぽい言動, 幼稚さ.

ni·ñe·ro, ra [niɲéro, ra ニニェロ, ラ] 形 子供好きな.
── 名女 ベビーシッター, 子守女.

ni·ñez [niɲéθ ニニェす] 名女 [複 niñeces] 少年[少女]時代, 幼年期 (= infancia).
volver a la niñez もうろくする, 子供に返る.

N

ni·ño¹ [níɲo ニニョ] 名男 [複 ~s] 〔英 (little) boy〕
1 幼児, 子供; 少年 (↔ niña). de *niño* 子供のころに. desde *niño* 幼いころから. → chico 【参考】.
2 (親から見て) 子, 赤ん坊. Tengo dos *niños*. 私には子供がふたりいる.
3 《呼びかけ》かわいい子, いとしい人; 《非難・怒りを表して》きさま, 小僧.
4 青二才, 世間知らず.
El Niño 〘気象〙エル・ニーニョ現象. ◆エクアドルからペルー沿岸に起こる海水温の上昇現象.

ni·ño², ña [níɲo, ɲa ニニョ, ニャ] 形 幼い; 幼稚な.

ni·pón, po·na [nipón, póna ニポン, ポナ] [複男 nipones, 女 ~s] 〔英 Japanese〕 形 **日本の** (= japonés).
── 名男女 **日本人.**

ní·quel [níkel ニケル] 名男 〘化〙ニッケル.

ni·que·la·do, da [nikeláðo, ða ニケらド, ダ] 過分形 ニッケルめっきした.
── 名男 ニッケルめっき.

ni·que·lar [nikelár ニケらル] 動他 ニッケルめっきをする.

ni·qui [níki ニキ] 名男 Tシャツ.

nir·va·na [nirβána ニルバナ] 名男 涅槃(ねはん).

nís·pe·ro [níspero ニスペロ] 名男 〘植物〙ビワ (枇杷) (の木・実); セイヨウカリン (西洋花梨).

ni·ti·dez [nitiðéθ ニティデす] 名女 清澄さ, 透明性; 鮮明さ.

ní·ti·do, da [nítiðo, ða ニティド, ダ] 形 澄みきった, 透明な; 鮮明な, 明瞭(めいりょう)な.

ni·tra·to [nitráto ニトゥラト] 名男 〘化〙硝酸塩. *nitrato* sódico 硝酸ナトリウム.

ni·tró·ge·no [nitróxeno ニトゥロヘノ] 名男 〘化〙窒素.

ni·tro·gli·ce·ri·na [nitroɣliθerína ニトゥログりせリナ] 名女 〘化〙ニトログリセリン.

ni·vel [niβél ニベる] 名男 [複 ~es] 〔英 level〕
1 水準, レベル, 程度. a *nivel* nacional 国家レベルで. de alto *nivel* トップレベルの. *nivel* de vida 生活水準.
2 高度, 水位; 水平 (面). a quinientos metros sobre el *nivel* del mar 海抜500メートルの高さで.
3 〘技術〙水準器.
a nivel 水平に; 同じ高さに.
al nivel de ... …と同じ高さ[水準]に. estar *al nivel de* ... …と比肩し得る.

ni·ve·la·ción [niβelaθjón ニベらしオン] 名女 水平にすること; 平等[均一]化.

ni·ve·lar [niβelár ニベらル] 動他 **1** 平らにする.
2 平等にする, 均一にする.
3 水準儀で測量する.
── **ni·ve·lar·*se*** 平らになる; 平等になる, 同じ水準になる.

ní·ve·o, a [níβeo, a ニベオ, ア] 形 《文語》雪のような, 雪のように白い.

no [nó ノ] 副 〔英 no; not〕
1 《否定の返事で》**いいえ,** いや, 《拒否で》だめ, 《驚き・強い疑問を表して》まさか, とんでもない (↔ sí). ¿Quieres té?—*No*, gracias. 紅茶はいかが? —いえ, 結構です. Dámelo.—*No*. それを寄こしなさい. —嫌だ. *No*, no puede ser. まさかそんなはずはない.

> **【参 考】 sí と no**
> 問いの形式に関係なく肯定のときは **sí**, 否定のときは **no** で答える. したがって否定疑問・否定命令に対する答えでは, 日本語では sí が「いいえ, いや」, no が「はい, ええ」となる.
> — ¿*No* lo quieres? 君は欲しくないの?
> — *Sí*, lo quiero. いや, 欲しい.
> — *No*, *no* lo quiero. うん, 欲しくない.

2 《動詞・助動詞の前に置かれ否定文を作る》**…しない, …でない**; 《否定命令で》…してはいけない. *No* me contesta. 彼は私の質問に答えない. *No* es tonto. 彼はばかではない. *No* he visto a nadie. 私は誰にも会わなかった. *No* se lo digas. 彼には言うなよ.

【文 法】1 弱形代名詞のあるときは，その前に置かれる.
No se lo dije. 私はそれを彼に言わなかった.
2 位置によって否定の範囲が異なることがある.
¿Van todos a la excursión? — No, *no* todos; pero (van) casi todos. 皆が遠足に行くの？—いえ，皆は行かないけど，ほとんどの人が行きますよ (► 「皆が行かない＝誰も行かない」は *No* va nadie. となる).
No todos los coches que se exportan van destinados a EE.UU. Algunos van a Europa. 輸出される車のすべてが米国向けではなく，一部はヨーロッパ向けです.
3 他の否定語は動詞の後に置かれる. もし動詞の前に置かれれば, no は省略される.
No me dijo nada. / Nada me dijo. 彼は私に何も言わなかった.

3 《名詞・形容詞の前で接頭辞的に》非…, 不…. *no* agresión 不可侵. *no* alineado 非同盟の.
4 《否定の文や節の代用として》 Todavía *no*. まだです. Creo que *no*. そうでないと思う.
5 《付加疑問で》…でしょう. Vinieron ayer, ¿*no*? 彼らは昨日来たんでしょう？ Es usted japonés, ¿*no*? あなたは日本人ですね？
—— 名男 [複 noes]「いいえ」という返事; 否認, 拒否. un *no* categórico きっぱりとした否定.
a que no 《否定・拒否の強調》 できるものか; そんなことあるものか. ¡*A que no* lo sabes! 君が知っているものか.

No., N.º, no. 《略》 número.

no·bi·lia·rio, ria [noβiljárjo, rja ノビリアリオ, リア] 形 貴族の.

no·bi·lí·si·mo, ma [noβilísimo, ma ノビリシモ, マ] 形 [noble の絶対最上級] この上なく高貴な.

no·ble [nóβle ノブレ] [複 ～s] 形 〔英 noble〕 **1** 高貴な, 貴族の. familia *noble* 貴族の家系. *noble* por su linaje 貴族出身の.
2 崇高な, 気高い. *noble* en su porte 物腰に気品のある.
3 (金属が) 貴の, (ガスが) 希の. gas *noble* 希ガス. metales *nobles* 貴金属.
—— 名男女 貴族.

no·ble·za [noβléθa ノブレさ] 名女 **1** 《集合》 貴族, 貴族階級.
2 気品, 気高さ; 威厳. elegancia y *nobleza* de ademanes 物腰の優雅さと上品さ.

no·che [nótʃe ノチェ] 名女 [複 ～s] 〔英 night〕
夜 (↔día). Cuando llegaron al pueblo, ya era de *noche*. 彼らが村に着いた時はもう夜であった. No volvió hasta muy entrada la *noche*. 彼は夜が更けてから戻ってきた. Hicimos dos *noches* en Burgos. 我々はブルゴスで2泊した. trabajar de *noche* 夜勤する. por la *noche* 夜(間)に. toda la *noche* 一晩中. ➡ día 【参考】.
Buenas noches 今晩は; おやすみなさい. dar las *buenas noches* おやすみを言う.
de la noche a la mañana 一夜にして, 突然.
Noche Buena ➡ Nochebuena.
Noche Vieja ➡ Nochevieja.
ser (como) la noche y el día (昼と夜くらい) 全く違っている[対照的である].

No·che·bue·na [notʃeβwéna ノチェブエナ] 名女 クリスマス・イブ. ► クリスマスは Navidad. ➡ fiesta 【参考】.

No·che·vie·ja [notʃeβjéxa ノチェビエハ] 名女 大みそかの夜.

no·ción [noθjón ノしオン] 名女 [複 nociones] **1** 概念, 観念, 考え (＝idea). No tengo la menor *noción* de lo que quiere decir. 私には彼がいったい何を言いたいのか見当もつかない.
2 [普通 nociones] 基礎知識. Tiene algunas *nociones* de alemán. 彼にはいささかドイツ語の心得がある.

no·ci·vi·dad [noθiβiðáð ノしビダ(ドゥ)] 名女 有毒性, 有害.

no·ci·vo, va [noθíβo, βa ノしボ, バ] 形 有害な.

noc·tam·bu·lis·mo [noktambulísmo ノクタンブリスモ] 名男 夜遊び, 夜歩き.

noc·tám·bu·lo, la [noktámbulo, la ノクタンブろ, ら] 形 夜遊びする.
—— 名男女 夜遊びをする人.

noc·tur·no, na [noktúrno, na ノクトゥルノ, ナ] 形 **1** 夜の, 夜間の. clases *nocturnas* 夜間授業. vuelo *nocturno* 夜間飛行, 夜行便. partido *nocturno* ナイトゲーム, ナイター.
2 夜行性の; (花が) 夜開く.
—— 名男 〘音楽〙 夜想曲, ノクターン.

no·dri·za [noðríθa ノドゥリさ] 名女
1 乳母.
2 補給船[機]. buque *nodriza* 母船.

No·é [noé ノエ] 固名 〘聖書〙 ノア. El arca de *Noé* ノアの箱船.

no·gal [noɣál ノガる] 名男 〘植物〙 クルミ (胡桃) の木; クルミ材, ウォールナット.
► クルミの実は nuez.

nó·ma·da [nómaða ノマダ] 形 遊牧の; 放浪の. tribu *nómada* 遊牧民族.
—— 名男女 遊牧民; 放浪者.

no·ma·dis·mo [nomaðísmo ノマディスモ] 名男 遊牧生活; 放浪生活.

nom·bra·dí·a [nombraðía ノンブラディア]

N

名女名声, 評判(= fama).
nom·bra·do, da [nombráðo, ða ノンブラド, ダ] 過分形 有名な, 名高い (= famoso).
nom·bra·mien·to [nombramjénto ノンブラミエント] 名男 指名, 任命; 辞令(書).
nom·brar [nombrár ノンブラル] 動他 〔英 nominate〕 **1 指名する, 任命する**, ノミネートする. *nombrar* a 《+uno》 para un cargo ある職務に〈人〉を任命する. Le *han nombrado* presidente. 彼は会長に選ばれた.
2 …の名前を言う. No me *han nombrado* en la clase. 私は授業で名前を呼ばれなかった.

nom·bre

[nómbre ノンブレ] 名男[複 ~s]〔英 name〕
1 名前, 名称. ¿Cómo se llamaba? No me acuerdo de su *nombre*. 何という名前だったかな, 彼の名前が思い出せない. ¿Qué *nombre* le van a poner a su hijo? 彼らは息子にどんな名前をつけるのだろうか. *nombre* de pila 洗礼名.

> 【参 考】1 **nombre y apellidos** 姓と名
> 氏名は, 個人名 + 父方の姓 (primer apellido) + 母方の姓 (segundo apellido) からなるが, 母方の姓を省略して言う場合が多い. 女性は結婚しても姓は変わらない. たとえば Luisa Gutiérrez という女性がMartínez という男性と結婚すれば Luisa Gutiérrez de Martínez となる.
> 2 **sobrenombre** は, Isabel la Católica (カトリック女王イサベル) のような通称. **apodo**, **mote** はニックネーム, **seudónimo** はペンネーム.

2 名声, 評判.
3〖文法〗名詞. ⇨ 文法用語の解説.
—— 動 → nombrar.
a nombre de … …の名で, …の名儀で. Tiene reservado un hotel *a nombre de* usted. あなたのお名前でホテルを予約してあります.
de nombre (1)…という名前の. A su hijo le pusieron *de nombre* Ignacio. 彼らは息子にイグナシオの名を付けた. (2) 名前で. Sólo la conozco *de nombre*. 私は彼女の名前だけは知っている. (3) 名目だけの. (4) 有名な.
en nombre de … …を代表して; …の名[権威]にかけて.
llamar las cosas por su nombre 率直に言う.
no tener nombre (なんとも言いようがないほど) 腹立たしい.
no·men·cla·dor [nomeŋklaðór ノメンクラドル] / **no·men·clá·tor** [-klátor -クラトル] 名男 (地名・人名などの) 一覧表.
no·men·cla·tu·ra [nomeŋklatúra ノメンクラトゥラ] 名女 学名, 専門用語(集). *nomenclatura* química 化学用語(集).
nó·mi·na [nómina ノミナ] 名女 賃金台帳; 給料.
no·mi·nal [nominál ノミナる] 形 **1** 名前だけの, 名目上の. sueldo *nominal* 名目賃金. **2** 記名の. votación *nominal* 記名投票. **3**〖文法〗名詞的な.
no·mi·na·lis·mo [nominalísmo ノミナリスモ] 名男〖哲〗唯名論, 名目論.
no·mi·na·lis·ta [nominalísta ノミナリスタ] 形 唯名論的な.
—— 名男女 唯名論者.
no·mi·nar [nominár ノミナル] 動他 指名[任命]する, ノミネートする (= nombrar).
no·mi·na·ti·vo, va [nominatíβo, βa ノミナティボ, バ] 形〖商業〗記名の. título *nominativo* 記名証券[株券].
—— 名男〖文法〗主格.
no·na·da [nonáða ノナダ] 名女 ささいなこと, 無価値なもの.
no·na·ge·na·rio, ria [nonaxenárjo, rja ノナヘナリオ, リア] 形 90歳代の.
—— 名男女 90歳代の人.
no·na·gé·si·mo, ma [nonaxésimo, ma ノナヘシモ, マ] 形《数詞》第90(番目)の; 90分の1の.
—— 名男 90分の1.
no·na·to, ta [nonáto, ta ノナト, タ] 形 帝王切開で生まれた; まだ存在しない.
no·no, na [nóno, na ノノ, ナ] 形《数詞》9 (番目)の; 9分の1の (= noveno).
no·pal [nopál ノパる] 名男〖植物〗オプンチア, ウチワサボテン (= chumbera). ► 実 higo chumbo [de tuna] は食用.
no·que·ar [nokeár ノケアル] 動他 (ボクシングで) ノックアウトする.
nor·des·te [norðéste ノルデステ] 形 北東の. —— 名男 北東; 北東の風.
nór·di·co, ca [nórðiko, ka ノルディコ, カ] 形 **1** 北の; 北欧の.
2〖スポーツ〗ノルディックの.
—— 名男女 北部の人; 北欧人.
no·ria [nórja ノリア] 名女 **1** (馬が引く) 水くみ水車. **2** 観覧車.
nor·ma [nórma ノルマ] 名女 **1** 規範, 規律, 規準. seguir la *norma* 規範に従う. *norma* de conducta 行動の規準.
2〖技術〗規格.
nor·mal [normál ノルマる] 形 [複 ~es]〔英 normal〕 **正常な**, 普通の, 標準の (↔anormal). uso *normal* 正常な使用法. volver al estado *normal* 常態に復す. No es *normal* que tenga tanta calentura. 彼の熱があんなに高いのは異常だ (► que の後の動詞は接続法).
nor·ma·li·dad [normaliðáð ノルマリダ(ドゥ)] 名女 正常, 常態.
nor·ma·li·za·ción [normaliθaθjón ノルマりさしオン] 名女 正常化; 標準化.

N

nor·ma·li·zar [normaliθár ノルマリさル] [39 z → c] 動他 正常化する；標準化する.
—— **nor·ma·li·zar·se** 正常[平常]に戻る.

nor·mal·men·te [normálménte ノルマるメンテ] 副 普通は，通常は；正常に.

nor·man·do, da [normándo, da ノルマンド，ダ] 形 **1** (フランスの) ノルマンディー Normandía の.
2〖歴史〗ノルマン人[民族]の.
—— 名男女 **1** ノルマンディーの住民.
2〖歴史〗ノルマン人.

nor·ma·ti·vo, va [normatíβo, βa ノルマティボ，バ] 形 標準[規準]の，規範的な.

nor·te
[nórte ノルテ] 名男〔英 north〕
1 北，北部. Hemos viajado por el *norte* de España. 我々はスペイン北部を旅行した. La provincia de Aomori está situada al *norte* de Japón. 青森県は日本の北にある.
2 指針，目標，道しるべ. perder el *norte* 道に迷う；目標を失う.
3 北風 (= viento del *norte*).
—— 形 北の. con rumbo *norte* 北に向かって.

Nor·te·a·mé·ri·ca [norteamérika ノルテアメリカ] 固名 北アメリカ，北米.

nor·te·a·me·ri·ca·no, na [norteamerikáno, na ノルテアメリカノ，ナ] 形 アメリカ合衆国の (= estadounidense)；北米の.
—— 名男女 米国人；北米人.

nor·te·ño, ña [nortéɲo, ɲa ノルテニョ，ニャ] 形 北の；北部の. —— 名男女 北部の人.

No·rue·ga [norwéɣa ノルエガ] 固名 ノルウェー (王国)：首都 Oslo.

no·rue·go, ga [norwéɣo, ɣa ノルエゴ，ガ] 形 ノルウェー (人) の.
—— 名男女 ノルウェー人.

nos
[nos ノス] 代名《人称》
[1 人称複数弱形代名詞，男・女同形. → me【文法】]〔英 us〕
1《直接目的語》**私たちを**，我々を. *Nos* esperan en la estación. 彼らが駅で私たちを待っている.
2《間接目的語》**私たちに**；私たちのために；私たちから；私たちの. *Nos* dieron caramelos. 私たちは飴(あめ)をもらった. *Nos* gustó mucho esa película. 私たちはその映画がとても気にいった. *Nos* quitaron el dinero. 私たちはお金を取られた.
3《再帰文などを作る》私たち自身を[に，の]. *Nos* perdimos en el bosque. 私たちは森で道に迷った. Al día siguiente *nos* levantamos muy temprano. 翌日，私たちはとても早く起きた. → se 2 - 5.

no·so·tros, tras
[nosótros, tras ノソトゥロス，トゥラス] 代名《人称》[1 人称複数形. → yo【文法】]〔英 we; us〕
1《主語》**私たちは[が]**，我々は[が]. *Nosotros* somos estudiantes. 私たちは学生です. *nosotros* los japoneses 我々日本人. ► 国王・高官・著者・発言者などが yo の代わりに用いることがある.
2《前置詞＋》私たち，我々. ¿Quieres venir con *nosotros*? 私たちと一緒に来ませんか. A *nosotros* no nos interesa eso. 私たちはそんなことに興味はない.
entre nosotros 私たちだけで；ここだけの話だが.

nos·tal·gia [nostálxja ノスタるヒア] 名女 郷愁，望郷.

nos·tál·gi·co, ca [nostálxiko, ka ノスタるヒコ，カ] 形 郷愁を誘う.

no·ta
[nóta ノタ] 名女 [複 ～s]〔英note〕
1 注，注釈，注解. *nota* al pie de (la) página 脚注.
2 メモ，覚え書き；勘定書，伝票. tomar *notas* メモを取る. ¿Me trae la *nota*, por favor? 勘定書をお願いします.
3 成績，評点. sacar buenas *notas* 良い成績を取る.
4 文書，通達，覚書. *nota* verbal 口上書. *nota* diplomática 外交文書[通牒(つうちょう)].
5 論評，コメント；(新聞などの) 短い記事.
6〖音楽〗音符；音(おん)(do, re, mi, fa, sol, la, si).

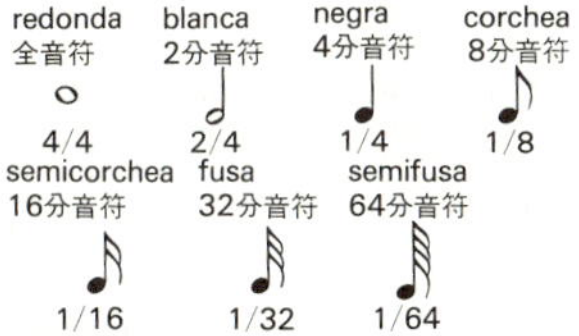

nota 音符

7 雰囲気，様子. dar una *nota* de elegancia 優雅な感じを与える.
—— 動 → notar.
dar la nota 《口語》目立つ，人目を引く.
de mala nota 評判の悪い，下品な.
de nota 有名な.
Nota Bene 〔ラテン語〕注，注記 (= Nótese bien)《略 N.B.》.
tomar nota 留意する，気にかける. *Tomen* buena *nota* de que lo envíen a la mayor brevedad posible. それをできるだけ早く送付してくださるようお願いいたします.

no·ta·bi·li·dad [notaβiliðáð ノタビリダ(ド)] 名女 著名，顕著；著名人.

no·ta·ble [notáβle ノタブれ] [複 ～s] 形〔英 notable, remarkable〕**1 注目に値する**，顕著な. Este muchacho ha hecho un progreso *notable* en sus estudios. この子は勉強が著しく進歩した. **2** 著名な.

— 名男女 [~s] 著名人, 有力者.
— 名男 (成績評価の) 良. ➡ calificación【参考】.

no·ta·ble·men·te [notáβleménte ノタブレメンテ] 副 著しく, 顕著に.

no·ta·ción [notaθjón ノタしオン] 名女 1 (記号体系による) 表記 (法). *notación* química 化学記号 (法). 2 記譜法.

notado, da 過分 ➡ notar.

notando 現分 ➡ notar.

no·tar [notár ノタル] 動他 [現分 notando; 過分 notado, da] 〔英 notice〕 1 …に気がつく; 感じる. *notar* una falta 間違いに気づく. No *noto* frío ni calor. 私は寒さも暑さも感じない.
2 《+de》…だと評価する. Le *noto de* poca inteligencia. 私は彼がたいした知性の持ち主ではないと思う.
hacerse notar 目立つ, 際立つ.

no·ta·rí·a [notaría ノタリア] 名女 公証人の職; 公証人事務所.

no·ta·rial [notarjál ノタリアる] 形 公証人の, 公証人が作成した.

no·ta·rio, ria [notárjo, rja ノタリオ, リア] 名男女 公証人.

no·ti·cia [notíθja ノティしア] 名女 [複 ~s] 〔英 news; notice〕
1 ニュース, ニュース番組 (= *noticias*). ¿A qué hora son las *noticias* en la televisión? テレビのニュースは何時ですか. *noticia* bomba 《口語》ビッグニュース.
2 知らせ, 情報; 消息. dar una *noticia* 知らせる. tener *noticia* de … …について知る[知っている]. No tengo *noticias* de Elsa desde hace cinco años. 私は5年前からエルサの消息を知らない.

【参 考】 **noticia** は情報, 報道としてのニュース. ⇀ últimas *noticias* 最新のニュース. **novedad** はニュースになる出来事[物]. ⇀ últimas *novedades* 新製品, *novedades* de la semana 週間ニュース, 今週の出来事.

no·ti·cia·rio [notiθjárjo ノティしアリオ] 名男 《ラジオ》《テレビ》ニュース (番組); ニュース映画.

no·ti·cie·ro, ra [notiθjéro, ra ノティしエロ, ラ] 形 情報の, ニュースの.
— 名男女 通信員, 報道記者.

no·ti·ción [notiθjón ノティしオン] 名男 《口語》ビッグニュース.

no·ti·fi·ca·ción [notifikaθjón ノティフィカしオン] 名女 通知 (書), 通告 (書).

no·ti·fi·car [notifikár ノティフィカル] [⑧ c ➡ qu] 動他 知らせる, 通告する.

no·to·rie·dad [notorjeðáð ノトリエダ(ドゥ)] 名女 有名, 名声; 明白.

no·to·rio, ria [notórjo, rja ノトリオ, リア] 形 1 よく知られた; 有名な. 2 明白な.

no·va·ta·da [noβatáða ノバタダ] 名女 1 (新入生・新兵に対する) 悪ふざけ, いじめ. dar una *novatada* (新入生を) いびる.
2 初心者のへま. pagar la *novatada* (初心者が) へまをやる.

no·va·to, ta [noβáto, ta ノバト, タ] 名男女 初心者, 新米; 新入生.
— 形 新米の; 未経験の.

no·ve·cien·tos[1]**, tas** [noβeθjéntos, tas ノベしエントス, タス] 形 〔英 nine hundred〕《数詞》900の; 900番目の.

no·ve·cien·tos[2] [noβeθjéntos ノベしエントス] 名男 900. ◆ローマ数字CM.

no·ve·dad [noβeðáð ノベダ(ドゥ)] 名女 [複 ~es] 〔英 novelty〕 1 新しさ, 目新しさ; 変化, 変わった出来事. ¿Hay *novedad* en el estado del enfermo? 病人の容態に変化はありますか. No hay ninguna *novedad* en la oficina. Todo sigue igual. 会社で変わったことは何もない. すべていつもどおりだ. sin *novedad* 何事もなく, 無事に.
2 [~es] 新製品; 新刊書.
3 ニュース. ➡ noticia【参考】.

no·ve·do·so, sa [noβeðóso, sa ノベドソ, サ] 形 新しい, 新奇な.

no·vel [noβél ノベる] 形 新米の, 未熟な.
— 名男 初心者.

no·ve·la [noβéla ノべら] 名女 [複 ~s] 〔英 novel〕 1 小説. *novela* policíaca 探偵[推理]小説. (*novela* de) ciencia-ficción SF小説. *novela* rosa 甘い恋愛小説. ► 短編小説は cuento, 連続テレビ小説は telenovela. 2 作り話, うそ.

no·ve·le·ro, ra [noβeléro, ra ノベれロ, ラ] 形 1 新しがりの; 小説好きの; ゴシップ好きの. 2 空想的な; ロマンチックな.
— 名男女 新しがり屋; 小説の愛読者; ゴシップ好きな人; 空想家.

no·ve·les·co, ca [noβelésko, ka ノベれスコ, カ] 形 小説の; 小説のような.

no·ve·lis·ta [noβelísta ノベりスタ] 名男女 小説家. ➡ escritor.

no·ve·lís·ti·co, ca [noβelístiko, ka ノベりスティコ, カ] 形 小説の.
— 名女 小説文学; 小説研究, 小説論.

no·ve·lón [noβelón ノベろン] 名男 (通俗的な) 長編小説.

no·ve·no[1]**, na** [noβéno, na ノベノ, ナ] 形 〔英 ninth〕《数詞》9番目の, 第9の; 9分の1の.

no·ve·no[2] [noβéno ノベノ] 名男 9分の1.

no·ven·ta [noβénta ノベンタ] 〔英 ninety〕 形 《数詞》90の; 90番目の.
— 名男 90. ◆ローマ数字 XC.

no·ven·ta·vo, va [noβentáβo, βa ノベンタボ, バ] 形 第90 (番目) の (= nonagésimo); 90分の1の. — 名男 90分の1.

N

novia 名女 → novio.
no·viaz·go [noβjáθɣo ノビアスゴ] 名男 婚約期間; 婚約.
no·vi·cia·do [noβiθjáðo ノビしアド] 名男
1 見習いの身分[期間].
2 〘カトリック〙(修道誓願を立てるための) 修練期;《集合》修練者; 修練院.
no·vi·cio, cia [noβíθjo, θja ノビしオ, しア] 形 新米の, 未経験の.
—— 名男女 1 初心者; 見習い.
2 〘カトリック〙修練者.
no·viem·bre [noβjémbre ノビエンブレ] 名男 [複 ~s] 〔英 November〕 11月《略 nov.》. A primeros de *noviembre* se suele representar Don Juan Tenorio. 11月初めにしばしばドン・フアン・テノリオが上演される. → mes 【参考】.
no·vi·lla·da [noβiʎáða ノビリャダ] 名女
1 〘闘牛〙若牛による闘牛. 2 若牛の群れ.
no·vi·lle·ro [noβiʎéro ノビリェロ] 名男 〘闘牛〙見習い闘牛士.
no·vi·llo [noβíʎo ノビりョ] 名男 (2–3歳の) 若い雄牛.
hacer novillos 《口語》ずる休みする.
no·vio, via [nóβjo, βja ノビオ, ビア] 名男女 [複 ~s] 〔英 sweetheart〕
1 恋人. echarse *novio* [*novia*] 《口語》恋人ができる.
2 フィアンセ, 婚約者. ser *novios* formales 正式に婚約している.
3 花婿, 新郎; 花嫁, 新婦. traje de *novia* 花嫁衣装, ウエディングドレス. viaje de *novios* 新婚旅行, ハネムーン.
no·ví·si·mo, ma [noβísimo, ma ノビシモ, マ] 形 [nuevo の絶対最上級] 非常に新しい, 最新の.
nu·ba·rrón [nuβar̄ón ヌバロン] 名男 大きな黒雲; 《比喩》暗雲.
nu·be [núβe ヌベ] 名女 [複 ~s] 〔英 cloud〕
1 雲.
2 (雲霞(うんか)のような) 大群; 辺り一面のほこり[煙]. una *nube* de langostas イナゴ[バッタ]の大群. una *nube* de polvo もうもうたる砂塵(さじん).
andar por [***estar en***] ***las nubes*** ぼんやりしている; 現実離れしている.
andar [***estar***] ***por las nubes*** 非常に高価である.
como caído de las nubes 突然, 思いがけなく.
nube de verano 夕立ち (雲); 一時の怒り[不快感].
poner en [***por***] ***las nubes*** 褒めちぎる.
nú·bil [núβil ヌビる] 形 結婚適齢期の.
nu·bla·do, da [nuβláðo, ða ヌブらド, ダ] 過分 形 曇った (↔ despejado). un cielo *nublado* 曇った空. Está *nublado*. 空は曇っている.
—— 名男 1 曇り空; 一面の黒雲.
2 危険; 不安.
descargar el nublado どしゃ降りになる; 怒りをぶちまける.
levantarse el nublado 空が晴れる.
pasar el nublado 空が晴れる; 危険[不安]がなくなる; 怒りが治まる.
nu·blar [nuβlár ヌブらル] 動他 曇らせる, 陰らす; (心に) 暗い影を投げる.
—— **nu·blar·se** (空・心などが) 曇る.
nu·bo·si·dad [nuβosiðáð ヌボシダ(ドゥ)] 名女 曇り, 曇天(どんてん). → tiempo 【参考】
nu·bo·so, sa [nuβóso, sa ヌボソ, サ] 形 曇った.
nu·ca [núka ヌカ] 名女 うなじ, 首筋 (= cogote).
nu·cle·ar [nukleár ヌクれアル] 形 核の; 原子力の. central *nuclear* 原子力発電所.
nú·cle·o [núkleo ヌクれオ] 名男 1 中核, 中心. *núcleo* residencial 住宅地.
2 (果物の) 種, 核.
3 〘物理〙〘生化〙核. → tierra 図.
nu·di·llo [nuðíʎo ヌディりョ] 名男 指の関節.
nu·dis·mo [nuðísmo ヌディスモ] 名男 裸体主義, ヌーディズム.
nu·dis·ta [nuðísta ヌディスタ] 名男女 ヌーディスト.
nu·do [núðo ヌド] 名男 1 結び目. hacer un *nudo* 結ぶ, 結び目を作る. *nudo* de corbata ネクタイの結び目.
2 (木の) 節目, こぶ; 〘解剖〙結節.
3 交点, 合流点. *nudo* de comunicación 通信[交通]の要所.
4 絆(きずな), つながり (= vínculo). *nudo* de amistad 友情の絆. *nudo* del matrimonio 夫婦の結びつき.
5 核心, クライマックス. el *nudo* de la cuestión 問題の核心.
6 〘海事〙ノット. a cinco *nudos* (por hora) 5ノットで.
hacerse a 《+uno》 ***un nudo en la garganta*** …(感動で) 〈人〉の胸がつまる. Al oír su confesión *se* me ***hizo un nudo en la garganta***. 彼の告白をきいて, 私は熱いものが胸にこみあげてきた.
nu·do·so, sa [nuðóso, sa ヌドソ, サ] 形 節の多い. manos *nudosas* 節くれだった手.
nueces 名 [複] → nuez.
nue·ra [nwéra ヌエラ] 名女 [複 ~s] 〔英 daughter-in-law〕 嫁, 息子の妻 (= hija política). ► 娘婿は yerno. → familia 【参考】.
nues·tro, tra [nwestro, tra ヌエストゥロ, トゥラ] 形 《所有》[前置形・後置形 (► 後置形はアクセントを付けて発音される); 複数形 nuestros, nuestras ; → su, suyo 【文法】] 〔英 our, (of)ours〕
1 私たちの, 我々の. en *nuestro* país わが国では. *Nuestra* Señora 聖母マリア. ► 国王・高官・著者・発言者などが mi の代わ

N

りに用いることがある.
2《名詞の後につけて》私たちの, 我々の. un amigo *nuestro* 私達の友人の一人.
3《主格補語として》私たちのもの, 我々のもの. Este coche es *nuestro*. この車は私たちのだ. ¡Ya es *nuestro*! やったぞ!
—— [nwéstro, tra ヌエストゥロ, トゥラ] 代名《所有》《定冠詞を伴って》**私たちのもの**, 我々のもの. Su casa es mayor que la *nuestra*. 彼の家は私たちのより大きい. No confíes tanto en él, que no es de los *nuestros*. 彼をあまり信じてはいけないよ. 我々の味方ではないんだから.
ser la nuestra 好都合である, 時宜にかなっている.

nue·va [nwéβa ヌエバ] 名女 ニュース, 知らせ (= noticia).
—— 形女 → nuevo.

nue·va·men·te [nwéβaménte ヌエバメンテ] 副 再び (= de *nuevo*); 新しく, 最近.

Nue·va York [nweβajórk ヌエバヨル(ク)] 固名 ニューヨーク: 米国北東部の州; 都市.

Nue·va Ze·lan·da [nweβaθelánda ヌエバせらンダ] 固名 ニュージーランド: 首都 Welington.

nue·ve [nwéβe ヌエベ] 〔英 nine〕 形《数詞》**9の**; 9番目の.
—— 名男 9. ◆ローマ数字 IX.

nue·vo, va [nwéβo, βa ヌエボ, バ] 形 [複 ~s] 〔英 new〕
1 新しい; 新品の. casa *nueva* 新築の家. Año *Nuevo* 新年. Compré el coche hace tres años, pero está todavía *nuevo*. 3年前にその車を買ったが, まだ新車同然だ.
2《名詞の前に付けて》**今度の**, 新たな, 新規の. *nueva* casa 今度の家. *nuevo* profesor 新任の先生. ¿Cuál es tu *nueva* dirección? 君の新しい住所は?
3 変わった, 別の. No hay nada (de) *nuevo*. 何も変わったことはない.
4《+en》…に経験の浅い, 新人の.
de nuevo 再び, もう一度, 新たに.
hacerse de nuevas 知らなかった[驚いた]振りをする.

nuez [nwéθ ヌエす] 名女 [複 nueces]
1〔植物〕クルミの実; ナッツ, 木の実. cascar *nueces* ナッツを割る. *nuez* moscada ナツメグ.
2〔解剖〕のどぼとけ (= *nuez* de Adán).
3〔音楽〕(弦楽器の) ナット.

nu·li·dad [nuliðáð ヌリダ(ドゥ)] 名女
1〔法律〕無効.
2 無能(な人). Es una *nulidad* para estos trabajos. 彼はこれらの仕事には全く向いていない.

nu·lo, la [núlo, la ヌろ, ら] 形 **1** 無効の. *nulo* y sin valor 〔法律〕完全に無効な. voto *nulo* 無効票. combate *nulo* 〔スポ〕引き分け, ドロー.
2 無の, 零の.
3 役に立たない, 無能の. Soy *nulo* para los deportes. 私はスポーツが全く苦手です.

núm. 《略》número.

nu·men [númen ヌメン] 名男 [複 númenes] インスピレーション, 詩的霊感.

nu·me·ra·ción [numeraθjón ヌメラしオン] 名女 **1** 記数法; 数字. *numeración* decimal 十進法. *numeración* arábiga [romana] アラビア[ローマ]数字.
2 番号付け. **3** 番号, 番地.

nu·me·ra·dor, do·ra [numeraðór, ðóra ヌメラドル, ドラ] 名男女 番号印字器, ナンバリング.
—— 名男〔数〕分子. ► 分母は denominador.

nu·me·ral [numerál ヌメラる] 名男〔文法〕数詞.
—— 形 数を表す.

nu·me·rar [numerár ヌメラル] 動他 …に番号を打つ; (順に) 数える.

nu·me·ra·rio, ria [numerárjo, rja ヌメラリオ, リア] 形 **1** 専任の; 正会員の. profesor *numerario* 専任教員. **2** 数の.

nu·mé·ri·co, ca [numériko, ka ヌメリコ, カ] 形 数の, 数による.

nú·me·ro [número ヌメロ] 名男 [複 ~s] 〔英 number〕
1 数, 数量; 数字. Para evitar confusiones escríbanse los *números* con letras. 間違いを避けるため数字は文字で書いてください. contar el *número* de alumnos 生徒数を数える. *número* arábigo アラビア数字. *número* cardinal [ordinal] 基[序]数. *número* fraccionario 分数. *número* impar 奇数. *número* par 偶数. Asistió a la ceremonia un buen *número* de estudiantes. かなりの数の学生が式に出席した. el mayor *número* de ... 大多数の….
2 番号, 番地; (刊行物の) 号数; (靴・手袋・カラーなどの) サイズ《略 No., N°, núm.》. ¿Cuál es el *número* de tu teléfono? 君の電話番号は? Calle Santiago Bernabéu *No*. 15, 3–B. サンティアゴ・ベルナベウ通り15番地3階(日本式には4階)B. Mi *número* de zapato es el 40. 私の靴のサイズは40です. *número* atrasado バックナンバー. *número* extraordinario 特別版, 号外.
3 演目, 出し物; 曲目.
4〔文法〕数. concordancia en género y en *número* 性・数一致.
de número 正規の, 正会員の.
hacer números《口語》金の計算をする.
hacer un número 突飛なことをする.
ser el número uno 第一人者である.

nu·me·ro·so, sa [numeróso, sa ヌメロソ, サ] 形 [複 ~s] 〔英 numerous〕 **多数の**, たくさんの. familia *numerosa* 大家族. un grupo *numeroso* 大人数のグルー

N

プ.

nu·mis·má·ti·co, ca [numismátiko, ka ヌミスマティコ, カ] 形 古銭学の.

── 名女 古銭学.

nun·ca [núŋka ヌンカ] 副 [英 never]

1 決して…しない, 一度も…ない, かつて…したことがない. *Nunca* dice la verdad. 彼は決して本当のことを言わない. *Nunca* he estado en España. 私は一度もスペインに行ったことがない. *Nunca* he trabajado tanto. 私は今までこれほど働いたことがない. ► 動詞の後ろに置く場合は no と重複して用いられる. ⇒No fumo *nunca*. 絶対に私はタバコを吸わない.

2 《疑問文で反語的に》 かつて, 今までに. ¿Has visto *nunca* cosa igual? 今までにこんなことがあっただろうか.

casi nunca ほとんど…ない. *Casi nunca* tomo la siesta. 私はめったに昼寝はしません.

más que nunca かつてないほど, この上もなく. Estudias *más que nunca*. このごろ君はとてもよく勉強しているね.

nunca jamás 《nunca の強調》決して…ない. No lo digas a nadie *nunca jamás*. 決して他人にそのことを言ってはいけないよ.

nunca más 二度と…ない. Pensé que no volveríamos a vernos *nunca más*. 私はもう二度と君に会えるとは思わなかった.

nun·cia·tu·ra [nunθjatúra ヌンしアトゥラ] 名女 **1** (特にローマ教皇の) 大使の職[任期, 住居]. **2** 〘カトリック〙教皇庁控訴院.

nun·cio [núnθjo ヌンしオ] 名男 **1** 教皇大使; 使者. **2** 前兆.

nup·cial [nupθjál ヌプしアる] 形 結婚(式)の, 婚礼の. marcha *nupcial* 結婚行進曲.

nup·cias [núpθjas ヌプしアス] 名女 [複] 《文語》結婚, 結婚式 (= boda). casarse en segundas *nupcias* 再婚する.

nu·tria [nútrja ヌトゥリア] / **nu·tra** [-tra -トゥラ] 名女 〘動物〙カワウソ(川獺); カワウソの毛皮. *nutria* marina ラッコ.

nu·tri·ción [nutriθjón ヌトゥリしオン] 名女 栄養(摂取).

nu·tri·do, da [nutríðo, ða ヌトゥリド, ダ] 過分 形 **1** 栄養のいい. mal *nutrido* 栄養不良の. **2** 《+**de**》…の豊富な; たくさんの. estudio *nutrido de* datos データの豊富な研究.

nu·trir [nutrír ヌトゥリル] 動他 **1** 栄養[養分]を与える. **2** 培う, 助長する.

── **nu·trir·*se*** 《+**con**, **de**》…から栄養[養分]を取る; …から補給される. Los cerdos *se nutren con* las bellotas que caen de las encinas. 豚はカシの木のドングリを食べて太る. Las acequias de esta comarca *se nutren del* río Júcar. この地方の灌漑(かんがい)用水路は, フカル川から水を引いている.

nu·tri·ti·vo, va [nutritíβo, βa ヌトゥリティボ, バ] 形 栄養のある, 栄養の. valor *nutritivo* 栄養価.

ny·lon [nilón ニろン | náilon ナイろン] 名男 ナイロン. [←英語]

Ñ ñ *Ñ ñ*

Ñ, ñ [éɲe エニェ] 名女 スペイン語字母の第15字.

ñan·dú [ɲandú ニャンドゥ] 名男 〘鳥〙(南米産の) ダチョウ(駝鳥), レア.

ña·to, ta [ɲáto, ta ニャト, タ] 形 《ラ米》鼻ぺちゃの (= chato).

ñoñeces 名 [複] → ñoñez.

ño·ñe·rí·a [ɲoɲería ニョニェリア] 名女 → ñoñez.

ño·ñez [ɲoɲéθ ニョニェす] 名女 [複 ñoñeces] **1** くだらないこと, ばかげたこと. No dice más que *ñoñeces*. 彼はくだらないことしか言わない. **2** 上品ぶること.

ño·ño, ña [ɲóɲo, ɲa ニョニョ, ニャ] 形 **1** つまらない, 内容のない. **2** 上品ぶった.

── 名男女 面白みのない人; 上品ぶった人.

ñu [ɲú ニュ] 名男 〘動物〙ヌー: アフリカ産のウシカモシカ.

O o O o

O, o [ó オ] 名女 スペイン語字母の第16字.

o [o オ] 接続 [o-, ho- で始まる語の前で u となる]〔英 or〕 **1 または**, あるいは. mañana *o* pasado (mañana) 明日かあさって. siete *u* ocho 7か8か. quiera *o* no quiera 好むと好まざると. ¿Vienes *o* te voy a recoger a tu casa? 君が来る？それとも僕が君を拾おうか.

> **【参 考】** 1 二者択一を強調するときは **o** … **o** … の形を取る.
> *O* se lo dices tú *o* se lo digo yo. 君が彼に伝えるか僕が彼に伝えるかのどちらかだ.
> 2 **o** で結ばれた2つ以上の主語があるとき, 動詞はふつう複数形になる. 1人称の主語があれば動詞は1人称複数形, 2人称と3人称ならば2人称複数形になる.
> Tú *o* yo le *acompañaremos*. 君か僕のどちらかが彼について行こう.
> Tú *o* él *tendréis* que asistir a la reunión. 君か彼のどちらかが会議に出席しなければならないだろう.
> ただし主語のどちらも3人称単数の場合は, 3人称単数形も可能.
> Él *o* su hermano *irá* con vosotros. 彼か彼の弟が君たちといっしょに行くだろう.
> 3 アラビア数字の間ではゼロと区別するためアクセント符号をつける. ⇒ 5 *ó* 6 5または6.

2 すなわち, 言い換えると. El "Spokesman" *o* portavoz del gobierno … スポークスマンすなわち政府報道官は….
3 《命令文の後で》さもなければ. Deja de fumar *o* te pondrás enfermo. タバコを止めなさい, さもないと病気になりますよ.
o bien あるいは, または.
o sea* / *o lo que es lo mismo つまり, すなわち.

ó 接続 → o 【参考】3.

o·a·sis [oásis オアシス] 名男 [単・複同形] オアシス; 憩いの場, 安らぎ.

ob·ce·ca·ción [oβθekaθjón オブセカしオン] 名女 思い込み, 固執.

ob·ce·car [oβθekár オブセカル] [8 c → qu] 動他 …に理性[分別]を失わせる.
— **ob·ce·car·*se*** 《+en, por》…に固執する.

o·be·de·cer [oβeðeθér オベデせル] 40 動他 [現分 obedeciendo; 過分 obedecido, da]〔英 obey〕

直説法 現在	
1·単 *obedezco*	1·複 **obedecemos**
2·単 **obedeces**	2·複 **obedecéis**
3·単 **obedece**	3·複 **obedecen**

…に従う, 服従する; 遵守する. Nunca *obedece* a nadie. 彼は反抗的で誰の言うこともきかない. *obedecer* las órdenes 命令に従う. *obedecer* las leyes 法を遵奉する.
— 動自 **1** 《+a》…に基づく. No sabemos *a* qué *obedece* esta visita suya. 今回の彼の訪問がどういう目的なのか我々にはうかがい知れない.
2 意のままになる. No *obedece* el freno del coche. 車のブレーキが利かない. Esta materia es tan flexible que *obedece* a cualquier forma. この材質は可塑性に富んでいるのでどんな形にでも変えられる.

obedecido, da 過分 → obedecer.

obedeciendo 現分 → obedecer.

obedezc- 動 → obedecer. 40

o·be·dien·cia [oβeðjénθja オベディエンしア] 名女 服従, 従順; 遵守(じゅんしゅ). *obediencia* ciega 盲従.

o·be·dien·te [oβeðjénte オベディエンテ] 形 従順な. un niño *obediente* 聞き分けのよい子.

o·be·lis·co [oβelísko オベリスコ] 名男 オベリスク, 方尖(ほうせん)柱.

o·ber·tu·ra [oβertúra オベルトゥラ] 名女 《音楽》序曲.

o·be·si·dad [oβesiðáð オベシダ(ドゥ)] 名女 肥満, 太りすぎ.

o·be·so, sa [oβéso, sa オベソ, サ] 形 肥満[症]の, 太りすぎの.

o·bis·pa·do [oβispáðo オビスパド] 名男 司教区; 司教館; 司教の職務[位].

o·bis·po [oβíspo オビスポ] 名男 [複 ～s]〔英 bishop〕《カトリック》**司教**. *obispo* auxiliar 補佐司教.

o·bi·tua·rio [oβitwárjo オビトゥアリオ] 名男 (教会の) 死亡者名簿; (新聞の) 死亡記事(欄).

ob·je·ción [oβxeθjón オブヘしオン] 名女 異議, 異論, 不服, 反対. levantar [poner, hacer] una *objeción* 異論を唱える, 反対する. *objeción* de conciencia 良心的(徴兵)忌避.

ob·je·tar [oβxetár オブヘタル] 動他自 反対する, 異議を唱える. Si alguien tiene algo que *objetar* … もし誰かに異議があれ

ば….
objetiva 形女➡objetivo[1].
ob·je·ti·var [oβxetiβár オブヘティバル] 動他 客観化する, 客体化する.
ob·je·ti·vi·dad [oβxetiβiðáð オブヘティビダ(ドゥ)] 名女 客観性. con *objetividad* 客観的に.
ob·je·ti·vo[1], va [oβxetíβo, βa オブヘティボ, バ] 形 [複 ～s]〔英 objective〕**客観的な**, 公正な (↔ subjetivo). crítica *objetiva* 偏見のない批評.
ob·je·ti·vo[2] [oβxetíβo オブヘティボ] 名男
1 目的, 目標, ねらい.
2〘光学〙対物レンズ.
ob·je·to [oβxéto オブヘト] 名男 [複 ～s]〔英 object〕**1 物体**, 物. *objetos* perdidos 遺失物. *objeto* volante no identificado 未確認飛行物体《略 ovni,〔英〕UFO》.
2 目的. ¿Con qué *objeto* vino el Presidente a esta ciudad? どういう目的で大統領はこの町を訪れたのだろうか? con el *objeto* de ... …の目的で, …のために.
3 対象(物). **4**〘文法〙目的語. *objeto* directo [indirecto] 直接[間接]目的語.
ob·je·tor, to·ra [oβxetór, tóra オブヘトル, トラ] 名男女 反対者.
o·ble·a [oβléa オブレア] 名女 **1** オブラート.
2 封緘(ふうかん)紙. **3**〘カトリック〙ホスチア: ミサで用いるパン (= hostia).
o·bli·cuo, cua [oβlíkwo, kwa オブリクオ, クア] 形 斜めの, 傾いた. línea *oblicua* 斜線.
o·bli·ga·ción [oβliɣaθjón オブリガしオン] 名女 [複 obligaciones]〔英 obligation〕
1 義務, 責務, 責任. conocer SUS *obligaciones* 自分の本分をわきまえている. cumplir con SUS *obligaciones* 自分の務めを果たす. Tengo la *obligación* de estar en la oficina hasta las cinco. 私は5時まで会社を離れられない.➡ deber, responsabilidad.
2 義理, 恩義 (=cumplido). por *obligación* 義理で.
3〘商業〙債務; 債券, 社債. emitir *obligaciones* 債券を発行する.
o·bli·gar [oβliɣár オブリガル] [32 g ➡ gu] 動他〔英 oblige〕**1**《+**a** 不定詞》**無理に…させる**, 強制する. Si le *obligas a* hacerlo a la fuerza, se enfadará. 無理にやらせようとすれば彼は怒るよ. Las circunstancias me *obligaron a* destituirlo. 状況から私は心ならずも彼を罷免せざるを得なかった.
2 無理に力を加える; 押し込む, こじあける (=forzar).
—— **o·bli·gar·se**《+**a** 不定詞》**やむなく…する**, …しなければならない. Si te inscribes en esa asociación, *te obligas a* pagar la cuota anual. その団体に加盟すると君は年会費を払わなくてはならない. ► 「…せざるを得ない」の意味で verse *obligado a*《+不定詞》がよく使われる. ⇀ A causa de la densa niebla el avión *se vio obligado a* cambiar de aeropuerto para aterrizar. 深い霧のため飛行機は着陸する飛行場を代えざるを得なかった.
o·bli·ga·to·rie·dad [oβliɣatorjeðáð オブリガトリエダ(ドゥ)] 名女 義務; 強制.
o·bli·ga·to·rio, ria [oβliɣatórjo, rja オブリガトリオ, リア] 形
義務的な, 強制的な. enseñanza *obligatoria* 義務教育.
obligue(-) / **obligué**(-) 動 ➡ obligar. [32 g ➡ gu]
o·blon·go, ga [oβlóŋgo, ga オブろンゴ, ガ] 形 細長い; 長円の, 楕円(だえん)の.
o·bo·e [oβóe オボエ] 名男〘音楽〙オーボエ; オーボエ奏者.
o·bra [óβra オブラ] 名女 [複 ～s]〔英 work〕
1 仕事, 事業; 仕業. ocuparse en *obras* útiles 有益な事業に当たる. *obras* de caridad 慈善事業. La explosión de bomba en el supermercado fue *obra* de unos terroristas. スーパーマーケットの爆破は数人のテロリストの仕業だった. ¡Manos a la *obra*!《号令》作業開始!
2 作品; 著作; 建造物. una *obra* (de mano) maestra 見事な出来栄えの作品. *obra* de teatro 戯曲. *obras* completas 全集.
3 [普通 ～s] 工事, 改修工事; 工事[建築]現場. *obras* públicas 土木事業. estar en [de] *obras* 工事中である. Cerrado por *obras*.《掲示》改装中につき閉店. Barcelona estaba llena de *obras*. バルセロナはどこへ行っても工事中だった.
de obra 行動で, 行為によって (↔de palabra).
Obras son amores, que no buenas razones.《諺》言うは易く行うは難し.
por obra (y gracia) de ... …によって, …のお陰で. *por obra de* la Divina Providencia 神の摂理によって.
o·brar [oβrár オブラル] 動自
1 行動する. *obrar* caprichosamente 気ままに振る舞う.
2 作用する; 効く. Esta medicina tarda en *obrar*. この薬は効くのに時間がかかる.
3 手元にある. *Obra* en mi poder su carta con fecha 3 del presente. 今月3日付お手紙受け取りました. **4** 工事をする.
—— 動他 行う; もたらす. La fe *obra* milagros. 信仰が奇跡を生む.
obrera 名形女➡obrero.
o·bre·ris·ta [oβrerísta オブレリスタ] 形 労働運動の. —— 名男女 労働運動家.
o·bre·ro, ra [oβréro, ra オブレロ, ラ] [複 ～s] 名男女〔英 worker〕**労働者**, 工場労働者 Más de trece mil *obreros* trabajaron en la

construcción de la torre. 1万3千人以上の労働者がタワーの建設に従事した. *obrero* portuario 港湾労働者. *obrero* temporal [temporero]季節労働者. ➡ empleado【参考】.
── 形 労働の, 労働者の. clase *obrera* 労働者階級. sindicato *obrero* 労働組合.

obs·ce·ni·dad [oβsθeniðáð オブセニダ(ドゥ)] 名女 猥褻(わいせつ), みだら; 猥褻行為.

obs·ce·no, na [oβsθéno, na オブセノ, ナ] 形 猥褻(わいせつ)な, みだらな.

obs·cu·ran·tis·mo [oβskurantísmo オブスクランティスモ] 名男 ➡ oscurantismo.

obs·cu·ran·tis·ta [oβskurantísta オブスクランティスタ] 形名男女 ➡ oscurantista.

obs·cu·re·cer [oβskureθér オブスクレセル] 40 動他自 ➡ oscurecer.

obs·cu·ri·dad [oβskuriðáð オブスクリダ(ドゥ)] 名女 ➡ oscuridad.

obs·cu·ro, ra [oβskúro, ra オブスクロ, ラ] 形 ➡ oscuro.

ob·se·quiar [oβsekjár オブセキアル] 動他《+con》 **1** …を贈る. *obsequiar* a una amiga *con* flores (女) 友達に花を贈る.
2 …で歓待する. *obsequiar con* un banquete 宴会を開いてもてなす.

ob·se·quio [oβsékjo オブセキオ] 名男 **1** 贈り物. *obsequio* del autor 贈呈本.
2 心遣い, 歓待.
en obsequio a [***de***] … …に敬意を表して.

ob·se·quio·so, sa [oβsekjóso, sa オブセキオソ, サ] 形 **1** 親切な, 行き届いた. *obsequioso* con las damas ご婦人に優しい.
2 追従的な.

ob·ser·va·ción [oβserβaθjón オブセルバシオン] 名女 [複 observaciones] 〔英 observation〕 **1** **観察**, 観測. hacer *observaciones* meteorológicas 気象観測をする.
2 意見, 忠告; 注解. hacer una *observación* 意見を述べる.
3 遵守, 遵奉. *observación* de las reglas規則の遵守.

ob·ser·va·dor, do·ra [oβserβaðór, ðóra オブセルバドル, ドラ] 名男女 観察者, 観測者; オブザーバー. ── 形観察力のある.

ob·ser·van·cia [oβserβánθja オブセルバンシア] 名女 遵守.

ob·ser·var [oβserβár オブセルバル] 動他 〔英 observe〕 **1** **観察する**, 観測する; 見守る, 監視する. Les gusta *observar* las estrellas. 彼らは星を観測するのが好きだ. El médico *observa* la evolución del enfermo. 医者は患者の経過を見ている.
2 …に気づく. *Observé* algo extraño en su comportamiento. 私は彼の態度に不審な点があるのに気づいた.
3 評する, 意見を述べる. Los expertos *observan* que la situación económica actual no cambiará hasta principios del año que viene. 専門家筋は現在の経済状況が来年の初めまで変わらないだろうと言っている. **4** 遵守する, 守る.

ob·ser·va·to·rio [oβserβatórjo オブセルバトリオ] 名男 観測所; 気象台 (= *observatorio* meteorológico); 天文台 (= *observatorio* astronómico).

ob·se·sión [oβsesjón オブセシオン] 名女 強迫観念, 妄想. tener la *obsesión* de la muerte 死の強迫観念に取りつかれている.

ob·se·sio·nar [oβsesjonár オブセシオナル] 動他 (妄想などが) 取りつく, 付きまとう. Le *obsesiona* su viaje a África (= Está *obsesionado* con su viaje a África). 彼はアフリカ旅行に夢中だ.
── **ob·se·sio·nar·*se*** 《+**con, por**》 …に取りつかれる. *Se obsesionó con* la idea de llegar a ser Primer Ministro. 彼は首相になろうとやっきになった.

ob·se·si·vo, va [oβsesíβo, βa オブセシボ, バ] 形 (妄想などが) 取りついた, 強迫観念の. neurosis *obsesiva* 〔医〕強迫神経症.

ob·se·so, sa [oβséso, sa オブセソ, サ] 形 妄想に取りつかれた, 強迫観念に悩まされた.
── 名男女 妄想などに取りつかれた人.

ob·so·le·to, ta [oβsoléto, ta オブソレト, タ] 形 廃れた, 古めかしい.

obs·ta·cu·li·zar [oβstakuliθár オブスタクリサル] [39 z ➡ c] 動他 妨害する, 邪魔する. *obstaculizar* el paso 通行を妨害する.

obs·tá·cu·lo [oβstákulo オブスタクロ] 名男 障害, 障害物. superar [vencer] un *obstáculo* 障害を乗り越える. poner *obstáculo* 妨害する. erizado de *obstáculos* 障害の多い.

obs·tan·te [oβstánte オブスタンテ] ***no obstante*** しかしながら; …にもかかわらず.

obs·tar [oβstár オブスタル] 動自 邪魔になる, 妨げになる. Eso no *obsta* para que yo te ayude. それは私が君を援助する妨げにはならない.

obs·te·tri·cia [oβstetríθja オブステトゥリシア] 名女 〔医〕産科 (学).

obs·ti·na·ción [oβstinaθjón オブスティナシオン] 名女 頑固, 頑迷; 強情. con *obstinación* かたくなに; 執拗(しつよう)に.

obs·ti·na·do, da [oβstináðo, ða オブスティナド, ダ] 過分 形 頑固な, 頑迷な; 強情な, 執拗(しつよう)な.

obs·ti·nar·*se* [oβstinárse オブスティナルセ] 動《+**en**》…に固執する; 強情を張る. *obstinarse en* una decisión 断固として決心を曲げない.

obs·truc·ción [oβstrukθjón オブストゥルクシオン] 名女 **1** 妨害, 邪魔. **2** 〔医〕閉塞(へいそく).

obs·truir [oβstrwír オブストゥルイル] 29 動他 [現分 obstruyendo] ふさぐ; 妨害する, 邪魔する. *obstruir* el paso 通行を妨害する.
── **obs·truir·*se*** 詰まる. *Se obstruyó*

O

el desagüe. 排水管が詰まった.
obtén 動→obtener. 55
ob·ten·ción [oβtenθjón オブテンしオン] 名 女 獲得, 入手, 取得.
obtendr- 動→obtener. 55
ob·te·ner [oβtenér オブテネル] 55 動 他 〔英 obtain〕 **1 獲得する**, 手に入れる; 達成する. *obtener* buenos resultados 好結果を得る. Japón *obtuvo* tres medallas de oro. 日本は金メダル3個を獲得した. *obtener* gran éxito 大成功を収める. → lograr.
2 《+**de**》…から抽出する, 取り出す.
── **ob·te·ner·se** 得られる; 《+**de**》…から抽出される, 生じる. La gasolina *se obtiene* de*l* petróleo. ガソリンは石油から採れる.
obteng- 動→obtener. 55
obtiene(-) 動→obtener. 55
ob·tu·so, sa [oβtúso, sa オブトゥソ, サ] 形 **1** 先のまるい, 鈍い; 〖数〗鈍角の. → ángulo 図. **2** 鈍感な, のろまな, 愚鈍な.
obtuv- 動→obtener. 55
o·bús [oβús オブス] 名 男 (曲射) 砲弾; 曲射砲.
ob·vio, via [óββjo, βja オビオ, ビア] 形 明らかな, はっきりとした. como es *obvio* 言うまでもなく, 明らかに.
o·ca [óka オカ] 名 女 〖鳥〗ガチョウ (鵞鳥).
o·ca·sión [okasjón オカシオン] 名 女 [複 ocasiones] 〔英 occasion〕 **1 機会**, 場合. Lo he visto en varias *ocasiones*. 私は何度か彼に会ったことがある. en cierta *ocasión* ある時. en *ocasiones* 時々, 時折. con *ocasión* de ... …の機会[折]に. Aprovechando esta *ocasión* quiero mostrarte mi sincero agradecimiento. この機会を借りて君に心から感謝の意を表したい. cuando haya *ocasión* 機会があれば.
2 好機, チャンス (=oportunidad). ¡Ahora o nunca! No tienes que perder la *ocasión*. さあ今が絶好の機会だ. チャンスを逃がすことはない.
3 安売り, バーゲン; 特売品. de *ocasión* バーゲンの; 中古の. coche de *ocasión* 中古車. **4** 理由, 口実, 原因. dar *ocasión* a ... …に口実を与える.
o·ca·sio·nal [okasjonál オカシオナる] 形 **1** 臨時の, たまの. trabajo *ocasional* 臨時の仕事. **2** 偶然の; その場での. encuentro *ocasional* 奇遇.
o·ca·sio·nar [okasjonár オカシオナル] 動 他 …の原因となる, 引き起こす. Su imprudencia *ocasionó* una desgracia. 彼の軽率さが不幸を招いた.
o·ca·so [okáso オカソ] 名 男 **1** 日没, 日の入り. **2** 衰退; 末期. en el *ocaso* de la vida 晩年に.
oc·ci·den·tal [okθiðentál オクしデンタる] [複 ~es] 形 〔英 western; Occidental〕 **西の**, 西側の; **西洋の**, 西欧の (↔oriental). el mundo *occidental* 西方世界, 西洋. hemisferio *occidental* 西半球. los países *occidentales* 西欧[西側]諸国.
── 名 男 女 西洋人.
oc·ci·den·te [okθiðénte オクしデンテ] 名 男 〔英 west〕 **1 西** (=oeste) (↔ oriente). al *occidente* 西の方に.
2 [O-] 西洋, 西欧; 西側 (諸国).
o·ce·á·ni·co, ca [oθeániko, ka オせアニコ, カ] 形 **1** 大洋の, 海洋の.
2 オセアニアの.
o·cé·a·no [oθéano オせアノ] 名 男 **1** 大洋, 海洋. el *Océano* Atlántico 大西洋. el *Océano* Glacial Antártico 南氷洋. el *Océano* Pacífico 太平洋. **2** 広大, 莫大(ばく). un *océano* de amargura 果てしない苦しみ.
3 [O-] 〖ギリシア神話〗オケアノス: 大洋[水]の神.
o·ce·a·no·gra·fí·a [oθeanoɣrafía オせアノグラフィア] 名 女 海洋学.
o·ce·lo [oθélo オせろ] 名 男 (昆虫の) 単眼; (鳥・昆虫の) 目玉模様の斑紋(はんもん). → insecto 図.
o·cha·vo [otʃáβo オチャボ] 名 男 (スペインで17–19世紀に使われた) 銅貨. no tener ni un *ochavo* 一文無しである.
o·chen·ta [otʃénta オチェンタ] 〔英 eighty〕 形 《数詞》 **80の**; 80番目の.
── 名 男 **80**. ◆ローマ数字 LXXX.
o·chen·ta·vo, va [otʃentáβo, βa オチェンタボ, バ] 形 80分の1の.
── 名 男 80分の1.
o·cho [ótʃo オチョ] 〔英 eight〕 形 《数詞》 **8の**; 8番目の. familia compuesta por *ocho* miembros 8人家族.
── 名 男 **8**. ◆ローマ数字 VIII.
o·cho·cien·tos[1], tas [otʃoθjéntos, tas オチョしエントス, タス] 形 〔英 eight hundred〕 《数詞》 **800の**; 800番目の.
o·cho·cien·tos[2] [otʃoθjéntos オチョしエントス] 名 男 〔英 eight hundred〕 **800**.
o·cio [óθjo オしオ] 名 男 **1** 暇; [普通 ~s] 気晴らし. en sus horas de *ocio* 暇な時に.
2 無為, 怠惰. vivir en el *ocio* 無為の日々を送る.
o·cio·si·dad [oθjosiðáð オしオシダ(ドゥ)] 名 女 無為, 怠惰. La *ociosidad* es madre de todos los vicios. 《諺》怠惰は悪徳のもと (小人閑居して不善をなす).
o·cio·so, sa [oθjóso, sa オしオソ, サ] 形 **1** 何もしない, 暇な, 怠惰な; 使われていない. vida *ociosa* ぐうたらな生活.
2 無意味な, 無益な. palabras *ociosas* 無駄口.
o·cluir [oklwír オクるイル] 29 動 他 [現分 ocluyendo] 〖医〗閉塞(へいそく)させる.
── **o·cluir·se** 〖医〗閉塞する.

O

o·clu·sión [oklusjón オクるシオン] 名 ㊛ 〘医〙閉塞(へいそく); 〘音声〙閉鎖(音).

o·clu·si·vo, va [oklusíβo, βa オクるシボ, バ] 形 〘音声〙閉鎖の; 〘医〙閉塞(へいそく)する. ── 名 ㊛ 〘音声〙閉鎖音.

o·cre [ókre オクレ] 名 ㊚ 黄土; オークル, 黄土色 (= color *ocre*). *ocre* rojo 代赭(たいしゃ)色. ── 形 黄土色の.

oc·ta·e·dro [oktaéðro オクタエドゥロ] 名 ㊚ 八面体.

oc·tá·go·no, na [oktáɣono, na オクタゴノ, ナ] 形 八角形の. ── 名 ㊚ 八角形.

oc·ta·no [oktáno オクタノ] 名 ㊚ 〘化〙オクタン. índice de *octano* (ガソリンの) オクタン価.

oc·ta·va [oktáβa オクタバ] 名 ㊛ **1** 〘音楽〙オクターブ, 8度音程. **2** 〘詩〙8行詩.
── 形 ㊛ → octavo[1].

oc·ta·vi·lla [oktaβíʎa オクタビリャ] 名 ㊛
1 八つ折り判(の紙).
2 (政治的な) 宣伝ビラ. **3** 8行詩.

Oc·ta·vio [oktáβjo オクタビオ] 固名 オクタビオ: 男性の名.

oc·ta·vo[1], va

[oktáβo, βa オクタボ, バ] 形 [複 ~s] 〔英 eighth〕《数詞》**8番目の**, 第8の; 8分の1の.

oc·ta·vo[2] [oktáβo オクタボ] 名 ㊚ 8分の1 (= la *octava* parte). en *octavo* 八つ折り判の[で].

oc·to·ge·na·rio, ria [oktoxenárjo, rja オクトヘナリオ, リア] 形 80歳代の.
── 名 ㊚ ㊛ 80年配の人, 80代の人.

oc·to·gé·si·mo, ma [oktoxésimo, ma オクトヘシモ, マ] 形 《数詞》80番目の; 80分の1の. ── 名 ㊚ 80分の1.

oc·tó·go·no, na [októɣono, na オクトゴノ, ナ] 形 名 ㊚ → octágono.

oc·to·sí·la·bo, ba [oktosílaβo, βa オクトシらボ, バ] 形 8音節の.
── 名 ㊚ 8音節の詩行.

oc·tu·bre

[oktúβre オクトゥブレ] 名 ㊚ [複 ~s] 〔英 October〕 **10月** 《略 oct.》. → mes 【参考】.

o·cu·lar [okulár オクらル] 形 目の, 視覚上の. ── 名 ㊚ 接眼レンズ.

o·cu·lis·ta [okulísta オクりスタ] 名 ㊚ ㊛ [複 ~s] 〔英 oculist〕 **眼科医**, 目医者 (= médico *oculista*).

o·cul·ta·ción [okultaθjón オクるタしオン] 名 ㊛ 隠蔽(いんぺい), 隠すこと. *ocultación* de bienes 財産の隠匿.

o·cul·ta·men·te [okúltaménte オクるタメンテ] 副 隠れて, こっそりと; 神秘的に.

o·cul·tar [okultár オクるタル] 動 他 隠す, 覆う; 隠蔽(いんぺい)する. Al oír la noticia de la muerte de su hijo la madre *ocultó* la cara con las manos. 息子の死亡の知らせを聞いて母親は両手で顔を覆った. Nadie *oculta* su preocupación. 人々は皆心配の色を隠さない. La nube *oculta* la luna. 雲が月を隠す. *ocultar* 《+algo》 a [de] la vista 〈何か〉を目にふれない所に隠す.
── **o·cul·tar·*se*** 隠れる, 身を隠す. El Sol *se ocultó* detrás de una nube. 太陽が雲の陰に隠れた.

o·cul·tis·mo [okultísmo オクるティスモ] 名 ㊚ 神秘学, オカルティズム.

o·cul·tis·ta [okultísta オクるティスタ] 形 神秘学の, オカルトの.
── 名 ㊚ ㊛ 神秘学者, オカルト研究家.

o·cul·to, ta [okúlto, ta オクるト, タ] 形
1 隠された, 秘められた. Su cara estaba medio *oculta* por la bufanda. 彼の顔はマフラーで半分隠れていた. Luisito siguió *oculto* en el desván a pesar de los gritos de su hermano. 兄の叫び声にもかかわらずルイシートは屋根裏部屋に隠れて出てこなかった. influencia *oculta* 隠れた影響力.
2 神秘の; オカルトの.

o·cu·pa·ción [okupaθjón オクパしオン] 名 ㊛ [複 ocupaciones] 〔英 occupation〕
1 占領, 占拠; (家屋などの) 占有. *ocupación* militar 進駐. *ocupación* de la calzada por un grupo de manifestantes デモ隊による道路の占拠.
2 職業, 仕事. tener muchas *ocupaciones* 多方面で活躍している.

o·cu·pa·do, da

[okupáðo, ða オクパド, ダ] 過分 → ocupar.
── 形 [複 ~s] 〔英 busy; occupied〕 **1** 忙しい. Esta semana hemos estado muy *ocupadas*. 今週は私たちとても忙しかったわ.
2 使用中の, ふさがった, 占められた (↔libre). Cuando no está *ocupado*, el taxi lleva encendida una luz verde. 空車の時タクシーは緑のランプを点灯している. ¿No ves que tengo las manos *ocupadas*? 私の両手がふさがっているのが分からないの? Todos los asientos están *ocupados*. 座席は全部ふさがっている. El teléfono está *ocupado*. 電話は話し中だ.

ocupando 現分 → ocupar.

o·cu·pan·te [okupánte オクパンテ] 名 ㊚ ㊛ 占有者; 居住者; 乗客.
── 形 占有する; 占拠する; 居住する.

o·cu·par

[okupár オクパル] 動 他 [現分 ocupando; 過分 ocupado, da] 〔英 occupy〕 **1** (場所・地位などを) **占める**; 占領する, 占拠する. Un grupo de jóvenes *ocupó* los asientos de la primera fila. 若者の一団が最前列の席に陣取った. Las tropas *ocuparon* la emisora y el aeropuerto. 軍が放送局と空港を占拠した. El vicepresidente va a *ocupar* el cargo de presidente. 副社長が社長に就任する予定だ.
2 居住する. Me entregó las llaves diciendo que ya podíamos *ocupar* el

nuevo piso. もう新しいマンションに入居できますよと言って，彼は私に鍵(かぎ)を渡した．
3 (時間を)費やす．La visita a la fábrica *ocupará* toda la tarde. 工場見学で午後の予定は詰まっている．*Ocupé* un día entero en reparar el televisor. テレビの修理に私は丸一日を費やした．
4 雇用する (=dar ocupación).
── **o·cu·par·*se*** 《+**de, en**》 …に従事する，携わる; …の世話をする．Los inmigrantes sin visado suelen *ocuparse de* los trabajos sucios y duros. ビザのない移民は汚くてきつい仕事に従事することが多い．

o·cu·rren·cia [okur̄énθja オクレンレア] 名女 考え，思いつき; 機知．¡Vaya *ocurrencia*! 何を思いつくことやら！

o·cu·rren·te [okur̄énte オクレンテ] 形 機知に富んだ，ユーモアにあふれた．

ocurrido, da 過分 → ocurrir.

ocurriendo 現分 → ocurrir.

o·cu·rrir [okur̄ír オクリル] 動自 [現分 ocurriendo; 過分 ocurrido,da] 〔英 occur〕 起こる，生じる．El accidente de avión *ocurrió* hace tres años. 飛行機事故は3年前に起こった．¿Qué te *ocurre*? Tienes cara de pocos amigos. どうしたんだい？無愛想な顔して．por lo que pueda *ocurrir* 万一のために．Lo que *ocurre* es que ... 実を言うと…である．► 3人称のみに活用．
── **o·cu·rrir·*se*** 《間接目的語を伴って》 思いつく，…に考えが浮かぶ; 《+不定詞》 …する気になる．*Se* me *ocurre* una idea. 私にいい考えが浮かんだ．Que no *se* te *ocurra* llevar el perro en el viaje. 旅行に犬なんか連れていこうと思わないでね．► 3人称のみに活用．

o·da [óða オダ] 名女 〔詩〕 オード，頌歌(しょうか)．

o·diar [oðjár オディアル] 動他 〔英 hate〕 憎む，ひどく嫌う．Ella *odia* a aquel hombre. 彼女はあの男を忌み嫌っている．*Odio* los exámenes. 試験は大嫌いだ．

o·dio [óðjo オディオ] 名男 [複 ~s] 〔英 hate〕 憎しみ，憎悪．Me miró con *odio*. 彼は憎悪のまなざしで私を見た．tener [tomar, cobrar] *odio* a ... …を憎む，…を嫌う．
──動 → odiar.

o·dio·so, sa [oðjóso, sa オディオソ，サ] 形 嫌悪すべき，嫌な; 憎らしい．hacerse *odioso* 憎まれ者になる，嫌われる．

o·di·se·a [oðiséa オディセア] 名女
1 冒険旅行，放浪．
2 [O-] "La *Odisea*" 『オデュッセイア』: ギリシアのホメロス Homero 作の叙事詩．

O·di·se·o [oðiséo オディセオ] 固名 → Ulises.

o·don·to·lo·gí·a [oðontoloxía オドントロヒア] 名女 〔医〕 歯科医学，歯学．

o·don·tó·lo·go, ga [oðontóloɣo, ɣa オドントロゴ，ガ] 名男女 歯科医，歯医者．

o·do·rí·fe·ro, ra [oðorífero, ra オドリフェロ，ラ] 形 香りのよい，芳香性の．

o·dre [óðre オドゥレ] 名男 **1** 革袋．
2 《口語》 大酒飲み．

o·es·te [oéste オエステ] 名男 〔英 west〕
1 西; 西部，西方 《略 O》 (↔ este). Al *oeste* de la ciudad se eleva una colina. 町の西に小高い丘がそびえている．película del *oeste* 西部劇．
2 西風．
── 形 西の．

o·fen·der [ofendér オフェンデル] 動他 侮辱する，傷つける; 気分を悪くさせる．Su actitud me *ofendió* profundamente. 彼の態度に私は深く傷つけられた．*ofender* de palabra 言葉で傷つける．olor que *ofende* al olfato 鼻をつくにおい．
── **o·fen·der·*se*** 《+**con, por**》 …に腹を立てる，むかっとする．*ofenderse con* 《+uno》 〈人〉に腹を立てる．*Se ofende por* nada. 彼はささいなことで怒る．

o·fen·sa [ofénsa オフェンサ] 名女 **1** 侮辱，無礼．**2** 〔法律〕 罪，犯罪．

o·fen·si·vo, va [ofensíβo, βa オフェンシボ，バ] 形 **1** 侮辱的な，無礼な; 不快な．
2 攻撃的な，攻勢の (↔defensivo).
── 名女 攻撃，攻勢．

o·fen·sor, so·ra [ofensór, sóra オフェンソル，ソラ] 名男女 侮辱する人，無礼者．
── 形 侮辱的な，不快な．

o·fe·ren·te [oferénte オフェレンテ] 名男女 提供者，贈与者，奉納者．
── 形 提供する; 贈る，奉納する．

o·fer·ta [oférta オフェルタ] 名女 **1** 供給; 〔商業〕 オッファー; 付け値; 特別価格．ley de la *oferta* y la demanda 需要と供給の法則．*oferta* del día 本日のお買い得品．
2 約束; 申し出．

o·fer·tar [ofertár オフェルタル] 動他 〔商業〕 入札する，売り込む．

o·fi·cial [ofiθjál オフィしアる] [複 ~es] 〔英 official〕 形 **1** 公式の，正式の．documento *oficial* 公文書．idioma *oficial* 公用語．visita *oficial* 公式訪問．
2 政府の，官庁の．boletín *oficial* 官報．
── 名男 **1** 〔軍事〕 将校，士官．*oficial* subalterno 尉官，下級将校．→ militar 【参考】．**2** 公務員，役人; 事務職員．**3** 職人．

o·fi·cia·li·dad [ofiθjaliðáð オフィしアリダ(ドゥ)] 名女 **1** 公的性格，公共性; 公式であること．**2** 〔軍事〕 《集合》 士官，将校団．

o·fi·cial·men·te [ofiθjálménte オフィしアるメンテ] 副 公式に，正式に．

o·fi·ciar [ofiθjár オフィしアル] 動自
1 《+**de**》 …の役を務める，働きをする．
2 (ミサ・祭式を) 司式する．

o·fi·ci·na [ofiθína オフィしナ] 名女 [複 ~s] 〔英 office〕
事務所，オフィス; 会社，職場; 役所，…局．

O

ir a la *oficina* 事務所[会社]に行く. horas de *oficina* 勤務時間. máquina de *oficina* 事務機器. *oficina* de correos 郵便局. *oficina* de turismo 観光案内所. ► 組織としての「会社」は compañía, empresa, sociedad.

o·fi·ci·nis·ta [ofiθinísta オフィしニスタ] 名 男女 会社員; 事務員. → empleado 【参考】.

o·fi·cio [ofíθjo オフィしオ] 名 男 [複 ~s] 〔英 job〕 **1** 職業, 職, 仕事. ¿Cuál es el *oficio* de tu padre? — Es relojero. 君のお父さんの仕事は何?—時計屋です. aprender un *oficio* 仕事を身につける. no tener *oficio* ni beneficio 失業中である. ► oficio は主に技術を要する職業に使われる.
2 職務, 役割; 機能, 働き.
3 〘カトリック〙 聖務; 日課祈禱(きとう); [~s] 礼拝(式). *oficio* divino 聖務日課. Santo *Oficio* 異端審問(所), 宗教裁判(所) (→ inquisición).
buenos oficios 尽力, 世話.
de oficio (1) 職権上の. miembro *de oficio* 職権による委員. (2) …を職とする, 本職の (= de profesión). albañil *de oficio* 本職の左官. (3) 公の, 国費による. abogado *de oficio* 国選弁護人. (4) 正式に[の].

o·fi·cio·so, sa [ofiθjóso, sa オフィしオソ, サ] 形 非公式の (↔ oficial). de fuente *oficiosa* 非公式筋の[から].

o·fre·cer [ofreθér オフレせル] 40 動 他 [現分 ofreciendo ; 過分 ofrecido, da] 〔英 offer〕

直説法 現在	
1·単 ofrezco	1·複 ofrecemos
2·単 ofreces	2·複 ofrecéis
3·単 ofrece	3·複 ofrecen

1 提供する, 申し出る, 差し出す. *ofrecer* un cigarrillo タバコを勧める. Me *ofreció* su coche. 彼は私に車を提供してくれた. Le *ofrecí* mi ayuda, pero dijo que quería resolverlo todo él mismo. 私が援助を申し出たが, 彼は自分ですべて始末をつけるからと断った.
2 見せる, 示す, 呈する. *ofrecer* pocas posibilidades de … …の可能性は少ない. El enemigo *ofreció* poca resistencia. 敵はほとんど抵抗を示さなかった.
3 約束する. *Ofrece* mucho pero nunca ha cumplido su palabra. 彼はいろいろなことを言うが, 今までに一度として実行したためしがない.
4 値をつける. *Ofreció* un millón de pesetas por el cuadro. 彼はその絵に100万ペセタの値をつけた.
5 (神に) ささげる, 奉納する.
— **o·fre·cer·*se*** **1** 身をささげる; 申し出る, 買って出る. *ofrecerse* de ayudante 助手を買って出る.
2 起こる, 生じる; 姿を現す. *ofrecerse* a la vista de 《+uno》〈人〉の目の前に現れる.
¿Qué se le ofrece a usted? (店員が) ご用を承ります.

ofrecido, da 過分 → ofrecer.

ofreciendo 現分 → ofrecer.

o·fre·ci·mien·to [ofreθimjénto オフレしミエント] 名 男 提供; 申し出.

o·fren·da [ofrénda オフレンダ] 名 女 ささげ物, 供物; 寄進, 献納, 奉納.

of·ren·dar [ofrendár オフレンダル] 動 他 《+a, por》…にささげる, 供える; 寄進する. *ofrendar* SU alma *a* Dios 神に心をささげる. *ofrendar* SU vida *por* la patria 祖国に命をささげる.

ofrezc- 動 → ofrecer. 40

of·tal·mo·lo·gí·a [oftalmoloxía オフタるモろヒア] 名 女 〘医〙眼科学.

of·tal·mó·lo·go, ga [oftalmóloɣo, ɣa オフタるモろゴ, ガ] 名 男女 眼科医 (= oculista).

o·fus·ca·ción [ofuskaθjón オフスカしオン] 名 女 **1** 目がくらむこと, 眩惑(げんわく).
2 理性[分別]の喪失, 逆上.

o·fus·car [ofuskár オフスカル] [8 c → qu] 動 他 **1** 目をくらませる (= deslumbrar). Un fuerte relámpago me *ofuscó*. 強い稲妻に私の目がくらんだ.
2 理性[分別]を失わせる (= obcecar). *Estaba ofuscado* por la pasión. 彼は激情のあまり理性を失っていた.
— **o·fus·car·*se*** 目がくらむ; 《+con, por》…で理性[分別]を失う.

o·gro [óɣro オグロ] 名 男 **1** (童話・民話の) 人食い巨人. **2** 鬼のような人, 残忍な人.

¡oh! [ó オ] 間投 〔英 oh〕 《感嘆・驚き・喜び・悲しみを表して》おお, あっ.

oh·mio [ómjo オミオ] 名 男 〘電気〙オーム.

oí- 動 → oír. 37

o·í·da [oíða オイダ] 名 女 聞くこと.
de [***por***] ***oídas*** うわさで聞いて, 聞き伝えで. Sólo la conozco *de oídas*. 彼女のことはうわさで聞いて知っているだけです.
—— 過分 女 → oír.

o·í·do[1] [oíðo オイド] 名 男 [複 ~s] 〔英 ear〕
1 聴覚; 聴力; 音感. agradable al *oído* 耳に快い. aguzar el *oído* じっと聞き耳を立てる. aplicar el *oído* 耳を澄ます. taparse los *oídos* 耳をふさぐ. tener (buen) *oído* いい音感をしている. duro de *oído* 耳の遠い. *oído* absoluto 絶対音感. ► 視覚・視力は vista.
2 〘解剖〙聴覚器官, 耳. *oído* interno 内耳. Me duelen los *oídos*. 耳が痛む. → oreja.
al oído 耳元で, こっそり. hablar *al oído* 耳元でささやく.

O

cerrar los oídos a … …に耳を貸そうとしない.
dar oídos a … …に耳を貸す; …を信用する.
de oído 聞き覚えで. Toca el piano de *oído*. 彼は聞き覚えでピアノを弾く.
entrar a 《+uno》 ***por un oído y salir por el otro*** 〈人〉の右の耳から左の耳に抜ける, 意に介されない.
hacer oídos sordos 聞こえない振りをする.
pegarse al oído (曲などが) 耳になじむ.
regalar el oído a 《+uno》〈人〉にうれしがらせを言う.
ser todo oídos 全身を耳にして聴く, 聞き入る.
zumbar a 《+uno》 ***los oídos*** (とやかく言われて) 〈人〉の耳が痛い.

oído², **da** 過分 ➡ oír.

oig- 動 ➡ oír. 37

o·ír [oír オイル] 37 動 他 [現分 oyendo; 過分 oído, da] 〔英 hear〕

直説法	
現在	**未来**
1·単 ***oigo***	1·単 **oiré**
2·単 ***oyes***	2·単 **oirás**
3·単 ***oye***	3·単 **oirá**
1·複 ***oímos***	1·複 **oiremos**
2·複 **oís**	2·複 **oiréis**
3·複 ***oyen***	3·複 **oirán**
点過去	**線過去**
1·単 **oí**	1·単 **oía**
2·単 ***oíste***	2·単 **oías**
3·単 ***oyó***	3·単 **oía**
1·複 ***oímos***	1·複 **oíamos**
2·複 ***oísteis***	2·複 **oíais**
3·複 ***oyeron***	3·複 **oían**
接続法	命令法
現在	2·単 ***oye***
1·単 ***oiga***	2·複 ***oíd***
2·単 ***oigas***	
3·単 ***oiga***	
1·複 ***oigamos***	
2·複 ***oigáis***	
3·複 ***oigan***	

1 聞こえる, 耳にする; 伝え聞く. No te *oigo*. 話が聞こえないよ. *Hemos oído* un disparo en la calle. 通りで銃声がした. *Oí* parar un coche a la puerta. 玄関に車の止まる音がした. *He oído* decir que se va a casar pronto. 私は彼が近々結婚するといううわさを耳にした. ➡ escuchar 【参考】.
2 聞く. Vamos a *oír* este disco. このレコードを聞こう.
3 (言い分・願いなどを) 聞く, 聞き届ける; 〖法律〗証言を聞く.

—— ***o·ír·se*** 聞こえる. No *se oye* nada. 何も聞こえない.
como lo oyes [***oye usted***] ほんとうだよ, うそじゃありませんよ.
¡Dios le oiga! そうだといいんだけど.
¡Lo que hay que oír! 《口語》そんなばかな, あきれた.
¡Oiga! 《呼びかけ》もしもし, すみませんが; 《電話をかけた方から》もしもし. ► 語尾を上げて発音する. 応答する側は ¡Diga!, ¡Dígame!
oír mal (1) 耳が遠い. (2) 聞き違える. si no *oigo mal* 私の聞き違いでなければ.
¡Oye! 《呼びかけ》ねえ, おい, ちょっと.

o·jal [oxál オハる] 名 男 ボタン穴. ➡ camisa 図.

¡o·ja·lá! [oxalá オハら] 間投 〔英 I hope (so).〕 **どうか…であって欲しい**, そう願っている. Vas a aprobar el examen.—¡*Ojalá*! 君は試験に合格するよ. —そうだったらいいんだけれどねえ. ¡*Ojalá* (que) haga buen tiempo mañana! どうか明日晴れますように. ► 動詞は実現の可能性があれば接続法現在形を, それがなければ接続法過去形を用いる.

o·je·a·da [oxeáða オヘアダ] 名 女 ちらっと見ること, 一瞥(いちべつ). echar [dar] una *ojeada* a … …をちらっと見る, …にざっと目を通す.

o·je·ar [oxeár オヘアル] 動 他 じっくり見る, じろじろ見る.

o·je·ra [oxéra オヘラ] 名 女 [〜s] (目の) 隈(くま). tener *ojeras* 目の下に隈ができている.

o·je·ri·za [oxeríθa オヘりさ] 名 女 嫌悪, 反感. tener [tomar] *ojeriza* a 《+uno》〈人〉に反感を持つ; 恨みを抱く.

o·je·te [oxéte オヘテ] 名 男 ひも穴, 鳩目(はとめ).

o·ji·va [oxíβa オヒバ] 名 女 **1** 〖建築〗(ゴシック建築の) オジーブ, 対角線リブ; 尖頭(せんとう)アーチ. **2** 〖軍事〗(ミサイルなどの) 弾頭 (部).

o·ji·val [oxiβál オヒバる] 形 オジーブ [尖頭(せんとう)] の. estilo *ojival* ゴシック様式.

o·jo [óxo オホ] 名 男 [複 〜s] 〔英 eye〕
1 目, 眼球; 視線, 視力. ¡Qué *ojos* tan bonitos tiene ese joven! あの青年はなんときれいな目をしているんだろう. La abuela tiene muy bien los *ojos*. Todavía cose sin gafas. 祖母はとても目がいい. いまだに眼鏡なしで裁縫をする. Se le alegra-

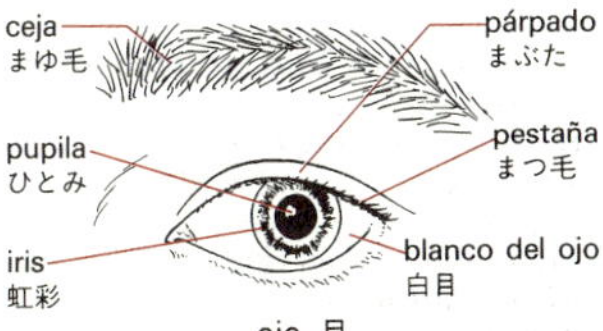

ojo 目

O

ron los *ojos* cuando vio a esa chica. その娘を見ると彼の目は喜びに輝いた. *ojos* achinados細くつり上がった目. *ojos* de-besugo 飛び出た目 (► 悲しい表情の形容). *ojos* saltones 出目. guiñar el *ojo* ウインクする. clavar los *ojos* en ... / tener los *ojos* puestos en ... …をじっと見つめる.

2 注意, 警戒. andar con *ojo* [con cien *ojos*] / ir con mucho *ojo* 警戒する, 用心する.

3 鑑識眼, 洞察力. tener buen *ojo* para ... …に目端が利く, 慧眼(けいがん)である.

4 目の形をしたもの; 穴; (クジャクの尾羽などの) 目玉模様; 台風の目; (アーチ・橋の) 径間(けいかん), スパン. *ojo* de la aguja 針の目. *ojo* de la cerradura 鍵(かぎ)穴.

a (los) ojos de 《+uno》〈人〉の目から見ると, 〈人〉の見解では.

a ojo (de buen cubero) 目分量で, 見当で.

a ojos cerrados 目をつぶって; 信頼して, 確かめもしないで.

a ojos vistas 明らかに, 目立って.

cerrar los ojos (1)目を閉じる. (2)《主に否定文で》眠る. no *cerrar los ojos* 一睡もしない. (3)死ぬ. (4)黙認する.

comerse con los ojos 食い入るように [物欲しそうに] 見つめる.

con los ojos cerrados ➡ a ojos cerrados.

costar un ojo de la cara 目が飛び出るほど高価である.

dar un ojo de la cara por ... どんなことをしても…したい[…が欲しい]. ► 可能形で用いられる.

¡Dichosos los ojos! お久し振りですね, ようこそ.

dormir con un ojo abierto 用心する, 警戒を怠らない.

en un abrir y cerrar de ojos 瞬く間に, 瞬時に.

estar hasta los ojos (ある状況に陥って) 動きが取れない; (借金で) 首が回らない; 飽き飽きしている.

mirar a 《+uno》 ***a [en] los ojos*** 〈人〉の顔をまともに見据える.

mirar con buenos ojos 好感をもって見る.

no dar crédito a SUS ***ojos*** わが目を疑う.

no pegar (el, un) ojo 一睡もしない, まんじりともしない.

no quitar los ojos de encima a ... …から目を離さない.

no tener ojo más que para ... …にしか目をくれない, …以外に関心がない.

¡Ojo con ...! …に注意せよ.

ojo de buey 円窓; (船の) 舷窓(げんそう).

ojo de gallo うおのめ.

ojo de gato 猫目石.

Ojo por ojo, diente por diente. 〘聖書〙目には目, 歯には歯.

poner los ojos en blanco delante de ... …に目を白黒させる, 感心する.

saltar a los ojos 目立つ, 目につく; 一目瞭然(りょうぜん)である.

ser el ojo derecho de 《+uno》〈人〉のお気に入りである.

ser todo ojos 注視している, 目を皿にしている.

tener a 《+uno》 ***entre ojos*** 〈人〉を嫌っている, ことのほか憎んでいる.

tener los ojos vendados / tener una venda en los ojos 客観的に見られない, 判断力を失っている.

traer a 《+uno》 ***entre ojos*** 〈人〉を警戒する, 〈人〉から目を離さない.

volver los ojos a ... …に目を転じる; …に関心を抱く; …を頼りにする.

o·la [óla オら] 名女 [複 ~s] 〔英 wave〕

1 波, 波浪. romper [estallar] las *olas* 波が砕ける.

2 《比喩》波; 殺到. la nueva *ola* 新しい波, 新傾向, ヌーベルバーグ. *ola* de calor [de frío] 〘気象〙熱[寒]波.

¡o·le! [óle オれ] / **¡o·lé!** [olé オれ] 間投 《踊り手・闘牛士などへの喝采(かっさい)・激励》いいぞ!, 見事だ!, しっかり!.

── 名男 アンダルシアの舞踊.

o·le·a·da [oleáða オれアダ] 名女 **1** 大波, うねり. la primera *oleada* del ataque 攻撃の第一波. **2** (人などの) 波.

o·le·a·gi·no·so, sa [oleaxinóso, sa オれアヒノソ, サ] 形 油を含んだ, 油性の.

o·le·a·je [oleáxe オれアへ] 名男 波浪, 打ち寄せる波.

o·lei·cul·tu·ra [oleikultúra オれイクるトゥラ] 名女 オリーブ栽培; オリーブ油製造 (業).

ó·le·o [óleo オれオ] 名男 **1** 油絵 (の具). pintar al *óleo* 油絵の具で描く. pintura al *óleo* 油絵.

2 〘カトリック〙聖油 (= santo(s) *óleo*(s)).

o·le·o·duc·to [oleoðúkto オれオドゥクト] 名男 送油管, パイプライン.

o·le·o·so, sa [oleóso, sa オれオソ, サ] 形 油 (性) の.

o·ler [olér オれル] [38 o ➡ hue] 動自 [現分 oliendo ; 過分 olido] 〔英 smell〕

直説法 現在	
1・単 ***huelo***	1・複 **olemos**
2・単 ***hueles***	2・複 **oléis**
3・単 ***huele***	3・複 ***huelen***

1 《+a》…のにおいがする; におう. ¿Has comido ajo? *Hueles* mucho. ニンニクを食ったのか? ひどくにおうぞ. Antes los ríos de Tokyo *olían* muy mal. 以前は東京の川はとても臭かった. Te *huele* bien el pelo. ¿Qué te has echado? 君

の髪はいいにおいがする．何をつけたの？ La sala *huele a* tabaco. 部屋はタバコ臭い. *Huele a* quemado. 焦げたにおいがする.

2 …のような気がする. Me *huele* que están tramando algo. 彼らは何かをたくらんでいる気配だ.

── 動他 …のにおいをかぐ；かぎつける，気づく. El perro *olió* el peligro y empezó a ladrar. 犬は危険を察知してほえ始めた.

── **o·ler·*se*** …のような気がする. *Me huelo* que no va a tener éxito. 彼はうまくいかないような気がする.

ol·fa·te·ar [olfateár オるファテアル] 動他 **1** …のにおいをかぐ. **2** かぎ付ける，感づく；詮索(せんさく)する，かぎ回る.

ol·fa·to [olfáto オるファト] 名男 **1** 嗅覚(きゅうかく). **2** 勘の良さ. tener *olfato* para los negocios 商才がある.

olido 過分 → oler.

oliendo 現分 → oler.

o·li·gar·quí·a [oliɣarkía オリガルキア] 名女 寡頭政治，少数独裁政治.

o·li·gár·qui·co, ca [oliɣárkiko, ka オリガルキコ, カ] 形 寡頭政治の.

o·li·go·fre·nia [oliɣofrénja オリゴフレニア] 名女〔医〕精神薄弱.

O·lim·pia [olímpja オリンピア] 固名〔歴史〕オリンピア：ギリシア南部の古代都市で，オリンピック競技発祥の地.

o·lim·pia·da [olimpjáða オリンピアダ] / **o·lim·pí·a·da** [-píaða -ピアダ] 名女 オリンピック（競技）大会. El Rey Juan Carlos declaró abierta la XXV [vigésimoquinta] *Olimpiada* de la era moderna. フアン・カルロス国王が第25回近代オリンピック大会の開会を宣言した. *olimpiada* blanca [de invierno] 冬期オリンピック大会.

o·lím·pi·co, ca [olímpiko, ka オリンピコ, カ] 形 **1** オリンピック（大会）の. juegos *olímpicos* オリンピック（競技）大会. Comité *Olímpico* Internacional 国際オリンピック委員会.

2 高慢な，尊大な.

o·lis·car [oliskár オリスカル] [8 c → qu] 動他 **1**《口語》…のにおいをかぐ，鼻をくんくんさせてかぐ.

2 詮索(せんさく)する，かぎ回る.

o·lis·que·ar [oliskeár オリスケアル] 動他 → oliscar.

o·li·va [olíβa オリバ] 名女〔植物〕オリーブの実（＝aceituna）；オリーブの木（＝olivo）.

o·li·vá·ce·o, a [oliβáθeo, a オリバセオ, ア] 形 オリーブ色の，黄緑色の.

o·li·var [oliβár オリバル] 名男 オリーブ園[畑].

o·li·vi·cul·tu·ra [oliβikultúra オリビクるトゥラ] 名女 オリーブ栽培.

o·li·vo [olíβo オリボ] 名男〔植物〕オリーブの木. ramo de *olivo* オリーブの枝（平和・和解の象徴）. Monte de los *Olivos*〔聖書〕オリーブ山.

o·lla [óʎa オリャ] 名女 **1** 深鍋(ふかなべ)，鍋. *olla* exprés (de [a] presión) 圧力鍋.

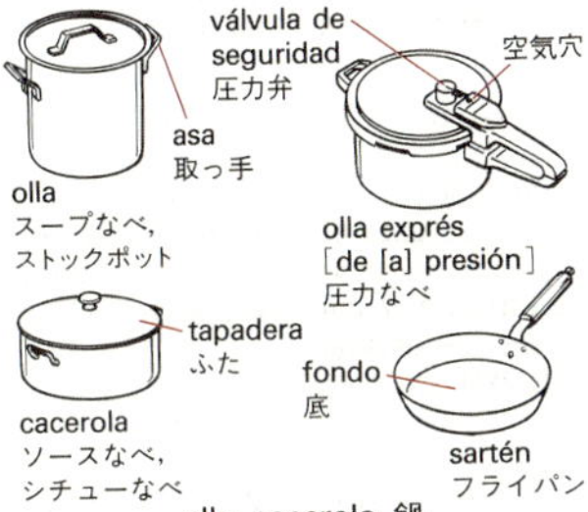

olla, cacerola 鍋

2〔料理〕煮込み料理，シチュー. *olla* podrida(肉・豆・腸詰めなどの)煮込み.

ol·mo [ólmo オるモ] 名男〔植物〕ニレ（類）.

o·ló·gra·fo, fa [olóɣrafo, fa オろグラフォ, ファ] 形（遺言状などが）自筆の（＝hológrafo）.

o·lor [olór オろル] 名男 [複 ～es]〔英 smell〕**におい**. tener buen [mal] *olor* いいにおい[悪臭]がする. un olor fuerte de perfume 香水の強いにおい. *olor* a carne quemada 肉のこげたにおい. *olor* a viejo かび臭いにおい. ¡Qué *olor*! ひどいにおいだ. → perfume【参考】.

o·lo·ro·so, sa [oloróso, sa オろロソ, サ] 形 芳香性の，かぐわしい.

── 名男 オロロソ：シェリー酒の一種.

ol·vi·da·di·zo, za [olβiðaðíθo, θa オるビダディそ, さ] 形 忘れっぽい，物忘れしやすい. hacerse el *olvidadizo* 忘れた振りをする.

olvidado, da 過分 → olvidar.

olvidando 現分 → olvidar.

ol·vi·dar

[olβiðár オるビダル] 動他 [現分 olvidando ; 過分 olvidado, da]〔英 forget〕

1 忘れる，失念する（↔recordar）. *He olvidado* su número de teléfono. 彼の電話番号を忘れてしまった. *Olvidé* apagar la televisión. テレビを消し忘れた. No me *olvides*. 私のことを忘れないでね. Nunca *olvidaré* el favor que me hizo. 彼から受けた恩を私は決して忘れません.

2 気にしない，不問に付す.

── **ol·vi·dar·*se*** 《＋**de**》…を忘れる. *Me olvidé de* decírselo a mamá. ママにそのことを言うのを忘れてしまった. *Me he olvidado de* su dirección. 彼の住所を忘れてしまった.

olvidarse a 《＋uno》〈人〉が…を忘れる. *Se* me *olvidó* apagar la luz. 私は明かりを消すのを忘れてしまった.

O

【参 考】 **olvidar** を使った次の3つの表現形式はほとんど同義で，いずれも「私は彼の名前を忘れた」を意味する．
He olvidado su nombre.
Me he olvidado de su nombre.
Se me ha olvidado su nombre.

ol·vi·do [olβíðo オるビド] 名男 **1** 忘れること，忘却，失念．dar [echar] al [en el] *olvido* 忘れる．estar en el *olvido* 忘れられている．caer en el *olvido* 忘れられる．
2 手ぬかり，怠り，見過ごし．en un momento de *olvido* 一瞬油断したすきに．
―― 動→olvidar.

om·bli·go [omblíγo オンブりゴ] 名男
1 へそ；へその緒．→ cuerpo 図．
2 中心．
encogerse [***arrugarse***] ***a*** 《＋uno》 ***el ombligo*** 《口語》〈人〉がおじけづく．

o·mi·no·so, sa [ominóso, sa オミノソ，サ] 形 嫌悪すべき，ひどい．

o·mi·sión [omisjón オミシオン] 名女 省略，脱落；見過ごし，遺漏．

o·mi·so, sa [omíso, sa オミソ，サ] 形
hacer caso omiso de ... …を無視する，軽視する．

o·mi·tir [omitír オミティル] 動他 **1** 省略する，言わないでおく．*omitir* la explicación 説明を省く．
2 《＋不定詞》…し落とす，…し忘れる．

omni- 「全」の意を表す造語要素．⇀ *omni*potencia, *omní*voro など．

óm·ni·bus [ómniβus オムニブス] 名男 [単・複同形] 乗合自動車，バス．

om·ní·mo·do, da [omnímoðo, ða オムニモド，ダ] 形 網羅する，総括的な．poder *omnímodo* 絶対的権力．

om·ni·po·ten·cia [omnipoténθja オムニポテンしア] 名女 全能，万能；絶大な権力．

om·ni·po·ten·te [omnipoténte オムニポテンテ] 形 全能の；絶大な権力を持つ．Dios *omnipotente* 全能の神．→ todopoderoso.

om·ni·pre·sen·cia [omnipresénθja オムニプレセンしア] 名女 遍在．

om·ni·pre·sen·te [omnipresénte オムニプレセンテ] 形 **1** 遍在する．
2 どこにでも顔を出す．

om·nis·cien·te [omnisθjénte オムニしエンテ] 形 全知の．

om·ní·vo·ro, ra [omníβoro, ra オムニボロ，ラ] 形 《動物》雑食性の．
―― 名男女 《動物》雑食動物．

o·mó·pla·to [omóplato オモプらト] / **o·mo·pla·to** [omoplá- オモプら-] 名男 《解剖》肩胛(けんこう)骨．

OMP 《略》*O*peraciones de *M*antenimiento de *P*az (国連) 平和維持活動 〔英 PKO〕.

OMS 《略》*O*rganización *M*undial de la *S*alud 世界保健機構〔英 WHO〕.

o·na·nis·mo [onanísmo オナニスモ] 名男 自慰，オナニー．

on·ce [ónθe オンせ] 〔英 eleven〕 形 《数詞》 11の；11番目の．
―― 名男 11. ◆ローマ数字 XI.

on·cea·vo, va [onθeáβo, βa オンせアボ，バ] 形名男 → onzavo.

on·da [ónda オンダ] 名女 [複 ～s] 〔英 wave〕 **1** 波，波紋 (► 海，湖などの波，うねりは ola)；ウエーブ．*ondas* del pelo 髪のウエーブ．
2 《物理》波，波動．*onda* corta [media, larga] 短波[中波，長波]．*onda* electromagnética 電磁波．*onda* sísmica 地震波．*onda* sonora 音波．
formar ondas 波打つ．

on·de·ar [ondeár オンデアル] 動自 波打つ；(風に) なびく，はためく．

on·du·la·ción [ondulaθjón オンドゥらしオン] 名女 波動；(髪の) ウエーブ．

on·du·la·do, da [onduláðo, ða オンドゥらド，ダ] 形 波状の，波形の；(髪が) ウエーブのかかった．

on·du·lar [ondulár オンドゥらル] 動自 波打つ，うねる，蛇行する；(旗が) 翻る；(炎が) 揺らめく．
―― 動他 波形にする，波打たせる；(髪に) ウエーブをつける．

on·du·la·to·rio, ria [ondulatórjo, rja オンドゥらトリオ，リア] 形 波状の，波動の．movimiento *ondulatorio* 波動．

o·ne·ro·so, sa [oneróso, sa オネロソ，サ] 形 費用のかかる，負担になる；煩わしい．

ONG 《略》*O*rganización *N*o *G*ubernamental 非政府組織．[←〔英〕NGO]

ó·ni·ce [óniθe オニせ] 名男 (または女) 《鉱物》縞瑪瑙(しまめのう)，オニキス．

o·ní·ri·co, ca [oníriko, ka オニリコ，カ] 形 《医》夢の．

o·no·más·ti·co, ca [onomástiko, ka オノマスティコ，カ] 形 固有名詞の，名前の．
―― 名女 **1** 霊名の祝日 (＝día *onomástico*). ◆洗礼名の元となった守護聖人の祝日．
2 固有名詞研究．

o·no·ma·to·pe·ya [onomatopéja オノマトペヤ] 名女 擬声，擬声語，擬音語．

o·no·ma·to·pé·yi·co, ca [onomatopéjiko, ka オノマトペイコ，カ] 形 擬声 (語) の．

on·to·lo·gí·a [ontoloxía オントろヒア] 名女 《哲》存在論，本体論．

on·to·ló·gi·co, ca [ontolóxiko, ka オントろヒコ，カ] 形 《哲》存在論[本体論]的な．

O.N.U. [ónu オヌ] 《略》*O*rganización de las *N*aciones *U*nidas 国際連合．

o·nu·ben·se [onuβénse オヌベンセ] 形 (スペインの) ウエルバ Huelva の．
―― 名男女 ウエルバの住民．

on·za [ónθa オンさ] 名女 オンス：ヤード・ポンド法の単位．約28.35グラム．

on·za·vo, va [onθáβo, βa オンサボ, バ] 形 11分の1の. ── 名男 11分の1.

o·pa·ci·dad [opaθiðáð オパしダ(ドゥ)] 名女 不透明(度); 不明瞭(ふめいりょう).

o·pa·co, ca [opáko, ka オパコ, カ] 形 **1** 不透明な; 《＋**a**》(熱・光など)を通さない. cristal *opaco* 曇りガラス. pantalla *opaca a* los rayos X X線を通さないスクリーン.
2 さえない, 鈍い. hombre *opaco* ぱっとしない人.

ó·pa·lo [ópalo オパろ] 名男 〖鉱物〗オパール. → joya.

op·ción [opθjón オプしオン] 名女 **1** 選択; 選択権; [opciones] 選択肢. No hay *opción*. 選択の余地がない.
2 (就任・昇進などの) 権利; (付随する) 特典. *opción* al ascenso 昇進の資格.

op·cio·nal [opθjonál オプしオナる] 形 任意の, 自由選択の, オプションの.

ó·pe·ra [ópera オペラ] 名女 歌劇, オペラ; オペラ劇場.

o·pe·ra·ble [operáβle オペラブれ] 形 **1** 使用できる, 操作できる; 実行[実施]可能な.
2 手術可能の.

o·pe·ra·ción [operaθjón オペラしオン] 名女 [複 operaciones] 〔英 operation〕
1 〖医〗**手術**. hacer una *operación* quirúrgica 外科手術をする.
2 **操作**, 作業, 運転; 〖数〗〖コンピュータ〗演算. manual de *operación* 取扱い説明書.
3 〖軍事〗作戦, 軍事行動. *operaciones* de rescate 救出作戦. *operaciones* militares 軍事作戦. Operaciones para el Mantenimiento de la Paz 国連平和維持活動〔英 PKO〕.
4 〖商業〗取引, 売買. *operación* de bolsa 株の売買.

o·pe·ra·dor, do·ra [operaðór, ðóra オペラドル, ドラ] 名男女 **1** (機械などの) 操作員, オペレーター. **2** 執刀医.
3 〖映画〗撮影[映写]技師, カメラマン.
── 名男 〖数〗〖コンピュータ〗演算子, 作用素.

o·pe·ran·te [operánte オペランテ] 形 作用する; 効果的な, 効きめがある.

o·pe·rar [operár オペラル] 動他 **1** 手術する. *operar* a 《＋uno》 *de* apendicitis 〈人〉に虫垂炎の手術をする.
2 (変化などを) もたらす; 行う (＝obrar). *operar* un milagro 奇跡をもたらす.
── 動自 **1** 作用する; 行動する. **2** 〖商業〗取引する, 売買する. **3** 〖数〗演算する.
── **o·pe·rar·se** **1** 生じる, 起こる.
2 《＋**de**》…の手術を受ける. Me *operé del* estómago. 私は胃の手術を受けた.

o·pe·ra·rio, ria [operárjo, rja オペラリオ, リア] 名男女 工員, 職人.

o·pe·ra·ti·vo, va [operatíβo, βa オペラティボ, バ] 形 効果のある, 効きめのある.

o·pe·ra·to·rio, ria [operatórjo, rja オペラトリオ, リア] 形 手術の, 外科手術後の. choque *operatorio* 術後ショック.

o·pe·re·ta [operéta オペレタ] 名女 〖音楽〗オペレッタ, 軽歌劇, 喜歌劇.

o·pi·na·ble [opináβle オピナブれ] 形 意見の分かれる, 賛否両論のある.

o·pi·nar [opinár オピナル] 動自 《＋**de, en, sobre**》…について意見を言う; 意見を持つ. *opinar de* [*sobre*] política 政治について意見を述べる.
── 動他 …と考える, 思う. ¿Qué *opinas* de esto? 君はこれについてどう思うか.

o·pi·nión [opinjón オピニオン] 名女 [複 opiniones] 〔英 opinion〕 **1** **意見**, 見解 (＝idea). dar SU *opinión* 自分の意見を述べる. cambiar de *opinión* 意見を変える. en mi *opinión* 私が思うには. tener buena [mala] *opinión* de ... …を良く[悪く]思う.
2 評判 (＝fama). gozar de buena [mala] *opinión* 良い[悪い]評判を得ている.

o·pio [ópjo オピオ] 名男 アヘン (阿片).

o·pí·pa·ra·men·te [opíparaménte オピパラメンテ] 副 (食事を) たらふく, 豪勢に.

o·pí·pa·ro, ra [opíparo, ra オピパロ, ラ] 形 (食事が) ぜいたくな, 豪華な.

opón 動 → oponer. ㊺

opondr- 動 → oponer. ㊺

o·po·nen·te [oponénte オポネンテ] 形 対立する, 対抗する. ── 名男女 対抗者, 敵.

o·po·ner [oponér オポネル] ㊺ 動他 [過分 opuesto, ta] 対立させる, 対置する. *oponer* resistencia 抵抗する. *oponer* la razón a [contra] la injusticia. 道理をもって不正に立ち向かう.
── **o·po·ner·se** 〔英 oppose〕 《＋**a, contra**》 **…に反対する**, 対立する. *Me opongo a* ese proyecto. 私はその計画に反対です.

opong- 動 → oponer. ㊺

O·por·to [opórto オポルト] 固名 ポルト, オポルト: ポルトガル北西部の地方; 港湾都市.
── 名男 [o-] ポートワイン.

oportuna 形女 → oportuno.

o·por·tu·na·men·te [oportúnaménte オポルトゥナメンテ] 副 都合よく, タイミングよく, 適切に.

o·por·tu·ni·dad [oportuniðáð オポルトゥニダ(ドゥ)] 名女 [複 ～es] 〔英 opportunity〕 **1** **好機**, 機会. en la primera *oportunidad* 都合がつき次第.
2 [普通 ～es] バーゲン.

o·por·tu·nis·mo [oportunísmo オポルトゥニスモ] 名男 日和見[ご都合]主義, オポチュニズム.

o·por·tu·nis·ta [oportunísta オポルトゥニスタ] 形 日和見[ご都合]主義の.
── 名男女 日和見[ご都合]主義者, オポチュニスト.

o·por·tu·no, na [oportúno, na オポルトゥノ, ナ] 形 [複 ～s] 〔英 opportune〕 **1** **時宜を得た**, 好都合の, 適切な. tomar las medidas *oportunas* 適切な措置を講じ

O

る. Intervino en el momento más *oportuno*. 彼は絶妙なタイミングで口を挟んだ. Sería *oportuno* advertírselo. 彼にそのことを知らせておいた方がいいだろう.

2 機知に富んだ，才気煥発(かんぱつ)な. *oportuno* en las réplicas 当意即妙の.

o·po·si·ción [oposiθjón オポシしオン] 名女 [複 oposiciones]〔英 opposition〕

1 反対，対立. encontrar [sufrir] la *oposición* 反対にあう. presentar *oposición* a ... …に反対する.

2 反対党[派]，野党. líder de la *oposición* 野党党主.

3 [普通 oposiciones] 採用[選抜]試験. ganar las *oposiciones* a la cátedra de filosofía 哲学の教授採用試験に合格する.

o·po·si·tar [opositár オポシタル] 動自《+**a**》…の採用[選抜]試験を受ける. *opositar a* la cátedra 教授採用試験を受ける.

o·po·si·tor, to·ra [opositór, tóra オポシトル, トラ] 名男女 (採用試験の) 受験者，志望[志願]者.

o·pre·sión [opresjón オプレシオン] 名女

1 圧迫，迫害，抑圧.

2 圧迫感. Sentí una gran *opresión* en el pecho y me asusté. 私は胸にひどい痛みを感じて心配になった.

o·pre·si·vo, va [opresíβo, βa オプレシボ, バ] 形 **1** 抑圧的な，圧制的な，過酷な.

2 重苦しい，息詰まるような. clima *opresivo* うっとうしい気候.

o·pre·sor, so·ra [opresór, sóra オプレソル, ソラ] 形 抑圧的な，圧制的な.
—— 名男女 抑圧者，圧制者.

o·pri·mir [oprimír オプリミル] 動他 **1** 押す，締めつける (= apretar).

2 抑圧する，虐げる. *oprimir* al pueblo 民衆を抑圧する.

O

o·pro·bio [opróβjo オプロビオ] 名男 不名誉，屈辱，恥. cubrir de *oprobio* 不面目なめに遭わせる. para mayor *oprobio* たいへん恥ずかしいことに.

op·tar [optár オプタル] 動自 **1**《+**por**》…を選ぶ，《+**entre**》…から選択する. *Optó por* ir al extranjero. 彼は外国へ行くことにした. *optar entre* dos candidatos 2名の候補者の中から選出する.

2《+**a**》…に志願する. Tú puedes *optar a* jefe de departamento. 君なら部長になる資格がある. ► 動詞 poder と共に用いられる.

op·ta·ti·vo, va [optatíβo, βa オプタティボ, バ] 形 **1** 選択できる，任意の.

2〔文法〕願望を表す.

óp·ti·co, ca [óptiko, ka オプティコ, カ] 形

1 目の，視力の，視覚の. nervio *óptico* 視神経. ángulo *óptico* 視角. **2** 光学の. instrumentos *ópticos* 光学器械.
—— 名女 **1** 眼鏡店；光学機器販売店.

2 光学. *óptica* electrónica 電子光学.

3 視点，観点.
—— 名男女 眼鏡商；光学機器製造[販売]業者.

op·ti·mis·mo [optimísmo オプティミスモ] 名男 オプティミズム，楽天[楽観]主義 (↔ pesimismo).

op·ti·mis·ta [optimísta オプティミスタ] 形 楽天的な，楽観主義の (↔ pesimista).
—— 名男女 オプティミスト，楽天家，楽観主義者.

óp·ti·mo, ma [óptimo, ma オプティモ, マ] 形 最上の，最良の (↔ pésimo).

o·pues·to, ta [opwésto, ta オプエスト, タ] 過分 → oponer.
—— 形 **1** 反対する，敵対する. Mi padre es *opuesto* a esa opinión. 父はその意見には反対だ.

2 向かい合った，反対側の. Mi casa está al lado *opuesto* del río. 私の家は川の向こう側にある. la acera *opuesta* 向こう側の歩道. ángulos *opuestos* 対頂角；対角.

o·pu·len·cia [opulénθja オプれンしア] 名女 富裕，豊富；豊満. vivir en la *opulencia* ぜいたくに暮らす.

o·pu·len·to, ta [opulénto, ta オプれント, タ] 形 富裕な，豊富な；豊満な.

opus- 動 → oponer. 45

o·que·dad [okeðáð オケダ(ドゥ)] 名女 穴；空洞；空虚，内容のないこと.

o·ra [ora オラ] 接続
ora ... ***ora*** ... 時には…また時には…，…したりまた…したり.

o·ra·ción [oraθjón オラしオン] 名女 [複 oraciones]〔英 sentence〕

1〔文法〕**文**，節. *oración* simple 単文. partes de la *oración* 品詞. *oración* subordinada 従属節. ⇨ 文法用語の解説.

2 祈り. decir [rezar] una *oración* お祈りをする. *oración* dominical 主の祈り，主禱(しゅとう)文 (= padrenuestro).

o·ra·cio·nal [oraθjonál オラしオナる] 形〔文法〕文の，節の.

o·rá·cu·lo [orákulo オラクろ] 名男 神託，託宣，神のお告げ.

o·ra·dor, do·ra [oraðór, ðóra オラドル, ドラ] 名男女 演説者，弁士；説教師 (= *orador* sagrado, predicador).

o·ral [orál オラる] 形 **1** 口頭の，口述の. aprobar el examen *oral* 口頭試問に受かる. tradición *oral* 口碑，言い伝え.

2 口の，口腔(こう)の. por vía *oral* 経口で.

o·ran·gu·tán [oraŋgután オラングタン] 名男〔動物〕オランウータン.

o·ran·te [oránte オランテ] 形 祈る，礼拝中の. —— 名男女 祈る人.

o·rar [orár オラル] 動自《+**por**》…のために祈る，祈願する (= rezar). *orar por* los difuntos 死者のために祈る.

o·ra·to·rio, ria [oratórjo, rja オラトリオ, リア] 形 演説の；能弁な，雄弁家の.
—— 名男 **1** 祈禱(きとう)室，小礼拝堂.

2〔音楽〕オラトリオ，聖譚(せいたん)曲.

── 名女 雄弁; 雄弁術.

or·be [órβe オルベ] 名男 **1** 世界; 地球. en todo el *orbe* 世界中で. **2** 円; 球体, 天体.

ór·bi·ta [órβita オルビタ] 名女 **1** 〘天文〙軌道. *órbita* del satélite artificial 人工衛星の軌道.

2 活動範囲, 領域.

3 〘解剖〙眼窩(がんか).

or·bi·tal [orβitál オルビタる] 形 **1** 軌道の. vuelo *orbital* 軌道飛行.

2 〘解剖〙眼窩(がんか)の.

ór·da·go [órðaɣo オルダゴ] ***de órdago*** 《口語》すごい, この上ない. un jaleo *de órdago* 物すごい騒ぎ.

or·den [órðen オルデン] [複 órdenes] 〔英 order〕 名男 **1** **順序**, 順番. por *orden* alfabético アルファベット順に. por *orden* de estatura 身長の順に. *orden* de las palabras 〘文法〙語順.

2 秩序, 整然. llamar al *orden* 静粛を求める; 規律を守らせる. mantener [restablecer] el *orden* 治安を維持 [回復] する.

3 等級, 種類; 分野; 〘建築〙様式; 〘生物〙目(もく). de primer *orden* 第一級の. en el *orden* económico 経済の分野では. *orden* corintio コリント式. *orden* de los coleópteros 鞘翅(しょうし)目.

4 〘軍事〙隊形. *orden* de combate 戦闘隊形.

── 名女 **1** **命令**; 〘法律〙令状; 〘商業〙注文(書). dar una *orden* 命令を下す. seguir la *orden* 命令に従う. *orden* de comparecencia 出頭命令. poner [colocar] *orden* 発注する. Páguese a la *orden* de ... (小切手の裏書きで) 指図人…に従い支払ってください.

2 〘カトリック〙修道会; 〘歴史〙騎士団. *Orden* de los templarios テンプル騎士団.

3 〘カトリック〙品級, 叙階 (=*orden* sagrada).

del orden de ... 約…くらいの. Serían *del orden de* cuarenta matriculados. 登録した受講者は40人くらいだろう.

en orden a ... …のために; …に関して. *en orden a* buscar la mejor solución 最善の解決策を見つけるために.

estar a la orden del día 日常茶飯事である.

(Estoy) a sus órdenes. 何なりとご用命ください.

or·de·na·ción [orðenaθjón オルデナしオン] 名女 **1** 順序(立て), 配置.

2 〘カトリック〙(司祭の) 叙階(式).

or·de·na·da·men·te [orðenáðaménte オルデナダメンテ] 副 きちんと.

or·de·na·do, da [orðenáðo, ða オルデナド, ダ] 過分 形 整然とした, きちんとした; きちょうめんな.

or·de·na·dor [orðenaðór オルデナドル] 名男 コンピュータ. *ordenador* personal パーソナル・コンピュータ.

【参 考】 コンピュータ・インターネット用語: actualizar バージョンアップする.
arroba アットマーク (@).
arrastrar ドラッグする.
bajar / descargar ダウンロードする.
buscador サーチエンジン.
ciberespacio サイバースペース.
cibernauta ネットサーファー. copia de seguridad バックアップ. correo electrónico / e-mail / E-mail Eメール, 電子メール. configuración 設定.
contraseña パスワード.
disco duro ハードディスク. disquete / disco flexible フロッピーディスク.
emoticón スマイリー. escritorio デスクトップ. espacio 空き容量.
formatear 初期化する. fuente / tipo de letra フォント, 書体.
guardar セーブする, 保存する.
herramienta ユーティリティ.
hipertexto ハイパーテキスト.
icono アイコン. impresora プリンター.
iniciar 起動する.
instalar インストールする.
navegador ブラウザ.
pantalla ディスプレー. pegar ペーストする, 貼り付ける. procesador de textos ワープロ. propiedad プロパティ.
protocolo プロトコル. puerto ポート, 接続口. puntero ポインター.
ranura スロット, 差込口. ratón マウス. resolución 解像度.
salvapantallas スクリーンセーバー.
servidor サーバー.
SO 基本ソフト, OS.
teclado キーボード. texto テキスト.
unidad ドライブ, 装置. unidad magnético-óptica MO ドライブ.
ventana ウィンドウ.

or·de·na·mien·to [orðenamjénto オルデナミエント] 名男 **1** 法令; 《集合》規定, 規則; 法令集. **2** 配列, 配置; 整理, 整備.

or·de·nan·za [orðenánθa オルデナンさ] 名男 **1** (事務所・官庁などの) 守衛, 用務員.

2 〘軍事〙当番兵, 伝令.

── 名女 法令; 条例; 軍規. *ordenanzas municipales* (地方自治体の) 条例.

or·de·nar [orðenár オルデナル] 動他 〔英 order〕 **1** **整理する**; 配列する. *ordenar* los papeles 書類を整理する. *ordenar* en filas 整列させる, 列に並べる.

2 **命令する** (=mandar). El oficial *ordenó* a sus soldados que volvieran pronto. 士官は兵士にすぐ戻れと命じた.

3 〘カトリック〙叙階する.

or·de·ñar [orðeɲár オルデニャル] 動他 乳を搾る. *ordeñar* una vaca 牛の乳を搾る.

or·de·ño [orðéɲo オルデニョ] 名男 搾乳.

or·di·nal [orðinál オルディナる] 形 〘文法〙

O

序数の. ── 名男 〘文法〙序数 (= número ordinal).

ordinaria 形名女 → ordinario.

or·di·na·ria·men·te [orðinárjaménte オルディナリアメンテ] 副 普通は, いつもは.

or·di·na·riez [orðinarjéθ オルディナリエす] 名女 [複 ordinarieces] 粗暴; 粗野な言葉[行為]. ¡Qué *ordinariez*! なんて下品な!

or·di·na·rio, ria [orðinárjo, rja オルディナリオ, リア] 形 〔英 ordinary〕

1 **普通の**, いつもの. correo *ordinario* 普通郵便. traje *ordinario* ふだん着.

2 並の, ありふれた. una obra *ordinaria* 平凡な作品.

3 がさつな, 下品な (=grosero).

── 名男女 がさつな人, 下品な人.

de ordinario いつもは.

o·re·ar [oreár オレアル] 動他 風[外気]に当てる, 風を入れる (= ventilar). *orear* un cuarto 部屋の換気をする.

── **o·re·ar·*se*** 風に当たる; 新鮮な空気を吸う.

o·ré·ga·no [oréɣano オレガノ] 名男 〘植物〙オレガノ, ハナハッカ (花薄荷).

o·re·ja [oréxa オレハ] 名女 [複 ～s] 〔英 ear〕

1 **耳**. taparse las *orejas* con las manos 両手で耳を覆う. ►oreja は外側の耳殻の部分. 聴力, 聴覚を指すときは oído. → cuerpo 図.

2 耳状のもの. ► 例えば鍋(なべ)の取手, (靴の) 前革, (肘(ひじ)掛け椅子の) ヘッドレストなど. **3** 〘闘牛〙雄牛の耳: マタドールに切り与えられる賞.

agachar [***bajar***] ***las orejas*** (議論に負けて) 自説をひっこめる.

aguzar las orejas 耳をそばだてる.

asomar [***enseñar, descubrir***] ***la oreja*** 本性を現す, しっぽを出す.

calentar las orejas a 《+uno》(体罰を加えるなどして)〈人〉をひどくしかる;〈人〉をおしゃべりでうんざりさせる.

con las orejas gachas うなだれて, 恥入って.

oreja marina 〘貝〙アワビ (鮑).

o·re·je·ra [orexéra オレヘラ] 名女 (帽子の) 耳覆い, (ヘルメットなどの) 耳当て.

o·re·ju·do, da [orexúðo, ða オレフド, ダ] 形 (動物が) 耳の長い; (人が) 耳の大きい.

O·ren·se [orénse オレンセ] 固名 オレンセ: スペイン北西部の県; 県都.

or·fa·na·to [orfanáto オルファナト] 名男 孤児院.

or·fan·dad [orfandáð オルファンダ(ドゥ)] 名女 **1** 孤児の境遇; 孤児年金. **2** 孤立無援.

or·fe·bre [orféβre オルフェブレ] 名男 金[銀]細工師.

or·fe·bre·rí·a [orfeβrería オルフェブレリア] 名女 金[銀]細工.

or·fe·ón [orfeón オルフェオン] 名男 〘音楽〙(伴奏なしの) 合唱団.

or·gá·ni·co, ca [orɣániko, ka オルガニコ, カ] 形 **1** 有機体の; 有機 (化学) の (↔ inorgánico). materia *orgánica* 有機物. química *orgánica* 有機化学. **2** (動・植物の) 器官の. **3** 有機的な, 組織的な, 機構上の.

or·ga·ni·gra·ma [orɣaniɣráma オルガニグラマ] 名男 組織図, 機構図; 〘コンピュータ〙フローチャート.

or·ga·ni·lle·ro, ra [orɣaniʎéro, ra オルガニリェロ, ラ] 名男女 手回しオルガン弾き.

or·ga·ni·llo [orɣaníʎo オルガニリョ] 名男 手回しオルガン.

or·ga·nis·mo [orɣanísmo オルガニスモ] 名男 **1** 有機体, 生物; 《集合》器官, 臓器. el *organismo* humano 人体の器官.

2 組織, 機関, 機構.

or·ga·nis·ta [orɣanísta オルガニスタ] 名男女 〘音楽〙(パイプ) オルガン奏者.

or·ga·ni·za·ción [orɣaniθaθjón オルガニさしオン] 名女 [複 organizaciones] 〔英 organization〕

1 **機構**, 団体, 組織 (体). *Organización* del Tratado del Atlántico Norte 北大西洋条約機構 《略 O.T.A.N.》. *Operaciones* de Mantenimiento de Paz (国連) 平和維持活動 《略 OMP》. *Organización* Mundial de la Salud 世界保健機構 《略 OMS》.

2 組織化, 編成, 構成; 計画, 準備. la *organización* del festival フェスティバルの企画[準備].

or·ga·ni·za·do, da [orɣaniθáðo, ða オルガニさド, ダ] 過分 形 組織された, 系統だった, きちんとした.

or·ga·ni·za·dor, do·ra [orɣaniθaðór, ðóra オルガニさドル, ドラ] 形 組織する. comité *organizador* 組織委員会.

── 名男女 組織者, オルガナイザー; 主催者.

or·ga·ni·zar [orɣaniθár オルガニさル] [39 z→c] 動他 〔英 organize〕

組織する, 準備する. *organizar* la resistencia 抵抗運動を組織する. *organizar* un baile ダンスパーティーを催す. *organizar* el trabajo 仕事の段取りを整える.

── **or·ga·ni·zar·*se*** **1** (生活, 習慣などを) きちんとする. Este chico no sabe *organizarse*. この子はきちんとできない.

2 (自然に) 発生する, 起こる. *Se organizó* un gran escándalo. たいへんな騒ぎになった.

ór·ga·no [órɣano オルガノ] 名男 [複 ～s] 〔英 organ〕 **1** 〘生物〙**器官**, **臓器**. *órganos* sexuales 生殖器.

2 装置. *órgano* de transmisión 伝動装置. *órgano* motor 駆動装置.

3 機関 *órgano* administrativo 行政機関.

4 〘音楽〙(パイプ) オルガン.

or·gas·mo [orɣásmo オルガスモ] 名男 オルガスムス.

or·gí·a [orxía オルヒア] 名女 乱痴気騒ぎ,

どんちゃん騒ぎ; 乱交パーティー.

or·giás·ti·co, ca [orxjástiko, ka オルヒアスティコ, カ] 形 乱痴気騒ぎの, どんちゃん騒ぎの.

or·gu·llo [oryúʎo オルグリョ] 名男〔英 pride〕 **1 誇り**; 自慢の種. El escultor contempló con *orgullo* su obra. 彫刻家は自分の作品を満足気に眺めた. Este alumno es el gran *orgullo* del maestro. この生徒は先生の大変な自慢の種である.

2 思い上がり, 傲慢(ごうまん). Tiene mucho *orgullo*. 彼は思い上がっている.

or·gu·llo·so, sa [oryuʎóso, sa オルグリョソ, サ] 形 **1** 《+**con, de, por**》…を誇りに思う, 自慢する. Deberías sentirte *orgulloso por* tu éxito. 君はその成果を誇りに思っていい. estar *orgulloso de* [*por*] su riqueza 財産を鼻にかける.

2 傲慢(ごうまん)な; 誇り高い.

o·rien·ta·ción [orjentaθjón オリエンタシオン] 名女 **1** 方向づけ, 指導, オリエンテーション. **2** 方角, (建物などの) 向き. con *orientación* al mediodía 南に向かって.

3 方位測定.

o·rien·tal [orjentál オリエンタる] [複 ~es] 形〔英 eastern; Oriental〕 **東の**; **東洋の**, 近東の(↔ occidental). Europa *oriental* 東ヨーロッパ, 東欧. civilización *oriental* オリエント文明; 東洋文明.

—— 名男女 東洋人; 近東諸国人.

o·rien·ta·lis·mo [orjentalísmo オリエンタリスモ] 名男 東洋趣味; 東洋学.

o·rien·ta·lis·ta [orjentalísta オリエンタリスタ] 名男女 東洋学者, 東洋通.

o·rien·tar [orjentár オリエンタル] 動他

1 《+**a, hacia**》…の方に向ける. una casa *orientada al* sur 南向きの家. *orientar* una antena アンテナの向きを定める.

2 指導する, 手ほどきをする. *orientar a* 《+uno》 en 《+algo》 〈人〉に〈何か〉の指導をする.

——**o·rien·tar·se** **1** 方向[位置]を定める; (取るべき) 道が分かる. *orientarse* con una brújula 磁石で方角を知る. Yo *me oriento* muy mal en las grandes ciudades. 私は大都会では方向音痴になる.

2 《+**hacia**》…の方に向かう, 向く; (将来) …の方に進む. *Se orienta hacia* la medicina. 彼は医学の道に進む.

o·rien·te [orjénte オリエンテ] 名男〔英 east〕 **1 東** (=este) (↔ occidente). El sol sale por *oriente* y se pone por occidente. 太陽は東から昇り西に沈む.

2 [O-] オリエント, 東洋. Extremo [Lejano] *Oriente* 極東. Cercano [Próximo] *Oriente* 近東. *Oriente* Medio 中東.

3 東風.

o·ri·fi·cio [orifíθjo オリフィしオ] 名男 (管などの) 口, 穴, 開口部. *orificio* de salida 排出口.

ori·gen [oríxen オリヘン] 名男 [複 orígenes]〔英 origin〕 **1 起源**, 源, 始まり. Estas palabras son de *origen* griego. これらの単語はギリシア語起源です.

2 出所, 原産; 素性, 家柄. certificado de *origen* 〘商業〙原産地証明書. de *origen* noble 貴族出の. **3** 原因. el *origen* de la pelea 争いの原因.

dar origen a ... …を引き起こす.

o·ri·gi·nal [orixinál オリヒナる] [複 ~es] 形〔英 original〕 **1 本来の**, 生来の. versión *original* オリジナル版. pecado *original* (キリスト教の) 原罪.

2 独創的な; 奇抜な. idea *original* 独創的な考え. un comportamiento *original* 奇妙な振る舞い.

3 原産の, 出身の. país *original* 出生国.

—— 名男 オリジナル, 原本, 原画, 原作.

o·ri·gi·na·li·dad [orixinaliðáð オリヒナりダ(ドゥ)] 名女 **1** 独創(性), オリジナリティー.

2 目新しさ, 奇抜さ.

o·ri·gi·nal·men·te [orixinálménte オリヒナるメンテ] 副 もともとは, 元来; 独創的に, 奇抜に.

o·ri·gi·nar [orixinár オリヒナル] 動他 引き起こす, もたらす, 生み出す. El desmonte suele *originar* las inundaciones. 山林伐採はしばしば洪水の原因となる.

—— **o·ri·gi·nar·se** 起こる, 生じる. A causa de la falta de noticias *se originó* una confusión. 情報不足のため混乱が生じた.

o·ri·gi·na·ria·men·te [orixinárjaménte オリヒナリアメンテ] 副 もともとは, そもそも, 元来.

o·ri·gi·na·rio, ria [orixinárjo, rja オリヒナリオ, リア] 形 **1** 元の, 当初の. en su forma *originaria* 元の形で.

2 出身の, 原産の.

o·ri·lla [oríʎa オリリャ] 名女 [複 ~s]〔英 shore〕 **1 岸**. a *orillas* [a la *orilla*] del mar 海辺で, 海岸で. ➡ playa.

2 縁, へり; 道端. la *orilla* de la mesa テーブルの縁.

orilla de ... 《口語》… のすぐ近くに[で].

o·rín [orín オリン] 名男 **1** 鉄錆(さび).

2 [orines] 尿 (= orina). hacer *orines* 小便をする.

o·ri·na [orína オリナ] 名女 尿, 小便.

o·ri·nal [orinál オリナる] 名男 (男性トイレの) 小便器; 溲瓶(しびん).

o·ri·nar [orinár オリナル] 動自 放尿する, 小便をする. ► 幼児語では hacer pis [pipí].

o·riun·do, da [orjúndo, da オリウンド, ダ] 形 **1** 原産の. planta *oriunda* de México メキシコ原産の植物.

2 生まれの, 出身の. *oriundo* de Burgos (スペインの) ブルゴス生まれの人.

or·la [órla オルら] 名女 **1** 縁枠, 縁飾り.

2 (卒業などの) 記念写真の額.

or·lar [orlár オルらル] 動他 縁取りする, 縁飾りをつける.

or·na·men·ta·ción [ornamentaθjón オルナメンタしオン] 名女 飾り付け, 装飾.

or·na·men·tal [ornamentál オルナメンタる] 形 飾りの, 装飾の.

or·na·men·tar [ornamentár オルナメンタル] 動他 飾る, 装飾する (= adornar).

or·na·men·to [ornaménto オルナメント] 名男 **1** 飾り, 装飾; 装飾品 (= adorno).
2 [〜s] 〘宗教〙(礼拝用) 祭服, 祭壇用具.

or·na·to [ornáto オルナト] 名男 装飾; 装飾品.

or·ni·to·lo·gí·a [ornitoloxía オルニトろヒア] 名女 鳥類学.

or·ni·to·ló·gi·co, ca [ornitolóxiko, ka オルニトろヒコ, カ] 形 鳥類学の.

or·ni·tó·lo·go, ga [ornitóloɣo, ɣa オルニトろゴ, ガ] 名男女 鳥類学者.

o·ro [óro オロ] 名男 [複 〜s] [英 gold]
1 金, 黄金; 金貨. *oro* puro [de ley] 純金. *oro* blanco ホワイトゴールド. pan de *oro* 金箔(きんぱく). *oro* en barras 金の延べ棒.
2 金銭, 富, 財産. hacerse de *oro* 大金持ちになる.
3 (スペイン・トランプの) 金貨. → naipe 図.
cuidar [***guardar***] ***como oro en paño*** とても大切に扱う.
de oro (1) 金 (製) の. reloj *de oro* 金時計. (2) すばらしい. tener voz *de oro* すばらしい美声の持ち主である.
el oro y el moro 法外なこと[もの].
No es oro todo lo que reluce. 《諺》輝くもの必ずしも金ならず.
por todo el oro del mundo 《否定の表現》頑として, どんなことがあっても…しない.

o·ro·gra·fí·a [oroɣrafía オログラフィア] 名女 山岳学; (山岳の) 起伏.

o·ron·do, da [oróndo, da オロンド, ダ] 形 **1** (壺(つぼ)などが) 胴の膨らんだ; (人が) 腹の突き出た. **2** 満足げな, 得意満面の.

o·ro·pel [oropél オロペる] 名男 **1** (金に似せた) 真鍮箔(しんちゅうはく).
2 安ぴか物. de *oropel* 見かけ倒しの.

or·ques·ta [orkésta オルケスタ] 名女 **1** 〘音楽〙オーケストラ; 楽団, バンド. *orquesta* de baile [de jazz] ダンス[ジャズ]バンド. *orquesta* sinfónica 交響楽団. **2** オーケストラ・ボックス, 演奏者席. → teatro 図.

or·ques·ta·ción [orkestaθjón オルケスタしオン] 名女 〘音楽〙オーケストレーション, 管弦楽作曲[編曲].

or·ques·tal [orkestál オルケスタる] 形 〘音楽〙オーケストラの, 管弦楽 (団) の, 管弦楽のための.

or·ques·tar [orkestár オルケスタル] 動他
1 オーケストラ用に作曲[編曲]する.
2 大々的に宣伝する, 派手に言いふらす.

or·quí·de·as [orkíðeas オルキデアス] 名女 [複] ラン科 (の植物).

Or·te·ga y Ga·sset [ortéɣaiɣasét オルテガイガセ(トゥ)] 固名 オルテガ・イ・ガセー, José (1883–1955) : スペインの哲学者.

or·ti·ga [ortíɣa オルティガ] 名女 〘植物〙イラクサ (刺草).

or·to·do·xia [ortoðóksja オルトドクシア] 名女 **1** 正統, 正統性 (↔ heterodoxia).
2 〘宗教〙ギリシア正教 (会).

or·to·do·xo, xa [ortoðókso, ksa オルトドクソ, クサ] 形 **1** 正統の, 正統派の (↔ heterodoxo). opinión *ortodoxa* 正統的な意見.
2 ギリシア正教の. iglesia *ortodoxa* ギリシア正教会.
—— 名男女 ギリシア正教徒.

or·to·gra·fí·a [ortoɣrafía オルトグラフィア] 名女 正字法, 正書法; 綴(つづ)り, スペル. cometer una falta de *ortografía* 綴りを間違う.

or·to·grá·fi·co, ca [ortoɣráfiko, ka

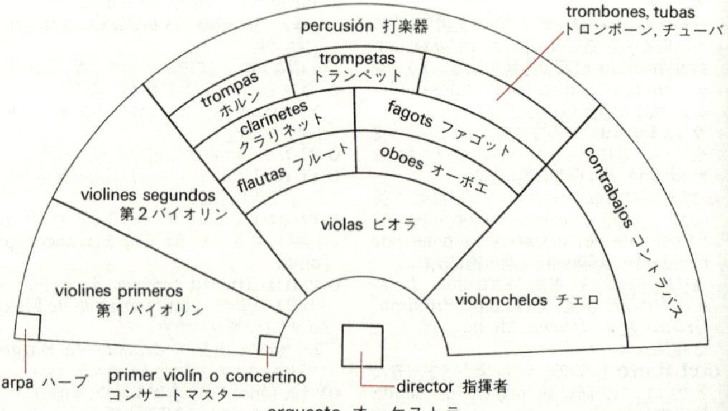

orquesta オーケストラ

オルトグラフィコ, カ] 形 正字法の, 正書法の; 綴(つづ)り字上の. error *ortográfico* 綴りの誤り.

or·to·pe·dia [ortopéðja オルトペディア] 名女 〔医〕整形外科(学).

or·to·pé·di·co, ca [ortopéðiko, ka オルトペディコ, カ] 形 整形外科(学)の.
── 名男女 整形外科医.

o·ru·ga [orúɣa オルガ] 名女 **1** 〔昆虫〕イモムシ(芋虫), 毛虫, 青虫.
2 〔技術〕キャタピラ, 無限軌道(装置). tractor de *oruga* キャタピラ式トラクター.

o·ru·jo [orúxo オルホ] 名男 (ブドウなどの)搾りかす.

or·za [órθa オルさ] 名女 (食料を蓄える取っ手のない)かめ, 壺(つぼ).

or·zue·lo [orθwélo オルすエろ] 名男 〔医〕麦粒腫(しゅ), ものもらい.

os [os オス] 代名 《人称》
[2人称複数形弱形代名詞, 男・女同形; 単数形 te, ➡ me 【文法】] 〔英 you〕
1 《直接目的語》**君たちを**, お前たちを. *Os* invito a cenar en un restaurante chino. 君たちを中華料理に招待するよ.
2 《間接目的語》**君たちに**; 君たちのために; 君たちから; 君たちの. *Os* lo compré. 君らのために[君たちから]私はそれを買ったんだ. **3** 《再帰文などを作る》君たち自身を[に, の], 自分を[に, の]. ¿A qué hora *os* levantáis? 君たちは何時に起きるの? ➡ se 2-5.

o·sa·dí·a [osaðía オサディア] 名女 **1** 大胆さ, 果敢, 向こう見ず. con gran *osadía* 大胆不敵にも. **2** 厚顔, 無恥.

o·sa·do, da [osáðo, ða オサド, ダ] 形 **1** 大胆な, 果敢な, 向こう見ずな. **2** 厚顔無恥な.

o·sa·men·ta [osaménta オサメンタ] 名女 《集合》骨格, 骨組み.

o·sar [osár オサル] 動自 《+不定詞》大胆にも…する, あえて…する. *Osó* respondernos con insolencia. 彼は生意気にも我々に対して横柄な返事をした.

o·sa·rio [osárjo オサリオ] 名男 納骨堂; 骨を埋める[埋めた]場所.

os·cen·se [osθénse オせンセ] 形 (スペインの)ウエスカ Huesca の.
── 名男女 ウエスカの住民.

os·ci·la·ción [osθilaθjón オしらしオン] 名女 **1** 揺れ, 振動; 変動. **2** ためらい.

os·ci·lan·te [osθilánte オしらンテ] 形 **1** 振動性の; 揺れ動く. **2** ためらう.

os·ci·lar [osθilár オしらル] 動自 **1** 振動する, 揺れる. péndulo que *oscila* 左右に揺れる振り子.
2 変動する. El precio *oscila* entre treinta y cuarenta pesetas el kilo. 価格は1キロ30ペセタから40ペセタの間を上下している.
3 ためらう, 動揺する.

os·ci·la·to·rio, ria [osθilatórjo, rja オしらトリオ, リア] 形 振動の, 揺れ動く.

os·ci·ló·gra·fo [osθilóɣrafo オしろグラフォ] 名男 〔電気〕オシログラフ, 振動記録計.

oscura 形女 ➡ oscuro[1].

os·cu·ran·tis·mo [oskurantísmo オスクランティスモ] 名男 反啓蒙(けいもう)主義.

os·cu·ran·tis·ta [oskurantísta オスクランティスタ] 形 反啓蒙(けいもう)主義の.
── 名男女 反啓蒙主義者.

os·cu·re·cer [oskureθér オスクレせル] 動他 暗くする; 曖昧(あいまい)にする.
── 動自 **os·cu·re·cer·*se*** 暗くなる.

os·cu·re·ci·mien·to [oskureθimjénto オスクレしミエント] 名男 **1** 暗くなる[する]こと.
2 不明瞭(ふめいりょう), 曖昧(あいまい).

os·cu·ri·dad [oskuriðáð オスクリダ(ドゥ)] 名女 **1** 暗いこと, 暗がり (↔ claridad). tener miedo a la *oscuridad* 暗闇(くらやみ)を恐れる. **2** 不明瞭(ふめいりょう), 曖昧(あいまい); 世に知られないこと, 無名. vivir en la *oscuridad* ひっそりと暮らす.

os·cu·ro[1], ra [oskúro, ra オスクロ, ラ] 形 [複 ~s] 〔英 dark〕 **1 暗い**; 暗色の (↔claro). habitación *oscura* 暗い部屋. traje *oscuro* ダークスーツ. verde *oscuro* 濃い緑の.
2 曇った, どんよりした. Hoy hace un día frío y *oscuro*. 今日は寒くてどんより曇っている.
3 無名の; 身分の卑しい. mujer de condición *oscura* 身分の低い女.
4 不明瞭(めいりょう)な; いかがわしい. sentido *oscuro* 曖昧(あいまい)な意味. intenciones *oscuras* うさんくさいもくろみ.
a oscuras 暗闇(くらやみ)で; 何も知らされずに. Explicámelo bien, que yo estoy *a oscuras*. よく説明してくれ, 僕にはさっぱり分からないんだ.

os·cu·ro[2] [oskúro オスクロ] 名男 〔美術〕陰影.

ó·se·o, a [óseo, a オセオ, ア] 形 骨(質)の, 骨性の. ➡ hueso.

o·sez·no [oséθno オセすノ] 名男 子グマ(熊).

o·si·fi·ca·ción [osifikaθjón オシフィカしオン] 名女 骨化, 化骨作用.

o·si·fi·car·*se* [osifikárse オシフィカルセ] [8 c ➡ qu] 動 骨化する, 骨になる.

ós·mo·sis [ósmosis オスモシス] / **os·mo·sis** [osmó- オスモ-] 名女 **1** 〔物理〕〔化〕浸透(性). **2** 相互浸透[影響].

o·so, sa [óso, sa オソ, サ] 名男女 〔動物〕クマ(熊); クマのような動物. *oso* polar 北極グマ. *oso* pardo ヒグマ. *oso* marino オットセイ. *oso* y madroño クマとヤマモモの木 (♦マドリード市のシンボルマーク). *Osa* Mayor [Menor] 〔天文〕大[小]熊座. ► 子グマは osezno.
hacer el oso 《口語》人を笑わせる.

os·ten·si·ble [ostensíβle オステンシブれ] 形 **1** 明らかな, 明白な. hacer *ostensible* 明らかにする.

2 表向きの，上辺の，見せかけだけの．
os·ten·si·ble·men·te [ostensíβleménte オステンシブれメンテ] 副 明らかに，見るからに．
os·ten·ta·ción [ostentaθjón オステンタしオン] 名女 見せびらかし，誇示．hacer *ostentación* de SUS riquezas 富を誇示する．
os·ten·tar [ostentár オステンタル] 動他 **1** 見せびらかす，誇示する．*ostentar* SUS conocimientos 知識をひけらかす．
2（権利・資格などを）有する．*ostentar* un título 肩書きを持つ．
os·ten·to·sa·men·te [ostentósaménte オステントサメンテ] 副 これ見よがしに．
os·ten·to·so, sa [ostentóso, sa オステントソ，サ] 形 人目に立つ，これ見よがしの；豪華な．Me alabó de forma *ostentosa*. 彼は私を大げさに褒めた．
os·tra [óstra オストゥラ] 名女〖貝〗カキ（牡蠣）．→ molusco 図．
aburrirse* [*estar aburrido*] *como una ostra 死ぬほど退屈する[している]．
¡Ostras!《俗語》うわっ，これは驚いた，なんてことだ！
os·tra·cis·mo [ostraθísmo オストゥラしスモ] 名男 **1** 公職追放． **2**〖歴史〗（古代ギリシアの）陶片[貝殻]追放．
os·tri·cul·tu·ra [ostrikultúra オストゥリクるトゥラ] 名女 カキ養殖（業）．
os·tro·go·do, da [ostroγóðo, ða オストゥロゴド，ダ] 形 東ゴート（人）の．→ visigodo. —— 名男女 東ゴート人．
O.T.A.N. [ótan オタン]《略》*O*rganización del *T*ratado del *A*tlántico *N*orte 北大西洋条約機構〔英 NATO〕．
o·te·ar [oteár オテアル] 動他 **1** 見渡す，見下ろす． **2** 注意深く観察する．
o·te·ro [otéro オテロ] 名男 小丘，小山．
o·ti·tis [otítis オティティス] 名女〔単・複同形〕〖医〗耳炎．
o·to·ma·no, na [otománo, na オトマノ，ナ] 形〖歴史〗オスマン（トルコ）の，オスマン帝国の． —— 名女 トルコふう長椅子．
o·to·ñal [otoɲál オトニャる] 形 **1** 秋の，秋らしい． **2** 老年の，晩年の．edad *otoñal* 老齢．
o·to·ño [otóɲo オトニョ] 名男〔複 ～s〕〔英 autumn, fall〕
1 秋．en (el) *otoño* 秋に．→ estación【参考】． **2**《比喩》初老期．
o·tor·ga·mien·to [otorγamjénto オトルガミエント] 名男 **1** 授与；譲渡．
2 許可，同意，承諾．
o·tor·gar [otorγár オトルガル] [32 g → gu] 動他 **1** 与える，授ける；認める（= conceder）．*otorgar* el premio 賞を授与する．*otorgar* la mano de SU hija 娘との結婚を許す．Quien calla, *otorga*.《諺》沈黙は承諾のしるし．
2〖法律〗（公証人のもとで文書を）作成する．*otorgar* testamento 遺言状を認(した)める．
o·to·rri·no·la·rin·go·lo·gí·a [otor̄inolariŋgoloxía オトリノらリンゴろヒア] 名女〖医〗耳鼻咽喉(いんこう)科（学）．
o·to·rri·no·la·rin·gó·lo·go, ga [otor̄inolariŋgóloγo, γa オトリノらリンゴろゴ，ガ] 名男女〖医〗耳鼻咽喉(いんこう)科医．
o·tro, tra [ótro, tra オトゥロ，トゥラ]［複 ～s］形《不定》〔英 other, another〕 **1**《名詞の前に付けて》**ほかの**，別の．*otra* persona 誰かほかの人，別人．*Otro* día hablaremos más despacio. 他日もっとゆっくり話しましょう．¿Quiere *otra* taza de café? コーヒーをもう1杯いかがですか．

> 【文　法】 1 **otro** は不定冠詞 un, una と一緒に用いられることはない．
> 2 指示形容詞や前置形の所有形容詞，algún, ningún, cualquier, todo などの不定形容詞は **otro** の前に置かれる．
> Te recomiendo este *otro* libro. 君にはこの別の本を勧めるよ．
> Ningún *otro* colombiano vino por aquí. 他のコロンビア人は誰もここに寄らなかった．
> Compra cualquier *otra* revista. どれでもいいから別の雑誌を買いなさい．
> 3 他の形容詞（品質形容詞・数詞など）の場合は **otro** の後に置かれる．
> Marisa es *otra* pobre chica. マリサもまた気の毒な子なんだ．
> Me dejaron *otros* dos libros. 私はこのほかに2冊本を貸してもらった．

2《定冠詞を伴って》（二つ［2人］のうちの）もう一方の；［～s］残りの，それ以外の．Quizá haya salido por la *otra* puerta. もしかすると彼はもう一つの出口から出ていったのかも知れない．Y ¿qué te dijo el *otro* chico? で，もう一人の彼はなんと言ったの？ Él solo vino conmigo; los *otros* compañeros no tenían interés. 彼だけが僕と一緒に来たんだ．他の仲間たちは興味がなかったのでね．del *otro* lado de la calle 通りの反対側の．
3《数詞・数量を表す語の前に置いて》そのうえに…の，さらに…の．Déme *otros* doscientos gramos de jamón. もう200グラム，ハムを下さい．
4《補語として》違った，異なった．Lo vi ayer. Me pareció completamente *otro*. きのう彼に会った．全く別人のようだった．
5 第二の，よく似た．Es *otro* Goya. 第二のゴヤだ．
—— 代名《不定》**1 ほかの物**，別の物；**ほかの人**，別の人．¿No tiene *otro* igual? これと同じようなものがもう一つありますか．algunos *otros* ほかの何人か，ほかのいくつか．Que lo haga *otro*. ほかの誰かがやればいい．Algunos se fueron y *otros* se quedaron. 帰った者もいたが，残った者もいた.

2 《定冠詞を伴って》(二つ[2人]のうちの) もう一方の;[複]残りの物[人]. este libro y el *otro* この本と別の1冊.

> **【参 考】 uno(s) … otro(s), el uno … el otro [la una … la otra]** といった対句で用いられることがある.
> *Unos* nacen y *otros* mueren. 生まれてくるものがあれば, 死んでいくものもいる.
> Tiene dos chalés : (*el*) *uno* aquí, y (*el*) *otro* en Almería. 彼は別荘を二つ持っている. 一つがここで, もう一つはアルメリアにある.

como otro cualquiera どこにでもあるような. Es una idea *como otra cualquiera*. それは月並みな考えだ.

***entre otras*(*cosas*)** とりわけ, 数あるなかで.

¡Hasta otra! ではまた近いうちに, また後でね.

otro que … …以外の物[人]. Cualquier *otro que* tú no lo hubiese permitido. 君以外は誰もそれを許してくれたりはしなかっただろう.

otro que tal 似たりよったりのもの.

otros tantos 《+複数名詞》→ tanto.

o·va·ción [oβaθjón オバしオン] 名女 大喝采(かっさい); 大歓迎. Fue acogido por el público con una calurosa *ovación*. 彼は民衆から熱烈な歓迎を受けた.

o·va·cio·nar [oβaθjonár オバしオナル] 動他 …に喝采(かっさい)[拍手]を送る; 大歓迎する.

o·val [oβál オバる] / **o·va·la·do, da** [oβaláðo, ða オバらド, ダ] 形 楕円(だえん)形の, 卵形の.

ó·va·lo [óβalo オバろ] 名男 楕円形, 卵形.

o·va·rio [oβárjo オバリオ] 名男 《解剖》卵巣; 《植物》子房. → flor 図.

o·ve·ja [oβéxa オベハ] 名女 [複 ~s] [英 sheep] 《動物》**ヒツジ**(羊), 雌羊. un rebaño de *ovejas* 羊の群れ. ► 雄羊は carnero, 子羊は borrego, cordero.

Cada oveja con su pareja. 《諺》類は友を呼ぶ.

oveja negra 持て余し者, 厄介者.

o·ve·ten·se [oβeténse オベテンセ] 形 オビエドの.

―― 名男女 オビエドの住民.

O·vie·do [oβjéðo オビエド] 固名 オビエド: スペイン北部の県; 県都.

o·vi·llo [oβíʎo オビリョ] 名男 **1** 糸玉, 毛玉. **2** もつれ, 混乱.

hacerse [***estar hecho***] ***un ovillo*** 身を縮める, 体を丸くする.

o·vi·no, na [oβíno, na オビノ, ナ] 形 羊の, 羊のような.

o·ví·pa·ro, ra [oβíparo, ra オビパロ, ラ] 形 《動物》卵生の.

ovni [óβni オブニ] 《略》*o*bjeto *v*olante *n*o *i*dentificado 未確認飛行物体 [英 UFO].

o·vu·la·ción [oβulaθjón オブらしオン] 名女 《生物》排卵.

ó·vu·lo [óβulo オブろ] 名男 《生物》卵子, 卵細胞.

o·xi·da·ble [oksiðáβle オクシダブれ] 形 酸化しやすい; さびやすい (↔ inoxidable).

o·xi·da·ción [oksiðaθjón オクシダしオン] 名女 《化》酸化 (作用); さびること, さびつき.

o·xi·dan·te [oksiðánte オクシダンテ] 形 酸化させる. ―― 名男 酸化剤, オキシダント.

o·xi·dar [oksiðár オクシダル] 動他 酸化させる; さびつかせる.

―― **o·xi·dar·*se*** 《化》酸化する; さびる, さびつく. Estos goznes *se han oxidado*. この蝶番(ちょうつがい)はさびついてしまっている.

ó·xi·do [óksiðo オクシド] 名男 《化》酸化物; 錆(さび)(= orín).

o·xi·ge·na·ción [oksixenaθjón オクシヘナしオン] 名女 **1** 《化》酸素処理[添加]. **2** 外気吸入.

o·xi·ge·na·do, da [oksixenáðo, ða オクシヘナド, ダ] 過分 形 酸素を含む. agua *oxigenada* 過酸化水素水, オキシドール.

o·xi·ge·nar [oksixenár オクシヘナル] 動他 《化》酸素で処理する, 酸素を添加する.

―― **o·xi·ge·nar·*se*** 《口語》外気を深く吸い込む.

o·xí·ge·no [oksíxeno オクシヘノ] 名男 《化》酸素. botella de *oxígeno* 酸素ボンベ.

oy- 動 → oír. 37

o·yen·te [ojénte オイエンテ] 名男女 聴き手, 聴取者; 聴講生 (= libre *oyente*).

o·zo·no [oθóno オそノ] 名男 《化》オゾン.

o·zo·nos·fe·ra [oθonosféra オそノスフェラ] 名女 (大気圏の) オゾン層 (= la capa de ozono): 地上の生物に有害な紫外線の多くを吸収する.

P p *P p*

P, p [pé ペ] 名女 スペイン語字母の第17字.

pa·be·llón [paβeʎón パベリョン] 名男
1 パビリオン, 仮設展示場. *pabellón* español en la Feria Internacional de Muestras 国際見本市のスペイン館.
2 分館, 別棟; あずまや. *pabellón* A de la Facultad de Filosofía y Letras 哲文学部A棟.
3〘音楽〙(管楽器の)朝顔;〘解剖〙外耳.

pa·bi·lo [paβílo パビろ] 名男 (ろうそくの)芯(しん), 灯心.

Pa·blo [páβlo パブろ] 固名 パブロ: 男性の名. San *Pablo*〘聖書〙聖パウロ(? -67. 新約の14編の書簡の筆者).

pá·bu·lo [páβulo パブろ] 名男 ***dar pábulo a*** … …を誘発する, 助長する.

Pa·ca [páka パカ] 固名 パカ: Francisca の愛称. 小 Paquita.

pa·ca·to, ta [pakáto, ta パカト, タ] 形 おとなしい; 猫かぶりの.

pa·cer [paθér パセル] 40 動自 (家畜が) 草を食べる.

paces 名[複] ➡ paz.

pa·cho·rra [patʃóra パチョラ] 名女《口語》のろいこと, ぐず.

pa·chu·cho, cha [patʃútʃo, tʃa パチュチョ, チャ] 形 **1**《口語》(気力が) 衰えた; ふさぎこんだ.
2 (果物などが) 熟れすぎた.

pa·cien·cia [paθjénθja パしエンしア] 名女〔英 patience〕辛抱, 忍耐, 根気. ¡(Ten) *Paciencia*! 我慢しろ! Se me acabó la *paciencia*. 私は堪忍袋の緒が切れた. probar a《+uno》la *paciencia*〈人〉をいらいらさせる. Con *paciencia* se gana el cielo.《諺》待てば海路の日和あり.

pa·cien·te [paθjénte パしエンテ] 形 忍耐強い, 我慢強い. Hay que ser *paciente* con los niños. 子供に対しては忍耐が必要だ.
—— 名男女 患者, 病人. El médico atiende a los *pacientes* sólo por la tarde. その医者が患者を診るのは午後だけだ.

pa·cien·te·men·te [paθjénteménte パしエンテメンテ] 副 根気よく, 気長に.

pa·ci·fi·ca·ción [paθifikaθjón パしフィカしオン] 名女 平定, 鎮圧; 講和, 和平工作.

pa·ci·fi·car [paθifikár パしフィカル] [8 c ➡ q] 動他 …の平和を回復する, 平定する, 鎮圧する; 和解させる.
—— **pa·ci·fi·car·*se*** 静まる. *pacificarse* el mar 時化(しけ)が収まる.

pa·cí·fi·co, ca [paθífiko, ka パしフィコ, カ] 形 平和的な, 穏やかな. el (Océano) *Pacífico* 太平洋.

pa·ci·fis·mo [paθifísmo パしフィスモ] 名男 平和主義.

pa·ci·fis·ta [paθifísta パしフィスタ] 形 平和主義(者)の.
—— 名男女 平和主義者.

Pa·co [páko パコ] 固名 パコ: Francisco の愛称. 小 Paquito.

pa·co·ti·lla [pakotíʎa パコティリャ]
de pacotilla 安物の, 粗悪な, 三流の.
hacer* SU *pacotilla たっぷりもうける.

pac·tar [paktár パクタル] 動自《+con》…と協定を結ぶ, 妥協する.
—— 動他 (協定などを) 結ぶ.

pac·to [pákto パクト] 名男 契約, 協定, 条約 (= tratado). *pacto* de no agresión 不可侵条約. *pacto* de caballeros 紳士協定. hacer un *pacto* 協定を結ぶ.

pa·de·cer [paðeθér パデセル] 40 動他 (病気に) かかる; (苦難・苦痛などを) 受ける, …に苦しむ, 耐える (= sufrir). Muchos de los ciudadanos *padecen* problemas respiratorios. 市民の多くが呼吸器系の疾患を抱えている. Hace tiempo que *padezco* un fuerte insomnio. ずっと以前から私は重い不眠症にかかっている. *padecer* una pulmonía 肺炎にかかる. *padecer* hambre y frío 飢えと寒さに苦しむ. *padecer* un desengaño 失望する. *padecer* privaciones 窮乏生活に耐える.
—— 動自《+con, de》…で苦しむ;《+de》(慢性的な病気に) かかる. *Padece* mucho *con* el asma. 彼は喘息(ぜんそく)でひどく苦しんでいる. *padecer de*l corazón 心臓を患っている. *padecer de* reuma リューマチを患う.

pa·de·ci·mien·to [paðeθimjénto パデしミエント] 名男 苦しむこと; 罹病(りびょう).

pa·dras·tro [paðrástro パドゥラストゥロ] 名男 **1** 継父;《口語》(子供に) つらくあたる父親.
2 (指の) ささくれ, 逆むけ.

pa·dra·zo [paðráθo パドゥラそ] 名男《口語》甘い父親.

pa·dre
[páðre パドゥレ] 名男 [複 ~s]〔英 father〕
1 父; [~s] 両親 (= padre y madre). ¿Cómo era el *padre* de José? ホセのお父さんはどんな人でしたか. Mis *padres* viven en el pueblo. 私の両親は田舎に住んでいる. *padre* de familia 一家の長. *padre* político 義父. de *padre* a hijo 父から子へ. ➡familia【参考】, madre.

2 〘ｶﾄﾘｯｸ〙神父. el *padre* Pérez ペレス神父. el Santo *Padre* ローマ教皇. los Santos *Padres* / los *Padres* de la Iglesia (初期教会の) 教父. *padre* espiritual 指導神父.
3 創始者, 開祖. Hipócrates es el *padre* de la medicina. ヒポクラテスは医学の父である. *padre* de la patria 建国の父.
4 [~s] 先祖. Nuestros *padres* fundaron esta ciudad. 私たちの先祖がこの町を造った.
5 [P-] (三位一体の第一位格としての) 父である神 (= *Padre* Eterno).
── 形 《口語》 大変な, すごい. llevarse un susto *padre* びっくり仰天する. tener un éxito *padre* 大成功を収める.
cada uno* [*una*] *de su padre y de su madre 不ぞろいの, まちまちの.
de padre y muy señor mío 《口語》 大変な, ひどい.
Padre Nuestro 〘ｶﾄﾘｯｸ〙 ➡ padrenuestro.

pa·dre·nues·tro [paðrenwéstro パドゥレヌエストゥロ] 名男 〘ｶﾄﾘｯｸ〙 主の祈り.
en un padrenuestro 《口語》 一瞬のうちに.

pa·dri·naz·go [paðrináθɣo パドゥリナスゴ] 名男 **1** 代父の役. **2** 保護, 後援.

pa·dri·no [paðríno パドゥリノ] 名男 **1** (洗礼に立ち会う) 代父, 名(付け)親; [~s] 代父母. ➡ compadre, madrina.
2 (結婚式で) 新婦の付添人.
3 後援者, スポンサー. tener buen(os) *padrino*(s) いい後ろ盾がついている.

pa·drón [paðrón パドゥロン] 名男 住民名簿.

pa·e·lla [paéʎa パエリャ] 名女 〘料理〙 パエーリャ: 肉, 魚介類, 野菜をサフランで炊き込んだ米料理. *paella* (a la) valenciana バレンシアふうパエーリャ.

pa·e·lle·ra [paeʎéra パエリェラ] 名女 パエーリャ用の平鍋(ひらなべ).

pa·ga [páɣa パガ] 名女 **1** 給料, 月給. cobrar la *paga* 給料を受け取る. día de *paga* 支払い日, 給料日. *paga* extraordinaria 特別手当.
2 支払い (= pago).
3 償い, 代償, 報い.
── 動 ➡ pagar.

pa·ga·de·ro, ra [paɣaðéro, ra パガデロ, ラ] 形 支払うべき. *pagadero* a la vista 一覧払いの. *pagadero* a plazos 分割払いの.

pagado, da 過分 ➡ pagar.

pa·ga·du·rí·a [paɣaðuría パガドゥリア] 名女 会計課, 経理課.

pagando 現分 ➡ pagar.

pa·ga·nis·mo [paɣanísmo パガニスモ] 名男 異教信奉; 偶像崇拝.

pa·ga·no, na [paɣáno, na パガノ, ナ] 形 異教の, 異教徒の.
── 名男女 **1** 異教徒.
2 《口語》 他人の分まで払わされる人; 人の尻(しり)ぬぐいをする人.

pa·gar
[paɣár パガル] [32 g ➡ gu] 動 他 [現分 pagando ; 過分 pagado, da] 〔英 pay〕
1 支払う. Le *pagué* cinco mil pesetas por adelantado. 私は前金で彼に5000ペセタ払った. El avión lo *paga* la compañía; pero los hoteles corren a cuenta de cada uno. 航空券は会社持ちだがホテル代は各自の負担だ. *pagar* 《+algo》 a plazos 〈何か〉の代金をローンで支払う. ► しばしば直接目的語なしで使われる. ⇒ ¿Ya *has pagado*? 勘定は済んだ? Estoy seguro (de) que te *pagan* bien. きっと割の良い仕事だよ.
2 …の代償を払う; …の報いを受ける. *pagar* cara la victoria 大きな犠牲を払って勝利を得る. *Pagará* usted las consecuencias. 結果がどうなっても知りませんよ.
3 報いる; 仕返しをする. Nunca te podré *pagar* la deuda que te debo. 君には絶対恩返しができそうにもないよ. *pagar* con ingratitud 恩を仇(あだ)で返す.
── ***pa·gar·se*** 《+de》 …を自慢する. *pagarse de* SU belleza 自分の美貌(びぼう)を鼻にかける.
***pagarla*(*s*)** 報いを受ける. ¡Ya me *las pagarás*! この仕返しはさせてもらうぞ.

pa·ga·ré [paɣaré パガレ] 名男 〘商業〙 約束手形.
── 動 ➡ pagar. [32 g➡gu]

pá·gi·na
[páxina パヒナ] 名女 [複 ~s] 〔英 page〕
ページ 《略 pág.》. Véase la *página* siguiente [anterior]. 次[前]ページを見よ. Abran el libro por la *página* trece. 本の13ページを開きなさい. una *página* gloriosa de SU vida 人生の輝かしい一ページ.

pa·gi·na·ción [paxinaθjón パヒナしオン] 名女 ページ打ち, 丁付け; ページ数.

pa·gi·nar [paxinár パヒナル] 動 他 ページを打つ, 丁付けする.

pa·go [páɣo パゴ] 名男 **1** 支払い; 支払い金[額]. hacer [efectuar] un *pago* 支払いをする. *pago* a plazos 延べ[分割]払い. *pago* adelantado [anticipado] 前払い(金), 前納. *pago* inicial 頭金.
2 報い, 代償; 報復. recibir el *pago* de SUS malas acciones 悪業の報いを受ける.
── 動 ➡ pagar. [32 g➡gu]
***en pago de* ...** …の報酬[代償]として.

pa·go·da [paɣóða パゴダ] 名女 仏塔, パゴダ.

pague(-) / pagué(-) 動 ➡ pagar. [32 g ➡ gu]

pa·ís
[país パイス] 名男 [複 ~es] 〔英 country〕
1 国, 国土; 地方 (= región). *países* desarrollados 先進諸国. *País* Vasco バスク地方.

2 国民.

> 【参 考】 **estado** は政治組織としての国家.
> **nación** は民族としての国家.
> **país** は地勢·風土から見た国.
> **patria** は祖国, 生国.

pai·sa·je [paisáxe パイサヘ] 名男 **1** 風景, 景色. contemplar un *paisaje* espléndido すばらしい風景を眺める.
2〔美術〕風景画. ► 静物画は bodegón.

pai·sa·jis·ta [paisaxísta パイサヒスタ] 名男女〔美術〕風景画家.

pai·sa·na·je [paisanáxe パイサナヘ] 名男
1《集合》(軍人に対して) 民間人.
2 同郷人[同国人]であること; 同胞意識.

pai·sa·no, na [paisáno, na パイサノ, ナ] 名男女 **1** 同郷人, 同国人.
2 (軍人に対して) 民間人, 一般市民. traje de *paisano* 平服, 私服.
3 農民; 田舎者.
—— 形 同郷の, 同国人の.

Pa·í·ses Ba·jos [paísesβáxos パイセスバホス] 固名 オランダ(王国). ➡Holanda.

pa·kis·ta·ní [pakistaní パキスタニ] 形名男女 ➡ paquistaní.

pa·ja [páxa パハ] 名女
1 わら, 麦わら; ストロー.
2 中身のない話.
hacerse una paja《俗語》マスターベーションをする.

pa·jar [paxár パハル] 名男 わら置き場.

pá·ja·ra [páxara パハラ] 名女 ずる賢い女. ➡ pájaro 2.

pa·ja·re·rí·a [paxarería パハレリア] 名女
1 小鳥屋. **2** 鳥の群れ[大群].

pa·ja·re·ro, ra [paxaréro, ra パハレロ, ラ] 形 **1** 鳥の. **2** ひょうきんな.
3 派手な, けばけばしい.
—— 名男女 小鳥商人, 鳥飼い.

P

pa·ja·ri·ta [paxaríta パハリタ] 名女
1 蝶(ちょう)ネクタイ. **2** 折り紙の鳥(= *pajarita* de papel); 凧(たこ).
pajarita de las nieves〔鳥〕セキレイ.

pá·ja·ro [páxaro パハロ] 名男 [複 ~s]〔英 bird〕

1 鳥, 小鳥; [~s] 鳥類. Un *pájaro* amarillo canta en la rama del árbol. 1羽の黄色い小鳥が木の枝でさえずっている. *pájaro* azul (幸福の) 青い鳥. *pájaro* bobo ペンギン. *pájaro* carpintero キツツキ. *pájaro* mosca ハチドリ. ►pájaro は小型の鳥の総称. ave は種としての鳥.
2 油断のならない人[やつ]. ser un buen *pájaro* 相当な食わせ者である. *pájaro* de cuenta 油断のならないやつ.
El pájaro voló. 当てが外れた.
Matar dos pájaros de un tiro.《諺》一石二鳥.
tener pájaros en la cabeza / tener la cabeza a [llena de] pájaros 頭がおかしい.

pa·ja·rra·co [paxar̄áko パハラコ] 名男《口語》(大きな) 醜い鳥; 油断のならない人.

pa·je [páxe パヘ] 名男 小姓, 従者.

pa·ji·zo, za [paxíθo, θa パヒそ, さ] 形 麦わら色の; 麦わらの; わら葺(ぶ)きの.

pa·jo·le·ro, ra [paxoléro, ra パホレロ, ラ] 形《口語》腹立たしい, いまいましい.

pa·la [pála パら] 名女 **1** シャベル, スコップ. *pala* mecánica パワーショベル.
2 へら状のもの;〔ｽﾎﾟｰﾂ〕(卓球の) ラケット; (オールの) 水かき;〔料理〕フライ返し, ケーキサーバー. **3** (靴の) 甲皮.

pa·la·bra [paláβra パらブラ] 名女 [複 ~s]〔英 word〕

1 単語, 語. ¿Cómo se pronuncia esta *palabra*? この単語はどう発音しますか. *palabra* clave キーワード. *palabra* compuesta〔文法〕合成語.
2 [~または ~s] **言葉**, 発言. Sus *palabras* me irritaron. 彼の言葉に私は腹がたった. hombre de pocas *palabras* 口数の少ない人.
3 約束, 言質. cumplir SU *palabra* 約束を果たす. dar (SU) *palabra* 約束する. guardar [faltar a] SU *palabra* 約束を守る[破る]. hombre de *palabra* 約束を守る人.
a medias palabras 曖昧(あいまい)な言い方で, 言葉を濁して.
ahorrar palabras 無駄口を利かない.
de palabra 口頭で; 口先だけで.
en cuatro [dos] palabras 手短に.
en otras palabras 言い換えれば.
en una palabra 一言で言えば, 要するに.
gastar palabras (en vano) 無駄なことを言う.
llevar la palabra 代弁する, 代表して話す.
no decir palabra 一言もしゃべらない.
medir las palabras よく言葉を選んで話す.
no perder palabra 一言も聞き逃さない.
¡Palabra! 本当だ, 誓ってもいい; まさか.
¡Palabra de honor! 誓って, きっと.
palabra por palabra 一語一語, 逐語的に.
pedir la palabra 発言の許可を求める.
perder la palabra 言葉に詰まる.
tener la palabra 発言する (番である). A continuación el delegado francés *tiene la palabra*. ただ今よりフランス代表が発言されます.
tener (unas) palabras con《+uno》〈人〉と口論する.

pa·la·bre·rí·a [palaβrería パらブレリア] 名女《口語》おしゃべり, 無駄口.

pa·la·bro·ta [palaβróta パらブロタ] 名女

《口語》汚い言葉; 悪口, 雑言.

pa·la·ce·te [palaθéte パらせテ] 名男 小さな宮殿.

pa·la·cie·go, ga [palaθjéɣo, ɣa パらしエゴ, ガ] 形 宮廷の, 王宮の.
── 名男女 宮廷人, 廷臣.

pa·la·cio [paláθjo パらしオ] 名男 [複 ~s] 〔英palace〕 **1** 宮殿; 豪邸. *Palacio* Real 王宮. ➡ vivienda 図.
2 公共の建物. *Palacio* de Justicia 裁判所. *Palacio* de Congresos de Madrid マドリード国際会議場. *Palacio* de la Moncloa (スペインの) 首相官邸. *Palacio* de las Cortes (スペインの) 国会議事堂.

pa·la·dar [palaðár パらダル] 名男 **1** 味覚. **2** 〔解剖〕口蓋(こうがい).

pa·la·de·ar [palaðeár パらデアル] 動他 賞味する.

pa·la·dín [palaðín パらディン] 名男 **1** (武勲をたてた) 勇士. **2** 擁護者, 守護者.

pa·la·di·no, na [palaðíno, na パらディノ, ナ] 形 明らかな, 公然の.

pa·la·fi·to [palafíto パらフィト] 名男 水上家屋.

pa·lan·ca [paláŋka パらンカ] 名女 **1** てこ; レバー, ハンドル. *palanca* de cambio 〔車〕〔機械〕(ギア) チェンジレバー. ➡ bicicleta 図.
2 つて, コネ. tener una *palanca* en el ministerio その役所にコネがある.

pa·lan·ga·na [palaŋgána パらンガナ] 名女 洗面器 (= jofaina).

pa·lan·que·ta [palaŋkéta パらンケタ] 名女 金てこ, バール.

pa·la·tal [palatál パらタる] 形 〔解剖〕口蓋(こうがい)の; 〔音声〕硬口蓋音の.
── 名女 〔音声〕硬口蓋音.

pa·la·ta·li·zar [palataliθár パらタりさル] [39 z ➡ c] 動他 〔音声〕(硬) 口蓋(こうがい)音化する.

pa·la·ti·no, na [palatíno, na パらティノ, ナ] 形 宮廷の.
── 名男 〔歴史〕(神聖ローマ帝国の) 宮中伯.

pal·co [pálko パるコ] 名男 〔演劇〕ボックス席, 升席, 桟敷席. ➡ teatro 図.

Pa·len·cia [paléṇθja パれンしア] 固名 パレンシア: スペイン北西部の県; 県都.

pa·len·que [paléŋke パれンケ] 名男 柵(さく); (柵で囲まれた) 催事場.

pa·len·ti·no, na [palentíno, na パれンティノ, ナ] 形 (スペインの) パレンシアの.
── 名男女 パレンシアの住民.

paleo- 「古, 旧」の意を表す造語要素. ⇒ *paleo*grafía, *paleo*lítico など.

pa·le·o·gra·fí·a [paleoɣrafía パれオグラフィア] 名女 古文書学.

pa·le·o·lí·ti·co, ca [paleolítiko, ka パれオりティコ, カ] 形 旧石器時代の.
── 名男 旧石器時代.

pa·le·on·to·lo·gí·a [paleontoloxía パれオントろヒア] 名女 古生物学.

pa·le·o·zoi·co, ca [paleoθóiko, ka パれオそイコ, カ] 形 〔地質〕古生代の.
── 名男 〔地質〕古生代.

pa·les·ti·no, na [palestíno, na パれスティノ, ナ] 形 パレスチナ Palestina の.
── 名男女 パレスチナ人.

pa·le·ta [paléta パれタ] 名女 **1** こて, へら.
2 〔美術〕パレット.
3 〔技術〕(水車・スクリューの) 羽根; 〔スポーツ〕(卓球の) ラケット.

pa·le·ti·lla [paletíʎa パれティリャ] 名女 〔解剖〕肩胛(けんこう)骨 (= omóplato); (動物の) 肩肉. ➡ carne 図.

pa·le·to, ta [paléto, ta パれト, タ] 形 《口語》田舎者の, 粗野な.
── 名男女 《口語》田舎者.

pa·liar [paljár パりアル] [23 i ➡ í] 動他 **1** (痛みなどを) 和らげる, 軽くする.
2 弁解する, 取り繕う.

pa·li·de·cer [paliðeθér パりデせル] [40] 動自 **1** 青ざめる. Al oír la noticia *palideció* de espanto. 知らせを聞いて彼は驚きのあまり色を失った.
2 (名声などが) かすむ, 薄れる; 色があせる. Su fama *está palideciendo*. 彼の名声も色あせつつある.

pa·li·dez [paliðéθ パりデす] 名女 蒼白(そうはく); (色・光の) 薄さ, 淡さ.

pá·li·do, da [páliðo, ða パりド, ダ] 形 **1** 青ざめた; 生気のない. Estás *pálido*. ¿Qué te ha pasado? 顔色が悪いよ. 何かあったのかい?
2 (色・光が) 薄い, 淡い. amarillo *pálido* 薄黄色. blusa de color rosa *pálido* 薄いピンクのブラウス.
3 精彩を欠く, さえない. Mi joya quedaba *pálida* al lado de la suya. 私の宝石も彼女の宝石の前では色あせて見えた.

pa·li·du·cho, cha [paliðútʃo, tʃa パりドゥチョ, チャ] 形 《口語》少し顔色が悪い.

pa·li·lle·ro [paliʎéro パりリェロ] 名男 楊枝(ようじ)差し.

pa·li·llo [palíʎo パりリョ] 名男 **1** 爪楊枝(つまようじ); [~s] 箸(はし).
2 〔音楽〕(ドラムの) スティック.
3 《口語》やせている人.
tocar todos los palillos 《口語》あらゆる手を尽くす.

pa·lín·dro·mo [palíndromo パりンドゥロモ] 名男 回文.

pa·li·no·dia [palinóðja パりノディア] 名女 前言取り消し. cantar la *palinodia* 《口語》自分の誤りをしぶしぶ認める.

pa·lio [páljo パりオ] 名男 天蓋(てんがい).
recibir bajo palio 盛大な歓迎をする.

pa·li·que [palíke パりケ] 名男 《口語》雑談. dar [estar de] *palique* 無駄話をする [している].

pa·li·tro·que [palitróke パりトゥロケ] 名

P

男 棒切れ；〘闘牛〙バンデリリャ（＝banderilla）.

pa·li·za [palíθa パリさ] 名 女 **1** 殴打. pegar [dar] una *paliza* めった打ちにする；さんざんにやっつける[こき下ろす].
2《口語》疲れること[仕事].

pa·li·za·da [paliθáða パリさダ] 名 女 柵(さく)，囲い；防水堰(せき)，潜函(せんかん).

pal·ma [pálma パるマ] 名 女 **1** 手のひら. ➡cuerpo 図.
2〘植物〙ヤシ（椰子），シュロ（棕櫚）；ヤシ[シュロ]の葉.
3 勝利（＝*palma* de la victoria），栄誉. llevarse [ganar] la *palma*《口語》優れる；勝つ.
4 [〜s] 拍手（喝采(かっさい)）；手拍子. batir [dar] *palmas* 拍手をする.
conocer como la palma de la mano 熟知している.

Pal·ma [pálma パるマ] 固名 *Palma* de Mallorca パルマ・デ・マジョルカ：スペイン Baleares 県の県都.

pal·ma·da [palmáða パるマダ] 名 女 平手でたたくこと；[〜s] 拍手. dar *palmadas* 拍手をする. dar a《＋uno》una *palmada* en ... 〈人〉の…を手でポンとたたく.

pal·mar [palmár パるマル] 名 男 ヤシ（椰子）林.
―― 形 手のひらの；明らかな.
palmarla《口語》死ぬ.

Pal·mas [pálmas パるマス] 固名 Las *Palmas* (de Gran Canaria) ラス・パルマス：スペインの県；県都.

pal·ma·to·ria [palmatórja パるマトリア] 名 女 柄付きろうそく立て.

pal·me·ra [palméra パるメラ] 名 女〘植物〙ヤシ（椰子）；シュロ（棕櫚）. *palmera* datilera ナツメヤシ.

pal·me·ral [palmerál パるメラる] 名 男 ヤシ（椰子）林[園].

pal·me·ro, ra [palméro, ra パるメロ，ラ] 名 男 女 **1** ヤシ（椰子）栽培者.
2 聖地パレスチナへの巡礼者.

pal·mí·pe·do, da [palmípeðo, ða パるミペド，ダ] 形〘鳥〙水かきのある.
―― 名 女 [〜s]〘鳥〙水鳥，游禽(ゆうきん)類.

pal·mi·to [palmíto パるミト] 名 男
1〘植物〙パルメットヤシ.
2《口語》（女性の）美しい顔.

pal·mo [pálmo パるモ] 名 男 掌尺：長さの単位. 約21センチ. ◆手を開いて親指の先から小指の先までの長さ.
dejar a*《＋uno》*con un palmo de narices《口語》〈人〉を裏切る.
hacer un palmo de narices（広げた手の親指を鼻に当てて振り）ばかにする.
palmo a palmo 少しずつ；事細かに.

pal·mo·te·ar [palmoteár パるモテアル] 動 自 手をたたく；拍手喝采(かっさい)する.

pal·mo·te·o [palmotéo パるモテオ] 名 男 手をたたくこと；拍手喝采(かっさい).

pa·lo [pálo パろ] 名 男 [複 〜s]〔英 pole〕
1 棒；竿(さお)，丸太；〘海事〙マスト，帆柱.
2 棒で殴ること；非難，批判. dar (de) *palos* 打ちのめす. Recibió un buen *palo* de la crítica. 彼は相当に手厳しい批判を受けた.
3（トランプ）組札の1組. ➡naipe.
andar a palos いつもいがみ合っている.
a palo seco それだけで；そっけなく.
dar palos de ciego めくら滅法に殴る；考えなしにやる[話す].

pa·lo·ma [palóma パろマ] 名 女 [複 〜s]〔英 pigeon〕**1**〘鳥〙ハト（鳩）；雌バト. *paloma* casera ドバト，イエバト. la *paloma* de la paz（オリーブの葉をくわえた）平和のハト. ► 雄バトは palomo, 子バトは pichón.
2 おとなしい人；ハト派；清純な乙女.

pa·lo·mar [palomár パろマル] 名 男 ハト（鳩）小屋. alborotar el *palomar* 大騒ぎを引き起こす.

pa·lo·mi·lla [palomíʎa パろミリャ] 名 女
1〘昆虫〙ガ（蛾）. **2**〘技術〙蝶(ちょう)ナット.
3 [〜s] 白波.

pa·lo·mi·no [palomíno パろミノ] 名 男 ハト（鳩）のひな.

pa·lo·mi·ta [palomíta パろミタ] 名 女 ポップコーン.

pa·lo·mo [palómo パろモ] 名 男〘鳥〙雄バト. ➡paloma.

pa·lo·ta·da [palotáða パろタダ] 名 女 細い棒で打つこと.
no dar palotada《口語》うまくいかない，へまばかりする.

pa·lo·te [palóte パろテ] 名 男 **1** 細い棒；〘音楽〙スティック，ばち.
2（字を習い始めた子供の書く）縦線.

pal·pa·ble [palpáβle パるパブれ] 形
1 手で触れうる，触知できる.
2 はっきりした，明白な.

pal·par [palpár パるパル] 動 他 **1** 手で触れる；〘医〙触診する. El médico le *palpó* el vientre. 医者は彼の腹部を触診した.
2 手探りする.
3 思い知る，痛感する.

pal·pi·ta·ción [palpitaθjón パるピタしオン] 名 女 動悸(どうき)，鼓動. tener *palpitaciones* 動悸がする.

pal·pi·tan·te [palpitánte パるピタンテ] 形
1 鼓動を打っている，ぴくぴく動いている.
2 わくわくする；興奮させる. con un interés *palpitante* 強い関心をもって.
3 生々しい，ホットな.

pal·pi·tar [palpitár パるピタル] 動 自
1（心臓が）鼓動する，動悸(どうき)を打つ. Su corazón *palpitó* de emoción. 彼は感動で胸が高鳴った.
2 震える，ぴくぴく動く. *palpitar* las sienes こめかみがぴくぴく動く.
3（感情が）わき出る. *Palpitaba* la esperanza en su discurso. 彼の演説には期待

P

感があふれていた.

pa·lú·di·co, ca [palúðiko, ka パるディコ, カ] 形 **1** 〔医〕マラリアの. fiebre *palúdica* マラリア. **2** 沼の(= pantanoso).
—— 名男女 マラリア患者.

pa·lu·dis·mo [paluðísmo パるディスモ] 名男 〔医〕マラリア(= malaria).

pa·lur·do, da [palúrðo, ða パるルド, ダ] 形 《口語》がさつな, 田舎者の.
—— 名男女 《口語》田舎者.

pa·me·la [paméla パメら] 名女 (女性用の)麦わら帽子.

pa·me·ma [paméma パメマ] 名女 《口語》ばかげたこと, くだらないこと; お世辞, おべっか(= pamplina).

pam·pa [pámpa パンパ] 名女 大草原, パンパ. La *Pampa* (アルゼンチンの)パンパ地方.

pám·pa·no [pámpano パンパノ] 名男 ブドウの芽[巻きひげ].

pam·pe·ro, ra [pampéro, ra パンペロ, ラ] 形 パンパの.
—— 名男女 パンパの住民.

pam·pli·na [pamplína パンプりナ] 名女 《口語》ばかげたこと, くだらないこと; お世辞, おべっか.

Pam·plo·na [pamplóna パンプろナ] 固名 パンプロナ: スペイン Navarra 県の県都.

pam·plo·nés, ne·sa [pamplonés, nésa パンプろネス, ネサ] / **pam·plo·ni·ca** [-níka -ニカ] 形 [複男 pamploneses] パンプロナの.
—— 名男女 パンプロナの住民.

pan [pán パン] 名男 [複 ~es] 〔英 bread〕

1 **パン**. un pedazo de *pan* パンのかけら, ちぎったパン. *pan* tostado トースト. *pan* con tomate トーストに生のニンニク, トマトなどをすり込んだパン(◆スペイン・カタルーニャ地方でポピュラーな食事). *pan* rallado パン粉.
2 生活の糧, 食料. ganarse el *pan* 食い扶持(ぶち)を稼ぐ.
3 塊, 固形のもの. *pan* de azúcar 円錐(えんすい)形の固形砂糖. *pan* de jabón 固形石けん. **4** 小麦; 穀類. tierra de *pan* llevar 小麦が良く実る土地.
5 (金・銀の)箔(はく).

comer el pan de 《+uno》 (従業員として)〈人〉に養われている.

Con su pan se lo coma. 《口語》やつの問題だ, こっちの知ったことか.

Contigo pan y cebolla. 《諺》おまえとなら, パンとタマネギだけでも(手鍋(てなべ)提げても).

estar [***poner a*** 《+uno》] ***a pan y agua*** (罰・贖罪(しょくざい)として)パンと水しか口にしない[〈人〉に与えない].

(***llamar***) ***al pan pan y al vino vino*** 率直にものを言う.

pan bendito ありがたいもの. Las lluvias de esta época son *pan bendito* para los campos. この時期の雨は畑にとってまさに慈雨だ.

ser el pan (***nuestro***) ***de cada día*** いつもの事[日常茶飯事]である.

ser más bueno que el pan とてもいい人である.

ser un pedazo de pan とても好人物である.

pan- 「全, 汎」の意を表す造語要素. ⇀ *pan*americano, *pan*orama など.

pa·na [pána パナ] 名女 〔服飾〕コールテン, コーデュロイ.

pa·na·ce·a [panaθéa パナセア] 名女 万能薬, 万病薬(= *panacea* universal).

panadera 名女 → panadero.

pa·na·de·rí·a [panaðería パナデリア] 名女 パン屋; 製パン所.

pa·na·de·ro, ra [panaðéro, ra パナデロ, ラ] 名男女 [複 ~s] 〔英 baker〕 **パン屋**(の人・職人).

pa·na·di·zo [panaðíθo パナディそ] 名男 〔医〕瘭疽(ひょうそ).

pa·nal [panál パナる] 名男 (ミツバチの)巣板.

Pa·na·má [panamá パナマ] 固名 〔英 Panama〕 **パナマ**:

中米の共和国. 首都 (Ciudad de) *Panamá*. 通貨 balboa. Canal de *Panamá* パナマ運河.

pa·na·me·ño, ña [panaméɲo, ɲa パナメニョ, ニャ] [複 ~s] 〔英 Panamanian〕 形 **パナマの**.
—— 名男女 **パナマ人**.

pa·na·me·ri·ca·nis·mo [panamerikanísmo パナメリカニスモ] 名男 (南北を含めた)全アメリカ主義, 汎(はん)アメリカ主義.

pa·na·me·ri·ca·no, na [panamerikáno, na パナメリカノ, ナ] 形 汎(はん)アメリカの, 全アメリカの.

pan·car·ta [paŋkárta パンカルタ] 名女 プラカード.

Pan·cho [pántʃo パンチョ] 固名 《ラ米》パンチョ: Francisco の愛称.

pan·cis·ta [panθísta パンしスタ] 形 《口語》日和見的な.
—— 名男女 《口語》日和見主義者.

pán·cre·as [páŋkreas パンクレアス] 名男 [単・複同形] 〔解剖〕膵臓(すいぞう). → vísceras 図.

pan·da [pánda パンダ] 名男 〔動物〕パンダ(= oso *panda*). *panda* menor レッサーパンダ.
—— 名女 《口語》仲間, グループ.

pan·de·ar(***·se***) [pandeár(se) パンデアル(セ)] 動自 (木材・壁などが)反る, たわむ.

pan·de·mo·nio [pandemónjo パンデモニオ] / **pan·de·mó·nium** [-mónjum -モニウン] 名男 喧噪(けんそう)を極めた場所; 地獄, 悪魔の巣窟(そうくつ).

pan·de·re·ta [panderéta パンデレタ] 名女

P

タンバリン.

pan·de·ro [pandéro パンデロ] 名男 大型のタンバリン.

pan·di·lla [pandíʎa パンディリャ] 名女《口語》仲間; 徒党. una *pandilla* de ladrones 泥棒の一味.

Pan·do·ra [pandóra パンドラ] 固名〖ギリシア神話〗パンドラ. caja de *Pandora* パンドラの箱.

pa·ne·ci·llo [paneθíʎo パネシリョ] 名男 [pan の小] 小型のパン, ロールパン.

pa·ne·gí·ri·co, ca [panexíriko, ka パネヒリコ, カ] 形 賞賛の, 賛辞を述べる.
―― 名男 賛辞, 頌詞(しょうし)(= elogio).

pa·nel [panél パネる] 名男 パネル, 羽目板. *panel* de control 制御パネル.

pa·ne·ra [panéra パネラ] 名女 (食卓用・運搬用の) パンかご.

pán·fi·lo, la [pámfilo, la パンフィろ, ら] 形《口語》のろまな; お人よしの.
―― 名男女《口語》のろま; お人よし.

pan·fle·to [pamfléto パンフれト] 名男 (政治的な) 宣伝用パンフレット; 中傷ビラ, 怪文書.

pan·ger·ma·nis·mo [paŋxermanísmo パンヘルマニスモ] 名男 汎(はん)ゲルマン主義.

pá·ni·co [pániko パニコ] 名男 恐慌, パニック. sembrar el *pánico* パニックを引き起こす.
de pánico 《口語》すばらしい.

pa·no·cha [panótʃa パノチャ] / **pa·no·ja** [panóxa パノハ] 名女 **1** (トウモロコシの) 穂 (= mazorca). **2**《俗語》金(かね).

pa·no·li [panóli パノり] 形《口語》間抜けな. ―― 名男女《口語》間抜け.

pa·no·plia [panóplja パノプりア] 名女 甲冑(かっちゅう)一そろい, 武具一式.

pa·no·ra·ma [panoráma パノラマ] 名男 全景, パノラマ; 展望, 概観. *panorama* nocturno 夜景. el *panorama* económico 経済展望.

pa·no·rá·mi·co, ca [panorámiko, ka パノラミコ, カ] 形 全景の, パノラマのような.
―― 名女〖映画〗パノラミックショット, パン.

pan·ta·lla [pantáʎa パンタリャ] 名女 **1**〖テレビ〗画面,〖コンピュータ〗ディスプレー;〖映画〗スクリーン. llevar《+algo》a la *pantalla* 〈何か〉を映画化する.
2 (ランプの) 笠(かさ), シェード.
3 防護膜[物]; 隠れみの.

pan·ta·lón

[pantalón パンタろン] 名男 [複 pantalones] 〔英 pants〕[普通 pantalones] **ズボン**, スラックス, パンツ. falda *pantalón* キュロットスカート. *pantalones* cortos 半ズボン. (*pantalones*) tejanos [vaqueros] ジーンズ.
llevar los pantalones 《口語》(女性が家庭などで) 実権を握る.

pan·ta·no [pantáno パンタノ] 名男 **1** 沼; 貯水池, ダム.
2《比喩》泥沼, 困難. salir de un *pantano* 窮地を脱する.

pan·ta·no·so, sa [pantanóso, sa パンタノソ, サ] 形 沼沢の多い, 沼地の.

pan·te·ís·mo [panteísmo パンテイスモ] 名男 汎(はん)神論.

pan·te·ís·ta [panteísta パンテイスタ] 形 汎(はん)神論の.
―― 名男女 汎神論者.

pan·te·ón [panteón パンテオン] 名男 霊廟(れいびょう). *Panteón* Real 王室霊廟.

pan·te·ra [pantéra パンテラ] 名女〖動物〗ヒョウ (豹).

pan·to·crá·tor [pantokrátor パントクラトル] 名男〖美術〗救世主 (イエス・キリスト) の座像.

pan·tó·gra·fo [pantóɣrafo パントグラフォ] 名男 **1** 縮図器, 写図器.
2 (電車の) パンタグラフ.

pan·to·mi·ma [pantomíma パントミマ] 名女 **1** パントマイム, 無言劇.
2 見せかけ, ポーズ.

pan·to·rri·lla [pantor̄íʎa パントリリャ] 名女〔英 calf〕〖解剖〗ふくらはぎ (腓腔). ➡ cuerpo 図.

pan·tu·fla [pantúfla パントゥフら] 名女 スリッパ, 室内履き.

pan·za [pánθa パンさ] 名女 **1** 太鼓腹; 腹, おなか. **2** (容器などの) 胴の膨らみ.

pan·za·da [panθáða パンさダ] 名女
1 腹を打つこと. Me di una *panzada* al tirarme al agua. 私は水に飛び込んだ時に腹を打った. **2**《口語》満腹.
darse una panzada de ... 《口語》…をたらふく食う.

pan·zu·do, da [panθúðo, ða パンすド, ダ] 形 太鼓腹の, ほてい腹の.

pa·ñal [paɲál パニャる] 名男 おしめ, おむつ; [~es] 産着.
estar en pañales 幼稚である, 初期段階にある.

pa·ñe·rí·a [paɲería パニェリア] 名女 **1** 服地屋, 毛織物店. **2**《集合》服地, 毛織物.

pa·ño [páɲo パニョ] 名男 **1** 布地, 服地; ウール地. traje de *paño* negro 黒のウールのスーツ.
2 [~s] 衣服, 着物. estar en *paños* menores 下着姿である.
3 壁掛け, タペストリー.
4 布切れ; ふきん; ぞうきん. *paño* higiénico 生理用ナプキン. **5**〖美術〗ドレープ; ひだの表現.
conocer el paño 万事心得ている.
paño de lágrimas de 《+uno》〈人〉の慰め役.
paños calientes 中途半端な手段, その場しのぎの策.

pa·ñol [paɲól パニョる] 名男〖海事〗船倉.

pa·ño·le·ta [paɲoléta パニョれタ] 名女 (女性の三角形の) 肩掛け (= chal, man-

P

tón).

pa·ñue·lo [paɲwélo パニュエロ] 名男 [複 ～s]〔英 handkerchief〕
1 ハンカチ. Sécate las manos con el *pañuelo*. ハンカチで手をふきなさい.
2 スカーフ, ショール. ponerse un *pañuelo* al cuello 首にスカーフを巻く.
Este* [*El*] *mundo es como un pañuelo. 世間は狭い.

pa·pa [pápa パパ] 名男
1 [P-]〘ｶﾄﾘｯｸ〙(ローマ)教皇, 法王.
2《口語》パパ, お父ちゃん (= papá).
── 名女《ラ米》ジャガイモ (=patata).

pa·pá [papá パパ] 名男 [複 ～s]〔英 dad〕
《口語》お父さん, パパ; [～s] お父さんとお母さん. ➡ padre.
Papá Noel サンタクロース.

pa·pa·da [papáða パパダ] 名女 二重顎(あご).

pa·pa·do [papáðo パパド] 名男〘ｶﾄﾘｯｸ〙教皇の位, 教皇の在位期間.

pa·pa·ga·yo [papaɣájo パパガヨ] 名男
1〘鳥〙オウム(鸚鵡), インコ (= loro).
2《口語》おしゃべり. hablar más que un *papagayo* のべつ幕なしにしゃべる.

pa·pal [papál パパル] 形〘ｶﾄﾘｯｸ〙教皇の.

pa·pa·mos·cas [papamóskas パパモスカス] 名男 [単・複同形] **1**〘鳥〙ヒタキ(鶲).
2《口語》薄のろ; お人よし.

pa·pa·na·tas [papanátas パパナタス] 名男 [単・複同形]《口語》薄のろ; お人よし.

pa·pa·rru·cha [paparũtʃa パパルチャ] **/ pa·pa·rru·cha·da** [-r̄utʃáða -ルチャダ] 名女《口語》ばかげたこと, くだらないこと; 流言, デマ.

pa·pel [papél パペル] 名男 [複 ～es]〔英 paper〕
1 紙; [～es] 書類, 文書. un *papel* / una hoja de *papel* 1枚の紙 (► ふつう数えられる名詞として扱われる). apuntar en un *papel* 紙にメモする. *papel* biblia インディア・ペーパー. *papel* carbón カーボン紙. *papel* cebolla (航空便箋(びんせん)など) オニオンスキン・ペーパー. *papel* de estaño [de aluminio] スズ[アルミ] 箔(はく). *papel* higiénico トイレットペーパー (➡ baño 図).
2 役割; 〘演劇〙役. desempeñar [hacer] un *papel* muy importante とても重要な役割をする. desempeñar [hacer, representar] el *papel* de Carmen カルメンの役を演じる. *papel* principal 主役.
3 紙幣; 証券; 手形.
hacer* (*un*) *buen papel 見事にやる; (物が) 役に立つ. Pedro *ha hecho un buen papel* en el debate. ペドロは討論会ですばらしい発言をした.
papel mojado 反故(ほご); 空約束.

pa·pe·le·ar [papeleár パペレアル] 動自 書類をかき回す.

pa·pe·le·o [papeléo パペレオ] 名男 面倒な書類手続き.

pa·pe·le·rí·a [papelería パペレリア] 名女
1 文房具店.
2《集合》書類[紙]の山.

pa·pe·le·ro, ra [papeléro, ra パペレロ, ラ] 形 製紙業の, 紙を商う.
── 名女 **1** 紙くず入れ, ごみ箱.
2 製紙工場.

pa·pe·le·ta [papeléta パペレタ] 名女
1 紙片, カード; 用紙. *papeleta* de votación 投票用紙.
2 厄介な問題, 面倒なこと.

pa·pe·lón [papelón パペロン] 名男 笑いものになる役, 損な役割. hacer un *papelón* 三枚目を演じる.

pa·pe·lo·te [papelóte パペロテ] **/ pa·pe·lu·cho** [-lútʃo -ルチョ] 名男 [papel の 軽] 《口語》反故(ほご), 紙くず.

pa·pe·ra [papéra パペラ] 名女 [～または～s]〘医〙流行性耳下腺炎, おたふく風邪.

pa·pi·lla [papíʎa パピリャ] 名女 **1** パンがゆ, 離乳食.
2 X線造影剤, バリウム.
estar hecho papilla 《口語》ぐったりしている; ぽんこつ[ぺちゃんこ]になっている.
hacer papilla a 《+algo》〈何か〉を粉粉[ぺちゃんこ]にする.

pa·pi·ro [papíro パピロ] 名男 **1**〘植物〙パピルス, カミガヤツリ.
2 パピルス紙; 古文書.

pa·pis·ta [papísta パピスタ] 形 ローマカトリック教の, 教皇(主義)の.
── 名男女 ローマカトリック教徒; 教皇礼賛者.
ser más papista que el Papa よけいな口出しをする.

pa·po [pápo パポ] 名男 (牛などの) 喉(のど)袋; (鳥の) 嗉嚢(そのう).

pa·que·bo·te [pakeβóte パケボテ] 名男〘海事〙定期船.

pa·que·te [pakéte パケテ] 名男 [複 ～s]〔英 package〕
1 小包, 包み; 一まとまりのもの. *paquete* postal 郵便小包. un *paquete* de cigarrillos タバコ一箱.
2《口語》ダンディー. estar [ir] hecho un *paquete* めかし込んでいる.
3《口語》厄介, 面倒. ¡Vaya un *paquete*! なんたることだ!
4《口語》いかさま, いんちき. dar un *paquete* いかさまをする.
meter un paquete a 《+uno》《口語》〈人〉をしかる, 罰する.

pa·que·te·rí·a [paketería パケテリア] 名女 包装した商品.

pa·qui·der·mo [pakiðérmo パキデルモ] 形〘動物〙(ゾウ・カバ・サイなど) 厚皮動物の.
── 名男〘動物〙厚皮動物.

pa·quis·ta·ní [pakistaní パキスタニ] 形 [男・女同形] [複 paquistaníes] パキスタン Pakistán [Paquistán] の.

── 名男女 パキスタン人.

par [pár パル] [複 ～es] 名男 〔英 pair〕
1 対, 2つ1組. un *par* de zapatos 靴1足. dos *pares* de zapatillas 2足のスリッパ. a *pares* 2つずつ.
2 《主に否定語を伴って》同等のもの, 匹敵するもの. no tener *par* 並ぶものがない, ぬきんでている. una belleza sin *par* 絶世の美女.
3 偶数. jugar a *pares* y nones (手の中のものを) 偶数か奇数か当てて遊ぶ; 丁半の勝負をする.
── 名女 〔商業〕 平価; 額面 (価格).
── 形 **1** 対の, 同等の (= igual).
2 偶数の (↔ impar). número *par* 偶数.
a la par 同時に.
de par en par (窓・ドアなどが) いっぱいに開いて. Abrió la ventana *de par en par*. 彼は窓をいっぱいに開け放った.
un par de... 2, 3の…. Estaré aquí *un par de* semanas. 私はここに2, 3週間滞在します. dar a 《+uno》 *un par de* golpes 〈人〉を2, 3回殴る.

pa·ra [para パラ] 前 〔英 for, in order to〕
1 《目的・用途を表して》…のために[の]; 《+不定詞》《+**que** 接続法》…するために, …するように. Canté una canción *para* animar el ambiente. 場を盛り上げるために私は一曲歌った. Dejo aquí el libro *para que* lo veas. ここに本を置いておくから見てください. ¿*Para* qué sirve esta máquina? この機械は何に使いますか. Un teléfono estropeado no sirve *para* nada. 壊れた電話はなんの役にも立たない. Hace mucho frío *para* nadar. 泳ぐには寒すぎる[寒くて泳げない]. ¿Qué horas son éstas *para* volver a casa? こんなに遅く帰ってきて今何時だと思っているのか? ➡por 【文法】.
2 《対象を表して》…に, …にとって; …宛(あ)の, …を対象とした. Esta camisa es *para* ti, Paco. このシャツは君にだ, パコ. Tomar un vaso de agua después de la ducha es bueno *para* la salud. シャワーを浴びた後で水を1杯飲むことは健康によい. *Para* mí es lo mismo. 私はどうでもいい. Me entregó una carta *para* ti. 私は君宛の手紙を彼から預かった. ► 前置詞 a を用いた間接目的語に近くなる場合がある. ⇀ Compró chocolate *para* sus amigos. 彼女は友達にチョコレートを買った.
3 《場所に関して》《方向・行き先を表して》…に向かって. ir *para* el coche 車の方へ歩いて行く. ➡a 【参考】.
4 《時間に関して》⑴《期限を表して》…までに. Lo necesito *para* el lunes. 私はそれが月曜日に必要だ. Faltan dos semanas *para* las vacaciones. 休みまであと2週間だ. ➡hasta 【文法】. ⑵《期間を表して》…の間. El médico me dio antibióticos *para* dos días. 医者は抗生物質を2日分くれた. ⑶《時刻・日付を表して》…に. Quedamos *para* el lunes. 我々は月曜日に会う約束をした. Pensamos hacer un viaje *para* Semana Santa. 聖週間に旅行しようと思う.
5 《対比を表して》…にしては, …の割には. Parece joven *para* su edad. 彼は年の割には若く見える.
── [pára パラ] 動 ➡parar.
para con ... …に対して. Pepe es amable *para con* las visitas. ペペは訪問者に親切だ.
ser para ... …に値する, …ほどである. *ser para* volverse loco 気が狂いそうなことだ. No *es para* nada. 大したことではない.

para- **1** 《接頭》「近接, 類似」の意を表す. ⇀ *para*digma, *para*doja など. **2** 動詞 parar から「防御, 保護」の意を表す造語要素. ⇀ *para*caídas, *para*guas など.

pa·ra·bién [paraβjén パラビエン] 名男 祝いの言葉 (= felicitación).

pa·rá·bo·la [paráβola パラボら] 名女
1 〔数〕 放物線.
2 (宗教的・道徳的な) たとえ話, 寓話(ぐう).

pa·ra·bó·li·co, ca [paraβóliko, ka パラボリコ, カ] 形 **1** パラボラの; 〔数〕 放物線状の. **2** たとえ話の, 寓話(ぐう)的な.

pa·ra·bri·sas [paraβrísas パラブリサス] 名男 [単・複同形] 〔車〕 フロントガラス. ➡ automóvil 図.

pa·ra·ca·í·das [parakaíðas パラカイダス] 名男 [単・複同形] パラシュート, 落下傘. lanzamiento en *paracaídas* パラシュートによる投下[降下].

pa·ra·cai·dis·mo [parakaiðísmo パラカイディスモ] 名男 スカイダイビング.

pa·ra·cai·dis·ta [parakaiðísta パラカイディスタ] 名男女 スカイダイバー; 〔軍事〕 落下傘兵.

pa·ra·cho·ques [paratʃókes パラチョケス] 名男 [単・複同形] 〔車〕 バンパー; 緩衝装置. ➡ automóvil 図.

pa·ra·da [paráða パラダ] 名女 **1** 止まること, 停止; 停車. El AVE hace tres *paradas* antes de llegar a Sevilla. 新幹線はセビーリャまでの間に3回停車する. Este tren tiene *parada* en todas las estaciones. この電車は各駅停車です. *parada* en seco 急停車.
2 停留所. *parada* de taxi タクシー乗り場. *parada* de autobús バス停 (留所).
3 〔軍事〕 軍事パレード, 閲兵 (式).
4 〔スポ〕 (サッカー) セービング: キーパーによる捕球.
── 過分 女 ➡ parar.

pa·ra·de·ro [paraðéro パラデロ] 名男
1 居場所, 所在. Sigo sin saber su *paradero*. いぜんとして彼の所在がつかめない.
2 最後, 結果.

P

pa·ra·dig·ma [paraðíɣma パラディグマ] 名男 **1** 模範; パラダイム.
2 〖文法〗〖言語〗語形変化表.

pa·ra·do, da [paráðo, ða パラド, ダ] 過分 ➡ parar.
── 形 **1** 停止した; 動かない. El reloj está *parado*. 時計は止まっている.
2 失職した, 失業中の.
3 のろい, 血の巡りの悪い.
4 呆気(あっ)にとられた.
5 立っている.
6 《結果を表す動詞＋bien, mal などを伴い》(結果が) …になる[終わる]. salir bien [mal] *parado* 成功する[失敗に終わる].
── 名男女 失業者.

pa·ra·do·ja [paraðóxa パラドハ] 名女 逆説, パラドックス.

pa·ra·dó·ji·co, ca [paraðóxiko, ka パラドヒコ, カ] 形 逆説的な.

pa·ra·dor [paraðór パラドル] 名男 国営ホテル, パラドール (＝ *parador* nacional). ◆スペインの国営宿泊施設. 修道院, 宮殿, 貴族の館などを改造したもの.

pa·ra·es·ta·tal [paraestatál パラエスタタル] 形 半官半民の. empresa *paraestatal* 公社, 公団.

pa·ra·fi·na [parafína パラフィナ] 名女 パラフィン (蠟(ろう)).

pa·ra·fra·se·ar [parafraseár パラフラセアル] 動他 〖言語〗言い換える.

pa·rá·fra·sis [paráfrasis パラフラシス] 名女 [単・複同形] 〖言語〗言い換え, パラフレーズ.

pa·ra·guas [paráɣwas パラグアス] 名男 [単・複同形] 〔英 umbrella〕 **傘**, 雨傘. Llévate el *paraguas*. 傘を持っていきなさい. *paraguas* plegable 折り畳み傘.

Pa·ra·guay [paraɣwái パラグアイ] 固名 〔英 Paraguay〕 **パラグアイ**: 南米の共和国. 首都 Asunción. 通貨 guaraní.

pa·ra·gua·yo, ya [paraɣwáʝo, ʝa パラグアヨ, ヤ] [複 ～s] 〔英 Paraguayan〕 形 **パラグアイの**.
── 名男女 **パラグアイ人**.

pa·ra·güe·ro [paraɣwéro, ra パラグエロ] 名男 傘立て.

pa·ra·í·so [paraíso パライソ] 名男 [複 ～s] 〔英 paradise〕 **1** 〖宗教〗**天国** (＝ cielo) (↔infierno); 楽園, 桃源郷. *paraíso* terrenal エデンの園 (➡ Edén). *paraíso* fiscal (外国籍企業の) 税金避難地, タックスヘブン.
2 〖演劇〗天井桟敷. ➡ teatro 図.

pa·ra·je [paráxe パラヘ] 名男 場所, 所.

pa·ra·le·lis·mo [paralelísmo パラレリスモ] 名男 平行; 対応, 相関関係.

pa·ra·le·lo, la [paralélo, la パラレロ, ラ] 形 **1** 《＋a, con》…に[と]平行の, 並行した. una calle *paralela a* la de Cea Bermúdez セア・ベルムデス通りと平行した通り.
2 相関の, 相似の.
── 名男 **1** 〖地理〗緯度線. ► 緯度は latitud. ➡ tierra 図.
2 比較, 対照. establecer un *paralelo* entre ... …の間に相関関係を認める.

pa·ra·le·lo·gra·mo [paraleloɣrámo パラレログラモ] 名男 〖数〗平行四辺形.

pa·rá·li·sis [parálisis パラリシス] 名女 [単・複同形] 〖医〗麻痺(ま)(症), 不随, 中風. *parálisis* cerebral 脳性麻痺. *parálisis* progresiva 進行性麻痺.

pa·ra·lí·ti·co, ca [paralítiko, ka パラリティコ, カ] 形 〖医〗麻痺(ま)した.
── 名男女 〖医〗麻痺患者.

pa·ra·li·za·ción [paraliθaθjón パラリサシオン] 名女 麻痺(ま).

pa·ra·li·zar [paraliθár パラリサル] [39 z ➡ c] 動他 麻痺(ま)させる; 動けなくさせる, 停滞させる (＝ inmovilizar). *paralizado* de una pierna 片足が麻痺した. *paralizado* de terror 恐怖に身がすくんで.

pa·ra·men·to [paraménto パラメント] 名男 **1** 〖建築〗(壁などの) 仕上げ面.
2 飾り布.

pa·ra·mi·li·tar [paramilitár パラミリタル] 形 軍隊式の.

pá·ra·mo [páramo パラモ] 名男 荒地.

parando 現分 ➡ parar.

pa·ran·gón [paraŋgón パランゴン] 名男 類例; 比較. sin *parangón* 比類ない.

pa·ran·go·nar [paraŋgonár パランゴナル] 動他 《＋con》…と比較する.

pa·ra·nin·fo [paranímfo パラニンフォ] 名男 (大学の) 講堂.

pa·ra·no·ia [paranóʝa パラノイア] 名女 〖医〗偏執症, パラノイア.

pa·ra·noi·co, ca [paranóiko, ka パラノイコ, カ] 形 偏執症の.
── 名男女 偏執症者, パラノイア患者.

pa·ra·pe·tar·*se* [parapetárse パラペタルセ] 動 身を隠す; 避難する.

pa·ra·pe·to [parapéto パラペト] 名男 **1** 手すり. **2** 〖軍事〗胸壁.

pa·ra·ple·jí·a [paraplexía パラプレヒア] 名女 〖医〗対麻痺(ついまひ); 下半身不随.

pa·rar [parár パラル] 動自 [現分 parando ; 過分 parado, da] 〔英 stop〕 **1 止まる**, 停止する; 《＋de 不定詞》…するのをやめる. El expreso *para* sólo en algunas estaciones. 急行はいくつかの駅にしか停車しない. Quédate aquí hasta que *pare* la tormenta. 嵐(あらし)が収まるまでここにいなさい. *parar de* llorar 泣きやむ.
2 《＋a, en》…に至る, 最後には…となる. Sus bienes fueron a *parar a* manos de su nieto. 彼の財産は最後に孫のものとなった.
3 泊まる, 滞在する. Cuando voy a esa ciudad, siempre *paro* en ese hotel. そ

P

の都市へ行くときはいつもそのホテルに泊まる.
―― 動他 1 止める, 停止させる. *Para* el coche en el primer semáforo. 最初の信号のところで車を止めてくれ.
2 阻む, 遮る.
―― **pa·rar·*se*** 1 止まる, 立ち止まる; 《+**a** 不定詞》じっくりと…する. *pararse a* pensar 腰を据えて考える. No *te pares* en tonterías. もたもたするな.
2 《ラ米》立つ, 起きる (= levantarse).
¿A dónde quieres venir a parar? 結局, 君は何が言いたいんだ.
ir a parar …に達する, 行き着く; 最後は…になる. El hombre *fue a parar* a la cárcel. その男はついに刑務所送りとなった. ¿Dónde *habrá ido a parar* aquel libro? あの本はどこへ行ったんだろう.
parar en seco 急停止する, ばったりやむ.
parar mal 悪い状況[結果]になる.
sin parar 絶えず, ひっきりなしに.

pa·ra·rra·yos [pararãjos パララヨス] 名男 [単・複同形] 避雷針.

pa·ra·si·co·lo·gí·a [parasikoloxía パラシコロヒア] 名女 (心霊現象などを扱う) 超心理学.

pa·ra·si·ta·rio, ria [parasitárjo, rja パラシタリオ, リア] 形 寄生生物の.

pa·rá·si·to [parásito パラシト] 名男 1 〘生物〙寄生生物. *parásito* intestinal 腸内寄生虫.
2 居候, 食客; ひも, ダニ.
―― 形 寄生する; 居候の.

pa·ra·sol [parasól パラソる] 名男 日傘, パラソル (= quitasol).

pa·ra·ti·foi·de·a [paratifoiðéa パラティフォイデア] 名女 〘医〙パラチフス (= fiebre *paratifoidea*).

par·ce·la [parθéla パルせら] 名女 (土地の) 一区画; 小片.

par·ce·lar [parθelár パルせらル] 動他 (土地を) 区分けする.

par·che [pártʃe パルチェ] 名男 1 継ぎ当て.
2 膏薬(こうやく).
3 (絵画などの) 不手際な修正.
pegar un parche a 《+uno》《口語》〈人〉から金品をだまし取る.

par·cial [parθjál パルしアる] 形 1 部分的な; 不完全な. elecciones *parciales* 補欠選挙.
2 不公平な, 偏った.

par·cia·li·dad [parθjaliðáð パルしアリダ(ドゥ)] 名女 1 えこひいき, 不公平. 2 党派.

par·cial·men·te [parθjálménte パルしアるメンテ] 副 部分的に; 不公平に.

par·co, ca [párko, ka パルコ, カ] 形 《+**en**》…のわずかな, 少しの; …が控えめな. Es *parco en* el hablar [*en* palabras]. 彼は口数が少ない.

¡par·diez! [parðjéθ パルディエす] 間投 《口語》《驚き・失望を表して》おやおや, 何だって.

par·di·llo, lla [parðíʎo, ʎa パルディリョ, リャ] 形 田舎者の.
―― 名男女 田舎者.
―― 名男 〘鳥〙ムネアカヒワ.

par·do, da [párðo, ða パルド, ダ] 形 1 褐色の, 茶色の.
2 (空が) どんよりした, 暗い.

pa·re·cer [pareθér パレせル] 40 動自 [現分 pareciendo ; 過分 parecido, da] 〔英 seem〕

直説法 現在	
1·単 *parezco*	1·複 **parecemos**
2·単 **pareces**	2·複 **parecéis**
3·単 **parece**	3·複 **parecen**

…のようだ, …らしい, まるで…だ. Este cuadro, aunque *parezca* antiguo, no lo es. この絵は一見古そうだが本当はそうでない. El anciano *parece* tener mucho dinero. その老人は金をたくさん持っていそうだ. *Parece* mentira que digas eso. 君がそんなことを言うなんて! *Parece* que no quiere venir. 彼は来たくないみたいだ (►no *parecer* que+接続法より *parecer* que no+直説法のほうが多く用いられる).

【文 法】 人を表す間接目的語を伴ってその判断を示す (…にとって…と思われる).
¿Qué *te parece* este coche?
君, この車をどう思う?
Te parecerá insólito que yo te diga esto. こんなこと言うと君は突飛に思うかもしれない.
Me parece muy difícil hacerlo en una hora. 1時間でそれをするのはとても無理です.
Si *te parece* (bien) iremos en taxi.
君さえよければタクシーで行こう.

―― **pa·re·cer·*se*** 〔英 be alike〕互いに似ている; 《+**a**》…に似ている. Aunque son hermanos, no *se parecen* nada. 彼らは兄弟だが全然似ていない. El hijo mayor *se parece* mucho *a* su padre en el carácter. 長男は父親に性格がよく似ている.
―― 名男 [複 ~es] 1 意見, 考え, 見解.
2 外見; 容貌(ようぼう). Pepe es un chico de buen *parecer*. ペペはハンサムだ. Mi tía conserva todavía buen *parecer*. 叔母はまだ若々しい.
a mi parecer 私が思うには.
al parecer 一見, 見たところ.
parece ser que ... …のようだ.
por el buen parecer 体裁上.
según parece 見たところ, たぶん, …らしい[のようだ].

pa·re·ci·do, da [pareθíðo, ða パレシド, ダ] 過分 → parecer.

P

— 形 1 《+a》…に似ている,《+de, en》…が似ている; 同じような, 同類の. *parecidos de* tamaño 大きさが同じくらいの. Las dos hermanas son muy *parecidas en* carácter. あの姉妹ふたりは性格がとてもよく似ている. éste o uno *parecido* これかこれと同じようなもの. un algo *parecido* 似たようなもの.
2《bien, mal を伴い》(顔だちの) 美しい[醜い].
— 名男 似ていること, 類似, 相似. *parecido* de familia (親子・兄弟のように) よく似ていること. tener *parecido* con《+uno》〈人〉と似ている.

pareciendo 現分 → parecer.

pa·red [paréð パレ(ドゥ)] 名女 [複 ～es] 〔英 wall〕
1 (建物の内・外) 壁, 壁面; 塀. colocar un cuadro en la *pared* 壁に絵をかける. una casa de *pared* blanca 白壁の家. Prohibido pegar carteles en la *pared*. 《掲示》壁に張り紙を禁ず. →muro 【参考】.
2 絶壁. *pared* norte del Eiger アイガー北壁.
3 障壁, 障害; 〖ｽﾎﾟｰﾂ〗ブロック.
4〖解剖〗壁(へき).
blanco como la pared 顔面蒼白(そうはく)な.
como si hablara a una pared 《口語》壁に向かって話すようなものだ, 馬耳東風である.
entre cuatro paredes 家に閉じこもって.
Las paredes oyen. 《諺》壁に耳あり.

pa·re·da·ño, ña [pareðáɲo, ɲa パレダニョ, ニャ] 形 壁一つ隔てた.

pa·re·dón [pareðón パレドン] 名男 銃殺処刑場の壁; 大壁; (廃墟(はいきょ)の) 残壁. ¡Al *paredón*! 《号令》撃て!

pa·re·ja [paréxa パレハ] 名女 [複 ～s] 〔英 pair〕 1 ふたり (一組); (男女の) カップル; (動物の) つがい; (物の) 一対. ser una buena *pareja* 似合いのカップルである. una *pareja* de amigos 仲よしのふたり. una *pareja* de palomas つがいのハト. en *parejas* それぞれペアになって. *pareja* de la Guardia Civil ふたり一組の治安警備隊員.
2 (組・対の) 一方; パートナー. la *pareja* de este zapato この靴のもう片方.
correr parejas 並立する. Su belleza y su simpatía *corren parejas*. 彼女は美人だが, 人付き合いもいい.
3 [～s] (トランプの) 同じ札2枚, ペア; (さいころの) ぞろ目.
por parejas 組になって, 2つ[ふたり]ずつ.

pa·ren·te·la [parentéla パレンテら] 名女 《集合》親類縁者.

pa·ren·tes·co [parentésko パレンテスコ] 名男 1 血縁[姻戚(いんせき)]関係. 2 関連.

pa·rén·te·sis [paréntesis パレンテシス] 名男 [単・複同形] 1 括弧; 丸括弧, パーレン ( ). abrir [cerrar] el *paréntesis* 括弧を開く[閉じる].
2 挿入語句[文]; 余談, 脱線. Los *paréntesis* largos hacen oscuro el discurso. 余談が過ぎると要領を得ない演説となる.
3 中断, 休止期. Hicieron un *paréntesis* en la reunión. 会議は一時中断された.
entre paréntesis ついでながら, ちなみに; 括弧に入れて.

parezc- 動 → parecer. 40

pa·ri·dad [pariðáð パリダ(ドゥ)] 名女
1 同等, 同格.
2 〖経済〗(通貨の) 比価, パリティー. *paridad* de cambio 為替平価.

pa·rien·te, ta [parjénte, ta パリエンテ, タ] [複 ～s] 名男女 〔英 relative〕 1 親戚(しんせき), 親類. *pariente* cercano 近親者.
2《口語》夫, 妻.
— 形 同様な, 似た.

pa·rie·tal [parjetál パリエタる] 形 〖解剖〗頭頂部の.
— 名男 〖解剖〗頭頂骨.

pa·ri·hue·la [pariwéla パリウエら] 名女 [普通 ～s] 担架.

pa·rir [parír パリル] 動自 子を産む.
— 動他 1 産む.
2《口語》《比喩》産み出す.
poner a 《+uno》 ***a parir*** 《俗語》〈人〉をきつくしかる, とっちめる.

Pa·rís [parís パリス] 固名 パリ: フランス Francia の首都.

pa·ri·sien·se [parisjénse パリシエンセ] / **pa·ri·si·no, na** [-síno, na -シノ, ナ] 形 パリの.
— 名男女 パリの住民.

par·la·men·tar [parlamentár パルらメンタル] 動自 1 (休戦などの) 交渉をする.
2《口語》話をする.

par·la·men·ta·rio, ria [parlamentárjo, rja パルらメンタリオ, リア] 形 議会の, 国会の. — 名男女 国会議員.

par·la·men·to [parlaménto パルらメント] 名男 1 議会, 国会. → corte.
2 (休戦などの) 交渉.
3 演説; 〖演劇〗長い台詞(せりふ).

par·lan·chín, chi·na [parlantʃín, tʃína パルらンチン, チナ] 形 おしゃべりな (= charlatán).
— 名男女 おしゃべりな人.

par·lar [parlár パルらル] 動自 おしゃべりする, 話す.

par·lo·te·ar [parloteár パルろテアル] 動自 《口語》ぺちゃくちゃしゃべる, 無駄話をする.

par·lo·te·o [parlotéo パルろテオ] 名男 《口語》おしゃべり, 無駄話.

par·né [parné パルネ] 名男 《俗語》金(かね), 銭 (= dinero).

pa·ro [páro パロ] 名男 1 失業 (= desempleo). estar en *paro* (forzoso) 失業し

P

ている.
2 操業停止, 休業; ロックアウト, 工場閉鎖.
3 ストライキ (= huelga).
—— 動 ➡ parar.

pa·ro·dia [paróðja パロディア] 名女 (名作の)もじり, パロディー.

pa·ro·diar [paroðjár パロディアル] 動他 (名作を)もじる.

pa·ró·ni·mo, ma [parónimo, ma パロニモ, マ] 形〘言語〙同語源の, 類音の.

pa·ro·xis·mo [paroksísmo パロクシスモ] 名男 (感情の)激発, 興奮.

par·pa·de·ar [parpaðeár パルパデアル] 動自 まばたきする; (星などが) またたく.

par·pa·de·o [parpaðéo パルパデオ] 名男 まばたき, またたき.

pár·pa·do [párpaðo パルパド] 名男 〘解剖〙まぶた, 眼瞼(がんけん). ➡ojo 図.

par·que [párke パルケ] 名男 [複 ~s] 〔英 park〕
1 公園, 庭園. *parque* de atracciones 遊園地. *parque* nacional 国立公園. *parque* zoológico 動物園. ➡ ciudad 図.
2 置き場; 〘軍事〙廠(しょう). *parque* de coches [de estacionamiento] 駐車場. *parque* de bomberos [de incendios] 消防署. **3** ベビーサークル.

par·que·dad [parkeðáð パルケダ(ドゥ)] 名女 欠乏; 倹約; 控えめ, 節制.

par·qué [parké パルケ] / **par·quet** [-két -ケ(トゥ)] 名男 [複 parquets] 寄せ木張りの床. [← [仏] parquet]

pa·rra [pára パラ] 名女 ブドウ棚.
subirse a la parra 《口語》かっとなる; 偉ぶる.

pá·rra·fo [párafo パラフォ] 名男 **1** 段落, 節; パラグラフ記号 (§). hacer *párrafo* aparte 段落を改める, 改行する.
2 [~s] 演説 (= discurso).
echar un párrafo con 《+uno》《口語》〈人〉と雑談する, おしゃべりする.

pa·rral [parál パラル] 名男 《集合》ブドウ棚; ブドウ畑.

pa·rran·da [paránda パランダ] 名女 《口語》ばか騒ぎ, どんちゃん騒ぎ.

pa·rran·de·ar [parandeár パランデアル] 動自 《口語》どんちゃん騒ぎをする.

pa·rri·ci·da [pariθíða パリしダ] 名男女 尊族殺人犯.

pa·rri·ci·dio [pariθíðjo パリしディオ] 名男 親殺し, 尊族殺人.

pa·rri·lla [paríʎa パリリャ] 名女 焼き網, グリル. bistec a la *parrilla* 網焼きステーキ.

pa·rri·lla·da [pariʎáða パリリャダ] 名女 (肉・魚類の) 網焼き料理, バーベキュー.

pá·rro·co [pároko パロコ] 名男 〘カトリック〙(教区の) 主任司祭 (= cura *párroco*).

pa·rro·quia [parókja パロキア] 名女
1 〘カトリック〙教区教会; 教区; 《集合》教区所属信者, 教区民.
2 《集合》顧客 (= clientela).

pa·rro·quial [parokjál パロキアル] 形 〘カトリック〙教区の.

pa·rro·quia·no, na [parokjáno, na パロキアノ, ナ] 名男女 **1** 〘カトリック〙教区の信者.
2 得意客.

par·si·mo·nia [parsimónja パルシモニア] 名女 **1** 平静; 悠長. con *parsimonia* ゆっくり, のんびりと. **2** 倹約; 控えめ.

par·si·mo·nio·so, sa [parsimonjóso, sa パルシモニオソ, サ] 形 **1** 平静な; 悠長な.
2 倹約家の; 控えめな.

par·te [párte パルテ] [複 ~s] 名女 〔英 part〕
1 部分. Todavía no he limpiado una *parte* de la casa. 家の一部はまだ掃除が終わっていない. La mayor *parte* de los estudiantes quieren vacación. 学生の大多数が休講を望んでいる. *parte* integral [integrante] (全体の) 一部分, 構成要素. en tres *partes* iguales 3 等分して. una quinta *parte* 5 分の 1.
2 場所; 方面, 側. *parte* sur de España スペインの南部. ¿Has encontrado el libro?—No, no lo he visto en ninguna *parte*. 君, 本が見つかった? —いや, どこにもないんだ. por todas *partes* あちこちに, 至る所に.
3 (当事者の) 一方, 側. *parte* obrera 労働者側. tener *parte* en … …にかかわりを持つ.
4 (血統の) 系, (父・母) 方(かた). primos por [de] *parte* de mi padre 私の父方のいとこ.
5 〘音楽〙声部, パート.
6 [~s] 陰部, 恥部 (= *partes* pudendas).
—— 名男 報告(書); 通報; 公電. dar *parte* a la policía 警察に通報する.
—— 動 ➡ partir.
a partes iguales 平等に, 均等に.
dar parte a 《+uno》 ***en*** … 〈人〉を…に参加させる, 〈人〉を…の仲間に加える.
de … a esta parte 《時間》…前から, …以来. *de* algún tiempo [unos días] *a esta parte* しばらく[数日]前から.
de SU ***parte*** / ***de parte de*** 《+uno》 (1) 〈人〉から, 〈人〉の名前で, 〈人〉に代わって. Muchos recuerdos *de mi parte*. 私からよろしくとお伝えください. ¿*De parte de* quién? 《主に電話》どちら様ですか.
(2) 〈人〉の側について, 〈人〉に味方して. ponerse *de parte de* 《+uno》〈人〉の側に付く, 〈人〉に与(くみ)する.
de parte a parte 端から端まで, 貫通して; すっかり, 徹底的に.
en gran parte ほとんど, 大部分.
en parte 部分的に; 少しは, ある程度; 一つには.
formar parte de … …の一部を構成する, …の一員となる.
llevarse la mejor [***peor***] ***parte*** 最も

P

得[損]をする，良いところを独り占めする[割をくう]．
parte por parte 逐一，全部，詳細に．
parte por … parte por … 一つには…の理由で，また一つには…の理由で．
poner [***hacer***] ***de*** SU ***parte*** 自分の最善[本分]を尽くす．
por SU ***parte / por parte de*** 《＋uno》〈人〉としては，〈人〉に関する限り．
por otra parte 一方，他方；それに，その上．
por partes 少しずつ，だんだんに．
por una parte … y por otra … 一方では…他方では…．
saber de buena parte 信頼できる筋から聞く．
tomar parte en … …に参加する，かかわる．

par·te·rre [partéře パルテレ] 名男 花壇；庭園．

par·ti·ción [partiθjón パルティしオン] 名女 分配，分与，配分．

par·ti·ci·pa·ción [partiθipaθjón パルティしパしオン] 名女 **1** 参加，関与；分配．
2 通知，案内状．
3 宝くじの分券．
4 〖スポ〗エントリー．

par·ti·ci·pan·te [partiθipánte パルティしパンテ] 名男女 参加者．
―― 形 参加する．los equipos *participantes* en … …に出場するチーム．

par·ti·ci·par [partiθipár パルティしパル] 動自 **1** 《＋**en**》…に参加する；…に関与する．*participar en* el trabajo 仕事に加わる．*participar en* un concurso コンクールに出場する．
2 《＋**de**》…を共にする，共有する．Yo *participo de* la misma opinión. 私も同じ意見です．*participar de* las ganancias 利益配分を受ける．
―― 動他 知らせる．

par·tí·ci·pe [partíθipe パルティしペ] 形 参加する；関与する．
―― 名男女 参加者；関与者；受益者．
hacer partícipe a 《＋uno》 ***de*** 《＋algo》〈何か〉を〈人〉と共有する；〈何か〉を〈人〉に知らせる．

par·ti·ci·pio [partiθípjo パルティしピオ] 名男 〖文法〗過去分詞．► 現在分詞は gerundio. ⇨ 文法用語の解説．

par·tí·cu·la [partíkula パルティクら] 名女
1 小片，粒；〖物理〗粒子．
2 〖文法〗(前置詞・接続詞などの) 不変化詞，小辞．

par·ti·cu·lar [partikulár パルティクらル] [複 ～es] 形〔英 particular〕 **1** 独特の；特別な，特殊な；《＋**a, de**》…に特有の，固有な(＝peculiar). aroma *particular de* café コーヒー特有の香り．no tener nada de *particular* 何も変わったことはない．
2 個人の，個人的な，私的な(＝personal). casa *particular* 個人の家．coche *particular* 自家用車．profesor *particular* 家庭教師[個人教授]．
3 個々の，個別の(＝individual)(↔general).
―― 名男女 私人，個人．Yo asisto a la conferencia como un *particular*. 私は会議に一個人として参加します．
―― 名男 問題，事柄．No hay nada más que decir sobre este *particular*. この件に関しては他に何も言うことはない．
en particular 特に，ことに．
sin otro particular 《手紙》まずは要件のみ．

par·ti·cu·la·ri·dad [partikulariðáð パルティクらリダ(ドゥ)] 名女 特殊(性)；独自性，特徴．

par·ti·cu·la·ris·mo [partikularísmo パルティクらリスモ] 名男 自己中心主義，排他主義．

par·ti·cu·lar·men·te [partikulárménte パルティクらルメンテ] 副 特に；個別に．

par·ti·da [partíða パルティダ] 名女 [複 ～s]〔英 departure〕 **1** 出発(＝salida). día de *partida* 出発日．La *partida* es a las nueve de la mañana. 出発は午前9時です．
2 ゲーム，一勝負．echar una *partida* de naipes トランプを一勝負する．
3 一隊，一団(＝pandilla). *partida* de ladrones 盗賊の一団．
4 記録簿，台帳(＝registro). *partida* de nacimiento 出生記録．
5 〖商業〗項目，品目；費目；(商品の) 一口分，1回の積送品；簿記．*partida* arancelaria 関税品目．*partida* doble [simple] 複式[単式]簿記．
―― 過分 女 → partir.

par·ti·da·rio, ria [partiðárjo, rja パルティダリオ，リア] 名男女〔英 partisan〕 支持者，信奉者，味方．
―― 形 《＋**de**》…を支持する，…を信奉する．

par·ti·dis·mo [partiðísmo パルティディスモ] 名男 党派心，えこひいき．

par·ti·do[1] [partíðo パルティド] 名男 [複 ～s]〔英 party; game〕 **1** 政党，党派．*partido* del gobierno 与党．*partido* de la oposición 野党．*Partido* Socialista Obrero Español スペイン社会労働党《略 P.S.O. E.》．
2 試合，対戦．*partido* de fútbol サッカーの試合．
3 (司法・行政上の) 区域，管轄区．
sacar el mayor [***máximo***] ***partido de …*** …を最大限に利用する．
tener partido 味方がついている，支持者を持つ．
tomar partido 決定する．
tomar partido por [***de***] ***…*** …の味方を

P

する，…を支持する．
partido², da 過分 → partir.
partiendo 現分 → partir.

par·tir [partír パルティル] 動他 [現分 partiendo；過分 partido, da]〔英 divide, split〕
1《＋en》**…に分ける**，分割する（＝ dividir）．*partir*《＋algo》*en* dos〈何か〉を二分する．*partir*《＋algo》entre ……の間で〈何か〉を分配する．
2 割る，裂く；〘数〙割る．*partir* el melón por la mitad メロンを半分に切る．*partir* leña 薪(まき)を割る．
3（トランプ）切る．
── 動自〔英 depart〕**出発する**．*partir* para España スペインへ出発する．El tren está para *partir*. 電車はまもなく発車します．*partir* de una premisa falsa 誤った前提から出発する．
a partir de … (1) …以来，…以降．*a partir de* hoy 本日以降．(2) …に基づいて．*a partir de* este supuesto この仮定を踏まえて．

par·ti·ti·vo [partitíβo, βa パルティティボ] 名男〘文法〙部分詞．
par·ti·tu·ra [partitúra パルティトゥラ] 名女〘音楽〙楽譜，スコア．［← イタリア語］
par·to [párto パルト] 名男 分娩(ぶんべん)，出産．
── 動 → partir.
par·vo, va [párβo, βa パルボ，バ] 形《文語》わずかな；小さな．
── 名女 脱穀前の穀物．
par·vu·la·rio [parβulárjo パルブラリオ] 名男 幼稚園（＝ jardín de infancia).
pár·vu·lo, la [párβulo, la パルブろ，ら] 名男女 幼児．escuela [colegio] de *párvulos* 幼稚園．
── 形 幼い，無邪気な．
pa·sa [pása パサ] 名女 干しブドウ（葡萄)．
pa·sa·ble [pasáβle パサブれ] 形 まあまあの；我慢できる．
pa·sa·ca·lle [pasakáʎe パサカリェ] 名男〘音楽〙パッサカリア．
pa·sa·da [pasáða パサダ] 名女 **1**（一度の）動作，作業．dar unas *pasadas* al suelo con la bayeta モップで床を掃除する．
2 通過．A la primera *pasada* no lo oí. 最初通った時はそれが聞こえなかった．
── 過分女 → pasar.
── 形女 → pasado¹.
de pasada ついでに；ざっと．
hacer [jugar] una mala pasada《口語》汚いやり方をする．
pa·sa·de·ro, ra [pasaðéro, ra パサデロ，ラ] 形 → pasable.
pa·sa·di·zo [pasaðíθo パサディそ] 名男 抜け道，路地．
pa·sa·do¹, da [pasáðo, ða パサド，ダ] 過分 → pasar.
── 形 [複 ～s]〔英 past; last〕**1 過ぎ去った**，前の，先の．tiempos *pasados* 昔，往時．el año [mes] *pasado* 去年[先月]．la semana *pasada* 先週．el martes *pasado* 先週の火曜日に（► 話している時が同一週内なら「今週の火曜日に」となる）．
2 流行遅れの（＝ *pasado* de moda)；古くなった，古びた；擦り切れた；腐った．
3（肉が）火の通った（＝ asado)．bien *pasado* ウェルダンの．
4〘文法〙過去の．
Lo pasado, pasado (está). 済んだことは済んだことだ．

pa·sa·do² [pasáðo パサド] 名男 **1** 過去（のこと)．**2**〘文法〙過去．
pa·sa·dor [pasaðór パサドル] 名男 **1** かんぬき，掛け金．
2 ネクタイピン；（長い）ヘアピン，帽子の留めピン．
pa·sa·je [pasáxe パサヘ] 名男 **1** 乗車券，切符；運賃．*pasaje* de avión 航空券[料金]．
2 章句，一節．
3《集合》（船・飛行機などの）乗客，客．
4 狭い通路，路地．
5 通行（＝ paso)．
pa·sa·je·ro, ra [pasaxéro, ra パサヘロ，ラ] [複 ～s] 名男女〔英 passenger〕（船・飛行機などの）**乗客**（＝ viajero)．► 乗務員は tripulante.
── 形 **1** 一時的な，はかない．amor *pasajero* つかの間の恋．
2 人通りの多い．calle *pasajera* にぎやかな通り．
pa·sa·ma·nos [pasamános パサマノス] 名男 [単・複同形]（階段・エスカレーターの）手すり．→ escalera 図．
pa·sa·mon·ta·ñas [pasamontáɲas パサモンタニャス] 名男 [単・複同形]（覆面型の）防寒帽．
pasando 現分 → pasar.
pa·san·te [pasánte パサンテ] 名男女（弁護士などの）見習い，実習生．
pa·sa·por·te [pasapórte パサポルテ] 名男 [複 ～s]〔英 passport〕**パスポート**，旅券．expedir un *pasaporte* 旅券を発給する．
dar pasaporte a《＋uno》《口語》〈人〉を追い出す，解雇する；殺す．

pa·sar [pasár パサル] 動他 [現分 pasando；過分 pasado, da]〔英 pass〕
1 通る，通過する，渡る．A medianoche *pasamos* la frontera por Irún. 夜中に我々はイルンから国境を越えた．Quiso *pasar* la calle con el disco en rojo. 彼は赤信号で通りを渡ろうとした．
2 合格する，パスする．*Ha pasado* el examen. 彼は試験に合格した．
3（時を）**過ごす**．¿Dónde piensas *pasar* este fin de semana? この週末はどこで過ごすつもりですか？ Durante los Juegos Olímpicos de Barcelona muchos japoneses *pasaron* la noche viendo la

P

televisión. バルセロナ・オリンピックの時，多くの日本人が一晩中テレビを見ていた.
4 経験する. *pasar* hambre 腹をすかせる. *pasar* un mal rato 嫌な思いをする.
5 回す，手渡す；〘ｽﾎﾟ〙(ボールを) パスする. *Pásame* la sal por favor. (食卓で) 塩を取ってください. ¿Nos *han pasado* ya la cuenta del gas este mes? 今月のガスの請求書はもう来ましたか.
6 (人を) 通す，案内する. Me *pasaron* al despacho del alcalde. 私は市長室に通された.
7 (電話・伝言などを) 取り次ぐ，(請求書などを) 回す，つけにする.
8 ((＋**por**)) (1) …を通して入れる. *pasar* el hilo *por* el ojo de la aguja 針に糸を通す. (2) …をなでる. *pasar* la mano *por* el pelo 手で髪をなでる.
9 見落とす，抜かす.
—— 動自 **1** ((＋**por**)) **…を通る**，通過する；経由する，立ち寄る. A estas horas no *pasará* ningún taxi. この時間ではタクシーは通らないだろう. Este autobús *pasa por* la Castellana. このバスはカスティリャーナ通り経由です. Volveré a *pasar por* aquí. 近い内にまたお邪魔します.
2 (時が) **経つ**. Parece mentira cómo *pasa* el tiempo. 時間がたつのは早いもんだなあ. *Han pasado* cinco años. 5年が経った.
3 **起こる**，生じる (＝ ocurrir). Cuéntame todo lo que te *ha pasado*. 君に何があったのか全部話してくれ. A mí me *pasa* lo mismo. 私だって事情は同じです. como si no *hubiera pasado* nada 何事もなかったかのように.
4 ((＋**a**)) (1) …に入る. Dígale que *pase a* mi despacho. 彼に部屋に入るように伝えてください. ¡*Pase*! どうぞ！(2) …に移る，変わる. *Pasemos a*l punto más importante. 一番大事な点に話を移そう. (3) (人・車を) 追い越す.
5 ((＋**de**)) (1) …を越える. Su madre no *pasa de* los cuarenta años. 彼の母は40歳そこそこだ. Paco no *pasa de* ser un estudiante mediocre. パコはまあ普通の学生に過ぎないね. (2) …に少しも関心がない. Juan *pasa de* política. フアンは政治に全く関心がない. *pasar de* todo 全く無気力である.
6 ((＋**por**)) (世間に) …として通っている，知られている.
7 過ぎ去る，なくなる. Me *ha pasado* el dolor. 痛みが収まった.
—— **pa·sar·*se*** **1** (時を) 過ごす. *Me pasé* toda la noche corrigiendo los exámenes. 私は一晩中試験の採点をしていた.
2 ((＋**a**)) (他党・敵方などに) 移る，転向する. *Se pasó a*l enemigo. 彼は敵に寝返った.
3 ((口語)) 度を過ごす. *pasarse* de fino きざである.
4 ((間接目的語を伴って)) (ある状態が) 過ぎ去る；忘れる. Con esta crema *se* te *pasará* la quemazón. このクリームを塗っておけばひりひりする痛みは収まるよ. ¿Me echaste la carta al buzón?—¡Ay! *Se* me *pasó*. 手紙を投函してくれた？—あっ，すっかり忘れてた.
5 ((＋**sin**)) …なしでやりくりする，…なしで済ます.
hacerse pasar por … …になりすます，…の振りをする.
Lo que pasa es que … しかし実は…なのだ，ただ…だけなのだ.
pasarlo ((＋副詞)) …の時を過ごす. ¿Qué tal *lo pasaste* en la fiesta?—*Lo pasé* estupendamente. パーティはどうだった？—とっても楽しかった. ¡Adiós y que *lo pases* bien! さようなら，元気でね.
pase lo que pase たとえ何が起ころうと；いずれにせよ.

pa·sa·re·la [pasaréla パサレら] 名女 渡り板，(高所作業用の) 狭い通路. *pasarela* de embarque 搭乗橋. ➡ aeropuerto 図.

pa·sa·tiem·po [pasatjémpo パサティエンポ] 名男 気晴らし，娯楽.

pas·cua [páskwa パスクア] 名女 [しばしばP-] **1** 復活祭，イースター (＝ *Pascua* de Resurrección)：キリストの復活を祝う移動祝祭日. 春分後の最初の満月の後の日曜日.
2 降誕祭，クリスマス (＝ *Pascua* de Navidad)；[～s] 降誕祭 (12月24日夜) から主の御公現の祝日 (1月6日) までの期間. ¡Felices *Pascuas* y próspero Año Nuevo! クリスマスおめでとう，すばらしい新年を！ pasar las *pascuas* en familia 家でクリスマス休暇を過ごす.
3 〘ｶﾄﾘｯｸ〙 主の御公現の祝日 (＝ día de los Reyes Magos)；聖霊降臨の大祝日 (復活祭後の7回目の日曜日) (＝ *Pascua* de Pentecostés, *Pascua* del Espíritu Santo).
4 [P-] 過越(すぎこし)の祭り：ユダヤ教徒の出エジプトを記念する大祭.
estar como unas pascuas 上機嫌である.
hacer la pascua a ((＋uno)) ((口語)) 〈人〉をうんざりさせる.
Y santas pascuas. ((口語)) それで終わりだ.

pas·cual [paskwál パスクアる] 形 復活祭の.

pa·se [páse パセ] 名男 **1** 通行許可証，無料入場券，定期乗車券.
2 通過.
3 〘ｽﾎﾟ〙 送球，(球技で) パス.
4 〘闘牛〙 パセ：闘牛士が動かずに牛を通過させること.
5 ((ラ米)) パスポート.
—— 動 ➡ pasar.

pa·se·an·te [paseánte パセアンテ] 名男女 散歩する人.

P

pa·se·ar [paseár パセアル] 動 自 〔英 go for a walk〕 **1 散歩する**, 散歩に出る. *pasear* en coche ドライブする. *pasear* por el parque 公園を散歩する.
2 歩き[動き]回る; さまよう.
—— 動 他 散歩させる, 連れ歩く. sacar a *pasear* al perro 犬を散歩に連れ出す.
—— **pa·se·ar·se** **1** 散歩する, 散策する, 散歩に出る.
2 (考えなどが) 頭に浮かぶ.

pa·se·o [paséo パセオ] 名 男 [複 ~s] 〔英 walk〕 **1 散歩**. dar un *paseo* 散歩する. dar un *paseo* en coche ドライブする. ir de *paseo* 散歩に出かける.
2 散歩道, 遊歩道; 通り. *Paseo* de la Castellana (マドリードの) カステリャーナ通り. ➡ ciudad 図.
3 ひと歩きの距離. De mi casa a la escuela no hay más que un *paseo*. 私の家から学校まではほんのひと足です.
4 〘闘牛〙入場行進.
—— 動 ➡ pasear.
mandar* [*enviar*] *a* ⟪+uno⟫ *a paseo ⟪口語⟫ 〈人〉を追い払う.

pa·si·llo [pasíʎo パシリョ] 名 男 〔英 passage〕 廊下, 通路. al fondo del *pasillo* 廊下の突き当たりに.

pa·sión [pasjón パシオン] 名 女 [複 pasiones] 〔英 passion〕 **1 情熱**, 激情; 恋情. dominar las *pasiones* 感情を抑える.
2 熱中, 熱狂. tener *pasión* por el fútbol サッカーに熱中する.
3 受難; 〘音楽〙受難曲. la *Pasión* de Jesucristo イエス・キリストの受難.

pa·sio·nal [pasjonál パシオナル] 形 激情の, 情欲の.

pa·si·vi·dad [pasiβiðáð パシビダ(ドゥ)] 名 女 受動性; 消極性 (↔ actividad).

pa·si·vo, va [pasíβo, βa パシボ, バ] 形 **1** 受け身の, 消極的な (↔ activo). desempeñar un papel *pasivo* 消極的な役割を演じる. resistencia *pasiva* 消極的抵抗.
2 受給の. clases *pasivas* 年金受給層 [生活者]. pensión *pasiva* 年金, 恩給.
3 〘文法〙受け身の, 受動態の.
—— 名 男 〘商業〙負債, 債務.
—— 名 女 〘文法〙受動態 (= voz *pasiva*).

pas·mar [pasmár パスマル] 動 他 ⟪口語⟫ びっくりさせる.
—— **pas·mar·se** ⟪+de⟫ ⟪口語⟫ …にびっくりする, 仰天する. dejar *pasmado* a ⟪+uno⟫ 〈人〉を唖然(あぜん)とさせる.

pas·mo [pásmo パスモ] 名 男 **1** 驚き, 仰天.
2 悪寒, 発熱.

pas·mo·so, sa [pasmóso, sa パスモソ, サ] 形 ⟪口語⟫ 驚くべき.

pa·so [páso パソ] 名 男 [複 ~s] 〔英 step;passage〕
1 歩, 1 歩, 歩幅. dar un *paso* adelante [atrás] 1歩前に出る [後退する]. andar a grandes *pasos* 大股(また)で歩く.
2 歩調; 足音, 足跡; (ダンスの) ステップ. a *paso* de tortuga のろのろと. a *paso* firme しっかりした足取りで. a *paso* lento ゆっくり. acelerar [aminorar] el *paso* 歩調を速める[緩める]. coger el *paso* 歩調を合わせる. En el comedor se oyen *pasos*. 食堂で足音がする. seguir los *pasos* a ⟪+uno⟫ 〈人〉の後をつける.
3 通行, 通過; 横断. Ceda el *paso*. ⟪交通標識⟫ 一時停止. Se prohibe el *paso*. ⟪掲示⟫ 立入[進入]禁止. dejar (el) *paso* 道を譲る.
4 通路; 峠; 海峡. *paso* de peatones 横断歩道. *paso* elevado [subterráneo] 陸橋[地下道].
5 (時の) 経過; 移行, 推移.
6 進歩, 前進.
7 [しばしば ~s] 処置, 措置.
8 〘カトリック〙(聖週間の行列の) キリスト受難の彫像; その山車(だし). ➡ procesión.
—— 動 ➡ pasar.
a buen paso 速く, 急いで.
a cada paso 絶えず, いつも, 至る所で.
a dos* [*cuatro*] *pasos de … …のすぐ近くに.
a este paso この調子でいくと, この分では.
a grandes pasos* / *a pasos agigantados ⟪比喩⟫ 急速に, 急激に.
al paso 通りがかりに, 途中で.
al paso que ⟪+直説法⟫ …と同時に; …につれて.
abrir*(*se*) *paso 道を切り開く; 活路を見いだす.
dar un paso 措置を講じる, 行動を起こす. *dar un* buen *paso* 適切な措置を講じる.
de paso 通りがかりに, 途中で; ついでに. dicho sea *de paso* ついでに言えば, ちなみに.
medir* sus *pasos 慎重に振る舞う; 足下に注意する.
paso a nivel 〘鉄道〙踏切.
paso a paso 一歩一歩, 着実に.
primeros pasos 初歩, 基礎; デビュー. dar los *primeros pasos* 最初の行動を起こす.
salir al paso de … …の前に立ちはだかる; …を待ち伏せる; …の機先を制する.
seguir los pasos de ⟪+uno⟫ 〈人〉の例にならう, まねをする.
volver sobre* sus *pasos もと来た道を引き返す; 初めの意見に立ち戻る.

pa·so·do·ble [pasoðóβle パソドブレ] 名 男 〘音楽〙パソドブレ: 闘牛の際に演奏される2拍子の軽快な曲と踊り.

pa·so·ta [pasóta パソタ] 名 男 女 ⟪口語⟫ (反社会的で) 無気力な若者.

pas·quín [paskín パスキン] 名 男 風刺文, 落首.

pas·ta [pásta パスタ] 名 女 [複 ~s] 〔英

P

paste〕 **1**〔料理〕**生地**；パスタ；パイ，クッキー；ペースト．*pasta* dentífrica [de dientes] 練り歯磨き．*pasta* de hígado レバーペースト．
2（本の）総革[クロス]製本．
3《俗語》お金（＝dinero）．
buena pasta 《口語》温好な性格．ser de *buena pasta* 気だての良い人である．

pas·tar [pastár パスタル] 動自（家畜が）草を食(は)む．

pas·tel [pastél パステる] 名男 [複 ～es]〔英 cake〕 **1 ケーキ**；パイ（＝*pastel* hojaldre）．*pastel* de chocolate チョコレートケーキ．
2〔美術〕パステル；パステル画．pintar [dibujar] al *pastel* パステルで描く．
3《口語》ごまかし，いかさま．descubrir el *pastel* いかさまを見破る；秘密を漏らす．

pas·te·le·rí·a [pastelería パステれリア] 名女 ケーキ店；ケーキ製造[販売]．

pas·te·le·ro, ra [pasteléro, ra パステれロ，ラ] 名男女 ケーキ職人，ケーキ店の人．

pas·te·ri·zar [pasteriθár パステリさル] / **pas·teu·ri·zar** [pasteu- パステウ-] [39 z → c] 動他 低温殺菌する．leche *pasterizada* 低温殺菌牛乳．

pas·ti·lla [pastíʎa パスティリャ] 名女 **1** 錠剤；トローチ．*pastilla* contra el dolor 痛み止め錠剤．*pastilla* para la tos 咳(せき)止めトローチ．
2 小さな四角いもの．*pastilla* de jabón 化粧石けん．

pas·to [pásto パスト] 名男 **1** 牧草；飼料．**2** 好餌(こうじ)．**3**《ラ米》芝生．
a todo pasto 《口語》たっぷりと；むやみに．
ser pasto de las llamas 火に油を注ぐ結果になる．

pas·tor[1]**, to·ra** [pastór, tóra パストル，トラ] 名男女 [複男 ～es，女 ～s]〔英 shepherd〕**羊飼い**．perro *pastor* 牧羊犬．

pas·tor[2] [pastór パストル] 名男〔カトリック〕牧者；（精神の司牧者として）司教，司祭；（プロテスタント）牧師．El Buen *Pastor* よき牧者（キリストを指す）．

pas·to·ral [pastorál パストラる] 形 **1** 牧歌的な．**2** 司教の．
── 名女 田園詩，牧人劇．

pas·to·re·ar [pastoreár パストレアル] 動他（家畜に）草を食べさせる，放牧する．

pas·to·ril [pastoríl パストリる] 形 牧人の，羊飼いの．novela *pastoril* 牧人小説（◆16世紀スペインで興ったジャンルの一つ）．

pas·to·so, sa [pastóso, sa パストソ，サ] 形 **1**（パン生地のように）柔らかい．
2（声が）柔らかな，滑らかな．
3 粘つく．tener la boca *pastosa* 口の中がねばねばする．

pa·ta [páta パタ] 名女 **1**（動物の）足，脚；（家具などの）脚．*pata* trasera izquierda 左後脚．una mesa de cuatro *patas* 4本脚のテーブル．→ carne 図，insecto 図，silla 図．
2《口語》（人間の）足，脚．a *pata* 歩いて，徒歩で（＝a pie）．
3〔動物〕雌のカモ（鴨）［アヒル（家鴨）］．→ pato.
a cuatro patas 四つんばいになって，はって．
a la pata coja 片足跳びで，けんけんで．
a la pata (la) llana / a pata llana 気取らずに，遠慮なく．
estirar la pata 《俗語》死ぬ，くたばる．
meter la pata 《口語》いらぬ口出しをする，失態を演じる，へまをやる．
pata de gallo 〔服飾〕千鳥格子；[～s] 目尻(めじり)のしわ．
pata de palo 義足．
patas arriba 逆さまに，ひっくり返って；乱雑を極めて．volver 《＋algo》 *patas arriba* 〈何か〉を乱雑にする，めちゃくちゃにする．
tener mala pata 《口語》運が悪い，ついていない；不器用である．

pa·ta·da [patáða パタダ] 名女 けること．dar *patadas* en el suelo 地団太を踏む．
a patadas たくさん；手荒に（扱う）．
dar cien patadas a 《＋uno》〈人〉に不愉快な思いをさせる．
dar la patada a 《＋uno》〈人〉を解雇する，ほうり出す．

pa·ta·gón, go·na [pataɣón, ɣóna パタゴン，ゴナ] 形（南米の）パタゴニア Patagonia の．── 名男女 パタゴニア地方の人．

pa·ta·gó·ni·co, ca [pataɣóniko, ka パタゴニコ，カ] 形 パタゴニアの．

pa·ta·le·ar [pataleár パタれアル] 動自 地団太踏む；足をばたつかせる．

pa·ta·le·o [pataléo パタれオ] 名男 地団太踏むこと；足をばたつかせること．

pa·ta·le·ta [pataléta パタれタ] 名女《口語》癇癪(かんしゃく)．

pa·tán [patán パタン] 形《口語》がさつな，粗野な．
── 名男《口語》がさつ者，田舎者．

pa·ta·ta [patáta パタタ] 名女 [複 ～s]〔英 potato〕**ジャガイモ**．pelar las *patatas* ジャガイモの皮をむく．*patatas* bravas トウガラシのソースをかけたポテト（◆スペインでポピュラーなおつまみ）．*patatas* fritas フライド・ポテト；ポテトチップ．◆原産地は南米 Andes 地帯とされる．→ hortalizas 図．

pa·ta·tal [patatál パタタる] 名男 ジャガイモ畑．

pa·ta·tín [patatín パタティン] ***que si patatín que si patatán*** 《副詞句》ああだこうだと；のらりくらりと．

pa·ta·tús [patatús パタトゥス] 名男 [単・複同形]《口語》失神，卒倒．

pa·té [paté パテ] 名男〔料理〕パテ．*paté* de hígado レバーペースト．

P

pa·te·ar [pateár パテアル] 動他 **1** 《口語》けとばす，踏みつける. **2** 《口語》…に足を踏み鳴らしてブーイングを送る.
— 動自 《口語》足を踏み鳴らす; 駆けずり回る.

pa·te·na [paténa パテナ] 名女 〘カトリック〙 聖体皿，パテナ.

pa·ten·tar [patentár パテンタル] 動他 特許権を与える[取得する].

pa·ten·te [paténte パテンテ] 形 明らかな. hacer *patente* 明らかにする.
— 名女 **1** 特許(権). obtener la *patente* de ... …の特許を取る.
2 許可(証). **3** 評判. Tiene *patente* de generoso. 彼は気前がよいので有名だ.

pa·ten·ti·zar [patentiθár パテンティさル] [39 z → c] 動他 明らかにする. Le envié una carta para *patentizar* mi incondicional adhesión. 私は無条件の支持を表明する手紙を彼に送った.

pa·te·o [patéo パテオ] 名男 踏みつけること; 地団太.

pa·ter·nal [paternál パテルナる] 形 父親の，父親のような.

pa·ter·na·lis·mo [paternalísmo パテルナリスモ] 名男 家父長主義; 恩情主義.

pa·ter·ni·dad [paterniðáð パテルニダ(ドゥ)] 名女 父親であること，父性.

pa·ter·no, na [patérno, na パテルノ，ナ] 形 父親の; 父方の.

pa·té·ti·ca·men·te [patétikaménte パテティカメンテ] 副 哀れっぽく.

pa·té·ti·co, ca [patétiko, ka パテティコ，カ] 形 悲壮な; 哀れな. una escena *patética* 痛ましい光景.

pa·te·tis·mo [patetísmo パテティスモ] 名男 悲壮(感)，悲痛.

pa·tia·bier·to, ta [patjaβjérto, ta パティアビエルト，タ] 形 《口語》がに股(また)の.

pa·ti·bu·la·rio, ria [patiβulárjo, rja パティブらリオ，リア] 形 凶悪な，恐ろしい.

pa·tí·bu·lo [patíβulo パティブろ] 名男 絞首[断頭]台.

pa·ti·di·fu·so, sa [patiðifúso, sa パティディフソ，サ] 形 《口語》びっくり仰天した.

pa·ti·lla [patíʎa パティリャ] 名女 **1** もみあげ，頬(ほお)ひげ. → barba 図.
2 (眼鏡の) つる.

pa·tín [patín パティン] 名男 [複 patines] スケート靴. *patín* de hielo [ruedas] アイス[ローラー]スケート靴.

pá·ti·na [pátina パティナ] 名女 くすんだ色調，古色; 緑青.

pa·ti·na·je [patináxe パティナヘ] 名男 **1** スケート. *patinaje* artístico フィギュアスケート. **2** (車の) スリップ.

pa·ti·nar [patinár パティナル] 動自 **1** スケートをする.
2 (車が) スリップする. Al frenar *patinó* el coche. ブレーキを踏んだら車がスリップした. **3** 《口語》へまをする，逸脱[失言]する.

pa·ti·na·zo [patináθo パティナそ] 名男 **1** (車の) スリップ.
2 《口語》へま，しくじり.

pa·ti·ne·te [patinéte パティネテ] 名男 (遊具の) スクーター.

pa·tio [pátjo パティオ] 名男 [複 ~s] 〔英 courtyard〕 **1** (スペイン建築の) **パティオ，中庭.**
2 〘演劇〙 平土間 (= *patio* de butacas). → teatro 図.
patio de escuela (中庭式の) 校庭，運動場.
patio de luces (採光用の) 吹き抜け.

pa·ti·tie·so, sa [patitjéso, sa パティティエソ，サ] 形 **1** (足が) 硬直した，すくんだ.
2 《口語》びっくり仰天した.
3 《口語》気取った，つんと澄ました.

pa·to [páto パト] 名男 [複 ~s] 〔英 duck〕 **カモ** (鴨)，**アヒル** (家鴨)，雄ガモ. *pato* salvaje [silvestre] ノガモ，マガモ. → pata.
estar hecho un pato 《口語》ずぶぬれ[汗ぐっしょり]である.
pagar el pato 《口語》尻(しり)ぬぐいをする，ぬれぎぬを着る.

pa·to·cha·da [patotʃáða パトチャダ] 名女 でたらめ; たわ言.

pa·to·lo·gí·a [patoloxía パトろヒア] 名女 〘医〙 病理学.

pa·to·ló·gi·co, ca [patolóxiko, ka パトろヒコ，カ] 形 〘医〙 病理学(上)の.

pa·tó·lo·go, ga [patóloɣo, ɣa パトろゴ，ガ] 名男女 病理学者.

pa·to·so, sa [patóso, sa パトソ，サ] 形 《口語》へまな，不器用な.

pa·tra·ña [patráɲa パトゥラニャ] 名女 《口語》うそ，作り話.

pa·tria [pátrja パトゥリア] 名女 [複 ~s] 〔英 homeland〕 **1 祖国**，母国. luchar por la *patria* 祖国のために戦う. → país 【参考】.
2 故郷，出生地 (= *patria* chica). añorar la *patria* 郷里を懐かしがる.

pa·triar·ca [patrjárka パトゥリアルカ] 名男 **1** 家父長，族長; 長老.
2 (教団・教派などの) 創始者.

pa·triar·cal [patrjarkál パトゥリアルカる] 形 家父長的な，家父長制の.

Pa·tri·cia [patríθja パトゥリしア] 固名 パトリシア: 女性の名.

Pa·tri·cio [patríθjo パトゥリしオ] 固名 パトリシオ: 男性の名.

pa·tri·mo·nial [patrimonjál パトゥリモニアる] 形 世襲財産の.

pa·tri·mo·nio [patrimónjo パトゥリモニオ] 名男 財産; 世襲財産; 歴史的遺産. *patrimonio* cultural 文化遺産.

pa·trio·ta [patrjóta パトゥリオタ] 形 愛国の. — 名男女 愛国者.

pa·trió·ti·co, ca [patrjótiko, ka パトゥリオティコ，カ] 形 愛国(者)の.

pa·trio·tis·mo [patrjotísmo パトゥリオティスモ] 名男 愛国心.

pa·tro·ci·nar [patroθinár パトゥロしナル] 動他 後援する, …のスポンサーになる.

pa·tro·ci·nio [patroθínjo パトゥロしニオ] 名男 後援, 賛助.

pa·trón[1], tro·na [patrón, tróna パトゥロン, トゥロナ] 名男女 [複男 patrones, 女 ～s] 〔英 boss; patron〕 **1** 主人, 親方, 上司. Trabajó siempre para el mismo *patrón*. 彼はずっと同じ主人のもとで働いた.
2 後援者, 恩人; 《カトリック》守護聖人 (= santo *patrón*). Santiago es el *patrón* de España y Chile. 聖ヤコブはスペインとチリの守護聖人である.

pa·trón[2] [patrón パトゥロン] 名男 パターン, 型; 原型; 手本, モデル. *patrones* para faldas スカートの型紙. el kilogramo [quilo] *patrón* キログラム原器. el *patrón* oro 金本位制.
cortados por el mismo patrón そっくりな, 瓜(うり)二つの.

pa·tro·nal [patronál パトゥロナる] 形
1 雇用者の, 経営者側の.
2 《カトリック》守護聖人の.
── 名女 《集合》経営者側.

pa·tro·na·to [patronáto パトゥロナト] 名男
1 後援, 賛助.
2 協会, 財団.
3 《集合》雇用者; 経営者団体.

pa·tro·ní·mi·co, ca [patronímiko, ka パトゥロニミコ, カ] 名男 父[祖先]の名を取った名前[姓], 父称. ⇒ Fernando から Fernández, Martín から Martínez など.
── 形 父の名を取った.

pa·tro·no, na [patróno, na パトゥロノ, ナ] 名男女 雇用者; 保護者.

pa·tru·lla [patrúʎa パトゥルリャ] 名女
1 巡視, パトロール, 哨戒(しょうかい).
2 巡視隊, パトロール隊.

pa·tru·llar [patruʎár パトゥルリャル] 動自他 巡視する, パトロールする.

pa·tru·lle·ro, ra [patruʎéro, ra パトゥルリェロ, ラ] 形 巡視の, パトロールの, 哨戒(しょうかい)の.
── 名男 巡視[哨戒]艇, 哨戒機.

pau·la·ti·na·men·te [paulatínaménte パウらティナメンテ] 副 ゆっくりと, 徐々に.

pau·la·ti·no, na [paulatíno, na パウらティノ, ナ] 形 ゆっくりした, 漸進的な.

pau·pe·ris·mo [pauperísmo パウペリスモ] 名男 (社会全体の) 貧困.

pau·pé·rri·mo, ma [paupér̃imo, ma パウペリモ, マ] 形 [pobre の絶対最上級] 《文語》極貧の.

pau·sa [páusa パウサ] 名女 **1** 休止. a *pausas* とぎれとぎれに.
2 のろさ. con *pausa* ゆっくりと.
3 〘音楽〙休止(符).

pau·sa·da·men·te [pausáðaménte パウサダメンテ] 副 ゆっくりと.

pau·sa·do, da [pausáðo, ða パウサド, ダ] 形 ゆっくりした.

pau·ta [páuta パウタ] 名女 **1** 規準, 規範, 手本. **2** 罫(けい)線; 〘音楽〙五線紙.

pa·ve·sa [paβésa パベサ] 名女 燃えさし.
estar hecho una pavesa 非常に衰弱している.

pa·vi·men·ta·ción [paβimentaθjón パビメンタしオン] 名女 舗装 (工事).

pa·vi·men·tar [paβimentár パビメンタル] 動他 舗装する. calle *pavimentada* 舗装道路.

pa·vi·men·to [paβiménto パビメント] 名男 舗装; 舗装材料.

pa·vo [páβo パボ] 名男
1 〘鳥〙シチメンチョウ (七面鳥). *pavo real* クジャク.
2 《口語》ばか, 間抜け.
subirse a 《+uno》 ***el pavo*** 《口語》顔を赤らめる, 真っ赤になる.

pa·vón [paβón パボン] 名男 〘鳥〙クジャク (孔雀) (= pavo real).

pa·vo·ne·ar·*se* [paβoneárse パボネアルセ] 動 威張って[気取って]歩く; 《+**de**》…を見せびらかす.

pa·vor [paβór パボル] 名男 恐怖, 恐慌.

pa·vo·ro·so, sa [paβoróso, sa パボロソ, サ] 形 ぞっとするような.

pa·ya·dor [paǰaðór パヤドル] 名男 《ラ米》ガウチョの吟遊詩人. ◆19世紀のラプラタ地方で活躍. ギターを奏でながら即興の歌をうたった.

pa·ya·sa·da [paǰasáða パヤサダ] 名女 道化; おどけ.

pa·ya·so [paǰáso パヤソ] 名男 道化師, ピエロ; おどけ者.

paz [páθ パす] 名女 [複 paces] 〔英 peace〕
1 平和; 平安, 安らぎ. guerra y *paz* 戦争と平和. *paz* perpetua 恒久平和. la *paz* del espíritu 心の安らぎ.
2 講和, 講和条約 (= tratado de *paz*). firmar la *paz* 講和条約に調印する.
3 [paces] 和解, 仲直り. hacer las *paces* 仲直りする.
dejar en paz そっとしておく. *Déjame en paz.* ほうっておいてくれ.
poner paz 和解させる, 仲裁する.
quedar en paz 仲直りする; 借りを返す.
Que en paz descanse. (死者への言及の時に添えて) 安らかに眠れ 《略 q.e.p.d.》.
¡Vaya en paz! お元気で; もうこりごりだ.

Paz [páθ パす | pás パス] 固名 パス, Octavio (1914 –) : メキシコの詩人・批評家.

paz·gua·to, ta [paθɣwáto, ta パすグアト, タ] 形 愚直な, 単純な.

pa·zo [páθo パそ] 名男 (スペイン Galicia 地方の) 田園の屋敷, 館(やかた).

PC [peθé ぺせ] 名男 (中南米では女性名詞と

して使用）パソコン．［←〔英〕《略》*personal computer*］

¡pche! / ¡pchs! ［psss プス］間投
1《軽蔑・冷淡・無関心を表して》ふん．
2《人を呼んで》おい，ちょっと！

pe ［pé ペ］名女 アルファベットの p の文字［音］．

p.e., p.ej. 《略》por ejemplo 例えば，例として．

pe·a·je ［peáxe ペアヘ］名男（道路・橋の）通行料；料金所．carretera de *peaje* 有料道路．

pe·a·na ［peána ペアナ］名女（像などの）台座；（祭壇前の）壇．

pe·a·tón ［peatón ペアトン］名男［複 peatones］歩行者，通行人．paso de *peatones* 横断歩道（➡ ciudad 図）．

pe·ca ［péka ペカ］名女 そばかす．cara llena de *pecas* そばかすだらけの顔．

pe·ca·do ［pekáðo ペカド］名男［複 ～s］〔英 sin〕 1（宗教上の）罪；過ち．pagar SUS *pecados* 罪の報いを受ける，自業自得である．cometer un *pecado* 罪を犯す．➡ culpa【参考】．
2《口語》罰が当たる［もったいない］こと；《諧謔》欠点．Sería un *pecado* tirar este pescado．この魚を捨てるなんてもったいないことだ．
3 悪魔．
de mis pecados 《口語》《皮肉・特別な感情を込めて人または物を修飾する》esta niña *de mis pecados* この子ときたら．

pe·ca·dor, do·ra ［pekaðór, ðóra ペカドル，ドラ］形（道徳・宗教上の）罪を犯す，罪深い．―― 名男女 罪人(ざいにん)．

pe·ca·mi·no·so, sa ［pekaminóso, sa ペカミノソ，サ］形 罪深い，不道徳な．

pe·car ［pekár ペカル］［8 c ➡ qu］動自 罪を犯す，過ちを犯す．*pecar* de palabra ［de obra］罪となる言葉を発する［行為をする］．*pecar* de ［con la］ intención 邪悪な考えを抱く．
pecar de 《＋形容詞》…しすぎる．*pecar de* generoso 気前が良すぎる．*pecar de* severo 厳しすぎる．
pecar por … …が欠点である．Tan malo es *pecar por* sobra como *por* falta. 過ぎたるは及ばざるがごとし．*pecar por* omisión 怠慢すぎる．

pe·ce·ra ［peθéra ペセラ］名女 金魚鉢，水槽．

peces 名［複］➡ pez．

pe·char ［petʃár ペチャル］動自《＋**con**》…を引き受ける，負う．

pe·che·ra ［petʃéra ペチェラ］名女
1（ワイシャツの）前立て，（衣服の）胸部．➡ camisa 図．2《口語》（女性の）胸．

pe·cho ［pétʃo ペチョ］名男［複 ～s］〔英 brest〕
1 胸，胸部．apretar contra SU *pecho* 胸に抱き締める．➡ cuerpo 図．2 乳房（＝ teta）．dar el *pecho* 母乳を与える．3 心，胸中，心情．descubrir ［abrir］ SU *pecho* a 《＋uno》〈人〉に胸の内を打ち明ける．
A lo hecho, pecho. 済んだことを悔やんでも始まらない．
a pecho descubierto 無防備で；率直に．
criar a 《＋uno》 ***a*** SUS ***pechos*** 〈人〉を世話する，保護する，養育する．
echarse entre pecho y espalda 《口語》たらふく食べる［飲む］．
partirse el pecho por … …を一生懸命守る．
tomar*(*se*) *a pecho 心にかける，気にする，真剣に受けとめる．No *te* lo *tomes* tan *a pecho*. そんなに真面目に考えないでくれ．

pe·chu·ga ［petʃúɣa ペチュガ］名女 1（鳥の）胸部；〔料理〕胸肉．2《口語》胸，乳房．

pe·cí·o·lo ［peθíolo ペシオロ］/ **pe·cio·lo** ［-θjólo -シオロ］名男〔植物〕葉柄．➡ hoja 図．

pé·co·ra ［pékora ペコラ］名女 悪女；売春婦（＝ mala *pécora*）．

pe·co·so, sa ［pekóso, sa ペコソ，サ］形 そばかすのある．
―― 名男女 そばかすだらけの人．

pec·to·ral ［pektorál ペクトラル］形 胸（部）の．

pe·cua·rio, ria ［pekwárjo, rja ペクアリオ，リア］形 家畜の；畜産の．

pe·cu·liar ［pekuljár ペクリアル］形 独特の；特殊な．

pe·cu·lia·ri·dad ［pekuljariðáð ペクリアリダ（ドゥ）］名女 特殊性，独自性；特色．

pe·cu·nia·rio, ria ［pekunjárjo, rja ペクニアリオ，リア］形 金銭（上）の．

pe·da·go·gí·a ［peðaɣoxía ペダゴヒア］名女 教育学，教授法．

pe·da·gó·gi·co, ca ［peðaɣóxiko, ka ペダゴヒコ，カ］形 教育学の，教育上の．

pe·da·go·go, ga ［peðaɣóɣo, ɣa ペダゴゴ，ガ］名男女 教育者，先生．

pe·dal ［peðál ペダル］名男 ペダル．los *pedales* de una bicicleta ［del piano］自転車［ピアノ］のペダル．*pedal* del freno ブレーキペダル．➡ bicicleta 図．

pe·da·le·ar ［peðaleár ペダレアル］動自 ペダルを踏む．

pe·dan·te ［peðánte ペダンテ］形 学者ぶった，知ったかぶりをする．
―― 名男女 学者ぶる人，衒学(げんがく)者．

pe·dan·te·rí·a ［peðantería ペダンテリア］名女 学者ぶること，衒学(げんがく)趣味．

pe·da·zo ［peðáθo ペダソ］名男［複 ～s］〔英 piece〕断片，一片（＝ trozo）．un *pedazo* de carne 肉の一片．saltar en *pedazos* 粉々に吹き飛ぶ．
a pedazos ばらばらに．

P

caerse a pedazos ぼろぼろ［がたがた］になる；くたくたに疲れる．
hacer pedazos ... …を粉々にする；…をめちゃくちゃにする，…を打ちのめす．
pedazo de mi alma ［***de mi corazón, de mis entrañas***］《口語》《主に母親の子供への呼びかけ》かわいい子［人］，お前．

pe·de·ras·ta ［peðerásta ペデラスタ］ 名男 年少者相手の男色者；男色者，ホモ．

pe·de·ras·tia ［peðerástja ペデラスティア］ 名女 少年愛；男色．

pe·der·nal ［peðernál ペデルナる］ 名男
1 シリカ，二酸化ケイ素． **2** 火打ち石．
duro como el pedernal 岩のように堅い．

pe·des·tal ［peðestál ペデスタる］ 名男
1 （彫像・柱などの）台座，柱脚． → columna 図． **2** 《比喩》足がかり，手段．
tener ［***poner***］ ***a*** 《＋uno》 ***en un pedestal*** 〈人〉を心から尊敬する．

pe·des·tre ［peðéstre ペデストゥレ］ 形 **1** 徒歩の，歩行者（用）の．
2 平凡な，陳腐な．
carrera pedestre 〘スポーツ〙競歩．

pe·dí·a·tra ［peðíatra ペディアトゥラ］ / **pe·dia·tra** ［peðjá- ペディア-］ 名男女 小児科医．

pe·di·do[1] ［peðíðo ペディド］ 名男 **1** 〘商業〙注文，発注． hacer un *pedido* 注文する． anular el *pedido* 注文を取り消す． hoja de *pedido* 注文用紙．
2 要求，頼み．

pedido[2]**, da** 過分 → pedir.

pe·di·grí ［peðiɣrí ペディグリ］ 名男 （動物の）血統；血統書．

pe·di·güe·ño, ña ［peðiɣwéɲo, ɲa ペディグエニョ，ニャ］ 形 ねだる，せびる．
—— 名男女 ねだり屋．

pe·dir ［peðír ペディル］ ［ 41 e → i ］ 動他 ［現分 pidiendo ； 過分 pedido, da］〔英 ask for; request〕

直説法 現在	
1·単 ***pido***	1·複 **pedimos**
2·単 ***pides***	2·複 **pedís**
3·単 ***pide***	3·複 ***piden***

1 求める，頼む；注文する． *pedir* permiso 許可を求める． Cuando viene a verme, me *pide* dinero. あの子は私のところに来ると，お金を無心する． Yo también *pediré* un café. 僕もコーヒーにしよう．
2 《＋**que** 接続法》…するように頼む，依頼する． Mi mujer me *pidió* que la llevara en coche a la estación. 妻は駅まで車で送ってくれと私に頼んだ．
3 必要とする． Este trabajo *pide* mucha paciencia. この仕事はじっくりと取り組まなければならない．
4 《＋**por**》…に売り値をつける．
no hay más que pedir 非の打ちどころがない，申し分のない．
pedir prestado 借りる．

pe·do ［péðo ペド］ 名男 屁（へ），おなら． echarse un *pedo* おならをする．

pe·dra·da ［peðráða ペドゥラダ］ 名女 投石；石による一撃． matar a *pedradas* 石を投げて殺す． pegar una *pedrada* a 《＋uno》〈人〉に石をぶつける．

pe·dre·a ［peðréa ペドゥレア］ 名女 《口語》（宝くじの）残念賞．

pe·dre·gal ［peðreɣál ペドゥレガる］ 名男 石の多い土地．

pe·dre·go·so, sa ［peðreɣóso, sa ペドゥレゴソ，サ］ 形 石の多い，岩石だらけの．

pe·dre·rí·a ［peðrería ペドゥレリア］ 名女 《集合》宝石．

pe·dris·co ［peðrísko ペドゥリスコ］ 名男 〘気象〙あられ，ひょう．

Pe·dro ［péðro ペドゥロ］ 固名 ペドロ：男性の名． 愛 Perico. San *Pedro* 聖ペトロ（キリストの十二使徒のひとり）．

pe·drus·co ［peðrúsko ペドゥルスコ］ 名男 《口語》石の塊．

pe·dún·cu·lo ［peðúŋkulo ペドゥンクろ］ 名男 〘植物〙花柄，花梗（かこう）．

pe·ga ［péɣa ペガ］ 名女 **1** 接着．
2 《口語》難問，障害． poner *pegas* a 《＋uno》〈人〉の邪魔をする．
3 《口語》打つこと，殴ること．
—— 動 → pegar. ［ 32 g → gu ］
de pega 《口語》偽の． billete *de pega* 偽札．

pe·ga·di·zo, za ［peɣaðíθo, θa ペガディそ，さ］ 形 **1** ねばねばした．
2 （メロディーなどが）覚えやすい．

pe·ga·jo·si·dad ［peɣaxosiðáð ペガホシダ(ドゥ)］ 名女 粘着性；粘り気．

pe·ga·jo·so, sa ［peɣaxóso, sa ペガホソ，サ］ 形 **1** ねばねば［べとべと］した，粘着性の．
2 甘ったれの；しつこい． ¡Qué *pegajoso* es este señor! こちらしつこい人ですね！

pe·ga·men·to ［peɣaménto ペガメント］ 名男 糊（のり），接着剤．

pe·gar ［peɣár ペガル］ ［ 32 g → gu ］ 動他 〔英 stick〕 **1 くっつける**；貼（は）りつける． *pegar* con chinchetas ［con goma］ 画鋲（がびょう）［糊（のり）］で貼る． *pegar* un sello ［una etiqueta］ 切手［ラベル］を貼る． *pegar* el sofá a la pared ソファーを壁にぴったりつけて置く．
2 （一撃を）食らわす；殴る． *pegar* una bofetada 平手打ちを食らわす． *Pegó* al perro con un bastón. 彼はステッキで犬を殴った． **3** （病気を）感染させる；（悪習などに）染める． **4** （ある行為を）行う，引き起こす． *pegar* un grito 叫び声を上げる． *pegar* un salto 飛び上がる． *pegar* un susto 驚かす． **5** （火を）つける．
6 〘コンピュータ〙ペーストする，貼りつける．
—— 動自 **1** くっつく；《＋**a**》…に隣接する．

P

un edificio que *pega a* mi casa 私の家に隣り合った建物.
2 似合う, 釣り合う. No te *pega* el sombrero. 帽子は君には似合わないよ.
3 《+**con, contra, en**》 …にぶつかる.
4 (太陽が) 照りつける. ¡Cómo *pega* el sol esta mañana! 今朝はなんて日差しが強いんだろう. **5** 根がつく; 火がつく.
― **pe·gar·*se*** **1** くっつく, まつわりつく. *pegarse* a la pared 壁に張りつく.
2 焦げつく. El arroz *se pegó*. ご飯が焦げついた.
3 感染する, 染まる. *Se* le *ha pegado* el acento andaluz. 彼はアンダルシアなまりが染みついている.
dale que te pego → dar.
pegársela a 《+uno》《口語》〈人〉をだます; 不貞を働く. A Pedro no hay quien *se la pegue*. ペドロは絶対だまされない.

pe·ga·ti·na [peɣatína ペガティナ] 名女 ワッペン, ステッカー.

pe·go [péɣo ペゴ] 名男 《口語》 ぺてん, かたり. dar el *pego* だます.
― 動 → pegar. [32 g→gu]

pe·go·te [peɣóte ペゴテ] 名男 **1** 《軽蔑》 膏薬(こうやく), 絆創膏(ばんそうこう).
2 《口語》継ぎはぎ; 出来損ない.

pei·na·do [peináðo ペイナド] 名男 髪型, ヘアスタイル.

pei·nar [peinár ペイナル] 動他 **1** …の髪をとかす[結う]; ブラシをかける. *peinar* a una niña 女の子の髪をとかしてやる.
2 (羊毛などを) すく.
3 隅々まで探索する.
― **pei·nar·*se*** (自分の) 髪をとかす.

pei·ne [péine ペイネ] 名男 くし. pasarse el *peine* 髪をくしでとかす.

pei·ne·ta [peinéta ペイネタ] 名女 飾りぐし.

pe·ji·gue·ra [pexiɣéra ペヒゲラ] 名女 《口語》厄介, 煩わしいこと.

pe·la [péla ペら] 名女 **1** 《口語》 ペセタ (= peseta). **2** (果物などの) 皮むき.

pe·la·di·lla [pelaðíʎa ペらディリャ] 名女 糖衣でくるんだアーモンド.

pe·la·do, da [peláðo, ða ペらド, ダ] 過分 形 **1** 皮をむいた; はげた. montaña *pelada* はげ山.
2 《口語》 簡潔な, 余分なもののない; (数字が) 端数のない.
3 《口語》無一文の.
― 名男女 貧乏人.

pe·la·du·ra [pelaðúra ペらドゥラ] 名女 皮むき.

pe·la·ga·tos [pelaɣátos ペらガトス] 名男女 [単・複同形] 《口語》貧乏人.

pe·la·je [peláxe ペらへ] 名男 **1** (動物の) 毛, 毛並み.
2 《口語》(悪い意味で) 見かけ, 外見.

pe·lam·bre [pelámbre ペらンブレ] 名男 《集合》(刈り取った) 毛; 《口語》もじゃもじゃの髪.

pe·lam·bre·ra [pelambréra ペらンブレラ] 名女 《口語》もじゃもじゃの毛; 長い髪.

pe·lar [pelár ペらル] 動他
1 …の皮をむく, …の殻を取る; …の羽をむしる; …の髪を刈る. *pelar* melocotones 桃の皮をむく.
2 《口語》金品を巻き上げる; (賭事(かけごと)で) 丸裸にする.
3 《口語》こき下ろす, …の悪口を言う.
― **pe·lar·*se*** **1** 《口語》 髪を刈ってもらう. **2** (日焼けなどで) 皮がむける.
duro [***malo***] ***de pelar*** 《口語》困難な; 頑として譲らない.
hacer un frío que pela 《口語》とてつもなく寒い.
pelarse de frío 《口語》凍える.
que se las pela 《口語》一生懸命に. Corre *que se las pela*. 彼は必死に走っている.

pel·da·ño [peldáɲo ペるダニョ] 名男 (階段・はしごなどの) 段, ステップ. una escalera de treinta *peldaños* 30段の階段. → escalera 図.

pe·le·a [peléa ペれア] 名女 [複 ~s] 〔英 fight〕 **1** 争い; けんか. buscar *pelea* 《口語》けんかをふっかける. →batalla 【参考】.
2 〘スポーツ〙格闘技.

pe·le·ar [peleár ペれアル] 動自 **1** 争う, 戦う; けんかする. *pelear* por una presa 獲物を求めて争う.
2 苦闘する, 苦労する. *pelear* por 《+algo》〈何か〉のために苦心する, やっきになる.
― **pe·le·ar·*se*** けんかする, 仲たがいする. *pelearse* con 《+uno》 por 《+algo》〈人〉と〈何か〉で仲たがいする.

pe·le·le [peléle ペれれ] 名男 **1** (謝肉祭の) 人形, わら人形.
2 (幼児用の) 寝巻き.
3 《口語》 言いなりになる人, 操り人形, 手先.

pe·le·ón, o·na [peleón, óna ペれオン, オナ] 形 けんか[口論]好きな, けんかっぱやい.
― 名男 安ぶどう酒 (= vino *peleón*).

pe·le·te·rí·a [peletería ペれテリア] 名女 **1** 毛皮店. **2** 《集合》毛皮.

pe·le·te·ro, ra [peletéro, ra ペれテロ, ラ] 形 毛皮の.
― 名男女 毛皮商人.

pe·lia·gu·do, da [peljaɣúðo, ða ペりアグド, ダ] 形 《口語》骨の折れる, 難しい.

pe·lí·ca·no [pelíkano ペりカノ] / **pe·li·ca·no** [pelikáno ペりカノ] 名男 〘鳥〙 ペリカン.

pe·lí·cu·la [película ペりクら] 名女 [複 ~s] 〔英 film〕
1 〘写真〙〘映画〙 映画; フィルム. revelar una *película* フィルムを現像する. ¿Qué *película* ponen esta noche en la tele? 今夜はテレビで何の映画があるの? *película* de dibujos animados アニメ映画. *pelícu-*

la negativa ネガフィルム.

> **【参 考】 película** は個々の映画作品.
> **cine** は総称としての映画を指す.

2 薄皮, 薄膜.

pe·li·cu·le·ro, ra [pelikuléro, ra ペリクレロ, ラ] 形 《口語》映画の; 映画好きの.
— 名男女 《口語》映画ファン; 映画関係者.

pe·li·grar [peliɣrár ペリグラル] 動自 危うい状態にある.

pe·li·gro [pelíɣro ペリグロ] 名男 [複 ~s] 〔英 danger〕
危険, 危機; 危険物. en *peligro* de muerte 非常に危険で; 危篤で. fuera de *peligro* 危機を脱して. huir del *peligro* 危険を避ける.
correr (el) peligro de ... …の危険[恐れ]がある.

peligrosa 形女 → peligroso.

pe·li·gro·si·dad [peliɣrosiðáð ペリグロシダ(ドゥ)] 名女 危険性.

pe·li·gro·so, sa [peliɣróso, sa ペリグロソ, サ] 形 [複 ~s] 〔英 dangerous〕 危険な, 危ない. Es *peligroso* conducir ebrio. 酔っぱらい運転は危険です. empresa *peligrosa* 危険な企て. elemento *peligroso* 危険分子.

pe·li·llo [pelíʎo ペリリョ] 名男 **1** 短い髪[毛]; にこ毛, 綿毛.
2 [普通 ~s] 《口語》つまらないこと, くだらないこと.
echar pelillos a la mar 仲直りする, 和解する.
pararse [reparar] en pelillos つまらないことにくよくよする[こだわる].

pe·li·rro·jo, ja [pelir̄óxo, xa ペリロホ, ハ] 形 赤毛の.
— 名男女 赤毛の人.

pe·lle·ja [peʎéxa ペリェハ] 名女 獣皮.

pe·lle·jo [peʎéxo ペリェホ] 名男 **1** 獣皮; 《口語》皮膚. **2** (ブドウの) 皮.
3 革製の酒袋; 《口語》飲んだくれ.
4 《口語》生命.
no caber en el pellejo 有頂天になる.
quitar a 《+uno》 ***el pellejo*** 〈人〉の悪口を言う.

pe·lliz·car [peʎiθkár ペリィスカル] [8 c → qu] 動他 **1** つねる, 挟む. *pellizcar* a 《+uno》 en la mejilla 〈人〉の頬(ほお)をつねる.
2 つまむ; 《口語》つまみ食いをする.

pe·lliz·co [peʎíθko ペリィスコ] 名男
1 つねること.
2 一つまみ, 少量.

pel·ma [pélma ペるマ] 名男女 《口語》うんざりさせる人, のろま.

pel·ma·zo, za [pelmáθo, θa ペるマそ, さ] 名男女 《口語》 → pelma.

pe·lo [pélo ペろ] 名男 [複 ~s] 〔英 hair〕
1 毛, 体毛; 頭髪. Mi perro tiene el *pelo* corto, pero suave. 私の犬の毛は短いけど柔らかだ. cortar el *pelo* a 《+uno》〈人〉の髪を刈る. → cuerpo 図.
2 (鳥の) 綿毛; (葉・茎の) 毛.
3 わずか, ほんの少し. ni un *pelo* 少しも, 毛ほども. No corre [se mueve] un *pelo* de aire. 風がそよとも動かない.
a contra pelo → contrapelo.
agarrarse de un pelo わらにもすがろうとする.
al pelo うまく, 好都合に, 折よく.
a pelo (1) 無帽で. (2) 鞍(くら)を置かずに.
con pelos y señales 詳細に, こと細かに.
de medio pelo ありきたりの, 取るに足りない.
estar a [en] un pelo de ... / faltar un pelo para ... 間一髪…するところである.
estar hasta los pelos [la punta del pelo] de ... …にうんざりしている, 飽き飽きしている.
hombre de pelo en pecho 勇気のある男, 気丈な男.
lucir el [buen] pelo a 《+uno》 〈人〉が元気である, 顔色が良い.
no tener pelo de tonto ばかどころではない.
no tener pelos en la lengua 歯に衣(きぬ)を着せない.
poner los pelos de punta a 《+uno》 〈人〉の髪を逆立たせる. Aquel ruido nos *puso los pelos de punta*. その物音で私たちは総毛立った.
por los pelos / por un pelo 《口語》間一髪で, かろうじて.
soltarse el pelo 髪を乱す; 自分の思いどおりにする.
tomar el pelo a 《+uno》〈人〉をからかう.

pe·lón, lo·na [pelón, lóna ペろン, ろナ] 形 はげた; 髪を短く刈った.
— 名男女 **1** はげた人; 髪を短く刈り込んだ人. **2** 《口語》貧乏人.

pe·lo·ta [pelóta ペろタ] 名女 **1** ボール, 球, 玉. tirar [lanzar] la *pelota* ボールを投げる.

> **【参 考】 bola** はビリヤード, ボーリング, ゴルフ, ホッケーなどの球. **balón** はサッカー, バスケット, バレーなどのボール. **pelota** は野球, ピンポン, テニス, ハイアライなどのボール.

2 ボール遊び, 球技; ペロタ, ハイアライ.
3 [~s] 《俗語》睾丸(こうがん)(= cojones).
en pelota(s) 《俗語》素っ裸で. dejar a 《+uno》 *en pelota* 〈人〉を丸裸にする;

P

〈人〉から有り金を巻き上げる.
echarse la pelota 責任を回避する.
estar la pelota aún en el tejado 予断は許されない.
estar hasta las pelotas《俗語》うんざりしている.
hacer la pelota ごまをする, ご機嫌取りをする. Siempre le hace la *pelota* a su jefe. 彼はいつも上司にごまをする.
hacerse una pelota《口語》縮こまる, 頭がこんがらかる.
rechazar [devolver, volver] la pelota a《+uno》〈人〉に同じ論法で言い返す; やり返す.

pe·lo·ta·ri [pelotári ぺろタリ] 名男女 ペロタ[ハイアライ]の選手.

pe·lo·te·ar [peloteár ぺろテアル] 動自 ボールをけり[打ち]合う.

pe·lo·te·ra [pelotéra ぺろテラ] 名女《口語》けんか, 口争い.

pe·lo·ti·lla [pelotíʎa ぺろティリャ] 名女《口語》おべっか, へつらい. hacer la *pelotilla* a《+uno》〈人〉にへつらう.

pe·lo·ti·lle·ro, ra [pelotiʎéro, ra ぺろティリェロ, ラ] 形《口語》こびへつらう, おもねる.
—— 名男女《口語》おべっか使い, ごますり.

pe·lo·tón [pelotón ぺろトン] 名男 **1**〔軍事〕分隊, 小隊. **2** 群衆, 人込み.

pe·lu·ca [pelúka ぺるカ] 名女 かつら.

pe·lu·do, da [pelúðo, ða ぺるド, ダ] 形 毛深い, 毛むくじゃらの.

peluquera 名女 → peluquero.

pe·lu·que·rí·a [pelukería ぺるケリア] 名女 理容店, 理髪店; 美容院 (= *peluquería* de señoras). cortarse el pelo en la *peluquería* 床屋で髪を刈る.

pe·lu·que·ro, ra [pelukéro, ra ぺるケロ, ラ] 名男女 [複 ~s]〔英 barber, hairdresser〕**理容師**, 理髪師; 美容師.

P

pe·lu·quín [pelukín ぺるキン] 名男 部分かつら, ヘアピース.

pe·lu·sa [pelúsa ぺるサ] 名女 **1** (花・果実などの) 綿毛.
2 綿ぼこり.
3《口語》(子供同士の) ねたみ.

pel·vis [pélβis ぺるビス] 名女 [単・複同形]〔解剖〕骨盤.

pe·na [péna ペナ] 名女 [複 ~s]〔英 penalty;sorrow〕 **1 罰**, 刑罰. imponer una *pena* de diez años de cárcel 10年の禁固刑を科する.
2 悲しみ, 悲嘆, 苦痛; 残念, 遺憾. avivar la *pena* 悲しみを新たにする. Me da *pena* tirarlo. 僕はもったいなくてそれを捨てきれない. Me da mucha *pena* que no sepas esto. 君がこんなことを知らないなんて残念だ.
3 苦労, 骨折り, 難儀. Con muchas *penas* y esfuerzos cruzaron el río en canoa. さんざん苦労しながらも頑張って彼らはカヌーで川を渡った.
a duras penas / a penas やっと, かろうじて.
bajo pena de ... (違反すれば) …の罰を受ける条件で. No fijar carteles *bajo pena de* multa. 張り紙禁止, 違反者は罰金.
¡Es [Sería] una pena! / ¡Qué pena! (1) 残念なことだ, 困ったことだ. (2)《+不定詞》《+**que** 接続法》…とは残念だ, 気の毒だ.
merecer [valer] la pena (1) 価値がある. una película que *merece la pena* 一見に値する映画. (2)《+不定詞》《+**de** 不定詞》《+**de que** 接続法》…するだけの値打ちがある. *Vale la pena* esforzarse. 努力してみる価値がある. *Merece la pena* (*de*) *que* visites Kioto. 京都は行く価値があるよ.
sin pena ni gloria 平凡に, 可もなく不可もなく.
so pena de ... (1) (違反すれば) …の罰を受ける条件で. (2) …するのでなければ. No puedes dormir aquí, *so pena de* que te resignes a hacerlo en el suelo. 君はこの家で寝るわけにはいかないよ, 床の上でも我慢するというのなら話は別だけど.

pe·na·cho [penát∫o ペナチョ] 名男 **1** (鳥の) 冠毛, とさか.
2 (かぶと・頭の) 羽飾り.

pe·na·do, da [penáðo, ða ペナド, ダ] 名男女 囚人, 服役囚.
—— 過分 形 **1** 悲しんでいる.
2 骨の折れる, 面倒な.

pe·nal [penál ペナる] 形 刑罰の.
—— 名男 刑務所.

pe·na·li·dad [penaliðáð ペナリダ(ドゥ)] 名女 **1** 苦しみ, 辛苦. **2**〔法律〕刑罰.

pe·na·lis·ta [penalísta ペナリスタ] 名男女 刑法学者.

pe·na·li·za·ción [penaliθaθjón ペナりさしオン] 名女 制裁, 処罰.

pe·na·li·zar [penaliθár ペナりさル] [39 z → c] 動他 罰する.

pe·nal·ti [penálti ペナるティ] 名男 [複 penaltis]〔スポーツ〕(サッカー) ペナルティー; ペナルティーキック. [←〔英〕penalty]

pe·nar [penár ペナル] 動他 罰する, 懲らしめる. —— 動自 苦しむ.

pen·ca [péŋka ペンカ] 名女 (サボテンなどの) 肉質の葉; (キャベツなどの) 筋の部分.

pen·de·jo, ja [pendéxo, xa ペンデホ, ハ] 名男女《俗語》臆病(おくびょう)者, 卑怯(ひきょう)者.

pen·den·cia [pendénθja ペンデンしア] 名女 けんか, 取っ組み合い.

pen·den·cie·ro, ra [pendenθjéro, ra ペンデンしエロ, ラ] 形 けんかっ早い.

pen·der [pendér ペンデル] 動自 **1**《+**de**》…からぶら下がる, 垂れる.
2《+**de**》…に依存する.
3 係争中である.
4《比喩》重くのしかかる.

pen·dien·te [pendjénte ペンディエンテ] 形
1 未解決の，未決定の．estar *pendiente* de confirmación まだ確認されていない．asuntos *pendientes* 懸案事項．deudas *pendientes* 未払い負債．
2 ぶら下がった．*pendiente* de una rama 枝から垂れ下がった．
3 傾斜した．
—— 名男［普通 ～s］イヤリング．
—— 名女 坂（＝cuesta）；傾斜，勾配(こうばい)．
estar pendiente de los labios [***las palabras***] ***de*** 《＋uno》〈人〉の言うことを一言も漏らさずに聞く．
estar pendiente de un cabello 絶体絶命の窮地に立たされる．

pen·dón [pendón ペンドン] 名男 標旗；軍旗．

pen·do·ne·ar [pendoneár ペンドネアル] 動自《口語》遊び歩く，ほっつき歩く．

pen·du·lar [pendulár ペンドゥラル] 形 振り子の．

pén·du·lo [péndulo ペンドゥロ] 名男 振り子．el *péndulo* del reloj 時計の振り子．

pe·ne [péne ペネ] 名男〘解剖〙ペニス，陰茎．

pe·ne·tra·ble [penetráβle ペネトゥラブレ] 形 入り込める；透過性のある．

pe·ne·tra·ción [penetraθjón ペネトゥラシオン] 名女 **1** 侵入；貫通；浸透．
2 洞察力，眼識．

pe·ne·tran·te [penetránte ペネトゥランテ] 形 鋭い，刺すような；洞察力のある．

pe·ne·trar [penetrár ペネトゥラル] 動他自〔英 penetrate〕 **1 入り込む**，侵入する；染み込む．*penetrar* en la selva 密林に分け入る．El agua *ha penetrado* (en) la habitación por debajo de la puerta. ドアの下から水が部屋に浸入してきた．un sonido que *penetra* los oídos 耳をつんざく音．
2 見抜く，深く理解する．*penetrar* un secreto 秘密を見抜く．
—— ***pe·ne·trar·se*** 《＋**de**》…を悟る，深く理解する．

pe·ni·ci·li·na [peniθilína ペニシリナ] 名女〘薬〙ペニシリン．

pe·nín·su·la [península ペニンスラ] 名女 半島．*Península* Ibérica イベリア半島．*Península* de Yucatán ユカタン半島．

pe·nin·su·lar [peninsulár ペニンスラル] 形 **1** 半島の，半島にある． **2** イベリア半島の．
—— 名男女 半島の住民．

pe·ni·que [peníke ペニケ] 名男 ペニー：英国の貨幣単位．

pe·ni·ten·cia [peniténθja ペニテンシア] 名女 **1** 悔悛(かいしゅん)，悔い改め．
2 贖罪(しょくざい)；(贖罪のための) 苦行；罰．

pe·ni·ten·cia·rio, ria [penitenθjárjo, rja ペニテンシアリオ, リア] 形 **1** 悔悟の，悔悛(かいしゅん)の． **2** 刑務所の．
—— 名男〘カトリック〙聴罪司祭［師］．

pe·ni·ten·te [peniténte ペニテンテ] 名男女 罪を悔いている人．

pe·no·so, sa [penóso, sa ペノソ, サ] 形 つらい，骨の折れる；痛ましい．un trabajo *penoso* 骨の折れる仕事．Sería *penoso* decírselo. 彼にそれを言うのはつらい．una noticia *penosa* 悲報．ambiente *penoso* 重苦しい雰囲気．

pen·sa·do, da [pensáðo, ða ペンサド, ダ] 過分 → pensar.
—— 形 考えた，熟慮した．un plan mal *pensado* 不十分な計画．
de pensado わざと，故意に．
el día [***en el momento***] ***menos pensado*** 思いもかけない日［時］に．
tener pensado 《＋不定詞》…することに決めてある．

pen·sa·dor, do·ra [pansaðór, ðóra ペンサドル, ドラ] 形 考える；思慮深い．
—— 名男女 考える人，思想家．

pen·sa·mien·to [pensamjénto ペンサミエント] 名男［複 ～s］〔英 thought〕 **1 思考；考え**，意見．venir un *pensamiento* ふと頭に浮かぶ．Aclárame tus *pensamientos*. 君の意見をはっきり言ってくれ．
2 思想．libertad de *pensamiento* 思想の自由．libre *pensamiento* 自由思想．
3 箴言(しんげん)，格言．los *pensamientos* de Pascal パスカルの格言．
4〘植物〙サンシキスミレ，パンジー．
ni por pensamiento 夢にも思わない，考えたこともない．

pensando 現分 → pensar.

pen·sar

[pensár ペンサル] [42 e → ie] 動他［現分 pensando；過分 pensado, da］〔英 think〕

直説法 現在	
1·単 ***pienso***	1·複 **pensamos**
2·単 ***piensas***	2·複 **pensáis**
3·単 ***piensa***	3·複 ***piensan***

1 考える，思う；《＋**que** 直説法》…と考える［思う］．Esto es para *pensar*lo. これはじっくり考えてみる必要がある．*Pienso que* no me conviene este negocio. この取引は私にとって有利なものではないと思う．
2 《＋不定詞》…しようと思う，…するつもりである．¿Cuándo *piensas* ir a España? 君はいつスペインへ行くつもり？
3 考えつく．Jorge *pensó* este plan magnífico. ホルヘがこのすばらしい計画を考えた．
—— 動自 《＋**en, sobre**》**…について考える**，思う．Siempre *pienso en* ti. 僕はいつも君のことを考えているよ．*Pienso*, luego existo. 我思う，故に我あり．¿*En* qué *piensas*? 君は何を考えているの？
cuando menos se piensa [***lo pensamos***] 思いがけない時に，不意に．
dar que pensar 考えさせる；疑念を抱か

P

せる．Me *da que pensar* que aún no haya vuelto. 彼がまだ戻ってきていないのではないか心配だ．

¡Ni lo piense [***pienses***] ***!*** 《謝辞・謝罪に対して》どういたしまして (= No hay de qué).

¡Ni pensarlo! とんでもない，論外だ．

pensar bien [***mal***] ***de*** 《+uno》〈人〉のことをよく[悪く]思う．

pensar entre [***para***] sí 心中ひそかに考える．

sin pensar(***lo***) 思いがけずに．

pen·sa·ti·vo, va [pensatíβo, βa ペンサティボ，バ] 形 考え込んだ，もの思いにふけった．

pen·sión [pensjón ペンシオン] 名 女 [複 pensiones]〔英 pension〕 **1** **年金**，恩給．*pensión* alimenticia 扶養手当．*pensión* de retiro 恩給，退職年金．*pensiones* y prestaciones 年金と給付金．

2（賄い付きの）**下宿**；(hotel より格下の) **旅館**．

3（食事付き）宿泊代金．*pensión* completa 三食付きの宿泊．

pen·sio·na·do, da [pensjonáðo, ða ペンシオナド，ダ] 形 年金を受給している．jubilados *pensionados* 年金生活者．

—— 名 男 女 年金受給者．

—— 名 男 寄宿学校．

pen·sio·nis·ta [pensjonísta ペンシオニスタ] 名 男 女 **1** 年金受給者．

2 寄宿生；下宿人．

pen·ta·go·nal [pentaɣonál ペンタゴナる] 形 五角形の．

pen·tá·go·no, na [pentáɣono, na ペンタゴノ，ナ] 形 五角形の．

—— 名 男 **1**〔数〕五角形，五辺形．

2 [P-]（米国）国防総省，ペンタゴン．

pen·ta·gra·ma [pentaɣráma ペンタグラマ] / **pen·tá·gra·ma** [-táɣrama -タグラマ] 名 男〔音〕五線譜．

P

Pen·te·cos·tés [pentekostés ペンテコステス] 名 男〔ｶﾄﾘｯｸ〕聖霊降臨の大祝日 (= domingo de *Pentecostés*).

pe·núl·ti·mo, ma [penúltimo, ma ペヌるティモ，マ] 形 終わりから２番目の．

—— 名 男 女 終わりから２番目のもの．

pe·num·bra [penúmbra ペヌンブラ] 名 女 ほの暗さ，薄暗がり．

pe·nu·ria [penúrja ペヌリア] 名 女（生活必需品の）欠乏，不足．

pe·ña [péɲa ペニャ] 名 女 **1** 大岩，岩山．

2 サークル，同好会．

pe·ñas·co [peɲásko ペニャスコ] 名 男 大岩．

pe·ñón [peɲón ペニョン] 名 男 岩山．

pe·ón [peón ペオン] 名 男 [複 peones]

1 人夫，日雇い労働者．

2（チェスの）ポーン（➡ ajedrez 図）；（チェッカー・ドミノなどの）駒；独楽(ｺﾏ)．

pe·o·na·je [peonáxe ペオナヘ] 名 男《集合》人夫，日雇い労働者．

pe·on·za [peónθa ペオンさ] 名 女〔遊戯〕たたき独楽(ｺﾏ)．

pe·or [peór ペオル] 形 [malo の比較級] [複 ～es]〔英 worse〕 **1** **より悪い**，もっと悪い (↔ mejor). Aceptará todas las condiciones, aunque sean *peores* que las anteriores. 前よりは悪くても彼はすべての条件を飲むだろう．Sería *peor* si no pudiera contestar ninguna pregunta. 質問に全く答えられなかったらもっとまずいだろう．

2《定冠詞など限定語を伴って最上級を作る》**最も悪い**．en el *peor* de los casos 最悪の場合に．Lo *peor* fue que además del dinero llevaba en el bolso mi pasaporte. 最悪なことに私はバッグの中にお金の他にパスポートも入れておいた．

—— 副 [mal の比較級] **より悪く** (↔ mejor)；《限定語を伴って最上級を作る》最悪に．Este examen me ha salido mucho *peor*. 今度の試験の方がずっと悪かったわ．Tenía fiebre y cantó *peor* que nunca. 熱のせいで彼の歌は最悪だった．¿Y si no te invitan a la recepción? — Pues, ¡*peor* para ellos! レセプションに招待されなかったら君，どうする？—べつに…．

Pe·pa [pépa ペパ] 固名 ペパ：Josefa の愛称．

Pe·pe [pépe ペペ] 固名 ペペ：José の愛称．

pe·pi·ni·llo [pepiníʎo ペピニリョ] 名 男（ピクルス用の）小さいキュウリ．

pe·pi·no [pepíno ペピノ] 名 男〔植物〕キュウリ（胡瓜）．➡ hortalizas 図．

(***no***) ***importar un pepino***《口語》大したことではない．

pe·pi·ta [pepíta ペピタ] 名 女 **1**（リンゴ・ナシなどの）種，種子．➡ semilla【参考】, fruta 図．**2**（砂金などの天然の）金属塊．

no tener pepita en la lengua《口語》ずけずけ言う．

Pe·pi·ta [pepíta ペピタ] 固名 ペピータ：Josefa の愛称．

Pe·pi·to [pepíto ペピト] 固名 ペピート：José の愛称．

pe·pi·to·ria [pepitórja ペピトリア] 名 女〔料理〕フリカッセ：白ソース煮込み．

pe·po·na [pepóna ペポナ] 名 女 **1**（厚紙製の）大きな人形．**2** 太った女．

pep·si·na [pepsína ペプシナ] 名 女〔生化〕ペプシン．

pequeña 形 名 女 ➡ pequeño.

pe·que·ñez [pekeɲéθ ペケニェす] 名 女 [複 pequeñeces] 小さいこと；取るに足りないもの．

pe·que·ño, ña [pekéɲo, ɲa ペケニョ，ニャ] [複 ～s] 形〔英 small, little〕 **1** **小さい** (↔ grande).mesa *pequeña* 小型のテーブル．hombre *pequeño* 小男．Este pantalón es *pequeño* para mí. このズボンは私には小さい．

2 少ない，わずかな，取るに足りない．una

pequeña cantidad de dinero わずかばかりの金. En tu composición sólo se encuentran unos fallos *pequeños*. 君の作文にはいくつかのちょっとした誤りがあるだけだ. **3** 幼い, 年少の.
—— 名男女 子供, 年少者. Los *pequeños* están en el colegio. 子供たちは今学校です. La *pequeña* es aficionada a la música. 末娘は音楽が趣味だ.
de pequeño 子供のころ (► pequeño は性・数変化をする).
en pequeño 小型の; 縮小した.

per- 《接頭》「通過, 逸脱」の意を表す. ⇒ *per*durar, *per*jurar など.

pe·ra [péra ペラ] 名女 [複 ～s] 〔英 pear〕 **西洋ナシ** (梨) の実.
niño pera 《俗語》《軽蔑》(いい家の甘やかされた) お坊っちゃま.
pedir peras al olmo 《口語》できないことを望む.

pe·ral [perál ペラる] 名男 〔植物〕 西洋ナシ (梨).

pe·ral·te [perálte ペラるテ] 名男
1 〔建築〕 (アーチの) 迫高(せりだか).
2 (道路・鉄道のカーブの) 片勾配(こうばい).

per·cal [perkál ペルカる] 名男 キャラコに似た綿布.

per·can·ce [perkánθe ペルカンセ] 名男
1 災難, 不慮の出来事. **2** 臨時収入.

per·ca·tar·*se* [perkatárse ペルカタルセ] 動 《＋**de**》…に気づく.

per·ce·bes [perθéβes ペルセベス] 名男 [複] 〔動物〕 ペルセベス, エボシガイ: 海産の節足動物. ➡ moluscos 図.

per·cep·ción [perθepθjón ペルセプしオン] 名女 **1** 知覚, 感知.
2 (給料・年金などの) 領収, 受給.

per·cep·ti·vo, va [perθeptíβo, βa ペルセプティボ, バ] 形 知覚する.

per·cha [pértʃa ペルチャ] 名女 ハンガー, 洋服[帽子]掛け.

per·che·ro [pertʃéro ペルチェロ] 名男 《集合》コート[帽子]掛け.

per·ci·bir [perθiβír ペルしビル] 動他 **1** 知覚する, 感知する; 気づく. *percibir* un ruido 物音に気づく.
2 (給料・年金などを) 受け取る, 受給する.

per·cu·sión [perkusjón ペルクシオン] 名女
1 〔音楽〕 打楽器, パーカッション (＝ instrumento de *percusión*). ➡ orquesta 図.
2 打つ[たたく]こと, 打撃. **3** 〔医〕 打診.

per·cu·sor [perkusór ペルクソル] 名男 (銃の) 撃針, 撃鉄; (機械部品の) 槌(つち).

per·der [perðér ペルデル] [43 e ➡ ie] 動他 [現分 perdiendo ; 過分 perdido, da] 〔英 lose〕
1 失う, なくす; 見失う (↔ encontrar). ¡*He perdido* la cartera en el tren! あれっ, 電車の中で財布を落としちゃった! Al doblar la esquina la *perdimos* de vista. 角を曲がったところで我々は彼女の姿を見失った. Este niño *perdió* a sus padres a los ocho años. この子は 8 歳の時に両親をなくした. ¡Vaya! Todavía tengo que *perder* más kilos. やれやれ, まだもっとやせなくては!

直説法 現在	
1・単 *pierdo*	1・複 **perdemos**
2・単 *pierdes*	2・複 **perdéis**
3・単 *pierde*	3・複 *pierden*

2 …に乗り遅れる; 逃す. La escuché atentamente sin *perder* ni una palabra. 一言も聞き逃すまいと私は彼女の話にじっと耳を傾けた. Por poco *perdemos* el avión. すんでのところで飛行機に間に合わないところだった.
3 無駄にする, 浪費する. Date prisa. No hay tiempo que *perder*. 急げ, ぐずぐずしている暇はないんだ.
4 …に負ける. *perder* la batalla 戦いに敗れる. *Perdimos* el partido por un punto de diferencia. 我々は 1 点差で試合に負けた.
5 駄目にする; 破滅させる, 堕落させる.
—— 動自 **1** 負ける. **2** 損をする.
3 価値が下がる; 悪化する; 減少する, 縮む; 色が落ちる.
—— **per·der·*se*** **1 道に迷う**, 迷子になる.
2 《3 人称で》なくなる; 見えなくなる. Ten cuidado que no *se pierda* ninguna pieza. 1 つもなくさないよう注意しなさい. *perderse* de vista 視界から消える.
3 《3 人称で》無駄になる; 駄目になる; 腐敗する.
4 見逃す, 聞き逃す.
5 破滅する, 堕落する.
6 《＋**por**》…にうつつを抜かす.
echar(se) a perder 腐る; 駄目になる.
no tener nada que perder 失うものは何もない, 怖いものなしである.
salir perdiendo 損をする, 割を食う.
¡Tú te lo pierdes! 残念だね, 気の毒に.

perdices 名 [複] ➡ perdiz.

per·di·ción [perðiθjón ペルディしオン] 名女 破滅; 破滅の原因. La bebida fue su *perdición*. 酒で彼は身を持ち崩した.

pér·di·da [pérðiða ペルディダ] 名女 **1** 失うこと, 紛失, 喪失. *pérdida* de tiempo 時間の浪費. sentir la *pérdida* de 《＋uno》〈人〉の死を悼む. **2** 損失, 損害. *pérdidas* y ganancias 〔商業〕 損益. *pérdidas* de la cosecha 収穫物の被害.
no tener pérdida 簡単に見つかる. Su piso *no tiene pérdida*. 彼女のマンションはすぐに分かりますよ.

per·di·da·men·te [perðíðaménte ペルディダメンテ] 副 ぞっこん. *perdidamente* enamorado ぞっこんほれている.

per·di·do, da [perðíðo, ða ペルディド,

P

ダ] 過分 ➡ perder.
—— 形 **1** 失われた. recuperar el tiempo *perdido* 失った時間を取り戻す.
2 迷った.
3 身をもちくずした, 放蕩(ほうとう)な.
4 《＋**por**》…に夢中になった.
—— 名男女 放蕩者, 厄介者.

perdiendo 現分 ➡ perder.

per·di·gón [perðiɣón ペルディゴン] 名男 散弾.

per·di·gue·ro, ra [perðiɣéro, ra ペルディゲロ, ラ] 形 シャコ猟の.
—— 名男 〘動物〙 セッター (＝ perro *perdiguero*).

per·diz [perðíθ ペルディス] 名女 [複 perdices] 〘鳥〙 シャコ (鷓鴣); ヤマウズラ (山鶉).

per·dón [perðón ペルドン] 名男 [複 perdones] 〔英 pardon〕 許し, 容赦. pedir *perdón* a 《＋uno》〈人〉に謝る.
con perdón 失礼ですが. ► しばしば ( ) の中で挿入句または付加句として用いる.
¡Perdón! (1) すみません. ¡*Perdón*! He llegado tarde. ごめん, 遅れちゃって. ► より丁寧なわび方は ¡Perdone! ¡Perdóneme (usted)! 「すみませんが…してください」の場合は, perdón でなく por favor を用いる. (2) 《語尾を上げて発音して》もう一度おっしゃってください.

per·do·na·ble [perðonáβle ペルドナブれ] 形 許せる, 勘弁できる.

per·do·nar [perðonár ペルドナル] 動他 〔英 excuse〕 **1** 許す; 《＋**que** 接続法》…を許す (＝ disculpar). Usted *perdone*, pero está usted confundido. 失礼ですがお間違いですよ. *Perdona que* te llame otra vez. たびたび電話して申し訳ない. Nunca me *perdonó que* no hubiera asistido a su boda. 私が結婚式に出席しなかったので彼女は絶対許さなかった.
2 免じる; 《＋**que** 接続法》…しなくてもよい. Te *perdono que* vengas mañana con tal de que acabes pronto el trabajo. 仕事を早く片付けてくれるなら君は明日来なくてもいいよ.
3 逃す, 見落とす (＝ perder). no *perdonar* un detalle 細かい点も見逃さない.

per·do·na·vi·das [perðonaβíðas ペルドナビダス] 名男女 [単・複同形] 《口語》 空威張りする人.

per·du·ra·ble [perðuráβle ペルドゥラブれ] 形 永続的な, 長期にわたる.

per·du·rar [perðurár ペルドゥラル] 動自 永続する, 長続きする.

pe·re·ce·de·ro, ra [pereθeðéro, ra ペレセデロ, ラ] 形 つかの間の, はかない.

pe·re·cer [pereθér ペレセル] 40 動自 死ぬ; 滅びる.
—— **pe·re·cer·*se*** 《＋**por** 不定詞》…がしたくてたまらない.

pe·re·gri·na·ción [pereɣrinaθjón ペレグリナしオン] 名女 巡礼, 聖地詣(もう)で; 巡歴.

pe·re·gri·na·je [pereɣrináxe ペレグリナヘ] 名男 ➡ peregrinación.

pe·re·gri·nar [pereɣrinár ペレグリナル] 動自 巡礼する; 巡歴する; 奔走する.

pe·re·gri·no, na [pereɣríno, na ペレグリノ, ナ] 名男女 巡礼者.
—— 形 風変わりな.

pe·re·jil [perexíl ペレヒる] 名男 〘植物〙 パセリ.

pe·ren·den·gue [perendéŋge ペレンデンゲ] 名男 安物の装身具.

pe·ren·ne [perénne ペレンネ] 形 **1** 永久の, 長続きする; 絶え間ない.
2 〘植物〙 多年生の; 常緑の.

pe·ren·to·rio, ria [perentórjo, rja ペレントリオ, リア] 形 **1** 緊急の, 差し迫った.
2 有無を言わさぬ, 最終的な. con tono *perentorio* きっぱりとした口調で. plazo *perentorio* 最終期間.

pe·re·za [peréθa ペレさ] 名女 **1** 怠惰, 怠慢, 無精; 無気力. tener *pereza* de 《＋不定詞》…するのが億劫(おっくう)である. sacudir la *pereza* 気力を出す. tener *pereza* けだるく感じる.
2 のろさ, 鈍さ.

pe·re·zo·so, sa [pereθóso, sa ペレそソ, サ] 形 **1** 怠惰な, ものぐさな.
2 寝坊の. No seas *perezoso*. ぐずぐずしないでさっさと起きなさい.
—— 名男女 怠け者, 無精者.

per·fec·ción [perfekθjón ペルフェクしオン] 名女 完全, 完璧(かんぺき).

per·fec·cio·na·mien·to [perfekθjonamjénto ペルフェクしオナミエント] 名男 完成, 仕上げ; 改良.

per·fec·cio·nar [perfekθjonár ペルフェクしオナル] 動他 完全にする, 完成する; 改良[改善]する.

per·fec·cio·nis·ta [perfekθjonísta ペルフェクしオニスタ] 名男女 完璧(かんぺき)主義者.

perfecta 形女 ➡ perfecto[1].

per·fec·ta·men·te [perféktaménte ペルフェクタメンテ] 副 完全に, 完璧に; そのとおり, 申し分ない.

per·fec·to[1], ta [perfékto, ta ペルフェクト, タ] 形 [複 ～s] 〔英 perfect〕 **1** 完全な, 完璧(かんぺき)な. estado *perfecto* 完璧な状態. una obra *perfecta* 完璧な作品. tranquilidad *perfecta* 水を打ったような静けさ.
2 〘文法〙 完了 (時制) の.

per·fec·to[2] [perfékto ペルフェクト] 間投 よろしい; そうだ, そのとおりだ. Tendré terminado este trabajo para entonces. —*Perfecto*. その時までにこの仕事をやっておきます. —よろしい.

per·fi·dia [perfíðja ペルフィディア] 名女 不実, 裏切り.

pér·fi·do, da [pérfiðo, ða ペルフィド, ダ] 形 不実な, 裏切りの.

P

per·fil [perfíl ペルフィる] 名男 **1** 輪郭; 横顔, 側面. de *perfil* 横から(の), 側面から(の). *perfil* izquierdo 左横顔.
2 [～es]特徴. los *perfiles* de su personalidad 彼の人物像.

per·fi·la·do, da [perfiláðo, ða ペルフィらド, ダ] 過分 形 **1** 流線形の. **2** 上首尾の, 上出来の. **3** 特有な, 独特な. **4** 面長の.

per·fi·lar [perfilár ペルフィらル] 動他 **1** 輪郭を描く. **2** 最後の仕上げをする.
― **per·fi·lar·se** 《3人称で》輪郭が浮かび上がる; 輪郭が固まる, 形を取る.

per·fo·ra·ción [perforaθjón ペルフォラしオン] 名女 穴あけ; 掘削, ボーリング.

per·fo·ra·dor, do·ra [perforaðór, ðóra ペルフォラドル, ドラ] 名男女 キーパンチャー.
― 名女 穴あけ器; 鑿岩(さくがん)機, ドリル.
― 形 穴をあける.

per·fo·rar [perforár ペルフォラル] 動他 穴をあける; ボーリングする.

per·fu·ma·dor [perfumaðór ペルフマドル] 名男 香水スプレー.

per·fu·mar [perfumár ペルフマル] 動他 …に香水をつける, 香りで満たす.
― 動自 芳香を放つ.

per·fu·me [perfúme ペルフメ] 名男
1 香水. **2** 香り, 芳香.

> 【参 考】 **perfume** は特に香水などの芳香.
> **fragancia** は花などの香り.
> **aroma** は主に味覚に訴える香り.

per·fu·me·rí·a [perfumería ペルフメリア] 名女 香水店, 化粧品店.

per·ga·mi·no [perɣamíno ペルガミノ] 名男 羊皮紙; (羊皮紙に書かれた)文書.

pér·go·la [péɾɣola ペルゴら] 名女 パーゴラ, つる棚. ➡ casa 図.

pe·ri·cia [períθja ペリしア] 名女 熟練[熟達]した技能.

pe·ri·co [períko ペリコ] 名男 《鳥》 インコ(鸚哥).

Pe·ri·co [períko ペリコ] 固名 ペリコ: Pedro の愛称.

pe·ri·fe·ria [periférja ペリフェリア] 名女
1 周囲, 外周. **2** 郊外, 近郊.

pe·ri·fé·ri·co, ca [periféɾiko, ka ペリフェリコ, カ] 形 **1** 周囲の; 周辺の.
2 郊外の, 近郊の.
― 名男 《コンピュータ》 周辺機器: スキャナーやプリンターなどの外部機器.

pe·ri·fo·llo [perifóʎo ペリフォりョ] 名男
1 《植物》 セルフィユ, チャービル: 薬味としてサラダなどに用いる.
2 [～s] 《口語》 安物の装身具.

pe·rí·fra·sis [perífrasis ペリフラシス] 名女 [単・複同形] 《文法》 迂言(うげん)法. ⇨ 文法用語の解説.

pe·ri·frás·ti·co, ca [perifrástiko, ka ペリフラスティコ, カ] 形 《文法》 迂言(うげん)法の.

pe·ri·lla [períʎa ペリりャ] 名女 やぎひげ.

pe·ri·llán, lla·na [periʎán, ʎána ペリりャン, りャナ] 形 《口語》 いたずらな.
― 名男女 《口語》 いたずらな人, いたずらっ子.

pe·rí·me·tro [perímetro ペリメトゥロ] 名男 周囲, 周辺.

pe·rió·di·ca·men·te [perjóðikaménte ペリオディカメンテ] 副 定期的に.

pe·rio·di·ci·dad [perjoðiθiðáð ペリオディしダ(ドゥ)] 名女 定期性, 周期性.

pe·rió·di·co[1] [perjóðiko ペリオディコ] 名男 [複 ～s] 〔英 newspaper〕 **1** 新聞. Este asunto no se publicó en el *periódico*. この件は新聞で報道されなかった. leer el *periódico* 新聞を読む. ➡ diario.
2 定期刊行物.

pe·rió·di·co[2]**, ca** [perjóðiko, ka ペリオディコ, カ] 形 定期的な, 周期的な. La reunión se celebra cada semana con carácter *periódico*. 会合は毎週定期的に開かれている.

pe·rio·dis·mo [perjoðísmo ペリオディスモ] 名男 ジャーナリズム. dedicarse al *periodismo* ジャーナリズムに携わる.

pe·rio·dis·ta [perjoðísta ペリオディスタ] 名男女 [複 ～s] 〔英 journalist〕 新聞記者, ジャーナリスト.

pe·rio·dís·ti·co, ca [perjoðístiko, ka ペリオディスティコ, カ] 形 ジャーナリズムの, 新聞雑誌の.

pe·rí·o·do [períoðo ペリオド] / **pe·rio·do** [perjó -ペリオド] 名男 [複 ～s] 〔英 period〕 **1** 期間, 時期; 時代. La restricción de agua será efectiva durante un *período* de dos meses. 給水制限は2か月間行われるだろう. *período* de prácticas 実習期間. *período* de sesiones 会期. *período* electoral 選挙期間. *período* transitorio 過渡期.
2 《物理》《天文》 周期.
3 《医》 月経. tener el *período* 生理中である.
4 《地質》 紀.

pe·ri·pe·cia [peripéθja ペリペしア] 名女
1 思いもかけぬ出来事; 波瀾(はらん).
2 《文》 (ストーリーの)急転, どんでん返し.

pe·ri·plo [períplo ペリプろ] 名男 (船による)世界一周.

pe·ri·pues·to, ta [peripwésto, ta ペリプエスト, タ] 形 《口語》 めかし込んだ, 着飾った.

pe·ri·que·te [perikéte ペリケテ] 名男
en un periquete 《口語》 あっという間に, たちまち.

pe·ri·qui·to [perikíto ペリキト] 名男 《鳥》 小形のインコ.

pe·ris·co·pio [periskópjo ペリスコピオ] 名男 潜望鏡.

pe·ri·ta·je [peritáxe ペリタヘ] 名男

P

鑑定; 鑑定料.

pe·ri·to, ta [períto, ta ペリト, タ] 名男 専門家; 技師; 鑑定人. *perito* electricista 電気技師. *perito* mercantil [en contabilidad] 会計士.

── 形《+**en**》…が専門の, …に精通している. ser *perito en* leyes 法律の専門家である.

pe·ri·to·ni·tis [peritonítis ペリトニティス] 名女 [単・複同形] 〔医〕 腹膜炎.

per·ju·di·car [perxuðikár ペルフディカル] [8 c ➞ qu] 動他 害を与える, 損なう (= dañar). ► 直接目的語の前に a を伴うことがある. El escándalo *perjudicó* (a) su imagen. スキャンダルが彼のイメージを台無しにした. *perjudicar* a la salud 健康を害する.

per·ju·di·cial [perxuðiθjál ペルフディしアる] 形《+**a**, **para**》…に有害な, …を害する. *perjudicial a*l estado de salud 健康に有害な.

per·jui·cio [perxwíθjo ペルフイしオ] 名男 損害; 痛手 (= daño). causar *perjuicio* a … …に損害を与える. sin *perjuicio* de … …を損なわずに. sufrir (grandes) *perjuicios* (大) 損害を被る.

per·ju·rar [perxurár ペルフラル] 動自 偽りの誓いをする; 誓いを破る.

per·ju·rio [perxúrjo ペルフリオ] 名男 偽りの誓い; 〔法律〕 偽証罪.

per·ju·ro, ra [perxúro, ra ペルフロ, ラ] 形 偽りの誓いをする, 誓いを破る.

── 名男女 偽誓者.

per·la [pérla ペルら] 名女

1 真珠. *perla* cultivada 養殖真珠. gris *perla* パール・グレー(の).

2 大切な人[物], 得難い人[物].

de perlas 見事に; 都合よく. Me parece *de perlas* el plan. その計画はすばらしいと思う. Este vestido te viene *de perlas*. この服は君にぴったりだ.

P

per·la·do, da [perláðo, ða ペルらド, ダ] 形 真珠のような形の, 真珠色の.

per·ma·ne·cer [permaneθér ペルマネせル] 40 動自 〔英 stay〕 **1** (ある状態の) **ままでいる**. *permanecer* inmóvil じっと動かずにいる. *Permaneció* dos años en cama. 彼は2年間病床にあった.

2《+**en**》…に滞在する, とどまる. *Permaneceré en* Hokkaido todo el verano. 夏の間ずっと私は北海道にいます.

per·ma·nen·cia [permanénθja ペルマネンしア] 名女 **1** 滞在, 滞留.

2 永続(性), 不変(性).

per·ma·nen·te [permanénte ペルマネンテ] 形 **1** 永続的な, 永久的な (= perpetuo). colores *permanentes* あせない色. neutralidad *permanente* 永世中立.

2 常時の, (委員会など) 常設の. comité *permanente* 常任[常設]委員会.

── 名女 パーマネント. hacerse la *permanente* パーマをかける.

permanezc- 動 ➞ permanecer. 40

per·me·a·bi·li·dad [permeaβiliðáð ペルメアビりダ(ド ゥ)] 名女 浸透性, 透過性.

per·me·a·ble [permeáβle ペルメアブれ] 形 透過[浸透]性の.

per·mi·si·ble [permisíβle ペルミシブれ] 形 許容できる, 容認できる.

per·mi·si·vo, va [permisíβo, βa ペルミシボ, バ] 形 容認する, 認める.

per·mi·so [permíso ペルミソ] 名男 [複 ~s] 〔英 permission〕 **1 許可**, 認可; 許可証. pedir *permiso* 許可を求める. Papá no me da *permiso* para salir. お父さんが外出を許可してくれないの. Ninguna parte del libro puede ser reproducida sin *permiso* del escritor. 著者の許可なくこの本の無断転載を禁ず. *permiso* de conducir [de conducción] 運転免許証.

2 〔軍事〕 一時休暇. estar de *permiso* 休暇中である.

Con permiso. 失礼します. ► 中途で退席するような場合に用いる.

permitido, da 過分 ➞ permitir.

permitiendo 現分 ➞ permitir.

per·mi·tir [permitír ペルミティル] 動他 [現分 permitiendo ; 過分 permitido, da] 〔英 permit〕

1 許可する; 《+不定詞》《+**que** 接続法》…することを許可する. La policía francesa no les *permitió* en-trar en el país. フランス警察は彼らの入国を許可しなかった.

2 《疑問文・命令文で》…していいですか, …させてください. ¿Me *permite* que le haga una pregunta? ひとつ質問してもいいですか. **3** 可能にする. Mis padres no me *permiten* viajar sola. 両親が私のひとり旅を許してくれません.

── **per·mi·tir·se** **1** 《3人称で》許される. No *se permite* entrar sin corbata. ネクタイなしで入ってはいけない.

2 自分に許す. No puedo *permitirme* gastar tanto. 私はそんな大金をはたく気はさらさらない.

3 《+不定詞》失礼ながら…いたします. *Me permito* recordarle que con el próximo número se acaba su suscripción a nuestra revista. 次号をもってご購読いただいた雑誌が契約切れになりますので, ご承知おきください.

per·mu·ta·ción [permutaθjón ペルムタしオン] 名女 **1** 交換, 取り換え; 入れ代え, 交代. **2** 〔数〕〔言語〕 置換.

per·mu·tar [permutár ペルムタル] 動他

1 交換する, 取り換える.

2 (職務・任地などを) 入れ代える, 交代する.

3 〔数〕〔言語〕 置換する.

per·ne·ar [perneár ペルネアル] 動自 足をばたばた動かす[ばたつかせる].

per·ne·ra [pernéra ペルネラ] 名女

(ズボンの)脚.

per·ni·cio·so, sa [perniθjóso, sa ペルニしオソ, サ] 形 有害な, 被害をもたらす.

per·nil [perníl ペルニる] 名男 (動物の) 腿(もも); 〘料理〙腿肉. ➡ carne 図.

per·nio [pérnjo ペルニオ] 名男 蝶番(ちょうつがい).

per·no [pérno ペルノ] 名男 ボルト.

per·noc·tar [pernoktár ペルノクタル] 動自 外泊する, 宿泊する.

pe·ro [pero ペロ] 接続 〔英 but〕

1 しかし, だが, とはいえ. Corrí con todas mis fuerzas, *pero* no pude coger el tren. 全力で走ったが私は電車に間に合わなかった. Puedes estar aquí, *pero* no te metas en nuestros asuntos. 君, ここに居ていいよ, でも私たちのことに口出しするなよ. ➡ aunque 【参考】.

2 《口語》《文頭で》ねえ, でも, それにしても. *Pero* siéntate, hombre. いいからちょっと座れよ. *Pero* ¿cómo es posible que no te hayas dado cuenta? 気がつかなかったって, そんなことあるかい?

— [péro ペロ] 名男 **1** 反対, 異議.

2 《口語》欠点, 難点. sin un *pero* 完全な, 欠点のない. Este plan no tiene ningún *pero*. この計画には文句のつけようがない.

No hay pero que valga. 否(いや)も応もあるものか.

¡Pero que muy ...! 《口語》《強調で》本当に…, なんて…なことか. ¡Lo has dicho muy bien, *pero que muy* bien! よく言ってくれた, 全くそのとおりだ.

¡Pero si ...! 《口語》《強調で》…だというのに; 本当に…だ. ¿Te vas?¡*Pero si* falta mucho todavía! もう行くの? まだかなり時間があるのに.

poner peros a 《+uno》〈人〉のあら捜しをする; 〈人〉に反対する.

pe·ro·gru·lla·da [peroɣruʎáða ペログルリャダ] 名女 分かりきったこと, 周知の事実.

pe·rol [peról ペロる] 名男 (丸底の) 深鍋(なべ).

pe·ro·né [peroné ペロネ] 名男 〘解剖〙腓骨(ひこつ).

pe·ro·rar [perorár ペロラル] 動自 **1** 懇願する, 切に訴える. **2** 《口語》一席ぶつ.

pe·ro·ra·ta [peroráta ペロラタ] 名女 退屈な演説.

per·pen·di·cu·lar [perpendikulár ペルペンディクらル] 形 《+**a**》…と直角に交わる; …に垂直の. — 名女 垂(直)線.

per·pe·trar [perpetrár ペルペトゥラル] 動他 (犯罪を)犯す.

per·pe·tuar [perpetwár ペルペトゥアル] [14 u ➡ ú] 動他 永続させる, 不朽[不滅]にする.

— **per·pe·tuar·*se*** 《+**en**》 …の中に生き続ける.

per·pe·tui·dad [perpetwiðáð ペルペトゥイダ(ドゥ)] 名女 未来永劫(えいごう), 永世.

a perpetuidad 永久に.

per·pe·tuo, tua [perpétwo, twa ペルペトゥオ, トゥア] 形 **1** 永久の, 永久に続く, 不朽[不滅]の. **2** 終身の.

per·ple·ji·dad [perplexiðáð ペルプれヒダ(ドゥ)] 名女 当惑, 困惑.

per·ple·jo, ja [perpléxo, xa ペルプれホ, ハ] 形 当惑した, 途方に暮れた. quedar(se) *perplejo* 当惑する, まごつく.

pe·rra [pér̄a ペラ] 名女 [複 ~s] 〔英 dog〕

1 雌犬. ➡ perro.

2 《口語》センティモ貨幣; 現金. tener muchas *perras* 金をたくさん持っている. No tengo ni una *perra*. 私は一文無しだ.

3 《口語》(子供の) かんしゃく; 泣きわめき. coger una *perra* ぎゃあぎゃあ泣きわめく.

— 形女 ➡ perro².

pe·rre·ra [per̄éra ペレラ] 名女 **1** 犬小屋; 犬の運搬車両. **2** 《口語》かんしゃく; 泣きわめき. **3** 《口語》割りの悪い仕事.

pe·rre·rí·a [per̄ería ペレリア] 名女 **1** いんちき, 汚い手.

2 ひどい言葉. decir *perrerías* de 《+uno》〈人〉を口汚く非難する.

pe·rro[1] [pér̄o ペロ] 名男 [複 ~s] 〔英 dog〕

1 イヌ, 雄犬. *perro* callejero 野良犬. *perro* faldero 抱き犬, 小形のペット犬. (*perro*) lazarillo 盲導犬. *perro* pastor 牧羊犬. *perro* policía 警察犬. ➡animal 【参考】.

2 忠実な部下.

3 《口語》人でなし, ろくでなし. *perro* viejo 抜けめのないやつ.

andar [llevarse] como el perro y el gato 犬猿の仲である.

de perros 《口語》たいへん悪い, ひどい. estar de un humor *de perros* ひどく不機嫌である. Hace un día *de perros*. ひどい天気だ. llevar una vida *de perros* 惨めな人生を送る.

hinchar el perro 《口語》話に尾鰭(おひれ)を付ける.

morir como un perro 犬死にする.

No hay perro ni gato que no lo sepa. 周知のことである.

perro caliente 〘料理〙ホットドッグ.

Perro ladrador poco mordedor. 〘諺〙ほえる犬はかみつかぬ.

tratar a 《+uno》 ***como a un perro*** 〈人〉を犬のように粗末に扱う, 虐待する.

perro[2], **rra** [pér̄o, r̄a ペロ, ラ] 形 《口語》ひどい, 劣悪な, 最低の.

pe·rru·no, na [per̄úno, na ペルノ, ナ] 形 犬の, 犬に関する.

per·sa [pérsa ペルサ] 形 ペルシア Persia の.

— 名男女 ペルシア人.

— 名男 ペルシア語.

P

per·se·cu·ción [persekuθjón ペルセクしオン] 名女 **1** 追跡, 追撃, 探索.
2 迫害. *persecuciones* políticas [religiosas] 政治的[宗教的]迫害.
3 (目的の) 追求, 遂行.

per·se·gui·dor, do·ra [perseɣiðór, ðóra ペルセギドル, ドラ] 名男 **1** 追跡者.
2 迫害者. **3** 〖スポーツ〗(自転車競技の) 追い抜きレースの選手.

per·se·guir [perseɣír ペルセギル] [21 gu → g ; 41 e → i] 動他 [現分 persiguiendo] **1** 追跡する, 追いまわす; つきまとう. *perseguir* a los ladrones 泥棒を追う.
2 (目的を) 追求する. *perseguir* el bienestar del pueblo 国民の福祉増進を目指す. *perseguir* un puesto あるポストをねらう.
3 苦しめる, 迫害する.

per·se·ve·ran·cia [perseβeránθja ペルセベランしア] 名女 辛抱, 根気; 頑固, 固執.

per·se·ve·ran·te [perseβeránte ペルセベランテ] 形 辛抱強い; 頑固な.

per·se·ve·rar [perseβerár ペルセベラル] 動自 《+en》 **1** …を根気よく続ける, 屈せずやり通す. *perseverar en* un trabajo 仕事を最後までやり遂げる.
2 …に固執する, …し続ける.

per·sia·na [persjána ペルシアナ] 名女 ブラインド, 鎧戸(よろいど).

per·sis·ten·cia [persisténθja ペルシステンしア] 名女 固執, 頑固; 持続.

per·sis·ten·te [persisténte ペルシステンテ] 形 固執する, 頑固な; 持続性の, 長続きする.

per·sis·tir [persistír ペルシスティル] 動自 **1** 《+en》 …に固執する; …し続ける. *persistir en* creer 頑として信じ続ける.
2 持続する, 存続する.

per·so·na [persóna ペルソナ] 名女 [複 ~s] 〔英 person〕 **1** 人, 人物. He invitado a ocho *personas* a la cena. 私は夕食に 8 人招待した. Pepe es una *persona* de carácter débil. ペペは性格の弱い男だ. *persona* importante 重要人物, 要人.
2 〖文法〗人称.
3 〖法律〗人格. *persona* jurídica [natural] 法人[自然人].
de persona a persona 一対一で, 差しで.
en persona (代理でなく) 自分で, 本人が. El presidente *en persona* se presentó en la inauguración del Museo. 大統領自ら美術館のオープンセレモニーに出席した.
persona en cuestión 当人.
persona mayor 大人.
persona no grata (外交上) 好ましからぬ人物.
por persona ひとり当たり, ひとりにつき.
tercera persona 〖法律〗第三者.

per·so·na·je [personáxe ペルソナヘ] 名男 [複 ~s] 〔英 personage〕 **1** 重要人物, 名士, 著名人. *personaje* del mundo político 政界の大物.
2 (劇・小説の) 登場人物. *personaje* principal 主人公.

per·so·nal [personál ペルソナる] 形 [複 ~es] 〔英 personal〕 **1** 個人の, 個人的な, 私的な. de uso *personal* 私用の. efectos *personales* 身の回り品. opinión *personal* 私見. por razones *personales* 一身上の都合で.
2 本人 (直接) の. una entrevista *personal* 本人への直接インタビュー.
3 〖文法〗人称の.
— 名男 **1** 《集合》人員, 職員, スタッフ. *personal* dirigente 管理職, 幹部. *personal* docente 教員. *personal* de tierra (空港の) 地上勤務者.
2 人事. cambio de *personal* 人事異動.
3 《口語》《集合》人々.

per·so·na·li·dad [personaliðáð ペルソナりダ(ドゥ)] 名女 **1** 人格, 個性. doble *personalidad* 〖心理〗二重人格. tener mucha *personalidad* [una *personalidad* acusada] 個性が強い.
2 (各界の) 有名人, お偉方. culto a la *personalidad* 個人崇拝. **3** 〖法律〗法人格 (= *personalidad* jurídica).

per·so·na·lis·mo [personalísmo ペルソナりスモ] 名男 身びいき, えこひいき.

per·so·na·li·zar [personaliθár ペルソナりさル] [39 z → c] 動他 (人の) 名をあげて言う; えこひいきする.

per·so·nal·men·te [personálménte ペルソナるメンテ] 副 個人的に.

per·so·nar·*se* [personárse ペルソナルセ] 動 本人が出向く, 出頭する.

per·so·ni·fi·ca·ción [personifikaθjón ペルソニフィカしオン] 名女 擬人化, 人格化; 権化, 化身.

per·so·ni·fi·car [personifikár ペルソニフィカル] [8 c → qu] 動他 **1** 擬人化する.
2 体現する, 具現する.

pers·pec·ti·va [perspektíβa ペルスペクティバ] 名女 **1** 遠近法, 透視図法; 透視図.
2 眺望, 見晴らし; 展望, 見通し. buenas *perspectivas* económicas 経済の明るい見通し.
3 視野, 観点. *perspectiva* sociológica 社会学的見地.

perspicaces 形 [複] → perspicaz.

pers·pi·ca·cia [perspikáθja ペルスピカしア] 名女 眼力, 洞察力.

pers·pi·caz [perspikáθ ペルスピカす] 形 [複 perspicaces] 眼識の鋭い, 洞察力のある.

per·sua·dir [perswaðír ペルスアディル] 動他 《+de》 …について説得する, 納得させる; 《+a 不定詞》 …するように説得する.
— **per·sua·dir·*se*** 納得する; 確信する.

per·sua·sión [perswasjón ペルスアシオン]

P

名女 **1** 説得, 説き伏せ. **2** 納得, 確信.

per·sua·si·vo, va [perswasíβo, βa ペルスアシボ, バ] 形 説得力のある.

per·te·ne·cer [perteneθér ペルテネセル] 40 動 自 〔英 belong〕《+a》 **1** **…に所属する**; …のものである. ¿*A* qué club *perteneces*? 君はどのクラブに属しているの? Estos grabados de madera *pertenecían a* una colección privada. これらの木版画は個人のコレクションの一部であった.

2 …の権限である, 役目である. *A* mí no me *pertenece* tomar la decisión. 私には決断を下す権限がない.

per·te·ne·cien·te [perteneθjénte ペルテネシエンテ] 形《+a》…に所属する, …の所有の.

per·te·nen·cia [pertenénθja ペルテネンシア] 名女 所属, 所有; [〜s] 所有物, 付属物. Recoja todas sus *pertenencias*. 自分のものは全部持ってください.

pertenezc- 動 ➡ pertenecer. 40

pér·ti·ga [pértiɣa ペルティガ] 名女 竿(さお), ポール. salto con [de] *pértiga* 〘スポーツ〙棒高跳び.

pertinaces 形 [複] ➡ pertinaz.

per·ti·na·cia [pertináθja ペルティナシア] 名女 執拗(しつよう); 頑固.

per·ti·naz [pertináθ ペルティナス] 形 [複 pertinaces] 執拗(しつよう)な; 頑固な.

per·ti·nen·te [pertinénte ペルティネンテ] 形 **1**《+a》…にかかわる. en lo *pertinente a* … …に関して. **2** 当を得た, 適切な.

per·tre·char [pertretʃár ペルトゥレチャル] 動 他《+con, de》〘軍事〙…に(武器・弾薬・食糧など)を補給[供給]する.

— **per·tre·char·*se*** 《+con, de》〘軍事〙…を補給する, 調達する.

per·tre·chos [pertrétʃos ペルトゥレチョス] 名男 [複] **1** 〘軍事〙軍需品. **2** 器具, 用具.

per·tur·ba·ción [perturβaθjón ペルトゥルバシオン] 名女 **1** 混乱; 騒擾(そうじょう); 動揺, 狼狽(ろうばい).

2 〘医〙(精神)錯乱.

per·tur·ba·do, da [perturβáðo, ða ペルトゥルバド, ダ] 過分 形 動転した, 錯乱した.

— 名男女 精神錯乱者.

per·tur·bar [perturβár ペルトゥルバル] 動 他 かき乱す, 混乱させる; 動転させる, 狼狽(ろうばい)させる.

— **per·tur·bar·*se*** 動転する, 狼狽する.

Pe·rú [perú ペル] 固名 〔英 Peru〕 **ペルー**: 南米西部の共和国. 首都 Lima. 通貨 nuevo sol.

valer un Perú すばらしい, 非常に価値がある.

pe·rua·no, na [perwáno, na ペルアノ, ナ] [複 〜s] 〔英 Peruvian〕 形 **ペルーの**.

— 名男女 **ペルー人**.

per·ver·si·dad [perβersiðáð ペルベルシダ(ドゥ)] 名女 邪悪, 凶悪.

per·ver·sión [perβersjón ペルベルシオン] 名女 **1** 背徳行為; 堕落, 退廃.

2 倒錯. *perversión* sexual 性的倒錯.

per·ver·so, sa [perβérso, sa ペルベルソ, サ] 形 **1** 邪悪な, 悪辣(あくらつ)な.

2 変質的な, 倒錯した.

3 いたずらな, 手に負えない.

— 名男女 **1** 悪党. **2** 倒錯者, 変質者.

3 いたずらっ子.

per·ver·tir [perβertír ペルベルティル] [52 e ➡ ie, i] 動 他 [現分 pervirtiendo]

1 堕落させる, 退廃させる.

2 歪曲(わいきょく)する, 改竄(かいざん)する.

3 (秩序を)乱す, 紊乱(びんらん)する.

— **per·ver·tir·*se*** 堕落する, 悪に染まる.

pe·sa [pésa ペサ] 名女 **1** 分銅, 重り.

2 [〜s] 〘スポーツ〙亜鈴, バーベル.

— 動 ➡ pesar.

pesada 過分 女 ➡ pesar.

— 形 女 ➡ pesado.

pe·sa·da·men·te [pesáðaménte ペサダメンテ] 副 **1** 重そうに. caer *pesadamente* どたりと倒れる.

2 のろのろと. **3** しつこく, うるさく.

pe·sa·dez [pesaðéθ ペサデす] 名女 [複 pesadeces] **1** 重み, 重さ.

2 重苦しさ. sentir *pesadez* en todo el cuerpo 体中がだるい. tener *pesadez* de estómago. 胃がもたれる.

3 うんざり; 退屈.

pe·sa·di·lla [pesaðíʎa ペサディリャ] 名女 **1** 悪夢; 悪夢のような経験. tener una *pesadilla* 悪い夢を見る. ➡ sueño.

2 心配の種, 気がかり.

pe·sa·do, da [pesáðo, ða ペサド, ダ] 過分 ➡ pesar.

— 形 [複 〜s] 〔英 heavy〕 **1** **重い** (↔ ligero). ¡Qué *pesada* es esta maleta! このスーツケースはなんて重いんだ. Después de la comida siento *pesados* los párpados. 食事の後はいつもまぶたが重くなる. armas *pesadas* 重火器. industria *pesada* 重工業.

2 **重苦しい**, うっとうしい. El aire de la habitación estaba *pesado*, cargado de humedad y humo de cigarrillos. 湿気とタバコの煙で部屋の空気はよどんでいた. ¡Qué tiempo tan *pesado*! うっとうしい天気だなあ. comida *pesada* (胃にもたれる) 重い食事.

3 退屈な, くどい, うんざりする. ¡Qué fastidio! No seas tan *pesado*. いい加減にしてくれ, しつこいぞ. broma *pesada* あくどい冗談.

4 鈍重な, のろい. **5** つらい, きつい.

pe·sa·dum·bre [pesaðúmbre ペサドゥンブレ] 名女 悲嘆; 苦悩; 不快.

pé·sa·me [pésame ペサメ] 名男 悔やみ, 哀悼, 弔詞. Le expreso mi más sentido *pésame*. 心からお悔やみ申し上げます.

pesando 現分 → pesar.

pe·sar [pesár ペサル] 動自[現分 pesando ; 過分 pesado, da]〔英 weigh〕
1 **重い**; …の重さ[目方]がある. ¡Pero cómo *pesa* este niño! それにしてもこの子はなんて重いんだ. ¿Cuánto *pesa* el equipaje?—*Pesa* veinte kilos. 荷物の重さは? —20キロです.
2 《+**sobre**》…に重くのしかかる. La mochila me *pesaba sobre* los hombros. リュックが私の肩に重くくいこんだ. Una gran responsabilidad *pesa sobre* el presidente de la compañía. 大きな責任が社長の肩にのしかかっている.
3 《+**en**》…に強く影響を及ぼす. Tu opinión *ha pesado* mucho *en* la decisión. 君の意見が決定に強く影響した.
4 悔やまれる, つらい. Me *pesa* tener que decirte la verdad. 君に本当のことを言わなければならないのがつらい.
—— 動他 **1** **…の重さ[目方]を量る**. ¡Oiga señora! ¿Podría *pesar*me un kilo de tomates? すみませんが, トマトを1キロ量ってもらえませんか.
2 検討する, 吟味する. *pesar* sus palabras 慎重に言葉を選ぶ.
—— 名男 **1** 悲しみ, 悲嘆. causar *pesar* a 《+uno》〈人〉を悲しませる. con gran *pesar* 断腸の思いで.
2 後悔. sentir [tener] *pesar* por haber 《+過去分詞》…したことを遺憾に思う.
a pesar de … …にもかかわらず. Fue a la oficina *a pesar de* que estaba enfermo. 病気にもかかわらず彼は出勤した. *A pesar de* ello no está convencido. それにもかかわらず彼は納得していない.

pe·sa·ro·so, sa [pesaróso, sa ペサロソ, サ] 形 **1** 悔やんでいる, 後悔している.
2 嘆き悲しんでいる, 悲痛な.

P

pes·ca [péska ペスカ] 名女
1 漁, 魚釣り; 漁業. barco de *pesca* 漁船. ir de *pesca* 釣りに行く. *pesca* de altura [de alta mar] 遠洋漁業. *pesca* de arrastre 地引き網漁. *pesca* con caña 竿釣(ざお)り.
2 釣り上げられる魚; 魚獲高, 水揚げ. Aquí hay mucha *pesca*. ここはよく釣れる. La *pesca* de esta semana ha sido buena [mala]. 今週は大漁[不漁]だった.

pes·ca·de·rí·a [peskaðería ペスカデリア] 名女 魚屋.

pes·ca·de·ro, ra [peskaðéro, ra ペスカデロ, ラ] 名男女 魚屋, 魚売り.

pes·ca·di·lla [peskaðíʎa ペスカディリャ] 名女 〖魚〗メルルーサの幼魚.

pes·ca·do [peskáðo ペスカド] 名男[複 ~s]〔英 fish〕
《集合》(食品としての) **魚**, 魚肉. En los restaurantes japoneses se sirve *pescado* crudo. 日本レストランでは刺身が出される. *pescado* fresco 鮮魚. ► 種類を言うときは複数になる. → pez.

pes·ca·dor, do·ra [peskaðór, ðóra ペスカドル, ドラ] [複男 ~es, 女 ~s] 名男女〔英 fisherman〕**漁師**, 釣り人. *pescador* de caña 釣り師.
—— 形 漁(業)の, 釣りの.

pes·can·te [peskánte ペスカンテ] 名男 御者台.

pes·car [peskár ペスカル] [8 c → qu] 動他自 **1** (魚を) 捕る, 釣る; 釣りをする, 漁をする. Fuimos al mar a *pescar*. 我々は海に釣りに行った. *pescar* trucha con caña 釣り竿(ざお)でマスを釣る.
2 《口語》手に入れる; 捕える, 捕まえる.
3 《口語》理解する; 気づく. No *he pescado* nada de lo que decía. 彼の言わんとすることが私にはさっぱり分からなかった.
4 (病気に) かかる.

pes·cue·zo [peskwéθo ペスクエソ] 名男 (動物の) 首, 首筋.

pe·se [pése ペセ] ***pese a …*** 《副詞句》…にもかかわらず (= a pesar de …).
—— 動 → pesar.

pe·se·bre [peséβre ペセブレ] 名男 飼い葉桶(おけ).

pe·se·ta [peséta ペセタ] 名女 [複 ~s]〔英 peseta〕
ペセタ (1pta. = 100 céntimos): スペインの旧通貨単位《略 pta(s).》. Un duro equivale a cinco *pesetas*. 1ドゥーロは5ペセタである. ¿A cuántos yenes equivalen cien *pesetas*? 100ペセタは何円ですか. Ese no ha tenido nunca una *peseta*. あいつは金なんか手にしたことがないんです. → moneda 図.

pe·se·te·ro, ra [pesetéro, ra ペセテロ, ラ] 形 《口語》けちな, 守銭奴の.
—— 名男女 《口語》けち.

pe·si·mis·mo [pesimísmo ペシミスモ] 名男 悲観主義, 厭世(えんせい)観 (↔ optimismo).

pe·si·mis·ta [pesimísta ペシミスタ] 名男女 ペシミスト, 悲観主義者, 厭世(えんせい)家.
—— 形 悲観[厭世]的な (↔ optimista).

pé·si·mo, ma [pésimo, ma ペシモ, マ] 形 最悪の, 最低の. un *pésimo* alumno 最低の生徒. un gusto *pésimo* ひどい悪趣味.

pe·so [péso ペソ] 名男 [複 ~s]〔英 weight〕
1 **重さ**, 重量, 目方; 体重. medir el *peso* de … …の重さを量る. vender a [al] *peso* 目方で売る. *peso* bruto 総重量. *peso* neto 正味重量.
2 (精神的) 重荷, 負担, 重圧. el *peso* de la responsabilidad 責任の重さ. quitarse el *peso* de encima 重荷から解放される.
3 重み, 重要性, 影響力. no tener mucho *peso* 重みがない, 取るに足りない.
4 秤(はかり), ヘルスメーター; 分銅.
5 **ペソ** (1 $ = 100 centavos): アルゼン

チン，ウルグアイ，キューバ，コロンビア，チリ，ドミニカ，メキシコ，フィリピンの通貨単位《略 $》；昔のスペインの貨幣単位.

6〔ｽﾎﾟｰﾂ〕(1)(ボクシング) ウエート. *peso* mosca フライ級. *peso* gallo バンタム級. *peso* pluma フェザー級. *peso* ligero ライト級. *peso* welter ウエルター級. *peso* medio ミドル級. *peso* semipesado ライトヘビー級. *peso* pesado ヘビー級. (2)砲丸. lanzamiento de *peso* 砲丸投げ. (3)バーベル. levantamiento de *pesos* 重量挙げ，ウエートリフティング.

—— 動 ➡ pesar.

a peso de oro 高い値段で.

de peso (1) 決定的な，重みのある. (2) 影響力のある. hombre *de peso* 有力者.

hacer peso 重しとなる.

pes·pun·te [pespúnte ペスプンテ] 名男 〔服飾〕返し縫い，バックステッチ.

pes·que·ro, ra [peskéro, ra ペスケロ，ラ] 形 漁業の，漁の. industria *pesquera* 漁業. —— 名男 漁船，釣り船.

pes·quis [péskis ペスキス] 名男《口語》明敏，洞察力，賢明さ.

pes·qui·sa [peskísa ペスキサ] 名女 捜査，調査；(家宅) 捜索.

pes·ta·ña [pestáɲa ペスタニャ] 名女 まつげ. ➡ ojo 図.

no mover pestaña まばたき一つしない，注視している.

no pegar pestaña 一睡もしない.

pes·ta·ñe·ar [pestaɲeár ペスタニェアル] 動 自 まばたきする.

sin pestañear 平然として.

pes·ta·ñe·o [pestaɲéo ペスタニェオ] 名男 まばたき.

pes·te [péste ペステ] 名女 **1**〔医〕ペスト，悪疫. *peste* negra 黒死病.

2《口語》悪臭，臭気.

3《口語》害をなす物［人］，厄介者. Esta chica es una *peste*. この女は厄病神だ.

echar [***decir***] ***pestes de*** 《+uno》〈人〉をこきおろす.

pes·ti·ci·da [pestiθíða ペスティしダ] 名男 農薬，駆除剤.

pes·ti·len·cia [pestilénθja ペスティれンしア] 名女 **1** 悪疫，疫病，伝染病.

2 悪臭，臭気.

pes·ti·len·te [pestilénte ペスティれンテ] 形 悪臭のする.

pes·ti·llo [pestíʎo ペスティリョ] 名男 掛け金，スライド［差し］錠，かんぬき；(ドアロックの) 舌. *pestillo* de golpe ばね式の錠前. ➡ llave 図.

pe·ta·ca [petáka ペタカ] 名女 シガレット・ケース；刻みタバコ入れ.

pé·ta·lo [pétalo ペタろ] 名男〔植物〕花弁，花びら. ➡ flor 図.

pe·tan·ca [petáŋka ペタンカ] 名女〔遊戯〕ペタンク：金属の球を転がして遊ぶゲーム.

pe·tar·do [petárðo ペタルド] 名男 **1** 爆破装置；雷管；爆竹.

2《口語》ぺてん，詐欺.

pe·ta·te [petáte ペタテ] 名男《口語》

1 (旅行の) 身の回り品.

2 ぺてん師；ろくでなし.

liar el petate 立ち去る；死ぬ.

pe·te·ne·ra [petenéra ペテネラ] 名女 ペテネラ：スペイン Andalucía 地方の民謡.

salir por peteneras 《口語》とんちんかんなことを言う［する］. No me *salgas por peteneras*. ばかなこと言うなよ.

pe·ti·ción [petiθjón ペティしオン] 名女 要請，申請 (書)，請願 (書).

a petición de ... …の要求に答えて.

petición de mano プロポーズ.

pe·ti·me·tre, tra [petimétre, tra ペティメトゥレ，トゥラ] 名男女 しゃれ者，めかし屋.

pe·ti·rro·jo [petir̄óxo ペティロホ] 名男 〔鳥〕ヨーロッパコマドリ (駒鳥).

pe·to [péto ペト] 名男 **1**〔服飾〕胸当て，胸飾り. **2** (甲冑(かっちゅう)・フェンシングの胴衣の) 胸甲，胸当て.

pé·tre·o, a [pétreo, a ペトゥレオ，ア] 形 石の；石のような.

pe·tri·fi·car [petrifikár ペトゥリフィカル] [8 c ➡ qu] 動 他 石化させる；硬直させる；仰天させる.

pe·tro·dó·lar [petroðólar ペトゥロドらル] 名男〔経済〕オイルダラー.

[← 〔英〕petrodollar]

pe·tró·le·o [petróleo ペトゥロれオ] 名男 石油. *petróleo* crudo [bruto] 原油. refinería de *petróleo* 精油所. pozo de *petróleo* 油井.

pe·tro·le·ro, ra [petroléro, ra ペトゥロれロ，ラ] 形 石油の. compañía *petrolera* 石油会社.

—— 名男 石油タンカー.

pe·tro·lí·fe·ro, ra [petrolífero, ra ペトゥロりフェロ，ラ] 形 石油を産出［埋蔵］する.

pe·tro·quí·mi·co, ca [petrokímiko, ka ペトゥロキミコ，カ] 形 石油化学の. productos *petroquímicos* 石油化学製品.

—— 名女 石油化学.

pe·tu·lan·cia [petulánθja ペトゥらンしア] 名女 横柄，傲慢(ごうまん).

pe·tu·lan·te [petulánte ペトゥらンテ] 形 横柄な，傲慢(ごうまん)な.

pe·yo·ra·ti·vo, va [peȷoratíβo, βa ペヨラティボ，バ] 形 軽蔑(けいべつ)的な (＝ despectivo).

pez

[péθ ペす] 名男 [複 peces]〔英 fish〕

1 魚. *peces* de colores 金魚. *pez* espada メカジキ. *pez* martillo シュモクザメ. *pez* sierra ノコギリエイ. *pez* volador トビウオ. ►pez は生きている魚，捕獲した食用の魚は pescado. ➡次ページ図.

2《口語》やつ. buen *pez* ずる賢いやつ. *pez* gordo お偉方，大物.

—— 名女 ピッチ，タール.

P

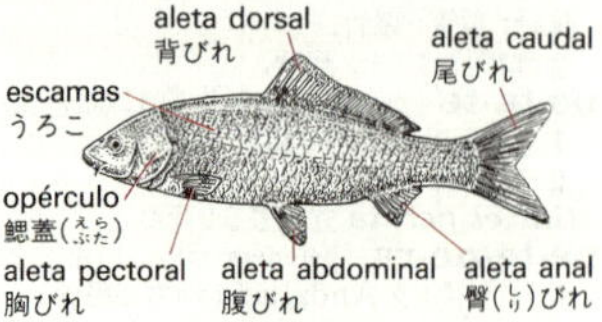

pez 魚

estar como el pez en el agua《口語》水を得た魚のようである.

Por la boca muere el pez.《諺》口は災いの元.

pe·zón [peθón ペソン] 名男 **1**〖植物〗(葉・実・花の) 柄, 軸. **2** 乳首, 乳頭.

pe·zu·ña [peθúɲa ペスニャ] 名女 蹄(ひづめ). ► 牛や羊の分趾(ぶんし)蹄を指す. 馬蹄は主に casco.

¡pf! [pf プフ] 間投 **1**《嫌悪を表して》ふう, やれやれ. **2**《擬》(ガスの漏れる音) シュー.

pia·do·so, sa [pjaðóso, sa ピアドソ, サ] 形 **1** 慈悲深い, 情け深い.
2 敬虔(けいけん)な, 信心深い.

pia·nis·ta [pjanísta ピアニスタ] 名男女 ピアニスト.

pia·no [pjáno ピアノ] 名男 [複 ～s]〔英 piano〕〖音楽〗ピアノ. tocar el *piano* ピアノを弾く. *piano* de cola グランドピアノ. *piano* recto [vertical] アップライトピアノ.

pia·no·la [pjanóla ピアノラ] 名女〖商標〗ピアノラ: 自動ピアノ.

piar [pjár ピアル] [23 i → í] 動自 (ひよこが) ピヨピヨ鳴く; (小鳥が) ピーピー鳴く. → animal【参考】.
piar por《+algo》〈何か〉をせがむ.

pia·ra [pjára ピアラ] 名女 (豚の) 群れ.

PIB [péiβé ペイベ]《略》*p*roducto *i*nterno [*i*nterior] *b*ruto 国内総生産〔英 GDP〕.

pi·ca [píka ピカ] 名女 **1** 槍(やり);〖闘牛〗ピカドールの槍.
2 つるはし; (石工の) ハンマー.

pi·ca·cho [pikátʃo ピカチョ] 名男 尖峰(せんぽう).

pi·ca·de·ro [pikaðéro ピカデロ] 名男 乗馬学校, 馬術練習所; (調教用の) 馬場.

pi·ca·di·llo [pikaðíʎo ピカディリョ] 名男 (肉・野菜の) みじん切り. rellenar el calamar con un *picadillo* de carne イカに肉のミンチを詰める.

pi·ca·do, da [pikáðo, ða ピカド, ダ] 過分 形 **1** 虫食いの; あばたの; (飾りの) 穴をあけた.
2 細かく刻んだ, 挽(ひ)いた. carne *picada* ひき肉.
3 むっとした, 腹を立てた. estar *picado* con《+uno》〈人〉に腹を立てている.
── 名男 (飛行機の) 急降下. descender en *picado* 急降下する.

pi·ca·dor [pikaðór ピカドル] 名男〖闘牛〗ピカドール. ◆ banderillero や matador より先に出場して, 馬上から雄牛の肩を槍(やり)で突き刺す役.

pi·ca·du·ra [pikaðúra ピカドゥラ] 名女 **1** (虫などが) 刺すこと, かむこと; (くちばしで) つつくこと.
2 刻みタバコ. **3** 虫歯の穴.

pi·can·te [pikánte ピカンテ] 形 **1** 辛い, ぴりっとする. salsa *picante* ぴりっと辛いソース.
2 辛辣(しんらつ)な. crítica *picante* 辛辣な批評. chiste *picante* きわどい話.
── 名男 **1** 辛味. **2** 痛烈さ, 辛辣さ.

pi·ca·pe·dre·ro [pikapeðréro ピカペドゥレロ] 名男 石工.

pi·ca·por·te [pikapórte ピカポルテ] 名男 掛け金; (ドアの) ノッカー. → puerta 図.

pi·car [pikár ピカル] [8 c → qu] 動他 **1** (蚊・ハチなどが) 刺す, かむ. Me *ha picado* un mosquito. 私は蚊に食われた.
2 細かく刻む, 挽(ひ)く, つぶす. *picar* la cebolla タマネギをみじん切りにする. *picar* la carne 肉を挽き肉にする.
3 (食べ物を) つまむ. ¿En la barra *picamos* algo mientras llegan las chicas? 彼女たちが来るまでバルのカウンターで軽くやっていようか?
4 (くちばしで) つつく, ついばむ. Las gallinas *picaban* los gusanos. 雌鶏が虫をついばんでいた.
5 ひりひりさせる, ちくちくさせる; (寒さなどが) しみる; (太陽が) じりじりと照りつける. El jersey me *pica* mucho. セーターがちくちくする. Me *pican* los ojos con el humo del tabaco. タバコの煙で目がちかちかする. ► 自動詞としても用いられる.
6 憤慨させる, 傷つける, むっとさせる.
7 穴を開ける, ミシン目を入れる; (切符に) はさみを入れる.
8〖闘牛〗(牛を) 槍(やり)で突く; (馬に) 拍車をかける.
── **pi·car·*se*** **1** (衣服が) 虫に食われる; (歯が) 虫歯になる.
2 (食べ物が) 腐る, 酢っぱくなる.
3《口語》憤慨する, むっとする.
4《+**con**》…をしたくてたまらない.
5《+**de**》…を気取る.
6 (海が) 波立つ.
pica que rabia ひどく辛い.

pi·car·dí·a [pikarðía ピカルディア] 名女 いたずら; 悪賢さ, ずるさ.

pi·ca·res·co, ca [pikarésko, ka ピカレスコ, カ] 形 **1** 悪党の, ならず者の.
2 いたずらっぽい, ちゃめな.
── 名女 **1** ピカレスク小説, 悪漢小説 (= novela *picaresca*): 16世紀にスペインで生まれた, 悪者 pícaro の主人公が語る自伝体の小説. **2** やくざな暮らし.

pí·ca·ro, ra [píkaro, ra ピカロ, ラ] 形 **1** たちの悪い; 悪意のある, 意地の悪い. palabras *pícaras* とげのある言葉. este *pícaro*

P

mundo このいまいましい世の中.
2 抜けめない, ずる賢い.
—— 名男女 **1** 悪党, ろくでなし.
2 悪賢い人, 抜けめない人.

Pi·ca·sso [pikáso ピカソ] 固名 ピカソ, Pablo Ruiz (1881-1973): スペインの画家.

pi·ca·zón [pikaθón ピカそン] 名女 **1** ちくっとした痛み; むずがゆさ.
2 《口語》いらだち; 不快感; 後悔.

pi·cha [pítʃa ピチャ] 名女 《俗語》陰茎.

pi·chón, cho·na [pitʃón, ʃóna ピチョン, チョナ] 名男女 《口語》かわいい人. Ven acá *pichón*. こっちへおいで, お前.
—— 名男 〘鳥〙子バト(鳩). ➞ paloma.

pi·co [píko ピコ] 名男
1 (鳥の) くちばし. *pico* de halcón タカのくちばし.
2 峰, 山頂. ➞ montaña 【参考】.
3 つるはし.
4 とがった先, 先端; (水差しなどの) つぎ口. el *pico* de la mesa 机の角.
5 少数, 端数, 少量. cien pesetas y *pico* 100ペセタ余り. Son las cinco y *pico*. 5時ちょっと過ぎだ. costar un (buen) *pico* 《反語で》かなりの費用がかかる.
6 《口語》口. callar [cerrar] el *pico* 口をつぐむ, 黙る. perderse por el *pico* 口が災いする. ser [tener] un *pico* de oro 口達者である. tener mucho *pico* よくしゃべる, 口が軽い.
de pico 《口語》口先だけの, 空約束の.

pi·cor [pikór ピコル] 名男 むずがゆさ, かゆみ; (舌が) ひりひりすること.

pi·co·ta [pikóta ピコタ] 名女 (罪人の) さらし台.
estar en la picota きわどい状態にある.

pi·co·ta·zo [pikotáθo ピコタそ] 名男 **1** くちばしでつつくこと; (虫が) 刺すこと.
2 くちばしでつつかれた跡; 刺し傷.

pi·co·te·ar [pikoteár ピコテアル] 動自他 くちばしでつつく, ついばむ.
—— **pi·co·te·ar·*se*** 《口語》(女性同士が) 言い争う, 口論する.

pic·tó·ri·co, ca [piktóriko, ka ピクトリコ, カ] 形 絵の; 絵画的な.

pi·cu·do, da [pikúðo, ða ピクド, ダ] 形 先のとがった.

pid- 動 現分 ➞ pedir. [41 e ➞ i]

pie
[pjé ピエ] 名男
[複 ~s] 〔英 foot〕
1 足 (► くるぶしから下の部分. 脚は pierna). golpear con el *pie* 足でける. ➞ cuerpo 図.
2 (家具・器物の) 脚, 支え, 台, (ワイングラスなどの) 脚, (彫像の) 台座, (柱の) 基部.
3 (長さの単位) 1フィート (30.48センチ). dos *pies* de altura 2フィートの高さ.
4 〘詩〙韻脚.
al pie de ... …の下部[ふもと]に. *al pie del* árbol [*de* la colina, *de* la página] 木の根元に[丘のふもとに, ページの最下部に].
al pie de la letra 文字どおりに, 厳密な意味で; 逐語的に.
a pie 歩いて, 徒歩で. ir *a pie* 歩いて行く.
a pie firme じっと; 断固として. esperar *a pie firme* じっと待つ.
a pie(s) juntillas 足をそろえて; なんの疑いも抱かずに. creer *a pies juntillas* 信じ込む.
atado de pies y manos 手足を縛られて; 身動きできない状態で.
buscar tres* [*cinco*] *pies al gato わざわざ事を難しくする.
con un pie en el estribo まさに出発しようとして; 死にかけて.
con los pies 下手に, でたらめに. trabajar *con los pies* いい加減な仕事をする.
con pies de plomo 用心深く, 慎重に.
dar pie a ... …を引き起こす, …の誘因となる.
de a pie 徒歩の. soldado *de a pie* 歩兵.
de pie 立って. estar *de pie* 立っている. ponerse *de pie* 立ち上がる.
echar pie a tierra (車・馬から) 降りる.
en pie 《estar, quedar, seguir などの動詞と共に》(1)立って. La muralla queda *en pie*. 城壁は壊れずにまだ立っている. (2)未解決のままで. El problema sigue *en pie*. 問題は依然として残っている.
hacer pie (水底に) 足が届く.
levantarse con el pie izquierdo 《口語》朝から[1日中]ついていない.
no dar pie con bola ➞ bola
no tener ni pies ni cabeza 支離滅裂である.
pie de atleta 〘医〙水虫.
pie de imprenta (本の) 奥付.
saber de qué pie cojea 《+uno》〈人〉の弱点を知っている.
sin pies ni cabeza 支離滅裂に[の].

pie·dad [pjeðáð ピエダ(ドゥ)] 名女 **1** 哀れみ, 同情 (= compasión). mirar a 《+uno》 con *piedad* 〈人〉を同情の目で見る. Ten un poco de *piedad*. 少しは哀れと思ってくれ. sin *piedad* 情け容赦なく[のない].
2 信心, 敬虔(けいけん). oraciones con *piedad* 敬虔な祈り. *piedad* filial 孝行.
3 〘美術〙ピエタ.

pie·dra
[pjéðra ピエドゥラ] 名女
[複 ~s] 〔英 stone〕
1 石; 石材. poner la primera *piedra* 礎石を置く. *piedra* preciosa 宝石. *piedra* pómez 軽石. *piedra* de encendedor ライターの石. *piedra* de toque 試金石.
2 堅いもの, 冷たいもの. corazón de *piedra* 冷たい心, 無情. **3** 〘医〙結石.

piel [pjél ピエる] 名女 [複 ~es] 〔英 skin〕
1 皮膚, 肌. *piel* blanca 白い肌.

P

2 皮革;［普通 ～es］毛皮. artículos de *piel* 革製品. abrigo de *pieles* 毛皮のコート. ► piel は毛皮や柔らかななめし革, cuero は靴やベルトなど固めのなめし革.

> **【参 考】 皮革・毛皮:** armiño テン(貂)の毛皮. becerrillo カーフスキン, 子牛革. cordobán コードバン. ante スエード. *piel* de cerdo 豚革. *piel* de ciervo シカ革. *piel* de cocodrilo ワニ革. *piel* de cordero 子羊の革. *piel* de lagarto トカゲ革. visón ミンクの毛皮. *piel* de zorro キツネの毛皮.

3（果物などの）皮. pelar la *piel* 皮をむく. ► リンゴ, モモ, ニンニク, タマネギなどの薄い皮は piel, バナナ, オレンジなどの厚みのある皮は cáscara.
dejarse ［***jugarse***］ ***la piel*** 命を投げ出す［懸ける］.
piel de gallina 鳥肌.
piel roja アメリカ・インディアン.
ser de la piel del diablo《口語》(子供が) 手に負えない, やんちゃである.

pié·la·go [pjélaɣo ピエらゴ] 名男 **1**《文語》海. **2** 多量, たくさん.

piens- 動 ➡ pensar. [42 e ➡ ie]

pien·so [pjénso ピエンソ] 名男 飼料, 飼い葉.
—— 動 ➡ pensar. [42 e ➡ ie]

pierd- 動 ➡ perder. [43 e ➡ ie]

pier·na [pjérna ピエルナ] 名女 [複 ～s]〔英 leg〕
1 脚, 足;〘解剖〙下肢 (► くるぶしより下の足は pie). ¡Qué *piernas* más largas! なんて長い足だ. sentarse con las *piernas* cruzadas 足を組んで座る. tenerse sobre una *pierna* 片足で立つ. media *pierna* 脛(すね). ➡ cuerpo 図. **2**〘料理〙脚の肉.
a pierna suelta ［***tendida***］のびのびと, ゆったりと. ***estirar*** ［***extender***］ ***las piernas***（長時間座っていた後）ぶらつく, 散歩する.

pie·za [pjéθa ピエさ] 名女 [複 ～s]〔英 piece〕
1 1つ, 1個, 1片. una *pieza* de carne 肉の1切れ. vestido de una sola *pieza*〘服飾〙ワンピース. ➡pedazo, trozo.

> **【参 考】** スペイン語では物質名詞が具体名詞に変わる場合が多い.
> 1枚の紙 una hoja de papel
> ➡ un papel
> 1杯のコーヒー una taza de café
> ➡ un café
> 1杯のワイン un vaso de vino
> ➡ un vino[vinillo]
> 1杯のビール una caña de cerveza
> ➡ una cerveza

2 部品. Se ha perdido una *pieza*. 部品が1つどこかへ行ってしまった. *piezas* de recambio ［repuesto］交換部品, スペアパーツ.
3（作品の）1点, 1編, 1曲. una *pieza* de teatro clásico griego ギリシア古典劇の1編. El conjunto musical interpretó varias *piezas* de jaz. バンドはジャズのナンバーを数曲演奏した.
4（チェスなどの）駒(こま).
5 部屋. una *pieza* muy amplia 大広間.
6 当て布;（布の）1反,（紙の）一巻き,（獲物の）1頭,（硬貨の）1枚. poner una *pieza* 継ぎを当てる. Hoy hemos cazado una buena *pieza*. 今日はすばらしい獲物を1頭しとめた.
buena ［***linda,menuda***］ ***pieza***《軽蔑》大したやつ, ずる賢い［抜け目のない］やつ.
dejar a《+uno》***de una pieza***《口語》〈人〉を面くらわせる.
por piezas 切れ切れに, ばらばらに.
quedarse de una pieza《口語》啞然(あぜん)とする, びっくりする.

pí·fa·no [pífano ピファノ] 名男〘音楽〙ファイフ: 高音の横笛.
—— 名男女 ファイフ吹奏者.

pi·fia [pífja ピフィア] 名女 **1**《口語》失敗, へま. cometer una *pifia* しくじる, どじを踏む. **2**（ビリヤード）突き損ない.

pig·men·tar [piɣmentár ピグメンタル] 動 他 …に着色する, 色素を沈着させる.

pig·men·to [piɣménto ピグメント] 名男 色素; 顔料, 絵の具.

pig·me·o, a [piɣméo, a ピグメオ, ア] 形〘人類〙ピグミーの.
—— 名男女〘人類〙ピグミー.

pi·ja [píxa ピハ] 名女《俗語》陰茎.

pi·ja·da [pixáða ピハダ] 名女《口語》取るに足りないこと; ばかげたこと.

pi·ja·ma [pixáma ピハマ] 名男 パジャマ.

pi·jo, ja [píxo, xa ピホ, ハ] 形《口語》間抜けの, 軽薄な.
—— 名男女《口語》間抜け, 軽薄なやつ.
—— 名男《俗語》陰茎.

pi·jo·te·ro, ra [pixotéro, ra ピホテロ, ラ] 形《俗語》間の抜けた; うるさい, 煩わしい.
—— 名男女《俗語》ばか; 煩わしいやつ.

pi·la [píla ピら] 名女 **1** 積み重ね, 山積み; 多数, たくさん. una *pila* de libros 山積みの本.
2（乾）電池, バッテリー. funcionar con *pilas* 電池で動く. *pila* seca 乾電池.
3（噴水の）水盤; 流し台, シンク.
4〘カトリック〙洗礼盤（= *pila* bautismal）; 聖水盤. sacar de *pila* a《+uno》〈人〉の代父［代母］になる.

pi·lar [pilár ピらル] 名男 **1**〘建築〙柱, 支柱. ► 円柱は columna.
2《比喩》支え, 大黒柱.
3 道標, 標石.

Pi·lar [pilár ピらル] 固名 ピラール: 女性の名. 愛 Pili, Piluca. Nuestra Señora del *Pilar* ピラールの聖母(◆スペイン女性の守護者として Zaragoza の教会に祀(まつ)られている聖母マリアの像).

pi·las·tra [pilástra ピらストゥラ] 名女 〖建築〗柱形(はしら), 付柱, 片蓋(かたぶた)柱.

píl·do·ra [píldora ピるドラ] 名女 **1** 丸薬; 経口避妊薬, ピル. *píldora* Viagra バイアグラ.
2 《口語》悪い知らせ, 嫌な話. dorar la *píldora* 嫌なことをやんわりと言う.

Pi·li [píli ピリ] 固名 ピリ: Pilar の愛称.

pi·lla·je [piʎáxe ピリャへ] 名男 略奪, 強奪.

pi·llar [piʎár ピリャル] 動他 《口語》 **1** 捕らえる, つかまえる. *pillar* a un ladrón 泥棒を捕らえる. *pillar* el tren 列車に間に合う.
2 轢(ひ)く; 挟む. ¡Gracias a Dios frené a tiempo! ¡Estuve a punto de *pillar* a un niño! ブレーキが間に合ってよかった. もう少しで子供を轢くところだった.
3 得る, 獲得する. *pillar* un buen trabajo いい仕事にありつく.
4 不意を突く, 驚かす. Lo *he pillado* durmiendo. 私は彼の寝込みを襲った.
5 (病気に) かかる. *pillar* un resfriado 風邪をひく.
6 位置する, ある. Tu casa nos *pilla* de camino. 君の家は私たちが通る道の途中にある.
—— **pi·llar·*se*** 挟む. *Me pillé* el dedo al cerrar la ventana. 窓を閉めた時に指を挟まれた.

pi·llas·tre [piʎástre ピリャストゥレ] 名男女 《口語》悪党, ならず者.

pi·lle·rí·a [piʎería ピリェリア] 名女 《口語》悪行, ぺてん; いたずら.

pi·llo, lla [píʎo, ʎa ピリョ, リャ] 形 《口語》ずる賢い; いたずらな.
—— 名男女 《口語》ごろつき; いたずらっ子, わんぱく小僧.

pi·lón [pilón ピろン] 名男 **1** (噴水の) 水盤; (家畜用の) 水飲み桶(おけ). **2** 柱, 石柱.

pí·lo·ro [píloro ピろロ] 名男 〖解剖〗幽門.

pi·lo·so, sa [pilóso, sa ピろソ, サ] 形 多毛の, 毛深い.

pi·lo·ta·je [pilotáxe ピろタへ] 名男 **1** 〖海事〗水先案内; 水先案内料.
2 操縦, 運転. *pilotaje* automático 自動操縦. *pilotaje* sin visibilidad 盲目飛行, 計器飛行.
3 〖建築〗《集合》基礎杭(くい), パイル.

pi·lo·tar [pilotár ピろタル] 動他 **1** 〖海事〗水先案内をする. **2** 〖航空〗操縦する.

pi·lo·te [pilóte ピろテ] 名男 基礎杭(くい), パイル. construido sobre *pilotes* 基礎杭の上に建てられた.

pi·lo·to [pilóto ピろト] 名男 [複 ～s] 〔英 pilot〕 **1** パイロット, 操縦士. *piloto* de línea [civil] 定期航路のパイロット. *piloto* [pilotaje] automático 自動操縦[装置].
2 〖海事〗水先案内人.
3 パイロットランプ (= lámpara *piloto*). ➞ automóvil 図.
—— 形 [男・女同形] 実験的な, 試験的な. fábrica [planta] *piloto* 実験工場, パイロットプラント.

pil·tra·fa [piltráfa ピるトゥラファ] 名女
1 《口語》筋ばかりの肉.
2 《口語》ひ弱な人; 意志薄弱な人.
3 [～s] 残り物, くず, スクラップ. hacer *piltrafas* 《口語》切り刻む.

pi·men·te·ro [pimentéro ピメンテロ] 名男 (卓上の) こしょう入れ.

pi·men·tón [pimentón ピメントン] 名男 〖料理〗パプリカ.

pi·mien·ta [pimjénta ピミエンタ] 名女 〖料理〗こしょう. echar *pimienta* こしょうを振りかける. *pimienta* blanca 白こしょう.

pi·mien·to [pimjénto ピミエント] 名男 〖植物〗ピーマン; トウガラシ (唐辛子). ➞ hortalizas 図.
importar un pimiento 《口語》大したことではない.

pim·pan·te [pimpánte ピンパンテ] 形 《口語》 **1** めかした, しゃれた.
2 顔を輝かせた, 満足した.

pim·po·llo [pimpóʎo ピンポリョ] 名男
1 新芽, 若芽; 若枝; つぼみ.
2 《口語》かわいい子供; 美少女, 美少年.

pi·na·co·te·ca [pinakotéka ピナコテカ] 名女 絵画館, 美術館, 画廊.

pi·ná·cu·lo [pinákulo ピナクろ] 名男
1 〖建築〗小尖塔(せんとう), ピナクル.
2 頂点, 絶頂. estar en el *pináculo* de la gloria 栄光の頂点を極める.

pi·nar [pinár ピナル] 名男 松林.

pin·cel [pinθél ピンせる] 名男 **1** 筆, 絵筆.
2 画風, 筆致. un *pincel* ágil 軽やかなタッチ(の絵).

pin·ce·la·da [pinθeláða ピンせらダ] 名女 絵筆の一塗り, 一刷毛(はけ); 筆使い, タッチ.
dar la última pincelada 最後の仕上げをする.

pin·cha·dis·cos [pintʃaðískos ピンチャディスコス] 名男女 [単・複同形] ディスク・ジョッキー.

pin·char [pintʃár ピンチャル] 動他 **1** 突く, ちくりと刺す.
2 (タイヤを) パンクさせる.
3 《口語》けしかける, そそのかす; せがむ, ねだる.
4 《口語》怒らせる, 苦しめる.
5 《口語》(食べ物をフォークなどで) つついて食べる. **6** 《俗語》(麻薬を) 注射する.
—— 動自 **1** パンクする.
2 しくじる, 失敗する.
—— **pin·char·*se*** **1** 刺さる.
2 パンクする.
ni pinchar ni cortar 《口語》なんの役に

P

も立たない.

pin·cha·zo [pintʃáθo ピンチャそ] 名男
1 一突き, 一刺し; 刺し傷. dar un *pinchazo* 一突きする.
2 (タイヤの) パンク. Tuvo un *pinchazo* en el viaje de vuelta. 彼は帰り道で車がパンクしてしまった.

pin·che [píntʃe ピンチェ] 名男女 見習いコック, 下働き. ► 女性の場合には pincha とも言う.

pin·chi·to [pintʃíto ピンチト] 名男 [pincho の小] [～s] 〖料理〗(楊枝(ようじ)・串(くし)に刺した) つまみ.

pin·cho [píntʃo ピンチョ] 名男 **1** (動・植物の) とげ. **2** 〖料理〗串(くし), 焼き串; [～s] 串焼き (の料理).

pin·ga·jo [piŋgáxo ピンガホ] 名男 《口語》ぼろきれ, 切れ端.

pin·go [píŋgo ピンゴ] 名男 《口語》ぼろ, ぼろ切れ; [～s] 《口語》安物の服.
ir [***estar***] ***de pingo*** 《口語》仕事をしないで出歩く.
poner a 《+uno》 ***como un pingo*** 〈人〉を口汚くののしる.

pin·go·ne·ar [piŋgoneár ピンゴネアル] 動自 《口語》仕事をしないで出歩く.

ping-pong [pimpón ピンポン | pímpon ピンポン] 名男 〖スポーツ〗ピンポン, 卓球 (=tenis de mesa). [←英語]

pin·güe [píŋgwe ピングエ] 形 大きな, 豊富な; 実入りのよい. obtener *pingües* beneficios 大もうけする.

pin·güi·no [piŋgwíno ピングイノ] 名男 〖鳥〗ペンギン.

pi·ni·tos [pinítos ピニトス] 名男
hacer pinitos 《口語》(幼児が) よちよち歩く; 初歩をかじる.

pi·no [píno ピノ] 名男 [複 ～s] 〔英 pine〕 〖植物〗**マツ** (松). ► 松かさは piña, 松の実は piñón.

P

pin·ta [pínta ピンタ] 名女 **1** ぶち, 斑点(はんてん); 水玉模様. a *pintas* 水玉模様の.
2 印象, 様相. tener buena *pinta* 《口語》おいしそう[良さそう]である; 健康そうである.
―― 名男女 《口語》ろくでなし, ごろつき.
―― 動 → pintar.

pin·ta·do, da [pintáðo, ða ピンタド, ダ] 過分 → pintar.
―― 形 色を塗った, 彩色された. Recién *pintado*. 《掲示》ペンキ塗りたて.
que ni pintado 《口語》 《ir, quedar, venir などの動詞と用いられて》 ぴったりである, うまく合う.

pintando 現分 → pintar.

pin·tar [pintár ピンタル] 動他 [現分 pintando ; 過分 pintado, da] 〔英 paint〕
1 **…にペンキを塗る**. *Han pintado* de verde los bancos del parque. 公園のベンチが緑色に塗られた.
2 (絵の具で)… **の絵を描く**. *Pintó* al óleo un retrato de la duquesa. 彼は公爵夫人の肖像を油絵で描いた.
3 描写する, …の様子を話す.
―― 動自 **1** 絵をかく. Tiene talento para *pintar*. 彼は絵の才がある. Está de moda *pintar* en los cierres metálicos de las tiendas. 商店のシャッターに絵を描くことがはやっている.
2 (果実が) 色づく, 熟する.
―― **pin·tar·*se*** 化粧する; (爪(つめ)などを) 塗る. *pintarse* las uñas [los labios] マニキュアをする[口紅をさす].
no pintar nada 《口語》なんの役にも立たない; 少しも重要でない, なんの意味もない.

pin·ta·rra·jar [pintar̄axár ピンタラハル] / **pin·ta·rra·je·ar** [-xeár -ヘアル] 動他 《口語》塗りたくる, (絵を) 下手にかく.
―― **pin·ta·rra·jar·*se*** / **pin·ta·rra·je·ar·*se*** 《口語》厚化粧する.

pin·ta·rra·jo [pintar̄áxo ピンタラホ] 名男 《口語》下手くそな絵.

pin·ti·pa·ra·do, da [pintiparáðo, ða ピンティパラド, ダ] 形 **1** 《+**a**》 …によく似た, そっくりの.
2 《+**con**, **para**》 …に適切な, 都合のよい, …とぴったりな. llegar *pintiparado* ちょうどよい時に到着する.

pin·tor, to·ra [pintór, tóra ピントル, トラ] 名男女 [複男 ～es, 女 ～s] 〔英 painter〕 **画家**, 絵かき; ペンキ屋, 塗装工. Velázquez fue nombrado *pintor* de cámara por el rey Felipe Ⅳ [cuarto]. ベラスケスはフェリペ4世によって宮廷画家に任命された. *pintor* de brocha gorda ペンキ屋; へぼ絵かき. *pintor* decorador 塗装兼インテリアデザイナー. *pintor* escenógrafo 〖演劇〗(舞台の) 背景画家.

pin·to·res·co, ca [pintorésko, ka ピントレスコ, カ] 形 **1** 絵のような, 画趣に富む.
2 個性に富む, 独創的な.
3 奇抜な; こっけいな. traje *pintoresco* 派手な服.

pin·tu·ra [pintúra ピントゥラ] 名女 [複 ～s] 〔英 picture〕 **1 絵, 絵画**; 絵を描くこと, 画法. *pintura* rupestre 洞窟(どうくつ)壁画. galería de *pinturas* 画廊. Picasso fue un gran maestro de la *pintura* moderna. ピカソは近代絵画の巨匠であった. *pintura* a la acuarela 水彩画. *pintura* al fresco フレスコ画. *pintura* al óleo 油絵. *pintura* al pastel パステル画. *pintura* al temple テンペラ画.
2 絵の具; 塗料, ペンキ; 塗装. Cuidado con la *pintura*. 《掲示》ペンキ塗りたて.
no poder ver a 《+uno》 ***ni en pintura*** 《口語》〈人〉の顔など見たくもない, 〈人〉が大嫌いである.

pin·tu·re·ro, ra [pinturéro, ra ピントゥレロ, ラ] 形 《口語》気取った, 体裁ぶった.
―― 名男女 《口語》気取り屋, うぬぼれ屋.

pin·za [pínθa ピンさ] 名女 [～または ～s]

1 挟むもの; ピンセット, 洗濯挟み. *pinzas* para [de] depilar 毛抜き.
2〔動物〕(エビ・カニなどの) はさみ.
3〔服飾〕ダーツ.
coger con pinzas 直接触るのをはばかる; 腫物(はれもの)に触るように接する.
no sacar a 《+uno》 ***ni con pinzas*** 《口語》どうしても〈人〉から聞き出せない.

pi·ña [píɲa ピニャ] 名女 **1**〔植物〕パイナップル. **2**〔植物〕松かさ; 松かさ状のもの. **3** 徒党, 集団. formar una *piña* 団結する.

pi·ña·ta [piɲáta ピニャタ] 名女 菓子を入れてつるした壺(つぼ); それを割ること. ◆メキシコでポサダ posada (クリスマス前の9日間) や誕生日などに行われる子供たちの行事.

pi·ñón [piɲón ピニョン] 名男 **1** 松の実.
2〔機械〕小歯車, ピニオン.
estar a partir un piñon con 《+uno》《口語》〈人〉と親密である, 仲が良い.

pí·o, a [pío, a ピオ, ア] 形 敬虔(けいけん)な, 信心深い; 慈悲深い; 慈善の.
── 名男 《擬》(ひよこ・小鳥の鳴き声) ピーピー, ピヨピヨ. ➡ animal 【参考】.
no decir ni pío 《口語》一言もしゃべらない.

pio·jo [pjóxo ピオホ] 名男 〔昆虫〕シラミ (虱).

pio·jo·so, sa [pjoxóso, sa ピオホソ, サ] 形 シラミだらけの; 汚らしい; 卑しい.

pio·ne·ro, ra [pjonéro, ra ピオネロ, ラ] 名男女 先駆者, パイオニア.

pio·rre·a [pjoȓéa ピオレア] 名女 〔医〕歯槽膿漏(のうろう).

pi·pa [pípa ピパ] 名女 **1** パイプ. fumar en *pipa* パイプを吸う.
2 (スイカ・ヒマワリなどの) 種子. ➡ semilla 【参考】.
── 形 [女性形のみ] 《口語》すばらしい, かっこいい.
── 副 《口語》楽しく, 愉快に. pasárselo *pipa* 楽しく過ごす.

pi·pe·ta [pipéta ピペタ] 名女 **1** ピペット.
2 (赤ん坊の口にくわえた) 親指.

pi·pí [pipí ピピ] 名男 《幼児語》おしっこ; (子供の) おちんちん. hacer *pipí* おしっこをする.

pi·que [píke ピケ] 名男 **1** 恨み, 怨念(おんねん), 敵意. tener un *pique* con 《+uno》〈人〉に恨みを抱く, ねたむ.
2 競争心, ライバル意識.
a pique de ... …する間際に, 今にも…しそうで[な].
irse a pique 沈没する; 破滅する, 破産する.

pi·que·ta [pikéta ピケタ] 名女 つるはし, ピッケル.

pi·que·te [pikéte ピケテ] 名男 **1** 刺し傷.
2 (テント用などの) 杭(くい).
3 ピケ隊; 〔軍事〕小隊, 班.

pi·ra [píra ピラ] 名女 かがり火; 焚(た)き火 (=hoguera).
irse de pira 《口語》授業をサボる; 遊び歩く.

pi·ra·güis·mo [piraɣwísmo ピラグイスモ] 名男 〔スポーツ〕カヌー競技.

pi·ra·güis·ta [piraɣwísta ピラグイスタ] 名男女 〔スポーツ〕カヌー競技者.

pi·ra·mi·dal [piramiðál ピラミダル] 形 ピラミッド形の, 角錐(かくすい)状の; 巨大な.

pi·rá·mi·de [pirámiðe ピラミデ] 名女 ピラミッド; 角錐(かくすい).

pi·ra·ña [piráɲa ピラニャ] 名女 〔魚〕ピラニア.

pi·rar·se [pirárse ピラルセ] 動 《口語》授業をサボる; 逃げ去る. ► *pirárse*las の形でも使われる.

pi·ra·ta [piráta ピラタ] 名男女 **1** 海賊. *pirata* aéreo ハイジャック犯人.
2 無精な人, 冷酷な人.
── 形 海賊の. barco *pirata* 海賊船. edición *pirata* 海賊版.

pi·ra·te·ar [pirateár ピラテアル] 動自 **1** 海賊行為を働く. **2** 著作[特許]権を侵害する.

pi·ra·te·rí·a [piratería ピラテリア] 名女
1 海賊行為. *piratería* aérea ハイジャック. **2** 剽窃(ひょうせつ), 著作[特許]権侵害.

pi·re·nai·co, ca [pirenáiko, ka ピレナイコ, カ] 形 ピレネー (山脈) の.
── 名男女 ピレネー地方の住民.

Pi·ri·ne·os [pirinéos ピリネオス] 固名 (la cordillera de) los *Pirineos* ピレネー (山脈): スペインとフランスの国境. ► 単数形で使われることもある. ⇀ el *Pirineo* español スペイン側ピレネー山脈.

pi·ri·ta [piríta ピリタ] 名女 〔鉱物〕(黄鉄鉱, 黄銅鉱などの) 硫化鉱.

pi·ró·ma·no, na [pirómano, na ピロマノ, ナ] 形 放火癖のある.
── 名男女 放火魔.

pi·ro·po [pirópo ピロポ] 名男 《口語》(男が通りすがりの女へかける) 冷やかし. decir [echar] *piropos* 冷やかす.

pi·ro·tec·nia [pirotéknja ピロテクニア] 名女 花火製造術; (火薬を混合する) 火工術.

pi·ro·téc·ni·co, ca [pirotékniko, ka ピロテクニコ, カ] 形 花火製造術の.
── 名男 花火製造者, 花火師.

pi·rrar·se [piȓárse ピラルセ] 動 《口語》《+**por**》…に目がない, 夢中になる.

pi·rue·ta [pirwéta ピルエタ] 名女 **1** (バレエなどの) つま先旋回, ピルエット.
2 言い逃れ; 身をかわすこと.

pis [pís ピス] 名男 《幼児語》おしっこ. hacer *pis* おしっこをする.

pi·sa·da [pisáða ピサダ] 名女 足跡; 足音; 踏むこと.
seguir las pisadas de [***a***] 《+uno》〈人〉のまねをする.

pi·sa·pa·pe·les [pisapapéles ピサパペレス] 名男 [単・複同形] 文鎮, 紙押さえ.

pi·sar [pisár ピサル] 動他
1 踏む; 足を踏み入れる; (人を) 踏みにじる,

P

軽んじる. No me *pises* el pie. 私の足を踏むな. Antes *pisaban* las uvas para hacer vino. 昔はぶどう酒を作るために足でぶどうを踏みつぶしたものだ.
2 先取りする; 横取りする. *pisar* una idea アイディアを盗む.
── 動自 歩く. *pisar* con cuidado 気をつけて歩く.
pisar las huellas de 《+uno》〈人〉の後をつける, 〈人〉を追跡する.

pis·ci·cul·tu·ra [pisθikultúra ピしクるトゥラ] 名女 養魚, 養殖.

pis·ci·na [pisθína ピしナ] 名女 〔英 pool〕(水泳) **プール**. *piscina* cubierta 室内プール.

Pis·cis [písθis ピしス] 名男 〖天文〗魚座; 〖占星〗双魚宮.

pi·so [píso ピソ] 名男 [複 ～s] 〔英 floor; apartment〕
1 **階**. autobús de dos *pisos* 2階建てバス. El segundo *piso* de este edificio está en venta. このビルの3階は売りに出されている. ◆スペインでは日本の2階に当たるのが1階 (primer *piso*), 3階に当たるのが2階 (segundo *piso*) である. 1階は (*piso*) bajo, planta baja という. なおエレベーターのボタンはⒷ①②③…で, 1階に降りるにはⒷを押すことになる. ➡ casa 図.
2 **マンション**. Es muy difícil encontrar un *piso* en el centro de la ciudad. 都心にマンションを見つけることは難しい. Se alquilan *pisos*. 《掲示》賃貸マンションあり.

pi·so·te·ar [pisoteár ピソテアル] 動他
1 踏みつぶす, 踏みつける.
2 踏みにじる, 蹂躙(じゅうりん)する; (法律などを) 無視する, 侵す.

pi·so·tón [pisotón ピソトン] 名男 《口語》 足を踏んづけること. dar a 《+uno》 un *pisotón* 〈人〉の足を踏む.

P

pis·ta [písta ピスタ] 名女 **1** 跡, 足跡 (= huella); 形跡. *pista* falsa 誤った手がかり.
2 〖スポ〗走路, トラック; (ボーリングの) レーン, (バレーの) コート; フロア. *pista* de patinaje スケートリンク. *pista* de esquí スキーのゲレンデ. *pista* de baile ダンスフロア. ➡ atletismo 図.
3 (飛行場の) 滑走路 (= *pista* de aterrizaje) ➡ aeropuerto 図.
4 専用道路, 高速自動車道 (= autopista).
seguir la pista 追跡する, 尾行する.

pis·ti·lo [pistílo ピスティろ] 名男 〖植物〗めしべ. ➡ flor 図.

pis·to [písto ピスト] 名男 **1** 〖料理〗ピスト: 野菜の煮込み料理. **2** ごたまぜ, 寄せ集め.
darse pisto de ... 《口語》…を見せびらかす, ひけらかす.

pis·to·la [pistóla ピストら] 名女 **1** ピストル, 拳銃(けんじゅう). sacar la *pistola* ピストルを抜く.
2 噴霧器 (= pulverizador). pintar a *pistola* スプレーガンでペンキを塗る.

pis·to·le·ra [pistoléra ピストれラ] 名女 ホルスター: ピストルの革ケース.

pis·to·le·ro [pistoléro ピストれロ] 名男 ピストル強盗; 殺し屋, ガンマン.

pis·tón [pistón ピストン] 名男 〖機械〗ピストン; 〖音楽〗(金管楽器の) ピストンバルブ, 音栓.

pis·to·nu·do, da [pistonúðo, ða ピストヌド, ダ] 形 《俗語》すごい, すばらしい, すてきな.

pi·ta [píta ピタ] 名女 **1** 〖植物〗リュウゼツラン (竜舌蘭). **2** ブーイングの口笛.

pi·ta·da [pitáða ピタダ] 名女 《集合》
1 ホイッスル[汽笛, クラクション]の音.
2 ブーイングの口笛.

pi·ta·gó·ri·co, ca [pitaɣóriko, ka ピタゴリコ, カ] 形 ピタゴラス (学派) の.

pi·tan·za [pitánθa ピタンさ] 名女 **1** (困窮者への) 給食; (1日分の) 配給食糧.
2 《口語》毎日の食事.

pi·tar [pitár ピタル] 動自 **1** ホイッスルを吹く; 汽笛[クラクション]を鳴らす.
2 ブーイングの口笛を吹く.
3 《口語》順調である, うまくいく.
4 《口語》牛耳る, 影響力を持っている.
── 動他 …にホイッスル[笛]で合図する; …にブーイングの口笛を吹く.
salir pitando 急いで立ち去る.

pi·ti·do [pitíðo ピティド] 名男 ホイッスル[汽笛, クラクション]の音.

pi·ti·lle·ra [pitiʎéra ピティリェラ] 名女 シガレットケース (=petaca).

pi·ti·llo [pitíʎo ピティリョ] 名男 《口語》紙巻きタバコ (= cigarrillo). fumar un *pitillo* タバコを吸う.

pi·to [píto ピト] 名男
1 ホイッスル, 汽笛, クラクション. soplar un *pito* ホイッスル[笛]を鳴らす.
2 《口語》紙巻きタバコ.
3 《俗語》陰茎.
entre pitos y flautas あれやこれやの理由で.
(***no***) ***importar un pito*** 《口語》大したことではない. *Me importa un pito.* 《口語》私は少しもかまわない.
no valer un pito 《口語》取るに足りない.

pi·tón [pitón ピトン] 名男 **1** (牛の) 角の先端. **2** ➡ pitorro. **3** 若芽.
4 〖動物〗ニシキヘビ (錦蛇).
pitón de escalada (登山用) ハーケン.

pi·to·rre·ar·se [pitor̄eárse ピトレアルセ] 動 《+de》…をからかう, ばかにする.

pi·to·rro [pitór̄o ピトロ] 名男 (botijo, porrón などの) 飲み口.

pi·to·te [pitóte ピトテ] 名男 《口語》騒動, 騒ぎ. armar un *pitote* 一騒動起こす.

pi·tu·so, sa [pitúso, sa ピトゥソ, サ] 形 《口語》かわいい, 愛らしい.

—— 名男女《口語》かわいい子，あどけない子．

pi·vot [piβót ピボ(トゥ)] 名男〘スポ〙（バスケット）センター（プレーヤー）．[←フランス語]

pi·vo·te [piβóte ピボテ] 名男〘機械〙ピボット，支持軸．

pi·za·rra [piθára ピサラ] 名女 **1** 黒板．
2 スレート；粘板岩．

Pi·za·rro [piθáro ピサロ] 固名 ピサロ，Francisco (1476–1541)：スペインのコンキスタドールでインカ帝国の征服者．

piz·ca [píθka ピスカ] 名女《口語》少量．

pi·zza [pítsa ピッァ] 名女〘料理〙ピザ．[←イタリア語]

pi·zze·rí·a [pitsería ピツェリア] 名女 ピザ店．[←イタリア語]

pi·zzi·ca·to [pitsikáto ピツィカト] 名男〘音楽〙ピッチカート（奏法）．[←イタリア語]

pla·ca [pláka プラカ] 名女
1 薄板．*placa* de cobre 銅板．
2 銘板，プレート；表札，名札．*placa* de matrícula〘車〙ナンバープレート（➡ automóvil 図）．➡ casa 図．
3（警官などの）バッジ．
4〘地質〙プレート．

plá·ce·me [pláθeme プラセメ] 名男 [普通 ～s] お祝いの言葉（＝felicitación）．recibir *plácemes* おめでとうと言われる．

pla·cen·ta [plaθénta プラセンタ] 名女〘解剖〙胎盤．

pla·cen·te·ro, ra [plaθentéro, ra プラセンテロ, ラ] 形 楽しい，愉快な；気持ちのよい．

pla·cer [plaθér プラセル] 名男 [複 ～es]〔英 pleasure〕 **1 喜び**，楽しみ；満足．Tenemos el *placer* de comunicar ... …をお知らせできることをうれしく思います．Es un gran *placer* conocerle a usted. お目にかかれてうれしく思います．➡gusto.
2 快楽，娯楽．
—— 40 動自《3人称で用いられ，間接目的語が意味上の主語で》…が気に入る，…の喜びである．

plá·cet [pláθet プラセ(トゥ)] 名男（外交官の）信任，アグレマン．

pla·ci·dez [plaθiðéθ プラシデス] 名女 穏やかさ，平静，温和．

plá·ci·do, da [pláθiðo, ða プラシド, ダ] 形 穏やかな，落ち着いた，温和な；快い．

pla·ga [pláɣa プラガ] 名女 **1** 大災害，災難．**2**（有害物の）異常発生；虫害．

pla·gar [plaɣár プラガル] [32 g ➡ gu] 動他《＋de》…でいっぱいにする．
—— **pla·gar·se**《＋de》…でいっぱいになる，…だらけになる．

pla·giar [plaxjár プラヒアル] 動他 **1** 剽窃(ひょうせつ)する，盗用する．
2《ラ米》誘拐する，人質にする．

pla·gia·rio, ria [plaxjárjo, rja プラヒアリオ, リア] 名男女 剽窃(ひょうせつ)者，盗作者．
—— 形 剽窃の，盗作の．

pla·gio [pláxjo プラヒオ] 名男 **1** 剽窃(ひょうせつ)，盗作．**2**《ラ米》誘拐．

plan [plán プラン] 名男 [複 ～es]〔英 plan〕
1 計画，プラン，案．hacer *planes* 計画を立てる．Tengo un *plan* estupendo para este fin de semana. この週末とてもすてきな計画があるんだ．*plan* de inversiones 投資計画．*plan* de estudios 学習プログラム，カリキュラム．
2 構想，筋書き．
3《口語》デート．Me voy, que tengo *plan* para esta tarde. 失礼するよ，午後からデートの約束があるんだ．
4〘医〙食餌(しょくじ)療法，ダイエット．
a todo plan《口語》派手に，豪勢に．
en plan de ... / en plan《＋形容詞》…として，…のつもりで，…の態度で．*en plan de* broma 冗談に．*en plan* político 政治的見地から．Vamos a pasarlo *en plan* grande. 思いっきり楽しくやろうよ．
hacer plan a《＋uno》《口語》〈人〉に都合がいい，ふさわしい．

pla·na [plána プラナ] 名女 **1**〘印刷〙ページ，紙面；ページ組み．a toda plana（新聞で）一面全部の．
2 平原，平地．**3**〘技術〙（左官の）こて．
—— 形女 ➡ plano[1].
plana mayor〘軍事〙将校団，幕僚，参謀本部．

plan·cha [plántʃa プランチャ] 名女 **1** アイロン；アイロンがけ[仕上げ]．
2 金属板，板金；〘料理〙鉄板．*plancha* de blindaje（軍艦・戦車などの）装甲鋼板．gambas a la *plancha* 芝エビの鉄板焼き．
3〘印刷〙（鉛）版．
4《口語》へま，どじ．tirarse [hacer] una *plancha* どじを踏む．

plan·cha·do, da [plantʃáðo, ða プランチャド, ダ] 名男 アイロンがけ，プレス；《集合》アイロンをかけた衣類．
—— 過分 形 アイロンがけした，プレスされた．

plan·char [plantʃár プランチャル] 動他 …にアイロンをかける，プレスする．*planchar* una camisa ワイシャツにアイロンをかける．mesa de *planchar* アイロン台．

plan·cha·zo [plantʃáθo プランチャソ] 名男
1《口語》大失敗，へま．tirarse un *planchazo* どじを踏む．
2（軽い）アイロンがけ．dar un *planchazo* 軽くアイロンをかける．

planc·ton [pláŋkton プランクトン] 名男 プランクトン．

pla·ne·a·dor [planeaðór プラネアドル] 名男〘航空〙グライダー．

pla·ne·ar [planeár プラネアル] 動他 …の計画を立てる；…の設計図を描く．
—— 動自 滑空する．

pla·ne·ta [planéta プラネタ] 名男〘天文〙惑星，遊星．nuestro *planeta* 地球．*pla-*

P

neta menor 小惑星. ► 恒星は estrella.

pla·ne·ta·rio, ria [planetárjo, rja プらネタリオ, リア] 形 惑星の. sistema *planetario* 太陽系惑星.
—— 名男 プラネタリウム.

pla·ni·cie [planíθje プらニしエ] 名女 大平原, 平野.

pla·ni·fi·car [planifikár プらニフィカル] [8 c → qu] 動他 計画[立案]する.

pla·no[1], na [pláno, na プらノ, ナ] 形 [複 ~s]〔英 flat〕平らな, 平坦な. terreno *plano* 平地. superficie *plana* 平面. zapatos *planos* 踵(かかと)の低い靴.

pla·no[2] [pláno プらノ] 名男 [複 ~s]〔英 plan〕 **1** 平面図; 設計図. hacer [levantar] un *plano* 図面を引く. *plano* acotado〔地理〕等高線地図.
2 市街地図 (= *plano* de la ciudad). →mapa【参考】.
3 面, 平面; 局面. *plano* inclinado 斜面. estudiar desde el *plano* teórico 理論面から研究する. Están en un *plano* social diferente. 彼らは違う世界に生きている.
4〔テレビ〕〔映画〕〔写真〕ショット, ワンシーン;〔美術〕景. *plano* general [largo] ロングショット. primer *plano* クローズアップ. en el primer [segundo, último] *plano* del cuadro 前景[中景, 遠景]に.
de plano 正面から, じかに; 正直に, 率直に. caer *de plano* ばったり前に倒れる. El sol me daba *de plano* en la cara. 私は顔にじかに太陽を浴びていた.
estar en primer plano 脚光を浴びる.

plan·ta [plánta プらンタ] 名女 [複 ~s]〔英 plant〕
1 植物, 草木; 作物, 苗. *plantas* trepadoras つる植物. *plantas* tropicales 熱帯植物.
2 階. *planta* baja 1階 (→ casa 図). →piso.
3 工場施設, プラント. *planta* eléctrica 発電所.
4 足の裏.
—— 動 → plantar.
de nueva planta 新築で. construir una casa *de nueva planta* 家を新築する.
echar plantas 《口語》威張りちらす.
tener buena planta 《口語》容姿[体格]がよい.

plan·ta·ción [plantaθjón プらンタしオン] 名女 **1**〔農業〕〔園芸〕植え付け, 植栽; 《集合》作物.
2 大規模農場, プランテーション.

plan·ta·do, da [plantáðo, ða プらンタド, ダ] 過分 形 (植物が) 植わった, 植え付けられた.
bien plantado 《口語》容姿[風采(ふうさい)]のよい.
dejar a 《+uno》 ***plantado*** 《口語》〈人〉と会う約束をすっぽかす;〈人〉と突然縁を切る,〈人〉を見捨てる.
dejarlo todo plantado 《口語》何もかも捨てる; 中断する, ほうっておく.
quedarse plantado 《口語》待ちぼうけを食う; 立ち往生する.

plan·tar [plantár プらンタル] 動他〔英 plant〕 **1** (植物を) 植える.
2 設置する, (杭(くい)などを) 打ち込む, (地面に) しっかり立てる.
3 《口語》(一撃を) 食らわす; (無遠慮な言葉を) 投げつける; (嫌なことを) 押しつける.
4 《口語》《+en》…に追い出す; …にぶち込む. *plantar* a 《+uno》 *en* la calle〈人〉を追い出す; 解雇する. *plantar* a 《+uno》 *en* la cárcel〈人〉を監獄にぶち込む.
5 《口語》…との約束をすっぽかす, …に待ちぼうけを食わせる.
6 《口語》黙らせる.
—— **plantar·*se*** 《口語》 **1** 突っ立つ, 立ち尽くす, 立ちはだかる.
2 《+en》(ある場所に短時間で) 着く.
3 頑として聞き入れない, 譲らない.

plan·te·a·mien·to [planteamjénto プらンテアミエント] 名男 提起, 起案.

plan·te·ar [planteár プらンテアル] 動他 (問題などを) 提起する, 提出する; 企てる, 計画する. *plantear* muchas dificultades 多くの問題を提起する. *plantear* la cuestión de confianza 信任投票を要求する.

plan·tel [plantél プらンテる] 名男 **1** 苗床.
2 養成所, 訓練所.

plan·ti·fi·car [plantifikár プらンティフィカル] [8 c → qu] 動他 **1** 《口語》→ plantar 3-4. **2** 設立する, 創設する.
—— **plan·ti·fi·car·*se*** → plantarse 2.

plan·tí·gra·do, da [plantíɣraðo, ða プらンティグラド, ダ] 形〔動物〕蹠行(しょこう)する.
—— 名男〔動物〕蹠行動物: ヒト, クマなどのように, 足の裏を地につけて歩く動物.

plan·ti·lla [plantíʎa プらンティリャ] 名女
1 《集合》職員, 従業員. empleado de *plantilla* 常勤職員.
2 縮小図; 区分図.
3 (靴の) 中敷き; 靴底.
4 雲形(くもがた)定規.

plan·tí·o [plantío プらンティオ] 名男 畑, 栽培場. *plantío* de patatas ジャガイモ畑.

plan·tón [plantón プらントン]
dar (un) plantón a 《+uno》《口語》〈人〉に待ちぼうけを食わせる.
estar de plantón 《口語》待ちぼうけを食う.

pla·ñi·de·ro, ra [plaɲiðéro, ra プらニィデロ, ラ] 形 悲しげな. voz *plañidera* 悲しげな声, 涙声.

pla·ñi·do [plaɲíðo プらニィド] 名男 慟哭(どうこく), 嘆き.

pla·ñir [plaɲír プらニィル] 36 動自他 [現分 plañendo] 慟哭(どうこく)する; 嘆き悲しむ.

pla·que·ta [plakéta プらケタ] 名女 **1**〔解剖〕血小板. **2** 化粧タイル.

P

plas·ma [plásma プラスマ] 名男 〘生化〙プラズマ, 血漿(けっしょう); 〘生物〙原形質 (＝protoplasma); 〘物理〙プラズマ.

plas·mar [plasmár プラスマル] 動他 形作る, 造形する; (イメージを) 形象する, 表現する.

—— 動自 **plas·mar·se** 《＋en》 …となって具体化する.

plas·ta [plásta プラスタ] 名女 《口語》厄介な[うんざりさせる]人; 不手際なこと; ひどい代物.

hacerse una plasta ぺしゃんこになる; ぐしゃぐしゃになる.

plas·ti·ci·dad [plastiθiðáð プラスティシダ(ドゥ)] 名女 可塑性; 柔軟性, 適応性.

plás·ti·co, ca [plástiko, ka プラスティコ, カ] 形 **1** 造形の, 造形的な. artes *plásticas* 造形芸術.

2 可塑性の. materias *plásticas* 可塑性物質[材料].

3 プラスチック (製) の, 合成樹脂 (製) の.

4 表現力のある. una descripción *plástica* 生き生きとした描写.

5 〘医〙形成の. cirugía *plástica* 形成外科 (手術).

—— 名男 プラスチック, 合成樹脂.

plas·ti·fi·ca·ción [plastifikaθjón プラスティフィカシオン] 名女 プラスチック[合成樹脂]加工.

plas·ti·fi·car [plastifikár プラスティフィカル] [⑧ c → qu] 動他 プラスチック[合成樹脂]加工を施す

pla·ta [pláta プラタ] 名女 〔英 silver〕

1 銀.

2 《集合》銀製品. limpiar la *plata* 銀器を磨く.

3 銀貨; 《ラ米》お金, 富 (＝ dinero). hacer *plata* 金持ちになる. tener mucha *plata* 資産家である. sin *plata* 一文無しの.

Pla·ta [pláta プラタ] 固名 La *Plata* ラプラタ: アルゼンチン Buenos Aires 州の州都, 港湾都市. → Río de la Plata.

pla·ta·for·ma [plataf́orma プラタフォルマ] 名女 **1** 台, 壇; 演壇. *plataforma* de lanzamiento (ロケットなどの) 発射台. *plataforma* continental 大陸棚.

2 (バス・電車の) 乗降口, デッキ.

3 (政党の) 綱領. *plataforma* electoral 選挙公約.

pla·ta·nal [platanál プラタナル] / **pla·ta·nar** [-nár -ナル] 名男 バナナ農園.

plá·ta·no [plátano プラタノ] 名男 [複 ～s] 〔英 banana〕 **1** 〘植物〙バナナ (の木・実). ► 中南米では主に banana を用いる.

2 〘植物〙プラタナス, スズカケノキ (鈴懸の木).

pla·te·a [platéa プラテア] 名女 〘演劇〙平土間席, 1階前方の席.

pla·te·a·do, da [plateáðo, ða プラテアド, ダ] 過分 形 銀色の; 銀めっきした.

pla·te·ar [plateár プラテアル] 動他 銀めっきする, 銀を張る.

pla·ten·se [platénse プラテンセ] 形 ラプラタ川の; (アルゼンチンの) ラプラタ市 La Plata の.

—— 名男女 ラプラタ川流域の住民 (＝rioplatense) ; ラプラタの住民.

pla·te·res·co, ca [platerésko, ka プラテレスコ, カ] 形 〘建築〙プラテレスク様式の.

—— 名男 〘建築〙プラテレスク様式: 16世紀スペインの技巧的な建築様式.

pla·te·rí·a [platería プラテリア] 名女 銀細工 (術); 銀細工店. artículos de *platería* 銀細工製品.

pla·te·ro, ra [platéro, ra プラテロ, ラ] 形 (ロバが) 銀灰色の.

—— 名男 銀細工職人.

plá·ti·ca [plátika プラティカ] 名女 **1** 話, 会話, おしゃべり. estar de [sostener una] *plática* おしゃべりをしている, 話の最中である. **2** (教会の) 短い説教.

pla·ti·car [platikár プラティカル] [⑧ c → qu] 動自 話をする; (司祭が) 説教する.

pla·ti·llo [platíʎo プラティリョ] 名男

1 (カップの) 受け皿, ソーサー; 天秤(てんびん)皿.

2 [普通 ～s] 〘音楽〙シンバル.

platillo volante 空飛ぶ円盤.

pla·ti·na [platína プラティナ] 名女 (顕微鏡の) 載物台; (機械の) 工作台, ステージ.

pla·ti·no [platíno プラティノ] 名男 〘化〙白金, プラチナ.

pla·to [pláto プラト] 名男 〔複 ～s〕 〔英 plate, dish〕

1 皿. *plato* hondo [llano] 深皿[平皿]. *plato* sopero スープ皿. lavar [fregar] los *platos* 皿を洗う.

2 料理, 一品. *plato* combinado セットメニュー. *plato* del día 日替わりメニュー. primer *plato* (前菜の後の) 最初の料理.

3 皿状のもの; 天秤(てんびん)皿; 〘スポ〙(射撃の) クレー・ピジョン; 〘車〙(クラッチ) 板. *plato* giratorio (レコードプレーヤーの) ターンテーブル.

comer en un mismo plato たいへん仲が良い, 同じ釜(かま)の飯を食う.

no haber quebrado [***roto***] ***un plato*** 過ちを犯したことがない.

pagar los platos rotos 割を食う.

pla·tó [plató プラト] 名男 〘映画〙〘テレビ〙(スタジオの) セット.

pla·tó·ni·co, ca [platóniko, ka プラトニコ, カ] 形 プラトニックな; プラトン Platón (前427–347) の, プラトン哲学[学派]の.

plau·si·ble [plausíβle プラウシブレ] 形 賞賛できる, 立派な; もっともらしい.

pla·ya [plája プラヤ] 名女 [複 ～s] 〔英 beach〕 浜辺, 砂浜, 海水浴場. En la *playa* hay muchos bañistas. 浜辺にはたくさんの海水浴客がいる. ir a la *playa* 浜辺[海水浴]に行く. ►playa は浜辺などの

砂地. costa は海岸または海岸地帯.

pla·ye·ro, ra [plaǰéro, ra プらイェロ, ラ] 形 海浜の; 海水浴用の.
—— 名女 **1** Tシャツ.
2 [普通 ～s] スニーカー.

pla·za [pláθa プらさ] 名女 [複 ～s] 〔英 square ; place〕
1 **広場** 《略 plza.》. *Plaza* de Colón コロンブス広場. *Plaza* Mayor マヨール広場. reunirse en una *plaza* 広場に集合する. ➡ ciudad 図.
2 **席**, 座席; 空間, スペース. reservar una *plaza* 座席を予約する. aparcamiento [estacionamiento] de quinientas *plazas* 500台収容の駐車場. Aunque éramos sólo 20, viajábamos en un autobús de 40 *plazas*. 私たちは20人だったが40人乗りのバスで旅行した.
3 市場. ir a la *plaza* 市場へ行く.
4 地位, ポスト (= puesto). *plaza* vacante 欠員, 空席.
5 要塞(ようさい)(都市) (= *plaza* fuerte).
hacer plaza 場所をあける.
plaza de toros 〘闘牛〙闘牛場.
sacar a la plaza 公にする, 公表する.

pla·zo [pláθo プらそ] 名男 [複 ～s] 〔英 term〕 **1** **期間**; **期限**. en un *plazo* de quince días 2週間で. dar a 《+uno》 un mes de *plazo* para pagar 〈人〉に1か月の支払い期限をつける. El *plazo* vence mañana. 明日が満期です. vencimiento del *plazo* 支払い期日, 満期日. **2** 分割払い (の1回分). Lo pagaré en doce *plazos*. 12回払いにします.
a corto plazo 短期(間)の. un préstamo *a corto plazo* 短期貸し付け.
a largo plazo 長期(間)の.
a plazos 分割払いで. pagar [comprar] *a plazos* ローンで払う[買う].

pla·zo·le·ta [plaθoléta プらそれタ] / **pla·zue·la** [-θwéla -すエら] 名女 [plaza の 小] 小さな広場.

ple·a·mar [pleamár プれアマル] 名女 満潮(時), 高潮(期) (↔ bajamar).

ple·be·yo, ya [pleβéjo, ja プれベヨ, ヤ] 形 **1** 庶民の, 平民の. **2** 卑俗な, 粗野な.
—— 名男女 庶民, 平民.

ple·bis·ci·ta·rio, ria [pleβisθitárjo, rja プれビしタリオ, リア] 形 国民投票の.

ple·bis·ci·to [pleβisθíto プれビしト] 名男 国民投票. ➡referéndum.

plec·tro [pléktro プれクトゥロ] 名男 〘音楽〙(弦楽器の)つめ, ピック.

ple·ga·ble [pleɣáβle プれガブれ] 形 折り畳める, 折り畳み式の. silla *plegable* 折り畳み式の椅子.

ple·ga·do [pleɣáðo プれガド] 名男 プリーツ, 折り目; ひだ[プリーツ]をつけること, 折り畳むこと.

ple·gar [pleɣár プれガル] [32 g ➡ gu ; 42 e ➡ ie] 動他 折り畳む; ひだ[プリーツ]をつける.
—— **ple·gar·*se*** 《+a》 …に屈服する, 服従する.

ple·ga·ria [pleɣárja プれガリア] 名女 祈り (= oración).

plei·te·ar [pleiteár プれイテアル] 動自 訴訟を起こす.

plei·te·sí·a [pleitesía プれイテシア] 名女 敬意, 尊敬. rendir *pleitesía* a 《+uno》 〈人〉に深く敬意を表する.

plei·to [pléito プれイト] 名男 **1** 〘法律〙訴訟. entablar *pleito* 訴訟を起こす. ganar [perder] un *pleito* 勝訴[敗訴]する. poner *pleito* a 《+uno》 〈人〉を訴える.
2 争い, けんか; 反目.
dar el pleito por concluso 〘法律〙結審する.

ple·na·men·te [plénaménte プれナメンテ] 副 完全に, 全く.

ple·na·rio, ria [plenárjo, rja プれナリオ, リア] 形 完全な; 全体的な. asamblea *plenaria* 総会, 全体会議. indulgencia *plenaria* 〘カトリック〙全免償, 全贖宥(しょくゆう).

ple·ni·lu·nio [plenilúnjo プれニるニオ] 名男 満月 (= luna llena).

ple·ni·po·ten·cia [plenipoténθja プれニポテンしア] 名女 全権.

ple·ni·po·ten·cia·rio, ria [plenipotenθjárjo, rja プれニポテンしアリオ, リア] 形 全権の, 全権を委任された. embajador extraordinario y *plenipotenciario* 特命全権大使.
—— 名男女 全権大使[使節].

ple·ni·tud [plenitúð プれニトゥ(ド ゥ)] 名女
1 絶頂, 最盛期 (= apogeo). estar en la *plenitud* de ... …の絶頂期にいる.
2 十分, 完全, 充満.

ple·no, na [pléno, na プれノ, ナ] 形 《名詞の前に付けて》 まさに…の, …のただ中の; 最高 (潮) の. en *pleno* día 真っ昼間に. en *pleno* verano 真夏に. en *plena* calle 通りの真ん中で. a *pleno* sol ひなたで. en *plena* actividad まさに活動中の[で].
—— 名男 本会議, 総会.
en pleno 全体で; 全員一致で.

ple·o·nas·mo [pleonásmo プれオナスモ] 名男 〘修辞〙冗語(法).

ple·o·nás·ti·co, ca [pleonástiko, ka プれオナスティコ, カ] 形 〘修辞〙冗語の.

ple·pa [plépa プれパ] 名女 《口語》病気がちな人.

plé·to·ra [plétora プれトラ] 名女 〘医〙多血(症).

ple·tó·ri·co, ca [pletóriko, ka プれトリコ, カ] 形 **1** 多血(症)の.
2 《+de》 …がいっぱいの, …にあふれた.

pleu·ra [pléura プれウラ] 名女 〘解剖〙胸膜, 肋膜(ろくまく).

pleu·re·sí·a [pleuresía プれウレシア] 名女 〘医〙胸膜炎, 肋膜(ろくまく)炎.

pleu·ri·tis [pleurítis プれウリティス] 名女

P

［単・複同形］ ➡ pleuresía
ple·xi·glás [pleksiɣlás プれクシグらス] 名男 《商標》プレキシガラス：強化ガラス.
ple·xo [plékso プれクソ] 名男 《解剖》叢(そう)：神経・血管などの網状構造.
plé·ya·de [pléjaðe プれヤデ] 名女 **1** 傑出した人物集団.
2 [Pléyades] 《天文》プレアデス星団，すばる.
plie·go [pljéɣo プリエゴ] 名男 **1**（二つ折の）紙，用紙；《印刷》折り丁.
2 封書，手紙；書類.
pliego de cargos 《法律》告訴箇条.
plie·gue [pljéɣe プリエゲ] 名男 折り目；ひだ，プリーツ；《地質》褶曲(しゅうきょく). falda de *pliegues* プリーツ・スカート.
plin·to [plínto プリント] 名男 **1** 《建築》（円柱の）台座，方形台座.
2 《スポ》跳び箱.
pli·sar [plisár プリサル] 動他 ひだ[プリーツ]をつける.
plo·ma·da [plomáða プろマダ] 名女 下げ振り糸；（魚網の）おもり；《海事》測深線，測鉛.
plo·me·rí·a [plomería プろメリア] 名女
1 配管工事；配管技術.
2 鉛板でふいた屋根.
3 鉛（加工）工場.
plo·me·ro [ploméro プろメロ] 名男 鉛管［配管］工.
plo·mi·zo, za [plomíθo, θa プろミそ，さ] 形 鉛色の；鉛のような，うっとうしい.
plo·mo [plómo プろモ] 名男 **1** 《化》鉛.
2 鉛のおもり；（鉛の）散弾；《電気》ヒューズ.
3 《口語》退屈な人[物]，厄介な人[物].
caer a plomo 《口語》ばったり倒れる，ずしんと落ちる.
plu·ma [plúma プるマ] 名女 [複 ～s] 〔英 feather〕 **1** 羽，羽毛. *pluma* de ganso ガチョウの羽.
2 ペン. *pluma* estilográfica 万年筆. tomar la *pluma* ペンを執る，書き始める.
3 文筆活動；文体. vivir de SU *pluma* ペンで生計を立てる.
4 《スポ》（ボクシング）フェザー級. ➡peso.
plu·ma·je [plumáxe プるマヘ] 名男 **1** 《集合》羽毛. **2**（帽子などにつける）羽飾り.
plu·ma·zo [plumáθo プるマそ] 名男（ペンで）さっと線を引くこと.
de un plumazo たちどころに，瞬く間に.
plúm·be·o, a [plúmbeo, a プるンベオ，ア] 形 鉛の，鉛のように重い；うんざりする.
plúm·bi·co, ca [plúmbiko, ka プるンビコ，カ] 形 《化》鉛の，鉛を含む.
plu·me·ro [pluméro プるメロ] 名男 **1** 羽ぼうき，毛ばたき.
2 筆箱，ペン皿.
3（帽子の）羽飾り（＝plumaje).
4 《ラ米》ペン軸.
plu·mier [plumjér プるミエル] 名男 筆箱，ペン皿（＝plumero).［←フランス語］
plu·mí·fe·ro, ra [plumífero, ra プるミフェロ，ラ] 形 羽のある，羽のついた.
—— 名男女 《口語》《軽蔑》物書き.
plu·món [plumón プるモン] 名男（鳥の）綿毛，ダウン；羽布団.
plu·mo·so, sa [plumóso, sa プるモソ，サ] 形 羽で覆われた，羽毛の多い.
plu·ral [plurál プるラる] 形 複数の；複数形の（↔ singular).
—— 名男 複数，複数形《略 pl.》. poner una palabra en *plural* ある語を複数形にする.
plu·ra·li·dad [pluraliðáð プるラりダ(ドゥ)] 名女 **1** 複数，複数性. **2** 多数，大多数.
plu·ra·lis·mo [pluralísmo プるラりスモ] 名男 複数性，多元性.
plu·ra·li·zar [pluraliθár プるラりさル] [39 z ➡ c] 動他 **1** 《文法》複数（形）にする.
2 一般化する.
plu·ri·ce·lu·lar [pluriθelulár プるりせるらル] 形 多細胞の，多細胞から成る.
plu·riem·ple·o [plurjempléo プるリエンプれオ] 名男 兼職，兼業.
plu·ri·lin·güe [plurilíŋgwe プるりリングエ] 形 数か国語に通じた，数か国語を話す.
plus [plús プるス] 名男 臨時手当，ボーナス.
plus·cuam·per·fec·to [pluskwamperfékto プるスクアンペルフェクト] 名男 《文法》過去完了（＝pretérito *pluscuamperfecto*).
plus·mar·ca [plusmárka プるスマルカ] 名女 《スポ》新記録，レコード.
plus·va·lí·a [plusβalía プるスバリア] 名女（不動産などの）高騰，値上がり；剰余価値.
plu·to·cra·cia [plutokráθja プるトクラしア] 名女 金権政治，金権支配；富豪階級，財閥.
plu·tó·cra·ta [plutókrata プるトクラタ] 名男女 金権政治家，金権主義者；富豪，財閥.
Plu·tón [plutón プるトン] 固名 **1** 《天文》冥王星. ➡ solar 図.
2 《ギリシア神話》プルトン：冥界(めいかい)の王 Hades の呼称.
plu·to·nio [plutónjo プるトニオ] 名男 《化》プルトニウム：放射性元素.
plu·vial [pluβjál プるビアる] 形 雨の，雨による.
plu·vió·me·tro [pluβjómetro プるビオメトゥロ] 名男 雨量計，雨量測定器.
plu·vio·si·dad [pluβjosiðáð プるビオシダ(ドゥ)] 名女 降雨量.
plu·vio·so, sa [pluβjóso, sa プるビオソ，サ] 形 雨の多い，雨がよく降る
PNB [peneβé ペネベ] 《略》*p*roducto *n*acional *b*ruto 国民総生産〔英 GNP〕.
po·bla·ción [poβlaθjón ポブらしオン] 名女 [複 poblaciones]〔英 population〕
1 人口；住民. *población* activa 労働人口. concentración de la *población* 人口集中.
2 市町村，村落；人口密集地域. *población*

P

industrial 工業都市.

po·bla·do, da [poβláðo, ða ポブラド, ダ] 過分 形 (人・動物の) 住んでいる; (草木の) 生えている; (ひげの) 濃い, (眉の) 太い. *poblado* de … …の住む, …が生息する, …の生えている.

── 名 男 町, 都市, 村落.

po·bla·dor, do·ra [poβlaðór, ðóra ポブラドル, ドラ] 名 男 女 **1** 植民者, 入植者.

2 居住者, 住民.

po·blar [poβlár ポブラル] [13 o → ue] 動 他 **1** (ある土地に) 住まわせる; 植民する. *Pobló* las nuevas tierras con gente de su tierra. 彼は新しい土地に同郷の人たちを入植させた.

2 …に植える; …に生息させる. *poblar* un monte de árboles frutales 山に果樹を植える.

3 …に住む, 住みつく.

4 満たす, 一杯にする.

── **po·blar·*se*** (人口・動物などが) 増える; いっぱいになる.

po·bre [póβre ポブレ] [複 ~s] 形 〔英 poor〕

1 **貧しい**, 貧乏な. familia *pobre* 貧しい家庭. ser más *pobre* que una rata きわめて貧しい.

2 乏しい, 不足している. *pobre* en mineral 鉱物資源の乏しい. *pobre* de espíritu 心の貧しい. **3** 見すぼらしい, 貧相な, 貧弱な. tierra *pobre* やせた土地. traje *pobre* 粗末な衣服.

4 《名詞の前に付けて》**かわいそうな**, 哀れな, 不幸な. El *pobre* niño está herido. かわいそうに男の子はけがをしている.

── 名 男 女 貧しい人, 貧乏人; 乞食(こじき).

¡Pobre de mí! (私は) みじめだなあ.

¡Pobre desgraciado! かわいそうなやつだ.

¡Pobre de ti* [*de él*] *! かわいそうに.

P

po·bre·men·te [póβreménte ポブレメンテ] 副 貧しく; 哀れに.

po·bre·za [poβréθa ポブレさ] 名 女

1 貧乏, 貧困. vivir en la *pobreza* 暮らし向きが貧しい.

2 乏しさ, 少なさ. *pobreza* de recursos 資源の不足. *pobreza* de espíritu 気の弱さ, 臆病(おくびょう).

poca 形 代名 女 → poco[1].

po·cho, cha [pótʃo, tʃa ポチョ, チャ] 形

1 色あせた; 青ざめた. Estás muy *pocho*. 顔色がひどく悪いよ.

2 (果物が) 腐りかけた.

po·cil·ga [poθílɣa ポしるガ] 名 女 **1** 豚小屋. **2** 《口語》汚い場所.

pó·ci·ma [póθima ポしマ] 名 女 飲み薬, 煎(せん)じ薬.

po·ción [poθjón ポしオン] 名 女 → pócima.

po·co[1], ca [póko, ka ポコ, カ] [複 ~s] 形 《不定》〔英 little, few〕 **1** 《否定的に用いて》**ほとんど…ない**, 少しの…しかない. Estos cuadros son de *poco* interés. これらの絵はたいして見る価値がない. Son muy *pocos* los que se sienten culpables. 自分が悪いと感じている人はごくわずかだ. Su marido *pocas* veces come en casa. 彼女の夫はめったに家で食事をしない. *Pocos* minutos después los policías iniciaron la búsqueda. 数分後警察が捜索を開始した.

2 《肯定的に用いて》 **unos pocos / unas pocas** 《+複数名詞》少しの, いくつかの, 少数の. A *unos pocos* alumnos les interesa este tema. 何人かの学生がこのテーマに興味を抱いているだけだ. Sólo gano *unas pocas* pesetas. 私のもうけはほんのわずかだ.

── 代名 **1** 《不定》少しのもの[人]; わずかなもの[人]. dentro de *poco* すぐに, 間もなく. Hay *pocos* que están de acuerdo con él. 彼に賛成の人はごくわずかだ. Muchos *pocos* hacen un mucho. 《諺》塵(ちり)も積もれば山となる.

2 **un poco de** 《+数えられない名詞》**少しの**, 少量の, 若干の. Debías haber tenido *un poco de* paciencia. 君はもう少し辛抱すべきだったんだ. Tengo *un poco de* miedo. ちょっと怖いよ. *Un poco* más *de* leche, por favor. もう少しミルクを入れてください. ► この場合の poco は厳密には代名詞.

3 **un poco** 《副詞的に用いて》**少しは**, 多少. Hoy estoy *un poco* mejor. 今日は少し具合がいい. Mi novio es *un poco* más alto que ese chico. 私の彼のほうがあの子よりもう少し背が高いわ. ¿Hablas alemán? –Sí, *un poco*. 君, ドイツ語話せるの? –うん, 少しなら. Córrase *un poco* a la derecha. (席を) もう少し右へ詰めてください.

> **【参　考】 poco と un(os) poco(s)**
> 実質的には同じ数・量であっても *poco* は「少ししかない」と否定的に, *un poco* は「少しはある」と肯定的な意味になる.

No es poco. それはたいした[相当な] ものだ.

no poco(s) 《+名詞》少なからぬ, かなりの. Hemos gastado *no poco* dinero. 私たちはかなりのお金を費やした.

po·co[2] [póko ポコ] 副 《不定》《否定的に用いて》**ほとんど…ない**; ほんの少し, 少しも…ない. Este año llovió *poco*. 今年は雨が少なかった. *Poco* antes de que tú llegaras, se había marchado Paquita. 君が着くちょっと前にパキータは出て行った.

a poco de … …のすぐ後で (= *poco* después de …).

a* [*por*] *poco que 《+接続法》《条件を表して》少しでも…すれば, …しさえすれば. *Por*

poco que reflexiones, lo podrás entender. 少し考えれば分かるだろう.
poco a poco 少しずつ, 徐々に. *Poco a poco* va mejorando el enfermo. 病人は徐々に快方に向かっている.
por poco もう少しで[すんでのところで] …するところだった. *Por poco* me desmayo. もう少しで気絶するところだった. ► 動詞は現在形で用いられる.
ser para poco 体力がない; 凡庸である, ぱっとしない.
y por si fuera poco おまけに, かてて加えて. El día de campo llovió *y por si fuera poco* tuvimos una avería. ピクニックの日といったら雨にたたられ, おまけに車が故障してしまった.

po·da [póða ポダ] 名 女 刈り込むこと, 剪定(せんてい); 剪定期.

po·da·de·ra [poðaðéra ポダデラ] 名 女 [普通 ～s] 剪定(せんてい)ばさみ.

po·dar [poðár ポダル] 動 他 剪定(せんてい)する, 刈り込む, 切りそろえる.

po·den·co, ca [poðéŋko, ka ポデンコ, カ] 形 〔動物〕ポデンコ種の.
── 名 男 〔動物〕ポデンコ: ハウンド系の猟犬.

po·der

[poðér ポデル] 44 動 他 [現分 pudiendo ; 過分 podido] 〔英 can〕

直説法	
現在	**未来**
1・単 ***puedo***	1・単 ***podré***
2・単 ***puedes***	2・単 ***podrás***
3・単 ***puede***	3・単 ***podrá***
1・複 **podemos**	1・複 ***podremos***
2・複 **podéis**	2・複 ***podréis***
3・複 ***pueden***	3・複 ***podrán***
点過去	**線過去**
1・単 ***pude***	1・単 **podía**
2・単 ***pudiste***	2・単 **podías**
3・単 ***pudo***	3・単 **podía**
1・複 ***pudimos***	1・複 **podíamos**
2・複 ***pudisteis***	2・複 **podíais**
3・複 ***pudieron***	3・複 **podían**

接続法	可能
現在	
1・単 ***pueda***	1・単 ***podría***
2・単 ***puedas***	2・単 ***podrías***
3・単 ***pueda***	3・単 ***podría***
1・複 **podamos**	1・複 ***podríamos***
2・複 **podáis**	2・複 ***podríais***
3・複 ***puedan***	3・複 ***podrían***

命令法
2・単 ***puede***
2・複 **poded**

1 《助動詞的用法》《+不定詞》(1)《可能を表して》**…することができる**. Es tan lejos que no *podemos* ir andando. そこは遠すぎて歩いて行くことはできない. ¿*Podrías* salir esta noche? 今晩出かけられるかい? ¿Se *puede* saber qué le has hecho a esta chica? お前はこの娘に何をしたんだ?
(2)《許可を表して》**…してもよい**; 《否定文で禁止を表して》…してはいけない. Si te interesa *puedes* llevarte ese libro. 気に入ったのならその本を持っていっていいよ. No *podéis* fumar en el metro. 君たち, 地下鉄の中は禁煙だよ.
(3)《疑問文で依頼を表して》**…してくれますか**. ¿*Puede* usted llevármelo a mi domicilio? それを家まで届けてもらえますか? (► 可能形 *podría* を使うと婉曲(えんきょく)表現で, さらに丁寧な言い方になる).
(4)《推測を表して》**…かもしれない**; 《否定文・反語で》…であるはずがない. *Puede* que sea verdad todo lo que ha dicho. 彼が言ったことはすべて真実かもしれない. ¿Que no está en casa? No *puede* ser. 家にいないって? そんなはずはない.
(5)《線過去形・可能形・接続法過去形で非難を表して》…できたのに, …してもよさそうなものだ. *Podías* haberlo comprado en otra tienda. 別の店で買えたのに.
2 《不定詞を省略した形で》できる, 可能である. Te lo arreglaré cuando *pueda*. 手が空いたら直してやるよ. Lo hice como *pude*. 私は精一杯のことをやった.
3 《+**con**》…を我慢する, …に耐える; …を扱える. No *puedo con* estas maletas. 私一人ではこれらのスーツケースを持って行かれない.
── 名 男 [複 ～es] 〔英 power〕 **1 力**, 能力. *poder* adquisitivo 購買力. *poder* disuasivo 〔軍事〕戦争抑止力.
2 権力, 影響力; 政権. *poder* absoluto 絶対権力, 専横. partido en el [del] *poder* 政権政党, 政府与党. estar en el *poder* 政権を担当している.
3 強国, 列強.
4 〔法律〕権限. *poder* ejecutivo [judicial, legislativo] 行政[司法, 立法] 権. con plenos *poderes* 全権を任せられて. entregar los *poderes* 権限を委譲する.
5 所有. llegar [pasar] a *poder* de 《+uno》〈人〉の手に入る[移る].
a todo (su) ***poder*** 力いっぱい, 全力で.
bajo el poder de ... …の支配[管理]下に.
de poder a poder 対等に, 互角に.
estar en poder de 《+uno》〈人〉の支配下にある, 意のままである; 〈人〉の手中にある, 〈人〉が保管している.
no poder menos de [***que***] ... …せずにはいられない. *No pude menos que* contarle todo lo sucedido. 事件のことはすべて彼に話さずにはいられなかった.
obrar en poder de 《+uno》〈人〉の手中にある. Su carta *obra en mi poder*. お

手紙落掌いたしました.
¡Puede! おそらく, たぶん.
Puede (ser) que 《＋接続法》. …ということはあり得る, …であるかもしれない. *Puede que* vaya. 彼は行くかもしれない.
¿Se puede? 入ってもよろしいですか. ► どうぞは ¡Adelante!

po·de·rí·o [poðerío ポデリオ] 名男 **1** 力, 権力, 勢力. **2** 富, 財産.

po·de·ro·sa·men·te [poðerósaménte ポデロサメンテ] 副 強力[強烈]に, 非常に.

po·de·ro·so, sa [poðeróso, sa ポデロソ, サ] 形 力のある, 勢力のある. una nación *poderosa* 強国.
── 名男 権力者, 有力者. los *poderosos* 権力者(階級).

podido 過分 → poder.

po·dio [póðjo ポディオ] / **pó·dium** [-ðjum -ディウン] 名男 **1** 〔建築〕(列柱の土台となる)基壇, ポディウム.
2 (スポーツなどの)表彰台; 壇.

podr- 動 → poder. 44

po·dre·dum·bre [poðreðúmbre ポドゥレドゥンブレ] 名女 **1** 腐敗. un olor a *podredumbre* 腐敗臭. **2** 堕落, 退廃.

po·dri·do, da [poðríðo, ða ポドゥリド, ダ] 形 腐った, 腐敗した; 堕落した. Esta pera está *podrida*. このナシは腐っている. Huele a *podrido*. 腐敗臭がする. El gobierno de nuestro país está *podrido*. わが国の政府は腐敗している.

po·drir 動他 → pudrir. ► pudrir と同じ活用をする.

po·e·ma [poéma ポエマ] 名男 **1** (個々の)詩, 詩作品. *poema* en prosa 散文詩. *poema* en verso 韻文詩. *poema* heroico 英雄詩, 武勲詩. *poema* sinfónico 〔音楽〕交響詩. → verso.
2 《口語》風変わりな[面白い]人. ser un *poema* 変わり者だ.

po·e·sí·a [poesía ポエシア] 名女 **1** (ジャンルとしての)詩, 詩文; 《集合》詩. *poesía* bucólica 田園詩, 牧歌. *poesía* épica 叙事詩. *poesía* lírica 叙情詩. la *poesía* española contemporánea スペイン現代詩.
2 詩情, 詩趣.

po·e·ta [poéta ポエタ] 名男 [複 ～s] 〔英 poet〕 **詩人.** *poeta* laureado 桂冠(けいかん)詩人. ► 女性形は poetisa.

po·é·ti·co, ca [poétiko, ka ポエティコ, カ] 形 詩の, 詩的な, 詩情のある.
── 名女 作詩法, 詩学; 詩論.

po·e·ti·sa [poetísa ポエティサ] 名女 女性詩人. → poeta.

po·e·ti·zar [poetiθár ポエティさル] [39 z → c] 動他 詩にする; 理想化する.

po·la·co, ca [poláko, ka ポラコ, カ] 形 ポーランド Polonia の.
── 名男女 ポーランド人.
── 名男 ポーランド語.

po·lai·na [poláina ポライナ] 名女 ゲートル.

po·lar [polár ポラル] 形 (地球の)極の.

po·la·ri·dad [polariðáð ポラリダ(ドゥ)] 名女 〔物理〕極性; 両極性.

po·la·ri·zar [polariθár ポラリさル] [39 z → c] 動他 **1** 〔物理〕…に極性を持たせる, 分極する; 偏光させる.
2 (注意・視線などを)集中させる.

pol·ca [pólka ポるカ] 名女 〔音楽〕ポルカ: ボヘミア起源の2拍子の舞曲.

po·le·a [poléa ポれア] 名女 滑車; ベルト車.

po·lé·mi·co, ca [polémiko, ka ポれミコ, カ] 形 論争の; 争点の, 問題となっている.
── 名女 論争, 論戦.

po·le·mis·ta [polemísta ポれミスタ] 名男女 論客, 論争者.

po·le·mi·zar [polemiθár ポれミさル] [39 z → c] 動自 論争する, 論議する.

po·len [pólen ポれン] 名男 〔植物〕花粉.

po·le·o [poléo ポれオ] 名男 〔植物〕ハッカ(薄荷); ハッカのハーブ茶.

poli- 「多」の意を表す造語要素. ⇒ *polí*gono, *poli*sílabo など.

po·li·cí·a

[poliθía ポりしア] [複 ～s] 名女 〔英 police〕 **警察.** Avisé alarmado a la *policía*. 私は怖くなって警察に通報した. *policía* urbana [municipal] 市警察. *policía* judicial 司法警察. *policía* militar 憲兵《略 P.M.》. *policía* nacional 国家警察. *policía* secreta 私服捜査官(の部局). → comisaría.
── 名男女 〔英 policeman, policewoman〕 **警察官**, 警官, 巡査; 婦人警官 (= mujer *policía*). Los *policías* detuvieron a un joven como presunto autor del atraco al banco. 警官は銀行強盗の容疑で1人の青年を逮捕した. → guardia.

po·li·cia·co, ca [poliθjáko, ka ポりしアコ, カ] / **po·li·cí·a·co, ca** [-θíako, ka -しアコ, カ] 形 **1** 警察の, 警官の.
2 探偵の.

po·li·cial [poliθjál ポりしアる] 形 → policiaco.

po·li·clí·ni·ca [poliklínika ポりクりニカ] 名女 総合病院. → hospital.

po·li·cro·ma·do, da [polikromaðo, ða ポりクロマド, ダ] 形 彩色された.

po·li·cro·mí·a [polikromía ポりクロミア] 名女 多色, 多色性.

po·li·cro·mo, ma [polikrómo, ma ポりクロモ, マ] / **po·lí·cro·mo, ma** [polí ポり-] 形 多色の.

po·li·de·por·ti·vo, va [poliðeportíβo, βa ポりデポルティボ, バ] 名男 総合運動場, スポーツセンター.
── 形 総合運動場の.

po·lie·dro [poljéðro ポりエドゥロ] 形 [男性形のみ] 〔数〕多面の.
── 名男 〔数〕多面体.

P

po·li·fa·cé·ti·co, ca [polifaθétiko, ka ポリファセティコ, カ] 形 多方面の, 多才な, 多芸の.
po·li·fo·ní·a [polifonía ポリフォニア] 名女 〘音楽〙ポリフォニー, 対位法.
po·li·fó·ni·co, ca [polifóniko, ka ポリフォニコ, カ] 形 〘音楽〙ポリフォニーの, 対位法的な.
po·li·ga·mia [poliɣámja ポリガミア] 名女 一夫多妻(制). ➡monogamia.
po·lí·ga·mo, ma [políɣamo, ma ポリガモ, マ] 形 一夫多妻の.
—— 名男 一夫多妻者.
po·lí·glo·to, ta [políɣloto, ta ポリグロト, タ] / **po·li·glo·to, ta** [poliɣló- ポリグロ-] 形 多言語に通じた, 多言語で書かれた.
—— 名男女 多言語に通じた人.
po·li·go·nal [poliɣonál ポリゴナル] 形 〘数〙多角形の.
po·lí·go·no, na [políɣono, na ポリゴノ, ナ] 名男 **1** 〘数〙多角形, 多辺形. **2** (都市計画の)地区, 地域. *polígono* industrial 工業団地.
—— 形 ➡ poligonal.
po·li·lla [políʎa ポリリャ] 名女 〘昆虫〙イガ(衣蛾), シミ(衣魚).
po·li·me·ri·za·ción [polimeriθaθjón ポリメリさしオン] 名女 〘化〙重合.
po·li·mor·fo, fa [polimórfo, fa ポリモルフォ, ファ] 形 多形の, 多様な性質[様式]を持つ.
po·li·ne·sio, sia [polinésjo, sja ポリネシオ, シア] 形ポリネシア Polinesia の.
—— 名男女ポリネシア人.
po·li·ni·za·ción [poliniθaθjón ポリニさしオン] 名女 〘植物〙受粉(作用).
po·li·no·mio [polinómjo ポリノミオ] 名男 〘数〙多項式.
po·li·no·sis [polinósis ポリノシス] 名女 [単・複同形] 〘医〙花粉症(= catarro primaveral).
po·lio [póljo ポリオ] 名女 ➡ poliomielitis.
po·lio·mie·li·tis [poljomjelítis ポリオミエリティス] 名女 〘医〙ポリオ, 小児麻痺(ひ).
pó·li·po [pólipo ポリポ] 名男 〘動物〙ポリプ; 〘医〙ポリープ.
po·li·sí·la·bo, ba [polisílaβo, βa ポリシらボ, バ] 形 〘文法〙多音節の.
—— 名男 〘文法〙多音節語.
po·li·téc·ni·co, ca [politékniko, ka ポリテクニコ, カ] 形理工科の.
—— 名男 工科大学(= universidad *politécnica*).
po·li·te·ís·mo [politeísmo ポリテイスモ] 名男 多神教, 多神論(↔ monoteísmo).
po·li·te·ís·ta [politeísta ポリテイスタ] 形 多神教の, 多神論の.
—— 名男女 多神教徒, 多神論者.
po·lí·ti·ca [polítika ポリティカ] 名女 [複 ~s] 〔英 politics; policy〕 **1** **政治**; 政治活動. *política* internacional 国際政治. hablar de *política* 政治を論じる.
2 **政策**. *política* exterior 外交政策.
3 策略; 手腕.
—— 形名女 ➡ político.
po·lí·ti·co, ca [polítiko, ka ポリティコ, カ] [複 ~s] 形 〔英 political〕 **1** **政治の**, 政治的な. partido *político* 政党.
2 外交的な, 如才ない.
3 義理の, 姻戚(いんせき)の. padre *político* 義父. hija *política* 義理の娘, (息子の) 嫁. por parte *política* 婚姻による, 妻[夫]の. ➡ familia 【参考】.
—— 名男女 〔英 politician〕 政治家.
po·li·ti·que·ar [politikeár ポリティケアル] 動自 《口語》政治に手を出す; 政治談義をする
po·li·va·len·te [poliβalénte ポリバレンテ] 形 **1** 〘化〙多価の.
2 〘医〙(治療法・薬などが) 多効性の.
pó·li·za [póliθa ポリさ] 名女 **1** 収入印紙, 証紙. **2** 証書, 証券. *póliza* de seguro 保険証書.
po·li·zón [poliθón ポリそン] 名男 密航者.
po·lla [póʎa ポリャ] 名女 **1** (雌の) 若鶏.
2 《口語》若い女. **3** 《俗語》陰茎.
po·lla·da [poʎáða ポリャダ] 名女 《集合》一孵(かえ)りの雛(ひな).
po·lle·rí·a [poʎería ポリェリア] 名女 鶏肉[鳥肉]店.
po·lle·ro, ra [poʎéro, ra ポリェロ, ラ] 名男女 鳥肉屋; 養鶏家.
po·lli·no, na [poʎíno, na ポリィノ, ナ] 名男女 **1** (若い) ロバ(驢馬). **2** 間抜け.
po·llo [póʎo ポリョ] 名男 [複 ~s] 〔英 chicken〕 **1** **若鶏**; 鶏肉. *pollo* asado ローストチキン. ► 雄鶏(おんどり)は gallo, 雌鶏(めんどり)は gallina.
2 《口語》子供, 若者.
3 《口語》ずるいやつ.
po·lo [pólo ポろ] 名男 **1** (地球の) 極, 極地. *polo* norte 北極. *polo* sur 南極. ➡ tierra 図.
2 〘電気〙電極; (磁石の) 極. *polo* negativo 陰極. *polo* positivo 陽極.
3 アイスキャンデー(= *polo* helado).
4 対極, 正反対. Lo que piensas tú es el *polo* opuesto de lo que piensa él. 君の考えは彼の考えと真っ向から対立するものだ. **5** (注目・関心の) 的; (経済活動などの) 中心地.
6 〘スポ〙ポロ(競技). *polo* acuático 水球.
7 ポロシャツ.
po·lo·ne·sa [polonésa ポろネサ] 名女 〘音楽〙ポロネーズ.
Po·lo·nia [polónja ポろニア] 固名 ポーランド(共和国): 首都 Varsovia.
pol·trón, tro·na [poltrón, tróna ポるトゥロン, トゥロナ] 形怠惰な.
—— 名女 安楽椅子.
pol·tro·ne·rí·a [poltronería ポるトゥロネ

P

リア] 名女 怠惰.

po·lu·ción [poluθjón ポるしオン] 名女
1 汚染, 公害 (= contaminación). *polución* atmosférica 大気汚染.
2 〘医〙遺精. *polución* nocturna 夢精.

pol·va·re·da [polβaréða ポるバレダ] 名女 土煙, 砂ぼこり; 大騒ぎ. levantar una *polvareda* 砂ぼこりを立てる; ひと騒動起こす.

pol·ve·ra [polβéra ポるベラ] 名女 (化粧用) コンパクト.

pol·vo [pólβo ポるボ] 名男 [複 ～s] 〔英 dust; powder〕
1 ほこり, 塵(ちり). quitar [limpiar] el *polvo* ほこりを払う.
2 粉, 粉末. en *polvo* 粉末状の. café en *polvo* インスタントコーヒー.
3 [～s] パウダー; おしろい. ponerse *polvos* パウダーをはたく. *polvos* de talco タルカムパウダー.
4 一つまみ.
echar un polvo 《俗語》セックスする.
estar hecho polvo 《口語》へとへとになる.
hacer polvo 《口語》台無しにする; 疲れさせる, うんざりさせる (= fastidiar).
levantar polvo ほこりを立てる; 騒ぎ立てる.
morder el polvo たたきのめされる; 屈辱を受ける.
sacudir a 《+uno》 ***el polvo*** 〈人〉を殴る.

pól·vo·ra [pólβora ポるボラ] 名女 **1** 火薬. *pólvora* negra 黒色火薬.
2 《集合》花火 (= fuegos artificiales).
haber descubierto [***inventado***] ***la pólvora*** 陳腐な話をする.
ser como la pólvora てきぱきしている.
tirar con pólvora ajena 人の金で遊ぶ.

P

pol·vo·rien·to, ta [polβorjénto, ta ポるボリエント, タ] 形 ほこりだらけの.

pol·vo·rín [polβorín ポるボリン] 名男
1 火薬庫, 弾薬庫; 《比喩》火薬庫, 紛争地帯. **2** 黒色火薬.

pol·vo·rón [polβorón ポるボロン] 名男 〘料理〙ポルボロン: 小麦粉, 砂糖, バターで作った菓子で, 口に含むとすぐ溶ける.

po·ma·da [pomáða ポマダ] 名女 〘医〙軟膏(なんこう).

po·mar [pomár ポマル] 名男 果樹園; リンゴ園.

po·me·lo [pomélo ポメろ] 名男 〘植物〙グレープフルーツ (の実・木) (= toronja).

pó·mez [pómeθ ポメす] 名女 軽石 (= piedra *pómez*).

po·mo [pómo ポモ] 名男 **1** (刀・杖(つえ)の) 柄頭(つかがしら).
2 (ドアなどの) ノブ, 握り. ➡ llave 図.
3 (香水などの) 小瓶.

pom·pa [pómpa ポンパ] 名女 **1** 荘厳, 華麗; 虚飾. con gran *pompa* 華々しく, 絢爛(けんらん)豪華に. **2** 泡, あぶく. *pompa* de jabón シャボン玉.
pompas fúnebres 葬式, 葬列.

pom·po·si·dad [pomposiðáð ポンポシダ(ドゥ)] 名女 **1** 華麗さ. **2** 仰々しさ.

pom·po·so, sa [pompóso, sa ポンポソ, サ] 形 **1** 華麗な. un banquete *pomposo* 豪華な宴会.
2 (文体などの) 仰々しい.

pó·mu·lo [pómulo ポムろ] 名男 〘解剖〙頬骨(ほおぼね). *pómulos* salientes 高い頬骨.

pon 動 ➡ poner. 45

pon·che [póntʃe ポンチェ] 名男 パンチ.

pon·che·ra [pontʃéra ポンチェラ] 名女 パンチ・ボール.

pon·cho [póntʃo ポンチョ] 名男 〘服飾〙ポンチョ.

pon·de·ra·ción [ponderaθjón ポンデラしオン] 名女 **1** 賞賛. **2** 慎重.

pon·de·rar [ponderár ポンデラル] 動他
1 褒めたたえる (= elogiar).
2 慎重に検討する.

pon·de·ra·ti·vo, va [ponderatíβo, βa ポンデラティボ, バ] 形 **1** 賞賛の.
2 誇張的な, 過度の, 大げさな.

pondr- 動 ➡ poner. 45

po·ne·dor, do·ra [poneðór, ðóra ポネドル, ドラ] 形 (よく) 卵を産む.

po·nen·cia [ponénθja ポネンしア] 名女 報告, 発表.

po·nen·te [ponénte ポネンテ] 形 報告 [発表] する. ── 名男女 報告 [発表] 者.

po·ner [ponér ポネル] 45 動他 [現分 poniendo; 過分 puesto, ta] 〔英 put〕
1 置く, 載せる, 入れる; 着せる. ¿Dónde *pongo* esta maleta? このスーツケースはどこに置きましょうか. ¿Dónde *habré puesto* mis gafas? メガネをどこへ置いたかしら? *Pon* estos libros aparte. これらの本は別にしておいてくれ. ¿Me *pone* un poco de hielo, por favor? 少し氷を入れてくれませんか. Le *puse* la manta para que no se enfriara. 風邪を引かないように私は彼に毛布をかけてやった. El AVE te *pone* en Sevilla en tres horas. (新幹線の) AVEで行けば3時間でセビーリャに着ける. ¿Me puede usted *poner* con la señora López? 《電話》ロペスさんにつないでいただけませんか.
2 付ける, 設置する; 与える. *Han puesto* nuevos modelos en el escaparate. 新製品がショーウィンドーに陳列されている. *Han puesto* aire acondicionado en todas las habitaciones del hotel. ホテルの全室にエアコンが設置された. Le *pusieron* de [por] nombre Alejandro. 彼はアレハンドロと名付けられた.
3 スイッチを入れる, 作動させる, セット

直説法	
現在	**未来**
1・単 ***pongo***	1・単 ***pondré***
2・単 **pones**	2・単 ***pondrás***
3・単 **pone**	3・単 ***pondrá***
1・複 **ponemos**	1・複 ***pondremos***
2・複 **ponéis**	2・複 ***pondréis***
3・複 **ponen**	3・複 ***pondrán***
点過去	**線過去**
1・単 ***puse***	1・単 **ponía**
2・単 ***pusiste***	2・単 **ponías**
3・単 ***puso***	3・単 **ponía**
1・複 ***pusimos***	1・複 **poníamos**
2・複 ***pusisteis***	2・複 **poníais**
3・複 ***pusieron***	3・複 **ponían**

接続法	命令法
現在	2・単 ***pon***
1・単 ***ponga***	2・複 **poned**
2・単 ***pongas***	
3・単 ***ponga***	
1・複 ***pongamos***	
2・複 ***pongáis***	
3・複 ***pongan***	

する. *poner* la radio [televisión] ラジオ[テレビ]をつける. *poner* la luz 電気をつける. *poner* el despertador a las seis y media 目覚まし時計を6時半にセットする. *poner* el canal 2 2チャンネルに合わせる.

4 《形容詞などを伴って》(ある状態に) する, させる; 《+**a** 不定詞》…する, させる. Esa noticia nos *puso* tristes. その知らせを聞いて私たちは悲しくなった. Tus palabras le *pusieron* de mal humor. 君の発言で彼は不機嫌になった. *Ponga* usted esta frase en español. このフレーズをスペイン語に変えなさい. *Ponga* la sopa *a* calentar. スープを温めてください. Tuvo que *poner* a sus hijos *a* trabajar. 彼は息子たちを働きに出さなければならなくなった.

5 (税・罰金などを) 課す, 割り当てる. Me *han puesto* una multa. 私は罰金を課せられた.

6 設立する, (事業を) 起こす, 始める. Mi amigo *puso* una tienda en la Plaza Mayor. 友人がマヨール広場に店を開いた.

7 …の表情をする. *Puso* cara de asombro. 彼はびっくりした顔をした.

8 記入する; 述べる, 書いてある. *Ponga* usted aquí su nombre y su dirección. ここにお名前と住所を記入してください. *Han puesto* unas notas al final del libro. 巻末に注がつけられている. ¿Qué *pone* en este libro? この本には何て書いてあるの?

9 上演する, 上映する. Hoy *ponen* una película interesante en la tele. 今日テレビで面白い映画がある.

10 《ある種の名詞と共に》行う, する. *poner* la mesa 食卓を整える. *poner* un telegrama 電報を打つ.

11 《+**que**》…と仮定する. *Pongamos que* estamos en una época de crisis económica … 私たちはいま経済的な危機の時代にあると仮定しよう…. *poniendo que* … …と仮定して. ► 命令形または現在分詞形で用いられる.

12 《+**a, en**》…に注ぐ, かける, 費やす; …に (金を) 出す, 投資する. *poner* mucho celo *en* … …に非常な熱意を示す. *poner* gran cuidado *en* … …に多大の注意を払う. *poner* los ojos *en* … …に視線を注ぐ. *poner* énfasis *en* … …を強調する. *Ponga* Vd. una hora *en* llegar a la estación, y otra desde la estación a su casa. 駅まで1時間で, 駅からその人の家までもう1時間かかると思った方がよいだろう. *Pongo* 100 pesetas *a* que no lo haces. 君はそれをやらないよ, 100ペセタ賭(か)けてもいい.

13 《+**de, por, como**》…と見なす, 評価する. Le *ponen de* embustero. 彼はうそつきだという評判だ.

── **po·ner·*se*** **1** 着る, 身につける (↔ quitarse). *ponerse* el abrigo [la corbata, los guantes, el sombrero, los zapatos] コートを着る[ネクタイを締める, 手袋をはめる, 帽子をかぶる, 靴をはく]. *Ponte* algo encima. 上に何かはおりなさい.

2 《形容詞などを伴って》(ある状態に) なる. 変わる. *ponerse* como un tomate 真っ赤になる. *ponerse* de mal humor 不機嫌になる. Al oírlo,*se puso* furioso. それを聞くと彼はかんかんに怒った.

3 《+**a** 不定詞》…し始める. *Se puso a* escribir afanosamente. 彼は熱心に書き始めた.

4 (ある場所・状況に) 身を置く. ¡Pepe! *Ponte* al lado del señor López. ペペ, ロペスさんのそばに寄りなさい. *ponerse* al teléfono 電話に出る. *ponerse* de pie 立ち上がる. *ponerse* en camino 出発する. *ponerse* en contra de … …に反対する. *ponerse* en contacto [relación] con … …と接触[交渉]を持つ. *ponerse* en lugar de 《+uno》〈人〉の立場に立つ.

5 (太陽などが) 沈む.

ponerse con …と対抗する, …と張り合う.

ponerse a bien con 《+uno》〈人〉と仲良くする.

po·ney [póni ポニ] 名男 [複 poneys] ポニー, 小馬. [←〔英〕pony]

pong- 動 → poner. 45

poniendo 現分 → poner.

po·nien·te [ponjénte ポニエンテ] 名男 西; 西風 (= oeste) (↔ levante). ► 「西洋, 西欧」は occidente を使う.

Pon·te·ve·dra [ponteβéðra ポンテベ

P

ドゥラ] 固名 ポンテベドラ: スペイン北東部の県; 県都.

pon·te·ve·drés, dre·sa [ponteβeðrés, ðrésa ポンテベドゥレス, ドゥレサ] 形 [複男 pontevedreses] ポンテベドラの.
—— 名男女 ポンテベドラの住民.

pon·ti·fi·ca·do [pontifikáðo ポンティフィカド] 名男 《カトリック》教皇の職[位, 在位期間].

pon·ti·fi·cal [pontifikál ポンティフィカる] 形 《カトリック》教皇の; (大) 司教の (= pontificio).

pon·ti·fi·car [pontifikár ポンティフィカル] [8 c ➡ qu] 動自 **1** 《カトリック》(教皇・(大) 司教が) ミサを執行する.
2 横柄な話し方をする, 尊大な態度を取る.

pon·tí·fi·ce [pontífiθe ポンティフィせ] 名男 《カトリック》教皇; 司教, 大司教. El Sumo *Pontífice* ローマ教皇.

pon·ti·fi·cio, cia [pontifíθjo, θja ポンティフィしオ, しア] 形 《カトリック》教皇の; (大) 司教の (= pontifical).

pon·tón [pontón ポントン] 名男 **1** 〔海事〕はしけ; 舟橋, 浮き橋. **2** 丸木橋.

pon·zo·ña [ponθóɲa ポンそニャ] 名女 毒.

po·pa [pópa ポパ] 名女 〔海事〕船尾 (↔ proa). ➡ barco 図, yate 図.

po·pe [pópe ポペ] 名男 (ギリシア正教の) 司祭.

po·pu·la·che·ro, ra [populatʃéro, ra ポプらチェロ, ラ] 形 《軽蔑》庶民的な; 通俗的な.

po·pu·la·cho [populátʃo ポプらチョ] 名男 《軽蔑》庶民; 大衆.

po·pu·lar [populár ポプらル] 形 [複 ~es] 〔英 popular〕 **1 民衆の**, 人民の. Los hermanos Quintero usan un lenguaje muy *popular* en sus obras de teatro. キンテーロ兄弟は生き生きとした民衆の語り口をそのまま戯曲に取り入れている. costumbres *populares* 習俗. creencia *popular* 民間信仰. frente *popular* 人民戦線. opinión *popular* 一般世論.
2 人気のある, 評判のよい. El fútbol es el deporte más *popular* en España. サッカーはスペインで最も人気のあるスポーツだ. cantante *popular* 人気歌手.
3 大衆向きの, 通俗的な. música *popular* ポピュラー音楽.

po·pu·la·ri·dad [populariðáð ポプらリダ(ドゥ)] 名女 人気, 評判.

po·pu·la·ri·zar [populariθár ポプらリさル] [39 z ➡ c] 動他 人気を高める; 普及させる.
—— **po·pu·la·ri·zar·*se*** 普及する; 人気が出る.

po·pu·lar·men·te [populárménte ポプらルメンテ] 副 一般に, 民間で.

po·pu·lis·mo [populísmo ポプリスモ] 名男 ポプリスモ, 人民主義: 大衆の意志と利益を第一義におく政治運動.

po·pu·lo·so, sa [populóso, sa ポプろソ, サ] 形 人口の多い.

po·pu·rrí [popur̄í ポプリ] / **po·pu·rri** [-púr̄i -プリ] 名男 **1** 〔音楽〕ポプリ, メドレー. **2** 寄せ集め, ごたまぜ.

po·que·dad [pokeðáð ポケダ(ドゥ)] 名女 **1** 少ないこと, 欠乏 (= escasez).
2 臆病(おくびょう), 小心.

pó·quer [póker ポケル] 名男 (トランプ) ポーカー.

po·qui·tín [pokitín ポキティン] 副 [poco の小] ***un poquitín*** 《口語》ほんの少し.

po·qui·to, ta [pokíto, ta ポキト, タ] 形副 代名 《不定》[poco の小] 《否定的に用いて》《口語》ほんの少し(の).
un poquito ほんの少し(だけ).
un poquito de ... ほんの少しの….

por

[por ポル] 前 〔英 for, by, through〕

1 《動機・理由を表して》**…のために**, …から. Hemos llegado tarde *por* tu culpa. 君のせいで我々は遅れてしまった. Se ha puesto enfermo del hígado *por* beber demasiado. 彼は飲みすぎて肝臓を壊した. Sólo canto *por* afición. 私は趣味で歌っているだけだ.

> **【文 法】 para と por**
> 基本的に *para* が行為の目的・意図を示すのに対し, *por* は行為の動機・理由を示す. 疑問文に置き換えると両者の違いが理解しやすい.
> Te he llamado *para* invitarte a la fiesta.—¿*Para* qué? 君をパーティーに招待しようと思って電話をした. 一なんのために?
> Lo hice *por* ayudarte.—¿*Por* qué? 君を助けようと思ってそれをやった. 一どういう訳で?

2 《場所に関して》(1) 《通過点・経由を表して》**…を通って**; …に沿って; …に立ち寄って. Entrad *por* esa puerta. 君たちその入口から入りなさい. Vine *por* Shibuya. 私は渋谷経由で来た. ir *por* la calle 通りを行く.
(2) 《空間的広がりを表して》…のあたりに; …を. Oiga señorita, por favor. ¿Hay *por* aquí un banco? すみませんがお嬢さん, この辺に銀行がありますか. *por* todas partes あちこちに. Dimos un paseo *por* el parque. 我々は公園を散歩した. viajar *por* Europa ヨーロッパを旅行する.

3 《時間的広がりを表して》…のころ; …の時間; …の間に. Mi hermana se casa *por* junio. 妹は 6 月ごろ結婚する. *por* la mañana 午前中に. *por* los años ochenta 80年代に. Felipe ha venido *por* unos días. フェリペは数日間の滞在予定でやってきた.

4 《受身文で動作主を表して》**…によって**. El ladrón fue detenido *por* la policía. 泥棒は警察に捕まった. ► 動詞によって前置

詞 de が用いられる場合がある.
5《手段・方法を表して》…で, …によって. llamar *por* teléfono 電話をかける. *por* correo 郵便で. *por* escrito 書面で.
6《代替・代価を表して》…の代わりに, …と引き換えに. cambiar *por* otro nuevo 新品と交換する. Se lo vendí *por* veinte mil pesetas. 私は2万ペセタで彼にそれを売った.
7《代理を表して》…に代わって; …のために (= en beneficio de). Si Carlos no está en casa, yo puedo pagar *por* él. カルロスが留守なら私が立て替えておきますよ. Lo hice todo *por* mi hijo. 息子のことを思って私がすべてやったのだ.
8《目標を表して》…を求めて, …を探して (= en busca de). Preguntan *por* usted. あなたにご面会です. Ve *por* las entradas, Antonio. アントニオ, 切符を買ってきて.
9《関連を表して》…に関しては. *Por* mí, no tengo inconveniente. 私だったらかまいませんよ.
10《基準・判断を表して》…によって, …に従って; …によれば. *por* orden alfabético アルファベット順に. *Por* lo visto no ha cambiado nada. 見たところ何も変わった様子はない.
11《割合・単位・配分を表して》…につき; …ずつ, …ごとに. Cobro mil yenes *por* hora. 私は時給1000円もらっている. El brécol se vende *por* piezas, no *por* kilos. ブロッコリーは1個売りで, キロ単位では売っていない. colocar pieza *por* pieza 1個1個並べる.
12《同等・等価を表して》…に (相当する). Este chico vale *por* cinco de sus compañeros. こいつは友達の5人分にも相当する.
13《掛け算を表して》掛ける. Tres *por* cuatro, doce. 3掛ける4は12.
por entre … …の間を (通って).
por qué ➡ por qué.
por…que《+直説法》《+接続法》どんなに…でも. *Por* mucho *que* corrió, no pudo coger el tren. 一生懸命走ったが彼は電車に間に合わなかった. *Por* mucho *que* corras, no podrás coger el tren. どんなに速く走っても君は電車に間に合わないよ. *por* mucha prisa *que* tengas 君がいくら急いでいても. *por* más *que* estudies 君がどんなに勉強しても. *por* poco *que* sea たとえわずかでも. *por* buena *que* sea 彼女がいかに善人でも. ► 仮定の場合には動詞は接続法になる.
por si (***acaso***) … …ではないかと思って, …だといけないので.
por si fuera poco その上, かてて加えて.
si no es por … …がなかったなら.

por·ce·la·na [porθelána ポルセラナ] 名女 磁器; 《集合》磁器製品. ► 陶器は cerámica.

por·cen·ta·je [porθentáxe ポルセンタヘ] 名男 パーセンテージ, 百分率; 率, 歩合. ► パーセントは por ciento.

por·cen·tual [porθentwál ポルセントゥアル] 形 パーセンテージの, 百分率の.

por·che [pórtʃe ポルチェ] 名男 〘建築〙玄関, ポーチ.

por·ci·no, na [porθíno, na ポルシノ, ナ] 形 豚の.

por·ción [porθjón ポルシオン] 名女 **1** 部分, 一部; ある量[数]. **2** 割り当て, 持ち分.

por·cu·no, na [porkúno, na ポルクノ, ナ] 形 豚の.

por·dio·se·ar [porðjoseár ポルディオセアル] 動自 物ごいする (= mendigar); 哀願する.

por·dio·se·ro, ra [porðjoséro, ra ポルディオセロ, ラ] 名男女 こじき (= mendigo).
—— 形 物ごいをする.

por·fí·a [porfía ポルフィア] 名女
1 粘り強さ; 強情. **2** 激論.
a porfía 人に負けまいと.

por·fiar [porfjár ポルフィアル] [23 i ➡ í] 動自 **1** 固執する. *porfiar* en negar 否定し続ける.
2 激論する. *porfiar* sobre《+algo》〈何か〉を言い争う.
3 競い合う. *Porfió* con Juan para conseguir el premio. 彼はその賞を手に入れようとフアンと競った.

pór·fi·do [pórfiðo ポルフィド] 名男 〘鉱物〙斑岩(はんがん).

por·me·nor [pormenór ポルメノル] 名男 [普通 ～es] 詳細, 細目 (= detalle); ささいなこと.

por·me·no·ri·zar [pormenoriθár ポルメノリサル] [39 z ➡ c] 動他自 詳述する.

por·no·gra·fí·a [pornoɣrafía ポルノグラフィア] 名女 ポルノ (グラフィー).

por·no·grá·fi·co, ca [pornoɣráfiko, ka ポルノグラフィコ, カ] 形 ポルノの.

po·ro [póro ポロ] 名男 〘解剖〙(皮膚などの) 毛穴, 小孔.

po·ro·so, sa [poróso, sa ポロソ, サ] 形 多孔質の; 小穴の多い.

por qué [porké ポルケ] 副《疑問》〔英 why〕

1 なぜ, どうして. ¿*Por qué* viniste tan temprano?—Porque quería repasar la lección antes de la clase. どうしてこんなに早く来たの?—だって授業の前に復習しておこうと思って. No sé *por qué* no te gusta el gazpacho. なぜ君がガスパチョが嫌いなのか私には分からないね.
2《否定疑問文で提案を表して》…したらどうですか. ¿*Por qué* no vamos al cine? ねえ, 映画に行こうよ.

por·que [porke ポルケ] 接続 〔英 because〕

P

なぜならば，…だから，…という理由で．Os lo repito *porque* es muy importante. とても重要なことなので君たちにもう一度言います．Si no te diste cuenta, fue *porque* estabas distraído. 気付かなかったのは君がぼんやりしていたからだ．► porque で導かれる節は，como と違って，ふつう主節の後に置かれる．➡ como【文法】.
porque sí [***no***] だってそうなんだから[嫌といったら嫌だ，駄目といったら駄目だ].

por·qué [porké ポルケ] 名男 理由，原因．No ha explicado el *porqué* de su ausencia. 彼は欠席の理由を説明しなかった．

por·que·rí·a [porkería ポルケリア] 名女
1 汚いもの，ごみ，汚物．
2 値打ちのないもの；栄養のない食べ物．
3 卑劣なこと；無礼．
estar hecho una porquería 《口語》たいへん汚い．

por·que·ri·zo, za [porkeríθo, θa ポルケリそ，さ] 名男女 豚飼い．
—— 名女 豚小屋 (= pocilga).

po·rra [póra ポラ] 名女 **1** こん棒；(交通警官の) 警棒；**2** ポラ：太くて短い churro.
irse a la porra (計画が) 駄目になる．
mandar [***enviar***] ***a*** 《+uno》 ***a la porra*** 《口語》〈人〉を追い払う．
¡Qué porra! うんざりだ．
¡Vete a la porra! 《俗語》なに言ってんだ，ばか言うな，くそ食らえ！

po·rra·da [poráða ポラダ] 名女 《口語》多量 (= montón). una *porrada* de dinero 大金．

po·rra·zo [poráθo ポラそ] 名男 **1** 殴打，一撃．Le di un *porrazo* con el libro en la cabeza. 私は本で彼の頭をたたいた．
2 衝突．

po·rri·llo [poríʎo ポリリョ] ***a porrillo*** 《口語》たくさん．ganar dinero *a porrillo* 金をしこたま稼ぐ．

P

po·rro [póro ポロ] 名男 《俗語》マリファナ [ハシッシュ] を混ぜたタバコ．

po·rrón [porón ポロン] 名男 (細長いつぎ口のある) ぶどう酒用ガラス瓶．

por·ta·a·vio·nes [portaaβjónes ポルタアビオネス] 名男 [単・複同形] 航空母艦，空母．

por·ta·da [portáða ポルタダ] 名女 **1** (本の) 扉，タイトルページ；(雑誌の) 表紙，(新聞の) 第一面．
2 〘建築〙正面，玄関 (= fachada)；正面の装飾．

por·ta·dor, do·ra [portaðór, ðóra ポルタドル，ドラ] 名男女 運搬人；保菌者，キャリアー．
—— 名男 (小切手・手形の) 持参人．cheque al *portador* 持参人払い小切手．
—— 形 運ぶ．

por·ta·e·qui·pa·jes [portaekipáxes ポルタエキパヘス] 名男 [単・複同形] (車の) トランク (= maletero)；(車の屋根の) ラック (= baca).

por·ta·es·tan·dar·te [portaestandárte ポルタエスタンダルテ] 名男 〘軍事〙旗手．

por·ta·fo·lio(s) [portafóljo(s) ポルタフォリオ(ス)] 名男 書類入れ [かばん]．► 複数形を用いる場合は単・複同形．⇀ un portafolios.

por·ta·fo·to [portafóto ポルタフォト] 名男 写真立て．

por·tal [portál ポルタる] 名男 〘建築〙玄関，ホール；ポーチ．

por·ta·lám·pa·ras [portalámparas ポルタらンパラス] 名男 [単・複同形] 〘電気〙ソケット．

por·ta·li·bros [portalíβros ポルタりブロス] 名男 [単・複同形] ブックバンド．

por·ta·lón [portalón ポルタろン] 名男 表門，大門．

por·tan·te [portánte ポルタンテ] ***coger el portante*** 《口語》早々に退散する．

por·ta·ñue·la [portaɲwéla ポルタニュエら] 名女 〘服飾〙フライ：ズボンのファスナー部分を隠す布片．

por·ta·rre·tra·to [portaretráto ポルタレトゥラト] 名男 写真立て．

por·tar·*se* [portárse ポルタルセ] 動 **1** 振る舞う．*Pórtate* bien, Diego. ディエゴ，行儀よくするんだよ．
2 《口語》華々しく活躍する，立派にやり遂げる (= lucirse).

por·tá·til [portátil ポルタティる] 形 携帯用の．ordenador *portátil* ポータブルパソコン．

por·ta·voz [portaβóθ ポルタボす] 名男 [複 portavoces] 代弁者，スポークスマン．

por·ta·zo [portáθo ポルタそ] 名男 戸を乱暴に閉めること．dar un *portazo* 戸をばたんと閉める．

por·te [pórte ポルテ] 名男 **1** 運送，運搬；運賃，送料．*porte*(*s*) pagado(s) (郵便) 料金別納．
2 風采(ふうさい)，外観；行儀，振る舞い．de *porte* distinguido 風格のある．

por·te·ar [porteár ポルテアル] 動他 (料金を取って) 運ぶ，運送する．

por·ten·to·so, sa [portentóso, sa ポルテントソ，サ] 形 驚異的な，驚嘆すべき．

por·te·ño, ña [portéɲo, ɲa ポルテニョ，ニャ] 形 (アルゼンチンの) ブエノスアイレス Buenos Aires の (= bonaerense).
—— 名男女 ブエノスアイレスの住民．

portera 名女 ➡ portero.

por·te·rí·a [portería ポルテリア] 名女
1 守衛 [管理人] 室；守衛 [監理人] の職．
2 〘スポーツ〙(サッカーなどの) ゴール．➡ fútbol【参考】.

por·te·ro, ra [portéro, ra ポルテロ，ラ] 名男女 [複 ～s] [英 doorkeeper] **1** 守衛，門番；(マンションなどの) 管理人．*portero* electrónico [automático] インターホン付き自動開錠装置．
2 〘スポーツ〙ゴールキーパー．➡ fútbol【参考】.

por·te·zue·la [porteθwéla ポルテスエラ] 名女 (乗り物の) ドア. ➞ automóvil 図.

pór·ti·co [pórtiko ポルティコ] 名男 〘建築〙 ポルチコ, 柱廊.

por·ti·llo [portíʎo ポルティリョ] 名男 **1** くぐり戸. **2** 糸口, 突破口.

por·to·rri·que·ño, ña [portoriké-ɲo, ɲa ポルトリケニョ, ニャ] 形 プエルトリコ Puerto Rico の.
—— 名男女 プエルトリコ人 (= puertorriqueño).

por·tua·rio, ria [portwárjo, rja ポルトゥアリオ, リア] 形 港の. instalaciones *portuarias* 港湾施設.

Por·tu·gal [portuɣál ポルトゥガる] 〔英 Portugal〕 固名 **ポルトガル**: 正称 República Portuguesa ポルトガル共和国. 首都リスボン Lisboa.

por·tu·gués[1], gue·sa [portuɣés, ɣésa ポルトゥゲス, ゲサ] [複男 portugueses, 女 ~s] 〔英 Portuguese〕 形 **ポルトガルの**.
—— 名男女 **ポルトガル人**.

por·tu·gués[2] [portuɣés ポルトゥゲス] 名男 〔英 Portuguese〕 **ポルトガル語**.

por·ve·nir [porβenír ポルベニル] 名男 将来, 未来 (= futuro) ; 将来性. en el *porvenir* 将来は, 今後は. tener *porvenir* 前途有望である. un joven con [sin] *porvenir* 前途のある[見込みのない]若者.
hipotecar el porvenir 将来を賭(と)す.

pos [pós ポス] ***en pos de*** … …の後に; …を求めて.

po·sa·da [posáða ポサダ] 名女 宿屋; 宿泊; 宿泊料. dar *posada* a 《+uno》〈人〉を泊める.

po·sa·de·ras [posaðéras ポサデラス] 名女 [複] 《口語》尻(しり)(= nalgas).

po·sar [posár ポサル] 動自 **1** ポーズを取る. La modelo *posa* ante [para] el pintor. モデルが絵かきの前でポーズを取る.
2 《+**en**, **sobre**》(鳥などが) …に留まる.
—— 動他 置く. *Posó* su mano sobre mi hombro. 彼は私の肩に手を置いた.
—— **po·sar·se** (鳥などが) 留まる.

pos·da·ta [posðáta ポスダタ] 名女 《手紙》追伸 《略 P.D.》.

po·se [póse ポセ | póuz ポウズ] 名女 (モデルなどの) ポーズ; 気取り, もったいぶり. [← 英語]

po·se·e·dor, do·ra [poseeðór, ðóra ポセエドル, ドラ] 名男女 所有者. *poseedor* de un récord 記録保持者.

po·se·er [poseér ポセエル] 15 動他 [現分 poseyendo ; 過分 poseído, da] 所有する, 持つ (= tener). *Posee* una tienda en el centro. 彼は繁華街に店を持っている. *poseer* el récord mundial 世界記録を持つ.

po·se·í·do, da [poseíðo, ða ポセイド, ダ] 過分 形 《+**de**》 **1** (感情に) 支配された; (霊に) 取り憑(つ)かれた.
2 …にうぬぼれた. Está muy *poseído de* sí mismo. 彼は自信満々だ.

po·se·sión [posesjón ポセシオン] 名女 **1** 所有. **2** 所有物; 所有地.
3 [普通 posesiones] 領土, 属領.
toma de posesión 就任.
tomar posesión de … …を譲り受ける, 手に入れる; …に就任する.

po·se·sio·nar [posesjonár ポセシオナル] 動他 《+**de**》 …を譲り渡す.
—— **po·se·sio·nar·se** 《+**de**》 …を手に入れる; …を横取りする.

po·se·si·vo, va [posesíβo, βa ポセシボ, バ] 形 **1** 〘文法〙所有を示す.
2 独占欲の強い.
—— 名男 〘文法〙所有代名詞[形容詞].

pos·gue·rra [posɣér̄a ポスゲラ] 名女 戦後.

po·si·bi·li·dad [posiβiliðáð ポシビリダ(ドゥ)] 名女 可能性, 見込み. un joven de *posibilidades* 将来性のある若者.

po·si·bi·li·tar [posiβilitár ポシビリタル] 動他 可能にする.

po·si·ble [posíβle ポシブれ] 形 [複 ~s] 〔英 possible〕
1 可能な, できる. Si fuera *posible*, desearía estar aquí un par de días. できればここに2, 3日いたいのだが. de ser *posible* できれば, 可能なら. en [dentro de] lo *posible* できるだけ, 可能な限り. hacer todo lo *posible* para [por] … …のために最善[全力]を尽くす.
2 あり得る, 起こり得る; 《+不定詞》《+**que** 接続法》…であるかもしれない. No es *posible* hacerlo todo perfecto. すべてを完全にするなんてあり得ない. Si no le has avisado, es *posible que* no venga. 君が連絡しなかったんだから, たぶん彼は来ないよ. ➞ probable.
—— 名男 [~s] 《口語》資力, 経済力.
lo más [***menos***] 《+形容詞・副詞》 ***posible*** できるだけ…. *lo más* pronto *posible* できるだけ早く.

po·si·ble·men·te [posíβleménte ポシブれメンテ] 副 おそらく.

po·si·ción [posiθjón ポシしオン] 名女 [複 posiciones] 〔英 position〕 **1 位置**, 場所. Pongan su respaldo en *posición* vertical. 《機内で》お座席の背を元の位置にお戻しください.
2 姿勢. *posición* de firmes 気をつけの姿勢.
3 地位, 境遇. *posición* social 社会的地位. ocupar una *posición* estable 安定した地位にいる. *posición* elevada 高い地位.
4 立場, 態度; 状況. La *posición* de España con respecto a la CE no cambiará. ECに対するスペインの立場は変わらないだろう.
5 〘スポーツ〙ポジション, 守備位置; 〘軍事〙陣地, 拠点. tomar *posiciones* 配置につく.

po·si·ti·vis·mo [positiβísmo ポシティビスモ] 名男 〘哲〙実証主義; 実利主義.

po·si·ti·vis·ta [positiβísta ポシティビスタ] 形 〘哲〙実証主義[哲学]の; 実利主義の.
── 名男女 〘哲〙実証主義者; 実利主義者.

po·si·ti·vo, va [positíβo, βa ポシティボ, バ] 形 **1** 肯定的な; 積極的な, 建設的な (↔ negativo). resultado *positivo* 好ましい結果. respuesta *positiva* 色よい返事.
2 確実な, 明らかな. un hecho *positivo* 明白な事実.
3 現実的な, 実際的な; 実証的な. filosofía *positiva* 実証哲学.
4 〘数〙正の, プラスの; 〘電気〙陽の, 正の; 〘医〙陽性の.
── 名男 〘写真〙陽画, ポジ (= prueba *positiva*).

pó·si·to [pósito ポシト] 名男 **1** 協同組合, 互助組織. **2** 〘農業〙共同穀倉.

po·si·trón [positrón ポシトゥロン] 名男 〘物理〙陽電子 (↔ negatrón).

po·so [póso ポソ] 名男 沈殿物, おり. formar *poso* かすがたまる.

po·so·lo·gí·a [posoloxía ポソろヒア] 名女 〘医〙薬量学; 投薬量.

pos·po·ner [posponér ポスポネル] 45 動他 [過分 pospuesto, ta] **1** 《+a》…の次に置く, …より低く評価する (↔ anteponer).
2 延期する.

post- / pos- 《接頭》「後」の意を表す. ⇀ *post*glacial (後氷期の), *pos*data など.

pos·ta [pósta ポスタ] 名女 **1** 継ぎ馬. caballo de *posta* 駅馬. silla de *posta* 駅馬車. **2** 駅, 宿場.
a posta 故意に, わざと.

pos·tal [postál ポスタル] 形 郵便の. servicio *postal* 郵便業務.
── 名女 郵便はがき, 絵はがき (= tarjeta *postal*).

pos·te [póste ポステ] 名男
1 柱, 支柱; 柱標. *poste* telegráfico [eléctrico] 電信柱. *poste* indicador 道標. **2** 〘スポーツ〙ゴールポスト.
dar a 《+uno》 ***poste*** 〈人〉に待ちぼうけを食わす.

pos·te·ma [postéma ポステマ] 名女 〘医〙膿瘍(のうよう).

pós·ter [póster ポステル] 名男 ポスター. [← 〔英〕poster]

pos·ter·ga·ción [posterɣaθjón ポステルガしオン] 名女 **1** 延期, 後回し. **2** 軽視.

pos·ter·gar [posterɣár ポステルガル] [32 g → gu] 動他 **1** 遅らせる; 延期する. Lo *han postergado* en el escalafón. 彼の昇進は見送られた. **2** 下位に置く, 軽視する.

pos·te·ri·dad [posteriðáð ポステリダ(ドゥ)] 名女 子孫, 後世. Todo lo juzgará la *posteridad*. すべては後世の人々が判断してくれるだろう.

pos·te·rior [posterjór ポステリオル] 形 《+a》(時間的に)…より後の, (空間的に)…より後ろの (↔ anterior). Esta parte del edificio fue restaurada en una época *posterior*. 建物のこの部分は後年修復されたものだ. Aquella carta llevaba una fecha *posterior* al quince de mayo. あの手紙は5月15日以降の日付だった. la parte *posterior* del avión 飛行機の後部.

pos·te·rio·ri·dad [posterjoriðáð ポステリオリダ(ドゥ)] 名女 (時間的に)後であること (↔ anterioridad). con *posterioridad* a ... …より後で, …の後に.

pos·ti·go [postíɣo ポスティゴ] 名男 **1** (二重窓の)板戸, 鎧戸(よろいど) (= contraventana). **2** くぐり戸 (= portillo). **3** 裏口[門].

pos·ti·lla [postíʎa ポスティリャ] 名女 〘医〙かさぶた.

pos·tín [postín ポスティン] 名男 《口語》気取った態度. darse *postín* 気取る.
de postín 《口語》豪華な. un restaurante *de postín* 高級レストラン.

pos·ti·zo, za [postíθo, θa ポスティそ, さ] 形 作り物の, 偽りの. dentadura *postiza* 入れ歯. cuello *postizo* 付け襟.
── 名男 入れ毛, ヘアーピース (= cabellos *postizos*).

post·me·ri·dia·no, na [posmeriðjáno, na ポストゥメリディアノ, ナ] 形 午後の.

pos·tor [postór ポストル] 名男 (競売の) 入札者.

pos·tra·ción [postraθjón ポストゥラしオン] 名女 **1** ひざまずくこと. **2** 衰弱, 憔悴(しょうすい).

pos·trar [postrár ポストゥラル] 動他 衰弱させる, 憔悴(しょうすい)させる.
── **pos·trar·*se*** **1** ひざまずく.
2 衰弱する.

pos·tre [póstre ポストゥレ] 名男 [複 ~s] [英 dessert] **デザート**. tomar fruta de *postre* デザートに果物を食べる. ¿Qué vas a tomar de *postre*? 君はデザートは何にする?
a la postre 最終的には, 結局.

pos·tre·ro, ra [postréro, ra ポストゥレロ, ラ] 形 [男性単数名詞の前で postrer となる] 最後の (= último). el día *postrero* 最終日.

pos·tri·me·rí·a [postrimería ポストゥリメリア] 名女 [普通 ~s] 末期. en las *postrimerías* del siglo XX [veinte] 20世紀の終わりに.

pos·tu·la·ción [postulaθjón ポストゥらしオン] 名女 (街頭) 募金. *postulación* contra el cáncer 癌(がん)撲滅募金.

pos·tu·la·do [postuláðo ポストゥらド] 名男 **1** 前提条件, 仮定.
2 〘数〙〘論理〙公理, 公準.

pos·tu·lan·te, ta [postulánte, ta ポストゥらンテ, タ] 名男女 募金を集める人.

pos·tu·lar [postulár ポストゥらル] 動他 要請する. *postular* medidas 処置を講ずるよう要請する.
── 動自 (街頭で) 募金を集める. *postu-*

P

lar para la Cruz Roja 赤十字のために募金を募る.

pós·tu·mo, ma [póstumo, ma ポストゥモ, マ] 形 死後の, 死後出版の. obra *póstuma* 遺作. hijo *póstumo* 父の死後に生まれた子.

pos·tu·ra [postúra ポストゥラ] 名女 **1** 姿勢, ポーズ. una *postura* incómoda 窮屈な姿勢.
2 心構え, 態度. No sé qué *postura* tomar. 私はどんな態度を取ったらいいのかわからない.

po·ta·ble [potáβle ポタブれ] 形 **1** 飲むのに適した. agua *potable* 飲料水.
2 《口語》まずまずの. Su última película es *potable*. 彼の新しい映画はまあまあだ.

po·ta·je [potáxe ポタへ] 名男 **1** 〘料理〙ポタージュ. ➡sopa.
2 ごた混ぜ. [←〔仏〕potage]

po·ta·sa [potása ポタサ] 名女 〘化〙カリ. *potasa* cáustica 苛性(かせい)カリ.

po·tá·si·co, ca [potásiko, ka ポタシコ, カ] 形 〘化〙カリウムの. cloruro *potásico* 塩化カリウム.

po·ta·sio [potásjo ポタシオ] 名男 〘化〙カリウム.

po·te [póte ポテ] 名男 **1** 壺(つぼ); 植木鉢.
2 ポテ: アストゥリアスやガリシア地方の煮込み料理.
darse pote 《口語》気取る.

po·ten·cia [poténθja ポテンしア] 名女
1 力, 能力. *potencia* auditiva 聴力.
2 強国, 大国; 権力, 国力. *potencia* militar 軍事大国. las grandes *potencias* 列強.
3 出力, 馬力. la *potencia* de un motor エンジンの出力.
en potencia 潜在的な[に].

po·ten·cia·ción [potenθjaθjón ポテンしアしオン] 名女 強化.

po·ten·cial [potenθjál ポテンしアる] 形
1 可能性のある, 潜在的な; 動力の. energía *potencial* ポテンシャル・エネルギー. **2** 〘文法〙可能を表す.
—— 名男 **1** 潜在能力. *potencial* humano 人的資源.
2 〘電気〙〘物理〙電位; ポテンシャル. diferencia de *potencial* 電位差.
3 〘文法〙可能形 (= *potencial* simple). *potencial* compuesto 可能完了形.

po·ten·cia·li·dad [potenθjaliðáð ポテンしアリダ(ドゥ)] 名女 潜在能力.

po·ten·ciar [potenθjár ポテンしアル] 動他 可能にする.

po·ten·ta·do [potentáðo ポテンタド] 名男
1 有力者, 権勢家. **2** 君主, 王侯.

po·ten·te [poténte ポテンテ] 形 **1** 力のある, 強力な. un país muy *potente* 大国. un coche *potente* 馬力のある車.
2 (男が) 性的能力のある (↔ impotente).

po·tes·tad [potestáð ポテスタ(ドゥ)] 名女 権力, 権限. *potestad* paternal / patria *potestad* 〘法律〙親権.

po·tes·ta·ti·vo, va [potestatíβo, βa ポテスタティボ, バ] 形 任意の, 随意の.

po·tin·gue [potíŋge ポティンゲ] 名男 《口語》(まずい) 水薬.

po·to·sí [potosí ポトシ] 名男 無尽蔵の富 (◆ボリビアの銀山 Potosí から). valer un *potosí* 値千金である.

po·tran·co, ca [potráŋko, ka ポトゥランコ, カ] 名男女 (3歳未満の) 子馬.

po·tro, tra [pótro, tra ポトゥロ, トゥラ] 名男女 子馬.
—— 名男 〘スポーツ〙跳馬. *potro* con aros 鞍馬(あんば).

po·yo [pójo ポヨ] 名男 (入り口の壁に取り付けられた石などの) ベンチ, 腰掛け.

po·zo [póθo ポそ] 名男 **1** 井戸. *pozo* de petróleo 油井. *pozo* minero 鉱山の立て坑.
2 (地面の) 穴; (川の) 深み. *pozo* de lobo 落とし穴.
3 《比喩》深み; 極致, 限界. *pozo* de sabiduría 博識な人. *pozo* de maldad 極悪人. caer en un *pozo* 忘れ去られる. Su ambición es un *pozo* sin fondo. 彼の野心はとどまるところがない.

prác·ti·ca [prá*k*tika プラクティカ] 名女
1 実行, 実践. poner en [llevar a la] *práctica* 実行に移す.
2 練習; 実習, 訓練. período de *prácticas* 実習期間.
3 経験; 技量. tener mucha *práctica* 経験が豊富である. **4** 慣行, 習慣.
—— 形女 ➡ práctico[1].
en la práctica 実際には, 現実には.

prac·ti·ca·ble [pra*k*tikáβle プラクティカブれ] 形 **1** 実行できる.
2 通行可能な; (窓・戸が) 開閉できる.

prác·ti·ca·men·te [prá*k*tikaménte プラクティカメンテ] 副 事実上, ほとんど…も同然.

prac·ti·can·te [pra*k*tikánte プラクティカンテ] 形 実践している; (宗教の) 掟(おきて)を守る. un católico *practicante* 信者の務めを守るカトリック教徒.
—— 名男女 **1** 准医師, 医療士. ► 女性形は practicanta ともいう.
2 実践者; (宗教の) 掟を守る人. *practicante* de deporte スポーツをやっている人.

prac·ti·car [pra*k*tikár プラクティカル] [8 c ➡ qu] 動他
1 練習する; 実地に行う, 実践する. *practicar* el piano [la guitarra] ピアノ[ギター]を練習する. Va a España para *practicar* el español. 彼はスペインへ行って実地にスペイン語を習うつもりだ. ¿Qué deportes *practicas*? 君はどんなスポーツをしますか. *practicar* la medicina en un hospital bajo la dirección de un médico famoso 病院で著名な医師について医療の実習を積む. *practicar* obras caritativas 慈

P

善事業を行う.
2 実施する. *practicar* la operación 手術をする.
── 動自 練習する, 実習する.

prác·ti·co[1], ca [prá*k*tiko, ka プラクティコ, カ] 形 [複 ~s] 〔英 practical〕 **1 実際的な, 実用的な** (↔teórico). clases *prácticas* 実習, 演習. método *práctico* 実践的方法.
2 経験を積んだ, 熟練した. Don José es un abogado muy *práctico* en solucionar problemas de herencia. ホセ先生は相続問題の解決がとても上手な弁護士です.

prác·ti·co[2] [prá*k*tiko プラクティコ] 名男 (沿岸) 水先案内人.

pra·de·ra [praðéra プラデラ] 名女 《集合》 牧場, 牧草地.

pra·do [práðo プラド] 名男 牧草地.

Pra·do [práðo プラド] 固名 Museo del *Prado* (Madrid の) プラド美術館.

Pra·ga [práɣa プラガ] 固名 プラハ: チェコ Checo 共和国の首都.

prag·má·ti·co, ca [praɣmátiko, ka プラグマティコ, カ] 形 **1** 実用[実利]主義の.
2 〘言語〙 語用論の.
── 名男女 実用主義者
── 名女 〘言語〙 語用論.

prag·ma·tis·mo [praɣmatí*s*mo プラグマティスモ] 名男 〘哲〙 実用主義, プラグマティズム.

pre- 《接頭》「前」の意を表す. ⇒ *pre*dominar, *pre*historia など.

pre·ám·bu·lo [preámbulo プレアンブろ] 名男 序文; 長い前置き. decir sin *preámbulos* 単刀直入に言う.

pre·ben·da [preβénda プレベンダ] 名女
1 《口語》 実入りのいい仕事.
2 〘カトリック〙 (聖堂参事会員などの) 聖職禄(ろく).

pre·ca·rio, ria [prekárjo, rja プレカリオ, リア] 形 不安定な, 暫定的な, 仮の.

P

pre·cau·ción [prekauθjón プレカウしオン] 名女 予防 (策), 用心. por *precaución* 念のために.

pre·ca·ver [prekaβér プレカベル] 動他 用心する, 予防する.
── **pre·ca·ver·*se*** 《+**contra**, **de**》 …に備えて用心する, …の予防策を講じる.

pre·ca·vi·do, da [prekaβíðo, ða プレカビド, ダ] 過分形 用心深い, 慎重な.

pre·ce·den·cia [preθeðénθja プレせデンしア] 名女 **1** (時間的・空間的に) 先立つこと.
2 優位, 優先 (権).

pre·ce·den·te [preθeðénte プレせデンテ] 名男 先例, 前例. sentar un *precedente* 先例を作る. sin *precedentes* 前例のない.
── 形 《+**a**》 …に先行する.

pre·ce·der [preθeðér プレせデル] 動他自 《+**a**》 **1** …に先行する, …の前に来る.
2 …より優位にある.

pre·cep·ti·vo, va [preθe*p*tíβo, βa プレせプティボ, バ] 形 命令的な.
── 名女 《集合》 規則, 規範.

pre·cep·to [preθé*p*to プレせプト] 名男 **1** 規則, 決まり; 〘宗教〙 戒律.
2 指示, 命令.

pre·cep·tor, to·ra [preθe*p*tór, tóra プレせプトル, トラ] 名男女 家庭教師.

pre·ces [préθes プレせス] 名女 [複]
1 〘カトリック〙 祈り. **2** 願い, 請願.

pre·cia·do, da [preθjáðo, ða プレしアド, ダ] 過分形 貴重な, 価値のある (= valioso). una obra muy *preciada* 評価の高い作品.

pre·ciar [preθjár プレしアル] 動他 尊重する, 高く評価する.
── **pre·ciar·*se*** 《+**de**》 …を自慢する, 鼻にかける.

pre·cin·tar [preθintár プレしンタル] 動他 封印する.

pre·cin·to [preθínto プレしント] 名男 封印.

pre·cio [préθjo プレしオ] 名男 [複 ~s] 〔英 price〕
1 値段, 価格, 料金; [~s] 物価. Hemos conseguido una casa a un *precio* razonable. 我々は家を手ごろな値段で手に入れた. Cada año suben los *precios*. 毎年物価が上がる. *precio* de venta al público 小売り価格 《略 P.V.P.》. *precio* fijo 定価. *precio* al por mayor 卸売り価格. *precio* neto 正味価格. *precio* por unidad 単価.

【参 考】 **precio** は個別の価格. **tarifa** は運賃や電気料金などの体系的な料金.

2 価値. no tener *precio* とても貴重である.
a cualquier [***todo***] ***precio*** たとえ幾ら払っても; なんとしても.
al precio de … …を犠牲にして.
de gran [***mucho***] ***precio*** 高価な, 貴重な. ser hombre *de gran precio* 得がたい人物である.
poner precio a … …に値をつける.

pre·cio·si·dad [preθjosiðáð プレしオシダ(ドゥ)] 名女 **1** 貴重, 高価.
2 《口語》 美しさ, かわいらしさ; すばらしいもの; 大事な人, いとしい人.

pre·cio·so, sa [preθjóso, sa プレしオソ, サ] 形 [複 ~s] 〔英 precious〕 **1 貴重な**, 高価な. piedra *preciosa* 宝石.
2 《口語》 すばらしい; とても美しい, とてもかわいい. Tienes un coche *precioso*. いい車だねえ, 君のは. No te quejes, *preciosa*. —dijo el hada a la Princesa. 「泣くのはおよし, お嬢ちゃん」と妖精(ようせい)は王女に言った. un bebé *precioso* かわいい赤ちゃん.

pre·ci·pi·cio [preθipíθjo プレしピしオ] 名男 **1** 断崖(だんがい), 絶壁.

2 危機, 窮地; 破滅. estar al borde del *precipicio* 危機に瀕(ひん)している.

pre·ci·pi·ta·ción [preθipitaθjón プレしピタしオン] 名女 **1** 降水; 降水量.
2 大急ぎ, 性急. con *precipitación* 慌てふためいて. **3**〔化〕沈殿.

pre·ci·pi·ta·da·mente [preθipitáðaménte プレしピタダメンテ] 副 大急ぎで, 慌てふためいて.

pre·ci·pi·ta·do, da [preθipitáðo, ða プレしピタド, ダ] 過分 形 **1** 大急ぎの, 大慌ての, 急な. **2** 性急な, 軽率な.
—— 名男〔化〕沈殿物.

pre·ci·pi·tar [preθipitár プレしピタル] 動他 **1** 投げ[突き]落とす. *Precipitó* el libro por la ventana. 彼は本を窓から投げた.
2 せき立てる, 早める, 促す.
3〔化〕沈殿させる.
—— **pre·ci·pi·tar·*se*** **1** 突進する; 飛び込む; 襲いかかる. *precipitarse* a [hacia] la salida 出口に殺到する. La gente *se precipitó* para salir. 人々は我先に出ようとした. *Se precipitaron* sobre el enemigo. 彼らは敵に襲いかかった.
2 早まったことをする; 一時に出来(しゅったい)する. *Se precipitaron* los acontecimientos. 事件は次々に起こった.

precisa 形女 → preciso.

pre·ci·sa·men·te [preθísaménte プレしサメンテ] 副 正確に; まさに; 本当に; 特に. Eso es *precisamente* lo que quiero decir. 私が言いたいことはまさにそれだ.

pre·ci·sar [preθisár プレしサル] 動他〔英 specify〕 **1 明確にする**, はっきりさせる. Ahora no te puedo *precisar* la fecha. 日取りは今はっきり言えないよ.
2 必要とする (= necesitar).
—— 動自《+**de**》…を必要とする. *Preciso de* más tiempo para terminarlo. それを仕上げるのにはもっと時間が欲しい.

pre·ci·sión [preθisjón プレしシオン] 名女
1 正確, 精密. hablar con *precisión* 正確に話す. máquina de *precisión* 精密機械.
2 必要 (性), 入用.

pre·ci·so, sa [preθíso, sa プレしソ, サ] 形〔複 ~s〕〔英 necessary; precise〕 **1 必要な**, 不可欠な. Es *preciso* bajar la inflación cuanto antes. 早急にインフレを抑制する必要がある. Pregúntale cuando sea *preciso*. 必要なときは彼に聞きなさい.
2 正確な, はっきりした. lugar *preciso* はっきり決まった場所.
3 まさにその. en aquel *preciso* momento ちょうどその時.
4 明確な, 簡明な.

pre·cla·ro, ra [prekláro, ra プレクラロ, ラ] 形 傑出した, 名高い.

precoces 形〔複〕→ precoz.

pre·co·ci·dad [prekoθiðáð プレコしダ(ドゥ)] 名女 早熟; 早生(わせ).

pre·co·lom·bi·no, na [prekolombíno, na プレコろンビノ, ナ] 形〔歴史〕コロンブス Colón 以前の, 先コロンブス期の.

pre·con·ce·bir [prekonθeβír プレコンせビル] [41 e → i] 動他〔現分 preconcibiendo〕あらかじめ考える. plan *preconcebido* あらかじめ用意されたプラン.

pre·co·ni·zar [prekoniθár プレコニさル] [39 z → c] 動他 提唱する, 推奨する.

pre·coz [prekóθ プレコす] 形〔複 precoces〕早熟な (= prematuro) (↔ tardío); 早生(わせ)の. Es un niño *precoz* para su edad. あの子は年の割にませている. manzana *precoz* 早生のリンゴ.

pre·cur·sor, so·ra [prekursór, sóra プレクルソル, ソラ] 名男女 先駆者.
—— 形 前触れの, 前兆の.

pre·de·ce·sor, so·ra [preðeθesór, sóra プレデせソル, ソラ] 名男女 前任者; 先輩, 先達 (↔ sucesor).

pre·de·cir [preðeθír プレデしル] 17 動他〔現分 prediciendo; 過分 predicho, cha〕予言する.

pre·des·ti·na·do, da [preðestináðo, ða プレデスティナド, ダ] 形《+**a**》…に運命づけられた, …を約束された, 予定された.

pre·des·ti·nar [preðestinár プレデスティナル] 動他 (人の) 運命を定める.

pre·de·ter·mi·na·ción [preðeterminaθjón プレデテルミナしオン] 名女 先決, 予定.

pre·de·ter·mi·nar [preðeterminár プレデテルミナル] 動他 前もって決める, あらかじめ定める.

pré·di·ca [préðika プレディカ] 名女〔宗教〕説教 (= sermón); [~s]《口語》大演説, お説教. ¡Déjate ya de *prédicas*! お説教はもうたくさんだ.

pre·di·ca·do [preðikáðo プレディカド] 名男〔文法〕述部. *predicado* nominal 名詞的述部. *predicado* verbal 動詞的述部.

pre·di·ca·dor, do·ra [preðikaðór, ðóra プレディカドル, ドラ] 名男女 説教師.
—— 形 説教する.

pre·di·ca·men·to [preðikaménto プレディカメント] 名男 権威, 威厳, 影響力.

pre·di·car [preðikár プレディカル] [8 c → qu] 動他自 説教する, 伝道する; 説諭する. *predicar* en el desierto 説教しても甲斐(かい)がない, 馬の耳に念仏である.

pre·dic·ción [preðikθjón プレディクしオン] 名女 予言, 予報.

pre·di·lec·ción [preðilekθjón プレディれクしオン] 名女 ひいき, 偏愛. sentir una *predilección* por ... …をえこひいきする, …を特に好む.

pre·di·lec·to, ta [preðilékto, ta プレディれクト, タ] 形 お気に入りの. hijo *predilecto* 秘蔵っ子.

pre·dio [préðjo プレディオ] 名男 不動産.

pre·dis·po·ner [preðisponér プレディスポネル] 45 動他〔過分 predispuesto, ta〕

P

1《+a》…に傾ける, 仕向ける.
2《+contra》…に反感を抱かせる.

pre·dis·po·si·ción [preðisposiθjón プレディスポシしオン] 名女 傾向, 素質.

pre·dis·pues·to, ta [preðispwésto, ta プレディスプエスト, タ] 過分 ➡predisponer.
—— 形 1《+contra》…に先入観を持った. Nunca he estado *predispuesto contra* ti. 私はこれまで君に反感を持ったことなどない.
2《+a》…にかかりやすい. Soy *predispuesto a* los catarros. 私は風邪をひきやすい.

pre·do·mi·nan·te [preðominánte プレドミナンテ] 形 優勢な, 支配的な.

pre·do·mi·nar [preðominár プレドミナル] 動他自《+sobre》…より優勢である, 優位に立つ. Los intereses generales deben *predominar sobre* los particulares. 全体の利益が個人の利益に優先せねばならない.

pre·do·mi·nio [preðomínjo プレドミニオ] 名男 優越, 優位; 支配. *predominio* de la fuerza sobre la razón 理性に対する力の優位. un cuadro con *predominio* de azul 青を基調にした絵.

pre·e·mi·nen·cia [preeminénθja プレエミネンしア] 名女 優位, 卓越. dar *preeminencia* a ... …を優先させる.

pre·e·mi·nen·te [preeminénte プレエミネンテ] 形 上位の, 優位の, 卓越した. un cargo *preeminente* 幹部職.

pre·es·co·lar [preeskolár プレエスコらル] 形 就学前の.

pre·e·xis·tir [preeksistír プレエクシスティル] 動自 以前から存在する.

pre·fa·bri·ca·ción [prefaβrikaθjón プレファブリカしオン] 名女〘建築〙プレハブ.

pre·fa·cio [prefáθjo プレファしオ] 名男 序文, 前書き.

P

pre·fec·to [prefékto プレフェクト] 名男
1〘カトリック〙(教皇庁の) 各聖省の長官.
2 監督. *prefecto* de estudios 生徒監.

pre·fec·tu·ra [prefektúra プレフェクトゥラ] 名女 1 prefecto の職務[権限]. 2 県, 州. ► スペインでは provincia を用いる.

pre·fe·ren·cia [preferénθja プレフェレンしア] 名女 1 優先, 優先権.
2 好み, えり好み; ひいき. tener *preferencia* hacia [por] ... …を偏愛[えこひいき]する. 3〘商業〙特恵.
con preferencia a ... …に優先して, …よりむしろ.

pre·fe·ren·te [preferénte プレフェレンテ] 形 優先する, より上位の;〘商業〙特恵の. acciones *preferentes* 優先株. tarifas arancelarias *preferentes* 特恵関税. clase *preferente*〘航空〙ビジネス・クラス.

pre·fe·ren·te·men·te [preferéntemènte プレフェレンテメンテ] 副 好んで, 優先して; 特に, 主に.

pre·fe·ri·ble [preferíβle プレフェリブれ] 形《+a》…より好ましい, 望ましい. Es *preferible* llegar tarde *a* tener un accidente de coches. 車で事故を起こすよりも遅れたほうがました.

pre·fe·rir [preferír プレフェリル] [52 e ➡ ie, i] 動他 [現分 prefiriendo]〔英 prefer〕《+a》**…を (…よりも) 好む**, …のほうを選ぶ. ¿Qué *prefieres*, café o té?—Café, por favor. コーヒーですか, 紅茶ですか? —コーヒーをお願いします. *Prefiero* el frío *al* calor. 私は暑いより寒いほうがよい.

prefier- 動 ➡ preferir. [52 e ➡ ie, i]

pre·fi·jar [prefixár プレフィハル] 動他 あらかじめ決める.

pre·fi·jo, ja [prefíxo, xa プレフィホ, ハ] 形 あらかじめ決められた.
—— 名男 1〘電話〙市外局番, 地域コード番号. 2〘文法〙接頭辞.

prefir- 動 現分 ➡ preferir. [52 e ➡ ie, i]

pre·gón [preɣón プレゴン] 名男 1 (物売りの) 呼び声. 2 開会宣言.
3 (町役人の) 触れ, 告知.

pre·go·nar [preɣonár プレゴナル] 動他
1 (物売りが) 呼び売りする. 2 (開会などを) 宣言する. 3 (町役人が) 触れ回る.
4 (秘密などを) 言い触らす.

pre·go·ne·ro, ra [preɣonéro, ra プレゴネロ, ラ] 形 触れ回る; 口の軽い.
—— 名男女 1 物売り. 2 お触れ役.
3 口の軽い人.

pre·gun·ta [preɣúnta プレグンタ] 名女 [複 〜s]〔英 question〕**質問**. hacer una *pregunta* 質問する. asediar a *preguntas* a《+uno》〈人〉を質問攻めに遭わせる. una *pregunta* indiscreta ぶしつけな質問.
—— 動 ➡ preguntar.
andar [***estar***, ***quedar***] ***a la cuarta*** [***última***] ***pregunta***《口語》すかんぴんである.

preguntado, da 過分 ➡ preguntar.

preguntando 現分 ➡ preguntar.

pre·gun·tar [preɣuntár プレグンタル] 動他 [現分 preguntando; 過分 preguntado, da]〔英 ask〕**質問する**; 尋ねる (↔contestar, responder). Le *pregunté* si podía quedarse unos días en Tokyo. 東京に数日いられるかどうか私は彼に聞いた.
—— **pre·gun·tar·se** 自問する. *Me pregunté* qué querría decir ese señor. その人は何を言いたいのだろうと私は思った.
preguntar por ... …のことを尋ねる; (人を) 尋ねて来る. Me *ha preguntado por* ti. 彼は君のことを心配していた. Vino un señor *preguntando por* ti. ある人が君を尋ねて来たよ.

pre·gun·tón, to·na [preɣuntón, tóna プレグントン, トナ] 形《口語》質問好きの, 詮索(せんさく)好きな. un niño *preguntón* なんでも聞きたがる子供.

pre·his·to·ria [preistórja プレイストリア] 名女 先史時代; 先史学.

pre·his·tó·ri·co, ca [preistóriko, ka プレイストリコ, カ] 形 **1** 有史以前の.
2 時代遅れの, 古くさい.

prein·cai·co, ca [preiŋkáiko, ka プレインカイコ, カ] 形〘歴史〙プレ［先］インカ期の.

pre·jui·cio [prexwíθjo プレフイしオ] 名男 先入観, 偏見. *prejuicios* raciales 人種的偏見.

pre·juz·gar [prexuθɣár プレフすガル] [32 g → gu] 動他 予断する, 早まった判断を下す.

pre·la·cía [prelaθía プレらしア] 名女 → prelatura.

pre·la·ción [prelaθjón プレらしオン] 名女 優先, 優位.

pre·la·do [preláðo プレらド] 名男〘カトリック〙高位聖職者; 修道院長.

pre·la·tu·ra [prelatúra プレらトゥラ] 名女〘カトリック〙高位聖職者の職［地位］.

pre·li·mi·nar [preliminár プレりミナル] 形 予備的な; 前置きの.
── 名男 **1** 序文.
2［普通 ～es］予備交渉.

pre·lu·diar [preluðjár プレるディアル] 動自他 (演奏前に声や楽器の) 調子を整える.
── 動他 …の前触れとなる, 予告する.

pre·lu·dio [prelúðjo プレるディオ] 名男
1〘音楽〙前奏曲, プレリュード; (演奏前の) 楽器［声］の調整. **2** 前触れ, 序幕.

pre·ma·tri·mo·nial [prematrimonjál プレマトゥリモニアる] 形 結婚前の.

pre·ma·tu·ro, ra [prematúro, ra プレマトゥロ, ラ] 形 時期尚早の, 早まった.
── 名男女 早産児, 未熟児.

pre·me·di·ta·ción [premeðitaθjón プレメディタしオン] 名女 前もって考えること, 計画を練ること;〘法律〙(犯罪の) 予謀.

pre·me·di·tar [premeðitár プレメディタル] 動他 前もって考える, …の計画を練る.

pre·miar [premjár プレミアル] 動他 称賛する; 賞を与える. salir *premiado* 入賞する.

pre·mier [premjér プレミエル] 名男 (英国などの) 首相 (= primer ministro).

pre·mio [prémjo プレミオ] 名男［複 ～s］〔英 prize〕 **1 賞**, 賞品, 賞金, 褒美. *premio* extraordinario 特別賞. *premio* gordo (宝くじの) 1 等賞. gran *premio* グランプリ. conseguir el primer *premio* 1 等賞を取る. *premio* Nobel ノーベル賞.
2 受賞者.

pre·mi·sa [premísa プレミサ] 名女
1〘論理〙前提.
2［普通 ～s］あらかじめ考えておくべきこと. Sentadas estas *premisas*, podemos pasar a discutir la cuestión. 押さえるべきことは押さえたので, これから本題に入ることができる.

pre·mo·ni·ción [premoniθjón プレモニしオン] 名女 **1**〘医〙徴候.
2 予感, 虫の知らせ.

pre·mo·ni·to·rio, ria [premonitórjo, rja プレモニトリオ, リア] 形 **1**〘医〙前駆の.
2 予感の, 虫の知らせの.

pre·mu·ra [premúra プレムラ] 名女
1 切迫, 緊急. con *premura* 急いで.
2 不足, 欠如.

pre·na·tal [prenatál プレナタる] 形 出生前の.

pren·da [prénda プレンダ] 名女 **1** 衣類, 衣料. *prendas* de cama (シーツなどの) 寝具. en *prendas* interiores 下着姿で.
2 担保, 抵当, 保証. dar en *prenda* 抵当に入れる. en *prenda* de ... …の担保［証し］として.
3［普通 ～s］資質; 美点.
no soltar prenda《口語》口を割らない.

pren·der [prendér プレンデル] 動他 **1** 捕らえる, 逮捕［拘留, 収監］する. *prender* a los sospechosos 容疑者を捕まえる.
2《+**en**》…に留める. *prender* un clavel *en* la solapa 背広の襟にカーネーションの花をつける.
3 (火を) 付ける. *prender* fuego a la leña 薪(まき)に火を付ける.
── 動自 **1** (植物が) 根づく.
2 (種痘が) つく.
3 (火が) 付く.
4《+**en**》…に広がる.
── **pren·der·se** **1** (火が) 付く.
2《+**en**》…に引っ掛かる. *Se* me *prendió* el vestido *en* un rosal. 私はバラの木に服を引っ掛けてしまった.

pren·di·mien·to [prendimjénto プレンディミエント] 名男 **1** 逮捕.
2 キリストの捕縛 (の絵・彫刻).

pren·sa [prénsa プレンサ] 名女［複 ～s］〔英 press〕 **1**《集合》**新聞**, **雑誌**; 報道［出版］界, ジャーナリズム; 報道陣, 記者団. libertad de *prensa* 報道の自由. rueda de *prensa* 記者会見.
2 印刷機; 印刷所, 出版部. dar a la *prensa* 出版［印刷］する.
3〘機械〙圧搾機, プレス.
en prensa 印刷中の［で］. El libro que ha pedido usted está *en prensa*. ご注文の本は印刷中です.
tener buena [***mala***] ***prensa*** 好評を博す［不評を被る］.

pren·sa·do, da [prensáðo, ða プレンサド, ダ] 形 プレスした, 圧搾した, 圧縮した.
── 名男 プレス, 圧搾, 圧縮.

pren·sar [prensár プレンサル] 動他 プレスする, 圧搾する, 圧縮する.

pre·ña·do, da [preɲáðo, ða プレニャド, ダ] 過分 形 **1** 妊娠した.

P

2 《+de》…に満ちた. palabras *preñadas de* amenaza 脅迫に満ちた言葉.

pre·ñar [preɲár プレニャル] 動他 1 妊娠させる. 2 《+de》…で満たす.

pre·ñez [preɲéθ プレニェす] 名女 [複 preñeces] 妊娠; 妊娠期間.

pre·o·cu·pa·ción [preokupaθjón プレオクパしオン] 名女 [複 preocupaciones] 〔英 preoccupation〕 心配; 心配事, 関心事. ¿Cuál es el motivo de su *preocupación*, señora? 奥さん, 何かご心配なのですか.

pre·o·cu·par [preokupár プレオクパル] 動他 〔英 worry〕 心配させる, 心を奪う. Este es el punto que nos *preocupa* más. これが一番気がかりな点です.

── **pre·o·cu·par·*se*** 〔英 worry, be worried〕 《+con, de, por》 心配する, …を気づかう. Nunca *se preocupa de* qué dirá la gente. 彼は世間のうわさなど気にもかけない. ¡*Te preocupas por* cualquier tontería! 君はつまらないことを心配するね. *De* eso no *te preocupes*. そのことは心配しなくていいよ. ► 前置詞 con はあまり使われない.

pre·pa·ra·ción [preparaθjón プレパラしオン] 名女 [複 preparaciones] 1 準備, 用意; 予習.

2 知識, 素養.

pre·pa·ra·do, da [preparáðo, ða プレパラド, ダ] 過分 → preparar.

── 形 1 準備の整った, 用意された; 覚悟のできた. 2 (薬が) 調合された; (食べ物が) 調理済みの.

── 名男 調合薬.

pre·pa·ra·dor, do·ra [preparaðór, ðóra プレパラドル, ドラ] 名男女 1 準備する人; (実験室などの) 助手.

2 (スポーツの) 指導員, コーチ.

preparando 現分 → preparar.

P

pre·pa·rar [preparár プレパラル] 動他 [現分 preparando; 過分 preparado, da] 〔英 prepare〕

1 …の準備をする, 用意する. *preparar* la lección 予習をする. *preparar* (para) el examen 試験勉強をする.

2 訓練する, 教育する.

3 調製[調合]する.

── **pre·pa·rar·*se*** 準備する, 用意する; 覚悟する. *prepararse* para el viaje 旅行の準備をする.

pre·pa·ra·ti·vo, va [preparatíβo, βa プレパラティボ, バ] 名男 準備, 用意. hacer los *preparativos* del viaje 旅行の準備をする.

── 形 準備の, 予備的な.

pre·pa·ra·to·rio, ria [preparatórjo, rja プレパラトリオ, リア] 形 準備の, 予備的な.

── 名男 予備的学習; 予科.

── 名女 《ラ米》高校.

pre·pon·de·ran·te [preponderánte プレポンデランテ] 形 優勢な, 優位にある. voto *preponderante* キャスティングボート.

pre·pon·de·rar [preponderár プレポンデラル] 動自 優勢である, 優位を占める.

pre·po·si·ción [preposiθjón プレポシしオン] 名女 〔文法〕 前置詞. ⇨ 文法用語の解説.

pre·po·si·cio·nal [preposiθjonál プレポシしオナる] 形 〔文法〕 前置詞の.

pre·po·ten·te [prepoténte プレポテンテ] 形 優勢な, 有力な.

pre·pu·cio [prepúθjo プレプしオ] 名男 〔解剖〕 (陰茎の) 包皮.

pre·rro·ga·ti·va [preřoɣatíβa プレロガティバ] 名女 特権, 特典.

pre·sa [présa プレサ] 名女 → preso.

pre·sa·giar [presaxjár プレサヒアル] 動他 …の前兆を示す.

pre·sa·gio [presáxjo プレサヒオ] 名男 前兆; 予感, 虫の知らせ.

pres·bi·cia [presβíθja プレスビしア] 名女 〔医〕 老眼.

pres·bi·te·ria·no, na [presβiterjáno, na プレスビテリアノ, ナ] 形 〔宗教〕 長老派 (教会の).

── 名男女 〔宗教〕 長老派教会員.

pres·bi·te·rio [presβitérjo プレスビテリオ] 名男 聖堂内陣, 聖職者席.

pres·bí·te·ro [presβítero プレスビテロ] 名男 〔宗教〕 司祭; 長老.

pres·cien·cia [presθjénθja プレしエンしア] 名女 予感, 先見. ; 〔神〕 (神の) 予知

pres·cin·dir [presθindír プレしンディル] 動自 《+de》 …なしで済ます; …をやめる; …を無視する. No podemos *prescindir de* él si queremos continuar este trabajo. この仕事を続けていく限り, 我々は彼が必要だ.

pres·cri·bir [preskriβír プレスクリビル] 動他 [過分 prescrito, ta] 1 指示する, 命じる; 規定する. 2 〔医〕 処方する.

── 動自 〔法律〕 時効になる.

pres·crip·ción [preskripθjón プレスクリプしオン] 名女 1 規定, 指示.

2 〔医〕 処方. *prescripción* facultativa 処方箋. 3 〔法律〕 時効.

pre·sen·cia [presénθja プレセンしア] 名女 [複 ~s] 〔英 presence〕 1 存在; 出席. hacer acto de *presencia* 臨席[参列]する.

2 面前, 居合わすこと. Todo ocurrió en *presencia* nuestra. すべてが我々の目の前で起こった.

3 風采(ふうさい), 容貌(ようぼう). de buena *presencia* 風采の立派な.

en presencia de … …の前で, …を目の当たりにして.

presencia de ánimo 沈着, 冷静.

pre·sen·cial [presenθjál プレセンしアる] 形 居合わせる. testigo *presencial* 目撃者.

pre·sen·ciar [presenθjár プレセンしアル]

動他 居合わせる；出席する，参列する．*presenciar* un accidente 事故を目撃する．

pre·sen·ta·ble [presentáβle プレセンタブれ] 形 人前に出せる，見苦しくない．

pre·sen·ta·ción [presentaθjón プレセンタしオン] 名女 [複 presentaciones] **1** 提出；提示．*presentación* del pasaporte al aduanero 税関吏へのパスポートの提示．**2** 紹介．carta de *presentación* 紹介状．**3** 外見，体裁．**4** 発表；展示(会)．

presentado, da 過分 → presentar.

pre·sen·ta·dor, do·ra [presentaðór, ðóra プレセンタドル，ドラ] 名男女 司会者，紹介者．

presentando 現分 → presentar.

pre·sen·tar [presentár プレセンタル] 動他 [現分 presentando；過分 presentado, da]〔英 present〕**1 提出する**，提示する；表明する．*presentar* una instancia 請願書を提出する．*presentar* la dimisión 辞表を出す．*presentar* una demanda contra《＋uno》〈人〉を相手取って訴訟を起こす．
2 呈する，見せる．*presentar* un síntoma 兆候を示す．
3 紹介する．Voy a *presentar*te a Don Diego. 君にディエゴさんを紹介するよ．
4 (作品を)発表する；上演[上映]する．
5 (解説者・批評家などが作品を)紹介する．
—— **pre·sen·tar·*se***〔英 introduce oneself〕**1 自己紹介する**．Permítame usted que *me presente*. 自己紹介させていただきます．
2 (人が) 現れる，出頭する，出席する．*Se presentó* cuando ya me iba. 帰ろうとしたら彼がやって来た．Luis no *se presentó* al examen final. ルイスは最終試験を受けなかった．
3 志願する，立候補する．*presentarse* a presidente 大統領に立候補する．
4 起こる，生じる，現れる．
5 外観を呈する，(ある状態に)見える．

pre·sen·te [preséntе プレセンテ] [複 ～s] 形〔英 present〕
1 出席している；居合わせている．estar *presente* 居合わせる；出席[参加]している．¡*Presente*!《出席の返事》はい．
2 この，件(くだん)の，当…．en el *presente* capítulo この章において．
3 現在の，今の．
—— 名男 **1** 現在，今．en el *presente* 現在は．hasta el *presente* 今までに．*presente* histórico〘文法〙歴史的現在．
2 贈り物，プレゼント (＝regalo).
3〘文法〙現在時制，現在形．
—— 動 → presentar.
al presente 目下のところ．
hacer presente a《＋uno》〈人〉に知らせる，指摘する．
la presente この手紙，本状．
los presentes 出席者．
tener presente 心に留める；考慮に入れる．
mejorando lo presente あなたはもちろんですが．► 第三者を褒めるとき，相手を傷つけぬように配慮した言い方．

pre·sen·ti·mien·to [presentimjénto プレセンティミエント] 名男 予感，虫の知らせ．tener un *presentimiento* 予感がする．

pre·sen·tir [presentír プレセンティル] [52 e → ie, i] [現分 presintiendo] 動他 予感する．

pre·ser·va·ción [preserβaθjón プレセルバしオン] 名女 保護，予防．

pre·ser·var [preserβár プレセルバル] 動他《＋**contra**, **de**》…から保護する，予防する．

pre·ser·va·ti·vo, va [preserβatíβo, βa プレセルバティボ，バ] 形 予防の．
—— 名男 避妊具，コンドーム．

pre·si·den·cia [presiðénθja プレシデンしア] 名女 **1** presidente の職[地位，任期]．**2** 統轄，主宰．**3** 大統領府．

pre·si·den·cial [presiðenθjál プレシデンしアる] 形 大統領の，議長の．

pre·si·den·ta [presiðénta プレシデンタ] 名女 **1** → presidente.
2《口語》presidente の夫人．

pre·si·den·te [presiðénte プレシデンテ] 名男 [複 ～s]〔英 president〕**大統領**，首相 (＝*presidente* del gobierno)；**議長**；**社長**，会長，理事長．*presidente* de honor 名誉会長．► 女性形は la presidenta または la presidente.

pre·si·dia·rio, ria [presiðjárjo, rja プレシディアリオ，リア] 名男女 囚人 (＝preso).

pre·si·dio [presíðjo プレシディオ] 名男 **1** 刑務所；懲役．diez años de *presidio* 懲役10年．
2《集合》囚人．

pre·si·dir [presiðír プレシディル] 動他 **1** 統轄する，主宰する；…の議長を務める．El jefe del gobierno *preside* el consejo de ministros. 首相は閣議の議長を務める．*presidir* el duelo 喪主を務める．
2 みなぎる，(空気が) 支配する．

pre·sión [presjón プレシオン] 名女 [複 presiones] **1** 圧力；押す[圧する]こと．a *presión* 圧力で；押しつけて．olla de [a] *presión* 圧力鍋(なべ)．*presión* arterial [sanguínea] 血圧．*presión* atmosférica 気圧．
2《比喩》圧力，圧迫．grupo de *presión* 圧力団体．
ejercer [***hacer***] ***presión*** 圧する，押す；《比喩》圧力をかける．

pre·sio·nar [presjonár プレシオナル] 動他 圧力をかける，強要する．Me *presionó* para que cambiase de opinión. 彼は意見を変えるよう私に圧力をかけた．

pre·so, sa [préso, sa プレソ，サ] 形 **1** 刑務

P

所に入れられた, 捕らわれの. estar *preso* en la cárcel 刑務所で服役中である.
2《+**de**》(感情・考えに) 捕らえられた.
── 名男女 囚人; 捕虜.
── 名女 **1** 捕まえること, 捕獲. hacer *presa* en 《+algo》〈何か〉を捕まえる; (火が)〈何か〉に燃え移る.
2 獲物. El lobo se llevó su *presa*. オオカミが獲物をくわえていった. hacer *presa* 餌食(えじき)にする.
3 ダム; 用水溝.

pres·ta·ción [prestaθjón プレスタしオン] 名女 **1** 寄与; 援助; 奉仕. **2** 給付金, 手当. ***prestación de juramento*** 〘法律〙宣誓.

pres·ta·mis·ta [prestamísta プレスタミスタ] 名男女 金貸し.

prés·ta·mo [préstamo プレスタモ] 名男
1 貸すこと, 貸し付け.
2 借りること; 借入金, ローン. pedir a 《+uno》 un *préstamo*〈人〉に借金を申し込む.

pres·tan·cia [prestánθja プレスタンしア] 名女 すばらしさ; 優美, 気品.

pres·tar [prestár プレスタル] 動 他 〔英 lend, loan〕 **1** **貸す**; 貸与する. *prestar* un libro 本を貸す. *prestar* dinero 金を貸す.
2《ある種の名詞と共に》与える, する. *prestar* atención 注意を払う. *prestar* auxilio [ayuda] 助ける. *prestar* oídos 耳を貸す. *prestar* servicio 奉仕する. *prestar* testimonio 証言する.
── 動自 **1** (布地・靴などが) 伸びる, 広がる. **2**《+**para**》…に役立つ.
── **pres·tar·*se*** **1**《+**a** 不定詞》(1)…することに同意する, …をよしとする. *prestarse a* vivir modestamente つましく生きることで満足する. (2)わざわざ…してくれる, 進んで…する. *prestarse a* llevar a casa わざわざ家まで送ってくれる.
2《+**a**》…の対象となる, …されやすい. *prestarse a* la discusión 議論の余地がある.

pres·ta·ta·rio, ria [prestatárjo, rja プレスタタリオ, リア] 名男女 借り手, 借り主.

pres·te·za [prestéθa プレステさ] 名女 迅速, 機敏. con *presteza* 素早く.

pres·ti·di·gi·ta·dor, do·ra [prestiðixitaðór, ðóra プレスティディヒタドル, ドラ] 名男女 手品師, 奇術師.

pres·ti·gio [prestíxjo プレスティヒオ] 名男 名声, 信望; 威信. Es el político que tiene más *prestigio* en la ciudad. 彼はこの市で最も信望の厚い政治家です. disfrutar de gran *prestigio* 名声をほしいままにする.

pres·ti·gio·so, sa [prestixjóso, sa プレスティヒオソ, サ] 形 権威のある, 名声のある.

pre·su·mi·do, da [presumíðo, ða プレスミド, ダ] 形 うぬぼれた, 気取った.
── 名男女 うぬぼれ屋, 気取り屋.

pre·su·mir [presumír プレスミル] 動他 推測する, 推定する, …と思う (= suponer). Es de *presumir* que .... …と推測される. *Presumo* que no vendrá hasta el lunes. 彼は月曜日まで来ないと思います.
── 動自 〔英 be conceited〕《+**de**》…のことでうぬぼれる, 鼻にかける. *presumir de* listo 利口ぶる.

pre·sun·ción [presunθjón プレスンしオン] 名女 **1** うぬぼれ, 自負心.
2 仮定, 推測; 〘法律〙推定.

pre·sun·to, ta [presúnto, ta プレスント, タ] 形 **1** 推定上の; …の疑いのある. *presunto* reo 容疑者. **2** 自称の; いわゆる.

pre·sun·tuo·si·dad [presuntwosiðáð プレスントゥオシダ(ドゥ)] 名女 うぬぼれ, 気取り.

pre·sun·tuo·so, sa [presuntwóso, sa プレスントゥオソ, サ] 形 うぬぼれた, 気取った (= presumido).
── 名男女 うぬぼれ屋.

pre·su·po·ner [presuponér プレスポネル] 45 動他 [過分 presupuesto, ta] 想定する; 前提とする.

pre·su·pues·tar [presupwestár プレスプエスタル] 動他 …の予算を立てる; 《+**en**》…に見積もる. *Hemos presupuestado* el edificio *en* 15 mil millones de pesetas. 我々はビルの建築費を150億ペセタと見積もった.

pre·su·pues·ta·rio, ria [presupwestárjo, rja プレスプエスタリオ, リア] 形 (主に国家の) 予算の.

pre·su·pues·to, ta [presupwésto, ta プレスプエスト, タ] 過分 ➡presuponer.
── 形 予想された; 前提とした.
── 名男 予算; 予算案; 見積もり (書). aprobar el *presupuesto* 予算案を可決する. hacer un *presupuesto* 予算を立てる. *presupuesto* del Estado 国家予算. *presupuesto* general 一般会計予算. *presupuesto* provisional 暫定予算.

pre·su·ro·so, sa [presuróso, sa プレスロソ, サ] 形 急いでいる. Se dirigió *presuroso* a su casa. 彼は慌てて家に向かった.

pre·ten·cio·so, sa [pretenθjóso, sa プレテンしオソ, サ] 形 気取った, 見えをはった; これ見よがしの. un coche *pretencioso* 派手な車.

pre·ten·der [pretendér プレテンデル] 動他 〔英 aim, seek〕 **1** (名声・地位などを) 熱望する, ねらう; 《+不定詞》**…しようとする**, 試みる. *Pretende* el puesto de primer ministro. 彼は首相の椅子をねらっている. No *pretendo* convencerte. 君を説得するつもりはないよ.
2《+不定詞》《+**que** 直説法》…だと言い張る.
3《+不定詞》…の振りをする.
4 求愛する, 求婚する.

pre·ten·dien·te, ta [pretendjénte, ta プレテンディエンテ, タ] 名男 **1** 求婚者.
2 王位を狙(ねら)う王子.

P

—— 名男女 候補者；応募者（＝ aspirante).

pre·ten·sión [pretensjón プレテンシオン] 名女 **1** 野望，抱負；もくろみ，意図；要求，主張．tener muchas *pretensiones* いろいろやりたいことがある．
2 気取り，虚栄心，見え．

pre·té·ri·to, ta [pretérito, ta プレテリト，タ] 名男 〘文法〙過去時制，過去形．*pretérito* imperfecto (de indicativo)（直説法）線過去（形）．*pretérito* imperfecto de subjuntivo 接続法過去（形）．*pretérito* indefinido [*pretérito* perfecto simple] 点過去（形）．*pretérito* perfecto [*pretérito* perfecto compuesto] 現在完了（形）．*pretérito* pluscuamperfecto 過去完了（形）．
—— 形 〘文法〙過去の．

pre·tex·to [pretésto プレテスト] 名男 口実，言い訳．a [con el, so] *pretexto* de《＋algo》〈何か〉の口実で，言い訳にして．buscar un *pretexto* 口実をさがす．No asistió a la fiesta so *pretexto* de estar enfermo. 彼は病気を口実にパーティーに出席しなかった．

pre·til [pretíl プレティる] 名男 手すり，欄干．

pre·ti·na [pretína プレティナ] 名女 〘服飾〙ベルト，ウエストバンド．

pre·tor [pretór プレトル] 名男 〘歴史〙（古代ローマの）法務官．

pre·va·le·cer [preβaleθér プレバれせル] 40 動自《＋**entre, sobre**》…の中で優位[優勢]に立つ，勝る．*Prevaleció* su opinión *sobre* las de los demás. 彼の意見は他の人の意見より優位に立った．

pre·va·ri·ca·ción [preβarikaθjón プレバリカしオン] 名女 背任（行為）．

pre·va·ri·car [preβarikár プレバリカル] [8 c ➞ qu] 動自 背任行為を働く．

pre·ven·ción [preβenθjón プレベンしオン] 名女 **1** 予防，防止；（事前の）用心．tomar la *prevención* 予防策を講じる．
2 用意，準備．*prevenciones* para el viaje 旅支度．**3** 先入観，偏見．tener *prevención* contra ... …に偏見を抱く．

pre·ve·ni·do, da [preβeníðo, ða プレベニド，ダ] 過分 形 準備のできた；用意周到な，用心深い．Hombre *prevenido* vale por dos.《諺》（いつも）用心している人は，2人分の値打ちがある．

pre·ve·nir [preβenír プレベニル] 59 動他 [現分 previniendo] **1** 予防する；防ぐ；予知する．*prevenir* la epidemia 流行病を防止する．
2《＋**para**》…のために準備する（＝ preparar）．*prevenir* las bebidas *para* la fiesta パーティーのために飲み物を用意する．
3《＋**de**》…について警告する，知らせる．Te *prevengo de* que ellos están tramando algo contra ti. 彼らは君に何かよからぬことを企んでいるから気をつけろ．
4《＋**contra, en contra de**》…について悪い印象を吹き込む；…に用心するように言う；《＋**a** [**en**] **favor de**》…について好感を持たせる．Me han *prevenido contra* el nuevo jefe. 今度の上司は要注意だと警告された．
—— **pre·ve·nir·se** **1**《＋**de**》（必要なもの）を整える．**2**《＋**para**》…のために準備する，用意する．
3《＋**contra**》…に用心する．

pre·ven·ti·vo, va [preβentíβo, βa プレベンティボ，バ] 形 予防の，防止用の．medicina *preventiva* 予防医学．medidas *preventivas* 予防策．detención *preventiva* 〘法律〙予防拘禁．

pre·ver [preβér プレベル] 60 動他 [過分 previsto, ta] 予見[予知]する．

pre·via·men·te [préβjaménte プレビアメンテ] 副 あらかじめ，前もって．

pre·vio, via [préβjo, βja プレビオ，ビア] 形 あらかじめの，前もっての．Sin aviso *previo* no podrá presentarse. 事前に連絡のない方の出席は認められません．
—— 名男 〘テレビ〙〘映画〙プレーバック．

pre·vi·si·ble [preβisíβle プレビシブれ] 形 予見[予測]可能な．

pre·vi·sión [preβisjón プレビシオン] 名女 **1** 予見，予測．**2** 用心，（事前の）措置．
en previsión de《＋algo》〈何か〉に備えて．
previsión social 社会保障．

pre·vi·sor, so·ra [preβisór, sóra プレビソル，ソラ] 形 先見の明のある．poco *previsor* 先のことを考えない．
—— 名男女 先見の明の持ち主，見識の高い人．

pre·vis·to, ta [preβísto, ta プレビスト，タ] 過分 ➞ prever.
—— 形 予見[予想]された；当然の，分かりきった．Estaba *prevista* su participación. 彼の参加は予想されていた．

prie·to, ta [prjéto, ta プリエト，タ] 形 **1**（体の）引き締まった；（衣服などが）ぴったりした．**2** どす黒い．

pri·ma [príma プリマ] 名女 〘商業〙 **1** 特別手当，報奨金，奨励金；プレミアム．*prima* de [por] rendimiento 出来高によって支払われるボーナス．
2 保険料（＝ *prima* de seguro）．
—— 名形女 ➞ primo.

pri·ma·cí·a [primaθía プリマしア] 名女 首位，第一位．Reconozco su *primacía* en el golf. たしかに彼はゴルフ界の第一人者だ．

pri·ma·do, da [primáðo, ða プリマド，ダ] 形 〘カトリック〙首座大司教の．
—— 名男 〘カトリック〙首座大司教．

pri·ma·rio, ria [primárjo, rja プリマリオ，リア] 形 最初の，初等の；基本的な，主な．escuela *primaria* 小学校．enseñanza *primaria* 初等教育．necesidades *prima-*

P

rias (生活) 必需品.

pri·ma·te [primáte プリマテ] 名男
1 傑出した人物, 重要人物.
2 [普通 ~s] 《動物》霊長類.

pri·ma·ve·ra [primaβéra プリマベラ] 名女 [複 ~s] 〔英 spring〕 **1** 春. → estación 【参考】.
2 青春 (期). en la *primavera* de la vida 若い盛りに.
3 (若い女性の) 年. Tiene dieciséis *primaveras*. 16歳の春である.
4 《植物》サクラソウ (桜草), プリムラ.

pri·ma·ve·ral [primaβerál プリマベラる] 形 春の, 春らしい.

pri·mer [primér プリメル] 形 → primero¹.

primera 形女 → primero¹.

pri·me·ra·men·te [priméraménte プリメラメンテ] 副 最初に; 第一に.

pri·me·ri·zo, za [primeríθo, θa プリメリそ, さ] 形 **1** 始めたばかりの, 未熟な.
2 《医》初産の.
── 名男女 初心者.

pri·me·ro¹, ra [priméro, ra プリメロ, ラ] [複 ~s] 形 [男性単数名詞の前で primer となる] 〔英 first〕 **1** 第一の, 最初の. *primer* ministro 首相. *primera* clase 1等, 1級. *primera* enseñanza 初等教育.
2 主要な; 一流の. artículos de *primera* necesidad 必需品. *primeras* autoridades 要人.
── 名男女 1番目の人[物]. Fue la *primera* en llegar. 彼女が一番先に着いた. → último.
a la primera 1回目で.
a primeros de ... …の初めに. Salgo de viaje *a primeros de* agosto. 8月早々に旅に出ます.
de primera 一流の, 優秀な.

pri·me·ro² [priméro プリメロ] 名男 《日付》ついたち. el *primero* de mayo 5月1日. *Primero de* año 元旦. ► 「ついたち」だけ序数, 2日目からは基数を用いる. ⇀ [el] dos de mayo 5月2日.
── 副 **1** 最初に, まず第一に. **2** 先に, 前に. **3** …よりもむしろ (= antes).

pri·mi·cia [primíθja プリミしア] 名女 [普通 ~s] **1** (果物・野菜などの) 初物.
2 最新情報; スクープ.

pri·mi·ti·vis·mo [primitiβísmo プリミティビスモ] 名男 **1** 《美術》プリミティズム: ラファエル前派の芸術運動.
2 未開 (性).

pri·mi·ti·vo, va [primitíβo, βa プリミティボ, バ] 形 **1** 原始の. arte *primitivo* 原始芸術.
2 原始的な; 素朴な; 未開の. sociedad *primitiva* 未開社会. utensilios *primitivos* 原始的な道具類.
3 最初の, 元の. devolver a su estado *primitivo* 元の状態に戻す.
── 名男女 原始人; 未開人.

pri·mo, ma [prímo, ma プリモ, マ] [複 ~s] 名男女 〔英 cousin〕 **1** いとこ. *primo* segundo またいとこ. → familia 【参考】.
2 《口語》間抜け, ばか.
── 形 第一の, 最初の. materia *prima* 原料.
hacer el primo だまされる, 利用される.
ser primos hermanos 瓜(うり)ふたつである, 酷似している.

pri·mo·gé·ni·to, ta [primoxénito, ta プリモヘニト, タ] 形 長子の. ── 名男女 長子.

pri·mo·ge·ni·tu·ra [primoxenitúra プリモヘニトゥラ] 名女 長子の身分; 長子の権利.

pri·mor [primór プリモル] 名男 繊細さ, 精巧さ; 見事なもの, 美しいもの. hecho con *primor* 見事な出来栄えの.

pri·mor·dial [primorðjál プリモルディアる] 形 第一義的な; 根本的な. de importancia *primordial* 最重要な.

pri·mo·ro·so, sa [primoróso, sa プリモロソ, サ] 形 繊細な, 精巧な; 見事な.

prin·ce·sa [prinθésa プリンせサ] 名女 [複 ~s] 〔英 princess〕 王女. ► スペインでは継承権を持たない場合は infanta を用いる. → príncipe.

prin·ci·pa·do [prinθipáðo プリンしパド] 名男 公国 (領). El *Principado* de Andorra アンドラ公国.

prin·ci·pal [prinθipál プリンしパる] 形 [複 ~es] 〔英 principal〕 **1** 主な, 主要な. carretera *principal* 幹線道路. un asunto *principal* 重要案件. oración *principal* 《文法》主節.
2 傑出した; 気高い.
3 (昔の呼び方で建物の階が) 2階の.
── 名男 **1** (組織の) 長, 店主.
2 (昔の呼び方で) 2階 (► entresuelo がある場合は3階に当たる); 《演劇》2階正面席.

prin·ci·pal·men·te [prinθipálménte プリンしパるメンテ] 副 主に; 第一に.

prín·ci·pe [prínθipe プリンしペ] 名男 [複 ~s] 〔英 prince〕 **1** 王子; 皇太子. *príncipe* heredero 王位継承の王子, 皇太子. *Príncipe* de Asturias (スペインの王位継承者の称号) スペイン皇太子. *príncipe* azul 理想の男性[求婚者]. ► スペインでは王位継承権のない王子は infante と呼ぶ. → princesa.
2 君主, 大公. *Príncipe* de Mónaco モナコ大公. **3** 第一人者, 王者.
── 形 初版の. edición *príncipe* 初版本.
como un príncipe 王様のように, ぜいたくに.
príncipe de Gales 《服飾》グレンチェック.

prin·ci·pian·te [prinθipjánte プリンしピアンテ] 名男女 初心者.
── 形 初心者の.

P

prin·ci·piar [prinθipjár プリンしピアル] 動他始める, 開始する.
── 動自始まる.

prin·ci·pio [prinθípjo プリンしピオ] 名男 [複 ～s] 〔英 beginning; principle〕 **1** 始め, 冒頭; 初期; [～s] 初歩, 基礎知識. desde el *principio* hasta el fin 始めから終わりまで. empezar por el *principio* 最初から始める.
2 原理, 原則. *principios* fundamentales 基本原理.
3 [普通 ～s] 主義, 方針. ceder en sus *principios* 主義を曲げる. tener por *principio* …を信条とする. sin *principios* 無節操な.
4 原因, 発端; 根源, 本源. tener *principio* en … …に由来する.
5 〘料理〙メインディッシュ.
al principio* / *en un principio 最初は[に].
a principios de …(月・週・期間の)初めに. *a principios de* marzo 3月上旬に.
dar principio a 《+algo》〈何か〉を始める.
en principio 原則として, 大筋において.
por principio 主義として, 道義上.

prin·gar [priŋgár プリンガル] [32 g → gu] 動他 **1** 脂で汚す.
2 (パンを)肉汁につける.
3 《口語》仲間にひき入れる.
── **prin·gar·se** **1** 脂で汚れる.
2 《口語》手出しをする.

prin·go·so, sa [priŋgóso, sa プリンゴソ, サ] 形脂で汚れた, (汚れで)べとついた.

prin·gue [príŋge プリンゲ] 名男 (時に女) **1** 肉汁. **2** 油汚れ.

prior, prio·ra [prjór, prjóra プリオル, プリオラ] 名男女 〘カトリック〙修道院長.

prio·ra·to [prjoráto プリオラト] 名男 修道院長の職[領地].

prio·ri·dad [prjoriðáð プリオリダ(ド ウ)] 名女優先(権); 先行(権). de mayor *prioridad* 最優先の.

prio·ri·ta·rio, ria [prjoritárjo, rja プリオリタリオ, リア] 形優先する, より重要な.

pri·sa [prísa プリサ] 名女 [複 ～s] 〔英 haste, hurry〕 急ぎ; 緊急. con mucha *prisa* 大急ぎで. sin *prisa(s)* ゆっくり, のんびりと. tener *prisa* en [por] … 急いで…する必要がある.
a toda prisa 全速力で, 大急ぎで.
correr prisa 急を要する.
darse prisa 急ぐ. ¡*Date prisa*! 急げ!
de prisa 早く, 急いで.
de prisa y corriendo 急いで, 慌てて.

pri·sión [prisjón プリシオン] 名女 [複 prisiones] **1** 刑務所; 牢獄(ろうごく) (→ cárcel). en *prisión* 服役中の, 獄中の. reducir a 《+uno》 a *prisión* 〈人〉を刑務所に入れる, 収監する.
2 禁固(刑), 投獄; 拘禁. cinco años de *prisión* 禁固5年.
3 束縛, 精神的拘束[負担].

pri·sio·ne·ro, ra [prisjonéro, ra プリシオネロ, ラ] 名男女 囚人; 捕虜. hacer *prisionero* a 《+ uno》〈人〉を捕らえる. *prisionero* de amores 恋の虜(とりこ).

pris·ma [prísma プリスマ] 名男 **1** 〘光〙プリズム. **2** 〘数〙角柱.
3 視点 (= punto de vista).

pris·má·ti·co, ca [prismátiko, ka プリスマティコ, カ] 形 **1** プリズム(状)の.
2 〘数〙角柱形の.
── 名男 [～s] 双眼鏡.

pri·va·ción [priβaθjón プリバしオン] 名女 **1** 剥奪(はくだつ); 喪失. *privación* de libertad 自由の剥奪.
2 欠乏, 窮乏. pasar *privaciones* 不自由な思いをする.

pri·va·do, da [priβáðo, ða プリバド, ダ] 過分 形 **1** 私的な, プライベートな; 私立の (↔ público). asuntos *privados* 私事. clase *privada* 個人授業. vida *privada* 私生活.
2 内密の, 内々の. una fiesta *privada* 内々のパーティー.
3 《+de》…のない, 不足した. *privado de* agilidad 動作が敏捷(びんしょう)でない.
── 名男 寵臣(ちょうしん), お気に入り (= valido).
en privado 私的に, 内証で.

pri·van·za [priβánθa プリバンさ] 名女 (君主の)寵愛(ちょうあい).

pri·var [priβár プリバル] 動他 **1** 《+de》…を奪う, 取り上げる; 禁止する. Le *privaron de* libertad. 彼は自由を剥奪(はくだつ)された. El padre le *privó de* verla. 父親は彼を彼女に会わせないようにした.
2 夢中に[ぼうっと]させる, …の気に入る. Le *priva* esa joven. 彼はあの娘に夢中だ. Me *privan* las novelas. 私は小説が大好きだ.
── 動自 **1** 《+con》…の寵(ちょう)を受ける. *Priva con* el rey. 彼は王のお気に入りだ.
2 流行する. *Priva* la minifalda. ミニスカートがはやっている.
── **pri·var·se** 《+de》…をやめる, 節制する. *privarse de* tabaco タバコをやめる.

pri·va·ti·vo, va [priβatíβo, βa プリバティボ, バ] 形固有の, 特有な. Esa facultad es *privativa* del rey. その権限は王のみが有する.

pri·vi·le·gia·do, da [priβilexjáðo, ða プリビれヒアド, ダ] 形 **1** 特権を与えられた.
2 比類ない. memoria *privilegiada* 抜群の記憶力.
── 名男女 特権を持つ人. unos pocos *privilegiados* 少数の特権階級の人々.

pri·vi·le·gio [priβiléxjo プリビれヒオ] 名男 特権, 特典; 特権の認可証. tener [go-

P

zar, disfrutar] el *privilegio* de《+不定詞》…する特権を持つ.

pro [pró プロ] 名男 利益; 賛成. los *pros* y los contras 利点と難点. no estar ni en *pro* ni en contra 賛否どちらでもない.
―― 前 …に味方[賛成]して.
en pro de … …のための[に] (= en favor de). campaña *en pro de* los subnormales 精神薄弱者のためのキャンペーン.

pro- 《接頭》「代理, 前」の意を表す. ⇒ *pro*feta, *pro*nombre など.

pro·a [próa プロア] 名女 **1** 〘海事〙 船首, 舳先(へさき)(↔ popa). ➡ barco 図, yate 図.
2 (飛行機の) 機首.
poner la proa a … …にねらいをつける; …に反対する.

pro·ba·bi·li·dad [proβaβiliðáð プロバビリダ(ドゥ)] 名女 蓋然(がいぜん)性; 見込み, 公算; 〘数〙 確率. según toda *probabilidad* 十中八九, きっと. Tenía pocas *probabilidades* de pasar el examen. 合格する見込みはほとんどなかった.

pro·ba·ble [proβáβle プロバブれ] 形 [複 ～s] 〔英 probable〕 **1 ありそうな**, 可能性のある. ser *probable* que 《+接続法》 たぶん…だろう. ► posible より確実性が高い.
2 立証できる.

pro·ba·ble·men·te [proβáβleménte プロバブれメンテ] 副 たぶん, おそらく.

pro·ba·do, da [proβáðo, ða プロバド, ダ] 過分 ➡ probar.
―― 形 証明済みの, 確かな.

pro·ba·dor [proβaðór プロバドル] 名男 試着室.

probando 現分 ➡ probar.

pro·bar [proβár プロバル] [13 o ➡ ue] 動他 [現分 probando; 過分 probado, da] 〔英 prove; test, try〕

直説法 現在	
1·単 ***pruebo***	1·複 **probamos**
2·単 ***pruebas***	2·複 **probáis**
3·単 ***prueba***	3·複 ***prueban***

1 証明する, 立証する. Hay muchos datos que *prueban* que es inocente del crimen. 彼が犯罪とかかわりがないことを証明するデータはたくさんある.
2 試す; 試飲[試食]する. Está riquísimo. *Pruéba*lo, hombre. うまいぞ, いいから食べてみろよ.
3 食べる. no *probar* ni un bocado ひと口も食べない.
―― 動自 やってみる, 試す. *probar* a 《+不定詞》 …しようとする, 試しに…してみる.
―― **pro·bar·*se*** 試用する, 試着する. ¿Puedo *probarme* este abrigo? このコートを試着していいですか.

pro·be·ta [proβéta プロベタ] 名女 試験管. bebé *probeta* 試験管ベビー.

pro·ble·ma [proβléma プロブれマ] 名男 [複 ～s] 〔英 problem〕 **1 問題**, 課題; 難問. resolver [solucionar] un *problema* 問題を解決する. poner [plantear] un *problema* 問題を提起する. tener un *problema* 問題を抱える. *problema* de la vivienda 住宅問題.
2 故障, 障害.

pro·ble·má·ti·co, ca [proβlemátiko, ka プロブれマティコ, カ] 形 問題のある; 疑わしい.
―― 名女 《集合》 問題. La *problemática* es varia. 問題はいろいろあります.

pro·bo, ba [próβo, βa プロボ, バ] 形 実直な, 誠実な.

procaces 形 [複] ➡ procaz.

pro·ca·ci·dad [prokaθiðáð プロカしダ(ドゥ)] 名女 横柄, 厚かましさ; 破廉恥.

pro·caz [prokáθ プロカす] 形 [複 procaces] 横柄な, 厚かましい; 破廉恥な, 下品な.

pro·ce·den·cia [proθeðénθja プロせデンしア] 名女 **1** 起源, 出所, 出身. Toda su familia es de *procedencia* catalana. 彼の一族は全員カタルーニャの出身だ.
2 (船・飛行機などの) 出発地.

pro·ce·den·te [proθeðénte プロせデンテ] 形 **1** 《+**de**》 …から出る; …に由来する; …出身の. el vuelo *procedente de* Madrid y con destino a Palma de Mallorca マドリード発パルマ・デ・マジョルカ行きの便. palabras *procedentes del* latín ラテン語に由来する言葉.
2 適切な, 妥当な.

pro·ce·der [proθeðér プロせデル] 動自 **1** 《+**de**》 …から生じる; …に由来する. El vino *procede de* la uva. ぶどう酒はブドウから作られる. Este aceite *procede de* España. このオリーブ油はスペイン産だ.
2 行動する, 振る舞う. No *procedas* precipitadamente. 慌てて行動してはいけない. **3** 《+**a**》 …に移る, 取りかかる. *proceder a* estudiar el informe 報告書の検討に取りかかる.
4 理にかなっている, 適切である.
5 手続きを取る; 〘法律〙 《+**contra**》 …に対して訴訟を起こす.
―― 名男 行い, 振る舞い.

pro·ce·di·mien·to [proθeðimjénto プロせディミエント] 名男 **1** 手続き; 手段, 処理. *procedimiento* en línea 〘コンピュータ〙 オンライン処理.
2 〘法律〙 訴訟手続, 訴訟行為. *procedimiento* civil [penal] 民事[刑事]訴訟.

pró·cer [próθer プロせル] 形 身分[地位]の高い. ―― 名男女 貴人; 名士.

pro·ce·sa·do, da [proθesáðo, ða プロせサド, ダ] 名男女 〘法律〙 被告(人).

pro·ce·sa·dor [proθesaðór プロせサドル] 名男 〘コンピュータ〙 (演算) 処理装置, プロセッサー. *procesador* de textos ワードプロセッサー, ワープロ.

P

pro·ce·sa·mien·to [proθesamjénto プロセサミエント] 名男 **1** 〘法律〙訴追, 告発, 起訴. auto de *procesamiento* 起訴状.
2 〘ｺﾝﾋﾟｭｰﾀ〙処理. *procesamiento* de datos データ処理.

pro·ce·sar [proθesár プロセサル] 動他
1 《+**por**》〘法律〙…で告発する, 起訴する. **2** 〘ｺﾝﾋﾟｭｰﾀ〙処理する. *procesar* un texto ワープロで文書を作る.

pro·ce·sión [proθesjón プロセシオン] 名女 (宗教上の) 行列; 列, 連なり; 進行. la *procesión* del Corpus 〘ｶﾄﾘｯｸ〙聖体行列.

pro·ce·so [proθéso プロセソ] 名男 [複 ~s] 〔英 process〕 **1 過程**, 経過. en un *proceso* de cinco días 5日間のうちに.
2 工程, 加工, 処理. *proceso* de fabricación 製造工程. *proceso* de datos 〘ｺﾝﾋﾟｭｰﾀ〙データ処理.
3 〘法律〙訴訟. abrir un *proceso* contra 《+uno》 por 《+algo》〈何か〉のかどで〈人〉を起訴する.

pro·cla·ma [prokláma プロクラマ] 名女 声明, 告示.

pro·cla·ma·ción [proklamaθjón プロクラマシオン] 名女 **1** 宣言; 公告.
2 即位式, 就任式. **3** 歓呼.

pro·cla·mar [proklamár プロクラマル] 動他 **1** 宣言する, 公表する (= declarar). *proclamar* la independencia 独立を宣言する. Le *proclamaron* Premio Nobel. 彼のノーベル賞受賞が決まった.
2 (感情などを) 顔に出す. Su forma de mirar *proclamaba* decepción. 彼の目つきは失望を表していた.
3 歓呼する.
—— **pro·cla·mar·*se*** …と自ら宣言する.

pro·cli·ve [proklíβe プロクリベ] 形 《+**a**》 (悪い意味で) …の傾向がある, 性癖がある.

pro·cre·ar [prokreár プロクレアル] 動他 繁殖させる, (子を) 産む.

pro·cu·ra·dor, do·ra [prokuraðór, ðóra プロクラドル, ドラ] 名男女 **1** 〘法律〙代理人; 訴訟[司法]代理人.
2 (スペインで Franco 時代の) 国会議員 (= *procurador* en [a] Cortes).

pro·cu·rar [prokurár プロクラル] 動他 〔英 try〕 **1 努める**, 努力する. *Procura* escribirle con más frecuencia. もっとまめに彼に手紙を出すようにしなさい. *Procure* que no se pierdan. なくならないように注意してください.
2 都合する, 世話する.
—— **pro·cu·rar·*se*** 手に入れる, 工面する.

pro·di·ga·li·dad [proðiɣaliðáð プロディガリダ(ドゥ)] 名女 浪費; 気前のよさ.

pro·di·gar [proðiɣár プロディガル] [32 g ➡ gu] 動他 浪費する; 気前よく与える. *Prodigaron* las alabanzas. 彼らは惜しみない賛辞を送った.
—— **pro·di·gar·*se*** **1** 《+**en**》…に骨身を惜しまない. *Se prodiga en* amabilidades con nosotros. 彼は私たちに本当に親切にしてくれる.
2 目立ちたがる.

pro·di·gio [proðíxjo プロディヒオ] 名男 驚異, 奇跡; 天才. realizar *prodigios* 奇跡を起こす. Es un *prodigio* tocando el piano. 彼はピアノを弾かせたら天才だ.

pro·di·gio·so, sa [proðixjóso, sa プロディヒオソ, サ] 形 驚異的な, 奇跡的な; すばらしい (= maravilloso). un hecho *prodigioso* 驚異的な出来事. un éxito *prodigioso* 大成功.

pró·di·go, ga [próðiɣo, ɣa プロディゴ, ガ] 形 **1** 浪費する. el Hijo *Pródigo* 〘聖書〙放蕩(ほうとう)息子. **2** 気前のよい.
—— 名男女 浪費家.

pro·duc·ción [proðukθjón プロドゥクシオン] 名女 [複 producciones] 〔英 production〕 **1 生産**, 産出, 製造.
2 〘映画〙〘テレビ〙制作; 作品, 番組. *producción* cinematográfica 映画作品.

producido, da 過分 ➡ producir.

produciendo 現分 ➡ producir

pro·du·cir

[proðuθír プロドゥシル] 12 動他 [現分 produciendo; 過分 producido, da] 〔英 produce〕

直説法 現在	
1·単 ***produzco***	1·複 **producimos**
2·単 **produces**	2·複 **producís**
3·単 **produce**	3·複 **producen**

1 生産する; 産出する.
2 もたらす; …の原因となる, 引き起こす (= causar). La nueva política *ha producido* una gran inquietud en el sector económico. 新しい政策は経済界に大きな不安を巻き起こした.
—— **pro·du·cir·*se*** 生産される; 起こる, 生じる.

pro·duc·ti·vi·dad [proðuktiβiðáð プロドゥクティビダ(ドゥ)] 名女 生産性, 生産力.

pro·duc·ti·vo, va [proðuktíβo, βa プロドゥクティボ, バ] 形 生産的な; 利益を生む.

pro·duc·to [proðúkto プロドゥクト] 名男 [複 ~s] 〔英 product〕 **1 産物, 製品**. *producto* de España スペイン産[製品]. *producto* primario 第一次産品. *productos* alimenticios 食料品.
2 〘商業〙利益, 売上高, 生産高. *producto* neto 正味売上高. *producto* nacional bruto 国民総生産 《略 PNB》〔英 GNP〕.
3 〘数〙積.

pro·duc·tor, to·ra [proðuktór, tóra プロドゥクトル, トラ] 名男女 **1** 生産者, 製造者. venta directa del *productor* al consumidor 産地直売.
2 〘映画〙〘テレビ〙制作者, プロデューサー.
—— 形 生産の, 生産する.

produj- 動 ➡ producir. 12

produzc- 動 → producir. 12
pro·e·mio [proémjo プロエミオ] 名男 序文; 前置き.
pro·e·za [proéθa プロエさ] 名女 手柄, 偉業. *proeza* militar 武勲, 戦功.
pro·fa·na·ción [profanaθjón プロファナしオン] 名女 冒瀆(ぼうとく).
pro·fa·nar [profanár プロファナル] 動他 …の神聖を汚す, 冒瀆(ぼうとく)する; (故人の思い出などを) 汚す.
pro·fa·no, na [profáno, na プロファノ, ナ] 形 **1** 神聖を汚す; 世俗の. **2** 門外漢の, 素人の. Soy *profano* en música clásica. 私はクラシック音楽に疎い.
── 名男女 **1** 門外漢, 素人.
2 俗物, 俗人.
pro·fe·cí·a [profeθía プロフェしア] 名女 預言, 神託.
pro·fe·rir [proferír プロフェリル] [52 e → ie, i] [現分 profiriendo] 動他 発音する; 声高に言う. *proferir* insultos 罵倒(ばとう)する.
pro·fe·sar [profesár プロフェサル] 動他
1 信奉する. *profesar* el cristianismo キリスト教を信奉する.
2 (感情を) 抱く.
3 …を職業とする.
4 教える.
── 動自 《カトリック》修道誓願を立てる.
pro·fe·sión [profesjón プロフェシオン] 名女 [複 profesiones] 〔英 profession〕
1 職業. ¿Qué *profesión* tiene usted? ご職業はなんですか.
2 《カトリック》修道立願, 誓願 (式).
de profesión …を職とする, 本職の.
pro·fe·sio·nal [profesjonál プロフェシオナル] [複 ~es] 形 〔英 professional〕
1 職業 (上) の. enseñanza *profesional* 職業教育.
2 本職の, プロの (↔ aficionado). jugador *profesional* de tenis プロのテニス選手.
── 名男女 **1** 本職, 専門家; 《スポーツ》職業 [プロ] 選手.
2 常習者 [犯]. un *profesional* del crimen 犯罪常習者.
pro·fe·sio·na·lis·mo [profesjonalísmo プロフェシオナリスモ] 名男 職業意識, プロ精神.
pro·fe·so, sa [proféso, sa プロフェソ, サ] 形 《カトリック》誓願を立てた.
── 名男女 《カトリック》誓願修道士 [修道女].
ex profeso 特に, わざわざ (= de propósito).
pro·fe·sor, so·ra [profesór, sóra プロフェソル, ソラ] 名男女 [複男 ~es, 女 ~s] 〔英 teacher, professor〕 **教師**, 教員 《略 prof.》. *profesor* numerario [no numerario] (主に大学の) 専任 [非常勤] 教員. *profesor* titular 正教員. *profesor* de inglés 英語の教師.

> 【参 考】 **profesor** は広く教師一般を指す. **maestro** は小学校の先生. **catedrático** は (大学の) 教授. 現在のスペインの大学組織では専任教員 **numerarios** は **catedrático** と **titular** の2種.

pro·fe·so·ra·do [profesoráðo プロフェソラド] 名男 《集合》教員, 教授陣.
pro·fe·ta [proféta プロフェタ] 名男 預言者; 予言者.
pro·fé·ti·co, ca [profétiko, ka プロフェティコ, カ] 形 預言 [予言] の.
pro·fe·ti·sa [profetísa プロフェティサ] 名女 女性予言者. → profeta.
pro·fe·ti·zar [profetiθár プロフェティさル] [39 z → c] 動他自 預言 [予言] する.
pro·fi·lác·ti·co, ca [profiláktiko, ka プロフィらクティコ, カ] 形 《医》予防する.
── 名女 《医》予防法.
pro·fi·la·xis [profiláksis プロフィらクシス] 名女 《医》予防法.
pró·fu·go, ga [prófuɣo, ɣa プロフゴ, ガ] 形 逃亡した (= fugitivo).
── 名男 逃亡者; 徴兵忌避者.
profunda 形女 → profundo.
pro·fun·da·men·te [profúndaménte プロフンダメンテ] 副 深く; 心から.
pro·fun·di·dad [profundiðáð プロフンディダ(ドゥ)] 名女 **1** 深さ; 奥行き. La piscina tiene tres metros de *profundidad*. そのプールは3メートルの深さです. El río tiene poca *profundidad*. この川は浅い. setenta centímetros de *profundidad* 奥行70センチ. *profundidad* de campo 《写真》被写界深度. ► 高さは altura, 幅は anchura.
2 [~es] 深部, 深み. las *profundidades* del océano 大洋の底.
3 深遠, 奥底. *profundidad* de SU amor 愛情の深さ. en la *profundidad* de SU alma 心の底で.
pro·fun·di·zar [profundiθár プロフンディさル] [39 z → c] 動他 深く掘る; (研究などを) 深める. *profundizar* el tema テーマを掘り下げる.
── 動自 深く究める. Tenemos que *profundizar* más en el asunto. この件についてもっとよく検討しなければならない.
pro·fun·do, da [profúndo, da プロフンド, ダ] 形 [複 ~s] 〔英 deep〕 **1** 深い. un hoyo *profundo* 深い穴. una cueva *profunda* 奥行きのある洞窟(どうくつ). Mira, aquí es menos *profundo*. ほら, ここは浅いよ. herida *profunda* 深手. sueño *profundo* 深い眠り.
2 心からの; 深遠な, 難解な. Quiero expresarle mi *profundo* agradecimiento.

P

心から感謝の意を表したいと思います.
3 甚だしい, 顕著な. una *profunda* diferencia 明らかな違い. **4** 低く響く. una voz *profunda* 低く響く声.

pro·fu·sión [profusjón プロフシオン] 名女 おびただしさ, 多量, 過多.

pro·fu·so, sa [profúso, sa プロフソ, サ] 形 おびただしい, 多量の. la *profusa* obra de Picasso ピカソのおびただしい数の作品.

pro·ge·nie [proxénje プロヘニエ] 名女 《集合》子孫; 血筋, 家系.

pro·ge·ni·tor, to·ra [proxenitór, tóra プロヘニトル, トラ] 名男女 直系の先祖, 直系尊属.
—— 名男 [～es] 《口語》両親.

pro·gra·ma [proɣráma プログラマ] 名男 [複 ～s] 〔英 program〕 **1** **計画**, 予定(表). *programa* de construcción 工程表.
2 〘ラジオ〙〘テレビ〙 **番組**; プログラム. *programa* del concierto 演奏会のプログラム.
3 授業計画, カリキュラム.
4 (政党の) 綱領.
5 〘コンピュータ〙 プログラム.

pro·gra·ma·ción [proɣramaθjón プログラマシオン] 名女 **1** 〘ラジオ〙〘テレビ〙 番組編成.
2 〘コンピュータ〙 プログラミング.

pro·gra·ma·dor, do·ra [proɣramaðór, ðóra プログラマドル, ドラ] 名男女 **1** 〘ラジオ〙〘テレビ〙 番組の編成者.
2 〘コンピュータ〙 プログラマー.

pro·gra·mar [proɣramár プログラマル] 動他 **1** 計画を立てる. *programar* una reforma 改革案を練る.
2 〘ラジオ〙〘テレビ〙 …の番組を作る.
3 〘コンピュータ〙 …のプログラムを作る.

pro·gre·sar [proɣresár プログレサル] 動自 《+**en**》 …が進歩する, 向上する; 進行する (= adelantar). *Progresa* mucho *en* sus estudios. 彼は学力が大いに伸びている.

pro·gre·sión [proɣresjón プログレシオン] 名女 **1** 進行, 発展.
2 〘数〙 数列. *progresión* aritmética 等差数列. *progresión* geométrica 等比数列.

pro·gre·sis·mo [proɣresísmo プログレシスモ] 名男 進歩主義, 革新主義.

pro·gre·sis·ta [proɣresísta プログレシスタ] 形 進歩[革新]主義の, 進歩的な. ideas *progresistas* 革新思想.
—— 名男女 進歩[革新]主義者.

pro·gre·si·vo, va [proɣresíβo, βa プログレシボ, バ] 形 **1** 進歩的な, 前進的な.
2 漸次増加する. impuesto *progresivo* 累進課税.
3 〘文法〙 進行形[相]の.

pro·gre·so [proɣréso プログレソ] 名男 [複 ～s] 〔英 progress〕 **進歩**, 向上, 発展; 進行. hacer *progresos* 進歩する. *progreso* industrial 産業の発展.

prohíb- 動 → prohibir. [46 i → í]

pro·hi·bi·ción [proiβiθjón プロイビシオン] 名女 禁止, 禁制. levantar la *prohibición* de ... …の禁止を解除する.

pro·hi·bir [proiβír プロイビル] [46 i → í] 動他 〔英 prohibit〕 **禁止する**; 《+不定詞》《+**que** 接続法》 …することを禁ずる. El médico me *ha prohibido* fumar. 私は医者にタバコを禁じられた.
—— ***pro·hi·bir·se*** 禁止される. *Se prohíbe* aparcar en el paso de peatones. 横断歩道に駐車してはならない. *Se prohíbe* la entrada a menores de dieciocho años. 18歳未満入場お断り.

pro·hi·bi·ti·vo, va [proiβitíβo, βa プロイビティボ, バ] 形 **1** 禁止する. ley *prohibitiva* 禁止法. **2** (値段などが) ひどく高い. Actualmente los pisos están a un precio *prohibitivo*. 最近マンションの値段は高くて手が出ない.

pro·hi·ja·mien·to [proixamjénto プロイハミエント] 名男 養子縁組.

pro·hi·jar [proixár プロイハル] [2 i → í] 動他 養子にする.

pro·hom·bre [proómbre プロオンブレ] 名男 大立て者, ボス.

pró·ji·mo [próximo プロヒモ] 名男 **1** 隣人 (= vecino) ; 他人. ser bueno con el *prójimo* 他人に対して親切である.
2 《口語》あいつ, やつ.

pro·le [próle プロレ] 名女 《集合》 子孫; 子供.

pro·le·gó·me·no [proleɣómeno プロレゴメノ] 名男 [普通 ～s] 序説, 序論.

pro·le·ta·ria·do [proletarjáðo プロレタリアド] 名男 プロレタリアート, 無産階級 (↔ burguesía).

pro·le·ta·rio, ria [proletárjo, rja プロレタリオ, リア] 形 プロレタリアの, 無産階級の (↔ burgués).
—— 名男女 プロレタリア, 無産階級の人.

pro·li·fe·ra·ción [proliferaθjón プロリフェラシオン] 名女 **1** 〘生化〙 増殖, 繁殖.
2 急増.

pro·li·fe·rar [proliferár プロリフェラル] 動自 **1** 増殖する, 繁殖する. **2** 急増する.

pro·lí·fi·co, ca [prolífiko, ka プロリフィコ, カ] 形 **1** 多産の; (植物が) たくさん実を結ぶ. **2** 多作の. Pérez Galdós fue un escritor *prolífico*. ペレス・ガルドスは多作な作家であった.

pro·li·jo, ja [prolíxo, xa プロリホ, ハ] 形 **1** 冗長な, 冗漫な (↔ conciso). estilo *prolijo* 冗長な文体. **2** 細心の, 入念な.

pro·lo·gar [proloɣár プロロガル] [32 g → gu] 動他 …の序文を書く.

pró·lo·go [próloɣo プロロゴ] 名男 **1** 序文, プロローグ; 〘演劇〙 序幕 (↔ epílogo).
2 発端, 前触れ.

pro·lon·ga·ción [proloŋgaθjón プロロンガシオン] 名女 **1** (時間的) 延長. *prolonga-*

P

ción de la sesión 会期の延長.
2 (空間的) 延長; 延長線, 延長部分. *prolongación* del metro 地下鉄路線の延長.
pro·lon·gar [proloŋgár プロろンガル] [32 g → gu] 動他 長くする, 延ばす. *prolongar* su estancia 滞在を延ばす. *prolongar* una carretera 道路を延長する. ►「延期する, 遅らせる」は aplazar, diferir, posponer.
── **pro·lon·gar·se** 延びる, 長くなる. La reunión *se prolongó* hasta muy tarde. 集会は遅くまで続けられた.
pro·me·diar [promeðjár プロメディアル] 動他 **1** …の平均値を出す. **2** 半分に分ける.
── 動自 (期間の) 半ばに達する. al *promediar* el curso 学年度の半ばに.
pro·me·dio [proméðjo プロメディオ] 名男 平均; 中間点, 真ん中. como *promedio* 平均して. El *promedio* es de setenta puntos. 平均点は70だ.
pro·me·sa [promésa プロメサ] 名女 [複 ~s] 〔英 promise〕 **約束**, 確約. cumplir (con) su *promesa* 約束を果たす. Hizo la *promesa* de no fumar. 彼は禁煙の誓いを立てた.
pro·me·te·dor, do·ra [prometeðór, ðóra プロメテドル, ドラ] 形 前途有望な, 見込みのある.
pro·me·ter [prometér プロメテル] 動他 〔英 promise〕 **1 約束する**, 誓う. Le *prometí* a mi hija llevarla al parque de atracciones. 私は娘に遊園地へ連れて行ってやると約束した. Me *prometió* que no volvería a fumar. 彼は2度とタバコを吸わないと私に約束した.
2 …の見込みがある. Este año la exportación de coches *promete* ser buena. 今年は車の輸出が期待できそうだ.
── 動自 見込みがある, 有望である.
── **pro·me·ter·se** 婚約する.
prometérselas muy felices 甘い期待を抱く.
pro·me·ti·do, da [prometíðo, ða プロメティド, ダ] 過分 形 **1** 約束された.
2 《+ **con**》…と婚約した.
── 名男女 婚約者.
pro·mi·nen·cia [prominénθja プロミネンしア] 名女 **1** 突出, 突起; (土地の) 隆起.
2 卓越, 傑出.
pro·mi·nen·te [prominénte プロミネンテ] 形 **1** 突き出た. **2** 優れた, 際立った, 著名な.
pro·mis·cui·dad [promiskwiðáð プロミスクイダ(ドゥ)] 名女 雑多.
pro·mis·cuo, cua [promískwo, kwa プロミスクオ, クア] 形 雑多の, ごたまぜの.
pro·mo·ción [promoθjón プロモしオン] 名女 **1** 昇進, 昇格.
2 促進, 奨励. *promoción* de ventas 販売促進.
3 同期生. ser de la misma *promoción* universitaria 大学の同期生である.

pro·mo·cio·nar [promoθjonár プロモしオナル] 動他 **1** 昇進[昇格]させる.
2 …の販売促進をはかる.
pro·mon·to·rio [promontórjo プロモントリオ] 名男 **1** 岬; 高台. **2** 積み上げげた物.
pro·mo·tor, to·ra [promotór, tóra プロモトル, トラ] 名男女 発起人; 促進者, プロモーター. *promotor* de ventas 販売促進者.
── 形 促進する.
pro·mo·ver [promoβér プロモベル] [35 o → ue] 動他 **1** 促進する, 奨励する.
2 昇進[昇格]させる. *promover* a 《+ uno》 a capitán 〈人〉を隊長に昇進させる.
3 引き起こす, 誘発する. *promover* un escándalo 物議をかもす.
4 開始する, 着手する.
pro·mul·ga·ción [promulɣaθjón プロムるガしオン] 名女 (法令の) 発布, 公布.
pro·mul·gar [promulɣár プロムるガル] [32 g → gu] 動他 (法令を) 発布する, 公布する.
pro·nom·bre [pronómbre プロノンブレ] 名男 《文法》 代名詞. ⇨ 文法用語の解説.
pro·no·mi·nal [pronominál プロノミナる] 形 《文法》 代名詞の.
pro·nos·ti·car [pronostikár プロノスティカル] [8 c → qu] 動他 予測する, 予報する.
pro·nós·ti·co [pronóstiko プロノスティコ] 名男 予測; (天気) 予報, 《医》 予後. según el *pronóstico* del observatorio meteorológico 気象台の予報によれば. de *pronóstico* grave 予断を許さない病状の.
pronta 形女 → pronto[1].
pron·ti·tud [prontitúð プロンティトゥ(ドゥ)] 名女 素早さ, 機敏. con *prontitud* 素早く, 迅速に.
pron·to[1], ta [prónto, ta プロント, タ] 形 [複 ~s] 〔英 quick, fast〕
1 素早い, 機敏な. una *pronta* contestación 即座の返事.
2 用意[準備]ができた. La comida está *pronta*. 食事の支度はできている.
pron·to[2]
[prónto プロント] 副 〔英 fast; early〕
1 早く, 素早く; すぐに, 間もなく. ¡*Pronto*! No tardes tanto en vestirte. 急げ! 着替えに手間どるな. Que te mejores *pronto*. 早くよくなってください. *Pronto* se pondrá en venta su última novela. 彼の最新作は近日中に発売の予定です.
2 早い時間に (= temprano). Se levantó muy *pronto*. 彼はとても早く起きた. Es *pronto*. Todavía falta más de una hora. 早すぎた. まだ1時間以上も間がある.
── 名男 衝動, 思いつき. tener *prontos* de enojo すぐにかっとなりやすい.
al pronto 最初は, すぐには.
de pronto 突然 (= de repente)
¡Hasta pronto! それではまた後ほど.

P

lo más pronto posible できるだけ早く.
por lo pronto とりあえず, さしあたって.
tan pronto como... …するとすぐに. *Tan pronto como* cena, se va a dormir. 彼は夕食をとるとすぐに眠る. ►como に続く動詞が未来を表す時は接続法となる.

pron·tua·rio [prontwárjo プロントゥアリオ] 名男 マニュアル, ハンドブック; 要約.

pro·nun·cia·ción [pronunθjaθjón プロヌンしアしオン] 名女 **1** 発音; 発音法.
2 〘法律〙宣告. la *pronunciación* de la sentencia 判決の申し渡し.

pro·nun·cia·do, da [pronunθjáðo, ða プロヌンしアド, ダ] 過分 形 際立った, 人目をひく, 特徴のある.

pro·nun·cia·mien·to [pronunθjamjénto プロヌンしアミエント] 名男 〘歴史〙(軍の)反乱, クーデター.

pro·nun·ciar [pronunθjár プロヌンしアル] 動他 〔英 pronounce〕
1 発音する. No sé cómo *pronunciar* este apellido tan raro. こんな変わった名字はなんて読むのか分かりません.
2 言う, 述べる. *pronunciar* un discurso 演説する. Todos los presentes sabíamos a quién se refería la chica, pero nadie se atrevió a *pronunciar* su nombre. 出席者全員が彼女が誰のことを言っているのか知っていたが, 誰もその名前をあえて口にしようとはしなかった.
3 〘法律〙宣告する.
4 際立たせる, 目立たせる.
—— **pro·nun·ciar·*se*** **1** 発音される.
2 反乱を起こす.
3 (賛否の) 態度を明らかにする. No quiero *pronunciarme* sobre este asunto. この件に関しては私は言明を避けたい.
4 際立つ, 目立つ.

pro·pa·ga·ción [propaɣaθjón プロパガしオン] 名女 普及, 伝播(でんぱ), 流布.

pro·pa·gan·da [propaɣánda プロパガンダ] 名女 宣伝, 宣伝活動; 宣伝ビラ. *propaganda* del gobierno 政府の広報活動. hacer *propaganda* 宣伝する. Todas las paredes están llenas de *propaganda*. 壁という壁は広告でいっぱいだ.

pro·pa·gan·dís·ti·co, ca [propaɣandístiko, ka プロパガンディスティコ, カ] 形 宣伝のための.

pro·pa·gar [propaɣár プロパガル] [32 g → gu] 動他 **1** 広める, 宣伝する; 布教する. *propagar* la fe 布教する.
2 増殖させる.
—— **pro·pa·gar·*se*** **1** 広まる; (病気が) 流行する. **2** 繁殖[増殖]する.

pro·pa·lar [propalár プロパラル] 動他 (秘密などを) 漏らす, 暴露する.

pro·pa·no [propáno プロパノ] 名男 〘化〙プロパン(ガス).

pro·pa·sar·*se* [propasárse プロパサルセ] 動 **1** 度を越す. No *te propases* con el alcohol. 飲みすぎてはいけないよ.
2 (男が女に) 失礼なことをする.

pro·pen·der [propendér プロペンデル] 動自 《+**a**》…の傾向がある.

pro·pen·sión [propensjón プロペンシオン] 名女 **1** 傾向, 性向. tener *propensión* a resfriarse 風邪をひきやすい.
2 好み, 嗜好(しこう).

pro·pen·so, sa [propénso, sa プロペンソ, サ] 形 《+**a**》…の傾向がある, しがちである.

propia 形女 → propio.

pro·pia·men·te [própjaménte プロピアメンテ] 副 まさに, 本来. *propiamente* dicho 厳密に言うと; 本来の意味での.

pro·pi·cio, cia [propíθjo, θja プロピしオ, しア] 形 《+**a, para**》…に好都合な, 適した (= apropiado); 好意的な (= favorable). ocasión *propicia* 好機. clima *propicio para* el cultivo de olivas オリーブ栽培に適した気候.

pro·pie·dad [propjeðáð プロピエダ(ドゥ)] 名女 [複 ~es] 〔英 property〕 **1 所有権** (=derecho de *propiedad*). de *propiedad* privada 私有の. *propiedad* literaria 著作権. *propiedad* industrial 工業所有権. *propiedad* intelectual 知的所有権.
2 所有地, 不動産. Este terreno es *propiedad* del municipio. この土地は市有地である.
3 特質, 特性. La elasticidad es una de las *propiedades* del caucho. 弾力性はゴムの特性の一つである.
4 (言葉の) 正確さ, 的確さ. dicho con *propiedad* 正確に言えば.
en propiedad (1)所有権つきで. Les he cedido este piso *en propiedad*. 私は彼らにこのマンションを譲渡した. (2) 終身職[官]として.

pro·pie·ta·rio, ria [propjetárjo, rja プロピエタリオ, リア] 名男女 所有者. ser *propietario* de ... …を所有している. el *propietario* de las acciones 株主.
—— 形 所有者の.

pro·pi·na [propína プロピナ] 名女 [複 ~s] 〔英 tip〕 **チップ**, 祝儀. dar una *propina* チップを渡す.
de propina 《口語》おまけに.

pro·pi·nar [propinár プロピナル] 動他 **1** …にチップを渡す. **2** 《口語》食らわす. *propinar* una paliza 一発見舞う.

pro·pio, pia

[própjo, pja プロピオ, ピア] 形 [複 ~s] 〔英 own〕 **1** 《所有の意味を強調して》**自分自身の.** Lo vi con mis *propios* ojos. それを私はこの目で見たんだ. casa *propia* 持ち家.
2 《名詞の前に付けて》当の…, …自身. Se presentó en la reunión el *propio* Sr.Fernández. 会合にフェルナンデス氏本人が出席した.
3 固有の, 特有の, 本来の. en el senti-

do *propio* de la palabra その言葉本来の意味で. Esos errores son *propios* de un joven. そうした誤ちは若者にはありがちなことだ. una bebida *propia* del país その国ならではの飲み物.

4 ふさわしい. Ese vestido no es *propio* para viajar. その服は旅行にはふさわしくない.

5 同一の. hacer lo *propio* 同じことをする. **6**〘文法〙固有の.

de propio わざわざ.

propón 動→ proponer. 45

propondr- 動→ proponer. 45

pro·po·ner [proponér プロポネル] 45動他 〔過分 propuesto, ta〕〔英 propose〕

1 提案する, 提起する. *proponer* un problema 問題を提起する. Nos *propuso* ir de vacaciones a las Islas Canarias. 彼は私たちに休暇にカナリア諸島へ行かないかと提案した.

2《＋**para**》…に推す, 推薦する. *proponer* a《＋uno》*para* gerente 〈人〉を支配人として推薦する.

—— **pro·po·ner·*se***《＋不定詞》…しようと決心する;《＋**que** 接続法》…するようにもくろむ. *Se propuso* hacerse rico. 彼は金持ちになると心に誓った.

propong- 動→ proponer. 45

pro·por·ción [proporθjón プロポルしオン] 名 女 [複 proporciones]〔英 proportion〕 **1 釣り合い**, 均整. El tamaño de los muebles no guarda *proporción* con el de la habitación. 家具の大きさが部屋の大きさと釣り合わない.

2 割合;〘数〙比率, 比例. a *proporción* de ... …に従って. en *proporción* con ... …に比例して. en una *proporción* de cinco a uno 5対1の割合で. *proporción* directa [inversa] 正[反]比例.

3 [proporciones] 規模. Se desconocen las *proporciones* del desastre. 災害の規模は分からない. un edificio de *proporciones* gigantescas 巨大なビル.

pro·por·cio·nal [proporθjonál プロポルしオナる] 形 比例した, 釣り合った, 相応の;〘数〙比例の. reparto *proporcional* 比例配分.

pro·por·cio·nar [proporθjonár プロポルしオナル] 動他〔英 proportion〕 **1 釣り合わせる**, 適応させる. *proporcionar* sus gastos a sus ingresos 収入に応じて支出を調整する.

2 与える, 提供する; もたらす, 引き起こす. *proporcionar* provecho 利益をもたらす. *proporcionar* animación a《＋algo》〈何か〉を活気づける. *proporcionar* trabajo a《＋uno》〈人〉に仕事を世話する.

—— **pro·por·cio·nar·*se*** 工面する, 調達する. *proporcionarse* dinero なんとか金の算段をする.

pro·po·si·ción [proposiθjón プロポシしオン] 名女 **1** 提案, 発議.

2〘数〙〘論理〙命題, 定理.

pro·pó·si·to [propósito プロポシト] 名男 [複 ～s]〔英 intention, purpose〕**意図**, 動機. No sé cuál es el *propósito* de tu visita. 君の来意を理解しかねる. Tengo el *propósito* de viajar por Europa el año que viene. 私は来年ヨーロッパ旅行をするつもりだ. buenos *propósitos* 善意, 誠意.

a propósito (1)《文頭で》ところで. (2) 折よく; わざと, 故意に.

a propósito de ... …について. Discutían *a propósito de* una noticia del periódico. 彼らは新聞に載った記事のことで議論していた.

de propósito 故意に; わざわざ. Fui a su despacho *de propósito* para entrevistarme con él. 私は彼と面談するためわざわざ彼の事務所まで出向いた.

fuera de propósito 的外れの, 場違いの.

pro·pues·to, ta [propwésto, ta プロプエスト, タ] 過分 → proponer.

—— 形 提案[提起]された.

—— 名女 提案, 申し出; 見積もり(書). Voy a hacerle una *propuesta*. あなたにひとつ提案があります. a *propuesta* de ... …の提案によって.

pro·pug·nar [propuɣnár プロプグナル] 動他 支持する, 擁護する.

pro·pul·sar [propulsár プロプるサル] 動他 推進する; 育成する, 促す.

pro·pul·sión [propulsjón プロプるシオン] 名女〘航空〙推進(力). *propulsión* a chorro [por reacción] ジェット推進.

pro·pul·sor, so·ra [propulsór, sóra プロプるソル, ソラ] 形 推進の, 推進力のある. cohete *propulsor* 推進ロケット.

—— 名男女 推進者.

—— 名男〘機械〙推進機関.

propus- 動→ proponer. 45

pro·rra·ta [proȓáta プロラタ] 名女 分け前, 割り当て. a *prorrata* 比例配分で, 案分して.

pro·rra·te·o [proȓatéo プロラテオ] 名男 比例配分, 割り当て.

pró·rro·ga [próȓoɣa プロロガ] 名女 **1** 延期, 延長(期間). *prórroga* del visado ビザ(査証)の更新. **2**〘スポ〙延長戦.

pro·rro·ga·ble [proȓoɣáβle プロロガブれ] 形 延期[延長]できる.

pro·rro·gar [proȓoɣár プロロガル] [32 g → gu] 動他 延期[延長]する.

pro·rrum·pir [proȓumpír プロルンピル] 動自 **1**《＋**en**》突然…する. *prorrumpir en* lágrimas わっと泣きだす.

2 (どっと)出る, 沸き上がる.

pro·sa [prósa プロサ] 名女 散文; 散文体. poemas en *prosa* 散文詩. ► 韻文は verso.

pro·sai·co, ca [prosáiko, ka プロサイコ, カ] 形 **1** 散文(体)の.
2 平凡な, 月並みな, 味気ない.

pros·ce·nio [prosθénjo プロセニオ] 名 男 〘演劇〙プロセニアム; 前舞台. ➡ teatro 図.

pros·cri·bir [proskriβír プロスクリビル] 動 他 [過分 proscrito, ta] **1** 追放する.
2 禁止する (= prohibir).

pros·crip·ción [proskripθjón プロスクリプしオン] 名 女 **1** 追放; 国外退去.
2 禁止, 差し止め.

pros·cri·to, ta [proskríto, ta プロスクリト, タ] 過分 ➡ proscribir.
— 形 追放された; 禁じられた, 差し止められた.
— 名 男 女 追放された人.

pro·se·cu·ción [prosekuθjón プロセクしオン] 名 女 続行; 追求.

pro·se·guir [proseɣír プロセギル] [21 gu ➡ g ; 41 e ➡ i] [現分 prosiguiendo] 動 他 続ける (= continuar). *Prosiguió* sus estudios. 彼は研究を続けた.
— 動 自 《+con, en》…を続ける, 継続する. *proseguir con* [*en*] SU tarea 仕事を続ける.

pro·se·li·tis·mo [proselitísmo プロセりティスモ] 名 男 改宗[転向]の勧誘.

pro·sé·li·to, ta [prosélito, ta プロセりト, タ] 名 男 女 改宗[転向]者.

pro·sis·ta [prosísta プロシスタ] 名 男 女 散文作家.

pro·so·dia [prosóðja プロソディア] 名 女 〘言語〙韻律素論, プロソディー.

pro·so·po·pe·ya [prosopopéja プロソポペヤ] 名 女 **1** 〘修辞〙擬人法.
2 仰々しい物言い.

pros·pec·ción [prospekθjón プロスペクしオン] 名 女 (地下資源の) 調査. *prospección* del petróleo 石油の試掘.

pros·pec·ti·va [prospektíβa プロスペクティバ] 名 女 未来学.

pros·pec·to [prospékto プロスペクト] 名 男 (広告用の) ちらし; (薬品・機械などの) 説明書, パンフレット.

pros·pe·rar [prosperár プロスペラル] 動 自 繁栄する. *Prospera* su negocio. 彼の事業は繁盛している.

pros·pe·ri·dad [prosperiðáð プロスペリダ(ドゥ)] 名 女 **1** 繁栄, 繁盛. **2** 成功, 幸運.

prós·pe·ro, ra [próspero, ra プロスペロ, ラ] 形 栄える, 繁栄する; 順調な.

prós·ta·ta [próstata プロスタタ] 名 女 〘解剖〙前立腺(せん). hipertrofia de la *próstata* 前立腺肥大.

pros·ter·nar·se [prosternárse プロステルナルセ] 動 平伏する, ひざまずく.

pros·tí·bu·lo [prostíβulo プロスティブろ] 名 男 売春宿.

pros·ti·tu·ción [prostituθjón プロスティトゥしオン] 名 女 **1** 売春. ► 単数形のみで使われる. **2** 変節; 堕落, 腐敗.

pros·ti·tuir [prostitwír プロスティトゥイル] 29 動 他 [現分 prostituyendo] **1** 売春させる.
2 (金のために) 売り渡す. *prostituir* SU talento por dinero 才能を切り売りする.
— **pros·ti·tuir·se** 売春をする; 変節する.

pros·ti·tu·ta [prostitúta プロスティトゥタ] 名 女 売春婦, 娼婦(しょうふ)(= puta).

pro·ta·go·nis·ta [protaɣonísta プロタゴニスタ] 名 男 女 (小説などの) 主人公; 〘映画〙〘演劇〙主役; (事件などの) 中心人物.

pro·ta·go·ni·zar [protaɣoniθár プロタゴニさル] [39 z ➡ c] 動 他 …の主役を演ずる.

pro·tec·ción [protekθjón プロテクしオン] 名 女 [複 protecciones] 保護, 防護. *protección* de la naturaleza 自然保護. bajo la *protección* de 《+ algo》〈何か〉に守られて.

pro·tec·cio·nis·mo [protekθjonísmo プロテクしオニスモ] 名 男 保護貿易政策[主義] (↔ librecambismo).

pro·tec·cio·nis·ta [protekθjonísta プロテクしオニスタ] 形 保護貿易主義の.
— 名 男 女 保護貿易主義者.

pro·tec·tor, to·ra [protektór, tóra プロテクトル, トラ] 形 保護する, 庇護(ひご)する. color *protector* 保護色.
— 名 男 女 保護者, 庇護者.

pro·tec·to·ra·do [protektoráðo プロテクトラド] 名 男 保護国, 保護領.

pro·te·ger [protexér プロテヘル] [11 g ➡ j] 動 他 〔英 protect〕**守る**, 保護する. El país *protege* los productos agrícolas. その国は農産物の保護政策を取っている.
— **pro·te·ger·se** 身を守る. *protegerse* del frío 寒さから身を守る.

pro·te·í·na [proteína プロテイナ] 名 女 〘生物〙たんぱく質.

protej- 動 ➡ proteger. [11 g ➡ j]

pró·te·sis [prótesis プロテシス] 名 女 [単・複同形] **1** 〘言語〙語頭音添加.
2 〘医〙補綴(ほてつ). *prótesis* dental 義歯.

pro·tes·ta [protésta プロテスタ] 名 女 抗議, 異議; 抗議文書[行動]. hacer una *protesta* 抗議する. Hizo *protestas* de su inocencia. 彼は無罪を主張した.

pro·tes·tan·te [protestánte プロテスタンテ] 名 男 女 〘宗教〙プロテスタント(信者).
— 形 〘宗教〙プロテスタントの.

pro·tes·tan·tis·mo [protestantísmo プロテスタンティスモ] 名 男 新教, プロテスタントの教義.

pro·tes·tar [protestár プロテスタル] 動 自 〔英 protest〕《+contra, de》**…に抗議する**; 不平[文句]を言う. *protestar contra* una demora 遅延に抗議する. *protestar del* trato 待遇に不平を言う.
— 動 他 **1** 明言する, 公言する.

P

2〖商業〗(手形などの)支払いを拒否する.

pro·tes·to [protésto プロテスト] 名男 〖商業〗拒絶証書. *protesto* por falta de pago 支払拒絶証書.

proto- 「主要, 原始」の意を表す造語要素. ⇒ *proto*historia, *proto*tipo など.

pro·to·co·la·rio, ria [protokolárjo, rja プロトコラリオ, リア] 形 儀礼的な. visita *protocolaria* 表敬訪問.

pro·to·co·lo [protokólo プロトコロ] 名男
1 儀礼, 儀典; しきたり, 作法. sin *protocolo* 堅苦しいことは抜きにして.
2 (文書の)原本.
3 (外交)議定書.
4 〖インターネット〗通信規約: コンピュータ間の通信手段.

pro·to·his·to·ria [protoistórja プロトイストリア] 名女 原史(時代): 先史時代と歴史時代の間.

pro·tón [protón プロトン] 名男 〖物理〗陽子, プロトン.

pro·to·plas·ma [protoplásma プロトプラスマ] 名男 〖生物〗原形質.

pro·to·ti·po [prototípo プロトティポ] 名男
1 (大量生産などの)原型, プロトタイプ. *prototipo* de coche 試作車. **2** 典型.

pro·to·zo·a·rio [protoθoárjo プロトそアリオ] / **pro·to·zo·o** [-θóo -そオ] 名男 〖生物〗原生動物.

pro·tu·be·ran·cia [protuβeránθja プロトゥベランしア] 名女 隆起, こぶ.

pro·ve·cho [proβétʃo プロベチョ] 名男
1 利益, 利潤; 得 (= beneficio). sacar *provecho* del negocio そのビジネスから利益を得る. No sabe sacar *provecho* de las oportunidades. 彼はチャンスを活用するすべを知らない. sin *provecho* alguno 無益に.
2 進歩, 上達, 向上. Estudió español con mucho *provecho*. 彼はスペイン語がたいへん上達した.
¡Buen provecho! 《口語》どうぞごゆっくり. ► 食事中の人に対する挨拶(あいさつ) (= ¡Que aproveche!).
de provecho 有用な. una persona *de provecho* 役に立つ人.
en provecho de ... …のために, …に有利に.
en provecho propio 自分に都合よく.

pro·ve·cho·so, sa [proβetʃóso, sa プロベチョソ, サ] 形 有益な, 役に立つ; 儲(もう)かる. *provechoso* a [para] la salud 健康に良い. venta *provechosa* 有利な売り物.

pro·vec·to, ta [proβékto, ta プロベクト, タ] 形 かなり年配の, 老齢の.

pro·ve·e·dor, do·ra [proβeeðór, ðóra プロベエドル, ドラ] 名男女 供給者; 納入業者. *proveedor* de fondos 出資者.
── 形 供給の.

pro·ve·er [proβeér プロベエル] 15 動他 [現分 proveyendo; 過分 provisto, ta; proveído, da] **1** 《+**de**》…を用意する, 準備する.
2 《+**de**》…を調達する, 供給する.
3 〖法律〗(法廷が)申し渡す.
── **pro·ve·er·*se*** 《+**de**》…を用意する, 準備する.
estar provisto de ... …を備えている, 持っている.

pro·ve·nir [proβenír プロベニル] 59 動自 [現分 proviniendo] 《+**de**》…から生ずる, …に由来する. Esto *proviene de* no haberlo curado antes. これは前に治療しておかなかったせいだ.

Pro·ven·za [proβénθa プロベンさ] 固名 プロバンス: フランス南東部の地方.

pro·ven·zal [proβenθál プロベンさる] 形 プロバンス地方の.
── 名男女 プロバンスの住民.
── 名男 プロバンス語.

pro·ver·bial [proβerβjál プロベルビアる] 形 **1** 諺(ことわざ)の, 格言的な. frase *proverbial* 諺. **2** 周知の, 名うての.

pro·ver·bio [proβérβjo プロベルビオ] 名男 諺(ことわざ), 格言.

pro·vi·den·cia [proβiðénθja プロビデンしア] 名女 **1** 摂理, 神意. la Divina *Providencia* 神の摂理.
2 [普通 ～s] 対策, 方策.

pro·vi·den·cial [proβiðenθjál プロビデンしアる] 形 摂理的な; 願ってもない.

pro·vin·cia [proβínθja プロビンしア] 名女 [複 ～s] 〔英 prefecture〕 **1** 県. la *provincia* de Badajoz バダホス県.
2 (首都・大都市に対して)地方, 田舎. la vida en *provincia* 田舎暮らし.

pro·vin·cial [proβinθjál プロビンしアる] 形
1 県の, 州の. diputación *provincial* 県議会.
2 地方の, 田舎の.

pro·vin·cia·no, na [proβinθjáno, na プロビンしアノ, ナ] 形 地方の, 田舎の.
── 名男女 地方の人, 田舎の人.

pro·vi·sión [proβisjón プロビシオン] 名女
1 貯蔵, 備蓄. hacer *provisión* de petróleo 石油を備蓄する. **2** [provisiones] 食糧の蓄え [ストック] (= *provisiones* de boca).
3 供給. *provisión* de la vacante 欠員補充.

pro·vi·sio·nal [proβisjonál プロビシオナる] 形 一時的な, 仮の. gobierno *provisional* 臨時政府. una medida *provisional* 暫定措置.

pro·vo·ca·ción [proβokaθjón プロボカしオン] 名女 挑発, 扇動.

pro·vo·car [proβokár プロボカル] [8 c → qu] 動他 **1** 挑発する, けしかける (= incitar); 怒らせる; (女が)気を引く. *Provocó* al pueblo a que se sublevara contra el gobierno. 政府に対して

P

蜂起(ほうき)するよう彼は民衆を扇動した.
2 引き起こす, 原因となる. El escape de gas *provocó* el incendio. ガスもれが原因で火事となった. *provocar* la [a] risa 笑いを誘う.
3《ラ米》…したい気にさせる. No me *provoca* ir. 僕はどうも行く気にならない.
pro·vo·ca·ti·vo, va [proβokatíβo, βa プロボカティボ, バ] 形 挑発的な, 挑戦的な; 欲情をそそる. Me miró de forma *provocativa*. 彼は挑むように僕をにらんだ. una mujer *provocativa* 色っぽい女性.
pro·xe·ne·ta [proksenéta プロクセネタ] 名 男女 売春斡旋(あっせん)人, ぽん引き.
próxima 形女 → próximo.
pró·xi·ma·men·te [próksimaménte プロクシマメンテ] 副 **1** すぐに, まもなく.
2 ほぼ, だいたい (＝aproximadamente).
pro·xi·mi·dad [proksimiðáð プロクシミダ(ドゥ)] 名女 近いこと, 近接; [普通 ～es] 付近. En la *proximidad* de las vacaciones se venden muchas bolsas de viaje. バカンスが近づくと, 旅行かばんがよく売れる.

pró·xi·mo, ma

[próksimo, ma プロクシモ, マ] 形 [複 ～s] 〔英 near ; next〕 **1** (空間・時間的に) 近い. Mi casa está *próxima* a la universidad. 私の家は大学の近くにある. Está *próximo* a retirarse. 彼はもう少しで停年退職だ.
2 次の, 来るべき. el sábado *próximo* 今度の土曜日に. la *próxima* parada 次の停留所.
pro·yec·ción [projekθjón プロイエクしオン] 名女 **1** 投射, 発射. **2** 〔映画〕 映写, 上映. *proyección* de diapositivas スライドの映写. **3** 〔数〕 投影 (図). *proyección* cónica 円錐(えんすい)図法. **4** 普及; 影響.
pro·yec·tar [projektár プロイエクタル] 動 他 **1** (光・影を) 投げかける; 映写する; 〔数〕〔物理〕 投影する. El foco *proyectaba* la luz sobre el bailaor. スポットライトはフラメンコ・ダンサーに光を当てていた.
2 発射する; 放射する (＝lanzar). El volcán *proyectaba* la lava. 火山は溶岩を噴出していた.
3 計画する; 設計する.
pro·yec·til [projektíl プロイエクティる] 名男 〔軍事〕 (弾丸・砲弾などの) 発射体; ミサイル (＝misil). *proyectil* balístico 弾道ミサイル.
pro·yec·to [projékto プロイエクト] 名男 [複 ～s] **1** 計画, 企画. Tengo el *proyecto* de viajar por España en coche. 私は車でスペインを旅行するつもりだ.
2 草案; 見積もり. un *proyecto* de ley 法案.
3 設計 (図).
en proyecto 計画中の[で].
pro·yec·tor [projektór プロイエクトル] 名男 **1** 〔映画〕 映写機, プロジェクター.
2 サーチライト; 〔演劇〕 スポット・ライト.
pru·den·cia [pruðénθja プルデンしア] 名女 慎重; 節度, 分別.
pru·den·cial [pruðenθjál プルデンしアる] 形 《口語》 適当な, ほどほどの. una cantidad *prudencial* 適当な額[量].
pru·den·te [pruðénte プルデンテ] 形 慎重な; 分別のある. Sé *prudente* con la comida. 食べるのはほどほどにしなさい.
prueb- 動 → probar. [13 o → ue]
prue·ba [prwéβa プルエバ] 名女 [複 ～s] 〔英 proof〕 **1** 証拠; 証明; 兆候. Aquí están las *pruebas* de lo que decimos. 我々の言ったことの証拠はここにある. dar *prueba* de ... …を証明する.
2 試験; 実験. poner [someter] a *prueba* 試す, テストする.
3 試み; 試用, 試運転; 〔服飾〕 試着, 仮縫い.
4 〔スポーツ〕 競技 (種目); 1 試合. *prueba* eliminatoria 予選 (会).
5 〔数〕 検算. hacer *prueba* de 《＋algo》 〈何か〉の検算をする.
6 〔印刷〕 校正刷り, ゲラ. *prueba* de imprenta 校正[ゲラ]刷り. primera *prueba* 初校刷り.
a prueba 試験的に, 試みに; 実験済みの.
a prueba de ... …に耐える. *a prueba de* agua 防水 (加工) の.
a toda prueba なんに対しても屈しない [大丈夫な].
en prueba de ... …の証拠として.
pru·ri·to [prurítο プルリト] 名男 **1** 〔医〕 掻痒(そうよう)症, かゆみ. **2** 抑えがたい欲望. tener [sentir] el *prurito* de 《＋不定詞》 何がなんでも…したくなる.
pru·sia·no, na [prusjáno, na プルシアノ, ナ] 形 プロイセン Prusia の, プロシアの.
—— 名男女 プロイセン人, プロシア人.
¡psch! [psss プス] 間投 → ¡pche!
psico- 「精神」の意を表す造語要素. ⇒ *psicoanálisis*, *psicosis* など.
psi·co·a·ná·li·sis [sikoanálisis シコアナリシス] 名男 [単・複同形] 精神分析 (学).
psi·co·dé·li·co, ca [sikoðéliko, ka シコデりコ, カ] 形 幻覚的な, サイケデリックな; サイケ調の.
psi·co·lo·gí·a [sikoloxía シコろヒア] 名女 **1** 心理学. *psicología* clínica 臨床心理学. **2** 心理 (状態). *psicología* de masas 群衆心理.
psi·co·ló·gi·co, ca [sikolóxiko, ka シコろヒコ, カ] 形 心理学の, 心理上の. guerra *psicológica* 神経戦. presión *psicológica* 精神的なプレッシャー.
psi·có·lo·go, ga [sikóloɣo, ɣa シコろゴ, ガ] 名男女 心理学者.
psi·có·pa·ta [sikópata シコパタ] 名男女 〔医〕 精神病質者; 精神病者.
psi·co·pa·tí·a [sikopatía シコパティア] 名女 〔医〕 精神病質.

P

psi·co·sis [sikósis シコシス] 名女 [単・複同形] 〘医〙精神病; 精神不安; 集団ヒステリー. *psicosis* de guerra 戦争ノイローゼ.
psi·co·te·ra·pia [sikoterápja シコテラピア] 名女 〘医〙心理[精神]療法.
psi·que [síke シケ] / **psi·quis** [síkis シキス] 名女 〘心理〙魂, 心; プシケ.
psi·quia·tra [sikjátra シキアトゥラ] / **psi·quí·a·tra** [sikía- シキア-] 名男女 〘医〙精神科医.
psi·quia·trí·a [sikjatría シキアトゥリア] 名女 〘医〙精神医学.
psí·qui·co, ca [síkiko, ka シキコ, カ] 形 精神の, 心的な.
pú·a [púa プア] 名女 **1** (植物の) とげ, (ハリネズミなどの) 針. Me he clavado una *púa* en el dedo. 指にとげが刺さった.
2 (くしの) 歯; (フォーク) の先; (有刺鉄線の) とげ.
3 心に刺さったとげ, 憂鬱(ゆううつ)の種.
4 〘音楽〙 (弦楽器用の) 爪(つめ), ピック.
pub [púβ プ(ブ)] 名男 酒場, パブ. [←英語]
pú·ber, be·ra [púβer, βera プベル, ベラ] 形 思春期に達した. edad *púbera* 思春期.
── 名男女 若者, 青年.
pu·ber·tad [puβertáð プベルタ(ドゥ)] 名女 思春期, 青春期.
pu·bis [púβis プビス] 名男 [単・複同形] 〘解剖〙恥丘; 恥骨.
pública 形女 → público¹.
pu·bli·ca·ción [puβlikaθjón プブリカシオン] 名女 **1** 公表, 発表. la *publicación* de una noticia あるニュースの報道.
2 出版, 刊行; 出版物.
publicado, da 過分 → publicar.
pú·bli·ca·men·te [púβlikaménte プブリカメンテ] 副 おおっぴらに, 公然と.
publicando 現分 → publicar.

P

pu·bli·car [puβlikár プブリカル] [8 c → qu] 動他 [現分 publicando ; 過分 publicado, da] 〔英 publish〕 **1** **公表する**; 発表する. *publicar* un secreto 秘密を暴く.
2 **出版する**, 刊行する. *publicar* un libro de cuentos 短編集を出版する.
pu·bli·ci·dad [puβliθiðáð プブリシダ(ドゥ)] 名女 **1** 公開 (性). dar *publicidad* a 《+algo》〈何か〉を公表する, 広める. **2** 広告, 宣伝. agencia de *publicidad* 広告代理店. *publicidad* en TV テレビコマーシャル.
pu·bli·cis·ta [puβliθísta プブリシスタ] 名男女 **1** 広告業者. **2** ジャーナリスト.
3 公法学者.
pu·bli·ci·ta·rio, ria [puβliθitárjo, rja プブリシタリオ, リア] 形 広告の, 宣伝の. empresa *publicitaria* 広告会社.
pú·bli·co¹, ca [púβliko, ka プブリコ, カ] 形 [複 ~s] 〔英 public〕 **1** **公共の**, 公衆の (↔privado). educación *pública* 公教育. teléfono *público* 公衆電話.
2 公然の, 周知の; 公開の. La prensa no hizo *pública* la desaparición de un diputado. 新聞は代議士の失踪(しっそう)を公表しなかった.
pú·bli·co² [púβliko プブリコ] 名男 《集合》 **1** 公衆, 民衆. cantar en *público* 人前で歌う. aviso al *público* 公告.
2 聴衆, 観客; 読者. El *público* aplaudió con entusiasmo a los actores. 観衆は熱狂して俳優たちに拍手を送った.
dar al público 出版する, 上梓(じょうし)する.
sacar al público 公表する, 一般に知らせる.
publique(-) / **publiqué**(-) 動 → publicar. [8 c → qu]
pu·che·ra·zo [putʃeráθo プチェラソ] 名男 《口語》 選挙の不正操作. dar *pucherazos* 不正な選挙をする.
pu·che·ro [putʃéro プチェロ] 名男 **1** 土鍋(どなべ); 〘料理〙 煮込み料理.
2 《口語》毎日の食事. ganarse el *puchero* 日々の糧を得る. **3** 《口語》 泣き面. hacer *pucheros* べそをかく.
pud- 動 現分 → poder. 44
pu·dding [púðin プディン] 名男 〘料理〙 プディング, プリン. [←英語]
pu·den·do, da [puðéndo, da プデンド, ダ] 形 恥部の. partes *pudendas* 恥部, 陰部.
pu·di·bun·do, da [puðiβúndo, da プディブンド, ダ] 形 上品ぶった, 取り澄ました (= mojigato); 恥ずかしがる.
pú·di·co, ca [púðiko, ka プディコ, カ] 形 慎みのある, 節度のある; 恥を知る.
pu·dien·te [puðjénte プディエンテ] 形 富裕な; 権勢を誇る.
── 名男女 金持ち; 有力者.
pu·dor [puðór プドル] 名男 慎み, 恥じらい; 性的羞恥(しゅうち)心. sin *pudor* 破廉恥な. atentado contra el *pudor* 強制猥褻(わいせつ)罪.
pu·do·ro·so, sa [puðoróso, sa プドロソ, サ] 形 慎みのある, 上品な; 取り澄ました.
pu·drir [puðrír プドゥリル] 動他 [過分 podrido, da] **1** 腐らせる (= podrir).
2 不愉快にさせる, いらいらさせる. Me *pudre* que la niña llegue tan tarde. 娘がそんなに遅く帰ってくるなんて頭にくる.
►que 以下の動詞は接続法となる.
── **pu·drir·*se*** 腐敗する; 駄目になる. *Se pudre* el pescado. 魚が腐る.
¡Que se pudra! くたばれ, ざまあ見ろ.
pue·ble·ri·no, na [pweβleríno, na プエブレリノ, ナ] 形 田舎の; 粗野な.
── 名男女 村人, 田舎者.
pue·blo [pwéβlo プエブロ] 名男 [複 ~s] 〔英 town, village ; people〕 **1** **町**; 村. *pueblo* de mala muerte 《口語》ひどい片田舎.

2 国民; 民族. el *pueblo* judío ユダヤ民族. el *pueblo* mexicano メキシコ国民.
3 人民, 民衆.
pued- 動➡poder. 44
puen·te [pwénte プエンテ] 名男 [複 ~s] 〔英 bridge〕 **1 橋.** construir un *puente* sobre el río 川に橋を架ける. *puente* colgante つり橋.
2 〘海事〙ブリッジ, 船橋, 艦橋 (= *puente* de mando); デッキ, 甲板. ➡barco 図.
3 〘電気〙ブリッジ; 短絡, ショート.
4 (休日間の平日も休日とする) 連休. hacer *puente* 連休にする.
5 (歯科の)ブリッジ.
puente aéreo 〘航空〙シャトル便.
tender un puente a ((+uno)) 〈人〉と融和をはかる.
puer·co, ca [pwérko, ka プエルコ, カ] 名男女 **1** ブタ. **2** 汚らしい人; 恥知らず.
—— 形 汚い; がさつな; 卑しい.
puerco espín 〘動物〙ヤマアラシ.
pue·ri·cul·tor, to·ra [pwerikultór, tóra プエリクルトル, トラ] 名男女 育児専門家.
pue·ri·cul·tu·ra [pwerikultúra プエリクルトゥラ] 名女 育児, 育児学[法].
pue·ril [pweríl プエリル] 形 子供の, 子供らしい (= infantil); たわいのない. preguntas *pueriles* 幼稚な質問.
pue·ri·li·dad [pweriliðáð プエリリダ(ドゥ)] 名女 子供らしさ, 幼稚さ; たわいないこと.
puer·pe·rio [pwerpérjo プエルペリオ] 名男 〘医〙産褥(さんじょく)期, 産後.
pue·rro [pwér̄o プエロ] 名男 〘植物〙ポロネギ(葱), リーキ. ➡hortaliza 図.
puer·ta [pwérta プエルタ] 名女 [複 ~s] 〔英 door〕
1 ドア, 扉. abrir la *puerta* de la alcoba 寝室のドアを開ける. llamar a la *puerta* ノックする, 呼び鈴を鳴らす. *puerta* automática 自動扉. ➡casa 図.
2 門. *puerta* principal 正門, 正面玄関.

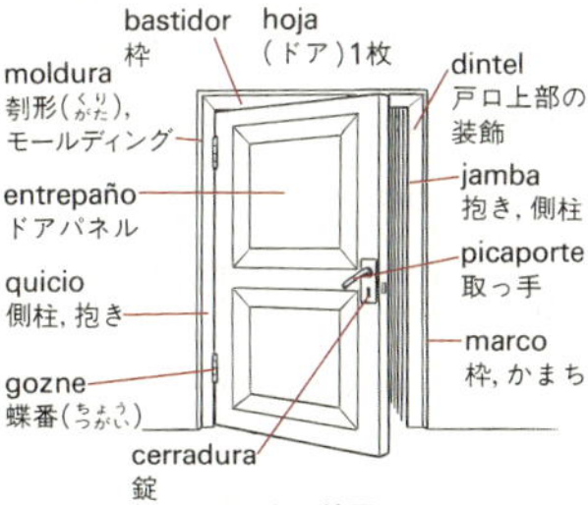

puerta ドア

puerta de emergencia 非常口. *puerta* de servicio 通用門[口].
3 城門, (中世都市の)市門.
4 門戸; 関門. la *puerta* de la fama 名声への扉.
5 〘スポ〙(サッカーなどの)ゴール.
abrir [***cerrar***] ***la puerta a*** ((+algo)) 〈何か〉を容易にする[駄目にする].
a las puertas 目前に, 差し迫って.
a las puertas de la muerte 生死の境に.
a puerta cerrada 非公開で. conferencia *a puerta cerrada* 秘密会(議).
cerrar [***dar con***] ***la puerta en las narices a*** ((+uno)) 〈人〉の鼻先でドアを閉める.
cerrarse todas las puertas a ((+uno)) 〈人〉が冷たくあしらわれる.
coger [***tomar***] ***la puerta*** 立ち去る.
en puertas 目前に, もうすぐ.
enseñar la puerta a ((+uno)) / ***poner a*** ((+uno)) ***en la puerta de la calle*** 〈人〉を追い出す.
escuchar detrás de la(***s***) ***puerta***(***s***) 盗み聞きする.
franquear las puertas a ((+uno))

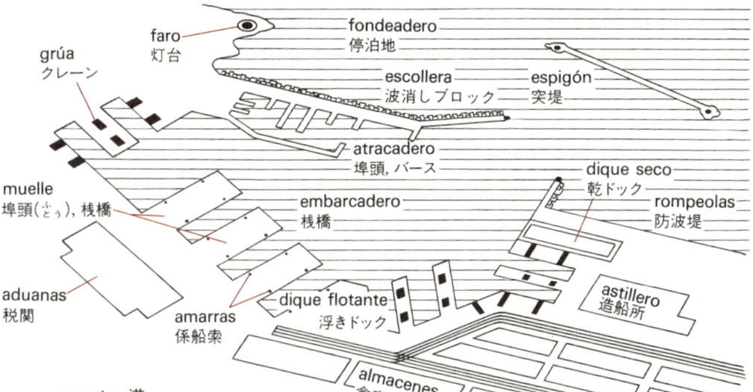

puerto 港

〈人〉を歓待する.
ir de puerta en puerta 物ごいして回る.
llamar a la puerta de 《+uno》〈人〉に助けを求める.
poner puerta al campo 無理なことをやろうとする.
por la puerta grande 意気揚々と.
tener puerta abierta 便宜を与えられている.

Puer·ta del Sol [pwértaðelsól プエルタデルソル] 固名 プエルタ・デル・ソル: スペイン Madrid の広場.

puer·ta·ven·ta·na [pwertaβentána プエルタベンタナ] 名女 雨戸兼用のガラス戸; (二重窓の)板戸. ➡casa 図.

puer·to [pwérto プエルト] 名男 [複 ~s]〔英 port〕
1 港, 港湾. *puerto* de arribada [de escala] 寄港地.
2 峠. **3** 避難所; 心の支え.
4 《コンピ ュータ》ポート, 接続口.
llegar a buen puerto 無事に着く[入港する].
tomar puerto 入港する; 安全な場所に逃げ込む.

Puer·to Ri·co [pwértor̄íko プエルトリコ] 固名 〔英 Puerto Rico〕 プエルトリコ: 西インド諸島中部の島. 米国の自治領.

puer·to·rri·que·ño, ña [pwertor̄ikéɲo, ɲa プエルトリケニョ, ニャ] [複 ~s] 〔英 Puerto Rican〕 形 プエルトリコの.
── 名男女 プエルトリコ人 (= portorriqueño).

pues [pwes プエス] 接続 〔英 since; then〕
1 《原因・理由を表して》…だから, …なので. Vete solo, *pues* ahora no puedo salir. 一人で行きなさい, 今はちょっと出られないから.
2 《前述の内容を受けて》それでは, それなら. *Pues* no voy. そういうことなら私は行かない.
3 《主に文頭で, 後述の内容を強調して》…なのだ, 全く…だ. *Pues*, sí. そうだとも. *Pues* no pienso ceder. 私には譲るつもりは全くないからね.
4 《文中に挿入されて》こうして, そのようにして. Llegó, *pues*, con dos horas de retraso. こうして彼は2時間遅れて着いた.
5 《ためらいなどを表して》うんまあ, そうだなあ, さあ.
6 《疑問詞的に》どうして, なぜ. Ayer no fui a clase.—¿*Pues*? 昨日は授業に行かなかったよ. —なぜだい?
así pues だから, そういう訳で.
pues bien さて, ところで, それでは.
pues que ... …だから, …なので.
¿Pues qué? それで?, それでどうした?

pues·to, ta [pwésto, ta プエスト, タ] 過分 ➡poner.
── 形 **1** 置かれた, 設けられた, 配置された. Tiene *puesto* mucho dinero en la caja de ahorros. 彼は多額のお金を貯蓄銀行に預けてある. La comida está *puesta*. 食事の用意ができた. Con las prisas, dejé la mesa *puesta*. 急いでいたので私は食べっぱなしにしておいた.
2 身に着けた. Se echó al río con el traje *puesto*. 彼は服を着たまま川に飛び込んだ. llevar [tener] *puesto* 着て[かぶって]いる. no tener más que lo *puesto* 着たきりすずめである.
── 名男 **1** 職, 仕事; 地位, ポスト. incorporarse a SU *puesto* de trabajo 就任[着任]する. Tiene un *puesto* muy importante en la empresa. 彼はその会社でとても重要なポストに就いている.
2 売店, スタンド. *puesto* de flores 露店の花屋. *puesto* de periódicos 新聞スタンド.
3 順位. Estas chicas ocupan los dos primeros *puestos* de la clase. この女生徒たちがクラスの1, 2番を占めている.
4 場所, 部署, 持ち場; 席. *puesto* de socorro 救護所. *puesto* de mando 司令所[室]. *puesto* del piloto 操縦席.
── 名女 **1** (日・月が) 沈むこと. *puesta* de(l) sol 日没.
2 (ある状態に) 置くこと. *puesta* en escena 上演; 演出.
3 賭金(かけきん). **4** (鳥類の) 産卵.
puesto que (1) 《原因・理由を表して》…だから, …なので. *Puesto que* no te han avisado puedes quedarte en casa tranquilamente. 連絡がなかったんだから君は家でくつろいでいればいいよ. (2) 《条件を表して》…ならば.

¡puf! [púf プフ] 間投 《不快・嫌悪を表して》うへっ, うわっ; ふうっ.

pú·gil [púxil プヒル] / **pu·gi·lis·ta** [puxilísta プヒリスタ] 名男 《スポ》ボクサー (= boxeador).

pu·gi·la·to [puxiláto プヒラト] 名男 《スポ》ボクシング (= boxeo); 格闘, 殴り合い.

pug·na [púɣna プグナ] 名女 闘い; 対立. entrar en *pugna* con ... …と対立する, 衝突する.

pug·nar [puɣnár プグナル] 動自 **1** 争う, 闘う. *pugnar* en defensa de la justicia 正義のために争う. **2** 《+**por** 不定詞》懸命に…しようとする. *pugnar por* entrar 必死になって入ろうとする.

pu·ja [púxa プハ] 名女 **1** (競売での) 競り合い; 入札 (価格). **2** 闘い, 努力.

pu·jan·te [puxánte プハンテ] 形 たくましい; 勢いのある.

pu·jan·za [puxánθa プハンさ] 名女 たくましさ; 勢い.

pu·jar [puxár プハル] 動自 **1** (競売で) 値を付ける; 入札する.

2《＋para, por 不定詞》必死に…しようとする.
3《口語》べそをかく, 泣き顔になる;《口語》言葉に詰まる.

pu·jo [púxo プホ] 名男 1 衝動, 欲望; [普通 〜s] 念願, 抱負. Tiene *pujos* de hacerse bailarín. 彼はダンサーを志している.
2〔医〕しぶり (腹).

pul·cri·tud [pulkritúð プるクリトゥ(ドゥ)] 名女 1 清潔, こぎれいさ. 2 入念, 丹精.

pul·cro, cra [púlkro, kra プるクロ, クラ] 形 1 こざっぱりした, 清潔な.
2 きちょうめんな.

pul·ga [púlɣa プるガ] 名女〔昆虫〕ノミ (蚤).
buscar las pulgas a 《＋uno》《口語》〈人〉をいらいらさせる, 怒らせる.
tener malas pulgas 《口語》怒りっぽい, 気難しい.

pul·ga·da [pulɣáða プるガダ] 名女 インチ: 長さの単位 (1 フィートの12分の 1).
◆親指 pulgar の太さから.

pul·gar [pulɣár プるガル] 名男 親指 (＝dedo *pulgar*). ➡dedo 図.

pul·gón [pulɣón プるゴン] 名男〔昆虫〕アブラムシ (油虫), アリマキ (蟻巻).

pu·li·do, da [pulíðo, ða プりド, ダ] 過分 形 洗練された, 優雅な. Llegó a escribir con un estilo muy *pulido*. 彼は大変洗練された文体で書けるようになった.

pu·li·men·to [puliménto プりメント] 名男 研磨, つや出し; 研磨剤, 磨き粉. dar *pulimento* a los muebles 家具を磨く.

pu·lir [pulír プりル] 動他 1 研磨する.
2 (文体·教養などを) 磨く; 洗練させる.
—— **pu·lir·*se*** 1 あか抜ける.
2《口語》浪費する.

pu·lla [púʎa プリャ] 名女 1 皮肉, とげのある言葉. tirar *pullas* a《＋uno》〈人〉のことを当てこする. 2 卑猥(ひわい)な言葉.

pul·món [pulmón プるモン] 名男 [複 pulmones]〔英 lung〕**肺**, 肺臓. *pulmón* artificial [de acero]〔医〕鉄の肺 (人工呼吸器械). ➡víscera 図.

pul·mo·nar [pulmonár プるモナル] 形 肺の, 肺に関する.

pul·mo·ní·a [pulmonía プるモニア] 名女〔医〕肺炎 (＝neumonía).

pul·pa [púlpa プるパ] 名女 1 果肉. ➡fruta 図. 2 パルプ.
3〔解剖〕髄, 髄質;〔植物〕(茎の) 髄.

pul·pe·rí·a [pulpería プるペリア] 名女《ラ米》食料雑貨店.

púl·pi·to [púlpito プるピト] 名男 (教会の) 説教壇; 説教師の職.

pul·po [púlpo プるポ] 名男〔動物〕タコ (蛸). ➡molusco 図.

pul·que [púlke プるケ] 名男《ラ米》プルケ: リュウゼツランの発酵酒.

pul·sa·ción [pulsaθjón プるサしオン] 名女 1 脈拍, 鼓動. 2 (弦を) はじくこと; (タイプライターなどの) タッチ.

pul·sa·dor, do·ra [pulsaðór, ðóra プるサドル, ドラ] 形 脈打つ, 鼓動する.
—— 名男 押しボタン. *pulsador* del timbre ブザーの押しボタン.

pul·sar [pulsár プるサル] 動他 1 押す. *pulsar* el botón ブザーのボタンを押す.
2 (弦などを) はじく; (タイプライターなどの) キーをたたく.
3 …の脈を取る.
—— 動自 脈打つ, 鼓動する.

pul·se·ra [pulséra プるセラ] 名女 腕輪, ブレスレット (＝brazalete); (腕時計の) バンド.

pul·so [púlso プるソ] 名男 1 脈, 脈拍. *pulso* irregular〔医〕不整脈. tomar el *pulso* a《＋uno》〈人〉の脈を取る; 意向を探る. 2 手先の器用さ; 細心さ. obrar con *pulso* 慎重に行動する.
a pulso (1) 腕先で. levantar *a pulso* 腕先で軽々と持ち上げる. (2) 自力で, 腕一本で. ganarse [conseguir] *a pulso* 額に汗して手に入れる.

pu·lu·lar [pululár プるらル] 動自 繁殖する; 群がり集まる.

pul·ve·ri·za·ción [pulβeriθaθjón プるベリさしオン] 名女 粉末化; 霧状にすること, 噴霧. ➡polvo.

pul·ve·ri·za·dor [pulβeriθaðór プるベリさドル] 名男 1 噴霧器; (香水などの) アトマイザー, スプレー.
2 ノズル, 噴射弁, スプレーガン.

pul·ve·ri·zar [pulβeriθár プるベリさル] [39 z ➡ c] 動他 1 粉々 [粉末状] にする; 霧状にする; 噴霧する. 2 撃破する. *pulverizar* al enemigo 敵を粉砕する.
—— **pul·ve·ri·zar·*se*** 粉々になる; 霧状になる.

pu·ma [púma プマ] 名男〔動物〕ピューマ.

pun·ción [punθjón プンしオン] 名女
1〔医〕穿刺(せんし).
2 刺すような痛み, 激痛.

pun·do·nor [pundonór プンドノル] 名男 体面; 自尊心.

pun·do·no·ro·so, sa [pundonoróso, sa プンドノロソ, サ] 形 体面を重んじる, 誇り高い.

pú·ni·co, ca [púniko, ka プニコ, カ] 形〔歴史〕古代カルタゴの. Guerras *Púnicas* ポエニ戦争.
—— 名男女 古代カルタゴ人.

pu·ni·ti·vo, va [punitíβo, βa プニティボ, バ] 形 処罰の, 懲罰的な.

pun·ta [púnta プンタ] 名女 [複 〜s]〔英 point〕 1 **先端**, とがった先; 刃先; 矢尻(やじり). *punta* del pie つま先.
2 砂嘴(さし), 岬 (の鼻).
3 少し, 少量. tener una *punta* de loco 少し頭がおかしい.
4 [〜s] (バレエ) トウ (ダンス). bailar de

P

puntas トウダンスをする.
acabar [***terminar***] ***en punta*** 先がとがっている; 尻(しり)切れとんぼに終わる. El proyecto *acabó en punta*. 計画は突然中断された.
de punta 最先端の. tecnología *de punta* 先端技術.
de punta a punta 端から端まで.
de punta en blanco めかし込んで, 着飾って.
estar [***ponerse***] ***de punta con*** 《+uno》〈人〉に腹を立てている; 敵意 [不信感] を抱いている.
sacar punta a 《+algo》 (1)〈何か〉をとがらす. *sacar punta a* un lápiz 鉛筆を削る (= afilar). (2) 歪曲(わいきょく)する, 曲解する. *Sacan punta a* todo lo que digo. 私の言うことはなんでも曲げて取られる.

pun·ta·da [puntáða プンタダ] 名女
1 針目, ステッチ. coser a *puntadas* largas 大きな針目で縫う.
2 遠回しな言葉, ほのめかし.
no dar puntada 《口語》何もしない.

pun·tal [puntál プンタる] 名男 **1** 支え, 支柱; よりどころ. **2** 《ラ米》軽食; おやつ.

pun·ta·pié [puntapjé プンタピエ] 名男 [複 puntapiés] 足蹴(あし)り. dar un *puntapié* a ... …をけっとばす.
a puntapiés 乱暴に, 容赦なく.

pun·te·a·do [punteáðo プンテアド] 名男
1 《音楽》つま弾き. **2** 点線; 点描.

pun·te·ar [punteár プンテアル] 動他
1 《音楽》(弦楽器を) つま弾く; (音符に) 付点を打つ.
2 …に印をつける; 照合する, チェックする.
3 《美術》点描する.
4 ステッチをかける.
5 《ラ米》先頭に立つ.

pun·te·ra [puntéra プンテラ] 名女
1 靴先; (靴下などの) つま先.
2 《口語》足蹴(あし)り (= puntapié).

P

pun·te·rí·a [puntería プンテリア] 名女
1 照準, ねらい. afinar la *puntería* ねらいを定めて撃つ. **2** 射撃の腕前, 射撃術. tener buena *puntería* 射撃の腕前が確かだ.

pun·te·ro, ra [puntéro, ra プンテロ, ラ] 形 **1** 傑出した, 優秀な. **2** ねらいの正確な.
—— 名男女 傑出した人.
—— 名男 **1** (地図・図表などを指すための) 棒. **2** 《技術》鏨(たがね). **3** 《コンピュータ》ポインター: マウスの動きにつれて動く画面上の矢印.

pun·tia·gu·do, da [puntjaɣúðo, ða プンティアグド, ダ] 形 先のとがった, 鋭い.

pun·ti·lla [puntíʎa プンティリャ] 名女
1 《服飾》(縁飾り用の) 波形のレース, ボーダーレース.
2 《闘牛》(牛にとどめを刺す) 短剣.
dar la puntilla a ... …にとどめを刺す.
de puntillas つま先立ちで.

pun·ti·llo [puntíʎo プンティリョ] 名男
1 体面. por *puntillo* 体面上.
2 《音楽》付点.

pun·ti·llo·so, sa [puntiʎóso, sa プンティリョソ, サ] 形 細かいことにこだわる; 潔癖すぎる.

pun·to [púnto プント] 名男 [複 ~s] 〔英 point〕

1 点. línea de *puntos* 点線. *punto* céntrico 中心点. *punto* de intersección 交点. ➡ coma 2.
2 終止符, ピリオド. ➡ puntuación 【参考】.
3 地点, 場所. *punto* de partida 出発点. *punto* panorámico 見晴らしのよい場所.
4 問題点, 論点; 要点. *punto* clave キーポイント. Sobre [En] este *punto* no estoy de acuerdo. この点に関しては私は賛成できません.
5 時点; 局面; 程度. hasta cierto *punto* ある程度まで.
6 点数, 得点. Saqué noventa *puntos* en el examen de matemáticas. 私は数学の試験で90点を取った. empatado(s) a dos *puntos* 2対2の引き分けで.
7 《物理》《化》点. *punto* de ebullición 沸点. *punto* de inflamación 発火点.
8 《服飾》縫い目, 編み目, ステッチ. hacer *punto* 編み物をする.
9 《医》(傷口の) 縫い目. dar cinco *puntos* (de sutura) 5針縫う.
a buen punto ちょうどいい時に.
al punto すぐに.
al punto que ... ちょうど…しようとする時に.
a punto 用意されて, 支度ができて; 定刻に, ぴったり. Llegué *a punto* al concierto. 私はコンサートに間に合った.
a punto fijo はっきり, 正確に.
con puntos y comas 逐一, 詳細に.
dar el punto a 《+algo》〈何か〉を完璧(かんぺき)に仕上げる.
dar en el punto 適切に言う.
de todo punto 全く.
en punto ちょうど. Son las once *en punto*. ちょうど11時だ.
en su punto ちょうどころ合いである.
estar a [***en***] ***punto de*** 《+不定詞》まさに…しようとしている. *Estaba a punto de* marcharme cuando me avisaron su llegada. ちょうど帰ろうとしたとき, 彼がやって来たと私は知らされた.
hasta el punto de 《+不定詞》…するほどまで.
hasta el [***tal***] ***punto que*** ... あまり…なので…だ.
poner los puntos sobre las íes 《口語》細かい点にまで気を配る, 瑣末(さまつ)な事にこだわる.
poner punto en boca 口を閉ざす.
poner punto final 終止符を打つ.
punto crítico 真っ最中; 《物理》臨界点.
punto de mira 標的; 注目の的.

punto de vista 視点, 観点. desde el *punto de vista* económico 経済的視点から.
punto muerto (1)〘車〙(ギアの) ニュートラル;〘機械〙(クランクの) 死点. (2) (交渉などの) 行き詰まり.
punto por punto 逐一, 詳細に.
punto y aparte (書き取りで)「ピリオド, そして行を変えて」; 別問題.
subir de punto 強まる, 深まる.

pun·tua·ción [puntwaθjón プントゥアしオン] 名女 **1** 句読法; 句読点.

> **【参 考】 signos de puntuación** 句読符号: coma コンマ (,). punto ピリオド (.). punto y coma セミコロン (;). puntos suspensivos 三点リーダー (...). admiración 感嘆符 (¡ !). interrogación 疑問符 (¿?). diéresis / crema 分音符号, ウムラウト (¨). dos puntos コロン (:). guión ハイフン (-).

2 (スポーツの) 得点 (→ tanto); (成績の) 点数. He conseguido una buena *puntuación* en el examen. 私は試験でよい点を取った.

pun·tual [puntwál プントゥアる] 形 **1** 時間どおりの; きちょうめんな. Sé *puntual*. 時間を守りなさい.
2 正確な, 確実な; 詳細な; ぴったりの. un *puntual* relato 確かな話. un título *puntual* (内容に) ふさわしいタイトル.
3 点の.

pun·tua·li·dad [puntwaliðáð プントゥアリダ(ド)] 名女 きちょうめん, 時間厳守. con *puntualidad* きっちりと.

pun·tua·li·zar [puntwaliθár プントゥアリさル] [39 z → c] 動他 **1** きちんと取り決める. **2** 詳述する.
3 完成させる, 仕上げる.

pun·tuar [puntwár プントゥアル] [14 u → ú] 動他 **1** …に句読点を打つ. **2** …の得点をあげる; …の点数[成績]を付ける.
── 動自 得点[点数]となる; 得点する.

pun·za·da [punθáða プンさダ] 名女 **1** 刺すこと; 刺し傷. Me he dado una *punzada* con la aguja. 私は針を刺してしまった.
2 刺すような痛み, 激痛; 心のうずき.

pun·zan·te [punθánte プンさンテ] 形
1 刺すような. dolor *punzante* 激しい痛み. **2** 辛辣(しんらつ)な, 痛烈な.

pun·zar [punθár プンさル] [39 z → c] 動他 **1** 刺す; 穴をあける.
2 刺すような痛みを与える; (心を) 傷つける.

pun·zón [punθón プンそン] 名男 **1** 千枚通し, たがね; 彫刻刀.
2 (硬貨などの) 打ち抜き器.

pu·ña·do [puɲáðo プニャド] 名男 一握り, 一つかみ; 少数, 少量. un *puñado* de arena 一握りの砂. un *puñado* de estudiantes ごくわずかの学生.
a puñados たくさん, 大量に.

pu·ñal [puɲál プニャる] 名男 短剣, 合口.

pu·ña·la·da [puɲaláða プニャらダ] 名女 (短剣などの) 一突き; 刺し傷.
coser a puñaladas a ⟪+uno⟫ ⟪口語⟫ 〈人〉をめった突きにする.

pu·ñe·ta [puɲéta プニェタ] 名女 **1** ⟪俗語⟫ 嫌なやつ; うんざりさせる事柄.
2 [~s] ⟪俗語⟫ ばかげたこと.
de puñetas ⟪俗語⟫ ひどく大きい, ばかでかい.
hacer la puñeta ⟪俗語⟫ うんざりさせる (= fastidiar). Deja de *hacer*le *la puñeta* al niño. もう子供のことは構うな.
¡Puñeta(s)! ⟪俗語⟫ ちくしょう, なんてことだ!
¡Qué puñeta(s)! ⟪俗語⟫ ⟪前言を強調して⟫ そうに決まっている!

pu·ñe·ta·zo [puɲetáθo プニェタそ] 名男 げんこつで打つこと. dar a ⟪+uno⟫ de *puñetazos* 〈人〉にげんこつを食らわす.

pu·ñe·te·ro, ra [puɲetéro, ra プニェテロ, ラ] 形 ⟪俗語⟫ 不愉快な; うんざりする. un trabajo *puñetero* 面倒くさい仕事.
── 名男女 ⟪俗語⟫ 嫌なやつ, 不愉快なやつ.

pu·ño [púɲo プニョ] 名男 **1** 握りこぶし, げんこつ. golpear a *puño* cerrado こぶしを固めて殴る.
2 握り, 取っ手, グリップ.
3 〘服飾〙 袖口(そでぐち).
4 一握り, 一つかみ (= puñado).
5 [~s] 力, 体力. ganar ⟪+algo⟫ con los *puños* 〈何か〉を力ずくで取る.
apretar los puños 頑張る, 努力する.
comerse los puños ⟪口語⟫ ひもじい思いをする.
como un puño ⟪口語⟫ 小さい, 狭い. una casa *como un puño* 狭苦しい家.
como puños とても大きい; すごい. mentiras *como puños* 真っ赤なうそ.
de* su *puño y letra 自筆の[で].
tener a ⟪+uno⟫ ***metido en un puño*** ⟪口語⟫ 〈人〉を牛耳る.

pu·pa [púpa プパ] 名女 **1** (口の周りの) 発疹(はっしん), 吹き出物. **2** ⟪幼児語⟫ 怪我(けが).

pu·pi·la [pupíla プピら] 名女 **1** 〘解剖〙 瞳(ひとみ), 瞳孔(どうこう). → ojo 図.
2 ⟪口語⟫ 利発さ.

pu·pi·la·je [pupiláxe プピらへ] 名男 後見; 被後見人の身分.

pu·pi·lo, la [pupílo, la プピろ, ら] 名男女 **1** 〘法律〙 被後見人. **2** 下宿人.

pu·pi·tre [pupítre プピトゥレ] 名男 (傾斜のついた) 教室机.

pura 形女 → puro[1].

pu·ra·men·te [púraménte プラメンテ] 副 純粋に; 単に.

pu·ra·san·gre [purasáŋgre プラサングレ] 名男 サラブレッド. → caballo.

P

pu·ré [puré プレ] 名男 [複 purés] 〘料理〙ピューレ, 裏ごし. *puré* de tomate トマトピューレ. *puré* de patata マッシュポテト.
estar hecho puré 《口語》くたくたに疲れている.
pu·re·za [puréθa プレさ] 名女 純粋さ; 純潔.
pur·ga [púrɣa プルガ] 名女 **1** 下剤. **2** 粛清, パージ.
pur·gan·te [purɣánte プルガンテ] 名男 下剤. ── 形 **1** 下剤の. **2** 浄化する.
pur·gar [purɣár プルガル] [32 g → gu] 動他 **1** 下剤をかける. **2** (悪いものを) 除去する, 一掃する; 粛正する. **3** (罪を) 贖(あがな)う.
pur·ga·to·rio [purɣatórjo プルガトリオ] 名男 〘カトリック〙煉獄(れんごく); 《比喩》試練の場.
Pu·ri [púri プリ] 固名 プリ: Purificación の愛称.
pu·ri·fi·ca·ción [purifikaθjón プリフィカしオン] 名女 **1** 純化, 浄化. **2** [P-] プリフィカシオン: 女性の名. 愛 Pura, Puri.
pu·ri·fi·car [purifikár プリフィカル] [8 c → qu] 動他 **1** 純化する, 不純物を除去する, 精製する. **2** (魂などを) 清める.
── **pu·ri·fi·car·*se*** 《+de》…から身を清める, 清浄になる.
Pu·rí·si·ma [purísima プリシマ] 名女 〘カトリック〙(聖母マリアの) 無原罪の御宿り (= *Purísima* Concepción): 祝日12月8日.
pu·ris·mo [purísmo プリスモ] 名男 純粋主義.
pu·ris·ta [purísta プリスタ] 形 純粋主義の. ── 名男女 純粋主義者, 国語純化論 [運動] 者 (= casticista).
pu·ri·ta·nis·mo [puritanísmo プリタニスモ] 名男 **1** ピューリタニズム, 清教徒精神. **2** 厳格主義.
pu·ri·ta·no, na [puritáno, na プリタノ, ナ] 形 **1** 清教徒の. **2** 厳格な, 謹厳な.
── 名男女 清教徒, ピューリタン; 厳格主義者.

P

pu·ro[1], ra

[púro, ra プロ, ラ] 形 [複 ~s] 〔英 pure〕 **1** 純粋な; 純正の; 純理論的な. oro *puro* 純金. *puro* castellano 生粋のカスティーリャ語. ciencias *puras* 純粋科学.
2 澄んだ, 澄みきった. aire *puro* 澄んだ大気.
3 純潔な, 清純な. una joven *pura* 汚れなき乙女.
4 《名詞の前に付けて》全くの, 単なる, 明らかな. por *pura* casualidad 全く偶然に. *pura* verdad まぎれもない事実.
de puro 《+形容詞》あまりに…なので. *De puro* cansado que estaba se durmió enseguida. あまりに疲れていたので彼はすぐ眠ってしまった.
pu·ro[2] [púro プロ] 名男 〔英 cigar〕 葉巻. → cigarro.
púr·pu·ra [púrpura プルプラ] 名女 **1** 赤紫色. **2** 帝位, 王位; 枢機卿(けい)の地位 (= *púrpura* cardenalicia). **3** 〘医〙紫斑(しはん).
pur·pu·ra·do [purpuráðo プルプラド] 名男 枢機卿(けい)(= cardenal).
pur·pú·re·o, a [purpúreo, a プルプレオ, ア] 形 赤紫色の, 紫紅色の.
pu·ru·len·to, ta [purulénto, ta プルれント, タ] 形 化膿(かのう)した, 膿(うみ)をもった.
pus [pús プス] 名男 〘医〙 膿(うみ), 膿汁(のうじゅう).
pus- 動 → poner. 45
pu·si·lá·ni·me [pusilánime プシらニメ] 形 臆病(おくびょう)な, 意気地のない (↔ valiente).
── 名男女 臆病者, 意気地なし.
pu·si·la·ni·mi·dad [pusilanimiðáð プシらニミダ(ドゥ)] 名女 臆病(おくびょう), 意気地のなさ.
pús·tu·la [pústula プストゥら] 名女 〘医〙 膿疱(のうほう).
pu·ta·da [putáða プタダ] 名女 《俗語》 汚い手口, 卑怯(ひきょう)な手.
pu·ta·ti·vo, va [putatíβo, βa プタティボ, バ] 形 血縁関係ありと推定される.
pu·te·ar [puteár プテアル] 動自 《俗語》 売春婦を買う.
── 動他 《俗語》うんざりさせる; こき使う.
pu·to, ta [púto, ta プト, タ] 名男女 《俗語》男娼(だんしょう); 売春婦.
── 形 《俗語》《名詞の前に付けて》ひどい, 忌まわしい; 全然…ない.
pu·tre·fac·ción [putrefakθjón プトゥレファクしオン] 名女 腐敗; 腐敗物.
pu·tre·fac·to, ta [putrefákto, ta プトゥレファクト, タ] 形 腐った; 腐敗した (= corrupto).
pu·zzle [púθle プすれ] 名男 パズル (= rompecabezas). [←英語]

Q q *Q q*

Q, q [kú ク] 名女 スペイン語字母の第18字.

que [ke ケ] 接続 〔英 that; than〕

1《名詞節を導く》**…ということ.**
(1)《＋直説法》Él me ha dicho *que* la había visto antes. 彼は以前彼女に会ったことがあると私に言った.
(2)《疑惑・否定・推量・要求・願望の内容を表して》《＋接続法》Es posible *que* lleguemos tarde. 私たちは間に合わないかもしれない. El jefe de sección me dijo *que* asistiera a la reunión. 課長が私に会議に出席するように命じた. No me gusta *que* hables mal de tu colega. 同僚のことをひどく言うのはやめなさい. *Que* tenga usted mucha suerte. ご幸運を祈ります.
(3)《強い肯定・断定を表して》¿Me llevas? —¡*Que* sí, hombre! 僕も連れて行ってくれるの？—もちろん！ ¡*Que* no! ¡He dicho *que* no! 駄目だと言ったら絶対駄目です. Claro *que* lo sé. 知っていますとも.
(4)《驚き・不信を表して》¿*Que* tú no lo sabes? 君そんなことも知らないの？

2《副詞節を導く》(1)《比較の対象を表して》**…より…**；…と（同じ）；…以外に. María canta mejor *que* Juana [nadie]. マリアはファナ[誰]よりも歌がうまい. Manoli tiene la misma opinión *que* usted. マノリはあなたと同じ意見です. Esta máquina ya no sirve. No hay más remedio *que* comprar una nueva. この機械はもう駄目だ. 新しいのを買うしかない.
(2)《理由を表して》…だから, …なので. Date prisa, *que* no tenemos tiempo. 早くしなさい, 時間がないんだから.
(3)《結果を表して》…なので…だ. Este coche está tan viejo *que* ya nadie quiere usarlo. この車はポンコツなのでもう誰も乗ろうとしない.
(4)《譲歩を表して》《＋接続法》…しようと…しまいと. *que* llueva o *que* no llueva 雨が降ろうが降るまいが. quiera *que* no 好むと好まざるとにかかわらず.

3《前置詞などを伴って副詞節を導く》Saldremos antes de *que* amanezca. 夜が明ける前に出かけよう. El profesor lo explicó en la pizarra para *que* le comprendieran mejor los alumnos. 生徒たちがよく分かるように先生は黒板に書いて説明した.

4《前後に同じ語を反復し強調を表して》corre *que* te corre 走りに走って, 急いで. Continúa trabajando dale *que* dale. 彼は働きづめに働いている.

—— 代名《関係》〔性・数不変〕〔英 that, who, whom, which〕 **1**《人・物の両方に用いられる. 制限的用法でも非制限的用法でもよい》(1)《主語》Enséñeme los zapatos *que* están en el escaparate. ショーウインドーの靴を見せてください. Le pedí la cuenta al chico *que* servía en la barra. カウンターのボーイに私は勘定を頼んだ.
(2)《直接目的語》según la noticia *que* acabamos de oír 今聞いたばかりのニュースによると. Ha venido a pedir una limosna el hombre ese *que* vimos ayer a la puerta de la iglesia. 昨日, 教会の入り口で顔を合わせたやつがほどこしを求めてやって来た（► 人が先行詞でも a que にはならない）.

> **【文 法】** 制限的用法の先行詞が既知のことであれば, 関係節中の動詞は直説法, 疑わしいこと・未知のことであれば接続法になる.
> Aquí hay un libro *que* trata de este asunto. この件について述べている本がここにあります.
> ¿Hay algún libro *que* trate de este asunto? この件について述べている本が何かありますか.

2《前置詞を伴う場合》《先行詞は物》el coche en *que* viajábamos 私たちが乗っていた車. el libro a *que* me refiero 私が今話している本. el día (en) *que* llegaste 君が到着した日. ► 定冠詞を伴わないこの用法は前置詞が a, con, de, en の場合に限られる. なお先行詞が人の場合はふつう定冠詞を伴う. → el que, la que, ….

3《＋不定詞》…すべき. Hay muchas cosas *que* hacer. しなければならないことが山ほどある. No tengo nada *que* declarar. 申告すべきものは何もありません.

—— el que, la que, los que, las que, lo que《人・物の両方に用いられる. 先行詞の性・数に一致する定冠詞を伴う. 中性形定冠詞は事柄を指す場合に用いる》

1《先行詞を伴わない場合》
(1)《主語・直接目的語・間接目的語また前置詞を伴う場合のいずれでもよい》Es *la que* vino ayer. それはきのう来た女の人だ. No tenían la margarina que tú querías; pero *la que* he comprado me han dicho que es mejor. あなたが頼んだマーガリンはなかったけれど, 私の買ってきたものの方がおいしそうよ.

(2)《接続法＋**lo que**＋接続法で譲歩を表して》digan *lo que* digan 彼らがなんと言おうと. sea *lo que* sea いずれにしても.
2《先行詞を伴う場合》《主語・直接目的語・間接目的語また前置詞を伴う場合のいずれでもよい》En el metro me he encontrado con la chica de *la que* me hablaste. 地下鉄の中で君が言っていた女の子に会ったよ. El precio del terreno ha subido el doble en un año, *lo que* no es normal. 地価が1年間で2倍になったが, これは異常なことである.

qué [ké ケ] 形《疑問》［性・数不変］〔英 what〕
1 何の, どんな; どんな種類の. ¿*Qué* hora es? 何時ですか. ¿*Qué* libro has leído? 君はどの本を読みましたか. ¿En *qué* tren viniste? 君はどの電車で来たの？ ➡ cuál.
2《感嘆文で》なんという, なんと. ¡*Qué* suerte! Por poco pierdo el tren. よかった！もう少しで電車に乗り遅れるところだった. ¡*Qué* fastidio! たまらないなあ. ¡*Qué* niña más inteligente! なんて頭のいい子なんだろう.
── 代名《疑問》［性・数不変］何, どんなもの［こと］. ¿*Qué* es el hermano de José? ホセの兄さんの職業は何ですか. ¿*Qué* vas a comprar? 君は何を買うつもり？ ¿De *qué* habláis? 君たちはなんの話をしているの？ No entiendo para *qué* necesitarán tantas fotos. こんなにたくさんの写真を何に使うのか私には分からない.
── 副《疑問》《感嘆文で》なんと. ¡*Qué* rápido pasa el tiempo! 時間のたつのがなんて早いんだ. ¡*Qué* bien! すごい. ¡*Qué* divertido! なんて面白いんだ.
por qué ➡ por qué.
qué de … なんという…, なんと多くの…. ¡*Qué de* gente! なんて大勢の人なんだ.
qué tal どのように, どんなふうに. ¿*Qué tal*? 元気かい. ¿*Qué tal* fue el viaje? 旅行はどうだった？ ¿*Qué tal* una cerveza? どう, ビールでも飲まない？
¿Y qué? で, それで; それがどうしたと言うのか.

que·bra·da [keβráða ケブラダ] 名女 **1** 山あいの道; 峡谷. **2**《ラ米》渓流.

que·bra·de·ro [keβraðéro ケブラデロ] 名男 ***quebradero(s) de cabeza***《口語》悩みの種.

que·bra·di·zo, za [keβraðíθo, θa ケブラディそ, さ] 形 **1** 壊れやすい, もろい.
2 虚弱な, かよわい; (声が) 弱々しい.

que·bra·do, da [keβráðo, ða ケブラド, ダ] 過分 形 **1** 壊れた, 砕けた. línea *quebrada* 折れ線. **2** 起伏の多い. **3** (声が) かすれた; (色が) くすんだ. **4** 破産した.
5〔数〕分数の. número *quebrado* 分数.
── 名男女 **1**〔医〕ヘルニア患者.
2〔法律〕破産者.
── 名男〔数〕分数 (＝ fracción). *quebrado* decimal 小数.

que·bran·ta·mien·to [keβrantamjénto ケブランタミエント] 名男 **1** 砕くこと; 破壊, 粉砕. **2** 違反, 不履行.

que·bran·tar [keβrantár ケブランタル] 動他 **1** 壊す, 砕く; こじ開ける. **2** 違反する, 破る. **3** 弱らせる; (健康を) 損ねる.

que·bran·to [keβránto ケブラント] 名男 **1** 砕くこと, 破壊. **2** 衰え; 衰弱.
3 損失, 損害.

que·brar [keβrár ケブラル] [42 e ➡ ie] 動他 **1** 壊す, 割る, 砕く (＝romper).
2 折る, 曲げる. *quebrar* el cuerpo 体を折り曲げる. **3** 妨げる, 中断させる.
── 動自 **1**〔法律〕破産する.
2 仲たがいをする.
── **que·brar·*se*** **1** 壊れる, 砕ける.
2 (声が) かすれる, 上擦る.

que·chua [kétʃwa ケチュア] 形 ケチュア族［語］の.
── 名男女 ケチュア族 (の人): ペルー, ボリビアなどの Andes 地方に居住し, ケチュア語を話すインディオ. ➡ indio【参考】.
── 名男 ケチュア語.

que·da [kéða ケダ] 名女 (夕方・夜間の) 外出禁止 (時刻). toque de *queda* 外出禁止の警報［鐘］.
── 動 ➡ quedar.

quedado 過分 ➡ quedar.

quedando 現分 ➡ quedar.

que·dar [keðár ケダル] 動自［現分 quedando ; 過分 quedado］〔英 remain, stay〕
1 残る, 余る. ¿*Queda* algo para mí? 私の分は残っている？ *Quedan* dos meses para la boda. 結婚式まであと2か月だ. Si te pago, no me *queda* ni un céntimo. 君に払ったら, 僕には一銭も残らないよ.
2 (ある場所に) ある, 位置する. ¿Dónde *queda* la biblioteca? 図書館はどこにありますか. La oficina de mi padre *queda* lejos. 父の会社は遠いんだ.
3《形容詞などを伴って》…のままである; (結果として) …の状態である, …になる. Su herencia *queda* intacta. 彼の遺産は手つかずのままになっている. El televisor *queda* sin arreglar. テレビはまだ修理ができていない. El asunto *quedó* acordado. その件は同意が得られた. Después de tanto trabajo *quedé* hecha pedazos. あんなにたくさんの仕事で, 私はへとへとになったわ. El abrigo le *queda* corto. そのオーバーは彼には短い.
4《時間・場所などを表す句を伴って》《＋**con**》…と会う約束をする. *He quedado con* mis amigas para ir al cine. 私は友達と映画に行く約束をした. *Quedé con* ella a las once a la salida del metro. 私は彼女と地下鉄の出口で11時に会う約束をした.

5 とどまる，居残る．Todos salieron y *quedó* en casa la chica. 皆が出かけ，家にその女の子が残った．

— que·dar·se **1 とどまる**，居残る；(ある場所に)落ち着く．*quedarse* en casa 家に残る，留守番する．¿Quieres *quedarte* aquí un rato? 君，しばらくここに居てくれるかい？ Hace dos años él fue a México y *se quedó* allí un año. 彼は2年前にメキシコへ行って，そこに1年滞在した．

2《形容詞などを伴って》(主に不本意な結果として) …の状態になる；…のままである．*quedarse* cojo 足が不自由になる．*quedarse* huérfano 孤児になる．*Me he quedado* sin trabajo. 私は失業してしまった．

quedar*(*se*) *atrás (困難などが) 克服される；後れをとる，引けを取る．

quedar bien [***mal***] 合う[合わない]，似合う[似合わない]；良い[悪い] 印象を与える；うまくいく[失敗する]．

quedar en《＋不定詞》…することに決める，…すると約束する．*Ha quedado en* venir con nosotros. 彼は私たちと一緒に来ることになった．¡*En* qué *quedamos*! さあ，どうするんだ．

quedar por《＋不定詞》これから…しなければならない，まだ…していない．*Queda por* limpiar el cuarto. まだ部屋の片づけができていない．

quedarse (***con***)《＋algo》〈何か〉を自分のものにする，取っておく；(買う品を)〈何か〉に決める，〈何か〉の方を選ぶ．*Quédate* (*con*) ese libro si te gusta. 気に入ったのなら，その本を持っていっていいよ．

quedarse con《＋uno》《口語》〈人〉をかつぐ，からかう．

que·do, da [kéðo, ða ケド，ダ] 形 静かな．
— 副 静かに．hablar *quedo* 小声で話す．
— 動 → quedar.

que·ha·cer [keaθér ケアセル] 名男 [〜または 〜es] すべきこと，用事，仕事．los *quehaceres* domésticos 家事．

que·ja [kéxa ケハ] 名女 **1** 不平，不満，苦情．dar *queja*(*s*) de … …について不平[愚痴]を言う．tener *queja* de … …について不満をいだく．

2 うめき声，嘆き．las *quejas* de un enfermo 病人のうめき声．
— 動 → quejar(se).

que·jar·se [kexárse ケハルセ] 動〔英 complain; moan〕 **1**《＋de, por》**…を嘆く，…について不平[文句]を言う．** *Se queja de* que no gana lo suficiente para vivir. 彼は稼ぎが少ないことを嘆いている．Siempre *te estás quejando de* todo. 君はいつもあれこれ文句を言うね．*quejarse por* nada つまらぬことで文句を言う．

2 うめく；悲しげな声を上げる (＝ gemir). Los heridos *se quejaban* lastimosamente. 負傷者たちは悲痛なうめき声をあげていた．

que·ji·ca [kexíka ケヒカ] 形 不平の多い，愚痴っぽい．— 名男女 泣き言の多い人，愚痴っぽい人．

que·ji·do [kexíðo ケヒド] 名男 うめき声；悲しげな声．

que·jo·so, sa [kexóso, sa ケホソ，サ] 形《＋de》…に不満な；怒っている．Está *quejoso de*l mal ambiente en la oficina. 彼は社内の居心地の悪さに不満を感じている．

que·jum·bre [kexúmbre ケフンブレ] 名女 うめき声．

que·jum·bro·so, sa [kexumbróso, sa ケフンブロソ，サ] 形 嘆くような，悲しげな．

que·ma [kéma ケマ] 名女 **1** 燃焼，焼却，焼き打ち．**2** 火刑．

3〘商業〙在庫一掃セール．
— 動 → quemar.

huir de la quema 危険[窮地]から逃れる．

que·ma·de·ro [kemaðéro ケマデロ] 名男 焼却場．

quemado, da 過分 → quemar.

que·ma·dor [kemaðór ケマドル] 名男 バーナー．*quemador* de gas ガスバーナー．

que·ma·du·ra [kemaðúra ケマドゥラ] 名女 やけど (の跡)．*quemadura* de tercer grado 三度熱傷．*quemadura* de sol 日焼け．

quemando 現分 → quemar.

que·mar

[kemár ケマル] 動他 [現分 quemando ; 過分 quemado, da]〔英 burn〕

1 焼く，燃やす． Al final del festejo *quemaron* todas las fallas. 祭りの終わりにファリャの人形がすべて焼かれた．*quemar* vivo 火あぶりにする．

2 焼き焦がす；やけどさせる；日焼けさせる．*Quemó* la camisa con la plancha. 彼はアイロンでワイシャツを焦がした．¡Cuidado! Que *quema* la sopa. スープが熱いから気をつけなさい．► 自動詞として，とても暑い[熱い]の意味で使われることがある．

3 いらいらさせる，怒らせる．

4 使い果たす；消耗させる．Se dedicó a un negocio aventurado y *quemó* toda su fortuna en un año. 彼は危険な商売に手を出して1年で全財産をすってしまった．

5 (酸などが) 腐食する；(霜などが) 枯らす．

— que·mar·se **1** 焼ける，燃える．*Se han quemado* dos casas. 2軒が焼失した．

2 焼けつく；こげる；やけどする；日に焼ける．*Se ha quemado* el motor. モーター[エンジン]が焼けついた．Quita del fuego la sartén para que no *se queme*. こげつかないようにフライパンを火から下ろしなさい．Este verano *me he quemado* mucho. 今年の夏はよく日に焼けて真っ黒になった。

3 恋いこがれる．

4 (正解に) 近い．¡Que *te quemas*! 近いぞ，あともう少しだ．

5 疲れ果てる．

Q

que·ma·rro·pa [kemaȓópa ケマロパ] ***a quemarropa*** 《副詞句》(射撃で) 至近距離から; あけすけに. ►a quema ropa とも書く.

que·ma·zón [kemaθón ケマソン] 名 女
1 灼熱(しゃくねつ), 炎暑.
2 ひりひりする痛み. tener *quemazón* de estómago 胃がちくちく痛む.

quep- 動 → caber. 9

que·re·lla [keréʎa ケレリャ] 名 女
1 〔法律〕告訴, 告発. **2** 争い, 不和.

que·re·llar·se [kereʎárse ケレリャルセ] 動 **1** 〔法律〕告訴する. **2** 嘆く.

que·ren·cia [kerénθja ケレンシア] 名 女 帰巣[回帰]本能.

que·rer [kerér ケレル] 47 動 他 〔現分 queriendo; 過分 querido, da〕〔英 love; want〕

直説法

現在	未来
1·単 ***quiero***	1·単 ***querré***
2·単 ***quieres***	2·単 ***querrás***
3·単 ***quiere***	3·単 ***querrá***
1·複 **queremos**	1·複 ***querremos***
2·複 **queréis**	2·複 ***querréis***
3·複 ***quieren***	3·複 ***querrán***
点過去	**線過去**
1·単 ***quise***	1·単 **quería**
2·単 ***quisiste***	2·単 **querías**
3·単 ***quiso***	3·単 **quería**
1·複 ***quisimos***	1·複 **queríamos**
2·複 ***quisisteis***	2·複 **queríais**
3·複 ***quisieron***	3·複 **querían**

接続法

現在	過去 (ra)
1·単 ***quiera***	1·単 ***quisiera***
2·単 ***quieras***	2·単 ***quisieras***
3·単 ***quiera***	3·単 ***quisiera***
1·複 **queramos**	1·複 ***quisiéramos***
2·複 **queráis**	2·複 ***quisierais***
3·複 ***quieran***	3·複 ***quisieran***

命令法

2·単 ***quiere***	
2·複 **quered**	

1 愛する, …が好きである, かわいがる. Mi tía me *quiere* mucho. 叔母は私をとてもかわいがってくれる. Le *quiero* con toda mi alma. 私は本当に彼が好きよ.
2 望む, …が欲しい; (事物が) 必要とする, 要求する. ¿Qué *quieres*, café o té? 何にする, コーヒーそれとも紅茶? Haz lo que *quieras*. 好きなようにしなさい. Ven cuando *quieras*. いつでも来たい時に来なさい. Si usted *quiere*, le voy a sacar una entrada para esta noche. お望みなら今晩の切符をお取りしますよ.
3 《+不定詞》**…したい**; 《+que 接続法》…して欲しい. Mi hermano *quiere* aprender español. 弟はスペイン語を習いたがっている. Como no *quería* perder el tren, me levanté temprano. 電車に乗り遅れてはいけないと思って私は早起きした. *Quiero* que me ayudes. 私は君に手伝ってもらいたい. ► querer の主語と次に来る動詞の主語が同じならば不定詞, 異なれば que 接続法になる.
4 《+不定詞》《疑問文で》…してくれますか [くださいませんか]. ¿*Quieres* abrir la ventana, por favor? 窓を開けてくれないか?
5 《+不定詞》…しようとする; 今にも…しそうだ. No *quiso* moverse de su sitio. 彼は自分のいる場所から動こうとしなかった.

como quien no quiere la cosa 何食わぬ顔で; それとなく.
como quiera que (1) 《+接続法》どんなに…しても. (2) 《+直説法》…なので, …である以上.
cuando quiera que 《+接続法》…する時はいつでも.
donde quiera → dondequiera.
¡Por lo que más quiera(s)! お願いだから.
¿Qué más quieres? それ以上どうしろと言うんだ?
querer bien [***mal***] ***a*** 《+uno》〈人〉に好意[反感]を抱く.
querer decir 意味する; 主張する. ¿Qué *quiere decir* esta palabra? この単語はどういう意味ですか.
quiera o no quiera 好むと好まざるとにかかわらず, いや応なく.
sin querer 思わず, うっかり. Lo hice *sin querer*. 私は悪気があってそうしたのではない.

que·ri·do, da [kerído, ða ケリド, ダ] 過分 → querer.
── 形 親愛なる, 愛する, いとしい. Mi *querido* amigo 《手紙》親愛なる友へ.
── 名 男 女 **1** 《呼びかけ》愛する人, お前, あなた. Sí, *querida*. そうだよ, お前.
2 愛人; 情婦.

queriendo 現分 → querer.

que·ro·se·no [keroséno ケロセノ] 名 男 灯油; ケロシン, ジェット燃料.

querr- 動 → querer. 47

que·ru·bín [keruβín ケルビン] 名 男
1 ケルビム, 智天使.
2 美しい[かわいい]子供. El niño es lindo como un *querubín*. その子は天使のようなかわいい坊やです.

que·se·ro, ra [keséro, ra ケセロ, ラ] 形 チーズの.
── 名 男 女 チーズ製造[販売]業者.
── 名 女 チーズ入れ; チーズ工場.

que·so [késo ケソ] 名 男 〔複 ~s〕〔英 cheese〕
チーズ. Me gusta mucho el *queso*

Q

manchego. 私はラ・マンチャ産のチーズが大好きだ. *queso* fundido 溶けたチーズ. *queso* rallado 粉チーズ.
darla con queso a 《+uno》《口語》〈人〉をだます.

que·tzal [ketsál ケツァる] 名男 **1**〘鳥〙ケツァール: グアテマラの国鳥.
2 ケツァル: グアテマラの貨幣単位.

Que·ve·do [keβéðo ケベド] 固名 ケベード, Francisco de (1580 - 1645): スペインの詩人・小説家.
—— 名男 [quevedos] 鼻眼鏡.

¡quia! [kjá キア] / **¡quiá!** [kjá キア] 間投 《口語》《強い否定・疑いを表して》まさか, ばかな, とんでもない!

qui·cio [kíθjo キしオ] 名男〘建築〙(窓, 扉などの) 側柱. ➡ puerta 図.
fuera de quicio 我を忘れて, 逆上して; (物事が) 調子が狂って.
sacar de quicio a 《+uno》〈人〉を逆上させる.
salir de quicio かっとなる, 自制心を失う.

quid [kíð キ(ドゥ)] 名男 要点, 核心.

quiebr- 動 ➡ quebrar. [42 e ➡ ie]

quie·bra [kjéβra キエブラ] 名女 **1**〘商業〙破産, 倒産 (= bancarrota). declararse en *quiebra* 破産を申し立てる. **2** 破綻(はたん).

quie·bro [kjéβro キエブロ] 名男
1〘闘牛〙(上半身をひねる) かわし技.
2〘スポーツ〙(サッカーで) ドリブル.
3〘音楽〙装飾音, トリル.

quien [kjen キエン] 代名 《関係》[複 quienes]〔英 who, whom〕《先行詞は人》**1**《非制限的用法で》《主語・直接目的語・間接目的語また前置詞を伴う場合のいずれでもよい》Don Máximo, *quien* estaba observando la escena, llamó a la policía. マクシモさんがその場の光景を目撃していて警察に通報した. ► 口語では que のほうが多く用いられる.
2《制限的用法で》(1)《直接目的語》El compañero de clase a *quien* voy a llamar esta noche vive ahora en Nueva York. 今夜私が電話をする同級生は今ニューヨークに住んでいる.
(2)《間接目的語》los niños a *quien* [*quienes*] conté esta historia 私がこの話をしてやった子供たち.
(3)《前置詞を伴う場合》¿Qué estudia el chico con *quien* vives? 君と一緒に住んでいる彼は何を専攻しているの? Ésta es la señora de *quien* te hablé. こちらが以前君に話したご婦人だ.
3《独立用法で》…する人. *Quienes* se presenten serán bien recibidos. 来る人は皆歓迎されるでしょう. Habrá *quien* te entienda. 君のことを分かってくれる人もいるだろう.
4《+不定詞》…すべき人 (► 疑問詞 quién が代わる場合もある). No tiene a *quien* [quién] consultar. 彼には相談すべき人がいない.
como quien まるで…のように. Hicimos *como quien* no se enteraba de nada. 我々はまるで気が付かない振りをした.
Hay quien dice …(中には) …と言う人もいる.
quien más, quien menos 誰もが皆.

quién [kjén キエン] 代名 《疑問》[複 quiénes]〔英 who, whom〕
1 誰. (1)《主語》¿*Quién* es? どなたですか. ¿*Quiénes* son aquellas chicas? あそこにいる女の子たちは誰?
(2)《前置詞+》¿Con *quién* fuiste ayer? 昨日は誰といっしょに行ったの? No sé de *quién* es este coche. この車はいったい誰のだろう.
2《感嘆・驚き・反語で》誰がいったい. ¡*Quién* lo hubiera dicho! ¡Morirse tan joven! 誰がそんな想像ができたであろうか, あんなに若くして死ぬなんて. ¡*Quién* hubiera pensado al principio de la liga que nuestro equipo iba a ganarla! 我我のチームが優勝するなんて, リーグ戦の初めに考えた人がいただろうか.
¿Quién sabe? さあどうだか; そうかもしれない, ひょっとするとね.
¿Quién vive? 〘軍事〙(誰何(すいか)で) 誰か.
Van a saber quién soy yo. 《口語》今に見ていろ.

quien·quie·ra [kjenkjéra キエンキエラ] 代名 《不定》《+**que** 接続法》…する[…である] 人は誰でも. *quienquiera que* lo vea それを見る者は皆. *quienquiera que* sea 誰であれ. ► 複数形 quienesquiera は稀(まれ).

quier- 動 ➡ querer. 47

quieta 形女 ➡ quieto.

quie·tis·mo [kjetísmo キエティスモ] 名男
1〘宗教〙静寂主義. **2** 安らぎ; 無気力.

quie·to, ta [kjéto, ta キエト, タ] 形 [複 ~s]〔英 still〕 **1** 動かない (= inmóvil). estar *quieto* como un poste [una estatua] びくともしない. ¡Estáte *quieto*! じっとしていなさい, 行儀よくしなさい. ¡*Quieto*! 動くな!
2 静かな, 穏やかな; おとなしい, 無口な. Ahora todo está *quieto*. 今はすべて平穏だ. ¡Déjale *quieto*! ほっといてやれ.

quie·tud [kjetúð キエトゥ(ドゥ)] 名女 **1** 静けさ, 静寂, 平穏; 平安. **2** 不動, 停止.

qui·ja·da [kixáða キハダ] 名女 顎(あご), 顎骨(がっこつ).

qui·jo·ta·da [kixotáða キホタダ] 名女 ドン・キホーテ的行動, 常軌を逸した行為.

Qui·jo·te [kixóte キホテ] 固名 Don *Quijote* ドン・キホーテ: スペインの作家 Cervantes の小説 "El ingenioso hidalgo Don *Quijote* de la Mancha" (通称 el *Quijote*) 『才智あふるる郷士ドン・キホーテ・デ・

Q

ラ・マンチャ』の主人公.
qui·jo·tes·co, ca [kixotésko, ka キホテスコ, カ] 形 ドン・キホーテ的な.
qui·la·te [kiláte キラテ] 名男 カラット: 金の純度, 宝石の重さの単位.
qui·lla [kíʎa キリャ] 名女 〔海〕竜骨, キール. → barco 図.
qui·lo [kílo キろ] 名男 → kilo.
qui·me·ra [kiméra キメラ] 名女 妄想, 夢想.
qui·mé·ri·co, ca [kimériko, ka キメリコ, カ] 形 空想的な, 非現実的な, 荒唐無稽(むけい)な.
quí·mi·co, ca [kímiko, ka キミコ, カ] 形 化学の, 化学的な. fibra *química* 化学繊維. productos *químicos* 化学製品.
── 名女 化学. *química* biológica生化学. *química* orgánica [inorgánica] 有機[無機]化学.
── 名男女 化学者.
qui·mio·te·ra·pia [kimjoterápja キミオテラピア] 名女 〔医〕化学療法.
qui·na [kína キナ] 名女 〔植物〕キナ皮.
más malo que la quina 《口語》むかむかする, ひどく嫌な.
tragar quina 《口語》(怒り・不快を) ぐっとこらえる.
quin·ca·lla [kiŋkáʎa キンカリャ] 名女 金物.
quin·ca·lle·rí·a [kiŋkaʎería キンカリェリア] 名女 金物屋; 《集合》金物.
quin·ce [kínθe キンせ] 形 《数詞》〔英 fifteen〕 15の, 15番目の. *quince* días 15日, 2週間.
── 名男 15. ◆ローマ数字XV.
quin·ce·a·vo, va [kinθeáβo, βa キンせアボ, バ] 形 15分の1の. ── 名男 15分の1.
quin·ce·na [kinθéna キンせナ] 名女 15日間, 2週間, 半月.
quin·ce·nal [kinθenál キンせナる] 形 15日ごとの; 15日間[2週間]の. publicación *quincenal* 隔週刊行物.
quin·cua·ge·na·rio, ria [kiŋkwaxenárjo, rja キンクアヘナリオ, リア] 形 50歳(代)の. ── 名男女 50歳(代)の人.
quin·cua·gé·si·mo, ma [kiŋkwaxésimo, ma キンクアヘシモ, マ] 形 《数詞》50番目の; 50分の1の. ── 名男 50分の1.
quin·gen·té·si·mo, ma [kiŋxentésimo, ma キンヘンテシモ, マ] 形 500番目の; 500分の1の.
── 名男 500分の1.
qui·nie·la [kinjéla キニエら] 名女 キニエラ (サッカーの公営賭博(とばく)); (勝敗予想を記入する) キニエラの用紙.
qui·nie·lis·ta [kinjelísta キニエリスタ] 名男女 サッカー賭博(とばく)をする人.
qui·nien·tos[1], tas [kinjéntos, tas キニエントス, タス] 形 《数詞》〔英 five hundred〕 500の; 500番目の.
qui·nien·tos[2] [kinjéntos キニエントス] 名男 〔英 five hundred〕 500. ◆ローマ数字D.
qui·ni·na [kinína キニナ] 名女 〔薬〕キニーネ: マラリアの特効薬.
qui·no [kíno キノ] 名男 〔植〕キナノキ: 樹皮 quina からキニーネを採る.
quin·qué [kiŋké キンケ] 名男 石油ランプ.
tener mucho quinqué 《口語》目先[機転]が利く.
quin·que·nal [kiŋkenál キンケナる] 形 5年の, 5年継続の, 5年ごとの. plan *quinquenal* 5か年計画.
quin·que·nio [kiŋkénjo キンケニオ] 名男 5年間.
quin·qui [kíŋki キンキ] 名男 [～s] 《口語》ごろつき連中.
── 名男女 《口語》ごろつき, ちんぴら.
quin·ta [kínta キンタ] 名女 **1** 別荘.
2 〔軍事〕召集 (兵の部隊). entrar en *quintas* 《口語》兵役に就く.
── 形女 → quinto[1].
quin·ta·e·sen·cia [kintaesénθja キンタエセンしア] 名女 精髄, 真髄; 精華.
quin·tal [kintál キンタる] 名男 キンタル: 昔の重量の単位. 46キログラムに相当.
quin·te·to [kintéto キンテト] 名男 〔音楽〕クインテット, 五重奏[唱]団.
quin·to[1], ta [kínto, ta キント, タ] 形 《数詞》[複 ～s] 〔英 fifth〕 第5の; 5分の1の. en *quinto* lugar 5番目に.
quin·to[2] [kínto キント] 名男 **1** 5分の1.
2 〔軍事〕召集兵, 新兵.
quin·tu·pli·car [kintuplikár キントゥプリカル] ⑧ 動他 5倍にする.
quín·tu·plo, pla [kíntuplo, pla キントゥプろ, プら] 形 5倍の. ── 名男 5倍.
quin·za·vo, va [kinθáβo, βa キンさボ, バ] 形 15分の1の (= quinceavo).
── 名男 15分の1.
quios·co [kjósko キオスコ] 名男 **1** キオスク; 駅・広場の売店 (= kiosko). *quiosco* de periódicos 新聞売店.
2 (公園・庭園の) あずまや. *quiosco* de música 野外音楽堂.
qui·qui·ri·quí [kikirikí キキリキ] 名男 《擬》(雄鳥(おんどり)の鳴き声) コケコッコー. → animal 【参考】.
qui·ró·fa·no [kirófano キロファノ] 名男 手術室.
qui·ro·man·cia [kirománθja キロマンしア] / **qui·ro·man·cí·a** [-manθía -マンしア] 名女 手相占い.
qui·ro·mán·ti·co, ca [kiromántiko, ka キロマンティコ, カ] 形 手相占いの.
── 名男女 手相見, 手相占い師.
qui·rúr·gi·co, ca [kirúrxiko, ka キルルヒコ, カ] 形 外科 (術) の. operación *quirúrgica* 外科手術.
quis- 動 → querer. ㊼

Q

qui·si·co·sa [kisikósa キシコサ] 名女 《口語》なぞなぞ.

quis·que [kíske キスケ] ***cada*** [***todo***] ***quisque*** 《口語》それぞれ, めいめい. Estaban tan de moda las botas que *todo quisque* las llevaba. ブーツが大流行していたので, 猫も杓子(しゃくし)もそれを履いていた.

quis·qui·lla [kiskíʎa キスキリャ] 名女
1 ささいなこと, 取るに足りないこと.
2 小エビ.

quis·qui·llo·so, sa [kiskiʎóso, sa キスキリョソ, サ] 形 気難しい.
── 名男女 気難しい人, こまかいことを気にする人.

quis·te [kíste キステ] 名男 〘医〙 嚢胞(のうほう).

quitado, da 過分 → quitar.

qui·ta·man·chas [kitamántʃas キタマンチャス] 名男 [単・複同形] 染み抜き剤.

quitando 現分 → quitar.

qui·ta·nie·ves [kitanjéβes キタニエベス] 名男 [単・複同形] ラッセル車, 除雪車.

qui·tar

[kitár キタル] 動他 [現分 quitando ; 過分 quitado, da] 〔英 take off〕
1 取り除く, 取り去る. *quitar* la tapa ふたを取る. *quitar* la piel 皮をむく. *quitar* un dolor 痛みを取り除く. *quitar* la mesa 食卓をかたづける. *quitar* a 《+uno》 una preocupación 〈人〉の悩みを取り除いてやる.
2 奪う, 盗む; 損なう. Me *han quitado* el dinero. 私はお金をとられてしまった. Las preocupaciones por el hijo le *quitan* el sueño. 息子のことが心配で彼は眠れない. *quitar* la vida a 《+uno》 〈人〉の命を奪う. *quitar* las palabras de la boca a 《+uno》 〈人〉の話の腰を折る.
3 (ラジオなどを) 消す (↔ poner). ¡*Quita* ya la tele! もうテレビを消して!
── **qui·tar·*se*** **1** 脱ぐ, 外す, 取り去る (↔ponerse). *quitarse* la chaqueta [los zapatos] 上着[靴]を脱ぐ.
2 なくなる, 取り除かれる. La mancha no *se quita* con detergente. その染みは洗剤では落ちない.
3 《+de》…をやめる; …から立ち退く. *quitarse de*l cigarrillo タバコをやめる. ¡*Quítese de* ahí! そこをどきなさい.
de quita y pon 取り外しができる. La camisa tiene un cuello *de quita y pon*. そのワイシャツは, 襟の取り外しができる.
¡Quita, hombre! 《口語》まさか, やめておけ.
quitar de encima 取り除く, 免除する.
quitarse de encima 払いのける, 回避する.

qui·ta·sol [kitasól キタソル] 名男 日傘, パラソル (= sombrilla, parasol).

qui·te [kíte キテ] 名男 **1** 〘スポ〙 (フェンシング) 受け流し, かわし.
2 〘闘牛〙 (危機にある闘牛士を助けるために他の闘牛士が) 牛の注意をそらす技.
── 動 → quitar.
estar al quite 助ける用意ができている.

qui·te·ño, ña [kiteɲo, ɲa キテニョ, ニャ] 形 キトの.
── 名男女 キトの住民.

Qui·to [kíto キト] 固名 キト: エクアドル Ecuadorの首都.

qui·zá(s)

[kiθá(s) キサ(ス)] 副 〔英 perhaps〕
《主に接続法の動詞と共に》たぶん, おそらく (= tal vez); …かもしれない. *Quizá* sea verdad lo que ha dicho. 彼が言ったことは多分本当だろう. *Quizá* esté enfadado conmigo. たぶん彼は僕のことを怒っているよね. ► 直説法を用いると実現の可能性が高くなる.

quó·rum [kwórum クオルン] 名男 [単・複同形] (会議・投票・裁決の) 定足数, 定数.

R r *R r*

R, r [ére エレ | ére エレ] 名女 スペイン語字母の第19字.

ra·ba·di·lla [r̄aβaðíʎa ラバディリャ] 名女 〘解剖〙尾骨.

rá·ba·no [r̄áβano ラバノ] 名男 〘植物〙ハツカダイコン(二十日大根), ラディッシュ.
importar un rábano 《口語》大したことではない, どうでもよい.
tomar el rábano por las hojas 《口語》取り違える, 誤解する.

ra·bí [r̄aβí ラビ] 名男 [複 rabíes] 〘宗教〙ラビ, ユダヤの律法学者.

ra·bia [r̄áβja ラビア] 名女
1 怒り, 激怒; 嫌悪. **2** 〘医〙狂犬病.
coger [***tener, tomar***] ***rabia a*** 《+uno》〈人〉に反感を抱く.

ra·biar [r̄aβjár ラビアル] 動自 **1** 《+**de**》…にひどく苦しむ. *rabiar de* dolor 激痛に苦しむ.
2 激怒する. hacer *rabiar* a 《+uno》〈人〉を激怒させる.
3 《+**por**》…が欲しくてたまらない; 《+**por** 不定詞》無性に…したい.
a rabiar 熱狂的に[な]; 非常に. La quiero *a rabiar*. 私は彼女が大好きである.

ra·bie·ta [r̄aβjéta ラビエタ] 名女 《口語》かんしゃく, 怒り.

ra·bi·llo [r̄aβíʎo ラビリョ] 名男
rabillo del ojo 目じり. mirar con el *rabillo del ojo* 《口語》横目でそっと見る.

ra·bio·so, sa [r̄aβjóso, sa ラビオソ, サ] 形
1 怒り狂った; 激しい, 強烈な.
2 狂犬病にかかった.

ra·bo [r̄áβo ラボ] 名男 **1** (動物の)尾, しっぽ. ► 魚・鳥には cola を用いる.
2 尾部, 尾状のもの; (衣類の)裾(すそ).
faltar [***quedar***] ***el rabo por desollar*** 《口語》まだ最後の難関が残っている.
irse [***volver***] ***con el rabo entre las piernas*** 《口語》しっぽを巻いて逃げ出す[逃げ戻る].

ra·bón, bo·na [r̄aβón, βóna ラボン, ボナ] 形 **1** 尾の短い; 尾のない. **2** 《ラ米》短い.
hacer rabona 《口語》ずる休みする.

ra·bo·ta·da [r̄aβotáða ラボタダ] 名女 《口語》無礼, 不作法. soltar *rabotadas* ぞんざいな口を利く.

rá·ca·no, na [r̄ákano, na ラカノ, ナ] 形 《口語》**1** 怠惰な. **2** けちな.

ra·cha [r̄átʃa ラチャ] 名女 **1** 一陣の風, 突風. **2** 《口語》一続き. tener una *racha* de mala suerte 不運続きである.
racha de frío 寒波.
estar de racha 《口語》幸運続きである.

ra·cial [r̄aθjál ラしアる] 形 人種の, 民族の. discriminación *racial* 人種差別.

ra·ci·mo [r̄aθímo ラしモ] 名男 〘植物〙(ブドウなどの)房; (フジなどの)花房.

ra·cio·ci·nar [r̄aθjoθinár ラしオしナル] 動自 推理する, 推論する.

ra·cio·ci·nio [r̄aθjoθínjo ラしオしニオ] 名男 理性, 思考力; 推理, 推論.

ra·ción [r̄aθjón ラしオン] 名女 **1** (食べ物の)一人前, 一皿分. una *ración* de calamares fritos イカのリング揚げ1人前.
2 配られた分, 配給量.
a media ración 不十分に.

ra·cio·nal [r̄aθjonál ラしオナる] 形 **1** 理性的な, 合理的な (↔ irracional).
2 〘数〙有理の. número *racional* 有理数.

ra·cio·na·li·dad [r̄aθjonaliðáð ラしオナリダ(ドゥ)] 名女 合理性.

ra·cio·na·lis·mo [r̄aθjonalísmo ラしオナりスモ] 名男 合理主義; 〘哲〙合理論.

ra·cio·na·lis·ta [r̄aθjonalísta ラしオナりスタ] 形 合理主義的な.
—— 名男女 合理主義者.

ra·cio·na·li·zar [r̄aθjonaliθár ラしオナりさル] [39 z → c] 動他 合理化する.

ra·cis·mo [r̄aθísmo ラしスモ] 名男 人種差別, 人種主義.

ra·cis·ta [r̄aθísta ラしスタ] 形 人種差別の.
—— 名男女 人種差別主義者.

ra·da [r̄áða ラダ] 名女 〘海事〙投錨(とうびょう)地; 入り江.

ra·dar [r̄aðár ラダル] / **rá·dar** [r̄áðar ラダル] 名男 レーダー. [←英語]

ra·dia·ción [r̄aðjaθjón ラディアしオン] 名女 〘物理〙放射, 輻射(ふくしゃ); 放射物[線].

ra·diac·ti·vi·dad [r̄aðjaktiβiðáð ラディアクティビダ(ドゥ)] 名女 〘物理〙放射能.

ra·diac·ti·vo, va [r̄aðjaktíβo, βa ラディアクティボ, バ] 形 〘物理〙放射性の. desperdicios *radiactivos* 放射性廃棄物.

ra·dia·do, da [r̄aðjáðo, ða ラディアド, ダ] 過分 形 **1** ラジオ放送の, ラジオで放送される.
2 放射状の.

ra·dia·dor [r̄aðjaðór ラディアドル] 名男 〘車〙ラジエーター; 放熱器, 輻射(ふくしゃ)暖房器. → calefacción 図.

ra·dial [r̄aðjál ラディアる] 形 放射状の. carretera *radial* 放射状道路. neumático *radial* ラジアルタイヤ.

ra·dian·te [r̄aðjánte ラディアンテ] 形
1 輝く; 輝くばかりの. rostro *radiante* 晴れやかな顔. *radiante* de alegría 喜びで輝

いている.
2〘物理〙放射の, 輻射(ふくしゃ)の. calor *radiante* 放射熱.

ra·diar [r̄aðjár ラディアル] 動他 **1** 放射する. **2** ラジオで放送する.

ra·di·cal [r̄aðikál ラディカる] 形 **1** 急進的な, 過激な. cambio *radical* 急激な変革. **2** 根本的な. **3**〘植物〙根の, 根生の.
―― 名男女 急進主義者, 過激派.
―― 名男〘言語〙語根;〘数〙根号, ルート.

ra·di·ca·lis·mo [r̄aðikalísmo ラディカリスモ] 名男 急進主義, 過激論.

ra·di·ca·li·zar [r̄aðikaliθár ラディカリさル][39 z ➡ c] 動他 急進化させる, 過激にする.

ra·di·cal·men·te [r̄aðikálménte ラディカるメンテ] 副 抜本的に; 急進的に.

ra·di·car [r̄aðikár ラディカル] [8 c ➡ qu] 動自《+**en**》…に存在する, ある. El problema *radica en* la falta de dinero. 問題は資金不足にある.
―― **ra·di·car·*se*** 住みつく, 定住する.

ra·dio

[r̄áðjo ラディオ] [複 ~s] 名女〔英 radio〕[radiodifusión, radiorreceptor の省略形] **ラジオ**, ラジオ放送, ラジオ受信機. poner [encender] la *radio* ラジオをつける. quitar [apagar] la *radio* ラジオを消す. Baja (el volumen de) la *radio*.《口語》ラジオの音を小さくしなさい. El partido será retransmitido en directo por *radio* y televisión. この試合はラジオとテレビで実況中継されます. ► 中南米では男性形扱いで el radio.
―― 名男〔英 radius〕**1** 半径. Encontraron los objetos robados en un *radio* de cincuenta metros de su casa. 家から半径50メートルのところで盗品が発見された. *radio* de acción 行動半径. ► 直径は diámetro. ➡ círculo 図.
2(車輪の)スポーク. ➡ bicicleta 図.
3〘化〙ラジウム.

> **【参 考】radio**
> radiodifusión ラジオ放送. emisión en [por] frecuencia modulada FM 放送. radiocasete ラジカセ. altavoz / altoparlante スピーカー. auriculares ヘッドホン, イヤホン. disco compacto コンパクトディスク, CD. cassette / casete カセット.

radio-「無線, 放射性[線]」の意を表す造語要素. ⇒ *radio*difusión, *radio*grafía など.

ra·dio·ac·ti·vi·dad [r̄aðjoaktiβiðáð ラディオアクティビダ(ドゥ)] 名女 ➡ radiactividad.

ra·dio·ac·ti·vo, va [r̄aðjoaktíβo, βa ラディオアクティボ, バ] 形 ➡ radiactivo.

ra·dio·a·fi·cio·na·do, da [r̄aðjoafiθjonáðo, ða ラディオアフィしオナド, ダ] 名男女 アマチュア無線家, ハム.

ra·dio·di·fu·sión [r̄aðjoðifusjón ラディオディフシオン] 名女 ラジオ放送.

ra·dio·es·cu·cha [r̄aðjoeskútʃa ラディオエスクチャ] 名男女 ➡ radioyente.

ra·dio·fo·ní·a [r̄aðjofonía ラディオフォニア] 名女 ラジオ放送; 無線電話.

ra·dio·gra·fí·a [r̄aðjoɣrafía ラディオグラフィア] 名女 レントゲン写真(術).

ra·dio·lo·gí·a [r̄aðjoloxía ラディオろヒア] 名女 放射線医学.

ra·dió·lo·go, ga [r̄aðjóloɣo, ɣa ラディオろゴ, ガ] 名男女 放射線専門医, レントゲン技師.

ra·dios·co·pia [r̄aðjoskópja ラディオスコピア] 名女 レントゲン透視(法).

ra·dio·ta·xi [r̄aðjotáksi ラディオタクシ] 名男 無線タクシー.

ra·dio·te·ra·pia [r̄aðjoterápja ラディオテラピア] 名女〘医〙放射線療法.

ra·dio·yen·te [r̄aðjoɟénte ラディオイエンテ] 名男女 (ラジオの)聴取者.

ra·er [r̄aér ラエル] 10 動他 [現分 rayendo ; 過分 raído, da] 削る, 削り落とす.

Ra·fa·el [r̄afaél ラファエる] 固名 ラファエル: 男性の名. 愛 Rafa. San *Rafael* (大天使)聖ラファエル.

rá·fa·ga [r̄áfaɣa ラファガ] 名女 一陣の風, 突風; 閃光(せんこう); 機銃掃射.

raíces 名[複] ➡ raíz.

raid [r̄áið ライ(ドゥ)] 名男 [複 raids]〘軍事〙奇襲, 急襲; (警察の)手入れ, 一斉検挙. [←英語]

ra·í·do, da [r̄aíðo, ða ライド, ダ] 過分 形 **1** 擦り切れた, 着古した. **2** 恥知らずな.

rai·gam·bre [r̄aiɣámbre ライガンブレ] 名女 **1** 深く根づいていること, 伝統. **2**〘植物〙《集合》根.

rail [r̄áil ライる] / **ra·íl** [r̄aíl ライる] 名男 レール(=riel). ➡ estación 図.

ra·íz [r̄aíθ ライす] 名女 [複 raíces]〔英 root〕**1**〘植物〙**根**. echar raíz 根づく. ➡ árbol 図.
2 根源. la *raíz* del mal 悪の根源.
3〘数〙根;〘文法〙語根. *raíz* cuadrada 平方根. *raíz* cúbica 立方根.
***a raíz de* ...** …の直後に; …が原因で.
arrancar* [*cortar, sacar*] *de raíz 根絶する.
de raíz 根元から, 完全に.
***echar raíces en* ...** …に根を下す, …に定住する.

ra·ja [r̄áxa ラハ] 名女 **1** 裂け目, 割れ目;〘服飾〙スリット.
2 一切れ, 一片(=tajada). una *raja* de sandía スイカ一切れ. ► レモンなどの「輪切り」は rodaja.
sacar raja《口語》分け前にあずかる, 利益を得る.

ra·já [r̄axá ラハ] 名男 [複 rajaes] ラージ

R

ャ: インドの王.

ra·jar [r̄axár ラハル] 動他 **1** ひび割れさせる, 裂く.
2〖料理〗(メロンなどを)くし形に切る.
── 動自《口語》しゃべりまくる.
── **ra·jar·*se*** **1** ひびが入る, 裂ける, 割れる. **2**《口語》おじけづく.

ra·ja·ta·bla [r̄axatáβla ラハタブら]
a rajatabla《副詞句》厳しく, 厳格に. cumplir lo dicho *a rajatabla* 言われたことを厳しく守る.

ra·le·a [r̄aléa ラれア] 名女《軽蔑》質(たち); 部類. gente de la misma *ralea* 同じ穴の狢(むじな).

ra·len·tí [r̄alentí ラれンティ] 名男 **1**〖映画〗スローモーション. escena al *ralentí* スローモーションシーン. **2**〖車〗アイドリング.

ra·lla·dor [r̄aʎaðór ラリャドル] 名男〖料理〗下ろし金.

ra·lla·du·ra [r̄aʎaðúra ラリャドゥラ] 名女〖料理〗下ろすこと; [〜s] 下ろしたもの. *ralladuras* de queso 粉チーズ.

ra·llar [r̄aʎár ラリャル] 動他 **1**〖料理〗下ろす. pan *rallado* パン粉.
2《口語》いらだたせる, うんざりさせる.

ra·lly [r̄áli ラり] 名男 [複 rallys]〖車〗ラリー. [←英語]

ra·lo, la [r̄álo, la ラろ, ら] 形 (髪・木などが) まばらな, (布などが) 目の粗い, (歯が) すき間のある.

RAM [r̄ám ラん] (*R*andam *A*ccess *M*emory) 名男〖コンピュータ〗ランダム・アクセス・メモリ: 通常メモリと呼ばれる. [←英語]

ra·ma [r̄áma ラマ] 名女 [複 〜s] [英 branch] **1** 枝. ➡ árbol 図.
2 分野, 部門. las diferentes *ramas* del arte 芸術の諸分野.
3 (系統の) 支流; 分家. una *rama* de raza aria アーリア系の一支族.
andarse* [*irse*] *por las ramas 《口語》遠回しに言う; 本題からはずれる.

ra·ma·je [r̄amáxe ラマヘ] 名男《集合》枝.

ra·mal [r̄amál ラマる] 名男 **1** 支線, 支道; 支脈. **2** (ロープの) より糸.

R

ra·ma·la·zo [r̄amaláθo ラマらそ] 名男 **1**《口語》性質, たち. **2** 激痛; 発作.

ram·bla [r̄ámbla ランブら] 名女 (特に Cataluña, Valencia, Baleares で) 並木道, 大通り. las *Ramblas* (Barcelona の) ランブラス通り.

ra·me·ra [r̄améra ラメラ] 名女 売春婦.

ra·mi·fi·ca·ción [r̄amifikaθjón ラミフィカしオン] 名女 枝分かれ, 細分化; 分派.

ra·mi·fi·car·*se* [r̄amifikárse ラミフィカルセ] [8 c ➡ qu] 動 枝分かれする, 細分化する.

ra·mi·lle·te [r̄amiʎéte ラミリェテ] 名男 ブーケ, コサージュ.

ra·mo [r̄ámo ラモ] 名男 [複 〜s] [英 bouquet; branch] **1** 花束 *ramo* de flores 花束. *ramo* de novia 花嫁の持つブーケ.
2 小枝, 切り枝. *ramo* de olivo オリーブの小枝.
3 部門, 分野.

Ra·món [r̄amón ラモン] 固名 ラモン: 男性の名. 愛 Moncho.

ram·pa [r̄ámpa ランパ] 名女 **1** 傾斜路, 斜面; (高速道路の) ランプウエー; ゲレンデ. *rampa* de lanzamiento (ミサイルなどの) 発射台.
2〖医〗(筋肉の) 痙攣(けいれん).

ram·plón, plo·na [r̄amplón, plóna ランプろン, プろナ] 形 低俗な, 下品な.

ram·plo·ne·rí·a [r̄amplonería ランプろネリア] 名女 低俗, 下品.

ra·na [r̄ána ラナ] 名女〖動物〗カエル (蛙).
salir rana 《口語》失敗する, 期待を裏切る. Este melón me *ha salido rana*. このメロンは期待外れだ.

ran·che·ro, ra [r̄antʃéro, ra ランチェロ, ラ] 名男女《ラ米》牧場 [農場] の監督; 牧場主, 労働者.

ran·cho [r̄ántʃo ランチョ] 名男《ラ米》牧場, 農場.
hacer* [*formar*] *rancho aparte 独自に行動する, 分派を作る.

ran·cio, cia [r̄ánθjo, θja ランしオ, しア] 形 **1** (食品が) 古くなった, 劣化した, 嫌な臭いのする.
2 昔からの; 時代遅れの. de *rancia* estirpe 旧家の出の.
3 (ワインが) 年代物の.
oler a rancio 嫌な臭いがする; かび臭い, 時代遅れの感がする.

ran·da [r̄ánda ランダ] 名女〖服飾〗レースの縁飾り.
── 名男《口語》すり; ごろつき.

ran·go [r̄áŋgo ランゴ] 名男 **1** 階級; 地位, 身分, ランク. de alto [mucho] *rango* 上流の. **2**《ラ米》上等, 豪華.

ra·nu·ra [r̄anúra ラヌラ] 名女 **1** (自動販売機などの) コイン投入口.
2〖建築〗溝 (飾り).
3〖コンピュータ〗スロット, 差込み口.

rapaces 形名 [複] ➡ rapaz [1,2].

ra·pa·ci·dad [r̄apaθiðáð ラパしダ(ドゥ)] 名女 強欲, 貪欲(どんよく); 盗癖.

ra·pa·pol·vo [r̄apapólβo ラパポるボ] 名男《口語》叱責(しっせき). echar un *rapapolvo* a《+uno》〈人〉をきつくしかる.

ra·par [r̄apár ラパル] 動他《口語》**1** …のひげをそる; (頭髪を) 丸刈りにする.
2 奪う, ひったくる.
── **ra·par·*se*** 《口語》ひげをそる.

ra·paz[1] [r̄apáθ ラパす] 形 [複 rapaces] **1** 強欲な; 盗癖のある. **2**〖鳥〗捕食性の.

ra·paz[2]**, pa·za** [r̄apáθ, páθa ラパす, パさ] 名男女 [複男 rapaces] 子供.

ra·pe [r̄ápe ラペ] 名男〖魚〗アンコウ (鮟鱇).
al rape 丸 [坊主] 刈りに. pelo (cortado) *al rape* 丸刈り.

ra·pé [r̄apé ラペ] 名男 嗅(か)ぎタバコ.

rápida 形女 → rápido[1].

rá·pi·da·men·te [r̄ápiðaménte ラピダメンテ] 副 急いで.

ra·pi·dez [r̄apiðéθ ラピデす] 名女 [複 rapideces] 速さ, 迅速. con *rapidez* 素早く.

rá·pi·do[1], da [r̄ápiðo, ða ラピド, ダ] 形 [複 ~s]
〔英 rapid〕**速い**, 急速な, 迅速な, 素早い (↔ lento). a pasos *rápidos* 早足で. hacer un progreso *rápido* 急速な進歩を遂げる.

rá·pi·do[2] [r̄ápiðo ラピド] 名男 特急列車 (= tren *rápido*). → expreso.
── 副 **速く**, 急いで, 素早く. ¡*Rápido*, cierra los ojos! ほら, 早く目を閉じて.

ra·pi·ña [r̄apíɲa ラピニャ] 名女 強奪, 盗み.

ra·po·se·ar [r̄aposeár ラポセアル] 動自 《口語》計略を用いる, ずるいことをする.

ra·po·so, sa [r̄apóso, sa ラポソ, サ] 名男女 **1** 〔動物〕キツネ (狐) (= zorro); 雌ギツネ (= zorra). **2** 《口語》狡猾(こうかつ)な人.

rap·so·dia [r̄apsóðja ラプソディア] 名女 〔音楽〕狂詩曲, ラプソディー.

rap·tar [r̄aptár ラプタル] 動他 誘拐する, かどわかす.

rap·to [r̄ápto ラプト] 名男 **1** 誘拐, かどわかし. **2** (怒りの) 衝動, かっとなること; 恍惚(こうこつ), 陶酔. **3** 〔医〕卒倒.

rap·tor, to·ra [r̄aptór, tóra ラプトル, トラ] 名男女 誘拐者.

ra·que·ta [r̄akéta ラケタ] 名女 ラケット. *raqueta* de tenis [de ping-pong] テニス[卓球]のラケット.

ra·quí·ti·co, ca [r̄akítiko, ka ラキティコ, カ] 形 虚弱な; 〔医〕くる病の.

rara 形女 → raro.

ra·ra·men·te [r̄áraménte ララメンテ] 副 稀に; 奇妙に.

ra·re·za [r̄aréθa ラレさ] 名女 稀(ま)なこと, 珍しいこと, 風変わり; 奇態, 奇行.

ra·ro, ra [r̄áro, ra ラロ, ラ] 形 [複 ~s]
〔英 rare〕 **1 稀(ま)な, 珍しい**; 奇妙な, 風変わりな. Le veo *raras* veces. 私はめったに彼に会わない. Iba vestido de una manera *rara*. 彼は変わった服装をしていた. ¡Qué cosa más *rara*! 変だ, おかしいぞ.
2 〔化〕希薄な.

ras [r̄ás ラス] 名男
a [al] ras de ... …と同じ高さで. volar *a ras de* los tejados 屋根すれすれに飛ぶ.
a ras de tierra 地表すれすれに; 低俗な.

ra·san·te [r̄asánte ラサンテ] 形 地表すれすれの. vuelo *rasante* 低空飛行.
── 名女 傾斜, 坂.

ra·sar [r̄asár ラサル] 動他 **1** かすめる, かすめて通る. **2** すり切りにする, 平らにならす.

ras·ca·cie·los [r̄askaθjélos ラスカしエロス] 名男 [単・複同形] 超高層ビル.

ras·ca·du·ra [r̄askaðúra ラスカドゥラ] 名女 ひっかくこと; ひっかき傷; 削り落とすこと.

ras·car [r̄askár ラスカル] [8 c → qu] 動他 **1** ひっかく.
2 こそげる, 削り落とす.
3 《口語》(弦楽器を) 下手に弾く.
── **ras·car·se** (自分の体を) かく.
No hay nada que rascar. 《口語》全然駄目だ, どうしようもない.

ras·ca·tri·pas [r̄askatrípas ラスカトゥリパス] 名男女 [単・複同形] 《口語》(弦楽器の) 下手な演奏家.

ra·se·ro [r̄aséro ラセロ] 名男 (穀物を量る) 升かき.
medir por [con] el mismo rasero 《口語》(人を) 公平に扱う.

ras·ga·do, da [r̄asɣáðo, ða ラスガド, ダ] 過分 形 **1** 引き裂かれた, 破れた.
2 (目が) 切れ長の.
── 名男 引き裂くこと; 裂け目.

ras·ga·du·ra [r̄asɣaðúra ラスガドゥラ] 名女 引き裂くこと, 破ること; 裂け目.

ras·gar [r̄asɣár ラスガル] [32 g → gu] 動他 **1** 引き裂く, 破る. **2** (ギターなどを) かき鳴らす (= rasguear).
── **ras·gar·se** 裂ける, 破れる.

ras·go [r̄ásɣo ラスゴ] 名男 **1** 特徴, 特色.
2 [~s] 顔だち, 容貌(ようぼう).
3 線; [~s] 筆跡.
4 (崇高な) 行為. Ayudó a su amigo en un *rasgo* de abnegación. 彼は感嘆すべき献身的行為によって友人を助けた.
a grandes rasgos 大ざっぱに (= sin detalles).

ras·gón [r̄asɣón ラスゴン] 名男 裂け目, ほころび.

ras·gue·ar [r̄asɣeár ラスゲアル] 動他 (ギターなどを) かき鳴らす.

ras·gue·o [r̄asɣéo ラスゲオ] 名男 (ギターなどを) かき鳴らすこと.

ras·gu·ñar [r̄asɣuɲár ラスグニャル] 動他 ひっかく.

ras·gu·ño [r̄asɣúɲo ラスグニョ] 名男 ひっかき傷.

ra·so, sa [r̄áso, sa ラソ, サ] 形 **1** 滑らかな; 平らな. una cucharada *rasa* スプーンすり切り一杯.
2 晴れ渡った. cielo *raso* 雲ひとつない空.
3 地表すれすれの.
4 〔軍事〕平の. un soldado *raso* 一兵卒.
── 名男 〔服飾〕サテン (布).
al raso 野外で.

ras·pa [r̄áspa ラスパ] 名女 **1** 〔魚〕背骨.
2 〔植物〕芒(のぎ); (ブドウの房の) 軸, (トウモロコシの) 穂軸.

ras·pa·do [r̄aspáðo ラスパド] 名男 削り落とすこと, 削り落とした跡; 〔医〕掻爬(そうは).

ras·pa·dor [r̄aspaðór ラスパドル] 名男 スクレーパー, 削り具.

ras·pa·du·ra [r̄aspaðúra ラスパドゥラ] 名女 削り落とすこと; 削り落としたかす; ひっかき傷.

R

ras·par [r̄aspár ラスパル] 動他 **1** こそげる，削り落とす；ひっかく.
2 ざらつく，ちくちくする；(舌に)ぴりっとくる.
3 かすめる，かすめて通る.
4《口語》盗む.
5《ラ米》しかる.

ras·po·so, sa [r̄aspóso, sa ラスポソ，サ] 形 ざらざらした.

ras·que·ta [r̄askéta ラスケタ] 名女〘海事〙スクレーパー：船体などの付着物をかき落とす道具.

ras·tra [r̄ástra ラストゥラ] 名女 **1**（タマネギ・ニンニクなどの）ひとつなぎ（= ristra）.
2 台車；〘漁業〙引き網. pescar a la *rastra* トロール漁をする.
3〘農業〙馬鍬(まぐわ)，ハロー.
4 跡，足跡，わだち.
a (***la***) ***rastra*** / ***a rastras*** 引きずって；嫌々ながら.
llevar a rastras 引きずって行く；長い間苦しんでいる；やりかけになっている.

ras·tre·a·dor, do·ra [r̄astreaðór, ðóra ラストゥレアドル，ドラ] 形 追跡する；浚(さら)う. barco *rastreador*〘漁業〙トロール漁船. *rastreador* de minas〘軍事〙掃海艇.

ras·tre·ar [r̄astreár ラストゥレアル] 動他
1 追跡する.
2 浚(さら)う；掃海する；トロール網で捕る.

ras·tre·o [r̄astréo ラストゥレオ] 名男 **1** 追跡，捜索. **2** 浚(さら)うこと；掃海；トロール漁.

ras·tre·ro, ra [r̄astréro, ra ラストゥレロ，ラ] 形 **1** はう，はいずる；引きずる. **2** 卑しい. ambiciones *rastreras* さもしい野心.

ras·tri·llar [r̄astriʎár ラストゥリリャル] 動他 **1** くま手でかき集める；馬鍬(まぐわ)［ハロー］でならす；（麻などの繊維を）すきぐしですく，ほぐす.
2《ラ米》発砲する；(マッチを)する.

ras·tri·llo [r̄astríʎo ラストゥリリョ] 名男 くま手，レーキ；〘技術〙すきぐし.

ras·tro [r̄ástro ラストゥロ] 名男 跡，形跡，痕跡(こんせき). ni *rastro* de ... …の跡形もなく. perder [seguir] el *rastro* de《+uno》〈人〉の足跡を見失う[たどる].
El Rastro マドリードの蚤(のみ)の市.

ras·tro·jo [r̄astróxo ラストゥロホ] 名男（麦などの）刈り株；刈り株の残った畑.

ra·su·rar [r̄asurár ラスラル] 動他 …のひげをそる.
── ra·su·rar·*se* ひげをそる.

ra·ta [r̄áta ラタ] 名女（大形の）ネズミ（鼠）；(雌の)ハツカネズミ.
── 名男《口語》すり，かっぱらい，こそ泥（=ratero）.
más pobre que las ratas [***que una rata***] この上なく貧しい.

ra·ta·plán [r̄ataplán ラタプラン] 名男（太鼓の音）ドンドン.

ra·te·ar [r̄ateár ラテアル] 動他 盗む，する.

ra·te·rí·a [r̄atería ラテリア] 名女 盗み，すり.

ra·te·ro, ra [r̄atéro, ra ラテロ，ラ] 名男女 すり，こそ泥.

ra·ti·fi·ca·ción [r̄atifikaθjón ラティフィカしオン] 名女 批准，承認. *ratificación* de un tratado 条約の批准.

ra·ti·fi·car [r̄atifikár ラティフィカル] [8 c → qu] 動他 批准する，承認する.
── ra·ti·fi·car·*se* (《+en》…を認める.

ra·to [r̄áto ラト] 名男 [複 ～s]〔英 while〕
短い時間；しばらくの間. Hace un *rato* salió de la oficina. 彼はちょっと前にオフィスを出ていった. Estuvo allí un buen *rato*. Parecía estar esperando a alguien. 彼はしばらくあそこにいた. 誰かを待っているようだった. pasar el *rato* 暇をつぶす.
a cada rato 絶えず.
al (***poco***) ***rato*** 少し後で.
a ratos / ***de rato en rato*** 時々（= de vez en cuando）. Tiene momentos lúcidos *a ratos*. 彼は時々意識がはっきりする.
a ratos perdidos 暇なときに.
¡Hasta otro rato!《口語》また会いましょう.
para rato まだしばらく（時間がかかる）. ►haber, ir, tener などの動詞と共に用いられる.
pasar un buen [***mal***] ***rato*** 楽しい[嫌な] 思いをする. Ayer *pasamos un buen rato* en su casa. 昨日彼の家で私たちは楽しい時を過ごした.
un rato (***largo***)《口語》とても，たくさん. Sabe *un rato* (*largo*) de Geografía. 彼は地理にすごく詳しい.

ra·tón [r̄atón ラトン] 名男 [複 ratones]
1 ネズミ(鼠)；ハツカネズミ. *ratón* casero イエネズミ. *ratón* campesino 野ネズミ. → rata.
2〘コンピュータ〙マウス.
Cuando el gato no está los ratones bailan.《諺》鬼のいぬ間の洗濯.
ratón de biblioteca《口語》本好き，本の虫.

ra·to·ne·ra [r̄atonéra ラトネラ] 名女
1 ネズミ捕り. caer en la *ratonera*《口語》わなにはまる. **2** ネズミ穴.

rau·dal [r̄auðál ラウダる] 名男 奔流，急流；《比喩》氾濫(はんらん). *raudales* de luz あふれんばかりに差し込む光.
a raudales たっぷりと，ふんだんに.

ra·ya [r̄ája ラヤ] 名女
1 線，筋，縞(しま). camisa a *rayas* ストライプのシャツ. hacerse la *raya* 髪を分ける. leer las *rayas* de la mano 手相を読む.
2 ダッシュ記号（—）.
3 境界；限界. pasar(se) de (la) *raya* 限度を超える，やりすぎる.
4〘魚〙エイ（鱏）.
poner [***tener***] ***a raya a***《+uno》〈人〉

R

の行動を抑制する，節度を保たせる．

ra·ya·do, da [r̄ajáðo, ða ラヤド, ダ] 過分 形 縞(しま)の入った，縞柄[ストライプ]の；罫(けい)入りの．papel *rayado* 罫紙．
── 名男 縞，縞柄；線，罫線．

ra·ya·no, na [r̄ajáno, na ラヤノ, ナ] 形
1 《+con》…に隣接した．
2 《+en》…と紙一重の．acción *rayana en* la locura 狂気じみた行動．

ra·yar [r̄ajár ラヤル] 動他 **1** …に線[罫(けい)]を引く．
2 線で消す (= tachar). *Raya* lo que está mal. 間違っているところを線で消しなさい．
3 …にひっかき傷をつける．
── 動自 **1** 《+con》…に隣接する．
2 《+en》…に近い，紙一重である．Eso *raya en* lo ridículo. それはほとんどばかげている．
al rayar el alba [***el día***] 夜明けに．
rayar a gran altura ぬきんでる．

ra·yo [r̄ájo ラヨ] 名男 [複 ～s] 〔英 ray〕
1 光線．*rayos* del sol 太陽光線．*rayo* reflejo 反射光．*rayo* refracto 屈折光．
2 稲妻，雷光 (= relámpago). ► 雷鳴は trueno.
3 〘物理〙放射線，輻射(ふくしゃ)線．*rayos* cósmicos 宇宙線．*rayos* alfa [beta] アルファ[ベータ]線．*rayos* X エックス線．*rayos* láser レーザー光線．*rayos* infrarrojos 赤外線．*rayos* ultravioletas 紫外線．
4 はしこい人，てきぱきした人．Este niño es un *rayo* en sus respuestas. この子は受け答えがはきはきしている．
con la velocidad del rayo たちまちのうちに．
echar rayos (***y centellas***) / ***estar que echa rayos*** 怒り狂う．
más vivo que un rayo 才気煥発(かんぱつ)な．
¡Que te parta un rayo! くたばれ！
rayo de luz ひらめき，思いつき．

ra·yón [r̄ajón ラヨン] 名男 (織物) レーヨン．

ra·za [r̄áθa ラさ] 名女 [複 ～s] 〔英 race〕
1 人種，民族．*raza* negra [amarilla, blanca] 黒色[黄色，白色]人種．*raza* latina ラテン民族．
2 血統，種類．
3 家系，血筋 (= linaje).
de raza 〘動物〙血統の良い，血統書付きの．

ra·zón [r̄aθón ラそン] 名女 [複 razones] 〔英 reason〕
1 理性，分別．perder la *razón* 理性[分別]を失う．uso de *razón* 分別，物心．
2 理由，根拠．en *razón* de ... …の理由で．exponer sus *razones* 理由を述べる．
3 道理，正当性．Te quejas con *razón*. 君が文句を言うのはもっともだ．por una *razón* o por otra 何やかやと．sin *razón* いわれなく．
4 伝言，メッセージ．llevar una *razón* 伝える．Cerrado por vacaciones. *Razón*: C/ Goya, 16 TEL. 450 32 17. 《掲示》休暇につき休業．問い合わせはゴヤ通り16番地，電話450-3217まで．
5 比率，割合．*razón* directa 正比例．*razón* inversa 反比例．a *razón* de tres cada uno ひとり三つずつ．
asistir a 《+uno》 ***la razón*** 〈人〉の言い分の方が正しい．En este conflicto *la razón* le *asiste*. この紛争では彼の方に分がある．
atender a razones / ***entrar en razón*** 納得する．El tendero no quiso *atender a razones* y tuve que quedarme con el pescado caro. 店員がまけようとしないので，私は高い魚を買わざるを得なかった．
dar la razón a 《+uno》〈人〉の言っていることが正しいと認める．
dar razón de ... …について報告する．
estar fuera de razón 理屈に合わない．
poner [***hacer entrar***] ***en razón*** 納得させる．
razón social 商号，社名．
tener razón 正しい．Tiene Vd. *razón*. あなたの言うとおりです．

ra·zo·na·ble [r̄aθonáβle ラそナブれ] 形
1 理にかなった；妥当な，正当な．pretensión *razonable* もっともな要求．precio *razonable* 妥当な価格．
2 思慮分別のある．

ra·zo·na·mien·to [r̄aθonamjénto ラそナミエント] 名男 思考；推論；論証．

ra·zo·nar [r̄aθonár ラそナル] 動自
1 考える，推理する，論ずる．*razonar* bien じっくり考える；理路整然と説明する．
2 《+con》…を説得する．
── 動他 論証する．

re [r̄é レ] 名男 〘音楽〙レ，ニ音．

re- 《接頭》「反復，反作用，強意」の意を表す．⇒ *re*acción, *re*forzar など．

re·ac·ción [r̄eakθjón レアクしオン] 名女
1 反応，反響；反発．provocar [producir] una *reacción* 反応を引き起こす．*reacción* popular contra la reforma tributaria 税制改革に対する民衆の反発．
2 〘政治〙反動；反動勢力．
3 〘化〙〘医〙反応；〘物理〙反作用．*reacción* cutánea (ツベルクリンなどの) 皮膚反応．*reacción* en cadena 連鎖反応．*reacción* nuclear (原子) 核反応．*reacción* química 化学反応．

re·ac·cio·nar [r̄eakθjonár レアクしオナル] 動自 反応する；反発する，反撃する．La bolsa empieza a *reaccionar*. 株式市場は再び活発化しつつある．

re·ac·cio·na·rio, ria [r̄eakθjonárjo, rja レアクしオナリオ, リア] 形 〘政治〙反動的な．
── 名男女 〘政治〙反動主義者．

R

re·a·cio, cia [r̄eáθjo, θja レアしオ, しア] 形 《+a》…に反抗的な; 乗り気でない. Se muestra *reacio a* hablar de sus cosas íntimas. 彼は自分のプライバシーについて話そうとしない.

re·ac·ti·var [r̄eaktiβár レアクティバル] 動 他 再活性化する.

re·ac·ti·vo, va [r̄eaktíβo, βa レアクティボ, バ] 形 反動的な; 反応の; 反作用の.
── 名 男 〘化〙 試薬.

re·ac·tor [r̄eaktór レアクトル] 名 男
1 〘物理〙 原子炉 (= *reactor* nuclear [atómico]).
2 ジェットエンジン; 〘航空〙 ジェット機.

re·a·dap·tar [r̄eaðaptár レアダプタル] 動 他
1 《+a》…に再適応させる.
2 再教育[再訓練]する.
3 (病人を)機能回復させる.
── **re·a·dap·tar·se** 《+a》…に再び適応する. *readaptarse a* la vida social 社会に復帰する.

re·a·jus·tar [r̄eaxustár レアフスタル] 動 他 再調整[再修正]する; 《婉曲》値上げする.

re·a·jus·te [r̄eaxúste レアフステ] 名 男 再調整; 改変.

re·al [r̄eál レアる] [複 ～es] 形 〔英 real ; royal〕
1 **現実の**; 実在の, 本当の. la vida *real* 実生活. necesidades *reales* 実際に必要なもの. un personaje *real* 実在の人物.
2 **王の**; 王室の. casa [familia] *real* 王室, 王家.
3 《名詞の前に付けて》《口語》すばらしい, とてもすてきな. *real* mansión 豪邸.
── 名 男 レアル: スペインの古い貨幣で 1 peseta の 4 分の 1 に相当. no tener un *real* 《口語》びた一文ない.

re·al·ce [r̄eálθe レアるせ] 名 男 1 浮き彫り. bordar a [de] *realce* 浮き出し刺繍(ししゅう)する. 2 輝き; 際立つこと. dar *realce* 引き立たせる, 華を添える.

re·a·le·za [r̄ealéθa レアれさ] 名 女 王位, 王権; 王族; 王者の風格.

R **realice**(-) / **realicé**(-) 動 → realizar. [39 z → c]

re·a·li·dad [r̄ealiðáð レアリダ(ドゥ)] 名 女 [複 ～es] 〔英 reality〕 1 **現実**, 真実, 事実; 〘哲〙 実在性. huir de la *realidad* 現実から逃避する. *realidad* objetiva 客観的事実. *realidad* virtual 仮想現実, バーチャルリアリティー.
2 実際, 実態. La *realidad* es que no están casados. 実は彼らは結婚していないのだ.
en realidad 実は, 実際は.
tomar realidad 現実となる.

re·a·lis·mo [r̄ealísmo レアリスモ] 名 男
1 現実主義 (↔ idealismo).
2 〘文〙〘美術〙 写実主義, リアリズム; 〘哲〙 実在論.

re·a·lis·ta [r̄ealísta レアリスタ] 形 1 現実主義の; 〘文〙〘美術〙 写実主義の, リアリズムの. 2 王政主義者の.
── 名 男 女 1 現実主義者; 〘文〙〘美術〙 写実主義の作家[画家]. 2 王政主義者.

realizado, da 過分 → realizar.

rea·li·za·dor, do·ra [r̄ealiθaðór, ðóra レアリさドル, ドラ] 名 男 女 〘映画〙〘テレビ〙 監督, 演出家.

realizando 現分 → realizar.

re·a·li·zar [r̄ealiθár レアりさル] [39 z → c] 動 他 [現分 realizando ; 過分 realizado, da] 〔英 carry out〕 1 **実現する**; 行う. *realizar* un proyecto 計画を実現する. *realizar* sus esperanzas 希望をかなえる. *realizar* un contrato 契約を結ぶ. *realizar* un viaje 旅行する.
2 〘商業〙 換金する.
3 (映画などを)制作する.
── **re·a·li·zar·se** 1 実現される.
2 大成する. Su deseo era *realizarse* como pianista. 彼の夢はピアニストとして大成功することだった.

re·al·qui·lar [r̄ealkilár レアるキらル] 動 他 また貸しする.

re·al·zar [r̄ealθár レアるさル] [39 z → c] 動 他 際立たせる, 引き立たせる; 称揚する.

re·a·ni·mar [r̄eanimár レアニマル] 動 他
1 元気づける, 活気を与える. Un poco de coñac le *reanimará*. コニャックをちょっと飲めば彼は元気になるよ.
2 …の意識をよみがえらせる.
── **re·a·ni·mar·se** 元気[活気]を取り戻す; 意識がよみがえる. *Se reanimará* si come un poco. 少し食べたら元気が出ますよ.

re·a·nu·da·ción [r̄eanuðaθjón レアヌダしオン] 名 女 再開.

re·a·nu·dar [r̄eanuðár レアヌダル] 動 他 再開する. *reanudar* un debate 討論を再開する. *reanudar* una amistad 旧交を温める.

re·a·pa·re·cer [r̄eapareθér レアパレセル] 40 動 自 再び現れる, 再登場する, カムバックする.

re·a·pa·ri·ción [r̄eapariθjón レアパリしオン] 名 女 再登場, カムバック, リバイバル.

re·ar·mar [r̄earmár レアルマル] 動 他 再軍備[再武装]させる.

re·ar·me [r̄eárme レアルメ] 名 男 再軍備, 再武装 (↔ desarme).

re·a·ta [r̄eáta レアタ] 名 女 (馬を 1 列につなぐ)綱; (つながれた馬などの)列.
de* [*en*] *reata 1 列縦隊で; 次々と.

re·ba·ja [r̄eβáxa レバハ] 名 女 値引き, ディスカウント; 割引額; [～s] バーゲンセール. hacer una *rebaja* del diez por ciento 10パーセントの値引きをする. grandes *rebajas* 大安売り.

re·ba·jar [r̄eβaxár レバハル] 動 他 1 値下げする; 値引きする. *rebajar* mil pesetas

1000ペセタ値引きする.
2 低くする, さらに下げる. *rebajar* el terreno 地面を掘る.
3 (色調・音などを)弱める, 和らげる.
4 おとしめる, 卑しめる.
―― **re·ba·jar·*se*** へりくだる.

re·ba·na·da [r̄eβanáða レバナダ] 名女 一切れ. una *rebanada* de pan パン一切れ.

re·ba·nar [r̄eβanár レバナル] 動他 薄く切る; ばっさり切断する.

re·ba·ñar [r̄eβaɲár レバニャル] 動他 きれいに平らげる; (落ち穂などを) 拾い集める. *rebañar* el plato con pan パンで皿をぬぐう.

re·ba·ño [r̄eβáɲo レバニョ] 名男 (羊などの) 群れ.

re·ba·sar [r̄eβasár レバサル] 動他 超える, 上回る. *rebasar* la barrera del sonido 音速の壁を超える. *rebasar* los límites 度を超す.

re·ba·tir [r̄eβatír レバティル] 動他 反駁(はんばく)する, 論駁する, 撃退する.

re·ba·to [r̄eβáto レバト] 名男 **1** 警鐘, 警報. tocar a *rebato* 急を告げる.
2 〘軍事〙奇襲.

re·be·ca [r̄eβéka レベカ] 名女 〘服飾〙カーディガン.

re·be·co [r̄eβéko レベコ] 名男 〘動物〙シャモア.

re·be·lar·*se* [r̄eβelárse レベラルセ] 動 《+contra》…に反抗する, 逆らう; …に対して反乱を起こす.

re·bel·de [r̄eβélde レベるデ] [複 ～s] 形 〔英 rebellious〕 **1** 反乱の, 反逆の. soldados *rebeldes* 反乱軍兵士.
2 反抗的な, 手に負えない; (病気が) 治りにくい. una gripe *rebelde* しつこい風邪. pelo *rebelde* かたい髪.
3 〘法律〙出廷拒否の.
―― 名男女 〔英 rebel〕 **1** 反逆者, 反乱者, 謀反人. **2** 〘法律〙出廷拒否者.

re·bel·dí·a [r̄eβeldía レベるディア] 名女 **1** 反逆, 反抗. **2** 〘法律〙出廷拒否.
declararse en rebeldía 反旗を翻す; 出廷拒否を表明する.

re·be·lión [r̄eβeljón レベりオン] 名女 反逆, 反乱, 謀反. la *rebelión* militar 軍部の反乱.

re·blan·de·cer [r̄eβlandeθér レブらンデセル] 40 動他 柔らかくする, 軟化させる.
―― **re·blan·de·cer·*se*** 軟化する.

re·bo·bi·na·do [r̄eβoβináðo レボビナド] 名男 (フィルムなどの) 巻き戻し.

re·bo·bi·nar [r̄eβoβinár レボビナル] 動他 (フィルムなどを) 巻き戻す.

re·bo·san·te [r̄eβosánte レボサンテ] 形 《+de》…であふれるばかりの. Se le ve *rebosante de* salud. 彼は健康そのものだ.

re·bo·sar [r̄eβosár レボサル] 動自 《+de》 **1** …からあふれる. El agua *rebosa del* vaso. 水がコップからあふれる.
2 …でいっぱいである, みなぎる. *rebosar de* alegría 喜びにあふれる.
―― 動他 …にあふれる; あふれさせる.

re·bo·tar [r̄eβotár レボタル] 動自 《+en, contra》 **1** …に当たって跳ね返る, バウンドする. **2** …に当たる, ぶつかる.
―― **re·bo·tar·*se*** 《口語》いらだつ, 怒る.

re·bo·te [r̄eβóte レボテ] 名男 跳ね返り, バウンド.
de rebote 跳ねて, 弾んで; 結果的に. Su éxito, *de rebote*, me beneficia. 彼の成功は結果的に私の利益につながる.

re·bo·zar [r̄eβoθár レボさル] [39 z → c] 動他 **1** 〘料理〙…に衣をつける.
2 (ケープなどで顔を) 覆う.
―― **re·bo·zar·*se*** 顔を覆う.

re·bo·zo [r̄eβóθo レボそ] 名男 **1** 顔を覆うこと[もの]. **2** 見せかけ, ごまかし.
de rebozo こっそりと.
sin rebozo 歯に衣(きぬ)を着せず, 率直に.

re·bu·jo [r̄eβúxo レブホ] 名男 くちゃくちゃに丸めた紙[衣類など].

re·bu·llir(·*se*) [r̄eβuʎír(se) レブりィル(セ)] 36 動自 [現分 rebullendo] もぞもぞ動く[動きだす].

re·bus·ca·do, da [r̄eβuskáðo, ða レブスカド, ダ] 形 気取った, 凝った. un estilo *rebuscado* 凝りすぎた文体.

re·bus·car [r̄eβuskár レブスカル] [8 c → qu] 動他 念入りに探す; 吟味する. *rebuscar* las palabras 言葉を注意深く選ぶ.

re·buz·nar [r̄eβuθnár レブすナル] 動自 (ロバが) 鳴く. → animal 【参考】.

re·buz·no [r̄eβúθno レブすノ] 名男 ロバの鳴き声.

re·ca·bar [r̄ekaβár レカバル] 動他 **1** (嘆願して) 獲得する. **2** (権利として) 要求する.

re·ca·de·ro, ra [r̄ekaðéro, ra レカデロ, ラ] 名男女 使いの者, メッセンジャー.

re·ca·do [r̄ekáðo レカド] 名男 **1** 伝言, ことづけ. Me han dejado un *recado* en la recepción. フロントに私あての伝言が残してあった. coger [tomar] el *recado* (本人に代わって) 用件を聞く, 伝言を書き留める. ► mensaje よりも口語的.
2 [～s] 用事; 買い物. Voy a hacer unos *recados*. ちょっと用足しに出かけるよ. hacer *recados* 使い走りをする.
recado de escribir 筆記具.

re·ca·er [r̄ekaér レカエル] 10 動自 [現分 recayendo ; 過分 recaído]
1 再び陥る, 再発する. *Ha recaído* en la droga. 彼はまた麻薬に手を出した. Si no te curas bien, *recaerás*. しっかり治さないとまたぶり返すよ.
2 《+en, sobre》…に落ちる, 帰する. Los beneficios *recayeron sobre* él. 結局, 得をしたのは彼だった.

re·ca·lar [r̄ekalár レカらル] 動他 ずぶぬれにする. La lluvia me *ha recalado*. 雨で

R

ずぶぬれになってしまった.
── 動自〘海事〙陸[港]を認める.

re·cal·car [r̄ekalkár レカるカル] [8 c ➞ qu] 動他 (一語一語かみしめるように) 強調する, 力説する. *recalcar* la importancia 重要性を力説する.

re·cal·ci·tran·te [r̄ekalθitránte レカるしトゥランテ] 形 強情な, 意固地な.

re·ca·len·ta·mien·to [r̄ekalentamjénto レカれンタミエント] 名男 **1** 温め直し.
2 過熱. *recalentamiento* del motor エンジンのオーバーヒート.

re·ca·len·tar [r̄ekalentár レカれンタル] [42 e ➞ ie] 動他 **1** 温め直す. *recalentar* la comida 料理を温め直す. **2** 過熱させる.
── **re·ca·len·tar·*se*** 過熱する.

re·ca·ma·do [r̄ekamáðo レカマド] 名男 (金糸・銀糸・真珠などを用いた) 浮き出し刺繍(ししゅう).

re·ca·mar [r̄ekamár レカマル] 動他 …に浮き出し刺繍(ししゅう)をする.

re·cá·ma·ra [r̄ekámara レカマラ] 名女
1 次の間; 衣装部屋; 《ラ米》寝室.
2 (銃の) 薬室.
3 《口語》用心, 警戒心. tener mucha *recámara* とても用心深い, なかなか本心を見せない.

re·cam·bio [r̄ekámbjo レカンビオ] 名男 (部品の) 交換; [普通 ～s] 交換部品, スペア.

re·ca·pa·ci·tar [r̄ekapaθitár レカパしタル] 動他自 熟慮する, 熟考する.

re·ca·pi·tu·la·ción [r̄ekapitulaθjón レカピトゥらしオン] 名女 要約, 要旨.

re·ca·pi·tu·lar [r̄ekapitulár レカピトゥらル] 動他 要約する, …の要旨をまとめる.

re·car·gar [r̄ekarɣár レカルガル] [32 g ➞ gu] 動他 **1** 再充塡(じゅうてん)する, 再充電する; 再び積み込む. *recargar* el fusil 鉄砲に再び弾を込める.
2 《+de》…を (限度以上に) 詰め込む; (義務・刑罰などを) 重く課す.
3 《+de》…でごてごて飾る.
4 …に追徴金を課す.

R

re·car·go [r̄ekárɣo レカルゴ] 名男 **1** 積みすぎ; 追加の積み込み. **2** 追徴金.

re·ca·ta·do, da [r̄ekatáðo, ða レカタド, ダ] 形 慎重な; 謙虚な.

re·ca·tar [r̄ekatár レカタル] 動他 包み隠す, 悟られないようにする.
── **re·ca·tar·*se*** 《+de》 **1** …をためらう, 遠慮する. Nunca *se recata de* decir lo que piensa. 彼は思ったことをなんのためらいもなく言う.
2 …から目立たないようにする. *recatarse de* la gente 人に会わないようにする.

re·ca·to [r̄ekáto レカト] 名男 慎重; 遠慮.

re·cau·da·ción [r̄ekauðaθjón レカウダしオン] 名女 **1** 徴収, 集金; 募金額; 収益. hacer una buena *recaudación* かなりの収益を上げる. *recaudación* de impuestos 徴税. **2** 税務署, 税務当局.

re·cau·dar [r̄ekauðár レカウダル] 動他 徴収[集金]する; 募金する.

re·cau·do [r̄ekáuðo レカウド] 名男 **1** 用心, 警戒; 保管. poner a buen *recaudo* 安全な所に保管する. **2** 徴収, 徴税.

re·ce·lar [r̄eθelár レせらル] 動他 …ではないかと疑う[恐れる].
── 動自 《+de》…に疑いを持つ. *recelar de* todo すべてに疑惑を抱く.

re·ce·lo [r̄eθélo レせろ] 名男 不信, 疑惑. mirar con *recelo* うさん臭そうに見る. tener *recelo* de ... …に不信を抱く.

re·ce·lo·so, sa [r̄eθelóso, sa レせろソ, サ] 形 信用しない, 疑い深い; 心配そうな, 不安を抱いた.

re·cen·sión [r̄eθensjón レせンシオン] 名女 書評, 論評, 評論.

re·cen·tal [r̄eθentál レせンタる] 形 (子羊・子牛が) 乳離れしていない.

re·cep·ción [r̄eθepθjón レせプしオン] 名女
1 (ホテルの) フロント, (会社の) 受付.
2 レセプション, 歓迎会. asistir a una *recepción* レセプションに出席する.
3 受け入れ, 受理, 受領.

re·cep·cio·nis·ta [r̄eθepθjonísta レせプしオニスタ] 名男女 (ホテルの) フロント係, (会社の) 受付係.

re·cep·tá·cu·lo [r̄eθeptákulo レせプタクろ] 名男 容器.

re·cep·ti·vi·dad [r̄eθeptiβiðáð レせプティビダ(ドゥ)] 名女 受容性, 感受性.

re·cep·ti·vo, va [r̄eθeptíβo, βa レせプティボ, バ] 形 理解が早い, 感化されやすい.

re·cep·tor, to·ra [r̄eθeptór, tóra レせプトル, トラ] 名男 受信機, レシーバー.
── 名男女 受け手, 受取人.
── 形 受け手の, 受け取る.

re·ce·sión [r̄eθesjón レせシオン] 名女 〘経済〙景気後退, 不景気.

re·ce·si·vo, va [r̄eθesíβo, βa レせシボ, バ] 形 **1** 〘経済〙(景気が) 後退の. **2** 〘生物〙劣性の. herencia *recesiva* 劣性遺伝.

re·ce·so [r̄eθéso レせソ] 名男 《ラ米》休校, 休会.

re·ce·ta [r̄eθéta レせタ] 名女 **1** 〘料理〙調理法; レシピ. pedir la *receta* del pastel ケーキの作り方を尋ねる.
2 〘医〙処方箋(せん).
3 秘訣(ひけつ), こつ.

re·ce·tar [r̄eθetár レせタル] 動他 〘医〙処方する.

re·ce·ta·rio [r̄eθetárjo レせタリオ] 名男
1 (病院の) 処方記録簿.
2 レシピのとじ込み.

rechace(-) / **rechacé**(-) 動 ➞ rechazar. [39 z ➞ c]

re·cha·zar [r̄etʃaθár レチャさル] [39 z ➞ c] 動他
1 拒絶する, 却下する, 断る. *rechazar* una invitación 招待を断る. *rechazar*

una propuesta 提案を拒否する.
2 撃退する; はじく, はね返す. *rechazar* un ataque 攻撃を退ける. *rechazar* al enemigo 敵を撃退する. Esta pared *rechaza* la pintura. この壁はペンキがのらない.

re·cha·zo [řetʃáθo レチャそ] 名男 拒絶. Después del trasplante el paciente no ha acusado *rechazo*. 移殖後患者は拒絶反応にみまわれていない.
—— 動 → rechazar.
de rechazo はね返って; 間接的に.

re·chi·fla [řetʃífla レチフら] 名女 野次, 口笛.

re·chi·nar [řetʃinár レチナル] 動自 きしむ, きしる.
rechinar los dientes a 《+uno》〈人〉が歯ぎしりする.

re·chis·tar [řetʃistár レチスタル] 動自 《否定で用いられる》口を利く, しゃべる. sin *rechistar* 文句ひとつ言わずに.

re·chon·cho, cha [řetʃóntʃo, tʃa レチョンチョ, チャ] 形 《口語》ずんぐりした.

re·chu·pe·te [řetʃupéte レチュペテ]
de rechupete 《口語》最高の[に], すばらしい[く].

recibido, da 過分 → recibir.

re·ci·bi·dor [řeθiβiðór レしビドル] 名男 玄関ホール; 応接間.

recibiendo 現分 → recibir.

re·ci·bi·mien·to [řeθiβimjénto レしビミエント] 名男 **1** 応接; 歓待, 歓迎.
2 応接間.

re·ci·bir [řeθiβír レしビル] 動他 [現分 recibiendo ; 過分 recibido,da] 〔英 receive〕
1 受け取る (↔ dar, entregar). *recibir* una carta 手紙を受け取る. *recibir* el premio 受賞する.
2 迎える, 歓迎する. La princesa fue *recibida* por el embajador. 王女は大使の歓迎を受けた.
3 受け入れる, 認める. *recibir* la propuesta 提案を認める.
4 (被害・罰などを) 受ける, 被る; (一撃を) 食らう.
——**re·ci·bir·se** (学位などを)受ける. *recibirse* de doctorado 博士号を取得する.

re·ci·bo [řeθiβo レしボ] 名男 [複 ~s] 〔英 receipt〕 **領収(書)**, 受け取り. acusar *recibo* 受領を通知する.
—— 動 → recibir.
estar de recibo 条件などを満たしている; (家人が) 客の前に出てもよい服装をしている.

re·ci·cla·je [řeθikláxe レしクらへ] 名男 リサイクル; 再教育.

re·cie·dum·bre [řeθjeðúmbre レしエドゥンブレ] 名女 力強さ, 頑丈さ, 堅さ.

re·cién [řeθjén レしエン] 副 [recientemente の語尾消失形] 〔英 recently〕
1 《過去分詞を伴って》**…したばかりの.** *recién* llegado 今着いたばかりの. un edificio *recién* construido 新築のビル. los *recién* casados 新婚カップル.
2 《ラ米》たった今; まさに. *recién* ahora 今しがた. *recién* allí まさにそこで.

re·cien·te [řeθjénte レしエンテ] 形 [複 ~s] 〔英 recent〕 **1 最近の.** sucesos *recientes* 最近の出来事. Para nosotros la caída de los gobiernos socialistas todavía está *reciente*. 我々にとって社会主義国家の崩壊はまだ記憶に新しい.
2 できたての, 新鮮な. pan *reciente* 焼きたてのパン.

re·cien·te·men·te [řeθjénteménte レしエンテメンテ] 副 最近, 近ごろ.

re·cin·to [řeθínto レしント] 名男 構内, 境内. *recinto* de la Feria de Muestras 見本市の会場.

re·cio, cia [řéθjo, θja レしオ, しア] 形
1 たくましい; 丈夫な, 頑丈な; (声が) 大きい. cuerpo *recio* 頑丈な体. pared *recia* 分厚い壁. voz *recia* 大声.
2 厳しい; 激しい. en lo más *recio* del invierno 厳冬に.
—— 副 **1** 大声で. hablar *recio* 声高に話す.
2 激しく. luchar *recio* しゃにむに戦う.
de recio 激しく, 強く, 猛烈に.

re·ci·pien·te [řeθipjénte レしピエンテ] 名男 容器.

re·cí·pro·ca·men·te [řeθíprokaménte レしプロカメンテ] 副 相互に, 互いに.

re·ci·pro·ci·dad [řeθiproθiðáð レしプロしダ(ドゥ)] 名女 **1** 相互依存, 相互関係.
2 対抗措置. **3** (通商などの) 互恵主義.

re·cí·pro·co, ca [řeθíproko, ka レしプロコ, カ] 形 **1** 相互の, 互いの; 互恵的な.
2 〘文法〙相互の.
a la recíproca 逆に, 反対に.

re·ci·ta·ción [řeθitaθjón レしタしオン] 名女 朗唱; 暗唱.

re·ci·ta·do [řeθitáðo レしタド] 名男 〘音楽〙叙唱, レチタティーボ; 朗唱.

re·ci·tal [řeθitál レしタる] 名男 リサイタル, 独唱会, 独奏会; 朗読会. dar un *recital* de piano ピアノリサイタルを開く.

re·ci·tar [řeθitár レしタル] 動他 朗読する, 朗唱[吟唱]する; 暗唱する. *recitar* una poesía 詩を朗読する.

re·cla·ma·ción [řeklamaθjón レクらマしオン] 名女 **1** (権利の) 要求, 請求, 主張. hacer una *reclamación* 要求する.
2 苦情, クレーム; 抗議. libro de *reclamaciones* (ホテルなどの) 苦情書き込み帳.

re·cla·mar [řeklamár レクらマル] 動他
1 (権利として) 要求する, 請求する, 主張する. *Reclamo* mi parte de los beneficios. 私は自分の分け前を要求する.
2 必要とする. *reclamar* la atención de 《+uno》〈人〉の注意を要する.

3〘法律〙(当局が犯罪者などを) 召喚する.
—— 動自 抗議する, 異議を申し立てる. *reclamar* contra una decisión 決定を不服とする. *reclamar* contra un fallo 上訴する.

re·cla·mo [r̄eklámo レクラモ] 名男 **1** おとり; 鳥笛.
2 誘い, 呼びかけ. acudir al *reclamo* de《+uno》〈人〉の誘いに応じる.
3 宣伝; キャッチフレーズ.

re·cli·nar [r̄eklinár レクリナル] 動他《+**en, sobre**》…に寄りかからせる, もたせかける.
—— **re·cli·nar·*se***《+**en, sobre**》…に寄りかかる.

re·cli·na·to·rio [r̄eklinatórjo レクリナトリオ] 名男〘宗教〙祈禱(きとう)台.

re·cluir [r̄eklwír レクるイル] 29 動他 [現分 recluyendo] 閉じ込める, 監禁する.
—— **re·cluir·*se*** 閉じこもる.

re·clu·sión [r̄eklusjón レクるシオン] 名女 **1** 幽閉; 隠遁(いんとん)(所).
2〘法律〙投獄, 懲役. la pena de *reclusión* perpetua 終身刑.

re·clu·so, sa [r̄eklúso, sa レクるソ, サ] 名男女 囚人.

re·clu·ta [r̄eklúta レクるタ] 名男女〘軍事〙徴集兵; 志願兵; 新兵.
—— 名女〘軍事〙徴兵, 徴募; 募集.

re·clu·ta·mien·to [r̄eklutamjénto レクるタミエント] 名男 徴兵, 徴募;《集合》同年次兵. *reclutamiento* de voluntarios ボランティアの募集.

re·clu·tar [r̄eklutár レクるタル] 動他〘軍事〙徴兵[徴募]する; 募集する.

re·co·brar [r̄ekoβrár レコブラル] 動他 取り戻す, 回復する. *recobrar* la salud [el sentido, la confianza] 健康[意識, 信頼]を回復する. *recobrar* la esperanza 希望を取り戻す.
—— **re·co·brar·*se*** **1** 健康を回復する; 意識を回復する.
2《+**de**》…を取り戻す.

R

re·co·chi·ne·o [r̄ekotʃinéo レコチネオ] 名男《口語》あざけり, 愚弄(ぐろう). con *recochineo* こばかにして.

re·co·do [r̄ekóðo レコド] 名男 (川・道の) 湾曲部, 曲がり角.

re·co·ge·dor [r̄ekoxeðór レコヘドル] 名男 ちり取り.

re·co·ger [r̄ekoxér レコヘル] [11 g → j] 動他 [現分 recogiendo ; 過分 recogido, da]〔英 collect〕

直説法 現在	
1·単 *recojo*	1·複 recogemos
2·単 recoges	2·複 recogéis
3·単 recoge	3·複 recogen

1 拾う; 集める; 収穫する, 獲得する. Me agaché a *recoger* el libro. 私はかがんで本を拾おうとした. ¿A qué hora vienen a *recoger* en este buzón? このポストは何時に収集に来ますか (► 直接目的語が省略されることがある). *recoger* datos データを集める. *recoger* sellos 切手を収集する. *recoger* la aceituna オリーブの実を収穫する. *recoger* el fruto de SU trabajo 仕事の成果を収める.
2 受け取る. Fui a correos a *recoger* el paquete. 私は郵便局へ小包みを受け取りに行った. *recoger* el cambio en monedas sueltas 釣り[両替]を小銭で受け取る.
3 迎えに行く. Te *recojo* a las seis en tu casa. (車で) 6時に君を家で拾うよ.
4 片づける, しまう. *recoger* la mesa 食卓の後片づけをする.
5 収容する, 保護する.
6 (衣服の丈・幅を) つめる.
—— **re·co·ger·*se*** **1** 引きこもる; 帰宅する, 就寝する (= retirarse). *recogerse* temprano はやばやと床に就く [帰宅する]. *recogerse* en un convento 修道院にこもる, 修道士[女]になる.
2 たくし上げる; 束ねる. *recogerse* el pelo 髪を束ねる.

re·co·gi·do, da [r̄ekoxíðo, ða レコヒド, ダ] 過分 → recoger.
—— 形 **1** 隠遁(いんとん)した, 引きこもった. vida *recogida* 世間から離れた生活.
2 (髪を) 束ねた; (服の丈を) 短くした.
—— 名女 **1** 回収, 収集. *recogida* de la basura ごみの収集. **2** 収穫, 取り入れ.

recogiendo → 現分 recoger.

re·co·gi·mien·to [r̄ekoximjénto レコヒミエント] 名男 **1** 引きこもること, 隠遁(いんとん).
2 没頭.

recoj- 動 → recoger. [11 g → j]

re·co·lec·ción [r̄ekolekθjón レコれクしオン] 名女 **1** 収穫, 取り入れ; 収穫期. *recolección* de trigo 小麦の取り入れ.
2 収集; 集金.

re·co·lec·tar [r̄ekolektár レコれクタル] 動他 **1** 収穫する, 取り入れる. **2** 集める.

re·co·lec·tor, to·ra [r̄ekolektór, tóra レコれクトル, トラ] 名男女 取り入れる人; 集める人.

re·co·le·to, ta [r̄ekoléto, ta レコれト, タ] 形 **1** 人気のない. calle *recoleta* 閑散とした通り. **2** 隠遁(いんとん)した.

re·com·bi·na·ción [r̄ekombinaθjón レコンビナしオン] 名女《生物》(遺伝子) 組み換え. *recombinación* genética (= modificación genética) 遺伝子組み換え.

re·co·men·da·ble [r̄ekomendáβle レコメンダブれ] 形 推薦できる. No es *recomendable* andar sola por la noche. 夜の女性の一人歩きは勧められない.

re·co·men·da·ción [r̄ekomendaθjón レコメンダしオン] 名女 推薦 (状); 勧告. carta de *recomendación* 推薦状. por la *recomendación* de ... …の勧めによって.

re·co·men·dar [r̄ekomendár レコメンダル] [42 e ➡ ie] 動 他 〔英 recommend〕 **1 推薦する**; 勧める. Te *recomiendo* al Sr. Navas. 君をナバス氏に推薦します. ¿Puede usted *recomendar*me un restaurante bueno? よいレストランを教えてもらえますか.
2 依託する, ゆだねる.

re·co·mer·se [r̄ekomérse レコメルセ] 動 《+**de**》…にさいなまれる, 苦しむ. *recomerse de* celos 嫉妬(しっ)に悶(もだ)える.

recomiend- 動 ➡ recomendar. [42 e ➡ ie]

re·com·pen·sa [r̄ekompénsa レコンペンサ] 名 女 償い, 報い; 報酬. en *recompensa* de ... …のお返し[褒美]として.

re·com·pen·sar [r̄ekompensár レコンペンサル] 動 他 …に報いる, 報酬[褒美]を与える. *recompensar* por un trabajo ある仕事に報いる.

re·com·po·ner [r̄ekomponér レコンポネル] 45 動 他 [過分 recompuesto] 作り直す; 修理する.

re·con·cen·trar [r̄ekonθentrár レコンセントゥラル] 動 他 **1** 《+**en**》…に集める, 集中させる. *Reconcentró* su cariño *en* su nieto. 彼は愛情のすべてを孫にそそいだ.
2 凝縮する.
— **re·con·cen·trar·se** 《+**en**》…に熱中する, 専念する.

re·con·ci·lia·ción [r̄ekonθiljaθjón レコンしりアしオン] 名 女 和解, 仲直り.

re·con·ci·liar [r̄ekonθiljár レコンしりアル] [23 i ➡ í] 動 他 和解させる, 仲直りさせる. — **re·con·ci·liar·se** 《+**con**》…と和解する, 仲直りする.

re·con·co·mer·se [r̄ekoŋkomérse レコンコメルセ] 動 ➡ recomerse.

re·con·co·mio [r̄ekoŋkómjo レコンコミオ] 名 男 **1** 悔しさ, 恨み, ねたみ. **2** 切望, 熱望.

re·cón·di·to, ta [r̄ekóndito, ta レコンディト, タ] 形 隠された, 奥に秘められた; 人目につかない, 奥まった. en lo más *recóndito* del alma 深く心の内で.

re·con·for·tan·te [r̄ekomfortánte レコンフォルタンテ] 形 元気づける, 活気を与える. bebida *reconfortante* 強壮飲料.

re·con·for·tar [r̄ekomfortár レコンフォルタル] 動 他 元気づける.
— **re·con·for·tar·se** 《+**con**》…で元気になる.

re·co·no·cer [r̄ekonoθér レコノセル] 40 動 他 〔英 recognize〕 **1 見分ける**. ¿Me *reconoce* Vd.? 私が誰(だれ)だかわかりますか. Es difícil *reconocer* a los gemelos. 双子を見分けるのは難しい. *reconocer* el cadáver 遺体を確認する.
2 認める, 承認する. *reconocer* sus faltas 自分の誤りを認める. *reconocer* los hechos 事実を認める. *reconocer* al nuevo gobierno 新政権を承認する. *reconocer* a 《+uno》 por hijo 〈人〉を自分の子として認知する.
3 調べる, 点検する; 診察[診断]する. *reconocer* las maletas en la aduana 税関でスーツケースを調べる. *reconocer* a un enfermo 病人を診察する. *reconocer* el terreno 状況を見きわめる.
— **re·co·no·cer·se** **1** 《+**por**》…で見分けがつく. *Se* le *reconoció por* su manera de hablar. 話し方で彼だということが分かった. **2** 自分が…であると認める. *reconocerse* culpable 自分の落ち度を認める.

re·co·no·ci·mien·to [r̄ekonoθimjénto レコノしミエント] 名 男 **1** 識別.
2 承認, 認知.
3 検査; 診察, 診断; 偵察. *reconocimiento* médico 健康診断. avión de *reconocimiento* 偵察機.
4 感謝, 謝意.

reconozc- 動 ➡ reconocer. 40

re·con·quis·ta [r̄ekoŋkísta レコンキスタ] 名 女 **1** 再征服; 奪回.
2 〘歴史〙 レコンキスタ, 国土回復運動. ◆ 711年以降イスラム教徒に占められたイベリア半島内の地域を, キリスト教徒が奪回する戦い. 1492年 Granada の陥落で終結.

re·con·quis·tar [r̄ekoŋkistár レコンキスタル] 動 他 再征服する, 奪回する.

re·cons·ti·tuir [r̄ekonstitwír レコンスティトゥイル] 29 動 他 [現分 reconstituyendo] 再建する, 再構成[再編成]する; 再現する.

re·cons·ti·tu·yen·te [r̄ekonstitujénte レコンスティトゥイエンテ] 名 男 強壮剤.

re·cons·truc·ción [r̄ekonstrukθjón レコンストゥルクしオン] 名 女 再建, 復興.

re·cons·truir [r̄ekonstrwír レコンストゥルイル] 29 動 他 [現分 reconstruyendo]
1 再建する; 復元する. *reconstruir* un templo 寺を再建する. *reconstruir* la vasija rota 壊れた壺(つぼ)を復元する.
2 再現する *reconstruir* la escena del crimen 犯行現場を再現する.

re·con·ve·nir [r̄ekombenír レコンベニル] 59 動 他 [現分 reconviniendo] **1** しかる, 小言を言う. *reconvenir* a 《+uno》 por ... 〈人〉を…でとがめる.
2 〘法律〙 反訴する.

re·con·ver·sión [r̄ekombersjón レコンベルシオン] 名 女 〘経済〙 再編成, 再転換.

re·con·ver·tir [r̄ekombertír レコンベルティル] [52 e ➡ ie, i] 動 他 [現分 reconvirtiendo] 〘経済〙 (産業などを) 再編成する, 再転換する.

re·co·pi·la·ción [r̄ekopilaθjón レコピらしオン] 名 女 **1** 要約, 抄録; 選集.
2 編纂(へんさん), 編集; 集大成.

re·co·pi·lar [r̄ekopilár レコピらル] 動 他 (資料を) 集める; 編纂(へんさん)する, 集大成する.

ré·cord [rékor(d) レコル(ドゥ)] 名 男 [複 récords] 記録. batir un *récord* 新記録を樹立する. [←〔英〕 record]

R

recordado, da 過分 → recordar.
recordando 現分 → recordar.

re·cor·dar [r̄ekorðár レコルダル] [13 o → ue] 動他 [現分 recordando ; 過分 recordado, da] 〔英 remember〕

直説法 現在	
1·単 ***recuerdo***	1·複 **recordamos**
2·単 ***recuerdas***	2·複 **recordáis**
3·単 ***recuerda***	3·複 ***recuerdan***

1 思い出す; 覚えている (= acordarse de). No quiero *recordar* aquella pesadilla. あの悪夢は思い出したくもない. Ahora que *recuerdo*, esa cara la he visto en televisión. そうだ, あの顔はテレビで見た顔だ. *Recuerdo* bien tu primera visita como si fuera ayer. 君が初めて訪ねて来た時のことをきのうのことのようにはっきり覚えています.
2 思い出させる. Tu cara no me *recuerda* a nadie. 君は誰にも似ていないね.
si mal no recuerdo 私の記憶違いでなければ.

re·cor·da·to·rio, ria [r̄ekorðatórjo, rja レコルダトリオ, リア] 名男 **1** (初聖体・結婚・死亡などの)記念カード.
2 思い出させるもの[こと]; 通知状.

re·co·rrer [r̄ekor̄ér レコレル] 動他 〔英 travel round〕 **1** 巡る, 歩く; 見て回る, 捜し回る. *recorrer* el mundo 世界を巡る. *recorrer* toda España en una semana 1週間でスペインを回る. *recorrer* una gran distancia 長距離を歩き通す. La policía *recorrió* toda la casa. 警察は家中をくまなく捜索した.
2 …にざっと目を通す.

re·co·rri·do [r̄ekor̄íðo レコリド] 名男
1 行程, 道のり; 運行路線. un *recorrido* de setenta kilómetros 70キロの道のり. el *recorrido* de la procesión 行列の順路. **2** 巡り歩くこと; 踏破.

R

re·cor·tar [r̄ekortár レコルタル] 動他 **1** 切り取る, 切り抜く; 刈り込む.
2 削減する.
3 省略する.
── **re·cor·tar·*se*** …の輪郭がくっきりと浮かび上がる.

re·cor·te [r̄ekórte レコルテ] 名男 **1** 切り抜き. *recorte* de periódico 新聞の切り抜き. álbum de *recortes* スクラップ・ブック.
2 切断; [～s] 切りくず, 裁ちくず. **3** 切り絵.

re·cos·tar [r̄ekostár レコスタル] [13 o → ue] 動他 〔英 lean〕 《+en》 …にもたせ掛ける.
── **re·cos·tar·*se*** 《+en, sobre》 …にもたれる, 寄り掛かる; 横になる. Se *recostó* sobre mi hombro. 私の肩にもたれかかった.

re·co·ve·co [r̄ekoβéko レコベコ] 名男
1 (川・道などの)屈曲, カーブ.
2 隅; 隠れた所. un asunto con muchos *recovecos* 込み入った問題.
3 遠回しな言い方.
sin recovecos 率直に; 開けっ広げな.

re·cre·ar [r̄ekreár レクレアル] 動他 **1** …に気晴らしをさせる, 楽しませる.
2 再創造する, 再生する.
── **re·cre·ar·*se*** 《+con, en》 …で楽しむ.

re·cre·a·ti·vo, va [r̄ekreatíβo, βa レクレアティボ, バ] 形 娯楽の, 気晴らしの. centro *recreativo* para la tercera edad 高齢者のためのレクリエーション・センター.

re·cre·o [r̄ekréo レクレオ] 名男 **1** 気晴らし, 楽しみ, 娯楽. barco de *recreo* 遊覧船.
2 (学校の)休憩時間.

re·cri·mi·na·ción [r̄ekriminaθjón レクリミナしオン] 名女 非難.

re·cri·mi·nar [r̄ekriminár レクリミナル] 動他 非難する.

re·cru·de·cer [r̄ekruðeθér レクルデセル] 40 動他 悪化させる, 激化させる.
── 動自 **re·cru·de·cer·*se*** 悪化する, 激しさを増す.

re·cru·de·ci·mien·to [r̄ekruðeθimjénto レクルデしミエント] 名男 悪化, 激化. *recrudecimiento* del frío 寒さが募ること.

recta 形女 → recto¹.

rec·tan·gu·lar [r̄ektaŋgulár レクタングラル] 形 **1** 長方形の. **2** 〘数〙直角の.

rec·tán·gu·lo, la [r̄ektáŋgulo, la レクタングろ, ら] 形 〘数〙直角の. triángulo *rectángulo* 直角三角形. ── 名男 長方形.

rec·ti·fi·ca·ción [r̄ektifikaθjón レクティフィカしオン] 名女 修正, 訂正; 矯正; 〘電気〙整流.

rec·ti·fi·ca·dor [r̄ektifikaðór レクティフィカドル] 名男 〘電気〙整流器.

rec·ti·fi·car [r̄ektifikár レクティフィカル] [8 c → qu] 動他 **1** 修正する, 訂正する; 矯正する. **2** 〘電気〙整流する.

rec·ti·lí·ne·o, a [r̄ektilíneo, a レクティりネオ, ア] 形 直線の, まっすぐな; 真っ正直な. de carácter *rectilíneo* 生(き)一本な.

rec·ti·tud [r̄ektitúð レクティトゥ(ドゥ)] 名女 まっすぐなこと; 正直, 正しさ.

rec·to[1], ta [r̄ékto, ta レクト, タ] 形 [複 ～s] 〔英 straight〕 **1** まっすぐな, 直線の. línea *recta* 直線. ángulo *recto* 直角. → ángulo 図.
2 正直な; 公正な. juez *recto* 公正な裁判官. **3** (意味が)本来の. el sentido *recto* de la palabra その語本来の意味.

rec·to[2] [r̄ékto レクト] 副 まっすぐに.
── 名男 〘解剖〙直腸. → vísceras 図.

rec·tor, to·ra [r̄ektór, tóra レクトル, トラ] 名男女 学長.
── 形 主導的な, 支配的な. fuerza *rectora* 主導的な勢力.

rec·to·ra·do [r̄ektoráðo レクトラド] 名男

学長の地位[職務, 任期]; 学長室.
re·cua [r̄ékwa レクア] 名女 **1** (馬・ロバなどの)隊列. **2** 《口語》一味, 徒党.
re·cua·dro [r̄ekwáðro レクアドゥロ] 名男 (四角い)枠; (新聞・雑誌の)囲み記事.
re·cu·brir [r̄ekuβrír レクブリル] 動他 [過分 recubierto, ta] 覆う; コーティングする.
re·cuen·to [r̄ekwénto レクエント] 名男 数え上げ; 数え直し. hacer el *recuento* de votos 票を数える[数え直す].
recuerd- 動 → recordar. [⑬ o → ue]
re·cuer·do [r̄ekwérðo レクエルド] 名男 [複 ~s] 〔英 memory〕 **1 思い出, 記憶.** Esta música despierta en mí muchos *recuerdos* juveniles. この音楽は私に若いころの思い出を大いに呼び起こしてくれる. contar los *recuerdos* de ... …の思い出話をする. guardar un feliz *recuerdo* de ... …の楽しい思い出を持っている. en *recuerdo* de ... …の記念として.
2 思い出の品; 土産. tienda de *recuerdos* 土産物店.
3 [~s] 《挨拶》 Muchos *recuerdos* a todos. 皆さんによろしく.
re·cu·lar [r̄ekulár レクラル] 動自 後退する; しりごみする.
re·cu·lón [r̄ekulón レクロン] 名男 後退, 後ずさり. andar a *reculones* 後退する, 後ずさりする.
re·cu·pe·ra·ción [r̄ekuperaθjón レクペラしオン] 名女 取り戻し, 回復; 回収.
re·cu·pe·rar [r̄ekuperár レクペラル] 動他 **1** 取り戻す, 回復する (= recobrar). *recuperar* el conocimiento [la salud] 意識[健康]を回復する. *recuperar* la confianza [el cariño] de 《+uno》〈人〉の信頼[愛情]を取り戻す. **2** (再利用のため廃品などを)回収する.
── **re·cu·pe·rar·*se*** **1** 《+**de**》…から回復する, 立ち直る. *recuperarse de* la crisis económica 経済危機から立ち直る.
2 元気になる.
re·cu·rrir [r̄ekuř̄ír レクリル] 動自 **1** 《+**a**》…にすがる, 頼る. *recurrir a* los parientes 親類縁者に助けを求める. no tener *a* quien *recurrir* 頼る人が誰もいない.
2 《+**a**》手段として…に訴える. *recurrir a* la huelga ストライキに訴える.
3 〘法律〙上告[上訴]する. *recurrir* contra la sentencia 判決を不服として上告する.
re·cur·so [r̄ekúrso レクルソ] 名男 [複 ~s] 〔英 resources〕 **1** [~s] **資源**; 資産. *recursos* naturales 天然資源. *recursos* económicos 資力, 財力.
2 手段, 方策. como [en] último *recurso* 最後の手段として.
3 〘法律〙上告, 上訴; 上申書.
re·cu·sar [r̄ekusár レクサル] 動他
1 拒否する.
2 〘法律〙(裁判官・陪審員などを)忌避する.
red [r̄éð レ(ドゥ)] 名女 [複 ~es] 〔英 net〕
1 網, ネット. *red* de pesca 魚網. *red* de alambre 金網. *red* de araña クモの巣. → tenis 図.
2 (通信・交通などの)網, ネットワーク. *red* de carreteras 道路網. *red* de informaciones 情報網. *red* de venta 販売網. *red* emisora de televisión テレビのネットワーク. *red* ferroviaria 鉄道網.
3 わな(= trampa). caer en la *red* わなにかかる. tender una *red* a 《+uno》〈人〉にわなをかける.
aprisionar a 《+uno》 ***en*** sus ***redes*** 〈人〉を虜(とりこ)にする; まるめ込む.
re·dac·ción [r̄eðakθjón レダクしオン] 名女
1 (文章の)作成; 作文.
2 編集; 編集部(局).
re·dac·tar [r̄eðaktár レダクタル] 動他
1 (文章を)作成する, 書く. **2** 編集する.
re·dac·tor, to·ra [r̄eðaktór, tóra レダクトル, トラ] 名男女 **1** 編集者; 編集部(局)員. *redactor* jefe 編集長. **2** 文章作成者.
re·da·da [r̄eðáða レダダ] 名女 **1** 一斉検挙, 一網打尽. hacer una *redada* en un sitio ある場所の一斉手入れをする.
2 一網の獲物. una buena *redada* 大漁.
re·de·ci·lla [r̄eðeθíʎa レデしリャ] 名女 ヘアネット.
re·de·dor [r̄eðeðór レデドル] 名男
al [***en***] ***rededor de*** ... …の周囲に. → alrededor.
re·den·ción [r̄eðenθjón レデンしオン] 名女
1 (身代金による)救出, 解放.
2 〘カトリック〙贖罪(しょくざい).
re·den·tor, to·ra [r̄eðentór, tóra レデントル, トラ] 形 贖罪(しょくざい)の.
el Redentor 救い主イエス・キリスト.
re·di·cho, cha [r̄eðítʃo, tʃa レディチョ, チャ] 形 《口語》気取った話し方をする.
re·dil [r̄eðíl レディル] 名男 (家畜の)囲い場.
re·di·mir [r̄eðimír レディミル] 動他
1 《+**de**》…から救い出す. *redimir de* la pobreza 貧困から救い出す.
2 〘法律〙(抵当から)請け戻す; 買い戻す.
3 〘カトリック〙あがなう.
ré·di·to [r̄éðito レディト] 名男 利子; 収益.
re·di·vi·vo, va [r̄eðiβíβo, βa レディビボ, バ] 形 生き写しの; 生き返った.
re·do·blar [r̄eðoβlár レドブラル] 動他
1 強化する. *redoblar* el afecto 愛情をさらに深める. *redoblar* sus esfuerzos なおいっそう努力を重ねる.
2 (釘(くぎ)の先・布の端などを)折り曲げる.
── 動自 太鼓を打ち鳴らす.
re·do·ble [r̄eðóβle レドブレ] 名男 (太鼓を)打ち鳴らすこと.
re·do·ma [r̄eðóma レドマ] 名女 フラスコ.
re·do·ma·do, da [r̄eðomáðo, ða レドマド, ダ] 形 狡猾(こうかつ)な; どうしようもない. pícaro *redomado* 札付きの悪.
re·don·da [r̄eðónda レドンダ] 名女 〘音楽〙全音符.

── 形女 ➡ redondo[1].

re·don·de·ar [r̄eðondeár レドンデアル] 動他 **1** 丸くする.
2 …の端数を切り捨てる[切り上げる].
3 (裾丈(すそたけ)を) そろえる.
── **re·don·de·ar·se** 丸くなる, 丸みを帯びる.

re·don·del [r̄eðondél レドンデル] 名男
1 《口語》円, 丸.
2 〔闘牛〕アレナ, 闘技場 (= ruedo).

re·don·dez [r̄eðondéθ レドンデス] 名女 丸いこと; 球面.

re·don·di·lla [r̄eðondíʎa レドンディリャ] 名女 **1** 四行詩. **2** 丸みを帯びた書体.

re·don·do[1], da [r̄eðóndo, da レドンド, ダ] 形 [複 ~s] 〔英 round〕 **1 丸い**, 円形の; 球形の. una mesa *redonda* 円卓.
2 完全な, 完璧(かんぺき)な. un negocio *redondo* 丸もうけの取引. un triunfo *redondo* 完璧な勝利.
3 明確な, きっぱりとした (=rotundo). un "NO" *redondo* 断固たる拒絶.
4 端数のない; 概数の. en números *redondos* 端数を切り捨て[上げ]て, 概数で.
a la redonda 周囲に, 周辺に.
caerse (***en***) ***redondo*** その場にくずおれる, ばったり倒れる.
en redondo (1) 丸く, 一回転して. dar una vuelta *en redondo* ぐるっと一回転する. (2) きっぱりと. negarse *en redondo* きっぱりと断る. (3) 周囲が…. El árbol tiene tres metros *en redondo*. その木は幹周りが 3 メートルある.

re·don·do[2] [r̄eðóndo レドンド] 名男 丸い物; (円筒形に切り取った牛などの) もも肉.

re·duc·ción [r̄eðukθjón レドゥクシオン] 名女 **1** 縮小, 圧縮, 削減. *reducción* de armamentos nucleares 核軍縮. *reducción* de la jornada laboral 労働時間の短縮.
2 簡約, 要約. **3** 鎮圧, 制圧.
4 〔歴史〕インディオ居留地. ◆スペイン統治時代にキリスト教化のために建設された.

R

re·du·ci·do, da [r̄eðuθíðo, ða レドゥシド, ダ] 過分 形 **1** わずかな, 小さい. en un espacio muy *reducido* ごく限られた期間に.
2 割り引きした. tarifa *reducida* 割引料金. a precio *reducido* 安く.

re·du·cir [r̄eðuθír レドゥシル] 12 動他 〔英 reduce〕 《+a》 **1 …に減らす**; …に縮小する, 圧縮する. *reducir* la velocidad スピードを落とす. *reducir* el presupuesto en un diez por ciento 予算を10パーセント削る. *reducir* los gastos *a* la mitad 経費を半分に縮小する.
2 …の状態にする. *reducir* 《+algo》 *a* cenizas 〈何か〉を灰[無]に帰させる.
3 鎮圧[制圧]する. **4** 〔数〕変換する; 約分[通分]する. **5** 〔化〕還元する.
── **re·du·cir·se** 《+a》 **1** …だけにする (= limitarse). Hoy *nos reduciremos a* visitar el museo. 私たちは今日は博物館を訪ねるだけにしよう.
2 …の状態になる; …に帰着する. Eso *se reduce a* decir que … それはつまり…ということである.

re·duc·to [r̄eðúkto レドゥクト] 名男 砦(とりで); 隠れ家.

reduj- 動 ➡ reducir. 12

re·dun·dan·cia [r̄eðundánθja レドゥンダンシア] 名女 重複; 過剰.

re·dun·dan·te [r̄eðundánte レドゥンダンテ] 形 重複した, 余分な.

re·dun·dar [r̄eðundár レドゥンダル] 動自 《+en》 **1** …が過剰である, 多い.
2 (不利・有利) になる.

re·du·pli·ca·ción [r̄eðuplikaθjón レドゥプリカシオン] 名女 倍加, 倍増; 強化.

re·du·pli·car [r̄eðuplikár レドゥプリカル] [8 c ➡ qu] 動他 倍加する, 倍増する; さらに強める.

reduzc- 動 ➡ reducir. 12

re·e·du·car [r̄eeðukár レエドゥカル] [8 c ➡ qu] 動他 再教育する.

re·e·lec·ción [r̄eelekθjón レエレクシオン] 名女 再選.

re·e·le·gir [r̄eelexír レエレヒル] [19 g ➡ j; 41 e ➡ i] [現分 reeligiendo] 動他 再選する.

re·em·bol·sar [r̄eembolsár レエンボルサル] 動他 払い戻す; 償還する; 返済する.

re·em·bol·so [r̄eembólso レエンボルソ] 名男 払い戻し; 償還; 返済金.
contra reembolso 代金着払いで.

re·em·pla·zar [r̄eemplaθár レエンプラサル] [39 z ➡ c] 動他 **1** 《+por》 …と取り替える, 交代させる.
2 《+a》 …の後任になる.

re·em·pla·zo [r̄eempláθo レエンプラソ] 名男 **1** 取り替え, 交代. **2** 補充兵.

re·en·gan·char [r̄eeŋgantʃár レエンガンチャル] 動他 〔軍事〕再入隊させる.
── **re·en·gan·char·se** 〔軍事〕再入隊する.

re·es·truc·tu·ra·ción [r̄eestrukturaθjón レエストゥルクトゥラシオン] 名女 〔経済〕再構築, 改組, 改編, リストラ (= restructuración) 〔英 restructuring〕.

re·fac·ción [r̄efakθjón レファクシオン] 名女 軽い食事.

re·fa·jo [r̄efáxo レファホ] 名男 アンダースカート, ペチコート.

re·fec·to·rio [r̄efektórjo レフェクトリオ] 名男 (修道院の) 食堂.

re·fe·ren·cia [r̄eferénθja レフェレンシア] 名女 **1** 言及. hacer *referencia* a … …に言及する. con *referencia* a … …に関して. **2** 参考書目, 出典; 関連情報. datos de *referencia* 参考資料. **3** [~s] (身元・技量などの) 証明書, 調査書; 照会(先).

re·fe·rén·dum [r̄eferéndum レフェレンドゥン] 名男 国民投票.

re·fe·ren·te [r̄eferénte レフェレンテ] 形《+a》…に関する.
en lo referente a … …に関しては.

re·fe·rir [r̄eferír レフェリル] [52 e → ie, i] 動他 [現分 refiriendo] **1** 語る, 話す.
2《+a》…に関連させる. *Refiere* el suceso *a* la primavera pasada. 彼はその事件を昨春のことだったとしている.
3《+a》…を参照させる.
—— re·fe·rir·se 〔英 refer〕《+a》…に言及する, …に触れる. El conferenciante *se refirió a* los hechos recientes. 講演者は最近の事件について触れた. *Me refiero a* tu caso. 私は君のことを言っているのだ.
por lo que se refiere a … …については.

refier- 動 → referir. [52 e → ie, i]

re·fi·lón [r̄efilón レフィろン]
de refilón《副詞句》ちらりと; 斜めに. ver *de refilón* ちらっと見る.

re·fi·na·do, da [r̄efináðo, ða レフィナド, ダ] 過分 形 **1** 洗練された, 上品な.
2 精製された. aceite de oliva *refinado* 上質のオリーブオイル.
—— 名男 精製, 精錬. el *refinado* del petróleo 石油精製.

re·fi·na·mien·to [r̄efinamjénto レフィナミエント] 名男 **1** 洗練, 上品.
2 細心の配慮, 入念さ.

re·fi·nar [r̄efinár レフィナル] 動他
1 精製[精錬]する. **2** 洗練する.

re·fi·ne·rí·a [r̄efinería レフィネリア] 名女 精製[精錬]所, 精油所. *refinería* de petróleo 石油精製所.

re·fi·no, na [r̄efíno, na レフィノ, ナ] 形 極上の; 洗練された. —— 名男 精製, 精錬.

refir- 動 現分 → referir. [52 e → ie, i]

re·flec·tor, to·ra [r̄eflektór, tóra レフれクトル, トラ] 形《物理》反射させる.
—— 名男 **1** 反射板. → bicicleta 図.
2 サーチライト; リフレクター電球.
3〔天文〕反射望遠鏡.

re·fle·jar [r̄eflexár レフれハル] 動他 **1** (光・熱・音などを) 反射する, はね返す.
2 反映する, 映し出す. Su mirada *reflejaba* una inmensa congoja. 彼の眼差しには大きな苦悩が表れていた.
—— re·fle·jar·se 映る, 表れる. La tristeza *se reflejaba* en su mirada. 悲しみが彼の目つきに表れていた.

re·fle·jo, ja [r̄efléxo, xa レフれホ, ハ] 名男 〔英 reflection〕 **1** [〜s] 反射光, きらめき.
2 反映, 投影. *reflejo* en el agua 水に写った姿.
3 反射 (作用), 反射神経. *reflejo* condicionado 条件反射.
—— 形 反射 [投射] した; 反射性の. rayo *reflejo* 反射光線.

re·fle·xión [r̄efleksjón レフれクシオン] 名女
1 熟考; 反省. sin *reflexión* 軽率に.
2《物理》反射.

re·fle·xio·nar [r̄efleksjonár レフれクシオナル] 動自他 熟考する. *reflexionar* sobre 《+algo》〈何か〉について深く考える.

re·fle·xi·vo, va [r̄efleksíβo, βa レフれクシボ, バ] 形 **1** 熟考する, 思慮深い. un niño *reflexivo* 何事にも慎重な少年.
2 〔文法〕 再帰の.

re·fluir [r̄eflwír レフるイル] 29 動自 [現分 refluyendo] 逆流する.

re·flu·jo [r̄eflúxo レフるホ] 名男 引き潮 (↔ flujo).

re·fo·ci·lar·se [r̄efoθilárse レフォしらルセ] 動《+con》(他人の不幸など) を喜ぶ.

re·for·ma [r̄efórma レフォルマ] 名女 [複 〜s] 〔英 reform〕 **1** 改革; 改良; 改修. *reforma* agraria 農地改革. *reforma* de la Constitución 憲法改正. Cerrado por *reformas*.《掲示》改装につき閉店.
2 [R-]《歴史》宗教改革.

re·for·mar [r̄eformár レフォルマル] 動他 改革する, 改正する; 改装する; 作り直す, リフォームする.
—— re·for·mar·se 改心する.

re·for·ma·to·rio [r̄eformatórjo レフォルマトリオ] 名男 少年院.

re·for·mis·ta [r̄eformísta レフォルミスタ] 形《政治》改革[革新]運動の.
—— 名男女《政治》改革[革新]主義者.

re·for·zar [r̄eforθár レフォルさル] [13 o → ue ; 39 z → c] 動他 補強する, 強化する.

re·frac·ción [r̄efrakθjón レフラクしオン] 名女《物理》屈折.

re·frac·ta·rio, ria [r̄efraktárjo, rja レフラクタリオ, リア] 形 **1** 耐火性の, 耐熱性の. ladrillo *refractario* 耐火れんが.
2《+a》…に反抗する, …を受けつけない. La directiva será *refractaria a* los cambios. 役員会は変化を嫌うだろう.

re·frán [r̄efrán レフラン] 名男 諺(ことわざ), 格言. según reza el *refrán* 諺にあるように.

re·fra·ne·ro [r̄efranéro レフラネロ] 名男 格言集, 諺(ことわざ)集.

re·fre·gar [r̄efreɣár レフレガル] [32 g → gu ; 42 e → ie] 動他 **1** こする; ごしごし磨く. **2**《口語》非難する, 当てつける.

re·fre·gón [r̄efreɣón レフレゴン] 名男《口語》こする[磨く]こと; こすった跡.

re·fre·nar [r̄efrenár レフレナル] 動他 抑える, 抑制する. *refrenar* la ira 怒りを抑える.
—— re·fre·nar·se 自制する.

re·fren·dar [r̄efrendár レフレンダル] 動他
1 認証する, 副署する, 裏書きする; (パスポートを) 査証する.
2 承認する, 支持する.

re·fres·can·te [r̄efreskánte レフレスカンテ] 形 さわやかな, 爽快(そうかい)な気分にさせる.

re·fres·car [r̄efreskár レフレスカル] [8 c → qu] 動他 **1** 新たにする, よみがえらせる.

R

refrescar la memoria 記憶をよび戻す.
2…の勉強をやり直す.
3爽快(そうかい)な気分にさせる. **4**冷やす.
—— 動自《3人称で用いられて》涼しくなる.
—— 動自 **re·fres·car·*se*** **1**爽快な気分になる, リフレッシュする.
2冷たい飲み物を取る.

re·fres·co [r̄efrésko レフレスコ] 名男 **1**冷たい飲み物, ソフトドリンク, 清涼飲料.
2軽い飲食物. dar un *refresco* 小パーティーをする.

re·frie·ga [r̄efrjéɣa レフリエガ] 名女 小競り合い; 口論, けんか.

re·fri·ge·ra·ción [r̄efrixeraθjón レフリヘラしオン] 名女 冷却; 冷蔵.

re·fri·ge·ra·dor, do·ra [r̄efrixeraðór, ðóra レフリヘラドル, ドラ] 形 冷却[冷蔵]する.
—— 名男 冷却器; 冷蔵庫.

re·fri·ge·rar [r̄efrixerár レフリヘラル] 動他 冷却する; 冷蔵する.

re·fri·ge·rio [r̄efrixérjo レフリヘリオ] 名男 軽い飲食物, スナック.

re·fri·to [r̄efríto レフリト] 名男 **1**揚げ物.
2《口語》改作, 焼き直し.

re·fuer·zo [r̄efwérθo レフエルそ] 名男 **1**補強, 強化, 増強; 補強材. *refuerzo* de la guardia 警備の増強. poner un *refuerzo* en la puerta ドアを補強する.
2[～s]〔軍事〕援軍.

re·fu·gia·do, da [r̄efuxjáðo, ða レフヒアド, ダ] 過分 形 避難した; 亡命した.
—— 名男女 避難者; 亡命者, 難民. *refugiado* político 政治亡命者.

re·fu·giar [r̄efuxjár レフヒアル] 動他 かくまう, 保護する.
—— **re·fu·giar·*se*** 避難する; (風雪などを)よける, しのぐ; 亡命する. *Nos refugiamos* de la lluvia bajo el cobertizo. 私たちは軒下で雨宿りした.

re·fu·gio [r̄efúxjo レフヒオ] 名男 **1**避難所; 避難小屋, シェルター. *refugio* antiaéreo 防空壕. *refugio* (anti) atómico 核シェルター.
2隠れ家; 保護[救護]施設.
3頼りになる人. Es un *refugio* para sus amigos. 彼は友人にとって頼りがいのある人間である.

re·ful·gir [r̄efulxír レフるヒル] [19 g → j] 動自 輝く, きらめく.

re·fun·dir [r̄efundír レフンディル] 動他
1改作する. **2**〔技術〕鋳直す, 改鋳する.
3併合する, 統合する.

re·fun·fu·ñar [r̄efumfuɲár レフンフニャル] 動自《口語》不平を言う, 愚痴をこぼす.

re·fu·ta·ble [r̄efutáβle レフタブれ] 形 反論できる, 反証の可能な.

re·fu·ta·ción [r̄efutaθjón レフタしオン] 名女 反論, 反証.

re·fu·tar [r̄efutár レフタル] 動他 反論する, 論破する.

re·ga·de·ra [r̄eɣaðéra レガデラ] 名女
1じょうろ; スプリンクラー.
2《ラ米》シャワー.
estar como una regadera《口語》気が違っている.

re·ga·dí·o [r̄eɣaðío レガディオ] 名男 灌漑(かんがい).

re·ga·la·do, da [r̄eɣaláðo, ða レガらド, ダ] 過分 形 **1**楽しい, 快適な. llevar una vida *regalada* 気楽な生活を送る.
2ばか安い, ただ同然の.
3繊細な, 上品な.

re·ga·lar [r̄eɣalár レガらル] 動他〔英 present〕 **1贈る**, 進呈する. *Regalé* un reloj a mi novia. 私は恋人に時計をプレゼントした.
2《+con》…で楽しませる. *regalar* a《+uno》*con* un banquete〈人〉をごちそうでもてなす.
—— **re·ga·lar·*se***《+con》…を楽しむ. *regalarse con* pasteles ケーキをごちそうになる.

re·ga·lo [r̄eɣálo レガろ] 名男 [複 ～s]〔英 present〕 **1プレゼント**, 贈り物(= presente). hacer un *regalo* プレゼントをする. Le compré un *regalo* para su cumpleaños. 私は彼に誕生日のプレゼントを買ってやった. a precio de *regalo* ただみたいな値段で.
2楽しみ; 快適さ.
—— 動 → regalar.

re·ga·ña·dien·tes [r̄eɣaɲaðjéntes レガニャディエンテス] ***a regañadientes***《副詞句》いやいやながら, 不承不承, しぶしぶ. Aceptó la orden *a regañadientes*. 彼は不承不承命令に従った.

re·ga·ñar [r̄eɣaɲár レガニャル] 動自 **1**けんかする, 口論する. No *regañéis* más. けんかはやめろ.
2不平を言う(＝refunfuñar).
—— 動他〔英 scold〕しかる, 小言を言う.

re·ga·ñi·na [r̄eɣaɲína レガニィナ] 名女 しかること, 叱責(しっせき); いさかい, けんか.

re·ga·ñón, ño·na [r̄eɣaɲón, ɲóna レガニョン, ニョナ] 形《口語》口やかましい.
—— 名男女《口語》口やかましい人; 気難し屋.

re·gar [r̄eɣár レガル] [32 g → gu; 42 e → ie] 動他 **1**…に水をやる, 散水する. *regar* las flores 花に水をやる. *regar* las calles 道路に散水する.
2〔農業〕灌漑(かんがい)する; (川が土地を)潤す.
3《+ con, de》…でぬらす; …に…をまき散らす, こぼす. *regar* un papel *con* [*de*] lágrimas 涙で紙面をぬらす. *Regué* de monedas el suelo. 床に硬貨をばらまいてしまった.

re·ga·ta [r̄eɣáta レガタ] 名女〔スポーツ〕レガッタ, (ボート・ヨット)レース. *regata* de vela [yates] ヨットレース. [← イタリア語]

re·ga·te [r̄eɣáte レガテ] 名男 **1**身をかわす

こと．hacer un *regate* さっと身をかわす．
2《口語》逃げの手，言い抜け．
3〔スポーツ〕ドリブル．

re·ga·te·ar [r̄eɣateár レガテアル] 動他 **1** 値切る． **2** けちる，惜しむ．no *regatear* esfuerzos 努力を惜しまない．
── 動自〔スポーツ〕ドリブルする．

re·ga·te·o [r̄eɣatéo レガテオ] 名男 **1** 値切ること． **2** 身をかわすこと；《口語》逃げ口上，言い逃れ． **3**〔スポーツ〕ドリブル．

re·ga·zo [r̄eɣáθo レガソ] 名男 (座った人の)膝(ひざ)の上．El niño dormía en el *regazo* materno. 子供は母の膝に抱かれて眠っていた．

re·gen·cia [r̄exénθja レヘンしア] 名女 摂政政治；摂政職．

re·ge·ne·ra·ción [r̄exeneraθjón レヘネラしオン] 名女 再生，再建，復興．

re·ge·ne·rar [r̄exenerár レヘネラル] 動他
1 再生させる；再生利用する．
2 更生させる，改心させる．
── **re·ge·ne·rar·*se*** **1** 再生する．
2 更生する，改心する．

re·gen·ta [r̄exénta レヘンタ] 名女 **1**〔政治〕女性の摂政；女性の主任[支配人]．
2 regente の妻．

re·gen·tar [r̄exentár レヘンタル] 動他
1 臨時に務める，代行する；(公務を)執行する． **2** (国運などを)握る，導く．
3《口語》経営する；仕切る，牛耳る．

re·gen·te [r̄exénte レヘンテ] 名男 **1**〔政治〕摂政． **2** 主任，支配人．
── 形 **1** 統治する，支配する． **2** 摂政の．

re·gi·ci·dio [r̄exiθíðjo レヒしディオ] 名男 国王殺し，大逆罪．

re·gi·dor, do·ra [r̄exiðór, ðóra レヒドル，ドラ] 名男女 **1** (地方) 議員，参事会議員． **2**〔演劇〕舞台監督；〔映画〕助監督． **3** 経営者，支配人．

ré·gi·men [r̄éximen レヒメン] 名男 [複 regímenes]〔英 regime〕
1 **政治[統治]形態**；政府，政権；制度．*régimen* democrático 民主制．*régimen* político 政体．
2 食餌(しょくじ)療法，ダイエット (= *régimen* alimenticio)．estar a *régimen* ダイエット中である．

re·gi·mien·to [r̄eximjénto レヒミエント] 名男〔軍事〕連隊．→ ejército【参考】．

re·gio, gia [r̄éxjo, xja レヒオ，ヒア] 形
1 王の． **2** 壮麗な，絢爛(けんらん)たる．

re·gión [r̄exjón レヒオン] 名女 [複 regiones]〔英 region〕 **1** **地域**；地方．*región* industrial 工業地域．
2 (動植物の) 区，系界；(大気・海水の) 層；(宇宙の) 領域．
3〔解剖〕部．*región* lumbar 腰部．
4〔軍事〕管区．*región* militar 軍管区．

re·gio·nal [r̄exjonál レヒオナル] 形 地方の，地域の．

re·gio·na·lis·mo [r̄exjonalísmo レヒオナリスモ] 名男 地方(分権)主義；お国言葉．

re·gio·na·lis·ta [r̄exjonalísta レヒオナリスタ] 形 地方(分権)主義の．
── 名男女 地方(分権)主義者．

re·gir [r̄exír レヒル] [19 g → j ; 41 e → i] 動他 [現分 rigiendo] **1** 統治[支配]する；経営する；規定する．*regir* la conducta humana 人の行動を律する．
2〔文法〕支配する．
── 動自 (法令などが) 有効である，現行中である．
── **re·gir·*se*** 《+ **por**》…に従う，導かれる．
no regir 《口語》気が変だ；もうろくしている．

re·gis·tra·dor, do·ra [r̄existraðór, ðóra レヒストゥラドル，ドラ] 名男女 登記係；検査員，点検係． ── 形 登録する，記録する；点検の，検査の．

re·gis·trar [r̄existrár レヒストゥラル] 動他
1 調べる，捜す；身体検査する．*registrar* la habitación 室内を捜索する．
2 登録する，登記する；記録する，書き留める．*registrar* un invento 発明品を登録する． **3** 録音する，(機械が) 記録する．
── **re·gis·trar·*se*** 登録する，手続きする．¿*Se ha registrado* ya? もう届けは出しましたか．

re·gis·tro [r̄exístro レヒストゥロ] 名男
1 登記，登録；記録．*registro* de antecedentes penales 前科の記録．*registro* de marcas 商標登録．
2 登録簿，帳簿；登記所．*registro* civil 戸籍簿[台帳]．*registro* electoral 選挙人名簿．
3 検査；捜査．*registro* aduanero 税関検査．
4 (本の) しおり．
5〔音楽〕音域，声域．
tocar muchos [***todos los***] ***registros*** いろんな[あらゆる]手を打つ．

re·gla [r̄éɣla レグラ] 名女 [複 ～s]〔英 ruler; rule〕 **1** **定規**．trazar una línea con la *regla* 定規で線を引く．*regla* de cálculo 計算尺．
2 **規則**，規定，ルール．*reglas* de la circulación 交通法規．*reglas* del juego ゲームのルール．No hay *regla* sin excepción. 例外のない規則はない．
3〔数〕法則．las cuatro *reglas* 四則 (加減乗除)．
4〔医〕生理．
en regla 整って，規定に従って，きちんとして．
poner en regla 整える，整理する．
por regla general 一般に．
salir de (***la***) ***regla*** 法(のり)を越える，行き過ぎる．

re·gla·men·ta·ción [r̄eɣlamentaθjón レグラメンタしオン] 名女 規制，統制；《集合》規定．

re·gla·men·tar [r̄eɣlamentár レグらメンタル] 動他 規制[統制]する；…の規則を制定する.

re·gla·men·ta·rio, ria [r̄eɣlamentárjo, rja レグらメンタリオ, リア] 形 規定の, 規則で定められた, 義務の；正規の.

re·gla·men·to [r̄eɣlaménto レグらメント] 名男 規則, 規定, 法規. *reglamento* del tráfico 交通法規.

re·glar [r̄eɣlár レグらル] 動他 **1** 規定する, 規制[統制]する. **2** (定規で) 線を引く.
—— **re·glar·se** 《+ **a, por**》…に合わせる, 従う.

re·go·ci·jar [r̄eɣoθixár レゴしハル] 動他 喜ばせる, 楽しませる.
—— **re·go·ci·jar·se** 《+ **con, de, por**》…を喜ぶ, 大いに楽しむ.

re·go·ci·jo [r̄eɣoθíxo レゴしホ] 名男 **1** 大喜び. **2** [〜s] 祭り, 祝い事.

re·go·de·ar·se [r̄eɣoðeárse レゴデアルセ] 動 《口語》《+ **con, en**》…を大いに楽しむ；げらげら笑う；喜ぶ.

re·go·de·o [r̄eɣoðéo レゴデオ] 名男 《口語》楽しむこと；げらげら笑うこと.

re·gol·dar [r̄eɣoldár レゴるダル] [18 o ➡ üe] 動自 《口語》おくびを出す, げっぷをする (= eructar).

re·gor·de·te, ta [r̄eɣorðéte, ta レゴルデテ, タ] 形 《口語》ずんぐりした, 太っちょの.

re·gre·sar [r̄eɣresár レグレサル] 動自 〔英 return〕 **戻る**, 帰る (= volver). *regresar* del viaje 旅から帰る. *regresar* a casa 帰宅する.
—— 動他 《ラ米》戻す, 返す (= devolver).
—— **re·gre·sar·se** 《ラ米》帰る.

re·gre·sión [r̄eɣresjón レグレシオン] 名女 **1** 後退；退行. **2** 低下, 減少.

re·gre·si·vo, va [r̄eɣresíβo, βa レグレシボ, バ] 形 後退の；逆行[退行]する.

re·gre·so [r̄eɣréso レグレソ] 名男 帰ること, 帰還, 帰宅 (= vuelta). a SU *regreso* 帰りに. Ya está de *regreso*. 彼はもう帰ってきている. en (el) camino de *regreso* 帰途に.
—— 動 ➡ regresar.

re·güel·do [r̄eɣwéldo レグエるド] 名男 《口語》おくび, げっぷ.

re·gue·ra [r̄eɣéra レゲラ] 名女 (灌漑(かんがい)用の) 溝, 水路.

re·gue·ro [r̄eɣéro レゲロ] 名男 **1** 一筋, 一条. un *reguero* de sangre 一筋の血.
2 ➡ reguera.
como un reguero de pólvora 瞬く間に.

re·gu·la·ción [r̄eɣulaθjón レグらしオン] 名女 規制；調整；制御. *regulación* de precios 物価統制. *regulación* de nacimientos 産児制限.

re·gu·lar [r̄eɣulár レグらル] 形 [複 〜es] 〔英 regular〕 **1 規則的な**；定期的な, 正常の (↔ irregular). llevar una vida *regular* 規則正しい生活を送る. a intervalos *regulares* 一定間隔で. latido [pulso] *regular* 正常脈拍. vuelo *regular* 〘航空〙定期便.
2 普通の, まずまずの (= mediano). ¡Hola! ¿Qué tal?—*Regular*. やあ元気ですか.—まあまあです. tamaño *regular* 中型, M サイズ. estatura *regular* 中背.
3 正規の. tropas *regulares* 正規軍.
4 〘文法〙規則的な.
—— 動他 **1** 規制する, 統制する. *regular* el tráfico 交通整理をする.
2 調節する, 調整する.
por lo regular 一般に.

re·gu·la·ri·dad [r̄eɣulariðáð レグらリダ(ドゥ)] 名女 規則正しさ；正常. con (toda) *regularidad* 規則正しく, きちんと, 定期的に.

re·gu·la·ri·za·ción [r̄eɣulariθaθjón レグらリさしオン] 名女 規則正しくすること, 正常化.

re·gu·la·ri·zar [r̄eɣulariθár レグらリさル] [39 z ➡ c] 動他 正常化する, 調整する, 秩序立てる.

re·gu·lar·men·te [r̄eɣulárménte レグらルメンテ] 副 規則正しく；普通.

re·gus·to [r̄eɣústo レグスト] 名男 後味. dejar un *regusto* amargo 後味の悪さを感じさせる.

re·ha·bi·li·ta·ción [r̄eaβilitaθjón レアビリタしオン] 名女 **1** 再建, 整備.
2 社会復帰, リハビリテーション.
3 復職, 復権, 名誉回復.

re·ha·bi·li·tar [r̄eaβilitár レアビリタル] 動他 **1** 復職[復権]させる；回復させる.
2 社会復帰させる.
—— **re·ha·bi·li·tar·se** **1** 回復する, 取り戻す. **2** 社会復帰する.

re·ha·cer [r̄eaθér レアセル] 27 動他 [過分 rehecho, cha] 再びする, やり直す, 作り直す.
—— **re·ha·cer·se** 《+ **de**》…から立ち直る, 回復する.

re·hén [r̄eén レエン] 名男 人質.

re·ho·gar [r̄eoɣár レオガル] [32 g ➡ gu] 動他 〘料理〙軽くソテーする.

re·huir [r̄ewír レウイル] 29 動他 [現分 rehuyendo] 避ける；敬遠する. *rehuir* la responsabilidad 責任を回避する.

re·hu·sar [r̄eusár レウサル] [6 u ➡ ú] 動他 拒む, 断る, 拒絶する.

reí·do 過分 ➡ reír.

re·im·pre·sión [r̄eimpresjón レインプレシオン] 名女 再版, 重版, 増刷, リプリント.

rei·na [r̄éina レイナ] 名女 [複 〜s] 〔英 queen〕 **1 女王**, 王妃 (► 王は rey). Doña Sofía, la *Reina* de España スペイン王妃ソフィア. *reina* madre 皇太后. *reina* de la belleza 美人コンテストの女王.
2 (チェスの) クイーン. ➡ ajedrez 図.

R

3《口語》《女性に対する愛情表現》お前，かわいい人.

rei·na·do [r̄eináðo レイナド] 名男 治世；統治期間.

rei·nan·te [r̄einánte レイナンテ] 形 支配的な，優勢な.

rei·nar [r̄einár レイナル] 動自 **1** 君臨する，統治する. *reinar* en [sobre] España スペインに君臨する. **2** 支配的である，優勢である. En el mundo *reinaba* el desorden. 無秩序が世にはびこっていた.

rein·ci·den·cia [r̄einθiðénθja レインしデンしア] 名女 再犯.

rein·ci·den·te [r̄einθiðénte レインしデンテ] 名男女 再犯者，常習犯.

rein·ci·dir [r̄einθiðír レインしディル] 動自《+**en**》(誤り・過ち) を繰り返す. *reincidir en* el mismo delito 同じ罪を犯す.

rein·cor·po·ra·ción [r̄eiŋkorporaθjón レインコルポラしオン] 名女 再併合，再編入；復帰.

rein·cor·po·rar [r̄eiŋkorporár レインコルポラル] 動他 再び合体させる，再合併させる.

—— **rein·cor·po·rar·se**《+**a**》…に復帰する，…に戻る.

rei·ni·ciar [r̄einiθjár レイニしアル] 動他〘コンピュータ〙再起動する.

rei·no [r̄éino レイノ] 名男 [複 ～s]〔英 kingdom〕**1** 王国. *Reino* de Aragón〘歴史〙アラゴン王国. *reino* de los cielos 天国. *Reino* Unido 連合王国.
2 領域；界. *reino* animal [vegetal, mineral] 動物[植物，鉱物]界.

rein·te·gra·ción [r̄einteɣraθjón レインテグラしオン] 名女 **1** 復帰. **2** 払い戻し，還付.

rein·te·grar [r̄einteɣrár レインテグラル] 動他 **1** 復職させる，復帰させる.
2 払い戻す，返済する.

—— **rein·te·grar·se** **1**《+**a**》…に復帰する，戻る. *reintegrarse a* su trabajo 職場に復帰する.
2《+**de**》…を受け取る，取り戻す.

rein·te·gro [r̄eintéɣro レインテグロ] 名男
1 ➡ reintegración.
2 (宝くじの) 払い戻し.

re·ír [r̄eír レイル] [48 e ➡ i] 動自 [現分 riendo；過分 reído]

直説法 現在	
1·単 *río*	1·複 *reímos*
2·単 *ríes*	2·複 **reís**
3·単 *ríe*	3·複 *ríen*

〔英 laugh〕笑う. echarse a *reír* 笑いだす. No es cosa de *reír*. 笑いごとではない. Sus ojos *reían* al hablarme. 私に話しながら彼の目は笑っていた.

—— 動他 …を見て[聞いて]笑う. *reír* las travesuras a un niño 子供のいたずらを笑う.

—— **re·ír·se**《+**de**》**1** …を笑う，面白がる. Él *se ríe de* su propia sombra. 彼は自分の影を見ておかしがる.
2 …をあざ笑う，ばかにする (= burlarse).
dar que reír 笑いを誘う，こっけいである.

> 【参 考】 **reír**(*se*) は一般的に声を出して笑う. **sonreír**(*se*) は微笑する. 名詞はそれぞれ risa, sonrisa.
> *reír* entre dientes くすくす笑う.
> *reír*(*se*) a carcajadas 大声で笑う.
> *reírse* por lo bajo / *sonreír* a escondidas にやりと笑う.
> *sonreír* a solas 思い出し笑いをする.

rei·te·ra·ción [r̄eiteraθjón レイテラしオン] 名女 反復，繰り返し.

rei·te·rar [r̄eiterár レイテラル] 動他 繰り返す，反復する.

—— **rei·te·rar·se** 繰り返し言う.

rei·te·ra·ti·vo, va [r̄eiteratíβo, βa レイテラティボ，バ] 形 繰り返しの；〘文法〙反復相の.

rei·vin·di·ca·ción [r̄eiβindikaθjón レイビンディカしオン] 名女 **1** (権利の) 主張，要求. **2** (名誉・自由などの) 回復，復権.

rei·vin·di·car [r̄eiβindikár レイビンディカル] [8 c ➡ qu] 動他 **1** 要求する，…の権利を主張する. **2** 回復する，取り戻す.

rei·vin·di·ca·ti·vo, va [r̄eiβindikatíβo, βa レイビンディカティボ，バ] 形 要求の.

re·ja [r̄éxa レハ] 名女 鉄格子；格子窓；鉄柵(さく). ➡ casa 図.

re·ji·lla [r̄exíʎa レヒリャ] 名女 **1** 組格子；格子窓.
2 オープン棚；(電車・バスなどの) 網棚；(籐(とう)家具などの) 枝編み細工.
3〘電気〙グリッド，格子.

re·ju·ve·ne·cer [r̄exuβeneθér レフベネセル] 40 動他 若返らせる.

—— 動自 **re·ju·ve·ne·cer·se** 若返る.

re·la·ción [r̄elaθjón レらしオン] 名女 [複 relaciones]〔英 relation〕**1** 関係，関連；[普通 relaciones] (人・国家などの) つながり，交際. No veo ninguna *relación* entre estos dos incidentes. 私はこれら 2 つの出来事になんの関連性も見いだせない. estar en buenas *relaciones* con … …と友好関係にある. *relaciones* amistosas 友好関係. *relaciones* comerciales 通商関係. *relaciones* diplomáticas 外交関係.
2 [relaciones] 血縁関係；縁故関係，コネ. *relaciones* de parentesco 親戚(しんせき)関係. tener buenas *relaciones* en un ministerio ある官庁にコネがある.
3 [relaciones] 恋愛関係，性的関係. *relaciones* ilícitas 不倫.
4 一覧表，リスト，目録. facilitar la *relación* de los accidentados 遭難者のリストを発表する.
5 報告 (書)；陳述，言及. hacer [sacar]

R

relación a ... …について言及する.
6 比, 比 率. *relación* de compresión 〘技術〙圧縮比.
con relación a ... …に関連して; …に比例して.
en relación con ... …に関連して.

re·la·cio·nar [r̄elaθjonár レらしオナル] 動他《+con》…と関係づける, 関連づける, 結びつける. No puedo *relacionar* tu explicación *con* este suceso. 私は君の話をこの出来事と結びつけて考えられない.
── **re·la·cio·nar·*se*** 《+con》…と関係がある, 結びつく; (人と) 接触する, 付き合う. *relacionarse con* mucha gente 顔が広い. en lo que *se relaciona con* ... …に関しては.

re·la·ja·ción [r̄elaxaθjón レらハしオン] 名女 **1** 緩み, 弛緩(しかん). *relajación* de la tensión internacional 国際緊張の緩和.
2 リラックス; 気晴らし. **3** 堕落.

re·la·jan·te [r̄elaxánte レらハンテ] 形 緊張を解く, リラックスする; 緩める.

re·la·jar [r̄elaxár レらハル] 動他 **1** 緩める; リラックスさせる. *relajar* los músculos [la tensión] 筋肉[緊張]をほぐす.
2 (規律などを) 緩める; だらけさせる.
── **re·la·jar·*se*** **1** 緩む; 自堕落になる. *Se relaja* la disciplina. 規律が緩む.
2 くつろぐ, リラックスする.

re·la·mer [r̄elamér レらメル] 動他 ぺろぺろなめる, なめ回す.
── **re·la·mer·*se*** **1** 唇をなめる; 舌なめずりする. **2** うれしがる, 悦に入る.

re·la·mi·do, da [r̄elamíðo, ða レらミド, ダ] 過分 形 気取った, 取り澄ました; 凝りすぎた.

re·lám·pa·go [r̄elámpaγo レらンパゴ] 名男 **1** 稲妻, 稲光. como un *relámpago* 稲妻のように, 電光石火に. ► 雷鳴は trueno.
2 閃光(せんこう), きらめき; ひらめき. Brilló en sus ojos un *relámpago* de alegría. 一瞬, 彼の目は喜びに輝いた.
── 形 瞬時の, 電光石火の. viaje *relámpago* あっという間に終わった旅行. visita *relámpago* つかの間の訪問. guerra *relámpago* 〘軍事〙電撃戦.

re·lam·pa·gue·ar [r̄elampaγeár レらンパゲアル] 動自 **1** 稲妻が光る. ► 3人称単数のみに活用.
2 閃光(せんこう)を発する, きらめく. Sus ojos *relampagueaban* de ira. 彼の目は怒りに燃えていた.

re·la·tar [r̄elatár レらタル] 動他 話す, 物語る; 報告する.

re·la·ti·va·men·te [r̄elatíβaménte レらティバメンテ] 副 比較的に; 相対的に. Es *relativamente* fácil. それは割合に簡単だ.

re·la·ti·vi·dad [r̄elatiβiðáð レらティビダ(ドゥ)] 名女 相対性; 関連性, 相関性.

re·la·ti·vis·mo [r̄elatiβísmo レらティビスモ] 名男 〘哲〙相対主義.

re·la·ti·vo, va [r̄elatíβo, βa レらティボ, バ] 形 **1** 相対的な (↔ absoluto); 相関的な. mayoría *relativa* 相対的多数. valor *relativo* 相対的価値.
2 《+a》…に関連する. en lo *relativo a* ... …に関しては. Le hice unas preguntas *relativas al* problema. 私は彼にその問題についていくつか質問した. noticias *relativas al* deporte スポーツ関連のニュース. precio *relativo a* su calidad 品質に見合った価格.
3 ある程度の, たいしたことのない. Es un hombre de *relativa* inteligencia. 彼はたいして頭は良くない. una enfermedad de *relativa* importancia たいしたことのない病気.
4 〘文法〙関係を表す. pronombre *relativo* 関係代名詞 (⇨ 文法用語の解説).
── 名男 〘文法〙関係詞.

re·la·to [r̄eláto レらト] 名男 話; 叙述; 報告. hacer un *relato* de 《+algo》〈何か〉について語る.

re·le·er [r̄eleér レれエル] 15 動他 [現分 releyendo ; 過分 releído, da] 再読する, 読み直す.

re·le·gar [r̄eleγár レれガル] [32 g → gu] 動他 追いやる; 追放する. *relegar* a un rincón 隅に追いやる; 遠ざける. *relegar* 《+algo》 al olvido 〈何か〉を忘れ去る.

re·len·te [r̄elénte レれンテ] 名男 夜露, 夜気.

re·le·van·te [r̄eleβánte レれバンテ] 形 **1** 関連のある; 〘言語〙関与的な.
2 際立った, 傑出した, 優れた.

re·le·var [r̄eleβár レれバル] 動他 **1** …と交替する. **2** 《+de》(責任・義務などを) 免除する, …から解放する.

re·le·vo [r̄eléβo レれボ] 名男 **1** 交替; 〘軍事〙交替兵[部隊]. *relevo* de guardia 衛兵の交替.
2 〘スポ〙リレー(競走) (=carrera de *relevos*). 400 [cuatrocientos] metros *relevos* 400メートル・リレー.

re·li·ca·rio [r̄elikárjo レりカリオ] 名男 **1** 〘カトリ〙聖遺物箱.
2 (装身具の) ロケット.

re·lie·ve [r̄eljéβe レりエベ] 名男 **1** 〘美術〙浮き彫り, レリーフ. letras en *relieve* 打ち出し文字.
2 際立つこと; 卓越, 傑出. dar *relieve* a ... …を引き立たせる. un personaje *de relieve* 要人.
3 隆起, 起伏.
poner de relieve (論点などを) 浮き彫りにする, 強調する.

re·li·gión [r̄elixjón レりヒオン] 名女 [複 religiones] 〔英 religion〕 **1 宗教**; 宗教心. creer en una *religión* ある宗教を信仰する. guerra de *religión* 宗教戦争.

R

sin *religión* 信仰を持たない.

> 【参 考】宗教: anglicanismo 英国国教. budismo 仏教. catolicismo カトリシズム. cristianismo キリスト教. hinduismo ヒンズー教. islamismo イスラム教, 回教. judaísmo ユダヤ教. ortodoxia ギリシア正教. protestantismo プロテスタンティズム.

2 〘ｶﾄﾘｯｸ〙修道生活; 修道会. entrar en *religión* 修道者になる, 修道院[修道会]に入る.

religiosa 形名女 → religioso.

re·li·gio·sa·men·te [r̄elixjósaménte レリヒオサメンテ] 副 **1** 敬虔に.
2 きちょうめんに. pagar *religiosamente* las deudas 借金をきちんと払う.

re·li·gio·si·dad [r̄elixjosiðáð レリヒオシダ(ドゥ)] 名女 **1** 信仰心, 信心深さ.
2 細心さ, きちょうめんさ. con toda *religiosidad* きちょうめんに, きちんと.

re·li·gio·so, sa [r̄elixjóso, sa レリヒオソ, サ] [複 ～s] 形〔英 religious〕**1** 宗教の, 宗教的な. creencias *religiosas* 信仰心. cumplir con sus deberes *religiosos* 〘ｶﾄﾘｯｸ〙(復活祭に)聖体を拝受する. música [pintura] *religiosa* 宗教音楽[画].
2 信心深い, 敬虔(けいけん)な. hombre *religioso* 篤信家.
3 〘ｶﾄﾘｯｸ〙修道会に所属する, 修道の. orden *religiosa* 修道会.
4 厳正な, うやうやしい; きちょうめんな. un silencio *religioso* 厳粛な静けさ.
── 名男女 修道士[女]. hacerse *religioso* [*religiosa*] 修道士[女]になる.

re·lin·char [r̄elintʃár レリンチャル] 動自 (馬が)いななく. → animal 【参考】.

re·lin·cho [r̄elíntʃo レリンチョ] 名男 (馬の)いななき. dar *relinchos* いななく.

re·li·quia [r̄elíkja レリキア] 名女 **1** 〘ｶﾄﾘｯｸ〙(聖人・殉教者などの)聖遺物, 聖遺骨.
2 遺品, 思い出の品.

re·lla·no [r̄eʎáno レリャノ] 名男 **1** (階段の)踊り場 (＝descansillo). → casa 図.
2 台状地, 平坦(へいたん)な所.

re·lle·nar [r̄eʎenár レリェナル] 動他 **1** いっぱいにする, 満たす, 詰め込む (＝llenar). *rellenar* una copa グラスを満たす. *rellenar* un sillón 肘(ひじ)掛け椅子のクッションに詰め物をする. *rellenar* un hueco con yeso しっくいですきまを埋める.
2 記入する, 書き込む. *rellenar* un formulario 用紙に書き込む.
3 〘料理〙詰め物をする. **4** 再び満たす.

re·lle·no, na [r̄eʎéno, na レリェノ, ナ] 形 いっぱい詰まった; 詰め物された. aceitunas *rellenas* 〘料理〙種を抜いてアンチョビーなどを詰めたオリーブの実.
── 名男 詰めること; 詰め物, パッキング.

re·loj [r̄elóx レロ(フ)] 名男 [複 ～es]〔英 clock, watch〕時計. Este *reloj* está adelantado [atrasado] diez minutos. この時計は10分進んでいる[遅れている]. En mi *reloj* son las cinco en punto. 私の時計ではちょうど5時だ. *reloj* a prueba de agua 防水時計. *reloj* de arena 砂時計. *reloj* de caja [de pie] グランドファーザークロック (床置きの振り子式大型箱時計). *reloj* de cuarzo クオーツ[水晶]時計. *reloj* de cuco [de cuclillo] 鳩(はと)時計. *reloj* de música オルゴール時計. *reloj* de pared 掛け時計. *reloj* de pulsera 腕時計. (*reloj*) despertador 目覚まし時計. *reloj* digital デジタル時計. *reloj* de mesa [de sobremesa] 置き時計.
contra reloj 短時間で, 一気に, (ラスト)スパートをかけて. carrera *contra reloj* 〘ｽﾎﾟｰﾂ〙タイムレース.
como un reloj 正確に, 規則正しく; 時間を厳守する. José es *como un reloj*. ホセは時間にとてもきちょうめんだ.

re·lo·je·rí·a [r̄eloxería レロヘリア] 名女 時計店; 時計製造; 時計工場.

re·lo·je·ro, ra [r̄eloxéro, ra レロヘロ, ラ] 名男女 時計屋, 時計職人.

re·lu·cien·te [r̄eluθjénte レルシエンテ] 形 **1** 光り輝く, きらきら光る.
2 溌剌(はつらつ)とした, 元気のよい.

re·lu·cir [r̄eluθír レルシル] 33 動自 **1** 輝く, きらめく.
2 異彩を放つ, 秀でる, 際立つ.
sacar a relucir 話[引き合い]に出す.
salir a relucir 明るみに出る, 暴露される.

re·luc·tan·te [r̄eluktánte レルクタンテ] 形 気の進まない, しぶしぶの, 不本意な.

re·lum·brar [r̄elumbrár レルンブラル] 動自 ぴかぴか光る, きらめく, 照り輝く.

re·lum·brón [r̄elumbrón レルンブロン] 名男 まぶしい光; 見かけ倒し; 見え, 虚飾.
de relumbrón うわべの, 見かけ倒しの. vestirse *de relumbrón* けばけばしく[派手に]着飾る.

re·ma·char [r̄ematʃár レマチャル] 動他 **1** リベットで留める; (釘(くぎ)などの) 頭をつぶす. **2** 強調する, 力説する, 念を押す (＝recalcar).

re·ma·nen·te [r̄emanénte レマネンテ] 形 残りの, 残存する.
── 名男 **1** 残り, 残余; 〘商業〙残高. **2** (生産の)過剰量, 剰余分.

re·man·gar [r̄emaŋgár レマンガル] [32 g → gu] 動他 (袖(そで)・裾(すそ)を) まくり上げる, 折り返す.
── **re·man·gar·*se*** **1** 腕まくりする; まくり上げる. *remangarse* las faldas スカートをたくし上げる.
2 《口語》決心する, 腹を決める.

re·man·sar·*se* [r̄emansárse レマンサル

R

セ] 動 (流れが) 緩慢になる, よどむ.
re·man·so [r̄emánso レマンソ] 名男 よどみ.
re·mar [r̄emár レマル] 動自 漕(こ)ぐ. *remar* en canoa カヌーを漕ぐ. *remar* contra la corriente 流れに逆らって漕ぎ進む.
re·ma·ta·da·men·te [r̄ematáðaménte レマタダメンテ] 副 全く, ひどく, 絶望的に.
re·ma·ta·do, da [r̄ematáðo, ða レマタド, ダ] 過分 形 全くの, 極めつきの.
re·ma·tar [r̄ematár レマタル] 動他 **1** とどめを刺す. **2** 仕上げる, 終える (＝concluir). **3** 使いきる, 食べ[飲み]尽くす. **4** 糸止めする. **5** 投げ売りする.
── 動自 **1** 《＋en》 (先端・結末が) …になる, …で終わる. **2** 〘スポ〙 (サッカー) シュートを決める.
re·ma·te [r̄eméte レマテ] 名男 **1** 端, 先端; (建物・家具などの) 先端飾り. **2** 仕上げ, 完了; 終わり. dar *remate* a … …を終える, 終わらせる. **3** 〘スポ〙 (サッカー) (ゴールへの) シュート. *remate* de cabeza ヘッディング・シュート.
de remate 全く (の), 完全な. tonto *de remate* 救いようのないばか.
para* [*como*] *remate なおその上に, かてて加えて.
por remate 最後に.
re·me·dar [r̄emeðár レメダル] 動他 …のまねをする, 模倣する.
re·me·diar [r̄emeðjár レメディアル] 動他 **1** …に対処する, 処置を取る; 解決する, 打開する; 〘医〙 治す. No lo puedo *remediar*. それは私にはどうしようもない. **2** 救済する, 援助する. ¡Qué pena que no pueda *remediar* tu mal! 君のピンチを救ってあげられないのが残念だ.
re·me·dio [r̄eméðjo レメディオ] 名男 [複 ～s] 〔英 remedy〕 **1** 策, 手段, 方法. como último *remedio* 最後の手段として. No hay más [otro] *remedio* que … …せざるを得ない. no tener *remedio* どうしようもない. poner *remedio* a … …に手だてを講ずる. **2** 〘医〙 治療 (法), 薬. *remedio* casero 民間療法.
ni para un remedio 全く…しない, 一つも…ない.
sin remedio やむをえない, 手の打ちようのない.
re·me·do [r̄eméðo レメド] 名男 まね, 模倣.
re·me·mo·rar [r̄ememorár レメモラル] 動他 思い出す, 想起する.
re·men·dar [r̄emendár レメンダル] [42 e → ie] 動他 **1** 修理する, 修繕する; …に継ぎを当てる, 繕う. **2** 補う, 補足する.
re·men·dón, do·na [r̄emendón, dóna レメンドン, ドナ] 形 修理専門の.
── 名男女 靴修理職人; 仕立て直し職人.
re·me·ro, ra [r̄eméro, ra レメロ, ラ] 名男女 漕(こ)ぎ手, 漕手(そうしゅ).
re·me·sa [r̄emésa レメサ] 名女 発送; 発送品; 送金.
re·mien·do [r̄emjéndo レミエンド] 名男 **1** 修理, 修繕. **2** 継ぎ当て; 当て布, 継ぎ切れ. **3** 補充, 修正.
a remiendos とぎれとぎれに, 断続的に.
re·mil·ga·do, da [r̄emilɣáðo, ða レミるガド, ダ] 形 気取った, 上品ぶった.
re·mil·go [r̄emílɣo レミるゴ] 名男 気取り, 上品ぶること. andar con [hacer] *remilgos* もったいぶる, 気取る.
re·mi·nis·cen·cia [r̄eminisθénθja レミニセンしア] 名女 回想, 追憶; 連想[彷彿(ほうふつ)]させるもの.
re·mi·nis·cen·te [r̄eminisθénte レミニセンテ] 形 思い出させる, 偲(しの)ばせる.
re·mi·rar [r̄emirár レミラル] 動他 詳しく調べる; 見直す.
── **re·mi·rar·*se*** 《＋en》 …をうっとりと見つめる.
re·mi·sión [r̄emisjón レミシオン] 名女 **1** 発送. **2** 赦免, 容赦. **3** 参考, 参照. **4** (病状・痛みなどの) 鎮静.
sin remisión きっと, 必ず, 間違いなく.
re·mi·so, sa [r̄emíso, sa レミソ, サ] 形 気の進まない, 投げやりな.
re·mi·te [r̄emíte レミテ] 名男 差出人の住所氏名 《略 Rte.》. una carta sin *remite* 差出人不明の手紙.
re·mi·ten·te [r̄emiténte レミテンテ] 名男女 差出人 《略 Rte.》.
── 形 発送する.
re·mi·tir [r̄emitír レミティル] 動他 **1** 送る, 発送する (＝enviar, mandar). Le *remití* un cheque a mi hijo. 息子に小切手を送った. **2** 参照させる. *remitir* al lector a la página … 読者に…ページを参照と指示する. **3** (罪・税などを) 免ずる.
── 動自 治まる, (熱などが) 引く. Esta mañana *ha remitido* el temporal. 今朝嵐(あらし)が静まった.
── **re·mi·tir·*se*** 《＋a》 **1** …に身をゆだねる; …に任せる. *remitirse a* la decisión de 《＋uno》 〈人〉の決定に任せる. **2** …を引き合いに出す; 参照する. *Me remito a* los precedentes. 私は先例をよりどころに述べているのです.
re·mo [r̄émo レモ] 名男 オール, 櫂(かい). cruzar un río a *remo* 川を漕(こ)いで渡る.
re·mo·jar [r̄emoxár レモハル] 動他 **1** 浸す, つける; ぬらす. **2** 《口語》 …に祝杯をあげる.
re·mo·jo [r̄emóxo レモホ] 名男 **1** 浸すこと; ずぶぬれ. **2** 《口語》 ひと浴び, ひと泳ぎ. darse un *remojo* ひと泳ぎする.

R

re·mo·jón [r̄emoxón レモホン] 名男《口語》ずぶぬれ. darse un *remojón* さっとシャワーを浴びる; ひと泳ぎする.

re·mo·la·cha [r̄emolátʃa レモラチャ] 名女〔植物〕ビート; サトウダイコン(砂糖大根).

re·mol·ca·dor, do·ra [r̄emolkaðór, ðóra レモるカドル, ドラ] 形 牽引(けんいん)する, 曳航(えいこう)する.
―― 名男〔海事〕タグボート.

re·mol·car [r̄emolkár レモるカル] [8 c → qu] 動他 牽引(けんいん)する; 曳航(えいこう)する.

re·mo·li·no [r̄emolíno レモリノ] 名男 **1** 渦(巻き); 竜巻. El viento iba levantando *remolinos* de polvo. 風がもうもうとほこりを巻き上げていた. **2** (渦巻き状の)逆毛, 立ち毛. **3** 人込み, 混雑.

re·mo·lón, lo·na [r̄emolón, lóna レモろン, ろナ] 形 怠惰な.
―― 名男女 怠け者, 横着者. hacerse el *remolón* 怠ける, サボる.

re·mo·lo·ne·ar [r̄emoloneár レモろネアル] 動自 仕事を怠ける, サボる.

re·mol·que [r̄emólke レモるケ] 名男 **1** 牽引(けんいん), 曳航(えいこう).
2 牽引ロープ.
3 トレーラー; ハウストレーラー.
a remolque 牽引されて.

re·mon·tar [r̄emontár レモンタル] 動他
1 登る; さかのぼる.
2 (困難などに)打ち勝つ, 克服する.
―― **re·mon·tar·*se*** **1** 《＋a, hasta》(時代が) …に[まで] さかのぼる; (総額が) …になる. *remontarse a*l siglo XIV 14世紀までさかのぼる. *remontarse a* cien mil pesetas 10万ペセタにのぼる.
2 空高く舞い上がる.

ré·mo·ra [r̄émora レモラ] 名女 **1**〔魚〕コバンザメ(小判鮫). **2** 妨げ, 障害.

re·mor·der [r̄emorðér レモルデル] [35 o → ue] 動他 苦しめる, 悩ます. Me *remuerde* haberlo hecho. あんなことをしたことを私は後悔している.
―― **re·mor·der·*se*** 《＋de》…でじれる, いらだつ.

re·mor·di·mien·to [r̄emorðimjénto レモルディミエント] 名男
良心の呵責(かしゃく), 自責の念; 後悔. tener *remordimientos* 心がとがめる.

re·mo·ta·men·te [r̄emótaménte レモタメンテ] 副 かすかに, ぼんやりと. Lo recuerdo *remotamente*. 私はそのことをぼんやりと覚えている. ni *remotamente* きっぱりと, 断固として.

re·mo·to, ta [r̄emóto, ta レモト, タ] 形
1 遠く離れた, 遠隔の.
2 遠い昔の; はるか未来の.
3 ありそうにない. No existe ni la más *remota* posibilidad de recuperación. 完治の可能性は全くない.

re·mo·ver [r̄emoβér レモベル] [35 o → ue] 動他 **1** 動かす; かき回す. *remover* el café コーヒーをかき回す. *remover* el cajón 引き出しの中をかき回す. **2** 取り除く. *remover* obstáculos 邪魔物を除く. **3** かき立てる; 呼び起こす; 暴き出す. *remover* un viejo asunto 古い話を蒸し返す.
―― **re·mo·ver·*se*** 体を動かす; 動揺する.

re·mo·vi·ble [r̄emoβíβle レモビブれ] 形 リムーバブルの, 取りはずし可能の.

re·mo·zar [r̄emoθár レモさル] [39 z → c] 動他 一新する, 若返らせる.

re·mu·ne·ra·ción [r̄emuneraθjón レムネラしオン] 名女 報酬, 代償, 謝礼(金).

re·mu·ne·rar [r̄emunerár レムネラル] 動他 …の報酬を与える, 代償を払う, …に報いる.

re·mu·ne·ra·ti·vo, va [r̄emuneratíβo, βa レムネラティボ, バ] 形 利益のある, 引き合う, 実入りのよい.

re·na·cen·tis·ta [r̄enaθentísta レナせンティスタ] 形 ルネッサンスの.
―― 名男女 ルネッサンス研究家.

re·na·cer [r̄enaθér レナせル] 40 動自 生まれ変わる, よみがえる.

re·na·ci·mien·to [r̄enaθimjénto レナしミエント] 名男 **1** [R-]〔歴史〕ルネッサンス, 文芸復興(期). **2** 再生, 復活.

re·na·cua·jo [r̄enakwáxo レナクアホ] 名男 **1**〔動物〕オタマジャクシ.
2《口語》(子供を指して)おちびちゃん.

re·nal [r̄enál レナる] 形 腎臓(じんぞう)の.

ren·ci·lla [r̄enθíʎa レンしリャ] 名女 [普通 〜s] 口げんか; いさかい.

ren·cor [r̄eŋkór レンコル] 名男 恨み, 遺恨. guardar *rencor* a《＋uno》por《＋algo》〈何か〉で〈人〉を恨む. ► odio「憎悪, 怨嗟(えんさ)」ほど強くない.

ren·co·ro·so, sa [r̄eŋkoróso, sa レンコロソ, サ] 形 恨みっぽい.

ren·di·ción [r̄endiθjón レンディしオン] 名女 降伏, 降参; 開城. *rendición* incondicional 無条件降伏.

ren·di·do, da [r̄endíðo, ða レンディド, ダ] 過分 形 **1** 疲れきった. **2** 従順な, 心服した. admirador *rendido* 熱烈な崇拝者.

ren·di·ja [r̄endíxa レンディハ] 名女
すき間; 亀裂(きれつ), 割れ目.

ren·di·mien·to [r̄endimjénto レンディミエント] 名男 **1** 生産性; 生産高.
2〔商業〕収益(率), 利潤, 利回り.
3 服従; 追従(ついしょう).
4 疲労困憊(こんぱい).

ren·dir [r̄endír レンディル] [41 e → i] 動他 [現分 rindiendo]〔英 conquer, surrender〕 **1** 屈服させる, 打ち負かす. *rendir* la fortaleza 要塞(ようさい)を陥落させる. Le *rindió* el sueño. 彼は睡魔に負けた. Este largo viaje me *ha rendido*. 今度の長旅でくたくただ.
2 (敬意・弔意などを)表明する. *rendir* ho-

R

menaje a ... …に敬意を払う. *rendir* culto a ... …を崇拝する.
3 引き渡す. *rendir* la ciudad 町を明け渡す.
4 (利益などを) 生む; (効率など) をあげる. *rendir* intereses 利息を生む.
5 (報告などを) 提出する. *rendir* cuentas 報告する.
—— 動自 利益を生む; 効率が良い. No *rinde* mucho esta máquina expendedora. この自動販売機は売上げが少ない.
—— **ren·dir·*se*** 〔英 surrennder; become exhausted〕 **1** ⦅+**a**⦆ **…に降参する**, 屈服する, 従う. *rendirse a*l enemigo 敵に降参する. *rendirse a* la razón 説得に従う. **2** ⦅+**de**⦆ …で疲れ果てる.

re·ne·ga·do, da [r̄eneɣáðo, ða レネガド, ダ] 過分 形 棄教した. —— 名男女 背教者.

re·ne·gar [r̄eneɣár レネガル] [32 g ➞ gu ; 42 e ➞ ie] 動他 強く否定する.
—— 動自 ⦅+**de**⦆ **1** 棄教する; 変節する. *renegar de* SU fe 信仰を捨てる.
2 …を忌み嫌う; …に不平を言う. *renegar de* la familia 家族と縁を切る.

re·ne·gón, go·na [r̄eneɣón, ɣóna レネゴン, ゴナ] 形 ⦅口語⦆ 気難しい, よく不平をこぼす. —— 名男女 ⦅口語⦆ 不平屋.

RENFE [r̄émfe レンフェ] ⦅略⦆ *R*ed *N*acional de *F*errocarriles *E*spañoles スペイン国有鉄道, レンフェ.

ren·glón [r̄eŋglón レングロン] 名男 (文の) 行. leer entre *renglones* 行間を読む.
a renglón seguido すぐさま, 舌の根の乾かぬうちに.

re·no [r̄éno レノ] 名男 〔動物〕 トナカイ.

re·nom·bra·do, da [r̄enombráðo, ða レノンブラド, ダ] 形 有名な, 名高い.

re·nom·bre [r̄enómbre レノンブレ] 名男 名声, 評判. de *renombre* 有名な, 評判の.

re·no·va·ción [r̄enoβaθjón レノバシオン] 名女 刷新, 更新. *renovación* del contrato 契約更新.

re·no·var [r̄enoβár レノバル] [13 o ➞ ue] 動他 **1** 新たにする, 更新する. *renovar* el pasaporte [el contrato] パスポート[契約]を更新する. *renovar* una (antigua) amistad 旧交を温める.
2 一新する; (新しいものと) 取り替える. *renovar* las cortinas カーテンを新しいのと取り替える. *renovar* una habitación 部屋を改装する.
—— **re·no·var·*se*** 新しくなる, 新たに起こる. Se *renuevan* mis temores. また不安が頭をもたげてきた.

ren·que·ar [r̄eŋkeár レンケアル] 動自
1 片足を引きずる, 跛行(はこう)する.
2 ⦅口語⦆ なんとかしのぐ.

ren·ta [r̄énta レンタ] 名女 **1** 所得, 収入 (= ingresos). impuesto sobre la *renta* 所得税. *renta* per cápita 一人当たりの収入. *renta* anual 年収. *renta* bruta 総収入. *renta* nacional 国民所得.
2 年金; 利子. vivir de las *rentas* 金利[年金]で生活をする.
3 賃貸料 (= alquiler) ; 地代. la *renta* del piso マンションの家賃 (収入).
4 国債 (= *renta* del Estado).

ren·ta·bi·li·dad [r̄entaβiliðáð レンタビリダ(ド ゥ)] 名女 収益性, 有利さ.

ren·ta·ble [r̄entáβle レンタブれ] 形 もうかる, 有利な. negocio *rentable* 実入りのよい仕事.

ren·tar [r̄entár レンタル] 動他 (利益を) 生じる, もたらす.

ren·tis·ta [r̄entísta レンティスタ] 名男女 金利生活者.

re·nuen·te [r̄enwénte レヌエンテ] 形
1 いやいやながらの. **2** (物が) 扱いにくい.

renuev- 動 ➞ renovar. 13

re·nue·vo [r̄enwéβo レヌエボ] 名男 新芽; 若枝. echar *renuevos* 芽を出す.

re·nun·cia [r̄enúnθja レヌンしア] 名女 放棄, 断念.

re·nun·ciar [r̄enunθjár レヌンしアル] 動自 ⦅+**a**⦆ **1** …を断念する, あきらめる. *renunciar a* un proyecto 計画を断念する. *renunciar a* la herencia 相続を放棄する. *renunciar a* SU puesto 辞職する.
2 (嗜好(しこう)品などを) 断つ, やめる. *renunciar a*l alcohol 酒を断つ.

re·ñi·do, da [r̄eɲíðo, ða レニィド, ダ] 過分 形 **1** 仲の悪い, 不和の. Está *reñido* con un amigo. 彼は友人と仲たがいをしている.
2 熾烈(しれつ)な, 激烈な.
3 相反する, 両立しない.

re·ñir [r̄eɲír レニィル] [56 e ➞ i] 動自 [現分 riñendo] **1** けんかする, 口論する. Siempre andamos *riñendo*. 私たちはいつもけんかばかりしている. **2** 仲たがいをする.
—— 動他 **1** しかる, 小言を言う (=regañar, reprender). *reñir* a un niño 子供をしかる.
2 ⦅batalla, pelea などを伴い⦆ 戦う.

re·o [r̄éo レオ] 名男女 〔法律〕 被疑者, 容疑者; 犯人, 罪人.

re·o·jo [r̄eóxo レオホ] ***de reojo*** ⦅副詞句⦆ 横目で. mirar *de reojo* 横目で見る; 憎々しげに見る.

re·or·ga·ni·za·ción [r̄eorɣaniθaθjón レオルガニさしオン] 名女 再組織, 再編成.

re·or·ga·ni·zar [r̄eorɣaniθár レオルガニさル] [39 z ➞ c] 動他 再編成する, 改組する; (内閣などを) 改造する.

re·pan·chi·gar·se [r̄epantʃiɣárse レパンチガルセ] / **re·pan·ti·gar·se** [-tiɣárse -ティガルセ] [32 gu ➞ g] 動 ゆったり腰かける.

re·pa·ra·ción [r̄eparaθjón レパラしオン] 名女 **1** 修理, 修繕. en *reparación* 修理中の. taller de *reparaciones* 修理工場. **2** 補償, 賠償. *reparación* del daño 損害賠

R

償.

re·pa·rar [r̄eparár レパラル] 動他 **1** 修理する, 修繕する. *reparar* las goteras 雨漏りを直す. *reparar* una moto オートバイを修理する.
2 償う, 埋め合わせをする. *reparar* el daño 損害を賠償する.
3 (若さ・力などを) 取り戻す. *reparar* fuerzas 元気を回復する.
── 動自 **1** 《+**en**》…に気づく, 注目する. Nadie *reparaba en* que se había marchado. 彼が帰ってしまったことに誰(だれ)も気づいていなかった.
2 《+**en**》…を考慮する. no *reparar en* gastos 費用を惜しまない.

re·pa·ro [r̄epáro レパロ] 名男 **1** 遠慮, ためらい. sin *reparo* ためらわずに.
2 不賛成, 異議, 不服. poner *reparos* a todo 何にでも難癖をつける.
no tener reparo en 《+不定詞》ためらわずに[恐れずに, 厚かましくも] …する.

re·par·ti·dor, do·ra [r̄epartiðór, ðóra レパルティドル, ドラ] 名男女 配達人.

re·par·tir [r̄epartír レパルティル] 動他 分配する, 配る (= distribuir); 割り当てる. *repartir* una suma entre tres hombres ある金額を3人で分ける. *repartir* los papeles 〘演劇〙〘映画〙キャスティングする. *repartir* la leche 牛乳を配達する.

re·par·to [r̄epárto レパルト] 名男
1 分配, 配分. hacer el *reparto* del dinero 金を分配する.
2 配達, 配送. *reparto* del correo 郵便の配達. coche [camioneta] de *reparto* 配送車.
3 〘演劇〙〘映画〙キャスト, 配役.

re·pa·sar [r̄epasár レパサル] 動他 〔英 check; review〕 **1** 見直す, 点検する; 復習する. *repasar* la cuenta 数え直す. Vamos a *repasar* lo que dimos en el primer trimestre. さあ一学期にやったことの復習をしましょう.
2 再び通す, 往復させる. *repasar* la camisa con la plancha ワイシャツにアイロンをかける.
3 ざっと読む, 目を通す. *repasar* unas pruebas de imprenta 校正刷りに目を通す. **4** (衣服を) 繕う.
── 動自 再び通る, 引き返す. pasar y *repasar* por una calle 通りを行ったり来たりする.

re·pa·so [r̄epáso レパソ] 名男 **1** 復習; 点検. **2** (衣服の) 繕い.
3 《口語》しかりつけること.
dar un repaso おさらいする; ざっと読む. *Dio un repaso* a la lección diez. 彼は第10課を復習した.

re·pa·tria·ción [r̄epatrjaθjón レパトゥリアしオン] 名女 本国送還; 帰国.

re·pa·triar [r̄epatrjár レパトゥリアル] [23 i → í] 動他 本国に送還する, 帰国させる.
── **re·pa·triar·se** 帰国する, 引き揚げる.

re·pe·cho [r̄epétʃo レペチョ] 名男 急な坂, 急勾配(こうばい). a *repecho* 坂を登って.

re·pe·lar [r̄epelár レペらル] 動他 **1** 丸坊主にする, きれいに刈り込む. **2** 減らす.

re·pe·len·te [r̄epelénte レペれンテ] 形 《口語》嫌悪を感じさせる, 不快な; 知ったかぶりの.
── 名男 虫よけ. *repelente* para mosquitos 蚊よけ.

re·pe·ler [r̄epelér レペれル] 動他 **1** はねつける, 拒絶する, 追い返す; (水などを) はじく.
2 不快にする, 嫌悪を感じさせる.

re·pe·lo [r̄epélo レペろ] 名男 (木材・爪(つめ)の) ささくれ; 逆毛.

re·pe·luz·no [r̄epelúθno レペるすノ] 名男 身震い, おののき. dar a 《+uno》 *repeluzno* 〈人〉をぞっとさせる.

re·pen·te [r̄epénte レペンテ] 名男 《口語》突然の動き, 衝動; ひらめき. un *repente* de ira 急に怒りだすこと.
de repente 突然に, 急に, 出し抜けに.

re·pen·ti·no, na [r̄epentíno, na レペンティノ, ナ] 形 突然の; 不意の, 思いがけない. muerte *repentina* 急死.

re·per·cu·sión [r̄eperkusjón レペルクシオン] 名女 反響, 影響. tener mucha *repercusión* 大きな反響を呼ぶ.

re·per·cu·tir [r̄eperkutír レペルクティル] 動自 **1** 鳴り響く, 反響する.
2 《+**en**》…に影響を与える, 反映する.

re·per·to·rio [r̄epertórjo レペルトリオ] 名男 **1** レパートリー, 上演種目, 演奏曲目.
2 目録, 一覧表.

re·pes·ca [r̄epéska レペスカ] 名女 《口語》
1 再試験.
2 〘スポ〙敗者復活戦.

re·pe·ti·ción [r̄epetiθjón レペティしオン] 名女 繰り返し, 反復. *repetición* de los errores 誤ちの繰り返し.

repetido, da 過分 → repetir.

re·pe·ti·dor, do·ra [r̄epetiðór, ðóra レペティドル, ドラ] 形 繰り返す.
── 名男女 (大学などの) 留年生.

re·pe·tir [r̄epetír レペティル] [41 e → i] 動他

[現分 repitiendo ; 過分 repetido, da]
〔英 repeat〕

直説法 現在	
1·単 ***repito***	1·複 **repetimos**
2·単 ***repites***	2·複 **repetís**
3·単 ***repite***	3·複 ***repiten***

繰り返す, 復唱する. Por favor, ¿puedes *repetir*lo? すみません, もう一度言ってくれませんか. *repetir* un curso 留年する; 再履修する. *repetir* un número telefónico 電話番号を復唱する.
── 動自 **1** 《+**de**》…をお代わりする. *Re-*

R

pitió de la sopa. 彼はスープのお代わりをした. ► 前置詞を伴わずに他動詞でも用いる.
2 (味・においが) 口に残る. El ajo *repite.* ニンニクはにおいが口に残る.
── **re·pe·tir·*se*** **1** 繰り返す; 《3人称で》繰り返される. Si *se repite* tendremos que hablar en serio. 今度やったら不問に付す訳にはいきませんよ.
2 (味・においが) 口に残る.

re·pi·car [r̄epikár レピカル] [8 c → qu] 動他 **1** (鐘を) 打ち鳴らす.
2 (肉・野菜を) 細かく切る, 刻む.
── 動自 (鐘が) 鳴り響く.

re·pi·pi [r̄epípi レピピ] 形 《口語》大人びた, ませた.
── 名男女 《口語》大人びた子, ませた子.

re·pi·que [r̄epíke レピケ] 名男 (鐘を) 打ち鳴らすこと; 鐘の音.

re·pi·que·te·ar [r̄epiketeár レピケテアル] 動自 (鐘・太鼓が) 鳴り響く; 音をたてる. *repiquetear* con los dedos sobre la mesa 指でテーブルをとんとんたたく.
── 動他 (鐘・太鼓を) 連打する.

re·pi·que·te·o [r̄epiketéo レピケテオ] 名男 (鐘・太鼓などの) 連打.

re·pi·sa [r̄epísa レピサ] 名女 **1** 棚.
2 〔建築〕持ち出し, 持ち送り積み.

repit- 動 現分 →repetir. [41 e → i]

re·plan·te·ar [r̄eplanteár レプランテアル] 動他 見直す, 練り直す.

re·ple·gar [r̄epleɣár レプレガル] [32 g → gu ; 42 e → ie] 動他 折り畳む, 折り重ねる.
── **re·ple·gar·*se*** 〔軍事〕退却 [撤退] する.

re·ple·to, ta [r̄epléto, ta レプレト, タ] 形 **1** 《+**de**》…で満ちた, ぎっしり詰まった. calle *repleta de* gente 群衆で埋まった通り. **2** 飽食した, 腹いっぱいの. Estoy *repleto.* 僕はもう満腹だ.

ré·pli·ca [r̄éplika レプリカ] 名女 **1** 返答; 反論. **2** 〔美術〕複製品, レプリカ.

re·pli·car [r̄eplikár レプリカル] [8 c → qu] 動自他 返答する; 反論する; 口答えする.

re·plie·gue [r̄epljéɣe レプリエゲ] 名男 **1** 折り目; しわ; (土地の) 起伏.
2 〔軍事〕退却, 撤退.

re·po·bla·ción [r̄epoβlaθjón レポブラシオン] 名女 再植民, 再入植; (動・植物を) 再生息させること. *repoblación* forestal 植林.

re·po·blar [r̄epoβlár レポブラル] [13 o → ue] 動他 再植林する; 再び繁殖させる; …に再入植する.

re·po·llo [r̄epóʎo レポリョ] 名男 〔植物〕キャベツ.

re·po·ner [r̄eponér レポネル] 45 動他 [過分 repuesto, ta] **1** (元の場所に) 置く, (原状に) 戻す; 復職 [復帰] させる.
2 取り替える; 補充する.
3 反論する. **4** 再演する.
── **re·po·ner·*se*** 《+**de**》…から回復する, 立ち直る. No tardará mucho en *reponerse de* la enfermedad. 彼の病気はすぐ治るだろう.

re·por·ta·je [r̄eportáxe レポルタヘ] 名男 ルポルタージュ, 探訪記事.

re·por·tar [r̄eportár レポルタル] 動他 もたらす, 生み出す. *reportar* beneficio a 《+uno》〈人〉に利益をもたらす.
── **re·por·tar·*se*** 落ち着く, 自制する.

re·por·te·ro, ra [r̄eportéro, ra レポルテロ, ラ] 名男女 レポーター, 報道記者.

re·po·sa·da·men·te [r̄eposáðaménte レポサダメンテ] 副 ゆったりと, のんびりと.

re·po·sa·do, da [r̄eposáðo, ða レポサド, ダ] 過分 形 くつろいだ, 穏やかな; のんびりした.

re·po·sar [r̄eposár レポサル] 動自 **1** 休息 [休憩] する; 横になって休む.
2 埋葬されている.
── **re·po·sar·*se*** **1** 休息する.
2 (液体が) 澄む.

re·po·si·ción [r̄eposiθjón レポシシオン] 名女 〔演劇〕〔映画〕再上演, 再上映.

re·po·so [r̄epóso レポソ] 名男 **1** 休息; 休養. un mes de *reposo* absoluto 1か月間の絶対安静. hacer *reposo* 静養する.
2 平穏, 平静, 安らぎ. turbar el *reposo* de 《+uno》〈人〉の平穏を乱す.
3 停止, 静止. **4** 永眠.

re·pos·tar [r̄epostár レポスタル] 動他 (燃料などを) 補給する.

re·pos·te·rí·a [r̄epostería レポステリア] 名女 菓子店, ケーキ店; 菓子製造.

re·pos·te·ro, ra [r̄epostéro, ra レポステロ, ラ] 名男女 ケーキ職人, 菓子職人.

re·pren·der [r̄eprendér レプレンデル] 動他 しかる, とがめる.

re·pren·sión [r̄eprensjón レプレンシオン] 名女 叱責(しっせき); とがめだて, 非難.

re·pre·sa·lia [r̄epresálja レプレサリア] 名女 〔英 reprisal〕[普通 ~s] 報復, 仕返し, 復讐(ふくしゅう). tomar [ejercer] *represalias* contra ... …に対して報復する.

re·pre·sen·ta·ción [r̄epresentaθjón レプレセンタシオン] 名女 **1** 表現, 描写; 表象, 図像. *representaciones* de escenas bíblicas 聖書の物語の場面描写.
2 上演, 公演; 興行.
3 代表; 《集合》代表団. *representación* proporcional 比例代表制. *representación* diplomática 外交代表団. en *representación* de ... …の代表 [代理] として. por *representación* 代理で.
4 (社会的な) 重み, 地位, 権威. hombre de *representación* 重要人物, 要人.
5 陳述, 嘆願, 懇願.

re·pre·sen·tan·te [r̄epresentánte レプレセンタンテ] [複 ~s] 名男女 〔英 representative〕 **1** 代表者, 代理人; 代議員. *repre-*

R

sentante comercial 通商代表.
2 販売代理店[人]. **3** 俳優.
—— 形 代表の, 代理の.
re·pre·sen·tar [r̄epresentár レプレセンタル] 動他〔英 represent〕**1 表す**, 表現[描写]する; 意味する. El color verde *representa* la esperanza. 緑色は希望を表す. El "Guernica" *representa* los horrores de la guerra. 『ゲルニカ』は戦争のむごたらしさを表している.
2 代表する; 代行する. *representar* (a) la compañía 会社を代表する.
3 (役割を) 演じる; 上演する, 公演する. *representar* una obra teatral 劇を上演する.
4 (様子・年齢などが) …に見える. *Representa* más de sesenta años. 彼は60歳以上に見える. **5** …に相当する, 値する.
—— **re·pre·sen·tar·se** 想像する, 思い描く.
re·pre·sen·ta·ti·vo, va [r̄epresentatíβo, βa レプレセンタティボ, バ] 形 **1** 代表的な; よく表している. **2** 代表の, 代議員の, 代議制の. régimen *representativo* 代議制.
re·pre·sión [r̄epresjón レプレシオン] 名女 抑圧; 鎮圧, 弾圧.
re·pre·si·vo, va [r̄epresíβo, βa レプレシボ, バ] 形 抑圧的な; 鎮圧する, 弾圧的な.
re·pri·men·da [r̄epriménda レプリメンダ] 名女 叱責(しっせき); とがめだて.
re·pri·mir [r̄eprimír レプリミル] 動他
1 抑える, こらえる. no poder *reprimir* una carcajada どうしても笑いをこらえられない. **2** 鎮圧する, 弾圧する.
—— **re·pri·mir·se** 自分を抑える. *reprimirse* de 《+不定詞》…するのをこらえる.
re·pro·ba·ble [r̄eproβáβle レプロバブれ] 形 非難されるべき, 責められるべき.
re·pro·bar [r̄eproβár レプロバル] [13 o → ue] 動他 非難する, とがめる.
re·pro·cha·ble [r̄eprotʃáβle レプロチャブれ] 形 非難されるべき.
re·pro·char [r̄eprotʃár レプロチャル] 動他 非難する, とがめる, 責める. Me *reprochan* por mi tacañería. 彼らは私が強欲だと非難する.
re·pro·che [r̄eprótʃe レプロチェ] 名男 非難, とがめだて, 叱責(しっせき). en tono de *reproche* とがめるような調子で.
re·pro·duc·ción [r̄eproðukθjón レプロドゥクしオン] 名女 **1** 再現. *reproducción* del sonido 音の再生.
2 複製(品), コピー.
3 〘生物〙生殖, 繁殖.
4 〘経済〙再生産.
re·pro·du·cir [r̄eproðuθír レプロドゥしル] 12 動他 **1** 再現する, 再生する. *reproducir* el sonido grabado 録音を再生する.
2 複製する, 複写する, 模写[模造]する (=copiar). *reproducir* un cuadro 絵画を複製する.
—— **re·pro·du·cir·se** **1** 再び起こる; 再発する. **2** 繁殖する.
rep·tar [r̄eptár レプタル] 動自 這(は)う.
rep·til [r̄eptíl レプティる] 名男 (ヘビ・トカゲなどの) 爬虫(はちゅう)類の動物.
re·pú·bli·ca [r̄epúβlika レプブリカ] 名女 [複 ~s]〔英 republic〕**共和国**; 共和政体, 共和制. la *República* Argentina アルゼンチン共和国. *república* federal [popular] 連邦[人民]共和制[国].
re·pu·bli·ca·no, na [r̄epuβlikáno, na レプブリカノ, ナ] 形 共和国の; 共和制の; 共和主義の. el partido *republicano* 共和党.
—— 名男女 共和主義者; 共和党員.
re·pu·diar [r̄epuðjár レプディアル] 動他 (道徳的理由から) 退ける, 拒絶する.
re·pu·dio [r̄epúðjo レプディオ] 名男 破棄, 拒絶.
re·pues·to, ta [r̄epwésto, ta レプエスト, タ] 過分 → reponer. 形 **1** (健康を) 回復した. **2** 取り替えられた, 交換した.
—— 名男 **1** 交換部品, スペア・パーツ.
2 備蓄, ストック.
de repuesto 予備の, 代わりの.
re·pug·nan·cia [r̄epuɣnánθja レプグナンしア] 名女 嫌悪, 反感, 不快. sentir [tener] *repugnancia* a … …に嫌悪を覚える.
re·pug·nan·te [r̄epuɣnánte レプグナンテ] 形 嫌悪感を起こさせる; 不快な.
re·pug·nar [r̄epuɣnár レプグナル] 動自 嫌悪を抱かせる, 不快感を催させる. Me *repugna* ese olor. 私はその臭(にお)いが大嫌いだ.
—— 動他 嫌う, 嫌悪する.
re·pu·ja·do, da [r̄epuxáðo, ða レプハド, ダ] 過分 形 (金属などに) 打ち出し細工した.
—— 名男 打ち出し細工(品).
re·pu·jar [r̄epuxár レプハル] 動他 (金属などに) 浮き出し細工をする.
re·pul·sa [r̄epúlsa レプるサ] 名女 拒否, 拒絶; 非難.
re·pul·sión [r̄epulsjón レプるシオン] 名女 拒絶, 反発; 嫌悪.
re·pul·si·vo, va [r̄epulsíβo, βa レプるシボ, バ] 形 嫌悪を感じさせる, むかつく.
re·pu·ta·ción [r̄eputaθjón レプタしオン] 名女 評判, 世評; 名声 (= fama). tener mala *reputación* 評判が悪い. perjudicar la *reputación* 名声を傷つける.
re·pu·tar [r̄eputár レプタル] 動他 《+**de**, **por**》…と考える, 評価する.
re·que·brar [r̄ekeβrár レケブラル] [42 e → ie] 動他 **1** (女性に) 言い寄る.
2 お世辞を言う, 機嫌を取る.
re·que·mar [r̄ekemár レケマル] 動他
1 焦がす.
2 (口の中を) やけどさせる, ひりひりさせる.
—— **re·que·mar·se** **1** 焦げる.
2 (口の中が) やけどする, ひりひりする.
re·que·ri·mien·to [r̄ekerimjénto レケ

R

リミエント] 名男 依頼, 要請.

re·que·rir [r̄ekerír レケリル] [52 e → ie, i] 動他 [現分 requiriendo] 必要とする; 要求する, 要請する. Este trabajo *requiere* mucha atención. この仕事は細心の注意を要する.

requerir de amores (女性に) 求愛する, (女性を) 口説く.

re·que·són [r̄ekesón レケソン] 名男 凝乳; カテージチーズ.

re·quie·bro [r̄ekjéβro レキエブロ] 名男 (女性への) 口説き; お世辞.

ré·quiem [r̄ékjem レキエム] 名男 〘カトリック〙〘音楽〙レクイエム, 死者のためのミサ(曲).

re·qui·sa [r̄ekísa レキサ] 名女 **1** 没収, 押収. **2**〘軍事〙徴発, 徴用. **3** 検査, 点検.

re·qui·sar [r̄ekisár レキサル] 動他 **1** 没収する, 押収する. **2**〘軍事〙徴発[徴用]する. **3** 検査[点検]する.

re·qui·si·to [r̄ekisíto レキシト] 名男 必要条件, 要件. *requisito* indispensable 必須(ひっす)条件.

re·qui·si·to·rio, ria [r̄ekisitórjo, rja レキシトリオ, リア] 形〘法律〙請求の.

—— 名女〘法律〙出廷命令;《ラ米》審問.

res [r̄és レス] 名女 四足獣. *res* vacuna (家畜の) 牛. *res* lanar 羊.

re·sa·bi·do, da [r̄esaβíðo, ða レサビド, ダ] 形《口語》よく知られた; 知ったかぶりの.

re·sa·bio [r̄esáβjo レサビオ] 名男 **1** 悪い癖, 悪い習慣. **2** (嫌な) 後味.

re·sa·ca [r̄esáka レサカ] 名女 **1**《口語》二日酔い. tener *resaca* 二日酔いである.

2〘海事〙引き波.

re·sa·la·do, da [r̄esaláðo, ða レサラド, ダ] 形《口語》気の利いた, 粋(いき)な.

re·sal·tar [r̄esaltár レサるタル] 動自 目立つ, ぬきんでる (= destacarse).

re·sal·te [r̄esálte レサるテ] 名男〘建築〙出っ張り, 突出部.

re·sal·to [r̄esálto レサるト] 名男 **1** 跳ね返り, リバウンド. **2** → resalte.

re·sar·cir [r̄esarθír レサルしル] [61 c → z] 動他《+de》…を賠償する, 償う. *resarcir* a《+uno》de una pérdida 〈人〉に損害の弁償をする.

—— **re·sar·cir·*se*** 《+de》…の賠償を受け取る, 償ってもらう. Ya *me he resarcido de* los daños causados. 私はもう損害を賠償してもらった.

res·ba·la·di·zo, za [r̄esβalaðíθo, θa レスバらディそ, さ] 形 **1** 滑りやすい, つるつる滑る. carretera *resbaladiza* スリップしやすい道路.

2 (話題などが) 扱いにくい, 微妙な.

res·ba·lar(·*se*) [r̄esβalár(se) レスバらル(セ)] 動自 **1** 滑る; 滑り落ちる. El camión *resbaló* sobre la nieve. 雪でトラックがスリップした.

2《口語》へまをする, しくじる.

res·ba·lón [r̄esβalón レスバろン] 名男 **1** 滑ること, スリップ. dar [pegar] un *resbalón* すってんころりと転ぶ. **2** 失敗, ミス.

res·ca·tar [r̄eskatár レスカタル] 動他 **1** 救う, 救出する. *rescatar* al secuestrado 誘拐された人を救出する. Los rehenes *fueron rescatados*. 人質は無事救出された.

2 取り返す; (差し押さえ財産を) 請け戻す.

res·ca·te [r̄eskáte レスカテ] 名男 **1** 救出; 取り戻し, 奪回. **2** 身代金.

res·cin·dir [r̄esθindír レしンディル] 動他 取り消す, 無効にする. *rescindir* el contrato 契約を破棄する.

res·ci·sión [r̄esθisjón レしシオン] 名女 取り消し, 破棄, 解約.

res·col·do [r̄eskóldo レスコるド] 名男 **1** 残り火, 埋(う)み火. **2** 懸念, 心配, 気掛かり.

re·se·car [r̄esekár レセカル] [8 c → qu] 動他 からからに乾かす; (植物を) 枯らす. —— **re·se·car·*se*** からからに乾く, 干からびる.

re·sec·ción [r̄esekθjón レセクしオン] 名女〘医〙切除(術), 摘出(術).

re·se·co, ca [r̄eséko, ka レセコ, カ] 形 **1** からからに乾いた, 干からびた.

2 やせた, 骨と皮ばかりの.

re·sen·ti·do, da [r̄esentíðo, ða レセンティド, ダ] 過分 形 恨んでいる; ひがみっぽい. estar *resentido* con [contra]《+uno》〈人〉に恨みを抱いている.

—— 名男女 恨みを抱いている人.

re·sen·ti·mien·to [r̄esentimjénto レセンティミエント] 名男 恨み; ひがみ. No te guardo ningún *resentimiento*. 私は君に何の恨みもない.

re·sen·tir·*se* [r̄esentírse レセンティルセ] [52 e → ie, i] 動 [現分 resintiendo] **1** 恨む, 憤慨する. *resentirse* con [contra]《+uno》〈人〉に腹を立てる, 恨みを抱く. *resentirse* de [por]《+algo》〈何か〉に憤慨する.

2 弱くなる; 傷む.

re·se·ña [r̄eséɲa レセニャ] 名女 梗概(こうがい), 概略; 寸評; 書評. hacer una *reseña* literaria 文芸批評をする.

re·se·ñar [r̄eseɲár レセニャル] 動他 簡潔にまとめる; 寸描する, 寸評する; 書評する.

re·ser·va [r̄esérβa レセルバ] 名女 [複 ～s] 〔英 reservation, reserve〕 **1 予約**, 指定; 予約券, 指定券. hacer la *reserva* de habitación [de localidades] 部屋[座席]の予約をする. tener una *reserva* para hoy 今日の分を予約している.

2 蓄え, 備蓄; 予備. *reserva* de divisas〘商業〙外貨保有高. *reservas* de comida 食糧の蓄え.

3 保留, 留保条件. aceptar con ciertas *reservas* いくつかの条件付きで同意する.

4 遠慮, 慎重. decir sin *reservas* ずけずけものを言う. con la mayor *reserva* きわめて慎重に.

5〘軍事〙予備役, 予備軍. mandar [pa-

R

sar] a la *reserva* 予備役にする; お払い箱にする.
—— 名男女〖スポーツ〗補欠選手.
—— 動 → reservar.
a reserva de ... …を除いて.
a reserva de que 《+接続法》…しない限り(= a no ser que).
re·ser·va·da·men·te [r̄eserβáðaménte レセルバダメンテ] 副 控えめに, 遠慮がちに.
re·ser·va·do, da [r̄eserβáðo, ða レセルバド, ダ] 過分 形 **1** 予約済みの; 貸し切りの. tener una mesa *reservada* 席を予約している.
2 控えめな, 慎重な.
—— 名男 予約席, 貸し切り室; 専用席, 優先席.
re·ser·var [r̄eserβár レセルバル] 動 他 〔英 reserve〕 **1** **予約する**. *Hemos reservado* una mesa para esta noche. 私たちは今夜テーブルを予約してあります.
2 取っておく, しまっておく. *Reserva* una parte de nata para la decoración del pastel. ケーキの飾り用に生クリームの一部を取っておきなさい.
3 保留する, 留保する. *reservar* el derecho 権利を保留する.
—— **re·ser·var·*se*** **1** 余力を残しておく; 大事を取る. Quiero *reservarme* para mañana. 明日のために無理をしたくない. **2** 差し控える. *Me reservo* mi opinión. 自分の意見は差し控えておきます.
res·fria·do[1], da [r̄esfrjáðo, ða レスフリアド, ダ] 形 [複 ~s] **風邪をひいた**. estar *resfriado* 風邪をひいている.
res·fria·do[2] [r̄esfrjáðo レスフリアド] 名男 [複 ~s] 〔英 cold〕 **風邪**. coger un *resfriado* 風邪をひく.
res·friar [r̄esfrjár レスフリアル] [23 i → í] 動 他 **1** 冷やす(= enfriar).
2 風邪をひかせる.
—— **res·friar·*se*** 風邪をひく. Con este clima *me he resfriado*. こんな気候のせいで私は風邪をひいてしまった.
res·guar·dar [r̄esɣwarðár レスグアルダル] 動 他 守る, 防備する; 保護する.
—— **resguar·dar·*se*** 《+**de**》…から身を守る.
res·guar·do [r̄esɣwárðo レスグアルド] 名男 **1** 預かり証, 受領書; 半券, 控え. *resguardo* de consigna 手荷物預かり証.
2 防護, 防備; 保護するもの.
re·si·den·cia [r̄esiðénθja レシデンシア] 名女 **1** 居住; 居住地; 邸宅. permiso de *residencia* 居住許可(書).
2 寮, 寄宿舎; 保護施設. *residencia* de [para] ancianos 老人ホーム. *residencia* de estudiantes 学生寮.
3 長期滞在用ホテル, ホテル式アパート(= hotel-*residencia*).
re·si·den·cial [r̄esiðenθjál レシデンシアル] 形 居住の; 居住に適した. zona *residencial* 住宅街.
re·si·den·te [r̄esiðénte レシデンテ] 形 居住している. *residente* en Madrid マドリード在住の.
—— 名男女 居住者, 在住者.
re·si·dir [r̄esiðír レシディル] 動 自 《+**en**》…に居住する, 在住する; …にある, 存する.
re·si·dual [r̄esiðwál レシドゥアル] 形 残りの, 残りかすとなった. aguas *residuales* 汚水, 下水.
re·si·duo [r̄esíðwo レシドゥオ] 名男 **1** 残り, 残余.
2 [~s] 残りかす; 〖化〗残留物, 残滓(ざんし). *residuos* radiactivos 放射性廃棄物.
3 〖数〗(引き算の)差.
re·sig·na·ción [r̄esiɣnaθjón レシグナシオン] 名女 **1** あきらめ, 諦観(ていかん).
2 辞任, 辞職(= dimisión).
re·sig·nar [r̄esiɣnár レシグナル] 動 他 (地位・権限などを)委譲する; 辞任する, 辞職する.
—— **re·sig·nar·*se*** 《+**a, con**》…に忍従する, あきらめて…する. *resignarse a* vivir modestamente 質素な暮らしに甘んじる.
re·si·na [r̄esína レシナ] 名女 樹脂, 松脂(まつやに). *resina* sintética 合成樹脂.
re·sis·ten·cia [r̄esisténθja レシステンシア] 名女 **1** 抵抗, 反抗; 反対. oponer *resistencia* 抵抗[反抗]する.
2 抵抗力; 耐久性; 持久力. *resistencia* a las infecciones 感染に対する抵抗力.
3 〖物理〗抵抗, 強度; 〖電気〗抵抗, 抵抗器.
la Resistencia 〖歴史〗(第二次大戦中の)地下抵抗運動, レジスタンス.
re·sis·ten·te [r̄esisténte レシステンテ] 形 抵抗力がある, 耐久力がある, 頑丈な. *resistente* al calor 耐熱性の.
re·sis·tir [r̄esistír レシスティル] 動 自 〔英 resist〕《+**a**》 **1** **…に耐える**, 持ちこたえる; 耐久力がある. *resistir a*l ataque 攻撃を食い止める. Este coche *resiste* todavía. この車はまだ使える.
2 …を我慢する, こらえる. No puedo *resistir a* la tentación de fumar. 私はタバコの誘惑に勝てない.
—— 動 他 **1** **…に耐える**, 持ちこたえる. *resistir* la enfermedad 病気に耐える.
2 我慢する(= aguantar). *resistir* la fatiga 疲れを我慢する. *resistir* el impulso de 《+不定詞》…したい衝動を抑える.
—— **re·sis·tir·*se*** 《+**a**》 **1** **…に抵抗する**, 反抗する. *resistirse a*l invasor 侵略者に抵抗する.
2 《+不定詞》…するのを拒む; …しかねる. *Me resisto a* decirlo. 私にはどうしてもそれが言えない.
resistirse a 《+uno》〈人〉にとって困難[無理]である. *Se* me *resiste* el idioma. 私は語学が苦手だ.
re·so·llar [r̄esoʎár レソリャル] [13 o →

ue] 動自 荒い息遣いをする.

re·so·lu·ción [r̄esoluθjón レソるしオン] 名女 **1** 解決, 解明 (= solución).

2 決心, 決意; 決定, 決議; 決断力 (= decisión). actuar con *resolución* 断固として行う.

3 〘化〙溶解.

4 〘コンピュータ〙解像度.

en resolución 要するに.

re·so·lu·ti·vo, va [r̄esolutíβo, βa レソるティボ, バ] 形 解決[解明]に役立つ.

re·sol·ver [r̄esolβér レソるベル] [35 o → ue] 動他 [過分 resuelto, ta] 〔英 resolve〕 **1 解決する**, 解消する, 解明する (= solucionar). *resolver* un problema 問題を解決する.

2 《+不定詞》 …する決心をする, …しようと決意する (= decidir).

3 〘医〙(炎症・腫物(はれもの)を) 消散させる, 散らす.

―― **re·sol·ver·se** **1** 解決[解明]される. La situación no *se resolverá* con esto. 事態はこれで解決しないだろう.

2 《+**a** 不定詞》 …する決心をする, …しようと決意する. *resolverse a* salir 出かけようと思う.

3 《+**en**》 …になる, 変わる, 帰する.

4 〘医〙(炎症・腫物が) 消散する, ひく.

re·so·nan·cia [r̄esonánθja レソナンしア] 名女 **1** 響き, 反響; 〘物理〙共鳴. **2** 評判, 反響. tener *resonancia* 反響を呼ぶ.

re·so·nan·te [r̄esoṅante レソナンテ] 形 反響を呼ぶ, 輝かしい, はなばなしい.

re·so·nar [r̄esonár レソナル] [13 o → ue] 動自 **1** 響く, 反響する. Los aplausos *resonaron* en el salón. 割れんばかりの拍手が大広間にこだました.

2 反響を呼ぶ, 知れ渡る.

re·so·plar [r̄esoplár レソプらル] 動自 喘(あえ)ぐ, 荒い息をつく; 怒る.

re·so·pli·do [r̄esoplíðo レソプりド] 名男 **1** 息切れ, 喘(あえ)ぎ.

2 《口語》 とげとげしい返事, 口答え.

R

re·sor·te [r̄esórte レソルテ] 名男 **1** ばね, ぜんまい, スプリング. **2** 弾性, 弾力.

3 [〜s] やり方, 手段, 方策. tocar todos los *resortes* あらゆる手だてを講ずる.

res·pal·dar [r̄espaldár レスパるダル] 動他 援護する, 後援する; 保証する.

―― **res·pal·dar·se** **1** 《+**en, contra**》 …に背をもたせかける. *respaldarse en* el sillón 肘(ひじ)掛け椅子に背をもたせかける. **2** 《+**en, con**》 …を頼みとする, …に依存する.

res·pal·do [r̄espáldo レスパるド] 名男 **1** (椅子の) 背, 背もたれ. → silla 図.

2 援護, 後援, バックアップ.

res·pec·tar [r̄espektár レスペクタル] 動自 《3人称で用いられて》 関係する, かかわる.

por lo que respecta a … …について, 関して.

res·pec·ti·va·men·te [r̄espektíβaménte レスペクティバメンテ] 副 それぞれ, 各々.

res·pec·ti·vo, va [r̄espektíβo, βa レスペクティボ, バ] 形 それぞれの, 各自の.

res·pec·to [r̄espékto レスペクト] 名男 [複 〜s] 〔英 respect〕 関係, 関連.

a este respecto この点に関して.

al respecto それに関して. No sabe nada al *respecto*. 彼女はそのことについて何も知らない.

(*con*) *respecto a* [*de*] … …に関して, 関連して. *respecto a* mí 私に関しては.

res·pe·ta·ble [r̄espetáβle レスペタブれ] 形 **1** 尊敬に値する, 尊重すべき.

2 かなりの, 相当な. una cantidad *respetable* 相当な額[量].

res·pe·tar [r̄espetár レスペタル] 動他 〔英 respect〕 **1 尊敬する** *respetar* a los ancianos 老人を敬う.

2 (法などを) 守る, 尊重する. *respetar* el semáforo 信号を守る. *respetar* la ley 法律を守る. *respetar* los derechos humanos 人権を尊重する.

hacerse respetar 尊敬を集める, ふさわしい地位を得る, 自分を認めさせる.

res·pe·to [r̄espéto レスペト] 名男 [複 〜s] 〔英 respect〕 **1 尊敬**. infundir *respeto* 尊敬の念を抱かせる. sentir *respeto* por … …に敬意を持つ.

2 遵守, 重視. *respeto* a la ley 遵法.

3 恐れ, 恐怖.

―― 動 → respetar.

campar por SUS ***respetos*** 自由に振る舞う, 好きなようにする.

de respeto 予備の. cuarto *de respeto* 予備室.

faltar al respeto a 《+uno》〈人〉に失敬な振る舞いをする, 礼を失する.

presentar SUS ***respetos a*** 《+uno》〈人〉によろしくと伝える. (*Presente*) mis *respetos a* su señora. 奥様によろしくお伝えください.

res·pe·tuo·sa·men·te [r̄espetwósaménte レスペトゥオサメンテ] 副 丁重に, つつしんで; 《手紙》 敬具.

res·pe·tuo·so, sa [r̄espetwóso, sa レスペトゥオソ, サ] 形 丁重な, うやうやしい; 敬意を抱く. dirigir SUS saludos *respetuosos* a … …に敬意を表する, 丁重に挨拶(あいさつ)する.

res·pin·gar [r̄espiŋgár レスピンガル] [32 g → gu] 動自 **1** びくっとする.

2 (裾(すそ)などが) つり上がる.

res·pin·go [r̄espíŋgo レスピンゴ] 名男 **1** びくっとすること. dar [pegar] un *respingo* びくっとする. **2** (裾(すそ)などの) つり上がり. **3** 無愛想な返事.

res·pi·ra·ción [r̄espiraθjón レスピラしオン] 名女 **1** 呼吸, 息. *respiración* artificial 人工呼吸. *respiración* abdominal 腹式呼吸. *respiración* boca a

boca 口移し式［マウス・ツウ・マウス］人工呼吸法. *respiración* profunda 深呼吸. faltar a《＋uno》la *respiración* 息切れする. **2** 換気, 通気, 風通し.
sin respiración (1) 息を飲んだ, 啞然(あぜん)とした. Me quedé *sin respiración*. 私は息を飲んだ. (2) 疲労困憊(こんぱい)して.

res·pi·rar [r̄espirár レスピラル] 動自
1 呼吸する, 息をする. *respirar* con dificultad 呼吸困難になる; 息を切らす. *respirar* con más fuerza 深く息を吸う.
2 ほっとする, 一息つく.
3《口語》《否定文で》話す, 発言する. Joaquín no *respiró* en toda la reunión. ホアキンは会議中一言も発言しなかった.
—— 動他 **1** 吸い込む. *respirar* aire fresco 涼気を胸いっぱい吸い込む.
2 発する; 醸し出す. La noche *respira* paz. 夜はほんとに静かだ. *respirar* felicidad 見るからに幸せそうである.
no dejar respirar a《＋uno》〈人〉に気の休まる間も与えない.
no poder ni respirar 多忙極まりない; 疲労困憊(こんぱい)している.
sin respirar 休む間もなく; 固唾(かたず)をのんで.

res·pi·ra·to·rio, ria [r̄espiratórjo, rja レスピラトリオ, リア] 形 呼吸の, 呼吸用の. aparato *respiratorio*〘解剖〙呼吸器官.

res·pi·ro [r̄espíro レスピロ] 名男 **1** 一休み, 休息. tomarse un *respiro* 一息いれる.
2 猶予, 延期.

res·plan·de·cer [r̄esplandeθér レスプランデセル] 40動自 **1** 光る, 輝く;《＋de》…で輝く, 生き生きとする. La cara de Antonio *resplandecía de* felicidad. アントニオの顔は喜びで輝いていた.
2《＋en, por》…の点で優れる.

res·plan·de·cien·te [r̄esplandeθjénte レスプランデシエンテ] 形 輝く; 輝くばかりの.

res·plan·dor [r̄esplandór レスプランドル] 名男 輝き, きらめき. el *resplandor* del sol 太陽の輝き.

res·pon·der [r̄espondér レスポンデル] 動他［現分 respondiendo ; 過分 respondido］〔英 answer, respond〕…に答える, 返事をする (＝contestar). Le *respondí* que era así. 私は彼に確かにそのとおりだと言った. ➡ respuesta.
—— 動自 **1**《＋a》…に答える, 返事をする; …に応答する. *responder a* una carta 手紙の返事を書く. *responder a* una pregunta 質問に答える. Toqué el timbre y nadie *respondió*. ベルを押したが何の応答もなかった. *A* los guardias les *respondieron* a tiros. 警官に彼らは銃で反撃してきた.
2《＋a》…に応(こた)える, 応じる; 対応する, 基づく. *responder a* la amistad 友情に応(こた)える. no *responder a* las súplicas 嘆願を無視する. *responder a* una descripción 記載事項に一致する.
3《＋a》…に口答えする, 反論する. No *respondas* y haz lo que te ordeno. 口答えしないで言われたとおりにしなさい.
4《＋de, por》…に責任を持つ; …を保証する. Yo *respondo por* él. 私が彼を請け合います.
responder a [***por***] ... …の名で呼ばれている. El chico *responde por* Antonio. その少年はアントニオという名前だ.

respondido 過分 ➡ responder.

respondiendo 現分 ➡ responder.

res·pon·dón, do·na [r̄espondón, dóna レスポンドン, ドナ] 形 口答えばかりする, 文句の多い.

res·pon·sa·bi·li·dad [r̄esponsaβiliðáð レスポンサビリダ(ドゥ)] 名女 責任, 責務. tener la *responsabilidad* de ... …の責任がある. sentido de *responsabilidad* 責任感.

res·pon·sa·bi·li·zar [r̄esponsaβiliθár レスポンサビリサル] [39 z ➡ c] 動他《＋de》…の責任を取らせる.
—— **res·pon·sa·bili·zar·*se***《＋de》…の責任を負う.

res·pon·sa·ble [r̄esponsáβle レスポンサブレ] 形 **1**《＋de》…の責任がある. hacerse *responsable de*《＋algo》〈何か〉の責任を取る. **2** 責任感のある.
—— 名男女 責任者.

res·pues·ta [r̄espwésta レスプエスタ] 名女［複 ～s］〔英 answer〕答え, 返事; 回答. dar *respuesta* a una pregunta 質問に答える. No han recibido *respuesta* todavía. 彼らはまだ回答をもらっていない.

res·que·bra·ja·du·ra [r̄eskeβraxaðúra レスケブラハドゥラ] 名女 割れ目, ひび.

res·que·bra·jar [r̄eskeβraxár レスケブラハル] 動他 ひびを入れる.
—— **res·que·bra·jar·*se*** ひびが入る.

res·que·mor [r̄eskemór レスケモル] 名男
1 (口の中が) ひりひりすること.
2 (感情の) もやもや.

res·qui·cio [r̄eskíθjo レスキシオ] 名男
1 すき間, 割れ目. **2** わずかな機会［可能性］. un *resquicio* de esperanza 一縷(いちる)の望み. **3**《ラ米》形跡, 痕跡(こんせき).

res·ta [r̄ésta レスタ] 名女〘数〙引き算. ►「足し算」は suma.

res·ta·ble·cer [r̄estaβleθér レスタブレセル] 40動他 回復する; 復旧する, 再建する. *restablecer* las comunicaciones 交通［通信］を復旧する. *restablecer* el orden 秩序を回復する.
—— **res·ta·ble·cer·*se*** (病気から) 回復する; (精神的に) 立ち直る.

res·ta·ble·ci·mien·to [r̄estaβleθimjénto レスタブレシミエント] 名男
1 回復; 復旧, 再建.
2 (病気の) 回復; (精神的な) 立ち直り.

R

res·ta·llar [r̄estaʎár レスタリャル] 動自 (鞭(むち)などが) ピシッと鳴る.

res·tan·te [r̄estánte レスタンテ] 形 残りの, 余った. lo *restante* 残り, 余り.

res·tar [r̄estár レスタル] 動他 **1** 引く, 引き算する (↔ sumar). *restar* dos de cinco 5から2を引く. **2** 減らす, 取り除く.
── 動自 残る, 余る.

res·tau·ra·ción [r̄estauraθjón レスタウラシオン] 名女 **1** 修復, 復元.
2 復興, 再興; [R-] 《歴史》王政復古. ◆スペインでは1813年 (Fernando VII) と1874年 (Alfonso XII 世) の時.

res·tau·ran·te [r̄estauránte レスタウランテ] 名男 [複 ～s] 〔英 restaurant〕 **レストラン**, 料理店. coche *restaurante* 食堂車. *restaurante* chino 中華料理店. Se come bien en ese *restaurante*. そこのレストランはうまい.

res·tau·rar [r̄estaurár レスタウラル] 動他 **1** 修復する, 復元する. *restaurar* cuadros antiguos 古い絵画を修復する. **2** 復興する; 復旧する. La monarquía *fue restaurada* en 1874. 1874年に王政復古が成った.

res·ti·tu·ción [r̄estituθjón レスティトゥシオン] 名女 返却, 返済; 復旧.

res·ti·tuir [r̄estitwír レスティトゥイル] 29 動他 [現分 restituyendo]
1 返す, 返却する. **2** 元に戻す, 復元する.
── **res·ti·tuir·*se*** 元の場所[仕事]に戻る.

res·to [r̄ésto レスト] 名男 [複 ～s] 〔英 rest〕
1 **残り**; 残金, 残高. El *resto* de pastel lo dejaremos para los niños. ケーキの残りは子供たちに取っておきましょう.
2 [～s] 遺物, 廃墟(はいきょ), 残骸(ざんがい). *restos* mortales 遺体, 死骸.
3 [～s] 残りかす, 残飯.
echar el resto 《口語》できる限りの事をする; 有り金全部を賭(か)ける.
el resto de … 他の…. *el resto de* España スペインの他の地方. *el resto de* los asistentes 他の出席者

res·tre·gar [r̄estreɣár レストゥレガル] [32 g → gu ; 42 e → ie] 動他 こする; こすって洗う.
── **res·tre·gar·*se*** 体をこする. El perro *se restregó* contra la pared. 犬は壁に体をこすりつけた.

res·tre·gón [r̄estreɣón レストゥレゴン] 名男 強くこすること.

res·tric·ción [r̄estrikθjón レストゥリクシオン] 名女 制限, 制約. *restricciones* a las importaciones 輸入規制. *restricciones* de agua 給水制限.

res·tric·ti·vo, va [r̄estriktíβo, βa レストゥリクティボ, バ] 形 制限する; 限定の.

res·trin·gir [r̄estriŋxír レストゥリンヒル] [19 g → j] 動他 制限する. *restringir* gastos 出費を抑える.

res·truc·tu·ra·ción [r̄estrukturaθjón レストゥルクトゥラシオン] → reestructuración.

re·su·ci·tar [r̄esuθitár レスシタル] 動自 生き返る; 復活する.
── 動他 **1** 生き返らせる, よみがえらせる. *resucitar* la fiesta antigua 昔の祭りを復活させる.
2 元気をつける.

re·sue·llo [r̄eswéʎo レスエリョ] 名男 息づかい; 苦しそうな息. quedarse sin *resuello* 息を切らせる.

re·suel·ta·men·te [r̄eswéltaménte レスエルタメンテ] 副 きっぱりと, 敢然と.

re·suel·to, ta [r̄eswélto, ta レスエルト, タ] 過分 → resolver, 形 **1** 断固とした, 果敢な (= decidido). con tono *resuelto* きっぱりとした調子で.
2 解決した. asunto *resuelto* 解決事項.

resuelv- 動 → resolver. [35 o → ue]

re·sul·ta [r̄esúlta レスルタ] 名女 **1** [普通～s] 欠員, 空席. **2** 結果. de *resultas* de … …の結果として.

re·sul·ta·do[1] [r̄esultáðo レスルタド] 名男 [複 ～s] 〔英 result〕 **1** **結果**, 成果. El *resultado* de la operación no es satisfactorio. 手術の結果は思わしくない. dar (buen) *resultado* 好結果をもたらす.
2 (試験・試合の) 成績.
3 《数学》(計算の) 答え.

resultado[2], **da** 過分 → resultar.

resultando 現分 → resultar.

re·sul·tan·te [r̄esultánte レスルタンテ] 形 **1** 結果として生ずる.
2 《物理》《数》合成の, 合成された.
── 名女 《物理》合力; 《数》終結式.

re·sul·tar [r̄esultár レスルタル] 動自 [現分 resultando ; 過分 resultado, da] 〔英 result〕 **1** **…という結果になる**. En el accidente *resultaron* heridas cuatro personas. その事故で4人が負傷した. *Resultó* (ser) la madre de mi secretaria. 結局その人は私の秘書の母親であることが分かった.
2 …と見える, 思える. A veces Juan me *resulta* pesado. 私は時々フアンはしつこいと思うことがある. Me *resulta* difícil decírselo. 私はそれを彼に言いにくい.
3 似合う, ぴったりである. Estas perlas *resultan* bien [no *resultan*] con el vestido negro. この真珠はその黒い服にぴったりね[合わないわ].
4 (費用が) かかる. El equipo completo de esquí me *ha resultado* en cincuenta mil pesetas. スキー一式で5万ペセタかかった.
resulta que 《＋直説法》…という訳である, …ということになる. *Resulta que* lo he tomado por su hermano. 実は貴方をお兄さんと間違えたんです.

re·su·men [r̄esúmen レスメン] 名男 [複 resúmenes]〔英 summary〕**要約**, 概要, レジュメ. *resumen* de una tesis 論文の要約.
en resumen 要するに, つまり; かいつまんで.
re·su·mir [r̄esumír レスミル] 動他 要約する. *resumir* un libro 本を要約する. *resumiendo* 要約すると, かいつまんで言えば.
— **re·su·mir·se** 《+**en**》…にまとまる, 要約される. Esto *se resume en* cuatro palabras. これはごく手短にまとめられる.
re·sur·gi·mien·to [r̄esurximjénto レスルヒミエント] 名男 **1** 再現, 復活. **2** 再起, 回復.
re·sur·gir [r̄esurxír レスルヒル] [⑲ g → j] 動自 **1** 再び現れる, 復活する. **2** 元気を取り戻す.
re·su·rrec·ción [r̄esur̄ekθjón レスレクシオン] 名女 復活; [R-] キリストの復活. Pascua de *Resurrección*〔宗教〕復活祭.
re·ta·blo [r̄etáβlo レタブロ] 名男 (教会の) 祭壇背後の飾り衝立(ついたて)[飾り壁].
re·ta·guar·dia [r̄etaɣwárðja レタグアルディア] 名女〔軍事〕後衛(部隊)(↔ vanguardia).
quedarse a [***en la***] ***retaguardia de*** … …の後塵(こうじん)を拝する, …に遅れを取る.
re·ta·hí·la [r̄etaíla レタイラ] 名女 長い列; 連続.
re·tal [r̄etál レタル] 名男 (布・紙・板金などの) 切れ端.
re·ta·ma [r̄etáma レタマ] 名女〔植物〕レダマ.
re·tar·dar [r̄etarðár レタルダル] 動他 遅らせる, 遅延させる (= retrasar). *retardar* el pago 支払いを滞らせる.
re·tar·do [r̄etárðo レタルド] 名男 遅れ, 遅延.
re·ta·zo [r̄etáθo レタソ] 名男 **1** 端切れ, 裁ちくず. **2** (話・文章の) 一部, 断片.
re·tem·blar [r̄etemblár レテンブラル] [㊷ e → ie] 動自 ぐらぐらと揺れる.
re·tén [r̄etén レテン] 名男〔軍事〕予備軍[隊]; (消防・救助などの) 隊.
re·ten·ción [r̄etenθjón レテンシオン] 名女 **1** 保有, 保持; 停滞. **2** 留置, 拘置. derecho de *retención*〔法律〕留置権. **3** (賃金などの) 天引き.
re·te·ner [r̄etenér レテネル] ㊺ 動他 **1** 引き留める; 保持する (=detener). *retener* la atención de 《+uno》〈人〉の注意を引きつけておく. Quiero marcharme pero mis amigos me *retienen*. 私は帰りたいのに友達が引き留める.
2 記憶にとどめる. *retener* los datos más importantes 重要なデータを覚えておく. **3** 留置[拘置]する.
— **re·te·ner·se** 自制する, 我慢する.
re·ten·ti·va [r̄etentíβa レテンティバ] 名女 記憶力, 物覚え.
re·ti·cen·cia [r̄etiθénθja レティセンシア] 名女 **1** 暗示, ほのめかし; 皮肉. **2** 抑制, 控えめ. con *reticencia* 控えめに; しぶしぶ.
re·ti·cen·te [r̄etiθénte レティセンテ] 形 暗示的な, 含みのある; 皮肉な.
re·tí·cu·lo [r̄etíkulo レティクロ] 名男〔解剖〕網状組織.
re·ti·na [r̄etína レティナ] 名女〔解剖〕網膜.
re·tin·tín [r̄etintín レティンティン] 名男 **1** (鐘の音などの) 余韻, 響き. **2** 《口語》皮肉な調子, 嫌み. decir 《+algo》 con *retintín* 〈何か〉を皮肉たっぷりに言う.
re·tin·to, ta [r̄etínto, ta レティント, タ] 形 暗褐色の.
re·ti·ra·do, da [r̄etiráðo, ða レティラド, ダ] 過分 形 **1** 人里離れた. una aldea *retirada* 辺鄙(へんぴ)な村.
2 引退した, 退職[退役]した. coronel *retirado* 退役大佐. vida *retirada* 隠遁(いんとん)生活.
— 名男女 退職者; 退役軍人.
— 名女 **1** 撤退, 退却. **2** 引退, 退職. **3** 没収, 取り消し; 回収, (預金などの) 引き出し. **4** 除去.
cortar la retirada 退路を断つ; 《口語》ぐうの音も出させない.
re·ti·rar [r̄etirár レティラル] 動他〔英 withdraw〕**1** **取り去る**, 取り除く, 片づける, 処分する; 引っ込める. La criada *retiró* los platos de la mesa. メードは食卓から皿を片づけた. *retirar* un mueble desvencijado がたがきた家具を処分する. *retirar* la mano 手を引っ込める.
2 引き出す; 回収する. *retirar* dinero del banco 銀行から金を下ろす.
3 取り消す, 撤回する. *retirar* lo dicho 前言を撤回する. *retirar* SU palabra [promesa] 約束をなかったものとする.
4 取り上げる, 没収する. *retirar* a 《+uno》 el carnet de conducir 〈人〉から運転免許証を取り上げる.
5 退出させる; 〔スポ〕退場させる.
— **re·ti·rar·se** **1** 引退する; 隠遁(いんとん)する. *retirarse* del mundo 世間から遠ざかる. *retirarse* de los negocios 商売から身を引く. **2** 引き下がる, 退出する, 帰宅する; 《+**de**》…から離れる. *retirarse* a dormir 寝に行く. Puede usted *retirarse*. お引き取りいただいて結構です.
3〔軍事〕退却する, 撤退する.
No se retire. 《電話》切らないでください.
re·ti·ro [r̄etíro レティロ] 名男 **1** 引退; 退職 (=jubilación). llegar a la edad de *retiro* 定年になる.
2 退職年金, 恩給. cobrar el *retiro* 年金を受け取る. **3** 閑静な場所; 隠遁(いんとん)所.
4〔カトリック〕静修, 黙想.
— 動 → retirar.
re·to [r̄éto レト] 名男 挑戦, チャレンジ.

aceptar el *reto* 挑戦を受けて立つ.

re·to·car [r̄etokár レトカル] [8 c ➡ qu] 動他 修正する, 手直しする; 最後の仕上げをする.

re·to·ñar [r̄etoɲár レトニャル] 動自 (草木が) 芽を吹く; よみがえる.

re·to·ño [r̄etóɲo レトニョ] 名男 **1** 《植物》芽, 新芽. **2** 子供, 幼児.

re·to·que [r̄etóke レトケ] 名男 修正, 手直し, 仕上げ.

re·tor·cer [r̄etorθér レトルセル] [34 c ➡ z ; 35 o ➡ ue] 動他 **1** ねじる, ひねる; 縒(よ)る. **2** 歪曲(わいきょく)する.

—— **re·tor·cer·*se*** **1** ねじれる; 絡まる. **2** 身をよじる. *retorcerse* de dolor 苦痛にのたうち回る.

re·tor·ci·do, da [r̄etorθíðo, ða レトルシド, ダ] 過分 形 **1** ねじれた; ひねくれた; 腹黒い. **2** (言い回しが) ひねった, 持って回った.

re·tó·ri·co, ca [r̄etóriko, ka レトリコ, カ] 形 修辞学の; 修辞的な, 衒(て)らった.

—— 名女 修辞 (学); 美辞麗句.

re·tor·nar [r̄etornár レトルナル] 動他 返す, 戻す.

—— 動自 帰る; 回帰する.

re·tor·no [r̄etórno レトルノ] 名男 **1** 帰還, 回帰; 帰り, Uターン. **2** 返却.

de retorno 帰り道に.

re·tor·ta [r̄etórta レトルタ] 名女 《化》 レトルト, 蒸留器.

re·tor·te·ro [r̄etortéro レトルテロ] 名男

andar [***ir***] ***al retortero*** 《口語》大忙しである; 恋い焦がれている.

traer [***llevar***] ***a*** 《+uno》 ***al retortero*** 《口語》〈人〉を言いなりにさせる; 〈人〉をこき使う.

re·tor·ti·jón [r̄etortixón レトルティホン] 名男 **1** 強いねじれ, よじれ. **2** 差し込み, 胃痙攣(けいれん).

re·to·zar [r̄etoθár レトサル] [39 z ➡ c] 動自 **1** (子供などが) 戯れる, はしゃぎ回る. **2** (男女が) ふざける, いちゃつく.

re·to·zón, zo·na [r̄etoθón, θóna レトソン, ソナ] 形 よく戯れる, よくはしゃぐ.

re·trac·ción [r̄etrakθjón レトゥラクしオン] 名女 収縮; 引っ込めること.

re·trac·ta·ción [r̄etraktaθjón レトゥラクタしオン] 名女 **1** 取り消し, 撤回. **2** 買い戻し.

re·trac·tar [r̄etraktár レトゥラクタル] 動他 (発言を) 取り消す, 撤回する.

—— **re·trac·tar·*se*** 《+de》 …を取り消す; 前言を撤回する.

re·trác·til [r̄etráktil レトゥラクティル] 形 《動物》(頭・爪(つめ)などが) 引っ込む.

re·tra·er [r̄etraér レトゥラエル] 57 動他 [現分 retrayendo ; 過分 retraído, da] **1** (触角・爪(つめ)などを) 引っ込める. **2** 思いとどまらせる, やめさせる.

—— **re·tra·er·*se*** 引きこもる; 引退する. *retraerse* de la política 政界から身を引く.

re·tra·í·do, da [r̄etraíðo, ða レトゥライド, ダ] 過分 形 引っ込み思案の, 内気な.

re·trai·mien·to [r̄etraimjénto レトゥライミエント] 名男 **1** 引っ込み思案, 内気. **2** 隠遁(いんとん).

re·trans·mi·sión [r̄etransmisjón レトゥランスミシオン] 名女 《ラジオ》《テレビ》中継放送.

re·trans·mi·tir [r̄etransmitír レトゥランスミティル] 動他 《ラジオ》《テレビ》中継する. *retransmitir* en directo 生中継する.

re·tra·sa·do, da [r̄etrasáðo, ða レトゥラサド, ダ] 過分 形 **1** 遅れた (= atrasado). Tengo el reloj cinco minutos *retrasado*. 僕の時計は5分遅れている. estar *retrasado* en el pago 支払いが遅れている. **2** 知恵遅れの.

re·tra·sar [r̄etrasár レトゥラサル] 動他 〔英 delay〕 **1** 遅らせる (=atrasar). *Retrasé* el reloj cinco minutos. 私は時計を5分遅らせた. **2** 繰り延べる, 延期する. *retrasar* el viaje 旅行を延期する.

—— 動自 遅れる, 遅れが出る.

—— **re·tra·sar·*se*** **1** 遅れる, 遅くなる. *Me he retrasado* tanto, porque me llamaron justo cuando iba a salir. 出がけに電話がかかってきて, こんなに遅れてしまった. **2** 滞る, 停滞する.

re·tra·so [r̄etráso レトゥラソ] 名男 遅れ, 遅延; 延滞 (=atraso). El avión llegó con dos horas de *retraso*. 飛行機が2時間延着した. Nuestro tren tiene una hora de *retraso*. 我々の列車は1時間遅れている. *retraso* mental 知恵遅れ.

—— 動 ➡ retrasar.

re·tra·tar [r̄etratár レトゥラタル] 動他 **1** …の肖像画を描く; …の写真を撮る. **2** 描き出す, 描写する.

re·tra·tis·ta [r̄etratísta レトゥラティスタ] 名男女 肖像画家; 肖像写真家.

re·tra·to [r̄etráto レトゥラト] 名男 [複 ~s] 〔英 portrait〕 **1** 肖像 (画), 人物写真. hacer un *retrato* de 《+uno》 〈人〉の肖像画を描く. **2** (人物像の) 描写, 記述. **3** 生き写し, そっくり. ser el vivo *retrato* de 《+uno》 〈人〉に生き写しである.

re·tre·che·ro, ra [r̄etretʃéro, ra レトゥレチェロ, ラ] 形 《口語》魅力的な, かわいらしい.

re·tre·te [r̄etréte レトゥレテ] 名男 トイレ, 便所. ➡ baño 図.

re·tri·bu·ción [r̄etriβuθjón レトゥリブしオン] 名女 報酬, 謝礼 (金).

re·tri·buir [r̄etriβwír レトゥリブイル] 29 動他 [現分 retribuyendo] …に報酬を与える; …に報いる.

re·tri·bu·ti·vo, va [r̄etriβutíβo, βa レトゥリブティボ, バ] 形 もうけのある, 見返りのある; 報酬の.

R

retro- 《接頭》「後方」の意を表す. ⇀ *retro*ceder, *retró*grado など.
re·tro·ac·ción [r̄etroakθjón レトゥロアクしオン] 名女 遡及(そきゅう); 後退, 退行.
re·tro·ac·ti·vi·dad [r̄etroaktiβiðáð レトゥロアクティビダ(ドゥ)] 名女 遡及(そきゅう), 遡及性.
re·tro·ac·ti·vo, va [r̄etroaktíβo, βa レトゥロアクティボ, バ] 形 遡及(そきゅう)力のある, 遡及的な.
re·tro·ce·der [r̄etroθeðér レトゥロセデル] 動自 **1** 後退する, 後戻りする; 退却する. *retroceder* un paso 一歩下がる.
2 引き下がる, しりごみする. No podré *retroceder*. もう私は引き下がれない.
re·tro·ce·so [r̄etroθéso レトゥロセソ] 名男 **1** 後退; 退却. un *retroceso* en la economía 景気の後退.
2 〔医〕(病状の)悪化.
re·tró·gra·do, da [r̄etróɣraðo, ða レトゥログラド, ダ] 形 反動的な, 時代錯誤の. ideas *retrógradas* 時代遅れの考え.
── 名男女 反動的な人, 時代遅れの人.
re·tro·pro·pul·sión [r̄etropropulsjón レトゥロプロプるシオン] 名女 〔航空〕逆噴射.
re·tros·pec·ción [r̄etrospekθjón レトゥロスペクしオン] 名女 回想, 回顧; 懐古.
re·tros·pec·ti·vo, va [r̄etrospektíβo, βa レトゥロスペクティボ, バ] 形 回顧的な, 回想する.
re·tro·tra·er [r̄etrotraér レトゥロトゥラエル] 57 動他 [現分 retrotrayendo ; 過分 retrotraído, da] 《+**a**》(時間的に) …までさかのぼらせる.
── 動自 **re·tro·tra·er·*se*** 《+**a**》…までさかのぼる.
re·tro·vi·sor [r̄etroβisór レトゥロビソル] 名男 〔車〕バックミラー, サイドミラー. ➡ automóvil 図.
re·trué·ca·no [r̄etrwékano レトゥルエカノ] 名男 言葉遊び, 語呂(ごろ)合わせ.
re·tum·bar [r̄etumbár レトゥンバル] 動自 鳴り響く; 反響する.
re·ú·ma [r̄eúma レウマ] / **reu·ma** [r̄éu- レウ-] 名男女 ➡ reumatismo.
reu·má·ti·co, ca [r̄eumátiko, ka レウマティコ, カ] 形 リューマチ(性)の. dolor *reumático* リューマチによる痛み.
── 名男女 リューマチ患者.
reu·ma·tis·mo [r̄eumatísmo レウマティスモ] 名男 〔医〕リューマチ.
reún- 動 ➡ reunir. [49 u ➡ ú]
reu·nión [r̄eunjón レウニオン] 名女 [複 reuniones] 〔英 meeting〕 **1 集会, 会合**; 会議, 大会. celebrar una *reunión* 会を催す. *reunión* de acreedores 債権者会議.
2 《集合》出席者, 参加者.
3 集合, 集結. *reunión* de todas las fuerzas democráticas 民主勢力の結集.
reu·nir [r̄eunír レウニル] [49 u ➡ ú] 動他 〔英 gather〕 **1 集める**; 招集する. *reunir* a los accionistas 株主を招集する. *reunir* las tropas 部隊を集結させる. *reunir* fondos 資金を集める.
2 満たす. Deben *reunir* todas las condiciones. すべての条件を満たさなければならない.
── **reu·nir·*se*** 〔英 meet〕 **1 集まる**, いっしょになる. *Se reunió* mucha gente en la plaza. 広場に大勢の人が集まった. *Me reuniré* con vosotros en Barajas. バラハス空港で君らと合流しよう.
re·vá·li·da [r̄eβáliða レバリダ] 名女 最終[修了]試験; 認定試験.
re·va·li·da·ción [r̄eβaliðaθjón レバリダしオン] 名女 再び有効にすること; 認定.
re·va·li·dar [r̄eβaliðár レバリダル] 動他 再び有効にする; 認定する.
── **re·va·li·dar·*se*** 最終[修了]試験を受ける.
re·va·lo·ri·za·ción [r̄eβaloriθaθjón レバろりさしオン] 名女 **1** 再評価.
2 〔経済〕通貨の切り上げ.
re·va·lo·ri·zar [r̄eβaloriθár レバろりさル] [39 z ➡ c] 動他 **1** 再評価する, 見直す.
2 〔経済〕(通貨を)切り上げる.
re·van·cha [r̄eβántʃa レバンチャ] 名女 仕返し, 復讐(ふくしゅう). partido de *revancha* 雪辱戦.
re·ve·la·ción [r̄eβelaθjón レベらしオン] 名女 **1** 暴露, 漏洩(ろうえい). **2** (神の)啓示, 天啓.
re·ve·la·do [r̄eβeláðo レベらド] 名男 〔写真〕現像.
re·ve·la·dor, do·ra [r̄eβelaðór, ðóra レベらドル, ドラ] 形 暴露する; 明らかにする.
── 名男 〔写真〕現像液.
re·ve·lar [r̄eβelár レベらル] 動他 **1** 明かす, 明らかにする. *revelar* un secreto 秘密を漏らす. Estas palabras *revelan* su carácter. その言葉は彼の人柄をよく表している. *revelar* la causa 原因を明らかにする.
2 〔写真〕現像する. ►「プリントする」は hacer copia, 「引き伸ばす」は ampliar.
3 (神が)啓示する.
── **re·ve·lar·*se*** (本性を)現す. Recientemente *se revela* como un dictador. 最近, 彼は独裁者としての正体を現している.
re·ven·tar [r̄eβentár レベンタル] [42 e ➡ ie] 動自 **1** 破裂する. *Reventó* una rueda de la bicicleta. 自転車のタイヤがパンクした.
2 《口語》《+**por**》…をしたがる. *Revienta por* ir al cine. 彼は映画に行きたくてうずうずしている.
3 《口語》《+**de**》…でいっぱいになる. *reventar de* ira かんかんに怒る. *reventar de* risa 腹をかかえて笑う.
4 《俗語》くたばる. ¡Que *reviente*! くたばっちまえ.
── 動他 **1** 破裂させる, 打ち破る. *reven-*

R

tar un globo 風船を破裂させる.
2《口語》へとへとにさせる; 痛めつける.
3《口語》不愉快にさせる. Me *revienta* tener que atender a llamadas internacionales muy entrada la noche. 夜おそく国際電話のお相手をさせられるなんて嫌だよ. **4**《口語》(野次などで) ぶちこわす.
— re·ven·tar·*se* **1** 破裂する; ぺしゃんこになる. **2**《口語》へたばる, へとへとになる. *reventarse* trabajando 働きすぎてくたくたになる.

re·ven·tón [r̄eβentón レベントン] 名男
1 破裂, パンク.
2 頑張り, 踏ん張り. darse [pegarse] un *reventón* de [para]《+不定詞》頑張って…する.
3《口語》へばり.

re·ver·be·ra·ción [r̄eβerβeraθjón レベルベラしオン] 名女 反射, 照り返し; 反響.

re·ver·be·rar [r̄eβerβerár レベルベラル] 動自 きらめく, 反射する; 反響する.

re·ver·de·cer [r̄eβerðeθér レベルデせル] 40 動自 **1** (植物が) 再び青々となる.
2 生気を取り戻す.
— 動他 生気を取り戻させる.

re·ve·ren·cia [r̄eβerénθja レベレンしア] 名女 **1** 敬意, 尊敬. **2** お辞儀. hacer una *reverencia* 一礼する.
Su* [*Vuestra*] *Reverencia 《聖職者に対する敬称》神父さま.

re·ve·ren·ciar [r̄eβerenθjár レベレンしアル] 動他 尊ぶ, 敬う.

re·ve·ren·dí·si·mo, ma [r̄eβerendísimo, ma レベレンディシモ, マ] 形《高位聖職者に対する敬称》…猊下(げいか).

re·ve·ren·do, da [r̄eβeréndo, da レベレンド, ダ] 形 **1**《聖職者に対する敬称》…師. el *reverendo* padre Luis ルイス神父さま.
2《口語》謹厳な; まじめくさった.

re·ve·ren·te [r̄eβerénte レベレンテ] 形 敬虔(けいけん)な, 恭しい.

re·ver·si·ble [r̄eβersíβle レベルシブれ] 形
1 逆[反対]にできる; 元に戻せる.
2 裏表が着られる, リバーシブルの.

R

re·ver·so, sa [r̄eβérso, sa レベルソ, サ] 名男 裏, 裏面; 〘印刷〙裏[左]ページ (↔ anverso).

re·ver·tir [r̄eβertír レベルティル] [52 e → ie, i] 動自 [現分 revirtiendo]
1〘法律〙(財産・権利が) 戻る, 返還される.
2《+en》最終的に…となる.

re·vés [r̄eβés レベス] 名男 **1** 裏, 裏面. el *revés* de la tela 布地の裏. el *revés* de la mano 手の甲.
2〘スポーツ〙バックハンド.
3 逆境, 裏目. *reveses* de fortuna 不運.
al revés 逆に; 裏返しに. ponerse el jersey *al revés* セーターを裏返し[後前に]着る.
al revés de ... …とは反対に. *al revés de* lo que se dice 言われていることとは逆に.
del revés 上下[裏表, 前後]逆に. volver《+algo》*del revés*〈何か〉を逆さ[裏返し]にする.

re·ves·ti·do [r̄eβestíðo レベスティド] / **re·ves·ti·mien·to** [-timjénto -ティミエント] 名男 コーティング; 外装.

re·ves·tir [r̄eβestír レベスティル] [41 e → i] 動他 [現分 revistiendo] **1**《+de》…で覆う; コーティングする.
2 (様相を) 呈する, 帯びる. El acto *revistió* su habitual solemnidad. 儀式はいつものとおり荘厳だった.
— re·ves·tir·*se* 《+de》…で身を固める, …に努める. *revestirse de* paciencia じっと辛抱する.

re·vie·jo, ja [r̄eβjéxo, xa レビエホ, ハ] 形 ひどく年老いた, 老いさらばえた.

revient- 動 → reventar. 42

re·vi·sar [r̄eβisár レビサル] 動他 **1** 改めて調べる, 見直す. *revisar* una traducción 訳文を校閲する. *revisar* la cuenta 会計監査する; 勘定書きをチェックする.
2 点検する; 検札する. *revisar* el coche 車を点検する.

re·vi·sión [r̄eβisjón レビシオン] 名女
1 点検. *revisión* periódica 定期点検.
2 見直し; 再検討. **3** 校訂, 校閲.

re·vi·sio·nis·mo [r̄eβisjonísmo レビシオニスモ] 名男 修正主義.

re·vi·sio·nis·ta [r̄eβisjonísta レビシオニスタ] 名男女 修正主義者.

re·vi·sor, so·ra [r̄eβisór, sóra レビソル, ソラ] 名男 (バス, 電車の) 検札係, 車掌; 校閲者, 校訂者; 検査官.

re·vis·ta

[r̄eβísta レビスタ] 名女 [複 ~s] 〔英 magazine〕
1 雑誌. *revista* de moda ファッション雑誌. *revista* mensual [semanal] 月刊[週刊]誌.
2 点検, 検査. **3**〘軍事〙閲兵.
4〘演劇〙レビュー. **5** 評論.
pasar revista a ... …を観閲[閲兵]する; …を点検する.

re·vis·te·ro [r̄eβistéro レビステロ] 名男 マガジン・ラック. → cuarto 図.

re·vi·vi·fi·car [r̄eβiβifikár レビビフィカル] [8 c → qu] 動他 生き返らせる; 再び生き生きとさせる.

re·vi·vir [r̄eβiβír レビビル] 動自 生き返る; よみがえる.
— 動他 よみがえらせる, 思い出す.

re·vo·ca·ble [r̄eβokáβle レボカブれ] 形 取り消せる, 撤回できる (↔ irrevocable).

re·vo·car [r̄eβokár レボカル] [8 c → qu] 動他 **1** 取り消す, 撤回する; 無効にする. **2** 逆流させる.

re·vol·car [r̄eβolkár レボるカル] [8 c → qu ; 13 o → ue] 動他 **1** 地面にひっくり返す, 引き倒す. **2** 打ち負かす, やり込める.
3《口語》落第させる.

── **re·vol·car·*se*** 転げ回る. *revolcarse* en el suelo 地面を転がる.

re·vol·cón [r̄eβolkón レボるコン] 名男 《口語》 **1** 転倒; 転げ回ること.
2 打ち負かすこと. dar un *revolcón* a 《＋uno》《口語》〈人〉をやり込める.

re·vo·lo·te·ar [r̄eβoloteár レボろテアル] 動自 飛び回る, 宙に舞う.

re·vo·lo·te·o [r̄eβolotéo レボろテオ] 名男 飛び回ること, 宙を舞うこと.

re·vol·ti·jo [r̄eβoltíxo レボるティホ] 名男 ごた混ぜ, 寄せ集め. un *revoltijo* de papeles 書類の山.

re·vol·to·so, sa [r̄eβoltóso, sa レボるトソ, サ] 形 **1** いたずらな. **2** 不穏な, 騒乱を企てる. ── 名男女 不穏分子, 反乱者.

re·vo·lu·ción [r̄eβoluθjón レボるしオン] 名女 [複 revoluciones] 〔英 revolution〕
1 革命, 変革. estallar la *revolución* 革命が勃発(ぼっ)する. *Revolución* Francesa フランス革命. *revolución* industrial 産業革命. *revolución* copernicana コペルニクス的転回.
2 〘技術〙 回転 (数). **3** 〘天文〙 公転, 運行. la *revolución* de la Tierra 地球の公転. ►「自転」は rotación.

re·vo·lu·cio·nar [r̄eβoluθjonár レボるしオナル] 動他 **1** …に革命を引き起こす; 変革をもたらす. **2** 動揺させる.

re·vo·lu·cio·na·rio, ria [r̄eβoluθjonárjo, rja レボるしオナリオ, リア] 形 革命の; 革命的な. ── 名男女 革命家.

re·vol·ver [r̄eβolβér レボるベル] [35 o ➡ ue] 動他 [過分 revuelto, ta] **1** かき混ぜる, かき回す; 取り散らかす. *revolver* la ensalada サラダを混ぜ合わす. *revolver* toda la casa 家中をひっくり返す.
2 不愉快にさせる; 波風を立てる, 不穏にする.
── **re·vol·ver·*se*** **1** 回転する; 転げる. *revolverse* en la cama 寝返りを打つ.
2 《＋**contra**》…に立ち向かう.
3 (天気が) 荒れる.
revolver 《＋algo》 ***en la cabeza*** 〈何か〉をじっくり考える.

re·vól·ver [r̄eβólβer レボるベル] 名男 リボルバー, 回転式連発ピストル.

re·vuel·co [r̄eβwélko レブエるコ] 名男 ➡ revolcón.

re·vue·lo [r̄eβwélo レブエろ] 名男
1 (鳥が) 再び飛び立つこと; 乱れ飛ぶこと.
2 騒ぎ; 動揺.

re·vuel·to, ta [r̄eβwélto, ta レブエるト, タ] 過分 ➡ revolver.
── 形 **1** 雑然とした, こんがらかった, 混乱した. pelo *revuelto* くしゃくしゃの髪. Todo estaba *revuelto*. 何もかもめちゃくちゃだった.
2 (天候が) 変わりやすい, 不安定な; (海が) 時化(しけ)ている. tiempo *revuelto* 荒天.
3 動揺した; 不穏な, 騒然とした. vivir en tiempos *revueltos* 激動の時代に生きる.
── 名女 暴動, 反乱; 乱闘.

rey [r̄éi レイ] 名男 [複 ～es] 〔英 king〕
1 王, 国王; [～es] 国王夫妻 (► 女王は reina). *rey* absoluto 絶対君主. *rey* constitucional 立憲君主. Los *Reyes* de España スペイン国王夫妻.
2 《比喩》 王者. *rey* de los animales 百獣の王ライオン.
3 (チェス, トランプ) キング (➡ ajedrez 図); (スペイン・トランプ) 王 (数字は 12. ➡naipe).

re·yer·ta [r̄ejérta レイエルタ] 名女 けんか, 口論.

re·ye·zue·lo [r̄ejeθwélo レイエすエろ] 名男 族長, 酋長(しゅうちょう).

re·za·gar·*se* [r̄eθaɣárse レさガルセ] [32 g ➡ gu] 動 遅れをとる; 置いてきぼりをくう.

re·zar [r̄eθár レさル] [39 z ➡ c] 動自他 〔英 pray〕 **1** 《＋**a**》 …に祈る; 《＋**por**》 …のために祈る. *rezar a* Dios 神に祈る. *rezar por* los difuntos 死者の冥福(めいふく)を祈る. *rezar* una oración 祈りを唱える.
2 (…と) 書いてある. según *reza* el refrán 諺(ことわざ)にもあるように.
3 《口語》《＋**con**》 …と関係がある, …に適用される.

re·zo [r̄éθo レそ] 名男 祈り, 祈禱(きとう).

re·zon·gar [r̄eθoŋgár レそンガル] [32 g ➡ gu] 動自 《口語》 不平を言う, 愚痴をこぼす.

re·zu·mar [r̄eθumár レすマル] 動他 にじみ出させる.
── 動自 **re·zu·mar·*se*** にじみ出る.

rí·a [r̄ía リア] 名女 〘地理〙 リアス, 溺(おぼ)れ谷. ◆元来はスペイン Galicia 地方の深い入り江.

ría(-) / riáis / riamos 動 ➡ reír. [48 e ➡ i]

ria·chue·lo [r̄jatʃwélo リアチュエろ] 名男 小川.

ria·da [r̄jáða リアダ] 名女 大水, 洪水; 《口語》 殺到. *riada* de visitantes 訪問客の殺到.

ri·ba·zo [r̄iβáθo リバそ] 名男 土手, 堤.

ri·be·ra [r̄iβéra リベラ] 名女 岸辺, 川べり; 海辺.

ri·be·re·ño, ña [r̄iβeréɲo, ɲa リベレニョ, ニャ] 形 岸辺の, 沿岸の; 海辺の.
── 名男女 沿岸の住民.

ri·be·te [r̄iβéte リベテ] 名男 **1** 〘服飾〙 縁取り, トリミング.
2 [～s] 片鱗(へんりん).
3 (会話などの) 彩り, 味つけ.

ri·be·te·ar [r̄iβeteár リベテアル] 動他 …に縁飾りをつける, …の縁をかがる.

rica 形名女 ➡ rico.

ri·ca·cho, cha [r̄ikátʃo, tʃa リカチョ, チャ] / **ri·ca·chón, cho·na** [r̄ikatʃón, tʃóna リカチョン, チョナ] 名男女 大金持ち, 成

金.

Ri·car·do [r̄ikárðo, リカルド] 固名 リカルド：男性の名.

ri·ci·no [r̄iθíno リしノ] 名男 〘植物〙ヒマ(蓖麻), トウゴマ(唐胡麻). aceite de *ricino* ヒマシ油.

ri·co, ca [r̄íko, ka リコ, カ] [複 ～s] 形 〔英 rich〕
1 金持ちの, 裕福な (↔ pobre). hacerse *rico* 金持ちになる.
2 《+en, de》…に富んだ (= abundante). alimento *rico en* vitaminas ビタミンが豊富な食べ物.
3 おいしい. ¡Qué *rico* está este gazpacho! このガスパチョはすごくおいしいね.
4 肥沃(ひよく)な (= fértil). tierra *rica* 肥沃な土地.
5 豪華な. *ricos* bordados 見事な刺繍(ししゅう).
6 愛らしい. ¡Qué niño tan *rico*! なんて愛くるしい子なんでしょう.
── 名男女 金持ち.

ric·tus [r̄íktus リクトゥス] 名男 [単・複同形] 口をゆがめること, 顔のひきつり. *rictus* de dolor 苦痛にゆがんだ顔.

ri·cu·ra [r̄ikúra リクラ] 名女 おいしさ; 愛くるしさ.

ridícula 形女 → ridículo[1].

ri·di·cu·lez [r̄iðikuléθ リディクれす] 名女 [複 ridiculeces] ばかげたこと, くだらなさ, 取るに足りないこと.

ri·di·cu·li·zar [r̄iðikuliθár リディクりさル] [39 z → c] 動他 からかう, ばかにする.

ri·dí·cu·lo[1], la [r̄iðíkulo, la リディクろ, ら] 形 [複 ～s] 〔英 ridiculous〕 ばかげた, おかしな, くだらない, 取るに足りない. decir cosas *ridículas* たわいもないことを言う. una ganancia *ridícula* わずかなもうけ.

ri·dí·cu·lo[2] [r̄iðíkulo リディクろ] 名男 物笑いの種, 笑い物. caer en el *ridículo* 笑い物になる. hacer el [quedar en] *ridículo* 物笑いの種になる. poner a 《+uno》 en *ridículo* 〈人〉を笑い物にする.

R

rie- / rié- / ríe(-) 動 現分 → reír. [48 e → i]

rieg- 動 → regar. [42 e → ie]

rie·go [r̄jéɣo リエゴ] 名男 **1** 灌漑(かんがい).
2 水撒(ま)き, 散水. camión de *riego* 散水車.
riego sanguíneo 〘解剖〙血液の循環.

riel [r̄jél リエる] 名男 レール. *rieles* del tranvía 路面電車のレール. *riel* de cortina カーテン・レール.

rien·da [r̄jénda リエンダ] 名女 **1** (馬の) 手綱.
2 [～s] 支配 (権), 指揮 (権). empuñar [llevar, tener] las *riendas* de … …の主導権を握る.
aflojar las riendas 手綱を緩める.
a rienda suelta 勝手気ままに, 思う存分に.
dar rienda suelta a … …の思いのままにさせる. *dar rienda suelta a* la imaginación 想像をめぐらす.

ries·go [r̄jésɣo リエスゴ] 名男 [複 ～s] 〔英 danger, risk〕 **1** 危険; 恐れ. No hay ningún *riesgo* de accidente. 事故の恐れはまったくない. exponerse al *riesgo* 危険に身をさらす.
2 (保険の対象となる) 危険, 災害. seguro a [contra] todo *riesgo* 全災害[オールリスク]保険.
a [con] riesgo de … …の危険を承知のうえで, …の危険を冒して.
correr (el) riesgo de 《+不定詞》…する恐れがある, …する危険を冒す.

ri·fa [r̄ífa リファ] 名女 **1** くじ引き, 福引き.
2 けんか, 口論.

ri·far [r̄ifár リファル] 動他 くじ引きをする.
── **ri·far·se** 《口語》取り合う, 争う.

ri·fle [r̄ífle リフれ] 名男 ライフル銃. [←英語]

rig- 動 → regir. [19 g → j ; 41 e → i]

rí·gi·da·men·te [r̄íxiðaménte リヒダメンテ] 副 厳しく.

ri·gi·dez [r̄ixiðéθ リヒデす] 名女 **1** 硬さ, 硬直. **2** 厳しさ, 厳格; 頑固.

rí·gi·do, da [r̄íxiðo, ða リヒド, ダ] 形
1 堅い, 硬直した, こわばった.
2 厳しい, 厳格な; 頑固な (= duro).

ri·gor [r̄iɣór リゴル] 名男 **1** 厳格, 厳正. el *rigor* de un juez 裁判官の厳しさ.
2 (気候の) 厳しさ. el *rigor* del clima polar 極地気候の過酷さ.
3 厳密, 正確.
de rigor 《口語》いつもの, お決まりの; (規則・習慣によって) 不可欠の. discurso *de rigor* 型通りのスピーチ.
en rigor 厳密に言えば; 実際のところ.

ri·go·ris·ta [r̄iɣorísta リゴリスタ] 形 厳格な, 厳格主義の.
── 名男女 厳しすぎる人, 厳格主義者.

ri·gu·ro·sa·men·te [r̄iɣurósaménte リグロサメンテ] 副 厳しく; 厳密に. estar *rigurosamente* prohibido 厳禁である. *rigurosamente* exacto きわめて正確な.

ri·gu·ro·so, sa [r̄iɣuróso, sa リグロソ, サ] 形 **1** 厳格な, 容赦のない (= severo).
2 (気候が) 厳しい, 過酷な. *rigurosos* fríos del invierno 冬場の厳しい寒さ.
3 正確な, 精密な, 厳密な. con *rigurosa* puntualidad ぴったりの時間に.

ri·ma [r̄íma リマ] 名女 **1** 〘詩〙韻, 脚韻.
2 [～s] 韻文, 詩歌.

ri·mar [r̄imár リマル] 動自 《+con》…と韻を踏む.
── 動他 《+con》…と韻を合わせる.

rim·bom·ban·te [r̄imbombánte リンボンバンテ] 形 大げさな; 派手な.

rí·mel [r̄ímel リメる] 名男 (化粧品) マスカラ.

ri·me·ro [r̄iméro リメロ] 名男 山積み.

rin·cón [r̄iŋkón リンコン] 名男 [複 rincones] 〔英 corner〕
1 隅. en un *rincón* de la habitación 部屋の隅に. ➡esquina.
2 片隅, 人目につかない場所, 辺鄙(へんぴ)な場所. ponerse en un *rincón* 目立たない場所にいる. hasta en el último *rincón* de la Tierra 地球の隅々まで. sentir en un *rincón* del corazón 心の片隅で思う.
sin dejar rincón 隅から隅まで.

rin·co·na·da [r̄iŋkonáða リンコナダ] 名女 片隅; 街角.

rin·co·ne·ra [r̄iŋkonéra リンコネラ] 名女 コーナー家具.

rind- 動 現分 ➡rendir. [41 e ➡ i]

ring [r̄íŋ リン] 名男 《スポ》(ボクシング・レスリングの) リング. [←英語]

ri·no·ce·ron·te [r̄inoθerónte リノセロンテ] 名男 《動物》サイ (犀).

riñ- 動 ➡reñir. 56

ri·ña [r̄íɲa リニャ] 名女 けんか, 争い; 口論.

ri·ñón [r̄iɲón リニョン] 名男 **1** 《解剖》腎臓(じんぞう). *riñón* artificial 人工腎臓. ➡ vísceras 図.
2 中心, 核心. el *riñón* del asunto 問題の核心.
3 [riñones] 腰. dolor de *riñones* 腰痛.
costar un riñón 《口語》値段がとても高い.
tener el riñón bien cubierto 《口語》大金持ちである.

rí·o [r̄ío リオ] 名男 [複 ~s] 〔英 river〕
1 川, 河. El *río* pasa por el centro de la ciudad. 町の中央を川が流れている. *río* abajo 下流へ. *río* arriba 上流へ. cauce de un *río* 川床. ► 小川は arroyo.
2 流れ. *río* de lava 溶岩流.
a río revuelto 混乱状態で.
pescar a río revuelto 混乱に乗じてもうける, 漁夫の利を得る.
un río de ... 大量の…, 大勢の…. *un río de* oro 大量の金. *un río de* gente 大勢の人.
—— 動 ➡ reír. [48 e ➡ i]

rió 動 ➡reír. [48 e ➡ i]

Rí·o de Ja·nei·ro [r̄íoðexanéiro リオデハネイロ] 固名 リオデジャネイロ: ブラジル Brasil の港湾都市.

Rí·o de la Pla·ta [r̄íoðelapláta リオデラプラタ] 固名 ラプラタ川; ラプラタ川流域.

Rio·ja [r̄jóxa リオハ] 固名 La *Rioja* ラ・リオハ: スペイン北部の地方, 自治州; 県. ➡ autónomo 【参考】.
—— 名男 [r-] スペイン La Rioja 産のぶどう酒.

rio·ja·no, na [r̄joxáno, na リオハノ, ナ] 形 ラ・リオハの.
—— 名男女 ラ・リオハの住民.

rio·pla·ten·se [r̄joplaténse リオプラテンセ] 形 ラプラタ川流域の.
—— 名男女 ラプラタ川流域の住民.

ri·pio [r̄ípjo リピオ] 名男 (文章の) 埋め草.
no perder ripio 耳をそばだてて聞く; 目を皿にして見る.

ri·que·za [r̄ikéθa リケサ] 名女 [複 ~s] 〔英 wealth〕 **1** 富; 財産; 豊かさ (↔ pobreza). amontonar *riquezas* 巨万の富を築く. vivir en la *riqueza* 何不自由なく暮らす. *riqueza* de imaginación 想像力の豊かさ.
2 豪華さ. la *riqueza* del tapiz 壁掛けの豪華さ.

ri·sa [r̄ísa リサ] 名女 [複 ~s] 〔英 laugh〕
1 笑い. *risa* burlona [socarrona] あざ笑い. *risa* falsa [fingida, de conejo] 作り笑い. caerse [morirse] de *risa* 笑い転げる. entrar a 《+uno》 la *risa* 思わず吹き出す. tomar 《+algo》 a *risa* 〈何か〉を一笑に付する. ➡ reír 【参考】.
2 笑い物, お笑い草. ser cosa de *risa* お笑い草である. ser la *risa* de todo el mundo 世間の笑い物である.

ris·co [r̄ísko リスコ] 名男 険しい [切り立った] 岩山.

ri·si·ble [r̄isíβle リシブレ] 形 おかしい, こっけいな.

ri·so·ta·da [r̄isotáða リソタダ] 名女 高笑い, ばか笑い. soltar una *risotada* 大笑いする.

ris·tra [r̄ístra リストゥラ] 名女 **1** 数珠つなぎ. una *ristra* de ajos ひとつなぎのニンニク. **2** 《口語》連発, 連続.

ris·tre [r̄ístre リストゥレ] 名男 (甲冑(かっちゅう)の) 槍(やり)受け.

ri·sue·ño, ña [r̄iswéɲo, ɲa リスエニョ, ニャ] 形 にこやかな; 有望な, 明るい. cara *risueña* にこにこ顔. porvenir *risueño* 明るい将来.

Ri·ta [r̄íta リタ] 固名 リタ: 女性の名.

rít·mi·co, ca [r̄ítmiko, ka リトゥミコ, カ] 形 リズミカルな.

R

rit·mo [r̄ítmo リトゥモ] 名男 **1** リズム, 律動, 周期 [反復] 運動. *ritmo* del corazón 心臓の鼓動. dar *ritmo* リズム [調子] をつける. **2** ペース, テンポ. *ritmo* de trabajo 仕事のペース. a un *ritmo* acelerado 急ピッチで.

ri·to [r̄íto リト] 名男 **1** 儀式; 祭式.
2 慣習, しきたり.

ri·tual [r̄itwál リトゥアる] 形 典礼の; 祭式の; 儀式の. libro *ritual* 典礼書.
—— 名男 典礼, 式次.

ri·val [r̄iβál リバる] 名男女 競争相手, ライバル.

ri·va·li·dad [r̄iβaliðáð リバリダ(ドゥ)] 名女 競争, 対立.

ri·va·li·zar [r̄iβaliθár リバリさル] [39 z ➡ c] 動自 競う, 張り合う.

ri·zar [r̄iθár リサル] [39 z → c] 動他 縮らせる；…にさざ波を立てる；(髪を) カールする. ── **ri·zar·se** 縮れる；波立つ.
rizar el rizo《口語》事を荒立てる, こじらせる.

ri·zo [r̄íθo リソ] 名男
巻き毛, 縮れ毛, カール.

ri·zo·so, sa [r̄iθóso, sa リソソ, サ] 形 縮れ毛の, カール気味の.

ro·bar [r̄oβár ロバル] 動他〔英 steal〕
盗む, 奪う. Me *han robado* la cartera en el metro. 地下鉄の中で私は財布をすられた. *robar* la vida 命を奪う. *robar* el corazón a《＋uno》〈人〉の心を捕らえる.

Ro·ber·to [r̄oβérto ロベルト] 固名 ロベルト：男性の名.

ro·ble [r̄óβle ロブレ] 名男 **1**〘植物〙(カシ・ナラなど) カシワ (柏) の類；オーク材.
2 たくましい人, 頑丈なもの.

ro·ble·dal [r̄oβleðál ロブレダル] 名男
カシワ (柏) 類の林.

ro·ble·do [r̄oβléðo ロブレド] 名男
→ robledal.

ro·blón [r̄oβlón ロブロン] 名男〘技術〙
鋲(びょう), リベット.

ro·bo [r̄óβo ロボ] 名男
盗み；強盗；盗難品. cometer un *robo* 盗みを働く.
── 動 → robar.

ro·bot [r̄oβót ロボ(トゥ)] 名男 [複 robots]
1 ロボット. *robot* industrial 産業用ロボット. **2** 人の言いなりになる人. [←英語]

ro·bus·te·cer [r̄oβusteθér ロブステセル] 40 動他 頑丈にする；鍛える.
── **ro·bus·te·cer·se** 頑丈になる, 堅固になる；たくましくなる.

ro·bus·tez [r̄oβustéθ ロブステす] 名女
頑健, たくましさ；頑丈, 堅牢(けんろう).

ro·bus·to, ta [r̄oβústo, ta ロブスト, タ] 形
がっしりした, 頑健な；頑丈な (＝fuerte). cuerpo *robusto* たくましい体. muros *robustos* 頑丈な壁.

ro·ca [r̄óka ロカ] 名女 [複 ～s]〔英 rock〕
岩；岩山. Una *roca* grande tapaba la boca de la cueva. 大きな岩が洞穴の入り口をふさいでいた. *roca* calcárea 石灰岩. *roca* eruptiva 火山岩. en *roca* viva 自然石を用いて. ►「不動のもの」の意味でも使われる. ⇒ corazón de *roca* 揺るぎない心.

ro·ce [r̄óθe ロセ] 名男 **1** こすること, 摩擦；こすった跡[傷]. **2** 付き合い.
3 軋轢(あつれき), 不和. tener un *roce* con《＋uno》〈人〉と一悶着(ひともんちゃく)を起こす.

ro·ciar [r̄oθjár ロしアル] 動他 水をまく, 吹きかける；ぬらす, 湿らせる.

ro·cín [r̄oθín ロしン] 名男 **1** やせ馬.
2 のろま, とんま.

ro·cí·o [r̄oθío ロしオ] 名男 露；水滴.

ro·co·có [r̄okokó ロココ] 形〘建築〙〘美術〙ロココ様式の.
── 名男〘建築〙〘美術〙ロココ様式：18世紀初めのフランスに生まれた様式.

ro·co·so, sa [r̄okóso, sa ロコソ, サ] 形
岩の多い, 岩だらけの.

ro·da·ba·llo [r̄oðaβáʎo ロダバリョ] 名男〘魚〙ダルマガレイ (の一種).

ro·da·do, da [r̄oðáðo, ða ロダド, ダ] 過分 形 **1** 丸くなった, すべすべした, 滑らかな. canto *rodado* 丸い石.
2 経験豊かな.
3 車両の.
── 名男《ラ米》車両, 乗り物.
venir rodado《口語》タイミングよくそうなる.

ro·da·ja [r̄oðáxa ロダハ] 名女 **1**〘料理〙(レモンなどの) 輪切り, スライス. en *rodajas* 輪切りの[で]. **2** 小型の回転盤[車輪].

ro·da·je [r̄oðáxe ロダヘ] 名男 **1**〘映画〙撮影. **2**《集合》車輪, 回転装置.

ro·da·mien·to [r̄oðamjénto ロダミエント] 名男〘機械〙軸受け, ベアリング.

ro·dar [r̄oðár ロダル] [13 o → ue] 動自〔英 roll〕 **1 転がる**, 回転する. *Rueda* la pelota por el suelo. ボールが床を転がる. *rodar* escaleras abajo 階段を転がり落ちる.
2 (車などが) 動く, 走る. *rodar* a cien kilómetros por hora 時速100キロで走る.
3 転々とする, 歩き回る. *rodar* por las calles 街をほっつき歩く.
4 出回る；あい次いで起こる.
── 動他 **1** 転がす. **2** 撮影する. *rodar* una película 映画を撮る.
3 (車などを) 慣らし運転する.
andar [***ir***] ***rodando***《口語》あちこち探し歩く；居所が定まらない.

ro·de·ar [r̄oðeár ロデアル] 動他〔英 enclose〕 **1 取り囲む**. Le *rodeó* un grupo de muchachos. 少年たちのグループが彼を取り囲んだ.
2 回り道する；回りくどく言う. *rodear* el tema 回りくどく本筋に入らない.
── 動自 **1** 回り道する, 遠回りする.
2 遠回しに言う.
── **ro·de·ar·se**《＋**de**》…に取り囲まれる. *rodearse de* los amigos 友だちに囲まれる.

ro·de·o [r̄oðéo ロデオ] 名男 **1** 回り道, 迂回(うかい). dar un *rodeo* 回り道する.
2 [～s] 回りくどい言い方, 遠回しの表現. hablar sin *rodeos* 単刀直入に話す.
3 ロデオ：カウボーイの競技会.
── 動 → rodear.

ro·de·te [r̄oðéte ロデテ] 名男 (物を載せて運ぶ) 頭当て.

ro·di·lla [r̄oðíʎa ロディリャ] 名女 [複 ～s]〔英 knee〕 **膝**(ひざ). → cuerpo 図.
de rodillas 両膝をついて, へり下って. pedir《＋algo》*de rodillas*〈何か〉を懇願する.
doblar [***hincar***] ***la rodilla*** (敬意を表して) 片膝をつく；屈従する.

hincarse [***ponerse***] ***de rodillas*** ひざまずく.

ro·di·lla·zo [r̄oðiʎáθo ロディリャそ] 名男 膝(ひざ)げり; 膝への一撃. dar un *rodillazo* a 《+uno》〈人〉に膝げりを食らわせる.

ro·di·lle·ra [r̄oðiʎéra ロディリェラ] 名女 膝(ひざ)当て[サポーター]; 〖服飾〗(ズボンの)膝当て.

ro·di·llo [r̄oðíʎo ロディリョ] 名男 (印刷機・地ならし機・圧延機などの) ローラー; 〖料理〗麺(めん)棒.

Ro·dri·go [r̄oðríɣo ロドゥリゴ] 固名 ロドリーゴ: 男性の名.

ro·e·dor [r̄oeðór ロエドル] 名男 [~es] 齧歯(げっし)目の動物.

ro·e·du·ra [r̄oeðúra ロエドゥラ] 名女 かじること; かじり跡.

ro·er [r̄oér ロエル] 10 動他 [現分 royendo; 過分 roído, da]

1 かじる; 削り取る. El perro *roía* un hueso. 犬が骨をかじっていた.

2 さいなむ, 苦しめる. Le *roen* los remordimientos. 彼は良心の呵責(かしゃく)にさいなまれている.

ro·gar [r̄oɣár ロガル] [13 o ➞ ue ; 32 g ➞ gu] 動他自 **1 懇願する**; 《+不定詞》《+**que** 接続法》…**するように頼む**. Para más información le *rogamos* (que) se dirija a nuestra oficina en Madrid. 詳細は当社マドリード事務所にお問い合わせください. Se *ruega* no fumar. おタバコはご遠慮ください. ► pedir より丁重な表現になる. 接続詞 que は省かれることがある.

2 祈る, 祈願する.

ro·ga·ti·va [r̄oɣatíβa ロガティバ] 名女 [普通 ~s] 祈禱(きとう), 祈願.

rogue(-) / **rogué**(-) 動 ➞ rogar. [13 o ➞ ue ; 32 g ➞ gu]

roja 形女 ➞ rojo[1].

ro·ji·zo, za [r̄oxíθo, θa ロヒそ, さ] 形 赤らんだ, 赤みを帯びた.

ro·jo[1], ja [r̄óxo, xa ロホ, ハ] 形 [複 ~s] 〔英 red〕

1 赤い. pintarse las uñas *rojas* 爪(つめ)を赤く塗る. pelo *rojo* 赤毛. Tus palabras la pusieron *roja*. 君の言葉で彼女は真っ赤になった. ponerse *rojo* 赤面する.

2 《口語》《軽蔑》左翼の, 赤い.

ro·jo[2] [r̄óxo ロホ] 名男 **1 赤**, 赤色.

2 《口語》《軽蔑》左翼, 赤.

al rojo (***vivo***) 赤く焼けた; 白熱した.

rol [r̄ól ロる] 名男 **1** 役目, 役割; 〖演劇〗役割 (= papel). **2** 名簿; 〖海事〗船員名簿.

ro·llo [r̄óʎo ロリョ] 名男 **1** 巻いたもの, 筒状のもの; (映画の) 一巻; (フィルムの) 一本. un *rollo* de papel higiénico トイレットペーパー1巻き.

2 《口語》退屈なもの, うんざりするもの; 厄介. La película fue un *rollo*. その映画は退屈だった. meterse en un *rollo* 厄介な羽目に陥る.

3 ロールパン.

Ro·ma [r̄óma ロマ] 固名 **1** ローマ: イタリア Italia の首都. **2** ローマ教皇; バチカン.

ro·man·ce [r̄ománθe ロマンせ] 形 ロマンス語の. lenguas *romances* ロマンス諸語 (◆イタリア語, スペイン語, ポルトガル語, カタルーニャ語, フランス語, ルーマニア語など).

── 名男 **1** ロマンス語.

2 〖詩〗ロマンセ. ◆中世以後スペイン文学で広く行われた1行8音節の物語詩.

3 ロマンス, 恋愛.

hablar en romance 平明に語る.

ro·man·ce·ro [r̄omanθéro ロマンせロ] 名男 〖文〗ロマンセ集.

ro·má·ni·co, ca [r̄omániko, ka ロマニコ, カ] 形 **1** 〖建築〗〖美術〗ロマネスク様式の.

2 ロマンス語の (➞ romance). lenguas *románicas* ロマンス諸語.

── 名男 〖建築〗〖美術〗ロマネスク様式.

ro·ma·nis·ta [r̄omanísta ロマニスタ] 形 ロマンス語学[文学]研究の.

── 名男女 **1** ロマンス語学[文学]研究者.

2 ローマ法学者.

ro·ma·ni·za·ción [r̄omaniθaθjón ロマニさしオン] 名女 ローマ化.

ro·ma·ni·zar [r̄omaniθár ロマニさル] [39 z ➞ c] 動他 ローマ化する.

ro·ma·no, na [r̄ománo, na ロマノ, ナ] 形

1 ローマの.

2 (ローマ) カトリック教会の. La Iglesia *romana* ローマ・カトリック教会.

── 名男女 ローマ人; ローマの住民.

── 名女 竿秤(さおばかり) (= balanza romana).

ro·man·ti·cis·mo [r̄omantiθísmo ロマンティしスモ] 名男 **1** ロマン主義.

2 ロマンチックな性向[気分].

ro·mán·ti·co, ca [r̄omántiko, ka ロマンティコ, カ] 形 **1** ロマン主義の.

2 ロマンチックな, 現実離れした.

── 名男女 ロマンチックな人.

rom·bo [r̄ómbo ロンボ] 名男 〖数〗菱(ひし)形.

rom·boi·de [r̄ombóiðe ロンボイデ] 名男 〖数〗偏菱(へんりょう)形, 長斜方形.

ro·me·rí·a [r̄omería ロメリア] 名女 **1** 巡礼, 聖地詣(もう)で. **2** 人出, 人波.

ro·me·ro, ra [r̄oméro, ra ロメロ, ラ] 名男女 巡礼者. ── 名男 〖植物〗ローズマリー.

ro·mo, ma [r̄ómo, ma ロモ, マ] 形

1 (先の) 丸くなった, とがっていない.

2 だんご鼻の. **3** 鈍い, 鈍感な.

rom·pe·ca·be·zas [r̄ompekaβéθas ロンペカベさス] 名男 [単・複同形] **1** ジグソーパズル. **2** 頭痛の種, 難題.

rom·pe·hie·los [r̄ompejélos ロンペイエろス] 名男 [単・複同形] 砕氷船.

rom·pe·o·las [r̄ompeólas ロンペオらス] 名男 [単・複同形] 防波堤, 波よけ. ➞ puerto 図.

rom·per [r̄ompér ロンペル] 動他 [現分 rompiendo；過分 roto, ta]〔英 break〕**1** 壊す，破る，折る．*romper* un vaso コップを割る．*romper* una cuerda 綱を引きちぎる．*romper* el papel en pedazos 紙を小さく裂く．*romper* una rama 枝を折る．
2 着古す，履き古す．*romper* el calzado por la suela 靴底をすり減らす．
3 断つ；(取り決めなどを) 破棄する；遮る．*romper* el silencio 沈黙を破る．*romper* un pacto 条約を破棄する．*romper* las relaciones diplomáticas 外交関係を断つ．

【参　考】 **romper** は広い意味で壊す．**despedazar, destrozar** は粉々に砕く．**destruir, derribar, derrumbar** は建造物を壊す．

―― 動自 **1** (波が) 砕ける．
2 《＋**con**》 …と縁を切る，関係を断つ．No quiero *romper con* él pase lo que pase. どんなことがあっても彼とは絶対別れないわ．*romper con* el pasado 過去を断ち切る．
3 始まる，開始する；(太陽・月などが) 現れる．*romper* el día [el alba] 夜が明ける．
4 (花・芽などが) ほころぶ，開きだす．*romper* los capullos つぼみが開く．
5 《＋**a** 不定詞》《＋**en** 名詞》 突然…しだす．*romper a* llorar [*en* llanto] わっと泣きだす．
―― **rom·per·*se*** 壊れる，破れる，折れる．*Se* le *rompió* el tacón andando. 歩いていて彼女は靴のかかとが取れてしまった．*Se* me *rompió* la pierna. 私は脚の骨を折った．
romper filas 〔軍事〕散開する；隊伍(たいご)を乱す．¡*Rompan filas*!《号令》散開！

rompiendo 現分 → romper.

rom·pien·te [r̄ompjénte ロンピエンテ] 名男 岩礁，暗礁．

rom·pi·mien·to [r̄ompimjénto ロンピミエント] 名男 破綻(はたん)，決裂，断絶．

ron [r̄ón ロン] 名男 ラム (酒)．◆西インド諸島特産の蒸留酒．

ron·car [r̄oŋkár ロンカル] [8 c → qu] 動自 いびきをかく；(波・風などが) うなる．

Ron·ces·va·lles [r̄onθesβáʎes ロンセスバリェス] 固名 ロンセスバリェス：ピレネー山中のスペイン領の村．

ron·cha [r̄óntʃa ロンチャ] 名女 **1** (虫さされなどによる) 腫(は)れ；皮下出血．
2 〔料理〕薄い輪切り，スライス．

ron·co, ca [r̄óŋko, ka ロンコ，カ] 形 しわがれた，がらがら声の．voz *ronca* しゃがれ声．Me he quedado *ronco*. 私は声がかれてしまった．

ron·da [r̄ónda ロンダ] 名女 **1** 巡回；(警察などの) 夜の見回り．
2 環状道路，環状線．
3 《口語》(酒などの) 振る舞い．
4 (トランプ) 一勝負．
5 ロンダ：伝統的な衣装でセレナーデを歌い歩く学生の一団．→ tuna.

ron·dar [r̄ondár ロンダル] 動自 **1** 夜回りする，パトロールする．
2 (夜に) 街をぶらつく；ロンダで練り歩く．
―― 動他 **1** …にまつわりつく，追いかけ回す；(女性に) 言い寄る．
2 夜回りする；うろつく．
3 …歳になる．*rondar* los cincuenta まもなく50歳に手が届く．

ron·dón [r̄ondón ロンドン] ***de rondón*** 《副詞句》なんの断りもなく；思いがけなく．entrar *de rondón* ノックもせずに入る．

ron·que·ra [r̄oŋkéra ロンケラ] 名女 声のかすれ，しわがれ．

ron·qui·do [r̄oŋkíðo ロンキド] 名男 いびき．

ron·ro·ne·ar [r̄onr̄oneár ロンロネアル] 動自 (猫が) 喉(のど)をごろごろ鳴らす．

ron·ro·ne·o [r̄onr̄onéo ロンロネオ] 名男 猫が喉(のど)を鳴らすこと．

ron·zal [r̄onθál ロンさル] 名男 (牛馬の) 端綱．

ro·ña [r̄óɲa ロニャ] 名女 **1** 染みついたあか，こびりついた汚れ．
2 《口語》けち，しみったれ．
―― 名男女 《口語》けちん坊．

ro·ñe·rí·a [r̄oɲería ロニェリア] 名女 《口語》けち，しみったれ根性．

ro·ñi·ca [r̄oɲíka ロニィカ] 形 《口語》けちな，出し惜しみする．
―― 名男女 《口語》けちな人．

ro·ño·so, sa [r̄oɲóso, sa ロニョソ，サ] 形
1 〔獣医〕疥癬(かいせん)の．
2 《口語》あかだらけの．
3 《口語》けちな，しみったれの．

ro·pa [r̄ópa ロパ] 名女 [複 ～s]〔英 clothes〕衣服，衣料，衣類．*ropa* blanca (テーブルクロス・タオルなどの) 家庭衣料品；下着類．*ropa* de cama シーツ，ベッドカバー．*ropa* interior 下着．ponerse [quitarse] la *ropa* 服を着る[脱ぐ]．→ traje.
a quema ropa (1)至近距離で．(2)あけすけに．decir *a quema ropa* ずけずけと言う．
no tocar la ropa a 《＋uno》〈人〉に危害を加えない．

ro·pa·je [r̄opáxe ロパヘ] 名男 **1** 《集合》衣服；礼服，式服．**2** 《口語》厚着，着膨れ．

ro·pa·ve·je·ro, ra [r̄opaβexéro, ra ロパベヘロ，ラ] 名男女 古着商人，古物商人．

ro·pe·rí·a [r̄opería ロペリア] 名女 **1** 洋服屋．**2** クローク；クローク係；衣装部屋．

ro·pe·ro, ra [r̄opéro, ra ロペロ，ラ] 形 衣装保管のための．
―― 名男 洋服だんす；衣装部屋．
―― 名男女 **1** 洋服屋．**2** クローク係，衣装係．

R

ro·que [r̄óke ロ̲ケ] 名男 (チェス) ルーク (= torre).
estar [***quedarse***] ***roque*** 《口語》眠りこける.

ro·que·ro, ra [r̄okéro, ra ロ̲ケロ, ラ] 形 〔音楽〕ロックの.
── 名男女 ロックミュージシャン; ロック・ファン.

ro·que·te [r̄okéte ロ̲ケテ] 名男 〔カトリック〕ロシェトゥム: 高位聖職者用の短い白衣.

ro·rro [r̄ór̄o ロ̲ロ] 名男 乳飲み子, 赤ん坊.

ro·sa [r̄ósa ロ̲サ] [複 ~s] 名女 〔英 rose〕
1 〔植物〕**バラの花**. ramo de *rosas* バラの花束. *rosa* silvestre 野バラ.
2 (皮膚の) 赤い斑点(はんてん).
── 形 **ばら色の** (= de color *rosa*).
estar como las propias rosas 満足している.

Ro·sa [r̄ósa ロ̲サ] 固名 ロサ: 女性の名.

ro·sá·ce·o, a [r̄osáθeo, a ロ̲サセオ, ア] 形 ばら色の.

ro·sa·do, da [r̄osáðo, ða ロ̲サド, ダ] 形 ピンク色の, ばら色の.
── 名男 ロゼ・ワイン (= vino *rosado*).

ro·sal [r̄osál ロ̲サる] 名男 〔植物〕バラ; バラの茂み.

ro·sa·le·da [r̄osaléða ロ̲サれダ] / **ro·sa·le·ra** [-ra -ラ] 名女 バラ園.

ro·sa·rio [r̄osárjo ロ̲サリオ] 名男 **1** 〔カトリック〕ロザリオ; ロザリオの祈り. **2** 数珠つなぎ, 一連のもの. **3** 《口語》背骨 (= espinazo).
4 [R-] ロサリオ: 女性の名. 愛 Charo.

ros·bif [r̄osβíf ロ̲スビフ] 名男 〔料理〕ローストビーフ. [← 〔英〕roast beef]

ros·ca [r̄óska ロ̲スカ] 名女 **1** ねじ山; 螺旋(らせん). **2** ドーナツ形のパン [ケーキ]; ドーナツ形のもの.
hacer la rosca a 《+ uno》〈人〉にごまをする.
pasarse de rosca やり[言い]すぎる.

ros·car [r̄oskár ロ̲スカル] [8 c → qu] 動他 **1** ねじを切る.
2 螺旋(らせん)形にする; 丸める.

ros·co [r̄ósko ロ̲スコ] 名男 **1** ドーナツ形のパン[ケーキ]. **2** 《口語》0 点.

ros·cón [r̄oskón ロ̲スコン] 名男 [rosca の 大] **1** ドーナツ形のケーキ. *roscón* de Reyes 1月6日の公現祭の菓子 (◆中の人形などに当たった人はその年幸運に恵まれるという).
2 《口語》0 点.

ro·se·ta [r̄oséta ロ̲セタ] 名女 **1** バラの花の形をしたもの; 頬(ほお)の紅潮.
2 [~s] ポップコーン (= palomita).

ro·se·tón [r̄osetón ロ̲セトン] 名男 〔建築〕(ゴシック様式の) バラ窓.

ros·qui·lla [r̄oskíʎa ロ̲スキリャ] 名女 ドーナツ.

ros·tro [r̄óstro ロ̲ストゥロ] 名男 [複 ~s] 〔英 face〕**顔**; 表情 (= cara). *rostro* alegre 明るい顔つき. torcer el *rostro* 顔をしかめる. volver el *rostro* 顔をそむける.
echar a 《+uno》 ***en rostro*** 〈人〉を面責する, 非難する.
tener mucho rostro 《口語》厚かましい.

rota 過分 女 → romper.
── 形 女 → roto.

ro·ta·ción [r̄otaθjón ロ̲タしオン] 名女
1 回転, 旋回; 〔天文〕自転 (►「公転」は revolución). *rotación* de la Tierra 地球の自転.
2 交替, ローテーション. por *rotación* 交替で. *rotación* de cultivos 〔農業〕輪作.

ro·ta·ti·vo, va [r̄otatíβo, βa ロ̲タティボ, バ] 形 **1** 回転する, 回転式の; 輪転式の.
2 順送りの, 輪番の.
── 名女 〔印刷〕輪転機.

ro·ta·to·rio, ria [r̄otatórjo, rja ロ̲タトリオ, リア] 形 回転する; 自転の.

ro·to, ta [r̄óto, ta ロ̲ト, タ] 過分 → romper.
── 形 [複 ~s] 〔英 broken〕 **1 壊れた**, 割れた. juguete *roto* 壊れたおもちゃ. cuerda *rota* 切れた綱. cristal *roto* 割れたガラス. lápiz de punta *rota* 先の折れた鉛筆. calcetín *roto* 穴のあいた靴下. vestido *roto* 破れた服.
2 破滅した, 堕落した.
3 ぼろをまとった. Aquel huérfano iba todo *roto* y sucio. あの孤児はぼろを着て薄汚い格好をしていた.

ro·ton·da [r̄otónda ロ̲トンダ] 名女 〔建築〕円形の建物[部屋, 広場].

ro·tor [r̄otór ロ̲トル] 名男 〔航空〕回転翼, ローター; 〔電気〕(モーターなどの) 回転子.

ro·tu·la·dor [r̄otulaðór ロ̲トゥらドル] 名男 フェルトペン, マーカー.

ró·tu·lo [r̄ótulo ロ̲トゥろ] 名男 看板; ラベル, レッテル; 題名, 表題. *rótulo* luminoso ネオンサイン.

ro·tun·da·men·te [r̄otúndaménte ロ̲トゥンダメンテ] 副 きっぱりと, 断固として, 絶対に.

ro·tun·do, da [r̄otúndo, da ロ̲トゥンド, ダ] 形 **1** 断固とした, きっぱりとした. dar un *rotundo* no はっきり嫌だと言う.
2 表現力豊かな, 的確な.

ro·tu·ra [r̄otúra ロ̲トゥラ] 名女 **1** 破損; 割れ目, ほころび; 〔医〕裂傷, 骨折.
2 決裂, 断絶.

ro·za·du·ra [r̄oθaðúra ロ̲さドゥラ] 名女 擦り傷, かすり傷.

ro·za·gan·te [r̄oθaɣánte ロ̲さガンテ] 形
1 派手な, 人目を引く. **2** 得意げな.

ro·za·mien·to [r̄oθamjénto ロ̲さミエント] 名男 **1** 摩擦, こすること.
2 言い争い, 仲たがい.

ro·zar [r̄oθár ロ̲さル] [39 z → c] 動他
1 こする, …に触れる.
2 …に近い, すれすれである; …に関係する. *rozar* la cuarentena 40歳になろうとして

R

いる.
—— 動自《+con》…に触れる, 関係する. Esta acción *roza con* el delito. これは犯罪すれすれの行為である.
—— **ro·zar·se** **1** 擦り切れる.
2 付き合う; 関係する.

rú·a [r̄úa ルア] 名女 街路, 通り.

ru·bé·o·la [r̄uβéola ルベオラ] 名女〘医〙三日ばしか, 風疹(ふうしん).

ru·bí [r̄uβí ルビ] 名男 [複 rubíes,rubís] ルビー, 紅玉.

rubia 形名女 → rubio.

ru·bi·cun·do, da [r̄uβikúndo, da ルビクンド, ダ] 形 赤ら顔の, 血色のよい.

ru·bio, bia [r̄úβjo, βja ルビオ, ビア] [複 ～s] 形〔英 blond〕**金髪の**, ブロンドの. La chica tiene el pelo *rubio*. 彼女は金髪だ. ◆スペイン人の髪の色は moreno (黒) と castaño (栗(くり)色) が多く, 純粋の rubio は少ない.
—— 名男女 金髪の男[女].

ru·blo [r̄úβlo ルブロ] 名男 ルーブル: ロシア, 独立国家共同体諸国の通貨単位.

ru·bor [r̄uβór ルボル] 名男 **1** 赤面, 紅潮. causar [producir] *rubor* 赤面させる.
2 恥ずかしさ, 羞恥(しゅうち). sentir *rubor* 恥ずかしく思う.

ru·bo·ri·zar [r̄uβoriθár ルボリサル] [39 z → c] 動他 赤面させる, 恥じ入らせる.
—— **ru·bo·ri·zar·se** 赤面する, 恥じ入る.

ru·bo·ro·so, sa [r̄uβoróso, sa ルボロソ, サ] 形 顔を赤らめた, 恥ずかしがり屋の.

rú·bri·ca [r̄úβrika ルブリカ] 名女 **1** 表題, 見出し. **2** 花押, 書き判.
de rúbrica 型どおりの, お決まりの.

ru·bri·car [r̄uβrikár ルブリカル] [8 c → qu] 動他 **1** 花押をしるす.
2 追認する, 証言する.

ru·cio, cia [r̄úθjo, θja ルシオ, シア] 形
1 (動物が) 灰色の. **2** 白髪交じりの.
—— 名男〘動物〙ロバ (驢馬).

ru·de·za [r̄uðéθa ルデサ] 名女 粗野; ざらつき; (気候の) 厳しさ.

ru·di·men·ta·rio, ria [r̄uðimentárjo, rja ルディメンタリオ, リア] 形 **1** 初歩の, 基礎の, 基本的な. **2** 未発達の, 発育不全の.

ru·di·men·to [r̄uðiménto ルディメント] 名男 **1** [～s] 基本, 基礎, 初歩.
2 (器官の) 未発達段階, 発育初期の状態.

ru·do, da [r̄úðo, ða ルド, ダ] 形〔英 rude〕**1** 粗野な, 無作法な. *rudos* modales がさつな態度.
2 ざらざらした, 粗い (= áspero).
3 つらい; 厳しい (= duro). un *rudo* golpe 強烈なショック.

rue·ca [r̄wéka ルエカ] 名女 糸巻き棒.

rued- 動 → rodar. [13 o → ue]

rue·da [r̄wéða ルエダ] 名女 [複 ～s]〔英 wheel〕**1** **車輪**. *rueda* delantera 前輪. *rueda* trasera [de atrás] 後輪. *rueda* de recambio [de repuesto] スペアタイヤ. → automóvil 図, motocicleta 図.
2 (機械・装置の) 車; キャスター, ローラー. *rueda* dentada 歯車.
3 人の輪. Hacen una *rueda* cogidos de la mano. 彼らは手をつないで輪になる.
4 輪切り, 薄切り.
comulgar con ruedas de molino 《口語》なんでもうのみにしてしまう, 手もなくだまされる.
rueda de prensa 記者会見.

rue·do [r̄wéðo ルエド] 名男 **1**〘闘牛〙アレナ, 闘技場 (= redondel). vuelta al *ruedo* 闘牛士の場内一周.
2 丸ござ, 円形マット.
3 人垣.
4 (円いものの) へり. *ruedo* de una falda スカートの裾(すそ).

rueg- 動 → rogar. [13 o → ue ; 32 g → gu]

rue·go [r̄wéɣo ルエゴ] 名男 懇願, 哀願; 頼みごと. a *ruego* de ... …の願いにより. acceder a los *ruegos* de ... …の要望に答える.

ru·fián [r̄ufján ルフィアン] 名男 売春宿の主人, ぽん引き; ならず者, ごろつき.

rug·by [r̄úɣβi ルグビ] 名男〘スポーツ〙ラグビー. [← 英語]

ru·gi·do [r̄uxíðo ルヒド] 名男 (猛獣の) ほえ声, うなり声; (風などの) うなり.

ru·gir [r̄uxír ルヒル] [19 g → j] 動自 (猛獣が) ほえる, うなる; (風・海などが) とどろく; 叫ぶ, 怒鳴る.

ru·go·si·dad [r̄uɣosiðáð ルゴシダ(ドゥ)] 名女 しわだらけの状態; ごつごつしていること.

ru·go·so, sa [r̄uɣóso, sa ルゴソ, サ] 形 しわだらけの; ごつごつした.

rui·do

[r̄wíðo ルイド] 名男 [複 ～s]〔英 noise〕
1 **騒音**; 雑音, 物音. hacer mucho *ruido* 騒ぐ, 騒々しい. *ruido* ambiental 環境騒音. los *ruidos* de la calle 通りの喧噪(けんそう). *ruido* de fondo (ラジオなどの) 雑音. → sonido.
2 評判; 反響; 騒ぎ. Su vuelta al país va a hacer mucho *ruido*. 彼女の帰国は大騒ぎになるであろう.
hacer [***meter***] ***ruido*** 物議をかもす.
lejos del mundanal ruido 世間と離れて.
Mucho ruido y pocas nueces. 《諺》大山鳴動してネズミ一匹.

rui·do·so, sa [r̄wiðóso, sa ルイドソ, サ] 形 **1** 騒がしい, うるさい. calle *ruidosa* 騒々しい通り.
2 世間を騒がせる. noticia *ruidosa* 世間をあっと言わせるようなニュース.

ruin [r̄wín ルイン] 形 **1** 卑劣な, 悪辣(あくらつ)な.
2 けちな, しみったれの. **3** 貧弱な.

rui·na [r̄wína ルイナ] 名女 **1** [～s] 遺跡, 廃墟(はいきょ).

R

2 崩壊; 破滅, 破綻(はたん). La corrupción política llevó al país a la *ruina*. 政治の腐敗がその国を崩壊に導いた. Él está hecho una *ruina*. 彼はすっかりおちぶれてしまった.
3 破産. dejar [quedarse] en la *ruina* 破産させる[する].

ruin·dad [r̄windáđ ルインダ(ドゥ)] 名女 悪辣(あくらつ)さ, 卑劣さ; さもしい行い.

rui·no·so, sa [r̄winóso, sa ルイノソ, サ] 形 1 荒れ果てた, 崩れかかった.
2 破滅的な, 損失[損害]の大きい.

rui·se·ñor [r̄wiseɲór ルイセニョル] 名男 〖鳥〗ナイチンゲール.

ru·le·ta [r̄uléta ルレタ] 名女 ルーレット.

ru·lo [r̄úlo ルろ] 名男 1 ヘアカーラー.
2 巻き毛.

Ru·ma·nia [r̄umánja ルマニア] 固名 ルーマニア: 首都 Bucarest.

ru·ma·no, na [r̄umáno, na ルマノ, ナ] 形 ルーマニアの.
—— 名男女 ルーマニア人.
—— 名男 ルーマニア語.

rum·ba [r̄úmba ルンバ] 名女 〖音楽〗ルンバ.

rum·bo [r̄úmbo ルンボ] 名男 1 方向, 方角; 〖航空〗〖海事〗針路 (＝dirección). cambiar de *rumbo* 針路[方向]を変える. (con) *rumbo* a … …(の方)に向けて, …行きの. perder el *rumbo* 方角を見失う. tomar otro *rumbo* 別の道を進む, 別の進路を取る. cambiar el *rumbo* de (SU) vida 生き方を変える.
2 気前のよさ; 贅沢(ぜいたく), 豪勢さ. celebrar una boda con mucho *rumbo* 盛大に結婚式を挙げる.

rum·bo·so, sa [r̄umbóso, sa ルンボソ, サ] 形 1 気前のいい, 鷹揚(おうよう)な (＝ generoso). 2 豪勢な, 贅沢(ぜいたく)な.

ru·mian·te [r̄umjánte ルミアンテ] 名男 〖動物〗反芻(はんすう)動物.

ru·miar [r̄umjár ルミアル] 動他 〖動物〗反芻(はんすう)する; 熟考する, 思い巡らす.

ru·mor [r̄umór ルモル] 名男 1 うわさ. según los *rumores* うわさによれば. Circula el *rumor* de que … …という風評が立っている. 2 ざわめき. el *rumor* de las aguas せせらぎ.

ru·mo·re·ar·*se* [r̄umoreár ルモレアルセ] 動 うわさになる; うわさが流れる.

ru·mo·ro·so, sa [r̄umoróso, sa ルモロソ, サ] 形 1 さざめく, ざわつく.
2 うわさになる, 人の口の端にのぼる.

run·rún [r̄unr̄ún ルンルン] 名男 《口語》 1 ざわつき, ざわめき. 2 うわさ(話), 流言.

run·ru·neo [r̄unr̄unéo ルンルネオ] 名男 ➡ runrún.

ru·pes·tre [r̄upéstre ルペストゥレ] 形 岩に描かれた, 岩に彫られた.

ru·pia [r̄úpja ルピア] 名女 ルピー: インド, パキスタン, ネパールなどの通貨単位.

rup·tu·ra [r̄uptúra ルプトゥラ] 名女 断交, 断絶, 決裂. *ruptura* de relaciones diplomáticas 国交断絶.

ru·ral [r̄urál ルラる] 形 田舎の, 農村の, 田園の (↔urbano). cura [médico] *rural* 田舎司祭[医者]. problemas *rurales* 農村問題.

Ru·sia [r̄úsja ルシア] 固名 ロシア連邦 (独立国家共同体の 1 国); (1917年以前の) ロシア帝国. ➡ U.R.S.S.

ru·so, sa [r̄úso, sa ルソ, サ] 形 ロシアの; 旧ソ連の.
—— 名男女 ロシア人.
—— 名男 ロシア語.

rus·ti·ci·dad [r̄ustiθiđáđ ルスティしダ(ドゥ)] 名女 田舎ふう, 田舎臭さ; がさつさ.

rús·ti·co, ca [r̄ústiko, ka ルスティコ, カ] 形 1 田舎の; 田舎ふうの.
2 粗野な, がさつな.
—— 名男 農民, 田舎者.
en rústica 仮綴(かりと)じの, ペーパー・バックの.

Rut [r̄úť ル(トゥ)] 固名 〖聖書〗(旧約の) ルツ記.

ru·ta [r̄úta ルタ] 名女 [複 ～s] 〔英route〕 1 ルート, 道筋, 道程. la *ruta* de Don Quijote ドン・キホーテのたどった道筋. la *ruta* del viaje 旅程. *ruta* aérea 航空路.
2 《比喩》道, 手段.

ru·ti·lan·te [r̄utilánte ルティらンテ] 形 燦然(さんぜん)たる, きらめく.

ru·ti·lar [r̄utilár ルティらル] 動自 《文語》 燦然(さんぜん)と輝く, きらめく.

ru·ti·na [r̄utína ルティナ] 名女 1 習慣; 決まった仕事[手順]. apartarse de la *rutina* diaria 日課[日常]を離れる. por mera *rutina* 慣例的に, 型どおりに.
2 〖コンピュータ〗ルーチン, 処理手順.

ru·ti·na·rio, ria [r̄utinárjo, rja ルティナリオ, リア] 形 決まりきった, 型どおりの, ルーティン(ワーク)の.
—— 名男女 型にはまった人.

R

S s

S, s [ése エセ] 名女 スペイン語字母の第20字.

sá·ba·do [sáβaðo サバド] 名男 [複 ～s]〔英 Saturday〕
土曜日《略 sáb.》. el *sábado* pasado 先週の土曜日. el *sábado* que viene 次の土曜日. ➡lunes【参考】.

sa·ba·na [saβána サバナ] 名女〔地理〕サバンナ, 草原.

sá·ba·na [sáβana サバナ] 名女 シーツ. *sábana* de abajo 敷布. *sábana* de arriba 上掛けシーツ. pegarse a《＋uno》las *sábanas*《口語》〈人〉が寝坊をする. ➡cama 図.

sa·ban·di·ja [saβandíxa サバンディハ] 名女 (気味の悪い) 小虫, 小動物.
── 名男女 薄汚いやつ.

sa·ba·ñón [saβaɲón サバニョン] 名男〔医〕霜焼け.
comer como un sabañón《口語》ばか食いする.

sa·bá·ti·co, ca [saβátiko, ka サバティコ, カ] 形 土曜日の.
año sabático サバティカル・イヤー: 大学教員などに与えられる1年間の研究休暇.

sa·be·dor, do·ra [saβeðór, ðóra サベドル, ドラ] 形《＋**de**》…に通じている; 了承している.

sa·be·lo·to·do [saβelotóðo サベろトド] 名男女 [単・複同形]《口語》知ったかぶりをする人.

sa·ber [saβér サベル] 50 動他 [現分 sabiendo; 過分 sabido, da]〔英 know〕
1 知っている, 分かる; (言葉が) できる. ¿*Sabes* su teléfono? 君, 彼の電話番号がわかる? *Sabe* inglés. 彼は英語ができる. ¿*Sabes* una cosa?—¿Qué? ねえ. —何? ¿*Has sabido* algo de él? 君, 彼のことが何か分かった? No *sabe* qué contestar. 彼はなんと返事をしたらいいか分からない. No *sé* si está contento o no. 彼が気に入ったかどうか, さあ分かりませんね.
2《＋**que** 直説法》…だと知っている,《**no saber que**＋接続法》…とは知らない. Dos meses después *supe que* había ido a España. 私は2か月後, 彼がスペインへ行ったことを知った. *No sabía que* fuera ella. それが彼女だとは知らなかった. ► 否定文でも直説法になる場合がある. ⇒¿No *sabías* que Juan había estado allí antes? フアンがさっきそこにいたけど知らなかったの?

直説法	
現在	未来
1・単 ***sé***	1・単 ***sabré***
2・単 **sabes**	2・単 ***sabrás***
3・単 **sabe**	3・単 ***sabrá***
1・複 **sabemos**	1・複 ***sabremos***
2・複 **sabéis**	2・複 ***sabréis***
3・複 **saben**	3・複 ***sabrán***
点過去	線過去
1・単 ***supe***	1・単 **sabía**
2・単 ***supiste***	2・単 **sabías**
3・単 ***supo***	3・単 **sabía**
1・複 ***supimos***	1・複 **sabíamos**
2・複 ***supisteis***	2・複 **sabíais**
3・複 ***supieron***	3・複 **sabían**

接続法	命令法
現在	
1・単 ***sepa***	2・単 **sabe**
2・単 ***sepas***	2・複 **sabed**
3・単 ***sepa***	
1・複 ***sepamos***	
2・複 ***sepáis***	
3・複 ***sepan***	

【参 考】**saber** は, 知識・技能として知っている, **conocer** は, 人を知っている, 面識がある, 経験・体験的に熟知している, の意味.

3《＋不定詞》(技能的に) …できる; …する術(すべ)を心得ている. *Sabe* conducir. 彼は運転ができる. No *sabe* contenerse. 彼は自分を抑えられない. ➡poder.
── 動自 **1**《＋**a**》…の味がする. Esto *sabe a* manzana. これはリンゴの味がする.
── **sa·ber·se**《口語》覚えている, 暗記している. El niño ya *se sabe* la tabla de multiplicar. その子は九九を空で言える.
── 名男 知識.
a saber つまり, すなわち.
no saber dónde meterse ひどく怖がる, (恥じて) 穴があったら入りたい.
no saber por dónde se anda《口語》まったく見当外れのことをしている.
no sé cuántos なんとかいう (人).
para que lo sepas 参考までに.
que yo sepa 私の知る限りでは.
¿Qué sé yo? / ¿Yo qué sé? 知るもんか, 分かるわけないだろう.
saber mal (1) (味が) まずい. (2)気に入らな

い; 気が進まない. Perdona, me *sabe mal* haberte despertado. ごめんなさい, 起こしてしまって.
sabérselas todas なんでも承知している.
un no sé qué なんとも言えない[どう説明していいか分からない]もの[こと].
¡... y qué sé yo! その他いろいろと.

sabia 形名女 ➡ sabio.

sa·bi·do, da [saβíðo, ða サビド, ダ] 過分 ➡ saber.
—— 形 **1** よく知られた, 周知の. *Sabido* es que .... 周知のとおり…だ. como es *sabido* 周知のように.
2 学問のある, 物知りな.

sa·bi·du·rí·a [saβiðuría サビドゥリア] 名女 **1** 学識.
2 知恵, 賢明. actuar con *sabiduría* 思慮深く行動する.

sa·bien·das [saβjéndas サビエンダス]
a sabiendas 《副詞句》故意に, 知りながら.

sabiendo 現分 ➡ saber.

sa·bi·hon·do, da [saβjóndo, da サビオンド, ダ] 形 知識をひけらかす.
—— 名男女 知識をひけらかす人.

sa·bio, bia [sáβjo, βja サビオ, ビア] [複 〜s] 形 〔英 learned〕 **1 学識豊かな**, 博学の (= docto, erudito); 賢明な. dar un *sabio* consejo 賢明な忠告を与える.
2 調教された. perro *sabio* よく訓練された犬.
—— 名男女 **1** 学識豊かな人; 賢人, 哲人.
2 《口語》学者ぶる人.

sa·bla·zo [saβláθo サブらそ] 名男
1 サーベルの一撃; サーベルによる傷.
2 《口語》金の無心, 寸借詐欺. dar un *sablazo* a 《+uno》〈人〉に金をたかる.

sa·ble [sáβle サブれ] 名男 サーベル; (フェンシング用の剣) サーブル.

sa·bor [saβór サボル] 名男 [複 〜es] 〔英 flavour〕 **1** 《+**a**》 **…の味**, 風味. con *sabor a* naranja オレンジ風味の.

> **【参 考】** 味のいろいろ: agrio 酸っぱい. amargo 苦い. dulce 甘い. picante 辛い. salado 塩辛い. rico, sabroso おいしい. soso まずい.

2 味わい, 趣. *sabor* local 地方色. dejar un buen *sabor* 楽しい気分にさせる.
dejar mal sabor de boca a 《+uno》〈人〉に後味の悪さを残す.

sa·bo·re·ar [saβoreár サボレアル] 動他
1 味わう. **2** 満喫する, 心ゆくまで楽しむ.

sa·bo·ta·je [saβotáxe サボタヘ] 名男 サボタージュ; 妨害.

sa·bo·te·a·dor, do·ra [saβoteaðór, ðóra サボテアドル, ドラ] 名男女 サボタージュする人; 妨害者.

sa·bo·te·ar [saβoteár サボテアル] 動他 サボタージュする; 妨害する.

sabr- 動 ➡ saber. 50

sa·bro·so, sa [saβróso, sa サブロソ, サ] 形
1 おいしい, 味のよい (= rico). La comida ha sido *sabrosa*. 食事は大変おいしかった.
2 中身の濃い, 内容の充実した. un sueldo muy *sabroso* 非常に良い給料.
3 楽しい, 痛快な; 痛烈な. una broma *sabrosa* きわどい冗談.

sa·bue·so, sa [saβwéso, sa サブエソ, サ] 名男女 《動物》ブラッドハウンド(犬).
—— 名男 刑事; 探偵.

sa·ca·cor·chos [sakakórtʃos サカコルチョス] 名男 [単・複同形] コルク栓抜き.
sacar con sacacorchos 無理やり聞き出す.

sacado, da 過分 ➡ sacar.

sa·ca·mue·las [sakamwélas サカムエらス] 名男女 [単・複同形] 《口語》 **1** 《諧謔》歯医者. **2** おしゃべりな人.

sacando 現分 ➡ sacar.

sa·ca·pun·tas [sakapúntas サカプンタス] 名男 [単・複同形] 鉛筆削り.

sa·car

[sakár サカル] [8 c ➡ qu] 動他 [現分 sacando; 過分 sacado, da] 〔英 draw, take out〕
1 取り出す, 引き出す, 持ち出す. *Sacó* un pañuelo del bolsillo y se enjugó el sudor. 彼はポケットからハンカチを取り出して汗をぬぐった. *sacar* la pistola ピストルを抜く. *sacar* dinero del banco 銀行から金を引き出す. datos *sacados* del periódico 新聞から引用したデータ. La SEAT acaba de *sacar* un nuevo modelo de la serie 16. セアット社は16シリーズの新型車を発表した. *sacar* brillo a los zapatos 靴を磨く.
2 取得する; 買う, 入手する; 得る, 受け取る. Este verano quiero *sacar* el carnet de conducir. 今年の夏私は運転免許を取りたい. *sacar* una entrada 入場券を手に入れる[買う]. *sacar* buenas notas 良い成績を取る. ¿Cuánto *sacas* por día? 君は一日にどのくらい稼いでいるの?
3 (写真を) 撮る; (コピーを) 取る. *sacar* una foto 写真を撮る. *Sáca*me una copia de esta carta. この手紙のコピーを1部取ってください.
4 連れ出す. *Saca* a los niños a pasear. 子供たちを散歩に連れていって. *sacar* a bailar (女性に) 踊りのパートナーになってくれと頼む.
5 救い出す. *sacar* de la pobreza 貧困から救う. *sacar* de un apuro a 《+uno》〈人〉を苦境から救い出す.
6 導き出す, 引き出す. *sacar* una respuesta [una solución] 回答[解決策]を引き出す.
7 見せる, 示す; (体の一部を) 突き出す. *sacar* los dientes 歯をむき出す. *sacar* el pecho 胸を張る. *sacar* la lengua 舌を出

す.

8《口語》(…だけ) 追い越す，引き離す．Le *saca* quince centímetros a su padre. 彼は父親より15センチ背が高い．

9〘スポ〙(1)(テニス) サーブする．(2)(サッカー) ける，投げ入れる．*sacar* de banda スローインする．*sacar* de puerta ゴールキックする．

── **sa·car·*se*** (自分のために) 入手する；取り出す．

sacar adelante 育て上げる，養育する；軌道にのせる，繁盛させる．

sacar de* sí *a 《＋uno》〈人〉を激怒させる．

sacar en claro [***en limpio***] はっきりさせる．

sa·cer·do·cio [saθerðóθjo サセルドシオ] 名男〘カトリ〙司祭職；聖職．

sa·cer·do·tal [saθerðotál サセルドタる] 形 司祭の；聖職者の．

sa·cer·do·te [saθerðóte サセルドテ] 名男 [複 ～s] 〔英 priest〕〘カトリ〙**聖職者**；司祭．

sa·cer·do·ti·sa [saθerðotísa サセルドティサ] 名女 巫女(みこ)，女祭司．

sa·ciar [saθjár サしアル] 動他 (欲望を) 満たす，(飢え・渇きを) 癒(いや)す．*saciar* la curiosidad 好奇心を満たす．*saciar* su venganza 復讐(ふくしゅう)を遂げる．

── **sa·ciar·*se*** 《＋con, de》…で満たされる；…にうんざりする．*saciarse con* poco わずかなもので満足する．

sa·cie·dad [saθjeðáð サしエダ(ドゥ)] 名女 飽き飽きすること，飽満，充足．

repetir 《＋algo》 ***hasta la saciedad*** 〈何か〉を口を酸っぱくして言う．

sa·co [sáko サコ] 名男 **1** 袋．un *saco* de harina 小麦粉1袋．meterse en el *saco* de dormir 寝袋に入る．*saco* de arena 〘スポ〙サンドバッグ．

2 略奪．entrar a *saco* 略奪する．el *saco* de Roma 〘歴史〙(1527年の) ローマの略奪．

3《ラ米》上着，ジャケット (＝ chaqueta).

caer en saco roto ぬかに釘(くぎ)である，問題にされない．

no echar 《＋algo》 ***en saco roto*** 〈何か〉を忘れないでいる，心に留めておく．

S

sa·cra·men·tal [sakramentál サクラメンタる] 形〘カトリ〙秘跡の；儀礼的な．

sa·cra·men·to [sakraménto サクラメント] 名男〘カトリ〙秘跡，サクラメント (◆洗礼，堅信，聖体，告解，終油，叙階，婚姻の7秘跡がある). administrar los últimos *sacramentos* (臨終にあたり) 終油の秘跡を授ける．recibir el *sacramento* (de la confirmación) (堅信の) 秘跡を受ける．

sa·cra·tí·si·mo, ma [sakratísimo, ma サクラティシモ，マ] 形 [sagrado の絶対最上級] きわめて神聖な．

sa·cri·fi·car [sakrifikár サクリフィカル] [8 c → qu] 動他 **1** 《＋a, por》…のために犠牲にする；断念する．*Sacrificó* sus gustos personales al cumplimiento de su trabajo. 彼は責務を果たすために自らの楽しみを断念した．

2 (神に生贄(いけにえ)として) ささげる．*Sacrificaban* terneros. 子牛が生贄としてささげられていた．

3 畜殺する．

── **sa·cri·fi·car·*se*** 身をささげる；犠牲になる．*sacrificarse* por 《＋uno》〈人〉のために献身する．

sa·cri·fi·cio [sakrifíθjo サクリフィしオ] 名男 生贄(いけにえ)，犠牲．costar a 《＋uno》 un gran *sacrificio* 〈人〉が大きな犠牲を払う．ofrecer un *sacrificio* 生贄をささげる．

Santo Sacrificio / Sacrificio del altar 〘カトリ〙ミサ．

sa·cri·le·gio [sakriléxjo サクラれヒオ] 名男 冒瀆(ぼうとく)．

sa·crí·le·go, ga [sakríleγo, γa サクリれゴ，ガ] 形 冒瀆(ぼうとく)の．── 名男女 冒瀆者．

sa·cris·tán [sakristán サクリスタン] 名男 (教会の) 聖具保管係．

sa·cris·tí·a [sakristía サクリスティア] 名女 (教会の) 聖具保管室．

sa·cro, cra [sákro, kra サクロ，ラ] 形 神聖な，聖なる．historia *sacra* 聖書に記された歴史．música *sacra* 宗教音楽．*sacro* Imperio Romano 〘歴史〙神聖ローマ帝国．

sa·cro·san·to, ta [sakrosánto, ta サクロサント，タ] 形 きわめて神聖な，至聖の．

sa·cu·di·da [sakuðíða サクディダ] 名女 **1** 揺れ，震動．

2 振る[はたく]こと．dar una *sacudida* a una alfombra カーペットをはたく．

sa·cu·dir [sakuðír サクディル] 動他 **1** 揺さぶる，振り動かす，振る．*sacudir* un árbol para que caigan los frutos 木を揺さぶって実を落とす．

2 はたく，たたく．*sacudir* una alfombra カーペットをはたく．

3 払いのける，払い落とす．*sacudir* las moscas ハエを追う．*sacudir* el miedo 恐怖を払いのける．

4 …の心を揺さぶる．Una gran emoción *sacudió* al auditorio. 聴衆は大きな感動に包まれた．**5** 殴る．

── **sa·cu·dir·*se*** 逃れる，身をかわす．*sacudirse* la responsabilidad 責任を逃れる．

sá·di·co, ca [sáðiko, ka サディコ，カ] 形 サディズムの．── 名男女 サディスト．

sa·dis·mo [saðísmo サディスモ] 名男 サディズム，加虐性愛．→ masoquismo.

sa·ke [sáke サケ] 名男 酒，日本酒．[← 日本語]

sa·e·ta [saéta サエタ] 名女 **1** 矢．

2 〘音楽〙サエタ：聖週間の行列に向かって歌われるスペインの宗教歌．

sa·fa·ri [safári サファリ] 名男 (アフリカなどでの) 狩猟旅行，サファリ；サファリ・パーク．

sagaces 形 [複] → sagaz.

sa·ga·ci·dad [saɣaθiðáð サガしダ(ドゥ)] 名女 明敏, 洞察力.
sa·gaz [saɣáθ サガす] 形 [複 sagaces] 明敏な, 洞察力のある; (犬などが) 嗅覚(きゅうかく)が鋭い.
sa·gaz·men·te [saɣáθménte サガすメンテ] 副 抜かりなく, 明敏に.
Sa·gi·ta·rio [saxitárjo サヒタリオ] 名男 〘天文〙射手(いて)座; 〘占星〙人馬宮.
sa·gra·do, da [saɣráðo, ða サグラド, ダ] 形 [複 ~s] 〔英 sacred〕 **1** 神聖な, 聖なる. *Sagrado* Corazón 〘カトリック〙聖心 (キリストの心臓). *Sagrada* Familia 〘カトリック〙聖家族 (◆イエスと聖母マリアと養父聖ヨセフ). Templo Expiatorio de la *Sagrada* Familia 聖家族教会 (◆スペインのバルセロナにある Gaudí 設計の教会. 現在も建設中).
2 尊い, 侵しがたい. Nuestro amor es algo *sagrado*. 私たちの愛は何人も侵せない.
sa·gra·rio [saɣrárjo サグラリオ] 名男 〘カトリック〙(教会内の) 至聖所; (聖体を収める) 聖櫃(せいひつ).
sa·ha·raui [sa(x)aráwi サアラウイ | サハラウイ] 形 サハラ Sáhara 砂漠の.
—— 名男女 サハラ砂漠の住民.
sa·ha·ria·na [sa(x)arjána サアリアナ | サハリアナ] 名女 〘服飾〙サファリ・ジャケット.
sa·ha·ria·no, na [sa(x)arjáno, na サアリアノ, ナ | サハリアノ, ナ] 形 ➡ saharaui.
sa·hu·mar [saumár サウマル] [6 u ➡ ú] 動他 …に香をたきしめる.
sa·hu·me·rio [saumérjo サウメリオ] 名男 香, 香煙.
sai·ne·te [sainéte サイネテ] 名男 **1** 〘演劇〙サイネテ. ◆スペインの一幕物の風俗喜劇.
2 調味料.
sa·jón, jo·na [saxón, xóna サホン, ホナ] 形 [複男 sajones] 〘歴史〙サクソン人の; (ドイツの) ザクセン (人) の.
—— 名男女 〘歴史〙サクソン人; ザクセン人.

sal

[sál サる] 名女 〔英 salt〕
1 塩, 食塩; 〘化〙塩(えん). *sal* de mesa 食卓塩. echar *sal* a … …に塩をかける. *sal* gema 岩塩. *sal* amoniaca 塩化アンモニウム.
2 機知, とんち; 魅力. tener mucha *sal* とても面白い[しゃれている].
—— 動 ➡ salir. 51
con sal y pimienta 機知を働かせて.

sa·la

[sála サら] 名女 [複 ~s] 〔英 large room, hall〕
1 部屋, 広間; ホール; 〘映画〙〘演劇〙ミニシアター. *sala* de estar 居間. *sala* de visitas 応接間. *sala* de conferencias 講堂. *sala* de espera 待合室. *sala* de exposición ショールーム. *sala* de fiestas ダンスホール. ➡ cuarto.
2 法廷 (= *sala* de justicia).
sa·la·do, da [saláðo, ða サらド, ダ] 過分 形 〔英 salty〕 **1** 塩分を含んだ, 塩辛い; 塩漬けの. agua *salada* 塩水.
2 機知に富んだ, しゃれっけのある.
Sa·la·man·ca [salamáŋka サらマンカ] 固名 サラマンカ: スペイン西部の県; 県都.
sa·la·man·dra [salamándra サらマンドゥラ] 名女 **1** 〘動物〙サンショウウオ (山椒魚). **2** 石炭ストーブ.
sa·la·me [saláme サらメ] / **sa·la·mi** [-mi -ミ] 名男 サラミソーセージ.
[←イタリア語]
sa·lar [salár サらル] 動他 塩漬けにする; 塩を加える.
sa·la·rial [salarjál サらリアる] 形 賃金の, 給料の.
sa·la·rio [salárjo サらリオ] 名男 〔英 salary〕 賃金, 給料. pedir aumento de *salario* 賃金アップを要求する. *salario* base [básico] 基本給. *salario* mínimo 最低賃金. *salario* por hora 時給. ➡ sueldo.
sa·la·zón [salaθón サらそン] 名女 塩漬け, 塩漬け加工 (業); [普通 salazones] 塩漬け肉[魚].
sal·chi·cha [saltʃítʃa サるチチャ] 名女 〔英 pork sausage〕 サルチチャ: 細いソーセージ. *salchicha* (de) Frankfurt フランクフルト・ソーセージ. ► 総称としてのソーセージは embutido.
sal·chi·chón [saltʃitʃón サるチチョン] 名男 〔英 sausage〕 サルチチョン: サラミふうソーセージ.
sal·dar [saldár サるダル] 動他 清算する, 完済する; 決算大処分をする.
saldar la cuenta 決着をつける.
sal·do [sáldo サるド] 名男 〔英 balance〕
1 〘商業〙(貸借の) 差引残高.
2 〘商業〙バーゲンセール; バーゲン品. venta de *saldos* 在庫一掃セール.
3 (借金・負債の) 返済, 完済.
saldr- 動 ➡ salir. 51
sa·le·di·zo, za [saleðíθo, θa サれディそ, さ] 形 突き出ている.
—— 名男 〘建築〙張り出し. balcón en *saledizo* 張り出したバルコニー.
sa·le·ro [saléro サれロ] 名男 **1** (食卓・台所用) 塩入れ. ➡ vajilla 図.
2 《口語》魅力, 愛嬌(あいきょう).
sa·le·ro·so, sa [saleróso, sa サれロソ, サ] 形 《口語》魅力的な, 愛嬌(あいきょう)のある.
sa·le·sia·no, na [salesjáno, na サれシアノ, ナ] 形 〘カトリック〙サレジオ会の.
—— 名男女 〘カトリック〙サレジオ会の会員.
salg- 動 ➡ salir. 51
sá·li·co, ca [sáliko, ka サりコ, カ] 形 〘歴史〙(フランク族の一支族の) サリ族の. ley *sálica* サリカ法典.

sa·li·da

[salíða サりダ] 名女 [複 ~s] 〔英 exit ; departure〕 **1** 出口 (↔ entrada). Me encontré con Pepe en la *salida* del metro. 地下鉄の出口で偶然ペペに出会った. *salida* de emergencia 非常口. calle sin *salida*

S

袋小路.
2 出発; 発車; 〘ｽﾎﾟ〙スタート; (天体の) 出. *salida* y llegada de trenes 電車[列車]の発着. *salida* del sol 日の出. a la *salida* del colegio 下校時に. dar la *salida* スタートの合図を出す. tomar la *salida* スタートを切る. línea de *salida* スタートライン. *salida* agachada [en cuclillas] クラウチング・スタート. *salida* nula [falsa] フライング.
3 販路, 売れゆき; 就職口.
4 口実, 言い逃れ. prepararse una *salida* あらかじめ逃げ道を用意しておく.
5 打開策, 手だて. Es una *salida* demasiado cómoda. それはあまりにも安易なやり方だ. No tengo otra *salida* que aceptarlo. 私はそれを受け入れるしかない.
6 支出, 出費; 借方. *salidas* y entradas 支出と収入.
7 機知, ウィット. tener *salida* para todo 当意即妙の才がある.
8 遠出; 散歩 (= excursión; paseo).
9 〘演劇〙登場 (= *salida* a escena).
10 突出部, 出っ張り.
── 過分 女 → salir.
dar salida a ... …を解決する; (喜び・怒りなどを) 発する; (商品を) 発売する.
salida de tono でまかせ, 暴言, むちゃな行動.

salido, da 過分 → salir.

saliendo 現分 → salir.

sa·lien·te [saljénte サリエンテ] 形 **1** 出っ張った, 張り出した.
2 抜きん出た, 目立った.
── 名 男 出っ張り, 突出部.

sa·li·no, na [salíno, na サリノ, ナ] 形 塩分を含む.
── 名 女 岩塩坑; [普通 ~s] 塩田, 製塩所.

sa·lir [salír サリル] 51 動 自 [現分 saliendo; 過分 salido, da] 〔英 leave, go out〕

直説法 現在	
1・単 ***salgo***	1・複 **salimos**
2・単 **sales**	2・複 **salís**
3・単 **sale**	3・複 **salen**

1 《+de》 (1) …から出る, 去る, …を離れる. *Sale de* la cocina con una taza de café y entra en el despacho de su marido. 彼女はコーヒーを持って台所を出て夫の書斎に入る. Cuando *salió* de casa tenía sólo once años. 彼が家を出たのはまだ11歳の時だった. (2) …の状態を脱する. Al fin ha conseguido *salir de* esta situación. ついに彼はこの事態を脱することができた. *salir de* dudas 疑問が解消する, 迷いがなくなる. (3) …を終える, 辞める. Hace tres años que *salió de* la universidad. 彼は3年前に大学を卒業[退学]した. (4) …として選出される. Juan se presentó a elecciones de alcalde y *ha salido* elegido. フアンは市長選に立候補し, 当選した.
2 外出する, 出かける. ¿Está Carmen?—No, acaba de *salir*. カルメンはいますか—いえ, ちょうど出かけたところです. *salir* a la calle 通りに出る[外出する]. *salir* de viaje 旅行に出る.
3 出発する. Mañana tenemos que *salir* muy temprano. 明日は朝早く出発しなければならない. ¿De qué andén *sale* el tren? 電車はどのホームから出発しますか.
4 現れる, 載る; 出場[出演]する; 出版される. *salir* en los periódicos [en la televisión] 新聞に載る[テレビに出演する]. *salir* a la venta [en el mercado] (商品が) 店頭[市場]に出る. *salir* al escenario 舞台に登場する. *salir* a la superficie 浮上する. ¿Cuándo *salió* esa novela? その小説はいつ出版されましたか. Todavía no ha *salido* el resultado. まだ結果は出ていない. Hoy el sol *salió* a las 4:36 [cuatro y treinta y seis]. 今日の日の出は4時36分だった. ¡*Sale* (para) hoy! (スペイン盲人協会 O.N.C.E. の宝くじで) 今日が抽選日です. *salir* brotes 芽が出る. *salir* granos en la cara 顔ににきび[吹き出物]が出る.
5 《名詞・形容詞・副詞を伴って》…の結果になる; …であることが判明する. La comida me *salió* cara. 食事は高いものについた. ¿Te *ha salido* bien el examen? 試験はうまくいった? El niño *salió* con el pelo rizado. 赤ちゃんは縮れ毛で生まれた.
6 突き出る, 出っ張る; ぬきんでる. La torre *sale* por encima de todo el barrio. 塔はその界隈(ｶｲﾜｲ)ではぬきんでている.
7 思いがけず起こる; 思いつく. *salga* lo que *salga* [*saliera*] どんなことが起ころうとも. Ahora no me *sale* el nombre de la calle. 今はどうしてもその通りの名前が思い出せない.
8 《+a》…に似る. El niño *ha salido a* su padre. その子は父親似だ.
9 《+con》 (1) 《口語》…とデートする. (2) 出し抜けに言う. Me pediste mucho que te comprara una moto y ahora *sales con* que ya no la necesitas. さんざん私にバイクを買ってくれと頼んでおきながら, 今になってもういらないなんて.
10 《+por》人の弁護をする, 保証人になる.
── ***sa·lir·se*** **1** 漏れる; あふれ出る. La bañera *se sale*. 風呂桶(ｵｹ)が漏れている. *Se ha salido* el agua de la bañera. 浴槽から水があふれた.
2 外れる; 逸脱する. *salirse* de la carretera (車が) 道路から飛び出す. *salirse* del tema 本筋から外れる. *salirse* de lo corriente 常軌を逸する. *salirse* de los límites 限度を越える.
a lo que salga [***saliere***] 運に任せて; め

S

くら滅法に，出任せに．
salir adelante (困難を) 切り抜ける，なんとかやっていく．
salir bien [*mal*] 成功[失敗]する，(結果が) 良い[悪い]．¿Te *ha salido bien* la paella? パエーリャはうまくできた？
salirse con la suya 勝手[思いどおり]にする．

sa·li·tre [salítre サリトゥレ] 名男 硝石．

sa·li·va [salíβa サリバ] 名女 唾液(だえき)，つば．
gastar saliva (*en balde*) 話しても無駄になる．
tragar saliva 怒りをこらえる．

sa·li·var [saliβár サリバル] 動自 唾液(だえき)を分泌する．

sa·li·va·zo [saliβáθo サリバそ] 名男 (吐き出した) つば．echar un *salivazo* つばを吐く．

sal·man·ti·no, na [salmantíno, na サるマンティノ，ナ] 形 サラマンカ Salamanca の．
—— 名男女 サラマンカの住民．

sal·mo [sálmo サるモ] 名男 〘聖書〙聖歌，賛美歌；[Salmos] (旧約の) 詩編．

sal·mo·dia [salmóðja サるモディア] 名女 1 詩編詠唱．2 《口語》単調で退屈な歌．

sal·mo·diar [salmoðjár サるモディアル] 動自 詩編を歌う．
—— 動他 《口語》単調な調子で歌う．

sal·món [salmón サるモン] 名男 〘魚〙サケ (鮭)．

sal·mo·ne·lla [salmonéla サるモネら] 名女 〘医〙サルモネラ菌．

sal·mo·ne·te [salmonéte サるモネテ] 名男 〘魚〙ヒメジ．

sal·mue·ra [salmwéra サるムエラ] 名女 塩水．

sa·lo·bre [salóβre サろブレ] 形 塩気[塩分]のある．

Sa·lo·món [salomón サろモン] 固名 〘聖書〙ソロモン：イスラエルの王．
—— 名男 [s-] 賢人；物知り顔の人．

sa·lón [salón サろン] 名男 [複 salones] 〔英 lounge〕 1 **客間**，居間，談話室，サロン．reunirse en el *salón* 居間に集まる．*salón* de actos 講堂．*salón* de demostraciones 展示場．
2 大広間．
3 社交界．

sal·pi·ca·de·ro [salpikaðéro サるピカデロ] 名男 〘車〙ダッシュボード．

sal·pi·ca·du·ra [salpikaðúra サるピカドゥラ] 名女 跳ね，染み．

sal·pi·car [salpikár サるピカル] [8 c → qu] 動他 《+**de, con**》 1 (水・泥など) を跳ねかける；跳ねかけて汚す．Un camión le *salpicó* el traje *de* barro. トラックが彼の服に泥を跳ねかけた．
2 …をばらまく，点在させる；…をちりばめる．discurso *salpicado de* anécdotas 随所にエピソードを交えた講演．

sal·pi·cón [salpikón サるピコン] 名男 1 〘料理〙サルピコン：刻んだエビ・赤ピーマン・タマネギ・卵・油などを混ぜ合わせた魚介類のサラダ．2 跳ね，染み．

sal·pi·men·tar [salpimentár サるピメンタル] [42 e → ie] 動他 …に塩こしょうする；…に味わい[趣]を添える．

sal·pu·lli·do [salpuʎíðo サるプリィド] 名男 〘医〙発疹(はっしん)；虫さされの跡．

sal·sa [sálsa サるサ] 名女 [複 ～s] 〔英 sauce〕 1 〘料理〙**ソース**；ドレッシング．*salsa* de chile チリソース．*salsa* de soja しょうゆ．*salsa* de tomate トマトソース．*salsa* inglesa ウスターソース．*salsa* mahonesa [mayonesa] マヨネーズソース．*salsa* tártara タルタルソース．No hay mejor *salsa* que el apetito. 《諺》空腹にまずいものなし．
2 〘音楽〙サルサ：キューバ起源のラテン音楽．
en SU (*propia*) *salsa* 本領を発揮して，生き生きと．

sal·se·ra [salséra サるセラ] 名女 ソース入れ．

sal·ta·dor, do·ra [saltaðór, ðóra サるタドル，ドラ] 形 飛ぶ．
—— 名男女 〘スポ〙ジャンプ競技の選手；アクロバット芸人．
—— 名男 (縄跳び用の) 縄 (= comba)．

sal·ta·mon·tes [saltamóntes サるタモンテス] 名男 [単・複同形] 〘昆虫〙バッタ (蝗虫)；イナゴ (蝗)．

sal·tar [saltár サるタル] 動自 〔英 jump〕
1 **跳ぶ**，跳ねる．*saltar* a la comba 縄跳びをする．*saltar* con pértiga 〘スポ〙棒高跳びをする．*saltar* de alegría 小躍りして喜ぶ．*saltar* de la cama ベッドから飛び起きる．
2 飛び降りる，飛び込む．*saltar* al agua 水に飛び込む．
3 《+**sobre**》…に飛びかかる．De repente *saltó sobre* mí un enmascarado. 突然覆面の男が私に襲いかかってきた．
4 噴出する，飛び散る；吹き飛ぶ．*Saltó* el champán de la botella. シャンパンが瓶から噴きでた．
5 割れる，ひびが入る；外れる．
6 かっとなる，怒り出す．*saltar* de impaciencia いらいらする．
7 (話などが) 飛躍する；《+**con**》《口語》…を突然に言い出す．*saltar* de un tema a otro 次々と話題を変える．*saltar con* una impertinencia 突如として失礼なことを言う．De repente *saltó con* un taco en medio de la reunión. 彼は会議の途中で突然ひどい言葉を発した．
—— 動他 1 飛び越える，飛び越す．*saltar* un arroyo 小川を飛び越える．*saltar* una tapia 塀を飛び越す．
2 爆破する，吹き飛ばす．*saltar* la caja fuerte del banco 銀行の金庫を破る．
3 抜かす，飛ばす．Al pasar la lista, me

saltó el profesor. 出席を取る際, 先生は私の名前を飛ばしてしまった.
— sal·tar·*se* **1** 抜かす, 飛ばす, 省く. *saltarse* un semáforo 交通信号を無視する. *saltarse* una página 1ページ飛ばす.
2 取れる, 外れる. *Se* me *ha saltado* un botón. ボタンが1つ取れてしまった.
estar a la que salta 機会をうかがっている.
hacer saltar a 《+uno》〈人〉を解雇する; 怒らせる.

sal·ta·rín, ri·na [saltarín, rína サるタリン, リナ] 形 飛び跳ねる, よく動き回る; ふらふらした.
— 名男女 踊る人; ダンサー.

sal·te·a·dor [salteaðór サるテアドル] 名男 追いはぎ.

sal·te·ar [salteár サるテアル] 動他
1 襲う, 強奪する. **2** 飛び飛びにする. *saltear* las visitas 時折訪れる.
3 〔料理〕ソテーにする, 炒(いた)める.

sal·tim·ban·qui [saltimbáŋki サるティンバンキ] 名男 旅回りの曲芸師.
[←〔伊〕saltimbanco]

sal·to [sálto サるト] 名男 [複 ~s] 〔英 jump〕 **1 跳ぶこと**, 跳ねること, 跳躍. de un *salto* 一跳びで. dar [pegar] un *salto* 跳ぶ, 跳ねる. dar *saltos* de alegría 小躍りして喜ぶ.
2 〔スポーツ〕**ジャンプ**, 跳躍; 飛び込み. *salto* de altura 走り高跳び. *salto* de longitud 走り幅跳び. *salto* de [con] pértiga 棒高跳び. *salto* de trampolín 飛び板飛び込み. *salto* mortal とんぼ返り, 宙返り. triple *salto* 三段跳び (► ホップ brinco, ステップ paso, ジャンプ *salto* からなる). → atletismo 図.
3 動悸(どうき). Me da *saltos* el corazón. 私は心臓がどきどきしている.
4 急変, 激変. *salto* de viento 風向きの急変.
5 大差; 間隔. Entre los dos sucesos hay un *salto* de diez años. 2つの事件の間には10年の隔たりがある.
6 脱落, 欠落. un *salto* de dos páginas 2ページの落丁.
7 断崖(だんがい), 絶壁; 滝 (= *salto* de agua).
8 〔コンピュータ〕ジャンプ, 飛び越し.
— 動 → saltar.
a salto de mata 行きあたりばったりで; 一目散に, 全速力で.
a saltos 跳び跳ねて; 省いて, 飛ばして.
en un salto ただちに, すぐに.
salto de cama (女性用の) ガウン.

sal·tón, to·na [saltón, tóna サるトン, トナ] 形 **1** (目・歯が) 出っ張った. ojos *saltones* 出目. **2** 飛ぶ, 跳ねる.

sa·lu·bre [salúβre サるブレ] 形 健康に適した.

sa·lu·bri·dad [saluβriðáð サるブリダ(ドゥ)] 名女 健康によいこと; (公共の) 衛生状態.

sa·lud [salúð サる(ドゥ)] 名女 〔英 health〕
1 健康; 体の具合. recobrar la *salud* 健康を回復する. tener poca *salud* あまり体調が良くない. estar bien [mal] de *salud* 健康である [健康がすぐれない]. gozar de buena *salud* 健康に恵まれている.
2 《間投詞》 ¡*Salud*! (くしゃみをした人に) **お大事に** (= ¡Jesús!). ¡*Salud* (, amor y dinero)! 乾杯!
curarse en salud 前もって用心する; 対策を講ずる.

sa·lu·da·ble [saluðáβle サるダブれ] 形
1 健康によい, 健康的な.
2 健全な, ためになる, 有益な.

sa·lu·dar [saluðár サるダル] 動他 〔英 greet〕 **挨拶(あいさつ)する**, 会釈する; 〔軍事〕敬礼する. Se me acercó un señor y me *saludó*. 男の人が近付いてきて私に挨拶した. *Salude* de mi parte a su marido. ご主人によろしくお伝えください.
Le saluda atentamente. 《手紙》敬具.

sa·lu·do [salúðo サるド] 名男 **1** 挨拶(あいさつ), 会釈, お辞儀; [~s] よろしくとの伝言. Un *saludo* (muy cordial de) 《手紙》敬具 (► この後に発信人の氏名を記す). Transmita mis respetuosos *saludos* a su señora. 《手紙》奥様によろしくお伝えください (► 非常に丁寧な言い方). ¡*Saludos* a todos! 皆さんによろしく. **2** 〔軍事〕敬礼!
— 動 → saludar.

sa·lu·ta·ción [salutaθjón サるタしオン] 名女 挨拶(あいさつ).

sal·va [sálβa サるバ] 名女 〔軍事〕礼砲.
— 動 → salvar.
salva de aplausos 嵐(あらし)のような拍手.

sal·va·ción [salβaθjón サるバしオン] 名女 救助, 救命 (= salvamento); 〔宗教〕救済.

sal·va·do [salβáðo サるバド] 名男 もみ殻, ふすま, 糠(ぬか).

sal·va·dor, do·ra [salβaðór, ðóra サるバドル, ドラ] 形 救いの, 救済の.
— 名男女 **1** 救い手, 救助者.
2 [el S-] 〔宗教〕救世主イエス・キリスト. → Cristo.

sal·va·do·re·ño, ña [salβaðoréɲo, ɲa サるバドレニョ, ニャ] [複 ~s] 〔英 Salvadoran, -dorean, -dorian〕 形 **エルサルバドル El Salvador の.**
— 名男女 **エルサルバドル人.**

sal·va·guar·dar [salβaɣwarðár サるバグアルダル] 動他 守る, 保護する.

sal·va·guar·dia [salβaɣwárðja サるバグアルディア] 名女 **1** 保護, 擁護.
2 安全通行証.

sal·va·ja·da [salβaxáða サるバハダ] 名女 野蛮な行為; 残忍, 残虐さ.

sal·va·je [salβáxe サるバヘ] 形 **1** 野生の; 自生の, 自然の. plantas *salvajes* 野草, 自生植物.
2 未開拓の, 未開の. jungla *salvaje* 未開

のジャングル. tierras *salvajes* 未開墾地.
3 粗野な, 野蛮な; 獰猛(どうもう)な.
—— 名男女 **1** 未開人, 原始人.
2 乱暴な人, 野蛮人; 不作法者.

sal·va·jis·mo [salβaxísmo サるバヒスモ] 名男 未開; 野蛮性.

sal·va·man·te·les [salβamantéles サるバマンテれス] 名男 [単・複同形] テーブルマット; 鍋(なべ)敷き.

sal·va·men·to [salβaménto サるバメント] 名男 救助, 救出. bote de *salvamento* 救命ボート (➡ barco 図).

sal·va·pan·ta·llas [salβapantáʎas サるバパンタりャス] 名男 [単・複同形] 〘ｺﾝﾋﾟｭｰﾀ〙スクリーンセーバー.

sal·var [salβár サるバル] 動他 〔英 save〕
1 **救う**, 救出する; 救済する; 守る. *salvar* a un náufrago 漂流者を救助する. *Salvó* a su hijo de entre las llamas. 彼は息子を炎の中から救出した.
2 (障害などを) 乗り越える, 切り抜ける. *salvar* una dificultad 困難を回避する.
3 (短時間で) 進む, 走破する. El nuevo tren *salva* la distancia entre Tokyo y Yamagata en dos horas y media. 新しい電車は東京—山形間を2時間半で行く.
4 飛び越える (= saltar). *salvar* un arroyo 小川を飛び越える.
5 …を除外する (= exceptuar). *salvando* la posibilidad de ... …の可能性は別として.
—— **sal·var·*se*** 助かる; 逃れる. *salvarse* de un accidente aéreo 飛行機事故で助かる. *salvarse* por un pelo 《口語》間一髪のところで助かる. *salvarse* de una enfermedad 病気から回復する. ¡*Sálvese* quien pueda! 《急を告げる言葉》全員退避!

sal·va·vi·das [salβaβíðas サるバビダス] 名男 [単・複同形] 浮き輪; 救命具.
—— 形 救命用の. chaleco *salvavidas* 救命胴衣.

sal·ve·dad [salβeðáð サるベダ(ドゥ)] 名女 制限, 留保. con la *salvedad* de ... …という条件つきで.

sal·via [sálβja サるビア] 名女 〘植物〙サルビア.

sal·vo, va [sálβo, βa サるボ, バ] 形
a salvo 無事に[で]. Todos los pasajeros están *a salvo*. 乗客は全員無事だ. Al llegar al hospital el enfermo se sintió *a salvo*. 病院について病人はほっとした.
—— 副 ➡ salvar.
—— 前 [salβo サるボ] …を除いて, …以外は.
salvo que 《+接続法》/ ***salvo si*** 《+直説法》…でない限り. Mañana vendré, *salvo que* ocurra algo. 何か起きない限り明日は来ます.

sal·vo·con·duc·to [salβokondúkto サるボコンドゥクト] 名男 安全通行証, 通行許可証.

sa·ma·ri·ta·no, na [samaritáno, na サマリタノ, ナ] 形 〘歴史〙〘聖書〙サマリアの, サマリア人の.
—— 名男女 〘聖書〙サマリア人.

sam·ba [sámba サンバ] 名女 〘音楽〙サンバ.

sam·be·ni·to [sambeníto サンベニト] 名男 不名誉, 不評. colgar el *sambenito* a 《+uno》〈人〉に悪名を着せる.

san [sán サン] 形 《略 S.》➡ santo.

sa·nar [sanár サナル] 動他 (病気・傷を) 治す.
—— 動自 (病気・傷が) 治る.

sa·na·to·rio [sanatórjo サナトリオ] 名男 療養所, サナトリウム.

san·cho·pan·ces·co, ca [santʃopanθésko, ka サンチョパンセスコ, カ] 形 サンチョ・パンサのような, 実利[現実]的な.

san·ción [sanθjón サンしオン] 名女 **1** 〘法律〙処罰, 制裁.
2 認可, 認証, 承認, 批准.

san·cio·nar [sanθjonár サンしオナル] 動他
1 〘法律〙処罰する.
2 認可する, 認証する, 承認する, 批准する.

san·da·lia [sandálja サンダりア] 名女 サンダル. en *sandalias* サンダルばきで. ➡ calzados 図.

san·dez [sandéθ サンデす] 名女 [複 sandeces] ばかげた話, ばかげたこと.

san·dí·a [sandía サンディア] 名女 [複 ～s] 〔英 watermelon〕〘植物〙**スイカ** (西瓜).

san·dio, dia [sándjo, dja サンディオ, ディア] 形 ばかな, 愚かな.
—— 名男女 ばかな人, 愚か者.

sa·ne·a·mien·to [saneamjénto サネアミエント] 名男 健全化; 衛生的にすること. artículos de *saneamiento* 衛生設備.

sa·ne·ar [saneár サネアル] 動他 **1** 健全化する; (通貨を) 安定させる; (財政を) 再建する.
2 衛生的にする; 水はけをよくする.

san·gran·te [saŋgránte サングランテ] 形 出血している.

san·grar [saŋgrár サングラル] 動自 **1** 出血する. *sangrar* por la nariz 鼻血を出す.
2 心に痛みを覚える.
—— 動他 瀉血(しゃけつ)する.

san·gre

[sáŋgre サングレ] 名女 〔英 blood〕
1 **血**, 血液. análisis de *sangre* 血液検査. donante de *sangre* 献血者. echar *sangre* 出血する.
2 血統, 血筋; 家系. *sangre* azul 貴族の血筋. pura *sangre* 純血種, サラブレッド.
a sangre fría 冷静に; 冷酷に, 平然と.
a sangre y fuego 情け容赦なく; 是が非でも, 屈服せずに.
correr la sangre 死傷者が出る.
chupar la sangre a 《+uno》〈人〉から絞り取る; 〈人〉をこき使う.
lavar con sangre (報復で) 血祭りにあげる.

no llegar la sangre al río 《諧謔》大事には至らない.
quemar la sangre a 《+uno》〈人〉を激怒させる.
subirse a 《+uno》 ***la sangre a la cabeza*** かっとなる, 逆上する.
tener mala sangre 意地が悪い.

san·grí·a [saŋgría サングリア] 名女
1 サングリア: 赤ぶどう酒にオレンジ, レモン, ソーダ水, 砂糖などを入れて作ったパンチ.
2 〘医〙瀉血(しゃけつ), 刺胳(しらく).
3 (樹液を採るための)刻み目.
4 流出, 消費. una *sangría* en el capital 資本の流出. *sangría* monetaria 通貨流出.

san·grien·to, ta [saŋgrjénto, ta サングリエント, タ] 形 〔英 bloody〕 **1** 出血している; 血で汚れた, 血まみれの. manos *sangrientas* 血まみれの手.
2 流血の, 残虐な. batalla *sangrienta* 血みどろの戦い.
3 辛辣(しんらつ)な. una broma *sangrienta* 人の心を傷つける冗談.

san·gui·jue·la [saŋgixwéla サンギフエら] 名女 **1** 〘動物〙ヒル(蛭).
2 人を食い物にする人.

san·gui·na·rio, ria [saŋginárjo, rja サンギナリオ, リア] 形 残忍な, 血[殺生]を好む.
── 名女 〘鉱物〙血玉髄, 血石.

san·guí·ne·o, a [saŋgíneo, a サンギネオ, ア] 形 **1** 血の, 血液の. grupo *sanguíneo* 血液型. vasos *sanguíneos* 血管.
2 血の色の.
3 多血質の; 短気な.

sa·ni·dad [saniðáð サニダ(ドゥ)] 名女
1 保健, 衛生. *sanidad* pública 公衆衛生. Dirección General de *Sanidad* 公衆衛生局. **2** 健康, 健全なこと.

sa·ni·ta·rio, ria [sanitárjo, rja サニタリオ, リア] 形 衛生の, 保健の. medidas *sanitarias* 医療処置.
── 名男 **1** 〘軍事〙衛生兵. **2** [〜s] (浴室・トイレなどの)衛生設備[器具].

San Jo·sé [saŋxosé サンホセ] 固名 サン・ホセ: 中米コスタリカ Costa Rica の首都.

San Ma·ri·no [sammaríno サンマリノ] 固名 サンマリノ: イタリア中部の共和国.

S

sa·no, na [sáno, na サノ, ナ] 形 [複 〜s] 〔英 healthy〕 **1** **健康な**; 健康によい. *sano* de cuerpo y alma 心身ともに健全な. clima *sano* 健康によい気候.
2 健全な, 堅実な. ideas *sanas* 健全な考え. negocio *sano* 堅実な商い.
3 損傷のない, 腐っていない. un vaso *sano* 欠けていないコップ.
cortar por lo sano きっぱりと終止符を打つ.
sano y salvo 無事な[に], つつがない[なく]. María llegó a Madrid *sana y salva*. マリアは無事にマドリードに着いた.

San Sal·va·dor [sánsalβaðór サンサるバドル] 固名 サン・サルバドル. (1) 中米のエルサルバドル El Salvador の首都. (2) 西インド諸島の島.

sáns·cri·to, ta [sánskrito, ta サンスクリト, タ] / **sans·cri·to, ta** [sanskríto, ta サンスクリート, タ] 形 サンスクリットの, 梵語(ぼんご)の.
── 名男 サンスクリット, 梵語.

san·se·a·ca·bó [sanseakaβó サンセアカボ]
y sanseacabó 《口語》(話などをした後で)それでおしまい, もう言うことは何もない.

San Se·bas·tián [saneβastján サンセバスティアン] 固名 サン・セバスティアン: スペイン北部, Guipúzcoa 県の県都.

santa 形名女 → santo[1].

San·tan·der [santandér サンタンデル] 固名 サンタンデル: スペイン北部の県; 県都.

san·tan·de·ri·no, na [santanderíno, na サンタンデリノ, ナ] 形 サンタンデルの.
── 名男女 サンタンデルの住民.

San·tia·go [santjáɣo サンティアゴ] 固名 サンティアゴ: 男性の名. *Santiago* el Mayor 〘聖書〙大ヤコブ(? –42, 十二使徒のひとり, スペインの守護聖人). *Santiago* el Menor 〘聖書〙小ヤコブ(? –62, 十二使徒のひとり).
Santiago de Compostela サンティアゴ・デ・コンポステラ: スペイン北西部の都市. ◆大ヤコブの墓所として古くから多くの巡礼者を集めている.
Santiago de Chile サンティアゴ(デ・チレ): チリ Chile の首都.
¡Santiago (y cierra España)! レコンキスタ時のスペイン軍の鬨(とき)の声.

san·tia·gués, gue·sa [santjaɣés, ɣésa サンティアゲス, ゲサ] 形 [複男 santiagueses] サンティアゴ・デ・コンポステラの.
── 名男女 サンティアゴ・デ・コンポステラの住民.

san·tia·mén [santjamén サンティアメン] 名男 ***en un santiamén*** 《口語》すぐに, あっという間に.

san·ti·dad [santiðáð サンティダ(ドゥ)] 名女 神聖さ, 聖性. Su *Santidad* (教皇)聖下.

san·ti·fi·car [santifikár サンティフィカル] [⑧ c → qu] 動他 〘カトリック〙神聖なものとする; 聖人の列に加える; 聖なるものとしてあがめる; (祭日を)祝う.

san·ti·guar [santiɣwár サンティグアル] [⑦ gu → gü] 動他 …に十字を切る.
── **san·ti·guar·*se*** 十字を切る.

san·to[1], ta [sánto, ta サント, タ] [複 〜s] 形 〔英 holy, saint〕 **1** **聖なる**, 神聖な, 聖… 《略 S., Sto., Sta.》. *Santa* Ana 聖アンナ (► 男性名に冠する場合, Tomás, Tomé, Toribio, Domingo を除いて, *Santo* の語尾が脱落して San になる. ⇒ *San* Pedro 聖ペドロ, *San* Juan 聖ヨハネ). Viernes *Santo* 聖金曜日 (→ fiesta 【参考】).
2 信心深い, 聖人のような. llevar una vida *santa* 敬虔(けいけん)な日々を送る.
3 《口語》《名詞の意味を強めて, 時には反語的に》Hoy no he hecho nada todo el *santo* día. 今日は丸１日何もしなかった.
― 名男女〘ｶﾄﾘｯｸ〙聖人, 聖者; 聖女. hacerse el *santo*《口語》聖人ぶる.
¿A santo de qué ...?* / *¿A qué santo ...? 一体なんでまた…なのか.
desnudar a un santo para vestir a otro 無意味な取り替えをする.
día de Todos los Santos ➡ fiesta【参考】.
irse a 《+uno》 ***el santo al cielo*** 〈人〉がうっかり忘れる, ど忘れする.
llegar y besar el santo 思ったらすぐ手に入れる.
por todos los santos (***del cielo***) 後生だから.
santo y bueno 申し分ない.

san·to² [sánto サント] 名男 **1** 聖人像.
2 霊名の祝日: 自分の命名の元になった守護聖人の祝日. Hoy es tu *santo*, ¿verdad? 今日は君の聖人の日だよね.

San·to Do·min·go [santoðomíŋgo サントドミンゴ] 固名 サント・ドミンゴ: ドミニカ共和国 República Dominicana の首都.

san·to·ral [santorál サントラる] 名男〘ｶﾄﾘｯｸ〙聖人伝; 聖人の祝日[祭日]表.

san·tua·rio [santwárjo サントゥアリオ] 名男〘ｶﾄﾘｯｸ〙至聖所, 内陣, サンクチュアリ; 聖地.

sa·ña [sáɲa サニャ] 名女 激烈さ, 激しさ; 残忍さ; 執拗(しつよう).

sa·pien·cia [sapjénθja サピエンしア] 名女 知恵, 英知 (= sabiduría).

sa·po [sápo サポ] 名男〘動物〙ヒキガエル(蟇蛙), ガマ(蝦蟇).

sa·que [sáke サケ] 名男〘ｽﾎﾟｰﾂ〙サーブ, キック(オフ); サービスライン (= línea de *saque*) (➡ tenis 図); サーバー. hacer [tener] el *saque* サーブ[キックオフ]する. ➡ fútbol【参考】.
tener (***un***) ***buen saque*** 《口語》大食漢である.

saque(-) / **saqué**(-) 動 ➡ sacar. [⑧ c ➡ qu]

sa·que·ar [sakeár サケアル] 動他 略奪する; ごっそり盗み出す.

sa·que·o [sakéo サケオ] 名男 略奪.

sa·ram·pión [sarampjón サランピオン] 名男〘医〙はしか, 麻疹(ましん).

sa·ra·o [saráo サラオ] 名男 夜会.

sa·ra·pe [sarápe サラペ] 名男《ラ米》〘服飾〙サラーペ: 肩掛け (= zarape).

sa·ra·sa [sarása サラサ] 名男《俗語》(男性の)同性愛者, ホモ (= marica).

sar·cas·mo [sarkásmo サルカスモ] 名男 皮肉, 嫌み; 風刺.

sar·cás·ti·co, ca [sarkástiko, ka サルカスティコ, カ] 形 皮肉たっぷりな, 辛辣(しんらつ)な.
― 名男女 嫌みな人.

sar·có·fa·go [sarkófaɣo サルコファゴ] 名男 石棺.

sar·da·na [sarðána サルダナ] 名女〘音楽〙サルダーナ: Cataluña 地方の輪になって踊る舞踊[音楽].

sar·di·na [sarðina サルディナ] 名女〘魚〙イワシ(鰯), サーディン.
estar como sardinas en lata ぎゅうぎゅう詰め[すし詰め]である.

sar·di·ne·ro, ra [sarðinéro, ra サルディネロ, ラ] 形 イワシ(漁)の.
― 名男女 イワシ売り.

sar·dó·ni·co, ca [sarðóniko, ka サルドニコ, カ] 形 冷笑的な (= irónico).

sar·gen·ta [sarxénta サルヘンタ] 名女
1 《口語》男勝りの女.
2 軍曹の妻.

sar·gen·to [sarxénto サルヘント] 名男 [複 ~s] 〔英 sergeant〕 **1** 〘軍事〙**軍曹**.
2 《口語》鬼のように厳しい人. Mi jefe es un *sargento*. 私の上司はまるで鬼だ.

sar·mien·to [sarmjénto サルミエント] 名男 ブドウのつる; つる茎.

sar·na [sárna サルナ] 名女〘医〙〘獣医〙疥癬(かいせん).

sar·no·so, sa [sarnóso, sa サルノソ, サ] 形 疥癬(かいせん)にかかった.
― 名男女 疥癬かき.

sa·rra·ce·no, na [sar̄aθéno, na サラセノ, ナ] 形〘歴史〙サラセン人の, サラセンふうの.
― 名男女〘歴史〙サラセン人; イスラム教徒.

sa·rro [sár̄o サロ] 名男 **1** 湯[水]あか.
2 〘医〙歯石; 舌ごけ.

sar·ta [sárta サルタ] 名女 一つなぎ, 一連.

sar·tén [sartén サルテン] 名女 フライパン. ➡ olla 図.
tener la sartén por el mango 《口語》牛耳る, 取り仕切る.

sar·te·na·zo [sartenáθo サルテナそ] 名男 フライパンによる一撃.

sas·tre [sástre サストゥレ] 名男 [複 ~s] 〔英 tailor〕 (紳士服の) **テーラー**, 仕立屋. jabón de *sastre* (裁縫用の) チャコ. ➡ modisto.

sas·tre·rí·a [sastrería サストゥレリア] 名女 紳士服仕立(業); テーラー(の店).

Sa·tán [satán サタン] / **Sa·ta·nás** [satanás サタナス] 名男 サタン, 悪魔.

sa·tá·ni·co, ca [satániko, ka サタニコ, カ] 形 悪魔の(ような).

sa·té·li·te [satélite サテリテ] 名男 **1** 〘天文〙衛星; 人工衛星 (= *satélite* artificial). *satélite* de reconocimiento 観測衛星. *satélite* de telecomunicaciones 通信衛星. *satélite* meteorológico 気象衛星.
2 衛星国 (= país *satélite*), 衛星都市 (= ciudad *satélite*).
3 [普通 ~s] 取り巻き; 手先.
― 形 衛星の.

sa·tén [satén サテン] 名男〘服飾〙サテン, 繻子(しゅす).

sa·ti·na·do, da [satináðo, ða サティナド,

S

ダ] 過分 形 つや[光沢]のある.
── 名 男 光沢; つや出し.
sa·ti·nar [satinár サティナル] 動 他 (布・紙などに) 光沢をつける.
sá·ti·ra [sátira サティラ] 名 女 風刺; 風刺文[詩].
sa·tí·ri·co, ca [satíriko, ka サティリコ, カ] 形 風刺の, 風刺的な.
── 名 男 風刺詩人, 風刺作家.
sa·ti·ri·zar [satiriθár サティリサル] [39 z → c] 動 他 風刺する.
── 動 自 風刺文[詩]を書く.
sá·ti·ro [sátiro サティロ] 名 男 **1** 〘ギリシア神話〙サテュロス. **2** 好色家, 卑猥(ひわい)な男.
sa·tis·fac·ción [satisfakθjón サティスファクしオン] 名 女 [複 satifacciones] 〔英 satisfaction〕 **1** **満足**, 満足感; 満足させるもの. Es para mí una gran *satisfacción* recibir este premio literario. この文学賞を頂き, この上ない光栄に存じます. sentir entera *satisfacción* 大満足する. a *satisfacción* de《+uno》〈人〉が満足する形で. **2** 償い, 賠償.
sa·tis·fa·cer [satisfaθér サティスファセル] 27 動 他 [過分 satisfecho, cha]
1 **満足させる**, 満たす. No me *satisface* mucho su respuesta. 私は彼の返事にあまり満足していない(► 過去分詞形を使った estar [quedar] *satisfecho* の方が多く用いられる). *satisfacer* las condiciones 条件を満たす.
2 償う; 支払う. *satisfacer* (por) la culpa 罪の償いをする. *satisfacer* una letra de cambio 手形を引き受ける.
3 解決する, 解き明かす. Estoy esperando que *satisfagas* mis dudas. 私の疑問に君が満足のいく答えを出してくれることを期待している.
── **sa·tis·fa·cer·*se*** 満足する, 満たされる. *Se satisface* con poco. 彼はちょっとしたことで満足する.
sa·tis·fac·to·ria·men·te [satisfaktórjaménte サティスファクトリアメンテ] 副 存分に.
sa·tis·fac·to·rio, ria [satisfaktórjo, rja サティスファクトリオ, リア] 形 満足すべき, 申し分のない.
S
satisfag- / satisfar- / satisfaz 動 → satisfacer. 27
sa·tis·fe·cho, cha [satisfétʃo, tʃa サティスフェチョ, チャ] 過分 →satisfacer.
── 形 満足した. Estoy *satisfecho* de los resultados de los exámenes. 私は試験の結果に満足している.
satisfic- / satisfizo 動 → satisfacer. 27
sa·tu·ra·ción [saturaθjón サトゥラしオン] 名 女 飽和, 飽和状態.
sa·tu·rar [saturár サトゥラル] 動 他
1 《+de》…でいっぱいにする, 充満させる.
2 〘化〙飽和させる.
sa·tur·nal [saturnál サトゥルナる] 形
1 土星の.
2 〘ローマ神話〙サトゥルヌスの.
── 名 女 お祭り騒ぎ, 無礼講.
Sa·tur·no [satúrno サトゥルノ] 固名 **1** 〘天文〙土星. → solar. 図.
2 〘ローマ神話〙サトゥルヌス: 農耕神. ギリシア神話の Cronos.
sau·ce [sáuθe サウせ] 名 男 〘植物〙ヤナギ(柳).
sau·na [sáuna サウナ] 名 女 サウナ風呂(ぶろ).
sa·via [sáβja サビア] 名 女 **1** 〘植物〙樹液. **2** 生気, 活力.
sa·xo·fón [saksofón サクソフォン] / **sa·xó·fo·no** [-ksófono -クソフォノ] 名 男 〘音楽〙サキソホン.
sa·ya [sája サヤ] 名 女 スカート; ペチコート.
sa·yal [sajál サヤる] 名 男 粗い毛織物.
sa·yo [sájo サヨ] 名 男 上っ張り, スモック.
sa·zón [saθón サそン] 名 女 **1** 成熟, 円熟. **2** 味, 風味(= sabor). **3** 好機, 適期.
a la sazón 当時, そのころ.
en sazón 旬(しゅん)の, 食べごろの; 折よく.
fuera de sazón あいにく, 時期外れの.
sa·zo·nar [saθonár サそナル] 動 他 **1** …に味をつける, 調味する. **2** 熟させる, 円熟させる. **3** …に趣を添える. **4** (地味を) 肥やす.
── **sa·zo·nar·*se*** 熟す; 食べごろになる.

se [se セ] 代名
1 《3人称の直接目的語 lo(s), la(s) の前について, 間接目的語の le, les の代わりをする3人称の弱形代名詞》[単・複同形; → me 【文法】] 〔英 him, her, it, them, you〕 **彼[彼女, 彼ら, 彼女たち, あなた, あなたがた]に**, それ[それら]に; 彼[彼女, …]のために; 彼[彼女, …]から. ¿Entregaste las fotos a Juan? — Sí, *se* las entregué. 君, これらの写真をフアンに渡しましたか. —はい, (彼にそれらを) 渡しました. ¿No *se* lo dijeron a usted? あなたそう言われなかったんですか. *Se* lo quitaron de la mano. 彼らは彼の手からそれを取り上げた.
2 《再帰文を作る se》[3人称単・複同形] **自分を[に, の]**. Su hijo *se* llama Antonio. 彼の息子の名前はアントニオだ. *Se* está lavando las manos. 彼は今手を洗っている. → me, te, nos, os. ⇨ 文法用語の解説「再帰代名詞」,「再帰動詞」.
3 《動詞の一部となっている se》[3人称単・複同形] Mamá *se* queja de la subida de los precios. お母さんは物価の上昇を嘆いている. → me, te, nos, os. ⇨ 文法用語の解説「代名動詞」.
4 《動詞固有の意味に特定の意味・ニュアンスを付け加える se》[3人称単・複同形] *Se* fueron a Granada. 彼らはグラナダへ行ってしまった. *Se* comió una paella entera. 彼はパエーリャを全部食べてしまった. → me, te, nos, os.
5 《相互文を作る se》[3人称複数] 互いに…

し合う. Pepe y Chelo *se* odian. ペペとチェロは憎み合っている. ➡ nos, os.
6《受身文を作る se》[物が主語, 3人称単・複同形] …される. *Se* vendieron todas las camisas. シャツは全部売れた. Ese problema *se* resolvió con la colaboración de todos. その問題は全員の協力で解決された.
7《非人称文を作る se》[3人称単数のみ] (一般に) 人は…する. *Se* habla español. 《掲示》スペイン語話します. En la calle no *se* ve a nadie. 通りには誰も見えない. ► 非人称文と se を使った主語が単数の受身文では, 文法的・意味的に区別できない場合がある. ⇨ 文法用語の解説「非人称文」.

sé 動 **1** ➡ saber. 50
2 ➡ ser. 53

sea (-) / **seáis** 動 ➡ ser. 53

Se·bas·tián [seβastján セバスティアン] 固名 セバスティアン: 男性の名.

se·bo [séβo セボ] 名男 **1** 獣脂; 脂肪.
2 肥大, 肥満. **3** 油汚れ.

seca 形女 ➡ seco.

se·ca·de·ro, ra [sekaðéro, ra セカデロ, ラ] 形 (果実などが) 乾燥保存に適した.
—— 名男 乾燥場.

se·ca·do [sekáðo セカド] 名男 乾燥 (させること).

se·ca·dor [sekaðór セカドル] 名男 ヘアドライヤー; 乾燥機.

se·ca·men·te [sékaménte セカメンテ] 副 そっけなく.

se·ca·no [sekáno セカノ] 名男 灌漑(かんがい)設備のない土地; 乾燥地.

se·can·te [sekánte セカンテ] 形 **1** 乾かす; 速乾性の. **2**〘数〙(線・面が) 交わる.
—— 名男 吸い取り紙.
—— 名女〘数〙割線; (三角法の) セカント, 正割《略 sec》.

se·car [sekár セカル] [8 c ➡ qu] 動他 〔英 dry〕 **1 乾かす**, 干す. *secar* la ropa 洗濯物を干す.
2 ふく. *secar* los platos con un paño ふきんで皿をふく.
—— **se·car·*se*** **1** 乾く.
2 ふく, ぬぐう. *Sécate* bien que vas a coger frío. よくふきなさい, 風邪をひくよ. *secarse* las manos con una toalla タオルで手をふく.
3 (植物が) しおれる, 枯れる.
4 干上がる, 涸(か)れる.
5 (傷口が) ふさがる, 治る.

sec·ción [sekθjón セクしオン] 名女 [複 secciones] 〔英 section〕 **1 部門**; 部局; (デパートの) 売り場. *sección* de producción de automóviles 自動車製造部門. *sección* laboral 労働局[課]. (*Sección* de) Lencería [Cristalería] ランジェリー[ガラス食器]売り場.
2 部分; (新聞などの) 欄; (書物などの) 節, 項.
3 断面(図). *sección* longitudinal 縦断面図. *sección* vertical 垂直断面図.
4〘医〙切開, 切断. hacer una *sección* en … …を切開する.

sec·cio·nar [sekθjonár セクしオナル] 動他 分割する; 切断する.

se·ce·sión [seθesjón セせシオン] 名女 分離, 脱退, 離脱.

se·ce·sio·nis·ta [seθesjonísta セせシオニスタ] 形 分離の; 脱退の.
—— 名男女 分離主義者; 脱退論者.

se·co, ca [séko, ka セコ, カ] 形 [複 ~s] 〔英 dry〕 **1 乾いた**, 乾燥した; 干上がった. La toalla está *seca*. タオルは乾いている. tierra *seca* 乾いた土地. flor *seca* 枯れた花. frutos *secos* ドライフルーツ.
2 やせこけた (= flaco).
3 そっけない, 無愛想な. en tono *seco* そっけない口調で.
4 辛口の, ドライの. vino *seco* 辛口のぶどう酒. ► 甘口は dulce.
5 (音などが) 乾いた; 鈍い. Se dio un golpe *seco* en la cabeza. 彼は頭をガツンとぶつけた.
6 それだけの. sueldo *seco* 基本給. verdad *seca* 真実そのもの.
—— 動 ➡ secar. [8 c ➡ qu]
a secas ただ単に, それだけ. Dijo *a secas* que no. 彼はただノーとしか言わなかった.
dejar seco a 《+uno》〈人〉を一瞬のうちに殺す; 唖然(あぜん)とさせる.
en seco (1)乾式の, ドライの. lavado *en seco* ドライクリーニング. (2)突然, 急に. El coche se paró *en seco*. 車は急停止した.

se·cre·ción [sekreθjón セクレしオン] 名女 〘生物〙分泌, 分泌液.

secreta 形女 ➡ secreto[1].

secretaria 名女 ➡ secretario.

se·cre·ta·rí·a [sekretaría セクレタリア] 名女 **1** 事務局; 秘書室[課]; (政府の) 省. *Secretaría* de las Naciones Unidas 国連事務局. *Secretaría* de Relaciones Exteriores (メキシコの) 外務省.
2 秘書[書記]の職.

se·cre·ta·ria·do [sekretarjáðo セクレタリアド] 名男 **1** 秘書[書記]の職; 《集合》秘書団, 書記団. **2** 事務局; 秘書室.

se·cre·ta·rio, ria [sekretárjo, rja セクレタリオ, リア] 名男女 [複 ~s] 〔英 secretary〕 **1 秘書**. *secretaria* bilingüe 2か国語を話す秘書.
2 書記(官); 事務員[官]; 《ラ米》大臣. *secretario* general 書記長, 事務局長. *secretario* general de la ONU 国連事務総長. *secretario* de Asuntos Culturales 文化担当官.

se·cre·te·ar [sekreteár セクレテアル] 動自 《口語》ひそひそ話す.

se·cre·to[1], ta [sekréto, ta セクレト, タ] 形 [複 ~s] 〔英 secret〕 **秘密の**, 機密の; 人目につかない, 隠れた. guardar en un

S

lugar *secreto* 秘密の場所に保管する. un asunto sumamente *secreto* 極秘[トップシークレット]の案件. votación *secreta* 無記名投票.

se·cre·to² [sekréto セクレト] 名男 [複 ~s] 〔英 secret〕 秘密, 機密; 秘訣(ひけつ). No tengo *secretos* para ti. 君には隠し事などないよ. mantener en *secreto* 秘密にしておく. *secreto* militar 軍事機密. Te enseñaré el *secreto* de hacerlo bien. それをうまくやるこつを君に教えてあげよう.

en secreto こっそりと; 陰で. decir *en secreto* 内密に言う[打ち明ける].

secreto a voces 公然の秘密.

sec·ta [sékta セクタ] 名女 分派, セクト.

sec·ta·rio, ria [sektárjo, rja セクタリオ, リア] 形 1 分派の, セクト的な.
2 偏狭な, 狭量な.
── 名男女 1 特定の派に属する人; 信徒.
2 セクト主義者.

sec·ta·ris·mo [sektarísmo セクタリスモ] 名男 セクト主義.

sec·tor [sektór セクトル] 名男 1 部門, 分野. *sector* agrario [económico] 農業[経済]部門. *sector* privado 民間部門.
2 地区, …側.
3 党派, 分派.
4 〔数〕扇形 (= *sector* circular).

se·cuaz [sekwáθ セクアす] 名男女 [複 secuaces] 《軽蔑》追従者, 信奉者.
── 形 追従する.

se·cue·la [sekwéla セクエら] 名女 結果, 帰結; 〔医〕後遺症.

se·cuen·cia [sekwénθja セクエンしア] 名女
1 一連, ひと続き.
2 〔映画〕シークエンス, ひと続きのシーン.
3 〔コンピュータ〕順序, シーケンス.

se·cues·tra·dor, do·ra [sekwestraðór, ðóra セクエストゥラドル, ドラ] 名男女 誘拐犯; 乗っ取り犯.
── 形 誘拐する; 乗っ取りの.

se·cues·trar [sekwestrár セクエストゥラル] 動他 1 誘拐する; 乗っ取る, ハイジャックする. 2 〔法律〕押収する.

se·cues·tro [sekwéstro セクエストゥロ] 名男
1 誘拐; 乗っ取り, ハイジャック.
2 〔法律〕押収.

se·cu·lar [sekulár セクらル] 形 1 世俗の.
2 1世紀1度の; 何百年の; 昔からの.
── 名男 〔カトリック〕在俗司祭 (= clero *secular*).

se·cu·la·ri·za·ción [sekulariθaθjón セクらりさしオン] 名女 世俗化; 還俗(げんぞく).

se·cu·la·ri·zar [sekulariθár セクらりさル] [39 z → c] 動他 1 世俗化させる; 宗教[教会]から分離する, 宗教色を抜く; (教会の財産を)国有[民有]化する.
2 還俗(げんぞく)させる.
── **se·cu·la·ri·zar·*se*** 還俗する.

se·cun·dar [sekundár セクンダル] 動他 支持する, 支援する.

se·cun·da·rio, ria [sekundárjo, rja セクンダリオ, リア] 形 2番目の; 二次的な, 副次的な; 中等学校の. enseñanza *secundaria* 中等教育.

sed [séð セ(ドゥ)] 名女 〔英 thirst〕
1 (喉(のど)・口の)渇き. Tengo mucha *sed.* 私はとても喉が渇いている. Bebí agua fría para quitarme la *sed* que tenía. 喉の渇きを癒(いや)すために, 私は冷たい水を飲んだ. ► 飢えは hambre.
2 渇望, 切望. *sed* de paz 平和への切なる願い.

se·da [séða セダ] 名女 絹, 絹糸; 絹織物. blusa de *seda* 絹のブラウス. *seda* artificial 人絹, レーヨン.

como una seda スムーズに; おとなしく, 従順に.

se·dal [seðál セダる] 名男 釣り糸.

se·dan·te [seðánte セダンテ] 形 〔医〕鎮める. ── 名男 〔医〕鎮痛剤, 鎮静剤.

se·de [séðe セデ] 名女 1 本部; 《比喩》総本山. la *sede* de la O.N.U. 国連本部.
2 〔カトリック〕司教(管)区. Santa *Sede* 教皇庁, バチカン.
3 (高位聖職者の)地位, 座. *sede* episcopal 司教座.

se·den·ta·rio, ria [seðentárjo, rja セデンタリオ, リア] 形 1 座ったままの; ほとんど動かない. llevar una vida *sedentaria* 閉じこもった生活を送る.
2 定住性の. tribu *sedentaria* 定住部族.

se·di·ción [seðiθjón セディしオン] 名女 決起, 騒乱, 暴動.

se·di·cio·so, sa [seðiθjóso, sa セディしオソ, サ] 形 決起の; 暴動を引き起こす.
── 名男女 決起者, 扇動者.

se·dien·to, ta [seðjénto, ta セディエント, タ] 形 1 喉(のど)が渇いた.
2 (土地が)乾燥した, 干上がった.
3 切望している. *sediento* de poder 権勢欲に駆られた.

se·di·men·tar [seðimentár セディメンタル] 動他 1 沈殿させる. 2 落ち着かせる.
── **se·di·men·tar·*se*** 1 沈殿する.
2 落ち着く.

se·di·men·to [seðiménto セディメント] 名男 1 沈殿物, 堆積(たいせき)物, おり.
2 心の傷, しこり.

se·do·so, sa [seðóso, sa セドソ, サ] 形 絹のような; つややかな.

se·duc·ción [seðukθjón セドゥクしオン] 名女 誘惑; 魅惑, 魅了.

se·du·cir [seðuθír セドゥしル] 12 動他 1 誘惑する, 惑わす, たぶらかす. Él *seducía* a las mujeres con hermosas palabras. 彼は甘い言葉で女性たちを誘惑していた.
2 魅惑する, 夢中にさせる.

se·duc·tor, to·ra [seðuktór, tóra セドゥクトル, トラ] 形 誘惑の; 魅惑的な.
── 名男女 誘惑者.

seduj- / seduzc- 動 → seducir. 12

S

se·far·dí [sefarðí セファルディ] / **se·far·di·ta** [-ðíta -ディタ] 形セファルディの.
—— 名男女 セファルディ. ◆15世紀末にイベリア半島を追われたユダヤ人の子孫. ➡ judeoespañol.

se·ga·dor, do·ra [seɣaðór, ðóra セガドル, ドラ] 形刈り入れ[収穫]の.
——名男女刈り取り人[人夫].
——名女刈り取り機; 芝刈り機.

se·gar [seɣár セガル] [32 g ➡ gu; 42 e ➡ ie] 動他 **1** (穀物・草を)刈る, 刈り取る. máquina de *segar* 刈り取り機.
2 切り落とす.
3 挫折(ざっ)させる. La enfermedad *segó* sus ilusiones. 病気が彼の夢を打ち砕いた.

se·glar [seɣlár セグラル] 形 世俗的な; 在俗の.
——名男女在俗[世俗]の人(↔ eclesiástico).

seg·men·tar [seɣmentár セグメンタル] 動他分割する, 区分する.

seg·men·to [seɣménto セグメント] 名男
1 区分, 部分, 切片.
2 〘数〙線分; (円・球の)弓形.
3 〘動物〙体節, 環節.
4 〘言語〙分節(音).

Se·go·via [seɣóβja セゴビア] 固名 セゴビア: スペイン中央部の県; 県都.

se·go·via·no, na [seɣoβjáno, na セゴビアノ, ナ] 形セゴビアの.
——名男女セゴビアの住民.

se·gre·ga·ción [seɣreɣaθjón セグレガシオン] 名女 **1** 分離; 隔離. política de *segregación* racial 人種隔離政策, アパルトヘイト.
2 〘生物〙分泌; 分泌液.

se·gre·ga·cio·nis·ta [seɣreɣaθjonísta セグレガシオニスタ] 形 分離主義の; 人種差別主義の.
——名男女分離主義者; 人種差別主義者.

se·gre·gar [seɣreɣár セグレガル] [32 g ➡ gu] 動他 **1** 分離する; 隔離する; 差別(待遇を)する. **2** 〘生物〙分泌する.

se·gui·da [seɣíða セギダ] 名女連続.
—— 過分女 ➡ seguir.
——形女 ➡ seguido[1].
de seguida 続けて, 続いて.
en seguida すぐに, ただちに(= enseguida). Voy *en seguida*. 今行きます.

se·gui·da·men·te [seɣíðaménte セギダメンテ] 副続けて, 中断せずに; 引き続き.

se·gui·di·lla [seɣiðíʎa セギディリャ] 名女 [〜s] 〘音楽〙セギディーリャス: スペイン Andalucía 地方の舞踊[舞曲].

se·gui·do[1], da [seɣíðo, ða セギド, ダ] 過分 ➡ seguir.
——形 **1** 連続した. Ha dormido diez horas *seguidas*. 彼はぶっとおし10時間寝た. un dolor muy *seguido* 間断なく続く痛み.
2 《+de》…を従えた. sujeto *seguido del* verbo 動詞に先行する主語.

se·gui·do[2] [seɣíðo セギド] 副 **1** まっすぐに. Vaya todo *seguido*. まっすぐ行ってください. **2** ただちに; すぐ後に続いて.

se·gui·dor, do·ra [seɣiðór, ðóra セギドル, ドラ] 名男女 後継者; 信奉者; 〘スポーツ〙後援者, ファン.

se·gui·mien·to [seɣimjénto セギミエント] 名男 **1** 追跡, 追尾. estación de *seguimiento* (人工衛星などの)追跡ステーション.
2 継続, 続行.

se·guir

[seɣír セギル] [21 gu ➡ g; 41 e ➡ i] 動他 [現分 siguiendo; 過分 seguido, da] 〔英 follow; continue〕

直説法 現在	
1·単 ***sigo***	1·複 **seguimos**
2·単 ***sigues***	2·複 **seguís**
3·単 ***sigue***	3·複 ***siguen***

1 **…のあとについて行く**; 追跡する; 尾行する, …のあとをつける. Ve delante, y te *sigo*. 君が先を行けよ, 僕はあとについて行くから. Los policías *siguen* al ladrón. 警察官たちはその泥棒を追跡している.
2 (慣習・規律・忠告などに)従う, 守る; …に倣う. *Siga* usted su propio criterio. あなたはあなたの考えに従いなさい. *seguir* las instrucciones del profesor 先生の指示に従う.
3 続ける (= continuar). Después de un descanso de diez minutos *seguiremos* nuestro debate. 10分間の休憩の後我々の討論を続けよう.
4 (科目・コースを)受講する. *seguir* la carrera de perito mercantil 会計士の道を進む.
5 (道を)たどる, …に沿って行く. *Siga* usted esta calle todo derecho. この通りをまっすぐいらっしゃい.
6 (説明などに) ついていく, 追っていく. ¿Me *sigue* usted? 私の言っていることが分かりますか. *seguir* el partido de fútbol サッカーの試合の成り行きを見守る.
—— 動自 **1** 続く, 継続する. *Sigue* el próximo martes. (連続ドラマなどが)来週火曜日に続く. en las páginas que *siguen* 次ページ以降に.
2 《+現在分詞》**…し続ける**; 《+過去分詞・形容詞》ずっと…のままである. *Sigo* trabajando en la misma oficina. 私は同じ事務所で働き続けている. *Sigue* sentado en el sofá. 彼はソファーに座ったままだ.
3 《+a》…に続いて起こる. *Al* discurso *siguieron* ovaciones y aplausos. 演説の後, 割れるような拍手喝采(かっさい)が続いた.
4 (道を)進む. *Sigamos* por esta calle. この通りをずっと行こう.
—— **se·guir·se** 《+de》…から結果として生じる, 推測される. *De* esto *se sigue*

S

que su propuesta no es aceptable. 以上のことから彼の提案は受け入れられないことになる.
como sigue(n) 以下[下記]のとおりに[で].
seguir adelante (道を)真っすぐ進む;《+**en**》…を根気よく続ける.

se·gún [seɣun セグン] 前 〔英 according to〕
1 …に従って, …によって. *según* la ley 法律に従って. *según* el tiempo 天気次第で.
2 …によれば. *Según* el observatorio meteorológico, mañana lloverá a cántaros. 気象台によると明日はどしゃ降りだそうだ.
── 接続 **1** …によれば. *según* me dijo 彼が私に語ったところによれば.
2 …につれて. *Según* iba oscureciendo, la calle iba animándose. 暗くなるにつれて通りは活況を呈していった.
3 …のように, …のとおりに, …のままに. Estará *según* lo dejaste. それは君が放置したままになっているだろう.
4《+接続法》…によって, …に応じて. Le entregas esta carta o no *según* veas. そのときの君の情況判断でこの手紙を彼に渡すかどうか決めなさい.
── 副 [seɣún セグン]《単独で用いられて》《口語》状況[場合]による(= depende). ¿Te gusta decir piropos?—*Según*. 女の子を冷やかすのは好きかい?—場合によるよ.
según y como ... …のとおりに, …のままに. ¿Es verdad que se divorció Josefa?—*Según y como* has oído. ホセファが離婚したって本当?—君が聞いたとおりさ.
según y cómo [***conforme***]《+接続法》…次第で, …によって. Iré a correr *según y cómo* esté el tiempo mañana por la mañana. 明日の朝の天気次第でジョギングをしよう.
Según y cómo [***conforme***].《単独で用いて》それは時と場合による.
según que《+接続法》…によって, …に応じて. *según que* haga frío o calor 寒いか暑いかで.

S

se·gun·da [seɣúnda セグンダ] 名女〔車〕セカンドギア.
── 形名女 → segundo[1].

se·gun·de·ro, ra [seɣundéro, ra セグンデロ, ラ] 形 (果物などが) 2番なりの.
── 名男 (時計の)秒針. → minutero.

se·gun·do[1], da [seɣúndo, da セグンド, ダ] 形《数詞》[複 ~s]〔英 second〕**2番目の**, 第2の. *segunda* oportunidad 2度目のチャンス. *segunda* mitad 後半. *segunda* clase 2等, 二流.
── 名男女 2番目の人[物].

se·gun·do[2] [seɣúndo セグンド] 名男 [複 ~s]〔英 second〕(時間の単位) 秒《略 s》; (角度・方向の単位) 秒 (記号 ″). Corre cien metros en once *segundos*. 彼は100メートルを11秒で走る.
en un segundo ただちに, すぐに.

se·gun·dón [seɣundón セグンドン] 名男 次男; 2番手(の人).

segura 形女 → seguro[1].

se·gu·ra·men·te [seɣúraménte セグラメンテ] 副 多分, おそらく; きっと, 確実に.

se·gu·ri·dad [seɣuriðáð セグリダ(ドゥ)] 名女 [複 ~es]〔英 security〕**1 安全(性)**; 安心, 保障. La *seguridad* del edificio es magnífica. その建物の保安設備はすばらしい. *seguridad* social 社会保障.
2 確かさ, 確実性; 確信. con la *seguridad* de su victoria 勝利を確信して. tener *seguridad* en sí mismo 自信を持っている.
con seguridad きっと, 間違いなく; 確信をもって.
para mayor seguridad 安全のために, 念のために.

se·gu·ro[1], ra [seɣúro, ra セグロ, ラ] 形 [複 ~s]〔英 safe; sure〕**1 安全な**. un sitio *seguro* 安全な場所. inversión *segura* 安全な投資.
2 確かな, 確実な; 信頼できる. (Es) *seguro* que pasas el examen. 君は間違いなく試験に受かるよ. fuentes *seguras* 確かな筋. fecha *segura* 確定した日取り.
3 確信した, 自信のある. estar *seguro* de sí mismo 自信を持っている. Estoy *seguro* (de) que viene. 私は間違いなく彼が来ると思う. No estoy *seguro* (de) que venga. 私は絶対に彼が来るとは断言できない(► 否定文では接続法).

se·gu·ro[2] [seɣúro セグロ] 名男 [複 ~s]〔英 insurance〕**1 保険**. compañía de *seguros* 保険会社. Me he hecho un *seguro* contra robos. 私は盗難保険に入った. *seguro* contra accidentes 災害[傷害]保険, (車の)事故保険. *seguro* contra incendios 火災保険. *seguro* de [sobre la] vida 生命保険. *seguros* sociales 社会保険.
2 安全装置.
3 安全, 確実性.
── 副 確かに. ¿Vas mañana?—*Seguro*. 明日行くかい?—行くとも.
a buen seguro きっと(…だろう)(= probablemente). *A buen seguro* ella está de camino hacia aquí. 彼女はきっとこちらへ向かっているところだよ.
de seguro 確かに. Esta noche llueve *de seguro*. 今夜はきっと雨が降るよ.
sobre seguro 安全第一に. Deben hacer el experimento *sobre seguro*. 実験は安全第一にしなければならない.

seis [séis セイス]〔英 six〕形《数詞》

6の; 6番目の. Abran por la página *seis*. 6ページを開けてください.
—— 名男 6. ◆ローマ数字 VI.

sei·sa·vo, va [seisáβo, βa セイサボ, バ] 形 6分の1の.
—— 名男 6分の1.

seis·cien·tos[1]**, tas** [seisθjéntos, tas セイしエントス, タス] 形 《数詞》〔英 six hundred〕600の; 600番目の.

seis·cien·tos[2] [seisθjéntos セイしエントス] 名男〔英 six hundred〕600. ◆ローマ数字 DC.

se·ís·mo [seísmo セイスモ] 名男 ➞sismo.

se·lec·ción [selekθjón セれクしオン] 名女
1 選択, 選抜, 選考. hacer una *selección* entre los aspirantes 応募者の中から選ぶ. *selección* natural 自然淘汰(とうた).
2 選集.
3 《スポーツ》選抜チーム. *selección* nacional ナショナル・チーム.

se·lec·cio·na·dor, do·ra [selekθjonaðór, ðóra セれクしオナドル, ドラ] 形 選ぶ, 選考する.
—— 名男女 《スポーツ》選手選考委員.

se·lec·cio·nar [selekθjonár セれクしオナル] 動他 選ぶ, 選抜する. ➞elegir, escoger.

se·lec·ti·vi·dad [selektiβiðáð セれクティビダ(ドゥ)] 名女 **1** 選抜; 入学選抜試験.
2 《ラジオ》《テレビ》選択度, 分離度.

se·lec·ti·vo, va [selektíβo, βa セれクティボ, バ] 形 選択の, 選抜のための.

se·lec·to, ta [selékto, ta セれクト, タ] 形 選ばれた; えり抜きの, 精選した. poesías *selectas* 名詩選. sociedad *selecta* 上流社会.

se·llar [seʎár セリャル] 動他
1 押印[捺印(なついん)]する.
2 …に切手[印紙]を張る.
3 閉じる, 封印する.

se·llo [séʎo セリョ] 名男 [複 ～s]〔英 seal, stamp〕 **1** 印, 印章; 消印; スタンプ (= estampilla). *sello* de goma ゴム印.
2 切手, 印紙. colección de *sellos* 切手収集. Ponga un *sello* de cien pesetas en esta tarjeta. このハガキには100ペセタの切手を貼ってください.
3 印形付き指輪.
4 封, 封印(紙).
5 特徴, しるし. el *sello* del genio 天才のしるし.

sel·va [sélβa セるバ] 名女 密林, ジャングル. *selva* virgen 原生林.

sel·vá·ti·co, ca [selβátiko, ka セるバティコ, カ] 形 **1** 密林の, ジャングルの.
2 未開の, 粗野な, 野生の.

se·má·fo·ro [semáforo セマフォロ] 名男 (交通) 信号. El *semáforo* está (en) verde [amarillo, rojo]. 信号は青[黄, 赤]である. ➞ciudad 図.

se·ma·na [semána セマナ] 名女 [複 ～s]〔英 week〕
週, 1週間. *Semana* Santa. 聖週間 (復活の日曜日 Domingo de Resurrección 前の1週間. ➞fiesta 【参考】). ¿Qué día (de la *semana*) es hoy? 今日は何曜日ですか. la *semana* pasada 先週. la *semana* que viene / la próxima *semana* 来週. cada dos *semanas* 2週間ごと[隔週]に. Cenamos en este restaurante una vez a la *semana*. 我々は週に一度このレストランで夕食を食べる. ➞ día 【参考】.
entre semana 平日に, ウィークデーに.

se·ma·nal [semanál セマナる] 形 1週間の; 毎週の. dos días de descanso *semanal* 週休2日. revista *semanal* 週刊誌.

se·ma·na·rio, ria [semanárjo, rja セマナリオ, リア] 名男〔英 weekly〕週刊誌.
—— 形 週の, 週ごとの.

se·mán·ti·co, ca [semántiko, ka セマンティコ, カ] 形 《言語》意味の, 意味論の.
—— 名女 《言語》意味論.

sem·blan·te [semblánte センブらンテ] 名男 **1** 顔つき, 表情. componer el *semblante* 冷静さを取り戻す. mudar de *semblante* 顔色を変える.
2 外見, 様相.

sem·blan·za [semblánθa センブらンサ] 名女 略伝, 人物素描. hacer una *semblanza* de 《＋uno》〈人〉の略歴を語る.

sem·bra·do, da [sembráðo, ða センブラド, ダ] 過分 形 **1** 種をまいた. **2** ちりばめた.
—— 名男 種をまいた畑.

sem·bra·dor, do·ra [sembraðór, ðóra センブラドル, ドラ] 名男女 種をまく人.
—— 名女 《農業》播種(はしゅ)機.

sem·brar [sembrár センブラル] [42 e ➞ ie] 動他〔英 sow〕 **1** …の種をまく; 《＋**de**》…を…にばらまく. *sembrar* el maíz en el campo 畑にトウモロコシの種をまく. *sembrar* la plaza *de* flores 広場に花をばらまく.
2 《比喩》…の種をまく; 基を作る. *sembrar* el pánico パニック状態に陥らせる.

se·me·jan·te [semexánte セメハンテ] [複 ～s] 形〔英 similar〕 **1** 《＋**a**》…に似た, 類似の. Su manera de hablar es muy *semejante* *a* la tuya. 彼の話し方は君とそっくりだ.
2 こんな, そんな, あんな. Nunca he oído *semejante* cosa. そんなことは聞いたことがない. ► 名詞の前に置かれるとしばしば軽蔑(けいべつ)のニュアンスを表す. ⇒Nunca he visto a *semejante* idiota. こんなばかにはお目にかかったことがない.
—— 名男 仲間, 同胞.

se·me·jan·za [semexánθa セメハンサ] 名女 類似(点). tener *semejanza* con … …と似ている. a *semejanza* de … …に似て.

S

se·me·jar [semexár セメハル] 動自 《+a》…に似ている.
—— **se·me·jar·*se*** 《+a》…に似ている；《+en》…の点で類似している.

se·men [sémen セメン] 名男 精液.

se·men·tal [sementál セメンタる] 形 1 繁殖用の. 2 種まき用の.
—— 名男 種馬(= caballo *semental*).

se·men·te·ra [sementéra セメンテラ] 名女 種まき，播種(はしゅ)(期)；苗床.

se·mes·tral [semestrál セメストゥラる] 形 半年の；年2回の. ➡anual.

se·mes·tral·men·te [semestrálménte セメストゥラるメンテ] 副 半年ごとに，年に2回.

se·mes·tre [seméstre セメストゥレ] 名男 半年，6か月；(年間2学期制の) 学期. primer [segundo] *semestre* 前[後]期.

semi- 《接頭》「半，準」の意を表す. ⇀ *semi*círculo, *semi*final など.

se·mi·cir·cu·lar [semiθirkulár セミしルクらル] 形 半円の.

se·mi·cír·cu·lo [semiθírkulo セミしルクろ] 名男 半円，半円形.

se·mi·con·so·nan·te [semikonsonánte セミコンソナンテ] 形 〘音声〙半子音の.
—— 名女 〘音声〙半子音：スペイン語では二重母音前半の弱母音. ⇀ p*i*edad, c*u*atro.

se·mi·diós, dio·sa [semiðjós, ðjósa セミディオス，ディオサ] 名男女 1 〘神話〙半神：神と人間との間に生まれた子.
2 神格化された英雄.

se·mi·fi·nal [semifinál セミフィナる] 名女 〘スポ〙準決勝(戦).

se·mi·fi·na·lis·ta [semifinalísta セミフィナりスタ] 形 〘スポ〙準決勝(戦)の.
—— 名男女 〘スポ〙準決勝出場選手.

se·mi·lla [semíʎa セミリャ] 名女 〔英 seed〕 1 〘植物〙種，種子. *semilla* de girasol ヒマワリの種.
2 原因，元. echar la *semilla* de la discordia 不和の種をまく.

> 【参 考】 **semilla** は広く一般に種子. ブドウ・リンゴなどの種子は **pepita**, スイカ・ヒマワリなどのものは **pipa**, モモ・オリーブなどのものは **hueso**.

S

se·mi·lle·ro [semiʎéro セミリェロ] 名男 1 苗床. 2 養育地，温床. un *semillero* de delincuencia 犯罪の温床.

se·mi·nal [seminál セミナる] 形 〘生物〙精液の；〘植物〙種子の.

se·mi·na·rio [seminárjo セミナリオ] 名男 1 神学校. 2 ゼミナール(室)；セミナー.

se·mi·na·ris·ta [seminarísta セミナリスタ] 名男 1 神学生.
2 ゼミナールの学生；セミナー参加者.

se·mio·lo·gí·a [semjoloxía セミオろヒア] 名女 記号学[論].

se·mió·ti·co, ca [semjótiko, ka セミオティコ，カ] 形 記号論の.
—— 名女 記号論.

se·mi·ta [semíta セミタ] 形 1 セム族の. 2 ユダヤの，ユダヤ人の.
—— 名男女 1 セム族，セム人. 2 ユダヤ人.

se·mí·ti·co, ca [semítiko, ka セミティコ，カ] 形 セム族の，セム人の.

se·mi·vo·cal [semiβokál セミボカる] 形 〘音声〙半母音の.
—— 名女 〘音声〙半母音：スペイン語では二重母音後半の弱母音. ⇀ pe*i*ne, ma*u*llar.

sé·mo·la [sémola セモら] 名女 〘料理〙セモリナ：パスタに用いられる硬質の小麦粉.

sem·pi·ter·no, na [sempitérno, na センピテルノ，ナ] 形 永遠の.

se·na·do [senáðo セナド] 名男 1 (議会の) 上院；上院議事堂(= cámara alta).
2 〘歴史〙(古代ローマの) 元老院.

se·na·dor, do·ra [senaðór, ðóra セナドル，ドラ] 名男女 上院議員. ► 下院議員は diputado.
—— 名男 〘歴史〙(古代ローマの) 元老院議員.

se·na·to·rial [senatorjál セナトリアる] 形 1 上院(議員)の.
2 〘歴史〙元老院(議員)の.

sencilla 形女 ➡ sencillo[1].

sen·ci·lla·men·te [senθíʎaménte センしリャメンテ] 副 単純に，単に；素朴に.

sen·ci·llez [senθiʎéθ センしリェす] 名女 1 簡単明瞭(めいりょう)，平易. hablar con mucha *sencillez* やさしくかみ砕いて話す.
2 素朴さ，質素；無邪気；お人好し.

sen·ci·llo[1], lla [senθíʎo, ʎa センしリョ，リャ] 形 [複 ～s] 〔英 simple〕 1 単純な，簡単な. un problema *sencillo* やさしい問題.
2 質素な，簡素な. una comida *sencilla* 質素な食事.
3 素朴な，無邪気な，気さくな.
4 単一の. habitación *sencilla* シングルルーム. billete *sencillo* 片道切符.

sen·ci·llo[2] [senθíʎo センしリョ] 名男 《ラ米》小銭.

sen·da [sénda センダ] 名女 1 小道.
2 手段，方法. tomar la mala *senda* 道を誤る.

sen·de·ro [sendéro センデロ] 名男 小道.
Sendero Luminoso センデロ・ルミノソ(輝く道)：ペルーのゲリラ組織.

sen·dos, das [séndos, das センドス，ダス] 形 [複] それぞれの. ► 文語表現で用いられ，冠詞を伴わない.

se·nec·tud [sene*k*túð セネクトゥ(ドゥ)] 名女 老年，老齢(期)(↔ juventud).

se·nil [seníl セニる] 形 老齢による，老人(性)の. muerte *senil* 老衰死.

se·no [séno セノ] 名男 1 胸；胸元，懐；(女性の) 乳房. 2 内部，奥深い所.
3 子宮(= *seno* materno).
4 入り江.
5 〘数〙(三角関数の) サイン，正弦《略

sen.》. *seno* segundo コサイン.

sen·sa·ción [sensaθjón センサしオン] 名女

1 感じ, 気持ち. *sensación* de soledad 孤独感.

2 感動, センセーション. La película produjo *sensación*. その映画は感動を呼んだ.

3 感覚. *sensación* auditiva 聴覚. *sensación* visual 視覚. → sentido.

sen·sa·cio·nal [sensaθjonál センサしオナる] 形 センセーショナルな; 刺激的な.

sen·sa·cio·na·lis·mo [sensaθjonalísmo センサしオナりスモ] 名男 扇情主義.

sen·sa·cio·na·lis·ta [sensaθjonalísta センサしオナりスタ] 形 扇情主義の.

sen·sa·tez [sensatéθ センサテす] 名女 良識, 思慮分別.

sen·sa·to, ta [sensáto, ta センサト, タ] 形 良識のある, 思慮分別に富んだ (= discreto, prudente). palabras *sensatas* 慎重な言葉遣い.

sen·si·bi·li·dad [sensiβiliðáð センシビりダ(ドゥ)] 名女 **1** 感受性, 感性. *sensibilidad* para la música 音楽に対する感性. Tiene la *sensibilidad* a flor de piel. 彼女はとても感じやすい.

2 感覚.

3 (器械の) 精度; (フィルムなどの) 感光度. *sensibilidad* de una balanza はかりの精度.

sen·si·bi·li·zar [sensiβiliθár センシビりさル] [39 z → c] 動他 敏感にする, 感じやすくさせる.

sen·si·ble [sensíβle センシブれ] 形 **1** 敏感な; 感受性の強い, 繊細な; (機器が) 高感度の. un oído *sensible* 鋭い耳. Es *sensible* a los cambios de temperatura. 彼は気温の変化に敏感だ.

2 優しい, 思いやりのある. corazón *sensible* 優しい心.

3 顕著な. *sensible* mejoría (病状の) 目覚ましい回復.

4 感覚のある; 知覚できる.

sen·si·ble·men·te [sensíβleménte センシブれメンテ] 副 目立って, 著しく.

sen·si·ble·rí·a [sensiβlería センシブれリア] 名女 涙もろさ, 感傷趣味.

sen·si·ble·ro, ra [sensiβléro, ra センシブれロ, ラ] 形 ひどく感傷的な, 涙もろい. una película *sensiblera* お涙ちょうだいの映画.

sen·si·ti·vo, va [sensitíβo, βa センシティボ, バ] 形 **1** 感じやすい, 敏感な. **2** 感覚を備えた. órgano *sensitivo* 感覚器官.

sen·so·rial [sensorjál センソリアる] 形 感覚(上)の.

sen·sual [senswál センスアる] 形 官能的な; 肉欲の; みだらな.

sen·sua·li·dad [senswaliðáð センスアりダ(ドゥ)] 名女 官能性, 肉感性.

sen·ta·do, da [sentáðo, ða センタド, ダ] 過分 → sentar.

—— 形 **1** 座って, 腰掛けて. Las chicas están *sentadas* en el banco. 女の子たちはベンチに座っている.

2 思慮分別[良識]のある. hablar de una forma *sentada* 分別のある話し方をする.

dar por sentado 決めてかかる, 当然だと思う.

dejar sentado 明らかにしておく.

sentando 現分 → sentar.

sen·tar [sentár センタル] [42 e → ie] 動他 [現分 sentando; 過分 sentado, da]

直説法 現在	
1·単 ***siento***	1·複 **sentamos**
2·単 ***sientas***	2·複 **sentáis**
3·単 ***sienta***	3·複 ***sientan***

1 座らせる; 据え付ける. La madre *sentó* al niño en la silla. 母親は子供を椅子に腰掛けさせた.

2 (理論などを) 築く, 確立する. *sentar* las bases de la economía nacional 国の経済の基盤を築き上げる.

—— 動自 《bien, mal などを伴って》 **1** 消化される; (体に) 良い. No me *sienta* bien el clima de este país. この国の気候は私に合わない. Me *sentó* mal la cena de anoche. 夕べの食事がまだ胃にもたれている.

2 似合う; (サイズ·寸法が) 合う. Te *sientan* bien estos pantalones. このズボンは君にぴったりだ.

3 気に入る, 満足する. Me *sentó* mal lo que me dijiste. 君が言ったことですっかり僕は気を悪くしたよ.

—— **sen·tar·*se*** 〔英 sit down〕 **座る, 着席する**. Con una copa en la mano *se sentó* ante la televisión. 彼はグラスを片手にテレビの前に座った. *sentarse* a la mesa 食卓に着く.

sen·ten·cia [senténθja センテンしア] 名女

1 〘法律〙 裁定, 判決 (文). pronunciar [dictar] *sentencia* 判決を申し渡す.

2 名言, 格言.

sen·ten·ciar [sentenθjár センテンしアル] 動他 〘法律〙 《+ **a**》 …の判決を下す, …の刑に処する. *sentenciar a* 20 [veinte] años de cárcel 禁固20年の刑を申し渡す.

sen·ten·cio·so, sa [sentenθjóso, sa センテンしオソ, サ] 形 格言ふうの; もったいぶった; 押しつけがましい. con aire *sentencioso* もったいぶった態度で.

sentida 過分 女 → sentir.

—— 形 女 → sentido².

sen·ti·do[1] [sentíðo センティド] 名男 [複 ~s] 〔英 sense; meaning〕 **1** **感覚**, 知覚; センス. *sentido* del equilibrio 平衡感覚. Tiene *sentido* del humor. 彼はユーモアのセンスがある.

2 **意味**, 意義, 重要性. Encontré mucho *sentido* en sus palabras. 彼の言った

S

ことには重大な意味があることが分かった. no tener *sentido* 意味がない. de doble *sentido* 二重の意味を持った.

3 意識, 正気; 分別. perder el *sentido* 意識を失う. recobrar el *sentido* 正気を取り戻す.

4 方向 (= dirección). ir en *sentido* contrario 反対方向に行く. calle de *sentido* único 一方通行路.

con los cinco sentidos 熱心に, 一生懸命に.

en todos los sentidos あらゆる意味で; 四方八方に.

estar en SUS ***cinco sentidos*** 正気である.

poner los cinco sentidos en ⟪+algo⟫ ⟪口語⟫ 〈何か〉に没頭する, 熱中する.

sentido común 常識.

sexto sentido 第六感.

sin sentido 無意味な[に]; 意識を失って.

sen·ti·do², da [sentíðo, ða センティド, ダ] 過分 ➡ sentir.

—— 形 **1** 心からの, 衷心からの. Le doy mi más *sentido* pésame. 心からお悔やみ申し上げます. **2** 感じやすい; 怒りっぽい. **3** 残念な, 遺憾な, 悲しむべき.

sen·ti·men·tal [sentimentál センティメンタる] 形 感傷的な, 涙もろい, センチメンタルな.

—— 名男女 感傷的な人, 涙もろい人.

sen·ti·men·ta·lis·mo [sentimentalísmo センティメンタりスモ] 名男 感傷趣味 [主義].

sen·ti·mien·to [sentimjénto センティミエント] 名男 [複 ~s] 〔英 feeling〕

1 感情, 気持ち. herir los *sentimientos* de ⟪+uno⟫ 〈人〉の感情を傷つける. tocar la guitarra con mucho *sentimiento* 感情を込めてギターを弾く.

2 悲しみ, 遺憾. Le acompaño en el *sentimiento* por la muerte de su madre. ご母堂様のご逝去を悼み心からお悔やみ申し上げます.

sen·tir

[sentír センティル] [52 e ➡ ie, i] 動他 [現分 sintiendo; 過分 sentido, da] 〔英 feel, be sorry〕

直説法 現在	
1·単 *siento*	1·複 **sentimos**
2·単 *sientes*	2·複 **sentís**
3·単 *siente*	3·複 *sienten*

1 感じる. ¿No *sientes* calor? 暑くないかい?

2 ⟪+名詞[不定詞]⟫ ⟪+**que** 接続法⟫ …**を残念に思う**, 悔やむ. *He sentido* mucho la muerte de su hijo. 彼の息子の死に私はたいへん心が痛んだ. *Siento* mucho lo que te dije ayer. きのう君にあんなことを言ってしまって本当にすまない. *Sentí* que no estuvieras allí. 君があの場にいなかったのは残念だった.

3 …に気づく, …のような気がする. *Sintió* unos pasos que le seguían. 彼はあとをつけてくる足音を聞いた. *Sentí* que alguien entraba. 誰かが入ってくるような気配を感じた.

—— **sen·tir·*se*** (自分が) …だと感じる, …の気分になる. *Me siento* enfermo [mal]. 私は体の具合が悪い [気分が悪い]. *Me siento* feliz. 私は幸せだと思います.

—— 名男 **1** 意見, 考え. en mi *sentir* 私の考えでは. *sentir* popular 世論.

2 感情, 心情. el *sentir* de la nación 国民感情.

Lo siento (***mucho***). (まことに) お気の毒です; 申し訳ありません.

sin sentir 気づかないで; 瞬く間に.

se·ña [séɲa セニャ] 名女 [複 ~s] 〔英 sign〕 **1 合図**, 身ぶり; 様子. dar *señas* de satisfacción 満足の様子を示す. Le hice *señas* para que no se moviera. 私は彼に動かないように合図をした. hablar por *señas* 身ぶり手ぶりで話す.

2 印, 目印; [普通 ~s] 特徴, 人相 (= *señas* personales). Si me da *señas*, encontraré el lugar. 目印になるものを教えてくれればその場所を見つけます.

3 [~s] 住所 (= dirección). Envíenmelo a las nuevas *señas*. (郵便などで) それを私の新住所へ転送してください.

se·ñal [seɲál セニャる] 名女 [複 ~es] 〔英 mark, signal〕 **1 印**, 目印; **標識**. poner una *señal* 印を付ける. ➡ signo.

2 合図, 信号. hacer una *señal* 合図を送る.

3 標識. *señales* de tráfico 交通標識. *señal* de alto 一時停止標識. *señales* luminosas 信号機. ➡次ページ図.

4 しるし, 象徴. La bandera a media asta es *señal* de luto. 半旗は弔意を表すものである.

5 形跡, 痕跡(こんせき). Los ladrones no dejaron ninguna *señal* en casa. 泥棒は家に何一つ痕跡を残さなかった.

6 手付金, 前払い金.

en señal de … …のしるしとして. *en señal de* amistad 友情のあかしに.

ni señal(***es***) 跡形もない. No hay *ni señal* de los autores del asesinato. 殺人犯解明の手がかりは全くつかめない.

se·ña·la·do, da [seɲaláðo, ða セニャらド, ダ] 過分形 **1** 指定された, 指示された. en la fecha *señalada* 指定の日時に.

2 傑出した, 顕著な; 名うての. un *señalado* autor 著名な作者.

3 格別な, 特別の.

se·ña·lar [seɲalár セニャらル] 動他 〔英 mark〕 **1 指し示す**; 指摘する. *señalar* con el dedo 指差す. *señalar* ⟪+algo⟫ a la atención del público 〈何か〉に人々の注意を向けさせる.

S

2 …に印を付ける. *señalar* las faltas con lápiz rojo 間違った箇所を赤鉛筆でチェックする. *señalar* con la marca “frágil” 「割れ物注意」のしるしを付ける.
3 示す. *señalar* la llegada de la primavera 春の到来を告げる.
4 (日時・場所を) 決める; 指名する. Me *han señalado* el día de la entrevista para el martes. インタビューを火曜日に指定してきた.
5 傷を負わせる. Aquel accidente le *señaló* la cara para toda la vida. あの事故は彼の顔に一生の傷を負わせてしまった.
—— **se·ña·lar·se** 際立つ, 抜きんでる.

se·ña·li·za·ción [seɲaliθaθjón セニャリさしオン] 名女 《集合》(交通) 標識; (交通) 標識の設置.

se·ña·li·zar [seɲaliθár セニャリさル] [39 z → c] 動他 交通標識を設置する.

se·ñor¹ [seɲór セニョル] 名男 [複 ～es] 〔英 gentleman, Mr.〕 → señora. **1** 紳士. Este *señor* quiere hablar contigo. こちらの男の人が君に話があるそうです.
2 《定冠詞を伴って姓・肩書き・称号に付けて》…氏, …様; [señores] …夫妻 《略 Sr.; Srs.》. el *señor* [el Sr.] García ガルシア氏. los *señores* [los Srs.] Pérez ペレス夫妻. el *señor* Presidente 大統領[首相]閣下.

> 【文　法】 1 直接相手に呼びかける時と手紙の宛名(あて)の場合は定冠詞を付けない. ⇒ Buenos días, *señor* López. ロペスさんお早うございます.
> 2 丁寧な手紙の宛名の場合は Sr. D. とする. → don.

3 《呼びかけ・丁寧な応答に用いて》 Sí, *señor*. はい, そうです. ¡*Señoras* y *señores*! 皆さん!
4 《手紙》 Muy *señor* mío 拝啓. Muy

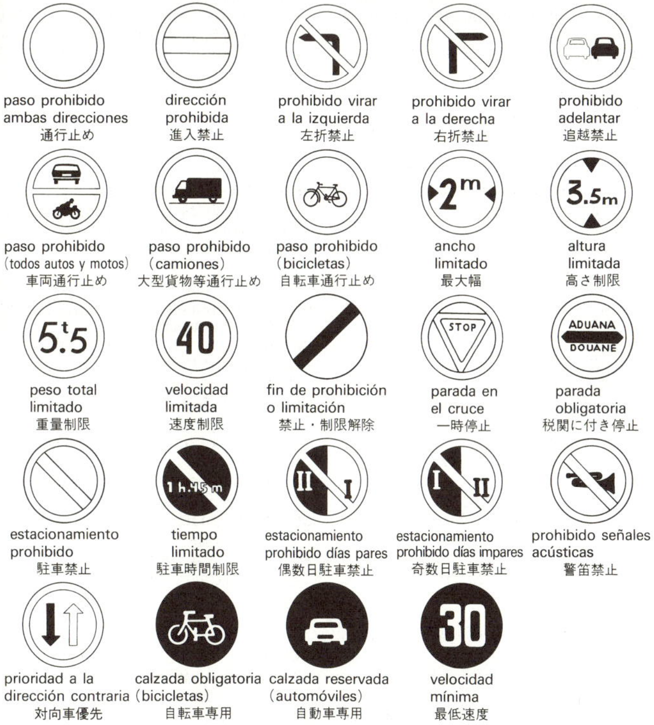

señales de tráfico 交通標識

S

señores nuestros (団体・会社など宛に) 拝啓; 各位. **5** 主人; 所有者.
El [***Nuestro***] ***Señor*** 主 (イエス・キリスト).

se·ñor², ño·ra [seɲór, ɲóra セニョル, ニョラ] 形 **1** 《名詞の後に付けて》高貴な, 優雅な; 威厳のある. El polo es un juego muy *señor*. ポロは実に優雅な競技である.
2 《名詞の前に付けて》とてつもなく大きい, すごい. un *señor* disgusto ひどい不愉快.

se·ño·ra [seɲóra セニョラ] 名女〔複 ~s〕〔英 lady, Mrs.〕 ➞ señor¹. **1** ご婦人. Pregunta a aquella *señora*, que a lo mejor lo sabe. あの奥さんに聞いて見なさい, きっと知っているかも知れないよ. *Señoras* (トイレの表示) 女性用.
2 《定冠詞を伴って姓・肩書き・称号に付けて》…夫人, 奥様 《略 Sra》. la *señora* [la Sra.] (de) García ガルシア夫人.
► 丁寧な手紙の宛名の場合は Sra. D.ª とする. ➞ doña.
3 《呼びかけ・丁寧な応答に用いて》 Oiga *señora*, aquí no se puede aparcar. 奥さん, ここは駐車禁止ですよ.
4 《手紙》 Muy *señora* mía 拝啓.
5 主人; 所有者.
── 形女 ➞ señor².
Nuestra Señora 〔ｶﾄﾘｯｸ〕聖母マリア.

se·ño·re·ar [seɲoreár セニョレアル] 動他自 **1** 支配する, 統治する.
2 (高さが) ひときわぬきんでる, そびえ立つ.
── **se·ño·re·ar·*se*** **1** 尊大に振る舞う.
2 《+**de**》…を牛耳る.

se·ño·rí·a [seɲoría セニョリア] 名女
1 閣下; 奥様, お嬢様. ► 呼びかけや言及では Su [Vuestra] *Señoría* の形が用いられる. **2** 領地; 支配, 統治.

se·ño·rial [seɲorjár セニョリアる] 形 **1** 領主の, 君主の.
2 威厳のある, 堂々とした. una casa *señorial* 豪邸.

se·ño·rí·o [seɲorío セニョリオ] 名男
1 支配権, 領主権; 領地, 所領.
2 威厳, 風格.
3 《集合》上流階級の人々.

S

se·ño·ri·ta [seɲoríta セニョリタ] 名女〔複 ~s〕〔英 young lady, Miss〕 **1** お嬢さん; 未婚女性. ¿Conoces a aquella *señorita*? 君, あのお嬢さんを知っているかい?
2 《定冠詞を伴って未婚女性の敬称》…さん, …嬢 《略 Srta.》. la *señorita* Isabel イサベルさん.

> **【参　考】** 1 señora と異なって doña と共には用いない.
> 2 苗字にも名前にも用いられる.

3 《呼びかけ・丁寧な応答に用いて》お嬢さん; お姉さん. ¡Oiga, *señorita*! もしもしお嬢さん.

se·ño·ri·to [seɲoríto セニョリト] 名男 (上流階級の) 坊ちゃん; (使用人から見て) 坊ちゃま.

se·ño·rón, ro·na [seɲorón, róna セニョロン, ロナ] 形 《口語》大物ぶった.
── 名男女 《口語》大物, 重要人物; 富豪.

sep- 動 ➞ saber. 50

sé·pa·lo [sépalo セパろ] 名男 〔植物〕萼片(ｶﾞｸﾍﾝ). ➞flor 図.

se·pa·ra·ción [separaθjón セパラしオン] 名女 **1** 分けること, 分離.
2 隔たり, 間隔.
3 〔法律〕(夫婦の) 別居 (= *separación* matrimonial [conyugal]).

se·pa·rar [separár セパラル] 動他〔英 separate〕 **1** 分ける, 分離する. Una cortina *separa* las dos habitaciones. カーテンが 2 つの部屋を仕切っている.
2 離す; 引き離す. *Separa* la sartén del fuego. フライパンを火から下ろしなさい.
3 区別する. *separar* el bien del mal 善と悪とを区別する.
── **se·pa·rar·*se*** 《+**de**》 **1** …と別れる, …と縁を切る; 別居する. *Se ha separado de* su mujer. 彼は妻と別居している.
2 …から離れる; 分離する. Diciendo esto *me separé de* la mesa. こう言って私はテーブルを離れた. El aceite *se separa de*l agua. 油は水と分離する.

se·pa·ra·ta [separáta セパラタ] 名女 〔印刷〕抜き刷り.

se·pa·ra·tis·mo [separatísmo セパラティスモ] 名男 分離主義; 分離 [独立] 運動. *separatismo* vasco バスク独立運動.

se·pa·ra·tis·ta [separatísta セパラティスタ] 形 分離[独立]主義の.
── 名男女 分離[独立]主義者.

se·pe·lio [sepéljo セペりオ] 名男 (葬儀を伴う) 埋葬 (= entierro).

se·pia [sépja セピア] 名女 **1** 〔美術〕セピア. color *sepia* セピア色.
2 〔動物〕コウイカ (甲烏賊).

sep·ten·trión [septentrjón セプテントゥリオン] 名男 **1** 北; 北風.
2 [S-] 〔天文〕大熊(ｵｵｸﾞﾏ)座 (= Osa Mayor); 北斗七星.

sep·ten·trio·nal [septentrjonál セプテントゥリオナる] 形 北の; 北風の.

sep·ti·ce·mia [septiθémja セプティせミア] 名女 〔医〕敗血症.

sép·ti·co, ca [séptiko, ka セプティコ, カ] 形 〔医〕腐敗性の; 敗血症の.

sep·tiem·bre [septiémbre セプティエンブレ] 名男〔複 ~s〕〔英 September〕 9月 《略 sept.》. El día 11 [once] de *septiembre* es mi cumpleaños. 9月11日は僕の誕生日だ. ➞ mes 【参考】.

sép·ti·mo¹, ma [séptimo, ma セプティモ, マ] 形

《数詞》［複 ～s］〔英 seventh〕 **7 番目の**, 第７の; ７分の１の. en *séptimo* lugar 第７番目に.

sép·ti·mo[2] [séptimo セプティモ] 名男 ７分の１.

sep·tua·ge·na·rio, ria [septwaxenárjo, rja セプトゥアヘナリオ, リア] 形 70歳代の.
── 名男女 70代の人.

sep·tua·gé·si·mo, ma [septwaxésimo, ma セプトゥアヘシモ, マ] 形 《数詞》 70番目の; 70分の１の.
── 名男 70分の１.

se·pul·cral [sepulkrál セプるクラる] 形 墓の; 陰気な, 無気味な.

se·pul·cro [sepúlkro セプるクロ] 名男 墓, 墓地.
ser un sepulcro 《口語》秘密を堅く守る.

se·pul·tar [sepultár セプるタル] 動他
1 埋葬する (= enterrar).
2 すっかり覆い隠す. pueblo *sepultado* bajo las aguas 水没した町.
3 《比喩》葬り去る.

se·pul·tu·ra [sepultúra セプるトゥラ] 名女
1 葬ること, 埋葬. dar *sepultura* a 《+uno》〈人〉を埋葬する.
2 墓, 墓穴(はかあな). Está cavando su *sepultura*. 彼は自ら墓穴(ぼけつ)を掘っている.

se·pul·tu·re·ro [sepulturéro セプるトゥレロ] 名男 墓掘り人.

seque(-) / **sequé**(-) 動 ➡ secar. [8 c ➡ qu]

se·que·dad [sekeðáð セケダ(ドゥ)] 名女
1 乾燥. **2** そっけなさ, 無愛想.

se·quí·a [sekía セキア] 名女 旱魃(かんばつ), 日照り.

sé·qui·to [sékito セキト] 名男 《集合》随員, お供; 取り巻き連. *séquito* presidencial 大統領随員.

ser [sér セル] 53 動自 ［現分 siendo; 過分 sido］〔英 be〕
1 《性質・属性を表して》**…である; …になる.** *Soy* japonés. 私は日本人です. ¿Qué *es* tu tío?—*Es* periodista. 君の叔父さんの職業は? —新聞記者です. *Serás* un buen papá. 君はいいお父さんになれるよ. Ayer *fue* domingo. きのうは日曜日だった. Los alumnos que hablan bien español *son* pocos. スペイン語を上手に話す学生は少ない. ¿Cuánto *es*?—*Son* cinco mil pesetas. いくらですか. —5000ペセタです. ➡ estar 2.
2 《場所・日時を表す語を伴って》**…で[に]行われる,** …で[に]起こる. La conferencia *es* el miércoles [a las ocho]. 講演会は水曜日[８時から]です. La Olimpiada de 1992 *fue* en Barcelona. 1992年のオリンピックはバルセロナだった.
── 助動 《過去分詞を伴って受身文を作る》 …される. La puerta principal del edificio *fue* destruida por el incendio. 建物の正面玄関は火事で焼失した.
── 名男 **1** 存在, 実在. razón de *ser* 存在理由.
2 存在するもの, 生き物. los *seres* humanos 人類. *Ser* Supremo 絶対者, 神.

***a* [*de*] *no ser por* ...** もし…がなかったら, …でないならば. *De no ser por* esta mala temporada, las ventas se habrían incrementado. こんな悪い時期でなければ, 売上げは伸びていただろうに.
a no ser que 《+接続法》…でなければ. *A no ser que* corras mucho, no le alcanzarás. 一生懸命走って行かないと彼に追いつかないよ.
como sea いずれにせよ; なんとしても.
***Érase que se era* ... / *Érase una vez* ...** (物語の書き出しで) 昔々.
***es que* ...** 実は…なのだ. ¿Por qué no te comes la carne?—*Es que* no me gusta. なぜ肉を食べないんだ? —だって嫌いなんだもの.
no sea que 《+接続法》…するといけないから, 万一に備えて.
o lo que sea なんであれ.
¡Sea! 分かった, 承知した.

直説法

現在		未来	
1・単	*soy*	1・単	**seré**
2・単	*eres*	2・単	**serás**
3・単	*es*	3・単	**será**
1・複	*somos*	1・複	**seremos**
2・複	*sois*	2・複	**seréis**
3・複	*son*	3・複	**serán**

点過去		線過去	
1・単	***fui***	1・単	***era***
2・単	***fuiste***	2・単	***eras***
3・単	***fue***	3・単	***era***
1・複	***fuimos***	1・複	***éramos***
2・複	***fuisteis***	2・複	***erais***
3・複	***fueron***	3・複	***eran***

可能

1・単	**sería**
2・単	**serías**
3・単	**sería**
1・複	**seríamos**
2・複	**seríais**
3・複	**serían**

接続法

現在	
1・単	***sea***
2・単	***seas***
3・単	***sea***
1・複	***seamos***
2・複	***seáis***
3・複	***sean***

過去(ra)		過去(se)	
1・単	***fuera***	1・単	***fuese***
2・単	***fueras***	2・単	***fueses***
3・単	***fuera***	3・単	***fuese***
1・複	***fuéramos***	1・複	***fuésemos***
2・複	***fuerais***	2・複	***fueseis***
3・複	***fueran***	3・複	***fuesen***

命令法

2・単	***sé***
2・複	**sed**

sea … *sea* … …であれ…であれ.
sea como sea / *sea lo que sea* [*fuere*] いずれにしても, とにかく.
ser de … (1)《材料》…でできている. La corbata *es de* seda. ネクタイは絹製です. (2)《出身》…の生まれ[出身]である. ¿*De* dónde *eres*?—*Soy de* Salamanca. 君はどこの出身？—サラマンカの出身です. (3)《所有・所属》…のものである. ¿*De* quién *es* este diccionario?—*Es de* mamá. この辞書は誰の？—ママのだ. (4)《性質・特徴》…である. *Es de* suma importancia. それは非常に重要なことだ. *Es de* poco hablar. 彼は口数の少ない男だ. (5)《言及》…は…になる. ¿Qué *será de* mí? 私はいったいどうなるのだろう. (6)《＋不定詞》…すべきである. *Es de* ver. 一見に値する. *Es de* creer que … …であるはずだ.

se·ra·fín [serafín セラフィン] 名男 **1**〘宗教〙セラフィム, 熾天使(してんし). **2**《口語》(女性・子供など) 美しい人, かわいい子.

serena 形女 → sereno¹.

se·re·nar [serenár セレナル] 動他 **1** 落ち着かせる, なだめる.
2 (液体を) 澄ませる.
—— **se·re·nar·se** **1** 静まる, 落ち着く.
2 凪(な)ぐ; 晴れ上がる.
3 (液体などが) 澄む.

se·re·na·ta [serenáta セレナタ] 名女〘音楽〙セレナード, 小夜曲.

se·re·ni·dad [sereniðáð セレニダ(ドゥ)] 名女 **1** 平静, 冷静, 落ち着き.
2 (天候の) 晴朗, 穏やかさ.

se·re·no¹, na [seréno, na セレノ, ナ] 形 [複 ～s] 〔英 calm〕 **1 平静な**, 冷静な; 穏やかな. La mar está *serena*. 海は平穏そのものだ. estar [permanecer] *sereno* 平然としている.
2 澄みきった. Es un día *sereno*. 雲一つない日である.

se·re·no² [seréno セレノ] 名男 **1** 夜露.
2 夜警, 夜回り.
al sereno 夜間戸外で, 夜気にふれて.

seria 形女 → serio.

se·rial [serjál セリアル] 名男 (テレビなどの) 連続物, シリーズ物.

S

se·ria·men·te [sérjaménte セリアメンテ] 副 まじめに, 真剣に; 重大に, ひどく.

se·ri(·ci)·cul·tu·ra [seri(θi)kultúra セリ(シ)クルトゥラ] 名女 養蚕, 蚕業.

se·rie [sérje セリエ] 名女 [複 ～s] 〔英 series〕 **1 一続き**, 一連, シリーズ. una *serie* de acontecimientos 一連の出来事. novela por *serie* 連載小説. *serie* televisiva テレビの連続物 (＝serial).
2《口語》多数, たくさん.
en serie (1)大量に. coches fabricados *en serie* 量産車. (2)〘電気〙直列の[に]. circuito *en serie* 直列回路.
fuera de serie (1)規格外の, 特別の, 並はずれた. Es un jugador *fuera de serie*. 彼は並外れた選手だ. (2)半端の.

se·rie·dad [serjeðáð セリエダ(ドゥ)] 名女
1 まじめさ, 真剣; 厳粛さ, 堅苦しさ. con toda *seriedad* とても真剣に.
2 重大さ, 深刻さ.

se·rio, ria [sérjo, rja セリオ, リア] 形 [複 ～s] 〔英 serious〕 **1 まじめな**, 真剣な; 厳粛な, 堅苦しい. Es un chico muy *serio*. 彼はとても生まじめな子です. ponerse *serio* 真剣な顔つきになる. Siempre lee libros *serios*. 彼はいつも堅い本を読んでいる.
2 重大な, 深刻な. un problema *serio* 深刻な問題. enfermedad *seria* 重病.
3 地味な, 目立たない. color *serio* 地味な色.
en serio 真剣に; 重大に. tomar *en serio* 真に受ける. ir *en serio* 重大なことになる; 本気である.

ser·món [sermón セルモン] 名男 **1**〘宗教〙説教. **2**《口語》お説教, お小言 echar un *sermón* a《＋uno》〈人〉にお説教する.

ser·mo·ne·ar [sermoneár セルモネアル] 動自《口語》…にお説教をする, 小言を言う.

ser·pen·te·ar [serpenteár セルペンテアル] 動自 蛇行する; ジグザグに進む.

ser·pen·tín [serpentín セルペンティン] 名男 (蒸留器などの) 蛇管, コイル.

ser·pen·ti·na [serpentína セルペンティナ] 名女 (紙の) 投げテープ.

ser·pien·te [serpjénte セルピエンテ] 名女
1〘動物〙ヘビ (蛇). *serpiente* de cascabel ガラガラヘビ.
2 (悪への) 誘惑者. ◆蛇が禁断の果実を食べるように Eva を誘惑したことから.

se·rra·du·ras [seraðúras セラドゥラス] 名女 [複] おがくず.

se·rra·ní·a [seranía セラニア] 名女 山岳地方; 山地.

se·rra·no, na [seráno, na セラノ, ナ] 形 山岳地方の, 山地の.
jamón serrano〘料理〙豚の腿(もも)肉の生ハム.

se·rrar [serár セラル] [42 e → ie] 動他 のこぎりで挽(ひ)く.

se·rre·rí·a [serería セレリア] 名女 製材所.

se·rrín [serín セリン] 名男 のこくず, おがくず. *serrín* metálico 金くず.

se·rru·cho [serútʃo セルチョ] 名男 (片手用) 手挽(び)きのこ.

ser·vi·cial [serβiθjál セルビシアル] 形 世話好きな; かいがいしい.

ser·vi·cio [serβíθjo セルビシオ] 名男 [複 ～s] 〔英 service〕
1 (客への) **サービス**, サービス業務; サービス料. *servicio* a domicilio 宅配サービス. *servicio* incluido サービス料込み. *servicio* permanente 24時間サービス. *servicio* posventa アフター・サービス.
2 公益事業[業務]; (交通機関の) 運行, 便. *servicio* de transporte 交通の便. *servi-*

cio médico 医療業務. *servicios* postales 郵便業務. *servicio* social 社会福祉（事業）. *servicios* públicos 公共サービス.
3［～または ～s］トイレ. ► 婉曲(えんきょく)な表現として用いられる.
4（食器などの）一式，一組. *servicio* de café コーヒー・セット. *servicio* de mesa 食器一式. → cubierto.
5 勤務；就業. *servicio* militar 兵役. morir en acto de *servicio* 殉職する.
6 奉仕，世話，尽力；功労. estar al *servicio* del rey 国王に仕える.
7 使用人.
8〘スポーツ〙サーブ，サービス（= saque).
***hoja de servicio*(*s*)** 経歴書.

servido, da 過分 → servir.

ser·vi·dor, do·ra [serβiðór, ðóra セルビドル, ドラ] 名男女 **1** 召使い，使用人. **2**《謙譲》私，手前. ¿José García?—(Un) *servidor*. ホセ・ガルシアは？—私でございます. *Servidor* de usted. ご用を承ります.
── 名男〘コンピュータ〙サーバー：ネットワークの中心になるコンピュータ.
Su seguro servidor.《手紙》敬具.

ser·vi·dum·bre [serβiðúmbre セルビドゥンブレ] 名女 **1**《集合》召使い，雇い人.
2 拘束，束縛，隷属. **3** 用役権，地役権.

ser·vil [serβíl セルビる] 形 **1** 卑屈な，追従的な. **2** 奴隷の，召使いの.

ser·vi·lle·ta [serβiʎéta セルビリェタ] 名女（食卓用）ナプキン.

ser·vi·lle·te·ro [serβiʎetéro セルビリェテロ] 名男 ナプキンリング.

ser·vir [serβír セルビル] [41 e → i] 動自［現分 sirviendo; 過分 servido, da］〔英 serve〕

直説法 現在	
1·単 ***sirvo***	1·複 **servimos**
2·単 ***sirves***	2·複 **servís**
3·単 ***sirve***	3·複 ***sirven***

1《+a》…に仕える，…に奉仕する. *servir* a SU amo 主人に仕える. ¿En qué puedo *servir*le, señora? 奥様，ご用はなんでしょうか. ► 他動詞とみなされる場合もある. ⇒ *servir a* la patria 国のために働く, *servir a*l Rey [a Dios] 国王[神]に仕える.
2 …に役に立つ；《+**para**》…にとって役に立つ，間に合う. Esta falda ya no *sirve para* nada. このスカートはもう全然役に立たない. Tus consejos me *sirvieron* mucho. 君の助言で助かったよ. Esta maleta *sirve*. No hay que comprar otra. このスーツケースで十分だ. 新しいのを買う必要はない.
3《+**de**》…として働く，役立つ. *servir de* intérprete 通訳を務める. Este dinero le *servirá* de alivio. この金で彼は少しは息がつけるだろう.
4《+**en**》…に勤める，…で働く. *servir* en infantería 歩兵隊に籍を置く.
── 動他 **1**（飲食物を）出す；給仕する. *servir* vino a《+uno》〈人〉にぶどう酒を注ぐ. En esta casa *sirven* cochinillos asados. この店は子豚の丸焼き料理を出す. ► 直接目的語を伴わずに自動詞としても用いられる. **2**〘スポーツ〙サーブする.
── **ser·vir·*se*** **1**（飲食物を）自分で取って食べる［飲む］. *Sírvase* usted mismo. ご自由にお召しあがりください.
2《+**de**》…を使う，利用する. *servirse de* SU experiencia 自分の経験を生かす.
3《命令形+不定詞》どうぞ…してください. *Sírvase* pasar por aquí. どうぞこちらへ.
Para servirle. / ***Para servir a usted.*** なんなりとお申しつけください.

sé·sa·mo [sésamo セサモ] 名男〘植物〙ゴマ（胡麻）；ゴマの実.
¡Ábrete, sésamo! 開け，ごま！

se·se·ar [seseár セセアル] 動自 [θ] 音の c, z を s [s] のように発音する.

se·sen·ta [sesénta セセンタ]〔英 sixty〕形《数詞》60の；60番目の.
── 名男 60. ◆ローマ数字 LX.

se·sen·ta·vo, va [sesentáβo, βa セセンタボ, バ] 形《数詞》60番目の，60分の1の.
── 名男 60分の1.

se·sen·tón, to·na [sesentón, tóna セセントン, トナ] 形 60歳代の.
── 名男女 60歳代の人.

se·se·o [seséo セセオ] 名男 [θ] 音の c, z を s [s] のように発音すること. → ceceo.

se·se·ra [seséra セセラ] 名女 **1** 頭蓋(ずがい).
2《口語》頭脳，知能.

ses·gar [sesɣár セスガル] [32 g → gu] 動他〘服飾〙（布地を）バイアスに裁つ.

ses·go [sésɣo セスゴ] 名男 成り行き，方向. tomar un mal *sesgo* 悪いほうへ向かう.
al sesgo 斜めに.

se·sión [sesjón セシオン] 名女［複 sesiones］**1** 会，会議. abrir [levantar] la *sesión* 開会［閉会］する. *sesión* secreta 秘密会議. *sesión* plenaria 本会議，全体会議，総会. período de *sesiones* 会期.
2〘演劇〙〘映画〙公演，上映. *sesión* continua〘映画〙連続上映，入れ替えなし.
3 継続時間，期間.

se·so [séso セソ] 名男 **1**［普通 ～s］脳. *sesos* de carnero 子羊の脳.
2《口語》頭脳，知力. La niña tiene mucho *seso*. その女の子は頭がいい.
beber*(*se*) *el seso [***los sesos***] / ***perder el seso*** 気が狂う，頭が変になる.
calentarse [***devanarse***] ***los sesos***《口語》脳みそ[知恵]を絞る.
levantar [***saltar***] ***la tapa de los sesos a***《+uno》《口語》〈人〉の脳天を撃ち抜く.
tener sorbido el seso a《+uno》〈人〉

S

に影響力がある;〈人〉を夢中にさせる.
se·su·do, da [sesúðo, ða セスド, ダ] 形 分別のある; 聡明(そうめい)な. ► 主に皮肉で用いられる.
se·ta [séta セタ] 名女 〘植物〙(食用の) キノコ(茸).
se·te·cien·tos[1], tas [seteθjéntos, tas セテしエントス, タス] 形 《数詞》〔英 seven hundred〕 **700の**, 700番目の.
se·te·cien·tos[2] [seteθjéntos セテしエントス] 名男 〔英 seven hundred〕 **700**.
◆ローマ数字 DCC.
se·ten·ta [seténta セテンタ] 〔英 seventy〕 形 《数詞》 **70の**, 70番目の.
—— 名男 **70**. ◆ローマ数字LXX.
se·ten·ta·vo, va [setentáβo, βa セテンタボ, バ] 形 《数詞》 70番目の; 70分の1の.
—— 名男 70分の1.
se·ten·tón, to·na [setentón, tóna セテントン, トナ] 形 70歳代の.
—— 名男女 70代の人.
se·tiem·bre [setjémbre セティエンブレ] 名男 9月 (= septiembre).
sé·ti·mo, ma [sétimo, ma セティモ, マ] 形 名男女 ➡ séptimo.
se·to [séto セト] 名男 生け垣.
seu·dó·ni·mo [seuðónimo セウドニモ] 名男 ペンネーム, 筆名. ➡nombre 【参考】.
severa 形女 ➡ severo.
se·ve·ri·dad [seβeriðáð セベリダ(ドゥ)] 名女 厳しさ, 厳格さ; 苛烈(かれつ)さ. castigar con *severidad* 厳罰に処する.
se·ve·ro, ra [seβéro, ra セベロ, ラ] 形 [複 ～s] 〔英 severe〕 **1 厳しい**, 厳格な, 苛烈(かれつ)な. una disciplina *severa* 厳しい規律. *severo* (para) con los alumnos 生徒に厳格な. invierno *severo* 厳冬.
2 (顔つきなどが) いかめしい, 険しい.
3 簡素な, 地味な. un traje *severo* 地味な服.
Se·vi·lla [seβíʎa セビリャ] 固名 セビーリャ: スペイン Andalucía 地方の県; 県都.
se·vi·lla·nas [seβiʎánas セビリャナス] 名女 [複] セビリャーナス: セビーリャの舞踊[舞曲].
S
se·vi·lla·no, na [seβiʎáno, na セビリャノ, ナ] 形 セビーリャの.
—— 名男女 セビーリャの住民.
se·xa·ge·na·rio, ria [seksaxenárjo, rja セクサヘナリオ, リア] 形 60歳代の.
—— 名男女 60代の人.
se·xa·gé·si·mo, ma [seksaxésimo, ma セクサヘシモ, マ] 形 《数詞》 60番目の; 60分の1の.
—— 名男 60分の1.
se·xo [sékso セクソ] 名男 [複 ～s] 〔英 sex〕 **1 性**, 性別. *sexo* femenino [débil] / bello *sexo* 女性. *sexo* masculino [fuerte, feo] 男性. ► 文法上の「性」は género. **2** 性器.
se·xo·lo·gí·a [seksoloxía セクソろヒア] 名女 性科学.
se·xó·lo·go, ga [seksóloɣo, ɣa セクソろゴ, ガ] 名男女 性科学者.
sexta 形女 ➡ sexto[1].
sex·tan·te [sestánte セスタンテ] 名男 〘海事〙 六分儀.
sex·te·to [sestéto セステト] 名男 〘音楽〙 六重唱[奏]団; 六重唱[奏]曲.
sex·to[1], ta [sésto, ta セスト, タ] 形 《数詞》 [複 ～s] 〔英 sixth〕 **6番目の**, 第6の. en *sexto* lugar 6番目に.
sex·to[2] [sésto セスト] 名男 6分の1.
se·xual [sekswál セクスアる] 形 性の; 性的な. órganos *sexuales* 性器. acto *sexual* 性行為. educación *sexual* 性教育.
se·xua·li·dad [sekswaliðáð セクスアりダ(ドゥ)] 名女 **1** 性別, 雌雄性.
2 性的能力; 性欲, 性感.
se·xy [séksi セクシ] 形 セクシーな, 性的興味をそそる. [←英語]
si[1] [sí シ] 名男 [複 sis] 〘音楽〙 シ, ロ音.
si[2] [si シ] 接続 〔英 if〕
1 《条件を表して》 **もし…ならば**. *Si* te tocara la lotería, ¿qué harías? もし宝くじが当たったら君はどうする?

【文 法】 si の後の動詞の法・時制
1 現実のこと, 確実度の高い条件を述べるときは直説法.
Si tengo tiempo, voy andando. 時間があるときは私はいつも歩いて行きます.
Si quieres más, pídeselo al camarero. もっと欲しければボーイさんに頼みなさい.
Si tomas esta medicina, te sentirás mejor. この薬を飲めばずっと楽になるよ.
Si has dejado el bolso en el asiento, lo habrán visto. 席にハンドバッグを置いたのなら誰か見たはずだ.
2 仮定的なこと, 事実に反することを述べるときは接続法.
(1) 《+接続法過去形》
Si tuviéramos [tuviésemos] un coche, viajaríamos por toda España. 車があれば我々はスペイン中を旅行できるのに (► 現在の事実に反する仮定).
(2) 《+接続法過去完了形》
Si hubiéramos [hubiésemos] tenido un coche, habríamos viajado por toda España. あの時車があれば我々はスペイン中を旅行できたのに.
Si no hubieras [hubieses] gastado tanto, ahora estaríamos en un apartamento de la playa. あんたがあんなにお金を使わなかったら, 今ごろは

海の貸別荘に行っているのに.

2《間接疑問文を導いて》…かどうか. No sé *si* vendrá o no. 彼が来るか来ないか私には分からない. Me preguntó *si* tenía tiempo para ir al concierto. コンサートに行く暇があるかどうか彼は私に尋ねた.
3《強調で》(1)…なのに; たとえ…しても. ¡Pero *si* no le he dicho nada! 彼には何も言わなかったのに! No me importa *si* me dicen que soy tonto. ばかだと言われようが僕はかまわない. (2)もしかして…だろうか. ¿*Si* tendrá tiempo de estudiar para el examen? 彼は試験勉強する暇があるのだろうか.
como si《+接続法過去形, 接続法過去完了形》あたかも…である[あった]かのように. *como si* no hubiera pasado nada 何事も起こらなかったかのように.
si bien ... …ではあるが, …とはいえ (= aunque).
si no もしそうでなければ, さもなければ.

sí [sí シ]
副 〔英 yes〕
1《肯定・同意・承諾の答えで》はい, そうです (↔ no). ¿Ya te vas?—*Sí*. もう行くの?—ええ. Creo que *sí*. そうだと思います.

【参 考】否定疑問, 否定的な断定・命令に対する肯定の答えは日本語では「いいえ」「いや」になる.
¿No lo crees?—*Sí*, lo creo.
信じないのかい?—いや信じるとも.
No se lo digas.—*Sí*, se lo diré.
彼には言っちゃだめだよ. —いや僕は言うよ.

2《強調で》確かに, きっと. Él *sí* vendrá. 彼は必ず来ますとも.
3《驚きや命令, 賛同の要求などを表して》えっ, まさか; いいね. Estáte quieto, ¿*sí*? おとなしくしていなさいよ, いいね.
—— 代名《人称》《再帰》[3人称; 単・複同形, 男・女同形]〔英 oneself, himself, herself, itself, themselves, yourself, yourselves〕《前置詞+》**1** 彼(ら)[彼女(たち), あなた(がた)]自身, 自分自身, それ自体. Está muy contento de *sí*. 彼は自分に十分満足している. Pensó dentro de *sí* ... 彼は心の中で…と思った. Dijo para [entre] *sí*. 彼は心のうちでつぶやいた. Murmuraban entre *sí*. 彼らは低い声でひそひそと話していた. Se enorgullece de *sí* mismo. 彼は自分のことを自慢している (► しばしば強調の mismo を伴う). ► 前置詞 con に続く場合. ➞ consigo.
2 本来[平素]の自分. estar en *sí* 正気である. volver en *sí* 我に返る. estar fuera de *sí* 有頂天である; 怒り狂っている.
—— 名男 [複 síes] はいという言葉[返事]; 同意. dar el *sí* イエスと言う, 同意する.
¡A que sí! もちろんだ. No puedes hacerlo.—¡*A que sí*! 君にはそれはできないよ. —できるとも.
de (por) sí / en sí 本質的に, 本来, それ自体. El tema *en sí* es complicado. テーマ自体が複雑だ.
hablar porque sí 意味のないことを言う, たわ言を言う.
por sí o por no 万一を見込んで, いずれにせよ, 念のため.
por sí solo ひとりでに; 自発的に; 人の助けを借りずに.

sia·més, me·sa [sjamés, mésa シアメス, メサ] 形 [複男 siameses] (タイの旧称) シャム Siam の. gato *siamés* シャム猫. hermanos *siameses* シャム双生児.
—— 名男女 シャム人.
—— 名男 シャム語: タイの標準語.

si·ba·ri·tis·mo [siβaritísmo シバリティスモ] 名男 奢侈(しゃし); 快楽主義.

si·be·ria·no, na [siβerjáno, na シベリアノ, ナ] 形 シベリア Siberia の.
—— 名男女 シベリア人.

si·bi·lan·te [siβilánte シビらンテ] 形 **1** シューシューという音をたてる.
2〘音声〙歯擦音の.
—— 名女〘音声〙歯擦音.

sic [sík シ(ク)] 副 ママ, 原文のまま: 原文引用の際, 誤りと思われる箇所に付記する. [←ラテン語]

si·ca·rio [sikárjo シカリオ] 名男 殺し屋.

Si·ci·lia [siθílja シしリア] 固名 シチリア, シシリー: イタリア Italia 南部の島.

si·ci·lia·no, na [siθiljáno, na シしリアノ, ナ] 形 シチリアの.
—— 名男女 シチリア人.

si·co·a·ná·li·sis [sikoanálisis シコアナりシス] 名男 ➞ psicoanálisis.

si·co·dé·li·co, ca [sikoðéliko, ka シコデりコ, カ] 形 ➞ psicodélico.

si·co·lo·gí·a [sikoloxía シコろヒア] 名女 ➞ psicología.

si·co·ló·gi·co, ca [sikolóxiko, ka シコろヒコ, カ] 形 ➞ psicológico.

si·có·lo·go, ga [sikóloγo, γa シコろゴ, ガ] 名男女 ➞ psicólogo.

si·có·pa·ta [sikópata シコパタ] 名男女 ➞ psicópata.

si·co·pa·tí·a [sikopatía シコパティア] 名女 ➞ psicopatía.

si·co·sis [sikósis シコシス] 名女 [単・複同形] ➞ psicosis.

SIDA [síða シダ] 《略》*S*índrome de *I*nmuno*d*eficiencia *A*dquirida 後天性免疫不全症候群, エイズ. 〔英 AIDS〕

si·de·car [siðekár シデカル] 名男〘車〙(オートバイの) サイドカー. [←英語]

si·de·ral [siðerál シデラる] 形〘天文〙星の; 恒星の.

S

si·de·rur·gia [siðerúrxja シデルルヒア] 名 女 製鉄業.
si·de·rúr·gi·co, ca [siðerúrxiko, ka シデルルヒコ, カ] 形 製鉄の. industria *siderúrgica* 製鉄業. ── 名 女 製鉄所.
sido 過分 → ser.
si·dra [síðra シドゥラ] 名 女 りんご酒, シードル.
sieg- 動 → segar. [32 g → gu ; 42 e → ie]
sie·ga [sjéɣa シエガ] 名 女 刈り入れ (時). *siega* de trigo 小麦の刈り入れ(時).
siem·bra [sjémbra シエンブラ] 名 女 種まき; 種まきの時期; 種まきした畑.

siem·pre [sjémpre シエンプレ] 副 〔英 always〕

1 いつも, 常に. como *siempre* 相変わらず. *Siempre* me viene con el mismo rollo. いつもくだくだと, あいつは全くしつこいよ. No *siempre* los ricos son felices. 金持ちが必ずしも幸せという訳ではない.
2 《強調で》それはもう, きっと. *Siempre* será más divertido si viene ella. 彼女が来てくれればきっと楽しいよ.
3 とにかく.
de siempre (1)いつもの, お定まりの. a la hora *de siempre* いつもの時間に. (2)昔からの. amigo *de siempre* 昔からの友人.
desde siempre 昔からずっと.
¡Hasta siempre! ごきげんよう.
para [***por***] ***siempre*** (***jamás***) いつまでも, 永久に.
siempre que (1) 《+直説法》…する時はいつも. (2) 《+接続法》…であればいつでも, …する限り.
sien [sjén シエン] 名 女 こめかみ. → cuerpo 図.
siendo 現分 → ser.
sient- 動 **1** → sentar. [42 e → ie]
2 → sentir. [52 e → ie, i]
sier·pe [sjérpe シエルペ] 名 女 ヘビ (蛇) (= serpiente).
sie·rra [sjéřa シエラ] 名 女 **1** のこぎり.
2 山脈, 山地, 山. *Sierra* Nevada (スペインの) ネバダ山脈; (北米の) シエラ・ネバダ. pasar las vacaciones en la *sierra* 山で休暇を過ごす. →montaña 【参考】.

S

sier·vo, va [sjérβo, βa シエルボ, バ] 名 男 女 **1** 奴隷 (= esclavo).
2 (卑下して) 私め; 僕(しもべ). Mándeme lo que quiera, soy su *siervo*. 私めになんなりとお申しつけください.
sies·ta [sjésta シエスタ] 名 女 **1** 昼寝, シエスタ (◆スペイン, イタリア, 中南米諸国の習慣). dormir [echar, tomar] la *siesta* 昼寝をする.
2 真昼, 昼下がり.

sie·te [sjéte シエテ] 〔英 seven〕 形 《数詞》

7 の; 7番目の.
── 名 男 **1** 7. ◆ローマ数字 VII.
2 《口語》(衣服の) かぎ裂き.
más que siete 《口語》どっさり. comer [beber] *más que siete* 大食いする[大酒を食らう]. hablar *más que siete* べらべらしゃべりまくる. saber *más que siete* よく知っている.
sí·fi·lis [sífilis シフィリス] 名 女 《医》梅毒.
si·fi·lí·ti·co, ca [sifilítiko, ka シフィリティコ, カ] 形 梅毒の.
── 名 男 女 梅毒患者.
si·fón [sifón シフォン] 名 男 **1** サイフォン, 吸い上げ管. **2** (排水用の) U字管, トラップ.
3 (炭酸水の) サイフォン瓶; ソーダ水.
sig- 動 現分 → seguir. [21 gu → g ; 41 e → i]
si·gi·lo [sixílo シヒろ] 名 男 **1** 秘密, 内密. *sigilo* profesional 守秘義務. con gran *sigilo* こっそりと, 極秘裡(り)に.
2 慎重さ, 思慮分別.
si·gi·lo·so, sa [sixilóso, sa シヒろソ, サ] 形 秘密の, 内密の; 慎重な.
si·gla [síɣla シグら] 名 女 (頭文字を連ねた) 略字, 略語.

si·glo [síɣlo シグろ] 名 男 [複 〜s] 〔英 century〕

1 **1 世紀**, 100年. el *siglo* veinte 20世紀. el *siglo* tercero antes de Cristo 紀元前3世紀. dentro de un *siglo* 100年後に. *siglo* de Oro 黄金世紀 (◆スペインでは政治的には16世紀を, 文化的には16－17世紀を指す).
2 長い間, 歳月. Hacía un *siglo* que no comía jamón serrano. ハモン・セラーノを食べるのは久し振りだなあ.
por los siglos de los siglos 永遠に.
sig·na·ta·rio, ria [siɣnatárjo, rja シグナタリオ, リア] 形 署名した, 調印した.
── 名 男 女 署名[調印]者 (= firmante).
sig·na·tu·ra [siɣnatúra シグナトゥラ] 名 女 **1** (書籍・ファイルなどの) 分類記号; 《印刷》折記号. **2** 署名, サイン (= firma).
sig·ni·fi·ca·ción [siɣnifikaθjón シグニフィカしオン] 名 女 **1** 意味. **2** 重要性; 価値.
significada 過分 女 → significar.
sig·ni·fi·ca·do[1] [siɣnifikáðo シグニフィカド] 名 男 **1** 意味. frase con doble *significado* 二重の意味を持つ語句. Esta palabra se usa con diferentes *significados*. この単語はいろいろな意味で使われる.
2 意義, 重要性.
3 《言語》記号内容, シニフィエ, 所記.
significado[2], **da** 過分 → significar.
significando 現分 → significar.
sig·ni·fi·can·te [siɣnifikánte シグニフィカンテ] 形 重要な, 意味のある.
── 名 男 《言語》記号表現, シニフィアン.

sig·ni·fi·car [siɣnifikár シグニフィカル] [8 c → qu]

動 他 [現分 significando; 過分 significado, da] 〔英 signify〕 **意味する**; 示す. ¿Qué *significa* eso? それはどういう意味で

すか.

—— 動自 《＋**para**》…にとって重大な意味を持つ, 重要である. Aquella carta *significó* mucho para él. 彼にとってあの手紙は決定的なものであった.

sig·ni·fi·ca·ti·va·men·te [siɣnifikatíβaménte シグニフィカティバメンテ] 副 意味ありげに, 暗示的に.

sig·ni·fi·ca·ti·vo, va [siɣnifikatíβo, βa シグニフィカティボ, バ] 形 **1** 意味深い, 重要な.
2 意味ありげな, 暗示的な.

signifique(-) / signifiqué(-) 動 → significar. [8 c → qu]

sig·no [síɣno シグノ] 名男 [複 ～s] 〔英 sign〕 **1** **記号**, 符号. *signos* de puntuación 句読点 (→ puntuación 【参考】). *signo* positivo [más] 正記号 (＋). *signo* negativo [menos] 負記号 (－).
2 兆し, 兆候.
3 〘星占〙 運命, 宿命. bajo el *signo* de ... …の運命の下に.

siguiendo 現分 → seguir.

si·guien·te [siɣjénte シギエンテ] [複 ～s] 形 〔英 following〕 **次の**; 以下の. A la mañana *siguiente* salí de casa a las ocho. 翌朝私は8時に家を出た. Todo lo que has dicho se reduce a lo *siguiente* ...君の言ったことを要約すると次のようになる….

—— 名男女 次の人. ¡Que pase el *siguiente*! 次の方どうぞ.

sí·la·ba [sílaβa シラバ] 名女 〘言語〙 音節, シラブル. *sílaba* aguda [tónica] アクセントのある音節. *sílaba* átona アクセントのない音節.

si·la·be·ar [silaβeár シラベアル] 動他自 音節ごとに発音する; 音節に区切る.

si·la·be·o [silaβéo シラベオ] 名男 音節に分けること; 音節に区切った発音.

si·lá·bi·co, ca [siláβiko, ka シラビコ, カ] 形 音節の, 音節からなる.

sil·ba [sílβa シルバ] 名女 (野次の) 鋭い口笛. dar una *silba* 口笛を吹いて野次る.

sil·bar [silβár シルバル] 動他 **1** 口笛で吹く; 口笛で合図する. *silbar* al perro 口笛を吹いて犬を呼ぶ. **2** 野次る, けなす.

—— 動自 **1** 口笛を吹く.
2 (風などが) 鳴る; (弾丸などが) うなりをあげる. **3** 野次る, けなす.

sil·ba·to [silβáto シルバト] 名男 ホイッスル; 汽笛.

sil·bi·do [silβíðo シルビド] 名男 **1** 口笛の音. dar un *silbido* 口笛を鳴らす, ピューと音を出す.
2 (風などの) 鳴る音; (弾丸などの) うなり; (蛇などの) シューという音.
3 野次, けなすこと.
4 ゼイゼイいう息の音, 喘鳴(ぜんめい).

si·len·cia·dor [silenθjaðór シレンシアドル] 名男 消音装置, サイレンサー; 〘車〙 マフラー. → motocicleta 図.

si·len·ciar [silenθjár シレンシアル] 動他
1 …について沈黙を守る, 伏せておく.
2 黙らせる.

si·len·cio [silénθjo シレンシオ] 名男 [複 ～s] 〔英 silence〕
1 **沈黙**, 無言. en *silencio* 黙って. guardar *silencio* sobre 《＋algo》 〈何か〉を口外しない. imponer *silencio* 黙らせる. pasar 《＋algo》 en *silencio* 〈何か〉を伏せておく. romper el *silencio* 沈黙をやぶる.
2 静寂, 静けさ.
3 〘音楽〙 休止符.
¡Silencio! 静粛に!

silenciosa 形女 → silencioso.

si·len·cio·sa·men·te [silenθjósaménte シレンシオサメンテ] 副 音を立てずに; 無言で; ひっそりと.

si·len·cio·so, sa [silenθjóso, sa シレンシオソ, サ] 形 [複 ～s] 〔英 silent〕 **静かな**, 静寂な; 音のしない. persona *silenciosa* もの静かな[無口な]人. casa *silenciosa* ひっそりした家. motor *silencioso* 音の静かなエンジン.

sí·li·ce [síliθe シリセ] 名女 〘化〙 シリカ, 二酸化ケイ素.

si·li·cio [silíθjo シリシオ] 名男 〘化〙 ケイ素.

si·lla [síʎa シリャ] 名女 [複 ～s] 〔英 chair〕
1 **椅子**. sentarse en una *silla* 椅子に座る. *silla* de ruedas 車椅子. *silla* poltro-

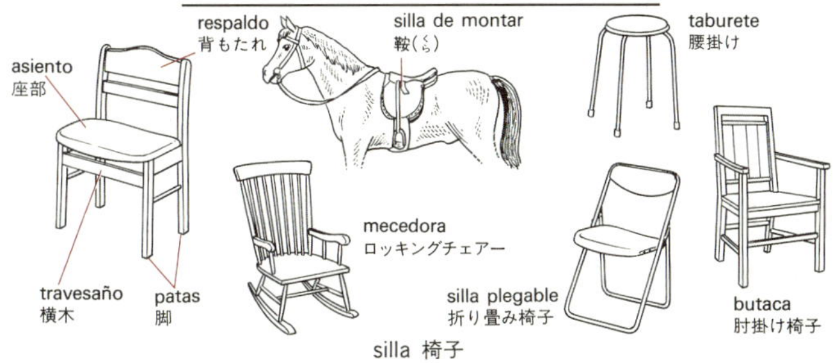

silla 椅子

na 安楽椅子.
2 鞍(くら)(= *silla* de montar). caballo de *silla* 乗用馬.
3 〘カトリック〙(教皇・司教の)座. *silla* episcopal 司教座.
pegarse la silla a 《+uno》〈人〉がずっと座ったままでいる;《口語》(訪問先で)長居する.

si·llar [siʎár シリャル] 名男 **1** 〘建築〙切り石. **2** 馬の背.

si·lle·rí·a [siʎería シリェリア] 名女
1 〘建築〙《集合》切り石; 切り石造りの建物.
2 (教会の)聖歌隊席.
3 《集合》椅子.
4 椅子製作工場.

si·llín [siʎín シリィン] 名男 (自転車の)サドル, (オートバイの)シート. ➡ motocicleta 図, bicicleta 図.

si·llón [siʎón シリョン] 名男 [複 sillones] 肘(ひじ)掛け椅子. *sillón* de lona デッキチェアー. ➡ cuarto 図.

si·lo [sílo シろ] 名男 〘農業〙(穀物・飼料貯蔵用の)サイロ.

si·lo·gis·mo [siloxísmo シろヒスモ] 名男 〘哲〙〘論理〙三段論法.

si·lue·ta [silwéta シるエタ] 名女 輪郭, シルエット.

sil·ves·tre [silβéstre シるベストゥレ] 形 野生の, 自然の.

sil·vi·cul·tu·ra [silβikultúra シるビクるトゥラ] 名女 植林; 林学, 植林法.

si·ma [síma シマ] 名女 **1** 深い裂け目.
2 《比喩》大きな隔たり, 深い溝.

sim·bio·sis [simbjósis シンビオシス] 名女 [単・複同形] 〘生物〙共生.

sim·bó·li·ca·men·te [simbólikaménte シンボリカメンテ] 副 象徴的に.

sim·bó·li·co, ca [simbóliko, ka シンボリコ, カ] 形 **1** 象徴の, 象徴的な, 表象の.
2 記号の.

sim·bo·lis·mo [simbolísmo シンボリスモ] 名男 **1** 象徴性, 象徴的意義. **2** 〘美術〙〘文〙象徴主義, シンボリズム. **3** 記号体系.

sim·bo·li·zar [simboliθár シンボリさル] [39 z ➡ c] 動他 **1** 象徴する.
2 記号化する, 符号で表す.

S

sím·bo·lo [símbolo シンボろ] 名男 **1** 象徴, シンボル. La paloma blanca es *símbolo* de paz. 白バトは平和の象徴である.
2 記号, 符号.

si·me·trí·a [simetría シメトゥリア] 名女 (左右)対称, 均斉 (↔ asimetría).

si·mé·tri·ca·men·te [simétrikaménte シメトゥリカメンテ] 副 対称的に.

si·mé·tri·co, ca [simétriko, ka シメトゥリコ, カ] 形 (左右)対称的な, 均斉の取れた.

si·mien·te [simjénte シミエンテ] 名女 (種まき用の)種, 種子 (= semilla).

sí·mil [símil シミる] 形 類似した, 同様の.
—— 名男 **1** 類似; 比較.
2 〘修辞〙直喩(ちょくゆ).

si·mi·lar [similár シミらル] 形 《+a》…と類似した, 同類の (= semejante).

si·mi·li·tud [similitúð シミリトゥ(ドゥ)] 名女 類似性, 相似.

si·mio, mia [símjo, mja シミオ, ミア] 名男女 猿; 類人猿.

Si·món [simón シモン] 固名 シモン: 男性の名.

sim·pa·tí·a [simpatía シンパティア] 名女 好感; 共感 (↔ antipatía). Le tengo mucha *simpatía*. 私は彼に好感を持っている. sentir *simpatía* por ... …に好感を持つ.

sim·pá·ti·co[1], ca

[simpátiko, ka シンパティコ, カ] [複 ~s] 形 〔英 nice, pleasant〕
1 感じのいい, 好感のもてる (↔antipático). La tía Pili es muy *simpática*. ピリ叔母さんはとても感じのいい人だ. Una chica se acercó a nuestra mesa con una sonrisa muy *simpática*. ひとりの娘がにっこり笑って我々のテーブルに近づいてきた.
2 親切な, 好意的な. ¡Pero qué tío más *simpático* es Juan! それにしてもフアンはなんて親切なやつなんだ. Ese diplomático estuvo muy *simpático* conmigo. その外交官は私にとても親切だった.
—— 名男女 感じのいい人, 好感のもてる人.

sim·pá·ti·co[2] [simpátiko シンパティコ] 名男 〘解剖〙交感神経.

sim·pa·ti·zan·te [simpatiθánte シンパティさンテ] 形 共鳴する, 同調する.
—— 名男女 共鳴者, シンパ.

sim·pa·ti·zar [simpatiθár シンパティさル] [39 z ➡ c] 動自 《+con》
1 …に好意[共感]を抱く; …と気が合う.
2 …の共鳴者[シンパ]となる.

sim·ple

[símple シンプれ] 形 [複 ~s] 〔英 simple〕
1 《名詞の前に付けて》単なる, 簡単な, 素朴な. Fue un *simple* error de maniobras. それは単純な操作ミスだった. Basta contestar a una *simple* encuesta. ちょっとしたアンケートに答えるだけでよい. Rosa es una *simple* campesina. ロサは素朴な田舎の人だ.
2 《名詞の後または補語で》⑴簡単な, 簡素な, シンプルな. una habitación muy *simple* とても簡素な部屋. diseño *simple* シンプルなデザイン. ⑵お人よしの, ばかな. ⑶単一の. cuerpo *simple* 〘化〙単体. tiempo *simple* 〘文法〙単純時制.
—— 名男女 単純な人, ばか.
—— 名男 〘スポーツ〙シングルス. jugar un *simple* シングルスの試合をする.

sim·ple·men·te [símpleménte シンプれメンテ] 副 ただ単に, 簡単に.

sim·ple·za [simpléθa シンプれさ] 名女 ばかなこと, 無知.

sim·pli·ci·dad [simpliθiðáð シンプりしダ(ドゥ)] 名女 簡単, 単純, 明快; 無邪気さ,

素朴さ.
sim·pli·fi·ca·ción [simplifikaθjón シンプリフィカしオン] 名女 単純化, 簡略化.
sim·pli·fi·car [simplifikár シンプリフィカル] [8 c ➡ qu] 動他 簡単[簡略]にする.
sim·plis·mo [simplísmo シンプリスモ] 名男 過度の単純化; 浅薄な考え.
sim·plis·ta [simplísta シンプリスタ] 形 あまりに単純な, 浅薄極まる.
— 名男女 あまりに単純な考え方をする人.
sim·po·sio [simpósjo シンポシオ] / **sim·pó·sium** [-sjum -シウン] / **sym·po·sium** [-sjum -シウン] 名男 討論会, シンポジウム.
si·mu·la·ción [simulaθjón シムらしオン] 名女 見せかけ, 偽装, 仮病; シミュレーション.
si·mu·la·cro [simulákro シムらクロ] 名男 ごまかし, 見せかけ; 似姿.
si·mu·lar [simulár シムらル] 動他 …の振りをする; 装う. *simular* una enfermedad 仮病を使う.
si·mul·tá·ne·a·men·te [simultánea-ménte シムるタネアメンテ] 副 同時に.
si·mul·ta·ne·ar [simultaneár シムるタネアル] 動他 同時に行う.
si·mul·ta·nei·dad [simultaneiðáð シムるタネイダ(ドゥ)] 名女 同時性.
si·mul·tá·ne·o, a [simultáneo, a シムるタネオ, ア] 形 同時の, 同時に起こる. El accidente y el grito fueron *simultáneos*. 事故が起こると同時に叫び声が上がった. traducción *simultánea* 同時通訳.

sin [sin シン] 前 〔英 without〕
…のない, …なしで[に]; 《+不定詞》《+**que** 接続法》…しないで. pared *sin* ventanas 窓のない壁. café *sin* azúcar 砂糖を入れないコーヒー. El desaparecido fue encontrado *sin* vida. 行方不明者は死体で発見された. La ciudad entera sigue *sin* agua ni electricidad. 全市の水道と電気はストップしたままだ. Lo consiguió *sin* dificultad. 彼はそれをやすやすと達成した. Nos quedamos todo el día *sin* salir de casa. 我々は一日中家から一歩も出なかった. Se marchó *sin que* nadie se diera cuenta. 彼は誰も気づかぬうちに出て行った (► 主節の主語と sin 以下の動詞の主語が異なるときは, que 接続法を用いる).
no sin … …が無いわけではないが. Me decidí *no sin* disgusto. 私は不本意ながらも決心した.
sin embargo しかしながら, とは言うものの.
sin … ni … …も…もなく; …さえせずに. Anduvo toda la noche *sin* dormir *ni* descansar. 彼は眠りも休みもせずに一晩歩き通した. Salió *sin* decir *ni* adiós. 彼はさよならも言わずに出て行った.

sin- 《接頭》「共に, 同時に」または前置詞 sin から「…の欠けた」の意を表す. ⇀ *sín*tesis, *sin*sabor など.
si·na·go·ga [sinaɣóɣa シナゴガ] 名女 シナゴーグ: ユダヤ教会. ➡ iglesia 【参考】.
si·na·le·fa [sinaléfa シナれファ] 名女 〔音声〕母音合一: 連続する同じ母音が1つの母音として発音されること. ⇀ la alfombra [la alfómbra] を [lalfómbra] と発音する.
sincera 形女 ➡ sincero.
sin·ce·ra·men·te [sinθéraménte シンせラメンテ] 副 率直に, 心から.
sin·ce·rar·se [sinθerárse シンせラルセ] 動 腹蔵なく話す; 自己弁明する.
sin·ce·ri·dad [sinθeriðáð シンせリダ(ドゥ)] 名女 誠実, 正直; 率直. decir 《+algo》 con toda *sinceridad* 〈何か〉を率直に語る.
sin·ce·ro, ra [sinθéro, ra シンせロ, ラ] 形 [複 ~s] 〔英 sincere〕 **誠実な**, 正直な; 率直な. agradecimiento *sincero* 衷心からの感謝.
sín·co·pa [síŋkopa シンコパ] 名女 **1** 〔音楽〕シンコペーション.
2 〔文法〕語中音消失.
sín·co·pe [síŋkope シンコペ] 名男 **1** 〔医〕失神. **2** 〔文法〕語中音消失.
sin·cre·tis·mo [siŋkretísmo シンクレティスモ] 名男 〔哲〕〔宗教〕混合(主義), シンクレティズム.
sin·cro·ní·a [siŋkronía シンクロニア] 名女 **1** 同時性; 同時発生.
2 〔言語〕共時態, 共時論. ► 通時態, 通時論は diacronía.
sin·cró·ni·co, ca [siŋkróniko, ka シンクロニコ, カ] 形 **1** 時を同じくする, 同時に発生する.
2 〔言語〕共時態[論]の (↔ diacrónico).
sin·cro·ni·za·ción [siŋkroniθaθjón シンクロニさしオン] 名女 同時化, 同調.
sin·cro·ni·zar [siŋkroniθár シンクロニさル] [39 z ➡ c] 動他 同調させる, シンクロナイズする.
sin·di·cal [sindikál シンディカる] 形 **1** 労働組合の. **2** 組織代表の.
sin·di·ca·lis·mo [sindikalísmo シンディカリスモ] 名男 労働組合主義; サンジカリズム.
sin·di·ca·lis·ta [sindikalísta シンディカリスタ] 形 労働組合の.
— 名男女 労働組合主義者; 労働組合員; サンジカリスト.
sin·di·car [sindikár シンディカル] [8 c ➡ qu] 動他 …を労働組合に組織する.
— **sin·di·car·se** 労働組合に加入する; 組合を作る.
sin·di·ca·to [sindikáto シンディカト] 名男 [複 ~s] 〔英 labor [trade] union〕
1 労働組合 (= *sindicato* laboral [de trabajadores]). *sindicato* vertical 産業別労働組合.
2 企業連合; 組合. *sindicato* de estu-

S

diantes 学生組合.
3 犯罪シンジケート (= *sindicato* del crimen).
sín·dro·me [síndrome シンドゥロメ] 名男 〘医〙症候群.
si·ne·cu·ra [sinekúra シネクラ] 名女 楽なもうけ仕事; 甘い汁を吸える地位.
si·né·re·sis [sinéresis シネレシス] 名女 [単・複同形] 〘音声〙合音.
sin·fín [simfín シンフィン] 名男 無限, 無数. un *sinfín* de ... 無数の.
sin·fo·ní·a [simfonía シンフォニア] 名女
1 〘音楽〙交響曲, シンフォニー.
2 調和, ハーモニー.
sin·fó·ni·co, ca [simfóniko, ka シンフォニコ, カ] 形 〘音楽〙交響曲の, シンフォニーの.
—— 名女 〘音楽〙交響楽団.
sin·gu·lar [siŋgulár シングラル] 形 [複 ～es] 〔英 singular〕 **1** **並外れた**; 著しい. tener una facilidad *singular* para los idiomas 並外れた語学の才能を持つ.
2 奇妙な, 風変わりな. un carácter *singular* 一風変わった性格.
3 1つの, 一人の, 単数の.
—— 名男 〘文法〙単数(形) (↔plural).
en singular 特に, とりわけ.
sin·gu·la·ri·dad [siŋgulariðáð シングらリダ(ドゥ)] 名女 **1** 特異, 風変わり.
2 単独, 単一性.
sin·gu·la·ri·zar [siŋgulariθár シングらリサル] [39 z ➞ c] 動他 目立たせる; 特に言及する.
—— **sin·gu·la·ri·zar·*se*** 目立つ, 傑出する.
sin·gu·lar·men·te [siŋgulárménte シングらルメンテ] 副 特に, とりわけ, 際立って.
si·nies·tra·do, da [sinjestráðo, ða シニエストゥラド, ダ] 形 損害を被った, 災難に遭った. coche *siniestrado* 事故車.
—— 名男女 被害者, 罹災(りさい)者.
si·nies·tro, tra [sinjéstro, tra シニエストゥロ, トゥラ] 形 **1** 不吉な; 不幸な, 忌まわしい.
2 左の, 左側の (= izquierdo) (↔ diestro). mano *siniestra* 左手.
—— 名男 災難, 災害.
sin·nú·me·ro [sinnúmero シンヌメロ] 名男 無数, 無限.

si·no

[sino シノ]
接続 〔英 but〕
1 《no ... **sino** ... の形で用いて》 **…でなくて…である**. No es este libro *sino* el otro. この本ではなくてもう一つの方だ. No comen pan *sino* arroz. 彼らはパンではなくてご飯を食べる. ► 動詞と動詞を対比させる場合は sino que になる. ⇀ No discutimos *sino* que hablamos. 我々のは口論でなくて議論だ.
2 《否定文の中で副詞的に用いて》 単に, ただ. No has escrito *sino* una página. 君は1ページしか書いていない. No deseo *sino* verle. 私は彼に一目会いたいだけだ. Nadie hace esas tonterías *sino* tú. そんなばかなことをするのは君くらいなものだ. No te pido *sino* que me prestes un poco de atención. ほんのちょっとでいいから僕の話を聞いてくれ.
—— 名男 運命, 宿命.
no sólo [solamente] ... sino (también) ... …だけでなく…も(また). *No sólo* a ellos *sino también* a nosotros nos interesa ese tema. そのテーマは彼らばかりでなく私たちにも興味がある. El médico le ha dicho *no sólo* que no fume, *sino también* que no pruebe el alcohol. 医者はタバコばかりでなく酒も断つようにと彼に言った.
sí·no·do [sínoðo シノド] 名男 宗教会議.
si·no·ni·mia [sinonímja シノニミア] 名女 〘言語〙同義(性); 類義(性).
si·nó·ni·mo, ma [sinónimo, ma シノニモ, マ] 形 〘言語〙同義(語)の; 類義語の.
—— 名男 〘言語〙同義語, 同意語; 類義語 (↔ antónimo).
si·nop·sis [sinópsis シノプシス] 名女 [単・複同形] 梗概(こうがい), シノプシス.
si·nóp·ti·co, ca [sinóptiko, ka シノプティコ, カ] 名女形 梗概(こうがい)の; 一覧の.
sin·ra·zón [sinr̄aθón シンラそン] 名女
1 不合理, ばかげたこと. **2** 不正, 不法.
sin·sa·bor [sinsaβór シンサボル] 名男 不快, 不愉快, 嫌気.
sint- 動 現分 ➞ sentir. [52 e ➞ ie, i]
sin·tác·ti·co, ca [sintáktiko, ka シンタクティコ, カ] 形 〘言語〙統語論の.
sin·tag·ma [sintáɣma シンタグマ] 名男 〘言語〙連辞, 句.
sin·ta·xis [sintáksis シンタクシス] 名女 〘言語〙統語論, シンタックス.
sín·te·sis [síntesis シンテシス] 名女 [単・複同形] **1** 総合[統合]; 総括 (↔ análisis). en *síntesis* 手短に言えば, 要約して.
2 〘化〙合成.
sin·té·ti·co, ca [sintétiko, ka シンテティコ, カ] 形 **1** 総合[統合]的な; 総括的な, 概括的な (↔ analítico).
2 合成の, 人工の.
sin·te·ti·zar [sintetiθár シンテティさル] [39 z ➞ c] 動他 総合[統合]する; 概括する, 要約する; 合成する.
sintiendo 現分 ➞ sentir.
sin·to·ís·mo [sintoísmo シントイスモ] 名男 神道.
sin·to·ís·ta [sintoísta シントイスタ] 形 神道の. —— 名男女 神道信者.
sín·to·ma [síntoma シントマ] 名男
1 〘医〙徴候, 症候. **2** 兆し, 前兆.
sin·to·ní·a [sintonía シントニア] 名女 〘電気〙同調.
en sintonía con ... …と一致[同調]して.
sin·to·ni·za·ción [sintoniθaθjón シント

ニさしオン] 名女 〘電気〙 同調，波長調整. mando de *sintonización* 同調つまみ，ダイヤル.

sin·to·ni·za·dor [sintoniθaðór シントニさドル] 名男 〘電気〙 チューナー.

sin·to·ni·zar [sintoniθár シントニさル] [39 z → c] 動他 〘電気〙 同調させる，周波数を合わせる.
— 動自 《+con》 …と一致する.

si·nuo·si·dad [sinwosiðáð シヌオシダ(ドゥ)] 名女 **1** 曲折，蛇行，カーブ.
2 回りくどさ，分かりにくさ.

si·nuo·so, sa [sinwóso, sa シヌオソ，サ] 形 **1** 曲がりくねった.
2 回りくどい，分かりにくい.

sin·ver·güen·za [simberɣwénθa シンベルグエンさ] 形 破廉恥な，厚かましい，ずうずうしい.
— 名男女 ろくでなし；ずうずうしい人.

sio·nis·mo [sjonísmo シオニスモ] 名男 シオニズム：ユダヤ人国家建設を目指す民族運動.

si·quia·tra [sikjátra シキアトゥラ] / **si·quí·a·tra** [sikía– シキア-] 名男 〘医〙 → psiquiatra.

si·quia·trí·a [sikjatría シキアトゥリア] 名女 〘医〙 → psiquiatría.

sí·qui·co, ca [síkiko, ka シキコ，カ] 形 → psíquico.

si·quie·ra [sikjera シキエラ] 接続 《+接続法》 たとえ…でも (= aunque, bien que). Vamos a pedir vacaciones *siquiera* sea por una semana. たとえ一週間でも休暇を申請しましょう.
— 副 [sikjéra シキエラ] **1** 《否定語を伴って》 …すら…ない. No tiene (ni) *siquiera* un amigo. 彼にはひとりの友人もいない. No me dijo ni *siquiera* adiós. 彼は私にさよならも言わなかった.
2 少なくとも，せめて (= por lo menos). Si pudiera visitar España *siquiera* una semana. 1週間でいいからスペインへ行ければなあ.

si·re·na [siréna シレナ] 名女 **1** サイレン. *sirena* de coche patrulla パトカーのサイレン.
2 〘ギリシア神話〙 セイレン (半人半鳥の海の精)；人魚.

sir·ga [sírɣa シルガ] 名女 〘海事〙 (引き船用の) 綱.

Si·ria [sírja シリア] 固名 シリア. República Árabe de *Siria* シリア・アラブ共和国 (首都 Damasco).

si·rio, ria [sírjo, rja シリオ，リア] 形 シリアの.
— 名男女 シリア人.
— 名男 [S-] 〘天文〙 シリウス，天狼(てんろう)星.

si·ro·co [siróko シロコ] 名男 シロッコ：北アフリカからヨーロッパ南部に吹く熱風.

sirv- 動 現分 → servir. [41 e → i]

sir·vien·te, ta [sirβjénte, ta シルビエンテ，タ] 名男女 〔英 servant〕 召使い；メード；給仕人.

si·sa [sísa シサ] 名女 《口語》 くすねること，ちょろまかし.

si·sar [sisár シサル] 動他 くすねる，ちょろまかす.

si·se·ar [siseár シセアル] 動他自 シッと言う[野次る].

si·se·o [siséo シセオ] 名男 シッという声.

sís·mi·co, ca [sísmiko, ka シスミコ，カ] 形 地震の.

sis·mo [sísmo シスモ] 名男 地震 (= terremoto).

sis·mó·gra·fo [sismóɣrafo シスモグラフォ] 名男 地震(記録)計.

sis·mo·lo·gí·a [sismoloxía シスモロヒア] 名女 地震学.

sis·te·ma [sistéma システマ] 名男 [複 ~s] 〔英 system〕 **1** 制度，組織. *sistema* educativo 教育制度. *sistema* político 政治機構. *sistema* capitalista 資本主義体制. el *sistema* de seguridad social 社会保険制度.
2 体系；系，系統. *sistema* nervioso 神経系統. *sistema* montañoso [de montañas] 山系. *sistema* solar 太陽系. *sistema* decimal 十進法. *sistema* métrico (decimal) メートル法.
3 装置，システム. *sistema* automático 自動装置. *sistema* de alarma 警報装置.
por sistema 決まって，判で押したように.

sis·te·má·ti·ca·men·te [sistemátikaménte システマティカメンテ] 副 体系的に.

sis·te·má·ti·co, ca [sistemátiko, ka システマティコ，カ] 形 組織的な，体系的な.

sis·te·ma·ti·za·ción [sistematiθaθjón システマティさしオン] 名女 組織化，体系化.

sis·te·ma·ti·zar [sistematiθár システマティさル] [39 z → c] 動他 体系づける，組織づける.

si·tial [sitjál シティアる] 名男 貴賓席，儀式用椅子.

si·tiar [sitjár シティアル] 動他 **1** 〘軍事〙 包囲する. **2** 迫る，督促する.

si·tio [sítjo シティオ] 名男 [複 ~s] 〔英 site, place〕
1 場所. cambiar de *sitio* 場所を変える. en cualquier *sitio* どこででも. en todos los *sitios* あらゆる場所で. buscar un *sitio* para aparcar 駐車する場所を探す.
2 空間，余地. ocupar mucho *sitio* 広い空間を占める. hacer (un) *sitio* 場所をあける.
3 別荘，保養地. real *sitio* 王室御用邸.
4 〘軍事〙 包囲，攻略. poner *sitio* a … …を包囲する. levantar el *sitio* 包囲を解く.
dejar a 《+uno》 ***en el sitio*** 〈人〉を即死させる.
dejar [***ceder***] ***el sitio*** 部署[ポスト]を譲る.

S

estar en SU ***sitio*** 適所にいる.
poner a 《+uno》 ***en*** SU ***sitio*** 〈人〉に身の程を分からせる.
quedarse en el sitio 即死する.

si·to, ta [síto, ta シト, タ] 形 **1** 設置された(= colocado).
2 位置する(= situado).

si·tua·ción [sitwaθjón シトゥアしオン] 名女 [複 situaciones] 〔英 situation〕
1 状況, 情勢, 事態; 立場, 地位, 境遇. *situación* política internacional 国際政治情勢. estar en una *situación* delicada 微妙 [危険] な状況にいる. gozar de una buena *situación* económica 経済的に恵まれている. *situación* pasiva 退役, 休職中.
2 場所, 位置. la *situación* de una casa 住宅環境.

si·tuar [sitwár シトゥアル] [14 u ➡ ú] 動他 **1** 置く, 配置する, 据える.
2 (資本を)投下する; 預金する.
—— **si·tuar·*se*** **1** 《+**en**》…に位置する, 在る. **2** いい地位につく, 出世する.

slo·gan [slóɣan スろガン | esló- エスろ-] 名男 [複 slogans] ➡ eslogan.

smo·king [smókiŋ スモキン | esmó- エスモ-] 名男 [複 smokings] ➡ esmoquin. [← 英語]

snob [snóβ スノ(ブ) | esnóβ エスノ(ブ)] 形名男女 ➡ esnob.

so [só ソ] 名男 《口語》《軽蔑を表す形容詞の前に付けて》…め. ¡*So* tonto! ばかめ! ¡*So* burro! この間抜け!
—— 前 [so ッ] …のもとに [で]. ► capa, color, pena など特定の名詞と共にしか用いられない(➡ pena).

SO [éseó エセオ] 《略》《ｺﾝﾋﾟｭｰﾀ》 OS, 基本ソフト (Windows 98 や MacOS, UNIX など) (= sistema operativo).

¡so! [só ソ] 間投 《馬などを止める掛け声》どう, どうどう.

so·ba·co [soβáko ソバコ] 名男 《解剖》腋窩(ｴｷ), 腋(ﾜｷ)の下(= axila).

so·ba·do, da [soβáðo, ða ソバド, ダ] 過分形 **1** 使い古した, 擦り切れた. un libro muy *sobado* すっかり手あかのついた本.
2 《口語》ありふれた, 陳腐な. un tema *sobado* ありきたりのテーマ.

so·ba·qui·na [soβakína ソバキナ] 名女 わきが.

so·bar [soβár ソバル] 動他 **1** こねる, もむ, くしゃくしゃにする.
2 殴る.
3 《口語》しつこく触る, なで回す.
4 《口語》困らせる, てこずらせる.

so·be·ra·na·men·te [soβeránaménte ソベラナメンテ] 副 非常に, この上なく.

so·be·ra·ní·a [soβeranía ソベラニア] 名女 **1** 主権; 統治権. **2** 卓越, 至上.

so·be·ra·no, na [soβeráno, na ソベラノ, ナ] 形 **1** (権力が)至上の, 主権を有する. poder *soberano* 主権.
2 この上ない, えも言われぬ. belleza *soberana* この上ない美しさ.
3 《口語》強烈な, とてつもない. dar una *soberana* paliza ガツンと一発食らわせる.
—— 名男女 君主, 国王, 女王. los *soberanos* 国王夫妻.

so·ber·bio, bia [soβérβjo, βja ソベルビオ, ビア] 形 **1** 傲慢な(ｺﾞｳﾏﾝ)な, 尊大な.
2 堂々たる, 立派な.
—— 名女 高慢, 傲慢(ｺﾞｳﾏﾝ), 尊大.

so·bor·nar [soβornár ソボルナル] 動他 買収する, 金で抱き込む.

so·bor·no [soβórno ソボルノ] 名男 買収, 贈賄; 賄賂(ﾜｲﾛ).

so·bra [sóβra ソブラ] 名女 **1** 過剰, 余剰.
2 [~s] 残り物, 食べ残し.
—— 動 ➡ sobrar.
de sobra 余分に, 十分に. saber *de sobra* 熟知している.

so·bra·da·men·te [soβráðaménte ソブラダメンテ] 副 大いに, 十二分に.

so·bra·do, da [soβráðo, ða ソブラド, ダ] 過分形 《+**de**》…があり余るほどの, たくさんの.

so·bran·te [soβránte ソブランテ] 形 余りの, 残りの; 余剰の. Hay muchas mesas *sobrantes* en la sala. 部屋に余分なテーブルがたくさんある.
—— 名男 余分, 余剰, 残り.

so·brar [soβrár ソブラル] 動自 〔英 be in excess, be left over〕 **1 余る**, 残る, 十分にある. ¿Cuánto te *ha sobrado* de la compra? — Sólo veinte duros. 買い物をしていくら残ったの? —100ペセタだけよ.
2 邪魔である, 余計である. Aquí *sobran* palabras. この場合, いかなる言葉も不要だ.

so·bre [soβre ソブレ] 前 〔英 on, over; about〕

1 …の上に (= en); …の上方に [を]. Hay un cenicero *sobre* la mesa. テーブルの上に灰皿がある. El avión vuela *sobre* la ciudad. 飛行機が町の上空を飛ぶ. ➡ encima 【参考】.
2 《主題を表して》**…について (の)**, …に関して(の) (= de). Mañana hablaremos *sobre* este tema. 明日このテーマについて話しましょう.
3 《方向・対象を表して》…に面して; …をめがけて. El balcón de la casa da *sobre* el valle. その家のバルコニーは谷に面している. echarse *sobre* 《+uno》〈人〉に飛びつく.
4 《近似を表して》およそ…, 約…. Terminaremos *sobre* las tres de la tarde. 午後3時ごろには終わりにしよう.
5 (序列が) …より上位に; (程度が) …より高く. Prácticamente *sobre* él no hay nadie. 事実上彼がトップだ. La ciudad está a doscientos metros *sobre* el nivel del mar. 町は海抜200メートルのところ

S

にある.
6 …に加えて, …のほかに.
—— [sóβre ソブレ] 名男 封筒. poner en el *sobre* 封筒に入れる.
—— 動 ➡ sobrar.
sobre todo ➡ todo.
sobre- 「上, 超, 過度」の意を表す造語要素. ⇒ *sobre*humano, *sobre*natural など.
so·bre·a·bun·dar [soβreaβundár ソブレアブンダル] 動自 《+**en**》…が多すぎる, あり余る.
so·bre·a·li·men·tar [soβrealimentár ソブレアリメンタル] 動他 …に過度に食べ物[栄養]を与える.
so·bre·ca·ma [soβrekáma ソブレカマ] 名女 ベッドカバー.
so·bre·car·ga [soβrekárɣa ソブレカルガ] 名女 **1** 積みすぎ.
2 重責, 負担.
3 荷造りひも, ロープ.
so·bre·car·gar [soβrekarɣár ソブレカルガル] [32 g ➡ gu] 動他 **1** …に荷を積みすぎる. **2** …に負担をかけすぎる.
so·bre·car·go [soβrekárɣo ソブレカルゴ] 名男 追加料金.
so·bre·co·ge·dor, do·ra [soβrekoxeðór, ðóra ソブレコヘドル, ドラ] 形 どきっとさせる, 驚かす.
so·bre·co·ger [soβrekoxér ソブレコヘル] [11 g ➡ j] 動他 びっくりさせる, 驚かす.
—— **so·bre·co·ger·*se*** 《+**de**》…にびっくりする, ぎょっとする.
so·bre·cu·bier·ta [soβrekuβjérta ソブレクビエルタ] 名女 ブックカバー, ジャケット.
so·bre·do·sis [soβreðósis ソブレドシス] 名女 (薬の) 服用過多.
so·bre·ex·ci·tar [soβreesθitár ソブレエスしタル] 動他 極度に興奮させる.
—— **so·bre·ex·ci·tar·*se*** 極度に興奮する.
so·bre·hu·ma·no, na [soβreumáno, na ソブレウマノ, ナ] 形 超人的な; 神技の.
so·bre·im·pre·sión [soβreimpresjón ソブレインプレシオン] 名女 〘写真〙〘映画〙オーバーラップ, 二重焼き付け.
so·bre·lle·var [soβreʎeβár ソブレリェバル] 動他 **1** 耐える, 我慢する.
2 (荷物を) 持ってやる; (負担を) 軽くしてやる. **3** (過失などを) 見逃す, 大目に見る.
so·bre·ma·ne·ra [soβremanéra ソブレマネラ] 副 ひどく, 大いに, とりわけ (= sobre manera).
so·bre·me·sa [soβremésa ソブレメサ] 名女 **1** 食後の会話; 食後のひととき.
2 テーブル掛け.
3 〘料理〙デザート (= postre).
de sobremesa (1)食後に[の]. charla *de sobremesa* 食後の雑談. (2)卓上の. reloj *de sobremesa* 卓上時計.
so·bre·na·dar [soβrenaðár ソブレナダル] 動自 浮かぶ, 漂う.
so·bre·na·tu·ral [soβrenaturál ソブレナトゥラる] 形 超自然の.
so·bre·nom·bre [soβrenómbre ソブレノンブレ] 名男 通り名, 通称. ➡ nombre 【参考】.
so·bre·pa·ga [soβrepáɣa ソブレパガ] 名女 割増賃金, 特別手当て.
so·bre·pa·sar [soβrepasár ソブレパサル] 動他 凌駕(りょうが)する, 超過する.
so·bre·po·ner [soβreponér ソブレポネル] 45 動他 [過分 sobrepuesto, ta]
1 《+ **en**》…に重ね合わせる, 積み重ねる.
2 《+**a**》…より優先させる, 先行させる.
—— **so·bre·po·ner·*se*** **1** 《+**a**》…に打ち勝つ, 克服する. **2** 自制する.
so·bre·pre·cio [soβrepréθjo ソブレプレしオ] 名男 割増料金, 追加料金.
so·bre·pro·duc·ción [soβreproðu*k*θjón ソブレプロドゥクしオン] 名女 過剰生産, 生産過剰.
so·bre·pu·jar [soβrepuxár ソブレプハル] 動他 《+**a** ... **en** ...》…を…の点でしのぐ, …に…の点で勝る.
so·bre·sa·lien·te [soβresaljénte ソブレサリエンテ] 形 優れた, 傑出した, 秀でた (= destacado). una de las personas más *sobresalientes* de su época 当時の最も傑出した人物のひとり.
—— 名男 (成績評価の) 優. ➡ calificación 【参考】.
so·bre·sa·lir [soβresalír ソブレサリル] 51 動自 **1** 突き出る, 張り出す.
2 傑出する; 目立つ.
so·bre·sal·tar [soβresaltár ソブレサるタル] 動他 びっくりさせる, ぎょっとさせる.
—— **so·bre·sal·tar·*se*** 《+**con**, **por**》…にびっくりする, ぎょっとする.
so·bre·sal·to [soβresálto ソブレサるト] 名男 どきっとすること, 驚き; 恐怖.
so·bres·ti·mar [soβrestimár ソブレスティマル] 動他 過大評価する.
so·bre·ta·sa [soβretása ソブレタサ] 名女 加徴金, 追加料金.
so·bre·ve·nir [soβreβenír ソブレベニル] 59 動自 [現分 sobreviniendo] 突発する. Le *sobrevino* una gran tristeza. 突然彼は深い悲しみに襲われた.
so·bre·vi·vien·te [soβreβiβjénte ソブレビビエンテ] 名男女 生き残り, 生存者; 遺族.
—— 形 生き残りの; 残存する.
so·bre·vi·vir [soβreβiβír ソブレビビル] 動自 《+**a**》…から生き残る, …より長生きする; 残存する. El padre *sobrevivió a* la hija. 父親は娘より長生きした. Es la única persona que *sobrevivió al* naufragio. 彼は海難事故の唯一の生存者だ.
so·bre·vo·lar [soβreβolár ソブレボらル] [13 o ➡ ue] 動他 〘航空〙…の上空を飛ぶ.
so·brie·dad [soβrjeðáð ソブリエダ(ドゥ)] 名女 控えめ; 節制; 簡素, 地味. comer con

sobriedad 食事を控えめにする.

so·bri·na [soβrína ソブリナ] 名女 [複 ~s] 〔英 niece〕 姪(めい). ➡familia, sobrino.

so·bri·no [soβríno ソブリノ] 名男 [複 ~s] 〔英 nephew〕 甥(おい). *sobrino* carnal 血縁上の甥. *sobrino* segundo いとこの息子. ➡familia, sobrina.

so·brio, bria [sóβrjo, βrja ソブリオ, ブリア] 形 **1** 控えめな (= moderado); 節制した. Ana es *sobria* de palabras. アナは口数の少ない女である. *sobrio* en la bebida 酒を慎んでいる.
2 簡素な, 地味な. decoración *sobria* あっさりとした飾りつけ. cena *sobria* 質素な夕食.

so·cai·re [sokáire ソカイレ] 名男
al socaire de ... …の庇護(ひご)のもとで, …に守られて.

so·ca·rrón, rro·na [sokarón, róna ソカロン, ロナ] 形 **1** 皮肉な, 嫌みな. sonrisa *socarrona* 皮肉な笑い.
2 ずる賢い.

so·ca·rro·ne·rí·a [sokaronería ソカロネリア] 名女 皮肉, 嫌み.

so·ca·var [sokaβár ソカバル] 動他 **1** …の下を掘る, うがつ.
2 弱らせる; 駄目にする.

so·cia·bi·li·dad [soθjaβiliðáð ソしアビリダ(ドゥ)] 名女 社交性, 人付き合いのよさ.

so·cia·ble [soθjáβle ソしアブれ] 形 社交的な, 人付き合いのよい. poco *sociable* 付き合いの悪い.

so·cial [soθjál ソしアる] 形 [複 ~es] 〔英 social〕
1 社会の, 社会的な; 社会階層の. problema *social* 社会問題. vida *social* 社会生活.
2 〘動物〙群居性の; 〘植物〙群生の.
3 会社の; 仲間の.

so·cial·de·mo·cra·cia [soθjaldemokráθja ソしアるデモクラしア] 名女 社会民主主義.

so·cial·de·mó·cra·ta [soθjaldemókrata ソしアるデモクラタ] 形 社会民主主義の.
── 名男女 社会民主党員, 社会民主主義者.

so·cia·lis·mo [soθjalísmo ソしアりスモ] 名男 社会主義 (運動).

so·cia·lis·ta [soθjalísta ソしアりスタ] [複 ~s] 〔英 socialist〕 名男女 社会主義者; 社会党員.
── 形 社会主義 (者) の. partido *socialista* 社会党.

so·cia·li·za·ción [soθjaliθaθjón ソしアりさしオン] 名女 国有化; 社会主義化.

so·cia·li·zar [soθjaliθár ソしアりさル] [39 z ➡ c] 動他 国有化する (= nacionalizar); 社会主義化する. *socializar* la banca 銀行を国営化する.

so·cial·men·te [soθjálménte ソしアるメンテ] 副 社会的に.

so·cie·dad [soθjeðáð ソしエダ(ドゥ)] 名女 [複 ~es] 〔英 society〕 **1** 社会; 世間. alta [buena] *sociedad* 上流社会.
2 会社, 商会. *sociedad* anónima 株式会社《略 S.A.》. *sociedad* colectiva 合名会社. *sociedad* limitada 有限会社. *sociedad* mercantil [comercial] 商事会社, 商社.
3 協会, 団体, 組合. *sociedad* protectora de animales 動物愛護協会. *sociedad* secreta 秘密結社.
4 社交界. presentarse en *sociedad* 社交界にデビューする.

so·cio, cia [sóθjo, θja ソしオ, しア] 名男女
1 会員, メンバー (= miembro). hacerse *socio* de un club クラブのメンバーになる. *socio* de número 正会員. *socio* honorario [de honor] 名誉会員.
2 〘商業〙共同経営者, 提携者, 出資社員.
3 仲間, 同僚.

so·cio·lin·güís·ti·ca [soθjoliŋgwístika ソしオりングイスティカ] 名女 〘言語〙社会言語学.

so·cio·lo·gí·a [soθjoloxía ソしオろヒア] 名女 社会学.

so·cio·ló·gi·co, ca [soθjolóxiko, ka ソしオろヒコ, カ] 形 社会学の, 社会学的な.

so·ció·lo·go, ga [soθjóloɣo, ɣa ソしオろゴ, ガ] 名男女 社会学者.

so·co·rrer [sokorér ソコレル] 動他 助ける, 援助する; 救助する. *socorrer* a los pobres 貧しい人々を援助する.

so·co·rri·do, da [sokoríðo, ða ソコリド, ダ] 過分 形 **1** 品数がそろっている. la tienda más *socorrida* いちばん品数が豊富な店.
2 《口語》便利な, 役に立つ. una excusa muy *socorrida* きわめて便利な口実.
3 《口語》ありふれた. una frase muy *socorrida*. ごくありふれた言い回し.

so·co·rris·mo [sokorísmo ソコリスモ] 名男 応急手当, 救急処置.

so·co·rris·ta [sokorísta ソコリスタ] 名男女 救援隊員, 救助隊員.

so·co·rro [sokóro ソコロ] 名男 [複 ~s] 〔英 help〕 **1** 救助, 救援, 援助. ¡*Socorro*! 助けて, 助けてくれ! ir [acudir] en *socorro* de 《+ uno》〈人〉の救援に駆けつける. prestar *socorro* 助ける, 救助する. casa de *socorro* 救急病院. primer *socorro* 応急手当. señal(es) de *socorro* 〘海事〙(S.O.S. などの) 遭難信号.
2 救援物資. *socorro* en dinero 救援金.
3 〘軍事〙援軍 (= fuerzas [tropas] de *socorro*).

so·da [sóða ソダ] 名女 ソーダ水.

só·di·co, ca [sóðiko, ka ソディコ, カ] 形 〘化〙ナトリウムの. carbonato *sódico* 炭酸ナトリウム.

so·do·mí·a [soðomía ソドミア] 名女 男色.

so·do·mi·ta [soðomíta ソドミタ] 形 男色の. —— 名男 男色家.
so·ez [soéθ ソエす] 形 [複 soeces] 下品な, みだらな. palabras *soeces* 卑猥(ひわい)な言葉.
so·fá [sofá ソファ] 名男 [複 sofás] ソファー, 長椅子. *sofá* cama ソファーベッド. → cuarto 図.
So·fí·a [sofía ソフィア] 固名 ソフィア. (1)女性の名. 愛 Sofi. (2)ブルガリア Bulgaria の首都.
so·fión [sofjón ソフィオン] 名男 怒りの声, 叱責(しっせき)(= bufido).
so·fis·ma [sofísma ソフィスマ] 名男 詭弁(きべん), こじつけ.
so·fis·ta [sofísta ソフィスタ] 形 詭弁(きべん)の. —— 名男女 詭弁家.
so·fis·ti·ca·ción [sofistikaθjón ソフィスティカしオン] 名女 **1** こじつけ, 屁理屈(へりくつ).
2 気取り, わざとらしさ.
so·fis·ti·ca·do, da [sofistikáðo, ða ソフィスティカド, ダ] 過分形 **1** 複雑な, 手のこんだ. tecnología *sofisticada* 精巧な技術.
2 洗練された; 気取った. lenguaje *sofisticado* 気取った物言い.
3 歪曲(わいきょく)された.
so·fis·ti·car [sofistikár ソフィスティカル] [8 c → qu] 動他 **1** 複雑にする, 精巧にする. **2** 洗練する; 凝りすぎる.
so·fo·ca·ción [sofokaθjón ソフォカしオン] 名女 **1** 息苦しさ, 窒息.
2 消火; 鎮圧, 制圧.
3 赤面.
so·fo·can·te [sofokánte ソフォカンテ] 形 息苦しい, 息の詰まる. calor *sofocante* 蒸し暑さ.
so·fo·car [sofokár ソフォカル] [8 c → qu] 動他 **1** 息苦しくさせる, 窒息させる (= ahogar).
2 消火する; 鎮圧する. *sofocar* un incendio 火事を消す.
3 赤面させる.
—— **so·fo·car·*se*** **1** 息が詰まる, 窒息する. Cuando corro, *me sofoco* en seguida. 僕は走るとすぐ息切れがする.
2 赤面する, 恥じ入る.
3 かっとなる.
so·fo·co [sofóko ソフォコ] 名男 **1** 息苦しさ, 窒息.
2 恥ずかしさ, きまり悪さ.
3 怒り, 逆上.
so·fo·cón [sofokón ソフォコン] 名男 《口語》かっとなること, 頭にくること. llevarse un *sofocón* 逆上する.
so·fre·ír [sofreír ソフレイル] [48 e → i] 動他 [現分 sofriendo ; 過分 sofrito, ta, sofreído, da] 〘料理〙軽く炒(い)める, さっと揚げる.
so·fri·to, ta [sofríto, ta ソフリト, タ] 過分 → sofreír.
—— 形 〘料理〙軽く炒(い)めた, さっと揚げた.

so·ga [sóɣa ソガ] 名女 荒縄, 綱 (= cuerda).
dar soga a 《+uno》〈人〉に(話させようと)水を向ける; 〈人〉をからかう.
estar con la soga al cuello 窮地に陥っている, 絶体絶命の危機にある.
sois 動 → ser. 53
so·ja [sóxa ソハ] 名女 〘植物〙ダイズ (大豆).
so·juz·gar [soxuθɣár ソフすガル] [32 g → gu] 動他 屈服させる, 支配する.
sol [sól ソル] 名男 〘音楽〙ソ, ト音, G音.

sol [sól ソル] 名男 [複 ～es] 〔英 sun〕

1 太陽; 日光, 日差し. *sol* poniente 落日. al salir [ponerse] el *sol* 明け方[日暮れ]に. de *sol* a *sol* 日の出から日没まで. al *sol* ひなたで. Hace *sol*. 日が照っている. tomar el *sol* 日光浴をする.
2 《呼びかけ》(特に子供に対して) かわいい子, 坊や.
3 〘闘牛〙ひなた席. tendido de *sol* ひなたのスタンド席. →sombra.
4 ソル: ペルーの旧通貨. 現在は nuevo sol.
arrimarse al sol que más calienta 強い方につく.
como el sol que nos alumbra 《口語》火を見るより明らかな.
no dejar a 《+uno》 ***ni a sol ni a sombra*** 《口語》うるさくつきまとう.
pegarse [***sentarse***] ***el sol a*** 《+uno》〈人〉が日に焼ける.
¡Salga el sol por donde quiera! 《諺》とにかくやれる所までやれ.
sol de las Indias 〘植物〙ヒマワリ (向日葵) (=girasol).
sola 形女 → solo[1].

so·la·men·te [sólaménte ソらメンテ] 副 〔英 only〕

単に, ただ…だけ. He dormido *solamente* dos horas. 私はたった2時間寝ただけだ. Haz *solamente* lo que te digo. 私が言うことだけをやりなさい.
no solamente ... sino (***también***) → sino.
solamente que ... → sólo.
so·la·na [solána ソらナ] 名女 ひなた; 日当たり, 日照; サンルーム.
so·la·pa [solápa ソらパ] 名女 **1** 〘服飾〙(背広などの) 襟. ojal de la *solapa* 襟の飾りボタン穴. → chaqueta 図.
2 口実, ごまかし.
so·la·par [solapár ソらパル] 動他 **1** 《+con》(悪意などを) …の下に隠す.
2 (一部が) 重なるようにする; 〘服飾〙前合わせをたっぷり取る.
—— 動自 (洋服の) 前が合わさる; 重なり合う.
so·lar [solár ソらル] 形 **1** 太陽の. batería *solar* 太陽電池. **2** 旧家の, 名門の.

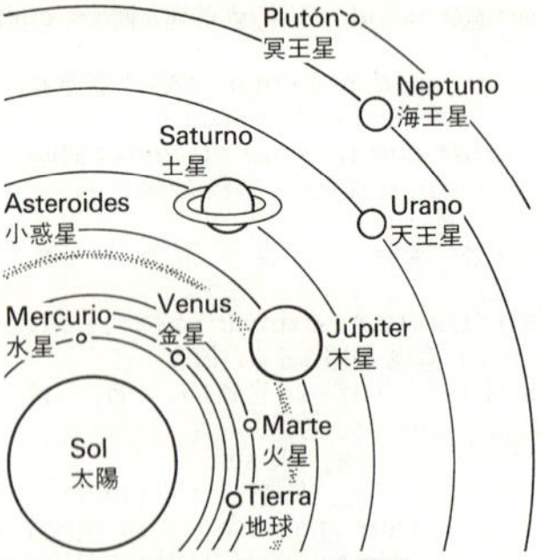

sistema solar 太陽系

—— 名男 **1** 敷地，建設用地.
2 旧家，名門.

so·la·rie·go, ga [solarjéɣo, ɣa ソらリエゴ，ガ] 形 名門の，古い家柄の. casa *solariega* 旧家.

so·laz [soláθ ソらす] 名男 気晴らし；安らぎ；休養.

sol·da·des·co, ca [soldaðésko, ka ソるダデスコ，カ] 形 兵士の.
—— 名女 軍隊生活；《軽蔑》規律の乱れた軍隊.

sol·da·do [soldáðo ソるダド] 名男 [複 ～s]〔英 soldier〕**兵士**，兵隊. *soldado* de caballería 騎兵. *soldado* de infantería 歩兵. *soldado* raso 一兵卒. *soldado* voluntario 志願兵. la tumba del *soldado* desconocido 無名戦士の墓.

sol·da·du·ra [soldaðúra ソるダドゥラ] 名女 **1** 溶接；はんだ付け；溶接部. *soldadura* autógena ガス溶接. *soldadura* por arco アーク溶接.
2 溶接棒，はんだ.

sol·dar [soldár ソるダル] [13 o → ue] 動他 **1** 溶接する；はんだ付けをする. *soldar* por puntos (電気溶接で) スポット溶接する. **2** (欠陥などを) 手直しする.

so·le·ar [soleár ソれアル] 動他 日に当てる.

so·le·cis·mo [soleθísmo ソれしスモ] 名男〔文法〕文法違反，誤用.

S

so·le·dad [soleðáð ソれダ(ドゥ)] 名女
1 孤独；寂しさ. soportar la *soledad* 孤独に耐える.
2 [普通 ～es] 人気のない場所，人里離れた所.

so·lem·ne [solémne ソれムネ] 形 **1** 荘厳[荘重]な，厳粛な；重々しい. funerales *solemnes* 荘厳な葬儀. misa *solemne* 荘厳ミサ. **2** もったいぶった，真面目くさった.

so·lem·ne·men·te [solémneménte ソれムネメンテ] 副 厳かに，厳粛に.

so·lem·ni·dad [solemniðáð ソれムニダ(ドゥ)] 名女 **1** 荘厳，厳粛さ.
2 儀式；式次第；正規の手続き.

so·lem·ni·zar [solemniθár ソれムニさル] [39 z → c] 動他 荘厳に行う；盛大に祝う.

so·ler [solér ソれル] [35 o → ue] 動自〔英 be in the habit of〕《+不定詞》**…するのが常である**，いつも…する. *Suele* ir a trabajar todos los días a las ocho. 彼は毎朝8時に仕事に行く. *Solía* ver la televisión por la noche. 彼は夜はたいていテレビを見ていた.

so·le·ra [soléra ソれラ] 名女 **1**〔建築〕根太，大引き；(柱・銅像などの) 基石.
2 (ぶどう酒の) おり. vino de *solera* 年代もののぶどう酒 (◆新酒に混ぜて熟成させ風味を増すために使われる).
3 伝統，由緒. familia de mucha *solera* 旧家.

sol·fa [sólfa ソるファ] 名女 **1**〔音楽〕階名唱法，ソルフェージュ. **2**《口語》殴打.
poner en solfa《口語》あざける，冷やかす. Los compañeros de clase *ponían en solfa* cuanto él hacía. クラスメートたちは彼のやることなすことすべてをあざけった.

sol·fe·ar [solfeár ソるフェアル] 動他
1〔音楽〕ドレミファで歌う.
2《口語》殴りつける；しかりとばす.

sol·fe·o [solféo ソるフェオ] 名男〔音楽〕ソルフェージュ (= solfa).

so·li·ci·tan·te [soliθitánte ソりしタンテ] 名男女 志願者，応募者，申請者.

so·li·ci·tar [soliθitár ソりしタル] 動他〔英 request, apply〕**1 申し込む**，申請する，要請する. *solicitar* un empleo 職を求める. *solicitar* una entrevista 会見を申し込む.
2 (関心・注意を) 引きつける. *solicitar* la atención del auditorio 聴衆の注目を引く. **3** 慕う；言い寄る. La *solicitan* muchos jóvenes. 多くの若い男性が彼女を追い回している.

so·lí·ci·to, ta [solíθito, ta ソりしト，タ] 形 世話好きな，面倒見のよい. mostrarse *solícito* con《+uno》〈人〉に親切にする.

so·li·ci·tud [soliθitúð ソりしトゥ(ドゥ)] 名女 **1** 申請，応募，出願. dirigir una *solicitud* 申請する. a *solicitud* 申し込み[請求]があり次第.
2 申請書 (= instancia).
3 配慮，心遣い. con *solicitud* 懇切丁寧に.

so·li·da·ri·dad [soliðariðáð ソりダリダ(ドゥ)] 名女 団結；連帯(感). por *solidaridad* con ... …と連帯して.

so·li·da·rio, ria [soliðárjo, rja ソりダリオ，リア] 形 連帯した；連帯責任の.

so·li·da·ri·zar [soliðariθár ソりダリさル] [39 z → c] 動他 結束[団結]させる；…に連帯責任を負わせる.
—— **so·li·da·ri·zar·se** 連帯する. *solidarizarse* con los huelguistas ストライキ参加者たちと連帯する.

so·li·de·o [soliðéo ソリデオ] 名男 〘カトリック〙 カロッタ. ◆教皇は白, 枢機卿(けい)は赤, 司教は紫, 一般聖職者は黒の半球帽.

so·li·dez [soliðéθ ソリデす] 名女 堅固さ, 丈夫さ; (論拠などの) 確かさ.

so·li·di·fi·ca·ción [soliðifikaθjón ソリディフィカしオン] 名女 凝固, 凝結.

so·li·di·fi·car [soliðifikár ソリディフィカル] [8 c → qu] 動他 凝固させる.

só·li·do, da [sóliðo, ða ソリド, ダ] 形 **1** 固体の, 固形の. cuerpo *sólido* 固体 (物質). alimento *sólido* 固形食 (物).
2 堅固な, 確固とした (= firme). cimientos *sólidos* 丈夫な土台. terreno *sólido* 堅い地盤. tener una *sólida* formación しっかりした教育を身につけている.
── 名男 立 (方) 体; 固体. ► 液体は líquido. 気体は gas, cuerpo gaseoso.

so·li·lo·quio [solilókjo ソリろキオ] 名男 独り言; 〘演劇〙 独白 (= monólogo).

so·lis·ta [solísta ソリスタ] 名男女 〘音楽〙 独奏者, 独唱者, ソリスト.

so·li·ta·rio, ria [solitárjo, rja ソリタリオ, リア] 形 **1** 孤独な, ひとりぼっちの; 孤独を愛する. vivir *solitario* ひとり暮らしをする.
2 人気のない, 人里離れた. una calle *solitaria* 人っ子ひとりいない通り.
── 名男女 隠遁(とん)者; 孤独を愛する人.
── 名男 (トランプ) ひとり遊び, ひとり占い.

so·li·vian·tar [soliβjantár ソリビアンタル] 動他 **1** 扇動する; 唆す. *soliviantar* con proyectos irrealizables 雲をつかむような話で釣る. **2** いらいらさせる, 怒らせる. Me *solivianta* su frescura. 彼のずうずうしさには腹が立つ.

so·llo·zar [soʎoθár ソリョさル] [39 z → c] 動自 すすり泣く, 泣きじゃくる.

so·llo·zo [soʎóθo ソリョそ] 名男 すすり泣き, 嗚咽(おえつ). decir 《+algo》 entre *sollozos* 〈何か〉を泣きじゃくりながら言う. prorrumpir [romper] en *sollozos* 嗚咽(おえ)を漏らす.

so·lo[1], la
[sólo, la ソろ, ら] 形 [複 ~s] 〔英 alone〕
唯一の, ひとりの, 孤独な. vivir *solo* ひとりで暮らす. sentirse *solo* 孤独をかみしめる. SU *sola* preocupación たった一つの気がかり. ni una *sola* crítica 何一つ非難もなく.
a solas (ひとり) だけで. hablar *a solas* 独り言を言う. Se quedaron *a solas*. 彼らだけになってしまった.
de solo a solo 差し向かいで.
quedarse solo 並ぶ者がいない. *Se queda solo* en esta especialidad. この専門分野では彼に及ぶ者はいない.

so·lo[2] [sólo ソろ] 名男 独奏 [独唱] 曲; 独奏, 独唱, ソロ.

só·lo
[sólo ソろ] 副 〔英 only〕
ただ…だけ, 単に, もっぱら (= solamente). *Sólo* he venido a verte. 私はただ君に会いたくてやって来た. *Sólo* quiero que me escuches. 私はただ君に話を聞いてほしいだけだ. *Sólo* tengo un hermano. 私には兄弟がひとりしかいない. *Sólo* un momento. ちょっとお待ちください. aunque *sólo* sea (por) un día たとえ一日だけでも. ► 形容詞 solo と混同の恐れのない時は, しばしばアクセント符号が省かれる.
con sólo 《+不定詞》 / (***tan***) ***sólo con*** 《+不定詞》 ただ…するだけで. *con sólo* decir esta palabra この一言を言うだけで.
con sólo [(***tan***) ***sólo con***] ***que*** 《+接続法》 …という条件で, ただ…するだけで. *Con sólo que* ahorres cien pesetas a la semana, podrás comprarlo al cabo de un año. 週に100ペセタ貯めさえすれば, 1年でそれが買えるよ.
no sólo ... ***sino*** (***también***) ... → sino.
sólo que ... ただ…, しかし…. Me gustaría invitar a cuantos quieran venir ... *sólo que* mi casa no es tan grande. 来たい人はみんな呼びたいんだけれど, ただ僕の家がそんなに広くないんだよ.
tan sólo ただ単に, もっぱら.

so·lo·mi·llo [solomíʎo ソろミリョ] 名男 〘料理〙 サーロイン. → carne 図.

sols·ti·cio [solstíθjo ソるスティしオ] 名男 〘天文〙 至. *solsticio* de invierno 冬至. *solsticio* de verano 夏至.

sol·tar [soltár ソるタル] [13 o → ue] 動他 〔英 let go, loosen〕 **1 放す**, 解き放つ; ほどく, 緩める. *soltar* al preso 囚人を解放する. *soltar* la flecha 矢を放つ. *soltar* un nudo 結び目をほどく. *soltar* un poco de cuerda 綱を少し緩める. ¡*Suéltame*! 放して!
2 (ため息などを) 漏らす, 発する; (悪口などを) 浴びせる. *soltar* una blasfemia [maldición] 暴言を吐く. *soltar* una carcajada [risotada] 大笑い [高笑い] する. *soltar* un suspiro ため息をつく. ¡*Suelta*! 《口語》 言えよ!
3 《口語》 (金を) 出す, 払う. *soltar* la pasta [mosca] しぶしぶ金を出す.
4 《口語》 (殴打を) 浴びせる, 食らわす. *soltar* un puñetazo 一発げんこつをお見舞いする.
5 〘コンピュータ〙 ドロップする.
── **sol·tar·*se*** **1** 自由になる, 解放される. Cuando bebe *se suelta*. 彼は酒が入ると気が大きくなる.
2 (結び目・編み目などが) ほどける, ほぐれる, ほつれる; (ねじが) 抜ける.
3 《+en》 …を自在にできるようになる; …の要領を飲み込む. ¿Crees que se necesita mucho tiempo para *soltarse* en español? スペイン語を使いこなせるようになるには, 長い時間がかかると思うかい?
4 《+a 不定詞》 …し始める. *soltarse a*

S

hablar 堰(せき)を切ったように話す.
5《+con》(ぶしつけなことを)する. *soltarse con* frases obscenas みだらな言葉を吐く.
soltarse a* SU *gusto 《口語》鬱憤(うっぷん)を晴らす, 言いたい放題を言う.
soltarse a 《+uno》 [***soltarse de***] ***la lengua*** 口が軽くなる, 余計なことをしゃべる.

soltera 形女 → soltero.

sol·te·rí·a [soltería ソるテリア] 名女 独身(生活).

sol·te·ro, ra [soltéro, ra ソるテロ, ラ] 形 [複 ~s] 〔英 unmarried〕 **独身の**, 未婚の (↔ casado). la Sra. Tanaka, de *soltera* Sato 田中夫人, 旧姓佐藤.

sol·te·rón, ro·na [solterón, róna ソるテロン, ロナ] 名男女 いい年をした独り者; 婚期を過ぎた女性.

sol·tu·ra [soltúra ソるトゥラ] 名女
1 流暢(りゅうちょう)(= fluidez). hablar español con *soltura* スペイン語をぺらぺら話す.
2 敏捷(びんしょう), 身軽さ; 自由, 気まま.

so·lu·ble [solúβle ソるブれ] 形 **1** 溶ける, 可溶性の. **2** 解決できる.

so·lu·ción [soluθjón ソるしオン] 名女 [複 soluciones] 〔英 solution〕 **1 解決**, 解答. *solución* de un problema 問題の解決. No hay más *solución* que decirle la verdad. 彼に真実を話すしか手がない.
2〘化〙溶解, 溶液.
sin solución de continuidad 途切れることなく, 中断せずに.

so·lu·cio·nar [soluθjonár ソるしオナル] 動他 解く; 解決する (= resolver). *solucionar* un problema 問題を解決する.

sol·ven·cia [solβénθja ソるベンしア] 名女
1 支払い能力, 資力 (↔ insolvencia).
2 信頼性.

sol·ven·tar [solβentár ソるベンタル] 動他
1 返済する. *solventar* las deudas 借金を返す. **2** 解決する. *solventar* conflictos 紛争を解決する.

sol·ven·te [solβénte ソるベンテ] 形 **1** 支払い能力がある (↔ insolvente).
2 有能な. **3** 溶かす.
── 名男〘化〙溶剤, 溶媒.

som·bra [sómbra ソンブラ] 名女 [複 ~s] 〔英 shadow, shade〕
1 陰, 影 (↔sol, luz). hacer *sombra* 影を作る[落とす]. sentarse a [en] la *sombra* 日陰に座る. *sombras* chinescas 影絵.
2 [普通 ~s] 闇(やみ), 暗がり. temer a las *sombras* de la noche 夜の闇(やみ)を怖がる.
3〘闘牛〙日陰席 (◆ひなた席より涼しいので料金が高い). sol y *sombra* ひなたからしだいに日陰になる席. → sol.
4〘美術〙陰影, 暗部.
5 亡霊, 幻影.
6 微量. Su modo de hablar no tenía ni *sombra* de gracia. 彼の話し方は味もそっけもなかった.
7 欠点. El orgullo es una *sombra* de su carácter. 気位の高さは彼女の欠点です.
8 不安.
a la sombra (1)日陰に[で]. (2)《口語》刑務所に. Le han puesto *a la sombra* por cometer un atraco. 彼は強盗を働いて刑務所に入れられた.
a la sombra de ... …の保護の下で.
hacer sombra a 《+uno》〈人〉の影を薄くする, 〈人〉を圧倒する.
ni por sombra 少しも…ない.
no ser más que la sombra* / *no ser ni sombra de lo que era 見る影もない.
tener buena sombra 《口語》感じがよい; 運がいい.
tener mala sombra 《口語》意地が悪い, 不愉快だ, 厄介だ; 運が悪い.

som·bra·je [sombráxe ソンブラへ] /
som·bra·jo [-xo -ホ] 名男 日よけ.

som·bre·a·dor [sombreaðór ソンブレアドル] 名男 アイシャドー.

som·bre·ar [sombreár ソンブレアル] 動他 陰を作る; 陰影をつける. Los árboles *sombrean* el jardín. 木で庭は日陰になっている.

som·bre·re·rí·a [sombrerería ソンブレレリア] 名女 帽子店; 帽子工場.

som·bre·ro [sombréro ソンブレロ] 名男 [複~s] 〔英hat〕
1 (縁のある) **帽子**. ponerse el *sombrero* 帽子をかぶる. quitarse el *sombrero* ante ... 帽子をとる; 敬服する, 脱帽する. con el *sombrero* puesto 帽子をかぶったま

sombrero 帽子

S

まで. ► ひさし付きの帽子は gorra, 縁なし帽子は gorro.
2〘植物〙(キノコの)笠.

som·bri·lla [sombríʎa ソンブリリャ] 名女 日傘, パラソル(= quitasol).

som·brí·o, a [sombrío, a ソンブリオ, ア] 形暗い, 薄暗い(= oscuro); 陰気な.

so·me·ra·men·te [soméraménte ソメラメンテ] 手短に, ざっと.

so·me·ro, ra [someˊro, ra ソメロ, ラ] 形 手短な, 簡潔な; 表面的な.

so·me·ter [sometér ソメテル] 動他 **1** 従わせる. *someter* a los rebeldes 反乱軍を鎮圧する.
2 (審査などに)付する. *someter* a prueba テストする. *someter* a la autoridad 当局に決定をゆだねる. *someter* a votación 投票にかける.
— **so·me·ter·se** 《+**a**》…に従う, 降伏する, 屈服する. *someterse a* la opinión de la mayoría 多数意見に従う. *someterse a* la ley 法律に従う.

so·me·ti·mien·to [sometimjénto ソメティミエント] 名男 **1** 服従, 屈服, 降伏.
2 (審査などに)付すること.

so·mier [somjér ソミエル] 名男 (ベッドの)マットレス台. ➡ cama 図.
[←〔仏〕sommier]

som·ní·fe·ro, ra [somnífero, ra ソムニフェロ, ラ] 形 催眠性の.
— 名男 睡眠薬.

som·no·len·cia [somnolénθja ソムノれンしア] 名女 眠気, けだるさ.

som·no·lien·to, ta [somnoljénto, ta ソムノリエント, タ] 形 眠い, けだるい.
— 名男女 寝ぼけまなこの人.

somos 動 ➡ ser. 53

son [són ソン] 名男 (快い)音. al *son* de la marcha nupcial 結婚行進曲に合わせて. ➡ sonido.
¿A qué son? / ¿A son de qué? なぜ, どういう訳で?
en son de ... …として, …のつもりで. *en son de* burla 冷やかしのつもりで.
— 動 ➡ ser. 53

so·na·do, da [sonáðo, ða ソナド, ダ] 過分 形 有名な, 評判になった. un escándalo muy *sonado* 大いに世間を騒がせたスキャンダル.
estar sonado 気が触れている.
hacer una sonada 醜聞を引き起こす.

so·na·ja [sonáxa ソナハ] 名女〘音楽〙ハイハットシンバル; (タンバリンの)鈴.

so·nám·bu·lo, la [sonámbulo, la ソナンブろ, ら] 形〘医〙夢遊病の.
— 名男女〘医〙夢遊病者.

so·nar [sonár ソナル] [13 o ➡ ue] 動自 〔英 sound〕 **1** **鳴る**, 音をたてる. *Sonaron* las once. 時計が11時を打った. *sonar* a hueco うつろに響く.
2 聞き覚え[見覚え]がある, 思い当たる. ¿Te *suena* este refrán? この諺(ことわざ)聞いたことある?
3《+**a**》…に思える. Lo que has dicho me *suena a* falso. 君の言ったことはうそみたいだ.
4 (名前が)挙がる, 話に出る, うわさされる.
— 動他 **1** 鳴らす. *Sonamos* la campanilla. 私たちは鐘を鳴らした.
2 (人の)鼻をかんでやる.
— **so·nar·se** **1** 鼻をかむ.
2 うわさがある. *Se suena* que ya han llegado a Japón. 彼らはもう日本に到着したそうだ.
(*así, tal*) *como suena* 嘘(うそ)でなく, 文字どおり. Echó a su marido de casa ..., *así como suena*. 彼女は夫を追い出したんだ, ほんとに.

so·na·ta [sonáta ソナタ] 名女〘音楽〙ソナタ. [←イタリア語]

so·na·ti·na [sonatína ソナティナ] 名女〘音楽〙ソナチネ. [←イタリア語]

son·da [sónda ソンダ] 名女 **1**〘海事〙測深; 測鉛.
2 (気象用)観測機; 探査機.
3〘医〙消息子, ゾンデ.
4〘鉱物〙穿孔(せんこう)機.

son·dar [sondár ソンダル] / **son·de·ar** [sondeár ソンデアル] 動他 **1** (測鉛で)測深する. **2** (地下・大気を)調査する.
3〘医〙消息子[ゾンデ]で検査する.
4 (意図などを)探る.

son·de·o [sondéo ソンデオ] 名男 **1**〘海事〙測深; 海底調査.
2〘鉱物〙ボーリング.
3〘医〙消息子法.
4 調査. *sondeo* de la opinión pública 世論調査.

so·ne·to [sonéto ソネト] 名男 ソネット, 十四行詩. [←〔伊〕sonétto]

só·ni·co, ca [sóniko, ka ソニコ, カ] 形 音響の; 音速の. ➡ supersónico.

so·ni·do [soníðo ソニド] 名男 [複 ~s] 〔英 sound〕 **1** **音**, 音響. *sonido* estereofónico [digital] ステレオ[デジタル]サウンド. No se había conseguido antes una imagen y un *sonido* tan nítidos. 以前はこんなに鮮明な映像と音声は得られなかった. romper la barrera del *sonido* 音速の壁を破る. ► 音響としての音は sonido, 雑音, 騒音, 物音は ruido, 話し声は voz, ざわめきは rumor, 音楽的な音は son.
2〘音声〙音(おん).

so·no·ri·dad [sonoriðáð ソノリダ(ドゥ)] 名女 **1** 響き, 反響. **2**〘音声〙有声性.

so·no·ri·za·ción [sonoriθaθjón ソノリさしオン] 名女 **1**〘映画〙音入れ.
2〘音声〙有声音化. **3** 音響装置の設置.

so·no·ri·zar [sonoriθár ソノリさル] [39 z ➡ c] 動他 **1**〘映画〙音入れをする.
2〘音声〙有声化する.
3 …に音響装置をつける.

S

so·no·ro, ra [sonóro, ra ソノロ, ラ] 形
1 響きのよい. voz *sonora* 朗々とした声.
2 音の. efectos *sonoros* 音響効果. onda *sonora* 音波.
3〘音声〙有声の (↔ sordo).

sonreí- 動 過分 ➡ sonreír. [48 e ➡ i]

son·re·ír [sonr̄eír ソンレイル] [48 e ➡ i] 動自 [現分 sonriendo ; 過分 sonreído]〔英 smile〕 **1 ほほえむ**, 微笑する. *sonreír* forzadamente 作り笑いをする. Ella nos *sonrió*. 彼女は私たちにほほえみかけた. ► sonreírse の形でも使われる.
2《比喩》ほほえみかける. Me *sonrió* la fortuna. 私は幸運に恵まれた.

sonrí- / sonrie- 動 現分 ➡ sonreír. [48 e ➡ i]

son·rien·te [sonr̄jénte ソンリエンテ] 形 にこにこした, ほほえんだ. semblante *sonriente* にこやかな表情.

son·ri·sa [sonr̄ísa ソンリサ] 名女 ほほえみ, 微笑. no perder la *sonrisa* 笑顔を絶やさない. con una *sonrisa* 笑顔で.

son·ro·jar [sonr̄oxár ソンロハル] 動他 赤面させる.
—— **son·ro·jar·se** 赤面する.

son·ro·sa·do, da [sonr̄osáðo, ða ソンロサド, ダ] 形 ばら色がかった. mejillas *sonrosadas* ほんのりと赤味のさした頬(ほお).

son·sa·car [sonsakár ソンサカル] [8 c ➡ qu] 動他 **1** だまし取る, 巻き上げる.
2 (秘密などを)聞き出す.

son·so·ne·te [sonsonéte ソンソネテ] 名男 単調な反復音; いつもの繰り言.

so·ña·dor, do·ra [soɲaðór, ðóra ソニャドル, ドラ] 名男女 夢想家.
—— 形 夢見がちな, 夢想家の.

so·ñar [soɲár ソニャル] [13 o ➡ ue] 動自〔英 dream〕 **1 夢を見る**; 《+**con**》…を夢に見る. *Sueño* todas las noches. 私は毎晩夢を見る. *soñar* en voz alta 寝言を言う. Anoche *soñé con* mi difunta madre. 夕べ私は死んだ母の夢を見た.
2 夢想する; 《+**con**, **en**》…を切望する, …にあこがれる. ¡Déjate de *soñar*! 夢想はやめろ. ¿Que te compre un coche?; ¡tú *sueñas*! 車を買ってくれだって? それは無理だ. *soñar con* el éxito 成功を夢見る. Siempre *soñé con* estudiar en el extranjero. 私はいつも外国留学を夢見ていた.
—— 動他《+名詞節》…の夢を見る. *Soñé* que me había tocado el gordo. 私に1等が当たった夢を見た. No podía ni *soñar* que te vería por aquí. ここで君に会えるとは夢にも思わなかった.
¡Ni soñarlo! 《口語》とんでもない!
soñar con los angelitos 《口語》楽しい夢を見る.
soñar despierto 白昼夢を見る.

so·ña·rre·ra [soɲar̄éra ソニャレラ] 名女 (強い)眠気, 睡魔; 深い眠り, 昏睡(こんすい).

so·ño·lien·to, ta [soɲoljénto, ta ソニョリエント, タ] 形 眠い, うとうとした.

so·pa [sópa ソパ] 名女 [複 ～s]〔英 soup〕 **スープ**. tomar *sopa* スープを飲む (► beber は使わない). *sopa* de ajo ニンニクスープ. *sopa* de cebolla オニオンスープ. *sopa* de crema ポタージュ. *sopa* juliana 千切り野菜スープ. *sopa* de mariscos 魚介類のスープ. *sopa* de soja みそ汁.
andar a [***comer, vivir de***] ***la sopa boba*** 居候をする.
como [***hecho***] ***una sopa*** ずぶぬれになって.

so·pa·po [sopápo ソパポ] 名男 平手打ち.

so·pe·ro, ra [sopéro, ra ソペロ, ラ] 形 スープ用の.
—— 名男 スープ皿 (= plato *sopero*). ➡ vajilla 図. —— 名女 ふた付きのスープ鉢.

so·pe·sar [sopesár ソペサル] 動他 **1** (手に持って)重さを測る. **2** 推し測る, 熟慮する.

so·pe·tón [sopetón ソペトン] 名男 ***de sopetón*** いきなり, 突然, 思いがけず.

so·plar [soplár ソプラル] 動自 **1** 息を吹く. *Sopla* más fuerte. もっと強く吹きなさい.
2 (風が)吹く, 吹きつける. *Sopla* un viento muy frío. とても冷たい風が吹く.
3《口語》たらふく食べる, がぶ飲みする.
—— 動他 **1** 吹く. *soplar* las velas del pastel ケーキのろうそくに息を吹きかける. ► 楽器を吹く場合は tocar を用いる.
2 小声で教える; 密告する. *soplar* la respuesta a 《+uno》〈人〉にそっと答えを教える. **3**《口語》盗む, かすめとる.
—— **so·plar·se 1** (自分の体に)息を吹きかける. *soplarse* el dedo quemado やけどした指に息を吹きかける.
2《口語》平らげる, がぶ飲みする.

so·ple·te [sopléte ソプレテ] 名男 **1**〘技術〙ブローランプ: 溶接用バーナー.
2 (ガラス器製造用の)吹き竿(ざお).

so·pli·do [soplíðo ソプリド] 名男 (強い)一吹き.

so·plo [sóplo ソプロ] 名男 **1** 吹くこと, 一吹き. apagar de un *soplo* 一吹きで消す.
2《口語》密告. dar el *soplo* 密告する.
en un soplo すぐに.

so·plón, plo·na [soplón, plóna ソプロン, プロナ] 名男女《口語》告げ口屋, 密告者.
—— 形《口語》告げ口をする, 密告する.

so·pon·cio [sopónθjo ソポンシオ] 名男《口語》気絶.

so·por [sopór ソポル] 名男 眠気;〘医〙嗜眠(しみん). Después de comer me coge el *sopor*. 食事のあと私は眠くなる.

so·po·rí·fe·ro, ra [soporífero, ra ソポリフェロ, ラ] 形 催眠性の; 眠気を催す.

so·por·ta·ble [soportáβle ソポルタブレ] 形 我慢できる, 耐えられる (↔ insoportable).

so·por·tal [soportál ソポルタル] 名男

S

1 玄関，ポーチ．
2［普通 ～es］柱廊，アーケード．
so·por·tar [soportár ソポルタル] 動他
1 支える（＝sostener）．Estas vigas no pueden *soportar* el techo. この梁(はり)では天井を支えられない．
2 耐える，我慢する（＝aguantar）．A su edad no *soportará* la operación. 彼の年では手術に耐えられないだろう．No puedo *soportar* a ese tipo. あんなやつには我慢できない．
so·por·te [sopórte ソポルテ] 名男〘建築〙支柱；台；支え（＝sostén）．
so·pra·no [sopráno ソプラノ] 名女〘音楽〙ソプラノ歌手（＝tiple）．
―― 名男〘音楽〙最高音部．［←イタリア語］
sor [sór ソル] 名女《修道女の名につける敬称》…尼．*Sor* Juana Inés フアナ・イネス尼．► 修道士は Fray.
sor·ber [sorβér ソルベル] 動他 **1** すする．*sorber* una limonada レモネードを飲む．
2 吸収する（＝absorber）．
3 聞き入る，耳を傾ける．*Sorbían* las palabras del maestro. みんなは先生の話に聞き入っていた．
sor·be·te [sorβéte ソルベテ] 名男〘料理〙シャーベット．
sor·bo [sórβo ソルボ] 名男 一すすり；一口．de un *sorbo* 一口で．
a sorbos 少しずつ．beber *a sorbos* ちびちび飲む．
sorda 形名女 → sordo.
sor·de·ra [sorðéra ソルデラ] 名女 耳が聞こえないこと；聾(ろう)．
sor·di·dez [sorðiðéθ ソルディデす] 名女 汚さ，不潔；下品．
sór·di·do, da [sórðiðo, ða ソルディド，ダ] 形 **1** 汚い，むさくるしい．**2** 下品な，みだらな．
3 あさましい，けちな．
sor·di·na [sorðína ソルディナ] 名女〘音楽〙弱音器，ミュート；止音器，ダンパー．
con sordina ひそかに．
sor·do, da [sórðo, ða ソルド，ダ]［複 ～s］形〔英 deaf〕 **1** **耳の聞こえない**，耳の不自由な．quedarse *sordo* 耳が聞こえなくなる．►「目の見えない」は ciego，「口の利けない」は mudo.
2 鈍い，ぼんやりとした；音をたてない．luz *sorda* 鈍い光．dolor *sordo* 鈍痛．con pasos *sordos* 足音をしのばせて．
3 耳を貸さない．Permaneció *sordo* a las súplicas de su mujer. 彼は妻の頼みに耳を貸さなかった．
4 表に現れない，静かな．una cólera *sorda* 内にこもった怒り．
5〘音声〙無声の（↔ sonoro）．
―― 名男女 耳の聞こえない人．hacerse el *sordo* 聞こえない振りをする．
a la sorda / a lo sordo / a sordas《口語》こっそりと，ひそかに．
sor·do·mu·dez [sorðomuðéθ ソルドムデす] 名女 聾唖(ろうあ)．
sor·do·mu·do, da [sorðomúðo, ða ソルドムド，ダ] 形 聾唖(ろうあ)の．
―― 名男女 聾唖者．
So·ria [sórja ソリア] 固名 ソリア：スペイン中北部の県；県都．
so·ria·no, na [sorjáno, na ソリアノ，ナ] 形 ソリアの．
―― 名男女 ソリアの住民．
sor·na [sórna ソルナ] 名女 皮肉，からかい．hablar con *sorna* 皮肉な口を利く．
sor·pren·den·te [sorprendénte ソルプレンデンテ] 形 驚くべき，驚嘆すべき，意外な．
sor·pren·der [sorprendér ソルプレンデル] 動他〔英 surprise〕 **1** **驚かす**，…の意表をつく（＝asombrar）．Él me *sorprendió* con su visita. 驚いたことに突然彼が訪ねてきた．
2 不意に襲う，不意打ちする．*sorprender* al enemigo 敵を奇襲する．Nos *sorprendió* la nieve en el camino. 途中私たちは思いがけなく雪に見舞われた．*sorprender* al ladrón robando 泥棒を現行犯で捕らえる．
3 見破る，見つける．*Sorprendí* su secreto. 私は彼の秘密をかぎ当てた．
――**sor·pren·der·se**《＋de》 **…に驚く**，びっくりする．*Se sorprendió de* la noticia. 彼はその知らせに仰天した．
sor·pre·sa [sorprésa ソルプレサ] 名女［複 ～s］〔英 suprise〕 **1** **驚き**．¡Vaya *sorpresa*! びっくりしたなあ！ con gran *sorpresa* ひどく驚いて．Me das una *sorpresa* con tu llegada. 君がやって来てびっくりしたよ．Fue una *sorpresa* encontrarle en Sevilla. セビリャでまさか彼に会うなんて思いもかけなかった．
2 思いがけないこと［もの］．En esta caja hay una *sorpresa*. この箱にいいものが入っているよ．
3 奇襲，不意打ち．ataque por *sorpresa* 奇襲攻撃．
coger a 《＋uno》 ***de*** ［***por***］ ***sorpresa*** 〈人〉の不意をつく．
sor·pre·si·vo, va [sorpresíβo, βa ソルプレシボ，バ] 形《ラ米》思いがけない．
sor·te·ar [sorteár ソルテアル] 動他 **1** くじで決める，抽選する．
2（危険・攻撃などを）かわす；〘闘牛〙（牛を）かわす．
sor·te·o [sortéo ソルテオ] 名男 くじ引き，抽選．por *sorteo* くじで，抽選によって．
sor·ti·ja [sortíxa ソルティハ] 名女 **1** 指輪．*sortija* de zafiro サファイアの指輪．→ anillo.
2 巻き毛，カール．
sor·ti·le·gio [sortiléxjo ソルティれヒオ] 名男 占い；魔法，魔術；魅力，魔力．
so·se·ga·do, da [soseγáðo, ða ソセガド，ダ] 形 平静な，落ち着いた，穏やかな（＝tran-

S

quilo).

so·se·gar [soseɣár ソセガル] [32 g → gu ; 42 e → ie] 動他 静める, 落ち着かせる. —— **so·se·gar·*se*** 1 静まる, 落ち着く. 2 休息する.

so·se·rí·a [sosería ソセリア] / **so·se·ra** [soséra ソセラ] 名女 味のなさ; 面白くないもの, 味気ないこと.

so·sie·go [sosjéɣo ソシエゴ] 名男 落ち着き, 平静; 静穏 (↔ desasosiego). con *sosiego* ゆったりした気分で.

sos·la·yar [soslajár ソスらヤル] 動他
1 (狭い所を通すために) 斜めにする, 傾ける.
2 かわす, よける. *soslayar* las preguntas 質問をかわす.

sos·la·yo, ya [sosláǰo, ǰa ソスらヨ, ヤ] 形 斜めの, 傾いた.
al [***de***] ***soslayo*** 斜めに; かわして, よけて.
mirar de soslayo 横目で見る.

so·so, sa [sóso, sa ソソ, サ] 形 1 風味がない, 塩の足りない, まずい. Esta sopa está *sosa*. このスープは味が薄い.
2 無味乾燥な, 面白みのない. chiste *soso* つまらない冗談. persona *sosa* 味もそっけもない人.
—— 名女 1 《植物》オカヒジキ.
2 《化》炭酸ナトリウム, ソーダ. *sosa* cáustica 苛性(かせい)ソーダ.

sos·pe·cha [sospétʃa ソスペチャ] 名女 疑い, 嫌疑. fuera [por encima] de toda *sospecha* 疑いを挟む余地がない. despertar las *sospechas* de ... …の疑惑を招く. disipar una *sospecha* 疑いを晴らす. Tengo la *sospecha* de que él no dice la verdad. 私は彼が本当のことを言っていないのではないかと思う.

sos·pe·char [sospetʃár ソスペチャル] 動他 疑う, …ではないかと思う. *Sospechan* un fraude en el examen de ingreso. 入試に不正があったのではないかとの疑いが持たれている. *Sospecho* que no va a venir. 彼(女)は来ないんじゃないかと思うよ. ►*sospechar* que の後は直説法.
—— 動自 《+**de**》…に嫌疑をかける. La policía *sospechaba de* Juan como traficante de drogas. 警察はフアンのことを麻薬の密売人だと疑っていた.

S

sos·pe·cho·so, sa [sospetʃóso, sa ソスペチョソ, サ] 形 疑わしい; 怪しい. un tipo *sospechoso* 不審な人物.
—— 名男女 疑わしい人物, 容疑者. *sospechoso* de homicidio 殺人の容疑者.

sos·tén [sostén ソステン] 名男 1 支え; 《建築》支柱. *sostén* de la familia 家族の大黒柱.
2 《服飾》ブラジャー.
3 食べ物, 食糧.
—— 動 → sostener. 55

sostendr- / sosteng- 動 → sostener. 55

sos·te·ner [sostenér ソステネル] 55 動他 〔英 support〕 1 **支える**, 支持する; 扶養する. Las cuatro columnas *sostienen* el techo. 4本の円柱が天井を支えている. Le *sostienen* en la presidencia las fuerzas armadas. 彼が大統領の地位にいるのは軍部の支持があるからだ. Sólo la *sostiene* la esperanza de que vuelva su hijo. 彼女を支えているものは, ただ息子が帰ってくるという期待だけだ. *Sostiene* a su familia con lo que gana. 彼は自分の稼ぎだけで家族を養っている.
2 維持する ; 続ける. *sostener* buenas relaciones 良好な関係を保つ. *sostener* la conversación 会話を続ける.
3 耐える. *sostener* una situación muy desagradable 逆境に耐える.
4 主張する.
—— **sos·te·ner·*se*** 1 体を支える; 立つ. Estaba tan borracho que no podía *sostenerse* en pie. 彼は立っていられないほど泥酔していた.
2 《+形容詞・副詞など》…の状態を保つ, …のままでいる. *sostenerse* en el poder 権力の座に居座り続ける. El mercado *se sostiene* firme. 市場は安定している.
3 生計を立てる.

sos·te·ni·do, da [sosteníðo, ða ソステニド, ダ] 過分 形 1 持続した, 不断の; (相場が) 堅調の.
2 《音楽》半音高い. fa *sostenido* ファのシャープ, 嬰(えい)へ.
—— 名男 《音楽》シャープ, 嬰記号 (♯).

sos·te·ni·mien·to [sostenimjénto ソステニミエント] 名男 支持, 維持.

sostiene(-) / sostuv- 動 → sostener. 55

so·ta [sóta ソタ] 名女 (スペイン・トランプの) ジャック: 数字は10. → naipe.

so·ta·ban·co [sotaβáŋko ソタバンコ] 名男
1 《建築》(アーチの) 迫元(せりもと)石, 起拱(ききょう)石. 2 屋根裏部屋 (= desván).

so·ta·bar·ba [sotaβárβa ソタバルバ] 名女
1 顎(あご)ひげ. 2 二重顎.

so·ta·na [sotána ソタナ] 名女 《服飾》スータン: 司祭の平常服.

só·ta·no [sótano ソタノ] 名男 地下室. → casa 図.

so·ta·ven·to [sotaβénto ソタベント] 名男 《海事》風下 (↔ barlovento).

so·te·rrar [soteřár ソテラル] [42 e → ie] 動他 1 埋める. 2 隠す; 胸の奥にしまう.

so·to [sóto ソト] 名男 (川岸の) 木立, 雑木林, 藪(やぶ).

so·vié·ti·co, ca [soβjétiko, ka ソビエティコ, カ] 形 ソビエトの; (旧) ソ連の.
—— 名男女 (旧) ソ連人.

soy 動 → ser. 53

sprint [(e)sprínt (エ)スプリン(トゥ)] 名男 《スポーツ》→ esprint.

Sr. 《略》señor 《男性への敬称》…様, …氏,

…殿.
Sra. 《略》 señora 《既婚女性への敬称》 …夫人, …奥様.
Sres., Srs. 《略》 señores 《複数の男性への敬称》 …様; 《夫妻への敬称》 …ご夫妻.
Srta. 《略》 señorita 《未婚女性への敬称》 …様, …嬢.
Sta. 《略》 santa 聖….
stand [(e)stánd (エ)スタン(ドゥ)] 名男 売店, スタンド; 特設場. [←英語]
stán·dar [(e)stándar (エ)スタンダル] 形 → estándar.
stan·dard [(e)stándarð (エ)スタンダル(ドゥ)] 形 → estandard.
Sto. 《略》 santo 聖….
stock [(e)stók (エ)スト(ク)] 名男 在庫(品), ストック. [←英語]

su [su ス] 形 《所有》 [前置形; 複数形 sus]
〔英 his, her, its, their, your〕

所有形容詞(前置形)	
mi(s) 私の	nuestro(s), tra(s) 私たちの
tu(s) 君の	vuestro(s), tra(s) 君たちの
su(s) 彼[彼女]の, あなた[それ]の	su(s) 彼[彼女]らの, あなたがた[それら]の

彼(ら)の, 彼女(たち)の, それ(ら)の, あなた(がた)の. María y *su* padre マリアと彼女の父親.

【文 法】 1 所有形容詞は所有者の性・数にではなく, 後に続く名詞のそれに一致する.
tu libro 君の本.
tus libros 君の本.
nuestra casa 私たちの家.
sus padres 彼[あなた・彼ら…]の両親.
2 一対のものを表す複数名詞の場合は, 1個か2個以上かの区別がない.
mis gafas 私の眼鏡.
3 su は所有者の範囲が広いので, まぎらわしさを避けるために de＋人称代名詞に替えたり, 時に重複させて用いる.
los zapatos *de usted* / *sus* zapatos *de usted* あなたの靴.

sua·so·rio, ria [swasórjo, rja スアソリオ, リア] 形 説得の, 説得力のある.
sua·ve [swáβe スアベ] 形 [複 ～s] 〔英 soft〕 **1 柔らかな,** 滑らかな. *suave* como la piel de un niño 赤ちゃんの肌のようにすべすべした.
2 穏やかな; 緩やかな. clima *suave* 温暖な気候. curva *suave* 緩いカーブ. viento *suave* そよ風.
3 耳に快い; 味のまろやかな. una música *suave* 快い音楽. tabaco *suave* 軽いタバコ. **4** 穏和な, 従順な (＝dócil).
sua·vi·dad [swaβiðáð スアビダ(ドゥ)] 名女 柔らかさ, 滑らかさ; 穏やかさ. tratar con *suavidad* 優しく接する.
sua·vi·zar [swaβiθár スアビサル] [39 z → c] 動他 柔らかくする, 滑らかにする; 穏やかにする, 軽減する. *suavizar* la superficie 表面のざらつきをなくす. *suavizar* asperezas とげとげしさを和らげる.
sub- / sus- 《接頭》 「下」の意を表す. *sub*terráneo, *sus*pender など.
su·bal·ter·no, na [suβalterno, na スバルテルノ, ナ] 形 下位の, 下級の.
— 名男女 下役, 部下.
su·bas·ta [suβásta スバスタ] 名女 競売, オークション, 競り. sacar a *subasta* pública 公開入札にする.
su·bas·tar [suβastár スバスタル] 動他 競売にかける; 入札制にする.
sub·co·mi·sión [suβkomisjón スブコミシオン] 名女 小委員会, 分科会.
sub·cons·cien·te [suβkonsθjénte スブコンシエンテ] 形 《心理》 潜在意識の.
— 名男 《心理》 潜在意識.
sub·cu·tá·ne·o, a [suβkutáneo, a スブクタネオ, ア] 形 皮下の.
sub·de·sa·rro·lla·do, da [suβðesar̄oʎáðo, ða スブデサロリャド, ダ] 形 後進の, 開発の遅れた.
sub·de·sa·rro·llo [suβðesar̄óʎo スブデサロリョ] 名男 低開発, 後進(性).
sub·di·rec·tor, to·ra [suβðirektór, tóra スブディレクトル, トラ] 名男女 副社長, 次長; 助監督; 副指揮官.
súb·di·to, ta [súβðito, ta スブディト, タ] 名男女 **1** 家来, 臣下. **2** 国民.
— 形 臣従する, 仕える.
sub·di·vi·dir [suβðiβiðír スブディビディル] 動他 さらに細かく分ける, さらに分割する.
sub·gé·ne·ro [suβxénero スブヘネロ] 名男 《生物》 亜属.
su·bi·da [suβíða スビダ] 名女 **1** 上昇, 昇ること; 登ること. *subida* de [a la] montaña 登山.
2 (物価・温度などの) 上昇. *subida* de precios 物価騰貴.
3 上り坂. ► 下り坂は bajada.
— 過分 女 → subir.
su·bi·do, da [suβíðo, ða スビド, ダ] 過分 → subir.
— 形 強烈な, きつい, 派手な. una falda de un verde *subido* 鮮やかな緑色のスカート.
subido de tono 大胆な, きわどい.
subiendo 現分 → subir.
su·bir [suβír スビル] 動自 [現分 subiendo ; 過分 su-

S

bido, da]〔英 go up〕
1《+**a**》…**に上がる**, **登る** (↔bajar). *subir a* la azotea 屋上に上がる. *subir a* un árbol 木に登る. *subir* en ascensor エレベーターで上がる.
2《+**a**》…**に乗る**, 乗り込む. *subir a* bordo 乗船する, 搭乗する. *subir al* coche [tren] 車[電車]に乗り込む.
3 (水位・温度・値段などが) 上がる, 上昇する. *Sube* la marea a las tres. 3時に満潮になる. *Ha subido* el gas. ガス代が値上がりした. El colegio de los niños *ha subido* una barbaridad. 学費がべらぼうに上がった.
4《+**a**》(金額などが) …にのぼる, 達する. El hotel *subirá a* veinte mil diarias. ホテル代は1日2万ペセタになる.
5 出世する, 昇進する. *Ha subido* mucho en su profesión. 彼はその仕事でずいぶん出世した. *subir* de categoría 昇格する.
── 動他〔英 climb, go up〕 **1 昇る**, 上る. *subir* la escalera 階段を上る.
2 上げる, 運び上げる. *Súba*me la maleta a la habitación. スーツケースを私の部屋まで運んでください.
3 高める, 強める. Me *han subido* el alquiler. 家賃が値上げされた. No *subas* demasiado el volumen. あまりボリュームをあげすぎるな.
── **su·bir·*se*** **1**《+**a**》…に上がる, 登る. *subirse al* muro [*al* tejado] 塀[屋根]に上がる. **2** 乗る, 乗り込む.

sú·bi·to[1]**, ta** [súβito, ta スビト, タ] 形 突然の, 急な. una *súbita* llamada 突然の呼び出し.

sú·bi·to[2] [súβito スビト] 副 突然, 出し抜けに.
de súbito 突然, 出し抜けに.

sub·je·ti·vi·dad [suβxetiβiðáð スブヘティビダ(ドゥ)] 名女 主観性.

sub·je·ti·vo, va [suβxetíβo, βa スブヘティボ, バ] 形 主観的な (↔ objetivo). juicios *subjetivos* 主観的な判断.

sub·jun·ti·vo, va [suβxuntíβo, βa スブフンティボ, バ] 形〘文法〙接続法の.
── 名男〘文法〙接続法 (= modo *subjuntivo*). ⇨ 文法用語の解説.

su·ble·va·ción [suβleβaθjón スブレバシオン] 名女 反乱, 蜂起(ほうき); 暴動.

su·ble·var [suβleβár スブレバル] 動他
1 …に反乱を起こさせる; 暴動を起こさせる.
2 激怒させる, 憤慨させる.
── **su·ble·var·*se***《+**contra**》…に対して反乱を起こす; 暴動を起こす.

su·bli·mar [suβlimár スブリマル] 動他
1 称揚する; (精神的に) 高める.
2〘化〙昇華させる.

su·bli·me [suβlíme スブリメ] 形 崇高な; 気高い;《口語》とてもいい, すばらしい.

sub·ma·ri·nis·ta [suβmarinísta スブマリニスタ] 名男女 (スキューバ) ダイバー; 潜水艦の乗組員.
── 形 潜水する, 潜水の.

sub·ma·ri·no, na [suβmaríno, na スブマリノ, ナ] 形 海底の, 海中の. cable *submarino* 海底ケーブル.
── 名男 潜水艦. *submarino* (de propulsión) nuclear 原子力潜水艦.

sub·nor·mal [suβnormál スブノルマる] 形 低知能の, 知恵遅れの.
── 名男女 知恵遅れの子.

su·bo·fi·cial [suβofiθjál スボフィしアる] 名男〘軍事〙下士官. ➡ oficial.

su·bor·di·na·ción [suβorðinaθjón スボルディナしオン] 名女 **1** 服従, 従属.
2〘文法〙従属 (関係) ➡ coordinación.

su·bor·di·na·do, da [suβorðináðo, ða スボルディナド, ダ] 形 服従した, 従属した. oración *subordinada*〘文法〙従属節.
── 名男女 部下, 配下.

su·bor·di·nar [suβorðinár スボルディナル] 動他《+ **a**》…に服従させる, 従属させる. *subordinar* la razón *a* la fe 理性を信仰に従属させる.

sub·ra·yar [suβr̄ajár スブラヤル] 動他
1 …にアンダーライン[下線]を引く.
2 強調する. *subrayar* cada palabra con un ademán 一言一言身ぶりを交えて強調する.

subs·cri·bir [suβskriβír スブスクリビル] 動他[過分 subscrito, ta] ➡ suscribir.

subs·crip·ción [suβskripθjón スブスクリプしオン] 名女 ➡ suscripción.

sub·se·cre·ta·rio, ria [suβsekretárjo, rja スブセクレタリオ, リア] 名男女 (各省の) 次官.

sub·si·dia·rio, ria [suβsiðjárjo, rja スブシディアリオ, リア] 形 補助の, 助成の.

sub·si·dio [suβsíðjo スブシディオ] 名男 補助 (金), 助成 (金). *subsidio* de enfermedad 疾病手当, 医療給付 (金). *subsidio* de exportación 輸出助成金. *subsidio* de paro 失業給付 (金). *subsidio* de vejez 老齢手当.

sub·sis·ten·cia [suβsisténθja スブシステンしア] 名女 **1** (人間の) 生存, 存続.
2 [普通 ～s] 日々の糧, 生活必需品.

sub·sis·tir [suβsistír スブシスティル] 動自 存続する; 生き長らえる. Aún *subsiste* el odio entre los dos pueblos. まだ両国民の間に怨念(おんねん)が残っている.

subs·tan·cia [suβstánθja スブスタンしア] 名女 ➡ sustancia.

subs·tan·cial [suβstanθjál スブスタンしアる] 形 ➡ sustancial.

subs·tan·cio·so, sa [suβstanθjóso, sa スブスタンしオソ, サ] 形 ➡ sustancioso.

subs·tan·ti·var [suβstantiβár スブスタンティバル] 動他 ➡ sustantivar.

subs·tan·ti·vo, va [suβstantíβo, βa スブスタンティボ, バ] 形名男 ➡ sustantivo.

subs·ti·tu·ción [suβstituθjón スブスティ

トゥしオン] 名女 ➡ sustitución.
subs·ti·tui·ble [suβstitwíβle スブスティトゥイブれ] 形 ➡ sustituible.
subs·ti·tuir [suβstitwír スブスティトゥイル] 29 動他 [現分 substituyendo] ➡ sustituir.
subs·ti·tu·to, ta [suβstitúto, ta スブスティトゥト, タ] 名男女 ➡ sustituto.
subs·trac·ción [suβstrakθjón スブストゥラクしオン] 名女 ➡ sustracción.
subs·tra·er [suβstraér スブストゥラエル] 57 動他 [現分 substrayendo ; 過分 substraído, da] ➡ sustraer.
subs·tra·to [suβstráto スブストゥラト] 名男 ➡ sustrato.
sub·sue·lo [suβswélo スブスエろ] 名男 〘地質〙心土, 下層土.
sub·te·nien·te [suβtenjénte スブテニエンテ] 名男 〘軍事〙准尉.
sub·ter·fu·gio [suβterfúxjo スブテルフヒオ] 名男 逃げ口上, 口実, 言い逃れ.
sub·te·rrá·ne·o, a [suβteřáneo, a スブテラネオ, ア] 形 地下の. aguas *subterráneas* 地下水. paso *subterráneo* 地下道.
—— 名男 **1** 地下, 地下室.
2 《ラ米》地下鉄 (= metro).
sub·tí·tu·lo [suβtítulo スブティトゥろ] 名男
1 副題, サブタイトル.
2 [普通 ～s] 〘映画〙字幕.
su·bur·ba·no, na [suβurβáno, na スブルバノ, ナ] 形 郊外の, 町外れの.
—— 名男女 郊外に住んでいる人.
—— 名男 郊外電車.
su·bur·bio [suβúrβjo スブルビオ] 名男 [英 suburb] 都市周辺部; スラム街, 場末.
► 一般に「郊外」は las afueras.
sub·ven·ción [suββenθjón スブベンしオン] 名女 **1** 補助, 助成. *subvención* estatal 国からの補助金.
2 補助金, 助成金 (= subsidio) ; 奨学金. *subvenciones* agrícolas 農業奨励金.
sub·ven·cio·nar [suββenθjonár スブベンしオナル] 動他 …に助成金を出す, 奨励金を支給する.
sub·ver·sión [suββersjón スブベルシオン] 名女 (秩序などの) 転覆. una época de gran *subversión* de valores 価値観がことごとく覆される時代.
sub·ver·si·va·men·te [suββersíβaménte スブベルシバメンテ] 副 破壊的に.
sub·ver·si·vo, va [suββersíβo, βa スブベルシボ, バ] 形 体制を揺るがす. literatura *subversiva* 反体制文学.
sub·ver·tir [suββertír スブベルティル] [52 e ➡ ie, i] 動他 [現分 subvirtiendo] (秩序などを) 覆す; (体制を) 揺るがす.
sub·ya·cen·te [suβǰaθénte スブヤセンテ] 形 下にある, 表に出ない.
sub·yu·ga·ción [suβǰuɣaθjón スブユガしオン] 名女 征服; 隷属.
sub·yu·gar [suβǰuɣár スブユガル] [32 g ➡ gu] 動他 征服する, 隷属させる.
suc·ción [sukθjón スクしオン] 名女 吸うこと, 吸引.
suc·cio·nar [sukθjonár スクしオナル] 動他 吸う, 吸引する.
su·ce·dá·ne·o, a [suθeðáneo, a スセダネオ, ア] 形 代わりになる, 代用の. La sacarina se emplea como *sucedánea* del azúcar. サッカリンは砂糖の代わりとして使われる.
—— 名男 代用品, 代替物.
su·ce·der [suθeðér スセデル] 動自 [英 happen ; succeed] **1 起こる**, 生じる (= ocurrir). Nunca me *ha sucedido* semejante cosa. こんな体験はいままでしたこともない. Lo que *sucede* es que .... 実は…である. por lo que pueda *suceder* 用心のために. ► 3人称でのみ用いられる.
2 《+a》…の後を継ぐ, 継承する. ¿Quién *ha sucedido a* José en la presidencia? ホセの次は誰が新社長になったのか. *suceder al* rey 王位を継承する.
3 《+a》…に続く, 後に続く. *Al* invierno *sucede* la primavera. 冬の次には春が続く.
su·ce·di·do, da [suθeðíðo, ða スセディド, ダ] 過分 形 起こった. Me contó todo lo *sucedido*. 彼は起こったことをすべて私に語った.
—— 名男 《口語》出来事, 事件 (= suceso).
su·ce·sión [suθesjón スセシオン] 名女
1 連続. Se oyeron varios disparos en *sucesión*. 連続して数発の銃声がした.
2 相続, 継承; 相続財産 [権] ; 《集合》継承者, 後継者. *sucesión* testada 遺言による相続.
su·ce·si·va·men·te [suθesíβaménte スセシバメンテ] 副 次々と, 相次いで.
su·ce·si·vo, va [suθesíβo, βa スセシボ, バ] 形 連続した, 相次ぐ. cinco días *sucesivos* 連続5日間. en días *sucesivos* 日を追って.
en lo sucesivo これからは, 以後は. y así *sucesivamente* 以下同様に.
su·ce·so [suθéso スセソ] 名男 出来事, 事件. el lugar del *suceso* 事件の現場. sección de *sucesos* (新聞の) 社会面.
su·ce·sor, so·ra [suθesór, sóra スセソル, ソラ] 名男女 後継者; 相続人. Le nombré *sucesor* en el puesto. 私は彼を後任に指名した.
—— 形 後を継ぐ; 相続する.
su·ce·so·rio, ria [suθesórjo, rja スセソリオ, リア] 形 相続の, 継承に関する.
sucia 形女 ➡ sucio[1].
su·cie·dad [suθjeðáð スしエダ(ドゥ)] 名女
1 汚れ, 不潔 (↔ limpieza); 汚物, ごみくず. la *suciedad* de un cuarto 部屋の汚さ. **2** 下品, 下劣.

su·cin·ta·men·te [suθíntaménte スシンタメンテ] 副 簡潔に, かいつまんで.

su·cin·to, ta [suθínto, ta スシント, タ] 形 簡潔な, 手短な. explicación *sucinta* 簡潔な説明.

su·cio[1], cia [súθjo, θja スシオ, シア] 形 [複 ~s] [英 dirty] **1** 汚い, 汚れた, 不潔な (↔ limpio). La camisa está *sucia*. ワイシャツが汚れている. No me toques con la mano *sucia*. 汚い手で触るな.
2 不正な, 卑劣な; みだらな. El cártel lava el dinero *sucio* a través de los bancos. 麻薬シンジケートは汚れた金を銀行を通してクリーンな金に変える. juego *sucio* 不正行為; 反則プレー. negocios *sucios* 汚い商売. No uses palabras *sucias*. 下品な言葉を使うな.
3 汚れやすい. La plata es más *sucia* que el oro. 金より銀の方が汚れやすい.
4 (色が) くすんだ, 濁った.
en sucio 下書き (の状態) で.

su·cio[2] [súθjo スシオ] 副 不正に. jugar *sucio* 汚い手を使う.

su·cre [súkre スクレ] 名男 スクレ: エクアドルの通貨の単位.

su·cu·len·to, ta [sukulénto, ta スクレント, タ] 形 **1** 栄養満点の; おいしい.
2 〖植物〗多肉の.

su·cum·bir [sukumbír スクンビル] 動自
1 《+**a**》…に負ける, 屈服する.
2 (事故などで) 死ぬ. **3** 〖法律〗敗訴する.

su·cur·sal [sukursál スクルサル] 名女 支店, 支社, 出張所. la *sucursal* de Lima del Banco B B銀行のリマ支店.

su·da·fri·ca·no, na [suðafrikáno, na スダフリカノ, ナ] 形 南アフリカ Sudáfrica の; 南アフリカ共和国の.

Su·da·mé·ri·ca [suðamérika スダメリカ] 固名 南アメリカ, 南米.

su·da·me·ri·ca·no, na [suðamerikáno, na スダメリカノ, ナ] 形 南アメリカの, 南米の.
── 名男女 南アメリカの住民.

su·da·nés, ne·sa [suðanés, nésa スダネス, ネサ] 形 [複男 sudaneses] スーダン Sudán の.
── 名男女 スーダン人.

su·dar [suðár スダル] 動自 **1** 汗をかく. Si corremos, en seguida *sudamos*. 私たちは走るとすぐに汗が出る. *sudar* a chorros [a mares] 《口語》汗だくになる.
2 (物が) 汗をかく; (草木が) 液を出す.
3 一生懸命やる, 一心に働く.
── 動他 **1** 汗でぬらす. *sudar* la sábana 汗でシーツをぬらす.
2 《口語》努力して手に入れる. Tuve que *sudar* mucho la posición que ocupo ahora. 私は懸命に頑張らなければ現在の地位につけなかった.
hacer sudar a 《+uno》 《口語》〈人〉をこき使う.

su·da·rio [suðárjo スダリオ] 名男 **1** 死者を包む布. el Santo *Sudario* 〖カトリック〗(キリストの) 聖骸布(せいがいふ). **2** 汗ふき.

su·des·te [suðéste スデステ] 形 **1** 南東の, 南東部の. **2** 南東風の.
── 名男 **1** 南東, 南東部 《略 SE》. ➞ cardinal. **2** 南東風.

su·do·es·te [suðoéste スドエステ] 形
1 南西の, 南西部の. **2** 南西風の.
── 名男 **1** 南西, 南西部 《略 SO》.
2 南西風.

su·dor [suðór スドル] 名男 **1** 汗. con el *sudor* de SU frente 額に汗して. enjugarse el *sudor* 汗をぬぐう. oler a *sudor* 汗臭い. tener *sudores* fríos 冷や汗をかく.
2 [普通 ~es] 骨折り, 労苦. Me ha costado muchos *sudores* terminar la carrera de medicina. 私は苦労に苦労を重ねて医学を修めた.

su·do·ro·so, sa [suðoróso, sa スドロソ, サ] 形 汗をかいた; 汗をかきやすい. cara *sudorosa* 汗ばんだ顔.

Sue·cia [swéθja スエシア] 固名 スウェーデン (王国): 首都ストックホルム Estocolmo.

sue·co, ca [swéko, ka スエコ, カ] 形 スウェーデンの.
── 名男女 スウェーデン人.
── 名男 スウェーデン語.
hacerse el sueco 《口語》分からない振りをする.

sue·gra [swéɣra スエグラ] 名女 [複 ~s] [英 mother in law] 姑(しゅうとめ), 義母. ➞familia 【参考】, suegro.

sue·gro [swéɣro スエグロ] 名男 [複 ~s] [英 father in law] 舅(しゅうと), 義父. los *suegros* 舅と姑. ➞familia 【参考】, suegra.

suel- 動 ➞ soler. [35 o ➞ ue]

sue·la [swéla スエラ] 名女 靴底.
de siete [***tres, cuatro***] ***suelas*** 《口語》ひどい. un pícaro *de siete suelas* とんでもない悪党.

suel·do [swéldo スエルド] 名男 [複 ~s] 給料. *sueldo* anual 年俸. *sueldo* mensual 月給. *sueldo* base 基本給. estar a *sueldo* 給料をもらっている. asesino a *sueldo* 殺し屋.

> 【参考】給料は **sueldo, salario, paga.** スペインでは salario はあまり使われない. ボーナスは bonificación, gratificación, paga extra. 医者, 弁護士などの報酬は honorarios.

sue·lo [swélo スエロ] 名男 [複 ~s] [英 ground; floor] **1** 地面; 土地. Le empujaron de atrás y se cayó de bruces al *suelo*. 彼は後ろから押されて地面にばったり倒れた. en el santo *suelo* 地面にじかに. *suelo* fértil 肥

沃(ひよく)な土地. precio del *suelo* 地価. *suelo* natal 故郷.
2 床. Está muy limpio el *suelo* de este piso. このマンションの床はとても清潔だ. ejercicio en el *suelo* 〘スポ〙床運動.
—— 動➡ soler. [35 o ➡ ue]
***arrastrar* [*poner, tirar*] *por el suelo* [*los suelos*]** けなす, 恥をかかせる.
besar el suelo 《口語》前にばったり倒れる.
echarse* [*irse, venir*(*se*)] *al suelo 駄目になる.

suelt- 動 ➡ soltar. [13 o ➡ ue]

suel·ta·men·te [swéltaménte スエるタメンテ] 副軽快に, 流暢(りゅうちょう)に.

suel·to, ta [swélto, ta スエるト, タ] 過分 ➡ soltar. 形 **1** 緩んだ. un vestido *suelto* ゆったりした服. El tirador de la puerta está un poco *suelto*. ドアの取っ手がぐらぐらしている.
2 ばらばらの; 束ねていない. palabras *sueltas* 片言隻句. piezas *sueltas* ばらの部品. un zapato *suelto* 片方だけの靴. Estos conjuntos se vendían *sueltos* en las rebajas. このスーツはバーゲンで上下ばら売りされていたものよ. La niña llevaba el pelo *suelto*. 彼女は髪を結っていなかった.
3 器用な, 達者な; (言葉・文体が) 滑らかな, 軽やかな. Se le ve muy *suelta* conduciendo. 彼女はとても運転がうまくなった.
4 放たれた; 自由な; ふしだらな. una mujer *suelta* ふしだらな女. *suelto* de lengua 口の軽い.
—— 名男 小銭 (=dinero *suelto*). No tengo *suelto*. 小銭の持ち合わせがない.
—— 動➡ soltar. [13 o ➡ ue]

suen- 動 ➡ sonar. [13 o ➡ ue]

sueñ- 動 ➡ soñar. [13 o ➡ ue]

sue·ño [swéɲo スエニョ] 名男 [複 ~s] 〔英 sleep〕
1 眠り, 眠気. Tengo mucho *sueño*. とても眠い. Me da *sueño* la clase de ese profesor. あの先生の授業は眠くなるよ. *sueño* pesado [ligero] 深い[浅い]眠り. *sueño* eterno 永眠. descabezar [echarse] un *sueño* 《口語》うとうとする.
2 夢; あこがれ (=ensueño). tener un *sueño* horrible 怖い夢を見る. interpretar sus *sueños* 夢判断をする. *sueños* de juventud 若き日の夢. *sueño* dorado 大きな夢. *sueño* hecho realidad 現実となった夢. dulce *sueño* 最愛の人. ► 悪夢は pesadilla.
—— 動➡ soñar. [13 o ➡ ue]
ni en* [*por*] *sueños とんでもない.
perder el sueño por 《+algo》〈何か〉で頭がいっぱいである, 〈何か〉が気がかりだ.
quitar el sueño 眠気を覚ます.

sue·ro [swéro スエロ] 名男 **1** 〘医〙血清; 漿液(しょうえき).
2 乳漿, 乳清.

suer·te [swérte スエルテ] 名女 [複 ~s] 〔英 fate; luck; sort〕
1 運命; **運**, 幸運; 境遇. ¡Que tengas *suerte*! 幸運を祈る! ¡Qué *suerte* tenemos! El avión sale con dos horas de retraso. ついているなあ僕たち, 飛行機は2時間遅れで出発だ. confiar en la *suerte* 運を天に任せる. dar [traer] buena [mala] *suerte* つきが回ってくる[不運をもたらす]. leer la *suerte* a 《+uno》〈人〉の運勢を占う. golpe de *suerte* まぐれ当たり. hombre de *suerte* 幸運な人. ➡ fortuna 【参考】.
2 種類. conocer a toda *suerte* de personas あらゆる種類の人を知っている.
3 方法, やり方 (= manera, modo).
4 抽選, くじ. elegir [sacar] 《+algo》 por [a] *suerte* 〈何か〉をくじで決める.
5 〘闘牛〙(picador, banderillero, matador らが行う各段の) 技.
de otra suerte 別のやり方で; さもなければ, もしそうでなければ.
de* (*tal*) *suerte que (1) 《+直説法》《結果を表して》したがって, それだから. (2) 《+接続法》《目的を表して》…するように.
por suerte 運よく.

sué·ter [swéter スエテル] 名男 セーター (=jersey). [←〔英〕sweater]

su·fi·cien·cia [sufiθjénθja スフィしエンしア] 名女 **1** 十分, 満足すべき量. con *suficiencia* 十分に.
2 適性, 能力. demostrar su *suficiencia* 腕前を見せる.
3 自信過剰, うぬぼれ. tener aire de *suficiencia* 偉ぶる.

su·fi·cien·te [sufiθjénte スフィしエンテ] 形 [複 ~s] 〔英 sufficient〕 **1** 《+ **para**》 **…にとって十分な**. tener lo *suficiente* *para* vivir 生活に不自由していない. Tiene *suficientes* razones *para* estar enfadada. 彼女が怒るのも無理はない.
2 思い上がった (=presumido). A veces me hablas con un aire *suficiente*. 時々君は私に生意気な口をきくよ.

su·fi·cien·te·men·te [sufiθjénteménte スフィしエンテメンテ] 副十分に.

su·fi·jo, ja [sufíxo, xa スフィホ, ハ] 名男 〘文法〙接尾辞.
—— 形 〘文法〙接尾辞の.

su·fra·gar [sufraɣár スフラガル] [32 g ➡ gu] 動他 **1** …の費用を負担する; 援助する. Su tío le *sufraga* la carrera. おじさんが彼の学資を出している.
2 …に出資する. *sufragar* un proyecto 事業に出資する.
—— 動自 《ラ米》《+ **por**》…に投票する.

su·fra·gio [sufráxjo スフラヒオ] 名男 **1** 選挙 (制度); 投票. *sufragio* universal 普通選挙. recuento de *sufragios* 票読み. **2** 援助, 後援.

su·fri·mien·to [sufrimjénto スフリミエン

S

ト] 名男 **1** 苦しみ, 苦痛. Era tal su *sufrimiento* que anhelaba la muerte. あまりの苦しさに彼は死を願った.
2 辛抱強さ, 忍耐力.

su·frir [sufrír スフリル] 動自 〔英 suffer〕 **1 苦しむ** (=padecer). *sufrir* como un condenado 地獄の苦しみを味わう.
2 《+**de**》…を患う. *sufrir de* dolores de cabeza 頭痛持ちである. *sufrir del* corazón 心臓が悪い.
── 動他 **1** (害などを)**受ける**; (苦難に)遭う. *sufrir* un accidente de coche 自動車事故に遭う. *sufrir* persecuciones 迫害を受ける. *sufrir* vergüenza 恥ずかしい思いをする. *sufrir* una operación 手術を受ける.
2 我慢する (=soportar). Lo que no puedo *sufrir* es《+不定詞》…するのは我慢ならない.

su·ge·ren·cia [suxerénθja スヘレンしア] 名女 **1** 示唆, 暗示, ほのめかし.
2 助言, 進言.

su·ge·ren·te [suxerénte スヘレンテ] / **su·ge·ri·dor, do·ra** [-riðór, ðóra -リドル, ドラ] 形 示唆に富む, 暗示的な; 想起させる.

su·ge·rir [suxerír スヘリル] [52 e ➡ ie, i] 動他 [現分 sugiriendo] 示唆する, ほのめかす, 暗示する (= insinuar); 思い起こさせる. *sugerir* una idea 考えをそれとなくほのめかす. Le *sugerí* que fuera a consultar al profesor. 先生の所へ相談に行くよう彼に勧めた.

su·ges·tión [suxestjón スヘスティオン] 名女 暗示; 示唆, ヒント.

su·ges·tio·nar [suxestjonár スヘスティオナル] 動他 感化する; 暗示にかける, 意のままに操る.
── **su·ges·tio·nar·se** 《+ **con**》…を頭から信じ込む.

su·ges·ti·vo, va [suxestíβo, βa スヘスティボ, バ] 形 **1** 示唆に富む, 暗示的な.
2 魅惑的な.

sugier- / sugir- 動 現分 ➡ sugerir. [52e ➡ ie, i]

sui·ci·da [swiθíða スイしダ] 名男女 自殺者. ── 形 自殺の, 自殺的な.

sui·ci·dar·se [swiθiðárse スイしダルセ] 動 自殺する. ¿Tú pensarías en *suicidarte* por semejante cosa? そんなことで自殺しようなんて考えられるかい?

sui·ci·dio [swiθíðjo スイしディオ] 名男 自殺. *suicidio* colectivo 集団自決.

sui·te [swíte スイテ] 名女 **1** (ホテルの) スイートルーム.
2 〔音楽〕組曲. [←フランス語]

Sui·za [swíθa スイさ] 固名 スイス (連邦): 首都ベルン Berna.

sui·zo, za [swíθo, θa スイそ, さ] 形 スイスの.
── 名男女 スイス人.
── 名男 〔料理〕スイソ: 楕円(だえん)形の菓子パン.

su·je·ción [suxeθjón スヘしオン] 名女 **1** 服従, 従属; 束縛. *sujeción* a las leyes 法の遵守.
2 支えるもの, 留めるもの.

su·je·ta·dor, do·ra [suxetaðór, ðóra スヘタドル, ドラ] 形 留める, 締める.
── 名男 **1** ブラジャー (=sostén).
2 締め具, 留め金.
3 (髪・紙の) クリップ, ピン.

su·je·ta·pa·pe·les [suxetapapéles スヘタパペレス] 名男 [単・複同形] 紙挟み, クリップ.

su·je·tar [suxetár スヘタル] 動他 **1** 押さえる; 固定する, 留める. *sujetar* con grapas [clavo] ホッチキス[釘(くぎ)]で留める. *sujetar* la escalera はしごを押さえる.
2 服従させる, 抑えつける, 束縛する. El ejército *sujeta* a los insurrectos. 軍が暴徒を鎮圧する.
── **su·je·tar·se** **1** 《+**a**》…に従う. Hay que *sujetarse a* las reglas. 規則は守らなければならない.
2 《+**a**》…にしがみつく, しっかりつかむ. Para no caer, *me sujeté a* él. 私は落ちないように彼にしがみついた.
3 留める. *sujetarse* el pelo con horquillas 髪をピンで留める.

su·je·to, ta [suxéto, ta スヘト, タ] 形 **1** 固定された, 留められた. La estantería está bien *sujeta*. その本棚はしっかり固定してあります.
2 《+**a**》…に拘束された; …に従う; …を受けやすい. Esta ayuda está *sujeta a* condiciones rigurosas. この援助には厳しい条件がついている. Está muy *sujeto al* trabajo. 彼は仕事に忙殺されている. *sujeto a* la aprobación de ... …の承認[同意]を要する.
── 名男 **1** 〔文法〕主語, 主部. ➡ 文法用語の解説. **2** 人, やつ. **3** 主題; 議題, 話題.

sul·fa·to [sulfáto スるファト] 名男 〔化〕硫酸塩; 硫酸エステル. *sulfato* de cobre 硫酸銅.

sul·fú·ri·co, ca [sulfúriko, ka スるフリコ, カ] 形 〔化〕硫黄の; 6 価の硫黄を含む. ácido *sulfúrico* 硫酸.

sul·fu·ro [sulfúro スるフロ] 名男 〔化〕硫化物.

sul·fu·ro·so, sa [sulfuróso, sa スるフロソ, サ] 形 〔化〕硫黄質の; 4 価の硫黄を含む. ácido *sulfuroso* 亜硫酸.

sul·tán [sultán スるタン] 名男 スルタン: イスラム教国の君主.

su·ma [súma ス マ] 名 女 [複 ~s] 〔英 sum〕 **1 合計**, 総額. llegar a la *suma* de ... 合計で…に達する.
2 〔数〕加算, 足し算. hacer una *suma* 足し算をする. ► 引き算は resta.
3 全書, 大全.
en suma 要するに.

S

su·mar [sumár スマル] 動他 〔英 add〕 合計する; 合計で…になる. *sumar* dos números 2つの数を足す. Sus ingresos *suman* ocho millones de pesetas. 彼の収入は総額800万ペセタになる.
—— **su·mar·se** 《+**a**》…に参加する, 与(くみ)する. *Nos sumamos a* la conversación. 私たちは話に加わった.

su·ma·rio, ria [sumárjo, rja スマリオ, リア] 形 **1** 要約した, 簡潔な.
2 〔法律〕略式の. proceso *sumario* 簡易裁判.
—— 名男 **1** 要約, 概括.
2 〔法律〕起訴(状); 予審.

su·mer·gir [sumerxír スメルヒル] [19 g→j] 動他 水中に沈める, 浸す. *sumergir* la mano en el agua 手を水の中につける.
—— **su·mer·gir·se** **1** 沈む; 潜水する.
2 《+ **en**》…に没頭[没入]する. *sumergirse en* el estudio 研究[勉強]に没頭する.

su·mi·de·ro [sumiðéro スミデロ] 名男 (雨水・下水の)吸い込み口, 排水溝.

su·mi·nis·trar [suministrár スミニストゥラル] 動他 供給する. 支給する. Nos *suministró* datos valiosos. 彼は私たちに貴重な資料を提供してくれた.

su·mi·nis·tro [suminístro スミニストゥロ] 名男 **1** 供給, 支給; 補給.
2 供給品, 支給物; [~s] 〔軍事〕糧食.

su·mir [sumír スミル] 動他 《+ **en**》
1 …に陥れる. La noticia le *sumió en* una pena profunda. その知らせは彼を深い悲しみに陥れた.
2 …に沈める, 埋める.
—— **su·mir·se** 《+**en**》 **1** …に没入する; …に陥る. **2** …に沈む, 埋まる.

su·mi·sión [sumisjón スミシオン] 名女
1 服従, 降服. **2** 従順, 素直さ.

su·mi·so, sa [sumíso, sa スミソ, サ] 形 従順な, 素直な.

su·mo, ma [súmo, ma スモ, マ] 形 **1** 大きな, たいへんな. con *sumo* cuidado 細心の注意を払って. en *sumo* grado 極端に, 極度に.
2 最高の, 至高の.
a lo sumo せいぜい, 多くても.

sun·tuo·si·dad [suntwosiðáð スントゥオシダ(ドゥ)] 名女 豪華, ぜいたく. con excesiva *suntuosidad* 贅(ぜい)を尽して.

sun·tuo·so, sa [suntwóso, sa スントゥオソ, サ] 形 豪華な; ぜいたくな. una casa *suntuosa* 豪邸.

sup- 動 → saber. 50

su·pe·di·ta·ción [supeðitaθjón スペディタシオン] 名女 服従, 従属.

su·pe·di·tar [supeðitár スペディタル] 動他 《+**a**》…に従属させる; …に合わせる.
—— **su·pe·di·tar·se** 《+ **a**》…に従う, 合わせる.
estar supeditado a … …次第である.

sú·per [súper スペル] 形 《口語》極上の, すばらしい.
—— 名女 ハイオクタン価ガソリン (= supercarburante).

super- 「超」の意を表す造語要素. ⇒ *superestructura, supersónico* など.

su·pe·ra·ble [superáβle スペラブれ] 形 乗り越えられる. récord difícilmente *superable* 容易に書き替えられない記録.

su·pe·ra·ción [superaθjón スペラしオン] 名女 克服; 克己. *superación* de la crisis económica 経済危機の打開.

su·pe·rar [superár スペラル] 動他 克服する. *Ha superado* todas las dificultades sin ayuda de nadie. 彼は誰(だれ)の助けも借りずに困難をすべて克服した.
—— 動自 《+**a**》…に勝る. Este coche *supera* al tuyo en potencia. この車は馬力では君のより上だ. Ese alumno *ha superado a* su maestro. その生徒は先生の実力をしのいだ.
—— **su·pe·rar·se** 向上する. A él le gusta siempre *superarse*. 彼はいつも向上心に燃えている.

su·pe·rá·vit [superáβit スペラビ(トゥ)] 名男 [単・複同形, 時に superávits] 〔商業〕黒字; 剰余金 (↔ déficit). Este año nuestra empresa ha cerrado con *superávit*. 今年わが社は黒字決算であった.

su·per·car·bu·ran·te [superkarβuránte スペルカルブランテ] 名男 ハイオクタン価ガソリン (= súper).

su·per·che·rí·a [supertʃería スペルチェリア] 名女 ごまかし; 詐欺.

su·per·do·ta·do, da [superðotáðo, ða スペルドタド, ダ] 形 特に秀でた, 天才の.

su·pe·res·truc·tu·ra [superestruktúra スペレストゥルクトゥラ] 名女 〔建築〕〔経済〕上部構造.

su·per·fi·cial [superfiθjál スペルフィしアる] 形 **1** 表面の, 表層の. tensión *superficial* 表面張力.
2 表面的な, うわべだけの. amabilidad *superficial* うわべだけの親切.

su·per·fi·cial·men·te [superfiθjálménte スペルフィしアるメンテ] 副 表面的に, うわべだけ.

su·per·fi·cie [superfíθje スペルフィしエ] 名女 **1** 表面, 表層. *superficie* del agua 水面. salir a la *superficie* 浮上する; 表に現れる.
2 面積. ¿Cuál es la *superficie*? 面積はどの位ですか. una extensa *superficie* 広大な土地.
3 うわべ, 外観. Verá Vd. que su amabilidad es sólo de *superficie*. 彼の親切はうわべだけだと分かりますよ.
de superficie 水上の, 陸路の, 平面路の. transporte *de superficie* 水上[陸上]輸送.

su·per·fluo, flua [supérflwo, flwa

スペルフるオ, フるア] 形 余分な, 不必要な. gastos *superfluos* 無用の出費.

su·per·hom·bre [superómbre スペロンブレ] 名男 超人, スーパーマン.

su·pe·rin·ten·den·cia [superintendénθja スペリンテンデンしア] 名女 監督権; 観察局; 監督者の職.

su·pe·rin·ten·den·te [superintendénte スペリンテンデンテ] 名男女 監督者, 管理者; 長官, 本部長.

su·pe·rior [superjór スペリオル] [複 ~es] [英 superior]
形 [英 superior] **上の**, 上位の; 《+a》…**より優れた**, …より大きい. un piso *superior* 1つ上の階. por orden *superior* 当局の命令により. curso de nivel *superior* 上級課程. enseñanza *superior* 高等教育. los números *superiores a* diez 10 以上の数. Su inteligencia es *superior a* la mía. 知性では彼の方が私より優れている. ►「能力が勝っている」の意味で女性が主語の場合は, 女性形 superiora が使われる.
— 名男 上役, 上官, 先輩.

su·pe·rior, rio·ra [superjór, rjóra スペリオル, リオラ] 名男女 〔ｶﾄﾘｯｸ〕 修道院長 (=padre *superior*), 女子修道院長 (=madre *superiora*).

su·pe·rio·ri·dad [superjoriðáð スペリオリダ(ドゥ)] 名女 **1** 優越性, 優秀性. (↔ inferioridad). *superioridad* social 社会的優越. **2** 上層部, 当局.
3 高慢. aires de *superioridad* 人を見下すような態度.

su·per·la·ti·vo, va [superlatíβo, βa スペルらティボ, バ] 形 **1** 最高の. en grado *superlativo* 極端に.
2 〔文法〕 最上級の.
— 名男 〔文法〕 最上級. ⇨ 文法用語の解説「形容詞」,「副詞」.

su·per·mer·ca·do [supermerkáðo スペルメルカド] 名男 スーパーマーケット.

su·per·po·bla·ción [superpoβlaθjón スペルポブらしオン] 名女 人口過密; 過剰人口.

su·per·po·ner [superponér スペルポネル] 45 動他 [過分 superpuesto] **1** 重ねる.
2 《+ a》 …よりも重視する. *Superpongo* lo espiritual *a* lo material. 私は物質的なものより精神的なものを重く見る.

su·per·po·si·ción [superposiθjón スペルポシしオン] 名女 重ねること; 優先, 重視.

su·per·pro·duc·ción [superproðukθjón スペルプロドゥクしオン] 名女 **1** 過剰生産.
2 〔映画〕 超大作.

su·per·só·ni·co, ca [supersóniko, ka スペルソニコ, カ] 形 〔航空〕 超音速の.

su·pers·ti·ción [superstiθjón スペルスティしオン] 名女 迷信; 縁起かつぎ.

su·pers·ti·cio·so, sa [superstiθjóso, sa スペルスティしオソ, サ] 形 迷信の, 迷信深い.
— 名男女 迷信家, 縁起をかつぐ人.

su·per·va·lo·rar [superβalorár スペルバろラル] 動他 過大評価する, 買いかぶる.

su·per·vi·sar [superβisár スペルビサル] 動他 監督する; 監修する.

su·per·vi·sión [superβisjón スペルビシオン] 名女 監督; 監修.

su·per·vi·sor, so·ra [superβisór, sóra スペルビソル, ソラ] 名男女 監督; 監修者.
— 形 監督する; 監修の.

su·per·vi·ven·cia [superβiβénθja スペルビベンしア] 名女 生き残ること, 生存, 存続. lucha por la *supervivencia* 生存競争.

su·per·vi·vien·te [superβiβjénte スペルビビエンテ] 形 生き残りの, 生存する, 残存者の. — 名男女 生存者 (=sobreviviente).

su·pi·no, na [supíno, na スピノ, ナ] 形
1 あおむけになった. en posición *supina* 仰臥(ｷﾞｮｳｶﾞ)して.
2 極度な, 過度の. ignorancia *supina* ひどい無知.

su·plan·ta·ción [suplantaθjón スプらンタしオン] 名女 **1** 地位を奪うこと, 取って代わること. **2** 文書改竄(ｶｲｻﾞﾝ).

su·plan·tar [suplantár スプらンタル] 動他
1 地位を奪う, 取って代わる.
2 (文書を) 改竄(ｶｲｻﾞﾝ)する.

su·ple·men·ta·rio, ria [suplementárjo, rja スプれメンタリオ, リア] 形 追加の, 補充の; 増補の.

su·ple·men·to [supleménto スプれメント] 名男 **1** (新聞・雑誌の) 付録; 補遺.
2 追加料金, 割増料金.
3 追加, 補充.

su·plen·cia [suplénθja スプれンしア] 名女 代理, 代行; 代理[代行]期間.

su·plen·te [suplénte スプれンテ] 形 代わりの; 補欠の.
— 名男女 代理人; 補欠者.

su·ple·to·rio, ria [supletórjo, rja スプれトリオ, リア] 形 追加の, 補足の.
— 名男 補足物. un *supletorio* del teléfono (親子電話の) 子電話機.

sú·pli·ca [súplika スプりか] 名女 哀願, 懇願, 嘆願.
a súplica de ... …の要請により.

su·pli·can·te [suplikánte スプりカンテ] 形 哀願[懇願]するような. con los ojos *suplicantes* すがるような目で.
— 名男女 哀願する者, 懇願者.

su·pli·car [suplikár スプりカル] [8 c → qu] 動他 哀願する, 懇願する, 嘆願する, 《+ **que** 接続法》…するように頼む. El estudiante me *suplicó que* no le suspendiera. 学生は私に落第させないでくれと懇願した. No hagas eso, te lo *suplico*. お願いだから, そんなことしないでください.

su·pli·cio [suplíθjo スプりしオ] 名男
1 拷問, 体刑.
2 苦痛, 責め苦. Trabajar con este ca-

S

lor es un *suplicio*. この暑さの中で働くのは本当にきつい.

su·plir [suplír スプリル] 動他 **1** 代用する. *suplir* a un profesor 先生の代行をする. **2** 補う, 埋め合わせる. Nada puede *suplir* el amor maternal. 母の愛に代わるものはない.

supo 動 → saber. 50

supón / supondr- 動 → suponer. 45

su·po·ner [suponér スポネル] 45 動他 [現分 suponiendo; 過分 supuesto, ta] 〔英 suppose〕

直説法 現在	
1·単 **supongo**	1·複 **suponemos**
2·単 **supones**	2·複 **suponéis**
3·単 **supone**	3·複 **suponen**

1 …**と思う**, 推測する. *Supongo* que lo que dice es verdad. 彼の言うことは真実だと思う. como es de *suponer* 推察どおり. ser de *suponer* que ... …はありそうなことである.
2 **仮定する**. *Suponiendo* que haya salido a las siete, estará aquí pronto. 7時に出たなら彼は間もなくここに着くだろう.
3 前提とする, 意味する. Su nuevo trabajo *supone* más responsabilidad. 今度の仕事には彼のいっそうの責任が要求される.
—— 動自 重きをなす. *Supone* mucho en el mundo político. 彼は政界で非常な力を持っている.

supong- 動 → suponer. 45

suponiendo 現分 → suponer.

su·po·si·ción [suposiθjón スポシしオン] 名女 推測, 想像; 仮定.

su·po·si·to·rio [supositórjo スポシトリオ] 名男 座薬.

su·pre·ma·cí·a [supremaθía スプレマしア] 名女 優位, 覇権.

su·pre·mo, ma [suprémo, ma スプレモ, マ] 形 **1** 最高の, 至上の. jefe *supremo* 最高指導者. felicidad *suprema* 無上の幸福. **2** 最後の. momento *supremo* 臨終.

su·pre·sión [supresjón スプレシオン] 名女 廃止, 撤廃; 削除.

su·pri·mir [suprimír スプリミル] 動他 廃止する; 抑圧する; 削除する. *suprimir* la libertad de expresión 言論[表現]の自由を奪う. *suprimir* los obstáculos 障害を取り除く. *suprimir* los detalles 詳細を省く.

su·pues·to, ta [supwésto, ta スプエスト, タ] 過分 → suponer.
—— 形 仮定の, 推測に基づいた; …の疑いのある. *supuesto* autor del atentado 要人テロの容疑者.
—— 名男 仮定, 前提.
en el supuesto de que 《+接続法》…と仮定して.
dar 《+algo》 ***por supuesto*** 〈何か〉を当然だと思う.
por supuesto もちろん, 当然.
supuesto que 《+直説法》…だから; 《+接続法》…ならば.

su·pu·ra·ción [supuraθjón スプラしオン] 名女 〘医〙化膿(かのう).

su·pu·rar [supurár スプラル] 動自 〘医〙化膿(かのう)する, 膿(うみ)が出る.

supus- 動 → suponer. 45

sur [súr スル] 名男 〔英 south〕
1 **南**; 南部 《略 S.》. Granada está al *sur* de España. グラナダはスペインの南部にあります. Cruz del *Sur* 南十字星.
2 南風.
—— 形 南の, 南部の.

su·ra·me·ri·ca·no, na [suramerikáno, na スラメリカノ, ナ] 形名男女 → sudamericano.

sur·car [surkár スルカル] [8 c → q] 動他 **1** …に畝を作る; 溝を刻む, 筋をつける. *surcar* el campo con el arado 鋤(すき)で畑を耕す. frente *surcada* de arrugas しわの刻まれた額. **2** (空気・水を) 切って進む. *surcar* los mares 波を切って進む.

sur·co [súrko スルコ] 名男 **1** 畝; (レコードなどの) 溝. abrir *surcos* 畝を作る.
2 しわ (= arruga). lleno de *surcos* しわだらけの.
3 車の跡, わだち; 航跡 (= estela).

su·re·ño, ña [suréɲo, ɲa スレニョ, ニャ] 形 南部の; 南部出身者の.

su·res·te [suréste スレステ] 形名男 → sudeste.

sur·gir [surxír スルヒル] [19 g → j] 動自 〔英 spring up〕 **1** (突然) **現れる**; 生じる. *Fueron surgiendo* dudas una tras otra. 次から次へと疑問が生じていった.
2 (水などが) 湧(わ)き出る, 噴出する. De repente *surgió* un manantial de agua caliente. 突然温泉が湧き出た.
3 そびえる. Muchas grúas *surgían* en el complejo industrial en construcción. 建設中の工業団地にはクレーンがたくさんそびえていた.

surj- 動 → surgir. [19 g → j]

su·ro·es·te [suroéste スロエステ] 形名男 → sudoeste.

su·rre·a·lis·mo [sur̄ealísmo スレアリスモ] 名男 シュルレアリスム, 超現実主義.

su·rre·a·lis·ta [sur̄ealísta スレアリスタ] 形 シュルレアリスムの, 超現実主義の.
—— 名男女 シュルレアリスト, 超現実主義者.

sur·ti·do, da [surtíðo, ða スルティド, ダ] 過分 形 **1** 種々詰め合わせた. pastas *surtidas* クッキーの詰め合わせ.
2 品ぞろえの豊富な.
—— 名男 (菓子などの) 詰め合わせ; 品ぞろえ, 在庫.

sur·ti·dor [surtiðór スルティドル] 名男
1 (水の)噴出口; 噴水.
2 給油機. *surtidor* de gasolina ガソリンの給油機. 3〔車〕キャブレターノズル.

sur·tir [surtír スルティル] 動他 《+**de**》…を供給する; 卸す.

sus [sus スス] 形 《所有》➡ su.

sus·cep·ti·bi·li·dad [susθeptiβiliðáð スセプティビリダ(ドゥ)] 名女 1 受容性.
2 すぐにいらだつこと, 激しやすさ.

sus·cep·ti·ble [susθeptíβle スセプティブれ] 形 1 《+**de**》…の余地のある, …の可能な. *susceptible de* mejora 改良の余地のある.
2 《+**a**》…に過敏な; 激しやすい. Es *susceptible a* la crítica. 彼は批判されるとすぐにかっとなる.

sus·ci·tar [susθitár スしタル] 動他
引き起こす, かき立てる; あおる, 扇動する. *Suscitó* antipatías de todos. 彼は皆の反感を買った.

sus·cri·bir [suskriβír ススクリビル] 動他 [過分 suscrito, ta] 1 予約講読リストに載せる;〔商業〕(株式の)買い付けを申し込む.
2 支持する, 賛同する.
3 (末尾に)署名する. *suscribir* la petición 嘆願書に署名する.
—— **sus·cri·bir·*se*** 《+**a**》…の購読契約をする.

sus·crip·ción [suskripθjón ススクリプしオン] 名女 1 予約購読(料); (株式の)申し込み, 応募. abrir una *suscripción* 予約購読の受付を開始する. 2 署名.

su·so·di·cho, cha [susoðítʃo, tʃa スソディチョ, チャ] 形 前述の, 上記の.

sus·pen·der [suspendér ススペンデル] 動他〔英 suspend〕1 **つるす**. El trapecista *suspendió* a su hija con los dientes. ブランコ乗りは娘を歯で宙づりにした.
2 **中止する**, 中断する. *Hemos suspendido* el nuevo proyecto. 我々は新しい企画を中止した. *Suspendieron* el partido por la lluvia. 雨で試合が中止になった.
3 不合格にする. Me *suspendieron* en matemáticas. 私は数学を落としてしまった.
4 停職させる. *suspender* a 《+uno》de empleo y sueldo 〈人〉を無給停職処分にする.
—— **sus·pen·der·*se*** 中断される. *Se ha suspendido* la sesión. 会議は中断された.

sus·pen·se [suspénse ススペンセ] 名男 サスペンス. novela de *suspense* サスペンス小説. [←英語]

sus·pen·sión [suspensjón ススペンシオン] 名女 1 中断, 中止. *suspensión* de pruebas nucleares 核実験停止. *suspensión* de hostilidades 停戦. *suspensión* de pagos 支払い停止.
2〔車〕懸架装置, サスペンション. ➡ motocicleta 図.

S

sus·pen·so, sa [suspénso, sa ススペンソ, サ] 名男 不合格, 落第. dar un *suspenso* a 《+uno》(試験で)〈人〉を不合格にする. tener un *suspenso* 1科目不合格がある. ➡ calificacion【参考】.
—— 形 1 つるした, 宙ぶらりんの. *suspenso* en el aire 宙づりになった.
2 驚いた, あっけにとられた.
en suspenso 未決の, 懸案の. dejar *en suspenso* la decisión 決定を棚上げにする.

suspicaces 形 [複] ➡ suspicaz.

sus·pi·ca·cia [suspikáθja ススピカしア] 名女 うたぐり深さ, 邪推. inducir a *suspicacia* 不信を抱かせる.

sus·pi·caz [suspikáθ ススピカす] 形 [複 suspicaces] うたぐり深い, 邪推する.

sus·pi·rar [suspirár ススピラル] 動自 1 ため息をつく. *suspirar* de pena 辛(つら)くてため息をつく.
2 《+**por**》…を恋い慕う, …を熱望する. Hace mucho que *suspira por* ella. 彼はずっと前から彼女に思いを寄せている. *suspirar por* su tierra 望郷の念を募らせる.

sus·pi·ro [suspíro ススピロ] 名男 [複 ~s]〔英 sigh〕1 **ため息**. dar un *suspiro* ため息をつく.
2 かすかな物音. *suspiros* del viento 風のそよぐ音.
3〔音楽〕四分休止符.
exhalar* [*dar*] *el último suspiro 息を引き取る.

sus·tan·cia [sustánθja スタンしア] 名女 [複 ~s]〔英 substance〕1 **物質**. *sustancia* sólida 固体. *sustancia* líquida 液体. *sustancia* gaseosa 気体.
2 実質, 内容. tener poca *sustancia* あまり内容がない.
en sustancia 実質的には; 要するに.

sus·tan·cial [sustanθjál スタンしアる] 形 本質の, 根本的な, 重要な (=esencial).

sus·tan·cio·so, sa [sustanθjóso, sa スタンしオソ, サ] 形 1 滋養に富む.
2 内容のある, 実質的な.

sus·tan·ti·var [sustantiβár スタンティバル] 動他〔文法〕名詞化する.

sus·tan·ti·vo, va [sustantíβo, βa ススタンティボ, バ] 名男〔文法〕名詞. ⇨ 文法用語の解説.
—— 形 1 本質的な; 実質的な.
2〔文法〕名詞の.

sus·ten·tar [sustentár ステンタル] 動他
1 支える. Dos pilares grandes *sustentan* el puente. 2つの大きな橋脚が橋を支えている.
2 扶養する. *sustentar* una familia 家族を養う.
3 支援する; 力づける. Me *sustenta* sólo vuestro afecto. 君たちの愛情だけが私の支えだ.
—— **sus·ten·tar·*se*** 《+**con, de**》…を糧[支え]とする. Los osos hormigueros

se sustentan de hormigas. オオアリクイはアリを食べて生きている.

sus·ten·to [susténto スステント] 名男
1 生計. ganarse el *sustento* 生活の糧を稼ぐ. **2** 支え, 援助.

sus·ti·tu·ción [sustituθjón ススティトゥしオン] 名女 代理, 代用.

sus·ti·tui·ble [sustitwíβle ススティトゥイブれ] 形 取り替えられる, 代理[代用]可能な.

sus·ti·tuir [sustitwír ススティトゥイル] 29 動 自 他 [現分 sustituyendo]
1 《+**a**》…に取って代わる, …の代理[代用]をする. La República *ha sustituido a* la Monarquía. 共和制が君主制に取って代わった. En nuestra empresa no hay quien *sustituya a*l viejo presidente. 我が社には, 老社長に取って代わる者がいない.
2 《+**con, por**》…と取り[入れ]替える. Tengo que *sustituir* la rueda gastada *por* otra nueva. すりへったタイヤを新しいのと取り替えなければならない.

sus·ti·tu·ti·vo, va [sustitutíβo, βa ススティトゥティボ, バ] 形 代理の, 代用の.
── 名男 代理人; 後任者; 代用品.

sus·ti·tu·to, ta [sustitúto, ta ススティトゥト, タ] 名男女 代理人; 後任者; 〖演劇〗代役.

sustituy- 動 現分 → sustituir. 29

sus·to [sústo ススト] 名男 驚き. darse[pegarse] un *susto* ぎょっとする. Me di un buen *susto* con la noticia. その知らせに私は仰天した.

sus·trac·ción [sustrakθjón ストゥラクしオン] 名女 **1** 差し引き, 控除; 〖数〗引き算. **2** 盗み, 巻きあげること.

sus·tra·er [sustraér ストゥラエル] 57 動 他 [現分 sustrayendo ; 過分 sustraído, da] **1** 差し引く, 控除する; 〖数〗引き算する. *sustraer* tres a diez 10から3を引く. **2** 盗む, 巻き上げる.
── **sus·tra·er·se** 《+**a**》…から免れる, 逃れる. *sustraerse a* la tentación 誘惑を避ける.

sus·tra·to [sustráto ストゥラト] 名男
1 土台, 基盤. **2** 〖地質〗〖言語〗基層; 〖植物〗(接ぎ木の)台; 〖哲〗実体.

su·su·rrar [susur̄ár ススラル] 動 自 **1** ささやく, つぶやく. *susurrar* al oído 耳元でささやく. Se *susurra* que está en quiebra. 彼は破産状態にあるといううわさだ.
2 かすかな音をたてる.

su·su·rro [susúr̄o ススロ] 名男 ささやき; そよぎ.

su·til [sutíl スティる] 形 **1** 微妙な (＝delicado) ; 精緻(せいち)な. diferencia *sutil* ごくわずかな違い. **2** 薄い, 細い (＝fino).
3 鋭い (＝agudo).

su·ti·le·za [sutiléθa スティれさ] 名女
1 微妙さ; 精緻(せいち)さ. ; 才知, 器用. hablar con *sutileza* 気のきいた話し方をする. *sutileza* de manos 手先の器用さ.
2 薄さ, 細さ. **3** 鋭さ, 鋭敏さ.

su·tu·ra [sutúra ストゥラ] 名女 〖医〗縫合; 〖解剖〗縫合線.

suyo, ya [súјo, ја スヨ, ヤ] 形 《所有》

[後置形; 複数形 suyos, suyas]
[英 (of) his, hers, its, theirs, yours]

所有形容詞(後置形)	
mío(s), a(s) 私の	nuestro(s), tra(s) 私たちの
tuyo(s), ya(s) 君の	vuestro(s), tra(s) 君たちの
suyo(s), ya(s) 彼[彼女]の, あなた[それ]の	suyo(s), ya(s) 彼[彼女]らの, あなたがた[それら]の

1 《名詞の後につけて》**彼(ら)の, 彼女(たち)の, それ(ら)の, あなた(がた)の**. varios amigos *suyos* 数人の彼の友人.
2 《主格補語として》彼(ら)[彼女(たち), あなた(がた), それ(ら)]のもの. Este paraguas es *suyo*. この傘は彼のだ.
── 代名 《所有》《定冠詞を伴って》**彼(ら)[彼女(たち), それ(ら)]の, あなた(がた)の**. Este no es mi diccionario. Creo que es el *suyo*. これは私の辞書ではない. あなたのだと思います. ► 元来は反復されるべき名詞が省略されたものなので, 定冠詞と所有代名詞の語尾は前出の名詞の性・数に一致する.

> **【文 法】** 1 後置形は名詞の後ろ, または主格補語として使われ, 先行する名詞に合わせて性・数一致する.
> Juan es un buen amigo *mío*.
> 　フアンは私のとてもいい友人だ.
> Las fotos *mías* han salido muy mal.
> 　私の写真はうまく撮れていない.
> Todas estas vacas son *suyas*.
> 　これらの牛は全部あいつのだ.
> 2 前置形 **su** よりも所有関係を強調して表す.

***Cada cual* [*uno*] *a lo suyo*.** 他人のいらぬお節介は無用だ.
de suyo 本来, 生来, 根本的に.
hacer suyo (意見などを) 自分のものにする, 賛同する.
lo suyo 自分のこと; 得意, 本分.
los suyos 家族, 仲間, 味方, 部下.
muy SUYO 彼[彼女…]らしい. Es *muy suyo*. 彼は超然としている[変わっている, 自分本位である].
(***una***) ***de las suyas*** 《口語》彼[彼女]一流のやり方, いつもの悪ふざけ. Él siempre hace *de las suyas*. 彼はいつもふざけてばかりだ.

T t 𝒯 𝓉

T, t [té テ] 名女 スペイン語字母の第21字.

ta·ba·ca·le·ro, ra [taβakaléro, ra タバカれロ, ラ] 形 タバコの.
── 名男女 タバコ生産者; タバコ屋.

ta·ba·co [taβáko タバコ] 名男 [複 ~s] [英 tobacco] **1** 〘植物〙タバコ.
2 タバコ. Fumar *tabaco* es perjudicial para la salud. 喫煙は健康に有害である. *tabaco* habano 葉巻. *tabaco* negro (黒みがかった) 強いタバコ. *tabaco* rubio (バージニア葉などを使った) 軽いタバコ. ◆スペインのタバコは rubio と negro に大別される. ➡ cigarrillo, fumar.

ta·ba·le·ar [taβaleár タバれアル] 動自 (指で) 軽くたたく.

tá·ba·no [táβano タバノ] 名男 **1** 〘昆虫〙アブ. **2** 《口語》うるさい人, はた迷惑な人.

ta·ba·que·ra [taβakéra タバケラ] 名女 タバコ・ケース, タバコ入れ.

ta·bas·co [taβásko タバスコ] 名男 〘商標〙タバスコ (ソース). ◆メキシコ, タバスコ州特産のチリトウガラシでできていることから.

ta·ber·na [taβérna タベルナ] 名女 居酒屋, 酒場.

ta·ber·ná·cu·lo [taβernákulo タベルナクろ] 名男 〘カトリック〙聖櫃(せいひつ); 〘聖書〙(ユダヤ教の) 幕屋.

ta·ber·ne·ro, ra [taβernéro, ra タベルネロ, ラ] 名男女 居酒屋の主人.

ta·bi·car [taβikár タビカル] [⑧ c ➡ qu] 動他 〘建築〙壁で仕切る; 塞(ふさ)ぐ.
── **ta·bi·car·*se*** 詰まる, 塞がる. *Se* me *han tabicado* las narices. 鼻が詰まってしまった.

ta·bi·que [taβíke タビケ] 名男 仕切り壁, 間仕切り. ➡ muro 【参考】.

ta·bla [táβla タブら] 名女 [複 ~s] [英 board] **1** 板; パネル. *tabla* de anuncios 掲示板. *tabla* de dibujo 画板. *tabla* de planchar アイロン台.
2 表, 図表. *tabla* de materias 索引. *tabla* de precios 価格表.
3 [~s] 〘演劇〙舞台. salir a las *tablas* 舞台に上がる.
4 [~s] 〘闘牛〙(闘技場の) 防壁; 木柵.
5 〘美術〙タブロー, 板絵.
a raja tabla 断固として.
escaparse [***salvarse***] ***por tablas*** [***en una tabla***] 《口語》九死に一生を得る.
hacer tabla rasa de 《+algo》《口語》〈何か〉を無視する, 忘れる.
tener (***muchas***) ***tablas*** 場数を踏んでいる.

ta·bla·do [taβláðo タブらド] 名男 〘建築〙板張り; 〘演劇〙舞台, ステージ.

ta·bla·o [taβláo タブらオ] 名男 〘演劇〙タブラオ: フラメンコのショー; (それを見せる) ナイトクラブ (= *tablao* flamenco).

ta·ble·ro [taβléro タブれロ] 名男 **1** 板, ボード. *tablero* de anuncios 掲示板.
2 (チェスなどの) 盤. **3** 計器盤, 制御盤.

ta·ble·ta [taβléta タブれタ] 名女 **1** 錠剤 (= pastilla). **2** (小さな) 板状のもの. *tableta* de chocolate 板チョコ.

ta·blón [taβlón タブろン] 名男 掲示板 (= *tablón* de anuncios).

ta·bú [taβú タブ] 名男 [複 tabúes] 禁忌, タブー.

ta·bu·la·dor [taβulaðór タブらドル] 名男 タビュレーター, タブ: タイプライターなどの図表作成装置[キー].

ta·bu·lar [taβulár タブらル] 動他 表にする.

ta·bu·re·te [taβuréte タブレテ] 名男 (背もたれのない) 腰掛け, スツール (➡ silla 図). *taburete* de bar (バーの) スタンド. *taburete* de piano ピアノ用の椅子.

ta·ca·ñe·rí·a [takaɲería タカニェリア] 名女 貪欲(どんよく), けち; ずる賢さ.

ta·ca·ño, ña [takáɲo, ɲa タカニョ, ニャ] 形 けちな, 貪欲(どんよく)な; ずる賢い.
── 名男女 けち, 強欲な人; ずる賢い人.

ta·cha [tátʃa タチャ] 名女 欠点, 汚点. poner *tachas* a ... …にけちをつける.

ta·cha·du·ra [tatʃaðúra タチャドゥラ] 名女 (線を引いて) 消すこと, 抹消.

ta·char [tatʃár タチャル] 動他 **1** (線を引いて) 消す, 抹消する. *tachar* una palabra 1語を抹消する.
2 《+de》…であると非難する, とがめる. Me *tachan de* cobarde. 私は臆病(おくびょう)だと非難されている.

ta·chón [tatʃón タチョン] 名男 抹消する線.

ta·chue·la [tatʃwéla タチュエら] 名女 平釘(ひらくぎ), 鋲(びょう).

tá·ci·to, ta [táθito, ta タしト, タ] 形 無言の (= callado); 暗黙の (= implícito).

ta·ci·tur·no, na [taθitúrno, na タしトゥルノ, ナ] 形 口数の少ない, 寡黙な.

ta·co [táko タコ] 名男 **1** 栓, 詰め物; 埋め木.
2 (切り離しできる紙の) 綴(つづ)り, 冊, 束. *taco* de billetes 回数券. calendario de *taco* 日めくり.
3 角切り, 小片. cortar en *tacos* さいの目

に切る. un *taco* de queso 一口大のチーズ.
4 [普通 ~s] 《口語》悪たれ口, 汚い言葉. soltar *tacos* 乱暴な言葉を吐く.
5 《口語》混乱, 当惑. hacerse [armarse] un *taco* 混乱する, 当惑する.
6 (ビリヤード) キュー.
7 《ラ米》[~s] (メキシコ) タコス: チーズ・鶏肉・豚肉などにチリソースをかけて tortilla で巻いた食べ物.

ta·cón [takón タコン] 名男 [複 tacones] (靴の) 踵(かかと), ヒール. ► 足の踵は talón.

ta·co·na·zo [takonáθo タコナソ] 名男 (靴の) 踵(かかと)でけること; 踵と踵をつけること. dar un *taconazo* 〘軍事〙(不動の姿勢を取る際に) 踵と踵を打ち合わせる.

ta·co·ne·ar [takoneár タコネアル] 動自 靴音をたてて歩く; 奔走する.

ta·co·ne·o [takonéo タコネオ] 名男 靴音 (をたてること).

tác·ti·co, ca [táktiko, ka タクティコ, カ] 形 〘軍事〙戦術の, 戦術的な.
—— 名男 〘軍事〙戦術家.
—— 名女 **1** 〘軍事〙(個々の) 戦術. ► 全体としての「戦略」は estrategia. **2** 策略.

tác·til [táktil タクティル] 形 触覚の. sensación *táctil* 触感.

tac·to [tákto タクト] 名男 **1** 触覚, 触感; 触ること; 感触. Las manos se quedan sin *tacto* por el frío. 寒さで手の感覚がなくなる. Esta tela es suave al *tacto*. この布地は手触りが柔らかい.
2 〘医〙触診.
3 如才なさ, 機転. tener *tacto* 如才がない. hablar con *tacto* そつなく話す.

ta·fe·tán [tafetán タフェタン] 名男 〘服飾〙タフタ: 光沢のある平織り.

ta·fi·le·te [tafiléte タフィレテ] 名男 モロッコ革.

ta·ga·lo, la [taɣálo, la タガロ, ラ] 形 (フィリピンの) タガログ族の.
—— 名男女 タガログ族の人.
—— 名男 タガログ語.

ta·ho·na [taóna タオナ] 名女 パン屋; (馬力による) 粉挽(ひ)き場, 製粉機.

ta·húr [taúr タウル] 名男女 いかさま賭博(とばく)師. ► 女性形は la tahúr または la tahúra.

tai·lan·dés, de·sa [tailandés, désa タイランデス, デサ] 形 [複男 tailandeses] タイ Tailandia (王国) の.
—— 名男女 タイ人. —— 名男 タイ語.

tai·ma·do, da [taimáðo, ða タイマド, ダ] 形 ずるい, 悪賢い.
—— 名男女 ずる賢い人.

ta·ja·da [taxáða タハダ] 名女 **1** 薄切り, 一切れ. una *tajada* de melón メロン一切れ.
2 《口語》泥酔. agarrar [coger] una *tajada* ぐでんぐでんに酔っ払う.
hacer tajadas a 《+uno》《口語》〈人〉をめった刺しにする.
sacar tajada 《口語》もうける, 利を得る.

ta·jan·te [taxánte タハンテ] 形 妥協のない, きっぱりした.

ta·jar [taxár タハル] 動他 切る; 遮る, 止める (= cortar).

ta·jo [táxo タホ] 名男 **1** 切ること; 切り口; 切り傷. **2** 《口語》仕事, 作業. **3** 〘料理〙まな板. **4** 〘地理〙断崖(だんがい), 渓谷.

Ta·jo [táxo タホ] 固名 el *Tajo* タホ川: イベリア半島最長の川. スペイン中東部に源を発し, ポルトガルに入ってテージョ川となる.

tal [tál タる] 形 [複 ~es] 〔英 such〕

1 そんな, こんな, それ [これ] ほどの. En mi vida he visto *tal* cosa. 私はこんなものを見たことは一度もない. No quiero meterme en *tales* asuntos. そんな件に私は首を突っこみたくない. La *tal* opinión no fue aceptada. 上記の意見は受け入れられなかった.
2 《特定の言及をせずに》これこれの, しかじかの. No puedo venir por *tal* razón. 私はこれこれの理由で来られません. la calle *tal* 何々通り.
—— 代名 **1** そのようなこと [もの, 人]. No dije *tal*. 私はそんなことは言わなかった.
2 《定冠詞 el, la を付けて》そいつ, あいつ, 彼, 彼女.
con tal de 《+不定詞》 / ***con tal (de) que*** 《+接続法》…という条件で; …しさえすれば. *Con tal de que* me digas la verdad me quedo satisfecha. あなたが本当のことを言ってくれさえすれば, 私はそれで結構なの.
que si tal que si cual あれやこれや.
¿Qué tal? 《挨拶》元気ですか? 調子はどうですか?
tal como ... (1) …のままに, …のとおりに. (2) …の仕方から判断すると. *Tal como* me lo dijo me pareció una broma. 彼の言い方からして私には冗談だと思えた. (3) 《譲歩を表して》それなりに. Este diccionario no me parece bueno; pero *tal como* es, te sirve mucho. この辞書は良いとは言えないが, それでもそれなりに君の役に立つよ.
tal cual (1)可もなく不可もない. Es una obra *tal cual*. まあまあの作品だ. (2)そのままに, そのとおりに. Lo dejé todo *tal cual*. 私はすべてをそのままにしておいた.
tal para cual 似たり寄ったりの人, 同類. Josefa y Luis siempre hablan mal el uno del otro, son *tal para cual*. ホセファとルイスはいつも相手の悪口を言っているが, 二人ともお互いさまだ.
tal (...) que ... あまりの…なので, …ほどの. Es *tal* su habilidad *que* arregló el televisor enseguida. 彼はとても器用ですぐにテレビを直してしまった. de *tal* manera *que* 従って, それで.

tal ... tal [***cual***] ...《並置した二者の類似・同一を表して》…と同じように…である. *Tal* el padre, *cual* el hijo. 父が父なら, 息子も息子.
un [***una***] ***tal***《+人名》…とかいう人. *Una tal* María ha venido. マリア何とかいう人が来ました.
y tal y cual …など, その他もろもろ.
ta·la [tála タら] 名女 **1** 伐採, 切り出し; 剪定(せんてい). **2** 破壊.
ta·la·dra·do·ra [talaðraðóra タらドゥラドラ] 名女 ドリル(= taladro).
ta·la·drar [talaðrár タらドゥラル] 動他 **1** 穴をあける. **2** (耳を)つんざく.
ta·la·dro [taláðro タらドゥロ] 名男 **1** ドリル, 穿孔(せんこう)機. **2** (ドリルなどで開けた)穴.
ta·lan·te [talánte タらンテ] 名男 機嫌, 気分(= humor); 意欲. estar de buen [mal] *talante* 機嫌がよい[悪い]. de buen *talante* 喜んで. de mal *talante* いやいや.
ta·lar [talár タらル] 動他 **1** 切り倒す, 伐採する; 剪定(せんてい)する. **2** 破壊する.
―― 形〘服飾〙(裾(すそ)が) 踵(かかと)に届くほど長い, ひきずるほどの.
tal·co [tálko タるコ] 名男 滑石; タルカムパウダー(= polvos de *talco*).
ta·le·ga [taléɣa タれガ] 名女 **1** 袋, 手提げ袋. **2** ヘアネット. **3**《口語》金, 財産.
ta·le·go [taléɣo タれゴ] 名男 **1** 袋.
2《俗語》1000ペセタ札.
ta·len·to [talénto タれント] 名男 才能, 手腕. *talento* literario 文才. *talento* político 政治的手腕. mostrar su *talento* 才能を示す. tener *talento* para pintar 画を描く才能がある.

> **【参考】** 才能の意味の類語: **talento, capacidad, habilidad.** 天賦の才は **genio,** 創意工夫力は **ingenio.** 日本語でいう芸能人, タレントは artista.

ta·len·to·so, sa [talentóso, sa タれントソ, サ] 形 才能のある, 有能な.
Tal·go [tálɣo タるゴ] 名男〘鉄道〙タルゴ: スペインの高速列車の車種名.
ta·li·do·mi·da [taliðomíða タりドミダ] 名女〘薬〙〘商標〙サリドマイド.
ta·lis·mán [talismán タりスマン] 名男 お守り, 護符(= amuleto).
ta·lla [táʎa タリャ] 名女 **1** 木彫り, 彫刻.
2 (衣服・靴の) サイズ. ¿Qué *talla* gastas? 君のサイズはいくつ?
3 身長. Su *talla* es de 1,75. 彼の身長は1メートル75だ.
4 (宝石の) 研磨, カット.
5 才能, 能力. ser de [tener] *talla* para ... …の能力がある.
ta·lla·do, da [taʎáðo, ða タリャド, ダ] 過分 形 彫られた; (宝石が) カットされた.
―― 名男 木彫り, 彫刻; (宝石の) カット.
bien [***mal***] ***tallado*** 立派な[貧相な]姿の.
ta·llar [taʎár タリャル] 動他 **1**《+en》…に彫る, 刻む; 彫刻する.
2 (宝石を) カットする, 研磨する.
3 (身長を) 測る. **4** 見積もる, 評価する.
ta·lla·rín [taʎarín タリャリン] 名男 [普通 tallarines]〘料理〙タリエリーニ: 細めで平たいパスタ.
ta·lle [táʎe タリェ] 名男 **1** 腰, ウエスト. ► ウエストサイズは cintura.
2〘服飾〙肩から腰までの丈, 背中(せすじ).
3 スタイル, 体形. Tiene buen *talle*. 彼女はいいプロポーションをしている.
ta·ller [taʎér タリェル] 名男 [複 ～es]〔英 workshop〕**1** 仕事場, 工房, アトリエ. *talleres* gráficos 印刷所.
2 自動車修理工場 (= *taller* de automóviles).
ta·llis·ta [taʎísta タリィスタ] 名男女 木彫家. ► 彫刻家一般は escultor.
ta·llo [táʎo タリョ] 名男〘植物〙茎; 新芽, 若枝. echar *tallo* 芽が出る.
ta·llu·do, da [taʎúðo, ða タリュド, ダ] 形 **1** 茎の太い. **2** 背の高い.
ta·lón [talón タろン] 名男 [複 talones]
1 踵(かかと). girar sobre los *talones* 踵でくるりと回る. ↦ cuerpo 図.
2 引換券, クーポン; 領収[受取]証; 小切手 (= *talón* bancario).
3〘音楽〙(弦楽器の) 弓の握り.
pisar a《+uno》***los talones***〈人〉のすぐ後をつける; 競り合う.
ta·lo·na·rio [talonárjo タろナリオ] 名男 (切り取り式の) 綴(つづ)り; 小切手帳 (= *talonario* de cheques).
ta·lud [talúð タる(ドゥ)] 名男 傾斜, 勾配(こうばい).
ta·mal [tamál タマる] 名男《ラ米》
1〘料理〙タマル: トウモロコシの粉を練り, 肉などの具を入れてトウモロコシの皮で包み蒸したもの. **2** ごまかし; 陰謀.
ta·ma·ño[1] [tamáɲo タマニョ] 名男 [複 ～s]〔英 size〕
大きさ; サイズ; 規模; 容積, 容量. Cyrano de Bergerac se hizo famoso por el *tamaño* de su nariz. シラノ・ド・ベルジュラックは鼻の大きさで有名であった. de *tamaño* extraordinario 特大の. de poco *tamaño* 小型の. *tamaño* natural 実物大.
ta·ma·ño[2]**, ña** [tamáɲo, ɲa タマニョ, ニャ] 形 それほど大きい (= tan grande); それほど小さい (= tan pequeño). superar *tamaña* dificultad 大変な困難を克服する. abrir *tamaños* ojos 目を大きく見開く.
ta·ma·rin·do [tamaríndo タマリンド] 名男〘植物〙タマリンド(の木・実).
tam·ba·le·ar·*se* [tambaleárse タンバれアルセ] 動 ふらつく; ぐらつく. Cuando salí de la taberna *me tambaleaba*. 酒場を出たとき私は足もとが覚つかなかった.

T

tam·ba·le·o [tambaléo タンバれオ] 名男 ふらつき; ぐらつき, 揺れ.

tam·bién [tambjén タンビエン] 副〔英 also, too〕

1 …もまた, やはり. Si tú te vas, yo *también*. 君が行くのなら僕も行く. Soy estudiante, ¿tú *también*? 僕は学生だが, 君もかい? ➡tampoco.

2 そのうえ, さらに. Ella es guapa, *también* rica. 彼女は美しく, おまけに金持ちだ.

tam·bor [tambór タンボル] 名男 **1**〘音楽〙太鼓, ドラム; 太鼓奏者, 鼓手.

2 刺繍(ししゅう)枠; (回転式ピストルの) 弾倉; (洗濯機の) ドラム;〘建築〙ドラム (ドーム下部の円筒壁体);〘機械〙ドラム.

3〘解剖〙鼓膜.

a tambor batiente 勝ち誇って, 意気揚々と.

tam·bo·ril [tamboríl タンボリる] 名男〘音楽〙小太鼓.

tam·bo·ri·le·ar [tamborileár タンボリれアル] 動自 **1** 太鼓をたたく.

2 指で軽くたたく.

tam·bo·ri·le·ro, ra [tamboriléro, ra タンボリれロ, ラ] 名男女〘音楽〙鼓手.

ta·miz [tamíθ タミす] 名男 [複 tamices] 篩(ふるい).

ta·mi·zar [tamiθár タミさル] [39 z ➡ c] 動他 **1** 篩(ふるい)にかける.

2 選別する, えり分ける.

tam·po·co [tampóko タンポコ] 副〔英 not either〕

…もまた…ない. Mi amiga no llevaba paraguas y yo *tampoco*. 友達は傘を持っていなかったし私も持っていなかった. No lloverá mañana, ni *tampoco* pasado mañana. 明日もあさっても雨は降らないだろう. ► 動詞の前にくると否定語が省略されるが, 動詞の後ろでは他の否定語と重複して用いられる. ➡también.

tam·pón [tampón タンポン] 名男

1 スタンプ台. **2**〘医〙タンポン.

tan [tán タン] 副 [tanto の語尾消失形]《形容詞・副詞・形容詞化された名詞に前置されて》**そのように, このように**, そんなに, こんなに. No vayas *tan* rápido. そんなに急ぐな. No seas *tan* orgulloso. そんなに威張るな.

de tan 《+形容詞》 ***como*** … あまりに…なので. *De tan* cansado *como* estaba se metió en la cama sin quitarse la ropa. 彼は疲れきっていたので着替えもしないでベッドにもぐり込んでしまった.

¡Qué 《+名詞》 ***tan*** 《+形容詞》***!*** なんと…なのだろう! ¡*Qué* niño *tan* mono! この子はなんてかわいいんでしょう.

tan … como … …と同じく…. *tan* duro *como* el hierro 鉄のように固い. Es *tan* alto *como* su padre 彼はお父さんのように背が高い.

tan … que … 非常に…なので…. Era *tan* bueno *que* me lo comí todo. とてもおいしかったので, 全部食べてしまった. Está *tan* lejos *que* no lo diviso bien かなり遠くにいるのでよく見えない.

tan siquiera … せめて…でも. Deme *tan siquiera* un mendrugo de pan. せめてパンのひとかけらを恵んでやってください. Ayúdale *tan siquiera* a subir al tren. せめて電車に乗るときぐらい手伝ってやりなさい.

tan pronto como … …するとすぐに. Me llamó a mi casa *tan pronto como* llegó a Narita. 彼は成田に着くとすぐに私の家に電話をくれた.

tan·da [tánda タンダ] 名女 **1** 交替勤務 (時間); 順番, 番 (= turno).

2 一群, 一まとまり; 連続.

tán·dem [tándem タンデン] 名男 タンデム: ふたり乗り自転車.

tan·ga [táŋga タンガ] 名男〘服飾〙超ビキニ (の水着), Tバック.

tan·gen·cial [taŋxenθjál タンヘンしアる] 形〘数〙接線の.

tan·gen·te [taŋxénte タンヘンテ] 形〘数〙接した.

―― 名女〘数〙接線; タンジェント. ➡círculo図.

tan·gi·ble [taŋxíβle タンヒブれ] 形 触れられる; 具体的な, 明確な.

tan·go [táŋgo タンゴ] 名男〘音楽〙タンゴ. *tango* argentino アルゼンチンタンゴ. *tango* continental コンチネンタルタンゴ.

ta·ni·no [taníno タニノ] 名男〘化〙タンニン.

tan·que [táŋke タンケ] 名男

1〘軍事〙戦車. **2** (水などの) タンク.

3 タンクローリー.

tanta 形代名女 ➡tanto[1].

tan·tán [tantán タンタン] 名男 ゴング, どら.

tan·te·ar [tanteár タンテアル] 動他〔英 estimate; feel out〕 **1** 見積もる; 目分量で測る. **2** …に探りを入れる, 打診する. **3** 試す. **4**〘スポーツ〙得点を記録する.

―― 動自〘スポーツ〙記録[スコア]をつける.

tan·te·o [tantéo タンテオ] 名男 **1** 見積もり, 概算. **2** 探り, 打診. **3** 試み.

4〘スポーツ〙得点, 記録.

a [***por***] ***tanteo*** 大まかに.

tan·to[1], ta [tánto, ta タント, タ] [複 ~s]〔英 so many, so much〕 形 **1 それほど多くの**, 非常にたくさんの. No lleves *tanto* dinero en el bolsillo. 大金をポケットに入れて持ち歩いてはいけない. ¡*Tanto* tiempo sin verte! やあ久し振りだねえ.

2《数・量を明示せずに》若干の. treinta y *tantos* días 三十何日.

―― 代名 **1** それほど (の数・量・程度), たくさん (の人・物). No es para *tanto*. 大したことではない. Él no es más que uno de

T

tantos. 彼は大勢のうちのひとりにすぎない. *Tantos* subieron que el coche no se movió ni un centímetro. あまり大勢が乗ったので車は1センチも動かなかった.
2《年号・日付に用いて》某…. a *tantos* de *tantos* de mil novecientos noventa y *tantos* 千九百九十何年某月某日に.
a las tantas 遅くに. Llegó a casa *a las tantas* de la noche. 彼は夜遅く家に着いた.
hacer otro tanto 同じことをする.
otros tantos《＋複数名詞》それに匹敵する数の….
tanto《＋名詞》***como*** ... …(と同じ)ほど多くの…. Ella tiene *tantos* discos *como* yo. 彼女は私と同じくらいたくさんのレコードを持っている. No hace *tanto* frío *como* para poner la calefacción. 暖房をつけるほど寒くはない.
tanto ... cuanto ... …ほどそれだけ…. Puedes beber *tanto* café *cuanto* quieras. (＝Puedes beber café *tanto cuanto* quieras.) 好きなだけコーヒーを飲んで結構です.

tan·to[2] [tánto タント] 副 [形容詞・副詞の前で tan となる] **それほど**, そんなに(多く), 非常に; 長時間. No bebas *tanto*. そんなに飲むな. Es extraño. ¿Por qué tarda *tanto* en volver? 変だ. 戻ってくるのにこんなに時間がかかるはずがないのに. ¡Qué idea *tan* rara! 全く変わった考えだ.
—— 名男 〔スポーツ〕得点. marcar un *tanto* 得点する. apuntar los *tantos* 得点を記録する. Nuestro equipo ganó por dos *tantos* a cero. 我々のチームは2対0で勝った.
algún tanto → un tanto.
de tanto《＋不定詞》あまり…したので. *De tanto* caminar me duelen las piernas. 歩きづめで私は足が痛い.
en [***entre, mientras***] ***tanto*** その間に, そうこうするうちに.
en tanto que《＋直説法》…するまで, …する間;《＋接続法》…する限り.
estar al tanto de ... …をよく知っている;(時流などに)遅れずにいる.
ni tanto así de ... …がこれっぽちもない.
poner al tanto de ... …を知らせる.
por (***lo***) ***tanto*** 従って, それゆえ.
tanto ... como ... …も…も. Las dos marcas rivalizan *tanto* en calidad *como* en precio. 2社の製品は質, 値段の双方で拮抗(きっこう)している.
tanto que ... あまり…なので…. La ciudad ha cambiado *tanto que* parecía otra. 町はすっかり変わっていてまるで別の町のようだった.
tanto es así que《＋直説法》そんなわけで…だ.
tanto ... tanto ... …するほど…する. *Tanto* gana, *tanto* gasta. 彼は稼いだ分だけ右から左へ使ってしまう.
tanto mejor [***peor***] なおさら良い[悪い].
un tanto 少し, いくらか;《反語》かなり. Tienes que pagar *un tanto*. 君もいくらか支払うべきだ. Cobra *un tanto* por ciento de la venta. 彼は売り上げの何パーセントかを受け取る.
y tanto más その他いろいろ.
¡Y tanto!《口語》もちろんだ. ¿Qué? ¿Te gusta?— ¡*Y tanto*! どう, おいしい?—そりゃもう!

ta·ñer [taɲér タニェル] 54 動 他 [現分 tañendo]〔音楽〕(弦・打楽器を)演奏する.
—— 動 自 **1** (鐘が)鳴る. *tañer* a muerto 弔鐘が鳴る. **2** 指で軽くたたく.

ta·ñi·do [taɲíðo タニィド] 名 男 (弦・打楽器・鐘の)音.

ta·o·ís·mo [taoísmo タオイスモ] 名 男 道教.

ta·pa [tápa タパ] 名 女 [複 ～s] [英 lid]
1 蓋(ふた), 栓. *tapa* de una caja 箱の蓋. *tapa* de una botella 瓶の栓.
2 [普通 ～s] (酒の)つまみ.
3 表紙. poner *tapas* a un libro 本に表紙を付ける.
4 (靴の)革底.
5 (牛の)外腿(もも)肉. → carne 図.

ta·pa·de·ra [tapaðéra タパデラ] 名 女 **1** 蓋(ふた). → olla 図.
2 覆い隠すもの. servir a 《＋uno》de *tapadera* 〈人〉の隠れみのになる.

ta·par [tapár タパル] 動 他 **1** 覆う; 遮る(＝cubrir). Las nubes negras *tapaban* completamente el sol. 黒雲が太陽をすっかり覆っていた.
2 …に蓋(ふた)[栓]をする. *tapar* la botella 瓶に栓をする. *tapar* los agujeros de la pared 壁の穴をふさぐ.
3 (布団などで)くるむ(＝abrigar).
4 隠す(＝ocultar). *tapar* los defectos de SU hijo 息子の欠点をかばう.
—— **ta·par·*se*** 覆う; くるまる. *taparse* los ojos [oídos] 目[耳]をふさぐ.

ta·pa·rra·bo(s) [tapar̄áβo(s) タパラボ(ス)] 名 男 ふんどし; ビキニ型水泳パンツ.

ta·pe·te [tapéte タペテ] 名 男 テーブルセンター.
estar sobre el tapete 検討中である.
poner sobre el tapete 俎上(そじょう)に載せる.
tapete verde ルーレットクロス.

ta·pia [tápja タピア] 名 女 土壁; 土塀.
estar [***ser***] ***más sordo que una tapia***《口語》ひどく耳が遠い.

ta·piar [tapjár タピアル] 動 他 …に塀を巡らす, 壁でふさぐ.

ta·pi·ce·rí·a [tapiθería タピセリア] 名 女
1《集合》タペストリー, つづれ織り. **2** タペストリー店; つづれ織りの技術[工房, 産業].

ta·pi·ce·ro, ra [tapiθéro, ra タピセロ, ラ]

T

名男女 布張り［タペストリー張り］職人；つづれ織り職人.
tapices 名［複］➡ tapiz.
ta·pio·ca [tapjóka タピオカ] 名女 タピオカ：キャッサバの根から採った澱粉(でんぷん).
ta·pir [tapír タピル] 名男〘動物〙バク（貘）.
ta·piz [tapíθ タピす] 名男［複 tapices］タペストリー，つづれ織り. fábrica de *tapices* タペストリー工場.
ta·pi·zar [tapiθár タピさル]［39 z ➡ c］動他 …に布張りする；…にタペストリーを掛ける.
ta·pón [tapón タポン] 名男
1 栓，蓋(ふた). *tapón* de corcho コルク栓. *tapón* de desagüe 排水口の栓. ➡ baño 図. **2**〘医〙タンポン，止血栓.
ta·po·nar [taponár タポナル] 動他 栓をする，ふさぐ.
ta·po·na·zo [taponáθo タポナそ] 名男 栓を抜く音；コルクが飛んで当たること.
ta·qui·gra·fí·a [takiɣrafía タキグラフィア] 名女 速記（術）.
ta·quí·gra·fo, fa [takíɣrafo, fa タキグラフォ，ファ] 名男女 速記者.
ta·qui·lla [takíʎa タキリャ] 名女 **1** 切符売り場. Hay mucha cola en la *taquilla*. 切符売り場には長い列ができている. ➡ estación 図.
2〘演劇〙興行成績. hacer［tener buena］*taquilla* / ser un éxito de *taquilla* 切符の売れ行きが良い.
3 分類棚，ファイル・キャビネット.
ta·qui·lle·ro, ra [takiʎéro, ra タキリェロ，ラ] 形 興行成績の良い. actor *taquillero* ドル箱スター.
—— 名男女 切符売り.
ta·qui·me·ca·no·gra·fía [takimekanoɣrafía タキメカノグラフィア] 名女 速記とタイプの技術.
ta·qui·me·ca·nó·gra·fo, fa [takimekanóɣrafo, fa タキメカノグラフォ，ファ] 名男女 速記タイピスト.
ta·ra [tára タラ] 名女 **1** 風袋(ふうたい)；車体重量. **2** 欠点，短所.
3（天秤(てんびん)の）重り，分銅.
ta·ra·ce·a [taraθéa タラせア] 名女 寄せ木細工.
ta·ra·do, da [taráðo, ða タラド，ダ] 形
1 欠陥のある，きずのある；身体に障害のある. **2**〘口語〙頭がおかしい（＝ loco).
ta·rán·tu·la [tarántula タラントゥラ] 名女〘動物〙タランチュラ，毒グモ.
ta·rar [tarár タラル] 動他 …の風袋を量る.
ta·ra·re·ar [tarareár タラレアル] 動他 鼻歌で歌う，ハミングする.
ta·ra·re·o [tararéo タラレオ] 名男 鼻歌，ハミング.
tardado 過分 ➡ tardar.
tardando 現分 ➡ tardar.
tar·dan·za [tarðánθa タルダンさ] 名女 遅れ，手間取り；のろさ.

tar·dar [tarðár タルダル] 動自［現分 tardando；過分 tardado］〔英 take〕〘＋en〙**1** **…に時間がかかる**. ¿Cuánto tiempo *tardas en* venir a la escuela? 君は学校に来るのにどのくらい時間がかかりますか.
2 …するのに手間取る. El avión *tarda en* llegar. 飛行機の到着が遅れている. *Tardan en* reempezar las obras. 工事再開が手間取っている.
—— **tar·dar·se**〘3人称単数で非人称文〙時間がかかる. ¿Cuánto *se tarda* de Tokyo a Madrid? — *Se tarda* catorce horas（por）vía Siberia. 東京からマドリードまで（時間が）どれくらいかかりますか. —シベリア経由で14時間です.
a más tardar 遅くとも.
sin tardar 遅れずに.

tar·de [tárðe タルデ] 名女［複 ～s］〔英 afternoon; late〕午後；夕方. a las tres de la *tarde* 午後3時に. esta *tarde* 今日の午後. por la *tarde* 午後に. ➡ día【参考】.
—— 副 **遅く**. Hoy el tren ha llegado más *tarde* que nunca. 今日は電車がとても遅れた. levantarse *tarde* 遅く起きる. llegar *tarde* a clase 授業に遅刻する.
—— 動 ➡ tardar.
Buenas tardes. こんにちは，こんばんは.（► 昼食後から夕食前までのあいさつ).
de tarde en tarde 時々.
hacerse tarde a〘＋uno〙〈人〉が遅くなる. Date prisa que no *se* te *haga tarde* para el concierto. 急がないとコンサートに遅れるよ.
lo más tarde 遅くとも.
más tarde o más temprano 遅かれ早かれ.
Más vale tarde que nunca.〘諺〙遅くともしないよりはまし.
tar·dí·o, a [tarðío, a タルディオ，ア] 形 遅い，遅ればせの，時期を逸した；〘農業〙晩生(おくて)の.
tar·do, da [tárðo, ða タルド，ダ] 形 のろい，ゆっくりとした；鈍い. *tardo* en comprender 理解の遅い.
tar·dón, do·na [tarðón, ðóna タルドン，ドナ] 形〘口語〙のろまの，愚鈍な.
—— 名男女〘口語〙のろま，ぐず.
ta·re·a [taréa タレア] 名女［複 ～s］〔英 task〕**仕事**，作業，ノルマ. dar una *tarea* a〘＋uno〙〈人〉に仕事を与える. *tareas* de la casa［del hogar］家事. *tareas* escolares 宿題. *tarea* suelta 雑用. ► tarea は課せられた，または一定時間内に終えなければならない仕事. 一般的な仕事は trabajo.
ta·ri·fa [tarífa タリファ] 名女 料金（表）；運賃（表）；税率（表）. *tarifa* aduanera 関税表. *tarifa* de agua 水道料金. *tarifa* reducida 割引料金（表）. ➡ precio【参考】.
ta·ri·ma [taríma タリマ] 名女 壇，教壇；

T

台.

tar·je·ta [tarxéta タルヘタ] 名女 [複 ~s] 〔英 card〕 カード; 名刺 (= *tarjeta* de visita); はがき; プリペイドカード. Me dio su *tarjeta*. 彼は私に名刺をくれた. pagar con *tarjeta* de crédito クレジット・カードで支払う. *tarjeta* navideña [de Navidad] クリスマス・カード (= navidal). *tarjeta* postal 郵便はがき, 絵はがき.

ta·rra·co·nen·se [tar̄akonénse タラコネンセ] 形 タラゴナの.
—— 名男女 タラゴナの住民.

Ta·rra·go·na [tar̄aɣóna タラゴナ] 固名 タラゴナ: スペイン北東部の県; 県都.

ta·rro [tár̄o タロ] 名男 広口瓶; 壺(ﾂﾎﾞ). un *tarro* de mermelada ジャムの瓶.

tar·ta [tárta タルタ] 名女 (デコレーション) ケーキ. *tarta* de boda ウエディング・ケーキ. ► 切り分けた tarta は pastel.

tar·ta·mu·de·ar [tartamuðeár タルタムデアル] 動自 どもる; たどたどしく話す.

tar·ta·mu·de·o [tartamuðéo タルタムデオ] 名男 どもること.

tar·ta·mu·dez [tartamuðéθ タルタムデす] 名女 どもり, 吃音(ｷﾂｵﾝ).

tar·ta·mu·do, da [tartamúðo, ða タルタムド, ダ] 形 どもりの.
—— 名男女 どもりの人.

tar·ta·na [tartána タルタナ] 名女 **1** (幌(ﾎﾛ)付きの) 2 輪馬車. **2** 〔海事〕 タータン: 地中海の 1 本マストの帆船.

tár·ta·ro, ra [tártaro, ra タルタロ, ラ] 形 タタールの.
—— 名男女 タタール人.
—— 名男 **1** (ぶどう酒をつくる際にできる) 酒石. **2** 〔医〕 歯石 (= sarro).

ta·ru·go [tarúɣo タルゴ] 名男 **1** (材木などの) 切れ端; 木のくさび. **2** 《口語》 間抜け.

ta·rum·ba [tarúmba タルンバ] 形
estar tarumba 《口語》 面くらっている.
volver a 《+uno》 ***tarumba*** 〈人〉を面くらわせる.

ta·sa [tása タサ] 名女 **1** 査定 (額), 見積もり.
2 率, 割合, レート. *tasa* de importación 輸入税率. *tasa* de cambio 為替レート. *tasa* de interés 利率. *tasa* de mortalidad 死亡率. *tasa* de natalidad 出生率. *tasa* de interés preferencial プライム・レート.
3 公定 [統制] 価格. la *tasa* sobre los crudos 原油の公定価格.
4 限度. poner una *tasa* a los gastos 支出に限度枠を設ける. sin *tasa* (ni medida) 枠を越えて. beber sin *tasa* めちゃくちゃに飲む.

ta·sa·ción [tasaθjón タサしオン] 名女 査定, 評価.

ta·sa·jo [tasáxo タサホ] 名男 干し肉.

ta·sar [tasár タサル] 動他 **1** 《+en》 …と査定する, 評価する.
2 公定 [統制] 価格を決める.

tas·ca [táska タスカ] 名女 酒場 (= taberna).

ta·ta [táta タタ] 名男 《ラ米》 (1) 《敬称》 …様. el *tata* Dios 神様. (2) 《口語》 お父ちゃん.
—— 名女 《幼児語》 お姉ちゃん; (子守の) お姉ちゃん.

ta·ta·ra·bue·lo, la [tataraβwélo, la タタラブエロ, ら] 名男女 高祖父 [母], 曾(ｿｳ)祖父 [母] の父 [母]; [~s] 高祖父母.

ta·ta·ra·nie·to, ta [tataranjéto, ta タタラニエト, タ] 名男女 玄孫, やしゃご.

¡ta·te! [táte タテ] 間投 気をつけろ!; あれっ, しまった!

ta·tua·je [tatwáxe タトゥアヘ] 名男 入れ墨.

ta·tuar(·*se*) [tatwár(se) タトゥアル(セ)] [14 u → ú] 動他 入れ墨をする.

tau·ma·tur·gia [taumatúrxja タウマトゥルヒア] 名女 奇跡を行う力.

tau·ma·tur·go [taumatúrɣo タウマトゥルゴ] 名男女 奇跡を行う人.

tau·ri·no, na [tauríno, na タウリノ, ナ] 形 雄牛の; 闘牛の.

tau·ro·ma·quia [tauromákja タウロマキア] 名女 闘牛術 [技].

tau·to·lo·gí·a [tautoloxía タウトろヒア] 名女 〔修辞〕 類語反復, トートロジー.

tau·to·ló·gi·co, ca [tautolóxiko, ka タウトろヒコ, カ] 形 〔修辞〕 類語反復の, トートロジーの.

ta·xi [tá*k*si タクシ] 名男 [複 ~s] 〔英 taxi〕 タクシー. ir en *taxi* タクシーで行く. coger [tomar] un *taxi* タクシーをつかまえる. llamar un *taxi* タクシーを呼ぶ. parada de *taxi* タクシー乗り場. ◆空車の表示は 'LIBRE'.

ta·xi·der·mia [ta*k*siðérmja タクシデルミア] 名女 剝製(ﾊｸｾｲ)(術).

ta·xí·me·tro [ta*k*símetro タクシメトゥロ] 名男 タクシーメーター.

ta·xis·ta [ta*k*sísta タクシスタ] 名男女 タクシー運転手.

ta·xo·no·mí·a [ta*k*sonomía タクソノミア] 名女 分類学.

ta·za [táθa タさ] 名女 [複 ~s] 〔英 cup〕
1 カップ. Después de la comida tomó una *taza* de café. 食後彼はコーヒーを一杯飲んだ. → vajilla 図.
2 (噴水の) 水受け, 水盤.
3 便器 (= *taza* higiénica).

ta·zón [taθón タそン] 名男 深い鉢, どんぶり; 大カップ [碗(ﾜﾝ), ボール] 1 杯分.

te[1] [te テ] 代名 《人称》
[2 人称単数弱形代名詞, 男・女同形; 複数形 os. → me 【文法】] 〔英 you〕
1 《直接目的語》 君を, お前を. *Te* acom-

T

paño a casa. 君を家まで送っていくよ.
2 《間接目的語》**君［お前］に**, 君［お前］のために; 君［お前］から; 君の. *Te* lo dije ayer. きのう君にそう言っただろうに. ¿No *te* duele la cabeza? 君, 頭は痛くないかい?
3 《再帰文などを作る》君自身を［に, の］, 自分を［に, の］. Láva*te* las manos. 君, 手を洗いなさい. ¡Que *te* diviertas! 楽しんでおいで. ➡ se 2 - 4.

te[2] [té テ] 名女 T字.

té [té テ] 名男 [複 tés] 〔英 tea〕 **茶**, 紅茶; ティーパーティー. *té* oolong ウーロン茶. *té* verde 緑茶. *té* de jazmín ジャスミン茶. *té* en bolsitas ティーバッグ. *té* con limón [con leche] レモン［ミルク］ティー. tomar el *té* お茶を飲む. convidar a 《＋uno》 para el *té* 〈人〉をティーパーティーに呼ぶ. ceremonia de *té* (日本の) 茶会.
dar el té 《口語》うんざりさせる.

te·a [téa テア] 名女 たいまつ, トーチ.

te·a·tral [teatrál テアトゥラる] 形 演劇の; 芝居がかった.

te·a·tra·li·dad [teatraliðáð テアトゥラリダ(ドゥ)] 名女 演劇性; 芝居がかっていること.

te·a·tro [teátro テアトゥロ] 名男 [複 ～s] 〔英 theater〕
1 劇場. Voy al *teatro* con mi madre esta noche. 今夜, 母と劇場へ行きます. *teatro* de ópera オペラハウス.
2 演劇. obra de *teatro* 戯曲. *teatro* español スペイン演劇. dedicarse al *teatro* 演劇に携わる.
3 舞台, ステージ; (事件などの) 現場. *teatro* de contienda 乱闘現場.

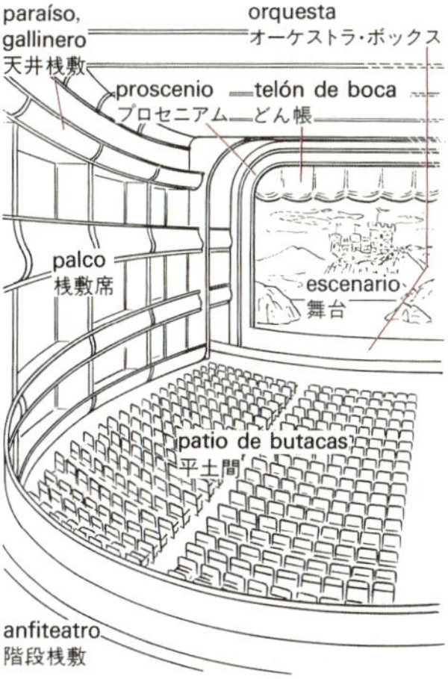

teatro 劇場

hacer teatro 芝居がかる.

te·be·o [teβéo テベオ] 名男 (子供向けの) 漫画雑誌.

te·cha·do [tetʃáðo テチャド] 名男 屋根, 天井 (＝techo). bajo *techado* 屋内で［に］.

te·char [tetʃár テチャル] 動他 …に屋根をふく.

te·cho [tétʃo テチョ] 名男 [複 ～s] 〔英 ceiling〕 **1 天井**.
2 屋根, ルーフ. *dormir* bajo *techo* (屋外でなく) 家の中で寝る. *techo* corredizo 〘車〙スライディング［サン］ルーフ.
3 頂点, 限度. *techo* de precios 最高値. *techo* de tolerancia 許容限度.

te·chum·bre [tetʃúmbre テチュンブレ] 名女 《集合》屋根, 天井.

te·cla [tékla テクら] 名女 (楽器・タイプなどの) キー, 鍵(けん). tocar [pulsar] las *teclas* キーを打つ.

te·cla·do [tekláðo テクらド] 名男 鍵盤(けんばん), キーボード. *teclado* numérico 〘コンピュータ〙テンキーパッド.

te·cle·ar [tekleár テクれアル] 動自 キー［鍵(けん)］を指で打つ; 《口語》指で軽くたたく.

te·cle·o [tekléo テクれオ] 名男 (キー・鍵(けん)を) 指で打つこと［音］.

téc·ni·ca [téknika テクニカ] 名女 [複 ～s] 〔英 technique〕 **1 技術**, 技法, 技巧; 工学. *técnica* electrónica 電子工学.
2 方法, 手段.
—— 形名女 ➡ técnico.

téc·ni·ca·men·te [téknikaménte テクニカメンテ] 副 技術的に, 専門的に.

tec·ni·cis·mo [tekniθísmo テクニしスモ] 名男 専門性; 専門用語.

téc·ni·co, ca [tékniko, ka テクニコ, カ] [複 ～s] 形 〔英 technical〕 **技術上の**; 専門的な. terminología *técnica* 専門用語. escuela *técnica* 専門学校. problemas *técnicos* 技術的な問題.
—— 名男女 専門家, 技術者.

tec·no·cra·cia [teknokráθja テクノクラしア] 名女 〘政治〙テクノクラシー; テクノクラート集団.

tec·nó·cra·ta [teknókrata テクノクラタ] 名男女 〘政治〙テクノクラート, 技術官僚.
—— 形 専門技術者［テクノクラート］の.

tec·no·lo·gí·a [teknoloxía テクノろヒア] 名女 **1** 科学技術, テクノロジー, 工学. *tecnología* electrónica 電子工学.
2 専門用語, 術語.

tec·no·ló·gi·co, ca [teknolóxiko, ka テクノろヒコ, カ] 形 工学の, 科学技術の.

tec·tó·ni·co, ca [tektóniko, ka テクトニコ, カ] 形 〘地質〙地質構造の.
—— 名女 〘地質〙構造地質学.

te·déum [teðéum テデウン] 名男 〘カトリック〙テ・デウム, 感謝頌(しょう): 神の恵みを感謝する祈り［歌］.

te·dio [téðjo テディオ] 名男 倦怠(けんたい), 退屈.

te·dio·so, sa [teðjóso, sa テディオソ, サ]

形飽き飽きする, 退屈な.

te·gu·ci·gal·pa [teɣuθiɣálpa テグしガルパ|-siɣálpa -シガルパ] 固名 テグシガルパ: 中米ホンジュラス Honduras の首都.

te·gu·men·to [teɣuménto テグメント] 名男〘植物〙外被;〘動物〙外皮.

te·ís·mo [teísmo テイスモ] 名男 〘哲〙有神論(↔ ateísmo).

te·ís·ta [teísta テイスタ] 形〘哲〙有神論の.
—— 名男女 有神論者.

te·ja [téxa テハ] 名女 瓦(かわら). *teja* plana 平瓦. *teja* árabe 丸瓦.
a toca teja 《口語》即金で.
de tejas abajo [***arriba***] 《口語》現世[あの世]で[の].

te·ja·do [texáðo テハド] 名男 屋根; 瓦(かわら)屋根. ➡ caserío 図.

te·ja·no, na [texáno, na テハノ, ナ] 形（米国の）テキサス（州）Tejas の.
—— 名男女 テキサス（州）の住民.
—— 名男 [普通 ~s]〘服飾〙ジーンズ（= vaqueros).

te·jar [texár テハル] 名男 瓦(かわら)工場.
—— 動他 …の屋根に瓦(かわら)をふく.

te·je·dor, do·ra [texeðór, ðóra テヘドル, ドラ] 形 織る. máquina *tejedora* 織機.
—— 名男女 織工.

te·je·ma·ne·je [texemanéxe テヘマネヘ] 名男《口語》**1** てんてこ舞い, 大忙し.
2 たくらみ.

te·jer [texér テヘル] 動他 **1** 織る;（かごなどを）編む.
2（クモが）巣を張る.
3 たくらむ, 策を巡らす.
tejer y destejer あれこれと思案に暮れる.

te·ji·do [texíðo テヒド] 名男 [複 ~s]〔英 textile〕**1 織物**, 布地, 生地; 編んだもの. *tejido* de punto ジャージー, ニット（地).
2〘生物〙組織. *tejido* adiposo 脂肪組織. *tejido* nervioso 神経組織.

te·jón [texón テホン] 名男〘動物〙アナグマ.

te·la [téla テら] 名女 [複 ~s]〔英 cloth〕
1 布, 生地. *tela* de lana 毛織物. Con esta *tela* quiero hacerme un traje de verano. この生地で私は夏服を作りたい.
2 薄膜. *tela* de cebolla タマネギの皮.
3 クモの巣（= *tela* de araña).
4 話題.
5〘美術〙カンバス.
6《口語》現金, 金.
haber tela (***de***) ***que cortar*** 問題点が多々ある.
poner en tela de juicio 問題にする, 疑う.
tela metálica 目の細かい金網.
tener (***mucha***) ***tela*** 《口語》厄介である; 金持ちである.

te·lar [telár テらル] 名男 **1**〘技術〙織機.
2〘演劇〙舞台の天井部.

T

te·la·ra·ña [telaráɲa テらラニャ] 名女
1 クモの巣. **2** 目の曇り[かすみ].
tener telarañas en los ojos まともな判断ができない.

te·le [téle テれ] 名女 [televisión の省略形]《口語》テレビ.

tele-「遠隔」の意を表す造語要素. ⇀ *tele*diario, *tele*grama など.

te·le·co·mu·ni·ca·ción [telekomunikaθjón テれコムニカしオン] 名女 遠距離通信. *telecomunicación* óptica 光通信.

te·le·dia·rio [teleðjárjo テれディアリオ] 名男 テレビニュース.

te·le·di·ri·gi·do, da [teleðirixíðo, ða テれディリヒド, ダ] 形 遠隔操作の, リモートコントロールの.

te·le·fé·ri·co [teleférико テれフェリコ] 名男 ロープウエー.

te·le·film [telefílm テれフィるン] 名男 テレビ映画.

te·le·fo·na·zo [telefonáθo テレフォナそ] 名男《口語》電話をかけること. dar un *telefonazo* a《+uno》〈人〉にちょっと電話をかける.

te·le·fo·ne·ar [telefoneár テれフォネアル] 動他自 電話をかける（= llamar por teléfono); 電話で知らせる. Te tengo dicho que no me *telefoneses* a mi despacho. 会社には電話するなって言っておいたのに.

te·le·fó·ni·co, ca [telefóniko, ka テれフォニコ, カ] 形 電話の. La *Telefónica* スペイン国営電話会社《略 C.T.N.E.》.

te·le·fo·nis·ta [telefonísta テれフォニスタ] 名男女 電話交換手, オペレーター.

te·lé·fo·no [teléfono テれフォノ] 名男 [複 ~s]〔英 telephone〕**電話**（番号)《略 tel., teléf.》; 電話機. llamar por *teléfono* 電話をかける. *teléfono* de teclado プッシュホン. *teléfono* portátil [móvil, celular] 携帯電話 . *teléfono* inalámbrico [sin hilos] コードレスフォン. ► 留守番電話は contestador automático. ◆電話番号はふつう末尾から 2 桁(けた)ずつ区切って頭から読む. ⇀ 03 3239 3811 cero tres, treinta y dos, treinta y nueve, treinta y ocho, once. ➡ gestos 図.

[参 考] teléfono
auricular 受話器. cabina (de teléfonos) 電話ボックス. conferencia 長距離電話. conferencia international 国際電話. conferencia interurbana 市外通話. contestador automático 留守番電話. disco ダイヤル. extensión 内線. guía telefónica [de teléfono] 電話帳. llamada a cobro revertido コレクトコール. llama de persona a persona パーソナルコール. llamada gratuita フリーダイヤル. número de teléfono 電話番号. prefijo 市

外局番. ranura para monedas コイン挿入口. ranura para tarjeta カード挿入口. teclado プッシュボタン. teléfono portáil 携帯電話. teléfono público 公衆電話. teléfono de teclado プッシュホン.

te·le·gra·fí·a [teleɣrafía テれグラフィア] 名女 電信(技術).

te·le·gra·fiar [teleɣrafjár テれグラフィアル] [23 i → í] 動他自 電報を打つ, 電報[電信]で知らせる.

te·le·grá·fi·co, ca [teleɣráfiko, ka テれグラフィコ, カ] 形 電報の, 電信による. giro *telegráfico* 電信為替.

te·le·gra·fis·ta [teleɣrafísta テれグラフィスタ] 名男女 電信士.

te·lé·gra·fo [teléɣrafo テれグラフォ] 名男 電信(機). oficina (central) de *telégrafos* 電報局.

te·le·gra·ma [teleɣráma テれグラマ] 名男 [複 ~s]〔英 telegram〕**電報**. enviar [mandar, poner] un *telegrama* a《+uno》〈人〉に電報を打つ. *telegrama* urgente 至急電報. *telegrama* de felicitación 祝電. *telegrama* de pésame 弔電.

te·le·man·do [telemándo テれマンド] 名男 リモートコントロール, (テレビなどの) リモコン(装置).

te·lé·me·tro [telémetro テれメトゥロ] 名男 遠隔計器, テレメーター; (カメラなどの) 距離計.

te·le·ob·je·ti·vo [teleoβxetíβo テれオブヘティボ] 名男〘写真〙望遠レンズ.

te·le·pa·tí·a [telepatía テれパティア] 名女 テレパシー, 精神感応.

te·les·có·pi·co, ca [teleskópiko, ka テれスコピコ, カ] 形 望遠鏡の, 望遠鏡による.

te·les·co·pio [teleskópjo テれスコピオ] 名男〘天文〙〘光〙望遠鏡. ► 電波望遠鏡は radiotelescopio.

te·le·si·lla [telesíʎa テれシリャ] 名女 (スキー場の) リフト.

te·les·pec·ta·dor, do·ra [telespektaðór, ðóra テれスペクタドル, ドラ] 名男女 テレビ視聴者 (= televidente).

te·les·quí [teleskí テれスキ] 名男 (スキー場の) Tバーリフト.

te·le·ti·po [teletípo テれティポ] 名男 テレタイプ.

te·le·vi·den·te [teleβiðénte テれビデンテ] 名男女 テレビ視聴者.

te·le·vi·sar [teleβisár テれビサル] 動他 テレビで放送する, 放映する.

te·le·vi·sión [teleβisjón テれビシオン] 名女 [複 televisiones]〔英 television〕**テレビジョン**, テレビ放送[番組]《略 TV, tele》. retransmitir por *televisión* テレビで中継する. ver la *televisión* テレビを見る. *televisión* local ローカルテレビ.

【参 考】**televisión**
teledifusión テレビ放送. televisor テレビ受像機. televisión por cable ケーブルテレビ. selectorde canales チャンネル切り換えスイッチ. vídeo ビデオ (機器). cassette de vídeo ビデオカセット. mando a distancia リモコン. transmisión por satélite 衛星放送. transmisión en diferido 録画放送. telediario テレビニュース. teledrama テレビドラマ. anuncio / espacio publicitario コマーシャル. programa 番組.

te·le·vi·si·vo, va [teleβisíβo, βa テれビシボ, バ] 形 テレビ向きの; テレビの. dar buena imagen *televisiva* テレビ映りが良い. debate *televisivo* テレビ討論会.

te·le·vi·sor [teleβisór テれビソル] 名男 テレビ(受像機). arreglar el televisor テレビを修理する. → cuarto 図.

té·lex [téleks テれクス] 名男 テレックス.

te·lón [telón テろン] 名男〘演劇〙幕, 緞帳(どんちょう). *telón* de fondo [de foro] (舞台奥の) 垂れ幕. Cae el *telón*. 幕が下りる. → teatro 図.

te·lú·ri·co, ca [telúriko, ka テるリコ, カ] 形 地球の, 地中から生じる.

te·ma [téma テマ] 名男 [複 ~s]〔英 theme〕 **1 テーマ**, 主題. *tema* de conversación 話題. Él está muy metido en el *tema* social. 彼は社会問題に没頭している. *tema* musical テーマ音楽.
2 [女性名詞としても用いられて] 執念. Cada loco con su *tema*. 誰でも自分の幻想に執着する. **3**〘文法〙語幹.
tener tema para un rato 話すことが山ほどある.

te·ma·rio [temárjo テマリオ] 名男《集合》議題, 課題, テーマ.

te·má·ti·co, ca [temátiko, ka テマティコ, カ] 形 **1** 主題の, テーマの.
2〘文法〙語幹の.
—— 名女《集合》(作品・時代などの) テーマ.

tem·blar [temblár テンブらル] [42 e → ie] 動自〔英 tremble〕 **1 震える**; 揺れる. *temblar* de frío 寒さに震える. Le *temblaba* la voz [*temblaban* los labios]. 彼は声[唇]が震えていた.
2 怖がる, びくびくする. *Tiembla* cuando ve a su jefe. 彼は上司に会うとびくびくする.

tem·ble·que [tembléke テンブれケ] 名男 激しい震え.

tem·blón, blo·na [temblón, blóna テンブろン, ブろナ] 形 震える; おののく.

tem·blor [temblór テンブろル] 名男 **1** 震え, 身震い. tener *temblores* de frío 寒さに震える.
2 震動, 地震 (= *temblor* de tierra, terremoto). **3** 恐れ, おののき.

T

tem·blo·ro·so, sa [tembloróso, sa テンブろロソ, サ] 形 (体・声が) 震える. con voz *temblorosa* 声を震わせて.

te·mer [temér テメル] 動他 [現分 temiendo ; 過分 temido, da] 〔英 fear〕 **1 恐れる**, 怖がる. Los animales *temen* el fuego. 動物は火を怖がる.

2《+que 直説法》**…であることが心配である**;《+que 接続法》**…ではないかと心配である**. *Temo* que lo has hecho tú. それをやったのは君ではないでしょうね. *Temo* que no venga. 彼は来ないのではないかしら.

—— 動自《+**por**》…を気遣う. *Temo por* su hija. 私は彼の娘のことが心配だ. *Temo por* tu futuro. 君の将来が心配だ.

—— **te·mer·*se*** 恐れる. *Me temo* que hoy también llegará tarde. 今日もまた彼は遅刻してくるのではないかと心配だ.

te·me·ra·rio, ria [temerárjo, rja テメラリオ, リア] 形 無鉄砲な, 無謀な; 軽率な. acto *temerario* むちゃな行為. juicio *temerario* 軽々しい判断.

te·me·ri·dad [temeriðáð テメリダ(ドゥ)] 名女 無鉄砲, 無謀; 軽率.

te·me·ro·sa·men·te [temerósaménte テメロサメンテ] 副 おそるおそる, こわごわ.

te·me·ro·so, sa [temeróso, sa テメロソ, サ] 形 **1**《+**de**》…を怖がる; …を畏(おそ)れる. ser *temeroso de* Dios 神を畏れる.

2 恐ろしい, 恐怖の.

te·mi·ble [temíβle テミブれ] 形 恐るべき. arma *temible* 恐るべき兵器. enemigo *temible* 手ごわい敵.

temido, da 過分 → temer.

temiendo 現分 → temer.

te·mor [temór テモル] 名男 [複 ~es] 〔英 fear〕 **恐れ**; 懸念, 心配. tener *temor* a [de] … …を恐れる; …を危惧(きぐ)する. Por *temor* a desanimarle no le dije la verdad. 彼をがっかりさせてはいけないと思って, 私は本当のことを言わなかった. El *temor* de que te pase algo me tiene intranquilo. 君に何かあったらと思うと不安でしょうがない.

tém·pa·no [témpano テンパノ] 名男 **1**〘音楽〙ティンパニ. **2** 浮氷.

tem·pe·ra·men·tal [temperamentál テンペラメンタる] 形 気性の, 気質的な; 気性の激しい, 感情の起伏が大きい.

tem·pe·ra·men·to [temperaménto テンペラメント] 名男 **1** 気質, 性分; 体質. *temperamento* violento 激しい気性.

2 血気, バイタリティー. juventud llena de *temperamento* 血気盛んな青年.

tem·pe·ra·tu·ra [temperatúra テンペラトゥラ] 名女 [複 ~s] 〔英 temparature〕 **温度**, 気温; 体温. *temperatura* exterior 外気温. *temperatura* máxima 最高気温. *temperatura* media 平均気温. tomar la *temperatura* a《+uno》〈人〉の体温を計る.

tem·pes·tad [tempestáð テンペスタ(ドゥ)] 名女 **1**〘気象〙嵐(あらし), 暴風雨; 時化(しけ). *tempestad* de nieve 吹雪.

2 騒ぎ, 騒乱. levantar una *tempestad* de protestas 抗議の嵐(あらし)を巻き起こす. una *tempestad* de aplausos 嵐のように沸き上がる拍手.

3 感情の高ぶり, 激発. la *tempestad* de las pasiones 激情の嵐.

tem·pes·tuo·so, sa [tempestwóso, sa テンペストゥオソ, サ] 形 **1**〘気象〙荒天の, 暴風雨の. tiempo *tempestuoso* 荒れ模様の天候.

2 大荒れの, 騒々しい. ambiente *tempestuoso* de la asamblea 大会の険悪な雰囲気.

tem·pla·do, da [templáðo, ða テンプらド, ダ] 過分 形 **1** 節度ある, 控えめな. Es *templado* en la bebida. 彼は酒を飲んでも度を越さない.

2 暖かい; 温和な. agua *templada* ぬるま湯. clima *templado* 温暖な気候.

3《口語》度胸のある, 沈着な. un hombre muy *templado* 肝の座った男.

tem·plan·za [templánθa テンプらンさ] 名女 **1** 節度, 控えめ. **2** 温暖, 温和.

3〘美術〙(色の) 調和.

tem·plar [templár テンプらル] 動他 **1** 和らげる, 緩和する; 静める; 薄める. La brisa marina *templa* el ardoroso calor. 海の風が猛暑を和らげている. *templar* la ira 怒りを抑える. *templar* el whisky con agua ウイスキーを水で割る.

2 (金属・ガラスなどを) 焼き入れする. *templar* el hierro fundido 鋳鉄を焼き入れする.

3 (ネジを) 締めつける. **4** 暖める.

5〘音楽〙(弦楽器を) 調律する. *templar* la guitarra ギターを調律する.

6〘美術〙(色を) 調和させる.

—— 動自 暖かくなる.

—— **tem·plar·*se*** 自制する, 節制する. *templarse* en la comida 食事を節制する.

tem·pla·rio [templárjo テンプらリオ] 名男〘歴史〙聖堂[テンプル]騎士団員.

tem·ple [témple テンプれ] 名男 **1**〘美術〙テンペラ画. pintar al *temple* テンペラ画を描く. **2** 気分; 気性, 度胸. estar de buen *temple* 機嫌が良い. persona de *temple* 腹の座った人物.

tem·ple·te [templéte テンプれテ] 名男 [templo の小] 小礼拝堂; 祭壇.

tem·plo [témplo テンプろ] 名男 [複 ~s] 〔英 temple〕 **神殿**, 寺院; 聖堂. *templo* griego ギリシア神殿. *templo* budista 仏教寺院. *templo* de sabiduría 知識の殿堂. ► 一般的にはキリスト教以外のものを指す. →iglesia【参考】.

como un templo《口語》ばかでかい, とんでもない.

T

tem·po·ra·da [temporáða テンポラダ] 名 ㊛ [複 ～s]〔英 season〕**時期**, 期間; 季節, シーズン (= época, período). Mis padres pasan la *temporada* de invierno en el sur. 両親は冬の間南部で過ごします. En marzo comienza la *temporada* de toros. 闘牛のシーズンは 3 月に始まる. *temporada* alta [baja] 最盛期[シーズンオフ]. *temporada* turística 観光シーズン. la mejor *temporada* de mi vida わが生涯の最良の時.
de temporada 一時的に.

tem·po·ral [temporál テンポラる] 形 **1** 一時的な, 臨時の. un empleo [trabajo] *temporal* 臨時の職[仕事]. **2** 現世の, 世俗の. los bienes *temporales* 物質的な富. **3**〘文法〙時制の, 時を表す.
── 名 ㊚ **1** 嵐(あらし), 暴風雨 (= tempestad). **2** 雨期 (= *temporal* de lluvias).
capear el temporal 嵐を切り抜ける; 難局を切り抜ける.

tem·po·ral·men·te [temporálménte テンポラるメンテ] 副 一時的に, さしあたり.

tem·po·re·ro, ra [temporéro, ra テンポレロ, ラ] 形 季節労働の, 臨時雇いの.
── 名 ㊚ ㊛ 臨時雇い, 季節労働者.

tem·pra·ne·ro, ra [tempranéro, ra テンプラネロ, ラ] 形 **1** 早起きの. **2**〘農業〙早生(わせ)の.

tem·pra·no[1]

[tempráno テンプラノ] 副〔英 early〕**早く**, 早期に; 朝早く (↔ tarde). Me levanté muy *temprano*. 私はとても早起きした. ► 速度が「速く」は deprisa, rápido, a toda velocidad など. 「すぐに, 間もなく」は pronto, enseguida.

tem·pra·no[2], na [tempráno, na テンプラノ, ナ] 形 早い; 〘農業〙早生(わせ)の, はしりの (↔ tardío). nieve *temprana* いつもより早い降雪. muerte *temprana* 夭逝(ようせい). fruta *temprana* はしりの果物.

ten 動 → tener. 55

tenaces 形 [複] → tenaz.

te·na·ci·dad [tenaθiðáð テナしダ(ドゥ)] 名 ㊛ 頑固さ; 粘り強さ.

te·na·ci·llas [tenaθíʎas テナしリャス] 名 ㊛ [複] **1** (ケーキ・氷・角砂糖などを取る) はさみ, トング. **2** ヘアーアイロン.

te·naz [tenáθ テナす] 形 [複 tenaces] **1** 頑固な; 不屈の. **2** 執拗(しつよう)な; (汚れなどが) 取りにくい. *tenaces* dolores de cabeza しつこい頭痛.

te·na·zas [tenáθas テナさス] 名 ㊛ [複] **1** やっとこ, プライヤー. **2** (エビ・カニなどの) はさみ, 爪(つめ). **3**〘医〙鉗子(かんし). **4**〘機械〙(万力の) 顎(あご); (クレーンなどの) はさみ.
No hay manera de [***No es posible***] ***sacárselo ni con tenazas.*** 《口語》彼はなかなか口を割らない.

ten·de·de·ro [tendeðéro テンデデロ] 名 ㊚ 物干し場; 物干しのひも[ロープ].

ten·den·cia [tendénθja テンデンしア] 名 ㊛ 傾向, 動向; 性癖 (= inclinación). *tendencia* dominante 大勢. mostrar una gran *tendencia* a la música 音楽に優れた素質を示す. tener *tendencia* a《+不定詞》…する傾きがある.

ten·den·cio·so, sa [tendenθjóso, sa テンデンしオソ, サ] 形 偏向した, 偏った.

ten·den·te [tendénte テンデンテ] 形《+ **a**》…の傾向のある, …を目的とした. medidas *tendentes a* una mejora económica 経済の立て直し策.

ten·der [tendér テンデル] [43 e → ie] 動 (他)〔英 spread〕**1 広げる**. *tender* el mantel sobre la mesa 食卓にテーブルクロスを広げる.
2 (洗濯物などを) つるす. *tender* la ropa al sol 衣類を日に干す.
3 (ケーブルなどを) 張る; 敷設する. *tender* la línea telefónica 電話線を引く.
4 差し出す. *tender* la mano 手を差しのべる. *tender* [echar] un cable 助け舟を出す.
── 動 (自)《+ **a**》**…の傾向がある**; 《+ **a** 不定詞》…しがちである. *tender a* blanco 白っぽくなる. Estos días *tiende a* estar solo. このごろ, 彼はひとりきりのことが多い.
── **ten·der·se** 横になる. *tenderse* en la cama ベッドに横たわる.

ten·de·re·te [tenderéte テンデレテ] 名 ㊚ 露店, 屋台.

ten·de·ro, ra [tendéro, ra テンデロ, ラ] 名 ㊚ ㊛ 店主; 店員.

ten·di·do, da [tendíðo, ða テンディド, ダ] 過分 形 横になった; 広がった, 張られた.
── 名 ㊚ **1**《集合》(干してある) 洗濯物.
2〘闘牛〙スタンド席.
3 (ケーブルなどの) 敷設.
dejar tendido a 《+uno》《口語》〈人〉を打ちのめす.

ten·dón [tendón テンドン] 名 ㊚〘解剖〙腱(けん). *tendón* de Aquiles アキレス腱; 弱点, 泣きどころ.

tendr- 動 → tener. 55

te·ne·bro·si·dad [teneβrosiðáð テネブロシダ(ドゥ)] 名 ㊛ 暗闇(くらやみ).

te·ne·bro·so, sa [teneβróso, sa テネブロソ, サ] 形 暗い, 黒い (= oscuro).

te·ne·dor

[teneðór テネドル] 名 ㊚ [複 ～es]〔英 fork〕(食器) **フォーク**. *tenedor* de plata 銀のフォーク. ◆スペインでは 1 本から 5 本までのフォークでレストランの格付けがなされている. ⇒ un restaurante de cinco *tenedores* 5 本フォーク[最上]のレストラン.

te·ne·du·rí·a [teneðuría テネドゥリア] 名 ㊛ 簿記 (= *teneduría* de libros).

te·nen·cia [tenénθja テネンしア] 名 ㊛ **1** 所有, 所持. *tenencia* ilícita de armas 武

T

器の不法所持. **2** teniente の地位[職務]. *tenencia* de alcalde 助役の地位[職務].

te·ner [tenér テネル] 55動他 [現分 teniendo ; 過分 tenido, da] 〔英 have〕

直説法	
現在	**未来**
1·単 ***tengo***	1·単 ***tendré***
2·単 ***tienes***	2·単 ***tendrás***
3·単 ***tiene***	3·単 ***tendrá***
1·複 **tenemos**	1·複 ***tendremos***
2·複 **tenéis**	2·複 ***tendréis***
3·複 ***tienen***	3·複 ***tendrán***
点過去	**線過去**
1·単 ***tuve***	1·単 **tenía**
2·単 ***tuviste***	2·単 **tenías**
3·単 ***tuvo***	3·単 **tenía**
1·複 ***tuvimos***	1·複 **teníamos**
2·複 ***tuvisteis***	2·複 **teníais**
3·複 ***tuvieron***	3·複 **tenían**
接続法	**可能**
現在	1·単 ***tendría***
1·単 ***tenga***	2·単 ***tendrías***
2·単 ***tengas***	3·単 ***tendría***
3·単 ***tenga***	1·複 ***tendríamos***
1·複 ***tengamos***	2·複 ***tendríais***
2·複 ***tengáis***	3·複 ***tendrían***
3·複 ***tengan***	
命令法	
2·単 ***ten***	
2·複 **tened**	

1 持つ, 所有する; (特質・特徴を) 備える; 含む. ¿Qué *tienes* en la mano? 君, 手に何を持ってるの? *Tiene* un chalet en Alicante. 彼はアリカンテに別荘を一つ持っている. ¿*Tiene* Vd. hermanos? 兄弟はおありですか? Aquí *tiene* usted ... さあ…です, どうぞ取ってください. *Tuvieron* una niña el año pasado. 彼のところで去年女の子が生まれた.

2 (感情・見解などを) 抱く, 持つ. *tener* envidia うらやむ. Parece que él te *tiene* antipatía. 彼は君のことを良く思っていないみたいだよ.

3 (年齢が) …歳である; (寸法・面積・重量が) …である. ¿Cuántos años *tienes*?—*Tengo* cuarenta años. 君, 年いくつ? 40だ. Ya *tiene* años [sus añitos]. 彼はもう若くない. *Tiene* cinco metros de alto y dos de ancho. 高さ5メートル, 幅2メートルある.

4 (時間を) 過ごす. ¿*Tuviste* un buen día ayer? 君, 昨日は楽しかったかい? Él *tiene* muchos años aquí. 彼はここへ来て何年にもなる.

5 (会・式などを) 挙行する; 開催する; (試験などを) 受ける. ¿No *tienes* clase mañana? 君, 明日は授業がないの? *Tengo* un examen esta tarde. 私は午後テストがある. *tener* una asamblea 集会を開く.

6 《+**que** 不定詞》**…しなければならない**, …のはずである. *Tengo que* comprar un regalo. 私はプレゼントを買わなければならない. Hoy *tengo que* volver pronto. 今日は私は早く帰らなければならない. ► 否定形は, 「…する必要はない」の意味. ⇒ No *tienes que* preocuparte tanto. そんなに心配しなくていいよ. ➡ deber 【文法】.

7 《+直接目的語+**que** 不定詞》…すべき…がある. *Tengo* mucho *que* hacer. 私はすべきことがたくさんある.

8 《+直接目的語+過去分詞・形容詞・副詞句など》…を…してある, …の状態に保つ, …にさせる. *Tengo* entendido que le han dado una buena comisión. 彼は相当なリベートをもらったと私は理解している. *Tiene* puesto un sombrero muy raro. 彼はとても奇妙な帽子をかぶっている. El fracaso en el examen le *tiene* desmoralizado estos días. 試験に失敗して彼はこのところくさっている. ► 形容詞・過去分詞は直接目的語の性・数と一致する.

9 《+**por, como**》…と思う, 見なす. Es increíble que usted le *tenga por* honrado. あなたが彼を誠実だと思っているなんて信じられない. *Ten por* seguro que ya no volverá jamás por aquí. 彼は2度とこの辺りには戻って来ませんよ.

10 《+**en, a**》…と評価する, 判断する. *tener en* mucho [poco] 高く[低く]評価する. *tener a* mal [menos] 軽んじる, さげすむ. *tener a* honra 名誉に思う.

— te·ner·se **1** (ある状態に) とどまる; (体・姿勢を) 支える. *Tente* quieto. じっとしていなさい. estar que no *se tiene* 《口語》(疲労・泥酔して) 立っていられない. *tenerse* de [en] pie 立っている. *tenerse* firme まっすぐ立つ; びくともしない.

2 自分を…と思う. *tenerse* en mucho 偉ぶる. *tenerse* en poco 自分を過小評価する. *tenerse* por ... …を気取る.

3 《+**a**》…に執着する, 愛着を抱く; (人に) 味方する.

¡Ahí lo tienes! ほらね, 言ったとおりだろう.

Conque, ¿ésas tenemos? 《驚き・怒りを表して》なんだって, そんなばかな.

***no tenerlas todas con*SIGO** 《口語》どうも信用できない, 疑っている. Aunque me han dicho que es muy fácil la operación de mi marido, *no las tengo todas conmigo*. 夫の手術は簡単なものだと言われたが, どうもそうは思えないわ.

no tener más que 《+不定詞》…するだけでよい, …しさえすればよい. *No tienes más que llamar* para que te den el permiso. 君が電話しさえすれば許可はすぐ下りますよ.

¿Qué tienes [***tiene*** ...] ***?*** どうかしました

T

か，何かあったんですか．
tener a bien 《＋不定詞》《敬語表現》…してくださる．Le ruego *tenga a bien* pasar por aquí. こちらにお寄りくださいますようお願い申し上げます．
tener ante sí 目前にある，切迫している．
tener encima 背負っている，抱え込む．
tenerla tomada con 《＋uno》〈人〉を嫌っている，良く思わない．
tener para sí que … …と思う，…と疑う．*Tengo para mí que* es un fallo de la electricidad. El motor funciona bien. 電気系統の故障じゃないかな．エンジンはちゃんと動いている．

Te·ne·ri·fe [teneríſe テネリフェ] 固名 テネリフェ(島)：スペイン Canarias 諸島最大の島．

teng- 動 → tener. 55

te·nia [ténja テニア] 名女 〔動物〕サナダムシ(真田虫)，条虫．

tenido, da 過分 → tener.

teniendo 現分 → tener.

te·nien·te [tenjénte テニエンテ] 名男 〔軍事〕(陸軍・空軍の)中尉．*teniente* coronel 陸軍[空軍]中佐．*teniente* general 陸軍[空軍]中将．→ militar 【参考】．
teniente de alcalde (市・町・村の)助役．

te·nis [ténis テニス] 名男 〔スポーツ〕テニス，庭球；テニスコート．*tenis* de mesa 卓球，ピンポン．

te·nis·ta [tenísta テニスタ] 名男女 〔スポーツ〕テニス選手，テニスをする人．

te·nor [tenór テノル] 名男 **1** 〔音楽〕テノール；テノール歌手．**2** 内容，趣旨．
a este tenor この調子で，このように．
a tenor de … …に従って．

te·no·rio [tenórjo テノリオ] 名男 女たらし，ドン・フアン．◆スペインの戯曲の主人公 Don Juan Tenorio の名にちなむ．

ten·sar [tensár テンサル] 動他 (綱などを)ぴんと張る；(弓を)引き絞る．

ten·sión [tensjón テンシオン] 名女 **1** 緊張．una cuerda en *tensión* ぴんと張った綱[弦]．poner en *tensión* los músculos 筋肉に力を入れる．
2 (精神的)緊張；緊迫．*tensión* nerviosa 神経性ストレス．*tensión* diplomática 外交関係の緊迫．ponerse en *tensión* 緊張する．
3 〔物理〕(気体の)膨張力，張力；応力．
4 〔電気〕電圧(＝ *tensión* eléctrica)．
5 〔医〕血圧(＝ *tensión* arterial)．tener la *tensión* alta [baja] 高[低]血圧である．

ten·so, sa [ténso, sa テンソ，サ] 形 **1** ぴんと張った．**2** 緊張した，緊迫した．relaciones *tensas* 緊迫した関係．

ten·ta·ción [tentaθjón テンタシオン] 名女 誘惑．caer en la *tentación* 誘惑に負ける．resistir (a) la *tentación* 誘惑に逆らう．

ten·tá·cu·lo [tentákulo テンタクロ] 名男 〔動物〕触手．

ten·ta·dor, do·ra [tentaðór, ðóra テンタドル，ドラ] 形 誘惑する，魅力のある．
—— 名男女 誘惑する人．

ten·tar [tentár テンタル] [42 e → ie] 動他 **1** 触って確かめる，手探りする．El ciego iba *tentando* la acera con el bastón. 盲人は杖(つえ)で道を確かめながら進んで行った．
2 誘惑する；《＋**con**》…に誘う，いざなう．
3 試みる，試す．Hemos *tentado* todos los remedios. 私たちはあらゆる処置を講じてみた．

ten·ta·ti·va [tentatíβa テンタティバ] 名女 試み，企て．*tentativa* infructuosa 無駄な試み．

ten·tem·pié [tentempjé テンテンピエ] 名男 **1** 〔料理〕軽い食事(＝ refrigerio)．
2 〔遊戯〕起き上がりこぼし．

te·nue [ténwe テヌエ] 形 **1** 細い；薄い．hilos *tenues* del gusano de seda カイコの細い糸．**2** 微弱な．voz *tenue* 弱々しい声．

te·ñi·do, da [teɲíðo, ða テニィド，ダ] 過分 形 **1** 《＋**de, en**》…に染まった．
2 《＋**de**》…気味の．ideología *teñida de* fanatismo 狂信性を帯びたイデオロギー．
—— 名男 染色；染料．

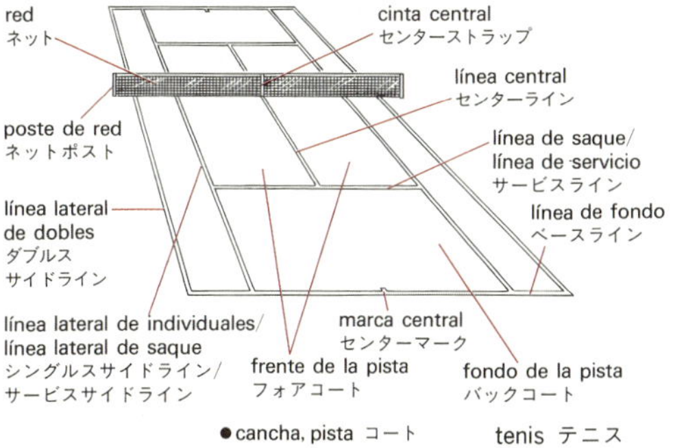

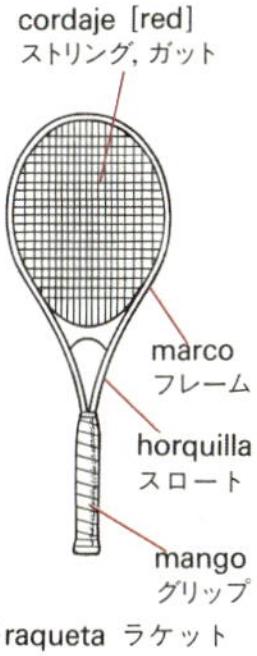

tenis テニス

T

te·ñir [teɲír テニィル] [56 e ➡ i] 動他 [現分 tiñendo] **1** 《+**de, en**》…に染める. *teñir* el vestido *de* azul 服を青く染める.
2 《+**de**》…のニュアンスをつける. Suele *teñir* sus obras *de* un cierto optimismo. 彼の作品はいつもある種の楽観主義で彩られている.
— **te·ñir·se** 《+**de**》**1** …色に(自分の)髪を染める. *teñirse de* rubio 髪をブロンドに染める.
2 染まる.

te·o·cra·cia [teokráθja テオクラしア] 名女 神権政治.

te·o·lo·gí·a [teoloxía テオろヒア] 名女 神学.
no meterse en teologías 《口語》難しい問題を避ける.

te·o·ló·gi·co, ca [teolóxiko, ka テオろヒコ, カ] 形 神学の.

te·ó·lo·go, ga [teóloɣo, ɣa テオろゴ, ガ] 名男女 神学者.
— 形 神学上の, 神学的な.

te·o·re·ma [teoréma テオレマ] 名男 〘数学〙定理; (一般) 原理, 法則. *teorema* de Pitágoras ピタゴラスの定理. *teorema* de la evolución 進化の法則.

te·o·rí·a [teoría テオリア] 名女 [複 ~s] 〔英 theory〕**理論**; 説, 持論. *teoría* de conjuntos 集合論. *Teoría* de la Relatividad (Einstein の) 相対性理論.
en teoría 理論上(は).

te·ó·ri·ca·men·te [teórikaménte テオリカメンテ] 副 理論上, 理論的に.

te·ó·ri·co, ca [teóriko, ka テオリコ, カ] 形 理論的な, 理論上の.
— 名男女 理論家.
— 名女 理論.

te·qui·la [tekíla テキら] 名男 テキーラ: リュウゼツランから作るメキシコ産の蒸留酒.

te·ra·peu·ta [terapéuta テラペウタ] 名男女 〘医〙治療専門家[医師], セラピスト.

te·ra·péu·ti·co, ca [terapéutiko, ka テラペウティコ, カ] 形 〘医〙治療の, 治療法の.
— 名女 〘医〙治療法, 治療学.

te·ra·pia [terápja テラピア] 名女 〘医〙治療, 治療法.

ter·cer [terθér テルせル] 形 ➡ tercero.

ter·ce·ro[1]**, ra** [terθéro, ra テルせロ, ラ] [複 ~s] 形 《数詞》〔英 third〕[男性単数名詞の前で tercer となる] **3番目の**, 第3の; 3分の1の. Nos sentamos en la *tercera* fila. 我々は3列目に座った. Se comió una *tercera* parte de la tortilla. 彼はオムレツの3分の1を食べてしまった.
— 名男女 第三者. causar daño a un *tercero* 第三者に損害を与える.

ter·ce·ro[2] [terθéro テルせロ] 名男 3分の1.

ter·ce·to [terθéto テルせト] 名男 〘音楽〙三重唱[奏]; 三重奏曲[団].

ter·ciar [terθjár テルしアル] 動自
1 仲介する, 仲裁する, 調停する.
2 加わる; 口を挟む.
— **ter·ciar·se** 生じる, 起こる. si *se tercia* alguna vez que usted pase por aquí もしこちらにおいでになるようなときは.
► 3人称単数のみに活用.

ter·cia·rio, ria [terθjárjo, rja テルしアリオ, リア] 形 **1** 第3次の, 第3期の. sector *terciario* (サービス業などの) 第三次産業部門; 第3セクター. **2** 〘地質〙第三紀の.
— 名男 〘地質〙第三紀.

ter·cio, cia [térθjo, θja テルしオ, しア] 名男 **1** 3分の1. un *tercio* de los presentes 出席者の3分の1. dos *tercios* 3分の2.
2 〘軍事〙(16–17世紀の) 歩兵連隊; (志願兵の) 部隊.
3 〘闘牛〙(3つの) 各場: 槍(やり)を突くこと, 銛(もり)を打つこと, とどめを刺すこと.
— 形 《数詞》3番目の, 第3の; 3分の1の (= tercero).
hacer buen [***mal***] ***tercio a*** 《+uno》〈人〉の役に立つ[立たない].

ter·cio·pe·lo [terθjopélo テルしオペろ] 名男 ビロード, ベルベット. cortinas de *terciopelo* ビロードのカーテン.

ter·co, ca [térko, ka テルコ, カ] 形 頑固な, 強情な; 執拗(しつよう)な.

Te·re·sa [terésa テレサ] 固名 テレサ: 女性の名. 愛 Tere. Santa *Teresa* de Jesús 聖女テレサ・デ・ヘスス (1515–82, スペインの神秘文学者・跣足(せんそく)カルメル会の改革者).

te·re·sia·no, na [teresjáno, na テレシアノ, ナ] 形 サンタ・テレサ・デ・ヘススの; 跣足(せんそく)カルメル会の.
— 名女 〘カトリック〙跣足カルメル会修道女.

ter·gi·ver·sa·ción [terxiβersaθjón テルヒベルサしオン] 名女 歪曲(わいきょく); 言い逃れ.

ter·gi·ver·sar [terxiβersár テルヒベルサル] 動他 (事実を) ゆがめる; 言い逃れる.

ter·mal [termál テルマる] 形 温泉の. aguas *termales* 温泉.

ter·mas [térmas テルマス] 名女 [単・複同形] 温泉; 〘歴史〙(古代ローマの) 公衆浴場.

ter·mes [térmes テルメス] 名男 [単・複同形] 〘昆虫〙シロアリ (白蟻).

tér·mi·co, ca [térmiko, ka テルミコ, カ] 形 熱の. energía *térmica* 熱エネルギー. central *térmica* 火力発電所.

ter·mi·na·ción [terminaθjón テルミナしオン] 名女 **1** 終わり, 完了. *terminación* de la obra 工事の完了. **2** 端, 末端. la *terminación* de las mangas 袖口(そでぐち).
3 〘文法〙屈折語尾.

terminado, da 過分 ➡ terminar.

ter·mi·nal [terminál テルミナる] 名女 (交通機関の) ターミナル, 終点. *terminal* aérea エアターミナル. ➡ aeropuerto 図.
— 名男 〘電気〙〘コンピュータ〙端末 (装置); 端子.

—— 形終わりの; 末端の. estación *terminal* 終着駅.

terminando 現分 → terminar.

ter·mi·nan·te [terminánte テルミナンテ] 形 **1** 決定的な, 断固とした (= tajante). una negativa *terminante* きっぱりとした拒絶. **2** 最終的な. resultados *terminantes* 最終的な結果.

ter·mi·nar [terminár テルミナル] 動他 [現分 terminando ; 過分terminado, da] 〔英finish, end〕 **終える**, 終了する. Este año *terminará* la carrera de la universidad. 今年彼は大学の勉強を終える.

—— 動自 **1** **終わる**, 終了する. ¿A qué hora *termina* la película? 映画は何時に終わりますか. Este camino *termina* a la vuelta de la colina. この道は丘を回ったところで終わっている.

2 (最後・結果が) …として終わる, …になる. *Terminó* por volverse loco. 彼はとうとう気が狂ってしまった.

—— **ter·mi·nar·*se*** 終わる; 尽きる. *Se terminó* el cursillo. 講習会が終了した. *Se ha terminado* todo el pan en la panadería. パンが全部売り切れた.

tér·mi·no [término テルミノ] 名男 [複 ~s] 〔英 end; term〕 **1** **終わり**, 最後; 端, 末端. dar *término* a 《+algo》〈何か〉を終わらせる. llegar al *término* de la paciencia 堪忍袋の緒が切れる. llevar a *término* 完遂する. poner *término* a 《+algo》〈何か〉に終止符を打つ.

2 **期限**, 期間. en el *término* de veinticuatro horas 24時間以内に.

3 境界; 領域. *término* municipal 市[町, 村]域.

4 言葉; 用語. *término* culto 雅語. *término* técnico 技術用語. en *términos* claros y precisos 明確に.

5 [~s]条項, 条件.

6 (構成) 要素; 項目.

en primer término まず第一に.

en términos generales 一般的に言うと.

en último término やむを得ない場合には.

estar en buenos* [*malos*] *términos 仲がよい[悪い]. *Están en malos términos* después de aquella discusión. あの口論以後, 二人は仲が悪い.

término medio (1)平均. por *término medio* 平均して. (2)中庸. mantenerse en el *término medio* 中道に立つ. No hay *término medio*. 中間がない, 両極端に走る.

ter·mi·no·lo·gí·a [terminoloxía テルミノロヒア] 名女 《集合》術語, 専門用語.

ter·mo [térmo テルモ] 名男 [~または ~s] 魔法瓶.

ter·mo·di·ná·mi·co, ca [termoðinámiko, ka テルモディナミコ, カ] 形 〔物理〕熱力学の. —— 名女 〔物理〕熱力学.

ter·mo·e·lec·tri·ci·dad [termoelektriθiðáð テルモエレクトゥリしダ(ドゥ)] 名女 〔物理〕熱電気; 熱電気学.

ter·mó·me·tro [termómetro テルモメトゥロ] 名男 温度計; 体温計 (= *termómetro* clínico).

ter·mo·nu·cle·ar [termonukleár テルモヌクれアル] 形 〔物理〕熱核 (反応) の, 核融合の.

ter·mos·ta·to [termostáto テルモスタト] 名男 〔電気〕サーモスタット, 自動温度調節器.

ter·na·rio, ria [ternárjo, rja テルナリオ, リア] 形 3要素からなる, 3元の, 3進の. compás *ternario* 〔音楽〕3拍子.

ter·ne·ra [ternéra テルネラ] 名女 **1** 子牛の肉. **2** (雌の) 子牛.

ter·ne·ro [ternéro テルネロ] 名男 (雄の) 子牛.

ter·ni·lla [terníʎa テルニリャ] 名女 〔解剖〕軟骨, 軟骨組織.

ter·no [térno テルノ] 名男 **1** 三つ[3人]組; 〔服飾〕背広の三つぞろい.

2 《口語》のろいの言葉, 悪態. echar [soltar] *ternos* のろう, ののしる.

ter·nu·ra [ternúra テルヌラ] 名女 **1** 優しさ; 情愛. tratar con *ternura* 優しく接する[もてなす].

2 甘い言葉; 愛情の表現.

3 (絵画などの) 優美さ. la *ternura* de un paisaje 景色の美しさ.

ter·que·dad [terkeðáð テルケダ(ドゥ)] 名女 頑固, 強情.

te·rra·co·ta [terakóta テラコタ] 名女 テラコッタ: 素焼きの土器. [← 〔伊〕 terracotta]

te·rra·do [teráðo テラド] 名男 〔建築〕テラス; 平屋根.

te·rra·plén [teraplén テラプれン] 名男 **1** (道路・鉄道の) 盛り土, 土手. **2** 坂, 勾配(こうばい).

te·rrá·que·o, a [terákeo, a テラケオ, ア] 形 水陸からなる, 水陸の.

te·rra·te·nien·te [teratenjénte テラテニエンテ] 名男女 大地主, 大土地所有者.

te·rra·za [teráθa テラさ] 名女 **1** テラス. → casa 図. **2** 屋上.

3 (カフェーの) テラス.

4 (段々畑の) 段, 段丘. cultivo en *terrazas* 段々畑の耕作.

te·rre·mo·to [teremóto テレモト] 名男 地震. *terremoto* de cinco grados de intensidad 震度5の地震. → maremoto.

te·rre·nal [terenál テレナる] 形 この世の, 現世の.

te·rre·no[1] [teréno テレノ] 名男 [複 ~s] 〔英 land〕 **1** **土地**; 用地. *terreno* muy accidentado 起伏の激しい土地. *terreno* de camping キャンプ場. coche todo *te-*

rreno 〘車〙 ジープ. **2** 分野, 領域.
estar [***encontrarse***] ***en*** SU ***propio terreno*** (人より) 有利な状況にある.
ganar terreno 地歩を固める, 優勢になる.
perder terreno 形勢不利になる.
preparar [***trabajar***] ***el terreno*** 根回しする.
saber el terreno que pisa 事情に明るい.
sobre el terreno その場で; その都度.
terreno abonado 下地; 温床.

te·rre·no[2], na [ter̄éno, na テレノ, ナ] 形 この世の; 地上の.

te·rres·tre [ter̄éstre テレストゥレ] 形 **1** 陸上の, 地上の. **2** 地球の.
—— 名男女 地球人.

te·rri·ble [ter̄íβle テリブれ] 形 [複 ～s] 〔英 terrible〕 **1 恐ろしい**, 怖い. monstruo *terrible* 恐ろしい怪物.
2 すごい, ひどい. Hace un calor *terrible*. すごい暑さだ. Tengo un sueño *terrible*. どうしようもなく眠い.

te·rrí·co·la [ter̄íkola テリコら] 名男女 陸生動物; (SF小説などで) 地球人.
—— 形 陸に住む, 陸生の.

te·rrí·fi·co, ca [ter̄ífiko, ka テリフィコ, カ] 形 恐ろしい, ぞっとするような.

te·rri·to·rial [ter̄itorjál テリトリアる] 形 領土の; 管区の. límites *territoriales* 領域. aguas *territoriales* 領海.

te·rri·to·rio [ter̄itórjo テリトリオ] 名男 [複 ～s] 〔英 territory〕 **1 領土**. *territorio* bajo tutela [mandato] 信託[委任]統治領. en todo el *territorio* del Estado 全国にわたって. **2** 管轄区域.
3 〘動物〙 縄張り, テリトリー.

te·rrón [ter̄ón テロン] 名男 **1** 土くれ; [terrones] 農地. **2** (砂糖・塩などの) 塊. un *terrón* de azúcar 角砂糖の1個.

te·rror [ter̄ór テロル] 名男 恐怖; 恐怖の的; テロ (行為). Corrió el *terror* entre los ciudadanos. 市民の間に恐怖感が広まった. Fue el *terror* del barrio. 彼は町内の人たちに恐れられていた.

te·rro·rí·fi·co, ca [ter̄orífiko, ka テロリフィコ, カ] 形 恐ろしい, ぞっとするような.

te·rro·ris·mo [ter̄orísmo テロリスモ] 名男 テロリズム, テロ行為.

te·rro·ris·ta [ter̄orísta テロリスタ] 形 テロリズムの, テロリストの.
—— 名男女 テロリスト.

te·rro·so, sa [ter̄óso, sa テロソ, サ] 形 土のような; 土色の.

te·rru·ño [ter̄úɲo テルニョ] 名男 **1** 故郷, 郷土. **2** 土くれ.

ter·so, sa [térso, sa テルソ, サ] 形 **1** 流麗な; 滑らかな. **2** 澄んだ, 透明な.

ter·su·ra [tersúra テルスラ] 名女 滑らかさ; 流麗; 光沢. Después de lavarlo, perdió la *tersura*. 洗ったら光沢がなくなってしまった.

ter·tu·lia [tertúlja テルトゥりア] 名女 常連の集まり; サークル, クラブ. *tertulia* literaria 文学同人[サークル].

Te·ruel [terwél テルエる] 固名 テルエル: スペイン東部の県; 県都.

te·si·na [tesína テシナ] 名女 (大学の) 卒業論文, 研究論文.

te·sis [tésis テシス] 名女 [単・複同形] **1** 学位論文, 博士論文 (= *tesis* doctoral). **2** 見解, 主張.

te·si·tu·ra [tesitúra テシトゥラ] 名女 気分, 機嫌, 精神状態.

te·són [tesón テソン] 名男 確固, 堅固 (= firmeza); 執拗(しつよう). sostener con *tesón* una opinión ある考えを頑として変えない.

te·so·re·rí·a [tesorería テソレリア] 名女 会計課, 経理部; 公庫, 財務局.

te·so·re·ro, ra [tesoréro, ra テソレロ, ラ] 名男女 会計係, 出納係; 財務官.

te·so·ro [tesóro テソロ] 名男 [複 ～s] 〔英 treasure〕 **1 宝**, 財宝; 財産. *tesoro* artístico nacional 国宝.
2 国庫 (= *tesoro* público). bono del *Tesoro* 国債.
3 《口語》《呼びかけ》 最愛の人. mi *tesoro* お前, あなた.

test [tés*t* テス(トゥ)] 名男 テスト, 試験, 検査. [←英語]

tes·ta [tésta テスタ] 名女 《口語》 頭; 知脳.

tes·ta·do, da [testáðo, ða テスタド, ダ] 形 遺言書[状]に定められた; 遺贈された.

tes·ta·dor, do·ra [testaðór, ðóra テスタドル, ドラ] 名男女 遺言者.

tes·ta·fe·rro [testafér̄o テスタフェロ] 名男 名義人.

tes·ta·men·ta·rio, ria [testamentárjo, rja テスタメンタリオ, リア] 形 遺言の, 遺言による.
—— 名男女 遺言執行者.

tes·ta·men·to [testaménto テスタメント] 名男 **1** 遺言, 遺言書[状]. hacer *testamento* 遺言書[状]を作成する. **2** [T-] 〘聖書〙 聖書. Antiguo [Viejo] *Testamento* 旧約聖書. Nuevo *Testamento* 新約聖書.

tes·tar [testár テスタル] 動自 遺言する, 遺言書[状]を作成する.

tes·ta·ra·zo [testaráθo テスタラそ] 名男 頭をぶつけること, 頭突き. darse un *testarazo* con ... …とぶつかる.

tes·ta·ru·dez [testaruðéθ テスタルデす] 名女 頑固, 強情.

tes·ta·ru·do, da [testarúðo, ða テスタルド, ダ] 形 頑固な, 強情な.
—— 名男女 頑固者, 強情な人.

tes·tí·cu·lo [testíkulo テスティクろ] 名男 〘解剖〙 睾丸(こうがん).

tes·ti·fi·car [testifikár テスティフィカル] [8 c → qu] 動他 〘法律〙 証明する, 証言する.

tes·ti·go [testíɣo テスティゴ] 名男女 **1** 〘法

律》証人. *testigo* falso 偽証者. poner [tomar] por *testigo* a 《+uno》〈人〉を証人として召喚する.
2 目撃者; 立会人, 介添え人. La *testigo* explicó los detalles de la pelea. 女性の目撃者がけんかの一部始終を語った. Es *testigo* ocular del accidente. 彼がその事故の目撃者です.
—— 名男 証拠, 証明.
tes·ti·mo·nial [testimonjál テスティモニアる] 形《法律》証拠の, 証明する.
—— 名女 [~es]《法律》証拠書類.
tes·ti·mo·niar [testimonjár テスティモニアル] 動他 証明する, 証言する.
tes·ti·mo·nio [testimónjo テスティモニオ] 名男 証言, 証拠. dar *testimonio* de ... …の証拠を示す. *testimonio* de amistad 友情のしるし.
tes·tuz [testúθ テストゥす] 名男 (または女) [複 testuces] (馬などの) 額, 眉間(みけん); (牛の) 首筋.
te·ta [téta テタ] 名女 乳房. dar la *teta* a ... …に授乳する. niño de *teta* 乳飲み子.
té·ta·no(s) [tétano(s) テタノ(ス)] 名男《医》破傷風.
te·te·ra [tetéra テテラ] 名女 **1** ティーポット. ➡ vajilla 図. **2**《ラ米》おしゃぶり.
te·ti·lla [tetíʎa テティリャ] 名女 [teta の小] (男・雄の) 乳首; (哺乳(ほにゅう)瓶の) 乳首.
te·tra·e·dro [tetraéðro テトゥラエドゥロ] 名男《数》四面体.
te·trá·go·no [tetráɣono テトゥラゴノ] 名男《数》四角形, 四辺形.
—— 形 四角形の, 四辺形の.
te·tra·lo·gí·a [tetraloxía テトゥラろヒア] 名女 (小説・戯曲などの) 四部作.
té·tri·co, ca [tétriko, ka テトゥリコ, カ] 形 憂鬱(ゆううつ)な, 物悲しい.
teu·tón, to·na [teutón, tóna テウトン, トナ] 形 [複男 teutones] チュートン族の; ドイツ人の.
—— 名男女 チュートン族 (の人); ドイツ人.
teu·tó·ni·co, ca [teutóniko, ka テウトニコ, カ] 形 チュートン族の; ドイツ人の.
—— 名男 チュートン語.
tex·til [testíl テスティる] 形 織物の; 繊維の. industria *textil* 繊維産業.
tex·to [tésto テスト] 名男 [複 ~s] 〔英 text〕 **1 原文,** 本文. notas a pie de *texto* 脚注. *texto* de la ley 法律の条文.
2 本, 作品; 教科書, テキスト (= libro de *texto*). **3**《コンピュータ》テキスト: パソコン上における, 装飾などを排除した文字のみのデータ.
procesador de textos ワープロ.
tex·tual [testwál テストゥアる] 形 原文の (ままの), 本文の.
tex·tual·men·te [testwálménte テストゥアるメンテ] 副 原文どおりに, 一言一句違えずに.
tex·tu·ra [testúra テストゥラ] 名女 **1** 生地; (織物の) 手ざわり, 織り具合; 織り方. **2** (皮膚, 木材などの) きめ. **3** (文章の) 構成.
tez [téθ テす] 名女 (顔の) 皮膚, 肌. *tez* morena 浅黒い顔.

ti [tí ティ] 代名《人称》
[2 人称単数形, 男・女同形; 複数形 vosotros, vosotras] 〔英 you〕
《前置詞+》**君,** お前. Lo haré por *ti*. 君のために僕がそれをやろう. ¿A *ti* te gusta viajar? 君は旅行するの好きですか. ► 前置詞 con に続く場合 ➡ contigo.
de ti para mí《口語》ここだけの話として, 内密に.
Hoy por ti, mañana por mí.《口語》お互いさまだ (今日は人の身, 明日はわが身).

tí·a [tía ティア] 名女 [複 ~s] 〔英 aunt〕
1 伯母, 叔母 *tía* abuela 大おば. *tía* segunda 親のいこと. ➡ familia 【参考】, tío.
2《口語》《既婚者・年輩者に対する敬称》おばさん, おばちゃん. la *tía* Susana スサナおばさん.
3《口語》女.
(Cuéntaselo) a tu tía.《口語》うそも休み休み言え.
No hay tu tía.《口語》駄目だ, どうしようもない.
tia·ra [tjára ティアラ] 名女《カトリック》(ローマ教皇の) 三重冠; 教皇の位.
ti·be·ta·no, na [tiβetáno, na ティベタノ, ナ] 形 チベット Tíbet の.
—— 名男女 チベット人.
—— 名男 チベット語.
ti·bia·men·te [tíβjaménte ティビアメンテ] 副 煮えきらない態度で, 不熱心に.
ti·bie·za [tiβjéθa ティビエさ] 名女 生ぬるさ; 熱意のなさ, 気乗り薄.
ti·bio, bia [tíβjo, βja ティビオ, ビア] 形
1 生ぬるい. agua *tibia* ぬるま湯.
2 熱意のない, 気乗り薄な. recibimiento *tibio* 熱のこもらない歓迎.
—— 名女《解剖》脛骨(けいこつ).
poner tibio a 《+uno》《口語》〈人〉をののしる, 侮辱する.
ti·bu·rón [tiβurón ティブロン] 名男《魚》サメ (鮫).
tic [tík ティ(ク)] 名男 [複 tics, tiques] 《医》(顔面の) 痙攣(けいれん).
tic·tac [tikták ティクタ(ク)] 名男 [複 tictaques]《擬》(時計の音) チクタク. hacer *tictac* チクタク音がする.
tiembl- 動 ➡ temblar. [42 e ➡ ie]

tiem·po [tjémpo ティエンポ] 名男 [複 ~s] 〔英 time; weather〕 **1 時, 時間;** 余裕. ¡Cómo pasa [vuela] el *tiempo*! 時がたつのはなんと速いのだろう. No tengo ni dinero ni *tiempo* para viajar. 私は旅行をする金も暇もない. cierto *tiempo* しばしの間; かなりの時間. confiar [dejar] 《+algo》 al *tiempo* 〈何

T

か〉を時が解決するのに任せる. requerir [tomar] *tiempo* 時間がかかる. sin perder *tiempo* ただちに.

2 時機, 好機. Se enfermó en el *tiempo* de la vendimia. 彼はぶどうを収穫するころ病気になった. Es *tiempo* de presentar nuestros nuevos artículos. 新商品を出すのは今だ. fuera de *tiempo* 季節はずれで. fruta del *tiempo* 旬(しゅん)の果物. antes de *tiempo* 早めに. Nació antes de *tiempo*. 早産だった.

3 [しばしば ～s]時代. en *tiempo* de Isabel II イサベル2世の時代に. en los buenos *tiempos* 古き良き時代に. en su(s) *tiempo(s)* 若かったころは. en los *tiempos* que corren / en estos *tiempos* 近ごろ. en un *tiempo* / en otros *tiempos* かつて. nuestro *tiempo* / *tiempos* modernos 現代. por aquel *tiempo* あの当時.

4 **天気**. ¿Qué *tiempo* hace? どんな天気ですか. Hace buen *tiempo*. 良い天気だ. Hace un *tiempo* de perros. 《口語》全くひどい天気だ. aclararse el *tiempo* 晴れ間がのぞく. *tiempo* cargado どんよりとした天気.

【参　考】 tiempo
despejado 快晴. casi despejado 晴. nublado/cubierto 曇り. niebla 霧. bruma もや, かすみ. lluvia 雨. llovizna 霧雨. aguacero/chaparrón どしゃ降り, 驟雨(しゅうう). chubasco にわか雨, 夕立ち. relámpago 雷光, 稲妻. rayo 落雷. trueno 雷鳴. tormenta 嵐(あらし). nieve 雪. nevada 降雪. granizo あられ, ひょう. helada 凍結, 霜. escarcha 霜. aguanieve みぞれ.
viento 風. calma 無風. brisa そよ風. vendaval 強風. ráfaga de viento 突風. torbellino 疾風, 竜巻. tifón 台風. ciclón サイクロン. huracán ハリケーン. tornado トルネード.
sequía 日照り, 干ばつ. ola de calor 熱波. ola de frío 寒波. inundación 洪水.

5 《口語》年齢. Mi primo y yo somos del mismo *tiempo*. いとこと私は同い年だ.

6 〘技術〙(エンジンの) サイクル. motor de cuatro *tiempos* 4サイクルエンジン.

7 〘文法〙時制.

8 〘音楽〙テンポ.

al correr del* [*andando el*] *tiempo 時がたつにつれて.

al mismo tiempo 同時に.

al poco tiempo 少し後で.

a su* (*debido*) *tiempo ちょうどよい時に. No hacerlo *a su tiempo* trae problemas. 時機を逸すると後でいろいろと問題が起こる.

a tiempo 間に合って, 折よく. ¿Podemos llegar *a tiempo* a la estación? 私たちは遅れないように駅に着くことができるでしょうか. estar (todavía) *a tiempo* de 《＋不定詞》まだ…する暇がある.

a un tiempo 同時に. llegar *a un tiempo* 同時にやって来る.

con tiempo 前もって; ゆっくり; 定刻より前に. Hay que ir *con tiempo* si quieres encontrar asiento en el tren. 電車で座りたければ早めに出掛けなければならないよ.

con el tiempo 時がたつにつれて.

de tiempo en tiempo 時々.

ganar tiempo 時を稼ぐ; 遅れを取り戻す.

hacer* (*mucho*) *tiempo que ... ずっと以前から…である. *Hace mucho tiempo que* no voy al médico. ずいぶん長い間私は医者にかかっていない.

hacer tiempo / matar* [*pasar*] *el tiempo 暇をつぶす.

tener tiempo para todo 時間のやりくりがうまい.

tomarse tiempo / tomarlo con tiempo 時間をかける.

tien- 動 → tener. 55

tiend- 動 → tender. [43 e → ie]

tien·da [tjénda ティエンダ] 名女 [複 ～s]〔英 store〕

1 **店**, 小売店. *tienda* de comestibles 食料品店. *tienda* de modas 洋装店, ブティック (► 現在では boutique の方がよく用いられる). *tienda* de discos レコード店. abrir la *tienda* 店を開ける. poner *tienda* 開店する.

2 テント, 天幕. montar [levantar] la *tienda* テントを張る[畳む]. *tienda* de campaña (キャンプ用) テント. *tienda* de oxígeno 〘医〙酸素テント.

tient- 動 → tentar. [42 e → ie]

tien·ta [tjénta ティエンタ] 名女

a tientas 手探りで, 当て推量で. andar *a tientas* 手探りで歩く. decir *a tientas* 当てずっぽうに言う.

tien·to [tjénto ティエント] 名男 **1** 手触り.

2 慎重さ. con *tiento* 用心して.

3 (腕の) 確かさ, さえ. dibujar con buen *tiento* 見事な線で描く. **4** (盲人の) 杖(つえ).

tier·no, na [tjérno, na ティエルノ, ナ] 形 [複 ～s]〔英 tender〕 **1** **柔らかい**. carne *tierna* 柔らかい肉.

2 幼い, 未熟な. un *tierno* niño あどけない子供.

3 優しい, 情愛に満ちた; 涙もろい, 感じやすい. corazón *tierno* 優しい心.

tie·rra [tjḗra ティエラ] 名女 [複 ～s]〔英 earth〕

1 [T-] **地球**. La *Tierra* gira alrededor del Sol. 地球は太陽の周りを回っている. → 次ページ図. → solar 図.

2 **地面**, 大地; 陸地. poner pie en *tie-*

T

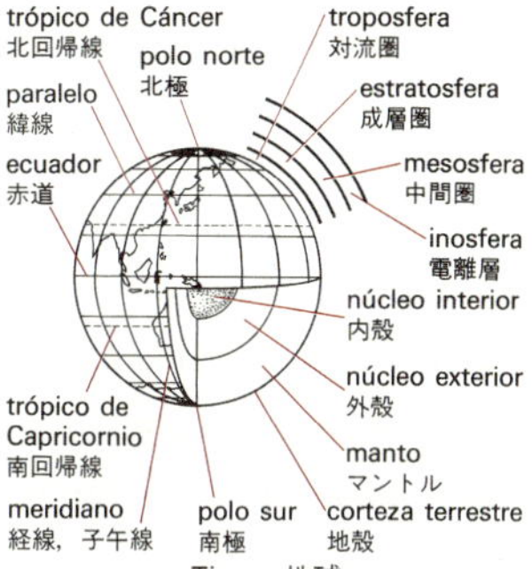

Tierra 地球

rra (乗り物から) 降り立つ. por *tierra* 陸路で. tocar *tierra* 着陸する. tomar *tierra* 着陸[着岸, 上陸]する. *tierra* adentro 内陸へ, 奥地に. *tierra* firme 大陸. ►「海」,「空」と対比して用いる場合は冠詞を伴わない.

3 土地, 耕地; 場所, 地域. cultivar la *tierra* 土地を耕す. *tierra* fértil 肥沃(ひよく)な土地. por estas *tierras* このあたりで[に]. *tierra* de nadie 無人地帯. *Tierra* Santa 〘聖書〙聖地 (パレスチナ).

4 生国, 故郷. Cuando estaba en el extranjero, echaba en falta su *tierra*. 外国で彼はホームシックにかかった. *tierra* natal 生国.

5 世の中; 現世. **6** 〘電気〙アース.

besar la tierra 《口語》前にばったり倒れる.

besar la tierra que 《+uno》 ***pisa*** 〈人〉に足を向けて寝られない.

caer por tierra 倒れる; 駄目になる.

echar a [***por***] ***tierra*** (計画などを) 駄目にする.

echar tierra a 《+algo》《比喩》〈何か〉をもみ消す.

poner tierra por medio 逃げ出す.

quedarse en tierra 乗り損ねる.

¡Trágame, tierra! ああ穴があったら入りたい!

tragarse a 《+uno》 ***la tierra*** 〈人〉が忽然(こつぜん)と姿を消す.

venirse a tierra 倒れる, 崩れる; 駄目になる.

tie·so, sa [tjéso, sa ティエソ, サ] 形

1 硬直した. tela *tiesa* ごわごわした布.

2 ぴんと立った. poner las orejas *tiesas* (犬などが) 耳をぴんと立てる.

3 お高くとまった; 冷淡な.

4 元気な, 丈夫な.

quedarse tieso かじかむ.

ties·to [tjésto ティエスト] 名男 **1** 植木鉢 (= maceta). **2** 陶器の破片.

tí·fi·co, ca [tífiko, ka ティフィコ, カ] 形 〘医〙チフスの.

—— 名男女 〘医〙チフス患者.

ti·foi·de·o, a [tifoiðéo, a ティフォイデオ, ア] 形 〘医〙チフス性の. fiebre *tifoidea* 腸チフス.

ti·fón [tifón ティフォン] 名男 〘気象〙台風. ojo del *tifón* 台風の目. ► ハリケーンは huracán.

ti·fus [tífus ティフス] 名男 [単・複同形] 〘医〙チフス. *tifus* asiático 真性[アジア]コレラ.

ti·gre [tíγre ティグレ] 名男 **1** 〘動物〙トラ(虎); 《ラ米》ジャガー

2 残忍な人. (= jaguar).

ti·gre·sa [tiγrésa ティグレサ] 名女

1 雌のトラ (= tigre hembra).

2 残忍な女; 《俗語》尻軽(しりがる)女.

ti·je·ra [tixéra ティヘラ] 名女 **1** [普通 ~s] はさみ. cortar con las *tijeras* はさみで切る, 裁断する. ► 中南米では単数形も用いられる.

2 (X字形の) 木挽(こび)き台.

3 〘スポーツ〙(レスリング) 挟み絞め, シザーズ; (走り高跳びの) 正面跳び (= salto de *tijera*).

de tijera (X字形の) 折り畳み式の. silla *de tijera* 折り畳み式椅子.

ti·je·re·ta [tixeréta ティヘレタ] 名女 〘昆虫〙ハサミムシ (鋏虫).

ti·je·re·te·ar [tixereteár ティヘレテアル] 動他 **1** はさみで切り刻む.

2 《口語》よけいな口出しをする.

ti·la [tíla ティラ] 名女 〘植物〙シナノキ (科木) の花; シナノキの花の茶.

til·dar [tildár ティるダル] 動他 **1** 波形符を付ける; アクセント符号を打つ.

2 《+de》…と非難する.

til·de [tílde ティるデ] 名男 (または女)

1 波形符 (˜): スペイン語で n の上に付ける記号. **2** アクセント符号 (´).

3 欠点, きず (= tacha). poner *tilde* a … …を非難する, …にけちをつける.

ti·lín [tilín ティリン] 名男 《擬》(鈴の音) チリンチリン, リンリン.

hacer tilín a 《+uno》《口語》〈人〉の気に入る. Eso no *me hace tilín*. それは気に入らないなあ.

ti·lo [tílo ティろ] 名男 〘植物〙シナノキ (科木), ボダイジュ (菩提樹).

ti·ma·dor, do·ra [timaðór, ðóra ティマドル, ドラ] 名男女 《口語》詐欺師, ぺてん師.

ti·mar [timár ティマル] 動他 《口語》だまし取る.

tim·ba [tímba ティンバ] 名女 **1** 《口語》賭博(とばく); 賭博場. **2** 《ラ米》太鼓腹.

tim·bal [timbál ティンバる] 名男 **1** 〘音楽〙小太鼓; [普通 ~es] ティンパニー. **2** 〘料理〙タンバル: 肉や野菜などを詰めたパイ.

tim·ba·le·ro, ra [timbaléro, ra ティンバれロ, ラ] 名男女 〘音楽〙鼓手, ティンパニー奏者.

tim·bra·zo [timbráθo ティンブラそ] 名男

けたたましいベルの音.
tim·bre [tímbre ティンブレ] 名男 **1** 証紙, 印紙;《ラ米》切手. *timbre* móvil [fiscal] 収入印紙. **2** ベル. tocar el *timbre* ベルを鳴らす. *timbre* de alarma 非常ベル. ➡ bicicleta 図. **3** 音色, 音質. *timbre* metálico 金属的な音色.
tímida 形女➡ tímido.
tí·mi·da·men·te [tímiðaménte ティミダメンテ] 副 遠慮がちに, おずおずと.
ti·mi·dez [timiðéθ ティミデす] 名女 [複 timideces] 内気.
tí·mi·do, da [tímiðo, ða ティミド, ダ] 形 [複 ~s]〔英 shy〕**内気な**, 恥ずかしがりやの; 遠慮がちの. una niña *tímida* 内気な女の子.

> 【参 考】 **tímido** はおずおずとした性格, 言動について言う. **cobarde** は腰抜け, 卑怯(ひきょう)の意味で侮蔑(ぶべつ)的な言葉. **cohibido, encogido** は目上の前などでおどおどした, ちぢこまったの意.

ti·mo [tímo ティモ] 名男《口語》詐欺, ぺてん. dar un *timo* a《+uno》〈人〉をだます.
ti·món [timón ティモン] 名男 **1**〔海事〕〔航空〕舵(かじ). *timón* de dirección 方向舵(だ). *timón* de profundidad 昇降舵. ➡ avión 図, barco 図, yate 図.
2 (犂(すき)の) 柄, (車の) 梶(かじ)棒.
3 舵取り, 運営, 指揮.
ti·mo·nel [timonél ティモネる] 名男〔海事〕操舵(そうだ)手, 舵(かじ)取り.
ti·mo·ra·to, ta [timoráto, ta ティモラト, タ] 形 **1** 内気な. **2** 神を畏(おそ)れる.
── 名男女 **1** 内気な人. **2** 猫かぶり (= mojigato).
tím·pa·no [tímpano ティンパノ] 名男
1〔建築〕ティンパヌム: 扉の上の三角または半円の小間. **2**〔解剖〕鼓膜; 鼓室. **3**〔音楽〕小太鼓; ダルシマー (打弦楽器の一種).
ti·na [tína ティナ] 名女 **1** (素焼きの) 大がめ; 桶(おけ); (工業用の) 槽.
2 浴槽 (= bañera).
ti·na·ja [tináxa ティナハ] 名女 (素焼きの) 大がめ.
ti·ner·fe·ño, ña [tinerféɲo, ɲa ティネルフェニョ, ニャ] 形 (スペイン Canarias 諸島の) テネリフェ Tenerife 島の.
── 名男女 テネリフェ島の住民.
tin·gla·do [tiŋgláðo ティングらド] 名男
1 板張りの壇.
2 策略; 混乱. **3** 小屋, 掛け小屋.
ti·nie·blas [tinjéβlas ティニエブらス] 名女 [複] **1** 闇(やみ), 暗さ. **2** 無知; 混迷.
ti·no [tíno ティノ] 名男 **1** 的を射た判断. sin *tino* 見境なく. tener buen *tino* 分別がある. **2** 巧みさ, 手際のよさ.
3 (銃などの) 照準の確かさ. **4** 控えめ. beber con *tino* ほどほどに酒を飲む.
sacar de tino a《+uno》〈人〉を怒らせる.
tin·ta [tínta ティンタ] 名女 [複 ~s]〔英 ink〕 **1** **インク**. escribir con *tinta* インクで書く. corregir con *tinta* roja 赤インクで訂正する. *tinta* de imprenta 印刷インク.
2 (イカなどの) 墨. calamares en su *tinta*〔料理〕イカの墨煮.
medias tintas《口語》はっきりしない態度.
recargar [***cargar***] ***las tintas*** 誇張する.
saber de buena tinta 確かな筋から知る.
sudar tinta《口語》骨を折る, 苦労する.
tin·tar [tintár ティンタル] 動他 染める, 染色する.
tin·te [tínte ティンテ] 名男 **1**《口語》ドライクリーニング店 (= tintorería).
2 染色; 染料 (液); 染め物屋.
3 色合い, ニュアンス. tener un *tinte* político 政治色を帯びる. **4** 見かけ, うわべ. Tiene *tinte* de hombre de mundo. 彼には苦労人といった感じがある.
tin·te·ro [tintéro ティンテロ] 名男 インク瓶.
dejar(***se***) ***en el tintero*** 言わずに[書かずに] いる.
tin·ti·ne·ar [tintineár ティンティネアル] 動自 (鈴・ベルなどが) チンチン [リンリン] と鳴る.
tin·ti·ne·o [tintinéo ティンティネオ] 名男《擬》チンチン, リンリン.
tin·to, ta [tínto, ta ティント, タ] 名男 赤ぶどう酒 (= vino *tinto*). ► 白ぶどう酒は (vino) blanco, ロゼは (vino) rosado.
── 形 **1** 染まった. *tinto* en sangre 血に染まった. **2** (ぶどう酒が) 赤の.
tin·to·re·rí·a [tintorería ティントレリア] 名女 **1** ドライクリーニング店 (= tinte).
2 染色工場, 染物屋.
tin·to·re·ro, ra [tintoréro, ra ティントレロ, ラ] 名男女 **1** クリーニング店の主人 [従業員]. **2** 染物屋, 染物師.
tin·to·rro [tintóro ティントロ] 名男《口語》安物の赤ぶどう酒.
tin·tu·ra [tintúra ティントゥラ] 名女
1 染料; 染色. **2**〔医〕チンキ剤. *tintura* de yodo ヨードチンキ.
tiñ- 動 現分 ➡ teñir. [56 e ➡ i]
ti·ña [tíɲa ティニャ] 名女 **1**〔医〕輪癬(りんせん), たむし. **2**《口語》貧乏; けち, しみったれ.
mas viejo que la tiña 古くさい, 古ぼけた.
ti·ño·so, sa [tiɲóso, sa ティニョソ, サ] 形
1 輪癬(りんせん) [たむし] にかかった.
2《口語》貧しい; しみったれた.
tí·o [tío ティオ] 名男 [複 ~s]〔英 uncle〕
1 **伯父, 叔父**; [複] おじ夫婦. *tío* abuelo 大おじ. *tío* segundo 親のいとこ. ➡ fami-

T

lia 【参考】, tía.
2 《口語》《既婚者・年輩者に対する敬称》おじさん, おじちゃん. el *tío* Julio フリオおじさん.
3 《口語》やつ, 野郎. un *tío* estupendo すばらしいやつ. ¡Qué [Vaya un] *tío*! すごいやつだ.
¡Eres un tío grande! 《口語》でかしたぞ, よくやった!
Es un tío con toda la barba. 《口語》彼は男らしい男だ.

tio·vi·vo [tjoβíβo ティオビボ] 名男 メリーゴーラウンド, 回転木馬 (= caballitos).

tí·pi·co, ca [típiko, ka ティピコ, カ] 形 典型的な. Es un *típico* español. 彼は典型的なスペイン人だ. ¿Cuál es el plato *típico* de esta región? この地方の郷土料理はなんですか. los bailes *típicos* de Guatemala グアテマラの伝統舞踊.

ti·pi·fi·ca·ción [tipifikaθjón ティピフィカシオン] 名女 **1** 特徴づけること.
2 類型に合わせること.

ti·pi·fi·car [tipifikár ティピフィカル] [8 c ➙ qu] 動他 **1** 特徴づける.
2 類型に合わせる.

ti·pis·mo [tipísmo ティピスモ] 名男 **1** 地方色, 郷土色. *tipismo* andaluz アンダルシアの郷土色. **2** 典型性.

ti·ple [típle ティプレ] 名男 〔音楽〕最高音域, ソプラノ (= soprano).

ti·po [típo ティポ] 名男 [複 ~s] 〔英 type〕
1 型, タイプ. ¿Qué *tipo* de comida prefieres comer? 君は何料理が食べたい? Aquí se venden zapatos de todo *tipo*. ここではあらゆる種類の靴を売っている. No es mi *tipo*. 彼[それ]は私のタイプ[好み]ではない.
2 体型; 外観, 外見. Si adelgazaras, tendrías mejor *tipo* やせれば君はもっと格好よくなるよ. *tipo* ario アーリア人的外見.
3 《口語》そいつ, あいつ, やつ. Es un *tipo* del que te puedes fiar. あいつは信用できるやつだよ. ¿Qué te ha dicho el *tipo* ese? そいつは君に何と言ったの?
4 割合, 率. *tipo* de cambio 為替レート. *tipo* de interés 利率.
5 〔印刷〕活字. *tipo* gótico ゴシック体. ➙ letra.
aguantar [***mantener***] ***el tipo*** 沈着に行動する.
jugarse el tipo a ... …に命を賭(か)ける.

ti·po·gra·fí·a [tipoɣrafía ティポグラフィア] 名女 活版印刷 (術).

ti·po·grá·fi·co, ca [tipoɣráfiko, ka ティポグラフィコ, カ] 形 活版印刷の.

ti·pó·gra·fo, fa [tipóɣrafo, fa ティポグラフォ, ファ] 名男女 (活版) 印刷工; 植字工.

ti·quis·mi·quis [tikismíkis ティキスミキス] 名男女 [単・複同形] 些事(さ)にこだわる人, こせこせした人.
—— 名男 [複] 《口語》 **1** 取り越し苦労.
2 気取った振る舞い.
3 ちょっとしたことで腹を立てること.
andar con tiquismiquis つまらないことにこだわる; 些細(さい)なことでけんかをする.

ti·ra [tíra ティラ] 名女 (細長い) 切れ端, ひも. una *tira* de papel higiénico トイレットペーパー1回分.
la tira de ... 《口語》たくさんの….
sacar las tiras del pellejo 《口語》こき下ろす, 酷評する.

ti·ra·bu·zón [tiraβuθón ティラブソン] 名男 **1** 巻き毛, カール.
2 コルク栓抜き (= sacacorchos).

ti·ra·da [tiráða ティラダ] 名女 〔印刷〕(主に新聞の) 発行部数; 刷, 版. segunda *tirada* 第2版[刷].
—— 過分 女 ➙ tirar.

ti·ra·do, da [tiráðo, ða ティラド, ダ] 過分 ➙ tirar.
—— 形 《口語》とてもたやすい; 非常に安い. ir *tirado* ただ同然で売られる.

ti·ra·dor, do·ra [tiraðór, ðóra ティラドル, ドラ] 名男女 射手, 射撃手, 投げる人.
—— 名男 取っ手, 握り. ➙ automóvil 図.

ti·ra·lí·ne·as [tiralíneas ティラリネアス] 名男 [単・複同形] (製図用の) からす口.

tirana 名形女 ➙ tirano.

tirando 現分 ➙ tirar.

ti·ra·ní·a [tiranía ティラニア] 名女 横暴; 暴政, 専制政治, 圧制.

ti·rá·ni·ca·men·te [tiránikaménte ティラニカメンテ] 副 横暴に, わがまま勝手に.

ti·rá·ni·co, ca [tirániko, ka ティラニコ, カ] 形 横暴な; 専制的な, 圧制的な.

ti·ra·ni·zar [tiraniθár ティラニサル] [39 z ➙ c] 動他 …に対して横暴に振る舞う, 虐げる; …に専制政治を行う.

ti·ra·no, na [tiráno, na ティラノ, ナ] [複 ~s] 名男女 〔英 tyrant〕 暴君, 専制君主, ワンマン.
—— 形 横暴な; 専制的な.

ti·ran·te [tiránte ティランテ] 名男 **1** [~s] 〔服飾〕サスペンダー; 肩ひも.
2 (馬車の) 引き具; (轅(ながえ)の) 手綱.
—— 形 **1** (ロープなどが) ぴんと張った.
2 (関係が) 緊張した, 険悪な; 冷えきった.

ti·ran·tez [tirantéθ ティランテス] 名女 [複 tiranteces] **1** 緊張, 緊迫. *tirantez* de relaciones entre los dos países 両国間の緊迫した関係.
2 直線距離, 最短距離.

ti·rar [tirár ティラル] 動他 [現分 tirando; 過分 tirado, da] 〔英 throw; pulldown; shoot〕
1 投げる; 捨てる, 手放す. No *tiren* aquí la basura. ここにゴミを捨てないでください. *tirar* un beso a 《+uno》〈人〉に投げキスを送る. Ella *está tirando* el dinero comprando cosas innecesarias. 彼女は不必要なものばかり買ってお金を無駄

T

にしている.
2 倒す, ひっくり返す. *Tiramos* la casa y construimos una nueva. 家を取り壊して新しいのを建てよう. *tirar* un vaso de vino ぶどう酒のコップをひっくり返す.
3 射る; 発砲する.
4 (ドアを) 手前に引く; 伸ばす, 引っ張る.
5 (写真を) 撮る. Me *tiraron* unas fotos. 私は何枚か写真を撮ってもらった.
6 〘印刷〙印刷する; 出版する. Esta revista *tira* más de cien mil ejemplares. この雑誌は発行部数10万部以上だ.
── 動自 〔英 pull〕 **1** 《+**de**》(1)…を引く, 引っ張る. *tirar de* una cuerda 綱を引っ張る. El maestro le *tiró de* las orejas. 先生が彼の耳を引っ張った. Los bueyes *tiran de*l arado. 牛が鋤(すき)を引く. (2)…を取り出す; (武器を) 手にする. *tirar de* las espadas 剣を抜く.
2 (煙突・パイプなどが空気を) 通す. Esta pipa no *tira* bien. このパイプは詰まっている.
3 引きつける, 心を引く. No le *tira* el deporte. 彼はスポーツに興味がない. La tierra natal siempre me *tira*. 故郷はいつでも懐かしいものだ.
4 《+**a**》…の傾向がある. María *tira* más bien *a* ruda. マリアはがさつな女だ. Es un blanco que *tira a* beige. その色はベージュがかった白だ. Todos los hermanos *tiran* a la madre. 兄弟は皆母親似だ.
5 《+**a**, **para**》…に向いている; …を目差している. *Tira para* actor. 彼は俳優を目ざしている.
6 (ある方向に) 進む, 行く. No *tires* recto que hay demasiado tráfico. 道路が混んでいるから直進しない方がいいよ.
7 《口語》馬力がある. La moto no *tira*, la tendré que arreglar. バイクのスピードが上がらない, 修理しなくちゃあ.
8 長持ちする; なんとかやっていく. Este traje ya no puede *tirar* más. この服は着古してもう駄目だ. ¿Qué tal?—Voy *tirando*. どう, 元気?—まあ, なんとかやってるよ.
9 (衣服が) 窮屈である. Este abrigo me *tira* de los hombros. このオーバーは袖(そで)付けがきつい.
──**ti·rar·se** **1** 飛び込む; 飛びかかる. *tirarse* de cabeza a la piscina プールに頭から飛び込む. *Se tiró* como un león sobre la comida. 彼はまるでライオンみたいに食事に飛びついた.
2 倒れる, 横になる. *Me tiré* en el sofá. 私はソファーに倒れ込んだ. *tirarse* al suelo de risa 《口語》笑い転げる.
3 (時が) 過ぎる, (時を) 過ごす. *Se tiró* todo el día leyendo. 本を読んで一日を過ごした.
a más* [*todo*] *tirar* / *tirando por alto せいぜい, 多くとも.
tirando por bajo 少なくとも.
tirar de* [*por*] *largo (1)気前よく使う. *Tiraste de largo* la pintura. 君, ペンキを気前よく使ったな. (2)高く見積もる.
tirar por lo alto 野望を抱く; 派手に行う.
tira y afloja 《口語》(交渉・議論などでの) やり取り, 駆け引き.

ti·ri·ta [tiríta ティリタ] 名女 ガーゼ付き絆創膏(ばんそうこう), 〘商標〙バンドエイド.

ti·ri·tar [tiritár ティリタル] 動自 《+**de**》(寒さ・熱など) でがたがた震える.

ti·ri·to·na [tiritóna ティリトナ] 名女 《口語》悪寒. tener una *tiritona* ぞくっとする.

ti·ro [tíro ティロ] 名男 [複 ~s] 〔英 throw; shot〕 **1** **投げること**, 放ること; 〘スポ〙シュート, ショット. largo *tiro* ロングシュート. *tiro* revés バックハンド・ドライブ. ➡ fútbol 【参考】.
2 **発砲**; 銃声; 弾丸. dar [pegar] un *tiro* 一発食らわせる. matar a *tiros* 射殺する. *tiro* de gracia 止(とど)めの一発. de un *tiro* 一発で. *tiro* al blanco 〘スポ〙射撃. *tiro* al plato 〘スポ〙クレー射撃.
3 射程距離. a *tiro* de escopeta 猟銃の射程距離内に. a *tiro* de piedra 石を投げて届く所に.
4 射撃場 (= campo de *tiro*).
5 (馬の) 一組. *tiro* de caballo 引き馬.
6 (煙突などの) 吸い込み. Esta chimenea tiene buen *tiro*. この煙突は吸い込みがいい.
── 動 ➡ tirar.
a tiro 射程距離内に; 間近に.
a tiro hecho ねらいを定めて; わざと.
de tiros largos 《口語》めかし込んで.
errar el tiro しくじる.
ni a tiros 《口語》決して…ない. *Ni a tiros* le convencemos. 我々はどうやっても彼を説得できない. No vendrá *ni a tiros*. 彼はどうしても来ないだろう.
poner el tiro muy alto 遠大な目標を掲げる.
salir el tiro por la culata 予想外の結果になる.
sentar a 《+uno》 ***como un tiro*** 〈人〉に衝撃を与える.

ti·roi·des [tiróiðes ティロイデス] 名男 [単・複同形] 〘解剖〙甲状腺(せん).
── 形 〘解剖〙甲状腺の.

ti·rón [tirón ティロン] 名男 **1** (乱暴に) 引っ張ること. Me dió un *tirón* de orejas. 彼は私の耳を引っ張った.
2 《口語》かなりの距離. **3** 《口語》ひったくり. Me dieron un *tirón* en la Gran Vía. 私はグラン・ビアでひったくりにあった.
de un tirón 一気に. Se lo bebió *de un tirón*. 彼はそれを一息に飲み干した.

ti·ro·te·ar [tiroteár ティロテアル] 動他 狙撃

(ʑ̃ᵏ)する，連射する．
—— **ti·ro·te·ar·*se*** 撃ち合う；言い争う．
ti·ro·te·o [tirotéo ティロテオ] 名男 **1** 発砲，撃ち合い．**2** 言い争い．
ti·rria [tíɾ̄ja ティリア] 名女《口語》敵意，憎悪，嫌悪．tomar [tener] *tirria* a《+uno》〈人〉に反感を持つ．
tí·si·co, ca [tísiko, ka ティシコ，カ] 形 肺結核の；肺結核にかかった．
—— 名男女 肺結核患者．
ti·sis [tísis ティシス] 名女 [単・複同形]〘医〙肺結核．
ti·sú [tisú ティス] 名男 [複 tisúes, tisús] 金糸[銀糸]を織り込んだ絹地，ラメ．
ti·tán [titán ティタン] 名男 **1** [T-]〘ギリシア神話〙タイタン：巨人族．**2** 巨人，大立物．*titán* del mundo político 政界の大物．
ti·tá·ni·co, ca [titániko, ka ティタニコ，カ] 形 巨大な，超人的な．un esfuerzo *titánico* 並外れた努力．
ti·ta·nio [titánjo ティタニオ] 名男〘化〙チタン．
tí·te·re [títere ティテレ] 名男 操り人形．
—— 名男女 他人の言うなりに動く人．
ti·tí [tití ティティ] 名男 [複 tities]〘動物〙ティティモンキー．
Ti·ti·ca·ca [titikáka ティティカカ] 固名 el lago *Titicaca* ティティカカ湖：アンデス山中，ペルーとボリビアにまたがる湖．
ti·ti·lar [titilár ティティラル] 動自 震える，痙攣(けいれん)する；(星・光などが)瞬く．
ti·ti·le·o [titiléo ティティレオ] 名男 (星の)瞬き，(光などの)明滅．
ti·ti·ri·tar [titiritár ティティリタル] 動自 (寒さ・恐怖に)震える，身震いする，おののく．
ti·ti·ri·te·ro, ra [titiritéro, ra ティティリテロ，ラ] 名男女 人形使い；軽業師，曲芸師．
ti·tu·be·an·te [tituβeánte ティトゥベアンテ] 形 **1** 口ごもる；ためらう．**2** 揺れる，ふらつく．un andar *titubeante* 千鳥足．
ti·tu·be·ar [tituβeár ティトゥベアル] 動自 **1** 口ごもる；ためらう．**2** ふらつく．
ti·tu·be·o [tituβéo ティトゥベオ] 名男 **1** 口ごもり；ためらい．**2** ふらつき．
ti·tu·la·ción [titulaθjón ティトゥラしオン] 名女 表題を付けること；学位．
ti·tu·la·do, da [tituláðo, ða ティトゥラド，ダ] 過分 形 **1**《題名を表す語を伴って》…という表題[タイトル]の．**2** 資格[学位]を持った．enfermera *titulada* 正看護婦．
—— 名男女 有資格者，学位取得者．
ti·tu·lar [titulár ティトゥラル] 形 正規に任じられた，資格のある．hacer *titular* a《+uno》〈人〉を(正式に)任命する．jugador *titular* 正選手．
—— 名男女 資格所有者．el *titular* del pasaporte パスポートの所持者．
—— 名男 [～es] (新聞記事などの)見出し．
—— 動他 題を付ける．
—— **ti·tu·lar·*se*** …と題[見出し]が付けられる；《+en》…の学位を取得する．*Se tituló en* letras. 彼は文学の学位[修士号]を得た．

tí·tu·lo [título ティトゥろ] 名男 [複 ～s]〔英 title〕
1 題，タイトル，見出し；(法令などの)章；(予算書などの)項目．*título* de la película 映画のタイトル．
2 資格；称号．obtener el *título* de abogado 弁護士の資格を取得する．*título* nobiliario [de nobleza] 爵位(→ duque【参考】)．*título* universitario 学位．
3 権利，資格，根拠．Tiene los *títulos* suficientes para el puesto. 彼はそのポストにつく十分な資格がある．¿Con qué *título* lo dice usted? あなたはどんな資格でそうおっしゃるのですか．
4 証書；債券．*título* de propiedad 権利書．*título* de acción 株券．*título* de valores 有価証券．
a título de ... …として，…の名目で．
ti·za [tíθa ティさ] 名女 **1** チョーク，白墨．escribir con *tiza* チョークで書く．
2 (ビリヤード)(キューにつける)チョーク．
tiz·nar [tiθnár ティすナル] 動他 (煤(す)・煤煙(ばいえん)などで)汚す．
tiz·ne [tíθne ティすネ] 名男 (または女) 煤(す)，煤煙(ばいえん)；燃えさし．
tiz·nón [tiθnón ティすノン] 名男 黒い汚れ；染み．
to·a·lla [toáʎa トアリャ] 名女 タオル．*toalla* de baño バスタオル．albornoz de *toalla* バスローブ．
arrojar [***lanzar***] ***la toalla*** (ボクシング)タオルを投げる；放棄する．
to·a·lle·ro [toaʎéro トアリェロ] 名男 タオル掛け．→ baño 図．
to·bi·lle·ra [toβiʎéra トビリェラ] 名女 くるぶし用のサポーター．
to·bi·llo [toβíʎo トビリョ] 名男 くるぶし．→ cuerpo 図．
to·bo·gán [toβoɣán トボガン] 名男
1〘遊戯〙滑り台．
2〘スポーツ〙トボガン(小型のそり)；トボガン競技用のコース．
to·ca [tóka トカ] 名女 (修道女の) ずきん；(女性用の)帽子．
to·ca·dis·cos [tokaðískos トカディスコス] 名男 [単・複同形] レコードプレーヤー．*tocadiscos* tragamonedas [tragaperras] ジューク・ボックス．→ cuarto 図．
to·ca·do, da [tokáðo, ða トカド，ダ] 過分 → tocar．
—— 形 **1** (果物などが)腐りかけた．
2《口語》頭のおかしい．estar *tocado* de la cabeza 気が触れている．
—— 名男 **1** (女性の)髪型．
2 (帽子・ベールなど)かぶりもの；髪飾り．
to·ca·dor [tokaðór トカドル] 名男 **1** 化粧台，鏡台；化粧品入れ．
2《口語》女性用洗面所；化粧室．
tocando 現分 → tocar．

T

to·can·te [tokánte トカンテ] 形
***en* [*por*] *lo tocante a* … / *tocante a* …** …に関しては.

to·car [tokár トカル] [⑧ c ➡ qu] 動他 [現分 tocando ; 過分 tocado, da] 〔英 touch; play〕

1 **触れる**; 接する, 達する. Prohibido *tocar* la fruta. 《店頭の提示》果物に触れないでください. No te *toques* la herida. 傷口をいじるな. No quiero *tocar* este tema. このテーマについては触れたくない. Leí tu composición pero no *toqué* ni una letra. 君の作文を読んだけど一字も直さなかったよ.

2 (楽器を) **弾く**; 音を出す, (鐘などを) 鳴らす. *tocar* la guitarra [el piano] ギター [ピアノ] を弾く. *tocar* el timbre 呼び鈴を押す. *tocar* la bocina [el claxon] クラクションを鳴らす. El reloj del edificio *tocó* las cinco. その建物の時計が5時を打った.

3 (同情・感謝・後悔などを) 感じさせる; (痛いところなどを) 突く. Sabe muy bien *tocar*le el corazón. 彼の心を動かせるすべを心得ている. ► 自動詞としても用いられる. ⇀ Le *tocaron* en lo vivo. 彼はひどく傷つけられた.

── 動自 **1** 鐘などを鳴らす. *tocar* a misa [a muerto] ミサ[弔い]の鐘を鳴らす.

2 …の番である, 順番である; 《+不定詞》…する義務がある. Me *toca* decirlo. 私はそのことを言わなければならない. ¿A qué hora te *tocó* ayer en el dentista? — Me *tocó* muy tarde. きのう歯医者さんに診てもらったのは何時だった? —とても遅くなってからだった.

3 (くじなどが) 当たる. A mi padre le *tocó* la lotería. 父は宝くじが当たった.

4 …に関係する. ¿Qué le *toca* doña María a tu madre?. — Es su hermana. マリア奥さんは君のお母さんの何に当たるの? —母の姉です.

5 近づく. *tocar* a SU fin 終わりに近づく.

***por lo que toca a* …** …に関して.

tocar el cielo con las manos 天にも昇る気持ちである, 有頂天になる.

tocar de cerca 経験する. Tuve la ocasión de *tocar* este problema muy *de cerca*. この件については以前深くかかわったことがあります.

to·ca·ta [tokáta トカタ] 名女 **1** 〖音楽〗トッカータ. **2** 《口語》殴打.

to·ca·yo, ya [tokájo, ja トカヨ, ヤ] 名男女 同名の人, 同名異人.

to·ci·no [toθíno トシノ] 名男 **1** ベーコン. *tocino* gordo 脂身の多いベーコン.
2 豚の脂身, ラード. ➡ carne 図.

to·co·lo·gí·a [tokoloxía トコロヒア] 名女 〖医〗産科学.

to·có·lo·go, ga [tokóloɣo, ɣa トコロゴ, ガ] 名男女 〖医〗産科医.

toda 形 代名 女 ➡ todo[1].

to·da·ví·a [toðaβía トダビア] 副 〔英 yet〕

1 **まだ** (↔ ya). ¡*Todavía* estás comiendo! まだ食べているのか! Pili no ha terminado *todavía* de escribir la carta. ピリはまだ手紙を書き終えていない.

2 それでも. Él no hace nada y *todavía* se las da de importante. 彼は何もしないくせに偉ぶっている.

3 《比較級の形容詞・副詞と共に》ずっと, なお. Mi hija quiere crecer *todavía* más. 娘はもっと背が高くなりたいと思っている.

to·do[1], da [tóðo, ða トド, ダ] [複 〜s] 形 〔英 all〕

1 《複数形+限定詞 (定冠詞・所有形容詞・指示形容詞) +複数名詞で》**すべての**, 全部の. He leído *todos* los libros que se encuentran aquí. 私はもうここにある本は全て読んだ. *todos* los días 毎日. *todos* los años 毎年. *todos* los lunes 毎週月曜日に. ➡ cada 【参考】.

2 《単数形+限定詞+単数名詞で》… の全体; 《地名に付けて》…全域. *Todo* el mundo sabe el resultado del partido. 誰(だれ)もが試合の結果を知っている. Esto no es *todo* mi equipaje. 私の荷物はこれで全部ではない. *todo* el día 一日中. *todo* el año 一年中. *toda* España スペイン全土.

3 《無冠詞名詞に付けて》どの [どんな] …でも, あらゆる, 全…. a *todo* correr 全速力で. por *todas* partes どこにも. de *todos* modos いずれにしても.

4 《代名詞の前に付けて》…のすべて [皆], すべての…. *todos* nosotros 我々みんな. *Todo* lo que he comido me ha sentado mal. 食べたものがみな胃にもたれている.

5 《強調》立派な, 完全な, …そのもの. Tu hijo ya es *todo* un hombre. 君の息子はもうどこから見ても一人前の男だ.

6 《直接目的語で lo と組んで》すべてのこと [もの], すっかり, 完全に. Lo hizo *todo*. 彼は全部終わった.

── 代名 《不定》 **1** [〜s] **すべての人々**. *Todos* se fueron. 全員行ってしまった.

2 すべてのこと [もの], 万事. *Todo* está listo. すべて準備できている. Muchas gracias por *todo*. いろいろお世話になりました.

ante todo 何よりもまず.

con todo* / *con eso y con todo* / *con todo y con eso* / *con todo y eso しかし, とはいえ.

después de todo 結局のところ.

de todas todas 全部, 完全に.

sobre todo とりわけ, 特に. Me encantan las novelas españolas, *sobre todo* las clásicas. 私はスペインの小説, とりわけ古典が好きだ.

todo lo 《+形容詞》最大限の; 全くの. *todo lo* contrario それどころか, 全く反対に.

hacer *todo lo* posible できる限りのことをする. ► しばしば副詞句を作る.
todo lo más 多くても, せいぜい.
y todo (1)何もかも, さえ(も). Me pagó el metro *y todo*. 彼は私に地下鉄代まで払ってくれた. (2)にもかかわらず. Cansado *y todo* siguió estudiando. 彼は疲れていたけれども勉強し続けた.

to·do² [tóðo トド] 名男 全体, 全部. en un *todo* ひっくるめて, 全体として.
—— 副 すっかり, 全く, 全部 (= totalmente). La habitación está *toda* en desorden. 部屋はひどく散らかっていた (► 形容詞の副詞的用法).
del todo 全く, 完全に.

to·do·po·de·ro·so, sa [toðopoðeróso, sa トドポデロソ, サ] 形 全能の; 絶大な権限を有する (= omnipotente).
El Todopoderoso 全能の神.

to·ga [tóɣa トガ] 名女 **1** (司法官・教授などの) ガウン.
2 トーガ: 古代ローマのゆったりとした長衣.

To·kio [tókjo トキオ] / **To·kyo** [tókjo トキョ] 固名 東京.

toi·són [toisón トイソン] 名男 羊の毛; 羊毛皮; 〘歴史〙金羊毛騎士団 (= orden del *toisón* de oro).

tol·do [tóldo トるド] 名男 日よけ, 雨覆い; (車の) 幌(ほろ), シート.

to·le [tóle トれ] 名男 騒ぎたてること, どよめき. armar(se) un *tole* 《口語》騒ぎたてる, 騒ぎになる.
tomar [***coger***] ***el tole*** 《口語》退散する, そそくさと立ち去る.

to·le·da·no, na [toleðáno, na トれダノ, ナ] 形 トレドの.
—— 名男女 トレドの住民.

To·le·do [toléðo トれド] 固名 トレド: スペイン中部の県; 県都.

to·le·ra·ble [toleráβle トれラブれ] 形 耐えられる, 許容できる. un dolor *tolerable* 我慢できる痛み.

to·le·ran·cia [toleránθja トれランしア] 名女 **1** (思想・宗教などに関する) 寛容.
2 耐性, 抵抗力; 許容 (性). Este animal tiene poca *tolerancia* al frío. この動物は寒さに弱い.

to·le·ran·te [toleránte トれランテ] 形 寛容な; (重圧などに) 耐えられる.

to·le·rar [tolerár トれラル] 動他 我慢する, 許容する; 耐える. La *tolero* porque es mi cuñada. 義理の姉だから我慢しているのだ. No puedo *tolerar* semejante conducta. そのような行動は許せない.

to·ma [tóma トマ] 名女 **1** 取ること. *toma* de muestras サンプリング, 標本抽出.
2 引き受けること. *toma* de conciencia 自覚, 認識. *toma* de posesión 就任.
3 奪取, 占拠. la *toma* de Granada グラナダ攻略. **4** (薬の) 一服. **5** 〘映画〙1シーン, 1ショット. *toma* de vistas 撮影.
—— 動 → tomar.
a toma y daca 持ちつ持たれつで, ギブ・アンド・テークで.

tomado, da 過分 → tomar.

tomando 現分 → tomar.

to·mar [tomár トマル] 動他 [現分 tomando; 過分 tomado, da] 〔英 take〕 **1 取る**, つかむ; 受け取る, 受け入れる. *tomar* a 《+uno》 de la mano 〈人〉の手をつかむ.
2 得る, 買う; 借りる. *Hemos tomado* una cabaña para pasar unos días esquiando. 我々は2, 3日間のスキーのためにこの小屋を借りた.
3 (乗り物に) **乗る**. Vamos a *tomar* un taxi para poder llegar a tiempo. 間に合うようにタクシーに乗ろう.
4 飲む, 食べる, 摂取する. *Tomo* el desayuno en esta cafetería todos los días. 私は毎日この喫茶店で朝食を食べます.
5 選び取る, 選択する. Le *tomaron* porque tenía experiencia de este trabajo. この仕事の経験があったので彼が選ばれた.
6 占領する; 占める. *Toma* asiento. 座りなさい.
7 (手段などを) 講じる.
8 (物事を) …と受けとめる. *Tomó* en serio lo que dije. 彼は僕の言ったことを本気にした.
9 (態度・行動などを) 取る, (感情などを) 抱く.
10 (写真を) 撮る.
11 計測する.
12 (風呂(ふろ)に) 入る, (シャワー・日光などを) 浴びる. *tomar* el sol 日光浴をする.
¡Toma! (1) 《物を渡すときに》 さあ, はい. ¡*Toma* tu bolsa! ほら, 君のバッグ. (2) 《驚き・不信を表して》 まさか. (3) 《了解を表して》 ああ, なるほど.
tomarla con 《+uno》 / ***tenerla tomada con*** 《+uno》 〈人〉に恨み[悪意]を抱く, 難癖をつける.
tomar … por … …を…とみなす, …を…と誤って思い込む.
tomar y … 《口語》突然…する.

To·más [tomás トマス] 固名 トマス: 男性の名. Santo *Tomás* 〘聖書〙聖トマス (十二使徒のひとり). Santo *Tomás* de Aquino 聖トマス・アクィナス (1225–74, イタリアの哲学者・神学者).

to·ma·te [tomáte トマテ] 名男 [複 ～s] 〔英 tomato〕 〘植物〙**トマト** (の実): 中南米原産, ナス科. ponerse como un *tomate* (恥ずかしくて) 真っ赤になる. ◆16世紀前半, 新大陸からヨーロッパに渡来. → hortalizas図.

to·ma·te·ra [tomatéra トマテラ] 名女 〘植物〙トマトの木.

to·ma·vis·tas [tomaβístas トマビスタス] 名男 [単・複同形] 8ミリカメラ, 小型ビデオカメラ.

tóm·bo·la [tómbola トンボら] 名女 トンボラ: 慈善目的の福引き. [←イタリア語]

to·mi·llo [tomíʎo トミりョ] 名男 〘植物〙タイム: 香辛料.

to·mo [tómo トモ] 名男 **1** (書物の) 巻, 分冊. **2** かさばる物; 体の大きな人, 恰幅(かっぷく)のいい人.
3 重要性, 価値 (= importancia).
de tomo y lomo 大変な; とても重要な.

ton [tón トン] ***sin ton ni son*** 《副詞句》訳もなく, なんの理由もなく.

to·na·da [tonáða トナダ] 名女 歌詞; 節, 曲; 《ラ米》口調, なまり.

to·na·di·lla [tonaðíʎa トナディりャ] 名女 〘音楽〙トナディーリャ: 短い歌曲.

to·nal [tonál トナる] 形 〘音楽〙音調の, 音色の; 〘美術〙色調の, 色合いの.

to·na·li·dad [tonaliðáð トナりダ(ドゥ)] 名女 〘音楽〙調 (性); 〘美術〙色調, 色の配合; 〘ラジオ〙〘テレビ〙音質, トーン. *tonalidad* mayor [menor] 長[短]調.

to·nel [tonél トネる] 名男 **1** 樽(たる), 大きな桶(おけ). **2** 非常に太っている人.

to·ne·la·da [toneláða トネらダ] 名女 (重量単位の) トン《略 t.》; 〘海事〙(船舶の容積・積載能力の単位の) トン.

to·ne·la·je [toneláxe トネらヘ] 名男 容積トン数, 積載量.

to·ne·le·ro, ra [toneléro, ra トネれロ, ラ] 形 樽(たる)の, 桶(おけ)の.
—— 名男 樽職人, 桶職人.

ton·go [tóŋgo トンゴ] 名男 〘スポ〙八百長.

To·ni [tóni トニ] 固名 トニ: Antonio, Antonia の愛称.

tó·ni·co, ca [tóniko, ka トニコ, カ] 形
1 元気づける; 強壮にする.
2 〘文法〙強勢の, アクセントのある (↔ átono). **3** 〘音楽〙主音の.
—— 名男 **1** スキン・ローション.
2 〘医〙強壮剤.
—— 名女 **1** 風潮, 動向. *tónica* de la Bolsa 株式市況. **2** (清涼飲料水の) トニック.
3 〘音楽〙主音.

to·ni·fi·ca·ción [tonifikaθjón トニフィカしオン] 名女 強壮にすること.

to·ni·fi·can·te [tonifikánte トニフィカンテ] 形 強壮にする, 元気づける.

to·ni·fi·car [tonifikár トニフィカル] [8 c → qu] 動他 元気づける; 強壮にする.

to·ni·llo [toníʎo トニりョ] 名男 なまり; 一本調子.

to·no [tóno トノ] 名男 **1** (声の) 調子, 音調; 口調. hablar en el mismo *tono* 抑揚のない話し方をする. *tono* alto [bajo] 高い[低い] 音調. bajar el *tono* 声をひそめる. en *tono* airado 怒った口調で.
2 (文章・会話などの) 調子, スタイル.
3 色調, トーン.
a este tono このようにして, この調子で.
a tono con ... …と調和して, …にふさわしい. La cortina no está *a tono con* la habitación. そのカーテンは部屋にマッチしない.
darse tono 威張る, うぬぼれる.
de buen [mal] tono 上品[下品]な.
fuera de tono ふさわしくない, 場違いの.
subir(se) de tono 声を荒らげる; 成り上がる; 傲慢(ごうまん)になる.

tonta 形名女 → tonto.

ton·tai·na [tontáina トンタイナ] 形 《口語》ばかな, 間抜けな.
—— 名男女 《口語》ばか, 間抜け.

ton·te·ar [tonteár トンテアル] 動自 **1** ふざける, くだらないことを言う.
2 (異性に) 言い寄る; (男女が) いちゃつく.

ton·te·rí·a [tontería トンテリア] 名女 **1** 愚かさ, ばかなこと[言動]. Él siempre está diciendo *tonterías*. 彼はいつもくだらないことを言っている. Déjate de *tonterías*. ばかなことはやめろ.
2 価値のないもの, 取るに足りないこと[もの]. gastarse el dinero en *tonterías* 無駄な物に金を使う. Lo compró por una *tontería*. 彼はただ同然でそれを手に入れた.

ton·to, ta [tónto, ta トント, タ] [複 ~s] 形 [英 foolish]
1 **ばかな**, 愚かな (↔ listo, inteligente). No seas *tonto*. ばかなことはやめろ. una pregunta *tonta* 間の抜けた質問.
2 お人よしの. Es tan *tonto* que se dejó engañar por ella. 彼はたいへんお人よしなので, 彼女にだまされてしまった.
3 涙もろい. Es muy *tonta* y llora con facilidad. 彼女はとても涙もろくてすぐに泣く.
—— 名男女 ばか者, 愚か者.
a lo tonto 無意識に, それと知らずに.
a tontas y a locas でたらめに, むちゃくちゃに.
dejar tonto a 《+uno》〈人〉を煙に巻く.
hacer el tonto ばかなまねをする, 愚かなことを言う.
hacerse el tonto 知らない[聞こえない]振りをする.
ponerse tonto 《口語》威張る, 気取る.

to·pa·cio [topáθjo トパしオ] 名男 〘鉱物〙トパーズ, 黄玉.

to·par(·*se*) [topár(se) トパル(セ)] 動自
1 《+**con**》…に出くわす, …を偶然見つける. **2** 《+**contra, en**》…にぶつかる. *topar con* una dificultad 困難に直面する.

to·pe [tópe トペ] 名男 **1** 限界, 限度.
2 緩衝器[装置]; 〘車〙バンパー; 止め具.
3 先端, 限界. de *tope* a *tope* 端から端まで. **4** 衝突; 角の突き合い.
a(l) tope / hasta el tope [los topes] ぎりぎりいっぱいの[に]. El autobús iba *a tope*. バスはぎゅうぎゅう詰めだった. llenar *a tope* 満タンにする.
► 形容詞的に使われることもある. ⇀ velocidad *tope* 最高速度.

to·pe·ta·zo [topetáθo トペタそ] 名男 衝突. Dos coches se dieron un *topetazo*. 2台の車が衝突した.

tó·pi·co, ca [tópiko, ka トピコ, カ] 名男
1 主題, 論題, テーマ;〘言語〙話題.
2 決まり文句, 常套(じょうとう)句.
3 〘医〙外用薬, 局所剤.
── 形 **1** ありふれた. **2** 〘医〙局部的な.

to·po [tópo トポ] 名男 **1**〘動物〙モグラ (土竜). **2**《口語》へまな人, 間抜け.
ver menos que un topo ものごとに暗い.

topo- 「場所」の意を表す造語要素. ⇀ *topo*grafía, *topo*nimia など.

to·po·gra·fí·a [topoɣrafía トポグラフィア] 名女 ; 地形, 地勢; 地形学.

to·po·grá·fi·co, ca [topoɣráfiko, ka トポグラフィコ, カ] 形 地形上の; 地形学的な.

to·pó·gra·fo, fa [topóɣrafo, fa トポグラフォ, ファ] 名男女 地形学者; 地形測量士.

to·po·ni·mia [toponímja トポニミア] 名女
1《集合》(ある地域・国の) 地名.
2 地名学, 地名研究.

to·po·ní·mi·co, ca [toponímiko, ka トポニミコ, カ] 形 地名の; 地名学の.

to·pó·ni·mo [topónimo トポニモ] 名男 地名.

to·que [tóke トケ] 名男 **1** 触れること. *toque* de varita mágica 魔法の杖(つえ)で軽く触れること.
2 筆遣い, タッチ.
3 (鐘などの) 音, 合図; 警告, 注意. *toque* de difuntos 弔いの鐘. dar el *toque* de alarma 警鐘を鳴らす. *toque* de queda 夜間外出禁止令.
4 要点, 核心. Ahí está el *toque*. そこが肝心な点だ.
5 〘スポ〙球扱い, キック (= *toque* de balón); (フェンシング) 突き.

toque(-) / toqué(-) 動 ➡ tocar. [8 c ➡ qu]

to·que·te·ar [toketeár トケテアル] 動他 《口語》いじくる; なで回す, 愛撫(あいぶ)する.

to·qui·lla [tokíʎa トキリャ] 名女 〘服飾〙肩掛け, ショール; スカーフ.

to·rá·ci·co, ca [toráθiko, ka トラしコ, カ] 形 〘解剖〙胸部の, 胸郭の. caja [cavidad] *torácica* 胸腔(きょうこう).

tó·rax [tóraks トラクス] 名男 [単・複同形] 〘解剖〙胸, 胸郭; 胸腔(きょうこう). ➡ insecto 図.

tor·be·lli·no [torβeʎíno トルベリィノ] 名男 **1** 竜巻, つむじ風, 旋風.
2 (物事の) めまぐるしい動き.

tor·ce·du·ra [torθeðúra トルせドゥラ] 名女 ねじり, よじれ; 〘医〙捻挫(ねんざ), 筋違い.

tor·cer [torθér トルせル] [34 c ➡ z ; 35 o ➡ ue] 動他 **1** 曲げる, ゆがめる. *torcer* una barra de hierro 鉄棒を曲げる.
2 ねじる, よじる. *torcer* una toalla タオルを絞る. *torcer* el brazo a [de]《+ uno》〈人〉の腕をねじ上げる.
3 向きを変える; 傾ける. *torcer* el rumbo 方向を変える.
4 曲解する, 歪曲(わいきょく)する. No *tuerzas* mis palabras. 僕の言ったことを曲解しないでくれ.
── 動自 (道・車などが) 曲がる, 方向を変える. La moto *torció* sin poner el intermitente. バイクがウインカーを出さずに曲がった.
── **tor·cer·*se*** **1** 身をよじる; ねじれる; 曲がる; 捻挫(ねんざ)する. *torcerse* un pie 足を痛める. A mi abuela *se* le *torció* la muñeca. 祖母は手首を捻挫した.
2 駄目になる. Las cosas *se están torciendo*. 物事が悪い方向に向かっている.

tor·ci·do, da [torθíðo, ða トルしド, ダ] 過分 形 **1** ねじれた, ひねった, 曲がった, ゆがんだ; 傾いた. **2** ひねくれた, よこしまな.

to·re·ar [toreár トレアル] 動他 **1**〘闘牛〙(牛を) あしらう. **2** (困難などを) 避ける, かわす. **3** (人を) あしらう, からかう.
── 動自 〘闘牛〙闘牛をする.

to·re·o [toréo トレオ] 名男 **1** 〘闘牛〙闘牛(術). **2**《口語》からかい. ¡Se acabó el *toreo*! 冷やかしはもういいよ.

to·re·ro, ra [toréro, ra トレロ, ラ] 名男女 闘牛士. ► 主に matador を指す.
── 形 闘牛士の; 闘牛の. tener sangre *torera* 非常に気性が激しい.

to·ril [toríl トリる] 名男 〘闘牛〙(出場前の) 牛の囲い場.

tor·men·ta [torménta トルメンタ] 名女
1 〘気象〙嵐(あらし), 時化(しけ), 暴風雨. Una *tormenta* produjo grandes daños. 嵐が大損害をもたらした.
2 激情; 心の乱れ. una *tormenta* de celos 嫉妬(しっと)の嵐.

tor·men·to [torménto トルメント] 名男
1 拷問, 責め苦 (= tortura). dar *tormento* 拷問する, 苦しめる.
2 苦しみ, 苦悩, 苦痛 (= dolor). un *tormento* físico 体の痛み.
3 苦悩 [苦痛] のもと. Este olor es un *tormento*. この臭いには耐えられない.

tor·men·to·so, sa [tormentóso, sa トルメントソ, サ] 形 嵐(あらし)の, 荒れ模様の; 激烈な.

tor·na [tórna トルナ] 名女 **1** 帰ること; 返却. **2** (用水路の) 堰(せき), 仕切り.

tor·na·do [tornáðo トルナド] 名男 〘気象〙ハリケーン, トルネード: 特にアフリカ西部や米国ミシシッピ川流域の竜巻.

tor·nar [tornár トルナル] 動自 **1** 帰る, 戻る (= regresar).
2《+ **a** 不定詞》再び…する.
── 動他 **1** 返却 [返還] する, 戻す (= devolver). **2**《+ **en**》…に変える, …にする.
── **tor·nar·*se*** …に変わる, …になる.

tor·na·sol [tornasól トルナソる] 名男

T

1〔植物〕ヒマワリ（向日葵）（= girasol）.
2 玉虫色の光沢.
3〔化〕リトマス. papel de *tornasol* リトマス試験紙.

tor·ne·ar [torneár トルネアル] 動他 旋盤で削る; ろくろかんなで作る.
—— 動自 1 旋回する, 回転する.
2 考えを巡らす.
3〔歴史〕馬上試合に出場する.

tor·ne·o [tornéo トルネオ] 名男 1〔スポーツ〕トーナメント, 勝ち抜き戦. 2〔歴史〕(中世騎士の) 馬上試合（= *torneo* a caballo）.

tor·ne·ro [tornéro トルネロ] 名男 旋盤工.

tor·ni·llo [torníʎo トルニリョ] 名男 ねじ, ボルト. fijar la tabla con unos *tornillos* 板をねじでとめる. ► 釘(くぎ)は clavo, ナットは tuerca.
apretar a 《+uno》 ***los tornillos*** 《口語》〈人〉をせっつく, 〈人〉の尻(しり)をたたく.
faltar a 《+uno》 ***un tornillo / tener flojos los tornillos*** 《口語》〈人〉の頭のねじがゆるんでいる.

tor·ni·que·te [tornikéte トルニケテ] 名男
1 回転木戸; 回転式出札口.
2〔医〕止血帯.

tor·no [tórno トルノ] 名男 1〔技術〕旋盤; ろくろ. 2 巻き上げ機, ウインチ.
en torno a ... …の周りに; …をめぐって.

to·ro [tóro トロ] 名男 [複 ~s]〔英 bull〕
1〔動物〕(去勢していない) **雄牛**. *toro* bravo 勇敢な［闘牛用］雄牛. ► 去勢牛は buey, 雌牛は vaca.
2 [~s] **闘牛**（= corrida de *toros*）. Me gusta ver los *toros* en la plaza. 私は闘牛を見るのが好きだ.
3 頑強な男.
coger [***agarrar, tomar***] ***al toro por los cuernos / irse a la cabeza del toro*** 《口語》勇気をもって立ち向かう.
echar [***soltar***] ***a*** 《+uno》 ***el toro*** 《口語》〈人〉にずけずけと言う.
ver los toros desde la barrera 《口語》高見の見物をする.

to·ron·ja [toróŋxa トロンハ] 名女〔植物〕ザボン; グレープフルーツ（= pomelo）.

to·ron·jo [toróŋxo トロンホ] 名男〔植物〕ザボン; グレープフルーツ.

tor·pe [tórpe トルペ] 形 1 鈍い, のろい; 不器用な, へまな. ser *torpe* de movimientos 動作がのろい.
2 愚鈍な, 頭の鈍い. Es un chico *torpe*. やつは間抜けだ.

tor·pe·men·te [tórpeménte トルペメンテ] 副 のろのろと.

tor·pe·za [torpéθa トルペさ] 名女 鈍さ, のろさ; 不器用, へま; 愚鈍. cometer una *torpeza* へまをする.

to·rre [tóre トレ] 名女 [複 ~s]〔英 tower〕
1 **塔**, タワー, やぐら. *torre* de iglesia 鐘楼, 鐘塔. *torre* de control〔航空〕管制塔（→ aeropuerto 図）. *torre* de marfil 象牙(ぞうげ)の塔.
2 (チェス) ルーク. → ajedrez 図.

to·rre·fac·ción [torefakθjón トレファクしオン] 名女 炒(い)ること, 焙煎(ばいせん).

to·rre·fac·to, ta [torefákto, ta トレファクト, タ] 形 炒(い)った, 焙(ほう)じた.

to·rren·cial [torenθjál トレンしアる] 形 激流の, 奔流のような. lluvia *torrencial* 豪雨.

to·rren·te [torénte トレンテ] 名男
1 激流; 土砂流. llover a *torrentes* どしゃ降りの雨が降る.
2 殺到. *torrente* de injurias 非難の雨.

to·rre·ón [toreón トレオン] 名男 大きな塔.

tó·rri·do, da [tóriðo, ða トリド, ダ] 形 灼熱(しゃくねつ)の; 熱帯の.

to·rri·ja [toríxa トリハ] 名女〔料理〕フレンチトースト.

tor·sión [torsjón トルシオン] 名女 ねじれ; よじれ; ひねり.

tor·so [tórso トルソ] 名男 (人の) 胴体, 上半身;〔美術〕トルソ.

tor·ta [tórta トルタ] 名女 1〔料理〕(平べったい) ケーキ, パイ, パン.
2 《口語》殴打, 平手打ち. dar un par de *tortas* 2, 3回殴る.
3 《口語》酔い. estar con la *torta* 酔っ払っている, ぼうっとしている. coger [tener] una *torta* 酔っ払う.
ni torta 全然…ない. No entiendo *ni torta*. 僕にはさっぱり分からない.

tor·ta·zo [tortáθo トルタそ] 名男 《口語》平手打ち; 衝突.

tor·ti·lla [tortíʎa トルティリャ|-ʝa -ヤ] 名女 1 オムレツ. *tortilla* de patatas [a la española] ジャガイモ入り [スペインふう] オムレツ. *tortilla* a la francesa プレーンオムレツ.
2 《ラ米》トルティージャ: トウモロコシ粉の薄焼きで, 伝統的な主食. → taco.
volverse [***cambiar***] ***la tortilla*** 《口語》形勢が逆転する; つきが変わる.

tór·to·la [tórtola トルトら] 名女〔鳥〕キジバト (雉鳩), (特に) コキジバト.

tór·to·lo [tórtolo トルトろ] 名男 1 (雄の) キジバト (雉鳩).
2 [~s] 仲睦(むつ)まじい男女.
3 恋に夢中な男.

tor·tu·ga [tortúɣa トルトゥガ] 名女〔動物〕カメ (亀).

tor·tuo·si·dad [tortwosiðáð トルトゥオシダ(ドゥ)] 名女 曲折, カーブの多いこと; 陰険さ, よこしま.

tor·tuo·so, sa [tortwóso, sa トルトゥオソ, サ] 形 曲がりくねった; 陰険な, よこしまな.

tor·tu·ra [tortúra トルトゥラ] 名女 1 拷問, 責め苦（= tormento）.
2 苦痛, 苦悩.

tor·tu·rar [torturár トルトゥラル] 動他 拷問

にかける；ひどく苦しめる，苦悩させる．
―― **tor·tu·rar·*se*** ひどく苦しむ，苦悩する．
tor·vo, va [tórβo, βa トルボ，バ] 形 （目つき・顔つきが）怖い，恐ろしい．
tos [tós トス] 名女 咳(せき)．*tos* ferina 〘医〙百日咳．
tos·co, ca [tósko, ka トスコ，カ] 形 **1** 簡素な．**2** 粗末な；不作法な．una silla *tosca* 粗末な椅子．
to·ser [tosér トセル] 動自 咳(せき)をする．Con frecuencia se oye *toser* al enfermo. しばしば病人が咳をするのが聞こえる．
no haber quien tosa a 《+uno》 / ***no toser nadie a*** 《+uno》《口語》誰(だれ)も〈人〉にかなわない；誰も〈人〉に意見できない．*A* éste *no hay quien le tosa.* この男に意見できる人はいない．
tos·que·dad [toskeðáð トスケダ(ドゥ)] 名女 粗雑，粗野；不作法，無教養．
tos·ta·de·ro [tostaðéro トスタデロ] 名男 **1** 焙煎(ばいせん)器．**2** 灼熱(しゃくねつ)の地．
tos·ta·do, da [tostáðo, ða トスタド，ダ] 過分 形 **1** トーストにした．pan *tostado* トーストパン．
2 （肌が）日に焼けた，小麦色の，褐色の．
―― 名女 トースト（パン）．*tostada* con mantequilla バターを塗ったトースト．
dar [***pegar***] ***la tostada a*** 《+uno》《口語》〈人〉をだます．
tos·ta·dor [tostaðór トスタドル] 名男 トースター；焙煎(ばいせん)器．
tos·tar [tostár トスタル] [13 o → ue] 動他 **1** きつね色に焼く；炒(い)る．*tostar* el pan パンをトーストする．*tostar* el café コーヒー豆を炒る．
2 （太陽が）肌を焼く．El sol me *tostó* la cara y los brazos. 日差しで顔も腕も焼けてしまった．
―― **tos·tar·*se*** 日焼けする．Los turistas *se tuestan* en la playa. 観光客が浜辺で肌を焼いている．
tos·tón [tostón トストン] 名男 **1** 〘料理〙クルトン；オリーブ油を塗ったトースト．
2 《口語》うんざりするもの[人]．dar el *tostón* a 《+uno》〈人〉をうんざりさせる．
to·tal [totál トタル] 形 [複 ~es] 〔英 total〕
全部の，全体の；完全な．peso *total* 総重量．la suma *total* de los gastos 経費[支出]の総額．un triunfo *total* 全面的勝利．
―― 名男 総計，合計（= suma）．
―― 副 結局，要するに．*Total*, que se casa con ella. つまり彼は彼女と結婚するという訳か．
en total 結局，つまり；合計して．
to·ta·li·dad [totaliðáð トタリダ(ドゥ)] 名女 全体；総計，総量．*totalidad* de las familias 家族全員．
to·ta·li·ta·rio, ria [totalitárjo, rja トタリタリオ，リア] 形 **1** 包括的な．**2** 全体主義の．
to·ta·li·ta·ris·mo [totalitarísmo トタリタリスモ] 名男 〘政治〙全体主義．
to·ta·li·zar [totaliθár トタリサル] [39 z → c] 動他 合計する；合計で…に達する．
to·tal·men·te [totálménte トタルメンテ] 副 全く；全面的に．
tó·tem [tótem トテン] 名男 [複 tótemes, tótems] トーテム；トーテムポール．
to·te·mis·mo [totemísmo トテミスモ] 名男 トーテミズム，トーテム崇拝．
to·xi·ci·dad [toksiθiðáð トクシシダ(ドゥ)] 名女 毒性．
tó·xi·co, ca [tóksiko, ka トクシコ，カ] 形 毒素の，有毒な．
―― 名男 毒物．
to·xi·co·lo·gí·a [toksikoloxía トクシコロヒア] 名女 毒物学．
to·xi·co·ló·gi·co, ca [toksikolóxiko, ka トクシコロヒコ，カ] 形 毒物学の．
to·xi·co·ma·ní·a [toksikomanía トクシコマニア] 名女 麻薬中毒．
to·xi·có·ma·no, na [toksikómano, na トクシコマノ，ナ] 形 麻薬中毒の．
―― 名男女 麻薬中毒患者．
to·xi·na [toksína トクシナ] 名女 毒素．
to·zu·dez [toθuðéθ トスデス] 名女 [複 tozudeces] 頑固，強情．
to·zu·do, da [toθúðo, ða トスド，ダ] 形 頑固な，強情な．
―― 名男女 頑固者，強情な人．
tra- / trans- / tras- 《接頭》「越えて」の意を表す．⇒ *tra*ducir, *trans*atlántico, *tras*ladar など．
tra·ba [tráβa トゥラバ] 名女 **1** つなぐ[結ぶ]もの，縛るもの；足かせ，足鎖．**2** 障害．
poner trabas a ... …を妨害する，邪魔する．
tra·ba·cuen·ta [traβakwénta トゥラバクエンタ] 名女 計算違い；言い争い．
tra·ba·ja·do, da [traβaxáðo, ða トゥラバハド，ダ] 過分 → trabajar.
―― 形 細工が手のこんだ；入念な．un collar de oro bien *trabajado* 凝った細工の金のネックレス．
tra·ba·ja·dor, do·ra [traβaxaðór, ðóra トゥラバハドル，ドラ] [複男 ~es, 女 ~s] 形 〔英 industrious〕**よく働く**，勤勉な，働き者の（= diligente）．
―― 名男女 労働者．
trabajando 現分 → trabajar.
tra·ba·jar [traβaxár トゥラバハル] 動自 [現分 trabajando；過分 trabajado, da] 〔英 work〕
1 **働く**，仕事をする；勉強する；《+de》…として働く．*trabajar* mucho 一生懸命働く[勉強する]．*trabajar* por horas 時間給[パート]で働く．¿Desde cuándo *trabaja* usted en esta empresa? この会社にいつからお勤めですか？ Pili se puso a *traba-*

jar de enfermera en una clínica. ピリは診療所で看護婦として働き始めた.
2 機能する, 利く. El tiempo *trabaja* a nuestro favor. 時間がたてば我々にとって有利になる.
3〘演劇〙役を演じる.
── 動他 **1** 加工する; 耕す. *trabajar* la tierra 土地を耕す.
2 処理する; 手続きをする.

tra·ba·jo [traβáxo トゥラバホ] 名男 [複 ~s]〔英 work〕
1 仕事, 労働; 職業. día de *trabajo* 就業日. permiso de *trabajo* 労働許可証. programa de *trabajo* 作業計画. *trabajo* corporal [físico] 肉体労働. *trabajo* estacional 季節労働. *trabajo* por horas パートタイム. Ministerio de *Trabajo* 労働省. Estoy sin *trabajo*. 私は失業している. tener *trabajo* fijo 定職がある.
2 作品; 著作 (= obra). *trabajo* de artesanía 手工芸品.
3 研究; 研究論文. *trabajo* de campo [en el terreno] 現地調査, フィールドワーク. **4** 宿題
5 努力, 苦労, 困難. con mucho [gran] *trabajo* 大変な努力をして, やっと. Me pareció que no era un *trabajo* perdido. 私には無駄な努力には思えなかった. Me costó *trabajo* ponerme de acuerdo con él. 彼と意見を合わせるのはとても骨が折れた.
── 動 → trabajar.

tra·ba·jo·sa·men·te [traβaxósaménte トゥラバホサメンテ] 副 苦労して, やっと.

tra·ba·jo·so, sa [traβaxóso, sa トゥラバホソ, サ] 形 困難な, 骨の折れる, 厄介な. *trabajoso* de hacer 行うのが難しい.

tra·ba·len·guas [traβaléŋguas トゥラバレングアス] 名男 [単・複同形] 早口言葉, 発音の難しい語句. ⇀ Como poco coco como poco coco compro. 私はあまりヤシの実を食べないのでヤシの実を少ししか買わない.

tra·ba·mien·to [traβamjénto トゥラバミエント] 名男 接合, 結合.

tra·bar [traβár トゥラバル] 動他 **1** 始める; (関係などを) 結ぶ, つなぐ. *trabar* conversación 話し合いを始める. *trabar* amistad 友情を結ぶ.
2 邪魔をする. *trabar* el desarrollo 発展を妨げる. **3** 固定する; 足かせをはめる.
── **tra·bar·se** **1** もつれる, からむ. *Se* le *trabó* la lengua. 彼は舌がもつれた.
2 (液体が) 濃くなる.
3 (機械などが) 動かなくなる.

tra·ba·zón [traβaθón トゥラバソン] 名女
1 接合, 組み合わせ. **2** 関連, まとまり.
3〘料理〙とろみ, 粘り; つなぎ.

tra·bu·car [traβukár トゥラブカル] [8 c → qu] 動他 乱す, ごちゃごちゃにする; 混同する, 取り違える.
── **tra·bu·car·se** 言い[書き]間違える.

tra·bu·co [traβúko トゥラブコ] 名男 らっぱ銃; (おもちゃの) 豆鉄砲 *trabuco* naranjero 口径の大きいらっぱ銃.

tra·ca [tráka トゥラカ] 名女 爆竹.

trac·ción [trakθjón トゥラクシオン] 名女 引くこと, 牽引(けんいん). *tracción* delantera [a las cuatro ruedas]〘車〙前輪[四輪]駆動.

trac·tor [traktór トゥラクトル] 名男 トラクター.

tra·di·ción [traðiθjón トゥラディシオン] 名女 [複 tradiciones]〔英 tradition〕 **1** 伝統, 慣習. romper con la *tradición* 伝統を破る.
2 伝承, 口碑. *tradición* popular 民間伝承.

tra·di·cio·nal [traðiθjonál トゥラディシオナル] 形 伝統的な. fiesta *tradicional* 古くから伝わる祭り.

tra·di·cio·na·lis·mo [traðiθjonalísmo トゥラディシオナリスモ] 名男 伝統主義.

tra·di·cio·na·lis·ta [traðiθjonalísta トゥラディシオナリスタ] 形 伝統主義者の.
── 名男女 伝統主義者.

tra·di·cio·nal·men·te [traðiθjonálménte トゥラディシオナルメンテ] 副 伝統的に.

tra·duc·ción [traðukθjón トゥラドゥクシオン] 名女 [複 traducciones]〔英 translation〕 翻訳, 通訳; 訳文, 翻訳書. *traducción* directa 原語からの翻訳. *traducción* literal 直訳, 逐語訳. *traducción* simultánea 同時通訳.

tra·du·ci·ble [traðuθíβle トゥラドゥシブレ] 形 翻訳可能な.

tra·du·cir [traðuθír トゥラドゥシル] 12 動他〔英 translate〕 **1**《+**de** ... **a** ...》…から…に翻訳する. *traducir de*l español *a*l japonés スペイン語を日本語に訳す.
2 表す, 表現する.
3《+**en**》…に変える.
── **tra·du·cir·se**《+**en**》…という結果になる, …に変わる. Al recibir la noticia, su alegría *se tradujo en* llanto. その知らせで彼の喜びは涙となった.

tra·duc·tor, to·ra [traðuktór, tóra トゥラドゥクトル, トラ] 名男女 翻訳者[家].
── 名男〘コンピュータ〙翻訳プログラム[ルーチン].

traduj- / traduzc- 動 → traducir. 12

tra·er [traér トゥラエル] 57 動他 [現分 trayendo; 過分 traído, da]〔英 bring〕

直説法 現在	
1・単 *traigo*	1・複 **traemos**
2・単 **traes**	2・複 **traéis**
3・単 **trae**	3・複 **traen**

1 持ってくる, 連れてくる. Mi padre me *ha traído* un regalo de España. 父がスペインのお土産を持って来てくれた.

Hoy *trajo* el coche nuevo. 今日彼は新しい車に乗ってきた. ¿Qué le *trajo* a Carlos a Japón? どういう訳でカルロスは日本に来たのだろうか. ➡ llevar 【参考】.
2 (結果・感情などを) **もたらす**, 生じさせる. *traer* buena [mala] suerte 幸運[不運]をもたらす.
3 引きつける, 引き寄せる (= atraer). Eso *trae* muchos problemas. それはいろいろな問題を引き起こす.
4 《形容詞・過去分詞などを伴って》(ある状態に) させる. La enfermedad del hijo la *traía* loca. 子供の病気で母親は気の安まる暇がなかった. Este niño me *trae* frito. この子にはうんざりだ. *traer* a 《+uno》 de cabeza 〈人〉を悩ます.
5 記載[掲載]している. La revista de esta semana no *trae* nada interesante. 今週号には面白い記事がひとつもない.
6 身に着けている, 持っている. ¿Qué *traes* ahí en la mano? 手に何を隠しているの?
―― tra·er·*se* たくらむ, 画策する.
traer a mal いらだたせる, うろたえさせる; 虐待する, 酷使する.
traer consigo もたらす, 引き起こす.
traérselas 《口語》ひどい, 厳しい, 厄介だ.
traer y llevar a 《+uno》 (1) 〈人〉の陰口を言って回る. (2) ➡ traer a mal.

Tra·fal·gar [trafalɣár トゥラファるガル] 固名 Cabo de *Trafalgar* トラファルガー岬 (スペイン南西部の岬). la batalla de *Trafalgar* トラファルガーの海戦 (1805年).

tra·fi·can·te [trafikánte トゥラフィカンテ] 形 《+**en**》…を密売する.
―― 名男女 密売人.

tra·fi·car [trafikár トゥラフィカル] [8 c ➡ qu] 動自 《+**en, con**》…を密売する, 不正な取引をする. *traficar en* [*con*] drogas 麻薬の密売をする.

trá·fi·co [tráfiko トゥラフィコ] 名男 **1** 交通, 往来; 輸送. Hay mucho *tráfico* en la calle. 通りは車でいっぱいだ. *tráfico* de mercancías [de carga] 商品の輸送.
2 〔商業〕売買, 取引. el *tráfico* de drogas 麻薬の密売.

tra·ga·de·ras [traɣaðéras トゥラガデラス] 名女 [複] 《口語》喉(のど).
tener buenas tragaderas 《口語》なんでもすぐうのみにする; 何事もよく我慢する.

tra·ga·luz [traɣalúθ トゥラガるす] 名男 [複 tragaluces] 明かり取り, 天窓.

tra·ga·pe·rras [traɣapéřas トゥラガペラス] 名女 [単・複同形] スロットマシーン, ゲーム機; 自動販売機 (= máquina *tragaperras*).

tra·gar(·*se*) [traɣár(se) トゥラガル(セ)] [32 g ➡ gu] 動他 **1** 飲み込む, 飲み干す; もりもり食べる. *tragar* con dificultad やっとのことで飲み込む. El [Al] barco *se* lo *tragó* el mar. 船は海に飲み込まれた.
2 信じ込む, うのみにする. *Se traga* fácilmente lo que dicen. 彼は人の言葉を簡単に信じてしまう.
3 こらえる, 忍ぶ. *tragarse* el dolor 痛みを我慢する. **4** 消費する.

tra·ge·dia [traxéðja トゥラヘディア] 名女 [複 ～s] 〔英 tragedy〕 **1** 〘文〙〘演劇〙 **悲劇** (↔ comedia). la *tragedia* griega ギリシア悲劇. Hoy estrenan una *tragedia* en ese teatro. 今日からその劇場で悲劇が上演される.
2 悲惨な出来事. La muerte del padre es una *tragedia* para la familia. 父親の死は家族にとって悲劇である.

trá·gi·co, ca [tráxiko, ka トゥラヒコ, カ] 形 悲劇の, 悲劇的な, 悲惨な (↔ cómico). tomar 《+algo》 por lo *trágico* 〈何か〉を悲観的に考える.
―― 名男女 悲劇作家, 悲劇俳優.

tra·gi·co·me·dia [traxikoméðja トゥラヒコメディア] 名女 悲喜劇.

tra·gi·có·mi·co, ca [traxikómiko, ka トゥラヒコミコ, カ] 形 悲喜劇の; 泣き笑いの.

tra·go [tráɣo トゥラゴ] 名男 **1** 一口の量; (酒の) 一杯; 飲酒. Tomó un *trago* de whisky. 彼はウイスキーを一口飲んだ. Se bebió de un *trago* un vaso de leche. 彼はコップの牛乳を一気に飲み干した. beber a *tragos* ちびりちびり飲む.
2 《口語》逆境, 不幸, 不運. Pasé un mal *trago*. 私はさんざんな目に会った.

tra·gón, go·na [traɣón, ɣóna トゥラゴン, ゴナ] 形 《口語》大食らいの.
―― 名男女 《口語》大食漢.

trai·ción [traiθjón トゥライしオン] 名女 **1** 裏切り, 背信 (行為). hacer *traición* a … …を裏切る. **2** 反逆罪.
a traición だまし打ちで, 不意打ちで.

trai·cio·nar [traiθjonár トゥライしオナル] 動他 **1** 裏切る, 背く. *traicionar* a su marido 夫を裏切る.
2 暴く, ばらす. Los labios temblorosos *traicionaron* sus sentimientos. 唇の震えが彼の本心を物語っていた.

trai·cio·ne·ro, ra [traiθjonéro, ra トゥライしオネロ, ラ] 形 裏切りの, 不実な.
―― 名男女 裏切り者, 不実な人; 反逆者 (= traidor).

tra·í·do, da [traíðo, ða トゥライド, ダ] 過分 ➡ traer.
―― 形 着古した, 使い古した. un traje muy *traído* くたびれた背広.
bien traído 《口語》機知に富む, 気の利いた.
traído por los pelos 《口語》こじつけの, 不自然な.
traído y llevado 言い古された, 陳腐な.

trai·dor, do·ra [traiðór, ðóra トゥライドル, ドラ] 名男女 裏切り者, 反逆者; 背信者.
―― 形 裏切りの, 反逆の; 不誠実な.

traig- 動 ➡ traer. 57

T

trai·ler [tráiler トゥライれル] 名男 **1**〘車〙トレーラー. **2**〘映画〙予告編. [←英語]

tra·í·lla [traíʎa トゥライリャ] 名女 **1** (犬をつなぐ) 革ひも; (革ひもでつながれた) 犬の群れ. **2** スクレーパー: 地ならし機.

traj- 動→traer. 57

tra·je [tráxe トゥラヘ] 名男 [複 ~s] 〔英 dress, suit〕
服, 背広, スーツ, ドレス; (民族) 衣装. Ella lleva siempre un *traje* a la moda. 彼女はいつも流行の服を着ている. *traje* cruzado ダブル (のスーツ). *traje* de baño 水着. *traje* de ceremonia [de etiqueta] 礼服. *traje* de hombre 紳士服. *traje* de luces〘闘牛〙闘牛士の服. *traje* de noche 夜会服; タキシード; イブニングドレス. *traje* de novia ウエディングドレス. *traje* regional 地方独特の衣装. ► 衣料・衣類は ropa.

【参 考】衣服
abrigo オーバーコート. americana / 《ラ米》saco 上着, ジャケット. blusa ブラウス. camisa ワイシャツ. chaqueta 上着. chaleco ベスト, チョッキ. falda スカート. gabardina (スリーシーズン) コート. impermeable レインコート. jersey セーター. minifalda ミニスカート. pantalones ズボン. ropa interior 下着. terno 三つぞろい (のスーツ). vaqueros [tejanos] ジーンズ.

tra·je·a·do, da [traxeáðo, ða トゥラヘアド, ダ] 形 bien [mal] *trajeado* 身なりのよい [悪い].

tra·jín [traxín トゥラヒン] 名男 **1** 《口語》せわしく動き回ること; 奔走. **2** 《口語》仕事, 雑用. **3** (商品の) 運送, 配送.

tra·ji·nar [traxinár トゥラヒナル] 動自 せわしく動き回る; 奔走する, あくせく働く.
—— 動他 運送する, 配送する.

tra·ma [tráma トゥラマ] 名女 **1** (小説・劇などの) 筋, 構想. **2** 陰謀. **3** (織物の) 横糸.

tra·mar [tramár トゥラマル] 動他 たくらむ, 画策する. ¿Qué *estás tramando*? 何をたくらんでいるの?

tra·mi·ta·ción [tramitaθjón トゥラミタしオン] 名女 手続き.

T

tra·mi·tar [tramitár トゥラミタル] 動他
1 …の手続きをする. *tramitar* SU pasaporte パスポート取得の手続き [申請] をする. **2** 処理する, 扱う.
3 伝える, 伝達する.

trá·mi·te [trámite トゥラミテ] 名男 [普通 ~s] 手続き. Hacen falta muchos *trámites* para conseguir la residencia. 滞在許可証を手に入れるには多くの手続きがいる. cumplir con los *trámites* necesarios 必要な手続きを済ませる.

tra·mo [trámo トゥラモ] 名男 **1** 区間, 部分. **2** 階段 (の踊り場と踊り場の間の部分).

tra·mon·ta·na [tramontána トゥラモンタナ] 名女 北風; 北側, 北部.

tra·mo·ya [tramója トゥラモヤ] 名女
1〘演劇〙舞台の仕掛け. **2** 策略.

tra·mo·yis·ta [tramojísta トゥラモイスタ] 名男女 **1**〘演劇〙大道具方.
2 策士, ぺてん師.

tram·pa [trámpa トゥランパ] 名女 **1** (狩猟用の) わな. poner una *trampa* わなを仕掛ける.
2 策略, 奸計(かんけい); (賭博(とばく)で) いかさま. caer en la *trampa* わなにはまる, かつがれる. **3**〘建築〙(床の) 跳ね上げ戸; (カウンターの) あげ板; (甲板の) ハッチ.

tram·pe·ar [trampeár トゥランペアル] 動自 やりくりする, なんとかやっていく.

tram·pi·lla [trampíʎa トゥランピリャ] 名女〘建築〙(床の) 跳ね上げ戸.

tram·po·lín [trampolín トゥランポリン] 名男 **1**〘スポーツ〙(水泳の) 飛び板; (体操の) 踏み切り板; (スキーの) ジャンプ台; トランポリン.
2 (出世の) 踏み台.

tram·po·so, sa [trampóso, sa トゥランポソ, サ] 形 いかさまの; うそつきの.

tran·ca [tráŋka トゥランカ] 名女 **1** こん棒.
2 (戸・窓の) かんぬき. **3** 《口語》酔い. coger una *tranca* 酔っぱらう.
a trancas y barrancas やっとのことで, どうにかこうにか.

tran·ca·zo [traŋkáθo トゥランカそ] 名男
1 こん棒での殴打. **2** 《口語》インフルエンザ, 流行性感冒 (= gripe). coger un *trancazo* 流感にかかる.

tran·ce [tránθe トゥランせ] 名男 **1** 危急の [重大な] 時, 危機, 窮地. en *trance* de muerte 死に瀕 (ひん) して. sacar a 《+uno》 de un *trance* 〈人〉を苦境から救い出す.
2 時点, 時期. en *trance* de desarrollo 発展途上の. **3** 恍惚(こうこつ), 忘我の境.
a todo trance 何がなんでも.
estar en trance de 《+不定詞》 まさに…しようとしている.

tran·co [tráŋko トゥランコ] 名男
1 大股(また), 闊歩(かっぽ). **2** 跳躍, 飛躍.
a trancos 大股で; あたふたと.
en dos trancos たちまち, 瞬く間に.

tranquila 形名女→tranquilo.

tran·qui·la·men·te [traŋkílaménte トゥランキらメンテ] 副 静かに; 穏やかに, 安らかに; 悠々と.

tran·qui·li·dad [traŋkiliðáð トゥランキりダ(ドゥ)] 名女 〔英 tranquillity〕
1 静けさ, 穏やかさ. *tranquilidad* de la noche 夜のしじま.
2 平静, 落ち着き, 沈着; 安心. con toda *tranquilidad* 落ち着き払って; 安心して.
para mayor tranquiridad 念のため, 大事を取って.

tran·qui·li·za·dor, do·ra [traŋkiliθaðór, ðóra トゥランキりさドル, ドラ] 形 心を落ち

着かせる, 安心させる.
tran·qui·li·zan·te [traŋkiliθánte トゥランキリサンテ] 形 静める; 鎮静させる. pastillas *tranquilizantes* 鎮静剤.
── 名男 〘医〙 精神安定剤, トランキライザー.
tran·qui·li·zar [traŋkiliθár トゥランキリサル] [39 z → c] 動他 …の心を静める, 落ち着かせる. Sus palabras me *han tranquilizado*. 私は彼の言葉を聞いて安心した.
── **tran·qui·li·zar·se** 落ち着く; 和む, 安心する (= calmarse). ¡*Tranquilízate*! 落ち着け！
tran·qui·llo [traŋkíʎo トゥランキリョ] 名男 《口語》 要領, こつ. coger [dar con] el *tranquillo* こつをつかむ.
tran·qui·lo, la [traŋkílo, la トゥランキろ, ら] [複 ～s] 形 〔英 quiet〕 **静かな; 平静な**, 落ち着いた; 穏やかな, 安らかな. zona residencial *tranquila* 閑静な住宅地. *Tranquila*, mujer, que no pasa nada. 心配するな, 大したことはないよ. Déjale *tranquilo* que está muy ocupado. そっとしておいてあげなさい. 彼は忙しいのだから. niño *tranquilo* おとなしい子供. personaje *tranquilo* 穏健な人物.
── 名男女 おっとりした人, 鷹揚(おうよう)な人.
tran·sac·ción [transakθjón トゥランサクしオン] 名女 **1** 妥協, 譲歩. hacer una *transacción* 折り合う.
2 〘商業〙 取引, 売買; 協定, 契約.
trans·at·lán·ti·co, ca [transatlántiko, ka トゥランサトゥらンティコ, カ] 形 大西洋を横断する; 大西洋の向こう側の. países *transatlánticos* (スペインから見て) 南北アメリカ諸国.
── 名男 大西洋横断定期船. → barco 図.
trans·bor·da·dor [transβorðaðór トゥランスボルダドル] 名男 連絡船, フェリー. *transbordador* espacial スペース・シャトル.
trans·bor·dar [transβorðár トゥランスボルダル] 動他 乗り換えさせる, 積み換える.
── 動自 **trans·bor·dar·se** 乗り換える.
trans·bor·do [transβórðo トゥランスボルド] 名男 乗り換え, 乗り継ぎ; 積み換え. hacer *transbordo* 乗り換えをする.
trans·cen·den·cia [transθendénθja トゥランせンデンしア] 名女 → trascendencia.
trans·cen·den·tal [transθendentál トゥランせンデンタる] 形 → trascendental.
trans·cen·der [transθendér トゥランせンデル] [43 e → ie] 動他自 → trascender.
trans·cri·bir [transkriβír トゥランスクリビル] 動他 [過分 transcrito, ta] **1** 書き写す; 文字化する, 表記する.
2 〘音楽〙 編曲する.
trans·crip·ción [transkripθjón トゥランスクリプしオン] 名女 **1** (口述などの) 筆記, 表記. *transcripción* fonética 〘音声〙 音声表記.
2 写し, コピー; 成績証明書.
3 〘音楽〙 編曲.
trans·cu·rrir [transkuřír トゥランスクリル] 動自 (時が) たつ, 経過する. *Han transcurrido* doce años desde que murió mi padre. 父が死んでから12年たつ.
trans·cur·so [transkúrso トゥランスクルソ] 名男 (時の) 経過, 時間. en el *transcurso* de los años 歳月の流れにつれて. en el *transcurso* de dos meses 2か月間で.
tran·se·ún·te [transeúnte トゥランセウンテ] 名男女 **1** 通行人. ► 歩行者は peatón.
2 通過客, 短期滞在者. Soy un *transeúnte* que llegó ayer. 私は昨日着いたばかりの旅行者です.
── 形 通り過ぎる; 短期滞在の. un viajero *transeúnte* 通過客.
tran·se·xual [transeksw ál トゥランセクスアる] 名男女 性転換者.
── 形 性転換をした.
trans·fe·ren·cia [transferénθja トゥランスフェレンしア] 名女 **1** (財産などの) 譲渡; 名義変更. *transferencia* de acciones 株式名義書き替え.
2 〘商業〙 振替, 為替. *transferencia* bancaria 銀行振替[振込]. **3** 移転, 移動.
trans·fe·rir [transferír トゥランスフェリル] [52 e → ie, i] 動他 [現分 transfiriendo] **1** 譲渡する. **2** 〘商業〙 (口座へ) 振り込む, 送金する. **3** 移す.
trans·fi·gu·ra·ción [transfiɣuraθjón トゥランスフィグラしオン] 名女 変容, 変貌(へんぼう).
trans·fi·gu·rar [transfiɣurár トゥランスフィグラル] 動他 …の様相を変える, 変貌(へんぼう)させる.
── **trans·fi·gu·rar·se** 変貌する, 変身する.
trans·for·ma·ción [transformaθjón トゥランスフォルマしオン] 名女 **1** 変形, 変化.
2 加工; 改築. **3** 〘物理〙 〘化〙 変化; 〘数〙 変換; 〘言語〙 変形.
trans·for·ma·dor, do·ra [transformaðór, ðóra トゥランスフォルマドル, ドラ] 名男 〘電気〙 変圧器, トランス.
── 形 変形させる, 変化させる.
trans·for·mar [transformár トゥランスフォルマル] 動他 〔英 transform〕 《+ **en**》
1 …**に変える**. *transformar* el barrio *en* un gran centro comercial その地区を一大ショッピング・センターに変える. El transcurso de los años lo *transformó* todo. 歳月の流れはすべてを変えた.
2 …に加工する.
── **trans·for·mar·se** 変わる, 変化する.
tráns·fu·ga [tránsfuɣa トゥランスフガ] 名男女 〘軍事〙 脱走兵; 転向者.
trans·fun·dir [transfundír トゥランスフンディル] 動他 **1** (液体を) 少しずつ移し替える.

2 流布させる. *transfundir* la noticia ニュースを広める.
── **trans·fun·dir·*se*** 流布する.
trans·fu·sión [transfusjón トゥランスフシオン] 名女 〔医〕 輸血; (液体の) 移し替え. hacer una *transfusión* de sangre 輸血する.
trans·gé·ni·co, ca [transxéniko, ka トゥランスヘニコ, カ] 形 遺伝子組み換えの alimentos *transgénicos* 遺伝子組み換え食品.
trans·gre·dir [transɣreðír トゥランスグレディル] 動他 (法などを) 破る, 違反する.
trans·gre·sión [transɣresjón トゥランスグレシオン] 名女 違反.
trans·gre·sor, so·ra [transɣresór, sóra トゥランスグレソル, ソラ] 名男女 違反者.
── 形 違反する.
tran·si·ción [transiθjón トゥランシシオン] 名女 推移, 移行; 変わり目. período [etapa] de *transición* 過渡期.
tran·si·do, da [transíðo, ða トゥランシド, ダ] 形 《+**de**》…に苦しむ, さいなまれた. *transido de* dolor 痛み[悲しみ]に打ちひしがれた.
tran·si·gen·cia [transixénθja トゥランシヘンシア] 名女 妥協, 譲歩; 寛大.
tran·si·gen·te [transixénte トゥランシヘンテ] 形 妥協的な; 寛大な (↔ intransigente).
tran·si·gir [transixír トゥランシヒル] [⑲ g → j] 動自 《+**con**》…と妥協する; …を許す, 黙って見過ごす.
tran·sis·tor [transistór トゥランシストル] 名男 〔電気〕〔ラジオ〕 トランジスタ; 《口語》トランジスタラジオ.
tran·si·ta·ble [transitáβle トゥランシタブレ] 形 通行できる, 通行可能な.
tran·si·tar [transitár トゥランシタル] 動自 通る, 通行する.
tran·si·ti·vo, va [transitíβo, βa トゥランシティボ, バ] 形 〔文法〕 他動詞の.
── 名男 〔文法〕 他動詞.
trán·si·to [tránsito トゥランシト] 名男
1 通行. horas de máximo *tránsito* ラッシュアワー. Se prohíbe el *tránsito*. 《掲示》 通行禁止. **2** 昇天, 他界. *tránsito* al otro mundo 死出の旅.
tran·si·to·ria·men·te [transitórjaménte トゥランシトリアメンテ] 副 暫定的に.
tran·si·to·rie·dad [transitorjeðáð トゥランシトリエダ(ド ゥ)] 名女 一過性, 一時的なこと; はかなさ.
tran·si·to·rio, ria [transitórjo, rja トゥランシトリオ, リア] 形 暫定的な, 一時的な; はかない. esta vida *transitoria* (はかない) 現世.
trans·lú·ci·do, da [translúθiðo, ða トゥランスるしド, ダ] 形 → traslúcido.
trans·mi·gra·ción [transmiɣraθjón トゥランスミグラしオン] 名女 **1** 移住, 移民.
2 〔宗教〕 輪廻(りんね), 生まれ変わり.
trans·mi·grar [transmiɣrár トゥランスミグラル] 動自 **1** 移住する, 移民する.
2 〔宗教〕 生まれ変わる, 転生する.
trans·mi·sión [transmisjón トゥランスミシオン] 名女 **1** 送信, 放送. *transmisión* de datos データ通信.
2 伝達; 〔車〕 トランスミッション, 〔機械〕 伝動装置. → motocicleta 図.
3 委譲, 継承.
trans·mi·sor, so·ra [transmisór, sóra トゥランスミソル, ソラ] 形 伝達する; 送信する.
── 名男 送話器; 送信機.
trans·mi·tir [transmitír トゥランスミティル] 動他 **1** 放送する, 中継する. *transmitir* el partido en directo 試合を生中継する.
2 伝達する; 伝導する. Le *transmito* los saludos que me dio mi padre. 父からよろしくとのことです. El aire *transmite* el sonido. 空気は音を伝える.
3 委譲する, 受け継がせる. Mi padre me *transmitió* el título de nobleza. 私は父から爵位を譲り受けた.
4 感染させる. No me *transmita* su desesperación. よしてください, 私まで気が滅入って来る.
trans·mu·ta·ción [transmutaθjón トゥランスムタしオン] 名女 変形, 変質.
trans·mu·tar [transmutár トゥランスムタル] 動他 変形させる, 変質させる.
trans·pa·ren·cia [transparénθja トゥランスパレンしア] 名女 **1** 透明度.
2 (情報などの) 公開性, ガラス張り.
3 〔写真〕 スライド; 〔映画〕 (特殊撮影の) スクリーン・プロセス.
trans·pa·ren·tar [transparentár トゥランスパレンタル] 動他 **1** 透過させる.
2 表す, うかがわせる.
── **trans·pa·ren·tar·*se*** **1** 透けて見える. **2** 表れる, うかがえる.
trans·pa·ren·te [transparénte トゥランスパレンテ] 形 [複 ~s] 〔英 transparent〕 **1** **透明の**, 透き通った. cristal *transparente* 透明なガラス. agua *transparente* 澄んだ水.
2 見え透いた, 明白な. Su intención quedó *transparente*. 彼の意図は見え見えだった.
── 名男 **1** 薄手のカーテン[スクリーン].
2 〔建築〕 (祭壇の後ろの) ステンドグラス.
trans·pi·ra·ción [transpiraθjón トゥランスピラしオン] 名女 〔植物〕 蒸散; 発汗.
trans·pi·rar [transpirár トゥランスピラル] 動自 蒸散する; 汗をかく.
trans·plan·te [transplánte トゥランスプらンテ] 名男 → trasplante.
trans·po·ner [transponér トゥランスポネル] ㊺ 動他 [過分 transpuesto]
1 移動[移転]する (= trasladar).
2 (太陽が山などの) 後ろに隠れる, 沈む.
── **trans·po·ner·*se*** **1** (太陽が) 沈む.

T

2 まどろむ，うとうとする.
quedarse transpuesto うたた寝する.
trans·por·ta·dor, do·ra [transportaðór, ðóra トゥランスポルタドル，ドラ] 形 輸送の，運搬の. —— 名男 **1** 運搬機器，コンベヤー. **2** 分度器.
trans·por·tar [transportár トゥランスポルタル] 動他 運ぶ，運搬する，輸送する. *transportar* en camión トラック輸送をする.
—— **trans·por·tar·*se*** 《+**de**》…に我を忘れる，陶然となる.
trans·por·te [transpórte トゥランスポルテ] 名男 [複 ～s]〔英 transport〕 **1** 輸送，運送；運送費，交通費. *transporte* aéreo 空輸. *transporte* marítimo [terrestre] 海上[陸上]輸送.
2 交通[運輸]機関（= medio de *transporte*）. *transportes* colectivos [públicos] 公共交通機関.
trans·por·tis·ta [transportísta トゥランスポルティスタ] 名男女 運送業者.
trans·po·si·ción [transposiθjón トゥランスポシしオン] 名女 **1** 移動，移転.
2〘修辞〙転置.
trans·ver·sal [transβersál トゥランスベルサる] 形 **1** 横切る. una calle *transversal* de la Gran Vía グランビアと交差する通り.
2 傍系の.
—— 名女 **1**〘数〙横軸，交軸. **2** 傍系親族.
tran·ví·a [trambía トゥランビア] 名男 路面電車，市街電車.
tran·via·rio, ria [trambjárjo, rja トゥランビアリオ，リア] 形 路面電車の.
—— 名男女 路面電車の乗務員[運転手].
tra·pa·ce·ro, ra [trapaθéro, ra トラパせロ，ラ] 形 いかさまの，いんちきの.
—— 名男女 いかさま師，詐欺師.
tra·pa·jo·so, sa [trapaxóso, sa トゥラパホソ，サ] 形 **1** ぼろを着た. **2** ぼそぼそしゃべる.
tra·pe·cio [trapéθjo トゥラペしオ] 名男
1 空中ぶらんこ.
2〘数〙台形，梯形(ていけい). **3**〘解剖〙僧帽筋.
tra·pe·cis·ta [trapeθísta トゥラペしスタ] 名男女 空中ぶらんこ乗り.
tra·pen·se [trapénse トゥラペンセ] 形〘カトリック〙トラピスト（会）の. —— 名男女〘カトリック〙トラピスト会修道士[修道女].
tra·pe·ro, ra [trapéro, ra トゥラペロ，ラ] 名男女 廃品回収業者.
tra·pe·zoi·de [trapeθóiðe トゥラペそイデ] 名男〘数〙不等辺四辺形.
tra·pi·che·ar [trapitʃeár トゥラピチェアル] 動自 **1**《口語》不正取引する. **2** 小売りする.
tra·pi·che·o [trapitʃéo トゥラピチェオ] 名男《口語》不正取引，裏工作.
tra·pí·o [trapío トゥラピオ] 名男
1〘闘牛〙（牛の）気迫；勇姿.
2《口語》（女性の）優雅さ，気品.
tra·pi·son·da [trapisónda トゥラピソンダ] 名女《口語》大騒ぎ，けんか.
tra·pi·son·dis·ta [trapisondísta トゥラピソンディスタ] 名男女《口語》騒ぎを起こす人，けんか好きの人.
tra·po [trápo トゥラポ] 名男
1 ぼろ（布）；ぞうきん.
2 ふきん. secar los platos con un *trapo* ふきんで皿をふく. **3** [～s]《口語》（女性の）衣服. Las chicas sólo hablan de *trapos*. 女の子たちは洋服の話しかしない.
a todo trapo《口語》大急ぎで. acudir *a todo trapo* al lugar del accidente 事故現場に急行する.
estar hecho un trapo《口語》へたばる.
poner a 《+uno》 ***como un trapo*** (***sucio***)《口語》〈人〉をこきおろす.
sacar los trapos sucios a relucir 《口語》胸につかえていたことを吐き出す.
soltar el trapo《口語》わっと泣きだす；急に笑いだす.
trá·que·a [trákea トゥラケア] 名女〘解剖〙気管（➡ vísceras 図）；〘植物〙導管.
tra·que·o·to·mí·a [trakeotomía トゥラケオトミア] 名女〘医〙気管切開（術）.
tra·que·te·ar [traketeár トゥラケテアル] 動自 ガタガタ[ゴトゴト]音をたてて動く，揺れる.
—— 動他 音をたてて揺らす，激しく振る.
tra·que·te·o [traketéo トゥラケテオ] 名男 ガタガタ[ゴトゴト]する音；（爆竹の）炸裂(さくれつ)音.
tras [tras トゥラス] 前〔英 after〕 **1**《位置・時間・順序を表して》…の後ろに[を]；…のあとに. *tras* la puerta ドアの後ろに. Fueron *tras* el ladrón. 彼らは泥棒を追っていった. ➡ detrás, después.
2《+**de**》…のうえに，さらに. *tras de* llegar tarde 遅刻したうえさらに.
tras·cen·den·cia [trasθendénθja トゥラセンデンしア] 名女 重大さ，重要性.
tras·cen·den·tal [trasθendentál トゥラセンデンタる] / **tras·cen·den·te** [trasθendénte トゥラセンデンテ] 形 きわめて重要な.
tras·cen·der [trasθendér トゥラセンデル] [43 e ➡ ie] 動自 **1**《+**a**》…の強い香りを放つ；…をほのめかす. *trascender a* jazmín ジャスミンの香りがする.
2 漏れる，伝播(でんぱ)する. *Ha trascendido* el secreto. 秘密が漏れた.
3《+**de**》…の限界を越える，超越する.
—— 動他 …の限界を越える，超越する.
tra·se·gar [traseɣár トゥラセガル] [32 g ➡ gu ; 42 e ➡ ie] 動他 **1** ひっかき回す，ひっくり返す. **2**（別の容器に）移し替える.
—— 動自《口語》酒を飲む，一杯やる.
tra·se·ro, ra [traséro, ra トゥラセロ，ラ] 形 後ろの，後部の（↔ delantero）. puerta *trasera* 裏門.
—— 名男 尻(しり)，臀部(でんぶ)（= nalgas）.
—— 名女（家の）裏；（車の）後部. sentarse a la *trasera* de un coche 車の後部座

席に座る.

tras·fon·do [trasfóndo トゥラスフォンド] 名男 底流, 底意; 背景.

tras·hu·man·cia [trasumánθja トゥラスマンシア] 名女 (家畜の) 季節移動, 移牧.

tras·hu·mar [trasumár トゥラスマル] 動自 (家畜が) 新しい牧草地へ移動する.

tra·sie·go [trasjéɣo トゥラシエゴ] 名男
1 多忙, 右往左往; 混乱.
2 (別の容器への) 移し替え, 詰め替え.

tras·la·ción [traslaθjón トゥラスらしオン] 名女 **1** 移動, 移転; (予定日の) 変更.
2 転写, 複写.

tras·la·dar [traslaðár トゥラスらダル] 動他 〔英 move〕 **1 移動する**, 移す.
2 転任 [転勤] させる. El jefe quiere *trasladar*me a la sección que se inaugurará pronto. 上司は間もなく新設される課に私を配置変えしたいと思っている.
3 《+a》 …まで延期する; …に繰り上げる. *Trasladaron* el partido *a* la semana próxima. 彼らは試合を来週に延期した.
4 《+a》 …に翻訳する (= traducir).
—— tras·la·dar·se 転居する. *Se trasladó* de casa. 彼は転居した.

tras·la·do [trasláðo トゥラスらド] 名男
1 移動, 移送; 引っ越し, 転居; 転任, 転勤; (予定の) 変更. **2** 写し, 複写.
—— 動 ➡ trasladar.

tras·lú·ci·do, da [traslúθiðo, ða トゥラスるしド, ダ] 形 透けて見える, 半透明の.

tras·lu·cir [trasluθír トゥラスるしル] 33 動他 示す, 表す, うかがわせる. dejar *traslucir* ほのめかす, 示唆する.
—— tras·lu·cir·se **1** 光を通す, 透けて見える. **2** 表れる, うかがえる.

tras·luz [traslúθ トゥラスるす] 名男 間接光; 反射光.
al trasluz 光に透かして. mirar una diapositiva *al trasluz* スライドを光に透かして見る.

tras·ma·no [trasmáno トゥラスマノ] 名男
a trasmano (1)手の届かないところに, 離れたところに. Lo tengo *a trasmano*. 今は手元にないんだ. (2)遠くに, 人里離れた所に.

tras·no·cha·do, da [trasnotʃáðo, ða トゥラスノチャド, ダ] 形 言い古された, 陳腐な (= manoseado).

tras·no·cha·dor, do·ra [trasnotʃaðór, ðóra トゥラスノチャドル, ドラ] 形 宵っぱりの; 徹夜の.
—— 名男女 宵っぱり.

tras·no·char [trasnotʃár トゥラスノチャル] 動自 徹夜をする; 夜更かしする.

tras·pa·sar [traspasár トゥラスパサル] 動他
1 横断する.
2 貫通する; 染み通る.
3 超える, 上回る.
4 再び通る. Pasó y *traspasó* la calle. 彼は通りを行ったり来たりした.
5 譲り渡す, 売り渡す.
6 移動する, 動かす; (プロの選手を) 移籍させる.
7 苦しめる. *traspasar* el corazón ひどく心をさいなむ.

tras·pa·so [traspáso トゥラスパソ] 名男
1 横断; 移動. **2** 譲渡, 委譲.
3 〘スポーツ〙選手の移籍. **4** 苦悩; 痛み.

tras·pié [traspjé トゥラスピエ] 名男 つまずき (= tropezón).
dar un traspié つまずく; しくじる, 失敗する.

tras·plan·tar [trasplantár トゥラスプらンタル] 動他 **1** 〘植物〙〘医〙移植する. *trasplantar* un órgano 臓器を移植する.
2 移入する, 導入する.
—— tras·plan·tar·se 移住する.

tras·plan·te [trasplánte トゥラスプらンテ] 名男 〘植物〙〘医〙移植 *trasplante* cardíaco [de corazón] 心臓移植. *trasplante* hepaico [de hígado] 肝臓移植. *trasplante* de órganos 臓器移植. ► 臓器移植の提供者は donante, donador. 被提供者は receptor.

tras·qui·lar [traskilár トゥラスキらル] 動他 (羊毛を) 刈る; とら刈りにする.

tras·ta·da [trastáða トゥラスタダ] 名女 《口語》いたずら, 悪さ; 悪巧み. hacer una *trastada* a 《+uno》〈人〉に悪さをする.

tras·te [tráste トゥラステ] 名男 (ギターなどの) フレット. ➡ guitarra 図.
dar al traste con ... …を台無しにする, 損なう.
ir*(*se*)*al traste 失敗に終わる.

tras·te·ar [trasteár トゥラステアル] 動他
1 〘闘牛〙(牛を) ムレータであしらう.
2 《口語》意のままにする, 自由に操る.
3 (ギターなどに) フレットを取りつける.
—— 動自 **1** かき回す. **2** いたずらをする.

tras·te·ro, ra [trastéro, ra トゥラステロ, ラ] 形 物置の, 収納用の.
—— 名男 (または女) 納戸, 物置.

tras·tien·da [trastjénda トゥラスティエンダ] 名女 **1** 店の奥の部屋. **2** 《口語》悪知恵, ずるさ. **3** 《口語》隠し立て, 隠し事.

tras·to [trásto トゥラスト] 名男 **1** 家具; [～s] 道具. **2** 《口語》がらくた, 廃品.
3 《口語》ろくでなし, 役立たず.
tirarse los trastos a la cabeza 口汚くののしり合う.

tras·to·car [trastokár トゥラストカル] [8 c ➡ qu] 動他 混乱させる.
—— tras·to·car·se 取り乱す; 気がふれる.

tras·tor·nar [trastornár トゥラストルナル] 動他 **1** ひっくり返す, めちゃくちゃにする. El ladrón *trastornó* toda la casa. 泥棒が家中ひっかき回した. Esto *ha trastornado* mis proyectos. このことが私の計画を狂わせてしまった.
2 混乱させる; 錯乱させる. La guerra *ha*

trastornado a mucha gente. 戦争は多くの人々を不安に陥れた.
3 夢中にさせる(= enloquecer). Le *trastornan* las mujeres. 彼は女には目がない.
── **tras·tor·nar·*se*** 取り乱す; 気がふれる. A raíz de la muerte de su esposa *se trastornó*. 妻を失って彼はすっかりおかしくなった.

tras·tor·no [trastórno トゥラストルノ] 名男
1 混乱; 錯乱. *trastorno* mental 精神錯乱.
2 〔医〕不調; 障害. padecer *trastornos* de estómago 胃の調子が悪い.

tra·sun·to [trasúnto トゥラスント] 名男 複写.

tra·ta·ble [tratáβle トゥラタブれ] 形 扱いやすい; 好感のもてる, 愛想のよい.

tra·ta·dis·ta [trataðísta トゥラタディスタ] 名男女 学術[専門]書の著者, 論文執筆者.

tra·ta·do[1] [tratáðo トゥラタド] 名男 [複 ~s] 〔英 treaty〕 **1** **条約** (文書), 協約 (文書). ratificar [rescindir] el *tratado* 条約を批准[破棄]する. concertar un *tratado* de amistad y comercio 修好通商条約を締結する.
2 専門書. *tratado* de filosofía 哲学書.

tratado[2], **da** 過分 → tratar.

tra·ta·mien·to [tratamjénto トゥラタミエント] 名男 **1** 扱い, 待遇, もてなし.
2 敬称, 尊称. dar *tratamiento* a 《+uno》 敬称を使って話しかける.

> **【参考】敬称**
> Su Majestad 陛下. Su Alteza Real 殿下. Excelentísimo (大使・大臣・国会議員・学長などに) 閣下. Ilustrísimo猊下(げいか); 閣下. Reverendo (聖職者に) 師. Distinguido / Estimado / Ilustre 様.

3 治療, 処置. **4** 製法, 工程; 処理, 加工.

tratando 現分 → tratar.

tra·tan·te [tratánte トゥラタンテ] 名男女 仲買人, 商人.

tra·tar [tratár トゥラタル] 動他 [現分 tratando; 過分 tratado, da] 〔英 treat, handle〕 **1** **扱う**; 遇する. No *trates* la máquina de ese modo. そんなふうな機械の扱い方をするな. Todo el mundo me *trata* muy bien. 皆が私にとてもよくしてくれる. *tratar* a 《+uno》 por encima del hombro 《口語》 〈人〉を見下す. *tratar* a 《+uno》 sin contemplaciones [miramientos] 〈人〉を冷たくあしらう.
2 《+de》 …扱いする, …とみなす. *tratar* a 《+uno》 *de* usted 〈人〉に「あなた」を使って話す. *tratar* a 《+uno》 *de* tonto 〈人〉をばか呼ばわりする.
3 交渉する, 協議する. *tratar* la paz 和平交渉をする.
4 処理する, 加工する.
5 治療する, 処置する.
── 動自 〔英 try to; deal with〕 **1** 《+de 不定詞》 **…しようと努める**, …しようと試みる. *Traté de* alcanzarle. 私は懸命に彼に追いつこうとした.
2 《+de, sobre》 **…について論じる**, 扱う, 話題にする, 問題にする. ¿*De* qué *trata* la conferencia? 何についての講演ですか.
3 《+con》 …と付き合う, 交際する. No *trato con* él. 私は彼との付き合いはない.
4 《+en》 …を商う, 売買する. *tratar en* diamantes ダイヤモンドを扱う.
── **tra·tar·*se*** **1** 《+de》 **問題は…である**. el escándalo *de* que *se trata* 問題のスキャンダル. ¿*De* qué *se trata*? なんの話ですか. ► 主語はなく, 3人称単数のみに活用.
2 付き合う. María *se trata* con Miguel. マリアはミゲルと付き合っている. Padre e hijo *se tratan* sin reserva. あの家では父親と息子が気安い.

tra·to [tráto トゥラト] 名男 **1** 扱い, 待遇. recibir un *trato* cordial 手厚いもてなしを受ける. hombre de *trato* difícil 扱いにくい人物.
2 交際. tener *trato* con 《+uno》 〈人〉と交際している. no querer *trato*(*s*) con 《+uno》 〈人〉と交際したがらない. *trato* carnal [sexual] 肉体関係.
3 契約, 協定, 協約; 交渉. cerrar [hacer] un *trato* 契約を結ぶ.
── 動 → tratar.

trau·ma [tráuma トゥラウマ] 名男 〔医〕 外傷; 心の傷.

trau·má·ti·co, ca [traumátiko, ka トゥラウマティコ, カ] 形 〔医〕 外傷性の.

trau·ma·tis·mo [traumatísmo トゥラウマティスモ] 名男 〔医〕 外傷.

trau·ma·to·lo·gí·a [traumatoloxía トゥラウマトろヒア] 名女 〔医〕 外傷学.

tra·vés [traβés トゥラベス] 名男 [複 traveses] 〔英 inclination; misfortune〕 **1** 傾斜, 傾き. **2** 逆境, 不幸. Todos podemos tener algún *través*. 誰でも不幸に見舞われるものだ.
a*(*l*) *través de … …越しに, …を通して; …を介して.

tra·ve·sa·ño [traβesáɲo トゥラベサニョ] 名男 **1** 横桟(よこざん), 貫(ぬき). → silla 図.
2 〔スポ〕 (サッカーなど) ゴールのクロスバー.

tra·ve·sí·a [traβesía トゥラベシア] 名女
1 (大通りを結ぶ) 間道. **2** 横断. la *travesía* del Pacífico 太平洋横断.

tra·ves·tí [traβestí トゥラベスティ] 名男女 [複 travestís] 女装[男装]趣味の人.

tra·ve·su·ra [traβesúra トゥラベスラ] 名女 腕白, いたずら; 悪ふざけ, 戯れ.

tra·vie·so, sa [traβjéso, sa トゥラビエソ, サ] 形 いたずらな.

T

── 名女〘鉄道〙まくら木. ➡ estación 図.

tra·yec·to [trajékto トゥライエクト] 名男
1 道のり, 旅程. Todavía falta un largo *trayecto*. まだかなりの道のりがある.
2 路線, コース, ルート. el *trayecto* de la manifestación デモの道順.

tra·yec·to·ria [trajektórja トゥライエクトリア] 名女 **1** 軌道, 軌跡. *trayectoria* de un misil ミサイルの弾道. **2** 経歴.

trayendo 現分 ➡ traer.

tra·za [tráθa トゥラさ] 名女 **1** 構想, プラン; 設計図.
2 容貌(ようぼう), 外観.
3 才能, 素質.
llevar trazas de 《+不定詞》…の様子[気配]がする.
por* [*según*] *las trazas 一見したところ.
tener buena traza 顔だちがよい; 見込みがする.

tra·za·do, da [traθáðo, ða トゥラさド, ダ] 名男 **1** 設計; デザイン, 図案, 輪郭.
2 路線, ルート.
── 過分 形 設計された, 描かれた.
bien* [*mal*] *trazado 恰幅(かっぷく)のよい[風采(ふうさい)の上がらない].

tra·zar [traθár トゥラさル] [39 z ➡ c] 動他 **1** (線を)引く. *trazar* una línea recta 直線を引く.
2 スケッチする, 素描する(＝dibujar). *trazar* la semblanza de 《+uno》〈人〉の特徴を描写する.
3 構想する, 立案する.
4〘建築〙設計する, 図面を引く.

tra·zo [tráθo トゥラそ] 名男 描線, 筆の運び; (文字の)一画. *trazo* rectilíneo まっすぐな線. dibujar al *trazo* 略図を書く. *trazos* de la escritura 筆跡.

tré·bol [tréβol トゥレボる] 名男 **1**〘植物〙クローバー. *trébol* de cuatro hojas 四つ葉のクローバー. **2** (トランプ) クラブ.

tre·ce
[tréθe トゥレせ] 形《数詞》〔英 thirteen〕 13の, 13番目の. *trece* libros 13冊の本.
── 名男 13. ◆ローマ数字XIII.
mantenerse* [*estar, seguir*] *en sus trece 頑として譲らない.

tre·ce·a·vo, va [treθeáβo, βa トゥレせアボ, バ] 形 13分の1の.
── 名男 13分の1.

tre·cho [trétʃo トゥレチョ] 名男 **1** 距離, 区間. Hemos andado un buen *trecho*. 我々はかなり歩いた. **2** 期間, 間.
de trecho a* [*en*] *trecho ところどころに; 時々.

tre·gua [tréɣwa トゥレグア] 名女
1 停戦, 休戦; 停戦協定. acordar una *tregua* 停戦協定を結ぶ.
2 休止, 休息.
dar tregua(s) (痛みなどが) 一時おさまる.

trein·ta
[tréinta トゥレインタ] 形《数詞》〔英 thirty〕 30の, 30番目の. En esta sala caben más de *treinta* personas. この部屋には30人以上入る. Lección *treinta* 第30の課.
── 名男 30. ◆ローマ数字XXX.

trein·ta·vo, va [treintáβo, βa トゥレインタボ, バ] 形《数詞》30分の1の.
── 名男 30分の1.

tre·me·bun·do, da [tremeβúndo, da トゥレメブンド, ダ] 形 不気味な.

tre·men·do, da [treméndo, da トゥレメンド, ダ] 形 **1** 恐ろしい. una escena *tremenda* 身の毛もよだつ光景.
2 すごい, ひどい, 大変な. un calor *tremendo* ひどい暑さ. un golpe *tremendo* 強烈な一撃.
3《口語》すばらしい, 非凡な.
echar por la tremenda すぐにかっとなって手がつけられない.
tomarse las cosas a la tremenda 大げさに考える.

tre·men·ti·na [trementína トゥレメンティナ] 名女〘化〙テルペンチン. esencia de *trementina* テレビン油.

tre·mo·lar [tremolár トゥレモらル] 動自 はためく, 翻る.
── 動他 (旗などを)振る.

tre·mo·li·na [tremolína トゥレモりナ] 名女《口語》どよめき, 騒ぎ. armar la *tremolina* 騒ぎを引き起こす.

tré·mo·lo [trémolo トゥレモろ] 名男〘音楽〙トレモロ.

tré·mu·lo, la [trémulo, la トゥレムろ, ら] 形 震える. con voz *trémula* 声を震わせて.

tren
[trén トゥレン] 名男 [複 ～es]〔英 train〕
1 列車, 電車. (*tren* de) Alta Velocidad Española スペインの新幹線《略 AVE》. *tren* rápido 特急列車. *tren* expreso 急行列車. cambiar de *tren* 電車を乗り換える. ir en *tren* 電車で行く. perder el *tren* 電車に乗り遅れる. tomar [coger] el *tren* 電車に乗る. ➡ estación 図.
2 歩く速度, ペース. llevar buen *tren* 足が速い.
3 装置. *tren* de aterrizaje 着陸装置. *tren* de engranajes 歯車装置.
4 贅沢(ぜいたく), 豪華さ. a todo *tren* 贅沢に. llevar un *tren* de vida 贅沢に暮らす.

tren·ca [tréŋka トゥレンカ] 名女〘服飾〙ダッフルコート.

tren·ci·lla [trenθíʎa トゥレンしリャ] 名女 (装飾用の)編みひも, 組みひも.

tren·za [trénθa トゥレンさ] 名女 (髪の)三つ編み; 組みひも.

tren·zar [trenθár トゥレンさル] [39 z ➡ c] 動他 (髪・ひもを)編む.

tre·pa·dor, do·ra [trepaðór, ðóra

トゥレパドル, ドラ] 形〘植物〙つる性の; 〘鳥〙(キツツキなど木をよじ登る)攀禽(はんきん)類の. plantas *trepadoras* つる性植物.
tre·par [trepár トゥレパル] 動他自 よじ登る; (つるが) はう. Un gusano *trepa* por el muro. 虫が壁をはっている.
tre·pi·da·ción [trepiðaθjón トゥレピダしオン] 名女 (機械・地面の) 振動, 震動.
tre·pi·dar [trepiðár トゥレピダル] 動自 (機械・地面が) 振動[震動]する.
tres [trés トゥレス] 形《数詞》〔英 three〕 3の, 3番目の. Habla *tres* lenguas con fluidez. 彼は3か国語を流暢(りゅうちょう)に話す.
── 名男 3. ◆ローマ数字III.
como tres y dos son cinco 当たりまえの話だが.
ni a la de tres 絶対に, 金輪際.
trescuartos 4分の3; 〘服飾〙七分コート.
tres·cien·tos¹, tas [tresθjéntos, tas トゥレしエントス, タス] 形《数詞》〔英 three hundred〕 300の; 300番目の.
tres·cien·tos² [tresθjéntos トゥレしエントス] 名男 300. ◆ローマ数字CCC.
tre·si·llo [tresíʎo トゥレシリョ] 名男 **1** 応接三点セット. **2**〘音楽〙3連音符.
tre·ta [tréta トゥレタ] 名女 **1** 策略, 計略. **2** (フェンシングなどで) フェイント.
tre·za·vo, va [treθáβo, βa トゥレさボ, バ] 形 ➡ treceavo.
tri- 「3」の意を表す造語要素. ⇀ *tri*ángulo, *tri*cornio など.
trí·a·da [tríaða トゥリアダ] 名女 三つ組み, 3連のもの.
trian·gu·lar [trjaŋgulár トゥリアングらル] 形三角(形)の. músculo *triangular* 〘解剖〙三角筋. vela *triangular* 〘海事〙三角帆.
trián·gu·lo [trjáŋgulo トゥリアングろ] 名男 **1** 三角形. *triángulo* rectángulo 直角三角形. **2**〘音楽〙トライアングル. **3**《口語》三角関係.
tri·bal [triβál トゥリバる] 形 部族の, 種族の.
tri·bu [tríβu トゥリブ] 名女部族, 種族.
tri·bu·la·ción [triβulaθjón トゥリブらしオン] 名女苦悩; 苦難.
tri·bu·na [triβúna トゥリブナ] 名女 **1** 演壇. subir a la *tribuna* 登壇する. **2** (パレードなどの) 観覧席.
tri·bu·nal [triβunál トゥリブナる] 名男 [複 ~es] 〔英 court〕 **1** 裁判所, 法廷. *tribunal* supremo 最高裁判所. llevar a 《+uno》 a los *tribunales* 〈人〉を告訴する. **2**《集合》裁判官.
tribunal de la conciencia 良心, 良識.
tribunal de Dios 〘宗教〙(死後における) 神の裁き.
tri·bu·ta·ción [triβutaθjón トゥリブタしオン] 名女納税, 貢納.
tri·bu·tan·te [triβutánte トゥリブタンテ] 形名男女➡ tributario.
tri·bu·tar [triβutár トゥリブタル] 動他 **1** (税金・貢ぎ物を) 納める. **2** (敬意などを) 示す. *tributar* respeto [homenaje] a ... …に敬意[尊敬]を表する.
tri·bu·ta·rio, ria [triβutárjo, rja トゥリブタリオ, リア] 形 税金の, 納税の. sistema *tributario* 納税制度.
── 名男女納税者.
tri·bu·to [triβúto トゥリブト] 名男 **1** 税金, 租税 (= impuesto); 貢ぎ物. pagar los *tributos* al estado 国に税金を納める. **2** 感謝[尊敬]のしるし; 見返り, 代償. *tributo* de agradecimiento 感謝のしるし. *tributo* de la fama 名声の代償.
trí·ceps [tríθeps トゥリせプス] 形〘解剖〙三頭筋の.
── 名男〘解剖〙三頭筋.
tri·ci·clo [triθíklo トゥリしクろ] 名男 三輪車.
tri·co·lor [trikolór トゥリコろル] 形 三色の. bandera *tricolor* 三色旗.
tri·cor·nio [trikórnjo トゥリコルニオ] 名男 三角帽子.
tri·co·tar [trikotár トゥリコタル] 動他編む. máquina de *tricotar* 編み機.
tri·den·te [triðénte トゥリデンテ] 名男 三つ叉(また)の道具; 三叉の矛.
tri·di·men·sio·nal [triðimensjonál トゥリディメンシオナる] 形三次元の, 立体的な.
trie·dro, dra [trjéðro, ðra トゥリエドゥロ, ドゥラ] 形〘数〙三面(体)の.
── 名男三面体.
trie·nal [trjenál トゥリエナる] 形 3年(間)の; 3年ごとの.
trie·nio [trjénjo トゥリエニオ] 名男 3年(間).
tri·fá·si·co, ca [trifásiko, ka トゥリファシコ, カ] 形〘電気〙三相の.
tri·ful·ca [trifúlka トゥリフるカ] 名女《口語》けんか, 口論. armar una *trifulca* 騒ぎを起こす.
tri·gal [triɣál トゥリガる] 名男小麦畑.
tri·gé·si·mo, ma [trixésimo, ma トゥリへシモ, マ] 形30番目の; 30分の1の. *trigésimo* primero 31番目の.
── 名男 30分の1.
tri·go [tríɣo トゥリゴ] 名男 [複 ~s] 〔英 wheat〕 〘植物〙**コムギ** (小麦). ► 小麦粉は harina, 大麦は cebada, ライ麦は centeno.
tri·go·no·me·trí·a [triɣonometría トゥリゴノメトゥリア] 名女〘数〙三角法.
tri·gue·ño, ña [triɣéɲo, ɲa トゥリゲニョ, ニャ] 形小麦色の.
tri·gue·ro, ra [triɣéro, ra トゥリゲロ, ラ] 形小麦の; 小麦栽培に適した.
tri·lin·güe [trilíŋgwe トゥリりングエ] 形

T

3か国語で書かれた; 3か国語を話す.
tri·lla [tríʎa トゥリリャ] 名女 脱穀(期).
tri·lla·do, da [triʎáðo, ða トゥリリャド, ダ] 過分 形 ありふれた, 陳腐な. un tema *trillado* 新味のないテーマ.
tri·llar [triʎár トゥリリャル] 動他 脱穀する.
tri·lli·zo, za [triʎíθo, θa トゥリリィそ, さ] 形 三つ子の.
―― 名男女 三つ子(のひとり).
tri·llo [tríʎo トゥリリォ] 名男 脱穀機.
tri·lo·gí·a [triloxía トゥリろヒア] 名女 三部作.
tri·mes·tral [trimestrál トゥリメストゥラる] 形 3か月ごとの; 季刊の.
tri·mes·tre [triméstre トゥリメストゥレ] 名男 3か月間; (3学期制の)学期; (支払いなどの)3か月分.
tri·nar [trinár トゥリナル] 動自 (鳥が)さえずる.
estar que trina 《口語》かんかんになって怒る.
trin·ca [tríŋka トゥリンカ] 名女 3つ組み.
trin·car [triŋkár トゥリンカル] [8 c → qu] 動他 **1** 《口語》捕まえる; 牢(ろう)にぶち込む. **2** 《口語》(酒を)飲む.
3 〘海事〙(ロープで)固定する.
trin·chan·te [trintʃánte トゥリンチャンテ] 名男 〘料理〙(肉を切り分ける)カービンナイフ.
―― 名男女 (食卓で)肉を切り分ける人.
trin·char [trintʃár トゥリンチャル] 動他 〘料理〙(肉を)切り分ける.
trin·che·ra [trintʃéra トゥリンチェラ] 名女
1 〘軍事〙塹壕(ざんごう).
2 〘服飾〙トレンチコート.
trin·che·ro [trintʃéro トゥリンチェロ] 名男 (食卓の)サイドテーブル.
tri·ne·o [trinéo トゥリネオ] 名男 橇(そり).
Tri·ni [tríni トゥリニ] 固名 トリニ: Trinidad の愛称.
tri·ni·dad [triniðáð トゥリニダ(ドゥ)] 名女
1 〘神〙三位一体. ◆ Padre 父, Hijo 子, Espíritu Santo 聖霊の3つのペルソナを一体と見なすこと.
2 [T-] トリニダード: 女性の名. 愛 Trini.
tri·ni·ta·rio, ria [trinitárjo, rja トゥリニタリオ, リア] 形 〘カトリック〙聖三位一体修道会の.
―― 名男女 〘カトリック〙聖三位一体修道会士[修道女].

T

tri·no [tríno トゥリノ] 名男 **1** (鳥の)さえずり. **2** 〘音楽〙トリル, 顫音(せんおん).
tri·no·mio [trinómjo トゥリノミオ] 名男 〘数〙三項式.
trin·que·te [triŋkéte トゥリンケテ] 名男
1 〘機械〙歯止め.
2 〘海事〙フォアマスト, 前檣(ぜんしょう).
trí·o [trío トゥリオ] 名男 **1** 三人組, トリオ.
2 〘音楽〙三重奏[唱], 三重奏[唱]団.
tri·pa [trípa トゥリパ] 名女 **1** 腸; 内臓, はらわた. **2** 《口語》腹, 太鼓腹. echar [tener] *tripa* 腹が出る[出ている].
3 (かめなどの)腹の部分.
tri·par·ti·to, ta [tripartíto, ta トゥリパルティト, タ] 形 3分割した; 3者間の, 3国間の. acuerdo *tripartito* 三国協定.
tri·ple [tríple トゥリプれ] 形
1 3倍の. La población de Japón es el *triple* aproximadamente de la de España. 日本の人口はスペインの約3倍である. **2** 三重の. *triple* salto 〘スポーツ〙三段跳び.
―― 名男 3倍, 三重. El *triple* de cuatro es [son] doce. 4の3倍は12である.
► 2倍は doble, 4倍は cuádruple, 5倍は quíntuplo.
tri·pli·car [triplikár トゥリプりカル] [8 c → qu] 動他 3倍[三重]にする; (書類を)3部作成する.
―― **tri·pli·car·*se*** 3倍[三重]になる. La población de esta ciudad *se ha triplicado*. この町の人口は3倍に膨れ上がった.
trí·po·de [trípoðe トゥリポデ] 名男 (カメラの)三脚; 三脚椅子, 三脚テーブル.
tríp·ti·co [tríptiko トゥリプティコ] 名男 〘美術〙トリプティカ: 三連の祭壇画. → díptico.
trip·ton·go [triptóŋgo トゥリプトンゴ] 名男 〘音声〙三重母音.
tri·pu·do, da [tripúðo, ða トゥリプド, ダ] 形 《口語》腹の出た.
tri·pu·la·ción [tripulaθjón トゥリプらしオン] 名女 [複 tripulaciones] 〔英 crew〕 《集合》**乗組員**, 乗務員, クルー.
tri·pu·lan·te [tripulánte トゥリプらンテ] 名男女 乗組員, 乗務員, クルー.
tri·pu·lar [tripulár トゥリプらル] 動他 …に乗り組む; 運転[操縦]する. satélite *tripulado* 有人衛星.
tri·qui·ñue·la [trikiɲwéla トゥリキニュエら] 名女 《口語》策略; 言い逃れ.
tri·qui·tra·que [trikitráke トゥリキトゥラケ] 名男 **1** ガタゴトという音. **2** 爆竹.
tris [trís トゥリス] 名男
estar en un tris de 《+不定詞》《口語》すんでのところで…するところだ.
por un tris 《口語》《否定文で》もう少しで, すんでのところで.
tri·sí·la·bo, ba [trisílaβo, βa トゥリシらボ, バ] 形 〘文法〙3音節の.
―― 名男 〘文法〙3音節語.

tris·te [tríste トゥリステ] 形 [複 ～s] 〔英 sad〕
1 悲しい, 哀れな(↔ alegre). Está *triste* por la muerte de su madre. 彼は母親に死なれて悲嘆に暮れている. una noticia *triste* 悲しい知らせ. una cara *triste* 悲しそうな顔.
2 陰鬱(いんうつ)な, 陰気な; 物寂しい.
3 (色が)くすんだ, あせた.
4 《名詞の前で》貧弱な, わずかな. A pesar del esfuerzo que hizo cobró una *triste* cantidad de dinero. 彼はたいへんな努

力を払ったにもかかわらず，もらったものはほんのわずかなお金だった．
ni un [***una***] ***triste*** 《+algo》〈何か〉さえも…ない．No he leído *ni una triste* página. 私はまだ1ページも読んでいない．
tris·te·men·te [trísteménte トゥリステメンテ] 副 悲しげに，寂しそうに．
tris·te·za [tristéθa トゥリステサ] 名女 [複 ～s]〔英 sadness〕 **1** **悲しみ**，悲哀．
2 陰鬱(いんうつ)；寂しさ．*tristeza* de la vida solitaria 独り暮らしのわびしさ．
tris·tón, to·na [tristón, tóna トゥリストン，トナ] 形《口語》寂しげな．
tri·tu·ra·ción [trituraθjón トゥリトゥラしオン] 名女 粉砕すること．
tri·tu·ra·dor, do·ra [trituraðór, ðóra トゥリトゥラドル，ドラ] 形 砕く．
── 名女 粉砕機．
── 名男 (台所の)ディスポーザー．
tri·tu·rar [triturár トゥリトゥラル] 動他
1 細かく砕く；かみ砕く．
2 ひどいめに遭わせる；酷評する．
triun·fal [trjumfál トゥリウンファる] 形 勝利の，凱旋(がいせん)の；勝ち誇った．entrada *triunfal* 凱旋入城．
triun·fal·men·te [trjumfálménte トゥリウンファるメンテ] 副 意気揚々と．
triun·fan·te [trjumfánte トゥリウンファンテ] 形 勝利を収めた；成功した．ejército *triunfante* 戦勝軍．salir *triunfante* 成功を収める．
triun·far [trjumfár トゥリウンファル] 動自
1 《+**en**》…で勝利する，成功する．*triunfar en* la lid 論争に勝つ．**2** 《+**de, sobre**》…に打ち勝つ，…を克服する．*triunfar de* las dificultades 困難を克服する．
triun·fo [trjúmfo トゥリウンフォ] 名男 [複 ～s]〔英 triumph, victory〕 **1** **勝利**；優勝．obtener el *triunfo* 優勝する．
2 優勝トロフィー(= trofeo).
3 成功，ヒット．
triun·vi·ra·to [trjumbiráto トゥリウンビラト] 名男〘歴史〙三頭政治；三巨頭．
triun·vi·ro [trjumbíro トゥリウンビロ] 名男〘歴史〙三執政官のひとり．
tri·vial [triβjál トゥリビアる] 形 ささいな，取るに足りない；陳腐な，平凡な．
tri·via·li·dad [triβjaliðáð トゥリビアりダ(ドゥ)] 名女 些細(ささい)なこと；月並み，陳腐．
tri·za [tríθa トゥリさ] 名女 小片；かけら．hacerse *trizas* 粉々になる．
tro·car [trokár トゥロカル] [⑧ c ➡ qu；⑬ o ➡ ue] 動他《+**por**》…と交換する，取り換える；《+**en**》…に変える，変質させる．
tro·cha [trótʃa トゥロチャ] 名女 近道，抜け道．
tro·che·mo·che [trotʃemótʃe トロチェモチェ] ***a trochemoche*** 《副詞句》でたらめに，めちゃくちゃに．►a troche y moche ともいう．
tro·fe·o [troféo トゥロフェオ] 名男 **1** 優勝トロフィー．**2** 戦利品(= botín).
troi·ca [tróika トゥロイカ] 名女 トロイカ：ロシアの3頭立て馬橇(そり)．[←〔ロ〕troika]
tro·le·bús [troleβús トゥロれブス] 名男 トロリーバス．
trom·ba [trómba トゥロンバ] 名女〘気象〙(海上の)竜巻．➡ torbellino.
en [***como una***] ***tromba*** 旋風のように，わあっと．
tromba de agua どしゃ降り，集中豪雨．
trom·bo [trómbo トゥロンボ] 名男〘医〙血栓，栓．
trom·bón [trombón トゥロンボン] 名男〘音楽〙トロンボーン；トロンボーン奏者．➡ orquesta 図．
trom·bo·sis [trombósis トゥロンボシス] 名女〘医〙血栓症．
trom·pa [trómpa トゥロンパ] 名女 **1**〘音楽〙ホルン．➡ orquesta 図．
2 (象の)鼻；(昆虫の)吻(ふん)．
3《口語》酔い．coger una *trompa* ぐでんぐでんに酔う．
4〘遊戯〙うなり独楽(ごま)．
── 名男女〘音楽〙ホルン奏者．
trom·pe·ta [trompéta トゥロンペタ] 名女〘音楽〙トランペット．tocar la *trompeta* トランペットを吹く．➡ orquesta 図．
── 名男女〘音楽〙トランペット奏者．
trom·pe·tis·ta [trompetísta トゥロンペティスタ] 名男女〘音楽〙トランペット奏者．
trom·pi·cón [trompikón トゥロンピコン] 名男 つまずき(= tropezón).
a trompicones とぎれとぎれに，つっかえつっかえ．
trom·po [trómpo トゥロンポ] 名男〘遊戯〙独楽(こま)．
tro·nar [tronár トゥロナル] [⑬ o ➡ ue] 動自 **1** 雷が鳴る．► 3人称単数のみに活用．
2 とどろき渡る；怒鳴る，がなり立てる．
tron·char [trontʃár トゥロンチャル] 動他
1 へし折る．**2** 妨げる，阻む．*tronchar* ilusiones 夢を壊す．
tron·cho [tróntʃo トゥロンチョ] 名男 (キャベツ・レタスなどの)芯(しん)．
tron·co [tróŋko トゥロンコ] 名男 **1** 幹；丸太．Este árbol tiene un *tronco* muy grueso. この木の幹はとても太い．➡ árbol 図．**2** (人・動物の)胴体，胴．
3 祖先，家系．pertenecer al mismo *tronco* familiar 同じ家系に属する．
dormir como un tronco 《口語》ぐっすり眠る．
tro·ne·ra [tronéra トゥロネラ] 名女
1〘建築〙狭間(はざま)，銃眼．➡ castillo 図．
2 (ビリヤードの)ポケット．
tro·no [tróno トゥロノ] 名男 玉座；王位．subir al *trono* 即位する．
tro·pa [trópa トゥロパ] 名女 [複 ～s]〔英 troop〕 **1** [～s] **軍隊**，部隊．*tropas* enemigas 敵軍．*tropas* aliadas 同盟軍，連

合軍. ➞ejército【参考】.
2《集合》兵隊, 兵士. **3** 群衆; 集団. una *tropa* de niños 子供の一団.
tropecé(-) / **tropecemos** 動➞ tropezar. [39 z ➞ c ; 42 e ➞ ie]
tro·pel [tropél トゥロペる] 名男 雑踏, ごった返し. en *tropel* 押し合いへし合いして, ひしめき合って.
tro·pe·lí·a [tropelía トゥロペりア] 名女 大慌て, 大急ぎ.
tro·pe·zar [tropeθár トゥロペさル] [39 z ➞ c ; 42 e ➞ ie] 動自〔英 stumble〕
1 つまずく. *tropezar* con [en] una piedra 石につまずく.
2 出くわす, 遭遇する. *tropezar* con una dificultad 困難にぶつかる.
── **tro·pe·zar·se** 偶然に出会う.
tro·pe·zón [tropeθón トゥロペそン] 名男
1 つまずくこと. dar un *tropezón* つまずく. **2** しくじり, 失敗. **3** [tropezones] (スープ・サラダなどの中の)具.
a tropezones つっかえつっかえ, やっとのことで.
tro·pi·cal [tropikál トゥロピカる] 形 熱帯の, 熱帯性の. clima *tropical* 熱帯性気候.
tró·pi·co [trópiko トゥロピコ] 名男〔地理〕回帰線. *trópico* de Cáncer 北回帰線. *trópico* de Capricornio 南回帰線. ➞ tierra 図.
tropiez- 動➞ tropezar. [39 z ➞ c ; 42 e ➞ ie]
tro·pie·zo [tropjéθo トゥロピエそ] 名男 つまずくこと; 失敗; 障害, 邪魔. dar un *tropiezo* つまずく. encontrarse con serios *tropiezos* 大きな障害にぶつかる.
tro·ta·mun·dos [trotamúndos トゥロタムンドス] 名男女 [単・複同形] (頻繁に世界各国を巡る)旅行家.
tro·tar [trotár トゥロタル] 動自 **1**《口語》急ぐ; 駆けずり回る.
2〔馬〕速歩(はやあし)で駆ける.
tro·te [tróte トゥロテ] 名男 **1**〔馬〕速歩(はやあし), トロット. ➞ galope. **2**《口語》駆けずり回ること, 激務. **3**《口語》厄介, 面倒.
a [***al***] ***trote*** (1)〔馬〕速歩で. (2)大急ぎで.
tro·va [tróβa トゥロバ] 名女 詩, 韻文; (吟遊詩人が作った)恋愛歌.
tro·va·dor [troβaðór トゥロバドル] 名男〔歴史〕吟遊詩人, トルバドゥール. ◆12-13世紀南フランスを中心に活躍. ➞ juglar.
Tro·ya [trója トゥロヤ] 固名〔歴史〕トロヤ: 小アジア北西部の古代都市. caballo de *Troya* トロヤの木馬.
Allí [***Aquí***] ***fue Troya.*** (物語で)それから大騒動となった.
Arda Troya.《口語》なるようになるさ.
tro·ya·no, na [trojáno, na トゥロヤノ, ナ] 形 トロヤの. ── 名男女 トロヤ人.
tro·zo [tróθo トゥロそ] 名男 断片, 一片 (= pedazo). un *trozo* de papel 紙切れ. cortar a *trozos* ぶつ切りにする.
tru·ca·je [trukáxe トゥルカヘ] 名男〔映画〕トリック撮影, 特撮.
tru·cha [trútʃa トゥルチャ] 名女〔魚〕マス(鱒). *trucha* arco iris ニジマス. *truchas* a la navarra〔料理〕マスのナバラふう.
No se pescan truchas a bragas enjutas.《諺》ズボンをぬらさなければ鱒は捕まえられない (虎穴(こけつ)に入らずんば虎児を得ず).
tru·co [trúko トゥルコ] 名男 いんちき, いかさま, トリック.
tru·cu·len·cia [trukulénθja トゥルクれンしア] 名女 残忍, 残虐(な行為).
tru·cu·len·to, ta [trukulénto, ta トゥルクれント, タ] 形 残忍な, 残虐な, 恐ろしい, ぞっとする.
truen- 動➞ tronar. [13 o ➞ ue]
true·no [trwéno トゥルエノ] 名男 **1** 雷鳴, 雷. ►「落雷する」はcaer el rayo.
2 炸裂(さくれつ)音, 轟音(ごうおん).
true·que [trwéke トゥルエケ] 名男 交換. a *trueque* de ... …と交換に, …の代わりに.
tru·fa [trúfa トゥルファ] 名女〔植物〕トリュフ, セイヨウショウロ(西洋松露).
tru·hán, ha·na [trwán, ána トゥルアン, アナ] 形 **1** 詐欺の, ぺてんの.
2《口語》こっけいな, おどけた.
── 名男女 **1** 詐欺師, ぺてん師.
2 おどけ者, 愉快な人.
tru·ha·ne·rí·a [trwanería トゥルアネリア] 名女 **1** 詐欺, ぺてん.
2《口語》道化, おどけ.
trun·car [truŋkár トゥルンカル] [8 c ➞ qu] 動他 **1** 切り取る; 削除する.
2 挫折(ざせつ)[中断]させる.
trust [trúst トゥルス(ト)] / **trus·te** [trúste トゥルステ] 名男〔経済〕企業合同, トラスト. [←英語]
tse-tsé [tsetsé ツェツェ] 名女〔昆虫〕ツェツェバエ(蠅).

tu [tu トゥ] 形《所有》
〔前置形; 複数形 tus. ➞ su【文法】〕〔英 your〕**君の**, お前の, あんたの. *tu* libro 君の本. *tus* zapatos 君の靴.

tú [tú トゥ] 代名《人称》
〔2人称単数形, 男・女同形; 複数形 vosotros, vosotras. ➞ yo【文法】〕〔英 you〕《主語》**君は[が]**, お前は[が], あんたが[は]. *Tú* te llamas Pilar, ¿no? 君がピラールだね. ¡Ah! Eres *tú*. あっ, 君か. Ella es más alta que *tú*. 彼女は君より背が高いよ.
de tú a tú 対等に (= de igual a igual).
hablar [***llamar, tratar***] ***de tú*** 君・お前で[親密に]話す.
Más eres tú.《口語》お前のほうがよほど上だ[ひどい].

T

tú y yo ふたり用紅茶セット；ふたり掛けソファー.

> 【参　考】 tú は家族，友人，同僚など，親しい間柄で用いるのが本来だが，現在では一般に広く相手を指すのに使われている. ➞usted 参考.

tu·ber·cu·li·na [tuβerkulína トゥベルクリナ] 名女 〘医〙ツベルクリン.

tu·bér·cu·lo [tuβérkulo トゥベルクろ] 名男
1〘植物〙塊茎，塊根.
2〘医〙〘解剖〙隆起，結節.

tu·ber·cu·lo·sis [tuβerkulósis トゥベルクろシス] 名女 [単・複同形] 〘医〙(肺)結核(症).

tu·ber·cu·lo·so, sa [tuβerkulóso, sa トゥベルクろソ，サ] 形 〘医〙結核(性)の.
── 名男女 〘医〙結核患者.

tu·be·rí·a [tuβería トゥベリア] 名女 《集合》管，パイプ，配管.

tu·bo [túβo トゥボ] 名男
1 管，パイプ. *tubo* de agua 水道管. *tubo* de escape エキゾーストパイプ. ➞ motocicleta 図. **2** チューブ. *tubo* de pintura 絵の具のチューブ.
3〘解剖〙管. *tubo* digestivo 消化管.

tuer·ca [twérka トゥエルカ] 名女 ナット. *tuerca* de aletas [orejas, mariposa] 蝶(ちょう)ナット. ➞ tornillo.
apretar a 《+uno》 ***las tuercas*** 〈人〉にねじを巻く，はっぱをかける.

tuer·to, ta [twérto, ta トゥエルト，タ] 形 片目の，独眼の. ── 名男女 片目の人.

tuerz- 動 ➞ torcer. [34 c ➞ z ; 35 o ➞ ue]

tues·te [twéste トゥエステ] 名男 きつね色に焼くこと.

tué·ta·no [twétano トゥエタノ] 名男
1〘解剖〙(骨)髄. **2** 真髄，精髄.
hasta el tuétano [***los tuétanos***] 《口語》骨の髄まで，すっかり.

tu·fo [túfo トゥフォ] 名男 **1** 悪臭；人いきれ，むっとする空気. **2** [～s] 気取り. tener *tufos* もったいぶる.

tu·gu·rio [tuɣúrjo トゥグリオ] 名男 あばら屋，ぼろ家.

tul [túl トゥる] 名男 〘服飾〙チュール.

tu·li·pán [tulipán トゥりパン] 名男 〘植物〙チューリップ.

tu·lli·do, da [tuʎíðo, ða トゥりィド，ダ] 形 不随の，麻痺(まひ)した.
── 名男女 体の不自由な人，身体障害者.

tu·llir [tuʎír トゥりィル] 36 動他 [現分 tullendo] 不随にする，麻痺(まひ)させる.
── **tu·llir·*se*** 不随になる，麻痺する.

tum·ba [túmba トゥンバ] 名女 墓，墓穴. llevar flores a la *tumba* 墓前に花を供える.
ser una tumba 《口語》無口である；口が堅い.

tum·bar [tumbár トゥンバル] 動他 **1** 倒す，横倒しにする (= derribar). Me *tumbó* de un golpe. 彼は私を一撃で倒した. **2** 《口語》失敗させる，落第させる. Me *tumbaron* en biología. 私は生物学を落とした.
3 《口語》仰天させる，呆然(ぼうぜん)とさせる.
── **tum·bar·*se*** **1** 横になる；倒れ込む. *Me tumbé* en el sofá. 私はソファーに倒れ込んだ.
2 《口語》やる気をなくす，だらける.

tum·bo [túmbo トゥンボ] 名男 揺れ，振動.
dando tumbos つまずきながら；苦労して.

tum·bo·na [tumbóna トゥンボナ] 名女 デッキチェア，ビーチマット.

tu·me·fac·ción [tumefakθjón トゥメファクしオン] 名女 〘医〙腫(は)れ，腫脹(しゅちょう)，むくみ.

tu·me·fac·to, ta [tumefákto, ta トゥメファクト，タ] 形 腫(は)れ上がった，むくんだ.

tu·mor [tumór トゥモル] 名男 〘医〙腫瘍(しゅよう)，腫瘤(しゅりゅう). *tumor* maligno 悪性腫瘍.

tú·mu·lo [túmulo トゥムろ] 名男 墳墓，古墳.

tu·mul·to [tumúlto トゥムるト] 名男 騒動，喧噪(けんそう)；暴動，反乱.

tu·mul·tuo·so, sa [tumultwóso, sa トゥムるトゥオソ，サ] 形 騒然とした；暴動 [騒乱] の.

tu·na [túna トゥナ] 名女 トゥナ：伝統的な衣装でセレナーデを歌い歩く学生の一団. ➞ estudiantina, ronda.

tu·nan·te, ta [tunánte, ta トゥナンテ，タ] 形 悪党の，悪漢の.
── 名男女 悪漢，ごろつき.

tun·da [túnda トゥンダ] 名女 **1** 《口語》めった打ち. **2** 《口語》頑張りすぎ，過労. darse una *tunda* やりすぎる，くたくたに疲れる.
3 剪毛(せんもう).

tun·dir [tundír トゥンディル] 動他
1 (織布の) 毛羽を刈る，剪毛(せんもう)する.
2 《口語》めった打ちにする.
3 《口語》へとへとに疲れさす.

tun·dra [túndra トゥンドゥラ] 名女 〘地理〙ツンドラ，凍土帯.

tu·ne·ci·no, na [tuneθíno, na トゥネしノ，ナ] 形 (アフリカ北部の) チュニジア Túnicia の；チュニス Túnez の.
── 名男女 チュニジア人；チュニスの住民.

tú·nel [túnel トゥネる] 名男 トンネル. perforar [excavar] un *túnel* トンネルを掘る.

tú·ni·ca [túnika トゥニカ] 名女 〘服飾〙チュニカ：ゆったりした長めの上衣(うわぎ).

tun·tún [tuntún トゥントゥン]
al (***buen***) ***tuntún*** 《副詞句》《口語》あてずっぽうに，でまかせに.

tu·pé [tupé トゥペ] 名男 **1** 前髪，額髪.
2 《口語》厚かましさ，図太さ.

tu·pi·do, da [tupíðo, ða トゥピド，ダ] 形
1 密な，詰んだ，濃い；茂った. un paño *tupido* 目の詰んだ布. **2** 鈍感な.

T

tu·pir [tupír トゥピル] 動他 密にする，詰め込む，押し込む．

tur·ba [túrβa トゥルバ] 名女 **1** 群衆；烏合(うごう)の衆．**2** 泥炭，ピート．

tur·ba·ción [turβaθjón トゥルバしオン] 名女 混乱，無秩序；動揺，当惑．

tur·ban·te [turβánte トゥルバンテ] 名男〘服飾〙ターバン．

tur·bar [turβár トゥルバル] 動他 **1** 乱す，かき乱す．*turbar* la paz 平穏を乱す．
2 動転させる，困惑させる．
── **tur·bar·*se*** 動転する，困惑する．

tur·bie·dad [turβjeðáð トゥルビエダ(ドゥ)] 名女 **1** 濁り，不透明．
2 曖昧(あいまい)さ；疑わしさ．

tur·bi·na [turβína トゥルビナ] 名女〘機械〙タービン．

tur·bio, bia [túrβjo, βja トゥルビオ，ビア] 形 **1** 濁った，不透明な．
2 曖昧(あいまい)な；疑わしい；混乱した，騒然とした．vista *turbia* はっきり見えないこと．un negocio *turbio* うさん臭い仕事．período *turbio* 混乱期．

tur·bión [turβjón トゥルビオン] 名女
1〘気象〙スコール，強い風を伴ったにわか雨．
2（…の）雨．*turbión* de balas 弾丸の雨．

tur·bo·hé·li·ce [turβoéliθe トゥルボエりせ] 名男〘航空〙ターボプロップエンジン．

tur·bo·rre·ac·tor [turβor̄eaktór トゥルボレアクトル] 名男〘航空〙ターボジェット（機）．➡ avión 図．

tur·bu·len·cia [turβulénθja トゥルブれンしア] 名女 **1** 汚濁；不鮮明．**2** 騒乱；混乱．*turbulencias* políticas 政治的な混乱．
3〘気象〙乱気流．

tur·bu·len·to, ta [turβulénto, ta トゥルブれント，タ] 形 **1** 濁った．aguas *turbulentas* 濁流．**2** 混乱した，騒然とした．en esta época *turbulenta* この混乱期に．

tur·co, ca [túrko, ka トゥルコ，カ] 形 トルコ Turquía の．
── 名男女 トルコ人．── 名男 トルコ語．
── 名女《口語》酔い．coger [pillar, tener] una *turca* 泥酔する．

tu·ris·mo [turísmo トゥリスモ] 名男 [複 ～s]〔英 tourism〕**1 観光**；観光旅行（= viaje de *turismo*）．hacer *turismo* por Europa ヨーロッパを観光旅行する．
2 観光事業．El *turismo* es una de las industrias más importantes de España. 観光事業はスペインの最も重要な産業の一つである．
3〘車〙自家用車．

tu·ris·ta [turísta トゥリスタ] 名男女 [複 ～s]〔英 tourist〕**観光客**．El pueblo está lleno de *turistas*. 町は観光客でいっぱいだ．

tu·rís·ti·co, ca [turístiko, ka トゥリスティコ，カ] 形 観光の．viaje *turístico* 観光旅行．

tur·nar(·*se*) [turnár(se) トゥルナル(セ)] 動自 順番にする，交替でやる．*turnarse* para cocinar y limpiar 炊事と掃除を順番制にする．

tur·no [túrno トゥルノ] 名男 **1** 順番；交替．a *turnos* 次々に，順番に．Me toca el *turno* de hablar. 私が話す番だ．hablar por *turno* 順番に話す．
2（交替の）勤務時間，シフト．*turno* de noche 夜勤．

tu·ro·len·se [turolénse トゥロれンセ] 形（スペイン東部の）テルエル Teruel の．
── 名男女 テルエルの住民．

tur·que·sa [turkésa トゥルケサ] 名女
1 トルコ玉[石]．
2 ターコイズブルー，明るい緑がかった青色．
── 形 ターコイズブルーの．

tu·rrón [tur̄ón トゥロン] 名男 トゥロン：アーモンド・クルミ・糖蜜(とうみつ)などで作るクリスマス用の菓子．◆スペインの Jijona, Alicante, Alcoy, Valencia のものが有名．

tu·rro·ne·ro, ra [tur̄onéro, ra トゥロネロ，ラ] 名男女 トゥロンを作る人；トゥロン売り．

tu·ru·la·to, ta [turuláto, ta トゥルらト，タ] 形《口語》呆然(ぼうぜん)[啞然(あぜん)]とした．

tu·te [túte トゥテ] 名男（スペイン・トランプ）トゥテ：2－3人で遊ぶ代表的なゲーム．40枚のカードを用いる．➡ naipe．

tu·te·ar [tuteár トゥテアル] 動他 …に tú を使って話す，君・僕で話す，親しい口を利く．
── **tu·te·ar·*se*** 互いに tú を用いて話す，君・僕で話す．

tu·te·la [tutéla トゥテら] 名女 **1**〘法律〙後見；保護，庇護(ひご)．poner bajo *tutela* 保護下に置く．**2** 指導；指導教師の職務．

tu·te·lar [tutelár トゥテらル] 形〘法律〙後見の；庇護(ひご)する．ángel *tutelar*〘カトリック〙守護の天使．
── 動他〘法律〙後見する．

tu·te·o [tutéo トゥテオ] 名男 tú を使って話すこと．

tu·tor, to·ra [tutór, tóra トゥトル，トラ] 名男女 **1**〘法律〙後見人；保護者．
2 家庭教師；指導教師．

tu·to·rí·a [tutoría トゥトリア] 名女 保護者の任務；後見人の職務；指導教師の任務．

tuv- 動 ➡ tener. 55

tuyo, ya [túʝo, ʝa トゥヨ，ヤ] 形《所有》
[後置形；複数形 tuyos, tuyas. ➡ suyo【文法】]〔英 (of) yours〕**1**《名詞の後につけて》**君の**，お前の，あんたの．un hermano *tuyo* 君の兄[弟]のひとり．
2《主格補語として》君のもの，お前のもの．¿Es *tuya* esta toalla? このタオル，君の？
── 代名《所有》《定冠詞を伴って》**君のもの**，お前のもの．Este diccionario es mío; el *tuyo* estará en tu cartera. この辞書はぼくのだよ．君のはかばんの中だろう．
Esta es la tuya. さあ，(君にとって) 絶好のチャンスだ．
los tuyos 君の家族[仲間，味方，部下]．

U u *U u*

U, u [ú ウ] 名女 スペイン語字母の第22字.
u [u ウ] 接続 [o-, ho- で始まる語の前での o] diez *u* once 10か11. belga *u* holandés ベルギー人かオランダ人. ➡ o.
u·bé·rri·mo, ma [uβérimo, ma ウベリモ, マ] 形 たいへん豊かな, 非常に肥沃(ひよく)な.
u·bi·ca·ción [uβikaθjón ウビカしオン] 名女 位置, 場所.
u·bi·car(·*se*) [uβikár(se) ウビカル(セ)] [8 c ➡ qu] 動自 《+**en**》…に位置する.
u·bi·cui·dad [uβikwiðáð ウビクイダ(ドゥ)] 名女 遍在.
u·bi·cuo, cua [uβíkwo, kwa ウビクオ, クア] 形 遍在する; どこにでも顔を出す.
u·bre [úβre ウブレ] 名女 (哺乳(ほにゅう)動物の)乳房.
U·cra·nia [ukránja ウクラニア] 固名 ウクライナ: 独立国家共同体の一国. 首都 Kiev.
Ud. [ustéð ウステ(ドゥ)] 《略》 usted あなた.
Uds. [ustéðes ウステデス] 《略》 ustedes あなたがた.
UE 《略》 Unión Europea ヨーロッパ連合.
¡uf! [úf ウフ] 間投 《疲れ・嫌気などを表して》ふう, うっ, あーあ.
u·fa·na·men·te [ufánaménte ウファナメンテ] 副 得意げに.
u·fa·nar·*se* [ufanárse ウファナルセ] 動 《+**con, de**》…を得意がる. *ufanarse con* [*de*] sus riquezas 財産を鼻にかける.
u·fa·ní·a [ufanía ウファニア] 名女 自慢, 得意.
u·fa·no, na [ufáno, na ウファノ, ナ] 形 自慢げな, 得意な.
u·jier [uxjér ウヒエル] 名男 門衛, 門番; 執行吏[官].
úl·ce·ra [úlθera ウるせラ] 名女 《医》 潰瘍(かいよう). *úlcera* duodenal 十二指腸潰瘍.
ul·ce·ro·so, sa [ulθeróso, sa ウるせロソ, サ] 形 《医》 潰瘍(かいよう)の, 潰瘍性の.
U·li·ses [ulíses ウリセス] 固名 《ギリシア神話》 ユリシーズ, ウリッセス: オデュッセウス Odiseo のラテン名.
ul·te·rior [ulterjór ウるテリオル] 形 **1** 後の (=posterior). tomar prevenciones *ulteriores* その後の予防策を講じる. **2** 遠方の, かなたの.
última 形名女 ➡ último.
úl·ti·ma·men·te [últimaménte ウルティマメンテ] 副 最後に; 最近(に).
ul·ti·mar [ultimár ウるティマル] 動他 完成させる, 仕上げる, 詰める. *ultimar* los detalles 細部の詰めをする.
ul·ti·má·tum [ultimátum ウるティマトゥン] 名男 [単・複同形] 《軍事》 最後通牒(つうちょう).
úl·ti·mo, ma [último, ma ウルティモ, マ] [複 ~s] 形 [英 last; latest] **1 最後の**; 究極の, ぎりぎりの. Hoy es el *último* día de vacaciones. 今日は休暇の最後の日だ. dar el *último* toque [la *última* mano] 最後の仕上げをする. en *último* caso 最悪の場合には.
2 最近の, 最新の. *última* moda 最新流行. *últimos* informes 最新の情報.
—— 名男女 最後の人[物].
a la última 《口語》 最新流行で. Siempre va *a la última*. 彼女はいつも最新流行の格好をしている.
estar a lo último de 《+algo》 《口語》 〈何か〉を終えかけている. *Estoy a lo último de* la novela. もうすぐ私はその小説を読み終えます.
por último 結局, 最後に.
ser lo último 《口語》 最高である; 最悪である.
ul·tra [últra ウるトゥラ] 形 過激な, 極端な. ideología *ultra* 過激なイデオロギー.
—— 名男女 過激論者; 極右派.
ultra- 《接頭》 「超」の意を表す. ⇒ *ultra*marino, *ultra*tumba など.
ul·tra·co·rrec·ción [ultrakorekθjón ウるトゥラコレクしオン] 名女 《言語》 過剰修正.
ul·tra·jan·te [ultraxánte ウるトゥラハンテ] 形 侮辱的な, 無礼な.
ul·tra·jar [ultraxár ウるトゥラハル] 動他 **1** …に乱暴を働く, 暴行を加える. **2** 侮辱する. **3** 損ねる, 駄目にする.
ul·tra·je [ultráxe ウるトゥラヘ] 名男 乱暴; 侮辱.
ul·tra·mar [ultramár ウるトゥラマル] 名男 海外. productos venidos de *ultramar* 舶来品.
ul·tra·ma·ri·no, na [ultramaríno, na ウるトゥラマリノ, ナ] 形 **1** 海外の; 外国産[製]の. **2** 群青色の, ウルトラマリンの.
—— 名男 [~s] 食料品店.
ul·tran·za [ultránθa ウるトゥランさ] ***a ultranza*** (1)必死に; きっぱりと. luchar *a ultranza* 死を決して闘う. (2)徹底的に[な], 完全に[な]. un pacifista *a ultranza* 完全平和主義者.
ul·tra·só·ni·co, ca [ultrasóniko, ka ウるトゥラソニコ, カ] 名男 超音波の, 超音速の.
ul·tra·tum·ba [ultratúmba ウるトゥラトゥンバ] 名女 ***de ultratumba*** 死後の, あ

U

の世の.

ul·tra·vio·le·ta [ultraβjoléta ウるトゥラビオれタ] 形 〘物理〙紫外線の. ➡infrarrojo.
── 名男 〘物理〙紫外線.

u·lu·lar [ululár ウるらル] 動自 **1** (獣が) うなる; (フクロウが) 鳴く. ➡animal 【参考】.
2 (風が) うなる.

um·bi·li·cal [umbilikál ウンビリカる] 形 〘解剖〙へその.

um·bral [umbrál ウンブラる] 名男 **1** 〘建築〙敷居; 門口. **2** 出発点, 第一歩. *umbral* de la vida 人生の門出.
3 限界; 間際. en los *umbrales* de la muerte 今際(いま)のきわに.

um·brí·o, a [umbrío, a ウンブリオ, ア] 形 陽の当たらない, 日陰の.

um·bro·so, sa [umbróso, sa ウンブロソ, サ] 形 薄暗い, 日陰の.

un, u·na [ún, úna ウン, ウナ] 冠 《不定》
[アクセントのある a-, ha- で始まる女性単数名詞の前では, una の代わりによく un が用いられる; 複数形 unos, unas] 〔英 a, an ; one〕 **1** (1) ある; 一つの, ひとりの; 一介の. *un* hombre ある[ひとりの] 男. *un(a)* águila 1羽のワシ. *un* amigo mío 私のひとりの友人.
(2) 《2つ1組のものに付けて》1対 [足, 個, …] の. *unos* zapatos 靴1足. *unas* gafas de sol サングラス1個.
2 …というものは, …ならどれ[誰]でも. *Una* mujer no puede hacerlo. 女にはそんなことはできない.
3 《固有名詞に付けて》…のような人, …に匹敵する人. *un* Cervantes セルバンテスに匹敵するような小説家.

una 冠 ➡un.
── 形代名 ➡uno.
── 動 ➡unir.

U·na·mu·no [unamúno ウナムノ] 固名 ウナムノ, Miguel de (1864–1936) : スペインの思想家・詩人・小説家.

u·ná·ni·me [unánime ウナニメ] 形 全員一致の, 異口同音の. la decisión *unánime* 満場一致の決定.

u·ná·ni·me·men·te [unánimeménte ウナニメメンテ] 副 満場一致で, 異議なく.

u·na·ni·mi·dad [unanimiðáð ウナニミダ(ドゥ)] 名女 満場一致, 全員の同意.
por unanimidad 満場一致で.

unas 冠 ➡un.
── 形代名 ➡uno.
── 動 ➡unir.

un·ción [unθjón ウンしオン] 名女 **1** 塗布.
2 〘カトリック〙 ➡extremaunción.
3 熱心; 敬虔(けいけん).

un·dé·ci·mo, ma [undéθimo, ma ウンデしモ, マ] 形 《数詞》11番目の, 第11の; 11分の1の. ── 名男 11分の1.

un·gir [uŋxír ウンヒル] [⑲ g ➡ j] 動他 〘カトリック〙塗油により聖別する.

un·güen·to [uŋgwénto ウングエント] 名男 〘医〙軟膏(なんこう), 膏薬.

uni- 「単一」の意を表す造語要素. ⇒ *uni*forme, *uni*lateral など.

única 形女 ➡ único.

ú·ni·ca·men·te [únikaménte ウニカメンテ] 副 ただ, 単に.

u·ni·ce·lu·lar [uniθelulár ウニせるらル] 形 〘生物〙単細胞の.

ú·ni·co, ca [úniko, ka ウニコ, カ] 形 [複 ～s] 〔英 only〕
1 唯一の, ただ一つの. hijo *único* ひとり息子. la *única* dificultad 唯一の難点. Eso era lo *único* que podía hacer. それは彼にできるたった一つのことだった.
2 独自の, ユニークな, 類のない.

u·ni·cor·nio [unikórnjo ウニコルニオ] 名男 **1** 一角獣, ユニコーン.
2 〘動物〙サイ (犀) (＝rinoceronte).

u·ni·dad [uniðáð ウニダ(ドゥ)] 名女 [複 ～es] 〔英 unit, unity〕 **1** 単位. El gramo es la *unidad* de peso. グラムは重さの単位である. precio a *unidad* 単価.
2 一体(性), 統一(性); 団結. *unidad* del partido 挙党一致. *unidad* nacional 国家統一.
3 一致, 調和, 一貫性. *unidad* de una novela ある小説のまとまり.
4 (機械の) ユニット, 装置. *unidad* central de proceso 〘コンピュータ〙中央処理装置 〔英 CPU〕. *unidad* móvil (テレビの) 中継車.
5 〘コンピュータ〙ドライブ. *unidad* magnético-óptica MOドライブ.

u·ni·di·rec·cio·nal [uniðirekθjonál ウニディレクしオナる] 形 〘物理〙単向性の. antena *unidireccional* 単一指向性アンテナ.

unido, da 過分 ➡ unir.

uniendo 現分 ➡ unir.

u·ni·fi·ca·ción [unifikaθjón ウニフィカしオン] 名女 一本化, 統一, 統合; 均一化.

u·ni·fi·car [unifikár ウニフィカル] [⑧ c ➡ qu] 動他 一本化する, 統一[統合]する; 均一化する. *unificar* las tarifas 料金を均一化する.

u·ni·for·mar [uniformár ウニフォルマル] 動他 **1** 規格化する; 均一化 [画一化] する.
2 …に制服を着せる.

u·ni·for·me [unifórme ウニフォルメ] 形 [複 ～s] 〔英 uniform〕 **1** 同じ形の; 画一的な. casas *uniformes* 同じ形をした家々.
2 単調な; 平坦(へいたん)な.
── 名男 制服, ユニホーム; 軍服. *uniforme* de gala 式服, 典礼服. ► 私服は traje de paisano.

u·ni·for·mi·dad [uniformiðáð ウニフォルミダ(ドゥ)] 名女 均一, 均質, 画一.

u·ni·la·te·ral [unilaterál ウニらテラる] 形 片側だけの, 一方だけの, 偏った. contratos *unilaterales* 片務契約.

u·nión [unjón ウニオン] 名女 [複 uniones] 〔英 union〕 **1** 結合; 団結; 結婚. *Unión* Europea ヨーロッパ連合. No hay

U

fuerza sin *unión*. 団結なくして力なし. en *unión* de ... …といっしょに.
2 組合, 協会; 同盟. *Unión* General de Trabajadores 労働総同盟《略 U.G.T.》.

U·nión de Re·pú·bli·cas So·cia·lis·tas So·vié·ti·cas [unjóndeřepúβlikassoθjalístassoβjétikas ウニオンデレプブリカスソしアリスタスソビエティカス] 固名 ソビエト社会主義共和国連邦《略 U.R.S.S.》: 1923–91.

u·nir [unír ウニル] 動他 [現分 uniendo ; 過分 unido, da]〔英 unite〕 **1** 結びつける. Les *une* la amistad. 友情が彼らを結びつけている. *unir* dos aulas 2つの教室を1つにする. una carretera que *une* dos ciudades 2つの都市を結ぶ道路.
2 よく混ぜ合わせる. *unir* la mayonesa マヨネーズを固く混ぜる.
—— **u·nir·*se*** 結びつく; 連合する. *unirse* dos familias por [en] un matrimonio 婚姻によって両家が結びつく.

u·ni·sex [uniséks ウニセクス] 形 男女共用の, ユニセックスの.

u·ni·se·xual [unisekswál ウニセクスアる] 形〘植物〙〘生物〙単性の.

u·ní·so·no [unísono ウニソノ] 名男〘音楽〙ユニゾン, 斉唱.
al unísono 一斉に; 〘音楽〙ユニゾンで.

u·ni·ta·rio, ria [unitárjo, rja ウニタリオ, リア] 形 単一の; 統一の, 統一した. estado *unitario* 統一国家.

u·ni·ver·sal [uniβersál ウニベルサる] 形 [複 ~es]〔英 universal〕 **1** 普遍的な. El amor de padres a hijos es *universal*. 親の子に対する愛は普遍のものである.
2 宇宙の, 万物の. la gravitación *universal* 万有引力. **3** 全世界的な, 万国の. historia *universal* 世界史.

u·ni·ver·sa·li·dad [uniβersaliðáð ウニベルサリダ(ド ゥ)] 名女 普遍性.

u·ni·ver·sa·li·zar [uniβersaliθár ウニベルサりさル] [39 z → c] 動他 普遍化する.

u·ni·ver·sal·men·te [uniβersálménte ウニベルサるメンテ] 副 あまねく, 広く.

u·ni·ver·si·dad [uniβersiðáð ウニベルシダ(ド ゥ)] 名女 [複~es]〔英university〕(総合)大学.

u·ni·ver·si·ta·rio, ria [uniβersitárjo, rja ウニベルシタリオ, リア] 形 大学の. reforma *universitaria* 大学改革.
—— 名男女 大学生.

u·ni·ver·so, sa [uniβérso, sa ウニベルソ, サ] 名男 宇宙; 領域, 世界.
—— 形 宇宙の, 全世界的な.

u·no, u·na [úno, úna ウノ, ウナ] [複数形 unos, unas] 形《数詞》〔英 one〕 **1** [男性単数名詞の前では un] 一つの, ひとりの. *uno* o dos libros 1 - 2冊の本. ochenta y *un* pesos 81ペソ. treinta y *una* horas 31時間.
2《序数詞の代わりに用いて》第1の, 1番目の. el tomo *uno* 第1巻. el día *uno* de mayo 5月1日.
3 [~s]《複数名詞に付けて》いくつかの, いく人かの; 《数詞に付けて》約. *unos* años después 数年後. *unos* cien metros 約100メートル.
—— 代名 **1** 一つ, ひとり; [~s] いくつか, いく人か. ¿Cuántos quieres?—Sólo *uno*. いくつ欲しい? ——一つだけ. *una* de mis hermanas 私の姉妹のうちのひとり. cada *uno* [*una*] 各自, めいめい. *Unos* dicen que sí y otros que no. 何人かはいいと言い, 別の何人かは駄目だと言う. → otro 【参考】.
2《既出の名詞と同類のものをさして》(その)一つ. ¿Dónde has puesto mi corbata?—¿*Una* con lunares blancos? La he llevado a la tintorería. 僕のネクタイは? —白い水玉の? クリーニングへ出したわ.
3 (一般に) 人, 誰でも (► しばしば「私, 自分」の意味で使われる). ¿Dices que *uno* [*una*] no tiene derecho a quejarse? 私には文句を言う権利がないとでも言うの? ► 話し手が女性でも uno を用いることがある.
4 ある人, 誰か. Hoy ha venido *uno* preguntando por ti. 今日君を訪ねてきた人がいたよ.
—— 名男 1. ◆ローマ数字 I. *Uno* y *uno* son dos. 1足す1は2. ► 女性名詞の物を数えるときは una, dos, tres, cuatro, ... という.
—— 名女 (時刻の) 1時.
a una 同時に, いっせいに.
de uno en uno → uno por uno.
hacer una《口語》ひどい意地悪をする.
ni uno ni otro どちらも…でない.
una de dos 二者択一, いずれか一方.
uno a otro 互いに. Se acercaron *uno a otro*. 彼らは互いに近づいた.
uno de tantos / ***uno más*** 取るに足りない人[物], ごくありふれた場所.
uno por uno 一つ[ひとり]ずつ, 順々に.
uno tras otro 次々に.
uno que otro ... いくつかの, 何人かの, わずかな (=alguno que otro).
uno u otro いずれか一方.
uno y otro どちらも.

unos 冠 → un.
—— 形 代名 → uno.

un·tar [untár ウンタル] 動他 塗る; 塗布する.

un·to [únto ウント] 名男 **1**〘医〙軟膏(なんこう). **2** 獣脂, 脂肪, 脂身.

un·tuo·so, sa [untwóso, sa ウントゥオソ, サ] 形 油性の, 油っこい, べたべたした.

u·ña [úɲa ウニャ] 名女 **1** 爪(つめ); 蹄(ひづめ). cortarse las *uñas* 爪を切る. comerse [morderse] las *uñas* 爪をかむ; いらいらする, 悔しがる. pintarse las *uñas* マニキュアを塗る. *uña*(*s*) de vaca〘料理〙牛の足. → dedo 図. ► 鳥獣の鉤爪(かぎづめ)は garra.

U

2 (釘(ﾃ)抜き・起重機などの)爪.
a uña de caballo 一目散に.
afilar(se) las uñas 知恵を絞る.
dejarse las uñas en ⟪+algo⟫ 〈何か〉を一生懸命にする.
estar de uñas con ⟪+uno⟫ 〈人〉に敵意を持っている, 〈人〉と犬猿の仲である.
ser largo de uñas / tener las uñas afiladas 手癖が悪い, 盗癖のある.
ser uña y carne 切っても切れない仲である, 一心同体である.

u·ra·lo·al·tai·co, ca [uraloaltáiko, ka ウラろアるタイコ, カ] 形 〔言語〕ウラル・アルタイ語族の.

u·ra·nio [uránjo ウラニオ] 名男 〔化〕ウラン, ウラニウム. *uranio* enriquecido 濃縮ウラン. *uranio* natural 天然ウラン.

U·ra·no [uráno ウラノ] 固名 1 〔天文〕天王星. → solar 図.
2 〔ギリシア神話〕ウラノス: 天の神.

ur·ba·ni·dad [urβaniðáð ウルバニダ(ドゥ)] 名女 都会ふう, 洗練, 上品さ.

ur·ba·nis·mo [urβanísmo ウルバニスモ] 名男 都市(開発)計画, 都市工学.

ur·ba·nis·ta [urβanísta ウルバニスタ] 名男女 都市計画専門家, 都市工学者.

ur·ba·nís·ti·co, ca [urβanístiko, ka ウルバニスティコ, カ] 形 都市の; 都市計画の. plan *urbanístico* 都市計画案.

ur·ba·ni·za·ción [urβaniθaθjón ウルバニさしオン] 名女 都市計画; 都市化, 宅地開発; ニュータウン.

ur·ba·ni·zar [urβaniθár ウルバニさル] [39 z → c] 動他 1 都市化する; 宅地開発する. zona *urbanizada* 開発地区, 市街地.
2 都会ふうにする, 洗練する.
── **ur·ba·ni·zar·*se*** 洗練される, 上品になる.

ur·ba·no, na [urβáno, na ウルバノ, ナ] 形 都市の, 都会の. población *urbana* 都市人口. ── 名男女 市警察官, 交通巡査.

ur·be [úrβe ウルベ] 名女 大都会; 主要都市.

ur·dim·bre [urðímbre ウルディンブレ] 名女 ⟪集合⟫ (織物の)縦糸.

ur·dir [urðír ウルディル] 動他 1 たくらむ, 企てる. 2 (織機に)縦糸を掛ける.

u·re·a [uréa ウレア] 名女 〔生化〕尿素.

u·re·mia [urémja ウレミア] 名女 〔医〕尿毒症.

u·ré·ter [uréter ウレテル] 名男 〔解剖〕尿管.

u·re·tra [urétra ウレトゥラ] 名女 〔解剖〕尿道.

ur·gen·cia [urxénθja ウルヘンしア] 名女 緊急, 切迫. en caso de *urgencia* 緊急の場合には. tener una *urgencia* de dinero 緊急にお金が要る.
de urgencia 緊急の, 応急の.

ur·gen·te [urxénte ウルヘンテ] 形 [複 ~s] 〔英 urgent〕 **緊急の**, 差し迫った. un asunto *urgente* 火急の用件, 急用. correo *urgente* 速達便.

ur·gir [urxír ウルヒル] [19 g → j] 動自 急を要する, 切迫する. Me *urge* tenerlo. 私は今すぐそれが必要なんだ.
── 動他 急がせる, せき立てる; 催促する.

ú·ri·co, ca [úriko, ka ウリコ, カ] 形 〔生化〕尿酸の. ácido *úrico* 尿酸.

u·ri·na·rio, ria [urinárjo, rja ウリナリオ, リア] 形 〔医〕〔解剖〕尿の, 泌尿の. vías *urinarias* 尿道.
── 名男 溲瓶(しびん); (男性用)小便器.

ur·na [úrna ウルナ] 名女 1 投票箱. ir [acudir] a las *urnas* 投票に行く. 2 骨壺(こつぼ). 3 ガラスケース.

u·ro·ga·llo [uroγáʎo ウロガリョ] 名男 〔鳥〕ヨーロッパオオライチョウ(大雷鳥).

u·ro·lo·gí·a [uroloxía ウロろヒア] 名女 〔医〕泌尿器科学.

u·ró·lo·go, ga [uróloγo, γa ウロろゴ, ガ] 名男女 〔医〕泌尿器科医.

u·rra·ca [uřáka ウラカ] 名女 〔鳥〕カササギ.

U.R.S.S. [úrs ウルス] ⟪略⟫ *U*nión de *R*epúblicas *S*ocialistas *S*oviéticas ソビエト社会主義共和国連邦 (1923–91).

ur·ti·ca·ria [urtikárja ウルティカリア] 名女 〔医〕蕁麻疹(じんましん).

U·ru·guay

[uruγwái ウルグアイ] 固名 〔英 Uruguay〕 **ウルグアイ**: 南米南東部の共和国. 首都 Montevideo.

u·ru·gua·yo, ya [uruγwájo, ǰa ウルグアヨ, ヤ] [複 ~s] 〔英 Uruguayan〕 形 **ウルグアイの**. ── 名男女 **ウルグアイ人**.

u·sa·do, da [usáðo, ða ウサド, ダ] 過分 → usar.
── 形 〔英 used〕 1 中古の. coche *usado* 中古車.
2 よく使われる; 使い古された. palabra poco *usada* めったに使われない言葉.

usando 現分 → usar.

u·san·za [usánθa ウサンさ] 名女 慣習, しきたり; 様式, 流儀. a la *usanza* antigua 昔ふうに.

u·sar

[usár ウサル] 動他 [現分 usando ; 過分 usado, da] 〔英 use〕 1 **使う**, 使用する; 利用する. ¿Puedo *usar* tu coche? 君の車を使っていいですか. *usar* palabras elegantes 上品な言葉を使う.
2 (習慣的に)用いる, 身に着ける. Normalmente *usa* gafas. 普段彼は眼鏡をかけている.
── 動自 ⟪+**de**⟫ …を使う, 利用する. *usar de* su derecho 権利を行使する. *usar* mal *de* … …を悪用[誤用]する.

u·sí·a [usía ウシア] 代名 ⟪人称⟫ [vuestra señoría の縮約形] 閣下, 貴殿; 奥様.

u·so [úso ウソ] 名男 [複 ~s] 〔英 use〕
1 **使用**, **利用**; 使用法; 用途. de mucho *uso* 長持ちする. hacer (buen) *uso* de … …を(うまく)使う. instrucciones de [pa-

ra] *uso* del aparato 器具取り扱い説明書.
2 慣習, 慣例. Esos son los *usos* de este club. それはこのクラブの慣例である. *uso* comercial 商慣習.
—— 動 → usar.
al uso de … …の流儀で, …に倣って.
en uso de … …を行使して.
estar en uso 現に使用されている.
estar fuera de uso 使用されていない.

us·ted [ustéð ウステ(ドゥ)] 代名 《人称》
[3人称単数形, 男・女同形; 複数形 ustedes. → yo 【文法】] 《略 Ud.,Vd.》 〔英 you〕 **1** 《主語》あなたは[が]. ¿Dónde vive *usted*? あなたはどちらにお住まいですか. Vuelva *usted* mañana. 明日もう一度来てください.
2 《前置詞+》あなた. Estas cartas son para *usted*. これらの手紙はあなた宛(あ)です. ¿Qué le parece a *usted* esta idea? この考え, あなたはどう思いますか.
hablar [***llamar, tratar***] ***de usted*** (相手に) usted を使って話す. No quiere que *le llamen de usted*. 彼はよそよそしく話をされるのが嫌いだ.

【参 考】1 vuestra merced (あなた様の慈悲深いお心) から派生した丁寧語. usted を使うと, 相手と距離を置いた言い方になる. 文法的には3人称で, 動詞, 所有形容詞, 目的語を表す代名詞, 再帰代名詞も, すべて3人称を用いる. → tú 参考.
2 他の主語の代名詞と異なり, 省略されることは少ない.

us·te·des [ustéðes ウステデス] 代名 《人称》
[3人称複数形, 男・女同形. → yo 【文法】] 《略 Uds., Vds.》 〔英 you〕
1 《主語》あなたがたは[が].
2 《前置詞+》あなたがた.
u·sual [uswál ウスアる] 形 通常の; 常用の. traje *usual* ふだん着. a la hora *usual* いつもの時間に.
u·sua·rio, ria [uswárjo, rja ウスアリオ, リア] 名 男 女 使用者, 利用者. los *usuarios* de los transportes públicos 電車・バスの利用者.
u·su·fruc·to [usufrúkto ウスフルクト] 名 男 **1** 〘法律〙用益権, 使用権.
2 利益, 収益.
u·su·fruc·tuar [usufruktwár ウスフルクトゥアル] [14 u → ú] 動 他 〘法律〙…の用益権を行使する. —— 動 自 利益をあげる.
u·su·fruc·tua·rio, ria [usufruktwárjo, rja ウスフルクトゥアリオ, リア] 名 男 女 用益権者, 利用権者.
u·su·ra [usúra ウスラ] 名 女 高利; 高利貸し(業).
u·su·re·ro, ra [usuréro, ra ウスレロ, ラ] 名 男 女 高利貸し; 暴利をむさぼる人.
u·sur·pa·ción [usurpaθjón ウスルパしオン] 名 女 **1** 横領, 簒奪(さんだつ). **2** (権利の) 侵害.
u·sur·par [usurpár ウスルパル] 動 他 **1** 横領する, 簒奪(さんだつ)する. **2** (権利を) 侵害する.
u·ten·si·lio [utensíljo ウテンシリオ] 名 男 道具, 器具, 用具. *utensilios* de cocina 台所用品. → instrumento 【参考】.
u·te·ri·no, na [uteríno, na ウテリノ, ナ] 形 子宮の. hermano *uterino* 異父兄弟.
ú·te·ro [útero ウテロ] 名 男 〘解剖〙子宮. mioma del *útero* 子宮筋腫(きんしゅ).

ú·til [útil ウティる] [複 ～es] 形 〔英 useful〕
1 役立つ, 有益な, 便利な. La bicicleta es muy *útil* para ir de compras cerca. 近くの買物には自転車が大変便利です. Este coche todavía está *útil*. この車はまだ使える. Esto puede serle *útil*. これはあなたの役に立つと思います.
2 〘法律〙有効な. días *útiles* 有効期間.
—— 名 男 [普通 ～es] 道具, 器具. *útiles* de escritorio 文房具. *útiles* de labranza 農機具. *útiles* de pesca 釣道具.
u·ti·li·dad [utiliðáð ウティりダ(ドゥ)] 名 女 **1** 役立つこと, 有益. **2** 効用, 実益; 利益.
u·ti·li·ta·rio, ria [utilitárjo, rja ウティりタリオ, リア] 形 功利的な; 実用本位の.
—— 名 男 〘車〙(燃費の良い) 小型車.
u·ti·li·ta·ris·mo [utilitarísmo ウティりタリスモ] 名 男 功利[実利]主義.
u·ti·li·za·ción [utiliθaθjón ウティりさしオン] 名 女 利用, 活用.
u·ti·li·zar [utiliθár ウティりさル] [39 z → c] 動 他 〔英 use, utilize〕 利用する; 使う, 活用する. *utilizar* los recursos al máximo 資源を最大限に活用する. *Utilizó* la influencia de su padre para conseguir un buen puesto. 彼は父親のコネを利用して良い地位に付いた.
u·to·pí·a [utopía ウトピア] / **u·to·pia** [utópja ウトピア] 名 女 理想郷, ユートピア.
u·tó·pi·co, ca [utópiko, ka ウトピコ, カ] 形 理想郷の; 空想的な.
u·va [úβa ウバ] 名 女 [複 ～s] 〔英 grape〕 〘植物〙ブドウの実. *uva* moscatel マスカット. *uvas* pasas 干しブドウ. *uvas* de la suerte [la felicidad] 大みそかの夜12時の鐘に合わせて食べる12粒のブドウ. ► ブドウの木は vid.
de uvas a peras [***brevas***] 《口語》たまにしか…しない.
estar de mala uva 《口語》機嫌が悪い.
tener mala uva 《口語》怒りっぽい; 意地が悪い.
u·ve [úβe ウベ] 名 女 アルファベットの v の文字[音]. en forma de *uve* V字形の.
ú·vu·la [úβula ウブら] 名 女 〘解剖〙口蓋垂(こうがいすい).
u·vu·lar [uβulár ウブらル] 形 口蓋垂(こうがいすい)の; 〘音声〙口蓋垂音の.

U

V v *v* *v*

V, v [úβe ウベ] 名女 **1** スペイン語字母の第23字. **2** [V] (ローマ数字の) 5.

va 動 ➡ ir. 30

va·ca [báka バカ] 名女 [複 ~s] 〔英 cow〕
1 雌牛. *vaca* lechera [de leche] 乳牛. ► 雄牛は toro, 去勢牛は buey.
2 〘料理〙 牛肉, ビーフ (= carne de *vaca*). ➡ carne.
vacas flacas [***gordas***] 不[好]景気.

va·ca·ción [bakaθjón バカしオン] 名女 [複 vacaciones] 〔英 vacation〕 [普通 vacaciones] 休暇, 休み. Pasamos tres semanas de *vacaciones* en España. 私たちは3週間の休暇をスペインで過ごしました. *vacaciones* de verano 夏休み. estar de *vacaciones* 休暇中である. ir(se) de *vacaciones* 休暇で出かける. tomar las *vacaciones* 休暇を取る.

va·can·te [bakánte バカンテ] 形 欠員のある; 空いている (↔ ocupado). asiento *vacante* 空席. puesto *vacante* 欠員.
── 名女 欠員, 空き. cubrir una *vacante* 欠員を埋める.

vacía 形女 ➡ vacío[1].

va·ciar [baθjár バしアル] [23 i ➡ í]
動他 **1** 空にする, 中身を出す (↔ llenar); (場所を) 明け渡す. *Vació* una botella de vino. 彼はぶどう酒を1瓶あけた.
2 《+de》 …を取り除く. *vaciar* la habitación *de* muebles inútiles 不要な家具を部屋から出す.
3 《+en》 …に注ぐ, 移す. *Vació* lo que quedaba de leche *en* un vaso. 彼はコップに牛乳の残りをついだ.
4 型に入れて作る, 鋳造する. *vaciar* bronce en un molde de estatua 青銅像を鋳る.
5 くりぬく.
6 研ぐ (= afilar). *vaciar* los cuchillos 包丁を研ぐ.
── **va·ciar·se** 《口語》 うっかりしゃべる; (胸中を) ぶちまける. *vaciarse* por la lengua 口が滑る.

va·cie·dad [baθjeðáð バしエダ(ドゥ)] 名女
1 空っぽ; 空虚.
2 ばかげたこと.

va·ci·la·ción [baθilaθjón バしらしオン] 名女 **1** ためらい, 躊躇(ちゅうちょ). sin *vacilaciones* きっぱりと, 迷わずに.
2 揺れ, 変動.

va·ci·lan·te [baθilánte バしらンテ] 形 **1** ためらいがちな, 躊躇(ちゅうちょ)した. con voz *vacilante* 口ごもりながら.
2 揺らぐ; 不安定な.

va·ci·lar [baθilár バしらル] 動自 **1** 《+en, entre》 …をためらう, …の間で迷う; どっちつかずである. *vacilar entre* dos posibilidades 2つの可能性の間で迷う. No *vaciles en* decírmelo. 思いきって私に言ってしまいなさい. el sabor que *vacila entre* dulce y ácido 甘酸っぱい味.
2 ふらつく; 揺れ動く; 変動する. *Vacila* la lámpara por el viento. 風でランプが揺れる.

va·cí·o[1], a [baθío, a バしオ, ア] 形 [複 ~s] 〔英 empty〕
1 空の, 空っぽの; 無人の (↔ lleno). La botella está *vacía*. 瓶は空っぽだ. A las once de la noche las calles estaban ya *vacías*. 夜の11時には通りは人っ子ひとりいなかった.
2 空虚な, 内容のない. un discurso *vacío* 内容のない演説.

va·cí·o[2] [baθío バしオ] 名男 **1** 空(くう), すき間; 〘物理〙 真空. estar suspendido en el *vacío* 宙ぶらりんである. Hay muchos *vacíos* en el teatro. 劇場内には空席がたくさんある.
2 むなしさ, 欠落感. Dejó un *vacío* tremendo en mi corazón. 彼は私の心にぽっかり穴をあけた.
caer en el vacío 聞き入れられない, 無視される.
de vacío 空荷で; むなしく. volver *de vacío* 手ぶらで帰る; 失敗する.
hacer el vacío a ... …を無視する, のけ者にする. Los compañeros de clase le *hacían el vacío*. クラスメートは彼をのけ者にしていた.

va·cu·na [bakúna バクナ] 名女 〘医〙 ワクチン; 〘獣医〙 牛痘. *vacuna* mixta 混合ワクチン. *vacuna* antirrábica 狂犬病予防ワクチン.

va·cu·na·ción [bakunaθjón バクナしオン] 名女 〘医〙 予防接種. *vacunación* contra la poliomielitis ポリオワクチン投与.

va·cu·nar [bakunár バクナル] 動他 〘医〙 …に予防接種をする. *vacunar* contra la rabia 狂犬病の予防接種をする.

va·cu·no, na [bakúno, na バクノ, ナ] 形 ウシの. ganado *vacuno* 牛.

va·cuo, cua [bákwo, kwa バクオ, クア] 形 **1** 空っぽの; 空位[空席]の.
2 内容のない; 軽薄な.

va·de·ar [baðeár バデアル] 動他

1 …の浅瀬を渡る，歩いて渡る．
2 (困難・障害を) 乗り越える，克服する．

va·de·mé·cum [baðemékum バデメクン] 名男 [単・複同形] 便覧，ハンドブック．

va·do [báðo バド] 名男 **1** 浅瀬．
2 (歩道上の) 車両出入り口．

va·ga·bun·de·ar [bayaβundeár バガブンデアル] 動自 放浪する，さすらう．

va·ga·bun·de·o [bayaβundéo バガブンデオ] 名男 放浪．

va·ga·bun·do, da [bayaβúndo, da バガブンド，ダ] 名男女 放浪者；浮浪者．
── 形 放浪の，さまよう．vida *vagabunda* 放浪生活．perro *vagabundo* 野良犬．

va·ga·men·te [báyaménte バガメンテ] 副 曖昧に，漠然と．

va·gan·cia [bayánθja バガンしア] 名女
1 放浪．
2 のらりくらりすること；怠慢．

va·gar [bayár バガル] [32 g → gu] 動自 放浪する；うろつき回る，徘徊(はいかい)する；ただよう．

va·gi·do [baxíðo バヒド] 名男 産声．dar *vagidos* 産声をあげる．

va·gi·na [baxína バヒナ] 名女〘解剖〙膣(ちつ)．

va·gi·nal [baxinál バヒナる] 形〘解剖〙膣(ちつ)の．

va·go, ga [báyo, ya バゴ，ガ] 形 **1** 曖昧(あいまい)な，漠然とした (= ambiguo)．contestaciones *vagas* 曖昧な返事．
2 怠け者の．
3 放浪の．
── 名男女 怠け者，役立たず；浮浪者．

va·gón [bayón バゴン] 名男 [複 vagones]〘鉄道〙車両，客車，貨車．*vagón* de mercancías 貨車．*vagón* de primera clase 1 等車．*vagón* restaurante 食堂車．

va·go·ne·ta [bayonéta バゴネタ] 名女〘鉄道〙小型の無蓋(むがい)貨車；トロッコ．

va·gua·da [baywáða バグアダ] 名女〘地理〙谷線；沢．

va·gue·dad [bayeðáð バゲダ(ドゥ)] 名女
1 曖昧(あいまい)，不明瞭(ふめいりょう)．
2 [～es] 曖昧な意見[言葉]．

va·ha·ra·da [baaráða バアラダ] 名女 息，息を吐くこと．

va·hí·do [baíðo バイド] 名男 めまい，立ちくらむ．

va·ho [báo バオ] 名男 湯気，(ガラスなどの) 曇り；息．empañarse de *vaho* 湯気で曇る．echar *vaho* sobre el espejo 鏡にふっと息を吹きかける．

vai·na [báina バイナ] 名女 **1** (刀などの) 鞘(さや)．**2**〘植物〙莢(さや)；葉鞘(ようしょう)．→ legumbre 図．

vai·ni·lla [bainíʎa バイニリャ] 名女〘植物〙バニラ；バニラ (エッセンス)．

vais 動 → ir. 30

vai·vén [baiβén バイベン] 名男 **1** 揺れ；行き来；往復運動．*vaivén* del pistón ピストンの往復運動．
2 変動；浮沈．

va·ji·lla [baxíʎa バヒリャ] 名女《集合》食器．*vajilla* de plata 銀食器．

val 動 → valer. 58

valdr- 動 → valer. 58

va·le [bále バれ] 名男 引換券[証]．
── 動 → valer. 58

va·le·de·ro, ra [baleðéro, ra バれデロ，ラ] 形 有効な；引き換えられる．*valedero* para seis meses 6 か月間有効の．

va·le·dor, do·ra [baleðór, ðóra バれドル，ドラ] 名男女 保護者，後援者．

va·len·cia [balénθja バれンしア] 名女〘化〙原子価；〘言語〙結合価．

Va·len·cia [balénθja バれンしア] 固名 バレンシア：スペイン東部の県；県都；自治州．→ autónomo【参考】．

va·len·cia·no, na [balenθjáno, na バれンしアノ，ナ] 形 バレンシアの．

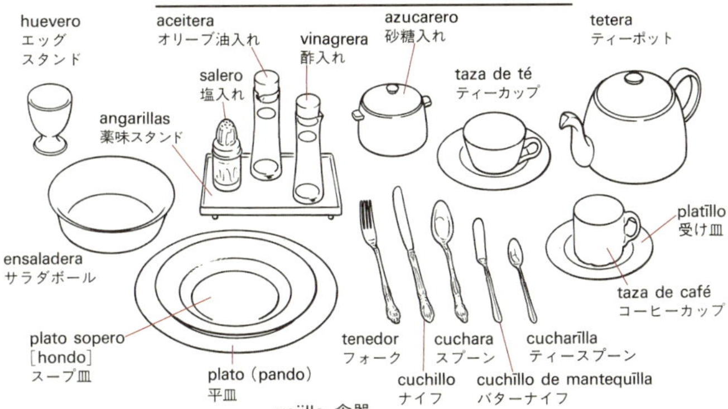

vajilla 食器

—— 名男女 バレンシアの住民.

va·len·tí·a [balentía バれンティア] 名女
1 勇気, 度胸; 勇敢な行為.
2 強がり.

va·ler [balér バれル] 58 動自 [現分 valiendo ; 過分 valido, da] 〔英 be worth〕

直説法 現在	
1·単 ***valgo***	1·複 **valemos**
2·単 **vales**	2·複 **valéis**
3·単 **vale**	3·複 **valen**

1 価値がある, 役に立つ; 有効である. Todavía me *vale* esta bicicleta. この自転車はまだ乗れる. El carnet de identidad no *vale* sin foto. 身分証明書は写真がなければ無効だ. Las chicas no *valen* para este trabajo. 女子はこの仕事に向かない. Ella *vale* más que nada por su simpatía. 彼女はなんとも魅力的な女性だ. No hay pero que *valga*. しかしもへったくれもない, 言い訳は通用しない. Ya no *vale* para nada. もう何の役にも立たない (► 他動詞とみなされる場合もある. ⇒ no *valer* gran cosa 大して役に立たない).
2 優れている; 有能である. Entre sus últimas obras ésta es la que más *vale*. 彼の最新作のうちこれが最も優れている. Luisa *vale* más de lo que parece. ルイサは見かけより有能だ.
3 《+**a**》…の値段である. Las patatas *valen a* doscientas pesetas el kilo. ジャガイモは1キロ200ペセタである.
4 《+**por**》…に値する, 相当する.
—— 動他 **1 …の値段である** (= costar). ¿Cuánto *vale* esto?—*Vale* ochocientas pesetas. これはいくらですか. —800ペセタです.
2 …に値する, 相当する. Su conducta le *valió* una buena paliza. あんなことしたのだから, こっぴどくとっちめられるのも当然だ.
3 守護する.
—— ***va·ler·se*** **1** 《+**de**》…を利用する, 使う. *valerse de* SU posición 自分の地位を利用する. *valerse de* todos los medios あらゆる手段を使う.
2 (身の回りのことを) 自分でする. Ese viejo todavía puede *valerse* por sí mismo. その老人はまだなんとかひとりでやっていける.
hacer valer (威力·効果などを) 発揮させる. *hacer valer* SUS derechos 自分の権限に物を言わせる.
más vale 《+不定詞》/ ***más vale que*** 《+接続法》…したほうが良い. *Más vale* hacerlo. そうしたほうが良い. *Más vale que* no vengas. 君が来ないほうがいい.
¡Vale! 《口語》いいよ, オーケー, (もう) 十分だ; さらば, さようなら.

va·le·ro·so, sa [baleróso, sa バれロソ, サ] 形 勇敢な, 勇ましい (= valiente).

valg- 動 → valer. 58

va·lí·a [balía バリア] 名女 価値, 値打ち; 有能. de mucha *valía* 非常に高価[有能]な.
—— 動 → valer. 58

valida 過分女 → valer.

va·li·dar [baliðár バリダル] 動他 (法的に) 有効にする, 批准する.

va·li·dez [baliðéθ バリデす] 名女 〘法律〙効力, 有効性.

va·li·do[1] [balíðo バリド] 名男 寵臣(ちょうしん), お気に入りの人.

valido[2], **da** 過分 → valer.

vá·li·do, da [báliðo, ða バリド, ダ] 形
1 (法的に) 有効な, 正当な. *válido* por un año 1年間有効の.
2 たくましい, 強健な.

valiendo 現分 → valer.

va·lien·te [baljénte バリエンテ] [複 ~s] 形 〔英 brave〕 **1 勇敢な** (= bravo) (↔ cobarde). soldado *valiente* 勇敢な兵士. una decisión *valiente* 勇気ある決断.
2 《口語》すごい, たいへんな, ひどい; すてきな, 見事な. Recibí una *valiente* bofetada. 私は思いきりひっぱたかれた. un discurso *valiente* 見事な演説.
3 空威張りの.
—— 名男女 **1** 勇者. **2** 空威張り屋.

va·lien·te·men·te [baljénteménte バリエンテメンテ] 副 勇敢に.

va·li·ja [balíxa バリハ] 名女 **1** 旅行かばん, スーツケース.
2 郵便配達用かばん.
valija diplomática 外交文書, 外交用郵袋.

va·lio·so, sa [baljóso, sa バリオソ, サ] 形
1 貴重な, 有益な; 高価な. un consejo *valioso* 貴重な忠告.
2 裕福な; 有力な.

va·lla [báʎa バリャ] 名女 **1** 垣根, 柵(さく); ガードレール (= *valla* protectora).
2 障害 (物), 邪魔物; 〘スポ〙ハードル. 100 metros *vallas* 100メートルハードル. → atletismo 図.
valla publicitaria 広告板.

va·lla·dar [baʎaðár バリャダル] 名男
1 垣, 柵(さく). **2** 障害物.

va·lla·do [baʎáðo バリャド] 名男 垣, 柵(さく).

Va·lla·do·lid [baʎaðolíð バリャドリ(ドゥ)] 固名 バリャドリード: スペイン北西部の県; 県都.

va·lle [báʎe バリェ] 名男 [複 ~s] 〔英 valley〕 **1 谷**, 谷間.
2 流域.
valle de lágrimas 涙の谷, 現世, 浮き世.

va·lli·so·le·ta·no, na [baʎisoletáno, na バリィソれタノ, ナ] 形 バリャドリードの.
—— 名男女 バリャドリードの住民.

V

va·lor [balór バろル] 名男 [複 ~es] 〔英 value〕
1 価値, 意義, 重要性; 有効性. Esta obra tiene gran *valor* artístico. この作品は芸術的価値が高い. un cuadro sin *valor* なんの価値もない絵. dar [conceder] *valor* a ... …に意義を見いだす, …を高く評価する. tener *valor* 有効である.
2 価格, 値段 (= precio). por el *valor* de mil pesetas 1000ペセタの金額で. *valor* nominal 額面価格.
3 勇気, 気力 (= valentía); 《口語》厚かましさ. Todos lucharon con *valor*. 全員が勇敢に戦った. No tiene *valor* para confesarle su amor. 彼には彼女に愛を告白する勇気がない. Tuvo el *valor* de pedirnos que le pagáramos. 彼はずうずうしくも自分の分を払ってくれと我々に要求した.
4 [~es] 有価証券; 資産. mercado de *valores* 証券[株式]市場. *valores* inmuebles 不動産.
5 〘数〙値, 数値; 〘化〙価; 〘音声〙音価; 〘美術〙色価, 明度; 〘音楽〙(音符の)長さ.

va·lo·ra·ción [baloraθjón バろラしオン] 名女 **1** 評価, 見積もり.
2 真価を認めること, 高い評価 (= estimación).

va·lo·rar [balorár バろラル] 動他 **1** 評価する, 見積もる. *valorar* en tres millones de pesetas 300万ペセタに見積もる.
2 …の真価を認める, 高く評価する.

va·lo·ri·zar [baloriθár バろりさル] [39 z → c] 動他 …の価値を高める.

vals [báls バるス] 名男 [単・複同形] 〘音楽〙ワルツ.

va·luar [balwár バるアル] [14 u → ú] 動他 評価する, 見積もる.

val·va [bálβa バるバ] 名女 **1** 〘植物〙蒴(さ)片, 莢(さ). **2** 〘貝〙(二枚貝の)貝殻.

vál·vu·la [bálβula バるブら] 名女 〘機械〙弁, バルブ (→ olla 図); 〘解剖〙(血管・心臓の)弁. *válvula* de escape 排気弁.

vamos 動 → ir. 30

vam·pi·re·sa [bampirésa バンピレサ] 名女 妖婦(ようふ), 魔性の女.

vam·pi·ro [bampíro バンピロ] 名男 吸血鬼; 〘動物〙吸血コウモリ (蝙蝠).

van 動 → ir. 30

vana 形女 → vano¹.

va·na·glo·ria [banaɣlórja バナグろリア] 名女 見え, 虚栄(心).

va·na·glo·riar·*se* [banaɣlorjárse バナグろりアルセ] [ときに 23 i → í] 動 うぬぼれる, 自慢する. *Se vanagloria* de sus conocimientos. 彼は己の知識を鼻にかけている.

va·na·glo·rio·so, sa [banaɣlorjóso, sa バナグろりオソ, サ] 形 うぬぼれ [虚栄心] の強い.

van·dá·li·co, ca [bandáliko, ka バンダりコ, カ] 形 **1** 〘歴史〙バンダル族の.
2 野蛮な, 乱暴な.

van·da·lis·mo [bandalísmo バンダりスモ] 名男 蛮行.

ván·da·lo, la [bándalo, la バンダろ, ら] 形 〘歴史〙バンダル族の.
── 名男女 **1** 〘歴史〙バンダル族(の人).
2 乱暴者.

van·guar·dia [baŋgwárðja バングアルディア] 名女 **1** 〘軍事〙前衛.
2 (芸術・政治運動などの) 前衛, アバンギャルド.

van·guar·dis·mo [baŋgwarðísmo バングアルディスモ] 名男 前衛主義; アバンギャルド運動.

van·guar·dis·ta [baŋgwarðísta バングアルディスタ] 形 前衛派の, アバンギャルドの.
── 名男女 前衛派(の芸術家).

va·ni·dad [baniðáð バニダ(ドゥ)] 名女 **1** 虚栄(心), 見え, うぬぼれ. halagar la *vanidad* de 《+uno》〈人〉の虚栄心をくすぐる.
2 空虚, むなしさ. *vanidades* del mundo この世のはかなさ.

va·ni·do·so, sa [baniðóso, sa バニドソ, サ] 形 見えっ張りの, 虚栄(心)の.
── 名男女 見えっ張りの人, うぬぼれ屋.

va·no¹, na [báno, na バノ, ナ] 形 [複 ~s] 〔英 vain〕 **1 無駄な**, むなしい; 根拠のない. Todas sus excusas fueron *vanas*. 彼のどんな言い訳も聞き入れてもらえなかった.
2 虚栄の; 軽薄な.
en vano 無駄に, むなしく. Todos sus esfuerzos resultaron *en vano*. 彼の努力はすべて無駄だった. Lo atacaron *en vano*. 彼らの攻撃は失敗に終わった.

va·no² [báno バノ] 名男 〘建築〙開口部.

va·por [bapór バポル] 名男 [複 ~es] 〔英 steam〕 **1 蒸気**, 湯気. baños de *vapor* スチームバス. patatas al *vapor* ふかしたジャガイモ.
2 汽船 (= buque de *vapor*). *vapor* de ruedas 外輪船.
al* [*a todo*] *vapor 全速力で.

va·po·ri·za·ción [baporiθaθjón バポりさしオン] 名女 蒸発, 気化.

va·po·ri·za·dor [baporiθaðór バポりさドル] 名男 **1** 噴霧器, スプレー (= pulverizador).
2 (ボイラーの) 蒸気発生装置.

va·po·ri·zar [baporiθár バポりさル] [39 z → c] 動他 蒸発させる, 気化させる.

va·po·ro·so, sa [baporóso, sa バポロソ, サ] 形 **1** 蒸気を出す, 蒸気の立ちこめた.
2 (織物が) ごく薄手の. vestido *vaporoso* 薄手の服.

va·que·rí·a [bakería バケリア] 名女 **1** 搾乳所; 牛乳販売店. **2** 乳牛の群れ.

va·que·ro, ra [bakéro, ra バケロ, ラ] 形 **1** 牛の; 牛飼いの. **2** 〘服飾〙ジーンズの.
── 名男女 カウボーイ.
── 名男 [普通 ~s] 〘服飾〙ジーンズ.

va·ra [bára バラ] 名女
1 棒, 竿(さお). *vara* de pescar 釣り竿.
2 (市長などの) 官杖(かんじょう); 権威. empuñar la *vara* de alcalde 市長に就任する.
3 バラ (長さの単位, 83.59センチ).
4〘闘牛〙(ピカドールの) 槍(やり).
tener vara alta 権力[影響力]を持っている, 顔が利く.

va·ra·de·ro [baraðéro バラデロ] 名男〘海事〙乾ドック.

va·rar [barár バラル] 動自〘海事〙座礁する.
── 動他〘海事〙(船を) 浜に引き上げる.

varí- 動 ➡ variar. [23 i ➡ í]

varia 形女 ➡ vario.

va·ria·bi·li·dad [barjaβiliðáð バリアビリダ(ドゥ)] 名女 可変性, 変わりやすさ.

va·ria·ble [barjáβle バリアブれ] 形
1 変えられる, 可変性の.
2 変わりやすい. tiempo *variable* 変わりやすい天候.
3 移り気な, 気まぐれな.
── 名女〘数〙変数.

va·ria·ción [barjaθjón バリアしオン] 名女
1 変化, 変動.
2〘音楽〙変奏(曲), バリエーション.

va·ria·do, da [barjáðo, ða バリアド, ダ] 過分 形 さまざまな; 変化に富んだ. menú *variado* 日替わりメニュー.

va·rian·te [barjánte バリアンテ] 名女 変種, 異形; 異文, 異本.

va·riar [barjár バリアル] [23 i ➡ í] 動他〔英 vary〕**変える**; 変化をつける. *variar* la colocación de los muebles 家具の配置を変える.
── 動自 **1 変わる**, 変化する; 異なる. El tiempo *ha variado*. 天気が変わった. Aquí la hora de la cena *varía* de la de España. こちらの夕食時間はスペインとは違います. *variar* en tamaño 大きさが異なる.
2《+**de**》…を変える. *variar de* opinión 意見を変える.

va·rie·dad [barjeðáð バリエダ(ドゥ)] 名女〔複 ～es〕〔英 variety〕**1 多様性**, 変化に富むこと. *variedad* de opiniones さまざまな意見. Nos sirvió *variedad* de postres. 彼女はいろいろなデザートを私たちに出してくれた.
2 種類, 品種; 変種. Hay distintas *variedades* de manzanas. リンゴにはさまざまな品種がある.
3 [～es] バラエティー(ショー).

V

va·ri·lla [baríʎa バリりャ] 名女 **1** 細長い棒. *varilla* de cortinas カーテンレール.
2 (扇・傘の) 骨.

va·rio, ria [bárjo, rja バリオ, リア] 形〔複 ～s〕〔英 various〕**1** [～s] **いくつかの**, Ha estado *varios* meses en el extranjero. 彼は数か月外国に滞在した.
2 種々の, 雑多な (= diverso). *varios* colores さまざまな色. gastos *varios* 諸雑費.

va·rio·pin·to, ta [barjopínto, ta バリオピント, タ] 形 さまざまな; 色とりどりの.

va·ri·ta [baríta バリタ] 名女 短い棒. *varita* mágica [encantada] 魔法の杖(つえ).

va·rón [barón バロン] 名男 [複 varones] 男子, 男性 (= hombre). santo *varón* 善人. Tengo una hija y tres *varones*. 私には女の子がひとり, 男の子が3人います.

va·ro·nil [baroníl バロニる] 形 男の; 男性的な, 男らしい.

Var·so·via [barsóβja バルソビア] 固名 ワルシャワ: ポーランド Polonia の首都.

vas 動 ➡ ir. 30

va·sa·llo, lla [basáʎo, ʎa バサりョ, りャ] 名男女 家臣, 臣下.

va·sar [basár バサル] 名男 (壁に作り付けの) 食器棚.

vas·co, ca [básko, ka バスコ, カ] 形 バスク(地方)の.
── 名男女 バスク人.
── 名男 バスク語. ➡vascuence.
País Vasco バスク地方. スペイン北部の Álava, Guipúzcoa, Vizcaya 3県からなる地方, バスク自治州 (= las Vascongadas).

vas·con·ga·do, da [baskoŋgáðo, ða バスコンガド, ダ] 形 バスク(地方)の.

vas·cuen·ce [baskwénθe バスクエンせ] 形 バスク語の.
── 名男 バスク語: スペインの公用語の一つ. ➡ castellano.

vas·cu·lar [baskulár バスクらル] 形〘生物〙管の, 導管の, 血管の.

va·sec·to·mí·a [basektomía バセクトミア] 名女〘医〙精管切除(術), パイプカット.

va·se·li·na [baselína バセりナ] 名女〘商標〙ワセリン.

va·si·ja [basíxa バシハ] 名女 (各種の) 容器, 器.

va·so [báso バソ] 名男 [複 ～s]〔英 glass〕
1 グラス, コップ, タンブラー. ➡ copa 図.

【参　考】飲み物と容器
un vaso de agua [leche] コップ1杯の水[牛乳]. una taza de café [té] カップ1杯のコーヒー[紅茶]. una copa de vino [coñac] グラス1杯のワイン[ブランデー].
ただし un té (紅茶1杯), dos tés (紅茶2杯) と数えられる名詞扱いになることもある (⇨ 文法用語の解説「名詞」).
また容器名だけで特定の飲み物を指す. una caña (生ビール1杯), un chato (ワイン1杯), una copa (ワイン・コニャック・シャンパンなどの1杯).

2〘解剖〙脈管;〘植物〙導管. *vasos* sanguíneos 血管. **3** 花瓶.
ahogarse en un vaso de agua ささいなことでくよくよ悩む.
vás·ta·go [bástaɣo バスタゴ] 名男
1 新芽, 若芽.
2 子孫.
3〘機械〙連接棒, ロッド.
vas·te·dad [basteðáð バステダ(ドゥ)] 名女 広大さ, 広漠, 広範.
vas·to, ta [básto, ta バスト, タ] 形 広大な, 広漠たる; 広範な (↔estrecho, pequeño). Su círculo de amigos es cada vez más *vasto*. 彼の友達の輪はますます大きく広がっていく.
va·te [báte バテ] 名男 **1** 詩人. **2** 予言者.
va·ti·ca·no, na [batikáno, na バティカノ, ナ] 形 バチカン (市国) の, バチカン宮殿 [ローマ教皇庁] の.
—— 名男 [V-] バチカン (宮殿), ローマ教皇庁. Ciudad del *Vaticano* バチカン市国.
va·ti·ci·nar [batiθinár バティしナル] 動他 予言[予見]する.
va·ti·ci·nio [batiθínjo バティしニオ] 名男 予言 (= adivinación) ► キリスト教の場合は profecía を用いる.
va·tio [bátjo バティオ] 名男〘電気〙ワット.
¡va·ya! [bája バヤ] 間投《怒り・不快・驚き・感嘆を表して》ちくしょう, やれやれ, あら, まさか.
vaya(-) 動 ➡ ir. 30
Vd. [ustéð ウステ(ドゥ)]《略》usted あなた.
Vds. [ustéðes ウステデス]《略》ustedes あなたがた.
ve[1] [bé ベ] 名女 アルファベット v の文字[音].
ve[2] 動 **1** ➡ ir. 30
2 ➡ ver. 60
vea(-) / veáis 動 ➡ ver. 60
veces 名[複] ➡ vez.
vecina 名形女 ➡ vecino.
ve·ci·nal [beθinál べしナる] 形 **1** 近隣の; 隣人の.
2 市[町, 村]の. camino *vecinal* 市道.
ve·cin·dad [beθindáð べしンダ(ドゥ)] 名女
1 近所; 隣接.
2《集合》住民, 住人; 隣人.
ve·cin·da·rio [beθindárjo べしンダリオ] 名男《集合》住人; 隣人.
ve·ci·no, na [beθíno, na べしノ, ナ] [複 ~s] 名男女 [英 neighbor] **1** 隣人, 近所の人. Nuestros *vecinos* son muy simpáticos. 私たちの隣人はとても親切だ.
2 住民, 居住者. La mayoría de los *vecinos* de este pueblo son comerciantes. この町の住民の大半は商人である. *vecinos* del mismo piso 同じ階に住む人々.
—— 形 **1** 隣の, 近所の. Las dos provincias son *vecinas*. 両県は隣り合っている.
2 似た, 似通った. suertes *vecinas* 似たような運命.
vec·tor [bektór ベクトル] 名男〘数〙〘物理〙ベクトル.
ve·da [béða ベダ] 名女 禁止; 禁猟 (期), 禁漁 (期).
ve·da·do, da [beðáðo, ða ベダド, ダ] 形 立ち入り禁止の.
—— 名男 立ち入り禁止地区. *vedado* de pesca 禁漁区.
ve·dar [beðár ベダル] 動他 (立ち入りなどを) 禁止する.
ve·de·tte [beðéte ベデテ | ðét -デ(トゥ)] 名女 (演劇・映画・ショーの) 人気者, スター. [←フランス語]
ve·ga [béɣa ベガ] 名女 肥沃(ひよく)な平原, 沃野.
ve·ge·ta·ción [bexetaθjón ベヘタしオン] 名女 **1** 植物 (群), 植生. *vegetación* acuática 水生植物.
2 (植物の) 生長, 発育.
3 [vegetaciones]〘医〙扁桃腺(へんとうせん)肥大, アデノイド.
ve·ge·tal [bexetál ベヘタる] 形 植物の, 植物性の.
—— 名男 植物. ► 動物は animal.
ve·ge·tar [bexetár ベヘタル] 動自 **1** 無為に過ごす. **2** (植物が) 生長する.
ve·ge·ta·ria·nis·mo [bexetarjanísmo ベヘタリアニスモ] 名男 菜食主義.
ve·ge·ta·ria·no, na [bexetarjáno, na ベヘタリアノ, ナ] 名男女 菜食主義者, ベジタリアン.
—— 形 菜食主義の.
ve·ge·ta·ti·vo, va [bexetatíβo, βa ベヘタティボ, バ] 形 植物的な; 栄養性の. aparatos *vegetativos* 栄養器官. sistema nervioso *vegetativo* 植物性 [自律] 神経系. vida *vegetativa* 無為の生活.
ve·he·men·cia [beeménθja ベエメンしア] 名女 激情, 熱烈; 性急さ.
ve·he·men·te [beeménte ベエメンテ] 形 熱烈な, 熱心な, 激しい; 性急な. con *vehemencia* 激しく, 熱烈に.
ve·hí·cu·lo [beíkulo ベイクろ] 名男 **1** 輸送手段, 乗り物; 車両, 車. *vehículo* espacial 宇宙船. *vehículo* de carga 貨物輸送車両, 荷車.
2 伝達手段; 媒介物, 媒体. Las palabras son *vehículo* de ideas. 言葉は思想を伝達する手段である.
veía(-) 動 ➡ ver. 60
vein·te [béinte ベインテ] [英 twenty] 形《数詞》20の; 20番目の. *veinte* personas 20人. los años *veinte* 20年代. página *veinte* 20ページ. en el siglo *veinte* 20世紀に.
—— 名男 20. ◆ ローマ数字XX.
vein·te·a·vo, va [beinteáβo, βa ベインテアボ, バ] / **vein·ta·vo, va** [beintáβo, βa ベインタボ, バ] 形《数詞》20分 (の1)

の.
—— 名男 20分の1.
vein·te·na [beinténa ベインテナ] 名女 20の組; 20年, 20日. una *veintena* de personas 20人(ばかり)の人.
vein·ti·cin·co [beintiθíŋko ベインティシンコ] 形《数詞》25の; 25番目の.
—— 名男 25.
vein·ti·cua·tro [beintikwátro ベインティクアトゥロ] 形《数詞》24の; 24番目の.
—— 名男 24.
vein·ti·dós [beintiðós ベインティドス] 形《数詞》22の; 22番目の.
—— 名男 22.
vein·ti·nue·ve [beintinwéβe ベインティヌエベ] 形《数詞》29の; 29番目の.
—— 名男 29.
vein·tio·cho [beintjótʃo ベインティオチョ] 形《数詞》28の; 28番目の.
—— 名男 28.
vein·ti·séis [beintiséis ベインティセイス] 形《数詞》26の; 26番目の.
—— 名男 26.
vein·ti·sie·te [beintisjéte ベインティシエテ] 形《数詞》27の; 27番目の.
—— 名男 27.
vein·ti·trés [beintitrés ベインティトゥレス] 形《数詞》23の; 23番目の.
—— 名男 23.
vein·tiún [beintjún ベインティウン] 形 ➡ veintiuno.
vein·tiu·no, na [beintjúno, na ベインティウノ, ナ] 形 [男性名詞の前で veintiún となる]《数詞》21の, 21番目の. *veintiún* libros 21冊の本. página *veintiuna* 21ページ. el (día) *veintiuno* de octubre 10月21日.
—— 名男 21.
veis 動 ➡ ver. 60
vejeces 名[複] ➡ vejez.
ve·je·te [bexéte ベヘテ] 形 年寄りの, 老いぼれた.
—— 名男 老人. ►anciano と異なり軽蔑の意味が加わる.
ve·jez [bexéθ ベヘす] 名女 [複 vejeces] 老い; 老齢期, 晩年.
ve·ji·ga [bexíɣa ベヒガ] 名女〔解剖〕膀胱(ぼうこう). ➡ vísceras 図.
ve·la [béla べら] 名女
1 ろうそく. encender [apagar] una *vela* ろうそくをともす[消す].
2〔海事〕帆. *vela* mayor メーンスル. *vela* triangular 三角帆. alzar [largar las] *velas* 帆を上げる, 出帆する. recoger las *velas* 帆を下ろす[畳む]. ➡ yate 図.
3 徹夜; 徹夜の仕事[看病], 不寝番. estar en *vela* 眠らずにいる. pasar la noche en *vela* 徹夜する.
a toda vela / a velas desplegadas [tendidas] 全速力で, 全力投球で.
encender una vela a Dios y otra al diablo 双方にいい顔をする.
estar a dos velas《口語》一文無しである.
no dar a《+uno》***vela en [para] un [este, ese] entierro***《口語》〈人〉に口を差し挟ませない.
quedarse a dos velas《口語》まるで分からない; 一文無しである.
recoger velas《口語》撤回する, 譲歩する.
ve·la·da [beláða べらダ] 名女 夕べの集い, 夜会.
ve·la·dor [belaðór べらドル] 名男 **1** (1本脚の) 丸テーブル.
2 (木製の) 燭台(しょくだい).
3《ラ米》ナイトテーブル (= mesilla de noche).
ve·la·men [belámen べらメン] 名男〔海事〕《集合》帆.
ve·lar [belár べらル] 動自 **1** 徹夜する, 不寝番をする.
2《+**por, sobre**》…を気にかける.
—— 動他 **1** 寝ずに番[看病]をする. *velar* a un enfermo 病人を寝ずに看病する. *velar* a un muerto 死者の通夜をする.
2 …にベールをかける.
—— 形〔音声〕軟口蓋(こうがい)音の.
—— 名女〔音声〕軟口蓋音.
ve·la·to·rio [belatórjo べらトリオ] 名男 通夜; 通夜の人々.
Ve·láz·quez [beláθkeθ べらすケす] 固名 ベラスケス Diego Rodríguez de Silva y *Velázquez* (1599–1660): スペインの画家.
ve·lei·dad [beleiðáð べれイダ(ドゥ)] 名女 気まぐれ, 移り気 (= inconstancia).
ve·lei·do·so, sa [beleiðóso, sa べれイドソ, サ] 形 気まぐれな, 移り気な.
ve·le·ro [beléro べれロ] 名男〔海事〕帆船, セーリングボート (= barco *velero*).
ve·le·ta [beléta べれタ] 名女 風見, 風見鶏 (= *veleta* en forma de gallo).
—— 名男女 移り気な人.
ve·llo [béʎo べリョ] 名男 **1** うぶ毛; 体毛.
2 (桃・布地などの) 綿毛; 毛羽.
ve·llo·ci·no [beʎoθíno べリョしノ] / **ve·llón** [beʎón べリョン] 名男 (刈り取った1頭分の) 羊毛, フリース; 羊の毛皮.
ve·llo·si·dad [beʎosiðáð べリョシダ(ドゥ)] 名女 毛深さ.
ve·llo·so, sa [beʎóso, sa べリョソ, サ] 形 毛深い; 綿毛のある, 毛羽だった.
ve·llu·do, da [beʎúðo, ða べリュド, ダ] 形 毛むくじゃらの, 毛深い.
ve·lo [bélo べろ] 名男
1 ベール, かぶり物. *velo* de novia ウエディングベール.
2 覆い隠すもの, 遮蔽(しゃへい); 偽装, 口実. correr [echar] un (tupido) *velo* sobre《+algo》〈何か〉を口外しない, 秘密にする. descorrer [correr] el *velo* 真相を暴く, 暴露する.

veloces 形[複] → veloz.

ve·lo·ci·dad [beloθiðáð べろしダ(ドゥ)] 名女 [複 ~es] 〔英 speed〕 **1** 速度, 速さ. acelerar [aumentar] la *velocidad* スピードを上げる. disminuir la *velocidad* スピードを落とす. exceder la *velocidad* límite 制限速度を越える. perder *velocidad* 失速する. a gran *velocidad* 高速度で. a toda *velocidad* 全速力で. a *velocidad* máxima [punta, tope] 最高速度で.
2 〘機械〙〘車〙変速器[装置]. cambiar la [de] *velocidad* ギアチェンジする (→ bicicleta 図). meter la primera *velocidad* ローギアに入れる.

ve·lo·cí·me·tro [beloθímetro べろしメトゥロ] 名男 〘車〙速度計, スピードメーター.

ve·ló·dro·mo [belóðromo べろドゥロモ] 名男 競輪場. ► 競馬場は hipódromo.

ve·loz [belóθ べろす] 形 [複 veloces] 速い, 迅速な (= rápido); 軽快な. *veloz* como un rayo [relámpago] 電光石火の.
— 副 速く, すばやく.

ve·loz·men·te [belóθménte べろすメンテ] 副 速く, すばやく.

ven 動 **1** → venir. 59
2 → ver. 60

ve·na [béna べナ] 名女 **1** 静脈, 血管. *vena* cava 大静脈. ► 動脈は arteria.
2 木目; 石目; 〘植物〙葉脈 (→ hoja 図); 〘地質〙鉱脈; 地下水脈.
3 才能 (= habilidad). tener *vena* de cantante 歌手の才能がある.
4 《口語》気分. trabajar por *venas* 気が向いたときに働く. Le ha dado la *vena* de escribir algo. 彼は何か書きたい衝動に駆られた. Hoy no estoy en *vena* para cantar. 今日は歌う気分になれない.

ve·na·blo [benáβlo べナブろ] 名男 投げ槍(やり)(= dardo).

ve·na·do [benáðo べナド] 名男 〘動物〙シカ(鹿); (クマ・イノシシなど)大型の獲物.

ve·nal [benál べナる] 形 静脈の.

ven·ce·de·ro, ra [benθeðéro, ra ベンせデロ, ラ] 形 〘商業〙満期になる; 期限付きの.

ven·ce·dor, do·ra [benθeðór, ðóra ベンせドル, ドラ] 名男女 勝者, 勝利者 (↔ vencido).
— 形 勝った, 勝利者の. país *vencedor* 戦勝国.

ven·ce·jo [benθéxo ベンせホ] 名男 〘鳥〙アマツバメ(雨燕).

ven·cer [benθér ベンせル] [34 c → z] 動他 [現分 venciendo ; 過分 vencido, da] 〔英 defeat〕

直説法 現在	
1·単 ***venzo***	1·複 **vencemos**
2·単 **vences**	2·複 **vencéis**
3·単 **vence**	3·複 **vencen**

1 勝つ, 打ち負かす; 勝る, 凌(しの)ぐ. *vencer* al enemigo 敵を打ち負かす. *vencer* al campeón チャンピオンに勝つ. *Vence* a todos en inteligencia. 彼は頭の良さでは群を抜いている.
2 克服する, 乗り越える. *vencer* los obstáculos 困難を克服する. *vencer* el sueño 眠気を振り払う.
3 (重みが) 傾かせる, 押しつぶす. El peso *venció* la rama. 重みで枝がたわんだ.
— 動自 〔英 become due〕 満期になる, 期限が切れる. La letra *vence* mañana. その手形は明日が支払い期日だ.
— **ven·cer·*se*** **1** 自制する.
2 (重みで) たわむ, つぶれる.

ven·ci·do, da [benθíðo, ða ベンしド, ダ] 過分 → vencer.
— 形 **1** 敗けた. darse por *vencido* 降服[降参]する.
2 満期になった; 期限の切れた. a plazo *vencido* 満期時に. pagar por meses *vencidos* 月遅れで払う.
— 名男女 敗者 (↔ vencedor).
A la tercera va la vencida. 《諺》三度目の正直; 仏の顔も三度まで.

venciendo 現分 → vencer.

ven·ci·mien·to [benθimjénto ベンしミエント] 名男 満期, 支払期日.

ven·da [bénda ベンダ] 名女 包帯. *venda* de gasa ガーゼの包帯.
caerse la venda de los ojos a 《+uno》〈人〉の目から鱗(うろこ)が落ちる.
quitar [***hacer caer***] ***a*** 《+uno》 ***la venda de los ojos*** 〈人〉の目[迷い]を覚まさせる.
tener una venda en [***delante de***] ***los ojos*** 真相が見えない.

ven·da·je [bendáxe ベンダヘ] 名男 〘医〙《集合》包帯.

ven·dar [bendár ベンダル] 動他 …に包帯を巻く.
vendar a 《+uno》 ***los ojos*** 〈人〉に真実を見せなくする.

ven·da·val [bendaβál ベンダバる] 名男 〘気象〙強風, 烈風.

ven·de·dor, do·ra [bendeðór, ðóra ベンデドル, ドラ] 名男女 販売員, 店員, 売り子; 小売商人.
— 形 販売の, 売り手の.

ven·der [bendér ベンデル] 動他 [現分 vendiendo ; 過分 vendido, da] 〔英 sell〕
1 売る (↔ comprar). *vender* un cuadro en [por] cien mil pesetas 10万ペセタで絵を売る. *vender* al por mayor [menor] 卸[小]売りする. *vender* por las casas 訪問販売をする.
2 (良心などを) 売り渡す; 裏切る (= traicionar). *vender* SU alma 魂を売り渡す. *vender* SU amigo [patria] 友達[祖国]を裏切る.

— ven·der·se 1《3人称で》売れる. Estos libros *se venden* bien. これらの本はよく売れる.
2 買収される.
vender caro 高く売りつける; 簡単には聞き入れない.
venderse caro お高くとまる.

vendido, da 過分 → vender.

vendiendo 現分 → vender.

ven·di·mia [bendímja ベンディミア] 名女 ブドウの収穫(期).

ven·di·miar [bendimjár ベンディミアル] 動他 (ブドウを) 収穫する.

vendr- 動 → venir. 59

Ve·ne·cia [benéθja ベネしア] 固名 ベネチア, ベニス: イタリア北部の都市.

ve·ne·cia·no, na [beneθjáno, na ベネしアノ, ナ] 形 ベネチアの.
— 名男女 ベネチアの住民.

ve·ne·no [benéno ベネノ] 名男 毒, 毒薬; 有毒なもの; 悪意. *veneno* violento 猛毒. tener *veneno* en la lengua. 言葉にとげがある.

ve·ne·no·so, sa [benenóso, sa ベネノソ, サ] 形 1 有毒な; 有害な. seta *venenosa* 毒キノコ. serpiente *venenosa* 毒蛇.
2 悪意に満ちた. palabras *venenosas* 悪意のある言葉, 毒舌.

ve·ne·ra [benéra ベネラ] 名女〘貝〙ビエイラガイ: ホタテガイの一種 (= vieira). ◆聖地 Santiago de Compostela へ向かう巡礼者のシンボルマーク.

ve·ne·ra·ble [beneráβle ベネラブれ] 形 敬うべき; 威厳のある. barba *venerable* 長く堂々たるひげ.

ve·ne·ra·ción [beneraθjón ベネラしオン] 名女 尊敬, 崇拝.

ve·ne·rar [benerár ベネラル] 動他 尊ぶ, 崇拝する.

ve·né·re·o, a [benéreo, a ベネレオ, ア] 形〘医〙性病の.

ve·ne·ro [benéro ベネロ] 名男 1 泉; 宝庫. *venero* de informaciones 情報の宝庫.
2〘鉱物〙鉱脈, 鉱層.

ve·ne·zo·la·no, na [beneθoláno, na ベネそらノ, ナ] 形 [複 ~s]〔英 Venezuelan〕**ベネズエラの.**
— 名男女 **ベネズエラ人.**

Ve·ne·zue·la [beneθwéla ベネすエら] 固名〔英 Venezuela〕**ベネズエラ**: 南米北部の共和国. 首都 Caracas.

V

veng- 動 → venir. 59

ven·ga·dor, do·ra [beŋgaðór, ðóra ベンガドル, ドラ] 形 復讐(ふくしゅう)する, 報復の.
— 名男女 復讐者.

ven·gan·za [beŋgánθa ベンガンさ] 名女 復讐(ふくしゅう), 報復, 仕返し. tomar *venganza* de [en]《+uno》〈人〉に復讐する.

ven·gar [beŋgár ベンガル] [32 g → gu] 動他 …の復讐をする, 仕返しする. *vengar* un daño recibido 受けた痛手の仕返しをする. (= vindicar)
— ven·gar·se《+de》…の復讐(ふくしゅう)をする, あだを討つ. *vengarse de*《+uno》por《+algo》/ *vengarse* en《+uno》*de* [por]《+algo》〈何か〉をされたことで〈人〉に復讐する.

ven·ga·ti·vo, va [beŋgatíβo, βa ベンガティボ, バ] 形 報復的な; 復讐(ふくしゅう)心に燃えた.

ve·nia [bénja ベニア] 名女 1 許可, 同意.
2 免除, 赦免, 容赦.

ve·nial [benjál ベニアる] 形 (罪・過失が) 許しうる, 軽微な. pecado *venial* 小罪.

ve·ni·da [beníða ベニダ] 名女 来ること, 到来. idas y *venidas* 行き来.

ve·ni·de·ro, ra [beniðéro, ra ベニデロ, ラ] 形 未来の, 来るべき.

venido 過分 → venir.

ve·nir
[benír ベニル] 59 動自 [現分 viniendo ; 過分 venido]〔英 come〕

直説法

現在	未来
1·単 *vengo*	1·単 *vendré*
2·単 *vienes*	2·単 *vendrás*
3·単 *viene*	3·単 *vendrá*
1·複 venimos	1·複 *vendremos*
2·複 venís	2·複 *vendréis*
3·複 *vienen*	3·複 *vendrán*
点過去	**線過去**
1·単 *vine*	1·単 venía
2·単 *viniste*	2·単 venías
3·単 *vino*	3·単 venía
1·複 *vinimos*	1·複 veníamos
2·複 *vinisteis*	2·複 veníais
3·複 *vinieron*	3·複 venían

接続法 現在	可能
1·単 *venga*	1·単 *vendría*
2·単 *vengas*	2·単 *vendrías*
3·単 *venga*	3·単 *vendría*
1·複 *vengamos*	1·複 *vendríamos*
2·複 *vengáis*	2·複 *vendríais*
3·複 *vengan*	3·複 *vendrían*

命令法
2·単 *ven*
2·複 venid

1 来る; 着く; (時節が) 到来する (↔ ir). *venir* a [de] Madrid マドリードに[から]来る. la semana [el mes, el año] que *viene* 来週[来月, 来年].
2《+de》…の産である; …から生じる. ¿*De* dónde *viene* esta carne? この肉はどこの産ですか.
3 生じる, 起こる. Le *vino* un suceso desgraciado. 彼に不幸な出来事が起きた. Le *vinieron* lágrimas a los ojos. 彼女の

目に涙が浮かんだ.
4《+現在分詞》ずっと…してくる. *Vengo* insistiendo en ello desde hace mucho tiempo. 私はずっと前からそれを強く言ってきた.
5《+**a** 不定詞》…するために[…しに]来る. Él mismo *vino a* verme. 彼自身が私に会いに来てくれた.
6《+**de** 不定詞》…してきたところである. *Vengo de* estudiar en la biblioteca. 図書館で勉強してきたところだ.
7《+**en** 不定詞》…することに決める. *venir en* decretar la celebración de elecciones 選挙の実施を発令する.
8《+**en**》…に載っている, 出ている.
9《bien, mal などを伴って》サイズが合う[合わない]. Esta chaqueta me *viene bien*. この上着は私にぴったりだ.
―― **ve·nir·se**《+**de**》…を捨ててやって来る. *Se vino de* su tierra con su familia. 彼は故郷を捨てて家族と共にやって来た.
¿A qué viene ...? …とはどういうことか. *¿A qué viene* comprar una casa tan grande? どうしてそんな大きな家を買う必要があるのか.
en lo por venir 今後は, 将来は[に].
¡Venga!《相手を促して》さあさあ; 頑張れ!
venir a menos 落ちぶれる.
venir a ser 結局…となる, …という結果に終わる.
venirse abajo [***al suelo, a tierra***] 倒れる; 失敗する. Los edificios *se vinieron a tierra* por el terremoto. 地震でビルが倒壊した. Mis planes *se vinieron abajo*. 私の計画は失敗に終わった.
venir al pelo a《+uno》〈人〉にとって好都合である, おあつらえ向きである.

ve·no·so, sa [benóso, sa ベノソ, サ] 形 静脈の, 静脈の浮き出た; 葉脈のある.

ven·ta [bénta ベンタ] 名女 [複 ~s]〔英 sale〕 **1** 販売, 売却 (↔ compra); 売上高. estar en [a la] *venta* 販売中である. poner en *venta* 売りに出す.
2 宿屋, 旅籠(はたご).

ven·ta·da [bentáða ベンタダ] 名女 突風, 一陣の風.

ven·ta·ja [bentáxa ベンタハ] 名女 [複 ~s]〔英 advantage〕 **1** 利点; 優位. Tienes la *ventaja* de que tu padre es abogado. 君は父親が弁護士だから大変な強みだ. llevar [tener] *ventaja* a《+uno》〈人〉より優位に立つ. sacar *ventaja* de ... …から利益を得る. *ventajas* sociales 社会的な利点.
2〘スポ〙(レース) リード; (テニス) アドバンテージ; ハンディ. sacar gran [mucha] *ventaja* a《+uno》〈人〉を大きくリードする.
dar ventaja a《+uno》〈人〉にハンディを与える. Le *doy* tres metros de *ventaja a* Pedro. 僕はペドロに3メートルのハンディをやる.

ven·ta·jo·so, sa [bentaxóso, sa ベンタホソ, サ] 形〔英 advantageous〕有利な, 得な. ofrecer condiciones muy *ventajosas* とても有利な条件を出す.

ven·ta·na [bentána ベンタナ] 名女 [複 ~s]〔英 window〕
1 窓. abrir [cerrar] la *ventana* 窓を開ける[閉める]. asomarse a la *ventana* 窓から顔をのぞかせる. cristal de la *ventana* 窓ガラス. *ventana* de la nariz 鼻孔.
2〘コンピ〙ウィンドウ.
echar [***arrojar, tirar***] ***la casa por la ventana*** 金に糸目をつけない, 湯水のように金を使う.

ven·ta·nal [bentanál ベンタナる] 名男 大きな窓, 大窓.

ven·ta·ni·lla [bentaníʎa ベンタニリャ] 名女 **1** (役所・駅などの) 窓口. → taquilla.
2 (列車・車・飛行機などの) 窓.

ven·ta·rrón [bentar̄ón ベンタロン] 名男〘気象〙強風, 烈風.

ven·te·ar [benteár ベンテアル] 動他 **1** 風に当てる, 風通しする.
2 (動物が獲物の) においをかぎ回る.
3 詮索(せんさく) [探索] する.

ven·ti·la·ción [bentilaθjón ベンティらしオン] 名女 換気, 通風.

ven·ti·la·dor [bentilaðór ベンティらドル] 名男 扇風機; 換気扇, 換気装置. → cocina 図.

ven·ti·lar [bentilár ベンティらル] 動他 **1** 換気する, 通気する. **2**《口語》(私事を) 公表する. **3**《口語》議論する, 解決する.

ven·tis·ca [bentíska ベンティスカ] 名女〘気象〙吹雪.

ven·tis·car [bentiskár ベンティスカル] [⑧ c → qu] 動自〘気象〙吹雪(ふぶ)く. ► 3人称単数のみに活用.

ven·tis·que·ro [bentiskéro ベンティスケロ] 名男 雪渓; (山の) 吹雪きやすい箇所.

ven·to·le·ra [bentoléra ベントれラ] 名女
1 突風, 一陣の風.
2《口語》突飛な思いつき.
3《口語》うぬぼれ, 虚栄心. tener mucha *ventolera* うぬぼれる.

ven·to·sa [bentósa ベントサ] 名女 吸盤. las *ventosas* del pulpo タコの吸盤.

ven·to·se·ar [bentoseár ベントセアル] 動自 放屁(ほうひ)する.

ven·to·si·dad [bentosiðáð ベントシダ(ドゥ)] 名女 腸内ガス.

ven·to·so, sa [bentóso, sa ベントソ, サ] 形 風の強い. día *ventoso* 風の強い日.

ven·trí·cu·lo [bentríkulo ベントゥリクろ] 名男〘解剖〙心室.

ven·trí·lo·cuo, cua [bentrílokwo, kwa ベントゥリろクオ, クア] 形 腹話術の.
―― 名男女 腹話術師.

ven·tri·lo·quia [bentrilókja ベントゥリろ

V

ｷｱ] 名女 腹話術.

ven·tu·ra [bentúra ベントゥラ] 名女 幸運; 偶然.

a la* (*buena*) *ventura 成り行きまかせに.

por ventura 幸運にも, 運よく; ひょっとすると.

ven·tu·ro·so, sa [benturóso, sa ベントゥロソ, サ] 形 幸運な, 恵まれた.

ve·nus [bénus ベヌス] 名女 **1** 絶世の美女. **2** [V-] 《ローマ神話》 ウェヌス, ビーナス: 愛と美の女神. ギリシア神話の Afrodita.

── 名男 [V-] 《天文》 金星 (= Lucífero). ➡ solar 図.

venz- 動 ➡ vencer. [34 c ➡ z]

veo 動 ➡ ver. 60

ver [bér ベル] 60 動 他 [現分 viendo ; 過分 visto, ta] 〔英 see〕

直説法	
現在	未来
1·単 *veo*	1·単 veré
2·単 ves	2·単 verás
3·単 ve	3·単 verá
1·複 vemos	1·複 veremos
2·複 *veis*	2·複 veréis
3·複 ven	3·複 verán
点過去	線過去
1·単 *vi*	1·単 *veía*
2·単 viste	2·単 *veías*
3·単 *vio*	3·単 *veía*
1·複 vimos	1·複 *veíamos*
2·複 visteis	2·複 *veíais*
3·複 vieron	3·複 *veían*
接続法	現在完了
現在	1·単 he *visto*
1·単 *vea*	2·単 has *visto*
2·単 *veas*	3·単 ha *visto*
3·単 *vea*	1·複 hemos *visto*
1·複 *veamos*	2·複 habéis *visto*
2·複 *veáis*	3·複 han *visto*
3·複 *vean*	
命令法	
2·単 ve	
2·複 ved	

1 見る, 見える; 目撃する, 体験する. *ver* la televisión テレビを見る. *He visto* muchos camiones en esta calle. この通りでたくさんのトラックを見かけた. ►「注意して見る」という意味では mirar を用いる.

2 会う, 訪問する. María vino a *ver*te esta mañana. 今朝マリアが君に会いに来たよ.

3 観察する, 調べる. Voy a *ver* qué está pasando fuera. 外で何が起こっているのか見て来るよ.

4 理解する, 分かる. No *veo* la necesidad de que tú estés aquí. 君がここにいる必要はないと思う.

5 《形容詞・副詞を伴って》 …と思う, 判断する. Te *veo* feliz. 君は幸せそうだね.

── **ver·*se*** **1** 《3人称で》 見える, 見られる. Desde aquí *se ve* bien la montaña. ここからその山がよく見える.

2 会う; 付き合う. *verse* con 《+uno》 〈人〉に会う. ¿Cuándo *nos* vamos a *ver*? 我々はいつ会おうか.

3 (ある場所・状態に) いる, ある. *Me vi* muy apurado. 私はとても困っていた.

4 自分の姿を見る.

── 名男 **1** 外観, 様子. un hombre de buen *ver* ハンサムな男.

2 意見, 見解. a mi *ver* 私の考えでは.

3 視力, 視覚.

¡A* [*Hasta*] *más ver! さようなら, いずれまた.

a ver (1) 《関心・興味・期待・疑いを表して》 さあ, さて; どれどれ. *A ver* cómo te salió el examen. さて試験の結果はどうだったかな. ¿Qué te parece esta corbata?—¿*A ver*? このネクタイどう思う?—どれどれ. (2) 《言葉の切り出しで》 さて, ところで.

A ver si … (1) 《命令を表して》 …したらどうだ. *A ver si* comes un poco más. 君もう少し食べたらどうだ. (2) 《期待・関心・予想を表して》 …かなあ, さあ…してみよう. *A ver si* llueve mañana. 明日は雨かなあ.

darse a* [*dejarse*] *ver 姿を現す[見せる].

dejar ver ほのめかす, 悟らせる; 明らかにする.

estar*(*se*) *viendo …と思う, …という気がする.

Habría que ver que … …とは信じがたい.

hay que ver … …とはすごいことだ.

no poder ver a 《+uno》 (***ni pintado***) 〈人〉の顔など見たくもない.

no tener nada que ver con … …と全く関係がない.

por lo que veo* [*se ve*] / *por lo visto 見たところ.

***tener que ver con* [*en*]** … …と[に]関係がある.

Vamos a ver. どれどれ; ええと.

verás … / ***verá usted*** … …が今に分かるよ; 今に…するぞ. Como no cambie se quedará sólo, *verá Vd.* 態度を変えないと誰(だれ)も相手にしなくなりますよ, きっと.

verlas venir 意図[魂胆]を見抜く.

vérselas con 《+uno》 〈人〉と対立する.

verse* [*vérselas*] *y desearse* [*deseárselas*] *para … 骨折って…する, …するのに苦労する. *Se las ve y se las desea para* aprender la conjugación de los verbos. 彼は動詞の活用を覚えるのにとても苦労している.

Ya lo veo. / ***Ya se ve.*** なるほど.

Ya veremos. 今に分かるだろう; 今はなん

とも言えない.
Ya ves. ね, ほら.
veraces 形［複］➡ veraz.
ve·ra·ci·dad [beraθiðáð ベラしダ(ドゥ)] 名女 真実(性). Puso en duda la *veracidad* de los hechos. 彼はその出来事が本当なのかどうか疑惑をもった.
ve·ran·da [beránda ベランダ] 名女〘建築〙ベランダ.
ve·ra·ne·an·te [beraneánte ベラネアンテ] 名男女 避暑客.
ve·ra·ne·ar [beraneár ベラネアル] 動自 避暑に行く, 夏の休暇を過ごす. Este año voy a *veranear* en la sierra. 今年の夏は山で過ごすつもりだ. ➡ verano.
ve·ra·ne·o [beranéo ベラネオ] 名男 避暑, 夏の休暇［バカンス］. ir [estar] de *veraneo* 避暑に行く［出かけている］.
ve·ra·nie·go, ga [beranjéɣo, ɣa ベラニエゴ, ガ] 形 夏の; 夏用の. traje *veraniego* 夏服.
ve·ra·no [beráno ベラノ] 名男［複 ～s］〔英 summer〕**夏**. ➡ estación【参考】.
ve·ras [béras ベラス] 名女［複］真実.
de veras 本当に; 本気で, 心から.
ve·raz [beráθ ベラす] 形［複 veraces］真実の, 正確な.
ver·bal [berβál ベルバる] 形 **1** 口頭の, 言葉による. acuerdo *verbal* 口頭での合意.
2〘文法〙動詞の; 動詞的な.
ver·be·na [berβéna ベルベナ] 名女
1 (聖人の祝日の) 前夜祭.
2 (夏に屋外で行われる) 踊り.
ver·bi·gra·cia [berβiɣráθja ベルビグラしア] / **ver·bi·gra·tia** [bérβiɣrátja ベルビグラティア] 例えば (= por ejemplo)《略 v.g(r).》. [←〔ラ〕verbi gratia]
ver·bo [bérβo ベルボ] 名男［複 ～s］〔英 verb〕**1**〘文法〙**動詞**. *verbo* transitivo 他動詞. *verbo* intransitivo 自動詞. *verbo* irregular 不規則動詞. ⇨ 文法用語の解説.
2 言葉;［V-］〘宗教〙み言葉, キリスト.
ver·bo·rre·a [berβor̄éa ベルボレア] 名女 おしゃべり, 饒舌(じょうぜつ).
ver·bo·si·dad [berβosiðáð ベルボシダ(ドゥ)] 名女 多弁.
ver·dad [berðáð ベルダ(ドゥ)] 名女［複 ～es］〔英 truth〕
1 真実; 事実. Dime la *verdad*. 本当のことを教えてくれ. No es *verdad* lo que dices. 君の言っていることは本当ではない. ¿*Verdad* que sí? ねっ, そうでしょう?
2 真理, 真. *verdad* científica 科学的真理. en busca de la *verdad* 真理を求めて.
3［～es］耳の痛い話.
4《付加疑問で》**…でしょう**. Eres mexicano, ¿*verdad*? 君はメキシコ人だろう?
a decir verdad / ***a la verdad*** 実のところ, 本当を言うと.
a la hora [***al momento***] ***de la verdad*** 肝心な時に.
decir a 《+uno》 ***cuatro verdades*** 〈人〉に直言する, ずけずけ言う. Le dije cuatro *verdades* en la cara. やつに面と向かってずけずけ言ってやった.
de verdad (= de veras) (1)本当に, 実際に. Se lo digo *de verdad*. 本当にそうなんです. (2)本物の; 立派な.
En verdad que … / ***La verdad es que …*** 実は…である. *La verdad es que* no tengo ganas de venir. 本当は来たくないんだが.
faltar a la verdad うそをつく.
¿Verdad que …? 本当に…ですね?
ver·da·de·ra·men·te [berðaðéraménte ベルダデラメンテ] 副 本当に, 全く.
ver·da·de·ro, ra [berðaðéro, ra ベルダデロ, ラ] 形［複 ～s］〔英 true〕**1 真実の**, 本当の; 実際の. la causa *verdadera* 真の原因. el responsable *verdadero* 実際の責任者.
2 本物の. un *verdadero* amor 真の愛情.
ver·de [bérðe ベルデ] 形［複 ～s］〔英 green〕
1 緑の. un vestido *verde* 緑色の服. luz *verde* 青信号. zona *verde* 緑地帯. color *verde* oliva オリーブグリーン.
2 熟さない; 若々しい. Los plátanos están *verdes*. バナナは熟していない. Este jugador todavía está *verde*. この選手はまだ未熟だ. *verdes* años 若年.
3 下品な; 好色な. un viejo *verde* 好色な老人. contar chistes *verdes* きわどい冗談を言う.
—— 名男 **緑色**; 草(地), 樹木. Me gusta el *verde*. 私は緑色が好きだ. *verde* esmeralda エメラルドグリーン. sentarse en el *verde* 草の上に座る.
poner verde a 《+uno》〈人〉をひどくしかる.
ver·de·ar [berðeár ベルデアル] 動自 緑色がかる; 新緑に覆われる.
ver·dín [berðín ベルディン] 名男 **1** 新緑, 若草色. **2**〘植物〙青苔(ごけ), あおみどろ.
ver·dor [berðór ベルドル] 名男 (草木の) 緑, 若草色, 新緑.
ver·do·so, sa [berðóso, sa ベルドソ, サ] 形 緑色の, 緑色がかった.
ver·du·go [berðúɣo ベルドゥゴ] 名男 死刑執行人; 冷血漢.
ver·du·le·rí·a [berðulería ベルドゥれリア] 名女 青果店, 八百屋.
ver·du·le·ro, ra [berðuléro, ra ベルドゥれロ, ラ] 名男女 青果商人, 八百屋.
ver·du·ra [berðúra ベルドゥラ] 名女［複 ～s］〔英 vegetable〕［～または ～s］**野菜**. comer *verduras* 野菜を食べる. *verduras* del tiempo

V

旬(しゅん)の野菜.
ver·dus·co, ca [berðúsko, ka ベルドゥスコ, カ] 形 暗緑色の.
ve·re·da [beréða ベレダ] 名 女 小道, 細道. ***meter*** [***hacer entrar***] ***en vereda a*** 《+uno》〈人〉にまっとうな生活をさせる.
ve·re·dic·to [bereðíkto ベレディクト] 名 男
1 〔法律〕(陪審員の)評決.
2 判定, 裁断.
ver·ga [bérɣa ベルガ] 名 女 〔解剖〕(動物の)ペニス; 《俗語》(人の)ペニス.
ver·gel [berxél ベルへる] 名 男 果樹園; 花畑.
ver·gon·zan·te [berɣonθánte ベルゴンさンテ] 形 恥じた, 恥じ入った.
ver·gon·zo·sa·men·te [berɣonθósaménte ベルゴンそサメンテ] 副 恥ずかしそうに, おずおずと; 不面目にも.
ver·gon·zo·so, sa [berɣonθóso, sa ベルゴンそソ, サ] 形 **1** 恥ずべき, 恥となる, 不面目な. huida *vergonzosa* 不名誉な逃亡. partes *vergonzosas* 〔解剖〕恥部, 陰部.
2 恥ずかしがり屋の, 内気な.
ver·güen·za [berɣwénθa ベルグエンさ] 名 女 [複 ~s] [英 shame] **1 恥ずかしさ** (↔ sinvergüenza); 内気; 恥辱. sentir [tener] *vergüenza* 恥ずかしく思う. ¿No te da *vergüenza* decir eso? 君, そんなことを口に出して恥ずかしくないのかい? ¡Qué *vergüenza*! 恥を知れ! Es la *vergüenza* de la familia. 彼は家族の面汚しだ.
2 [~s] 恥部.
ve·ri·cue·to [berikwéto ベリクエト] 名 男 [普通 ~s] 難路, 難所.
ve·rí·di·co, ca [beríðiko, ka ベリディコ, カ] 形 真実の.
ve·ri·fi·ca·ción [berifikaθjón ベリフィカしオン] 名 女 検査; 検証, 実証.
ve·ri·fi·car [berifikár ベリフィカル] [8 c → qu] 動 他 **1** 検査する, 照合する, 確かめる; 実証する.
2 実行する.
— **ve·ri·fi·car·*se*** **1** 行われる, 実施される; 実現する.
2 実証される.
ver·ja [bérxa ベルハ] 名 女 (鉄)格子.
ver·mut [bermút ベルム(トゥ)] 名 男 [複 vermuts] ベルモット: 薬草で香りをつけたぶどう酒.
ver·ná·cu·lo, la [bernákulo, la ベルナクろ, ら] 形 その土地固有の, 土着の. lengua *vernácula* 土地言葉, 現地語.
ve·ró·ni·ca [berónika ベロニカ] 名 女
1 〔闘牛〕ベロニカ: 両手でカポーテを広げて牛の突進を待つポーズ.
2 [V-] 〔宗教〕〔美術〕ベロニカの聖顔布.
3 [V-] ベロニカ: 女性の名.
ve·ro·sí·mil [berosímil ベロシミる] 形 本当[真実]らしい, ありそうな.
ve·ro·si·mi·li·tud [berosimilitúð ベロシミリトゥ(ドゥ)] 名 女 本当[真実]らしさ, ありそうなこと.
ve·rra·co [beřáko ベラコ] 名 男 種豚.
ve·rru·ga [beřúɣa ベルガ] 名 女 〔医〕いぼ.
ver·sa·do, da [bersáðo, ða ベルサド, ダ] 過分 形 《+**en**》…に詳しい, 精通した.
ver·sa·li·ta [bersalíta ベルサリタ] 形 〔印刷〕スモールキャピタル体の活字の.
— 名 女 〔印刷〕スモールキャピタル体(の活字). ⇒ A, B, C に対する ᴀ, ʙ, ᴄ.
ver·sa·lles·co, ca [bersaʎésko, ka ベルサリェスコ, カ] 形 ベルサイユ Versalles (ふう)の.
ver·sar [bersár ベルサル] 動 自 《+**sobre**》…について述べる, 論じる. La conferencia *versa sobre* la literatura medieval. 講演は中世文学に関してである.
ver·sá·til [bersátil ベルサティる] 形 移り気な, 気まぐれな.
ver·sa·ti·li·dad [bersatiliðáð ベルサティりダ(ドゥ)] 名 女 気まぐれ, 移り気.
ver·sí·cu·lo [bersíkulo ベルシクろ] 名 男
1 短詩. **2** (聖書・コーランなどの)節.
ver·si·fi·ca·ción [bersifikaθjón ベルシフィカしオン] 名 女 作詩, 韻文化.
ver·si·fi·car [bersifikár ベルシフィカル] [8 c → qu] 動 自 詩を書く, 作詩する.
— 動 他 作詩する, 韻文の形にする.
ver·sión [bersjón ベルシオン] 名 女
1 翻訳, 訳書 (= traducción).
2 作り替えたもの, …版; 翻案; 編曲. *versión* original (映画の)オリジナル版.
3 解釈, 説明. varias *versiones* de un suceso ある事件についてのいろいろな見方.
ver·so [bérso ベルソ] 名 男 **1** 韻文, 詩 (↔ prosa); **詩の1行**. escribir *versos* 詩を書く. *verso* libre 自由詩. un poema de doce *versos* 12行詩.
2 (書物の)左ページ (↔ recto).
vér·te·bra [bérteβra ベルテブラ] 名 女 〔解剖〕脊椎(せきつい).
ver·te·bra·do, da [berteβráðo, ða ベルテブラド, ダ] 形 脊椎(せきつい)のある, 脊椎動物の.
— 名 男 〔動物〕脊椎動物.
ver·te·bral [berteβrál ベルテブラる] 形 脊椎(せきつい)の.
ver·te·de·ro [berteðéro ベルテデロ] 名 男
1 ごみ捨て場. **2** 排水口, 排出口.
ver·ter [bertér ベルテル] [43 e → ie] 動 他 **1** 注ぐ, 空ける, 流し込む. *verter* el azúcar en el azucarero 砂糖入れに砂糖を入れる.
2 こぼす, まき散らす; (涙・血などを)流す.
— 動 自 《+**a**》…に流れ込む, 注ぐ. El Ebro *vierte* al mar Mediterráneo. エブロ川は地中海に注ぐ.
— **ver·ter·*se*** **1** こぼれる, あふれる.
2 流れる.
ver·ti·cal [bertikál ベルティカる] 形 垂直の,

V

鉛直の，縦の（↔ horizontal）. línea *vertical* 垂直線. en posición *vertical* 立てて，直立して.
—— 名女 〘数〙垂直線，鉛直線.

ver·ti·ca·li·dad [bertikaliðáð ベルティカリダ(ドゥ)] 名女 垂直(性)，直立.

ver·ti·cal·men·te [bertikálménte ベルティカルメンテ] 副 垂直に.

vér·ti·ce [bértiθe ベルティセ] 名男 〘数〙(角などの) 頂点.

ver·tien·te [bertjénte ベルティエンテ] 名女
1 (山・屋根などの) 斜面. en la *vertiente* sur de la montaña 山の南斜面に.
2 (物事の) 側面.

ver·ti·gi·no·sa·men·te [bertixinósaménte ベルティヒノサメンテ] 副 目まぐるしく，速く.

ver·ti·gi·no·si·dad [bertixinosiðáð ベルティヒノシダ(ドゥ)] 名女 目まぐるしさ.

ver·ti·gi·no·so, sa [bertixinóso, sa ベルティヒノソ，サ] 形 目がくらむような；目まぐるしい，急激な.

vér·ti·go [bértiɣo ベルティゴ] 名男 **1** めまい. **2** 目まぐるしさ，慌ただしさ；狂乱.
de vértigo 《口語》ものすごい. con una velocidad *de vértigo* すさまじいスピードで.

ves 動 → ver. 60

ve·sa·nia [besánja ベサニア] 名女
1 〘医〙精神錯乱. **2** 激怒，激高.

ve·sí·cu·la [besíkula ベシクラ] 名女 〘解剖〙小胞，小嚢(のう).

ve·si·cu·lar [besikulár ベシクラル] 形 小嚢(のう)(性)の，小胞を有する.

ves·per·ti·no, na [bespertíno, na ベスペルティノ，ナ] 形 夕方の，夕暮れの.

ves·tí·bu·lo [bestíβulo ベスティブロ] 名男 〘建築〙ホール，ロビー；玄関，入り口.

ves·ti·do[1] [bestíðo ベスティド] 名男 [複 ～s] 〔英 clothing; dress〕 **衣服**；ドレス. la historia del *vestido* 服装史. *vestido* de etiqueta 礼服. *vestido* de seda 絹のドレス. *vestido* de noche イブニングドレス.

ves·ti·do[2]**, da** [bestíðo ベスティド] 過分 → vestir.
—— 形 衣服を着た. estar bien *vestido* きちんとした身なりをしている. ir *vestido* de luto 喪服を着ている.

ves·ti·du·ra [bestiðúra ベスティドゥラ] 名女 [しばしば ～s] 《文語》衣服，服.

ves·ti·gio [bestíxjo ベスティヒオ] 名男 跡，形跡.

ves·ti·men·ta [bestiménta ベスティメンタ] 名女 《集合》服，服装. La *vestimenta* no hace al monje. 服装だけで人を判断できない.

ves·tir [bestír ベスティル] [41 e → i] 動他 [現分 vistiendo]
1 …に衣服を着せる. *vestir* a un niño 子供に服を着せる.
2 衣服を支給する；…の衣服を作る. Este sastre me *viste* siempre. 私はいつもこの洋服屋に服を作ってもらっている.
3 着る，まとう.
4 覆う；(掛け布などで) 飾る. *vestir* un sillón de cuero. 椅子に革を張る.
5 装う；粉飾する. *Vistió* de severidad su rostro. 彼は怖い顔をしてみせた.
—— 動自 **1** ドレスアップする；服を着る. a medio *vestir* 服を着終わらないで. *vestir* de uniforme 制服を着る. traje de *vestir* 礼服，フォーマルスーツ. *Visten* bien. 彼らはよい身なりをしている.
2 見栄えがする；ドレッシーである.
—— **ves·tir·se** 〔英 dress〕

直説法 現在	
1·単 me *visto*	1·複 nos vestimos
2·単 te *vistes*	2·複 os vestís
3·単 se *viste*	3·複 se *visten*

1 着替える，身支度する，ドレスアップする；《+de》…の服装をする. *vestirse de* etiqueta 正装する. *vestirse de* verano 夏服を着る. *vestirse* de tiros largos 《口語》盛装する.
2 《+de》…で覆われる. Los campos *se visten de* flores. 野原は花で覆われている.
el mismo que viste y calza 正真正銘の彼本人. ¿Es Vd. Don Alberto?—*El mismo que viste y calza*. あなたはアルベルトさんですか. —はい，私です.

ves·tua·rio [bestwárjo ベストゥアリオ] 名男 **1** 《集合》持ち衣装；舞台衣装.
2 〘演劇〙楽屋；更衣室.

ve·ta [béta ベタ] 名女 **1** 縞(しま)(目)；石目，木目. **2** 〘鉱物〙鉱脈.

ve·tar [betár ベタル] 動他 …に拒否権を行使する.

ve·te·a·do, da [beteáðo, ða ベテアド，ダ] 形 縞(しま)目(模様)のある，木目[石目]のある.

ve·te·ra·ní·a [beteranía ベテラニア] 名女 熟練，老練.

ve·te·ra·no, na [beteráno, na ベテラノ，ナ] 形 老練な，ベテランの；歴戦の.
—— 名男女 熟練者，ベテラン；古参兵.

ve·te·ri·na·rio, ria [beterinárjo, rja ベテリナリオ，リア] 名男女 獣医.

ve·to [béto ベト] 名男 拒否権.
poner el veto a ... …に拒否権を行使する.

ve·tus·to, ta [betústo, ta ベトゥスト，タ] 形 古い，古びた.

vez [béθ ベす] 名女 [複 veces] 〔英 time〕
1 回，度. dos *veces* al mes 月に2回. muchas *veces* たびたび. una *vez* más もう1度. pocas *veces* 稀(まれ)に. varias *veces* 数回. más de una *vez* 1度ならず. cinco *veces* seguidas 5回続けて. una (*vez*) y otra *vez* 何度も何度も.

V

2 機会，順番．esta *vez* 今度は．por primera *vez* 初めて．por última *vez* 最後に．perder la *vez* 機会を逃す．llegar la *vez* a《+uno》〈人〉の番になる．
3 倍．El edificio es dos *veces* más alto que éste. そのビルはこのビルの２倍の高さがある．
a la vez 同時に．
alguna (que otra) vez かつて，これまでに；時々．
a* su *vez 〈人〉の番になって；〈人〉なりに．
a veces 時々．
cada vez《+比較級》ますます．
cada vez que ... …するたびに．*Cada vez que* voy me regala algo. 私が行くたびに彼はいつも何かくれます．
de una vez 一気に，さっさと．
de vez en cuando 時々．
en vez de ...…の代わりに．
hacer las veces de ... …の代わりをする．
otra vez もう一度，また，再び．
otras veces 別の機会に．
por una vez 一度だけは，例外的に．
tal vez おそらく．*Tal vez* no venga. たぶん，彼は来ないだろう．► 可能性が低い場合，動詞は接続法になる．
toda vez que ... …であるからには．
una vez 1度，かつて，昔々．
una vez que ... いったん…したら．
una vez ... ***y otra vez*** ... ある時は…またある時は…．

v.g(r).《略》verbigracia, verbigratia 例えば．［←ラテン語］

vi 動 → ver. 60

vi- / vice- / viz-《接頭》「副」の意を表す．⇀ *vi*rrey, *vice*presidente, *viz*conde など．

ví·a [bía ビア] 名女［複 ～s］〔英 road, way〕**1** 道路，線路，航路；（無冠詞で）経由；〘鉄道〙…番線．*vía* romana ローマ街道．*Vía* Láctea 銀河．*vía* férrea 鉄道線路．*vía* única [doble] 単［複］線．Voy a Barcelona *vía* Madrid. マドリード経由でバルセロナに行きます（► 前置詞的な用法）．por *vía* aérea 航空便で．por *vía* satélite 衛星中継による．El tren sale de la *vía* tres. 電車は3番線から発車する（► プラットホームは andén. → estación 図）．
2 手続き，方策，ルート．por *vía* oficial 公式ルートで．recurrir a la *vía* judicial 法的手段に訴える．*vía* ejecutiva 差し押さえ，強制執行．
dar vía libre 道をあける．
en vías de ... …途上の．países *en vías de* desarrollo 発展途上国．
por vía de ... …によって；…として．

via·bi·li·dad [bjaβiliðáð ビアビリダ(ドゥ)] 名女 **1** 実現性．
2（新生児などの）生存の可能性，生育力．
3 通行可能性．

via·ble [bjáβle ビアブれ] 形 **1** 実現［実行］可能な．
2（新生児などが）生育力のある．**3** 通行可能な．

via·cru·cis [bjakrúθis ビアクルしス] / **ví·a cru·cis** [bíakrúθis ビアクルしス｜-kis -キス] 名男 **1**〘カトリック〙十字架の道行き（= calvario）．
2 長い苦難．

via·duc·to [bjaðúkto ビアドゥクト] 名男 陸橋，高架橋．

viajado 過分 → viajar.

viajando 現分 → viajar.

via·jan·te [bjaxánte ビアハンテ] 名男女 セールスマン，訪問販売員．

via·jar

[bjaxár ビアハル] 動自［現分 viajando；過分 viajado］〔英 travel〕
旅行する．*viajar* por España スペインを旅行する．*viajar* en coche 車で旅行する．*viajar* por negocios 商用で旅行する．

via·je

[bjáxe ビアへ] 名男［複 ～s］〔英 trip, travel〕
1 旅，旅行．agencia de *viajes* 旅行代理店．*viaje* en barco 船旅．estar de *viaje* 旅行中である．hacer un *viaje* [ir de *viaje*] 旅行する．*viaje* circular 周遊旅行．*viaje* de Estado（国家元首による他国への）公式訪問．
2 積み荷．Échate un *viaje* de ladrillos. れんがを少し持って来いよ．
3《俗語》（麻薬による）幻覚，トリップ．
—— 動 → viajar.
¡Buen viaje! 楽しい旅を！

via·je·ro, ra [bjaxéro, ra ビアへロ，ラ]［複 ～s］名男女〔英 traveller〕旅行者；乗客（= pasajero）．Ellos son *viajeros* japoneses en grupo. 彼らは日本人団体客です．
—— 形 旅をする．aves *viajeras* 渡り鳥．

vian·da [bjánda ビアンダ] 名女 食べ物；（特に肉・魚などの）料理．［←〔仏〕viande］

vian·dan·te [bjandánte ビアンダンテ] 名男女 通行人．（= transeunte）

viá·ti·co [bjátiko ビアティコ] 名男
1 出張手当，旅費．
2〘カトリック〙臨終者に授けられる聖体の秘跡．

ví·bo·ra [bíβora ビボラ] 名女 **1**〘動物〙毒ヘビ（蛇）；クサリヘビ，マムシ（蝮）．
2《口語》腹黒い人．

vi·bra·ción [biβraθjón ビブラしオン] 名女 振動，揺れ，バイブレーション．*vibración* de las cuerdas vocales 声帯の振動．

vi·bran·te [biβránte ビブランテ] 形 **1** 振動する，震える．
2 よく響く．hablar con voz *vibrante* よく響く声で話す．

vi·brar [biβrár ビブラル] 動自 振動する，震える，揺れる．

—— 動他 揺らす.

vi·bra·to·rio, ria [biβratórjo, rja ビブラトリオ, リア] 形 振動する[させる], 振動性の.

vi·ca·rio, ria [bikárjo, rja ビカリオ, リア] 名男 《カトリ》助任司祭; 教皇[司教]代理. *vicario* de Cristo ローマ教皇.
—— 名女 《カトリ》(女子修道院の)副院長, 院長代理.

vi·ce·pre·si·den·te, ta [biθepresiðénte, ta ビセプレシデンテ, タ] 名男女 副大統領; 副議長; 副会長.

vi·ce·ver·sa [biθeβérsa ビセベルサ]
y viceversa 《副詞句》逆に, 反対に.

vi·ciar [biθjár ビしアル] 動他 駄目にする, …に悪い癖をつける.
—— **vi·ciar·se** 堕落する; 駄目になる.

vi·cio [bíθjo ビしオ] 名男
1 悪徳 (↔ virtud); 悪習. Tiene el *vicio* de no devolver los libros. 彼は本を返さない癖がある.
2 欠陥.
3 ゆがみ, ねじれ.
de vicio 理由もなく, 癖で.

vi·cio·so, sa [biθjóso, sa ビしオソ, サ] 形
1 悪癖に染まった.
2 欠陥のある, 不備な.

vi·ci·si·tud [biθisitúð ビしシトゥ(ドゥ)] 名女 浮き沈み; 推移. Pasó muchas *vicisitudes* en la vida. 彼は何回も人生の浮き沈みを経験した.

víc·ti·ma [bíktima ビクティマ] 名女 犠牲(者); いけにえ. ser *víctima* de ... …の犠牲となる. Hay muchas *víctimas* de accidentes de tren. 列車事故で多くの犠牲者が出る.

vic·to·ria [biktórja ビクトリア] 名女 勝利, 戦勝. ¡*Victoria*! 万歳, やったぞ! cantar *victoria* 勝利に酔いしれる, 凱歌(がいか)をあげる. ➡triunfo.

vic·to·rio·so, sa [biktorjóso, sa ビクトリオソ, サ] 形 勝利の; 勝ち誇った. ejército *victorioso* 凱旋(がいせん)軍. batalla *victoriosa* 勝ち戦.

vi·cu·ña [bikúɲa ビクニャ] 名女 《動物》ビクーナ, ビクーニャ: ラクダ科の動物.

vid [bíð ビ(ドゥ)] 名女 《植物》ブドウ(の木). ➡ uva.

vi·da [bíða ビダ] 名女 [複 ~s] [英 life]
1 生命, 生 (↔ muerte). Aquel accidente le costó la *vida*. あの事故で彼は命を落とした. dar la *vida* por ... …のために命をささげる. jugarse la *vida* 命を賭(か)ける. pagar con SU *vida* 命を引き換えにする. perder la *vida* 命を落とす. quitarse la *vida* 自殺する. si Dios nos da *vida* 神のご加護があれば.
2 一生, 生涯, 人生; 寿命; 伝記. durante toda la *vida* 生涯を通じて. la otra *vida* / *vida* futura あの世, 来世. Me gusta leer las *vidas* de personajes célebres. 私は偉人の伝記を読むのが好きです.
3 生活; 暮らし. *vida* de perros 惨めな生活. *vida* familiar 家庭生活. cambiar de *vida* 生き方を変える. darse buena [la gran] *vida* 気楽に暮らす. ganar(se) la *vida* 生計を立てる. ¿Cómo te va la *vida*? / ¿Qué *vida* llevas? 調子はどうだい?
4 (物の)寿命. Este coche es de larga *vida*. この車の耐用年数は長い. *vida* de un edificio 建物の寿命.
5 世間, 世の中. Así es la *vida*. 人生はそんなものさ.
6 活気; 活力. lleno de *vida* 活力にあふれた.
7 《呼びかけで》ねえ, あなた, お前.
a vida o muerte 一か八(ばち)か. una operación *a vida o muerte* 生死にかかわる手術.
con la vida en un hilo 死の危険にさらされて.
contar la vida y milagros 経歴を話す.
dar mala vida a 《+uno》〈人〉を手荒く扱う.
de mi vida 《呼びかけ語の後に付けて》最愛の. hija *de mi vida* ねえ, お前. ► 懇願, 叱責(しっせき)のときによく使われる.
en la [SU] ***vida*** かつて一度も…ない. *En mi vida* he nadado. 私は一度も泳いだことがない (► 動詞の前に置くと否定語の no を用いない).
en vida 存命中に.
meterse en vidas ajenas 他人に干渉する.
pasarse la vida 《+現在分詞》いつも…する. *Se pasa la vida* quejándose. 彼はいつも文句ばかり言っている.
por SU ***vida*** (***de*** ...) (…の)命にかけて.
tener siete vidas como los gatos 不死身である.
vender cara SU ***vida*** 最後まで抵抗して死ぬ.

vi·den·te [biðénte ビデンテ] 名男女 予言者, 予見できる人.

ví·de·o [bíðeo ビデオ] / **vi·de·o** [biðéo ビデオ] 名男 《テレビ》ビデオ(機器); ビデオ技術. grabar en *vídeo* ビデオに録画する.
► ビデオカメラは videocámara, ビデオカセットは videocasete, ビデオテープは videocinta.

vi·drie·ra [biðrjéra ビドゥリエラ] 名女
1 ガラス窓[戸]; (教会などの)ステンドグラス(の窓).
2 《ラ米》ショーウインドー (= vitrina).

vi·drie·ro, ra [biðrjéro, ra ビドゥリエロ, ラ] 名男女 ガラス職人; ガラス製造[販売]業者.

vi·drio [bíðrjo ビドゥリオ] 名男 [複 ~s] [英 glass] ガラス (= cristal). *vidrio*

de ventanas 窓ガラス. *vidrio* pintado [de color(es)] ステンドグラス. *vidrio* deslustrado[esmerilado] すりガラス. *vidrio* tallado カットグラス.
pagar los vidrios rotos 《口語》尻(しり)ぬぐいをする, 責任をかぶる.

viei·ra [bjéira ビエイラ] 名女 〖貝〗ビエイラガイ. ➡venera.

vie·jo, ja [bjéxo, xa ビエホ, ハ] [複 ~s] 形 〔英 old〕
1 年を取った (↔ joven). un hombre *viejo* 老人. hacerse *viejo* 年を取る. morir de *viejo* 老齢[老衰]で死ぬ.
2 古い, 古びた (↔ nuevo). un vestido *viejo* 古着. una ciudad *vieja* 古都. costumbres *viejas* 古くからの習慣. un jerez *viejo* 年代もののシェリー. ➡ antiguo.
── 名男女 **1 老人**. ►viejo は軽蔑(けいべつ)的. 丁寧な言い方は anciano.
2 《口語》《親愛を込めて》お前; おやじ, おふくろ.

vien- 動➡ venir. 59

Vie·na [bjéna ビエナ] 固名 ウィーン: オーストリア Austria の首都.

viendo 現分➡ ver.

vie·nés, ne·sa [bjenés, nésa ビエネス, ネサ] 形[複男 vieneses]ウィーン(ふう)の.
── 名男女ウィーンの住民.

vien·to [bjénto ビエント] 名男 [複 ~s] 〔英 wind〕
1 風; 風向き. velocidad del *viento* 風速. *viento* del este 東風. Hace *viento*. 風がある. cesar el *viento* 風がやむ. ir más rápido que el *viento* 疾風のごとく進む. *viento* favorable [contrario] 順風[逆風].
2 空虚; 虚栄. cabeza llena de *viento* 空っぽの頭. estar lleno de *viento* うぬぼれが強い.
3 (獲物の)におい.
4 (アンテナなどの)張り綱.
5 〖音楽〗管楽器 (= instrumento de *viento*).
a los cuatro vientos 四方八方に.
beber los vientos por ... …したがる. Ana *bebe los vientos por* hablar con Pedro. アナはしきりにペドロと話したがっている.
contra viento y marea 万難を排して.
dar a 《+uno》 ***el viento de*** ... 〈人〉が…を予感する.
despedir [***echar, mandar***] ***a*** 《+uno》 ***con viento fresco*** 〈人〉を追い出す.
llevarse el viento 《+algo》 〈何か〉がはかなく消える. Todas las ilusiones juveniles *se* las *llevó el viento*. 若き日の夢はすべてはかなく消えた.
sorberse los vientos por 《+uno》 〈人〉にのぼせる.
viento en popa 順調に.

vien·tre [bjéntre ビエントゥレ] 名男 [複 ~s] 〔英 belly〕 **1 腹**, 腹部. bajo *vientre* 下腹部. hacer de *vientre* 排便する. regir bien el *vientre* 通じが規則正しくある. ➡ cuerpo 図.
2 (容器・船などの)腹, 胴. *vientre* de buque 船腹.

vier·nes [bjérnes ビエルネス] 名男 [単・複同形] 〔英Friday〕
金曜日 《略 vier.》. el *viernes* pasado [que viene] 先週[来週]の金曜日. ➡ lunes 【参考】.
haber aprendido 《+algo》 ***en viernes*** 《口語》〈何か〉をくどくど言う. Parece que *has aprendido* eso *en viernes*. 君はそればかり繰り返しているね.

viet·na·mi·ta [bjetnamíta ビエトゥナミタ] 形ベトナム Vietnam の.
── 名男女ベトナム人.
── 名男ベトナム語.

vi·ga [bíɣa ビガ] 名女 梁(はり), 桁(けた); I (字) 鋼, I ビーム.

vi·gen·cia [bixénθja ビヘンシア] 名女 有効(性), 効力. Esta ley está en *vigencia*. この法律は現在も有効だ.

vi·gen·te [bixénte ビヘンテ] 形 有効な, 効力のある, 現行の.

vi·gé·si·mo, ma [bixésimo, ma ビヘシモ, マ] 形 《数詞》 20番目の; 20分の 1 の.
── 名男 20分の 1 .

vi·gí·a [bixía ビヒア] 名男女 見張り番, 監視者.
── 名女 望楼, 監視塔 (= atalaya).

vi·gi·lan·cia [bixilánθja ビヒランシア] 名女 **1** 監視, 見張り; 警戒.
2 警備隊[体制].

vi·gi·lan·te [bixilánte ビヒランテ] 名男女 監視人, 警備員. *vigilante* nocturno 夜警.
── 形不寝番の.

vi·gi·lar [bixilár ビヒラル] 動他 見張る, 監視する; 警戒する. *vigilar* a los detenidos 留置者を監視する. *vigilar* a los niños 子供から目を離さずにいる. *vigilar* la entrada 入り口を警備する.
── 動自 《+**por, sobre**》 …を見張る, …に注意を払う. *vigilar por* su salud 健康に気を配る.

vi·gi·lia [bixílja ビヒリア] 名女 **1** 不寝番; 不眠.
2 徹夜, 徹夜の仕事[勉強].
3 (教会の)祝日の前日[前夜].

vi·gor [biɣór ビゴル] 名男 **1** たくましさ, 活力, 力強さ; 生気. con *vigor* 元気よく. pincelada llena de *vigor* (絵・文章の)力強いタッチ.
2 (法的な) 効力. entrar en *vigor* 効力を発する, 有効となる. ley en *vigor* 現行法.

vi·go·ri·zar [biɣoriθár ビゴリサル] [39 z ➡ c] 動他 強くする, 元気[活気] づける.
── **vi·go·ri·zar·se** 強くなる, 活気づ

V

く.

vi·go·ro·so, sa [biɣoróso, sa ビゴロソ, サ] 形 たくましい, 力強い, 活力のある.

VIH 《略》 Virus de Inmunodeficiencia Humana エイズウィルス [英 HIV] (= virus del sida).

vi·hue·la [biwéla ビウエら] 名女 〔音楽〕 ビウエラ: 中世スペインの 6 弦楽器.

vi·kin·go, ga [bikíŋgo, ga ビキンゴ, ガ] 名男 〔歴史〕 バイキング. ► バイキング料理は buffet libre [sueco].

—— 形 〔歴史〕 バイキングの.

vil [bíl ビる] 形 **1** 卑劣な; 破廉恥な.

2 価値のない, 取るに足りない.

vi·le·za [biléθa ビれさ] 名女 卑劣な言動.

vi·li·pen·diar [bilipendjár ビりペンディアル] 動他 けなす, さげすむ.

vi·li·pen·dio [bilipéndjo ビりペンディオ] 名男 けなすこと, 侮辱.

vi·li·pen·dio·so, sa [bilipendjóso, sa ビりペンディオソ, サ] 形 侮辱的な, さげすんだ.

vi·lla [bíʎa ビりャ] 名女 **1** 別荘.

2 〔歴史〕 都市, 町. la *villa* de Madrid マドリード市.

vi·llan·ci·co [biʎanθíko ビりャンしコ] 名男 **1** 〔音楽〕 クリスマスキャロル. **2** 〔詩〕 ビリャンシコ: リフレインのある叙情詩.

vi·lla·ní·a [biʎanía ビりャニア] 名女 **1** 卑しい行為; 卑猥(ひわい)な言葉.

2 〔歴史〕 平民 (の身分).

vi·lla·no, na [biʎáno, na ビりャノ, ナ] 形 **1** 〔歴史〕 (貴族・郷士に対して) 平民の; 村人の. **2** 卑しい, 下劣な.

—— 名男女 **1** 〔歴史〕 平民; 村人. **2** 悪党.

vi·lo [bílo ビろ] ***en vilo*** 《副詞句》 (1)宙ぶらりんに. levantar *en vilo* 高く抱き上げる. (2)不安なままで. con el alma *en vilo* やきもきして, 気をもんで. Estuve *en vilo* hasta que me enteré del resultado de la operación. 手術の結果がわかるまで私は気が気でなかった.

vin- 動 → venir. 59

vi·na·gre [bináɣre ビナグレ] 名男 [複 ~s] 〔英vinegar〕 **1 酢**, ビネガー.

2 《口語》 怒りっぽい人. cara de *vinagre* 仏頂面.

vi·na·gre·ra [binaɣréra ビナグレラ] 名女 酢の卓上瓶; [~s] (酢とオリーブ油の瓶が対になった) 調味料入れ (= aceiteras, angarillas). → vajilla 図.

vi·na·gre·ta [binaɣréta ビナグレタ] 名女 〔料理〕 ビネグレットソース.

vin·cu·la·ción [biŋkulaθjón ビンクらしオン] 名女 結びつき, 関連.

vin·cu·lar [biŋkulár ビンクらル] 動他 結びつける.

—— **vin·cu·lar·*se*** 結びつく, 関連する.

vín·cu·lo [bíŋkulo ビンクろ] 名男 絆(きずな), 結びつき. *vínculos* familiares 家族の絆.

vin·di·car [bindikár ビンディカル] [8 c → qu] 動他 **1** …の復讐(ふくしゅう)をする. (= vengar)

2 (名誉を) 守る.

vin·di·ca·ti·vo, va [bindikatíβo, βa ビンディカティボ, バ] 形 報復の; 擁護の.

vin·di·ca·to·rio, ria [bindikatórjo, rja ビンディカトリオ, リア] 形 → vindicativo.

vi·ní·co·la [binícola ビニコら] 形 ぶどう酒製造[醸造]の.

vi·ni·cul·tor, to·ra [binikultór, tóra ビニクるトル, トラ] 名男女 ぶどう酒醸造業者.

vi·ni·cul·tu·ra [binikultúra ビニクるトゥラ] 名女 ぶどう酒醸造.

viniendo 現分 → venir.

vi·no [bíno ビノ] 名男 [複 ~s] 〔英 wine〕

ワイン, ぶどう酒. tomar [beber] *vino* ぶどう酒を飲む. *vino* tinto [blanco, rosado] 赤[白, ロゼ]ワイン. *vino* dulce [seco] 甘口[辛口]ワイン. *vino* de Jerez シェリー. *vino* añejo 熟成ぶどう酒. *vino* de la casa ハウスワイン. *vino* de mesa テーブルワイン.

—— 動 → venir. 59

dormir el vino 《口語》 酔いつぶれる.

echar agua al vino 《口語》 主張を和らげる.

tener el vino alegre [***triste***] 《口語》 笑い[泣き]上戸である.

tener mal vino 《口語》 酒癖が悪い.

vi·ña [bíɲa ビニャ] 名女 ブドウ園, ブドウ畑.

ser una viña 金のなる木である.

tener una viña con ... 《口語》 …で大もうけする.

vi·ñe·do [biɲéðo ビニェド] 名男 大規模なブドウ園[畑].

vio 動 → ver. 60

vio·la [bjóla ビオら] 名女 〔音楽〕 ビオラ.

—— 名男女 〔音楽〕 ビオラ奏者.

vio·lá·ce·o, a [bjoláθeo, a ビオらせオ, ア] 形 紫色の. —— 名男 紫色. → violeta.

vio·la·ción [bjolaθjón ビオらしオン] 名女

1 〔法律〕 違反.

2 婦女暴行.

3 侵害, 侵入.

4 冒瀆(ぼうとく).

vio·la·do, da [bjoláðo, ða ビオらド, ダ] 形 紫色の.

—— 名男 紫色.

vio·la·dor, do·ra [bjolaðór, ðóra ビオらドル, ドラ] 名男女 違反者; 侵入者; 冒瀆者; 婦女暴行犯.

—— 形 違反する, 侵害[侵入]する; 冒瀆(ぼうとく)する.

vio·lar [bjolár ビオらル] 動他 **1** 違反する. *violar* la ley 法を犯す.

2 強姦(ごうかん)する. **3** 侵害する, 侵入する, 侵犯する; (聖域を) 汚す.

vio·len·cia [bjolénθja ビオれンしア] 名女 **1** 暴力, 乱暴; 暴行. apelar [recurrir] a la *violencia* 暴力に訴える. por la *violen-*

cia 力ずくで. hacer *violencia* a [sobre]《+uno》〈人〉に強制する.
2 激しさ, 荒々しさ. la *violencia* del oleaje 波浪の激しさ.
vio·len·ta·men·te [bjoléntaménte ビオれンタメンテ] 副 激しく, 力ずくで.
vio·len·tar [bjolentár ビオれンタル] 動 他 **1** 押し入る, 侵入する; こじあける. *violentar* la puerta ドアをけ破る.
2 歪曲(わいきょく)する.
vio·len·to, ta [bjolénto, ta ビオれント, タ] 形 **1** 激しい. dolor *violento* 激痛. tempestad *violenta* ひどい嵐(あらし). una jugada *violenta*《スポ》ラフプレー.
2 怒りっぽい; 乱暴な.
3 気の進まない. Me es *violento* tener que decirle esto. 気が進みませんがこれは申し上げねばなりません. una interpretación *violenta* こじつけた解釈.
4 歪曲(わいきょく)した.
vio·le·ta [bjoléta ビオれタ] 名 女《植物》スミレ(菫).
── 名 男 すみれ色.
── 形 すみれ色の. un vestido *violeta* すみれ色の服.
vio·lín [bjolín ビオりン] 名 男 [複 violines]〔英 violin〕《音楽》**バイオリン**. tocar el *violín* バイオリンを弾く.
── 名 男 女《音楽》バイオリン奏者 (= violinista). primer *violín* 第一バイオリン(奏者).
vio·li·nis·ta [bjolinísta ビオりニスタ] 名 男 女《音楽》バイオリニスト.
vio·lón [bjolón ビオろン] 名 男《音楽》コントラバス (= contrabajo).
── 名 男 女《音楽》コントラバス奏者.
vio·lon·ce·lis·ta [bjolonθelísta ビオろンせりスタ] / **vio·lon·che·lis·ta** [-tʃelísta -チェりスタ] 名 男 女《音楽》チェリスト.
vio·lon·ce·lo [bjolonθélo ビオろンせろ] / **vio·lon·che·lo** [-tʃélo -チェろ] 名 男《音楽》チェロ; チェロ奏者. [← 〔伊〕violoncello]
vi·ra·je [biráxe ビラヘ] 名 男 **1** 方向転換.
2 (政策・方針などの) 転換.
vi·rar [birár ビラル] 動 自 **1** 方向転換をする. **2** (政策, 方針などを) 変える.
vir·gen [bírxen ビルヘン] 形 [複 vírgenes]〔英 virgin〕**処女の, 童貞の**; 生のままの; 未踏の. cinta de vídeo *virgen* ビデオ生テープ. nieve *virgen* 処女雪. selva *virgen* 原生林. tierra *virgen* 処女地.
── 名 女 [V-] **聖母マリア** (= la *Virgen* María, la *Virgen* Santísima).
── 名 男 女 処女, 童貞.
¡Santísima Virgen!《驚き・困惑・抗議を表して》まあ, どうしよう, とんでもない.
un [***una***] ***viva la Virgen*** 無責任な人.
Vir·gi·lio [birxíljo ビルヒりオ] 固名 ウェルギリウス Publio *Virgilio* Marón (前70–前19): ローマの詩人.
vir·gi·nal [birxinál ビルヒナる] 形 処女の; 純潔な.
vir·gi·ni·dad [birxiniðáð ビルヒニダ(ドゥ)] 名 女 処女 [童貞] であること, 処女性; 純潔.
vir·go [bírɣo ビルゴ] 名 男 **1** [V-]《天文》乙女(おとめ)座;《占星》処女宮.
2 処女性;《口語》処女膜.
vi·ril [biríl ビりる] 形 男 (性) の; 男らしい. miembro *viril* ペニス.
vi·ri·li·dad [biriliðáð ビりりダ(ドゥ)] 名 女 男らしさ; 男盛り, 壮年期.
vi·rrei·na·to [bir̄eináto ビレイナト] 名 男《歴史》副王領; 副王の地位 [任期]. ◆スペイン統治時代の副王領: *virreinato* de Nueva España ヌエバ・エスパーニャ副王領 (設置1535年. 現在のメキシコ). *virreinato* del Perú ペルー副王領 (設置1544). *virreinato* de Nueva Granada ヌエバ・グラナダ副王領 (設置1717. 現在のコロンビア). *virreinato* del Río de La Plata ラプラタ副王領 (設置1776).
vi·rrey [bir̄éi ビレイ] 名 男《歴史》副王. ◆スペイン国王の代理としてイタリア所領やアメリカ大陸に派遣された官吏.
vir·tual [birtwál ビルトゥアる] 形 **1** 潜在的な; 実質上の.
2《物理》虚像の. imagen *virtual* 虚像 (► 「実像」は imagen real).
vir·tual·men·te [birtwálménte ビルトゥアるメンテ] 副 事実上は.
vir·tud [birtúð ビルトゥ(ドゥ)] 名 女 [複 ~es]〔英 virtue〕**1 徳, 美徳** (↔ vicio); 高潔. la *virtud* de la paciencia 忍耐という美徳.
2 能力; 効力. *virtud* de las hierbas medicinales 薬草の効能. tener *virtud* para tratar a los niños 子供の扱いがうまい.
en virtud de ... …のお陰で, … (の力) によって.
tener la virtud de ... …する力がある.
vir·tuo·so, sa [birtwóso, sa ビルトゥオソ, サ] 形 高潔な, 徳の高い.
── 名 男 女 **1** 高潔な人.
2 (演奏などの) 名手.
vi·rue·la [birwéla ビルエら] 名 女 [~または ~s]《医》天然痘, 疱瘡(ほうそう); あばた. cara picada por la *viruela* あばただらけの顔.
vi·rus [bírus ビルス] 名 男 [単・複同形]《生物》《医》ウイルス. *virus* del inmunodeficiencia Humana エイズウィルス. (→ SIDA) ► 細菌は microbio.
vi·ru·ta [birúta ビルタ] 名 女 (木・金属などの) 削りくず.
vi·sa [bísa ビサ] 名 女《ラ米》ビザ, 査証.
vi·sa·do [bisáðo ビサド] 名 男 **1** ビザ, 査証. solicitar un *visado* ビザを申請する.
2 承認 [査証] 手続.
vi·sar [bisár ビサル] 動 他 **1** (旅券に) 査証する, …にビザを与える.

2 (書類などを) 承認する.
vis a vis [bisaβí ビサビ] 副 面と向かって. [←〔仏〕vi-a-vis]
vis·ce·ral [bisθerál ビセラる] 形 内臓の; 根深い. odio *visceral* 根深い憎しみ.
vís·ce·ras [bísθeras ビせラス] 名 女 [複] 〘解剖〙 内臓.

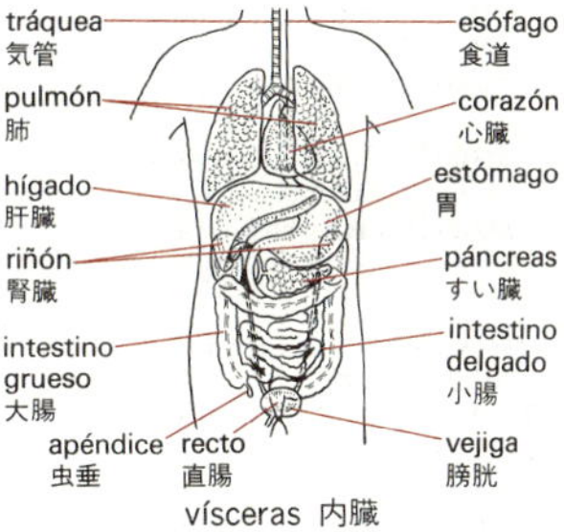

vísceras 内臓

vis·co·sa [biskósa ビスコサ] 名 女 〘化〙 ビスコース.
vis·co·so, sa [biskóso, sa ビスコソ, サ] 形 粘着性のある, ねばねばする.
vi·se·ra [biséra ビセラ] 名 女 **1** (帽子の) ひさし; サンバイザー. ➡ sombrero 図.
2 (かぶとの) 面頬(めんぽお).
vi·si·bi·li·dad [bisibiliðáð ビシビリダ(ドゥ)] 名 女 可視性; 視界, 視程.
vi·si·ble [bisíβle ビシブれ] 形 **1** 見える, 可視の (↔ invisible).
2 明白な, はっきりした; 目立つ. dar muestras de *visible* desagrado あからさまに嫌な顔をする.
vi·si·ble·men·te [bisíβleménte ビシブれメンテ] 副 明らかに; ありありと.
vi·si·go·do, da [bisiɣóðo, ða ビシゴド, ダ] 形 〘歴史〙 西ゴート族の.
—— 名 男 女 〘歴史〙 西ゴート族 (の人).
◆東ゲルマン系の部族で, イベリア半島に侵入して414年西ゴート王国を建てたが, 711年イスラム教徒に滅ぼされた.
vi·si·gó·ti·co, ca [bisiɣótiko, ka ビシゴティコ, カ] 形 〘歴史〙 西ゴート族の.
vi·si·llo [bisíʎo ビシりョ] 名 男 (薄手の) カーテン.
vi·sión [bisjón ビシオン] 名 女 **1** 視覚, 視力; 見ること[もの]. perder la *visión* 視力を失う. *visión* acromática 色盲.
2 展望, ビジョン; 見解. *visión* de un negocio 商売の見通し. *visión* del mundo 世界観.
3 幻, 幻覚.
4 光景, 有り様.
quedarse como quien ve visiones 〘口語〙 呆然(ぼうぜん)となる.
vi·sio·na·rio, ria [bisjonárjo, rja ビシオナリオ, リア] 形 夢想的な.
—— 名 男 女 夢想家.

vi·si·ta
[bisíta ビシタ] 名 女 [複 ~s] 〔英 visit〕
1 訪問; 見学, 視察. hacer una *visita* a ... …を訪ねる. ir de *visita* a casa de 《+uno》〈人〉の家に立ち寄る. *visita* de cumplido 表敬訪問. *visita* de pésame 弔問.
2 訪問者, 来客. Hoy he tenido muchas *visitas*. 今日は来客が多かった.
3 診察, 往診. Hoy tengo *visita* al médico. 今日は医者に行く日だ. pasar (la) *visita* 往診する.
—— 動 ➡ visitar.
visitado, da 過分 ➡ visitar.
visitando 現分 ➡ visitar.
vi·si·tan·te [bisitánte ビシタンテ] 形 訪問の. equipo *visitante* 〘スポーツ〙 ビジターチーム.
—— 名 男 女 訪問者; 見学者.

vi·si·tar
[bisitár ビシタル] 動 他 [現分 visitando ; 過分 visitado, da] 〔英 visit〕
1 訪問する, 訪ねる; 見物する; 視察する. *visitar* a un amigo 友人を訪ねる. *visitar* el museo 美術館を見学する. *visitar* España スペインを訪ねる. El Ministro de Educación y Ciencia *visitará* nuestro colegio. 文部大臣が私たちの学校を視察する予定だ.
2 往診する. El doctor me *visita* esta tarde. 今日午後, 医者が私を往診してくれる.
vis·lum·brar [bislumbrár ビスるンブラル] 動 他 ぼんやりと見える; (解決の糸口などが) 見え始める.
vis·lum·bre [bislúmbre ビスるンブレ] 名 女 かすかな光, 薄明かり; 兆し, 兆候.
vi·so [bíso ビソ] 名 男 **1** [普通 ~s] つや, 光沢; (光の具合で布地に表れる) 玉虫模様.
2 [普通 ~s] 様相, 様子.
3 〘服飾〙 (透ける服の下に着る) アンダードレス; 裏地.
a dos visos 二様の見方[目的]で.
de viso (人が) 重要な. persona *de viso* 傑出した人物.
vi·són [bisón ビソン] 名 男 〘動物〙 ミンク.
vi·sor [bisór ビソル] 名 男 〘写真〙 ファインダー; (銃砲の) 照準器.
vís·pe·ra [bíspera ビスペラ] 名 女 前日; 直前. la *víspera* del examen 試験の前日. la *víspera* de Navidad クリスマスイブ.
en vísperas de ... …の直前に.
vist- 動 現分 ➡ vestir. [41 e ➡ i]

vis·ta
[bísta ビスタ] 名 女 [複 ~s] 〔英 sight〕
1 視覚, 視力. tener buena *vista* 目がいい. nublarse a 《+uno》 la *vista* 〈人〉の目がかすむ. perder la *vista* 視力を失う, 失明する.
2 視線; 一見, 一瞥(いちべつ). *vista* aguda 鋭い目つき. apartar la *vista* 目をそらす. clavar [fijar] la *vista* en ... …を凝視する.

V

comerse [devorar] con la *vista* 食い入るように見詰める. dirigir la *vista* a ... …に視線を向ける. echar [dar] una *vista* a ... …をちらっと見る.
3 眺め; 風景画. *vista* panorámica. 全景. Desde la ventana se contempla una bella *vista*. 窓から美しい眺めが見られる.
4 外見; 見解, 観点. De *vista* me pareció buena persona. 外見では善良そうな人に思われた.
—— 名男 税関の検査官.
—— 過分 女 ➡ visto.
—— 動 ➡ vestir. [41 e ➡ i]
a la vista 目に見えて; 見たところ. estar *a la vista* que ... …ということは明らかである.
a la vista de ... …を見て, …を前にして; …を考慮して. *a la vista de* las dificultades いろいろな困難を考えて.
con la vista puesta en ... …を考慮して, …のために.
conocer a 《+uno》 ***de vista*** 〈人〉に見覚えがある, 顔を知っている.
con vistas a ... …を予想して, …に備えて.
en vista de que ... …ということを考えて.
hacer la vista gorda 黙認する.
¡Hasta la vista! 《挨拶》 また会いましょう.
perderse de vista 見えなくなる. Agitaba el pañuelo hasta que el tren *se perdió de vista*. 電車が見えなくなるまで彼はハンカチを振っていた.
quitar de la vista (見えないところに) 片付ける.
saltar a la vista 明らかである. *Salta a la vista* que no descubren nada. 何も発見できないのは明らかだ.
tener a la vista 目の前にする; 忘れないようにする.
tener mucha vista 先見の明がある; 見栄えがいい.
vista de pájaro 鳥瞰(ちょうかん)図.
volver la vista atrás 回顧する.

vis·ta·zo [bistáθo ビスタそ] 名男 一見, ちらりと見ること; ざっと目を通すこと (= ojeada). dar [echar] un *vistazo* a ... …をちらっと見る.

vis·to, ta [bísto, ta ビスト, タ] 過分 ➡ver.
—— 形 **1** 見られた. cosa nunca *vista* 前代未聞の事.
2 考慮された; 予見された. *visto* todo esto 以上のことに顧みて, 以上のことから. Todo está *visto*. 分かりきったことだ. Está [Es] *visto* que ... …であるのは明白だ.
—— 動 ➡ vestir. [41 e ➡ i]
estar bien visto 世間体が良い, 礼儀にかなっている, 適切である.
estar muy visto 古い, 月並みである. Este tipo de botas ya *está muy visto*. このタイプのブーツはもう古い.
por lo visto 見たところ; 外見から.
visto bueno (書類などの) 承認, 認可 《略 V.ºB.º》.

vis·to·si·dad [bistosiðáð ビストシダ(ドゥ)] 名女 華やかさ.

vis·to·so, sa [bistóso, sa ビストソ, サ] 形 華やかな, 派手な.

vi·sual [biswál ビスアる] 形 視覚の; 視覚による.

vi·sua·li·dad [biswaliðáð ビスアりダ(ドゥ)] 名女 華やかさ; 見栄え.

vi·sua·li·zar [biswaliθár ビスアりさル] [39 z ➡ c] 動他 視覚化する, 映像化する.

vi·tal [bitál ビタる] 形 **1** 生命の. fuerza *vital* 生命力, 活力.
2 きわめて重大な. cuestión de importancia *vital* 死活問題.
3 活力にあふれた, エネルギッシュな.

vi·ta·li·cio, cia [bitalíθjo, θja ビタりしオ, しア] 形 終身の.
—— 名男 終身年金 (= renta *vitalicia*); 生命保険(証書).

vi·ta·li·dad [bitaliðáð ビタりダ(ドゥ)] 名女 **1** 生命力; 活力, 活気.
2 重要性.

vi·ta·lis·mo [bitalísmo ビタりスモ] 名男 〖生物〗〖哲〗生気論, 活力説.

vi·ta·mi·na [bitamína ビタミナ] 名女 ビタミン. carencia de *vitamina* A ビタミンAの不足.

vi·ta·mi·na·do, da [bitamináðo, ða ビタミナド, ダ] 形 ビタミン添加の. bebida *vitaminada* ビタミン飲料.

vi·ta·mí·ni·co, ca [bitamíniko, ka ビタミニコ, カ] 形 ビタミンの.

vi·ti·cul·tu·ra [bitikultúra ビティクるトゥラ] 名女 ブドウ栽培(法).

vi·ti·vi·ni·cul·tu·ra [bitiβinikultúra ビティビニクるトゥラ] 名女 ブドウ栽培とぶどう酒醸造.

ví·tor [bítor ビトル] 名男 [普通 ~es] 喝采(かっさい), 歓呼. La recibieron con *vítores*. 人々は彼女を歓呼して迎えた.

vi·to·re·ar [bitoreár ビトレアル] 動他 …に喝采(かっさい)を送る, 歓呼する.

Vi·to·ria [bitórja ビトリア] 固名 ビトリア: スペイン北部, Alava 県の県都. バスク自治州の州都.

vi·to·ria·no, na [bitorjáno, na ビトリアノ, ナ] 形 ビトリアの.
—— 名男女 ビトリアの住民.

ví·tre·o, a [bítreo, a ビトゥレオ, ア] 形 ガラスの, ガラス質の.

vi·tri·na [bitrína ビトゥリナ] 名女 ショーケース, ガラス戸棚; 《ラ米》 ショーウインドー (= escaparate).

vi·trio·lo [bitrjólo ビトゥリオろ] 名男 〖化〗(濃) 硫酸 (= aceite de *vitriolo*).

V

vi·tro [bítro ビトゥロ] 名男 in *vitro* 〖生物〗試験管内の fecundación in *vitro* 試験管内受精 [←ラテン語]
vi·tua·lla [bitwáʎa ビトゥアリャ] 名女 [普通 ~s] 糧食 (= víveres).
vi·tu·pe·ra·ble [bituperáβle ビトゥペラブレ] 形 非難されるべき.
vi·tu·pe·rar [bituperár ビトゥペラル] 動他 非難する, 罵倒(ばとう)する.
vi·tu·pe·rio [bitupérjo ビトゥペリオ] 名男 非難, 罵倒(ばとう).
viudeces 名[複] → viudez.
viu·de·dad [bjuðeðáð ビウデダ(ドゥ)] 名女 やもめ暮らし; 寡婦年金.
viu·dez [bjuðéθ ビウデす] 名女 [複 viudeces] やもめ暮らし.
viu·do, da [bjúðo, ða ビウド, ダ] 名男女 男やもめ; 未亡人, 寡婦.
── 形 配偶者を亡くした.
estar* [*quedarse*] *viudo 《口語》 妻が不在である.
vi·va [bíβa ビバ] 名男 歓呼, 声援. dar *vivas* 喝采(かっさい)する, 歓呼の声を上げる.
── 形女 → vivo[1].
── 動 → vivir.
vi·vac [biβák ビバ(ク)] 名男 [複 vivaques] 野営(地), ビバーク.
vivaces 形[複] → vivaz.
vi·va·ci·dad [biβaθiðáð ビバしダ(ドゥ)] 名女 生気, 活発; 才気.
vi·va·men·te [bíβaménte ビバメンテ] 副 生き生きと, 鮮やかに; 機敏に; きっぱりと.
vi·va·que [biβáke ビバケ] 名男 → vivac.
vi·va·que·ar [biβakeár ビバケアル] 動自 野営する, ビバークする.
vi·va·ra·cho, cha [biβarátʃo, tʃa ビバラチョ, チャ] 形 元気のよい, 快活な. Su hijo es muy *vivaracho*. 彼の息子はとても元気がいい.
vi·vaz [biβáθ ビバす] 形 [複 vivaces] 活発な, 生気にあふれた; 明敏[機敏]な, 才気にあふれた.
vi·ven·cia [biβénθja ビベンしア] 名女 生活体験.
ví·ve·res [bíβeres ビベレス] 名男[複] 食糧; 糧食 (= vitualla).
vi·ve·ro [biβéro ビベロ] 名男 苗床; 養魚池, 養殖場. *vivero* de truchas マス(鱒)の養殖場.
vi·ve·za [biβéθa ビベさ] 名女 **1** 生気, 活気. **2** (色の)鮮やかさ. **3** 激しさ, 情熱.
vivido, da 過分 → vivir.
ví·vi·do, da [bíβiðo, ða ビビド, ダ] 形 生き生きした, 真に迫った; 鮮明な, 強烈な.
vi·vien·da [biβjénda ビビエンダ] 名女 [複 ~s] 〔英 house, housing〕 **住まい**, 住居, 住宅. escasez de *vivienda* 住宅不足. problema de la *vivienda* 住宅問題.
viviendo 現分 → vivir.
vi·vien·te [biβjénte ビビエンテ] 形 生きている, 生命のある.
vi·vi·fi·car [biβifikár ビビフィカル] [⑧ c → qu] 動他 よみがえらせる; 活気[元気]づける.
vi·ví·pa·ro, ra [biβíparo, ra ビビパロ, ラ] 形 〖動物〗胎生の. ►「卵生の」は ovíparo.

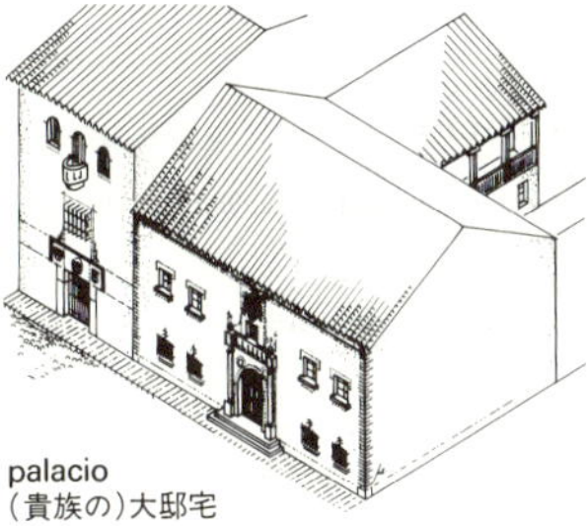
palacio
(貴族の)大邸宅

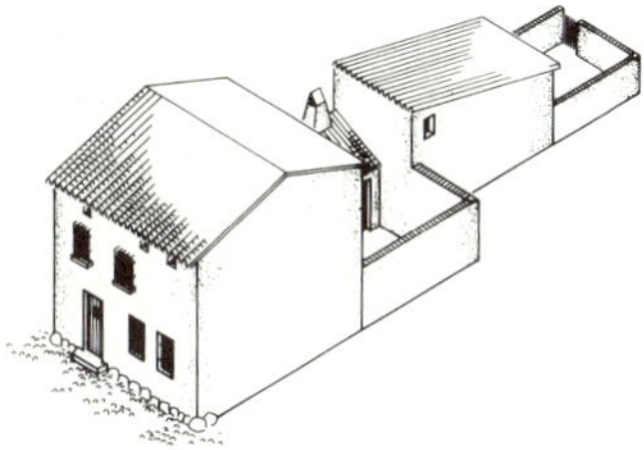
casa popular de Baena (Andalucía)
バエナの民家(スペイン・アンダルシア地方)

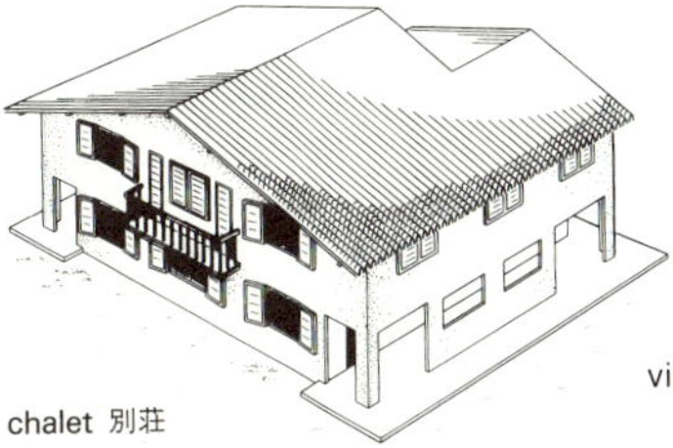
chalet 別荘

vivienda 住宅

—— 名男女〘動物〙胎生動物.

vi·vir [biβír ビビル] 動自 [現分 viviendo ; 過分 vivido, da]〔英 live〕

1《+en》**…に住む**, 居住する. ¿*En* qué calle *vive* usted? あなたのお住まいの通りはどこですか. *En* esta casa *vivió* una temporada Ángel. この家に一時期アンヘルが住んでいた. Mi hermano *vive en* un piso con una chica inglesa. 兄はマンションにイギリス人の女性と暮らして[同棲(どうせい)して]いる.

2 生活する, 生計を立てる. Aunque han subido los precios, todavía se *vive* bien en este país. 物価は上昇したが, まだこの国は生活しやすい. No tiene con qué *vivir*. 彼は生活手段にこと欠いている. ***vivir*** a lo [en] grande 贅沢(ぜいたく)に暮らす. ***vivir*** con poco わずかな収入で暮らす, 困窮している. ***vivir*** de SUS ahorros [rentas] 蓄え[配当, 家賃収入など]で生活する. ***vivir*** sin pena ni gloria 平凡な人生を送る.

3 生きる, 生存する. Siempre dice mi mamá. "Mientras yo *viva*, celebraremos en casa las fiestas de Navidad." いつもお母さんは言っている.「私が生きている限りクリスマスは我が家で祝おう」と. Mi abuelo *vivió* hasta 1985. 祖父は1985年まで生存した.

4 (記憶に) 残る, 存続する. Su memoria *vive* en la mente de todos. 彼の思い出は皆の心に生きている.

5 (ある状態に) ある. La sociedad actual *vive* en una crisis económica. 現代社会は経済的破綻(はたん)に陥っている.

—— 動他 **1** …を生きる, 体験する, 目の当たりにする. *vivir* momentos difíciles 難しい時期をすごす.

2《同族目的語を伴って》…な生活をする. *vivir* una vida feliz 幸福な一生を送る.

—— 名男 生活, 生活様式.

no dejar vivir a《+uno》〈人〉を悩ませる,〈人〉がほっとできない.

no vivir de ... …で生きた心地がしない. *No vive de* vergüenza. 彼は恥ずかしくてたまらない.

¿Quién vive? (歩哨(ほしょう)の誰何(すいか)) 誰(だれ)か?

saber vivir 人生を享受する; 処世術にたけている.

¡Viva! 万歳!

¡Vivir para ver! 信じられない, 驚いた, 長生きはするものだ.

vi·vi·sec·ción [biβisekθjón ビビセクシオン] 名女〘医〙生体解剖.

vi·vo¹, va [bíβo, βa ビボ, バ] 形 [複 ~s]〔英 living〕

1 生きている (↔ muerto). Cuando llegamos, el herido estaba todavía *vivo*. 我々が到着したとき負傷者はまだ息があった.

2 (記憶が) 鮮明な. El accidente de esa actriz está aún *vivo* en nuestro recuerdo. その女優の事故はまだ我々の記憶に生々しい.

3 強い, 強烈な; (色が) 鮮やかな. Sentí un dolor muy *vivo* en la espalda. 背中に激痛が走った. un *vivo* deseo de ser multimillonario 大金持ちになりたいという強い願望. color rojo *vivo* 鮮やかな赤色.

4 生き生きとした, 活発な. una descripción *viva* de la contienda 戦闘シーンの真に迫った描写. Entre los críticos se mantuvo una discusión muy *viva* sobre el premio literario. 評論家の間で文学賞に対する白熱した議論が展開された.

5 明敏な, 敏感な; 鋭い. ángulo *vivo* 鋭角.

—— 動 → vivir.

a lo vivo 生き生きと.

lo vivo 問題の核心; 微妙な点.

vi·vo² [bíβo ビボ] 名男 **1** 生きている人, 生者. los *vivos* y los muertos 生者と死者.

2 抜けめのない人.

viz·ca·í·no, na [biθkaíno, na ビすカイノ, ナ] 形 ビスカヤの.

—— 名男女 ビスカヤの住民.

Viz·ca·ya [biθkája ビすカヤ] 固名 ビスカヤ: スペイン北部の県; 県都 Bilbao.

viz·con·de [biθkónde ビすコンデ] 名男 子爵. → duque【参考】.

viz·con·de·sa [biθkondésa ビすコンデサ] 名女 子爵夫人; 女子爵.

vo·ca·blo [bokáβlo ボカブろ] 名男 語, 単語.

vo·ca·bu·la·rio [bokaβulárjo ボカブらリオ] 名男 語彙(ごい), ボキャブラリー; 用語集. → diccionario【参考】.

vo·ca·ción [bokaθjón ボカしオン] 名女 天職, 天命; 天分.

vo·ca·cio·nal [bokaθjonál ボカしオナる] 形 天職[天命]の; 天分の.

vo·cal [bokál ボカる] 名女〘音声〙母音. ► 子音は consonante.

—— 名男女 (発言権のある) 会員, 団員, 理事.

—— 形 音声の, 発声の.

vo·cá·li·co, ca [bokáliko, ka ボカリコ, カ] 形〘音声〙母音の.

vo·ca·lis·mo [bokalísmo ボカりスモ] 名男〘音声〙母音体系.

vo·ca·lis·ta [bokalísta ボカりスタ] 名男女 歌手, ボーカリスト.

vo·ca·li·za·ción [bokaliθaθjón ボカりさしオン] 名女〘音楽〙母音唱法;〘音声〙母音化.

vo·ca·li·zar [bokaliθár ボカりさル] [39 z → c] 動他〘音声〙(子音を) 母音化する.

—— 動自 **1**〘音楽〙母音唱法で歌う, 発声練習をする. **2** はっきり発音する.

vo·ca·ti·vo [bokatíβo ボカティボ] 名男

V

〔文法〕呼格. ► 対格は acusativo.

vo·ce·ar [boθeár ボセアル] 動自 大声で叫ぶ.
—— 動他 **1** …を大声で呼ぶ, …を大声で売る. **2** 喝采(かっさい)する, 歓呼する. **3** 言いふらす.

vo·ce·rí·o [boθerío ボセリオ] 名男 叫び声, 騒ぎ (= griterío).

vo·ce·ro, ra [boθéro, ra ボセロ, ラ] 名男女 代弁者, スポークスマン (= portavoz).

voces 名 [複] → voz.

vo·ci·fe·rar [boθiferár ボしフェラル] 動自 大声で怒鳴る, 叫ぶ.
—— 動他 大声で触れ回る.

vod·ka [bóðka ボドゥカ] 名男 (または女) ウオツカ.

vo·la·da [boláða ボラダ] 名女 一飛び; 飛行.
—— 過分 女 → volar.

vo·la·di·zo, za [bolaðíθo, θa ボラディそ, さ] 形〔建築〕張り出した.
—— 名男〔建築〕突出部.

vo·la·do, da [boláðo, ða ボラド, ダ] 過分 → volar.
—— 形 ***estar volado*** 《口語》落ち着かない; 《俗語》(麻薬で) 幻覚状態にある.
letra volada〔印刷〕肩つきの小活字.

vo·la·dor, do·ra [bolaðór, ðóra ボラドル, ドラ] 名男 **1**〔魚〕トビウオ (飛魚) (= pez *volador*).
2 ロケット花火.
—— 形 飛ぶ, 飛ぶことのできる.

vo·la·du·ra [bolaðúra ボラドゥラ] 名女 爆破.

vo·lan·das [bolándas ボランダス]
en volandas 《副詞句》(1)宙を, 宙釣りで, ぶら下がって. (2)急いで.

vo·lan·de·ro, ra [bolandéro, ra ボランデロ, ラ] 形 **1** ぶら下がった, 風に揺れる.
2 一時的な, 一過性の.

volando 現分 → volar.

vo·lan·te [bolánte ボランテ] 名男 **1**〔車〕ハンドル. → automóvil 図.
2 びら, ちらし; メモ.
3〔機械〕はずみ車; 時計のテンプ.
4〔服飾〕(服・カーテンなどの) ひだ飾り, フリル.
5〔スポ〕(バドミントンなどの) 羽根, シャトル; バドミントン (= juego del *volante*).
—— 形 **1** 飛ぶ. objeto *volante* no identificado 未確認飛行物体 《略 ovni〔英 UFO〕》.
2 移動する, 1か所にとどまらない. campamento *volante* 移動キャンプ.

vo·lar [bolár ボラル] [13 o → ue] 動自 [現分 volando ; 過分 volado, da]〔英 fly〕
1 飛ぶ; 飛行する. Este dirigible *vuela* a unos quinientos metros de altura. この飛行船は高度500メートルを飛行する.
2 速く進む; 速く伝わる. ir *volando* 急いで行く, 駆けつける. ¡Cómo *vuela* el tiempo! 時のたつのは早いものだ. Las noticias *volaron* de boca en boca. ニュースはたちまち人から人へ口コミで伝わった. *volar* a 《+不定詞》急いで[すぐに] …する.

直説法 現在	
1・単 *vuelo*	1・複 **volamos**
2・単 *vuelas*	2・複 **voláis**
3・単 *vuela*	3・複 *vuelan*

3 《口語》消える, 消えてなくなる. Tenía aquí el libro y *ha volado*. ここにその本があったのに消えてしまった.
—— 動他 爆破する, ふっ飛ばす. *volar* un edificio 建物を爆破する.
echar a volar (うわさなどを) 広める.
echarse a volar 飛び立つ; 巣立つ, 自立する.
¡Volando! 早く, 急げ!

vo·lá·til [bolátil ボラティる] 形 **1** 飛ぶ, 飛ぶことのできる.
2 浮遊する.
3 変わりやすい.
4〔化〕揮発性の. aceite *volátil* 揮発油.

vo·la·ti·li·dad [bolatiliðáð ボラティりダ(ドゥ)] 名女 揮発性.

vo·la·ti·li·zar [bolatiliθár ボラティりさル] [39 z → c] 動他 気化させる, 蒸発させる.
—— **vo·la·ti·li·zar·*se*** 気化する, 蒸発する.

vo·la·tín [bolatín ボラティン] 名男 軽業 (師), 曲芸 (師).

vol·cán [bolkán ボるカン] 名男 [複 volcanes] 火山. *volcán* activo 活火山. *volcán* inactivo [dormido] 休火山.
estar sobre un volcán 非常に危険な [一触即発の] 状態にある.

vol·cá·ni·co, ca [bolkániko, ka ボるカニコ, カ] 形 **1** 火山の, 火山性の.
2 熱烈な; 激しやすい. amor *volcánico* 燃えるような恋.

vol·car [bolkár ボるカル] [8 c → qu ; 13 o → ue] 動他 ひっくり返す; (中身を) ぶちまける.
—— 動自 **vol·car·*se*** ひっくり返る, 転覆する. El coche *volcó*. 車が横転した.

vo·le·a [boléa ボれア] 名女〔スポ〕ボレー.

vo·le·o [boléo ボれオ] 名男 **1**〔スポ〕→ volea. **2**〔音楽〕ボレオ: スペイン舞踊で片足を前へ高く上げること.
a(l) voleo ばらばらに; 勝手気ままに.
del primer [***de un***] ***voleo*** すばやく.

vo·li·ción [boliθjón ボりしオン] 名女 意志作用[行使].

vo·li·ti·vo, va [bolitíβo, βa ボりティボ, バ] 形 意志の.

vol·que·te [bolkéte ボるケテ] 名男 ダンプカー (= camión *volquete*).

vol·ta·je [boltáxe ボるタへ] 名男〔電気〕電圧.

V

vol·te·ar [bolteár ボるテアル] 動他 ひっくり返す, 倒す. ── 動自 転がる, 倒れる.

vol·te·re·ta [bolteréta ボるテレタ] 名女 とんぼ返り, 宙返り.

vol·tí·me·tro [boltímetro ボるティメトゥロ] 名男 〘電気〙電圧計.

vol·tio [bóltjo ボるティオ] 名男 〘電気〙 ボルト.

vo·lu·bi·li·dad [boluβiliðáð ボるビりダ(ドゥ)] 名女 変わりやすさ, 気まぐれ.

vo·lu·ble [bolúβle ボるブれ] 形 変わりやすい, 移り気な.

vo·lu·men [bolúmen ボるメン] 名男 [複 volúmenes] 〔英 volume〕
1 **容量**; 体積; 音量. *volumen* de recipiente 容器の大きさ. aumentar [disminuir] el *volumen* ボリュームを上げる[下げる]. poner la radio a todo *volumen* ラジオをがんがん鳴らす.
2 (書物の) **巻**, 冊 《略 Vol(s), vol(s)》. una enciclopedia en veinticinco *volúmenes* 全25巻の百科事典.
3 取引高. Aumenta el *volumen* de negocios. 取引高が伸びる.

vo·lu·mi·no·so, sa [boluminóso, sa ボるミノソ, サ] 形 分厚い; かさばった. un libro *voluminoso* 分厚い本.

vo·lun·tad [boluntáð ボるンタ(ドゥ)] 名女 [複 ~es] 〔英 will〕 **1** **意志**; 意欲. *voluntad* débil 薄弱な意志. *voluntad* divina 〘宗教〙神意. Tiene mucha (fuerza de) *voluntad*. 彼は意志が強い. por SU propia *voluntad* 自分の意志で. con poca *voluntad* いやいやながら.
2 意向; 願い. ajeno a la *voluntad* de 《+uno》〈人〉の意向を考えずに. por *voluntad* de ... …の遺言[遺志]により. hacer SU santa *voluntad* 《口語》したい放題をする. última *voluntad* 遺言.
a* SU *voluntad (人の) 任意に. ¿Cuánto le debo?—*A su voluntad*. いくらお支払いしたらよろしいでしょうか. — お気持ちだけで結構です.
a voluntad 好きなように; ふんだんに.
buena voluntad 善意.
de* (*buena*) *voluntad 好意で.
ganar*(*se*) *la voluntad de 《+uno》〈人〉の好意を得る.

vo·lun·ta·ria·men·te [boluntárjaménte ボるンタリアメンテ] 副 自発的に, 進んで.

vo·lun·ta·rio, ria [boluntárjo, rja ボるンタリオ, リア] 形 自発的な, 自由意志による. acción *voluntaria* 自発的行為. prestación *voluntaria* 奉仕[ボランティア]活動. ── 名男女 ボランティア, 有志; 志願兵, 義勇兵.

vo·lun·ta·rio·so, sa [boluntarjóso, sa ボるンタリオソ, サ] 形 **1** 気まぐれな, わがままな.
2 熱意のある.

vo·lup·tuo·si·dad [boluptwosiðáð ボるプトゥオシダ(ドゥ)] 名女 快楽, 官能.

vo·lup·tuo·so, sa [boluptwóso, sa ボるプトゥオソ, サ] 形 官能的な, なまめかしい; 好色な.

vo·lu·ta [bolúta ボるタ] 名女 〘建築〙 (柱頭の) 渦巻き装飾; 渦巻き.

vol·ver [bolβér ボるベル] [35 o → ue] 動他 [現分 volviendo; 過分 vuelto, ta]

直説法 現在	
1·単 ***vuelvo***	1·複 **volvemos**
2·単 ***vuelves***	2·複 **volvéis**
3·単 ***vuelve***	3·複 ***vuelven***

〔英 turn〕 **1** ひっくり返す (► 上下・左右・表裏いずれの場合にも使う). *volver* un calcetín 靴下を裏返す. *volver* la tierra 土を掘り返す. *volver* del [al] revés 裏返しにする.
2 …の向きを変える; 《+**a**, **hacia**》…の方向に向ける. *volver* la cabeza 振り返る. *volver* la mirada *a* [*hacia*] ... …に視線を向ける. *volver* el rumbo *hacia* ... …の方向を目ざす.
3 《+形容詞・副詞》…に変える. *volver* loco a 《+uno》〈人〉の気を狂わせる.
4 (角を) 曲がる. Al *volver* la esquina hay una parada de autobús. 角を曲がるとバス停がある.
5 (ページを) めくる.
6 返す, 戻す; (食べ物を) 吐く. *volver* 《+algo》 a su sitio 〈何か〉を元の場所に返す.
── 動自 **1** **帰る**, 戻る. A fines de este mes *vuelvo* a España. 今月末に私はスペインに帰ります (► 「スペインに再び行く」の意味になる場合もある). Acabo de *volver* de viaje. 旅行からたった今戻ってきたところです.
2 《+**a**》(元に) 戻る. *volver a* la normalidad 正常に復す. Estudiamos un buen rato cosas menudas y *volvimos* a nuestro tema. かなりの時間をかけて細々としたことを片付けてから我々は本題に戻った.
3 《+**a** 不定詞》**再び…する**. Te *volveré a* llamar más tarde. あとでもう一度君に電話をします.
4 《+**a**, **hacia**》…の方向へ曲がる. La carretera *vuelve hacia* la derecha. 街道は右にカーブしている. *Volví a* la derecha. 私は右に曲がった.
5 (慣行などが) 復活する, 復帰する.
── ***vol·ver·se*** **1** 振り向く, 振り返る. La adelantó unos pasos y *se volvió* para mirarla. 数歩追い越してから彼は振り返って彼女を見た.
2 《+形容詞・副詞》…になる. *volverse* loco 気が狂う, 狂喜する.
3 帰る, 戻る.
4 (自動的に) 反転する.

V

no tener a dónde [*a quién*] *volverse* 頼る所[人]がない.
volverse atrás 引き返す;(約束・前言を)撤回する.

volviendo 現分 → volver.

vo·mi·tar [bomitár ボミタル] 動他
1 吐く, 戻す. *Vomitó* todo lo que había comido. 彼は食べた物を全部吐いた.
2 噴出する; 放出する. El volcán *vomita* lava. 火山は溶岩を噴出している.

vó·mi·to [bómito ボミト] 名男 嘔吐(おうと), 吐くこと; 吐瀉(としゃ)物.
provocar el vómito 嫌悪感を催す.

voraces 形[複] → voraz.

vo·ra·ci·dad [boraθiðáð ボラしダ(ド ゥ)] 名女 **1** 大食, むさぼり食うこと.
2 貪欲(どんよく). **3** 烈しさ, 猛威.

vo·rá·gi·ne [boráxine ボラヒネ] 名女
1 混乱; 慌ただしさ, めまぐるしさ.
2 (海・川の) 渦, 渦巻き.

vo·raz [boráθ ボラす] 形[複 voraces]
1 大食の. **2** 飽くことを知らない, 貪欲(どんよく)な. **3** 烈しい, 猛烈な.

vo·raz·men·te [boráθménte ボラすメンテ] 副 がつがつと, 貪欲に.

vór·ti·ce [bórtiθe ボルティせ] 名男 **1** 渦巻き, つむじ風 (= remolino).
2〘気象〙台風の目.

vos [bós ボス] 代名《人称》[2人称単数形, 男・女同形. tú の代わりに用いられる]
1《主語》《前置詞＋》《ラ米》(アルゼンチン)君, お前, あんた. *Vos* tenés que salir mañana. 君, 明日出発しなくてはだめだよ.
2《主語》《前置詞＋》《古》あなた様, 汝(なんじ).

> **【参 考】** 中世に *vos* は2人称の敬称 (単・複) であったが, 後に複数形が *vosotros* [*otras*] となり, *vos* は単数となった. 現在は中南米を除いて用いられないが, まれに荘重な演説などで usted に代わって使われることがある. その場合, 動詞は2人称複数形となる.

vo·se·ar [boseár ボセアル] 動他 vos で呼びかける. → tutear.

vo·se·o [boséo ボセオ] 名男 (tú に代わる) vos の使用.

vo·so·tros, tras

[bosótros, tras ボソトゥロス, トゥラス] 代名《人称》[2人称複数形. →yo【文法】]〔英 you〕 **1**《主語》**君たちは[が]**, お前たちは[が]. *Vosotros* tenéis que estar aquí. 君たちはここに居なくてはだめだ.
2《前置詞＋》君たち, お前たち. A *vosotros* no os gusta lo dulce, ¿verdad? 君たちは甘い物は好きじゃないんでしょ?

> **【参 考】** 中南米では **vosotros** に代えて, **ustedes** を用いる. →yo『文法』4.
> ¿Cuándo vienen *ustedes*? 君たちはいつ来るのか?
> Tú y Juan tienen que esperar aquí. 君とフワンはここで待っていなくてはいけない.

vo·ta·ción [botaθjón ボタしオン] 名女 投票, 票決. poner [someter] a *votación* 投票にかける.

vo·tan·te [botánte ボタンテ] 名男女 投票者, 有権者.

vo·tar [botár ボタル] 動他自 **1** 投票する; 票決する. *votar* a mano alzada 挙手により採決する. *votar* por《＋uno》〈人〉に投票する.
2〘カトリック〙(神・聖人に) 誓う.

vo·to [bóto ボト] 名男 **1** 投票 (権); 票. dar [emitir] SU *voto* a ... …に投票する. por una mayoría de *votos* 過半数を獲得して. derecho al *voto* 投票権. *voto* de confianza 信任投票.
2〘カトリック〙誓い, (修道) 誓願. hacer *voto* de《＋不定詞》…すると誓う.
3 [～s] 希望, 願い (= deseos). Mis mejores *votos* de felicidad para el año nuevo. 新しい年が幸せな年でありますように心からお祈りします. hacer *votos* por ... [por que《＋接続法》] …であることを心から祈る.
4 (神への) 供物.

voy 動 → ir. 30

voz

[bóθ ボす] 名女 [複 voces]〔英 voice〕
1 声. *voz* aguda 甲高い声. *voz* apagada 弱々しい声. aclararse la *voz* (話す前に) 咳(せき)払いをする. alzar [levantar] la *voz* 声を荒げる. en *voz* alta [baja] 大声[小声]で. tener buena *voz* いい声をしている. *Voz* del pueblo, *voz* del cielo. 民の声は天の声.
2 うわさ; 意見. Corre la *voz* (de) que ... …というわさである. con *voz* y voto 発言権と議決権をもって. tener voz y *voto* 発言権と議決権を持つ.
3〘文法〙語, 単語; 態. *voz* de origen árabe アラビア語起源の単語. *voz* activa [pasiva] 能動[受動]態.
4〘音楽〙声, 声部; 音色. cantar a dos *voces* 二重唱で歌う. *voz* cantante 主旋律.
a media voz 小声で.
anudarse a《＋uno》*la voz*〈人〉が (驚き・感動で) 声がでない. Se ha impresionado tanto por la noticia que *se* le *ha anudado la voz*. その知らせに感動して彼は声も出ないほどであった.
a una voz 異口同音に.
a voces 大声で. hablar *a voces* 大声で話す.

a voz en cuello [***en grito***] ありったけの声で.
dar voces al viento [***en el desierto***] 無駄骨を折る.
de viva voz 肉声で.
en voz 口頭で.
estar en voz 声の調子がいい.
estar pidiendo a voces 切実に必要としている.
llevar la voz cantante 主宰する.
ser voz pública 周知のことである.

vo·za·rrón [boθar̄ón ボさロン] 名男 大声, どら声.

vuel- 動➡volar. [13 o ➡ ue]

vuelc- 動➡volcar. [8 c ➡ qu ; 13 o ➡ ue]

vuel·co [bwélko ブエるコ] 名男 転倒, 転覆. El camión dio un *vuelco*. トラックはひっくり返った.
dar a 《+uno》 ***un vuelco el corazón*** (驚きなどで) 〈人〉の胸がどきんとする.

vue·lo [bwélo ブエろ] 名男 **1** 飛行, 飛ぶこと; 飛行距離. El piloto tiene tres mil horas de *vuelo*. そのパイロットは飛行経験3000時間だ. *vuelo* espacial 宇宙飛行.
2 (飛行機の) 便, フライト. el *vuelo* número 355 de Iberia con destino a Málaga イベリア航空マラガ行き355便. *vuelo* directo 直行便. *vuelo* chárter [fletado] チャーター便. *vuelo* sin escala ノンストップフライト.
3 (スカート・袖(そ)などの) 膨らみ, 広がり. falda con *vuelo* (フレアスカートなど) よく広がるスカート.
4 〖建築〗張り出し, 突出部.
al vuelo 飛んでいるところを, 空中で. tirar a un pájaro *al vuelo* 飛んでいる鳥を撃つ.
—— 動➡volar. [13 o ➡ ue]
alzar [***emprender, levantar***] ***el vuelo*** 飛び立つ; 巣立つ, 自立する; 立ち去る.
cazar (***las***) [***coger*** (***las***), ***pescar*** (***las***)] ***al vuelo*** 飲み込みが速い, すぐに理解する.
de (***un***) ***vuelo / en un vuelo*** すばやく, 即座に.
tomar vuelo 増加する, 発展する; 重大になる.

vuel·ta

[bwélta ブエるタ] 名女 [複 ~s] 〔英 turn〕
1 回転, 旋回; 一回り, 一巡.
2 帰ること; 帰途; 復帰; 再来, 再訪問. ida y *vuelta* 往復. *vuelta* a escena (俳優などの) カムバック. partido de *vuelta* 〖スポ〗リターンマッチ. ¡Y *vuelta*! 《怒って》またか! *vuelta* atrás 後戻り, 後退.
3 釣り銭. Quédese con la *vuelta*. お釣りは結構です.
4 反転, 振り返り, 方向転換; (道路・川の) カーブ, 湾曲部. dar media *vuelta* 回れ右をする, Uターンする; 立ち去る. *vuelta* de campana 宙返り.
5 (意見・政策などの) 転換; 変節; [~s] (人生の) 浮沈. El mundo da muchas *vueltas*. 世の中は何が起こるか分からない. las *vueltas* de la vida 人生の浮き沈み. dar la *vuelta* 変節する; 激変する.
6 裏返すこと; 裏, 折り返し. Véase a la *vuelta*. 裏面[次ページ]に続く. tener *vuelta* (洋服が) リバーシブルである.
7 (ひも・綱などの) 一巻き; (ネックレスの) 連.
8 《口語》(全員への酒の) 一渡り (= ronda); 〖スポ〗(トーナメントなどの) …回戦, ラウンド, (トラックの) 一周.
—— 過分女➡volver.
—— 形女➡vuelto.
a la vuelta de ... (1) …からの帰りに; …を曲がったところに. *a la vuelta de* España スペインの帰途(に). (2) …が経過した後に[で]. *a la vuelta de* diez años 10年後に.
andar a vueltas けんかをする.
a vuelta de correo 折り返し便で.
buscar a 《+uno》 ***las vueltas*** 《口語》〈人〉のあら捜しをする.
coger las vueltas a 《+uno》〈人〉の扱い方を知る.
dar la vuelta a ... (1) …を回る, 1周する. *dar la vuelta a*l mundo 世界を1周する. (2) …を回す, 回転させる. *dar la vuelta a* la llave 鍵(かぎ)を回す. (3) …をひっくり返す; 裏返しにする; 掘り返す; めくる. (4)…の向きを変えさせる.
dar cien vueltas a 《+uno》〈人〉よりはるかに優れている.
dar (***se***) ***una vuelta*** 散歩する, 小旅行をする; 見回る, 立ち寄る. *dar una vuelta* en coche ドライブする. *dar una vuelta* por la ciudad 町を一回りする.
dar vueltas (1)回る, 巡る; 回転する; 寝返りを打つ. El niño está *dando vueltas* con la bicicleta desde esta mañana. その子は朝から自転車を乗り回している. (2)(道・川が) 曲がりくねる. (3)探し回る. (4)頭がくらくらする, 目がくらむ. Me *da vueltas* la cabeza. 私は目まいがする.
dar vueltas a ... (1) …を回す, くるくる回す. (2) …をあれこれ考える, じっくり検討する. No le *des* más *vueltas* al asunto, no tiene remedio. その点はこれ以上突っつき回しても仕方がない. (3) …周する, …回まわる. *Doy* todos los días cuatro *vueltas a* la plaza. 私は毎日広場を4周ジョギングする.
de vuelta 帰りに, 帰りがけに.
estar de vuelta (1)帰っている, 帰宅している. (2) 《+**de**》…を熟知している. *estar de vuelta de* todo 《口語》世慣れている; 平然としている.
hacer dar vueltas a 《+uno》〈人〉をて

んてこ舞いさせる.
no tener vuelta de hoja 《口語》明らかである; 他に手の打ちようがない.
poner a 《+uno》 ***de vuelta y media*** 〈人〉をひどくののしる.

vuel·to, ta [bwélto, ta ブエるト, タ] 過分 ➡ volver.
—— 形 **1** (ある方向に)向いた, 向けた. *vuelto* hacia la pared 壁に向いて. tener la cara *vuelta* 顔が横を向いている.
2 ひっくり返した, 逆さにした. Lleva el jersey *vuelto* del revés. 彼はセーターを裏返しに着ている.
—— 名男 《ラ米》釣り銭, お釣り (= vuelta).

vuelv- 動 ➡ volver. [35 o ➡ ue]

vues·tro, tra [bwestro, tra ブエストゥロ, トゥラ] 形 《所有》[前置形・後置形 (► 後置形はアクセントをつけて発音される); 複数形 vuestros, vuestras. ➡ su, suyo 【文法】] [英 your; (of) yours] **1 君たちの**, お前たちの. *vuestro* hijo y *vuestras* nietas 君たちの息子と孫娘たち.
2 《名詞の後につけて》君たちの, お前たちの. un primo *vuestro* 君たちのいとこのひとり.
3 《主格補語として》君たちのもの, お前たちのもの. Estas revistas son *vuestras*. これらの雑誌は君たちのものだ. *Vuestra* Majestad 陛下.
—— 代名 [bwéstro, tra ブエストゥロ, トゥラ] 《所有》《定冠詞を伴って》**君たちのもの**, お前たちのもの. Éstas son mis maletas. Las *vuestras* están allí. これらは僕のスーツケースだ. 君たちのはあっちだ.
los vuestros 君たちの家族[仲間, 味方, 部下].

vul·gar [bulɣár ブるガル] 形 [英 vulgar] **平凡な**, 月並みな, 通俗の; 俗悪な. nombre *vulgar* 俗称. opinión *vulgar* 陳腐な意見. gustos *vulgares* 悪趣味.
—— 名男女 俗人, 凡人.

vul·ga·ri·dad [bulɣariðáð ブるガリダ(ドゥ)] 名女 通俗, 陳腐; 粗野. decir *vulgaridades* 下品なことを言う.

vul·ga·ris·mo [bulɣarísmo ブるガリスモ] 名男 俗語, 卑俗な言葉[表現]; 〘文法〙破格の表現.

vul·ga·ri·za·ción [bulɣariθaθjón ブるガリさしオン] 名女 俗化; 大衆化.

vul·ga·ri·zar [bulɣariθár ブるガリさル] [39 z ➡ c] 動他 通俗[一般]化させる, 普及させる.
—— **vul·ga·ri·zar·se** 通俗 [一般] 化する, 普及する.

vul·gar·men·te [bulɣárménte ブるガルメンテ] 副 俗に, 一般的に.

vul·go [búlɣo ブるゴ] 名男 《集合》大衆, 庶民.

vul·ne·ra·bi·li·dad [bulneraβiliðáð ブるネラビリダ(ドゥ)] 名女 傷つきやすさ.

vul·ne·ra·ble [bulneráβle ブるネラブれ] 形 傷つきやすい, 弱い.

vul·ne·ra·ción [bulneraθjón ブるネラしオン] 名女 負傷; 違反.

vul·ne·rar [bulnerár ブるネラル] 動他 傷つける; 違反する.

vul·va [búlβa ブるバ] 名女 〘解剖〙外陰部, 陰門.

V

W w *W w*

W, w [úβeðóβle ウベドブれ] 名女 スペイン語字母の第24字. ► 外来語に用いられ，しばしばVで書き換えられる.

wa·ter [báter バテル | wá - ワ -] 名男 《口語》トイレ. [← 英語]

wa·ter-po·lo [baterpólo バテルポろ | wa - ワ -] 名男 〘スポ〙水球，ウォーターポロ. [← 英語]

watt [bát バ(トゥ) | wát ワ(トゥ)] 名男 〘電気〙ワット (= vatio). [← 英語]

wes·tern [wéstern ウエステルン] 名男 〘映画〙西部劇. → oeste. [← 英語]

whis·ky [(g)wíski ウイスキ, グイスキ] 名男 ウイスキー. *whisky* escocés スコッチウイスキー. Bourbon *whisky* バーボンウイスキー. [← 英語]

wol·fram [wólfram ウオるフラン | ból - ボる -] / **wol·fra·mio** [wolfrámjo ウオるフラミオ | bol - ボる -] 名男 〘化〙タングステン (= tungsteno). [← ドイツ語]

X x *X x*

X, x [ékis エキス] 名女 **1** スペイン語字母の第25字.

2 〘数〙未知数，変数; [X] 未知のもの. el señor *X* 某氏.

3 [X] (ローマ数字の) 10.

rayos X 〘物理〙X線.

xe·no·fo·bia [senofóβja セノフォビア] 名女 外国(人)嫌い.

xe·nó·fo·bo, ba [senófoβo, βa セノフォボ, バ] 形 外国(人)嫌いの.

── 名男女 外国(人)嫌いの人.

xe·ro·co·pia [serokópja セロコピア] 名女 〘商標〙ゼロックスコピー (= fotocopia).

xe·ro·co·piar [serokopjár セロコピアル] 動他 複写をする; ゼロックスコピーを取る.

xe·ro·gra·fí·a [seroɣrafía セログラフィア] 名女 乾式複写.

xi·lo·fón [silofón シろフォン] / **xi·ló·fo·no** [silófono シろフォノ] 名男 〘音楽〙木琴，シロフォン.

xi·lo·gra·fí·a [siloɣrafía シろグラフィア] 名女 木版(術); 木版印刷.

Y y 𝒴 𝓎

Y, y [íɣrjéɣa イグリエガ] 名女 スペイン語字母の第26字.

y [i イ] 接続〔英 and〕
[i-, hi- で始まる語の前で e となる(► 文頭と hie- で始まる語の前では y のまま. ⇒ ¿*Y* hiciste eso?, nieve *y* hielo)]〔英 and〕
1 …と…, …および…, …したり…したり. Las noticias son a las siete *y* a las nueve. ニュースは7時と9時です. Tres *y* cinco son ocho. 3足す5は8. una chica joven *y* guapa 若くてきれいな女の子. Comían *y* bebían a gusto. 彼らは存分に食べたり飲んだりした. ► 時刻の y ➡ hora 図.
2 《時間的前後関係を表して》そして, それから; 《結果》それで, 従って; 《逆接を表して》しかし; 《付加を表して》しかも, それどころか. Cogió un lápiz *y* empezó a escribir. 彼は鉛筆を取って書き始めた. He trabajado todo el día *y* estoy cansado. 1日中働いて私は疲れた. Pasó la hora *y* no apareció nadie. 約束の時刻は過ぎたが誰も現れなかった. Eso me desilusionó, *y* no digamos a mis padres. そのことで私はがっかりした, 私の両親はいうまでもないことだ.
3 《命令文の後で》そうすれば. Piénsalo bien *y* verás que estás equivocado. よく考えてみなさい, そうすれば自分が間違っていることが分かるだろう.
4 《文頭で》(1) 《話題を転換して》¿*Y* qué tal tu madre? で, 君のお母さんは元気?
(2) 《疑問文・感嘆文で非難・驚き・怒りを表して》¿*Y* te atreves a preguntarlo? 君はそんなことを聞くつもりか. ¡*Y* a mí qué me importa! それがどうだっていうんだ!
5 《同じ語を結び多数・反復を表して》cartas *y* cartas 手紙が何通も何通も. días *y* días 来る日も来る日も.

【参考】 1 3つ以上の要素を並べるときは A,B y C のように, ふつう最後の要素の前に y を置く.
2 y で結ばれた2つ以上の名詞の性が異なるとき, 修飾する形容詞は男性複数形にするのが原則. ただし最も近い名詞に性・数を一致させる場合もある.
la corbata y el sombrero *nuevos* 新しいネクタイと帽子.
con *mucha* delicadeza y tiento 細心の注意を払って見事に.
3 y で結ばれた2つ以上の主語と動詞の人称と数の一致は次のようになる.
(1) 人称の異なる主語の並列: 1人称の主語があれば動詞は1人称複数形, 2人称と3人称の主語ならば動詞は2人称複数形となる.
Tú y yo *fuimos* de viaje 旅行に行ったのは君と僕だった(► 1人称の主語は後ろに置く).
Tú y él *habéis aprobado*. 試験にパスしたのは君と彼だ.
(2) 2つ以上の主語があっても, 一体をなすと考えられれば, 動詞は単数形になる. この場合, 後ろの冠詞は省略される.
La compra y venta de estos artículos *está* prohibida. これらの商品の売買は禁止されている.
不定詞や que で導かれる節の場合も, 動詞は単数形になる.
Le *gusta* cantar y bailar. 彼は歌ったり踊ったりするのが好きだ.
4 否定の並列には ni を用いる. ➡ ni.

ya [ʝá ヤ] 副〔英 already〕
1 すでに, もう; もはや (↔todavía). ¿*Ya* has visitado Granada? 君はもうグラナダへ行きましたか. Cinco minutos después volví a llamarte, pero *ya* no estabas en casa. 5分後もう一度電話をしたら, 君はもう家を出た後だった. María *ya* no quiere salir contigo. マリアはもうあんたと付き合わないって. *Ya* no vendrá. もはや彼は来ないだろう.
2 いずれ, そのうち. *Ya* nos veremos. いずれお目にかかりましょう.
3 すぐに, ただちに. *Ya* se lo traigo. すぐお持ちいたします. ¡Paquita, el teléfono!—¡Sí, *ya* voy! パキータ, 電話だ! —今行くわ!
4 今やっと, ようやく. *Ya* entiendo lo que quieres decir. やっと君の意図していることが分かった.
5 《口語》はい; なるほど, 分かった. No hace falta venir mañana. — *Ya*. 明日は来なくていいです. —うん, 分かった.
no ya ... sino ... …ばかりか…もまた.
ya estar 《+現在分詞》(嫌がる相手に) すぐ…しなさい. *Ya estás* yendo de compras. さあ, 買物に行ってきなさい.
ya que ... …だから.
ya ... ya ... …であろうと…であろうと.
ya que estamos どうせそうなら.

ya·cen·te [ʝaθénte ヤセンテ] 形 横たわった. Cristo *yacente* 〘美術〙(十字架から降

Y

ろされた)キリストの横臥(おうが)像.

ya·cer [ǰaθér ヤセル] 40動自
1 横たわる, 寝ている.
2 埋葬されている, 葬ってある. Aquí *yace* …(墓碑銘で)ここに…眠る.

ya·ci·mien·to [ǰaθimjénto ヤシミエント] 名男〘地質〙鉱床, 鉱脈. *yacimiento* petrolífero 油田.

yan·qui [ǰáŋki ヤンキ] 形 [複 yanquis]《口語》《軽蔑》米国の, ヤンキー(流)の.
── 名男女《口語》アメリカ(合衆国)人.

yar·da [ǰárða ヤルダ] 名女 ヤード: 長さの単位.

ya·te [ǰáte ヤテ] 名男 ヨット, クルーザー.

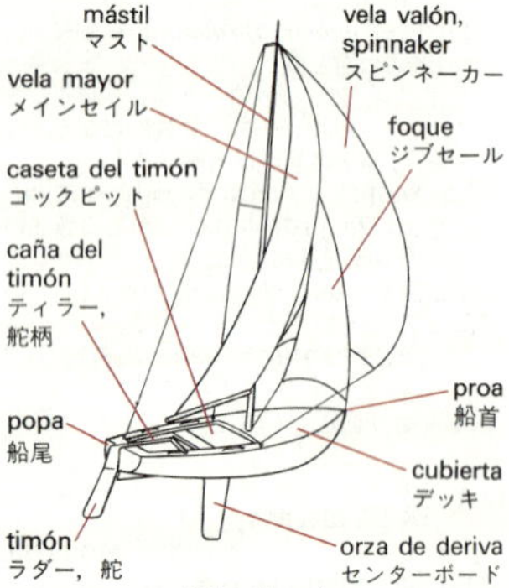

yate ヨット

ya·yo, ya [ǰáǰo, ǰa ヤヨ, ヤ] 名男女 祖父; 祖母.

ye [ǰé イエ] 名女 アルファベットの y の文字[音]. ► ふつうは i griega という.

ye·dra [ǰéðra イエドゥラ] 名女〘植物〙アイビー, ツタ(= hiedra).

ye·gua [ǰéɣwa イエグア] 名女 雌馬. ► 総称としての馬は caballo.

ye·gua·da [ǰeɣwáða イエグアダ] 名女 馬の群れ.

ye·ís·mo [ǰeísmo イエイスモ] 名男 ll [ʎ] を y [ǰ] のように発音すること.

yel·mo [ǰélmo イエるモ] 名男 面頬(めんぽお)付きかぶと.

ye·ma [ǰéma イエマ] 名女
1 (卵の)黄身, 卵黄.
2 指のはら, 指先(= *yema* del dedo).
3〘料理〙ジェマ: 卵黄と砂糖で作った菓子.
4 芽, 新芽(= brote).

ye·me·ní [ǰemení イエメニ] / **ye·me·ni·ta** [-níta -ニタ] 形 イエメン Yemen の.
── 名男女 イエメン人.

Y

yen [ǰén イエン] 名男 [複 yenes] 円: 日本の通貨単位(¥).

yer·ba [ǰérβa イエルバ] 名女 **1** 草; 雑草, 牧草, ハーブ(= hierba).
2《俗語》マリファナ.

yer·ba·jo [ǰerβáxo イエルバホ] 名男 [yerba の軽] 雑草.

yer·mo, ma [ǰérmo, ma イエルモ, マ] 形 無人の, 人の住んでいない; 荒れた, 不毛の.
── 名男 荒れ地; 未開墾の土地.

yer·no [ǰérno イエルノ] 名男 娘婿, 義理の息子(= hijo político) ➡ familia【参考】.

ye·ro [ǰéro イエロ] 名男〘植物〙カラスノエンドウ.

ye·rro [ǰéro イエロ] 名男 誤り, 間違い(=error).

yer·to, ta [ǰérto, ta イエルト, タ] 形 硬直した, こわばった. quedarse *yerto* 体がこわばる. *yerto* de frío 寒さに凍えた.

yes·ca [ǰéska イエスカ] 名女 **1** 火口(ほくち); [～s]火口箱. **2** 感情をかき立てるもの, 刺激.

ye·se·rí·a [ǰesería イエセリア] 名女《集合》石膏細工(品); 石膏(せっこう)工場.

ye·so [ǰéso イエソ] 名男 石膏(せっこう); しっくい; ギプス.

ye·yu·no [ǰeǰúno イエユノ] 名男〘解剖〙空腸.

yo [ǰó ヨ] 代名《人称》
[1人称単数形, 男・女同形; 複数形 nosotros, nosotras]〔英 I〕

主語人称代名詞	
1人称単数 yo　私は	1人称複数 nosotros, tras 我々は
2人称単数 tú　君は	2人称複数 vosotros, tras 君たちは
3人称単数 usted あなたは él　彼は ella　彼女は ello(中性)そのことは	3人称複数 ustedes あなたがたは ellos　彼らは ellas　彼女たちは

《主語》**私は[が]**, 僕は[が]. Tengo hambre. —*Yo* también. お腹すいた. —僕もだ. ¿Qué he sido *yo* para ti? 私は君にとってなんだったんだろうか. Pedro no es tan pesimista como yo. ペドロは私ほど消極的でない.
yo que tú [***usted***] 私が君[あなた]の立場だったら.

【文　法】 1 主語代名詞は, 主語を強調する場合や, あいまいさをさける場合を除いて, ふつうは省略される. しかし usted,ustedes は丁寧語なので省略されることは少ない.
Tú no quieres ir, pero *yo* sí (quie-

ro ir). 君は行きたくないのだろうが, 僕は行きたいんだ.

2 yo, tú, usted, ustedes は男性の場合も女性の場合も同じ形を用いる.

Yo (男) soy profesor.

Yo (女) soy profesora.

3 ustedes を除いて, 複数形には男性, 女性の区別がある.「男性＋男性」または「男性＋女性」の場合は男性複数形,「女性＋女性」の場合は女性複数形になる.

¿No vienen Juan y María?— No, (*ellos*) se han ido de vacaciones. フアンとマリアは来ないの？—うん, 彼らは休暇中でいないんだ.

4「他の人＋yo」は nosotros, nosotras のことなので, 動詞は 1 人称複数で活用する.「tú＋ (yo と nosotros, nosotras を除く) 他の人」は vosotros, vosotras のことで, 動詞は 2 人称複数で活用する.

María y *yo* nos conocimos en México. マリアと私はメキシコで知り合った.

¿Me ayudáis *tú* y Juan? 君とフアンは僕を手伝ってくれる？

5 3人称の él, ella, ellos, ellas が物を指す主語として用いられることはまれである (► 前置詞の後で使われることはある).

6 ello は中性形で, 具体的な物でなく前述の事柄などを受けて用いられる.

No es simpático, pero *ello* no tiene nada que ver con su capacidad de trabajo. 彼は感じはよくないが, そのことと, 彼が仕事のできる人であることとは全く関係がない.

yo·do [jóðo ヨド] 名男〘化〙ヨウ素, ヨード.

yo·ga [ǰóɣa ヨガ] 名男〘宗教〙ヨガ, ヨガの行.

yo·gui [ǰóɣi ヨギ] 名男女 ヨガの修錬者, ヨガの行者.

yo·gur [ǰoɣúr ヨグル] 名男 ヨーグルト.

yu·ca [ǰúka ユカ] 名女〘植物〙ユッカ: イトラン類.

Yu·ca·tán [ǰukatán ユカタン] 固名 ユカタン. Península de *Yucatán* ユカタン半島 (メキシコ東部の maya 文化の栄えた半島).

yu·go [ǰúɣo ユゴ] 名男 **1** (牛馬の) くびき; (鐘をつるす) 横木. **2** 束縛.

Yu·gos·la·via [ǰuɣoslá βja ユゴスラビア] 固名 ユーゴスラビア (連邦共和国): 首都 Belgrado.

yu·gos·la·vo, va [ǰuɣosláβo, βa ユゴスラボ, バ] 形 ユーゴスラビアの.

— 名男女 ユーゴスラビア人.

yu·gu·lar [ǰuɣulár ユグラル] 形〘解剖〙頸(けい)(部) の. vena *yugular* 頸静脈.

— 名女〘解剖〙頸部.

yun·que [ǰúŋke ユンケ] 名男 金敷, 金床.

yun·ta [ǰúnta ユンタ] 名女〘農業〙2 頭立ての牛馬; (2 頭立ての牛馬による) 1 日に耕せる面積.

yu·te [ǰúte ユテ] 名男 ジュート, 黄麻; 黄麻布.

yux·ta·po·ner [ǰustaponér ユスタポネル] 45 動他 [過分 yuxtapuesto] 並置する, 並列する.

yux·ta·po·si·ción [ǰustaposiθjón ユスタポシしオン] 名女 並置, 並列.

Y

Z z 𝒵 𝓏

Z, z [θéta セタ] 名女 スペイン語字母の第27字.
za·far [θafár さファル] 動他 ほどく. *zafar* un nudo 結び目を解く.
── **za·far·*se*** 《+**de**》…から免れる, 逃れる. *Se zafó de* una situación delicada. 彼は難しい状況を脱した.
za·fio, fia [θáfjo, fja さフィオ, フィア] 形 粗野な, 不作法な.
za·fi·ro [θafíro さフィロ] 名男 サファイア, 青玉.
za·ga [θáɣa さガ] 名女 **1** 後部, しんがり.
2 後部(荷台)の積み荷.
3 〘スポ〙後衛; (サッカー)ディフェンス.
a la zaga 後ろに, しんがりに.
dejar en zaga 引き離す; 追い抜く.
no ir a 《+uno》 ***a la*** [***en***] ***zaga*** 〈人〉に後れを取らない. *No* le *va a la zaga a* nadie. 彼は誰にも引けを取らない.
za·gal, ga·la [θaɣál, ɣála さガる, ガら] 名男女 **1** 若者, 青年; 娘. **2** 羊飼いの若者.
za·guán [θaɣwán さグアン] 名男 〘建築〙玄関, ホール.
za·gue·ro, ra [θaɣéro, ra さゲロ, ラ] 形 後ろの, しんがりの. equipo *zaguero* 最下位のチーム. ── 名男 〘スポ〙後衛, バック.
za·he·rir [θaerír さエリル] [52 e ➡ ie, i] 動他 [現分 zahiriendo] 非難する; 嘲笑(ちょう)する, 皮肉る.
za·ho·rí [θaorí さオリ] 名男女 [複 zahoríes] 先見の明のある人; (占い棒・振り子を使う)水脈占い師.
zai·no, na [θáino, na さイノ, ナ] **/ za·í·no, na** [θaíno, na さイノ, ナ] 形 腹黒い, 信用のおけない; (馬が) 濃い栗(くり)色の.
za·la·me·rí·a [θalamería さらメリア] 名女 お世辞, 甘言, おだて.
za·la·me·ro, ra [θalaméro, ra さらメロ, ラ] 形 へつらう, お世辞のうまい.
za·le·ma [θaléma されマ] 名女 《口語》
1 ➡ zalamería.
2 [〜s] うやうやしいおじぎ, 敬礼.
za·ma·rra [θamár̄a さマラ] 名女 〘服飾〙毛皮のジャケット[チョッキ]; 羊の毛皮.
za·ma·rro [θamár̄o さマロ] 名男
1 ➡zamarra. **2** 《口語》粗野な人, 田舎者. **3** 《口語》抜けめのないやつ.
zam·bo, ba [θámbo, ba さンボ, バ] 形
1 X脚の. ►patizambo とも言う.
2 《ラ米》黒人とインディオとの混血の.
── 名男女 **1** X脚の人[動物].
2 《ラ米》黒人とインディオの混血児.
── 名男 〘動物〙クモザル.
── 名女 〘音楽〙サンバ (= samba).
zam·bom·ba [θambómba さンボンバ] 名女 〘音楽〙サンボンバ: 片面に皮を張り, 中心に刺した棒を上下させて音を出す筒形の楽器. ◆クリスマスに子供が鳴らして遊ぶ.
zam·bom·ba·zo [θambombáθo さンボンバそ] 名男 《口語》 **1** 殴打, パンチ.
2 バーン[ドカン]という音.
zam·bra [θámbra さンブラ] 名女 〘音楽〙サンブラ (スペイン Andalucía 地方のジプシーの歌と踊り); ジプシーの歌と踊りの祭り.
zam·bu·lli·da [θambuʎíða さンブリィダ] 名女 飛び込み, 潜水. darse una *zambullida* (水に) 飛び込む.
zam·bu·llir [θambuʎír さンブリィル] 36 動他 [現分 zambullendo]
(水に) 投げ込む, 潜らせる, 浸す.
── **zam·bu·llir·*se*** (水に) 飛び込む, 潜る.
Za·mo·ra [θamóra さモラ] 固名 サモーラ: スペイン北西部の県; 県都.
za·mo·ra·no, na [θamoráno, na さモラノ, ナ] 形 サモラの.
── 名男女 サモラの住民.
zam·par [θampár さンパル] 動他 **1** がつがつ食べる. **2** さっと隠す; 投げつける; (足などを) うっかり突っ込む.
── **zam·par·*se*** **1** がつがつと食う.
2 《+**en**》…に許可[招待]なしに入る.
zam·pón, po·na [θampón, póna さンポン, ポナ] 形 大食らいの, 大食の.
── 名男女 大食らい, 大食漢.
zam·po·ña [θampóɲa さンポニャ] 名女 〘音楽〙サンポーニャ: 連管笛.
za·na·ho·ria [θanaórja さナオリア] 名女 [複 〜s] 〔英 carrot〕〘植物〙**ニンジン** (人参). ➡ hortaliza 図.
zan·ca [θáŋka さンカ] 名女 **1** 《口語》長くやせた足[脚]. **2** (鳥の) 長い脚.
zan·ca·da [θaŋkáða さンカダ] 名女 大股(おおまた)の1歩. dar grandes [irse a] *zancadas* 大股で歩く.
en dos zancadas 《口語》あっと言う間に.
zan·ca·di·lla [θaŋkaðíʎa さンカディリャ] 名女 足払い.
echar [***poner***] ***la zancadilla a*** 《+uno》〈人〉の足をすくってひっくり返す; 〈人〉をぺてんにかける.
zan·ca·di·lle·ar [θaŋkaðiʎeár さンカディリェアル] 動他 …に足払いを掛ける; ぺてんにかける.
zan·co [θáŋko さンコ] 名男 竹馬.

estar en zancos 良い立場にいる.
zan·cu·do, da [θaŋkúðo, ða サンクド, ダ] 形 《口語》脚の長い.
zan·ga·ne·ar [θaŋganeár サンガネアル] 動 自 《口語》怠ける, のらくら遊び暮らす.
zán·ga·no [θáŋgano サンガノ] 名 男
1 《口語》怠け者; 間抜け, ぐず.
2 ミツバチ(蜜蜂)の雄.
zan·ja [θáŋxa サンハ] 名 女 溝. *zanja* de desagüe 排水溝.
zan·jar [θaŋxár サンハル] 動 他 **1** …に溝を掘る. **2** …に決着をつける.
za·pa [θápa サパ] 名 女 〔軍事〕塹壕(ざんごう), 坑道.
labor [***trabajo***] ***de zapa*** 地下工作.
za·pa·dor [θapaðór サパドル] 名 男 〔軍事〕(塹壕(ざんごう)・坑道を掘る)工兵.
za·pa·ta [θapáta サパタ] 名 女 **1** (家具の脚などの下に当てがう)かいもの, パッド.
2 〔機械〕ブレーキシュー (=*zapata* de freno).
za·pa·ta·zo [θapatáθo サパタそ] 名 男 靴で殴ること.
dar zapatazos 足を踏み鳴らす; 靴で殴る.
tratar a 《+uno》 ***a zapatazos*** 〈人〉を手荒く扱う.
za·pa·te·a·do [θapateáðo サパテアド] 名 男 〔音楽〕サパテアード: フラメンコの足の踏み鳴らし, またはその踊り.
za·pa·te·ar [θapateár サパテアル] 動 他 自 (床を)踏み鳴らす.
za·pa·te·o [θapatéo サパテオ] 名 男 足を踏み鳴らすこと.
zapatera 名 女 ➡ zapatero[1].
za·pa·te·rí·a [θapatería サパテリア] 名 女 靴屋, 靴店; 製靴工場; 製靴業.
za·pa·te·ro[1], ra [θapatéro, ra サパテロ, ラ] 名 男 女 [複 ~s] 〔英 shoemaker〕 **靴屋**, 靴の製造[修理, 販売]人. *zapatero* remendón [de viejo] 靴の修理屋.
—— 形 〔料理〕生煮えの, 固い.
za·pa·te·ro[2] [θapatéro サパテロ] 名 男 下駄箱.
za·pa·ti·lla [θapatíʎa サパティリャ] 名 女 〔英 slipper〕 [普通 ~s] **1** スリッパ, 室内履き. **2** スニーカー, 運動靴; バレエシューズ. ➡ calzado 図.
za·pa·to [θapáto サパト] 名 男 [複 ~s] 〔英 shoe〕
靴, 短靴. un par de *zapatos* 靴1足. *zapatos* de hombre [mujer] 紳士[婦人]靴. *zapatos* de tacón alto ハイヒール. ponerse [quitarse] los *zapatos* 靴をはく[脱ぐ].
no llegar a 《+uno》 ***a la suela del zapato*** 〈人〉の足元にも及ばない.
saber dónde le aprieta a 《+uno》 ***el zapato*** 自分の置かれている立場を分かっている.
za·pe [θápe サペ] 名 男 《俗語》(男性の)同性愛者, ゲイ.
—— 間投 **1** (猫を追う声)シッ. **2** 《驚き・不審を表して》うわあ, なんてことだ.
zar [θár サル] 名 男 〔歴史〕ツァー: ロシア皇帝やブルガリア君主の称号.
za·ra·ban·da [θaraβánda サラバンダ] 名 女 **1** 〔音楽〕サラバンダ: 16－17世紀にスペインで流行した踊り[舞曲].
2 《口語》騒動, 大騒ぎ.
Za·ra·go·za [θaraɣóθa サラゴさ] 固名 サラゴサ: スペイン北東部の県; 県都.
za·ra·go·za·no, na [θaraɣoθáno, na サラゴさノ, ナ] 形 サラゴサの.
—— 名 男 女 サラゴサの住民.
za·ran·da [θaránda サランダ] 名 女 篩(ふるい); 漉(こ)し器.
za·ran·da·jas [θarandáxas サランダハス] 名 女 [複] 《口語》つまらない[ささいな]こと.
za·ran·de·ar [θarandeár サランデアル] 動 他 **1** 揺さぶる, 小突き回す, もみくちゃにする; 右往左往させる.
2 篩(ふるい)にかける; 漉(こ)す.
za·ran·de·o [θarandéo サランデオ] 名 男 **1** 揺さぶる[小突き回す]こと; 忙しく動き回ること. **2** ふるい分け; 漉(こ)すこと.
zar·ci·llo [θarθíʎo サルしリョ] 名 男
1 [普通 ~s] (輪の)イアリング.
2 〔植物〕巻きひげ.
za·ri·na [θarína サリナ] 名 女 〔歴史〕帝政ロシアの皇后[女帝]. ➡ zar.
za·ris·mo [θarísmo サリスモ] 名 男 (帝政ロシアの)専制政治, ツァーリズム.
zar·pa [θárpa サルパ] 名 女 **1** (動物の)前脚 (= garra). **2** 〔海事〕出航.
zar·par [θarpár サルパル] 動 自 〔海事〕錨(いかり)を揚げる; 出航[出帆]する. *zarpar* del puerto 出港する.
zar·pa·zo [θarpáθo サルパそ] 名 男 (動物の)前脚での一撃.
zar·za [θárθa サルさ] 名 女 〔植物〕キイチゴ(木苺)の木; イバラ(茨).
zar·zal [θarθál サルさル] 名 男 キイチゴ[イバラ]の茂み.
zar·za·mo·ra [θarθamóra サルさモラ] 名 女 〔植物〕キイチゴ(木苺)の実.
zar·zue·la [θarθwéla サルすエラ] 名 女
1 〔音楽〕サルスエラ: スペイン独特のオペレッタ. **2** 〔料理〕サルスエラ (=*zarzuela* de pescado): 魚介類をトマトと香辛料で煮込んだカタルーニャ地方の料理.
¡zas! [θás さス] 《擬》パシャッ, ピシャッ, パッ, プツン.
ze·da [θéða せダ] 名 女 ➡ zeta.
ze·pe·lín [θepelín せペリン] 名 男 〔航空〕ツェッペリン飛行船.
ze·ta [θéta せタ] 名 女 アルファベットZの文字[音].
Zeus [θéus せウス] 固名 〔ギリシア神話〕ゼウス: 神々の最高神. ローマ神話の Júpiter.
zig·zag [θiɣθáɣ しグさグ] 名 男 [複 zigzags, zigzagues] ジグザグ. ir en *zig-*

Z

zag ジグザグに歩く[走る].

zig·za·gue·ar [θiɣθaɣeár レグさゲアル] 動 自 ジグザグに進む.

zinc [θíŋk レン(ク)] 名 男 [複 zines]〔英 zinc〕《化》亜鉛. → cinc.

zi·pi·za·pe [θipiθápe レピさペ] 名 男《口語》けんか; 口論.

zó·ca·lo [θókalo そカろ] 名 男 **1**《建築》(1) 台座, 礎石. (2)幅木. **2**《ラ米》(特にメキシコ・シティーの) 中央広場.

zo·co [θóko そコ] 名 男 (モロッコの) 市場.

zo·dia·cal [θoðjakál そディアカる] 形《天文》《占星》黄道帯の, 獣帯の.

zo·dia·co [θoðjáko そディアコ] / **zo·dí·a·co** [θoðíako そディアコ] 名 男《天文》《占星》黄道帯, 獣帯. los signos del *zodiaco* 黄道十二宮. →horóscopo.

zo·na [θóna そナ] 名 女 [複 ～s]〔英 zone〕 **1 地帯**, 地区. *zona* montañosa 山岳地帯. *zona* fronteriza 国境地帯. *zona* industrial 工業地帯. *zona* de libre cambio [comercio] 自由貿易地域. *zona* franca 免税地区. ►zona は área に比べて境界が限定された地域を指す.
2《地理》帯. *zona* glacial 寒帯. *zona* subtropical [subglacial] 亜熱[亜寒]帯. *zona* templada 温帯. *zona* tórrida 熱帯.

zo·o [θóo そオ] 名 男 [zoológico の省略形] 動物園.

zo·o·lo·gí·a [θooloxía そオろヒア] 名 女 動物学.

zo·o·ló·gi·co, ca [θoolóxiko, ka そオろヒコ, カ] 名 男 動物園 (=parque *zoológico*). → zoo.
── 形 動物学(上)の.

zo·ó·lo·go, ga [θoóloɣo, ɣa そオろゴ, ガ] 名 男 女 動物学者.

zo·o·tec·nia [θootéknja そオテクニア] 名 女 畜産学.

zo·o·téc·ni·co, ca [θootékniko, ka そオテクニコ, カ] 形 畜産学の.

zo·pen·co, ca [θopéŋko, ka そペンコ, カ] 名 男 女《口語》薄のろ, 間抜け.
── 形《口語》薄のろな, 間抜けな.

zo·que·te [θokéte そケテ] 名 男 木片; 木れんが.
── 名 男 女《口語》間抜け.
── 形《口語》間抜けな.

zo·rre·rí·a [θor̄ería そレリア] 名 女《口語》ずる賢さ; 卑劣なやり口.

zo·rro, rra [θór̄o, r̄a そロ, ラ] 名 男 **1**《動物》雄ギツネ.
2 キツネの毛皮. **3**《口語》ずる賢い男, 抜けめのない人. **4** [～s] はたき.
── 名 女 **1** 雌ギツネ. **2** 売春婦. **3** 酔い.
── 形 ずる賢い, 抜けめのない.
estar hecho unos zorros《口語》疲れきっている.

zo·te [θóte そテ] 形 物覚えの悪い, 鈍い.
── 名 男 女 薄のろ, のろま.

zo·zo·bra [θoθóβra そそブラ] 名 女 **1** 不安, 心配. **2**《海事》難破; 時化(しけ).

zo·zo·brar [θoθoβrár そそブラル] 動 自
1《海事》難破する, 沈没する. **2** 挫折(ざっ)する, 失敗する. **3** 心配する, 不安がる.

zue·co [θwéko すエコ] 名 男 木靴, サボ. → calzado 図.

zum·ba [θúmba すンバ] 名 女 **1** 冷やかし, からかい, 冗談. **2** 殴打.

zum·bar [θumbár すンバル] 動 自 **1** うなりをあげる, ぶんぶんいう. **2** 耳鳴りがする.
── 動 他《口語》**1** (打撃などを) 加える. *zumbar* a《+uno》una bofetada〈人〉に平手打ちを食らわす.
2 からかう, あざわらう.
── **zum·bar·*se***《口語》**1** 殴り合う.
2《+**de**》…を笑う, からかう.
ir zumbando《口語》全速力で通り過ぎる, すっ飛んで行く.

zum·bi·do [θumbíðo すンビド] 名 男 うなり, ぶんぶんいう音. *zumbido* de oídos 耳鳴り.

zum·bón, bo·na [θumbón, bóna すンボン, ボナ] 形《口語》ふざけた; からかうのが好きな. ── 名 男 女《口語》冗談好きな人.

zu·mo [θúmo すモ] 名 男 [複 ～s]〔英 juice〕
1 ジュース, 果汁; うまい汁. *zumo* de tomate トマトジュース. *zumo* de naranja [de limón] オレンジ[レモン]ジュース. Dos *zumos* de naranja, por favor. オレンジジュースを2つお願いします.
2 うまい汁. sacar el *zumo* a《+uno》〈人〉から搾り取る.

zur·ci·do [θurθíðo すルしド] 名 男 繕い, かがり目.

zur·cir [θurθír するしル] [61 c → z] 動 他 繕う, かがる. *zurcir* calcetines 靴下を繕う.
¡Que te zurzan!《口語》うるさい, いい加減にしろ!

zur·do, da [θúrðo, ða すルド, ダ] 形 **1** 左利きの. **2** 左の (= izquierdo). mano *zurda* 左手.
── 名 男 女 左利きの人, サウスポー.
── 名 女 左手.
a zurdas 左手[左足]で.
no ser zurdo《口語》分別がある, 抜けめがない.

zu·rra [θúr̄a すラ] 名 女 **1** 皮なめし.
2《口語》殴ること; 乱闘.

zu·rrar [θur̄ár すラル] 動 他 **1** (皮を) なめす. **2**《口語》殴る.

zu·rria·ga·zo [θur̄jaɣáθo すリアガそ] 名 男 鞭(むち)で打つこと.

zu·rria·go [θur̄jáɣo すリアゴ] 名 男 鞭(むち).

zu·rrón [θur̄ón すロン] 名 男 (食料・獲物などを入れる) 革袋.

zu·ta·no, na [θutáno, na すタノ, ナ] 名 男 女《口語》なにがし. ► 単独では用いられない. →fulano, mengano.

付　録

ミニ和西

ミ ニ 和 西

1．このミニ和西は，簡単なスペイン語の会話・作文に役立つように編集した．
2．見出し語約4500語，追い込み見出し語約780語を収録した．
3．基本的な用語350語は赤字にし，語の重要度を示した．
4．名詞，形容詞の性変化語尾，言いかえ可能な語を［　］で示した．
5．必要な語には適宜用例を示した．
6．本文と関連する箇所に参照マーク（⇨）を付した．
7．イタリック体の*se*のついた動詞は全人称に活用することを示す．

あ

アーモンド〘植物〙(実) almendra ㊛
あい【愛】amor ㊚，cariño ㊚
愛する querer, amar, **愛国主義** patriotismo ㊚，**親愛なる**《手紙》querido [da]
あいかわらず【相変わらず】como siempre, como de costumbre, sin novedad
あいさつ【挨拶】saludo ㊚，**挨拶する** saludar (*se*)
あいず【合図】seña ㊛, señal ㊛，**合図する** hacer señas
アイスクリーム helado ㊚
あいそう【愛想】**愛想がよい** simpático [ca], sociable, **愛想が悪い** antipático [ca], poco sociable
あいだ【間】**1** (…の期間中) en, por, durante, mientras：夏休みの間，旅行するつもりだ Pienso viajar en las vacaciones de verano.
2 (二者またはそれ以上の間) entre：彼は若者の間では著名人だ Es muy conocido entre los jóvenes.
3 (合間) intervalo ㊚：授業の合間に en el intervalo de clases / entre clase y clase.
4 (間柄) relación ㊛，lazo ㊚
あいて【相手】(話の) interlocutor [tora], (遊びの) compañero [ra], (競技の) competidor [dora], adversario [ria], rival ㊚㊛
アイデンティティー identidad ㊛
アイロン plancha ㊛
あう[1]【会う】(面会・訪問する) ver, **出会う** (出くわす，遭遇する) encontrar(*se*)：しばらく彼に会っていない Hace tiempo que no le veo. 今通りで彼に会ったばかりだ Acabo de encontrarle en la calle.
あう[2]【合う】(似合う) venir bien, caer bien, (答えが合う) acertar, (意見が一致する) poner*se* de acuerdo, (寸法が合う) ajustar, estar bien
あお【青】**青い** azul, (緑の) verde, (顔色が) pálido [da]：信号は青だ El semáforo está en verde. それを聞くと真っ青になった Se puso pálido al oírlo.
あか[1]【赤】**赤い** rojo [ja], **赤くなる** poner*se* rojo [ja], poner*se* colorado [da]
あか[2]【垢】suciedad ㊛，mugre ㊛
あかじ【赤字】déficit ㊚
あかり【明かり】luz ㊛：明かりをつける[消す] encender [apagar] la luz
あがる【上がる】subir：エレベーターで最上階まで上がってください Suba al piso más alto en el ascensor. 物価が上がった Han subido los precios. 面接であがってしまった Me puse nervioso en la entrevista.
あかるい【明るい】claro [ra], (性格・雰囲気などが) alegre, (…にくわしい，精通している) entendido en, enterado de, versado de [en]
あかんぼう【赤ん坊】bebé ㊚
あき【秋】otoño ㊚，**秋の** otoñal
あきらか【明らか】**明らかな** evidente, claro [ra]：君が悪いのは明らかだ Es evidente que tú tienes la culpa.
あきらめる【諦める】renunciar a, dejar
あきる【飽きる】aburrir*se*, cansar*se*
あく[1]【開く】abrir(se)：その店は7時に開く Esa tienda se abre a las siete.
あく[2]【空く】(ふさがっていない) estar desocupado [da], (暇である) estar libre
あくしゅ【握手】apretón de manos, **…と握手する** estrechar la mano a
アクセサリー accesorios ㊚
アクセル acelerador ㊚
アクセント acento ㊚
あくび【欠伸】bostezo ㊚，**あくびをする** bostezar
あくま【悪魔】diablo ㊚，demonio ㊚
あくむ【悪夢】pesadilla ㊛
あける[1]【明ける】(夜が) amanecer, (年が) comenzar el año, (ある期間が) expirar, terminar
あける[2]【開ける】abrir：窓を開けてください Abra la ventana, por favor.
あける[3]【空ける】(空にする) vaciar, (場所をあける) dejar [ceder] el sitio
あげる[1]【上げる】(持ち上げる) levantar, subir, (与える) dar

あげる[2]【揚げる】freír
あげる[3]【挙げる】(式を) celebrar una ceremonia, (例を) decir [dar] un ejemplo, (町をあげて) toda la ciudad
あご【顎】mandíbula ㊛, barbilla ㊛
あこがれる【憧れる】anhelar, admirar
あさ【朝】mañana ㊛
あさい【浅い】(川が) poco profundo [da], (傷が) leve, (知識が) superficial
あさって【明後日】pasado mañana
あし【足・脚】**1** (脚全体) pierna ㊛, (くるぶしから先) pie ㊚ ⇨ cuerpo 図
2 (動物・机の) pata ㊛
3 歩行, 足取り paso ㊚
あじ【味】sabor ㊚, gusto ㊚
…の味がする saber a, **味わう** saborear, gustar ⇨ sabor【参考】
アジア 固名 Asia
あしあと【足跡】huella ㊛
あしおと【足音】pasos ㊚
あした【明日】mañana ㊛
あずける【預ける】(預金する) depositar, (…を誰かに) dejar … a
あせ【汗】sudor ㊚, 汗をかく sudar
あせる【焦る】impacientar*se*, apurar*se*
あそこ あそこに allí
あそぶ【遊ぶ】jugar, divertir*se*
あたえる【与える】dar
あたたかい【暖かい】templado [da]: 日ましに暖かくなる Hace un tiempo cada día más templado. 家の中は暖かい No hace calor ni frío en la casa.
あたま【頭】cabeza ㊛: 頭がいい Es listo [ta]. 頭が悪い Es tonto [ta]. 頭が固い Tiene (una) cabeza dura. あいつときたら頭にくる Ya no aguanto más a ese tío.
あたらしい【新しい】nuevo [va], fresco [ca], **新しい家** (新築の家) la casa nueva, (今度の家) la nueva casa, 新鮮な魚 pescado fresco
あたり[1]【辺り】辺りの[に] de [en] los alrededores, alrededor de
あたり[2]【当たり】por: 1日あたり por (un) día
あたる【当たる】(推測が) acertar, adivinar, (くじが) tocar, (日が) dar el sol, (ボールが) dar [chocar] la pelota
あちこち aquí y allá, acá y allá, por todas partes
あちら あちら側 de otro lado, あちらに[で] allá, allí: あちらに着いたら電話します Le llamaré cuando llegue allí.
あつい[1]【厚い】grueso [sa]
あつい[2]【暑い】caluroso [sa]: 今日は暑い Hace calor hoy.【熱い】caliente: スープは熱い La sopa está caliente.
あつかう【扱う】(人を) tratar, (物を) manejar: 私は子供扱いされた Me trataron como a un niño. この道具の扱い方が分かりますか? ¿Sabe usted cómo manejar este instrumento?
あつかましい【厚かましい】cara dura, descarado [da], desvergonzado [da], sin vergüenza
あっとう【圧倒】圧倒する abrumar, 圧倒的な aplastante
アットマーク (インターネット) arroba
あつまる【集まる】reunir*se*, juntar*se*: みんな集まっています Todos estamos juntos. 彼らは6時に駅に集まりました Se reunieron a las seis en la estación.
あつめる【集める】reunir, recoger: 先生は生徒を体育館に集めた El profesor reunió a sus alumnos en el gimnasio. 被災者のために義援金を集めています Estamos recogiendo donativos para los damnificados.
あつりょく【圧力】presión ㊛
あてな【宛名】dirección ㊛, señas ㊛
宛先 destinatario [ria]
あてる【当てる】(言い当てる) acertar, atinar, (なぞ・占いを) adivinar, (日光などに) exponer, (的に) dar en el blanco
あと[1]【後】**あとで** (のちに, …のうちに) después, más tarde, luego, dentro de: 30分後に着いた Llegó media hora después. あとで電話するよ Te llamo más tarde. ではまたあとで Hasta luego. 列車は5分後に出ます El tren sale dentro de cinco minutos. (…のあとで) después de, después (de) que: 昼食のあともう一度集まろう Después de almorzar, vamos a reunirnos otra vez. 君が帰ったあとで奥さんから電話があった Después que te marchaste hubo una llamada de tu mujer.
あと[2]【跡】huella ㊛, 跡を継ぐ heredar
あな【穴】agujero ㊚, orificio ㊚, hoyo ㊚
アナウンサー locutor [tora]
あなた【貴方】**1 あなたは[が]** usted, **あなたがたは[が]** ustedes, **あなた自身は[が]** usted mismo [ma] ⇨ usted
あなた[がた]の su ⇨ su, suyo
あなたを (男性) lo [le], (女性) la
あなたがたを (男性) los, (女性) las
あなたに le, **あなたがたに** les ⇨ me【文法】
あなた[がた]のもの suyo [ya] ⇨ suyo
あなた[がた]自身 sí ⇨ sí
2 《呼びかけ》(男性に) señor ㊚, caballero ㊚, (女性に) señora ㊛, (未婚女性に) señorita ㊛
あに【兄】hermano ㊚
あね【姉】hermana ㊛
あの 《指示形容詞》aquel [aquella]: あの人は賢い Aquel hombre es listo. あの娘たちを知っていますか? ¿Conoce Vd. a aquellas chicas? あのころ私はマドリードに住んでいました En aquel entonces vivía en Madrid.
アパート apartamento ㊚
アヒル【家鴨】〘鳥〙 pato [ta]

あびる【浴びる】(シャワーを) ducharse, (日の光を) ponerse al sol
あぶない【危ない】peligroso [sa], estar en peligro: 窓から顔を出すのは危険だ Es peligroso asomarse a la ventana. 地球が危ない La Tierra está en peligro.
あぶら【油】aceite ㊚, óleo ㊚
【脂】grasa ㊛
アフリカ 固名 África
あまい【甘い】(味が) dulce, (態度・性格などが) blando [da]
アマチュア aficionado [da], amateur ㊚㊛
あまり【余り】余りにも demasiado: 彼は余り働きすぎる Trabaja demasiado. **余り…なので** tan [tanto] … que: 余り日本語が上手なので外国人とは思えなかった Hablaba japonés tan bien que no parecía extranjero. **余り…ない** poco [ca]: 彼は余り友だちがいない Tiene pocos amigos.
あまる【余る】sobrar, quedar: 食べ物が余った Ha sobrado comida. もう砂糖(の余り)がない Ya no queda azúcar.
余り resto ㊚, sobras ㊛
あみ【網】red ㊛, 魚網 red de pesca
網棚 redecilla ㊛
あむ【編む】(編み物をする) hacer punto
あめ[1]【雨】lluvia ㊛: 私たちは雨の中を歩いた Anduvimos bajo la lluvia.
雨が降る llover (► 3人称単数のみ活用. ⇀ 昨夜はひどい降りだった Llovió mucho anoche.) 雨が止んだ Ha dejado de llover. / Ha cesado la lluvia.
あめ[2]【飴】caramelo ㊚
アメリカ 固名 América, アメリカの americano [na], **アメリカ合衆国** Estados Unidos de América, **アメリカ人** americano [na], **南米人** sudamericano [na], **北米人** norteamericano [na], 中米人 centroamericano [na]
あやつる【操る】manejar, manipular
あやまち【過ち】error ㊚, equivocación ㊛, fallo ㊚, falta ㊛
あやまる【謝る】pedir perdón
あらい【荒い】(人の性格が) bruto [ta], brutal, (人・物事が) violento [ta], (波が) agitado [da]
あらう【洗う】lavar, (自分の体を) lavar*se*: 車を洗っておきなさい Lava el coche. 頭を洗いなさい Lávate la cabeza.
あらし【嵐】tormenta ㊛, tempestad ㊛: 昨日は大嵐だった Ayer tuvimos una gran tormenta.
あらそい【争い】disputa ㊛, riña ㊛, pelea ㊛
あらそう【争う】(口論する) reñir, pelear, discutir, (競争する) competir
あらたまる【改まる】(変わる) cambiar, (新しくなる) renovarse
あらためる【改める】(変える) cambiar, (訂正する) corregir
あらわす[1]【表す】(示す) señalar, mostrar, (表現する) expresar, (意味する) representar: 彼は感情を表さない No muestra sus sentimientos. 私はそれをスペイン語でどう表したらよいかわからなかった No sabía cómo expresarlo en español. この印は何を表すのですか？ ¿Qué representa esta señal?
あらわす[2]【現す】manifestar, revelar, simbolizar
あらわす[3]【著す】escribir, redactar
アリ【蟻】〘昆虫〙hormiga ㊛
ありがたい【有り難い】respetable, apreciable, estar agradecido [da]
ありがとう【有難う】gracias: どうもありがとう Muchas [Muchísimas] gracias
アリバイ coartada ㊛
ありふれた【有り触れた】corriente, común, popular
ある[1]【在る・有る】(存在する) estar, haber, encontrar*se*, hallar*se*, (所有する) tener, (立っている) estar situado [da], (…である) ⇨ **-です**
ある[2]【或】un, una, alguno (► 男性単数名詞の前では algún), alguna, (ある特定の) cierto [ta]: ある日ラテンアメリカのある国に向けて出発した Un día se marchó a un país de América Latina.
あるいは【或いは】o (► o または ho で始まる言葉の前では u), o … o …: 芝居かあるいは映画に行こう Iremos al teatro o al cine. 到着は今夜あるいは明朝になるかもしれない Su llegada será o esta noche o mañana por la mañana.
あるく【歩く】andar, caminar: ゆっくり歩いて ¡Anda despacio!
アルゼンチン 固名 Argentina
アルバイト trabajo eventual, trabajo temporal, trabajo provisional
アルバム álbum ㊚
あれ《指示代名詞》aquél ㊚, aquélla ㊛, aquello ㊥, (あの時) entonces: これはあれより安い Éste es más barato que aquél. あれから彼には会っていない No he vuelto a verle desde entonces.
あれる【荒れる】(肌が) 荒れた áspero [ra], rugoso [sa], 荒廃する arruinarse, (天候が) empeorarse
アレルギー alergia ㊛
あわ【泡】burbuja ㊛, espuma ㊛
あわせる【合わせる】(一緒にする) juntar, unir, (適合させる) ajustar, conformar, (合計する) sumar
あわてる【慌てる】precipitar*se*, aturdir*se*
あわれ【哀れ】哀れな miserable, pobre
あん【案】(計画) plan ㊚, proyecto ㊚, (考え) idea ㊛
あんき【暗記】暗記する aprender de memoria, memorizar
アンケート encuesta ㊛

アンコール アンコール！ ¡otra (vez)!
あんさつ【暗殺】暗殺する asesinar
あんじ【暗示】暗示する insinuar
あんしん【安心】tranquilidad ㊛, 安心する tranquilizar*se*, sentir*se* tranquilo [la]: 安心しろ ¡No te preocupes!
あんぜん【安全】seguridad ㊛, 安全な seguro [ra], 安全に a salvo [va], **安全保障条約** el tratado de seguridad: ここなら安全です Aquí estamos seguros.
アンダーライン subrayado ㊚
あんてい【安定】estabilidad ㊛, firmeza ㊛, 安定した estable
あんな tal, semejante: あんな人はきらいだ No me gusta esa clase de personas.
あんない【案内】案内する enseñar, guiar

い

い【胃】estómago ㊚
胃カメラ gastroscopio ㊚
いい【良い】⇨ よい
いいえ no (質問や依頼に対する答えが否定の場合に用いる)： 宿題はすんだかい？—いいえ，まだよ ¿Terminaste tus deberes? — No, todavía no.► 否定疑問文に対する答えの内容が肯定なら Sí, 否定なら No を用いる. ⇀ おなかすいてない？—(いいえ) すいているよ ¿No tienes hambre? — Sí, tengo hambre.
イースター Pascua de Resurrección
いいわけ【言い訳】excusa ㊛, 言い訳をする excusar*se*: 彼は授業に遅れたことの言い訳をした Se excusó por haber llegado tarde a clase.
いいん【委員】delegado [da], miembro de un comité
委員会 comité ㊚, comisión ㊛
いう【言う】decir, (話す) hablar: 僕のことを好きかどうか言っておくれ Díme si me quieres.
いえ【家】(家屋) casa ㊛, (家庭) hogar ㊚, (アパート) apartamento ㊚, (マンション内の１世帯分) piso ㊚ ⇨ casa 図
いか【以下】menos de: １キロ5000円以下では売っていない No se vende a menos de cinco mil yenes el kilo.
イカ【烏賊】〘動物〙 calamar ㊚, chipirón ㊚
いがい【以外】excepto, menos: それ以外はすべてうまくいっている Excepto eso, todo va bien. 彼以外の全員がそれをやった Todos lo hicieron menos él.
いかが【如何】cómo, qué tal: ご機嫌いかがですか？ ¿Cómo está usted? / ¿Qué tal? 日本はいかがですか？ ¿Qué te parece Japón? コーヒーを１杯いかがですか？ ¿Quiere un café?
いがく【医学】medicina ㊛
医学部 facultad de Medicina
いかり[1]【怒り】cólera ㊛, enojo ㊚, rabia ㊛: 審判に対して激しく怒った Montó en cólera contra el árbitro.
いかり[2]【錨】ancla ㊛
いき[1]【行き】ida ㊛, …行き con destino a, para
いき[2]【息】respiración ㊛, 息をする respirar
いぎ【異議】objeción ㊛, 異議をとなえる objetar, oponer*se*
いきいき【生き生き】生き生きした avivado [da], vivo [va]
いきおい【勢い】vigor ㊚, vitalidad ㊛, fuerza ㊛
いきのこる【生き残る】sobrevivir
いきもの【生き物】ser vivo [viviente]
イギリス 固名 Inglaterra, イギリスの, イギリス人 inglés [glesa]
いきる【生きる】vivir, **生きている** estar vivo [va]: 彼は90歳まで生きた Vivió noventa años. 彼はまだ生きている Está todavía vivo.
いく【行く】ir, (立ち去る・帰る) ir*se*: どこへ行くの？ ¿Adónde vas? 私は郵便局に手紙を出しに行く Voy a correos a echar una carta. 彼は一度も外国に行ったことがない No ha estado nunca en el extranjero. この道をまっすぐ行きなさい Siga Vd. todo derecho por esta calle. もう行かなくっちゃ (おいとまする) Ya me voy. / Ya me marcho. 万事うまくいっている Todo va muy bien.
いくつ【幾つ】cuántos [tas]: 君はいくつですか？ ¿Cuántos años tienes?
いくつかの unos [nas], algunos [nas], varios [rias]: リンゴをいくつか買いました Compré unas manzanas.
いくら【幾ら】(金額) ¿Cuánto es [vale, cuesta]?, ¿Qué valor [precio] tiene?: この靴はいくらですか？ ¿Cuánto cuestan estos zapatos? **いくら…でも** por muy [mucho, más] ... que: 君がいくら頭がよくても間違いはするよ Por muy inteligente que seas, cometerás errores.
いくらか【幾らか】alguno [na] ► 男性単数名詞の前で algún となる. (少し, やや) algo: いくらかお金をお持ちですか？ ¿Tiene algún dinero? いくらか (病気が) よくなったかい？ ¿Estás algo mejor?
いけ【池】estanque ㊚
いけない no deber《＋不定詞》,《命令文で》No《＋接続法現在形》: そんなにタバコを吸ってはいけない No debes fumar tanto. / No fumes tanto. そんなことを言ってはいけない No debes decir eso. / No digas eso. **…しなければいけない** ⇨ **－べきだ**
いけん【意見】opinión ㊛, parecer ㊚: あなたのご意見は？ ¿Cuál es su opinión? / ¿Qué opinión tiene? / ¿Qué opina usted? 私はあなたと同意見です Tengo la

misma opinión que usted. / Soy del mismo parecer que usted.

いご【以後】después de, desde, a partir de: 私は6時以後たいてい家にいます Suelo estar en casa después de las seis.

いさん【遺産】herencia 女

遺産相続人 heredero [ra]

いし[1]【石】piedra 女

いし[2]【意志・意思】voluntad 女, intención 女, intento 男, 意志が強い[弱い] tener voluntad firme [débil], 私の意思に反して contra mi voluntad

いじ[1]【意地】obstinación 女, testarudez 女, voluntad 女

意地悪 malicia 女, maldad 女

いじ[2]【維持】mantenimiento 男, 維持する mantener, conservar

いしき【意識】conciencia 女, 意識する tener [tomar] conciencia

いじめる【虐める】maltratar, meter*se* con

いしゃ【医者】médico [ca], doctor [tora], かかりつけの医者 médico de cabecera

いじゅう【移住】移住する emigrar, inmigrar

いしょ【遺書】testamento 男

いじょう[1]【以上】(数量) más de: 私は100ペセタ以上持っています Tengo más de cien pesetas. (…した以上) puesto que: 君はそう言った以上その通りにしなければならない Puesto que lo dijiste tienes que hacerlo. (講演・挨拶の最後に) 以上です He dicho. (手紙などの最後に) 今日のところは以上です Eso es todo por hoy.

いじょう[2]【異常】anomalía 女, 異常な anormal

いしょく【移植】trasplante, 心臓移植 trasplante cardíaco, 肝移植 trasplante hepático, 臓器移植 trasplante de órganos

いす【椅子】silla 女 ⇨ silla 図

いずみ【泉】fuente 女, manantial 男

いずれ (そのうち, いつか) un día de estos, otro día, いずれにしても de todos modos

いぜん【以前】**1** (今から…前に) hace, (漠然と前に) antes, en otro tiempo, antiguamente: 彼はずっと以前に死んだ Murió hace mucho. 私は以前彼に会ったことがある Lo he visto antes.

いそがしい【忙しい】ocupado [da]: 私はたいへん忙しい Estoy muy ocupado.

いそぐ【急ぐ】dar*se* prisa, apresurar*se*

いた【板】tabla 女, (主に金属の板) plancha 女, (薄い板) lámina 女

いたい[1]【遺体】restos 男, cuerpo 男, cadáver 男

いたい[2]【痛い】tener dolor, doler: 私は頭痛がする Tengo dolor de cabeza. / Me duele la cabeza.

いだい【偉大】偉大な grande ► 単数名詞の前では gran. ⇒ 偉人 un gran hombre

いたずら【悪戯】travesura 女, いたずらな travieso [sa]: 子供は一日中いたずらばかりしていた El niño ha estado haciendo travesuras todo el día.

いただく【頂く】(もらう) recibir, (飲食する) tomar, (…をしていただく) hacer el favor de《+不定詞》

いたむ【痛む】doler

【傷む】estropearse, deteriorarse

いためる【炒める】freír, saltear

イタリア 固名 Italia

いち[1]【市】mercado 男, feria 女

いち[2]【位置】posición 女, situación 女, lugar 男, ubicación 女, 位置する situarse, ubicarse: 私は窓際に位置を占めた Me puse al lado de la ventana. 日本はアジア大陸の東に位置している Japón está situado al este del continente asiático.

いちおう【一応】(当面) por el momento, por ahora, (一通り) por encima, superficialmente, (仮に) provisionalmente

いちがつ【一月】enero 男

イチゴ【苺】〘植物〙 fresa 女

イチジク【無花果】〘植物〙 (実) higo 男

いちじるしい【著しい】notable

いちど【一度】una vez: 彼は週に一度ここに来る Viene aquí una vez por semana. もう一度おっしゃってください ¡Dígalo otra vez, por favor! こんなことはかつて一度も見たことがない En mi vida he visto tal cosa.

いちにち【一日】un día, (一日中) todo el día, (一日おきに) un día sí y otro no

いちねん【一年】un año, (一年中) todo el año, **小学校一年生** alumno de primer año de primaria

いちば【市場】mercado 男

いちばん【一番】**1** (第一番) el [la] primero [ra] (► 男性単数名詞の前では primer となる): 彼が一番にやって来た Fue el primero en llegar. 彼女はクラスで一番です Es la primera de su clase.

2 (最も) el [la] más: ホセはぼくらのクラスで一番背が高い José es el más alto de nuestra clase. 私はスポーツの中でサッカーが一番好きだ El deporte que me gusta más es el fútbol. 一番いいホテルはどれですか? ¿Cuál es el mejor hotel?

いちぶ【一部】parte 女: 部隊の一部が反乱を起こした Parte del ejército se sublevó.

いつ【何時】¿Cuándo?: 彼がいつスペインへたつか分かりますか? ¿Sabe usted cuándo se marcha a España?

いつから ¿Desde cuándo?: 彼はいつから病気ですか? ¿Desde cuándo [Cuánto tiempo hace que] está enfermo?

いつでも (好きな時に) cuando quiera, (…するときはいつも) siempre que: 彼は東京へ来る時はいつでも訪ねてくれる Me visita

siempre que viene a Tokio.
いつか【何時か】algun día, un día, (過去の) antes, en otro tiempo: いつかグラナダに行ってみたい Quiero ir a Granada algún día. いつか近いうちに会いましょう A ver si nos vemos un día de estos. ここはいつか来たレストランだ Yo he estado antes en este restaurante.
いっしゅう【一周】一周する dar una vuelta a
いっしゅうかん【一週間】una semana: 一週間に2回も火事があった Hubo dos incendios en una semana.
いっしょ【一緒】一緒に con, junto con: 父と一緒に旅行した Viajé con mi padre. 一緒に行きましょう Vamos juntos.
いっしょう【一生】toda la vida
いっしょうけんめい【一生懸命】mucho, con ahínco: 彼は一生懸命働いた Ha trabajado con mucho entusiasmo.
いっち【一致】(意見の) acuerdo ㊚, (偶然の) coincidencia ㊛: 二人は意見が一致しました Los dos se pusieron de acuerdo. 私たちの好みは一致する Coincidimos en nuestros gustos.
いってい【一定】一定の(絶え間のない) constante, (特定の) cierto [ta]
いっぱい【一杯】**1** 1杯の una taza de (café), un vaso de (agua), una copa de (vino) **2** 満ちている estar lleno de
いっぱん【一般】一般の general, 一般に generalmente, en general
いっぽう【一方】一方に un lado, 一方で mientras: 私が働く一方で息子は遊んでいる Mientras yo trabajo, mi hijo juega. それはあまりにも一方的な意見だ Eso es una opinión demasiado parcial [unilateral].
一方通行 dirección única
いつも【何時も】siempre: いつも同じだ Siempre (pasa) lo mismo.
いでん【遺伝】herencia ㊛
いと[1]【糸】(縫い糸) hilo de coser, (釣り糸) sedal ㊚
いと[2]【意図】intención ㊛, propósito ㊚, 意図する pretender, 意図的に intencionadamente
いど[1]【井戸】pozo ㊚
いど[2]【緯度】latitud ㊛
いどう【移動】traslado ㊚, 移動する trasladar(*se*), mudar*se*
いとこ【従兄弟・従姉妹】primo [ma]
いない【以内】以内に en menos de: この手紙は一週間以内で着いた Esta carta ha llegado en menos de una semana. 半径5キロ以内は灰燼(かいじん)に帰した Todo quedó reducido a cenizas en un radio de cinco kilómetros.
いなか【田舎】campo ㊚, (故郷) pueblo natal, 田舎の campestre
いなずま【稲妻】relámpago ㊚
ー(するや)**いなや**【否や】tan pronto como: 彼は夕食をとるやいなやすぐに寝る Tan pronto como cena, se acuesta.
イヌ【犬】〘動物〙 perro [rra]
イネ【稲】〘植物〙 arroz ㊚
いねむり【居眠り】sueño ligero, cabezada ㊛: 会議中に彼は居眠りばかりしていた No hacía más que dar cabezadas durante la reunión.
いのち【命】vida ㊛: 命を救う salvar la vida, 命を落とす perder la vida, 彼の命に別条はない No corre peligro su vida.
いのる【祈る】(神に) rezar a Dios, (誰かのために) rezar por, orar por, (願う) desear: 成功を祈ります Le deseo éxito.
祈り rezo ㊚, oración ㊛
いばる【威張る】fanfarronear
いはん【違反】infracción ㊛, 違反する infringir, violar
いびき【鼾】ronquido ㊚, 鼾をかく roncar
いま[1]【今】(現在) ahora, (すぐ) ahora mismo, ya, enseguida
今ごろ a esta hora, en estos momentos, **今でも** aun ahora, aún, todavía, **今にも** de un momento a otro: 今にも降りだしそうだ Parece que va a llover de un momento a otro. **今のところ** por ahora, **今まで**hasta ahora, (かつて) antes
いま[2]【居間】cuarto de estar, sala de estar ⇨ cuarto 図
いみ【意味】significado ㊚, sentido ㊚, 意味する significar, querer decir: この語はどういう意味ですか？ ¿Qué quiere decir esta palabra?
イーメール【Eメール】correo ㊚ electrónico
イモ【芋】〘植物〙ジャガイモ patata ㊛, 《ラ米》papa ㊛, サツマイモ batata ㊛, boniato ㊚, 《ラ米》camote ㊚
いもうと【妹】hermana
いや[1]【嫌】嫌な desagradable
いや[2]【否】(返事の場合) no ⇨ いいえ
イヤホーン auricular ㊚
イヤリング pendientes ㊚, aretes ㊚
いよいよ (ついに) por [al] fin, (ますます) cada vez 《＋比較級》, いよいよとなれば cuando llegue la ocasión, en un momento decisivo
いらい[1]【依頼】encargo ㊚, ruego ㊚, 依頼する encargar, pedir
いらい[2]【以来】desde, a partir de: ここに1975年以来住んでいる Vivo aquí desde mil novecientos setenta y cinco.
いらっしゃい (こちらへ) Ven [Venga] aquí, (ようこそ) ¡Bienvenido!, (店員が客に) ¿Qué deseaba?
いりぐち【入り口】entrada ㊛, puerta ㊛
いる[1]【要る】(人が主語) necesitar, (物が主語) hacer falta, ser necesario [ria]
いる[2]【居る】(所在) estar, (存在) haber: 父は庭にいます Mi padre está en el jar-

dín. 庭に誰もいない No hay nadie en el jardín. このクラスには生徒が40人います Hay cuarenta alumnos en esta clase. もうどのくらい日本にいるのですか？ ¿Cuánto tiempo hace que está usted en Japón?

いるい【衣類】ropas ㊛, vestidos ㊚

いれもの【入れ物】envase ㊚

いれる【入れる】poner, meter: コーヒーに砂糖を入れましょうか？ ¿Le pongo azucar en el café?

いろ【色】color ㊚: あなたの車は何色ですか？ ¿De qué color es su coche?

いろいろ 色々な（種々の）varios [rias],（たくさんの）mucho [cha]

いわ【岩】roca ㊛

いわう【祝う】（事柄を）celebrar,（人を）felicitar: 新年を祝う Celebramos el Año Nuevo. 初孫の誕生をお祝い申し上げます Le felicito por el nacimiento de su primer nieto.
祝い celebración ㊛, felicitación ㊛

イワシ【鰯】〘魚〙sardina ㊛

いんき【陰気】陰気な lúgubre

インク tinta ㊛

いんさつ【印刷】imprenta ㊛, 印刷する imprimir

いんしょう【印象】impresión ㊛, 印象を与える dar [causar] impresión: 彼はうそをついていたというのがぼくの印象だ Me da la impresión de que mentía.

いんたい【引退】引退する retirar*se*, jubilar*se*

インターネット internet

インタビュー entrevista ㊛

インフレ inflación ㊛

う

ウィークデー día laborable

ウイット ingenio ㊚

ウインク guiñada ㊛, ウインクする guiñar a uno (el ojo)

ウール lana ㊛

うえ[1]【上】（表面に接して上に）sobre, en,（上の方へ）arriba,（上の位置に）encima, sobre,（上級の，優れた）superior: テーブルの上に本があります Hay un libro sobre [en] la mesa. このエレベーターは上に行きます Este ascensor va arriba. 飛行機は東京の上を飛んでいます El avión está volando sobre Tokio.

うえ[2]【飢え】hambre ㊛, 飢える pasar hambre

ウエスト cintura ㊛

うえる【植える】plantar

うがい【嗽】うがいをする hacer gárgaras

うかぶ【浮かぶ】（水の上に物が）flotar,（考えなどが）ocurrirse,（涙などが）asomar

うけいれる【受け入れる】acoger, recibir, aceptar, admitir

うけつけ【受付】recepción ㊛,（人）recepcionista ㊚㊛

うけつける【受け付ける】admitir, aceptar

うけとる【受け取る】recibir,（金を）cobrar

うける【受ける】（賞などを）recibir, obtener,（授業・レッスンなどを）tomar, tener,（提案・申し出などを）aceptar

うごき【動き】movimiento ㊚, acción ㊛

うごく【動く】mover*se*,（機械などが）andar, funcionar: うごくな ¡No te muevas! この計算器は電池で動く Esta calculadora funciona con pilas. **動かす** mover,（機械などを）manejar, operar

ウサギ【兎】〘動物〙conejo ㊚,（野兎）liebre ㊛

ウシ【牛】〘動物〙（雄）toro ㊚,（雌）vaca ㊛, 子牛 ternero [ra], becerro [rra]
牛小屋 establo ㊚

うしなう【失う】perder: 彼はギャンブルで大金を失った Perdió mucho dinero en el juego.

うしろ【後ろ】後ろの,（位置）posterior, trasero [ra], 後ろへ[に] atrás, detrás: 男子生徒は後ろに座る Los alumnos [varones] se sientan atrás. **…の後ろに** detrás de: 家の後ろに馬小屋がある Detrás de la casa están los establos. **後ろから** por detrás: 家に後ろから（裏から）入る Se entra en la casa por detrás.

うず【渦】remolino ㊚

うすい【薄い】（厚さが）delgado [da], fino [na],（色が）claro [ra]

うそ【嘘】mentira ㊛, うそをつく mentir, うそつき[の] mentiroso [sa]: うそをつくな No mientas.

うた【歌】canción ㊛, canto ㊚

うたう【歌う】cantar

うたがい【疑い】duda ㊛, sospecha ㊛: 疑いの余地がない No cabe duda.

うたがう【疑う】dudar, sospechar: 私は彼の正直さを疑う Dudo de su honradez.
疑わしい dudoso [sa], sospechoso [sa]

うち【内】**1** 内部 interior ㊚ **2**（…のうちに）en, dentro de,（…の間に）durante, mientras,（…する前に）antes: その店は２，３日のうちに開店する La tienda se inaugurará en unos días. 夏休みのうちにそれを終わらせなければならない Tengo que terminarlo durante las vacaciones de verano. 家につかないうちに降りだした Empezó a llover antes de que yo llegase a casa. **3**（…の中で）entre: われわれのうちで彼は一番若い Es el más joven entre nosotros. **4**（家）casa ㊛,（家族）familia ㊛,（家庭）hogar ㊚

うちあける【打ち明ける】confesar, abrir*se*, franquear*se*

うちあわせる【打ち合わせる】arreglar
うちき【内気】内気な tímido [da], introvertido [da] ⇨ tímido【参考】
うちけす【打ち消す】negar
うちゅう【宇宙】(世界) universo ㊚, (空間) espacio ㊚, 宇宙の universal, espacial, **宇宙ステーション** estación espacial, **宇宙船** nave [vehículo] espacial, **宇宙飛行士** astronauta㊚㊛, cosmonauta ㊚㊛
うつ【打つ】golpear, batir, (時を打つ) dar, 【撃つ】disparar, tirar, lanzar
うっかり por descuido, por error, うっかりした distraído [da]
うつくしい【美しい】hermoso [sa], bello [lla], bonito [ta]: 何と美しい絵でしょう！ ¡Qué cuadro más hermoso!
うつす[1]【写す】(文書を) copiar, sacar una copia, (写真を) sacar una foto, fotografiar
うつす[2]【映す】(映画・スライド・影を) proyectar, 水に映す reflejar en el agua, 鏡に映して見る mirar*se* en el espejo
うつす[3]【移す】(移動する) trasladar, mover, cambiar, (病気を移す) contagiar
うったえる【訴える】demandar, acusar
うつる[1]【写る】salir: 写真によく写る salir bien en la foto
うつる[2]【移る】trasladar*se*, (病気が) contagiar*se*
うで【腕】brazo ㊚, 腕のいい hábil, diestro [tra], 腕のわるい torpe, inexperto [ta], **腕前** destreza㊛, habilidad ㊛, capacidad ㊛
ウナギ【鰻】〘魚〙 anguila ㊛
うなずく【頷く】asentir con la cabeza
うなる【唸る】gruñir
ウニ【雲丹】〘動物〙 erizo de mar
うぬぼれる【己惚れる】jactar*se* de, fantasear de
うばう【奪う】robar： 私は財布を奪われた Me robaron la cartera.
ウマ【馬】〘動物〙 caballo ㊚, 子馬 potro [tra], 雌馬 yegua ㊛, **馬小屋** cuadra ㊛
うまい【甘い・旨い】**1** (上手な) buen, bueno [na], hábil: 彼女はテニスがうまい Es una buena jugadora de tenis. / Juega bien al tenis. **2** (旨い) ⇨ **おいしい**
うまれ【生まれ】nacimiento ㊚, origen ㊚, linaje ㊚: 彼はセビーリャの生まれだ Es de Sevilla. 高貴な生まれの女性 una señora de ilustre linaje
うまれつき【生まれつき】生まれつきの innato [ta], de nacimiento, por naturaleza
うまれる【生まれる】nacer: 彼は1971年6月15日に東京で生まれた Nació en Tokio el quince de junio de mil novecientos setenta y uno.
うみ【海】mar ㊚, (大洋) océano ㊚, 荒海 mar agitado
うむ【生む・産む】(人が) tener un hijo, dar a luz, (動物が) parir, (卵を) poner un huevo
うめく【呻く】gemir
うめる【埋める】enterrar
うら【裏】(布・紙などの) revés ㊚, dorso ㊚, …の裏に detrás de, a espaldas de
うらぎり【裏切り】traición ㊛
裏切り者 traidor [dora]
うらぎる【裏切る】traicionar： 祖国を裏切る traicionar a su patria
うらない【占い】adivinación ㊛, 占う adivinar
うらみ【恨み】rencor ㊚, resentimiento ㊚
うらむ【恨む】(人を) tener rencor a
うらやむ【羨む】envidiar
ウラン uranio ㊚
うりきれる【売り切れる】agotar*se*, acabar*se*
うる【売る】vender： この本はよく売れている Este libro se vende bien. この家は売りに出ている Esta casa está en venta.
うるおい【潤い】(湿気) humedad ㊛, (利潤) beneficio ㊚
ウルグアイ 固名 Uruguay
うるさい【煩い】(騒々しい) ruidoso [sa], (わずらわしい) pesado [da]
うれしい【嬉しい】contento [ta], alegre, feliz, …してうれしい alegrar*se* de: お目にかかれてうれしく存じます Me alegro mucho de verle [conocer le]. (►ver は知り合いに, conocer は初対面の人に)
うわぎ【上着】chaqueta ㊛, americana ㊛, 《ラ米》 saco ㊚
うわさ【噂】rumor ㊚, (評判) fama ㊛, (陰口) chisme ㊚: 君のうわさをしていたところだ Estábamos hablando de ti.
うん【運】suerte ㊛, fortuna ㊛
うんえい【運営】運営する administrar
うんが【運河】canal ㊚
うんそう【運送】運送する transportar
うんちん【運賃】tarifa ㊛, pasaje ㊚, coste de transporte
うんてん【運転】(車の) conducción ㊛, manejo ㊚, (機械の) operación ㊛, **運転する** (車を) conducir, manejar, (機械を) manejar, **運転手** conductor [tora], (お抱え) chófer ㊚, **運転免許証** carné de conducir
うんどう【運動】(体の) ejercicio ㊚, (競技) deporte ㊚, (選挙などの) campaña ㊛, **運動会** fiesta [reunión] deportiva, **運動場** campo deportivo
うんめい【運命】suerte ㊛, destino ㊚

え

え[1]【柄】asa ㊛
え[2]【絵】cuadro ㊚, pintura ㊛： これは何の絵ですか？ ¿Qué representa este cua-

dro? 絵の具 colores ㊚
エアコン aire acondicionado
えいが【映画】(1本の) película ㊛, film ㊚, (総称・映画館) cine ㊚: 今, 映画は何をやっているの? ¿Qué película ponen [dan] ahora?
えいきゅう【永久】永久の eterno [na], (永続する) permanente
えいきょう【影響】influencia ㊛, …に影響を与える influir en, tener influencia sobre
えいぎょう【営業】negocio ㊚, comercio ㊚
えいご【英語】inglés ㊚
えいせい【衛生】higiene ㊛, sanidad ㊛
えいよう【栄養】栄養のある nutritivo [va], tener mucho alimento
えがく【描く】(図や文章で描写する) dibujar, (記述する) describir, (絵をかく) pintar
えき【駅】estación ㊛: 次の駅で降ります Bajo en la próxima estación. ⇨ estación 図
えきたい【液体】líquido ㊚
エクアドル 固名 Ecuador
えさ【餌】ceba ㊛, 餌をやる cebar, alimentar
エスカレーター escalera mecánica
えだ【枝】rama ㊛, (小枝・切り枝) ramo ㊚
エネルギー energía ㊛
エビ【海老】〖動物〗イセエビ langosta ㊛, クルマエビ langostino ㊚, シバエビ gamba ㊛, 小エビ camarón ㊚
エプロン delantal ㊚
えもの【獲物】(猟の) caza ㊛, (漁の) pesca ㊛, (戦利品) trofeo ㊚, botín ㊚
えらい【偉い】grande, importante, 偉い人物 un gran hombre
えらぶ【選ぶ】(いくつかのものの中から) escoger, elegir, (選手などを) seleccionar, (選挙で) elegir: 好きなのを選びなさい Escoja lo que le parezca. 私たちは彼を議長に選んだ Lo elegimos presidente.
えり【襟】cuello ㊚
エリート persona de élite, persona importante
える【得る】obtener, ganar, lograr: 彼はよい職を得た Obtuvo una buena colocación.
エルサルバドル 固名 El Salvador
エレベーター ascensor ㊚
えん[1]【円】(円形) círculo ㊚ ⇨ círculo 図, (貨幣単位) yen ㊚
えん[2]【縁】(関係) relación ㊛, conexión ㊛, lazo ㊚
えんがん【沿岸】litoral ㊚, costa ㊛
えんき【延期】prórroga ㊛, 延期する aplazar, dejar: 私たちは会合を明日に延期した Aplazamos la reunión para mañana.
えんぎ【演技】interpretación ㊛, 演技する actuar
えんげい【園芸】jardinería ㊛
えんげき【演劇】teatro ㊚
えんじょ【援助】ayuda ㊛, 援助する ayudar
えんじる【演じる】representar: 彼はサンチョの役を演じた Representó el papel de Sancho.
エンジン motor ㊚
えんぜつ【演説】discurso ㊚, 演説する pronunciar un discurso
えんそう【演奏】演奏する tocar, interpretar, 演奏会 concierto ㊚
えんそく【遠足】excursión ㊛
えんちょう【延長】prórroga ㊛, prolongación ㊛
えんとつ【煙突】chimenea ㊛
えんぴつ【鉛筆】lápiz ㊚
えんりょ【遠慮】discreción ㊛, modestia ㊛, cumplidos ㊚: 遠慮しないで召しあがれ Sírvase sin cumplidos. 遠慮なく話しなさい Habla con toda franqueza.

お

お【尾】cola ㊛, rabo ㊚
おい【甥】sobrino ㊚
おいしい【美味しい】rico [ca], sabroso [sa], delicioso [sa]
おう[1]【王】rey ㊚, 王妃 reina ㊛, 王子 príncipe ㊚, infante ㊚, 王女 princesa ㊛, infanta ㊛, 王冠 corona ㊛
おう[2]【負う】(荷を) llevar a la espalda, (傷を) herir*se*, ser [resultar] herido [da], (責任を) asumir [cargar con] la responsabilidad
おう[3]【追う】perseguir, seguir
おうえん【応援】apoyo ㊚, ayuda ㊛
応援団 hinchada ㊛
おうじる【応じる】aceptar, responder
おうだん【横断】travesía ㊛, 横断する atravesar, 横断歩道 paso de peatones, paso de cebra
おうふく【往復】ida y vuelta: 私は昨日大阪まで1往復した Ayer hice un viaje de ida y vuelta a Osaka.
おうよう【応用】aplicación ㊛
おえる【終える】acabar, terminar: 私は去年大学の課程を終えました Acabé la carrera universitaria el año pasado. 私はまだそれを読み終えていない No he terminado de leerlo.
おおい【多い】(多数の) muchos [chas], numerosos [sas], (多量の) mucho [cha], gran cantidad de
おおう【覆う】cubrir: 彼女は両手で顔を覆った Ella se cubrió la cara con las manos.
オオカミ【狼】〖動物〗lobo ㊚

おおきい【大きい】grande：彼の家は大きい Su casa es grande. ► 名詞の前につくと「偉大な」の意になる ⇨ いだい
オーケー(了解) de acuerdo, vale, muy bien
オーケストラ orquesta ㊛ ⇨ orquesta 図
おおぜい【大勢】大勢の muchos [chas], gran número de：その戦争で大勢の人が死んだ Murieron muchos en la guerra.
オートバイ moto ㊛, motocicleta ㊛ ⇨ motocicleta 図
オードブル entremeses ㊚
オーブン horno ㊚
おか【丘】colina ㊛, loma ㊛
おかあさん【お母さん】madre ㊛, mamá ㊛
おかげ【お陰】…のお陰で gracias a
おかしい(面白い) divertido [da], cómico [ca], gracioso [sa], (変な) extraño [ña], raro [ra]
おかす **1**【犯す】(道徳・宗教上の罪を) pecar, (誤り・犯罪を) cometer **2**【侵す】invadir, プライバシーを侵す violar la intimidad **3**【冒す】desafiar, afrontar, 危険を冒す correr un riesgo
おき【沖】alta mar
おぎなう【補う】complementar
おきる【起きる】(起床する) levantar*se*, (目覚める) despertar*se*, (事件などが起きる) ⇨ おこる[2]
おく[1]【奥】fondo ㊚, (内部) interior ㊚
おく[2]【置く】**1** (とどめる) poner, colocar **2** (そのままにする) dejar：財布を会社においてきちゃった Me he dejado olvidada la cartera en la oficina.
おくさん【奥さん】señora ㊛, esposa ㊛
おくじょう【屋上】terraza ㊛, azotea ㊛
おくびょう【臆病】臆病な cobarde
おくりもの【贈り物】regalo ㊚
おくる[1]【送る】(発送する) enviar, mandar, remitir, (人を送っていく) llevar [acompañar] a, (月日を過ごす) pasar
おくる[2]【贈る】regalar, obsequiar
おくれる【遅れる】(会社や学校に) llegar tarde a, (列車などが) tener un retraso, (時計が) retrasarse
おこす【起こす】(目を覚まさせる) despertar, (立たせる) levantar, (引き起こす) causar, producir
おこない【行い】conducta ㊛
おこなう【行う】(行動する) hacer, obrar, (実行する) realizar, llevar a cabo, (式などをあげる) celebrar
おこる[1]【怒る】enfadar*se*, enojar*se*：彼はすぐ怒る Se enfada fácilmente.
怒らせる enfadar, enojar
おこる[2]【起こる】ocurrir, pasar, suceder：何が起こったの？ ¿Qué ha ocurrido? 何が起ころうと suceda lo que suceda
おさえる **1**【押さえる】sujetar：しっかり押さえて Sujétalo bien.
2【抑える】contener, controlar：彼は怒りを抑えた Contuvo su cólera.
おさない【幼い】pueril, infantil
おさめる[1]【納める】pagar, abonar, (注文品などを) entregar
おさめる[2]【治める】gobernar, reinar
おじ【伯父・叔父】tío ㊚
おしい【惜しい】lamentable: それは捨てるのが惜しい Da pena tirarlo.
おじいさん(祖父) abuelo ㊚, (老人) viejo ㊚, anciano ㊚
おしえる【教える】enseñar：泳ぎを教えてください Enséñeme a nadar.
おじぎ【お辞儀】reverencia ㊛, お辞儀する hacer una reverencia, inclinar*se*
おしむ【惜しむ】escatimar, ahorrar, (人の死などを) sentir, lamentar：彼は努力を惜しまなかった No escatimaba esfuerzos. 私たちは彼の死を惜しんだ Sentimos su muerte.
おしゃべり おしゃべりをする charlar
おしゃれ【お洒落】おしゃれをする poner*se* elegante, おしゃれな elegante, chic: 君はいつもおしゃれだね Estás siempre muy elegante.
おじょうさん【お嬢さん】señorita ㊛
おしょく【汚職】corrupción ㊛
おす[1]【雄】macho ㊚
おす[2]【押す】empujar, (押しつける) apretar: 押さないでください ¡No empujen!
おせじ【お世辞】lisonja ㊛, cumplidos ㊚, お世辞を言う decir lisonjas [cumplidos], lisonjear
おせっかい【お節介】お節介な entremetido [da]
おせん【汚染】contaminación ㊛
おそい【遅い】(時間が) tarde, (速度が) lento [ta], despacio: もう遅い Ya es tarde. 彼は仕事が遅い Es lento en el trabajo. 遅かれ早かれ tarde o temprano
おそう【襲う】atacar, asaltar
おそらく【恐らく】tal vez, quizás, probablemente, a lo mejor
おそれ【恐れ】miedo ㊚, temor ㊚, (危険) peligro ㊚: 死への恐れ miedo a la muerte, 水害の恐れがある Hay peligro de inundación.
おそれる【恐れる】temer, …を恐れる tener miedo a [de]: 何も恐れるものはない No hay nada que temer. 恐れ入りますが Dispense usted.
おそろしい【恐ろしい】terrible, tremendo [da], horrible：恐ろしい光景だった Fue una escena terrible.
おだやか【穏やか】穏やかな tranquilo [la], sereno [na], suave
おちつき【落ち着き】calma ㊛, serenidad ㊛, 落ち着いた calmado [da], tranquilo [la], 落ち着きのない inquieto [ta]

おちる【落ちる】(物が) caer(se), (試験に) salir mal del examen, (人気・信用などが) bajar la popularidad, (しみが) quitarse la mancha
おっと【夫】marido ㊚, esposo ㊚
おと【音】sonido ㊚, (雑音) ruido ㊚
おとうさん【お父さん】padre ㊚, papá ㊚
おとうと【弟】hermano ㊚
おどかす【脅かす】amenazar, intimidar
おとぎばなし【お伽話】cuento de hadas
おとこ【男】hombre ㊚, varón ㊚, 男の masculino [na], varonil
おとずれる【訪れる】visitar
おととい【一昨日】anteayer
おととし【一昨年】hace dos años
おとな【大人】(成人) adulto [ta], mayores ㊚㊛, (男の) hombre ㊚, (女の) mujer ㊛
おとなしい【大人しい】manso [sa], dócil
おどり【踊り】baile ㊚, danza ㊛
おとる【劣る】…に劣る ser inferior a : 私は数学では彼に劣っている Soy inferior a él en matemáticas.
おどる【踊る】bailar
おとろえる【衰える】decaer, debilitar*se*
おどろき【驚き】sorpresa ㊛, susto ㊚
おどろく【驚く】sorprender*se*
驚かす asustar
おなじ【同じ】mismo [ma], igual : 私たちは同じクラスです Somos de la misma clase. **…と同じくらい** tanto … como : 私は君と同じくらい金を持っている Tengo tanto dinero como tú.
おば【伯母・叔母】tía ㊛
おばあさん(祖母) abuela ㊛, (老婦人) anciana ㊛, vieja ㊛
おはよう【お早う】Buenos días.
おぼえている【覚えている】 acordar*se* de, recordar : 私は君のことはよく覚えている Te recuerdo bien.
おぼえる【覚える】(学ぶ) aprender, (暗記する) aprender de memoria
おぼれる【溺れる】ahogar*se*, (耽(ふけ)る) entregar*se*
おむつ【襁褓】pañal ㊚
オムレツ tortilla ㊛
おめでとう Felicidades, Enhorabuena. 誕生日おめでとう ¡Feliz cumpleaños! 新年おめでとう ¡Feliz Año Nuevo!
おも【主】主な principal, mayor
おもい¹【思い】(考え) pensamiento ㊚, (気持ち) sentimiento ㊚, (望み) deseo ㊚, (愛) emoción ㊛, amor ㊚, (心配) preocupación ㊛
おもい²【重い】(重量が) pesado [da], (病気が) grave
おもいだす【思い出す】recordar, acordar*se* de: 一緒に過ごした日々を思い出しています Recuerdo los días pasados juntos.
おもいで【思い出】recuerdo ㊚
おもう【思う】**1** (考える) pensar, (推測する) suponer, (信じる) creer : そのことはよく考えなければならない Hay que pensarlo bien. ぼくはそうだと思うよ Supongo que sí. 彼は来ないと思うよ Creo que no vendrá. **2** (みなす) considerar : この事故は彼に責任があると思う Le considero responsable de este accidente. **3** (予期・期待する) esperar, (希望する) querer, desear : 君が来てくれると思っている Espero que vendrás. この本を読みたいと思う Quiero leer este libro. **4** …しようと思う ir a: 明日君に会いに行こうと思う Voy a verte mañana. **5** …と思われる parecer que : 私には彼が来ないように思われる Me parece que no vendrá.
おもさ【重さ】peso ㊚
おもしろい【面白い】(興味のある) interesante, (愉快な) divertido [da], entretenido [da]
おもちゃ【玩具】juguete ㊚
おもて【表】cara ㊛, anverso ㊚, (屋外) fuera
おもわず【思わず】sin querer, inconscientemente
おや【親】(両親) padres ㊚, (父) padre ㊚, (母) madre ㊛ ⇨ familia【参考】
親孝行 amor filial
おやすみなさい【お休みなさい】Buenas noches.
おやつ【お八つ】merienda ㊛
およぐ【泳ぐ】nadar, 泳ぎに行く ir a bañar*se*
およぶ【及ぶ】(匹敵する) igualar, (達する) alcanzar, llegar: 美しさで彼女に及ぶものはいない No hay nadie que le iguale en belleza. **…には及ばない** (…の必要はない) no tener que : 心配するには及ばない No hay que preocuparse.
オリーブ〘植物〙(実) oliva ㊛, aceituna ㊛
おりもの【織物】tejido ㊚, tela ㊛
おりる【下りる・降りる】(下へ・乗り物から) bajar, descender, (ゲーム・賭(か)などで) retirar*se*, (許可が) conceder*se*
オリンピック Juegos Olímpicos, Olimpiada ㊛
おる¹【折る】(紙などを) doblar, (骨などを) romper, quebrar
おる²【織る】tejer
オルガン órgano ㊚
オルゴール caja de música, organillo ㊚
オレンジ〘植物〙(実) naranja ㊛
オレンジ色 anaranjado [da]
おろか【愚か】愚かな tonto [ta], estúpido [da], bobo [ba]
おわり【終わり】fin ㊚, término ㊚, conclusión ㊛
おわる【終わる】acabar, terminar: 学校は3時に終わる La escuela acaba a las

tres.

おんがく【音楽】música ㊛, **音楽家** músico [ca], **音楽会** concierto ㊚

おんせん【温泉】aguas termales

おんど【温度】temperatura ㊛

温度計 termómetro ㊚

おんな【女】mujer ㊛, 女の mujeril, femenino [na]

女の子 chica ㊛

か

か【課】(学課) lección ㊛, (会社などの) sección ㊛

カ【蚊】〘昆虫〙 mosquito ㊚

カーテン cortina ㊛, visillo ㊚

カード tarjeta ㊛, (トランプ) carta ㊛

カーニバル carnaval ㊚

カーネーション 〘植物〙 clavel ㊚

カーブ curva ㊛

かい[1]【貝】(二枚貝) almeja ㊛, (貝殻) concha ㊛

かい[2]【会】(集会) reunión ㊛, (パーティー) fiesta ㊛, (協会) asociación ㊛, (同好会) peña ㊛

かい[3]【回】(回数) vez ㊛, (ボクシングの) asalto ㊚, 何回も muchas veces

かい[4]【階】piso ㊚, planta ㊛, 1階 planta baja, bajo, 2階 primer piso ㊚ ⇨ piso

がい【害】daño ㊚, 害する hacer daño, dañar, estropear : タバコは君の健康を害する El tabaco te hace daño.

かいいん【会員】miembro ㊚, socio [cia], asociado [da]

かいが【絵画】cuadro ㊚, pintura ㊛

かいかい【開会】apertura ㊛

開会式 inauguración ㊛

かいがい【海外】海外の de ultramar, del exterior, del extranjero

海外ニュース noticias del exterior

海外旅行 viaje por el extranjero

かいかく【改革】reforma ㊛, 改革する reformar, innovar

かいかつ【快活】快活な alegre

かいがん【海岸】costa ㊛, (浜) playa ㊛

がいかん【外観】apariencia ㊛, aspecto exterior, vista exterior

かいぎ【会議】conferencia ㊛, reunión ㊛ ⇨ conferencia【参考】

かいきゅう【階級】categoría ㊛, clase ㊛, jerarquía ㊛, grado ㊚

かいぐん【海軍】marina ㊛

かいけい【会計】cuenta ㊛, contabilidad ㊛

かいけつ【解決】solución ㊛, 解決する resolver

がいけん【外見】aspecto exterior, apariencia ㊛

かいこ【解雇】despido ㊚

かいごう【会合】reunión ㊛, 会合する reunir*se*, juntar*se*

がいこう【外交】política exterior, diplomacia ㊛

外交官 diplomático [ca]

がいこく【外国】extranjero ㊚, 外国の extranjero [ra]

外国語 lengua extranjera

外国人 extranjero [ra]

がいこつ【骸骨】esqueleto ㊚

かいさい【開催】celebración ㊛, 開催する celebrar

かいさつ【改札】revisión de billetes, 改札口 paso al andén

かいさん【解散】disolución ㊛, 解散する disolver, separar*se*

かいしゃ【会社】compañía ㊛, empresa ㊛, 株式会社 sociedad anónima

会社員 oficinista ㊚㊛

かいしゃく【解釈】interpretación ㊛, 解釈する interpretar

がいしゅつ【外出】外出する salir

かいじょう【会場】lugar ㊚, local de celebración

かいせい【改正】reforma ㊛, revisión ㊛, enmienda ㊛

かいせつ【解説】explicación ㊛, (論評) comentario ㊚, 解説する explicar, comentar, **解説者** comentarista ㊚㊛

かいぜん【改善】mejoramiento ㊚, mejora ㊛, 改善する mejorar

がいせん【凱旋】凱旋する regresar triunfalmente, **凱旋門** arco de triunfo

かいそう【海藻】alga (marina) ㊛

かいたく【開拓】explotación ㊛, 開拓する explotar

かいだん[1]【階段】escalera ㊛

かいだん[2]【会談】conferencia ㊛, 首脳会談 cumbre ㊛

ガイダンス orientación ㊛, guía ㊛

かいちゅうでんとう【懐中電灯】linterna ㊛

かいてき【快適】快適な confortable, cómodo [da]

かいてん【回転】vuelta ㊛, giro ㊚, 回転する girar, 回転させる hacer girar

ガイド guía ㊚㊛, **ガイドブック** guía ㊛

かいとう【回答】respuesta ㊛, contestación ㊛, 回答する responder

がいとう【街灯】farol ㊚

がいねん【概念】concepto ㊚

かいはつ【開発】explotación ㊛

がいぶ【外部】外部の ajeno [na], forastero [ra], exterior

かいふく【回復】recuperación ㊛, 回復する recuperar*se*, recobrar la salud

かいほう[1]【快方】快方に向かう mejorar(*se*), ir mejorando

かいほう[2]【介抱】介抱する cuidar, atender

かいほう[3]【開放】開放する abrir al público
かいほう[4]【解放】liberación ㊛, 解放する liberar
かいもの【買い物】compra ㊛: 買い物をする hacer compras, 買い物に行く ir de compras
かいりょう【改良】mejora ㊛, 改良する mejorar
かいわ【会話】conversación ㊛
かう[1]【買う】comprar
かう[2]【飼う】tener, criar
カウンター mostrador ㊚, barra ㊛
かえす【返す】devolver,（金を）pagar la deuda: 本は明日返します Le devolveré el libro mañana.
かえって más bien, antes bien, al [por el] contrario
かえり【帰り】帰りに de vuelta, a la vuelta, en el camino de vuelta [regreso]
かえる[1]【帰る】volver, regresar, retornar
かえる[2]【変える】（計画などを）cambiar,（他のものに）convertir en,（形を）transformar en
かえる[3]【代える】（取り代える）cambiar,（交代する）su(b)stituir
カエル【蛙】〔動物〕rana ㊛
かお【顔】cara ㊛, rostro ㊚: 顔を洗いなさい Lávate la cara. 彼の顔が立った Su honor está salvado. 彼は顔が広い Tiene influencia / Es conocido. ⇨ cuerpo 図
かおり【香り】olor ㊚, aroma ㊚, 香る oler: いい香りだ Huele bien. ⇨ perfume【参考】
がか【画家】pintor [tora]
かかく【価格】precio ㊚
かがく[1]【化学】química ㊛
かがく[2]【科学】ciencia ㊛, 科学の científico [ca], **科学者** científico [ca]
かかげる【掲げる】poner, llevar
かかと【踵】（足の）talón ㊚,（靴の）tacón ㊚
かがみ【鏡】espejo ㊚
かがやく【輝く】brillar, 輝き brillo ㊚, resplandor ㊚, 輝かしい brillante, luminoso [sa]
かかり【係】encargado [da]
かかる【掛かる】（ぶら下がる）colgar, suspender,（時間が）tardar,（お金が）costar,（医者に）consultar a un médico,（病気に）ponerse (caer) enfermo
－（にも）かかわらず【拘らず】（そうであるのに）a pesar de, a despecho de: 雨にもかかわらず彼らは出かけた A pesar de la lluvia, salieron.（関係なく）晴雨にかかわらず haga el tiempo que haga
かかわる【関わる】（…と関係する）relacionarse con,（…と結びつく）asociarse con,（命, 名誉などに）afectar a
カキ【牡蠣】〔動物〕ostra ㊛

かぎ[1]【鉤】gancho ㊚
かぎ[2]【鍵】llave ㊛: ドアに鍵をかけた Cerró la puerta con llave. ⇨ llave 図
かきまぜる【かき混ぜる】（サラダなどを）mover,（セメントなどを）remover,（トランプのカードなどを）mezclar
かぎる【限る】limitar, restringir, 今日限り hasta hoy,（健康で）ある限り mientras tenga salud, できる限り en lo posible, …とは限らない no … siempre, no … todos
かく[1]【核】núcleo ㊚
核戦争 guerra nuclear
かく[2]【書く】escribir,（描く）dibujar
かく[3]【掻く】rascar, rascar*se*
かぐ[1]【家具】mueble ㊚
かぐ[2]【嗅ぐ】oler, husmear
かくご【覚悟】覚悟する（用意している）estar listo [preparado] para,（決心する）decidir*se* a, estar determinado a
かくじつ【確実】⇨ たしか
がくしゃ【学者】académico [ca], estudioso [sa]
かくしん[1]【革新】innovación ㊛, renovación ㊛
かくしん[2]【確信】…を確信する confiar en, estar convencido [da] de
かくす【隠す】ocultar, esconder
がくせい【学生】estudiante ㊚㊛
かくだい【拡大】ampliación ㊛, 拡大する ampliar
かくてい【確定】determinación ㊛
確定申告 declaración de renta
カクテル cóctel ㊚
かくど【角度】ángulo ㊚ ⇨ ángulo 図
かくとく【獲得】adquisición ㊛, 獲得する obtener, adquirir
かくにん【確認】confirmación ㊛, 確認する confirmar
がくひ【学費】gastos de estudios [escolaridad]
がくぶ【学部】facultad ㊛
かくほ【確保】確保する asegurar, reservar
かくめい【革命】revolución ㊛
がくもん【学問】ciencia ㊛
かくりつ[1]【確率】probabilidad ㊛
かくりつ[2]【確立】確立する establecer
がくれき【学歴】estudios, historial académico, curriculum vitae
かくれる【隠れる】ocultar*se*, esconder*se*
かげ【陰・影】sombra ㊛, 木陰 la sombra de un árbol
がけ【崖】precipicio ㊚, acantilado ㊚
かけい【家計】economía doméstica
かげき【過激】過激な radical, extremo [ma]
かける[1]【欠ける】（足りない）faltar, carecer de,（物の一部が破損する）romperse
かける[2]【駆ける】correr
かける[3]【掛ける】（つるす）colgar,（おおう）

cubrir, (すわる) sentar*se*, tomar asiento, (火にかける) poner, (水をかける) echar, (掛け算する) multiplicar
かける[4]【賭ける】apostar
かこ【過去】pasado ㊚, 過去の pasado[da]
かご【籠】cesta ㊛, canasta ㊛, (鳥かご) jaula ㊛ ⇨ cesta 図
かこう【加工】加工する elaborar
かこむ【囲む】rodear
かさ【傘】(雨傘) paraguas ㊚, (日傘) sombrilla ㊛, parasol ㊚
かさい【火災】incendio ㊚, 火災が起こる incendiarse, declararse un incendio
火災報知器 alarma contra incendios
かさねる【重ねる】apilar, colocar uno encima de otro, amontonar
かざる【飾る】adornar
かざん【火山】volcán ㊚, 活火山 volcán activo, 休火山 volcán inactivo
かし【菓子】pastel ㊚, torta ㊛, dulces ㊚, **菓子店** pastelería ㊛, confitería ㊛
カシ【樫】〔植物〕roble ㊚
かじ[1]【舵】timón ㊚
かじ[2]【火事】incendio ㊚
かじ[3]【家事】quehaceres domésticos, labores domésticas
かしこい【賢い】listo [ta], inteligente
かしつ【過失】falta ㊛, error ㊚: 過失を犯す cometer un error
かしゅ【歌手】cantante ㊚㊛, (フラメンコの) cantaor [ora]
かじる【齧る】dar un mordisco, morder
かす[1]【滓】residuos ㊚, poso ㊚
かす[2]【貸す】prestar, dejar: この本を貸してくれますか？ ¿Me prestas este libro? (賃貸しする) alquilar ► 賃借りする場合にも使う.
かず【数】número ㊚, 数の numeral
ガス gas ㊚, (プロパンガス) gas propano
かすかな【微かな】(光・音など) débil, (記憶など) vago [ga]
ガスパチョ gazpacho ㊚
かすみ【霞】niebla ㊛, neblina ㊛, bruma ㊛
かぜ[1]【風】viento ㊚, aire ㊚, (そよ風) brisa ㊛: 風がある Hace viento.
かぜ[2]【風邪】(風邪をひいた) resfriado [da], constipado [da], カタル catarro ㊚, 流感・インフルエンザ gripe㊛, influenza ㊛, 風邪をひいていますEstoy resfriado. / Tengo un catarro.
風邪薬 medicina ㊛ para el resfriado
かせき【化石】fósil ㊚
かせぐ【稼ぐ】ganar
かそう【仮装】disfraz ㊚
かぞえる【数える】contar, 数えきれない incontable
かぞく【家族】familia ㊛ ⇨ familia 【参考】
ガソリン gasolina ㊛: ガソリンを満タンにする llenar de gasolina el depósito
ガソリンスタンド gasolinera ㊛
かた[1]【肩】hombro ㊚
かた[2]【型】(タイプ) tipo ㊚, modelo ㊚, (形式・スタイル) estilo ㊚, (大きさ) tamaño ㊚, (枠) molde ㊚
かたい【固い】duro [ra], (堅固な) sólido [da], (意志・決意などが) firme, (強い) fuerte
かたち【形】forma ㊛, (姿) figura ㊛ ⇨ forma 図
かたづける【片付ける】(整とん) arreglar, (処理) despachar, (終わらせる) terminar
かたな【刀】espada ㊛
かたまり【塊】trozo ㊚, pedazo ㊚, bloque ㊚
かたまる【固まる】solidificarse, 固める solidificar
かたむく【傾く】inclinarse, 傾ける inclinar: 日が傾く caer el sol
かたる【語る】narrar, relatar, contar
カタログ catálogo ㊚
かだん【花壇】arriate ㊚
かち【価値】valor ㊚, 価値がある valer, …する価値がない no vale la pena (de)
かちく【家畜】ganado ㊚
かつ【勝つ】ganar, vencer: われわれは2対1で勝った Ganamos por dos a uno. **勝ち** victoria ㊛
がっか[1]【学科】departamento ㊚
がっか[2]【学課】lección ㊛, clase ㊛
がっかり がっかりする desilusionar*se*, desanimar*se*
かっき【活気】animación ㊛, vigor ㊚
がっき[1]【学期】(2学期制) semestre ㊚, (3学期制) trimestre ㊚
がっき[2]【楽器】instrumento musical
かっきてき【画期的】画期的な que hace época
かっこう【格好】apariencia ㊛, aspecto ㊚, hechura ㊛
がっこう【学校】escuela ㊛, (小学校) escuela (de enseñanza) primaria, (中学校) escuela secundaria, (高等学校) escuela secundaria superior, escuela de bachillerato
かつじ【活字】tipo ㊚
かって【勝手】勝手に por SU propia iniciativa, como quiera: 勝手にしろ！ ¡Haz lo que quiera! / ¡Haz lo que te dé la gana!
かつて antes, alguna vez, (否定文で) かつて…ない nunca, jamás, ni una vez: それはかつて見たことがある Lo he visto antes. そのようなことはかつて見たことがない No he visto nunca tal cosa.
かつどう【活動】actividad ㊛, 活動する trabajar, 活動的な activo [va]
かっぱつ【活発】活発な enérgico [ca], activo [va]
カップ taza ㊛, 優勝カップ copa ㊛
カップル pareja ㊛

がっぺい【合併】fusión ㊛, 合併する fusionar

かつやく【活躍】actividad ㊛, 活躍する tener actividad, ser activo [va]

かつら【鬘】peluca ㊛

かてい[1]【家庭】hogar ㊚, familia ㊛

かてい[2]【過程】proceso ㊚

かてい[3]【仮定】hipótesis ㊛, suposición ㊛, 仮定する suponer

かど【角】esquina ㊛

カトリック カトリック教徒 católico [ca]

かなう【適う・叶う】(匹敵する) igualar, (目的・希望が) cumplirse

かなしい【悲しい】triste, 悲しみ tristeza ㊛, pesar ㊚, 悲しむ estar [sentir*se*] triste, lamentar*se*

かならず【必ず】(きっと) sin falta, con toda seguridad, (いつも) siempre, 必ずしも…ない no ... todos, no ... siempre [necesariamente]: 大酒飲みが必ずしもアル中とは限らない No todos los borrachos son alcohólicos.

カニ【蟹】〘動物〙 cangrejo ㊚

かね[1]【金】dinero ㊚, 金持ち rico [ca]

かね[2]【鐘】campana ㊛, 鐘をつく tocar la campana

かのう【可能】可能な posible, 可能性 posibilidad ㊛

かのじょ【彼女】ella, 彼女の su, de ella, 彼女を la, 彼女に le, 彼女のもの suyo [ya]

カバ【河馬】〘動物〙 hipopótamo ㊚

かばう【庇う】proteger, amparar

かばん【鞄】bolsa ㊛ ⇨ bolsa 図

かび【黴】moho ㊚, かびが生える criar moho

かびん【花瓶】florero ㊚

かぶ【株】(株式) acción ㊛, (切り株) tocón ㊚

かぶる【被る】poner*se*, cubrir*se* con, llevar

かふんしょう【花粉症】polinosis

かべ【壁】pared ㊛

かへい【貨幣】moneda ㊛, (紙幣) billete ㊚

かまう【構う】(気にかける) importar, preocupar*se*, molestar*se*, (世話をする) cuidar, (…に干渉する) meter*se* con: どうぞお構いなく No se moleste, por favor.

がまん【我慢】paciencia ㊛, aguante ㊚, 我慢する tolerar, aguantar, (…でよしとする) conformar*se* con, 我慢強い paciente

かみ[1]【神】dios ㊚ ⇨ dios【参考】

かみ[2]【紙】papel ㊚, ボール紙 cartón ㊚

かみ[3]【髪】pelo ㊚, cabello ㊚

かみなり【雷】trueno ㊚, 雷が鳴る tronar

かむ【噛む】masticar, (かみつく) morder

カメ【亀】〘動物〙 tortuga ㊛

かめい【加盟】加盟する adherir*se*, afiliar*se*

カメラ cámara ㊛ ⇨ cámara 図

-かもしれない puede ..., quizás, a lo mejor: 本当かもしれない Puede ser verdad. 彼は来ないかもしれない A lo mejor no viene.

かもつ【貨物】mercancía ㊛
貨物船 carguero ㊚
貨物列車 vagón de mercancías

カモメ【鷗】〘鳥〙 gaviota ㊛

かやく【火薬】pólvora ㊛

かゆい【痒い】picar, 私は目がかゆい Me pican los ojos.

かよう【通う】ir, (心が) simpatizar

かようび【火曜日】martes ㊚

から[1]【空】空の vacío [a], 空にする vaciar, agotar

から[2]【殻】cáscara ㊛

-から **1** (開始の時期・位置) de, desde, a partir de, a: 月曜から金曜まで開いている Está abierto de lunes a viernes. 私は東京から大阪まで行った Fui desde Tokio hasta Osaka. 学校は8時から始まる La escuela comienza a las ocho.
2 (原因・理由) como, porque: 雨が降っていたから外出しなかった Como llovía no salí. 遅いから帰らなければならない Tengo que irme porque es tarde.
3 (経由) por: 表門から出る salir por el portón
4 (材料) de: 酒は米からつくる El sake se hace del arroz.

カラー (色) color ㊚, (襟) cuello ㊚

からい【辛い】(味が) picante, (塩からい) salado [da], (評価が) severo [ra]

からかう burlar*se* de

カラス【烏】〘鳥〙 cuervo ㊚

ガラス vidrio ㊚, cristal ㊚

からだ【体】(肉体) cuerpo ㊚ ⇨ cuerpo 図, (体の具合) salud ㊛

かり[1]【仮】仮の provisional

かり[2]【狩り】caza ㊛, 狩りをする cazar

かりる【借りる】(金などを) pedir prestado [da], (借りがある) deber, (家・車などを) alquilar, (電話などを) usar

かる【刈る】(穀物・草を) segar, (…の髪を) cortarle el pelo a

かるい【軽い】ligero [ra], liviano [na], (病気が) leve, (心・気持ちなどが) alegre

かれ【彼】**彼は[が]** 《主語》 él; **彼の** 《所有形容詞》 su, suyo [ya]; **彼に** 《間接目的》 le; **彼を** 《直接目的》 lo[le]; **彼のもの** suyo [ya]; **彼自身** 《主語》 él mismo

ガレージ garaje ㊚

かれる【枯れる】secarse

カレンダー calendario ㊚

がろう【画廊】galería ㊛

かわ[1]【皮・革】cuero ㊚, piel ㊛ ⇨ piel

かわ[2]【川】río ㊚, (小川) arroyo ㊚, riachuelo ㊚

がわ【側】lado ㊚, 窓側に al lado de la ventana

かわいい【可愛い】(きれいな) precioso [sa], (愛らしい) lindo [da], bonito [ta], (いとしい) querido [da]
かわいそう【可哀相】pobre, desafortunado [da]
かわく【乾く】secarse,【渇く】tener sed
かわせ【為替】cambio ㊚, **為替レート** tipo de cambio
かわら【瓦】teja ㊛
かわり【代わり】(…の代わりに) por, en lugar de, (…と交換に) a cambio de
かわる[1]【変わる】cambiar, convertirse en, ponerse：君はちっとも変わっていない No has cambiado nada. 木の葉が黄に変わる Las hojas se ponen amarillas.
かわる[2]【代わる】substituir, reemplazar
かん[1]【缶】lata ㊛, 缶詰 conserva ㊛, 缶切り abrelatas ㊚
かん[2]【棺】ataúd ㊚, féretro ㊚
がん【癌】cáncer ㊚
かんがえ【考え】idea ㊛, (意見) opinión ㊛, (思考) pensamiento ㊚
かんがえる【考える】pensar, considerar: 少し考えさせてください Déjenme pensar un poco.
かんかく[1]【間隔】intervalo ㊚
かんかく[2]【感覚】sentido ㊚, sensibilidad ㊛
かんきゃく【観客】espectador [dora], 《集合》público ㊚
かんきょう【環境】(medio) ambiente ㊚
環境汚染 contaminación ambiental
かんけい【関係】relación ㊛
関係者 interesado [da]: 私はそのことに何の関係もない No tengo nada que ver con eso.
かんげい【歓迎】bienvenida ㊛, 歓迎する dar la bienvenida a
歓迎会 fiesta de bienvenida
かんげき【感激】emoción ㊛, 感激する emocionar*se*
がんこ【頑固】頑固な testarudo [da], pertinaz, cabezota, obstinado [da], terco [ca]
かんこう【観光】turismo ㊚
観光客 turista ㊚㊛
観光案内所 información de turismo
かんこく【勧告】exhortación ㊛, 勧告する exhortar
かんさつ【観察】observación ㊛, 観察する observar, ver
かんし【監視】vigilancia ㊛, 監視する vigilar
かんじ[1]【感じ】sensación ㊛, 感じがいい simpático [ca], 感じが悪い antipático [ca]
かんじ[2]【漢字】carácter [ideograma] chino
かんしゃ【感謝】agradecimiento ㊚, gratitud ㊛, 感謝する agradecer, 感謝している estar agradecido [da]
かんじゃ【患者】paciente ㊚㊛, enfermo [ma], cliente [ta], 《集合》clientela ㊛
かんしゅう【慣習】costumbre ㊛, hábito ㊚
かんしょう[1]【干渉】intervención ㊛, 干渉する intervenir, interponer*se*
かんしょう[2]【観賞】観賞する admirar
かんしょう[3]【鑑賞】鑑賞する admirar, apreciar, disfrutar de
かんじょう[1]【感情】sentimiento ㊚, 感情的な sentimental
かんじょう[2]【勘定】cuenta ㊛, nota ㊛
がんじょう【頑丈】頑丈な fuerte, sólido [da]
かんじる【感じる】sentir
かんしん[1]【関心】interés ㊚ ⇨ きょうみ
かんしん[2]【感心】感心する admirar, (心を打たれる) impresionar*se*
かんする【関する】…に関する de, sobre, acerca de, referente a
かんせい【完成】conclusión ㊛, terminación ㊛, 完成する acabar, terminar
かんぜい【関税】derechos de aduana, impuesto arancelario
かんせつ[1]【間接】間接の indirecto [ta]
かんせつ[2]【関節】articulación ㊛
かんせん【感染】infección ㊛, contagio ㊚, …に感染する contagiar*se* de
かんぜん【完全】完全な perfecto [ta], completo [ta], 完全に perfectamente, completamente
かんそう[1]【感想】impresión ㊛
かんそう[2]【乾燥】sequedad ㊛, 乾燥した seco [ca]
かんぞう【肝臓】hígado ㊚
かんそく【観測】observación ㊛, 観測する observar
かんだい【寛大】寛大な generoso [sa]
かんたん【簡単】簡単な simple, sencillo [lla], (やさしい) fácil, (手短な) breve
がんたん【元旦】día primero del año
かんちょう【官庁】oficina de administración pública, oficina gubernamental
かんてん【観点】punto de vista, perspectiva ㊛
かんどう【感動】emoción ㊛, sensación ㊛, 感動する emocionar*se*, 感動させる emocionar, 感動的な emocionante
かんとく【監督】director [tora], (スポーツの) entrenador [dora]
かんねん【観念】noción ㊛, idea ㊛
カンパ colecta ㊛
かんぱい【乾杯】乾杯する brindar: 乾杯！ ¡Salud!
がんばる【頑張る】esforzar*se*, hacer todo lo posible, がんばれ！ ¡Ánimo!
かんばん【看板】letrero ㊚, anuncio ㊚
かんびょう【看病】asistencia ㊛, cuidado ㊚, 看病する cuidar al enfermo
がんぼう【願望】anhelo ㊚, aspiración

㊛, deseo ㊚
かんゆう【勧誘】勧誘する invitar, solicitar,（説得する）persuadir
かんり【管理】dirección ㊛, administración ㊛, 管理する administrar
かんれん【関連】relación ㊛
かんわ【緩和】緩和する mitigar, aliviar, moderar, reducir

き

き[1]【木】（樹木）árbol ㊚,（材木）madera ㊛ ⇨ árbol 図
き[2]【黄】黄色の amarillo [lla]
き[3]【気】気が合う llevar*se* bien, simpatizar, 気が変わる cambiar de idea, 気がすむ quedar*se* satisfecho[cha], 気がつく dar*se* cuenta de, 気にする preocupar*se* de, 気を失う desmayar*se*, 気をつかう人 ser atento [ta], 気をつける cuidar*se*, tener cuidado con, poner atención
キーワード palabra(s) clave(s)
きえる【消える】（火・明かりなどが）apagarse,（見えなくなる）desaparecer,（泡などが）extinguirse
きおく【記憶】memoria ㊛, recuerdo ㊚, 記憶する（覚えている）acordar*se* de, recordar, **記憶喪失**amnesia ㊛
きおん【気温】temperatura ㊛
きか【帰化】帰化する naturalizar*se*
きかい[1]【機会】ocasión ㊛, oportunidad ㊛
きかい[2]【機械】máquina ㊛, 機械の mecánico[ca], 機械的に mecánicamente
ぎかい【議会】⇨ こっかい
きかく【企画】plan ㊚, planificación ㊛, proyecto ㊚
きかん[1]【期間】período ㊚, plazo ㊚
きかん[2]【機関】entidad ㊛, organismo ㊚
きき【危機】crisis ㊛
きぎょう【企業】empresa ㊛
きく[1]【効く】tener efecto
きく[2]【聞く】（注意して聞く）oír, escuchar,（尋ねる）preguntar: 先生の言うことをよく聞きなさい Escucha bien lo que dice el profesor.
キク【菊】〘植物〙crisantemo ㊚
きぐ【器具】aparato ㊚, utensilio ㊚, instrumento ㊚
きけん【危険】peligro ㊚,（恐れ）riesgo ㊚, 危険な peligroso [sa]
きげん[1]【起源】origen ㊚
きげん[2]【期限】plazo ㊚, vencimiento ㊚, término ㊚
きげん[3]【機嫌】humor ㊚, 機嫌がよい[悪]い estar de buen [mal] humor
きこう【気候】clima ㊚
きごう【記号】signo ㊚, señal ㊛, símbolo㊚
きこえる【聞こえる】oír, oírse: 通りの喧噪(けんそう)が聞こえます Se oyen los ruidos de la calle.
きし【岸】orilla ㊛
きじ【記事】artículo ㊚
ぎしき【儀式】ceremonia ㊛, rito ㊚
きじつ【期日】fecha ㊛, plazo ㊚
きしゃ【汽車】tren ㊚
きしゅ【騎手】jinete ㊚
ぎじゅつ【技術】técnica ㊛, arte ㊚ **技術者** técnico [ca], ingeniero [ra]
きじゅん【基準】estándar ㊚, norma ㊛
きしょう【気象】気象の meteorológico [ca]
キス beso ㊚, キスする besar, dar un beso
きず【傷】herida ㊛, lesión ㊛, 傷つく herir*se*, resultar herido [da], lastimar*se*, 傷つける herir, lastimar **傷跡** cicatriz ㊛
きせい【規制】規制する controlar, regular
ぎせい【犠牲】sacrificio ㊚, 犠牲にする sacrificar, …を犠牲にして a costa de **犠牲者** víctima ㊛
きせき【奇跡】milagro ㊚
きせつ【季節】estación ㊛,（シーズン）temporada ㊛, **四季** las cuatro estaciones del año
きそ【基礎】base ㊛, fundamento ㊚, 基礎的な básico [ca], fundamental, …に基礎を置く basar en
きそく【規則】regla ㊛, reglamento ㊚, 規則的な regular
きぞく【貴族】nobleza ㊛, aristocracia ㊛ ⇨ duque【参考】
きた【北】norte ㊚, 北の norte, norteño [ña], **北半球** hemisferio norte
ギター guitarra ㊛ ⇨ guitarra 図
きたい[1]【気体】cuerpo gaseoso, gas ㊚
きたい[2]【期待】expectación ㊛, 期待する esperar
きたえる【鍛える】fortalecer, fortificar
きたない【汚い】sucio [cia]
きちょうひん【貴重品】objetos de valor
きち【基地】base ㊛
きちんと ordenadamente, correctamente
きつい（仕事が）duro[ra], penoso[sa],（衣類が）apretado [da], estrecho [cha]
きって【切手】sello ㊚,《ラ米》timbre ㊚, estampilla ㊛, **記念切手** sello conmemorativo, **切手収集** filatelia ㊛, **切手収集家** filatelista ㊚㊛
きっと ⇨ かならず
キツネ【狐】〘動物〙zorro [zorra]
きっぷ【切符】billete ㊚,《ラ米》boleto ㊚, **切符売り場** ventanilla
きてい【規定】regla ㊛, reglamento ㊚
きどう【軌道】órbita ㊛
きにゅう【記入】記入する apuntar, ano-

tar, rellenar
きぬ【絹】seda 女
きねん【記念】conmemoración 女, 記念する conmemorar
記念碑 monumento 男
記念日［祭］aniversario 男, día conmemorativo
きのう[1]【昨日】ayer, 昨日の朝 ayer por la mañana
きのう[2]【機能】función 女
キノコ【茸】〘植物〙 hongo 男, seta 女
きのどく【気の毒】気の毒な pobre, 気の毒に思う sentir, compadecer： 気の毒な人！ ¡Pobre hombre! まことにお気の毒です Lo siento mucho.
きびしい【厳しい】severo [ra], estricto [ta], riguroso [sa]
きふ【寄付】donación 女, 寄付する donar
きぶん【気分】humor 男, estado de ánimo, 気分がいい［悪い］sentir*se* bien [mal]
きぼ【規模】envergadura 女, dimensión 女
きぼう【希望】esperanza 女, deseo 男, 希望する esperar, desear
きほん【基本】基本の básico [ca], fundamental
きまぐれ【気まぐれ】capricho 男
きまり【決まり】(規定) regla 女, (習慣)costumbre女, (決定) decisión 女
きまる【決まる】(日時が) fijarse, (規則などが) establecerse
きみ【君】君は［が］《主語》tú; 君を［に］te, 〔前置詞の目的語〕ti, 但し con に続く場合は contigo; 君の tu, tuyo
ぎむ【義務】deber 男, obligación 女, 義務的な obligatorio [ria]
義務教育 enseñanza obligatoria
きめる【決める】decidir (*se*), determinar, (日時を) fijar, (規則を) establecer
きもち【気持ち】sentimiento 男, …したい気持ちがする tener ganas de, 気持ちのよい agradable
ぎもん【疑問】duda 女, (質問) pregunta 女, 疑問である ser dudoso[sa], dudar de
きゃく【客】(招待客) invitado [da], (訪問客) visita 女, visitante 男女, (商店の) cliente 男女, (旅客) pasajero[ra], (客員教授) profesor [sora] invitado [da]
ぎゃく【逆】逆の contrario [ria], inverso [sa], 反対に al revés, al contrario
ぎゃくたい【虐待】虐待する maltratar
キャスター presentador [dora]
きゃっかん【客観】客観的な objetivo [va]
キャッシュ efectivo 男
キャベツ 〘植物〙 repollo 男, col 女
キャリア carrera 女
キャンセル cancelación 女, キャンセルする cancelar, anular
キャンデー caramelo 男
キャンプ campamento 男, camping 男
ギャンブル juego 男, apuesta 女
キャンペーン campaña 女
きゅう【急】急な (差し迫った) inminente, (突然の) repentino [na], (勾配(こうばい)が) empinado [da], 急に de repente
きゅうか【休暇】vacación 女, 休暇をとる tener [tomar] las vacaciones, 有給休暇 vacaciones retribuidas [pagadas]
きゅうきゅうしゃ【救急車】ambulancia 女
きゅうくつ【窮屈】窮屈な (きつい) apretado [da], (固苦しい) incómodo [da]
きゅうけい【休憩】descanso 男, reposo 男, **休憩時間** hora de descanso
きゅうじつ【休日】día festivo
きゅうしゅう【吸収】absorción 女, 吸収する absorber, (知識を) asimilar
きゅうじょ【救助】rescate 男, salvamento 男, 救助する salvar
ぎゅうにく【牛肉】carne de vaca
ぎゅうにゅう【牛乳】leche 女
キューバ 固名 Cuba
きゅうよう【休養】reposo 男, descanso 男, 休養する reposar
キュウリ【胡瓜】〘植物〙 pepino 男
きゅうりょう【給料】sueldo 男, salario 男, 月給 sueldo mensual ⇨ sueldo【参考】
きょう【今日】hoy
ぎょう【行】línea 女, renglón 男, 3行目 la tercera línea
きょういく【教育】(一般的な) educación 女, instrucción 女, (学校での) enseñanza 女, 教育する educar, (教える) enseñar ⇨ educación【参考】
きょうか【強化】intensificación 女, refuerzo 男, 強化する reforzar
きょうかい[1]【教会】iglesia 女 ⇨ iglesia【参考】
きょうかい[2]【境界】linde 女 (ときに男), confines男
きょうかしょ【教科書】libro de texto
きょうぎ【競技】competición 女
競技場 campo 男, estadio 男, 陸上競技 atletismo 男 ⇨ atletismo 図
きょうきゅう【供給】suministro 男, abastecimiento 男, oferta 女, 供給する suministrar, abastecer
きょうぐう【境遇】circunstancia 女, situación 女, ambiente 男
きょうさんしゅぎ【共産主義】comunismo 男
きょうし【教師】⇨ せんせい
ぎょうじ【行事】acto 男, evento 男
きょうしつ【教室】aula 女, clase 女
きょうせい【強制】強制する obligar, imponer
ぎょうせい【行政】administración 女
ぎょうせき【業績】resultado (s) 男, tra-

bajo(s) realizado(s)
きょうそう[1]【競争】competencia ㊛, 競争する competir
きょうそう[2]【競走】carrera ㊛, 競走する correr en una carrera
きょうだい【兄弟・姉妹】hermanos ㊚, hermanas ㊛
兄弟[姉妹]関係 hermandad ㊛
きょうちょう【強調】énfasis ㊚, 強調する enfatizar, dar [poner] énfasis
きょうつう【共通】共通の común
きょうどう【協同】cooperación ㊛
協同組合 cooperativa ㊛
きょうはく【脅迫】amenaza ㊛
きょうふ【恐怖】terror ㊚, pavor ㊚
きょうみ【興味】interés ㊚, 興味深い interesante, …に興味を持つ tener interés en
きょうよう【教養】cultura ㊛, 教養のある culto [ta], 教養のない inculto [ta]
きょうりょく[1]【協力】colaboración ㊛, 協力する colaborar, cooperar
きょうりょく[2]【強力】強力な potente, fuerte, poderoso [sa]
ぎょうれつ【行列】(順番待ちの) cola ㊛, (行進の) procesión ㊛
きょうわこく【共和国】república ㊛
きょか【許可】permiso ㊚, 許可する permitir, **許可証** permiso ㊚
ぎょかいるい【魚介類】marisco ㊚
ぎょぎょう【漁業】pesca ㊛, industria pesquera
きょく【曲】〘音楽〙 pieza ㊛
きょくせん【曲線】curva ㊛
きょくたん【極端】極端な extremado [da], exagerado [da]
きょじん【巨人】gigante ㊚
きょぜつ【拒絶】拒絶する rechazar, rehusar
きょねん【去年】el año pasado
きょひ【拒否】拒否する denegar, negar
きょり【距離】distancia ㊛
きらう【嫌う】odiar, detestar
きり【霧】niebla ㊛: 霧がかかる Hay niebla.
ぎり【義理】obligación ㊛, deuda ㊛
キリスト Cristo ㊚
キリスト教 cristianismo ㊚, religión cristiana
きりつ【規律】disciplina ㊛, orden ㊚
きる[1]【切る】cortar, (スイッチなどを) apagar, (トランプを) barajar
きる[2]【着る】ponerse, vestir*se*, (着ている) llevar, usar
きれい【綺麗】綺麗な(美しい) hermoso [sa], bonito [ta], bello [lla], (清潔な) limpio [pia]
きれる【切れる】(刃物が) cortar, (期限が) vencer, caducar, terminar, (堤防などが) romperse
きろく【記録】(スポーツ) récord ㊚, marca ㊛, (文書) archivo ㊚, 記録する registrar, inscribir, 記録を作る establecer un récord, 記録を破る batir el récord
ぎろん【議論】discusión ㊛, 議論する discutir
きん【金】oro ㊚, 金の de oro, 金色の dorado [da], 金メダル medalla de oro
ぎん【銀】plata ㊛, 銀の de plata, 銀色の plateado [da]
きんえん【禁煙】prohibido fumar, 禁煙する dejar de fumar
ぎんが【銀河】Via Láctea, Camino de Santiago
きんがく【金額】importe ㊚, cantidad ㊛, suma ㊛
きんきゅう【緊急】urgencia ㊛, 緊急の urgente
きんこ【金庫】caja fuerte
ぎんこう【銀行】banco ㊚
きんし【禁止】prohibición ㊛, 禁止する prohibir
きんじょ【近所】vecindad ㊛, 近所の vecino [na]
きんぞく【金属】metal ㊚, 金属の de metal, **金属製品** producto metálico
きんちょう【緊張】tensión ㊛
きんにく【筋肉】músculo ㊚
きんぱつ【金髪】金髪の rubio [bia]
きんべん【勤勉】勤勉な aplicado [da], trabajador [dora]
きんむ【勤務】servicio ㊚, trabajo ㊚, (交替制の) turno ㊚, 勤務中 estar de servicio, **勤務時間** horas de trabajo
きんゆう【金融】finanzas ㊛
金融機関 entidades financieras
きんようび【金曜日】viernes ㊚

く

ぐあい【具合】(調子) estado ㊚, condición ㊛, (方法) manera ㊛, modo ㊚
グアテマラ 固名 Guatemala
くうかん【空間】espacio ㊚
くうき【空気】aire ㊚, 空気の aéreo [a]
くうこう【空港】aeropuerto ㊚ ⇨ aeropuerto 図
ぐうぜん【偶然】casualidad ㊛, 偶然に por casualidad, 偶然の casual, fortuito [ta]
くうそう【空想】⇨ そうぞう[2]
クーデター golpe de Estado
くうはく【空白】margen ㊚, blanco ㊚
クーラー acondicionador del aire, refrigerador ㊚
くがつ【九月】septiembre ㊚
くぎ【釘】clavo ㊚, くぎで打ちつける clavar
くさ【草】hierba ㊛, yerba ㊛
くさい【臭い】de mal olor

くさり【鎖】cadena ㊛

くさる【腐る】pudrirse, 腐った podrido [da], malo [la]

くし【櫛】peine ㊚

くじ【籤】rifa ㊛, sorteo ㊚, 宝くじ lotería ㊛

クジャク【孔雀】〘鳥〙 pavo real

くしゃみ【嚔】くしゃみをする estornudar

クジラ【鯨】〘動物〙 ballena ㊛

くしん【苦心】afanes ㊚, …に苦心する desvelar*se* por

くず【屑】basura ㊛, desechos ㊚, くず入れ papelera ㊚, cesto de papeles

くすり【薬】medicina ㊛, medicamento ㊚, 薬屋 farmacia ㊛, botica ㊛, 錠剤 pastilla ㊛, 丸薬 píldora ㊛

くずれる【崩れる】 derrumbarse, destruirse

くせ【癖】(習慣) costumbre ㊛, hábito ㊚, (奇癖) manía ㊛, (悪習) vicio ㊚

くだ【管】tubo ㊚

ぐたい【具体】具体的な concreto[ta], 具体的に concretamente

くだく【砕く】(ひく, 粉にする) moler, machacar, (こわす) romper

－(して)ください【下さい】(物を) dar: 水をください Déme agua. …してください Haga el favor de《＋不定詞》

くだもの【果物】fruta ㊛
果物店 frutería ㊛ ⇨ fruta 図, 【参考】

くだる【下る】bajar, descender, 下りの descendente

くち【口】boca ㊛, 口に出す decir, 口を利く mediar, interceder, 口のきけない人 mudo [da]

くちびる【唇】labio ㊚

くちぶえ【口笛】silbido ㊚

くちべに【口紅】barra de labios

くつ【靴】zapatos ㊚ ⇨ calzado 図, 靴をはく calzar*se* [poner*se*] los zapatos
靴店 zapatería㊛, **靴べら**calzador ㊚

くつした【靴下】(ソックス) calcetines ㊚, (ストッキング) medias ㊛

くつじょく【屈辱】humillación ㊛, afrenta ㊛, 屈辱をうける sufrir una humillación

クッション cojín ㊚, almohadilla ㊛

くに【国】(国土) país ㊚, (国家) estado ㊚, nación ㊛, (故郷) pueblo (natal) ㊚, (祖国) patria ㊛

くばる【配る】repartir, distribuir

くび【首】cuello ㊚, 首にする despedir, 首になる ser despedido [da]

くふう【工夫】(考え) idea ㊛, (手段) recurso ㊚, 工夫する ingeniar, ingeniárselas

くべつ【区別】distinción ㊛, diferenciación ㊛, 区別する diferenciar

クマ【熊】〘動物〙 oso [osa]

くみ【組】(学級) clase ㊛, (集団) grupo ㊚, (ひとそろい) juego ㊚, (対) par ㊚

くみあい【組合】sindicato ㊚

くみあわせ【組み合わせ】combinación ㊛
組み合わせる combinar

くみたて【組み立て】montaje ㊚, ensamblaje ㊚, **組み立てる** montar, ensamblar

くむ[1]【汲む】sacar

くむ[2]【組む】(組になる) agrupar*se*, (協力・参加する) asociar*se*, (腕や脚を) cruzar*se* de

くも【雲】nube ㊛, 雨雲 nube de lluvia, 飛行機雲 estela de un avión

クモ【蜘蛛】〘動物〙 araña ㊛

くもり【曇り】nubosidad ㊛
曇る nublarse, 曇った nublado [da]

くやしい【悔しい】dar rabia: 私は試験に失敗して悔しい Me da rabia haber salido mal en el examen.

くらい【暗い】oscuro [ra], 暗くなる oscurecer(se), anochecer

グラウンド campo (de deportes, de juego) ㊚

くらし【暮らし】vida ㊛, **暮らす** vivir

クラス clase ㊛

グラス copa ㊛, vaso ㊚, caña ㊛ ⇨ copa 図

グラフ gráfico [ca], 棒グラフ gráfico en barras, 円グラフ gráfico en círculo

－(と) くらべる【比べる】comparar con

クリ【栗】〘植物〙(実) castaña ㊛

クリーニング tintorería ㊛, lavandería ㊛

クリーム crema ㊛, 生クリーム nata ㊛

くりかえす【繰り返す】repetir

クリスマス Navidad ㊛, Pascua de Navidad ⇨ Navidad, fiesta 【参考】

くる【来る】venir, llegar: きのうフェリペが来た Ayer vino Felipe. パンを買ってきます Voy a comprar el pan. 君に小包が3個きた Han llegado tres paquetes para ti. 日ましに寒くなってくる Cada día hace más frío. 日が長くなってきた Los días van siendo más largos.

くるう【狂う】(気が) volver*se* loco, (機械が) descomponerse, estropearse

くるしい【苦しい】(痛い) doloroso [sa], (仕事などが) duro [ra], 苦しむ sufrir
苦しみ sufrimiento ㊚

くるま【車】coche ㊚ ⇨ じどうしゃ

クレジット crédito ㊚
クレジットカード tarjeta de crédito

－(して)くれませんか ¿(Me) hace el favor de … ?: 窓を開けてくれませんか？ ¿Me haces el favor de abrir la ventana? / ¿Puedes abrir la ventana? / ¿Quieres abrir la ventana? / Abre la ventana, por favor.

くれる【暮れる】(日が) anochecer, oscurecer, (年が) finalizar el año

くろ【黒】黒い negro [gra]

くろう【苦労】dificultad ㊛, trabajo ㊚, pena ㊛, 苦労して con dificultad, penosamente: 親に苦労をかけるな No des pre-

ミニ和西

ocupaciones a tus padres. ご苦労様 ¡Gracias! / ¡Que descanses!
くろじ【黒字】superávit ㊚
くわえる【加える】añadir, agregar
くわしい【詳しい】detallado [da], minucioso [sa], 詳しく con todo detalle
くわだてる【企てる】planear, proyectar
くわわる【加わる】⇨ さんか
ぐん【軍】軍隊 ejército ㊚, tropas ㊛, 軍人 militar ㊚, 軍備 armamento ㊚
ぐんしゅう【群衆】muchedumbre ㊛
くんせい【燻製】ahumado ㊚
くんれん【訓練】entrenamiento ㊚, 訓練する entrenar*se*, ejercitar*se*

け

け【毛】pelo ㊚ ⇨ かみ[3]
けいえい【経営】dirección ㊛, administración ㊛, 経営する dirigir, llevar
けいか【経過】経過する transcurrir, pasar
けいかい【警戒】precaución ㊛, 警戒する tomar precaución
けいかく【計画】plan ㊚, proyecto ㊚, programa ㊚, 計画する proyectar, hacer un plan
けいき【景気】situación económica
けいけん【経験】experiencia ㊛, 経験する experimentar
けいこう【傾向】tendencia ㊛, …の傾向がある tender a
けいこうとう【蛍光灯】fluorescente ㊚
けいさい【掲載】掲載する publicar (en el periódico o revista)
けいざい【経済】economía ㊛, 経済的な económico [ca]
経済学 economía política, **経済学者** economista ㊚㊛
けいさつ【警察】policía ㊛, 警察官 policía ㊚㊛
警察署 comisaría
けいさん【計算】cuenta ㊛, cálculo ㊚, 計算する contar, calcular
けいじ[1]【刑事】agente de policía, detective ㊚
けいじ[2]【掲示】掲示する anunciar
掲示板 tablero de anuncios
けいしき【形式】forma ㊛, 形式的な formal
げいじゅつ【芸術】arte ㊚, 芸術的な artístico [ca], **芸術家** artista ㊚㊛
けいせい【形成】formación ㊛, 形成する formar, constituir, componer
けいせき【形跡】rastro ㊚, huella ㊛, indicio ㊚
けいぞく【継続】continuación ㊛, 継続する continuar
けいそつ【軽率】軽率な ligero [ra], imprudente
けいば【競馬】carrera de caballos
けいひ【経費】gastos ㊚
けいび【警備】警備する guardar, vigilar
けいべつ【軽蔑】desprecio ㊚, 軽蔑する despreciar, desdeñar
けいむしょ【刑務所】cárcel ㊛, prisión ㊛
けいやく【契約】contrato ㊚, 契約する contratar
けいりん【競輪】carreras de bicicletas
けいれき【経歴】historial ㊚, antecedentes ㊚
ケーキ pastel ㊚, tarta ㊛
ケーブル cable ㊚
ケーブルカー funicular ㊚
ゲーム juego ㊚, partida ㊛
けが【怪我】herida ㊛, lesión ㊛, 怪我をする herir*se*, lesionar*se*
げか【外科】cirugía ㊛
げき【劇】teatro ㊚, drama ㊚, 劇場 teatro ㊚ ⇨ teatro 図
けしき【景色】paisaje ㊚, (景観) panorama ㊚
げしゅく【下宿】casa de huéspedes, 下宿する hospedar*se* (en un cuarto)
げじゅん【下旬】下旬に a fines de mes
けしょう【化粧】maquillaje ㊚, 化粧する pintar*se*, maquillar*se*
けす【消す】(火・電灯・テレビなどを) apagar, (文字などを) borrar, (文字を線で) tachar
げすい【下水】aguas residuales
けずる【削る】(削減) reducir, recortar, 鉛筆を削る sacar punta a un lápiz
けた【桁】(数字の) cifra ㊛, けた外れの desmesurado [da], extraordinario [ria]
けち けちな avaro [ra], mezquino [na], tacaño [ña]
けつあつ【血圧】tensión ㊛, presión arterial
けつえき【血液】sangre ㊛
血液型 grupo sanguíneo
けっか【結果】resultado ㊚, consecuencia ㊛, efecto ㊚
けっかく【結核】tuberculosis ㊛
けっかん[1]【欠陥】defecto ㊚, fallo ㊚
けっかん[2]【血管】vena ㊛, vasos sanguíneos
けつぎ【決議】decisión ㊛, 決議する decidir, votar (por)
げっきゅう【月給】sueldo mensual
けっきょく【結局】por fin, al fin
けっこん【結婚】matrimonio ㊚, casamiento ㊚, 結婚する casar*se*
結婚式 boda ㊛
けっさく【傑作】obra maestra
けっさん【決算】cierre del ejercicio, balance de cuentas
けっして【決して】決して…ない nunca, jamás：私は決して後悔しない Nunca me arrepentiré. / No me arrepentiré nun-

ca.
げっしゃ【月謝】honorarios mensuales
げっしゅう【月収】ingresos mensuales
けっしょう【結晶】cristal ㊚
げっしょく【月食】eclipse lunar
けっしん【決心】decisión ㊛, determinación ㊛, …しようと決心する decidir*se* a, 決心がつかない no acabar de decidir*se*, estar indeciso [sa]
けっせき【欠席】ausencia ㊛, 欠席する ausentar*se*, **欠席者** ausente ㊚㊛
けってい【決定】decisión ㊛, 決定する decidir, 決定的な decisivo [va]
けってん【欠点】defecto ㊚, falta ㊛
げっぷ【月賦】plazos ㊚
けつぼう【欠乏】carencia ㊛, escasez ㊛
げつようび【月曜日】lunes ㊚
けつろん【結論】conclusión ㊛, 結論を出す concluir, 結論として en conclusión
げねつざい【解熱剤】antipirético ㊚
げひん【下品】下品な grosero [ra], tosco [ca], vulgar
けむし【毛虫】gusano ㊚
けむり【煙】humo ㊚, 煙い humoso [sa]
げり【下痢】diarrea ㊛, descomposición de vientre
ゲリラ guerrilla ㊛
ける【蹴る】dar una patada, dar un puntapié
けわしい【険しい】empinado [da], dificultoso [sa]
けん[1]【券】billete ㊚, boleto ㊚
けん[2]【県】provincia ㊛, prefectura ㊛
けん[3]【剣】espada ㊛, estoque ㊚
けんい【権威】autoridad ㊛, prestigio ㊚
げんいん【原因】causa ㊛
げんえき【現役】現役の en activo
けんえつ【検閲】censura ㊛
けんか【喧嘩】riña ㊛, pelea ㊛
げんかい【限界】límite ㊚
けんがく【見学】visita ㊛
げんかん【玄関】zaguán ㊚, vestíbulo ㊚
げんき【元気】ánimo ㊚, 元気な animado [da], 元気になる animar*se*
けんきゅう【研究】estudio ㊚, investigación ㊛, 研究する estudiar, investigar
研究室 despacho ㊚, estudio ㊚
研究所 instituto ㊚
けんきょ【謙虚】謙虚な modesto [ta]
げんきん【現金】dinero contante, efectivo ㊚
げんご【言語】lengua ㊛, idioma ㊚
けんこう【健康】salud ㊛, 健康な sano [na], 健康によい saludable
健康診断 reconocimiento médico
げんこう【原稿】borrador ㊚, manuscrito ㊚, original de imprenta
けんさ【検査】examen ㊚, inspección ㊛, prueba ㊛, 検査する examinar, inspeccionar, someter a una prueba
げんざい【現在】現在は ahora, 現在の actual, presente
げんし[1]【原子】átomo ㊚
原子爆弾 bomba atómica
原子力 energía nuclear
原子力発電所 central [planta] nuclear
げんし[2]【原始】原始の primitivo [va]
けんしき【見識】entendimiento ㊚, discernimiento ㊚
げんじつ【現実】realidad ㊛, 現実的な real
げんしょう[1]【現象】fenómeno ㊚
げんしょう[2]【減少】disminución ㊛, reducción ㊛
けんせつ【建設】construcción ㊛, 建設する construir, edificar
けんぜん【健全】健全な sano [na]
げんそ【元素】elemento ㊚
げんそう【幻想】ilusión ㊛, visión ㊛, fantasía㊛, 幻想的な fantástico [ca]
げんぞう【現像】revelado ㊚, 現像する revelar
げんそく【原則】principio ㊚, 原則として en principio
げんだい【現代】actualidad ㊛, época actual, nuestra época, nuestro tiempo, 現代の actual, moderno [na], contemporáneo [a]
けんちく【建築】arquitectura ㊛, 建築する edificar, construir
建築家 arquitecto [ta]
建築物 arquitectura ㊛
けんとう【検討】検討する estudiar, analizar
けんびきょう【顕微鏡】microscopio ㊚
けんぶつ【見物】visita ㊛, visita turística, 見物する (観光で) visitar, hacer un viaje de turismo, (試合・催物などを) ver, presenciar, **見物席** (スタンド) tribuna ㊛, grada ㊛, (桟敷席) palco ㊚
けんぽう【憲法】constitución ㊛
けんめい【賢明】賢明な sensato [ta], discreto [ta]
げんめつ【幻滅】desilusión ㊛, 幻滅する desilusionar*se*
けんり【権利】derecho ㊚, **人権** derechos humanos
げんり【原理】principio ㊚, teoría ㊛
げんりょう【原料】materia prima
けんりょく【権力】poder ㊚, autoridad ㊛
げんろん【言論】expresión ㊛, 言論の自由 libertad de expresión

こ

ご【語】(単語) palabra ㊛ ⇨ ことば
-ご【後】⇨ あと[1]
こい[1]【恋】amor ㊚, 恋する querer, amar, …に恋している estar enamorado [da]

de, 恋人 novio [via], amante ㊛
こい[2]【濃い】(色が) oscuro [ra], (霧が) denso [sa], (茶・コーヒーが) fuerte, (スープ・ジュースなどが) espeso [sa], (ひげが) cerrado [da]
ごい【語彙】vocabulario ㊚
コインロッカー consigna ㊛ automática
こうい[1]【好意】simpatía ㊛
こうい[2]【行為】acto ㊚, acción ㊛, (振る舞い) conducta ㊛
こううん【幸運】buena suerte, dicha ㊛, ventura ㊛, buena fortuna, 幸運な afortunado [da], con suerte
こうえん【公園】parque ㊚
こうか【効果】efecto ㊚, eficacia ㊛, 効果的な efectivo [va], 効果がない ineficaz
こうかい[1]【航海】navegación ㊛, travesía ㊛, 航海する navegar
こうかい[2]【公開】公開する abrir al público
こうかい[3]【後悔】後悔する arrepentir*se*
こうがい【公害】contaminación ㊛, problema ambiental
ごうかく【合格】合格する[させる] aprobar: スペイン語の試験に合格した He aprobado en español.
こうかん【交換】cambio ㊚, 交換する cambiar
こうぎ【抗議】protesta ㊛, reclamación ㊛
こうきあつ【高気圧】alta presión atmosférica
こうきしん【好奇心】curiosidad ㊛, 好奇心の強い curioso [sa]
こうきゅう【高級】高級な lujoso [sa], de lujo
こうきょう【公共】公共の público [ca]
こうぎょう【工業】industria ㊛, 工業の industrial
こうくう【航空】aviación ㊛
航空会社 aerolínea ㊛
航空機 avión ㊚, aeroplano ㊚
航空券 billete ㊚ de avión
航空便で por correo aéreo
こうけい【光景】vista ㊛, espectáculo ㊚, (情景) escena ㊛
ごうけい【合計】total ㊚, suma ㊛
こうげき【攻撃】ataque ㊚, 攻撃する atacar
こうけん【貢献】contribución ㊛, aporte ㊚, 貢献する contribuir
こうげん【高原】altiplano ㊚, altiplanicie ㊛
こうご【交互】交互に alternativamente
こうこがく【考古学】arqueología ㊛
こうこく【広告】anuncio ㊚, publicidad ㊛, 広告する anunciar, hacer publicidad
こうざ【口座】cuenta ㊛: 銀行に口座をもつ tener una cuenta en el banco
こうさい【交際】trato ㊚, …と交際する tener trato con
こうざん【鉱山】mina ㊛
こうじ【工事】obra ㊛
こうしき【公式】公式の oficial, formal, (数学の) 公式 fórmula ㊛ (matemática)
こうじつ【口実】pretexto ㊚, excusa ㊛
こうしょう【交渉】negociación ㊛, 交渉する negociar
こうじょう【工場】fábrica ㊛, taller ㊚, planta ㊛
ごうじょう【強情】強情な terco [ca], obstinado [da]
こうすい【香水】perfume ㊚
こうずい【洪水】inundación ㊛, diluvio ㊚
こうせい[1]【構成】構成する componer, constituir
こうせい[2]【公正】公正な justo [ta], imparcial
こうせき【功績】mérito ㊚, contribución ㊛
こうそう【構想】plan ㊚
こうぞう【構造】estructura ㊛
こうたい【交代】relevo ㊚, turno ㊚, 交代する relevar, reemplazar, 交代で por turnos
こうつう【交通】tráfico ㊚, circulación ㊛
交通事故 accidente de tráfico
交通渋滞 embotellamiento ㊚
こうてい[1]【公定】公定価格 precio oficial
こうてい[2]【皇帝】emperador ㊚
こうてい[3]【肯定】afirmación ㊛, 肯定する afirmar, 肯定的な positivo [va]
こうどう【行動】acción ㊛, 行動する actuar, obrar, 行動的な activo [va]
行動範囲 radio de acción
コウノトリ【鸛】〘鳥〙 cigüeña ㊛
こうばい【勾配】pendiente ㊛, inclinación ㊛
こうはん【公判】audiencia pública
こうばん【交番】puesto de policía
こうひょう【公表】publicación ㊛, 公表する anunciar, publicar
こうふく【幸福】felicidad ㊛, dicha ㊛
こうぶつ【鉱物】mineral ㊚
こうふん【興奮】excitación ㊛, exaltación ㊛, 興奮する excitar*se*, exaltar*se*
こうへい【公平】公平な imparcial
こうほしゃ【候補者】candidato [ta], 候補に立つ presentar*se* como candidato
ごうり【合理】合理的な racional
こうりつ【公立】公立の público [ca]
こうりゅう【交流】(人事) intercambio ㊚
こうりょ【考慮】consideración ㊛
こえ【声】voz ㊛, 大声で en voz alta, 小声で en voz baja, ささやき声 susurro ㊚
こえる【越える】pasar, exceder: 彼はもう五十を越えている Ha pasado ya los cincuenta años. このカバンは重量制限を越えている Esta maleta excede el peso lími-

te.
コース (課程) curso ㊚, (競走などの) calle ㊛, pista ㊛
コーチ entrenador [dora], entrenamiento ㊚, コーチをする entrenar
コート[1] 〖服飾〗 abrigo ㊚, gabardina ㊛
コート[2] 〖スポーツ〗 cancha ㊛, pista ㊛
コーヒー café ㊚ ⇨ café
コーラス coro ㊚
こおり【氷】hielo ㊚
こおる【凍る】helar(se), congelarse : 水は摂氏0度で凍る El agua se hiela a los cero grados.
ゴール meta ㊛, (サッカー) ゴール portería ㊛, gol ㊚, **ゴールライン** línea de meta.
ごかい【誤解】malentendido ㊚
ごがつ【五月】mayo ㊚
こぎって【小切手】cheque ㊚
ゴキブリ 〖昆虫〗 cucaracha ㊛
こきゅう【呼吸】respiración ㊛
こきょう【故郷】pueblo ㊚, pueblo natal, patria chica
こくご【国語】lengua de un país, idioma de un país, 日本語 el japonés, lengua japonesa, 母国語 lengua materna
こくさい【国際】国際の internacional **国際連合** Organización de las Naciones Unidas
こくせき【国籍】nacionalidad ㊛
こくばん【黒板】pizarra ㊛ **黒板ふき** borrador ㊚
こくふく【克服】克服する vencer, superar
こくみん【国民】pueblo ㊚, nación ㊛, 国民の nacional
こくもつ【穀物】grano(s) ㊚, cereales ㊚
こくりつ【国立】国立の nacional
こげる【焦げる】quemarse
ここ ここに, ここで aquí: ここへ来てください Venga aquí, por favor.
ごご【午後】tarde ㊛, 今日の午後 esta tarde, 明日の午後 mañana por la tarde
こころ【心】corazón ㊚, alma ㊛, 心から de todo corazón
こころみ【試み】prueba ㊛
こし【腰】cintura ㊛
こじ【孤児】huérfano [na]
こじき【乞食】mendigo [ga]
こしょう【故障】avería ㊛, 故障する averiarse
コショウ【胡椒】〖植物〗 (実) pimienta ㊛
こじん【個人】individuo ㊚, 個人の individual, personal, particular: 個室 cuarto individual, 個人的な問題 problema personal, 個人レッスン clase particular [privada]
こす【越す】(通過する) pasar, (引っ越す) mudar*se*, (越える) ⇨ こえる
コスタリカ 固名 Costa Rica
こする【擦る】rozar, frotar
こせい【個性】personalidad ㊛, 個性的な original
こせき【戸籍】registro civil
ごぜん【午前】mañana ㊛ **午前中** por la mañana
こたい【固体】cuerpo sólido
こたえ【答え】respuesta ㊛, contestación ㊛, (解答) solución ㊛, 答える responder, contestar
ごちそう【御馳走】buena comida
こちら (場所・方向) aquí, acá, (人・物) éste ㊚, ésta ㊛
こっか[1]【国家】estado ㊚, nación ㊛
こっか[2]【国歌】himno nacional
こっかい【国会】(日本) Dieta ㊛, (スペイン) Cortes ㊛ ⇨ corte
こづかい【小遣い】dinero para gastos menudos
こっき【国旗】bandera nacional
こっきょう【国境】frontera ㊛
コック cocinero [ra]
こっこう【国交】relaciones diplomáticas
こづつみ【小包】paquete ㊚
コップ vaso ㊚, 紙コップ vaso de papel
こてい【固定】固定する fijar
こと【事】**1** 物事 cosa ㊛, asunto ㊚: 今日はやることがたくさんある Hoy tengo muchas cosas que hacer. そのことについて私は何もしらない No sé nada de eso.
2 …すること: 歩くことは健康によい Andar [Caminar] es bueno para la salud. 彼が来ることは確かだ Es cierto que él vendrá.
3 …することがある (ときどき) a veces, algunas veces, (しばしば) a menudo: 彼はときどき学校に遅れることがある A veces llega tarde a clase.
4 …したことがない no … nunca, nunca …, jamás …: 私はまだ富士山に登ったことがない No he subido nunca al monte Fuji.
-ごと【毎】…ごとに cada: 4年ごとに cada cuatro años
こどく【孤独】soledad ㊛, 孤独な solitario [ria]
ことし【今年】este año
ことば【言葉】(単語) palabra ㊛, vocablo ㊚, (言語) lengua ㊛, idioma ㊚, (用語) término ㊚
こども【子供】niño [ña], chico [ca], muchacho [cha] ⇨ chico 【参考】
ことわざ【諺】proverbio ㊚, dicho ㊚, refrán ㊚
ことわる【断る】rechazar, rehusar
こな【粉】polvo ㊚, (穀物の) harina ㊛
コネ enchufe ㊚, コネがある tener enchufe
この《指示形容詞》este [esta]: この2, 3日 estos días
このあいだ【この間】(先日) el otro día
このまえ【この前】この前に la última

vez, この前の último [ma]
このみ【好み】gusto ㊚, 好む querer, gustarle (a uno), ser aficionado a
こばむ【拒む】negar
コピー copia ㊛, コピーを取る sacar copias
こぶし【拳】puño ㊚
こぼす【零す】derramar, こぼれる derramarse, 愚痴をこぼす quejar*se*
コマーシャル publicidad ㊛, anuncio ㊚
こまかい【細かい】fino [na], (微小の) diminuto [ta], (神経が) meticuloso [sa], (詳細な) detallado [da]
こまる【困る】tener [pasar] dificultades, ver*se* apurado [da], 困らせる molestar, 彼はお金に困っている Está apurado de dinero.
ごみ【塵】basura ㊛, (くず) desperdicios ㊚, ごみ箱 cesto [cubo] ㊚, caja de la basura
こむ【込む】estar lleno, estar atestado
こむぎ【小麦】trigo ㊚
こめ【米】arroz ㊚
ごめん【御免】ご免なさい perdón
こゆう【固有】固有の propio [pia]
ごらく【娯楽】ocio ㊚, entretenimiento ㊚ ⇨ entretenimiento【会話】
こらしめる【懲らしめる】castigar, dar un escarmiento
こりつ【孤立】孤立した aislado [da]
こりる【懲りる】escarmentar
これ《指示代名詞》éste ㊚, ésta ㊛, esto ㊥: これは私のものです Esto es mío. 今日はこれまで Hoy, hasta aquí.
-ころ【頃】(時) hora, (およそ) unos [unas], más o menos, (時間) a eso de, (…の時) cuando: そろそろ失礼するころです Ya va siendo hora de marcharnos. われわれは若いころよく旅行したものだ Viajábamos mucho cuando jóvenes.
ころす【殺す】matar
ころぶ【転ぶ】caer(*se*)
コロンビア 固名 Colombia
こわい【怖い】⇨ おそろしい
こわす【壊す】romper, quebrar, 壊れる romperse, quebrarse
こんきょ【根拠】fundamento ㊚, 根拠のある[ない] con [sin] fundamento
コンクール concurso ㊚, certamen ㊚
コンクリート hormigón ㊚, 《ラ米》concreto ㊚
こんけつ【混血】(白人とインディオの) mestizo [za], (白人と黒人の) mulato [ta], 混血の mixto [ta]
こんげつ【今月】este mes, el mes en curso
こんご【今後】en adelante, de aquí en adelante, en el futuro
コンサート concierto ㊚
こんしゅう【今週】esta semana, 今週中に dentro de la semana
コンセント enchufe ㊚
コンタクトレンズ lentillas ㊛, lentes de contacto
こんちゅう【昆虫】insecto ㊚ ⇨ insecto 図
こんど【今度】esta vez, ahora: 今度は私の番です Ahora me toca a mí. (次回) próximo [ma], la próxima vez
こんどう【混同】混同する confundir
コンドーム condón ㊚
こんな tal: こんなもの tal cosa. こんなふうに de esta manera
こんなん【困難】困難な difícil, duro [ra]
こんにち【今日】(きょう) hoy, (現今) hoy (en) día, en la actualidad, 今日は Buenos días, Buenas tardes.
コンパクトディスク disco ㊚ compacto
こんばん【今晩】esta tarde, esta noche 今晩は Buenas noches.
コンピュータ ordenador ㊚, computador ㊚
コンプレックス complejo ㊚
こんやく【婚約】promesa de matrimonio, compromiso matrimonial, 婚約する prometer*se*
こんらん【混乱】confusión ㊛, desorden ㊚, 混乱する confundirse, desordenarse

さ

さあ (人を促して) ¡Vamos! / ¡Venga! / ¡Ea!, (言いよどんで) pues
サーカス circo ㊚
サービス servicio ㊚, サービス価格 descuento ㊚, rebaja ㊛
さいがい【災害】calamidad ㊛, siniestro ㊚
さいきん【最近】recientemente, últimamente, 最近の reciente, último [ma]: 最近の5年間に en los últimos cinco años
さいご【最後】最後の último [ma], final, 最後に (結局) por último, (しんがり) a la cola, a la zaga
さいこう【最高】最高の el más alto [ta], supremo [ma], máximo [ma]
ざいさん【財産】patrimonio ㊚, bienes ㊚
さいしゅう[1]【最終】最終の final, último [ma]: 最終列車 el último tren
さいしゅう[2]【採集】colección ㊛
さいしょ【最初】最初の primero [ra], original, 最初から desde el principio
さいしょう【最小】最小の el [la] más pequeño [ña], el [la] menor, mínimo [ma]
さいしん【最新】最新の último [ma], el [la] más moderno [na]

サイズ tamaño ㊚, medida ㊛, talla ㊛
さいそく【催促】催促する urgir, apremiar
さいだい【最大】最大の el [la] más grande, el [la] mayor
さいちゅう【最中】最中に en pleno [na], en medio de
さいてい【最低】最低の el [la] más bajo [baja], ínfimo [ma], mínimo [ma]
さいなん【災難】desgracia ㊛
さいのう【才能】ingenio ㊚, talento ㊚
さいばい【栽培】cultivo ㊚
さいばん【裁判】juicio ㊚, **裁判官** juez ㊚, **裁判所** tribunal ㊚,《ラ米》corte ㊛
さいふ【財布】cartera ㊛, billetero ㊚, (小銭入れ) monedero ㊚
さいほう【裁縫】costura ㊛
ざいもく【材木】madera ㊛
さいよう【採用】採用する (雇用する) emplear,(取りあげる) adoptar
さいりょう【最良】最良の el [la] mejor
ざいりょう【材料】materia ㊛, material ㊚, (料理の) ingrediente ㊚
サイレン sirena ㊛
サイン firma ㊛, autógrafo ㊚, (合図) señal ㊛
-さえ (…でさえ) hasta, incluso, aun : 犬でさえ, 自分の主人を気遣う Hasta el perro teme por su amo. (…さえすれば) con tal que, si: タクシーがつかまりさえすれば間に合うだろう Llegaremos a tiempo con tal que encontremos [si encontramos] un taxi. (その上) además, por añadidura : 雨さえ降りだした Además empezó a llover. (強め) con sólo, con tal de, no … más que: カードさえあれば安心だ Con sólo llevar la tarjeta de crédito me tranquilizo. (…さえ…でない) no … ni siquiera: 彼は自分の名前さえ書けない No sabe escribir ni siquiera su propio nombre.
さえぎる【遮る】interrumpir, cerrar, obstruir
さか【坂】cuesta ㊛, pendiente ㊛
さかい【境】límite ㊚, linde ㊚㊛
さかえる【栄える】prosperar
さかさま【逆さま】逆さまに a la inversa
さがす【探す】buscar
さかな【魚】(泳いでいる魚) pez ㊚, (食用の魚) pescado ㊚, **魚釣り** pesca con caña
さかのぼる【遡る】remontar
さかや【酒屋】bodega ㊛
さからう【逆らう】oponer*se* a, desobedecer
さかり【盛り】flor ㊛, lo mejor: 桜は今が盛りだ Los cerezos están en plena floración. 彼は今人生の盛りにある El está en la flor de la vida.
さがる【下がる】(ぶら下がる) colgar, (下降する) bajar, (後ろへ下がる) retroceder
さかん【盛ん】盛んな (活発な) activo [va]
さき【先】(先端) punta ㊛, (未来) futuro ㊚, (前の方に) delante, (もっと先に) más allá, (前もって) ⇨ まえもって
さぎ【詐欺】timo ㊚, estafa ㊛, fraude ㊚
さぎょう【作業】trabajo ㊚, operación ㊛
さく[1]【策】medio ㊚, medidas ㊛
さく[2]【咲く】florecer
さく[3]【裂く】rajar, rasgar, 裂ける rajarse
さくひん【作品】obra ㊛
さくもつ【作物】cosecha ㊛
サクラ【桜】〘植物〙 cerezo ㊚, サクランボ (桜桃) cereza ㊛
ザクロ【石榴】〘植物〙 (実) granada ㊛
さけ【酒】(アルコール飲料) bebida alcohólica, (日本酒) sake ㊚
サケ【鮭】〘魚〙 salmón ㊚
さけぶ【叫ぶ】gritar, exclamar, dar gritos
さける【避ける】evitar, huir, esquivar
さげる【下げる】(低くする) bajar, (頭を) inclinar*se*, (食事を) さげる retirar
ささえる【支える】sostener, soportar
ささげる【捧げる】dedicar, consagrar
ささやく【囁く】susurrar, cuchichear
さしず【指図】instrucciones ㊛, indicación ㊛, 指図する dar instrucciones
さす[1]【差す】(注ぐ) echar, verter, (光が) dar luz, brillar, (傘を) abrir el paraguas
さす[2]【刺す】pinchar, (虫が) picar
さす[3]【指す】indicar, señalar
させる (強制) hacer, obligar: 彼は彼女を来させた La hizo venir. (許可) permitir, dejar : 父は夜外出させてくれない Mi padre no me permite salir de noche.
さそう【誘う】invitar
サソリ【蠍】〘動物〙 escorpión ㊚
さだめる【定める】establecer, fijar
さつえい【撮影】rodaje ㊚, 撮影する (映画を) rodar, (写真を) fotografiar
サッカー fútbol ㊚ ⇨ fútbol【参考】
さっき hace poco
ざっし【雑誌】revista ㊛
さつじん【殺人】homicidio ㊚, asesinato ㊚
さとう【砂糖】azúcar ㊚
さどう【作動】作動する funcionar
さばく[1]【砂漠】desierto ㊚
さばく[2]【裁く】juzgar, sentenciar
さび【錆】orín ㊚, 錆びる oxidarse
さびしい【寂しい】solitario [ria], (悲しい) triste : あなたがいなくてさびしい Te echo de menos.
サフラン (香辛料) azafrán ㊚
さべつ【差別】discriminación ㊛, 人種差別 discriminación racial
サボテン〘植物〙 cacto ㊚, cactus ㊚
さます【覚ます】despertar : 物音で目が覚めた El ruido me despertó.
目が覚める despertar*se* : 私は朝早く目が覚めた Me desperté temprano.
さまたげる【妨げる】estorbar, impedir

さまよう【彷徨う】vagar, vagabundear
さむい【寒い】(気候が) hacer frío, (体が) tener frío
サメ【鮫】〘魚〙 tiburón ㊚
さよう【作用】acción ㊛
さようなら ¡Adiós!
さら【皿】plato ㊚, (受け皿) platillo ㊚
サラダ ensalada ㊛
さらに【更に】más, aún más, además
サラミ salchichón ㊚, 《ラ米》salame ㊚
サラリーマン asalariado [da], oficinista ㊚㊛
さる【去る】marcharse, irse: 何もいわずに立ち去った Se marchó sin decir nada. …を去る abandonar [dejar]: 16の時に村を去った Dejó su pueblo a la edad de dieciséis. (過去の) pasado: 去る18日 el pasado día dieciocho
サル【猿】〘動物〙 mono [na]
さわぐ【騒ぐ】alborotar, armar jaleo, そんなに騒ぐな No alborotes tanto. 騒がしい ruidoso [sa], alborotado [da]
さわやか【爽やか】(気候・気分が) 爽やかな fresco [ca], refrescante
さわる【触る】tocar: 絵に触らないでください Se ruega no tocar los cuadros.
さんか【参加】participación ㊛, …に参加する participar en, tomar parte en
さんかく【三角】(三角形) triángulo ㊚ **三角定規** escuadra ㊛, **三角州** delta ㊚
さんがつ【三月】marzo ㊚
さんぎょう【産業】industria ㊛
ざんぎょう【残業】horas extras
さんこう【参考】referencia ㊛, 参考にする consultar
ざんこく【残酷】残酷な cruel
さんしょう【参照】参照する ver, consultar
さんせい【賛成】賛成する (人と同意見である) estar de acuerdo con, (事柄に賛成である) estar de acuerdo en, (可決する) aprobar
さんそ【酸素】oxígeno ㊚
サンタクロース Papá Noel
サンダル sandalia ㊛
さんち【産地】lugar de origen, región productora
ざんねん【残念】lástima ㊛: 残念だ Es una lástima. / Me da pena. / Lo siento. 君が来られないなんて残念だ ¡Qué lástima que no puedas venir! 彼に会えなかったのは残念だ Siento no haberle visto.
さんばし【桟橋】muelle ㊚, embarcadero ㊚, desembarcadero ㊚ ⇨ puerto 図
さんびか【賛美歌】himno ㊚
さんぶつ【産物】producto ㊚
さんぽ【散歩】paseo ㊚, 散歩する dar un paseo, pasearse
さんみゃく【山脈】sierra ㊛, cordillera ㊛ ⇨ montaña 【参考】

し

し[1]【死】muerte ㊛, 脳死 muerte cerebral
し[2]【詩】(ジャンル) poesía ㊛, (詩作品) poema ㊚, (韻文) verso ㊚, **詩集** antología poética, **詩人** poeta ㊚, poetisa ㊛
じ【字】(アルファベットなど) letra ㊛, (漢字など) carácter ㊚, ideograma ㊚
しあい【試合】partido ㊚, juego ㊚
しあわせ【幸せ】⇨ こうふく
シーズン temporada ㊛
シーツ sábana ㊛
じえい【自衛】autodefensa ㊛ **自衛隊** Fuerzas de Autodefensa
ジェスチャー gesto ㊚, gesticulación ㊛ ⇨ gesto 図
ジェット ジェット機 avión a reacción, reactor ㊚, jet ㊚
しお[1]【塩】sal ㊛, 塩辛い salado [da]
しお[2]【潮】marea ㊛, 干潮 marea baja, 満潮 marea alta
シカ【鹿】〘動物〙 雄ジカ ciervo ㊚, venado ㊚, 雌ジカ cierva ㊛, 子ジカ cervato ㊚
-しか sólo: 一度しか sólo una vez
しかく[1]【資格】calificación ㊛
しかく[2]【四角】cuadro ㊚
じかく【自覚】conciencia ㊛, 自覚する tener conciencia
しかし pero, sin embargo
じがぞう【自画像】autorretrato ㊚
しかた【仕方】manera ㊛: 仕方がない No hay [tiene] remedio. / ¡Qué le vamos a hacer!
しがつ【四月】abril ㊚
しかる【叱る】reprender, reñir
じかん【時間】(時刻) hora ㊛, (必要な時間, 暇など) tiempo ㊚, 時間表 horario ㊚ ⇨ hora 図
しき[1]【式】ceremonia ㊛, 開会式 ceremonia de apertura, inauguración ㊛, 閉会式 ceremonia de clausura
しき[2]【指揮】dirección ㊛ **指揮者** director [tora]
じき[1]【時期】época ㊛, temporada ㊛
じき[2]【時機】oportunidad ㊛, ocasión ㊛
しきゅう[1]【子宮】matriz ㊛
しきゅう[2]【支給】支給する proveer, suministrar
じぎょう【事業】(企業) empresa ㊛, (商売) negocio ㊚
しきん【資金】fondos ㊚
しく【敷く】(布を) poner, (ケーブルなど) tender, (カーペットなど) extender
しげき【刺激】estímulo ㊚, incentivo ㊚, 刺激する estimular
しげる【茂る】espesarse (los árboles), hacerse tupida (la enramada)

しけん【試験】examen ㊚, prueba ㊛, 試験する examinar, 試験を受ける presentar*se* a examen, 入学[社]試験 examen de ingreso [colocación]
しげん【資源】recursos ㊚, 天然資源 recursos naturales
じけん【事件】(出来事) suceso ㊚, (小さな) incidente ㊚, (裁判などの) caso ㊚
じこ【事故】accidente ㊚, 事故を起こす producir un accidente, 事故に遭う sufrir un accidente
じこく【時刻】hora ㊛, **時刻表** horario ㊚
じごく【地獄】infierno ㊚
しごと【仕事】(労働) trabajo ㊚, labor ㊛, (用事) faena ㊛, tarea ㊛, (職業) empleo ㊚, profesión ㊛, (作品) obra ㊛, 仕事をする trabajar
じさつ【自殺】自殺する suicidar*se*
しじ[1]【支持】apoyo ㊚, 支持する apoyar
しじ[2]【指示】indicación ㊛, instrucciones ㊛, 指示する indicar
じじつ【事実】hecho ㊚, (真実) verdad ㊛
じしゅ【自主】自主的な voluntario [ria], por propia iniciativa
ししゅう【刺繍】bordado ㊚
ししゅつ【支出】gasto ㊚, desembolso ㊚
じしょ【辞書】⇨ じてん
ししょう【支障】obstáculo ㊚, impedimento ㊚
しじょう【市場】mercado ㊚
じじょう【事情】(状況, 事態) circunstancia ㊛, situación ㊛, (理由) razón ㊛
じしん[1]【地震】terremoto ㊚, temblor de tierra, 地震が起こる haber un terremoto, ocurrir un terremoto
じしん[2]【自身】⇨ じぶん
じしん[3]【自信】confianza ㊛, 自信を持つ tener confianza en sí mismo
しずか【静か】静かな tranquilo [la], quieto [ta], sosegado [da], en calma
しずく【滴】gota ㊛
しずむ【沈む】hundir*se*, sumergir*se*, 船が沈む irse a pique, 太陽が沈む ponerse el sol
しせい【姿勢】postura ㊛, porte ㊚
しせつ【施設】establecimiento ㊚
しせん【視線】mirada ㊛
しぜん【自然】naturaleza ㊛, 自然の natural, 自然に naturalmente
しそう【思想】idea ㊛, pensamiento ㊚, (イデオロギー) ideología ㊛
しそん【子孫】descendiente ㊚ ㊛, descendencia ㊛
した[1]【下】下に, 下で abajo, debajo, bajo, 下の (階下, 下方の) de abajo, (ふたつのうちで) de debajo, (下部の) inferior ⇨ debajo【参考】
した[2]【舌】lengua ㊛
したい【死体】cadáver ㊚
じたい【辞退】辞退する rehusar, renunciar a
じだい【時代】(歴史上の出来事で区切られる) época ㊛, tiempo ㊚, (非常に長い時間) era ㊛, edad ㊛, 現代 la época actual, 宇宙時代 la era espacial, 石器時代 Edad de Piedra, 私の学生時代には en mis días de estudiante, 時代遅れの desfasado [da], anticuado [da], obsoleto [ta]
したがう【従う】(後に) seguir, (命令に) obedecer
したがって【従って】(それで) por eso, por lo tanto, por consiguiente, así: 彼は風邪をひいていた. したがって外出しなかった Estaba resfriado, por eso no salió. (…につれて) a medida que 太陽が上るにしたがって明るくなる A medida que sube el sol, se aclara el día. (…のとおりに) según, de acuerdo con
したぎ【下着】ropa interior
したく【支度】⇨ ようい
したしい【親しい】íntimo [ma], amigo [ga], familiar: ぼくらは非常に親しい Somos muy amigos. 親しむ familiarizar*se*, acostumbrar*se*: 私はこの土地の習慣には親しめない No me puedo familiarizar con las costumbres de aquí.
しちがつ【七月】julio ㊚
シチメンチョウ【七面鳥】〘鳥〙 pavo ㊚
しちょう【市長】alcalde ㊚
しつ【質】calidad ㊛: 品質が落ちる Baja la calidad. 質のよい[悪い] de buena [mala] calidad
しっかく【失格】失格する ser descalificado [da]
しっかり (かたく) firmemente, (熱心に) mucho, de firme
しつぎょう【失業】desempleo ㊚, paro ㊚, 失業する perder el trabajo
じつぎょう【実業】(生産業) industria ㊛, (商業) comercio ㊚, negocio ㊚, (事業) empresa ㊛, **実業家** empresario [ria], hombre de negocios
しっけ【湿気】humedad ㊛
しつけ【躾】educación ㊛, 躾のよい[悪い] bien [mal] educado [da]
じっけん【実験】experimento ㊚, 実験する experimentar, **実験室** laboratorio ㊚
じつげん【実現】realización ㊛, 実現する llevarse a cabo, hacerse realidad
じっこう【実行】práctica ㊛, 実行する llevar*se* a cabo, poner en práctica, efectuar
じっさい【実際】実際の real, verdadero [ra], 実際に realmente, en realidad, 実際的な práctico [ca]
じっし【実施】実施する llevar a la práctica, poner en vigor
しっしん【湿疹】eccema ㊚
しっそ【質素】質素な sencillo [lla], modesto [ta]
じったい【実体】sustancia ㊛, esencia ㊛

しっと【嫉妬】celos ㊚, envidia ㊛
しつど【湿度】humedad ㊛
じつは【実は】a decir verdad, en realidad, la verdad es que
しっぱい【失敗】fracaso ㊚, 失敗する fracasar
じつぶつ【実物】(本物) original ㊚, (現物) objeto ㊚
しつぼう【失望】desilusión ㊛, decepción ㊛, 失望する desilusionar*se*, tener una decepción
しつもん【質問】pregunta ㊛, (議会における) interpelación ㊛, 質問する preguntar
じつよう【実用】実用的な útil, práctico [ca]
じつりょく【実力】capacidad ㊛, 実力のある capacitado [da], competente
しつれい【失礼】descortesía ㊛, (ごめんなさい) Perdón. ⇨ saludo【会話】
しつれん【失恋】amor perdido, desengaño amoroso
してい【指定】指定する fijar, señalar, indicar, 指定された時間に a la hora señalada, **指定席** asiento reservado
してつ【私鉄】ferrocarril privado
じてん【辞典・事典】diccionario ㊚, 辞典を引く consultar un diccionario, 百科事典 enciclopedia ㊛ ⇨ diccionario【参考】
じてんしゃ【自転車】bicicleta ㊛ ⇨ bicicleta 図
しどう【指導】指導する (生徒などを) dirigir, orientar, (案内) guiar, 指導者 dirigente ㊚㊛, líder ㊚㊛
じどう【自動】自動の automático [ca]
自動販売機 expendedora automática
じどうしゃ【自動車】automóvil ㊚, auto ㊚, (くるま) coche ㊚, 《ラ米》 carro ㊚ ⇨ automóvil 図
しなもの【品物】artículo(s) ㊚, género(s) ㊚
シナリオ guión ㊚
シナリオライター guionista ㊚㊛
しぬ【死ぬ】morir, fallecer
しはい【支配】支配する dominar
しばい【芝居】teatro ㊚
しばしば frecuentemente, a menudo
しばふ【芝生】césped ㊚
しはらい【支払い】pago ㊚, **支払う** pagar
しばらく【暫く】(短い間) un momento, un rato, (長い間) hace tiempo que, しばらくでした ¡Tanto tiempo sin vernos!
しばる【縛る】atar, (拘束する) sujetar, obligar
しびれる【痺れる】entumecer*se*, (足が) dormir*se* la pierna
しぶい【渋い】(味が) áspero [ra], (色が) apagado [da]
ジプシー gitano [na]
じぶん【自分】(自身) uno mismo [una misma], 自分の SU, SU propio[pia]: 彼は自分の誤ちに気づいた Se dio cuenta de su propio error. 自分で personalmente, por SÍ mismo [ma]: 自分で会いに行った Fue a verlo personalmente. 自分でします Lo hago yo mismo.
しへい【紙幣】billete ㊚
しぼう【脂肪】grasa ㊛
しぼむ【萎む】(花が) marchitarse, (風船が) desinflarse
しぼる【絞る】(果物を) exprimir, (布を) estrujar, (乳を) ordeñar
しほん【資本】capital ㊚
資本主義 capitalismo ㊚
しま[1]【島】isla ㊛
しま[2]【縞】rayas ㊛, rayado ㊚
しまう【仕舞う】(しまっておく) guardar, conservar, (片付ける) arreglar, recoger
シマウマ【縞馬】〘動物〙 cebra ㊛
じまく【字幕】subtítulos ㊚
しまる【閉まる】cerrar
じまん【自慢】…を自慢する enorgullecer*se* de, estar [sentir*se*] orgulloso [sa] de
しみる【染みる】(しみ出す) rezumar, (しみ込む) penetrar, calarse
じむ【事務】trabajo [tareas] de oficina, 事務的な (実際的な) práctico [ca], (機械的な) mecánico [ca], **事務員** oficinista ㊚㊛, **事務所** oficina ㊛
しめい【使命】misión ㊛
しめす【示す】enseñar, mostrar, (指し示す) señalar, indicar
しめる[1]【湿る】humedecerse, (ぬれる) mojar*se*, 湿った húmedo [da]
しめる[2]【占める】ocupar
しめる[3]【閉める】(窓などを) cerrar, (ねじなどを) apretar
じめん【地面】suelo ㊚
しも【霜】escarcha ㊛, 霜が降りる escarchar, **霜焼け** sabañón ㊚
しや【視野】vista ㊛, visibilidad ㊛
ジャーナリズム periodismo ㊚
シャープペンシル lápiz estilográfico
シャーベット sorbete ㊚, 《ラ米》 nieve ㊛
しゃかい【社会】sociedad ㊛
社会主義 socialismo ㊚, **社会保障制度** régimen de seguridad social
しやくしょ【市役所】ayuntamiento ㊚, municipio ㊚, municipalidad ㊛
じゃぐち【蛇口】grifo ㊚
しゃこう【社交】社交的な sociable
しゃしん【写真】foto [fotografía] ㊛, 写真をとる sacar fotos
写真機 cámara ㊛
シャツ (肌着) camiseta ㊛, ワイシャツ camisa ㊛ ⇨ camisa 図
しゃっきん【借金】deuda ㊛, 借金する pedir un préstamo
シャッター (よろい戸) puerta [cierre] me-

tálica [co] enrollable, (カメラ) disparador ㊚
しゃべる【喋る】charlar, hablar
シャベル pala ㊛
じゃま【邪魔】estorbo ㊚, 邪魔する molestar, estorbar
ジャム mermelada ㊛
シャワー ducha ㊛, シャワーを浴びる ducharse
ジャングル selva ㊛, jungla ㊛
ジャンパー cazadora ㊛
ジャンプ salto ㊚
シャンプー champú ㊚
しゅう【週】semana ㊛
じゅう【銃】fusil ㊚, escopeta ㊛, pistola ㊛, arma de fuego
じゆう【自由】libertad ㊛, 自由な libre, 言論の自由 libertad de palabra, **自由主義** liberalismo ㊚, **自由席** asientos no reservados, asiento sin reserva
しゅうい【周囲】alrededor ㊚, contorno ㊚, …の周囲に alrededor de
じゅういちがつ【十一月】noviembre ㊚
しゅうかく【収穫】cosecha ㊛, 収穫する cosechar
じゅうがつ【十月】octubre ㊚
しゅうかん【習慣】costumbre ㊛, hábito ㊚, 習慣的な acostumbrado [da], habitual, …する習慣がある tener la costumbre [el hábito] de
しゅうき【周期】cíclo ㊚, 周期的な periódico [ca]
しゅうきょう【宗教】religión ㊛ ⇨ religión【参考】
じゅうぎょういん【従業員】 empleado [da]
しゅうごう【集合】集合する juntar*se*, reunir*se*, 集合場所 lugar de encuentro
じゅうし【重視】重視する dar importancia
じゅうじ【従事】従事する dedicar*se* a, ocupar*se* de
じゅうじか【十字架】cruz ⇨ cruz 図
じゅうしょ【住所】domicilio ㊚, (あて先) dirección ㊛, señas ㊛
しゅうしょく【就職】colocación ㊛
ジュース zumo ㊚, jugo ㊚
じゅうたい【渋滞】atasco ㊚, embotellamiento ㊚
じゅうだい【重大】重大な grave, importante, serio [ria], **重大過失** falta grave
じゅうたく【住宅】vivienda ㊛
しゅうだん【集団】grupo ㊚, colectividad ㊛, 集団で en grupo
じゅうたん【絨毯】alfombra ㊛
しゅうちゃく【執着】…に執着する apegar*se* a
しゅうちゅう【集中】集中する concentrar*se*
しゅうてん【終点】última estación, terminal ㊛
じゅうてん【重点】importancia ㊛, 重点を置く poner énfasis
しゅうどういん【修道院】convento ㊚, monasterio ㊚
じゅうにがつ【十二月】diciembre ㊚
しゅうにゅう【収入】ingresos ㊚
じゅうぶん【十分】十分な suficiente, bastante, 十分に suficientemente
じゅうみん【住民】habitante ㊚㊛, residente ㊚㊛
しゅうよう【収容】収容する acoger
じゅうよう【重要】重要な importante
重要性 importancia ㊛
しゅうり【修理】reparación ㊛, 修理する reparar, arreglar
しゅうりょう【終了】fin ㊚, 終了する terminar, poner fin a
しゅうろく【集録・収録】(集録する) reunir, (収録する) grabar
しゅかん【主観】主観的な subjetivo [va]
しゅぎ【主義】principios ㊚, doctrina ㊛
じゅぎょう【授業】lección ㊛, clase ㊛, **授業料** cuota de enseñanza
しゅくしょう【縮小】縮小する reducir, disminuir
じゅくする【熟する】madurar
しゅくだい【宿題】deberes ㊚, tareas escolares
しゅし【趣旨】intención ㊛, propósito ㊚
しゅじゅつ【手術】operación ㊛, intervención quirúrgica, 手術する operar
しゅしょう【首相】primer [ra] ministro [tra]
じゅしょう【受賞・授賞】受賞 [授賞] する recibir [dar] un premio
しゅじん【主人】amo[ma], patrón[trona], (夫) marido ㊚, esposo ㊚
しゅだん【手段】medio ㊚, あらゆる手段で por todos los medios, 手段を講じる poner [tomar] los medios
しゅちょう【主張】afirmación ㊛, (意見) opinión ㊛, (権利の) reclamación ㊛, 主張する insistir, reclamar
しゅつえん【出演】出演する salir, actuar
しゅっさん【出産】parto ㊚, alumbramiento ㊚, 出産する parir, dar a luz
しゅっしん【出身】出身である (ある土地の) ser de, (ある学校の) ser graduado[da] en una escuela
出身地 lugar de nacimiento
しゅっせき【出席】asistencia ㊛, presencia ㊛, 出席する asistir a, presentar*se* en, 出席をとる pasar lista
しゅつにゅうこくかんり【出入国管理】inmigración ㊛
しゅっぱつ【出発】salida ㊛, partida ㊛, 出発する salir, partir
しゅっぱん【出版】publicación ㊛, 出版する publicar
出版社 casa editorial, editorial ㊛
しゅと【首都】capital ㊛, 首都の metropolitano [na]

しゅふ【主婦】ama de casa
しゅみ【趣味】afición ㊛, hobby ㊚, (好み) gusto ㊚, 趣味のよい人 hombre de buen gusto
じゅみょう【寿命】vida ㊛
しゅやく【主役】protagonista ㊚㊛
じゅよう【需要】demanda ㊛, 需要と供給 demanda y oferta
しゅるい【種類】clase ㊛, tipo ㊚, especie ㊛, género ㊚
しゅんかん【瞬間】instante ㊚, momento ㊚
じゅんかん【循環】circulación ㊛, 循環する circular
じゅんじょ【順序】orden ㊚
じゅんすい【純粋】純粋な puro [ra]
じゅんちょう【順調】順調な favorable, satisfactorio [ria]
じゅんばん【順番】turno ㊚
じゅんび【準備】⇨ ようい
じゅんれい【巡礼】peregrinación ㊛, 巡礼者 peregrino [na]
しょう【賞】premio ㊚
しよう【使用】使用する usar, utilizar
じょうえい【上映】上映する poner (una película)
じょうえん【上演】representación teatral, 上演する representar
しょうか[1]【消火】消火する apagar el fuego, **消火器** extintor de incendios
しょうか[2]【消化】digestión ㊛, 消化する digerir, **消化器** aparato digestivo
しょうかい【紹介】presentación ㊛, 紹介する presentar : 友人のファンを紹介します Le presento a mi amigo Juan.
しょうがい[1]【生涯】vida ㊛
しょうがい[2]【障害】obstáculo ㊚
障害者 minusválido [da]
じょうき【蒸気】vapor ㊚
じょうきゃく【乗客】viajero ㊚, pasajero ㊚
しょうぎょう【商業】comercio ㊚
じょうきょう【状況】circunstancia ㊛
しょうげん【証言】証言する dar testimonio
じょうけん【条件】condición ㊛
しょうこ【証拠】prueba ㊛
しょうご【正午】mediodía ㊚, 正午に a mediodía
しょうさん【賞賛】admiración ㊛, alabanza ㊛, 賞賛する admirar, alabar
しょうじき【正直】honradez ㊛, 正直な honrado [da], honesto [ta]
しょうじょ【少女】niña ㊛, chica ㊛, muchacha ㊛ ⇨ chico【参考】
しょうじょう【症状】síntoma ㊚, señal ㊛
しょうじる【生じる】producir, causar
じょうず【上手】上手な hábil, diestro [tra], 上手に bien
しょうせつ【小説】novela ㊛
小説家 novelista ㊚㊛
しょうぞうが【肖像画】retrato ㊚
しょうたい【招待】invitación ㊛, 招待する invitar, 招待状 carta de invitación
じょうたい【状態】estado ㊚
しょうだく【承諾】consentimiento ㊚, 承諾する aceptar, consentir
じょうだん【冗談】broma ㊛
しょうち【承知】承知する saber, enterar*se* de, comprender ⇨ しょうだく
しょうちょう【象徴】símbolo ㊚, 象徴的な simbólico [ca]
しょうてん[1]【商店】tienda ㊛, comercio ㊚
しょうてん[2]【焦点】(問題などの) punto esencial [capital], (写真の) ⇨ ピント
しょうどく【消毒】消毒する desinfectar
しょうとつ【衝突】choque ㊚, colisión ㊛, 衝突する chocar
しょうにん[1]【商人】comerciante ㊚㊛
しょうにん[2]【証人】testigo ㊚㊛
しょうにん[3]【承認】aprobación ㊛, 承認する aprobar, reconocer
じょうねつ【情熱】情熱的な apasionado [da]
しょうねん【少年】niño ㊚, chico ㊚, muchacho ㊚ ⇨ chico【参考】
しょうばい【商売】comercio ㊚, negocio ㊚
じょうはつ【蒸発】evaporación ㊛, 蒸発する evaporarse, desaparecer
しょうひ【消費】consumo ㊚, 消費する consumir, 消費者 consumidor [dora]
しょうひん【商品】mercancía ㊛, género ㊚
じょうひん【上品】上品な fino [na], elegante
じょうぶ【丈夫】丈夫な fuerte, (健康な) sano [na], (頑健な) robusto [ta]
じょうほ【譲歩】concesión ㊛, 譲歩する conceder
じょうほう【情報】información ㊛
しょうぼうし【消防士】bombero ㊚
しょうめい[1]【証明】prueba ㊛, demostración ㊛, 証明する probar, demostrar
しょうめい[2]【照明】iluminación ㊛, alumbrado ㊚
しょうめん【正面】frente ㊚, …の正面に en frente de
しょうもう【消耗】消耗する comsumir*se*, desgastar*se*
じょうやく【条約】pacto ㊚, tratado ㊚
しょうらい【将来】futuro ㊚, 近い将来に en un futuro próximo, 将来性 porvenir ㊚, 将来性のある de gran porvenir
しょうり【勝利】victoria ㊛
じょうりく【上陸】desembarque ㊚, 上陸する desembarcar
しょうりゃく【省略】abreviación ㊛, omisión ㊛, 省略する omitir, abreviar
ショー espectáculo ㊚

ショーウインドー escaparate ㊚
ショールーム sala de exposición
じょおう【女王】reina ㊛
しょき【書記】secretario [ria]
書記長 secretario general
しょきか【初期化】(コンピュータ) 初期化する formatear
しょくぎょう【職業】trabajo ㊚, profesión ㊛
しょくじ【食事】comida ㊛, 食事をする comer
しょくどう【食堂】comedor ㊚, (レストラン) restaurante ㊚, **食堂車** coche comedor, vagón restaurante
しょくにん【職人】artesano [na]
しょくひん【食品】alimentos ㊚
しょくぶつ【植物】planta ㊛, vegetal ㊚
植物園 jardín botánico
しょくみんち【植民地】colonia ㊛
しょくよく【食欲】apetito ㊚
しょくりょう【食料】alimento ㊚, comestible ㊚
食料品店 tienda de comestibles
じょせい【女性】mujer ㊛, 女性の femenino [na]
しょち【処置】disposición ㊛, 処置する adoptar [tomar] medidas
しょっき【食器】vajilla ㊛ ⇨ vajilla 図
食器戸棚 aparador ㊚
ショック choque ㊚, golpe ㊚
しょとく【所得】renta ㊛
所得税 impuesto sobre la renta
しょぶん【処分】disposición ㊛, (セール) liquidación ㊛, (処罰) castigo ㊚, 処分する disponer de, (棄てる) desprender*se* de, (在庫を) liquidar, (処罰する) castigar
しょほ【初歩】principios ㊚, rudimentos ㊚, nociones elementales, 初歩の elemental
しょほうせん【処方箋】receta ㊛, fórmula médica
しょゆう【所有】posesión ㊛, 所有する poseer, **所有権** propiedad ㊛
しょり【処理】処理する arreglar, tratar
しょるい【書類】documento ㊚, papeles ㊚
しらせ【知らせ】aviso ㊚, noticia ㊛, 知らせる avisar, informar, dar a conocer
しらべ【調べ】investigación ㊛, examen ㊚, **調べる** (調査する) investigar, (検査する) examinar
シラミ【虱】〘昆虫〙 piojo ㊚
しり【尻】nalgas ㊛, culo ㊚
しりあい【知り合い】conocido ㊚
しりぞく【退く】retirar*se*
しりつ[1]【市立】市立の municipal
しりつ[2]【私立】私立の privado [da]
しりょう【資料】datos ㊚, material ㊚
しる【知る】(知識がある) saber: 泳ぎを知っている Sabe nadar. (体験がある) conocer: 彼はイギリスを知っている Conoce Inglaterra. (情報として) enterar*se* de
しるし【印】signo ㊚, señal ㊛, marca ㊛, símbolo ㊚, síntoma ㊚
しろ[1]【白】白い blanco [ca]
しろ[2]【城】castillo ㊚ ⇨ castillo 図
しわ【皺】arruga ㊛, 皺になる arrugarse
しん【芯】(鉛筆の) mina ㊛, (果物の) corazón ㊚, hueso ㊚, (ランプの) mecha ㊛
じんかく【人格】personalidad ㊛
シングルルーム habitación ㊛ individual
しんけい【神経】nervio ㊚, **神経科** neurología ㊛, **神経質な** nervioso [sa]
しんこう[1]【信仰】fe ㊛, devoción ㊛
しんこう[2]【進行】marcha ㊛, avance ㊚
しんごう【信号】semáforo ㊚, señal ㊚
じんこう[1]【人口】población ㊛
じんこう[2]【人工】人工の artificial, 人工衛星 satélite artifical
しんこく【申告】declaración ㊛, 申告する declarar
しんさ【審査】examen ㊚, 審査する examinar
しんさつ【診察】reconocimiento médico
しんし【紳士】caballero ㊚
しんしつ【寝室】dormitorio ㊚, alcoba ㊛
しんじつ【真実】verdad ㊛
しんじゅ【真珠】perla ㊛
じんしゅ【人種】raza ㊛
人種差別 discriminación racial
しんしゅつ【進出】進出する avanzar, extender la actividad
しんじる【信じる】creer: 君を信じるよ Te creo. 信じられない increíble
しんせい【神聖】神聖な sagrado [da]
じんせい【人生】vida ㊛
しんせつ【親切】bondad ㊛, amabilidad ㊛, 親切な amable, bondadoso [sa], 親切に amablememte
しんせん【新鮮】新鮮な fresco [ca]
しんぞう【心臓】corazón ㊚
心臓発作 ataque cardíaco
じんぞう【腎臓】riñón ㊚
しんたい【身体】cuerpo ㊚ ⇨ cuerpo 図, **身体検査** reconocimiento físico
しんだい【寝台】cama ㊛
寝台車 cochecama
しんだん【診断】diagnóstico ㊚, 診断する diagnosticar
しんちょう[1]【身長】estatura ㊛
しんちょう[2]【慎重】prudencia ㊛, 慎重な prudente
しんどう【振動】vibración ㊛
しんにゅう【侵入】invasión ㊛, 侵入する invadir
しんねん【新年】año nuevo: 新年おめでとう ¡Feliz Año Nuevo!
しんぱい【心配】preocupación ㊛, (不安) inquietud ㊛, …を心配する preocupar*se* por [de], temer (*se*) que: 彼は将来を心

ミニ和西

配している Se preocupa de su futuro. ご心配には及びません Pierda cuidado. / No se preocupe.
しんぱん【審判】arbitraje ㊚
審判員 árbitro ㊚
しんぴ【神秘】misterio ㊚, 神秘的な misterioso [sa]
しんぷ【神父】padre ㊚
じんぶつ【人物】persona ㊛, 登場人物 personaje ㊚
しんぶん【新聞】periódico ㊚, diario ㊚, 《集合》prensa ㊛
新聞配達 repartidor [dora] de periódicos, **新聞記者** periodista ㊚㊛
しんぽ【進歩】progreso ㊚, adelanto ㊚, desarrollo ㊚, 進歩する hacer progresos, progresar, desarrollar*se*
進歩的 progresista, progresivo [va]
しんらい【信頼】confianza ㊛, …を信頼する confiar en, tener confianza en
しんり【心理】sicología ㊛, 心理的な sicológico [ca], 心理学者 sicólogo ㊚
しんりゃく【侵略】invasión ㊛, 侵略する invadir
しんりん【森林】bosque ㊚
しんるい【親類】pariente ㊚㊛, familiar ㊚㊛
じんるい【人類】humanidad ㊛
人類学 antropología ㊛
しんわ【神話】mito ㊚

す

す[1]【巣】nido ㊚, 巣を作る anidar
す[2]【酢】vinagre ㊚
ず【図】dibujo ㊚, (絵) cuadro ㊚, (挿し絵) ilustración ㊛, (図案) diseño ㊚
すいえい【水泳】natación ㊛
スイカ【西瓜】〘植物〙sandía ㊛
すいじゅん【水準】nivel ㊚
すいせん【推薦】recomendación ㊛, 推薦する recomendar
すいそく【推測】deducción ㊛, 推測する deducir
すいぞくかん【水族館】acuario ㊚
すいちょく【垂直】垂直な perpendicular, 垂直に perpendicularmente
スイッチ interruptor ㊚, botón ㊚, …のスイッチを入れる [切る] poner [quitar], encender [apagar]
すいてい【推定】deducción ㊛, suposición㊛, 推定する deducir, suponer
すいどう【水道】agua corriente
ずいひつ【随筆】ensayo ㊚
すいへい【水平】水平の horizontal
水平線 horizonte ㊚
すいみん【睡眠】sueño ㊚
すいようび【水曜日】miércoles ㊚
すいり【推理】deducción ㊛, 推理する deducir, **推理小説** novela policíaca
すう【吸う】(空気など) aspirar, (液体を) chupar, (タバコを) fumar
すうがく【数学】matemáticas ㊛
すうじ【数字】número ㊚
ずうずうしい【図々しい】descarado [da]
スーツケース maleta ㊛
スーパーマーケット supermercado ㊚
スープ sopa ㊛
すえ【末】fin ㊚, final ㊚, 3月の末に a fines de marzo
スカート falda ㊛
スカーフ pañuelo ㊚ (de cabeza)
すがた【姿】figura ㊛
すき【好き】好きな favorito [ta], preferido [da], 好きである gustar a uno
-すぎ【過ぎ】(時間) y, pasada: 3時5分すぎです Son las tres y cinco. もう6時すぎだ Ya son las seis pasadas.
スキー esquí ㊚, スキーをする esquiar
スキー場 campo [pista] de esquí
すきま【すき間】rendija ㊛
すき間風 corriente de aire
スキャンダル escándalo ㊚
すぎる【過ぎる】(経過・通過する) pasar: それから3年過ぎた Han pasado tres años desde entonces. 私たちはトレドを過ぎた Hemos pasado Toledo. (超過する) demasiado この本は高すぎる Este libro es demasiado caro.
すく【空く】vaciarse, 腹がすく tener hambre: この電車は東京ですきます Este tren se va a vaciar en Tokio.
すぐ (ただちに) en seguida, ya, ahora mismo, (まもなく) pronto, (すぐそば) junto a, (簡単に) fácilmente
すくう【救う】salvar, socorrer
スクーター motocicleta ㊛
すくない【少ない】(数) pocos, (量) poco [ca]: 彼を知っている人は少ない Pocos lo conocen. / Lo conoce poca gente.
すぐれる【優れる】sobresalir, …より優れた superior a
スケート patinaje ㊚, スケートをする patinar, **スケート場** pista de patinaje, フィギュアスケート patinaje artístico
スケジュール plan ㊚, programa ㊚
すごい【凄い】(恐ろしい) horrible, (すばらしい) sensacional, estupendo [da]
すこし【少し】(数) unos cuantos, unos pocos, (量) un poco, algo: 彼はチリに少し友人がいる Tiene unos cuantos amigos en Chile. 私は少しお金がある Tengo un poco de dinero. 少しずつ poco a poco, 少しも…ない no … nada: 彼はそのことは少しも心配していない No le preocupa nada eso.
すごす【過ごす】pasar
すじ【筋】nervio ㊚, (縞(しま)) raya ㊛, 物語の筋 argumento ㊚, (筋肉) nervio ㊚
すず【鈴】cascabel ㊚

すずしい【涼しい】fresco [ca]
すすむ【進む】adelantar, avanzar, marchar, 進める promover, fomentar
スズメ【雀】〔鳥〕gorrión ㊚
すすめる【薦める】recomendar,【勧める】aconsejar
すそ【裾】(スカートの) borde de las faldas ㊛, (山の裾野) falda [pie] de un monte
スター estrella ㊛
スタート salida ㊛, partida ㊛, (モーターなどの) arranque ㊚
スタイル estilo ㊚
スタジアム estadio ㊚
スチュワーデス azafata ㊛, aeromoza ㊛
-ずつ【宛】一つずつ, 一人ずつ uno [una] por uno [una], uno [una] a uno [una]：彼らは一人ずつ部屋に入った Entraron en la sala uno por uno.
スーツケース maleta ㊛
すっぱい【酸っぱい】ácido [da], agrio [gria]
ステーキ bistec ㊚ ⇨ bistec【参考】
すてる【捨てる】(小さいものを) tirar, (大きいものを) abandonar
ステレオ estereofonía ㊛
ストーブ estufa ㊛
ストッキング medias ㊛
ストライキ huelga ㊛, ストライキをする convocar [una] huelga
ストロー paja ㊛
すな【砂】arena ㊛
すなわち【即ち】es decir, o sea
スパイ espía ㊚㊛, スパイ行為 espionaje ㊚, 産業スパイ espionaje industrial
スパイス especia ㊛
すばらしい【素晴らしい】magnífico [ca], estupendo [da], maravilloso [sa]
スピーカー altavoz ㊚
スピード velocidad ㊛
スープ sopa ㊛
スプーン cuchara ㊛
スペイン 固名 España, スペインの español [ñola], スペイン人 español [ñola], スペイン語 español ㊚
すべて【全て】すべての todo [da], total, entero [ra]
すべての人 todo el mundo, todos los hombres, すべてのもの todo [da], すべてか無か todo o nada
すべる【滑る】resbalar(*se*), deslizar*se*
スポークスマン portavoz ㊚㊛
スポーツ deporte ㊚
スポーツマン deportista ㊚㊛
ズボン pantalones ㊚
スポンサー patrocinador [dora]
すみ[1]【炭】carbón ㊚
すみ[2]【隅】rincón ㊚
すみ[3]【墨】tinta china
すみません Perdón, Disculpe, Lo siento ⇨ saludo【会話】
スミレ【菫】〔植物〕violeta ㊛, パンジー trinitaria ㊛, pensamiento ㊚
すむ[1]【住む】vivir：どこにお住まいですか？ ¿Dónde vive Ud.?
すむ[2]【済む】acabar, terminar, 済ませる acabar：やっと試験が済んだ Por fin acabó el examen. 早くそれを済ませろ Acábalo pronto.
すむ[3]【澄む】aclararse, clarificarse, 澄んだ claro [ra], transparente
スリッパ zapatilla ㊛, chancla ㊛, pantufla ㊛
する hacer：何しているの？ ¿Qué estás haciendo? (スポーツを) jugar a, (…にする, 変える) hacer, convertir en：子供を教師にするhacer a SU hijo profesor
ずるい【狡い】astuto [ta], tramposo [sa]
するどい【鋭い】afilado [da], agudo [da]：鋭いナイフ navaja afilada, 鋭い痛み dolor agudo, 眼識の鋭い perspicaz
スローガン lema ㊚, eslogan ㊚
すわる【座る】sentar*se*, tomar asiento：どうぞお座りください Siéntense.
すんぽう【寸法】⇨ サイズ

せ

せい【性】sexo ㊚
せいい【誠意】sinceridad ㊛, 誠意のある sincero [ra]
せいか【成果】fruto ㊚, resultado ㊚
せいかく[1]【性格】carácter ㊚, temperamento ㊚
せいかく[2]【正確】正確な exacto [ta], correcto [ta], 正確な時間 hora exacta, 正確に exactamente, correctamente
せいかつ【生活】vida ㊛, 日常生活 vida diaria, 生活する vivir
ぜいかん【税関】aduana ㊛
せいき【世紀】siglo ㊚, 21世紀 el siglo veintiuno
せいきゅう【請求】請求する pedir, reclamar, **請求書** factura ㊛
ぜいきん【税金】impuesto ㊚, tributo ㊚
せいけつ【清潔】清潔な limpio [pia]
せいげん【制限】restricción ㊛, (限界) límite ㊚, 制限する restringir, limitar
せいこう【成功】éxito ㊚, 成功する tener éxito
せいざ【星座】constelación ㊛
せいさく[1]【政策】política ㊛
せいさく[2]【製作】producción ㊛, 製作する producir
せいさん【生産】producción ㊛, 生産する producir
生産物 producto ㊚
せいじ【政治】política ㊛, 政治の político [ca], **政治家** político [ca], estadista ㊚㊛
せいしき【正式】正式の formal, oficial,

legal
せいしつ【性質】cualidad ㊛, carácter ㊚, naturaleza ㊛, índole ㊛
せいじゅく【成熟】madurez ㊛, 成熟した maduro [ra]
せいしゅん【青春】juventud ㊛
せいしょ【聖書】Biblia ㊛
せいしん【精神】espíritu ㊚, mente ㊛, (魂) alma ㊛
精神的 espiritual, mental
精神分析 sicoanálisis ㊚
せいじん【成人】adulto [ta]
成人病 enfermedad de los adultos
せいせき【成績】(結果) resultado ㊚, (評価) calificación ⇨ calificación 【参考】
せいぞう【製造】fabricación ㊛, 製造する fabricar
せいぞん【生存】existencia ㊛, 生存する existir, **生存者** superviviente ㊚㊛
せいだい【盛大】盛大な solemne
せいちょう【成長】crecimiento ㊚, desarrollo ㊚, 成長する crecer
せいと【生徒】alumno [na]
せいど【制度】sistema ㊚, instituciones ㊛, (体制) régimen ㊚
せいとう[1]【政党】partido político
せいとう[2]【正当】正当な justo [ta], 正当に justamente, 正当化する justificar
せいとん【整頓】arreglo ㊚, orden ㊚, 整頓する arreglar, ordenar, poner en orden
せいねん【青年】joven ㊚㊛
せいのう【性能】calidad ㊛, rendimiento ㊚
せいひん【製品】producto ㊚, artículo ㊚
せいふ【政府】gobierno ㊚
せいふく[1]【制服】uniforme ㊚
せいふく[2]【征服】conquista ㊛, 征服する conquistar, dominar
征服者 conquistador [dora]
せいぶつ【生物】ser viviente, **生物学** biología ㊛, **生物学者** biólogo [ga]
せいぶつが【静物画】bodegón ㊚
せいみつ【精密】精密な preciso [sa],
せいめい【生命】vida ㊛ ⇨ いのち
せいよう【西洋】occidente ㊚
せいり[1]【生理】fisiologia ㊛, 生理的な fisiológico [ca], (月経) ⇨ メンス
せいり[2]【整理】⇨ せいとん
せいりつ【成立】成立する constituirse, establecerse
せいりょく[1]【勢力】poder ㊚, influencia ㊛, 勢力のある poderoso [sa], influyente
せいりょく[2]【精力】energía ㊛, 精力的な enérgico [ca], 精力的に enérgicamente
セーター jersey ㊚, suéter ㊚
セールスマン vendedor ㊚, representante ㊚㊛
せおう【背負う】llevar a las espaldas
せかい【世界】mundo ㊚, 世界の del mundo, mundial, 世界平和 la paz del mundo
せき[1]【咳】tos ㊛, 咳をする toser
せき[2]【席】asiento ㊚, plaza ㊛: 席につく sentar*se*, tomar asiento, 席を予約する reservar un asiento, 窓側の席 asiento al lado de la ventana, 通路側の席 asiento al lado del pasillo
せきじゅうじ【赤十字】Cruz Roja
せきたん【石炭】carbón ㊚
せきどう【赤道】ecuador ㊚
せきにん【責任】responsabilidad ㊛, …に責任がある ser responsable de, …する責任がある tener la responsabilidad de, 責任をとる asumir la responsabilidad
せきゆ【石油】petróleo ㊚
セクハラ acoso ㊚ sexual
せだい【世代】generación ㊛
せっかく【折角】せっかく…だから ya que, せっかく…なのに a pesar de, aunque
せっきょく【積極】積極的な activo [va], positivo [va], dinámico [ca]
せっけい【設計】diseño ㊚, 設計する diseñar, trazar unos planos
せっけん【石鹸】jabón ㊚
せっしょく【接触】contacto ㊚
せっする【接する】(接触する) tocar, rozar, poner*se* en contacto con, (…と隣接する) lindar con, (報に接する) recibir
せつぞく【接続】接続する conectar, empalmar
ぜったい【絶対】絶対に absolutamente, en absoluto
セット(一そろい) juego ㊚
せっとく【説得】persuasión ㊛, 説得する convencer, persuadir
せつび【設備】equipo ㊚, instalación ㊛
ぜつぼう【絶望】desesperación ㊛, 絶望する desesperar(*se*)
せつめい【説明】explicación ㊛, 説明する explicar, dar explicaciones
せつやく【節約】ahorro ㊚, economía ㊛, 節約する ahorrar, economizar
せつりつ【設立】設立する establecer, fundar
せなか【背中】espalda ㊛[単または複]
ぜひ【是非】(必ず) a toda costa, sin falta, (よしあし) por bien y por mal
せまい【狭い】estrecho [cha], angosto [ta]
せまる【迫る】(近づく) acercarse, aproximarse, (強制する) exigir, obligar
セミ【蟬】『昆虫』 cigarra ㊛, chicharra ㊛
せめる[1]【攻める】atacar, asaltar
せめる[2]【責める】acosar, reprochar
セルフサービス autoservicio ㊚
せわ【世話】cuidado ㊚, 世話をする cuidar a, atender a: お世話になりました Gracias por su atención.
せん[1]【栓】tapón ㊚, **栓抜き** abridor ㊚, (コルク用の) sacacorchos ㊚

せん[2]【線】línea ㊛: 線を引く trazar una línea, …に下線をひく subrayar
せんい【繊維】fibra ㊛
せんきょ【選挙】elección ㊛, 選挙する elegir
せんげつ【先月】el mes pasado
せんげん【宣言】manifiesto ㊚, declaración ㊛, 宣言する proclamar
せんこく【宣告】宣告する sentenciar, pronunciar, declarar
せんさく【詮索】詮索する indagar, escudriñar
せんじつ【先日】el otro día, hace unos días
せんしゅ【選手】jugador [dora] ㊚
せんしゅう【先週】la semana pasada
せんしんこく【先進国】país avanzado
せんす【扇子】abanico ㊚
せんせい【先生】profesor[sora], (主に小学校の) maestro[tra], (病院の) médico [ca], doctor [tora] ⇨ profesor 【参考】
ぜんぜん【全然】全然…ない no … nada, no … nunca, de ninguna manera: 彼にはそれが全然わからなかった No sabía nada de eso.
せんぞ【先祖】ascendiente ㊚, antepasado ㊚
せんそう【戦争】batalla ㊛, guerra ㊛ ⇨ batalla 【参考】, guerra
ぜんたい【全体】conjunto ㊚, totalidad ㊛, 全体の entero [ra], total, general
せんたく[1]【洗濯】洗濯する lavar, **洗濯機** lavadora ㊛, **洗濯屋** lavandería ㊛
せんたく[2]【選択】選択する seleccionar, elegir
ぜんちょう【前兆】síntoma ㊚, señal ㊛
せんでん【宣伝】propaganda ㊛, 宣伝する hacer propaganda ⇨ こうこく
せんとう【先頭】cabeza ㊛: みんなの先頭に a la cabeza de todos
ぜんぶ【全部】todo ㊚, totalidad ㊛, 全部の todo [da], entero [ra], total
せんもん【専門】especialidad ㊛ **専門家** especialista ㊚㊛, experto [ta], perito [ta]
せんりょう【占領】占領する ocupar
ぜんりょく【全力】全力で con todas sus fuerzas, 全力をつくす hacer todo lo posible, esforzar*se* lo mejor que pueda
せんれい【洗礼】bautismo ㊚, 洗礼名 nombre de pila
せんろ【線路】vía ㊛, carril ㊚, raíl ㊚

そ

そう[1]【層】capa ㊛, 地層 estrato ㊚, 階層 categoría ㊛
そう[2]【沿う】…に沿って a lo largo de, (計画・方針などに) según, conforme a [con]
そう[3] **1** (そのように) así: 私はそう思います Así lo creo. そうです Así es.
2 (その通り) sí: そうだと思う Creo que sí.
3 …しそうだ parece que, dicen que: 暑くなりそうだ Parece que va a hacer calor. もうじき着くそうだ Dicen que llegará pronto.
ゾウ【象】〘動物〙 elefante ㊚
そうい【相違】diferencia ㊛, discrepancia ㊛, 相違する diferenciarse
ぞうか【増加】aumento ㊚, 増加する aumentar(se)
そうがんきょう【双眼鏡】gemelos ㊚
そうげん【草原】prado ㊚, 《ラ米》 pampa ㊛
そうこ【倉庫】almacén ㊚, depósito ㊚
そうご【相互】相互の mutuo [tua], 相互に mutuamente, uno a otro
そうごう【総合】総合的な general, sintético [ca]
そうさ【操作】manejo ㊚, maniobra ㊛, 操作する manejar
そうさく【捜索】búsqueda ㊛, pesquisa ㊛
そうじ【掃除】limpieza ㊛, 掃除する limpiar, **掃除機** aspiradora ㊛
そうしき【葬式】funerales ㊚
そうじゅう【操縦】操縦する manejar, dirigir
そうしょく【装飾】decoración ㊛
そうぞう[1]【創造】creación ㊛, 創造する crear
そうぞう[2]【想像】imaginación ㊛, 想像する imaginar(*se*)
そうぞく【相続】sucesión ㊛, herencia ㊛, 相続する heredar, suceder, 相続人 heredero [ra]
ぞうだい【増大】incremento ㊚, 増大する incrementar
そうだん【相談】consulta ㊛, …に相談する consultar con [a]
そうち【装置】aparato ㊚, dispositivo ㊚
そうどう【騒動】alboroto ㊚, motín ㊚
そうなん【遭難】遭難する sufrir un accidente
そうりだいじん【総理大臣】primer [mera] ministro [tra]
そうりつ【創立】fundación ㊛, 創立する fundar
ソース salsa ㊛
ソーセージ salchicha ㊛, embutido ㊚
ぞくする【属する】…に属する pertenecer a
そくせき【即席】即席の improvisado [da], instantáneo [a]
そくてい【測定】medición ㊛
そくど【速度】velocidad ㊛
そくばく【束縛】束縛する restringir, coartar
そこ[1]【底】fondo ㊚

そこ[2] ahí: 彼はそこにいる El está ahí. むずかしいのはそこだ Ahí está la dificultad. 少しそこら辺を散歩してこよう Me voy un rato por ahí.
そし【阻止】阻止する impedir, estorbar
そしき【組織】organización ㊛, (体系) sistema ㊚, 組織する organizar
そしょう【訴訟】litigio ㊚, pleito ㊚
そそぐ【注ぐ】(川が) desembocar, (茶などを) echar, (努力などを) concentrar*se*
そだつ【育つ】crecer, criar*se*
そだてる【育てる】(子供を) criar, (植物などを) cultivar, (教育する) educar
そつぎょう【卒業】graduación ㊛, 卒業する graduar*se*, terminar la carrera
ソックス calcetín ㊚
そっくり idéntico [ca], exactamente igual
そっちょく【率直】率直な franco [ca], abierto [ta], 率直に言えば hablando francamente
そで【袖】manga ㊛
そと【外】(外で, 外に) fuera, (外へ) afuera, (外の) exterior, (外から) desde fuera: 外で待っていて Espera fuera. 外に出て遊びなさい Vete a jugar afuera.
そなえる【備える】(準備する) preparar*se* para, (用心する) prevenir*se* contra, (持っている) poseer, contar con, (備え付ける) instalar, proveerse de
その《定冠詞》el ㊚, la ㊛, 《指示形容詞》ese ㊚, esa ㊛: その日は風が強かった Hizo mucho viento ese día. 《代名詞》その人 él ㊚, ella ㊛, そのこと eso ㊥, ello ㊥, lo ㊥: それは何という名ですか Eso, ¿cómo se llama?
そのうえ【その上】además: 彼は遅くやって来た, そのうえ疲れていた Llegó tarde, y además, cansado.
そのうち (近いうち) pronto, dentro de poco, en breve, (やがて) tarde o temprano, (いつか) algún día
そのご【その後】(そのあと) después, luego, (それ以来ずっと) desde entonces
そのころ【その頃】entonces, aquel entonces, esos días
そのため【その為】(結果) por eso, por esas razones
そば【側】そばに al lado de, próximo [ma] a, (近くに) próximo [ma] a, junto a
そびえる【聳える】erguirse
そふ【祖父】abuelo ㊚
そぼ【祖母】abuela ㊛
そまつ【粗末】粗末な pobre, humilde: 金を粗末にする malgastar el dinero
そむく【背く】desobedecer, contrariar
そめる【染める】teñir: 髪を黒く染める teñir*se* el pelo de negro
そら【空】cielo ㊚, 青空 cielo azul, 空飛ぶ円盤 platillo volante
そらす【逸す】desviar, eludir
そる【反る】combar*se*, arquear*se*
それ《指示代名詞》ése ㊚, ésa ㊛, eso ㊥, 《主語人称代名詞・中性》ello
それから (次に) después, luego, (そして) y, (それ以来) desde entonces
それぞれの cada, respectivo [va]: 彼らはそれぞれ2冊の本を持っている Ellos tienen dos libros cada uno. / Cada uno de ellos tiene dos libros.
それだけ (程度) tanto, (それで全部) todo: それだけ勉強すれば試験に合格するだろう Como has estudiado tanto, aprobarás el examen. 質問はそれだけですか? ¿Es todo lo que querían preguntarme?
それで (それだから) por eso, por lo tanto, (それから) y, entonces
それまで hasta entonces, hasta ese momento
そろう【揃う】completarse, estar completo [ta]: 必要なものは全部そろっている Ya está todo lo necesario. (同じである) estar igual, レベルがそろっている Están a un mismo nivel. (意見などが) llegar a un acuerdo
そろえる【揃える】(集める) reunir, coleccionar, (整頓する) arreglar, poner en orden, (同じにする) igualar
そん【損】損をする perder, sufrir pérdidas
そんがい【損害】daño ㊚, **損害賠償** (金) daños y perjuicios
そんけい【尊敬】respeto ㊚, 尊敬する respetar, estimar
そんざい【存在】existencia ㊛, 存在する existir
そんな tal, semejante, そんなこと tal cosa, そんなに tan, tanto

た

た【田】arrozal ㊚
ダース docena ㊛
タイ【鯛】〘魚〙 besugo ㊚
-(し)たい querer: 私はあなたと話がしたい Quisiera hablar con Vd. 私はお前に手伝ってもらいたい Quiero que me ayudes.
だい【題】título ㊚
だいいち【第一】第一の primero [ra]: 第一日曜に el primer domingo del mes, 第一印象 las primeras impresiones, 第一に primeramente
ダイエット régimen ㊚, dieta ㊛
たいおう【対応】…に対応する corresponder a
たいおん【体温】temperatura ㊛
体温計 termómetro ㊚
たいかく【体格】complexión ㊛, constitución ㊛
だいがく【大学】(総合大学) universidad

㊛, (単科大学) escuela ㊛
たいき【大気】atmósfera ㊛, aire ㊚
大気汚染 contaminación de la atmósfera
だいく【大工】carpintero [ra]
たいぐう【待遇】trato ㊚, acogida ㊛
たいくつ【退屈】aburrimiento ㊚, 退屈な aburrido [da], 退屈する aburrir*se*
たいけい【体系】sistema ㊚, 体系的な sistemático [ca]
たいこ【太鼓】tambor ㊚, bombo ㊚
たいざい【滞在】estancia ㊛, permanencia ㊛, 滞在する permanecer
たいさく【対策】medidas ㊛
たいし【大使】embajador [dora]
大使館 embajada ㊛
だいじ【大事】大事な importante, (貴重な) precioso [sa], valioso [sa]
大事にする (こわれやすいものを) tratar con cuidado, (体を) cuidar*se*
たいした【大した】(偉大な) grande, admirable, (程度が) muy, (たいして…ない) no … muy, no … mucho: 今日はたいして暑くない Hoy no hace mucho calor.
－(に)たいして【対して】(…に向かって) para, con, a, por: あなたの助力に対してお礼を言います Le doy las gracias por su ayuda. (…に反対して) contra
たいしゅう【大衆】masas ㊛, multitud ㊛
たいじゅう【体重】peso ㊚: 彼は体重55キロだ Pesa cincuenta y cinco kilos.
たいしょう[1]【対象】objeto ㊚
たいしょう[2]【対照】contraste ㊚, comparación ㊛
だいじん【大臣】ministro [tra]
ダイズ【大豆】〘植物〙 soja ㊛
たいする【対する】a, contra, hacia
たいせい【体制】régimen ㊚
たいせいよう【大西洋】Océano Atlántico, el Atlántico
たいそう【体操】gimnasia ㊛, 体操をする hacer gimnasia
だいたい【大体】(おおよそ) aproximadamente, más o menos, (たいてい) en general, generalmente
だいたん【大胆】audacia ㊛, 大胆な atrevido [da], osado [da]
たいど【態度】actitud ㊛: 態度がよい[悪い] tener buena [mala] actitud
たいとう【対等】対等の igual, 対等に igualmente
だいとうりょう【大統領】presidente ㊚ ⇨ presidente
だいどころ【台所】cocina ㊛ ⇨ cocina 図
だいひょう【代表】representación ㊛, 代表者 representante ㊚, 代表する representar, 代表的な representativo [va]
タイプ (型) tipo ㊚
たいふう【台風】tifón ㊚
だいぶぶん【大部分】la mayoría, la mayor parte
タイプライター máquina de escribir
たいへいよう【太平洋】Océano Pacífico, el Pacífico
たいへん【大変】(非常に) muy, mucho, (重大な) importante, grave, serio [ria]
だいべん【大便】excremento ㊚, heces ㊛
たいまん【怠慢】怠慢な negligente, descuidado [da]
タイヤ neumático ㊚, rueda ㊛
ダイヤモンド diamante ㊚
ダイヤル disco ㊚, dial ㊚: ダイヤルを回す marcar un número
たいよう【太陽】sol ㊚, 太陽の solar ⇨ solar 図
だいよう【代用】代用の su(b)stitutivo [va]
たいら【平ら】平らな plano [na], llano [na], liso [sa]
だいり【代理】代理の su(b)stitutivo [va], 代理店 representante ㊚㊛, concesionario ㊚, agencia ㊛
たいりく【大陸】continente ㊚
だいりせき【大理石】mármol ㊚
たいりつ【対立】対立する oponerse a
タイル (装飾用) azulejo ㊚, (床用) baldosa ㊛
たいわ【対話】diálogo ㊚
たえる【耐える】soportar, resistir, 耐えられない insoportable, inaguantable
たおす【倒す】tumbar, derribar
タオル toalla ㊛
たおれる【倒れる】caer*se*
タカ【鷹】〘鳥〙 halcón ㊚
たかい【高い】(値段が) caro [ra], (声・背・山が) alto [ta]
たがい【互い】互いの mutuo [tua], recíproco [ca], 互いに mutuamente, recíprocamente
たかさ【高さ】altura ㊛, altitud ㊛, (音の) tono ㊚
たから【宝】tesoro ㊚
－だから como, porque (► como に導かれる節は主節の前, porque に導かれる節は後に置かれる. ⇒ 子供だからわからないでしょう Como es pequeño, no lo comprenderá. 彼は病気だから外出しないだろう No saldrá porque está enfermo.), por eso, por lo tanto: 雨が降っていた. だからどこにも行かなかった Llovía, por eso no fuí a ningún sitio.
－(し)たがる querer《+不定詞》, estar deseoso [sa] de: 彼はあなたに会いたがっている Quiere verle.
たき【滝】cascada ㊛, catarata ㊛ ⇨ cascada【参考】
だきょう【妥協】妥協する transigir
たく【炊く】(ご飯を) cocer (arroz)
だく【抱く】abrazar

ミニ和西

たくさん【沢山】mucho[cha], (多数の) numeroso[sa], gran número de, (多量の) gran cantidad de: 彼は本をたくさんもっている Tiene muchos (numerosos) libros. もうたくさんだ！ ¡ Basta ya!
タクシー taxi ㊚ **タクシー乗り場** parada ㊛ de taxi
たくましい【逞しい】fornido[da], robusto[ta]
たくわえ【蓄え】ahorro ㊚ **蓄える** ahorrar, (知識を) acumular
タケ【竹】《植物》 bambú ㊚, 竹の子 brote de bambú
-だけ (のみ) sólo, no más: 生徒は一人だけしかいなかった Había sólo un alumno. (かぎり) cuanto: できるだけ早く cuanto antes, すきなだけ cuanto quiera, (じゅうぶんな) suficiente: 彼はそれを言うだけの勇気がない No tiene suficiente valor para decirlo.
だげき【打撃】golpe ㊚, 打撃を受ける[与える] recibir [dar] un golpe
たこ【凧】cometa ㊛, 《ラ米》 volantín ㊚
タコ【蛸】《動物》 pulpo ㊚
タコス tacos ㊚
たしか【確か】確かな cierto [ta], seguro [ra], (明らかな) claro[ra], (信頼すべき) confiable: それは確かだ Eso es cierto；確かに ciertamente, seguramente, (必ず) sin falta, (疑いなく) sin duda
たしかめる【確かめる】confirmar, verificar
たしょう【多少】algo, un poco: 彼は多少英語が読める Lee algo de inglés. 多少の alguno [na]: 多少の持ち合わせがありますか？ ¿ Tiene algún dinero?
たす【足す】(加える) añadir, (足し算) más, y
だす【出す】(取り出す) sacar, (報告などを) presentar, dar, (お茶などを) servir, (手紙を) echar una carta, escribir a, (…し出す) empezar a 《+不定詞》, echar a 《+不定詞》
たすう【多数】mayoría ㊛, 多数の numeroso [sa]
たすかる【助かる】salvar*se*
たすけ【助け】(援助) ayuda ㊛, (救助) socorro ㊚, **助ける** ayudar, asistir, (救助する) socorrer
たずねる[1]【尋ねる】preguntar
たずねる[2]【訪ねる】visitar
ただ (単に) solamente, sólo no ... sino: 私はただ彼に会いたいだけです No quiero sino verle. (無料で) gratis, gratuitamente
たたかい【戦い】lucha ㊛, combate ㊚ ⇨ batalla 【参考】
たたかう【戦う・闘う】luchar, pelear, combatir, (試合) jugar
たたく【叩く】golpear, pegar
ただしい【正しい】(公正な) justo [ta], derecho [cha], (正確な) exacto [ta], correcto [ta], (しかるべき) debido [da] **正しく** justamente, exactamente, correctamente
たたむ【畳む】plegar, doblar, (傘を) cerrar
ただよう【漂う】flotar
たちいる【立ち入る】entrar, meter*se*
たちば【立場】situación ㊛, posición ㊛
たつ[1]【立つ】(立っている) estar de pie, (立ち上がる) levantar*se*, poner*se* de pie, (出発する) salir, partir
たつ[2]【経つ】pasar, transcurrir
たつ[3]【断つ】privar*se* de, cortar
たっする【達する】(到達する, 届く) llegar, alcanzar, (達成する) ⇨ たっせい
たっせい【達成】達成する conseguir, lograr
たった sólo, solamente: 彼はその仕事をたった一日で仕上げた Terminó el trabajo sólo en un día. たった今 ahora mismo, たった一人 solo [la]
だったい【脱退】脱退する abandonar, retirar*se*
たてもの【建物】edificio ㊚, construcción ㊛
たてる[1]【立てる】levantar
たてる[2]【建てる】construir, edificar
だとう【妥当】妥当な apropiado [da], adecuado [da]
たとえ【例え】aunque: たとえ明日雪が降っても, 彼はその山に登るでしょう Aunque nieve mañana, subirá al monte.
たとえば【例えば】por ejemplo
たとえる【譬える】comparar
たな【棚】estante ㊚, 《集合》 estantería ㊛
たに【谷】valle ㊚
たにん【他人】otro [tra], 他人の ajeno [na]
たね【種】semilla ㊛ ⇨ semilla 【参考】
たのしい【楽しい】feliz, alegre, agradable: パーティーはとても楽しかった Lo pasamos muy bien en la fiesta.
たのしみ【楽しみ】placer ㊚, gozo ㊚
たのしむ【楽しむ】gozar, divertir*se*
たのむ【頼む】pedir, rogar: 私は彼にここに来てくれるように頼んだ Le pedí que viniera aquí.
たば【束】manojo ㊚, fajo ㊚
タバコ【煙草】tabaco ㊚, (紙巻き) cigarrillo ㊚ ⇨ tabaco
たび【旅】viaje ㊚, 旅する viajar
たぶん【多分】tal vez, quizás: 多分明日は雨でしょう Tal vez llueva mañana.
たべもの【食べ物】comida ㊛, alimento ㊚
たべる【食べる】comer
たま たまに rara vez, una que otra vez
たまご【卵】huevo ㊚, (魚の) hueva ㊛ ⇨ huevo

たましい【魂】alma ㊛
だます【騙す】engañar
タマネギ【玉葱】〘植物〙 cebolla ㊛
たまらない insoportable,（…したくてたまらない）tener ganas de
たまる【溜る】acumularse
だまる【黙る】callar(*se*)
ダム presa ㊛, embalse ㊚
－（の）ため【為】（目的）para, por, a fin de, con el fin [propósito] de：生きるために苦労したHizo esfuerzos para vivir. 平和のための闘い lucha por la paz. 私は皆にきこえるように（ために）大声で話した Hablé en voz alta a fin de que me escucharan todos.
（理由）por, debido a, a causa de：高齢のためpor su avanzada edad. 雨のため私は外出しなかった Debido a la lluvia no salí.
だめ【駄目】（役に立たない）inútil,（無駄）en vano：彼に言っても駄目だ Es inútil decírselo. 私はやってみたが駄目だった He intentado en vano. 私はもう駄目だ ¡No puedo más!（禁止）no deber《+不定詞》：そんなにタバコを吸っては駄目だ No debes fumar tanto.
ためす【試す】probar
ためらう【躊躇う】vacilar
ためる【貯める】（貯蔵する）almacenar,（貯蓄する）ahorrar
たもつ【保つ】mantener
たよる【頼る】contar con, confiar en, recurrir：君を頼りにしているよ Cuento contigo. 自分の力に頼る confiar en sus fuerzas. 頼る人が誰もいない no tener a quién recurrir.
タラ【鱈】〘魚〙 bacalao ㊚
－（し）たら si,（…のとき）cuando ►si のあとの動詞は直説法, cuando のあとの動詞は接続法. ⇀ 雨が降ったら行きません Si llueve no voy. / Cuando llueva, no iré.
たりる【足りる】bastar con：1000ペセタもあれば足りる Me basta con mil pesetas. **足りない** faltar, hacer falta：人手が足りない Falta mano de obra.
たる【樽】barril ㊚, tonel ㊚
だれ【誰】quién, 誰を, 誰に a quién, 誰の de quién, 誰か alguien, 誰でも cualquiera, todos, 誰も…ない no … nadie, nadie：誰？ ¿Quién es? 誰を待っているの？ ¿A quién esperas? この本は誰のですか？ ¿De quién es este libro? 誰かそれを知っていますか？ ¿Lo sabe alguien? 誰でも彼を知っている Cualquiera lo conoce. 誰にも会わなかった No he visto a nadie.
だん【段】escalón ㊚, peldaño ㊚
だんあつ【弾圧】represión ㊛, opresión ㊛, 弾圧する oprimir
たんい【単位】unidad ㊛
タンカー petrolero ㊚
だんかい【段階】fase ㊛, etapa ㊛
タンク depósito ㊚, tanque ㊚, cisterna ㊛, **タンクローリー** camión cisterna
だんけつ【団結】solidalidad ㊛, unión ㊛, 団結する solidarizar*se*
たんけん【探検】exploración ㊛, 探検する explorar
たんじゅん【単純】単純な simple, sencillo [lla]
たんしょ【短所】defecto ㊚, tacha ㊛
たんじょう【誕生】nacimiento ㊚, natalicio ㊚, **誕生日**（día de）cumpleaños
ダンス baile ㊚, danza ㊛
だんせい【男性】hombre ㊚, 男性の masculino [na]
だんたい【団体】grupo ㊚, 団体の colectivo [va]
だんだん gradualmente,（少しずつ）poco a poco,（ますます）progresivamente：だんだん寒くなってきた Hace cada día más frío.
たんちょう【単調】単調な monótono [na]
だんてい【断定】afirmación ㊛, aserción ㊛, 断定する afirmar
たんとう【担当】cargo ㊚, 担当する encargar*se* de
たんどく【単独】単独の solo [la], individual
だんねん【断念】断念する renunciar, desistir
たんぱくしつ【蛋白質】proteína ㊛
だんぼう【暖房】calefacción ㊛ ⇨ calefacción 図
だんろ【暖炉】chimenea ㊛, fogón ㊚

ち

ち【血】sangre ㊛
ちあん【治安】orden público
ちい【地位】posición ㊛, rango ㊚, cargo ㊚, puesto ㊚
ちいき【地域】zona ㊛, región ㊛
ちいさい【小さい】pequeño [ña], chico [ca],（声が）bajo [ja],（ささいな）poco importante
チーズ queso ㊚
チーム equipo ㊚
ちえ【知恵】inteligencia ㊛, sabiduría ㊛
ちか【地下】地下の subterráneo [a]
地下室 sótano
ちかい【近い】cerca, próximo [ma],（ほとんど）casi, 近くの cercano [na], próximo [ma]：彼の家は駅に近い Su casa está cerca de [próxima a] la estación. 彼は80歳近い El tiene casi [cerca de] ochenta años. 近い将来に en un futuro cercano [próximo]
ちがい【違い】diferencia ㊛, …に違いない debe(de)：彼女は病気に違いない Debe de estar enferma. **違う** diferir, ser di-

ferente, (間違う, 間違っている) equivocar*se*, estar equivocado [da]: この街は私の想像とは違う Esta ciudad es diferente de lo que me imaginaba. この答えは違っている Esta respuesta está equivocada.

ちかごろ【近頃】recientemente, 近頃の de hoy (día)

ちかづく【近付く】acercar*se*, aproximar*se*, 近付ける acercar, aproximar

ちかてつ【地下鉄】metro ㊚

ちから【力】fuerza ㊛, poder ㊚, (能力) capacidad ㊛, 力の限りをつくして con todas sus fuerzas, 人の力を借りる pedir ayuda a, …する力[才能]がある tener capacidad para, 力のある fuerte, poderoso [sa]

ちきゅう【地球】la Tierra ㊛, globo ㊚ ⇨ tierra 図

ちこく【遅刻】遅刻する llegar tarde a

ちしき【知識】conocimiento ㊚

ちず【地図】mapa ㊚, (市街地図) plano ㊚

ちち[1]【父】padre ㊚ ⇨ familia【参考】

ちち[2]【乳】leche ㊛, 乳を飲む mamar

ちぢむ【縮む】encogerse, 縮める reducir, acortar

ちちゅうかい【地中海】El (Mar) Mediterráneo

ちつじょ【秩序】orden ㊚

チップ propina ㊛

ちのう【知能】inteligencia ㊛

ちぶさ【乳房】pecho ㊚, teta ㊛

ちへいせん【地平線】horizonte ㊚

ちほう【地方】región ㊛, provincia ㊛, 地方の local, regional, provincial, (田舎) campo ㊚

ちめい【致命】致命的な mortal

ちゃ【茶】té ㊚

ちゃいろ【茶色】茶色の marrón, (髪・目の) castaño [ña]

ちゃくりく【着陸】aterrizaje ㊚

ちゃわん【茶碗】taza ㊛

チャンス oportunidad ㊛

チャンネル canal ㊚

チャンピオン campeón ㊚

-ちゅう【中】(間) durante, en, mientras : 休暇中に durante las vacaciones, 私の留守中に en mi ausencia ; (経て) dentro de, en: 数日中に dentro de unos cuantos días ; (状態で) en: 工事中 en obras

ちゅうい【注意】atención ㊛, (注目する) prestar atención, (気をつける) ⇨ き[3]

チューインガム chicle ㊚

ちゅうおう【中央】centro ㊚, 中央の central

ちゅうかん【中間】medio ㊚

ちゅうこく【忠告】consejo ㊚, 忠告する aconsejar

ちゅうごく【中国】固名 China, **中国語** chino ㊚, **中国人** chino [na]

ちゅうさい【仲裁】arbitraje ㊚, 仲裁する arbitrar

ちゅうし【中止】suspensión ㊛, interrupción ㊚, 中止する suspender, cesar, interrumpir

ちゅうじつ【忠実】忠実な fiel, leal

ちゅうしゃ[1]【駐車】aparcamiento ㊚, estacionamiento ㊚, 駐車する aparcar, estacionar, **駐車禁止** Prohibido aparcar

ちゅうしゃ[2]【注射】inyección ㊛, 注射する inyectar, **注射器** jeringa ㊛

ちゅうじゅん【中旬】中旬に a mediados de

ちゅうしょう【抽象】抽象的な abstracto [ta]

ちゅうしょく【昼食】comida ㊛ (de mediodía), almuerzo ㊚, 昼食をとる comer, almorzar ⇨ comer【参考】

ちゅうしん【中心】centro ㊚, 中心の central

ちゅうせん【抽選】sorteo ㊚, rifa ㊛

ちゅうどく【中毒】intoxicación ㊛

ちゅうなんべい【中南米】América Central y del Sur

ちゅうもく【注目】⇨ ちゅうい

ちゅうもん【注文】pedido ㊚, encargo ㊚, 注文する pedir, encargar

ちゅうりつ【中立】中立の neutral

ちょう【腸】intestino ㊚, tripa ㊛

チョウ【蝶】〘昆虫〙 mariposa ㊛

ちょうか【超過】exceso ㊚, 超過する exceder, sobrepasar

ちょうこく【彫刻】escultura ㊛, 彫刻する esculpir
彫刻家 escultor [tora]

ちょうさ【調査】investigación ㊛, encuesta ㊛, …について調査する hacer investigaciones sobre

ちょうし【調子】(音・色合いなど) tono ㊚, (具合など) estado ㊚: 声の調子 tono de la voz

ちょうしょ【長所】cualidad ㊛, mérito ㊚

ちょうじょう【頂上】cima ㊛, cumbre ㊛

ちょうしょく【朝食】desayuno ㊚, 朝食をとる desayunar, tomar el desayuno

ちょうせつ【調節】調節する regular, ajustar

ちょうせん[1]【朝鮮】固名 Corea
朝鮮語 coreano ㊚

ちょうせん[2]【挑戦】desafío ㊚, reto ㊚, 挑戦する retar, **挑戦者** desafiador [dora]

ちょうど【丁度】justo, justamente, en punto, (正確に) exactamente, precisamente : ちょうど3時です Son las tres en punto. ちょうど出かけるところです Estoy a punto de salir. この本はちょうど1万円です Este libro cuesta exactamente diez mil yenes. ちょうどよい時に en un momento oportuno

ちょうへい【徴兵】reclutamiento ㊚

ちょうみりょう【調味料】condimento ㊚

ちょうわ【調和】armonía ㊛, 調和する armonizar
チョーク tiza ㊛
ちょきん【貯金】ahorro ㊚
ちょくせつ【直接】直接の directo [ta], 直接に directamente：直接ホテルへ行きましょう Vamos directamente al hotel. 私が彼に直接会おう Voy a verle personalmente.
チョコレート chocolate ㊚
ちょさくけん【著作権】derechos de autor
ちょしゃ【著者】autor [tora]
ちょぞう【貯蔵】貯蔵する guardar, conservar
チョッキ chaleco ㊚
ちょっと（しばらく）un momento, un rato：ちょっとお待ちください Un momento, por favor.（わずか）un poco, algo：これは私にはちょっとむずかしそうだ Esto me parece un poco difícil.
ちり[1]【塵】polvo ㊚
ちり[2]【地理】geografía ㊛
チリ 固名 Chile
ちりょう【治療】tratamiento médico, cura ㊛, …の治療を受ける recibir tratamiento de, 治療する tratar, curar
ちる【散る】（花・葉が）caerse, deshojarse,（気が）distraer*se*
ちんぎん【賃金】salario ㊚, sueldo ㊚
ちんぼつ【沈没】沈没する hundirse
ちんもく【沈黙】silencio ㊚：沈黙を守る estar callado[da], continuar en silencio, guardar silencio, 沈黙を破る romper el silencio, 沈黙する callar(*se*)
ちんれつ【陳列】exposición ㊛, 陳列する exponer, **陳列棚** vitrina ㊛

つ

つい【対】par ㊚, pareja ㊛
ついか【追加】adición ㊛, suplemento ㊚, 追加する añadir
ついきゅう【追求】追求する perseguir
ついせき【追跡】追跡する perseguir
-（に）ついて **1**（…に関して）de, sobre, acerca de, en cuanto a：政治について話す Habla de política. セルバンテスについて本を書く Escribo un libro sobre [acerca de] Cervantes. それについては私は今答えられない En cuanto a eso, ahora no puedo responder. **2**（…の後から）después de,（…といっしょに）con：私について言いなさい Repita después de mí. 私についておいで Ven conmigo.
ついに【終に・遂に】por [al] fin
ついほう【追放】追放する exiliar, expulsar
ツインルーム habitación ㊛ con dos camas
つうこう【通行】paso ㊚, tránsito ㊚, 通行する circular, 一方通行 dirección única, 右側通行 circular por la derecha, **通行人** transeúnte ㊚㊛
つうじる【通じる】（道が）llevar [ir, conducir] a, comunicar con,（言葉が）entender(*se*),（意思が）comprender,（電話が）contestar
つうしん【通信】comunicación ㊛
つうち【通知】通知する avisar, notificar
つうやく【通訳】traducción ㊛,（人）intérprete ㊚㊛, 通訳する traducir
つうよう【通用】通用する ser válido [da]
つうろ【通路】paso ㊚, pasaje ㊚
つえ【杖】bastón ㊚
つかう【使う】（使用する）usar, utilizar,（費やす）gastar,（人を雇う）emplear
つかまえる【捕まえる】coger, atrapar
つかむ【摑む】agarrar, coger
つかれ【疲れ】cansancio ㊚, fatiga ㊛
つかれる【疲れる】cansar*se*, fatigar*se*
つき【月】（天体）luna ㊛,（暦）mes ㊚
⇨ mes 【参考】
つぎ【次】次の próximo [ma], siguiente, 次に a continuación, después, 次々に uno tras otro, 次の日曜日 el domingo próximo [que viene]
つきあう【付き合う】tratar con, acompañar, tener relaciones con
つきあたる【突き当たる】chocar con, 突き当たり al fondo, al final
つきそう【付き添う】acompañar a
つきひ【月日】tiempo ㊚
つきる【尽きる】agotarse, acabarse
つく【着く・付く】（到着する）llegar, arribar,（付着する）pegarse, adherirse
つぐ[1]【継ぐ】heredar, suceder
つぐ[2]【注ぐ】verter, servir, echar
つくえ【机】mesa ㊛, escritorio ㊚
つくす【尽くす】servir a, dedicar*se* a
つくる【作る】hacer,（建造する）construir,（製造する）fabricar,（栽培する）cultivar,（詩文を）escribir,（音楽を）componer,（団体などを）formar, fundar, organizar
つける【付ける・着ける】（取り付ける）poner,（身に着ける）poner*se*,（点火する）poner, encender,（記入する）llevar, escribir,（張りつける）pegar
つげる【告げる】anunciar, informar
つごう【都合】conveniencia ㊛, 都合のよい conveniente, 都合の悪い inconveniente, 都合をつける arreglárs*e*las
つたえる【伝える】（伝言などを）decir, informar,（文化などを）introducir,（後世に）legar,（電気・熱などを）conducir
つたわる【伝わる】（うわさなどが）propagarse, difundirse, circular,（文化などが）introducirse
つち【土】tierra ㊛,（土壌）suelo ㊚,（土

地) terreno ㊚
つづき【続き】continuación ㊛
つづく【続く】(継続する) continuar, durar, seguir, (後に続く) seguir, suceder
つづける【続ける】continuar, seguir
つつしむ【慎む】contener*se*, abstener*se*
つつむ【包む】envolver
包み paquete ㊚
つづり【綴り】ortografía ㊛
つとめ【勤め】trabajo ㊚, oficio ㊚
勤める trabajar
つな【綱】cuerda ㊛, soga ㊛
つなぐ【繋ぐ】(接続する) conectar, unir, (結ぶ) atar, amarrar
繋がる conectarse, unirse
つの【角】cuerno ㊚, **角笛** cuerna ㊛
つば【唾】saliva ㊛
ツバキ【椿】〘植物〙 camelia ㊛
つばさ【翼】ala ㊛
ツバメ【燕】〘鳥〙 golondrina ㊛
つぶ【粒】grano ㊚
つぶす【潰す】aplastar
つぼ【壺】jarra ㊛, jarro ㊚, tarro ㊚
つぼみ【蕾】capullo ㊚
つま【妻】esposa ㊛, mujer ㊛
つまずく【躓く】tropezar
つまむ【摘む】 coger, coger con los dedos, pellizcar, (食べ物を) picar
つまり【詰まり】es decir, o sea
つみ【罪】(道徳・宗教上の) pecado ㊚, (せい) culpa ㊛, (法律上の) crimen ㊚
つむ[1]【摘む】recoger
つむ[2]【積む】(荷物を) cargar, (経験を) acumular
つめ【爪】uña ㊛, つめ切り cortaúñas ㊚
つめたい【冷たい】 frío [a], (氷のように) helado [da]
つめる【詰める】(物を) llenar, rellenar, cargar, (間を) poner*se* más juntos, (丈を) acortar
つもり【積もり】…するつもりである ir a, pensar, proponer*se*
つもる【積もる】acumularse, amontonarse
つゆ[1]【露】rocío ㊚
つゆ[2]【梅雨】temporada de lluvias
つよい【強い】fuerte
つらい【辛い】duro [ra], doloroso [sa]
つらぬく【貫く】atravesar, penetrar, (考えを) llevar a cabo
つり【釣り】(魚釣り) pesca ㊛, 釣り人 pescador [dora], (釣り銭) vuelta ㊛
つりあい【釣り合い】equilibrio ㊚, (均整) proporción ㊛, 釣り合う equilibrarse
つる[1]【蔓】zarcillo ㊚
つる[2]【釣る】(魚を) pescar, (誘惑する) seducir, tentar: 甘いことばにつられて seducido [da] por dulces palabras
つるす【吊す】colgar, suspender
つれ【連れ】acompañante ㊚㊛
つれていく【連れて行く】llevar ⇨ llevar 〖参考〗
つれてくる【連れて来る】traer ⇨ llevar 〖参考〗

て

て【手】mano ㊛ ⇨ cuerpo図, 手を上げる levantar la mano, 手をたたく dar palmadas, …の手を握る apretarle [estrecharle] la mano a, 手を振る agitar la mano, 手をつないで cogidos de la mano, 手に入れる obtener, conseguir, 手渡す entregar

-で **1** (場所, 部分) en, de: 私は駅で彼に会った Le vi en la estación. 東京で一番高い建物 el edificio más alto de Tokio

2 (手段・用具) a, en, con, por: 手で書く escribir a mano, インクで書く escribir con tinta, 電車で行く ir en tren, スペイン語で何といいますか? ¿Cómo se dice en español? 車を時間で借りる alquilar un coche por horas

3 (原料・材料) de: このテーブルはカシでできている Esta mesa es de roble.

4 (原因・理由) de, por, debido a, a causa de: ガンで死ぬ morir de cáncer, お前のせいで por tu culpa, 雨で出かけられなかった Debido a la lluvia no pude salir. 火事で交通渋滞があった Hubo congestión del tráfico a causa de un incendio.

5 (様態) en 大声で en voz alta

6 (時間・日数・年齢) en, a: それを2週間で終わらせなければならない Hay que terminarlo en dos semanas. 彼は50歳で亡くなった Murió a la edad de cincuenta años.

7 (価格・速度) a: 定価で売る vender a precio fijo, 時速60キロで走る correr a sesenta kilómetros por hora, 全速力で a toda velocidad

であい【出会い】encuentro ㊚, …と出会う encontrar*se* con
てあし【手足】miembros ㊚, extremidades ㊛, pies y manos
てあて【手当】(治療) cura ㊛, (報酬) subsidio ㊚, gratificación ㊛
ていあん【提案】propuesta ㊛, 提案する proponer
ていか[1]【定価】precio ㊚, precio fijo
ていか[2]【低下】bajada ㊛, caída ㊛, 低下する caer, bajar
ていき【定期】定期の periódico [ca]
定期券 pase ㊚
定期預金 depósito a plazo fijo
ていきあつ【低気圧】depresión atmosférica

ていきょう【提供】oferta ㊛, 提供する ofrecer, suministrar
ていけい【提携】cooperación ㊛, …と提携して en cooperación con
ていこう【抵抗】resistencia ㊛, …に抵抗する resistir a, oponer*se* a
ていし【停止】parada ㊛, suspensión ㊛, 停止する parar*se*, detener*se*
ていじ【提示】presentación ㊛, 提示する mostrar
ていしゅつ【提出】提出する presentar, proponer
ディスコ discoteca ㊛
ていせい【訂正】corrección ㊛, 訂正する corregir, rectificar
ていど【程度】(度合) grado ㊚, (水準) nivel ㊚, ある程度まで hasta cierto punto
ていぼう【堤防】dique ㊚, malecón ㊚
ていりゅうじょ【停留所】parada ㊛
デート cita ㊛, デートする citar*se*
テープ cinta ㊛
テーブル mesa ㊛, テーブル掛け mantel ㊚
テープレコーダー magnetófono ㊚, grabadora ㊛
てがかり【手掛かり】pista ㊛, clave ㊛
てがみ【手紙】carta ㊛, …に手紙を書く escribir (una carta) a, 手紙を投函(とうかん)する echar una carta ⇨ carta 【参考】
てき【敵】enemigo ㊚, adversario ㊚
-(に)てきする【適する】ser apto [ta] para
てきせつ【適切】適切な adecuado [da], conveniente
てきとう【適当】適当な adecuado [da], conveniente
できない【出来ない】(能力がない) no poder, (技能がない) no saber, (成績が悪い) flojo [ja] en
できる【出来る】**1** (能力がある) poder, (技能がある) saber: あの赤ちゃんはもうすぐ歩くことができるでしょう Aquel bebé podrá andar pronto. 私は泳ぐことができる Sé nadar.
2 (得意である) ser hábil en, darse bien (a uno): 彼は英語がよくできる Se le da bien el inglés.
3 (完了する) completarse, estar hecho [cha]: 食事の用意ができました La comida está hecha.
4 (できるだけ頑張る) esforzar*se* todo lo posible, (できるだけ早く) lo más pronto posible, cuanto antes
でぐち【出口】salida ㊛
デザート postre ㊚
デザイナー diseñador [dora], (服飾) modista ㊚㊛ ⇨ modisto
デザイン diseño ㊚
てじゅん【手順】procedimiento ㊚, orden ㊚
-でしょう **1**《現在・未来に対する推量. 動詞の直説法未来形》彼はまもなく来るでしょう Vendrá pronto.
2《過去に対する推量. 動詞の直説法可能形》私が家に着いたのは8時ごろだったでしょう Serían como las ocho cuando llegué a casa.
3 (念を押して) 広いでしょう, この通り Es ancha esta calle, ¿verdad?
-です **1**《主語の属性・身分・職業・国籍などを表すとき》ser: 彼女はいい人です Ella es buena. どなたですか? —私です ¿Quién es? — Soy yo. 彼はスペイン語の先生です Es profesor de español.
2《主語の状態を表すとき》estar: 彼女は元気です Ella está bien.
てすうりょう【手数料】comisión ㊛
デスクトップ (コンピュータ) escritorio ㊚
テスト examen ㊚, prueba ㊛
てすり【手すり】pasamanos ㊚, baranda ㊛, antepecho ㊚
でたらめ【出鱈目】disparate ㊚
てちょう【手帳】agenda ㊛
てつ【鉄】hierro ㊚, 鉄鋼 acero ㊚
てっかい【撤回】撤回する retractar, revocar
てつがく【哲学】filosofía ㊛
デッサン boceto ㊚, bosquejo ㊚, esbozo ㊚
てつだう【手伝う】ayudar, asistir: 何かお手伝いしましょうか? ¿Quiere que le ayude?
てつづき【手続き】procedimiento ㊚, trámite ㊚, 手続きをする proceder
てつどう【鉄道】ferrocarril ㊚
てつや【徹夜】徹夜する pasar la noche en vela, velar toda la noche
テニス tenis ㊚ ⇨ tenis 図
てにもつあずかりしょ【手荷物預かり所】consigna ㊛
てぬぐい【手拭】paño ㊚, toalla ㊛
では entonces, ahora, bien, bueno: ではそれは何ですか? ¿Qué es eso, entonces? では今日の勉強をはじめよう Ahora, vamos a empezar nuestra lección de hoy. ではまた明日 ¡Bueno, Hasta mañana!
デパート almacenes ㊚
デビュー estreno ㊚, デビューする estrenar*se*, debutar
てぶくろ【手袋】guantes ㊚
デマ rumor falso, noticia falsa
てまえ【手前】手前に a este lado, hacia sí mismo [ma]
デモ manifestación ㊛
-でも **1** (でさえ) hasta, incluso, (たとえ…でも) aunque, si bien: 子供でもそれはわかる Hasta los niños lo comprenden. 明日雨でも私は出かけます Aunque llueva mañana, saldré.
2 (AでもBでも) bien A bien B, ya A ya B: 電車でもバスでも行けるよ Puedes ir bien en tren, bien en autobús. (A

でもＢでもない) no [ni] A ni B: 私のほしいのはこれでもあれでもない Lo que quiero no es esto ni aquello.

3 (しかし) pero: スペイン語は好きですが，でもまだよく話せません Me gusta el español, pero aún no lo hablo bien.

てら【寺】templo budista

テラス terraza ㊛

デラックス de lujo, lujoso [sa]

デリケート delicado [da], fino [na]

てる【照る】iluminarse, brillar, 照らす iluminar

でる【出る】**1** (外出・出発する) salir, partir: 彼は散歩に出た Ha salido a pasear.

2 (現れる) salir, aparecer: 日が出る El sol sale.

3 (…に出席・参加する) asistir a, presentar*se* en, salir en: 彼はテレビに出るのがすきだ Le gusta salir en la televisión.

4 (…を卒業する) graduar*se* en, salir de: 彼はサラマンカ大学を出た Se graduó en la Universidad de Salamanca.

5 (発行・発売する) publicar, poner en venta: この本は出たばかりだ Acaba de publicarse este libro. 先月出たCD el disco compacto puesto en venta el mes pasado

6 (生じる) producirse, haber: 大きな物的被害が出た Se produjeron grandes daños materiales. その事故で多数のけが人が出たHubo muchos heridos en el accidente.

テレビ televisión ㊛

テレフォンカード tarjeta ㊛ de teléfono

てん[1]【天】cielo ㊚, 天地 cielo y tierra

てん[2]【点】(記号) punto ㊚, (評点) nota ㊛, (競技の得点) punto ㊚, tanto ㊚

てんいん【店員】dependiente ㊚㊛

てんかい【展開】evolución ㊛, desarrollo ㊚

てんき【天気】tiempo ㊚, **天気予報** pronóstico del tiempo ⇨ tiempo

でんき[1]【伝記】biografía ㊛

でんき[2]【電気】electricidad ㊛, 電気の eléctrico [ca]

でんきゅう【電球】bombilla ㊛

てんけい【典型】典型的な típico [ca]

てんけん【点検】inspección ㊛, 点検する inspeccionar, revisar

てんごく【天国】paraíso ㊚, gloria ㊛, cielo ㊚

てんさい【天才】prodigio ㊚, genio ㊚

てんし【天使】ángel ㊚

てんじ[1]【点字】letras de puntos, sistema braille de escritura

てんじ[2]【展示】exposición ㊛, 展示する exponer, exhibir

でんし【電子】electrón ㊚, 電子メール⇨Eメール

でんしゃ【電車】tren ㊚, tren eléctrico, 路面電車 tranvía ㊚

てんじょう【天井】techo ㊚

でんせつ【伝説】leyenda ㊛

でんせん[1]【電線】cable ㊚, línea eléctrica

でんせん[2]【伝染】伝染する contagiarse 伝染病 enfermedad contagiosa

でんち【電池】pila ㊛, batería ㊛

テント tienda ㊛, pabellón ㊚

でんとう[1]【伝統】tradición ㊛, 伝統的な tradicional

でんとう[2]【電灯】luz eléctrica

でんどう【伝道】misión ㊛, evangelización ㊛

てんねん【天然】天然の natural 天然資源 recursos naturales

てんのう【天皇】emperador ㊚

でんぱ【電波】onda eléctrica

てんぷく【転覆】転覆する volcarse

てんぼう【展望】panorama ㊚ 展望台 mirador ㊚

でんぽう【電報】telegrama ㊚

てんもん【天文】天文学 astronomía ㊛, 天文学者 astrónomo [ma], 天文台 observatorio ㊚, 天文学的数字 cifras astronómicas

てんらんかい【展覧会】exposición ㊛

でんりゅう【電流】corriente eléctrica

でんりょく【電力】fuerza eléctrica, energía eléctrica, electricidad ㊛

でんわ【電話】teléfono ㊚, 携帯電話 teléfono portátil [celular, móvil], 公衆電話 teléfono público, 国際電話 llamada ㊛ internacional, 留守番電話 contestador automático, 電話番号 número ㊚ de teléfono

と

と【戸】puerta ㊛

-と **1** (および) y: 紙と鉛筆 papel y lápiz ► i, hi の前では e となる. ⇀ 母と息子 madre e hijo

2 (…と一緒に) con: われわれと con nosotros ► 私と conmigo, 君と contigo

3 (…に対して) contra, con: 不正と闘う luchar contra la injusticia

4 (…とするとき) cuando, al《+不定詞》: 出かけようとしていると雨が降り出した Cuando iba a salir [Al salir yo], empezó a llover.

5 (…というのは) que: 彼が病気だというのは本当？ ¿Es verdad que él está enfermo?

ど【度】(回) vez ㊛, (角度・温度) grado ㊚

ドア puerta ㊛

ドイツ 固名 Alemania, ドイツの alemán [mana], ドイツ語 alemán ㊚, ドイツ人 alemán [mana]

トイレ servicio ㊚, aseo ㊚
トイレットペーパー papel ㊚ higiénico
とう【塔】torre ㊛
どう[1]【胴】tronco ㊚, cuerpo ㊚
どう[2]【銅】cobre ㊚, 青銅 bronce ㊚
銅像 estatua de bronce
どう[3] **1** (何) qué: こんどはどうしますか? ¿Qué hacemos ahora?
2 (いかに) cómo, qué: 今日は具合はどうですか? ¿Cómo te sientes hoy? 今日の天気はどうですか? ¿Qué tiempo hace hoy?
どうい【同意】acuerdo ㊚, consentimiento ㊚, consenso ㊚, 同意する ponerse de acuerdo
どういたしまして De nada. / No hay de qué.
とういつ【統一】unificación ㊛, 統一する unificar
どうか (どうか…してください) por favor, Haga el favor de [Sírvase]《+不定詞》, (…かどうか) si: タバコはどうかご遠慮ください Por favor, no fumen. どうかご一緒させてください Permítame que le acompañe. 彼が今日家にいるかどうかわからない No sé si hoy está en casa.
とうき【陶器】loza ㊛, cerámica ㊛
とうぎ【討議】debate ㊚, 討議する discutir
どうき【動機】motivo ㊚
とうきゅう【等級】categoría ㊛, grado ㊚, clase ㊛
とうぎゅう【闘牛】corrida de toros
闘牛士 torero [ra], diestro [tra]
どうぐ【道具】utensilio ㊚, instrumento ㊚
どうくつ【洞窟】cueva ㊛, caverna ㊛
とうげ【峠】puerto ㊚, paso de montaña
どうけ【道化】bufonada ㊛
道化師 payaso ㊚
とうけい【統計】estadística ㊛
とうごう【統合】unificación ㊛, integración ㊛
とうし[1]【投資】inversión ㊛
投資信託 fondo de inversión
とうし[2]【凍死】凍死する helar*se*, morir helado [da]
とうじ【当時】entonces, en aquel entonces, en esa época, 当時の首相 el entonces primer ministro
どうじ【同時】同時に simultáneamente, al mismo tiempo, (一度に) a un tiempo, a la vez: 二人は同時に出発した Los dos partieron al mismo tiempo. 私は同時に二つのことができない No puedo hacer dos cosas a la vez.
とうじつ【当日】ese mismo día
どうして (どうやって) cómo, de qué manera, (なぜ) por qué
どうしても (ぜひ) a toda costa, sin falta, (どうしても…ない) nunca, jamás: 私はどうしてもそれを手に入れたい Quiero obtenerlo a toda costa. 私はどうしてもその問題が解けなかった Nunca supe solucionar ese problema.
どうじょう【同情】compasión ㊛, …に同情する compadecer*se* de
とうじょうぐち【搭乗口】puerta ㊛ de embarque
とうじょうけん【搭乗券】tarjeta ㊛ de embarque
どうせ al fin y al cabo, después de todo: 早く行きたまえ, どうせ行かなければならないんだから Vete pronto, al fin y al cabo tienes que ir. どうせ彼は来やしないさ Después de todo, no vendrá.
とうせい【統制】統制する controlar
とうせん【当選】当選する ser elegido [da], **当選者** elegido [da]
とうぜん【当然】当然の natural, …するのは当然だ es natural que《+接続法》, 当然…と思う dar por sentado: 彼がそう言うのは当然だ Es natural que lo diga él. 彼は私たちが当然知り合いだと思っていた Dio por sentado que nos conocíamos.
どうぞ por favor: どうぞお入りください Pase usted, por favor. かぎをどうぞ Aquí tiene la llave. 入ってもいいですか?—どうぞ ¿Se puede?—Adelante.
とうそう【闘争】lucha ㊛
とうだい【灯台】faro ㊚
とうたつ【到達】到達する alcanzar
とうちゃく【到着】llegada ㊛, arribo ㊚, …に到着する llegar a, arribar a
どうとく【道徳】moral ㊛
どうにか de alguna forma, de algún modo
どうにゅう【導入】導入する introducir
とうばん【当番】turno ㊚
とうひょう【投票】votación ㊛, 投票する votar
どうふう【同封】同封する adjuntar
どうぶつ【動物】animal ㊚
動物園 zoo ㊚
とうぶん【当分】por el momento, por ahora
どうみゃく【動脈】arteria ㊛
動脈硬化 arteriosclerosis ㊛
とうめい【透明】透明な transparente
どうめい【同盟】alianza ㊛
どうも どうもありがとう Muchas gracias. どうもよくわからない No sé por qué, pero no lo comprendo bien. どうも雨になりそうだ ¡m m m … ! Parece que va a llover.
トウモロコシ【玉蜀黍】〖植物〗maíz ㊚
とうよう【東洋】東洋の oriental
どうよう【同様】同様の mismo [ma], igual, similar, 同様に del mismo modo, de la misma manera, igualmente
どうり【道理】razón ㊛
どうりょう【同僚】colega ㊚ ㊛, com-

pañero [ra]
どうりょく【動力】fuerza motriz
どうろ【道路】camino ㊚, calle ㊛, carretera ㊛, 高速道路 autopista ㊛ ⇨ calle【参考】
とうろく【登録】登録する registrar
とうろん【討論】debate ㊚, 討論する discutir
どうわ【童話】cuento infantil
とうわく【当惑】当惑した confuso [sa], turbado [da]
とおい【遠い】lejano [na], remoto [ta], 遠くに lejos, a lo lejos
とおす【通す】pasar (algo), dejar pasar (a uno), …を通して a través de
とおり【通り】calle ㊛, (大通り) avenida ㊛ ⇨ calle【参考】
とおる【通る】pasar: 彼らは森を通りぬけた Han pasado por el bosque. 彼は試験に通った Pasó (bien) el examen. …を通って pasando por, vía …
とかい【都会】ciudad ㊛, gran ciudad
トカゲ【蜥蜴】〘動物〙lagarto ㊚
とかす[1]【梳かす】(髪を) peinar, (自分の髪を) peinar*se*
とかす[2]【溶かす】diluir, disolver
とがった【尖った】puntiagudo [da]
とき【時】**1** (時間) tiempo ㊚, (時刻) hora ㊛, (機会) ocasión ㊛, (時代) época ㊛ **2** ある時 una vez, 時には alguna vez **3** …の時に cuando, 緊急の時に en caso de emergencia
ときどき【時々】a veces, de vez en cuando
とく[1]【得】beneficio ㊚, ganancia ㊛, 得な ventajoso [sa]
とく[2]【解く】(解決する) resolver, (ほどく) desatar
とぐ【研ぐ】afilar
どく【毒】veneno ㊚, 毒のある venenoso [sa], tóxico [ca]
とくい【得意】…を得意になっている estar orgulloso [sa] de, …が得意である ser fuerte [hábil] en, dársele bien a
どくさい【独裁】独裁制 dictadura ㊛, despotismo ㊚, autocracia ㊛
どくじ【独自】originalidad ㊛, peculiaridad ㊛
どくしゃ【読者】lector [tora]
とくしゅ【特殊】特殊な especial
どくしょ【読書】lectura ㊛
どくしん【独身】独身の soltero [ra]
どくせん【独占】monopolio ㊚, 独占する monopolizar, acaparar
とくちょう【特徴】carácter ㊚, característica ㊛, 特徴的な característico [ca]
とくに【特に】sobre todo, en particular, en especial, especialmente, particularmente
とくべつ【特別】特別の especial, particular
どくりつ【独立】independencia ㊛, 独立した independiente, 独立する independizar*se*
とげ【刺】espina ㊛
とけい【時計】reloj ㊚, 時計屋 (人) relojero [ra], (店) relojería ㊛ ⇨ reloj
とける[1]【解ける】resolverse
とける[2]【溶ける】diluirse, disolverse
どこ【何処】dónde, どこかで[に] en alguna parte, en algún lugar, どこでも en todas partes, en cualquier lugar, dondequiera, どこまで hasta dónde, hasta qué punto, どこにも…ない no … en ninguna parte: ここはどこですか? ¿Dónde estamos? 毎年夏休みにはどこかに行くことにしております Todos los años, en las vacaciones de verano solemos ir a alguna parte. それはどこでも買える Se puede comprar en cualquier lugar. 彼はどこまで行ったのだろう? ¿Hasta dónde habrá ido? 彼をどこまで信じていいのか No sé hasta qué punto se puede confiar en él. それはもうどこにも売っていない Ya no se vende en ninguna parte.
ところ【所】(場所) lugar ㊚, sitio ㊚, (…するところ) estar para, (もう少しで…するところ) por poco: ここが事故のあったところです Es aquí donde se produjo el accidente. 彼は出かけるところです Está para salir. もう少しで命を落とすところだった Por poco me muero.
-どころか lejos de: 彼は病気どころか, 今スペインを旅行している Lejos de estar enfermo, ahora viaja por España.
ところで (さて) ahora bien, a propósito
とざん【登山】alpinismo ㊚
登山家 alpinista ㊚㊛
とし[1]【年】(こよみの) año ㊚, (年齢) edad ㊛, año ㊚: 新しい年を祝う celebrar el año nuevo, 年はいくつですか? ¿Cuántos años tiene? / ¿Qué edad tiene? 年には見えない No representa la edad que tiene. 年をとる envejecer (*se*), 年とった viejo [ja], anciano [na], envejecido [da]
とし[2]【都市】ciudad ㊛ ⇨ ciudad 図
とじこめる【閉じ込める】encerrar
-として como, por: 証人として出廷する comparecer como testigo, 日本人として通っている pasar por japonés
-としては **1** (…の割には) para: 外国人としては日本語がうまい Para ser un extranjero habla bien el japonés.
2 (…はと言えば) en cuanto a, por lo que toca a: 私としては, それについて何も言うことはないEn cuanto a mí no tengo nada que decir.
としょ【図書】libro ㊚
図書館 biblioteca ㊛
とじる【閉じる】cerrar
とだな【戸棚】armario ㊚
とち【土地】tierra ㊛, (地所) terreno ㊚,

(土壌) suelo 男, 土地の local, 土地の人 natural 男
とちゅう【途中】途中で en el camino, 途中まで hasta mitad de camino
どちら (どちらが) cuál, qué: コーヒーと紅茶ではどちらが好きですか? ¿Cuál [Qué] le gusta más, el té o el café? (どちらか) o ... o ...: 私はスペイン語かフランス語のどちらかを勉強したい Quiero aprender o el español o el francés. (どちらでも) cualquiera: どちらでも構わない Me da igual. / Me da lo mismo. (どちらも) ambos: どちらも好きです Me gustan ambos. 私はどちらも買うつもりはない No pienso comprar ni uno ni otro.
とっきゅう【特急】特急列車 tren rápido
とっきょ【特許】patente 男
とっけん【特権】privilegio 男
とつぜん【突然】de repente, de pronto, inesperadamente, 突然の repentino [na], súbito [ta]
–(に)とって para: この試験は私にとって非常に大事です Este examen es muy importante para mí.
とどく【届く】alcanzar, llegar, 届ける mandar, llevar
ととのえる【整える】ordenar, arreglar
とどまる【留まる】(残る) quedar*se*, (おさまる) limitarse, haber sólo: 死者は3人にとどまった Sólo hubo tres muertos.
となり【隣】隣の próximo [ma], de al lado, vecino [na], contiguo [gua]
どの **1** (どれ) qué: どの学科が一番好きですか? ¿Qué asignatura le gusta más? / ¿Cuál de las asignaturas le gusta más? **2** (どれでも, どれも) cualquiera, cada: どの本でも気に入った本を選びなさい Escoja usted cualquier libro que le guste. どの生徒も自分でスペイン語を学ばねばならない Cada alumno tiene que estudiar el español por su cuenta.
どのくらい【どの位】**1**《疑問代名詞・形容詞, 性数変化をする》cuánto: どのくらい残っているか? ¿Cuánto queda? リンゴはどのくらいほしいの? ¿Cuántas manzanas quieres? 時間はどのくらいかかりますか? ¿Cuánto tiempo tarda?
2《疑問副詞, 性数変化せず》cuánto: このペンはどのくらいしましたか? ¿Cuánto le costó esta pluma? ここから駅までどのくらいありますか? ¿Cuánto dista la estación de aquí?
とびあがる【飛び上がる】dar un salto, subir de un salto
とびおりる【飛び降りる】bajar de un salto
とびこむ【飛び込む】(水に) zambullir*se*
とびら【扉】puerta 女
とぶ【飛ぶ・跳ぶ】(飛行) volar, (跳躍) saltar
トマト〔植物〕 tomate 男
とまる[1]【止まる】parar, (鳥や昆虫などが) posarse
とまる[2]【泊まる】alojar*se*, hospedar*se*
ドミニカ 共和国 固名 República Dominicana
とめる【止める】parar, detener, (ラジオ・テレビなどを) apagar, (水道を) cerrar el grifo, (髪などを) fijar, sujetar
ともかく de todos modos, de todas maneras
ともだち【友達】amigo [ga]
ともなう【伴う】traer consigo, acompañar
どようび【土曜日】sábado 男
トラ【虎】〔動物〕 tigre 男
ドライバー (運転手) conductor [tora], chófer 男, (ねじ回し) destornillador 男
ドライブ paseo en coche, **ドライブイン** área de servicio, área de descanso
ドライヤー secador 男
トラック (貨物自動車) camión 男, (競走路) pista 女
ドラッグする arrastrar
トラブル disgusto 男, problema 男
トラベラーズチェック cheques de viaje
トランク baúl 男, (車の) maletero 男
トランプ naipe 男, carta 女, (一組) baraja 女 ⇨ naipe 図
とり【鳥】ave 女, (小鳥) pájaro 男
とりあげる【取り上げる】quitar, tomar
とりかえす【取り返す】recobrar
とりくむ【取り組む】enfrentar*se* con, tratar de resolver
とりけす【取り消す】anular, cancelar
とりこ【虜】(囚人) cautivo [va], prisionero [ra], 《比喩》宝石のとりこになる estar loco [ca] por las joyas
とりしまり【取り締まり】control 男, 取り締まる controlar
とりだす【取り出す】sacar, extraer
とりつける【取り付ける】instalar, colocar
とりのぞく【取り除く】quitar, eliminar
とりひき【取り引き】transacción 女, negocio 男
とりまく【取り巻く】rodear
どりょく【努力】esfuerzo 男, 努力する esforzar*se*, hacer un esfuerzo, tratar de《+不定詞》
とる【取る】tomar, coger, (手渡す) pasar, alcanzar, (脱ぐ) quitar*se*, (得る) ganar, obtener, conseguir, (盗む) robar: 私は休暇を取ったばかりです Acabo de tomar vacaciones. 塩を取って Pásame la sal. 手袋を取る quitar*se* los guantes, グランプリを取る ganar el gran premio, 私は財布を取られた Me robaron la cartera.
ドル dólar 男
どれ cúal ⇨ どの
どれい【奴隷】esclavo [va]

ドレス vestido ㊚
ドレッシング salsa ㊛, aliño ㊚
どろ【泥】barro ㊚, fango ㊚, lodo ㊚
どろぼう【泥棒】ladrón ㊚
とんでもない（ばかげた）absurdo [da],（否定）¡Ni hablar! / ¡Qué va!
どんな **1** どのような qué, qué clase de, cómo: どんなスポーツがすきですか？ ¿Qué deporte le gusta? 彼はどんな人ですか？ ¿Cómo es él?
2 いかなる cualquiera ► 名詞の前では cualquier ⇀ どんな子供でも知っている Cualquier niño lo sabe.
どんなに《感嘆文を導いて》cuánto, cómo,（どんなに…しても）por mucho [muy, más]... que《＋接続法》: 彼はそれを聞いてどんなに喜ぶことでしょう！ ¡Cuánto [Cómo] se alegrará de saberlo! どんなにお金をくれてもこれは売れない Por mucho dinero que me des, no te lo vendo.
トンネル túnel ㊚
トンボ【蜻蛉】〖昆虫〗 libélula ㊛, caballito del diablo
どんよく【貪欲】avaricia ㊛, 貪欲な voraz, codicioso [sa], avaro [ra]

な

な【名】nombre ㊚,（姓）apellido ㊚ ⇨ nombre【参考】, …の名において en nombre de: あなたの名は何といいますか？ ¿Cómo se llama Vd.? 両親は私にホセと名づけた Mis padres me pusieron de nombre José.
ない【無い】no tener, carecer de, faltar: 私はひまがない No tengo [Me falta] tiempo. 彼らは資金がない No tienen [Carecen de] fondos.
ないぞう【内臓】vísceras ㊛ ⇨ víscera 図
ナイフ navaja ㊛, cuchillo ㊚, ペーパーナイフ cortapapeles ㊚
ないよう【内容】contenido ㊚
なお【尚】aún, todavía: この件の方がなお一層深刻だ Este asunto es todavía más grave. 80歳になるがなお元気だ Se mantiene aún fuerte a pesar de sus ochenta años.
なおす【直す】reparar, arreglar, corregir,【治す】curar
なおる【直る】repararse, arreglarse【治る】curar*se*, recuperar*se*
なか[1]【中】**1**（内部）interior ㊚, …の中に[で] en, dentro de, en el interior de: 家の中には誰もいない No hay nadie en la casa. …の中へ adentro: さあ中に入ろう Vamos adentro. …の中を en [por] medio de: 森の中を en medio del bosque, …の中から desde dentro: 家の中から悲鳴がきこえた Se oyó un grito desde dentro de la casa.
2（範囲）…の中で[に] de, entre: 彼はグループの中で一番若い Es el más joven del grupo.
なか[2]【仲】relaciones ㊛, …と仲が良い[悪い] tener buenas [malas] relaciones con, llevar*se* bien [mal] con
ながい【長い】largo [ga]
ながす【流す】verter, derramar
なかま【仲間】compañero [ra], colega ㊚㊛, amigo [ga]
なかみ【中身】contenido ㊚
ながめ【眺め】vista ㊛
ながめる【眺める】contemplar, mirar
ながれる【流れる】（川・水などが）correr, fluir,（車などが）circular,（時が）transcurrir, pasar,（音楽などが）sonar
なく[1]【泣く】llorar,（すすり泣く）sollozar
なく[2]【鳴く】（小鳥や虫）cantar,（猫）maullar,（カエル）croar ⇨ animal【参考】
なぐさめ【慰め】consuelo ㊚
なぐさめる【慰める】consolar
なくす【無くす】perder
なくなる【無くなる】perderse, extraviarse, acabarse
なぐる【殴る】golpear, pegar
なげく【嘆く】lamentar*se*, quejar*se*
なげる【投げる】lanzar, arrojar, tirar, echar: 円盤[やり]を投げる lanzar el disco [la jabalina], 石を投げる arrojar una piedra, タバコの吸いさしを床に投げる tirar una colilla al suelo, 花束を投げる echar un ramo de flores
なさけ【情け】misericordia ㊛
ナシ【梨】〖植物〗 pera ㊛
ナス【茄子】〖植物〗 berenjena ㊛
なぜ【何故】por qué, なぜならば porque, pues: なぜそんなに勉強するの？ ¿Por qué estudias tanto? なぜならもうすぐ試験だからです Porque falta poco tiempo para el examen.
なぞ【謎】enigma ㊚
なだめる【宥める】tranquilizar, calmar
なつ【夏】verano ㊚
なつかしい【懐かしい】nostálgico [ca], de grata memoria
なっとく【納得】納得する persuadir*se*
なでる【撫でる】acariciar
-など【等】etcétera, etc.
ななめ【斜め】斜めの diagonal, oblicuo [cua]
なに【何】qué: 君の仕事は何ですか？ ¿Qué trabajo tienes? 今日は何日ですか？ ¿Qué día (del mes) es hoy? 今日は何曜日ですか？ ¿Qué día (de la semana) es hoy?（何か）algo: 何か食べるかい？ ¿Quieres comer algo?（何も…ない）no ... nada: 私は何も持っていません No tengo nada. / Nada tengo.（何よりも）ante todo, antes que nada: 何よりもまずお礼

申し上げます Ante todo debo darle las gracias. 何気なく sin querer, involuntariamente, sin pensarlo
ナプキン servilleta ㊛, 生理用ナプキン compresa ㊛
なべ【鍋】olla ㊛ ⇨ olla 図
なま【生】生の crudo [da]
なまえ【名前】⇨ な
なまける【怠ける】holgazanear
なまり[1]【訛り】acento ㊚
なまり[2]【鉛】plomo ㊚
なみ【波】ola ㊛, onda ㊛
なみだ【涙】lágrima ㊛
なめらか【滑らか】滑らかな suave, (流暢(りゅうちょう)に) con fluidez
なめる【嘗める】lamer, chupar
なやみ【悩み】preocupación ㊛
なやむ【悩む】sufrir
-なら si ⇨ もし
ならう【習う】aprender
ならす【鳴らす】tocar, sonar
ならぶ【並ぶ】(行列する) hacer cola, …と並んで座る sentar*se* al lado de, 3列に並ぶ poner*se* en tres filas
ならべる【並べる】(配列する) poner en fila：食卓に皿を並べる poner los platos en la mesa
なりたつ【成り立つ】consistir en ⇨ consistir【参考】
なりゆき【成り行き】circunstancias ㊛, curso ㊚, corriente ㊛
なる[1]【成る】**1**《職業・身分を表す名詞や形容詞を伴って》hacer*se*, ser, llegar a ser：彼は役人になった Se hizo funcionario.
2《状態を表す形容詞を伴って》poner*se*, volver*se*：彼は重い病気になった Se puso gravemente enfermo. 祖父は年と共に頑固になった Mi abuelo se ha vuelto terco con los años.
3 変じて…となる convertir*se* en：彼の夢が現実となった Su sueño se ha convertido en realidad.
なる[2]【鳴る】(鐘などが) tocar, tañir, (時計が) dar las horas, (音が) sonar
なるほど naturalmente, por supuesto
-(に)なれる …に慣れる acostumbrar*se* a, familiarizar*se* con, aclimatar*se* a
なわ【縄】cuerda ㊛
なんきょく【南極】polo sur
なんでも【何でも】(すべて) todo, lo … todo, todo lo que [cuanto]：彼はそのことはなんでも知っている Lo sabe todo. **なんでもない** nada, no … nada：どうかしたの？—いや，なんでもない ¿Te pasa algo? — No, nada. (どれでも) ⇨ どの
なんと【何と】**1**《疑問》qué, cómo：なんと言ったの？ ¿Qué dijiste? これはなんという魚ですか？ ¿Qué pescado es éste? これはスペイン語でなんと言いますか？ ¿Cómo se dice esto en español? **2**《感嘆》qué, cómo：なんと美しい夕暮れでしょう！ ¡Qué atardecer más hermoso! なんと速く走っていること！ ¡Cómo corren!

に

-に **1**《時刻・時間》a, por,《年・月》en：朝7時に a las siete de la mañana. 日曜日の朝に el domingo por la mañana. 1492年に en el año mil cuatrocientos noventa y dos.
2《場所》en, a,《方向》para, hacia：スペインに住む vivir en España. チリに着く llegar a Chile. ペルーに出発する partir para Perú. ⇨ a【参考】, en【参考】
3《間接目的》a：母に手紙を書く Escribo a mi madre.
4《行為者》por, de：テロリストに殺された一政治家 un político asesinado por un terrorista
5《原因》de：みんなそのニュースに満足しています. Todo el mundo está contento de la noticia.
6《割合》a, por：1週間に1度 una vez por [a la]semana
にあう【似合う】ir [caer, quedar, sentar, venir] bien (a alguien)
におい【匂い】olor ㊚, (芳香) fragancia ㊛, aroma ㊛,【臭い】(悪臭) hedor ㊚
におう【匂う・臭う】oler, despedir un olor：この花はよく匂う Esta flor despide buen olor.
にがい【苦い】amargo [ga]
にがす【逃がす】(放す) soltar
にがつ【二月】febrero ㊚
にがて【苦手】punto flaco [débil]：私は英会話が苦手です Mi punto flaco es la conversación en inglés. / No hablo bien el inglés.
ニカラグア 固名 Nicaragua
にきび【面皰】grano ㊚
にぎやか【賑やか】賑やかな alegre, animado [da], (人通りの多い) concurrido [da], de mucho tránsito
にぎる【握る】agarrar, empuñar
にく【肉】carne ㊛, **肉屋** (店) carnicería ㊛ ⇨ carne 図
にくい【憎い】odioso [sa]
-(し)にくい difícil de《+不定詞》
にげる【逃げる】escapar, huir
にごる【濁る】enturbiarse
にし【西】oeste ㊚, occidente ㊚, poniente ㊚
にじ【虹】arco iris
にじむ【滲む】correrse, difuminarse
ニス barniz ㊚, ニスを塗る barnizar
にせ【偽】偽の falsificado [da], falso [sa], **偽物** imitación ㊛
にちようび【日曜日】domingo ㊚
にちようひん【日用品】artículos de uso

diario
にっき【日記】diario ㊚, 日記をつける llevar un diario
にっこう【日光】rayos del sol
にぶい【鈍い】torpe, **鈍る**(感覚が) embotar*se*
にほん【日本】固名 Japón, 日本の japonés [sa], **日本語** el japonés, el idioma japonés, la lengua japonesa, **日本人** japonés [sa], **日本大使館** Embajada ㊛ de Japón, **日本領事館** Consulado ㊚ de Japón
にもつ【荷物】equipaje ㊚, 手荷物 equipaje de mano, 積み荷 carga ㊚
ニュアンス matiz ㊚
にゅうがく【入学】ingreso ㊚, entrada ㊛, 入学する ingresar [entrar] en la escuela, ser admitido [da] en
にゅうこくしんさ【入国審査】inmigración
にゅうじょう【入場】入場する entrar
入場券 entrada ㊛, billete de entrada
ニュース noticia ㊛, nueva ㊛
にゅうよく【入浴】入浴する bañar*se*
にょう【尿】orina ㊛
にらむ【睨む】mirar con mala cara
にる[1]【似る】…に似る parecer*se* a
にる[2]【煮る】cocer ⇨ cocinar【参考】
にわ【庭】jardín ㊚
にわかあめ【にわか雨】chaparrón ㊚, chubasco ㊚, aguacero ㊚
ニワトリ【鶏】〘鳥〙(おんどり) gallo ㊚, (めんどり) gallina ㊛, 若鶏 pollo ㊚
にんき【人気】popularidad ㊛, fama ㊛, 人気のある popular
にんぎょ【人魚】sirena ㊛
にんぎょう【人形】muñeco [ca]
にんげん【人間】hombre ㊚, 人間的な humano [na], **人間性** humanidad ㊛
にんしき【認識】conocimiento ㊚
にんじょう【人情】sentimiento humano
にんしん【妊娠】embarazo ㊚, concepción ㊛, 妊娠した embarazada, 妊娠する quedar embarazada
ニンジン【人参】〘植物〙 zanahoria ㊛
ニンニク【大蒜】〘植物〙 ajo ㊚
にんむ【任務】cargo ㊚

ぬ

ぬう【縫う】coser, 縫い針 aguja ㊛
ぬく【抜く】(引き抜く) arrancar, sacar, (除く) quitar
ぬぐ【脱ぐ】quitar*se*, desnudar*se*
ぬける【抜ける】(毛・歯などが) caer*se*, (会などから) retirar*se*
ぬすむ【盗む】robar: 私はカメラを盗まれた Me han robado la cámara.
ぬの【布】(布切れ) paño ㊚, (生地) tela ㊛
ぬま【沼】pantano ㊚, laguna ㊛
ぬる【塗る】pintar, untar: 彼は壁を白く塗った Pintó de blanco la pared.
ぬるい【温い】tibio [bia], templado [da]
ぬれる【濡れる】mojar*se*, 濡れた majado [da]

ね

ね[1]【値】precio ㊚, valor ㊚, 値をつける poner precio, 値上がり alza [subida] de precios, 値下がり baja de precios, 値下げ reducción del precio, 値引き descuento ㊚ ⇨ ねだん
ね[2]【根】raíz ㊛, 根づく echar raíces
-ね …ですね… ¿verdad?, … ¿no?: 暑いですね Hace calor, ¿verdad?
ねうち【値打ち】valor ㊚, 値打ちがある valioso [sa], 値打ちのない sin valor
ねがい【願い】(望み) deseo ㊚, (頼み) petición ㊛: あなたにお願いがあるんですが Quiero pedirle un favor.
ねがう【願う】desear, querer: あなたが健康をとり戻すことを心から願っています Deseo de todo corazón que recobre Vd. la salud.
ネクタイ corbata ㊛, 蝶(ちょう)ネクタイ pajarita ㊛, ネクタイを結ぶ poner*se* la corbata
ネグリジェ camisón ㊚
ネコ【猫】〘動物〙 gato [ta]
ねじ【螺子】tornillo ㊚
ねじる【捩る】torcer
ネズミ【鼠】〘動物〙 rata ㊛, どぶネズミ rata común, 二十日ネズミ ratón ㊚
ねたむ【妬む】envidiar
ねだん【値段】precio ㊚, …の値段である valer, tener el precio de
ねつ【熱】calor ㊚, (病気の時の) temperatura ㊛, fiebre ㊛, 熱がある tener fiebre, 熱を計る tomar la temperatura
ねっきょう【熱狂】entusiasmo ㊚
ネックレス collar ㊚, gargantilla ㊛
ねっしん【熱心】afán ㊚, ahinco ㊚, fervor ㊚, entusiasmo ㊚, 熱心な entusiasta
ねっする【熱する】calentar
ねっちゅう【熱中】熱中する entusiasmar*se* con
ネットサーファー(インターネット) cibernauta
ねばる【粘る】ser pegajoso [sa]
ねむい【眠い】tener sueño
ねむり【眠り】sueño ㊚
ねむる【眠る】dormir, 眠りこむ dormir*se*: ゆうべはよく眠れましたか？ ¿Durmió Vd. bien anoche? 彼は横になるとすぐ眠ってしまった Nada más acostarse se quedó dormido.
ねらう【狙う】apuntar, aspirar a

ねる【寝る】(床につく) acostar*se*, (病気で) guardar [estar en] cama

ねん【年】año ㊚, **年中** (いつも) siempre, (一年中) todo el año, **年々** año tras año, **年末** fin de año, 年間の anual

ねんがじょう【年賀状】tarjeta de Año Nuevo

ねんきん【年金】pensión ㊛, **年金生活** vida de pensionista

ねんざ【捻挫】esguince ㊚, 捻挫する torcer*se*

ねんりょう【燃料】combustible ㊚, carburante ㊚

ねんれい【年齢】edad ㊛

の

-の **1**《所有形容詞．名詞の前に置く》私の mi, 私たちの nuestro [tra], 君の tu, 君たちの vuestro [tra], あなた[たち]の, 彼[ら]の, 彼女[ら]の, そ[れら]の su : 私の両親 mis padres
2《所有形容詞．名詞の後に置く》私の mío [mía], 君の tuyo [ya], あなた[彼, 彼女]の suyo [ya] : 私の息子です Es hijo mío.
3《所有・所属》de : 先生の辞書 el diccionario del profesor, デパートの売り場 una sección de los almacenes
4 (…に関する) de, sobre : 数学の試験 examen de matemáticas, スペイン美術の講演会conferencia sobre el arte español
5《行為者を表す》de : 息子の結婚式 la boda de mi hijo
6《出来事を表す》de : 雪崩の危険 peligro de alud
7《材料・手段》de, en : 木の箱 caja de madera, 汽車の旅 viaje en tren
8《場所》en, de : スペインの夏 verano en España, サンティアゴへの道 el camino de Santiago
9《部分》de : 代表作品の一つ una de sus obras principales
10 (…のための) para : 子供のお話 cuento para niños
11 (…による) de : ヒメネスの詩 la poesía de Jiménez

ノイローゼ neurosis ㊛

のう【脳】cerebro ㊚

のうか【農家】casa de labor, casa rural, familia agrícola

のうぎょう【農業】agricultura ㊛, 農業の agrícola, agrario [ria]

のうじょう【農場】granja ㊛, hacienda ㊛

のうち【農地】campo de labranza

のうみん【農民】agricultor [tora]

のうりつ【能率】eficiencia ㊛

のうりょく【能力】capacidad ㊛

ノート cuaderno ㊚, ノートをとる apuntar, tomar apuntes

のこす【残す】dejar : 彼は息子に大きな遺産を残した Ha dejado una gran herencia para su hijo.

のこり【残り】sobras ㊛, resto ㊚

のこる【残る】(居残る) quedar(*se*) : 彼は一人で大阪に残っている El se queda solo en Ōsaka. (余る) ⇨ **あまる**

のせる【乗せる・載せる】(上に) poner, colocar : 皿の上にカップをのせる poner la taza sobre el platito, (乗り物に) subir, llevar : 駅まで乗せてくれますか ¿Me lleva Ud. hasta la estación? (新聞や雑誌などに載せる) ⇨ **けいさい**

のぞく[1]【除く】excluir, omitir, exceptuar

のぞく[2]【覗く】atisbar, asomar*se*

のぞむ【望む】querer, desear, esperar

のち【後】⇨ **あと**[1]

ノック ノックする llamar a la puerta

のど【喉】garganta ㊛

-のに **1**《願望・意志》昨日来ればよかったのに ¡Qué lástima! Si hubieras venido ayer. **2**《目的》ここへ着くのに3時間かかった He tardado tres horas en llegar agui.(そうであるのに) ⇨ **-(にも)かかわらず**

のばす【延ばす・伸ばす】(長くする) alargar, prolongar, estirar, (広げる) extender, tender, (発展させる) desarrollar, (延期する) aplazar, (手足を) estirar*se*

のはら【野原】campo ㊚

のびる【延びる・伸びる】(長くなる) alargarse, prolongarse, (広がる) extenderse, (発展する) desarrollarse, (成長する) crecer

のぼる【上る・登る・昇る】subir, escalar, trepar

ノミ【蚤】〖昆虫〗pulga ㊛

-のみならず no sólo ... sino también : 午前中のみならず午後も no sólo por la mañana sino también por la tarde

のみもの【飲み物】bebida ㊛

のむ【飲む】beber, tomar, (受け入れる) aceptar

のり【糊】pegamento ㊚, adhesivo ㊚

のりかえ【乗り換え】乗り換える cambiar de tren, hacer transbordo, 乗り換え駅 estación de transbordo

のりもの【乗り物】vehículo ㊚

のる【乗る・載る】(自転車・馬などに) montar, (乗り物に) subir, tomar, (新聞・雑誌などに) aparecer en, figurar en

のろう【呪う】maldecir

は

は[1]【刃】filo ㊚, hoja ㊛

は[2]【葉】hoja ㊛

は[3]【歯】diente 男, **歯医者** dentista 男女
は[4]【派】(流派) escuela 女, (党派) partido 男, (宗派) secta 女
ばあい【場合】caso 男, ocasión 女, …の場合には en caso de, caso que《+接続法》, (en) caso de que《+接続法》, いかなる場合も…ない en ningún caso
バーゲン rebajas 女
パーセント por ciento
パーティー fiesta 女
はい[1]【灰】ceniza 女, 灰皿 cenicero 男, 灰色 gris 男
はい[2]【肺】pulmón 男, **肺炎** pulmonía 女
はい[3] sí (質問や依頼に対する答えが肯定の場合に用いる): もう食事しましたか？—はい, すみました ¿Ha comido ya? — Sí, he comido. ► 否定疑問文に対する答えの内容が否定なら No, 肯定なら Sí を用いる⇀ タバコを吸ってもかまいませんか？—(はい) かまいません ¿No te importa que fume? — No, no me importa.
ばい【倍】vez 女, (2倍) doble 男
バイオリン violín 男
ばいかい【媒介】mediación 女, 媒介する mediar, actuar como mediador
ばいきん【黴菌】microbio 男, bacteria 女
ハイキング excursión 女, caminata 女
バイク motocicleta 女, moto 女
はいけい【背景】fondo 男
はいし【廃止】廃止する abolir, suprimir
ハイジャック secuestro 男
ばいしゅう【買収】(買いとること) compra 女, (贈賄) soborno 男
はいたつ【配達】配達する repartir, servir, entregar
ばいてん【売店】quiosco 男, puesto 男
パイナップル piña 女, ananás 男
ハイヒール (zapatos de) tacón alto
パイプ (管) tubo 男, (喫煙用) pipa 女
はいぼく【敗北】derrota 女
はいゆう【俳優】actor [triz]
はいりょ【配慮】配慮する tener atenciones, tomar en consideración
はいる【入る】entrar, caber, ingresar, meter*se*: 家に入る entrar en casa, 大学に入る entrar [ingresar] en la universidad, 40代に入る entrar en la década de los cuarenta, このスカートは私には入らない La falda no me entra [cabe]. スープにハエが入った Ha caído una mosca en la sopa.
はいれつ【配列】disposición 女, distribución 女, arreglo 男 ⇨ ならべる
パイロット piloto 男
はう【這う】gatear, andar a gatas
ハエ【蠅】〘昆虫〙 mosca 女
パエリャ／パエジャ paella 女
はえる【生える】crecer, brotar
はか【墓】tumba 女, sepultura 女, panteón 男
ばか【馬鹿】ばかな tonto [ta], bobo [ba], estúpido [da], …をばかにする burlar*se* de
はかい【破壊】destrucción 女, 破壊する destruir, aniquilar
はがき【葉書】tarjeta (postal), postal 女
はがす【剝がす】despegar, 剝がれる despegarse
はかどる【捗る】avanzar, progresar
はかり【秤】balanza 女, báscula 女
-ばかり (約) unos [unas], alrededor de, aproximadamente, más o menos, (それだけ) sólo, solamente, no … más que, (したばかり) acabar de《+不定詞》
はかる【計る】(寸法・量などを) medir, (目方を) pesar
はきけ【吐き気】náusea 女 [主に複], asco 男, basca 女 [主に複], 吐き気を催す sentir [tener] náuseas
はく[1]【吐く】vomitar, escupir
はく[2]【掃く】barrer
はく[3]【履く】poner*se*, llevar puestos
はくし【博士】doctor [tora]
はくしゃく【伯爵】conde 男
伯爵夫人 condesa 女
はくしゅ【拍手】aplauso 男, 拍手する aplaudir
はくじょう【白状】白状する confesar
ばくだん【爆弾】bomba 女
ハクチョウ【白鳥】〘鳥〙 cisne 男
ばくはつ【爆発】explosión 女, 爆発する explotar
はくぶつかん【博物館】museo 男
はくりょく【迫力】迫力のある vigoroso [sa]
ばくろ【暴露】revelación 女, 暴露する revelar
はけ【刷毛】brocha 女
はげ【禿】calvicie 女, 頭のはげた calvo [va]
はげしい【激しい】(痛みが) fuerte, intenso [sa], agudo [da], (怒りが) violento [ta], (性格が) fogoso [sa], (雨や風が) fuerte, violento [ta], furioso [sa]
バケツ cubo 男
はげます【励ます】animar
はげむ【励む】…に励む afanar*se* en
はげる【剝げる】(色が) descolorarse, desteñirse, (塗装が) despintarse
はけん【派遣】envío 男, 派遣する enviar
はこ【箱】caja 女
はこぶ【運ぶ】(物を) transportar, llevar, (物事が) marchar
はさみ【鋏】tijeras 女
はさむ【挟む】coger, pillar, insertar: (体を)ドアにはさまれた La puerta me cogió. 指をドアにはさんだ Me pillé los dedos en la puerta. しおりを本にはさむ Inserto una señal en el libro.
はさん【破産】quiebra 女, bancarrota 女
はし[1]【端】(末端) extremo 男, (縁) borde

㊚, (先) punta ㊛
はし[2]【箸】palillos ㊚
はし[3]【橋】puente ㊚
はじ【恥】vergüenza ㊛, 恥をかく pasar vergüenza
はしご【梯子】escalera de mano
はじまる【始まる】empezar, comenzar, …し始める empezar [comenzar] a《+不定詞》
はじめ【始め・初め】comienzo ㊚, principio ㊚, (起源) origen ㊚, 初めの primero [ra], 初めて por primera vez: 初めまして Mucho gusto (en conocerle).
パジャマ pijama ㊚
ばしょ【場所】lugar ㊚, sitio ㊚
はしら【柱】columna ㊛, pilar ㊚
はしる【走る】correr, pasar
はず【筈】…のはずである deber de《+不定詞》, はずがない no poder《+不定詞》
バス autobús ㊚
バスターミナル terminal ㊛ de autobuses
はずかしい【恥ずかしい】vergonzoso[sa]: おお恥ずかしい! ¡Qué vergüenza! 恥ずかしい思いをする sentir [pasar] vergüenza, 恥ずかしがる ser tímido [da]
バスト pecho ㊚, busto ㊚
パスポート pasaporte ㊚
はずれる【外れる】(とれる) desprenderse, (当たらない) no dar en el blanco, no acertar, (逸脱する) desviarse
パスワード contraseña ㊛
パセリ〔植物〕perejil ㊚
パソコン ordenador personal ⇨ ordenador 参考
はた【旗】bandera ㊛, estandarte ㊚: 旗を掲げる[下ろす] izar [arriar] la bandera
はだ【肌】piel ㊛, (顔の) cutis ㊚
バター mantequilla ㊛
はだか【裸】desnudez ㊛, 裸の desnudo [da]
はたき【叩き】zorros ㊚, (羽の) plumero ㊚
はたけ【畑】campo ㊚, (野菜畑) huerto ㊚
はだし【裸足】裸足の descalzo [za]
はたす【果たす】(約束・義務を) cumplir, (目的を) lograr, llevar a cabo
はたらき【働き】(仕事) trabajo ㊚, (機能) función ㊛, **働き口** empleo ㊚, **働き者** trabajador [dora]
はたらく【働く】(仕事) trabajar, (機能) funcionar, (作用) obrar
ハチ【蜂】〔昆虫〕(蜜蜂) abeja ㊛, (すずめ蜂) avispa ㊛
ばちあたり【罰当たり】castigo del cielo, (人) sinvergüenza
はちがつ【八月】agosto ㊚
はちみつ【蜂蜜】miel ㊛
はちゅうるい【爬虫類】reptiles ㊚
ばつ【罰】castigo ㊚, 罰する castigar, imponer un castigo, **罰金** multa ㊛
はついく【発育】crecimiento ㊚, desarrollo ㊚, 発育する crecer, desarrollar (*se*)
はつおん【発音】pronunciación ㊛, 発音する pronunciar
はっき【発揮】発揮する exponer, manifestar
はっきり claramente, はっきりした claro [ra], (正確な) exacto [ta]: 彼は私にはっきりそう言った Me lo dijo claramente.
はっくつ【発掘】発掘する (遺跡を) excavar, (死体・墓を) exhumar, desenterrar
はっけん【発見】descubrimiento ㊚, 発見する descubrir
はつげん【発言】declaración ㊛, 発言する hablar, tomar la palabra
はっこう【発行】publicación ㊛, emisión ㊛, 発行する editar, publicar
はっしゃ【発車】partida ㊛, salida ㊛, 発車する partir, salir
はっそう【発送】despacho ㊚, expedición ㊛, 発送する despachar, expedir
はったつ【発達】desarrollo ㊚, 発達[発展]する desarrollarse, (成長する) crecer
はっぴょう【発表】ponencia ㊛, presentación ㊛, 発表する presentar, exponer
はつめい【発明】invención ㊛, (発明品) invento ㊚, 発明する inventar
はて【果て】fin ㊚, término ㊚, 果てしない sin fin, 地の果て el fin del mundo
ハト【鳩】〔鳥〕paloma ㊛, 伝書バト paloma mensajera
パトカー coche patrulla
はとば【波止場】⇨ さんばし
はな[1]【花】flor ㊛ ⇨ flor 図, 花が咲く florecer, **花束** ramo de flores, **花屋** florería ㊛, (人) florista ㊚㊛
はな[2]【洟】moco ㊚, はなをかむ sonar*se* (la nariz)
はな[3]【鼻】nariz ㊛, **鼻が高い**(自慢する) estar orgulloso [sa]
はなし【話】(おしゃべり) charla ㊛, (会話) conversación ㊛, plática ㊛, (対談) diálogo ㊚, (演説) discurso ㊚, (講演) conferencia ㊛, (物語) cuento ㊚, historia ㊛
はなす[1]【離す】(分離する) separar, (引き離す) apartar, (遠ざける) alejar, distanciar
はなす[2]【話す】hablar, (語る) contar, …について話す hablar de [sobre]
バナナ〔植物〕plátano ㊚, banana ㊛
はなび【花火】fuegos artificiales
パナマ 固名 Panamá
はなれる【離れる】separar*se*, (遠ざかる) alejar*se*, **離れた** distante
はね【羽・羽根】(羽毛) pluma ㊛, (翼) ala ㊛, (バトミントンなどの) volante ㊚
ばね【発条】resorte ㊚, muelle ㊚
ハネムーン luna de miel
はねる【跳ねる】(固体が) saltar, dar saltos, (液体が) salpicar, (油が) saltar, chis-

pear, (火が) chispear, crepitar
はは【母】madre ㊛, (義母) suegra ㊛
はば【幅】ancho ㊚, anchura ㊛: 幅の広い路 calle ancha, 幅100メートルの川 río de cien metros de ancho
はぶく【省く】omitir
はまる【填る】(合う) encajar, (落ちる・陥る) caer
ハム[1] (食品) jamón ㊚
ハム[2] (無線) radioaficionado ㊚
はめつ【破滅】ruina ㊛, 破滅する arruinar*se*, perder*se*
はめる【填める】(さしこむ) encajar, (だます) engañar, (手袋を) poner*se*
ばめん【場面】escena ㊛
はやい[1]【速い】rápido [da], veloz, 速く rápidamente, pronto
はやい[2]【早い】temprano [na], pronto [ta], 早く temprano, pronto, 早起きする madrugar, levantar*se* temprano, 早寝する acostar*se* pronto
はやし【林】bosque ㊚, arboleda ㊛
はやる【流行る】(流行している) estar de moda, (はやり出す) ponerse de moda, (商売が) prosperar, (病気が) propagarse
はら【腹】abdomen ㊚, vientre ㊚, 腹を立てる enfadar*se*, enojar*se*
バラ【薔薇】〔植物〕rosa ㊛
はらう【払う】(金を) pagar, (注意を) prestar atención
パラグアイ 固名 Paraguay
パラシュート paracaídas ㊚
バラック barraca ㊛, casucha ㊛
パラドール parador ㊚
バランス equilibrio ㊚
はり【針】縫い針 aguja ㊛, 留め針 alfiler ㊚, 釣り針 anzuelo ㊚, 時計の針 manecilla㊛
はりがね【針金】alambre ㊚
バリケード barricada ㊛
はる[1]【春】primavera ㊛
春風 brisa primaveral
はる[2]【張る】(ひもなどを) tender, tensar, (紙などを) pegar, (氷が) helarse
バルコニー balcón ㊚
はれ【晴れ】buen tiempo, cielo despejado, 晴れる despejar*se*, escampar
バレーボール balonvolea ㊛, volibol ㊚
はれた【腫れた】tumefacto [ta], hinchado [da]
ばん[1]【晩】noche
ばん[2]【番】(見張り) vigilancia ㊛, 番をする guardar, (順番) turno ㊚, (番号) número ㊚
パン pan ㊚, フランスパン barra de pan, パン屋 (人) panadero [ra], (店) panadería ㊛
はんい【範囲】(分野) campo ㊚, (限界) límite ㊚: 私の力の及ぶ範囲で dentro de mis posibilidades
はんえい[1]【反映】reflejo ㊚, 反映する reflejar
はんえい[2]【繁栄】prosperidad ㊛
ハンガー percha ㊛
ハンカチーフ pañuelo ㊚
はんかん【反感】antipatía ㊛, aversión ㊛, 反感を持つ tener antipatía
はんぎゃく【反逆】rebelión ㊛, rebeldía ㊛, …に反逆する rebelar*se* contra
はんきょう【反響】(音) eco ㊚, (反応) repercusión ㊛, reacción ㊛, 反響する tener eco, repercutir: 記者会見は各方面に大きな反響を呼びおこした La rueda de prensa tuvo amplia repercusión en diversos sectores.
パンク pinchazo ㊚, パンクする reventarse un neumático
ばんぐみ【番組】programa ㊚
はんけつ【判決】sentencia ㊛, fallo ㊚
はんこう【反抗】desobediencia ㊛, resistencia ㊛, 反抗する desobedecer
ばんごう【番号】número ㊚, 番号をつける numerar
はんざい【犯罪】delito ㊚, crimen ㊚
ばんざい【万歳】¡Viva! / ¡Arriba!
ばんさん【晩餐】cena ㊛
はんしゃ【反射】reflejo ㊚, reflexión ㊛, 反射する reflejar
はんじょう【繁盛】prosperidad ㊛, 繁盛する prosperar
はんする【反する】…に反する ser contrario [ria] a
はんせい【反省】reflexión ㊛, 反省する reflexionar
はんせん【反戦】contra la guerra
ばんそう【伴奏】acompañamiento ㊚, 伴奏する acompañar: ピアノの伴奏で con acompañamiento de piano
はんそく【反則】(スポーツ) falta ㊛
はんたい【反対】(不賛成) oposición ㊛, objeción ㊛, 反対の opuesto [ta], (逆の) contrario [ria], 反対する oponer*se*, objetar
はんだん【判断】juicio ㊚, 判断する juzgar
パンツ calzoncillos ㊚, 海水パンツ bañador ㊚
パンティー bragas ㊛
バンド (ベルト) cinturón ㊚, (楽団) banda, ゴムバンド goma elástica
はんとう【半島】península ㊛
はんどう【反動】反動的な reaccionario [ria]
ハンドバッグ bolso ㊚
ハンドル volante ㊚, (自転車などの) manillar ㊚
はんにん【犯人】criminal ㊚㊛
はんのう【反応】reacción ㊛, 反応する reaccionar
はんぱつ【反発】反発する repulsar
パンフレット folleto ㊚
はんぶん【半分】mitad ㊛, 半分の medio

[dia], 半々 mitad y mitad
はんめん【反面】por otra parte, por otro lado
はんらん[1]【反乱】sublevación ㊛, 反乱を起こす sublevar*se*
はんらん[2]【氾濫】inundación ㊛, 氾濫する inundar, desbordarse
はんろん【反論】反論する refutar, contradecir, rebatir

ひ

ひ[1]【日】(1日) día ㊚, (太陽) sol ㊚, 日の出 salida del sol, 日の入り puesta del sol, 日当たりのよい soleado [da]
ひ[2]【火】fuego ㊚, 火をつける prender fuego, encender
び【美】belleza ㊛
ピアノ piano ㊚, グランドピアノ piano de cola, 立型ピアノ piano vertical
ピアニスト pianista ㊚㊛
ビール cerveza ㊛ ⇨ cerveza 【参考】
ひえる【冷える】enfriarse, 冷えた frío [a]
ひがい【被害】perjuicio ㊚, daño ㊚, 被害を受ける sufrir un daño
ひがえり【日帰り】vuelta en el mismo día
ひかえる【控える】(記入する) apuntar, tomar notas, (待つ) esperar, (慎む) moderar*se*
ひかく【比較】comparación ㊛, 比較する comparar, **比較的** comparativo [va], relativo [va]
ひかげ【日陰】sombra ㊛, umbría ㊛
ひがし【東】este ㊚, oriente ㊚, 東の del este, oriental
ひかり【光】luz ㊛
ひかる【光る】lucir, relucir
ひかん【悲観】悲観的な pesimista
ひきあい【引き合い】引き合いに出す citar
ひきいる【率いる】dirigir, encabezar
ひきうける【引き受ける】encargar*se* de
ひきおこす【引き起こす】ocasionar, causar
ひきかえす【引き返す】retroceder, volver(*se*)
ひきだし【引き出し】cajón ㊚
ひきとる【引き取る】recoger, retirar
ひきのばす【引き伸ばす】(延期) aplazar, (写真) ampliar
ひきょう【卑怯】卑怯な vil, ruin, 卑怯者 cobarde㊚㊛, villano [na]
ひきわけ【引き分け】empate ㊚, 引き分ける empatar
ひく[1]【引く】(物を) tirar de, (線を) trazar, (辞書を) consultar, (風邪を) coger frío, resfriar*se*, (値を) rebajar, (数を) restar, menos
ひく[2]【弾く】tocar: ピアノを弾く tocar el piano
ひくい【低い】bajo [ja]
ひぐれ【日暮れ】crepúsculo ㊚, anochecer ㊚
ひげ【髭】あごひげ barba ㊛, ひげをそる afeitar*se* ⇨ barba 図
ひげき【悲劇】tragedia ㊛, 悲劇的な trágico [ca]
ひこう【飛行】vuelo ㊚, **飛行機** avión ㊚, **飛行士** piloto ㊚, aeronauta ㊚㊛, **飛行場** aeropuerto ㊚, aeródromo ㊚, 飛行船 dirigible ㊚ ⇨ avión 図, aeropuerto 図
ひざ【膝】rodilla ㊛
ビザ visado ㊚
ひさしぶり【久し振り】¡Cuánto tiempo!
ひざまずく【跪く】arrodillar*se*
ひじ【肘】codo ㊚, **肘掛けいす** sillón ㊚
びじゅつ【美術】bellas artes, **美術学校** escuela de Bellas Artes, **美術館** museo ㊚, **美術品** obra de arte
ひしょ[1]【秘書】secretario [ria]
ひしょ[2]【避暑】veraneo ㊚
ひじょう【非常】非常に muy
非常口 salida de emergencia
ひじょうしき【非常識】insensatez ㊛, 非常識な insensato [ta]
びじん【美人】guapa ㊛
ヒステリー ヒステリーの histérico [ca]
ピストル pistola ㊛
ひだ【襞】pliegue ㊚
ひたい【額】frente ㊛
ひたす【浸す】remojar, sumergir
ひだり【左】izquierda ㊛, 左の izquierdo [da], **左側通行** circulación por la izquierda, **左利きの** zurdo [da]
ひっかきまわす【引っ掻き回す】revolver
ひっかく【引っ掻く】rascar, arañar
ひっくりかえす【引っくり返す】volcar, dar la vuelta
びっくりする【吃驚する】sorprender*se*
ひづけ【日付】fecha ㊛
ひっこし【引っ越し】cambio de residencia, mudanza ㊛
ひっこめる【引っ込める】retirar, retraer
ヒツジ【羊】〘動物〙**雌羊** oveja ㊛, **雄羊** carnero㊚, **子羊** cordero ㊚
羊飼い pastor [tora]
ひつぜん【必然】必然的な inevitable
ひってき【匹敵】…に匹敵する ser igual a
ひっぱる【引っ張る】tirar de, estirar
ヒップ caderas ㊛
ひつよう【必要】necesidad ㊛, 必要な necesario [ria], …する必要がある es necesario《+不定詞》, es necesario que《+接続法》, hace falta《+不定詞》
ひてい【否定】negación ㊛, 否定する negar, 否定的な negativo [va]
ひと【人】persona ㊛, (男) hombre ㊚, (女) mujer ㊛, **人々** gente ㊛
ひどい【酷い】(恐ろしい) horrible, terri-

ble, (激しい) violento[ta], (厳しい) duro [ra], (残酷な) cruel, (大変な) grave, mucho [cha]
ひとがら【人柄】personalidad ㊛
ひとくち【一口】(食べ物) un bocado, (水など) un trago, (言葉) una palabra
ひとしい【等しい】(同じ) mismo [ma], igual, equivalente, 等しく igualmente
ひとつ【一つ】uno [una] ► 男性単数名詞の前で un
ひとみ【瞳】pupila ㊛ ⇨ ojo 図
ひとり【一人】una persona
 独りぼっち solo [la]
ひなた【日向】solana ㊛, lugar soleado
ひなん[1]【避難】refugio ㊚, 避難する refugiar*se*, resguardar*se*
 避難所 refugio ㊚
ひなん[2]【非難】reproche ㊚, 非難する reprochar
ビニール vinilo ㊚, ビニール袋 bolsa de plástico
ひにく【皮肉】ironía ㊛, 皮肉な irónico [ca]
ひにん【避妊】anticoncepción ㊛
 避妊具 anticonceptivo ㊚
ヒバリ【雲雀】〘鳥〙alondra ㊛
ひはん【批判】crítica ㊛, 批判する criticar
ひびく【響く】resonar
ひひょう【批評】crítica ㊛, 批評する criticar, **批評家** crítico [ca]
ひふ【皮膚】piel ㊛
 皮膚科 dermatología ㊛
ひま【暇】tiempo ㊚, 暇がある tener tiempo
ヒマワリ【向日葵】〘植物〙girasol ㊚
ひみつ【秘密】secreto ㊚, 秘密の secreto [ta], 秘密に en secreto, secretamente
びみょう【微妙】微妙な delicado [da], sutil
ひも【紐】cordel ㊚, cordón ㊚, (情夫) 《俗語》chulo ㊚, macarra ㊚, rufián ㊚
ひゃく【百】ciento ㊚ ► 名詞の前ではcien ⇨ númeral
ひやく【飛躍】飛躍する dar un gran salto, volar, hacer progresos
ひやけ【日焼け】日焼けする tostar*se* al sol
ひやす【冷やす】(ビールなどを) enfriar, (果物などを) refrescar
ひゆ【比喩】metáfora ㊛
ヒューズ fusible ㊚
ひょう[1]【表】tabla ㊛, lista ㊛, cuadro ㊚
ひょう[2]【雹】granizo ㊚, ひょうが降る granizar
ひよう【費用】gasto ㊚, coste ㊚, costo ㊚, 費用がかかる costar
びょう【秒】segundo ㊚
びょういん【病院】hospital ㊚, 入院 hospitalización ㊛, 退院 salida del hospital ⇨ hospital【会話】
びよういん【美容院】peluquería ㊛, salón de belleza
ひょうか【評価】評価する apreciar
ひょうが【氷河】glaciar ㊚
びょうき【病気】enfermedad ㊛, 病気の enfermo [ma], 病気である estar enfermo [ma]
ひょうげん【表現】expresión ㊛, 表現する expresar
ひょうざん【氷山】iceberg ㊚
ひょうし[1]【拍子】compás ㊚, ritmo ㊚, 拍子をとる llevar el compás
ひょうし[2]【表紙】cubierta ㊛, portada ㊛
ひょうしき【標識】señal ㊛ ⇨ señal 図
びょうしゃ【描写】descripción ㊛, 描写する describir
ひょうじゅん【標準】norma ㊛, estándar ㊚, estandard ㊚
ひょうじょう【表情】expresión ㊛
びょうどう【平等】igualdad ㊛, 平等な igual, 平等に por igual
びょうにん【病人】enfermo [ma]
ひょうばん【評判】fama ㊛, reputación ㊛, 評判の de fama, reputado [da]: 彼は勉強家だという評判です Tiene fama de ser estudioso.
ひょうめん【表面】superficie ㊛, 表面的な superficial
ひらく【開く】(戸などを) abrir, (会合を) celebrar, tener, haber, (講習会を) dar, (花が) abrirse las flores
ひらめく【閃く】resplandecer, (考え) ocurrírsele (a uno)
ひりょう【肥料】fertilizante ㊚, abono ㊚
ひる【昼】(正午) mediodía ㊚, (昼間) día ㊚, **昼飯** comida ㊛, almuerzo ㊚, **昼休み** descanso de mediodía
ビル edificio ㊚
ピル píldora ㊛
ひれい【比例】proporción ㊛, …に比例して en proporción con
ひろい【広い】amplio [lia], extenso [sa], ancho [cha], 広く ampliamente, extensamente
ひろう[1]【疲労】fatiga ㊛, cansancio ㊚
ひろう[2]【拾う】recoger, (見つける) encontrar
ひろがる【広がる】extenderse
ひろげる【広げる】extender, (幅を) ensanchar, (包みを) desenvolver, (店舗などを) ampliar
ひろば【広場】plaza ㊛
ひろまる【広まる】divulgarse, propagarse
びん【瓶】botella ㊛, (薬・化粧品などの) frasco ㊚, (広口ビン) tarro ㊚
ピン alfiler ㊚
びんかん【敏感】敏感な sensible
ひんけつ【貧血】anemia ㊛
ひんじゃく【貧弱】貧弱な pobre
ピンセット pinzas ㊛

びんせん【便箋】papel [bloc] de cartas
ヒント ヒントを与える insinuar, dar una idea [un indicio]
ピント enfoque ㊚, ピントが合う estar enfocado [da], ピントが外れる desenfocar
びんぼう【貧乏】pobreza ㊛, miseria ㊛, 貧乏な pobre, necesitado [da]

ふ

ぶ【部】(部分) parte ㊛, (部門) departamento ㊚, (スポーツなどの) club ㊚, (本の部数) ejemplar ㊚
ファイト ánimo ㊚
ファシズム fascismo ㊚
ファーストフード comida ㊛ rápida
ファッション moda ㊛
ファン aficionado [da], hincha ㊚㊛
ふあん【不安】ansiedad ㊛, 不安な ansioso [sa], preocupado [da]
ふあんてい【不安定】不安定な inestable
ふい【不意】不意の inesperado [da], imprevisto [ta], 不意に inesperadamente
フィルター filtro ㊚
フィルム película ㊛
-ふう【風】manera ㊛, 日本風に a la (manera) japonesa
ふうけい【風景】paisaje ㊚
ふうさ【封鎖】bloqueo ㊚, 封鎖する bloquear
ふうし【風刺】sátira ㊛, 風刺する satirizar
ふうしゃ【風車】molino ㊚ (de viento)
ふうせん【風船】globo ㊚
ふうぞく【風俗】costumbres ㊛
風俗習慣 usos y costumbres
ブーツ botas ㊛
ふうど【風土】clima ㊚
ふうとう【封筒】sobre ㊚
ふうふ【夫婦】matrimonio ㊚, esposos ㊚
ブーム boom ㊚, auge ㊚
プール piscina ㊛
ふうん【不運】desventura ㊛, desgracia ㊛, mala suerte
ふえ【笛】(ホイッスル) pito ㊚, 横笛 flauta ㊛
ふえる【増える】aumentar(se), multiplicar(se): 交通事故が増えた Han aumentado los accidentes de tráfico.
プエルトリコ [固名] Puerto Rico
フォーク tenedor ㊚
ふかい[1]【不快】不快な desagradable
ふかい[2]【深い】profundo[da], hondo[da] 深さ profundidad ㊛, hondura ㊛
ふかけつ【不可欠】不可欠な imprescindible
ふかのう【不可能】不可能な imposible
ふかんぜん【不完全】不完全な imperfecto [ta]
ぶき【武器】arma ㊛
ふきそく【不規則】不規則な irregular
ふきゅう【普及】difusión ㊛, 普及する difundirse
ふきょう【不況】depresión ㊛
ふきん【付近】cercanía ㊛
ふきんこう【不均衡】desequilibrio ㊚
ふく[1]【服】(婦人服) vestido ㊚, (子ども服) ropa de niño, (紳士服) traje, 服を着る[脱ぐ] poner*se* [quitar*se*] (la ropa)
ふく[2]【吹く】(風が) soplar, hacer viento, (楽器を) tocar
ふく[3]【拭く】limpiar, secar
ふくざつ【複雑】複雑な complicado [da]
ふくし【福祉】bienestar ㊚, beneficencia ㊛
ふくしゅう[1]【復讐】venganza ㊛, 復讐する vengar*se*
ふくしゅう[2]【復習】repaso ㊚, 復習する repasar
ふくじゅう【服従】obediencia ㊛
ふくしょく【服飾】moda ㊛, **服飾デザイナー** modista ㊚㊛ ⇨ modisto
ふくすう【複数】複数の plural, varios [rias]
ふくつう【腹痛】dolor de vientre
ふくむ【含む】contener, incluir: この食物はいろいろなビタミンを含んでいる Esta comida contiene muchas variedades de vitaminas. この値段には税金は含まれていない Este precio no incluye impuestos.
ふくらむ【膨らむ】inflarse, 膨らます inflar, hinchar
ふくろ【袋】saco ㊚, bolsa ㊛
フクロウ【梟】〘鳥〙 lechuza ㊛
ふけ【雲脂】caspa ㊛
ふけいき【不景気】recesión ㊛, depresión ㊛
ふけいざい【不経済】不経済な antieconómico [ca]
ふけつ【不潔】不潔な sucio [cia]
ふける[1]【耽る】entregar*se* a
ふける[2]【老ける】envejecer(*se*)
ふける[3]【更ける】avanzar la noche
ふこう【不幸】不幸な infeliz, desdichado [da], desgraciado [da]
ふごう【符号】signo ㊚, señal ㊛
ふこうへい【不公平】不公平な parcial, injusto [ta]
ふごうり【不合理】不合理な irracional
ブザー timbre ㊚
ふさぐ【塞ぐ】(穴を) tapar, cerrar, (場所を) ocupar, 塞がる cerrarse
ふざける【巫山戯る】(じゃれる) juguetear, (冗談を言う) bromear, ふざけて en broma
ふさわしい【相応しい】conveniente
ふし【節】(木の) nudo ㊚, (歌の) aire ㊚, melodía ㊛, (関節) articulación ㊛
ぶじ【無事】無事な salvo [va], 無事に sa-

no [na] y salvo [va], sin novedad, a salvo
ふしぎ【不思議】不思議な（奇妙な）extraño [ña],（謎めいた）misterioso [sa], …を不思議に思う extrañar*se* que《＋接続法》
ふじちゃく【不時着】aterrizaje forzoso,（海上への）amaraje forzoso
ふじゆう【不自由】inconveniencia ㊛
ふじゅうぶん【不十分】不十分な insuficiente
ふしょう【負傷】負傷する herir*se*, lesionar*se*, **負傷者** herido [da]
ぶしょう【不精】不精な vago [ga]
不精者 vago [ga]
ぶじょく【侮辱】insulto ㊚, 侮辱する ofender, insultar
ふじん[1]【夫人】señora ㊛
ふじん[2]【婦人】mujer ㊛, dama ㊛
婦人科 ginecología ㊛
ふせい【不正】不正な injusto [ta], 不正を働く cometer una injusticia
ふせぐ【防ぐ】（予防する）prevenir,（身を守る）proteger*se* de, defender*se*,（阻止する）impedir
ふそく【不足】falta ㊛, escasez ㊛, 不足する faltar： 百円の不足です Faltan cien yenes. 彼は経験不足です Carece de experiencia.
ふぞく【付属】付属する pertenecer a, depender de, **付属品** accesorio ㊚
ふた【蓋】tapa ㊛, ふたをする tapar, ふたを開ける destapar
ふだ【札】tarjeta ㊛,（ラベル）etiqueta ㊛,（トランプ）carta ㊛
ブタ【豚】〘動物〙 cerdo ㊚, puerco ㊚,《ラ米》chancho ㊚
ぶたい【舞台】escenario ㊚, escena ㊛
ふたご【双子】gemelos [las]
ふたたび【再び】de nuevo, otra vez, 再び…する volver a
ふたつ【二つ】二つの dos, ふたつとも ambos [bas]
ふたり【二人】dos personas
二人連れ pareja ㊛
ふたん【負担】carga ㊛, 負担する encargar*se* de, 負担になる resultar pesado
ふだん【普段】普段は de ordinario, 普段の habitual, usual
ふち【縁】borde ㊚, orilla ㊛
ふちゅうい【不注意】descuido ㊚, 不注意な descuidado [da]
ふつう【普通】普通の común, corriente, ordinario [ria]
ぶっか【物価】precios ㊚
物価指数 índice de precios
ふっかつ【復活】resurrección ㊛, 復活する resucitar, **復活祭** ⇨ イースター
ぶつかる（当たる）dar contra,（衝突する）chocar contra,（ぶつかり合う）enfrentar*se*
ぶっきょう【仏教】budismo ㊚
ぶつける【打つける】（投げつける）tirar, arrojar（打ちつける）dar, golpear
ぶっし【物資】mercancía ㊛
ぶっしつ【物質】materia ㊛
ぶったい【物体】objeto ㊚
ふっとう【沸騰】沸騰する hervir, ebullir
ぶつり【物理】física ㊛, 物理的な físico [ca]
ふで【筆】pincel ㊚
ふと de repente： ふと思いだす acordar*se* de repente
ふとい【太い】grueso [sa], gordo [da]
ふとう【不当】不当な injusto [ta], ilegal
ブドウ【葡萄】〘植物〙（実）uva ㊛
ふどうさん【不動産】bienes inmuebles, 不動産の inmobiliario [ria]
ふとうめい【不透明】不透明な opaco[ca]
ふとる【太る】engordar, poner*se* gordo [da]
ふとん【布団】colchón ㊚
ぶなん【無難】無難な menos complicado [da], 無難に sin dificultad, sin riesgo
ふね【船】barco ㊚, **船便** correo marítimo, **船酔い** mareo ㊚ ⇨ barco 図
ふはい【腐敗】corrupción ㊛, descomposición ㊛
ぶひん【部品】pieza ㊛, recambios ㊚, repuestos ㊚
ふぶき【吹雪】nevasca ㊛
ぶぶん【部分】parte ㊛, porción ㊛, 部分的な parcial, 部分的に parcialmente, en parte
ふへい【不平】queja ㊛, 不平を言う quejar*se* de
ふへん【普遍】普遍的な universal, abierto [ta]
ふべん【不便】incomodidad ㊛, 不便な incómodo [da]
ふまん【不満】descontento ㊚, 不満な descontento [ta], insatisfecho [cha]
ふみきり【踏切り】paso a nivel
ふむ【踏む】pisar
ふめい【不明】incertidumbre ㊛, 不明な desconocido [da]
ふもと【麓】falda ㊛, pie ㊚
ふやす【増やす】aumentar
ふゆ【冬】invierno ㊚
ふゆかい【不愉快】不愉快な desagradable
ふよう【不要】不要の innecesario [ria]
フライ（料理）fritura ㊛, frito ㊚
プライバシー intimidad ㊛, privacidad ㊛
フライパン sartén ㊛ ⇨ olla 図
プライベート プライベートな privado [da], personal
ブラインド persiana ㊛
ブラウス blusa ㊛
ブラシ cepillo ㊚
ブラジャー sujetador ㊚, sostén ㊚
ブラジル 固名 Brasil
プラス（たす）más, y,（プラスの）positivo [va]

プラタナス〘植物〙plátano ㊚
プラットホーム andén ㊚
ぶらんこ columpio ㊚
フランス [固名] Francia, フランス語 francés ㊚, フランス人 francés [cesa]
ブランデー coñac ㊚, brandy ㊚
ブランド marca ㊛
　ブランド商品 artículos de marca
ふり【不利】desventaja ㊛, 不利な desventajoso [sa], desfavorable
-ぶり【振り】話しぶり manera [modo] de hablar, 手振り gestos ㊚
ふりかえる【振り返る】volver*se*
ブリキ hojalata ㊛
ふりこむ【振り込む】(口座に) abonar, transferir
フリーダイヤル teléfono ㊚ gratuito, llamada ㊛ gratuita
ふりょう【不良】不良の (天候などが) malo [la], (製品などが) defectuoso [sa], (非行少年・少女が) delincuente ㊚㊛
ふる[1]【降る】(雨が) llover, (雪が) nevar
ふる[2]【振る】agitar, (強く揺り動かす) sacudir
ふるい【古い】viejo [ja], (昔の) antiguo [gua], (中古の) de segunda mano, (旧式の) anticuado[da], (考えが) atrasado[da]
ふるう【振う】(刀を) blandir, (権力を) ejercer, (勇気を) cobrar
ふるえる【震える】temblar, (寒さで) tiritar de frío
ブルジョア burgués [guesa]
ブレーキ freno ㊚, ブレーキをかける frenar
ブレスレット brazalete ㊚, pulsera ㊛
プレーヤー (レコード) tocadiscos ㊚, (競技の) jugador [dora]
プレゼント regalo ㊚, obsequio ㊚
プレハブ prefabricación ㊛
ふれる【触れる】(さわる) tocar, (言及する) referir*se* a, mencionar
ふろ【風呂】baño ㊚ ⇨ baño 図
　ふろ屋 baño público
ブローチ broche ㊚
ふろく【付録】suplemento ㊚, apéndice ㊚
プログラム programa ㊚
フロッピーディスク disquete ㊚
プロテスタント protestante ㊚㊛
プロペラ hélice ㊚
プロレタリア proletario [ria]
フロント (ホテル) recepción ㊛
ふん[1]【分】minuto ㊚: 15分 un cuarto de hora / quince minutos, 30分 media hora / treinta minutos
ふん[2]【糞】excrementos ㊚, heces ㊛
ぶん【分】(分け前) parte ㊛, porción ㊛: 5人分の食事 comida para cinco personas, これは彼の分です Esta es su parte.
ふんいき【雰囲気】ambiente ㊚
ふんか【噴火】erupción ㊛
ぶんか【文化】cultura ㊛, 文化的な cultural
ぶんかい【分解】descomposición ㊛, 分解する descomponer
ぶんがく【文学】literatura ㊛, 文学の literario [ria], スペイン文学 la literatura española, **文学作品** obra literaria
ぶんけん【文献】bibliografía ㊛
ふんしつ【紛失】extravío ㊚, 紛失する extraviar, perder
ぶんしょ【文書】escritura ㊛, 文書で por escrito
ぶんしょう【文章】frase ㊛, texto ㊚
ふんすい【噴水】fuente ㊛, manantial ㊚
ぶんせき【分析】分析する analizar
ふんそう【紛争】conflicto ㊚
ぶんたん【分担】分担する repartir
ぶんつう【文通】correspondencia ㊛, 文通する escribir a
ぶんぷ【分布】分布する distribuirse
ぶんぽう【文法】gramática ㊛
ぶんぽうぐ【文房具】artículos de escritorio
ぶんめい【文明】civilización ㊛
　文明社会 sociedad civilizada
ぶんや【分野】campo ㊚, ramo ㊚, sector ㊚
ぶんり【分離】分離する separarse
ぶんりょう【分量】cantidad ㊛
ぶんるい【分類】clasificación ㊛, 分類する clasificar, **分類学** taxonomía ㊛
ぶんれつ【分裂】división ㊛, 分裂する dividirse

へ

へ【屁】pedo ㊚
-へ (目的地・方向など) a, para, hacia, (…の中へ) en, (…の上へ) sobre: ペルーへ行く Voy a Perú. 軍隊が村へ入った El ejército entró en el pueblo. 本をテーブルの上へ置きなさい Ponga el libro sobre la mesa.
へい【塀】tapia ㊛, muro ㊚, (囲い) cerca ㊛ ⇨ muro【参考】
へいえき【兵役】servicio militar
へいがい【弊害】mal efecto, mala influencia
へいき【平気】平気だ (…を気にしない) no hacer caso de, (迷惑ではない) no importar
へいきん【平均】promedio ㊚, término medio, 平均の medio [dia]
へいこう[1]【平衡】equilibrio ㊚
へいこう[2]【平行】平行の paralelo [la], 平行線 paralela ㊛
へいさ【閉鎖】cierre ㊚, 閉鎖する cerrar
へいじつ【平日】día laborable [de trabajo]

ミニ和西

へいじょう【平常】平常の habitual, normal, ordinario [ria], 平常通り como de costumbre
へいせい【平静】calma ㊛, serenidad ㊛, tranquilidad ㊛
へいたい【兵隊】soldado ㊚
へいち【平地】llano ㊚, llanura ㊛
へいほう【平方】平方の cuadrado [da]: 5平方メートル cinco metros cuadrados
へいぼん【平凡】平凡な ordinario [ria], corriente
へいや【平野】llanura ㊛, planicie ㊛
へいわ【平和】paz ㊛, 平和な pacífico [ca], **平和条約** tratado de paz
ページ página ㊛
ベージュ beige ㊚
ベール velo ㊚
-べきだ …するべきだ（…しなければいけない）deber [tener que]《+不定詞》► 主語を明示しないときは hay que《+不定詞》. あなたは最善を尽くすべきだ Usted debe hacer todo lo posible. 日曜日には休むべきだ Hay que descansar los domingos.
へこむ【凹む】hundirse
ベスト〘服飾〙chaleco ㊚
へそ【臍】ombligo ㊚
へた【下手】下手な malo [la], torpe ㊚㊛, inhábil ㊚㊛
へだたる【隔たる】distante
へだてる【隔てる】distanciar
べつ【別】別の **1**（他の）otro [tra],（特別の）particular,（違った）diferente, distinto[ta]: 別のを見せてください Muéstreme otro. 別に何もしなかった No hice nada de particular. 別に言うことはありません No tengo nada que decir en particular. **2**（…は別として）aparte, excepto: これは別にして Esto aparte.
3（…の別なく）sin distinción de
べっそう【別荘】chalet ㊚, villa ㊛, quinta ㊛
ベッド cama ㊛ ⇨ cama 図
べつべつ【別々】別々の separado [da], 別々に por separado
ペニス pene ㊚
ベネズエラ 固名 Venezuela
ヘビ【蛇】〘動物〙culebra ㊛, serpiente ㊚,（毒ヘビ）víbora ㊛
ベビーシッター niñera ㊛, canguro ㊚㊛
へや【部屋】cuarto ㊚, habitación ㊛,（大部屋）sala ㊛
へらす【減らす】disminuir, reducir: われわれは出費を減らさなければならない Tenemos que reducir los gastos.
ベランダ veranda ㊛
ヘリコプター helicóptero ㊚
へる[1]【減る】disminuir: 人口が減った Ha disminuido la población.
へる[2]【経る】（時間）pasar, transcurrir,（経由）vía, por
ベル timbre ㊚: ベルを鳴らす tocar el timbre
ペルー 固名 Perú
ベルト cinturón ㊚, correa ㊛
ヘルメット casco ㊚
ベレー boina ㊛ ⇨ sombrero 図
へん【変】変な raro [ra], extraño [ña]: 変な人 hombre raro, 彼女がここにいないとは変だ Es extraño que ella no esté aquí.
ペン pluma ㊛, 万年筆 pluma (estilográfica)
へんか【変化】cambio ㊚,（多様性）variedad ㊛, 変化する cambiar, variar, 変化に富む variado [da]
べんかい【弁解】excusa ㊛, 弁解する excusarse, disculparse
ペンキ pintura ㊛, ペンキ塗りたて Recién pintado. **ペンキ屋** pintor [tora]
べんきょう【勉強】estudio ㊚, 勉強する estudiar, **勉強家** estudioso [sa]
へんけん【偏見】prejuicio ㊚
べんご【弁護】弁護する defender
弁護士 abogado [da]
へんこう【変更】cambio ㊚, alteración ㊛, 変更する cambiar, alterar
へんじ【返事】respuesta ㊛, contestación ㊛, 返事する contestar, responder, 返事を書く contestar a una carta
へんしつきょう【偏執狂】monomanía ㊛
へんしゅう【編集】redacción ㊛, 編集する redactar, **編集者** redactor [tora]
べんじょ【便所】servicio ㊚, lavabo ㊚, baño ㊚, váter ㊚
べんしょう【弁償】弁償する indemnizar
へんしん【変身】変身する transfigurar*se*
へんそう【変装】…に変装する disfrazar*se* de
ペンダント colgante ㊚
ベンチ banco ㊚
べんとう【弁当】merienda ㊛: 私は弁当を持って行く Me llevo la comida.
へんどう【変動】fluctuación ㊛
ペンネーム seudónimo ㊚
へんぴん【返品】返品する devolver
べんり【便利】便利な cómodo [da],（実用的な）práctico [ca],（好都合な）conveniente
べんろん【弁論】debate ㊚, **弁論大会** concurso de oratoria

ほ

ほ【帆】vela ㊛, **帆柱** mástil ㊚
ほう【方】**1**（方向・方角）の方へ[に] a, hacia, en dirección a, rumbo a: 左の方へ a [hacia] la izquierda, こちらの方へ acá, あちらの方へ allá, この方向に en este sentido
2（比較）…より…の方が más (menos)

… que: これよりあれの方がきれいだ Aquél es más hermoso que éste.
ぼう【棒】palo ㊚, barra ㊛
ぼうえい【防衛】defensa ㊛, 防衛する defender
ぼうえき【貿易】comercio ㊚
ぼうえんきょう【望遠鏡】catalejo ㊚
ぼうがい【妨害】妨害する obstaculizar, obstruir
–**ほうがいい** más vale, es mejor: そのほうがいい Es mejor así. よしたほうがいい Más vale dejarlo. 考えたほうがいい Es mejor considerarlo. 私は散歩するより家にいるほうがいい Prefiero estar en casa a salir de paseo.
ほうがく【方角】⇨ ほうこう
ほうき[1]【箒】escoba ㊛
ほうき[2]【放棄】renuncia ㊛, 放棄する renunciar, abandonar
ほうげん【方言】dialecto ㊚
ぼうけん【冒険】aventura ㊛
ほうこう【方向】dirección ㊛, rumbo ㊚, sentido ㊚
ほうこく【報告】informe ㊚, 報告する informar, dar cuenta, **報告書** informe ㊚
ほうし【奉仕】servicio social
ぼうし[1]【帽子】sombrero ㊚, 帽子をかぶる ponerse, 帽子を脱ぐ quitarse ⇨ sombrero 図
ぼうし[2]【防止】prevención ㊛
ほうしゃ【放射】emisión ㊛, **放射線** radiación ㊛, **放射能** radiactividad ㊛
ほうしゅう【報酬】remuneración ㊛, 報酬が良い[悪い] pagar bien [mal], 無報酬 sin cobrar ⇨ sueldo【参考】
ほうしん【方針】(方向) línea ㊛, (計画) plan ㊚, (政策) política ㊛
ぼうすい【防水】防水の impermeable
ほうせき【宝石】joya ㊛ ⇨ joya【参考】, **宝石店** joyería ㊛
ぼうぜん【呆然】呆然とする quedar atontado [da]
ほうそう【放送】emisión ㊛, difusión ㊛, transmisión ㊛, 放送する emitir, difundir, transmitir, **放送局** emisora ㊛
ほうそく【法則】ley ㊛, regla ㊛
ほうたい【包帯】venda ㊛
ほうちょう【包丁】cuchillo de cocina
ぼうちょう【膨張】膨張する dilatarse
ほうっておく【放って置く】dejar
ほうてい【法廷】tribunal ㊚, justicia ㊛
ほうどう【報道】información ㊛, noticia ㊛, 報道する informar, dar [publicar] la noticia
ぼうどう【暴動】motín ㊚
ほうび【褒美】recompensa ㊛
ほうほう【方法】manera ㊛, modo ㊚, (系統的な) método ㊚, こうした方法で de esta manera
ほうむる【葬る】enterrar, inhumar
ぼうめい【亡命】亡命する exiliarse, expatriarse
ほうもん【訪問】visita ㊛, 訪問する ver, visitar, **訪問者** visitante ㊚㊛, visita ㊛
ほうりつ【法律】ley ㊛, 《集合》derecho ㊚, 男女雇用機会均等法 la ley sobre la igualdad de oportunidades de empleo para hombres y mujeres, 国際法 derecho internacional, 法律上の jurídico [ca], **法律違反** infracción [violación] de una ley
ぼうりょく【暴力】violencia ㊛, 暴力をふるう usar la violencia
ほうろう【放浪】vagabundeo ㊚, 放浪者 vagabundo [da]
ほえる【吠える】(犬が) ladrar, (猛獣が) rugir, (遠ぼえ) aullar ⇨ animal【参考】
ほお【頬】mejilla ㊛
ボーイ camarero ㊚, mozo ㊚
ボート bote ㊚, ボートをこぐ remar
ボーナス paga extra, gratificación ㊛
ボール (テニスなどの) pelota ㊛, (サッカーなどの) balón ㊚ ⇨ pelota【参考】
ボールペン bolígrafo ㊚
ほか【外】外の (別の) otro [tra]: ほかの人たちもすぐ来ます Otros vendrán pronto.
…の外は[に] excepto, menos, (…の上に) además de: 彼のほかはみんないた Todos estuvieron menos él. 彼はピアノのほかにギターもひける Sabe tocar la guitarra además del piano.
…するほかはない no hay [tener] más remedio que: 待つよりほかに仕方がなかった No hubo más remedio que esperar.
ほがらか【朗らか】朗らかな alegre, jovial
ほきゅう【補給】補給する abastecer
ほきょう【補強】補強する reforzar
ぼく【僕】⇨ わたくし
ぼくし【牧師】pastor ㊚
ぼくじょう【牧場】granja ㊛, pradera ㊛
ボクシング boxeo ㊚, ボクサー boxeador ㊚
ぼくちく【牧畜】ganadería ㊛
ほくろ【黒子】lunar ㊚
ほげい【捕鯨】pesca de ballena
ポケット bolsillo ㊚
ぼける【惚ける】chochear
ほけん【保健】higiene ㊛, sanidad pública, **保健所** (oficina de) sanidad ㊛
ほけん【保険】seguro ㊚, 保険をかける asegurar ⇨ seguro
ほご【保護】protección ㊛, 保護する proteger
ほこり[1]【埃】polvo ㊚
ほこり[2]【誇り】orgullo ㊚, 誇る enorgullecerse, 誇り高い orgulloso [sa]
ほし【星】estrella ㊛, 惑星 planeta ㊚, 恒星 estrella fija, 衛星 satélite ㊚, **星占い** horóscopo ㊚, astrología ㊛
ほしい【欲しい】querer, desear: 私は新しい車がほしい Quiero un coche nuevo. …してほしい querer que《+接続法》: 君

に早く来てほしい Quiero que vengas pronto.
ほしゅ【保守】保守的な conservador [dora]
ぼしゅう【募集】募集する (寄付などを) colectar, recaudar, (人を) reclutar
ほじょ【補助】ayuda ㊛, 補助する ayudar, **補助金** subvención ㊛
ほしょう[1]【保証】garantía ㊛, **保証書** certificado de autenticidad, 保証する dar garantía, garantizar, **保証人** garante ㊚㊛, responsable ㊚㊛
ほしょう[2]【補償】compensación ㊛, indemnización ㊛, 補償する compensar, indemnizar ► 目的語は人でも事柄でもよい. **補償金** indemnización ㊛
ほす【干す】secar
ポスター cartel ㊚, letrero ㊚
ポスト (郵便) buzón ㊚, (地位) puesto ㊚
ほそい【細い】delgado [da], (せまい) estrecho [cha]
ほぞん【保存】conservación ㊛, preservación ㊛, 保存する conservar, preservar
ホタル【蛍】〔昆虫〕luciérnaga ㊛
ボタン botón ㊚
ぼち【墓地】cementerio ㊚
ホチキス grapadora ㊛, ホチキスの針 grapa ㊛
ほちょう【歩調】paso ㊚
ほっきょく【北極】polo norte
ホック corchete ㊚
ほっさ【発作】ataque ㊚, 発作を起こす sufrir un ataque
ホテル hotel ㊚
-ほど【程】(およそ) más o menos, unos [unas], aproximadamente: 5日ほど前に hace unos cinco días, (…のように) como: 私は彼ほどぼんやりしていない No soy tan despistado como él. (…すればするほど, ますます…する) cuanto más, tanto más ⇨ cuanto【文法】
ほどう【歩道】acera ㊛
ほどく【解く】(結び目を) desatar, soltar, (縫い目を) descoser
ほとけ【仏】Buda, imagen budista
ほどこす【施す】remediar
ほとんど【殆ど】casi: ほとんど全生徒が出席した Casi todos los alumnos estuvieron presentes. ほとんど…ない apenas: 彼は私にほとんど口をきかない Apenas me habla.
ぼにゅう【母乳】leche materna
ほね【骨】hueso ㊚, (魚などの) espina ㊛, 骨を折る (骨折する) fracturar*se*, sufrir una fractura, (努力する) esforzar*se*
骨組み (骨格) constitución ㊛, (構造) armazón ㊚, estructura ㊛
ほのお【炎】llama ㊛
ポプラ álamo ㊚, chopo ㊚
ほほえむ【微笑む】sonreir
ほめる【褒める】alabar, elogiar
ボランティア voluntario [ria]
ほり【堀】foso ㊚
ボリビア 固名 Bolivia
ほりゅう【保留】保留する reservar, aplazar
ほる[1]【彫る】tallar
ほる[2]【掘る】cavar, excavar
ポルトガル 固名 Portugal
ほれる【惚れる】enamorar*se*
ぼろ【襤褸】trapo ㊚, harapo ㊚
ポロシャツ polo ㊚
ほろびる【滅びる】caer, 滅ぼす arruinar
ほん【本】libro ㊚
本棚 estante ㊚, 《集合》 estantería ㊛, librería ㊛
本屋 (店) librería ㊛, (人) librero [ra]
ぼん【盆】bandeja ㊛
ほんきょ【本拠】sede ㊛, centro ㊚, base ㊛
ほんしつ【本質】esencia ㊛, 本質的な esencial
ほんしゃ【本社】oficina principal, casa matriz
ホンジュラス 固名 Honduras
ほんとう【本当】本当の verdadero [ra], real, 本当の理由 verdadera razón, 本当のことを言えば a decir verdad, 本当に verdaderamente, realmente
ほんにん【本人】uno mismo [una misma], 本人自ら en persona
ほんの sólo, no más, ほんの少し un poco
ほんのう【本能】instinto ㊚, 本能的な instintivo [va]
ポンプ bomba ㊛
ほんもの【本物】本物の auténtico [ca]
ほんやく【翻訳】traducción ㊛, 翻訳する traducir
翻訳者 traductor [tora]
ぼんやり (不明瞭な) vago [ga], confuso [sa], (うわの空の) distraído [da]
ほんらい【本来】originalmente, 本来の original

ま

まあ 《感嘆・驚き》 ¡Ah!, ¡Anda!, ¡Caramba!, ¡Caray!, ¡Dios mío!, ¡Jesús!
マーケット mercado ㊚
まあまあ (まずまず) así, así
まいご【迷子】迷子になる perder*se*
まいしゅう【毎週】todas las semanas, cada semana, 毎週の semanal
まいそう【埋葬】埋葬する enterrar
マイナス (引く) menos, マイナスの negativo [va]
まいにち【毎日】todos los días, cada día, 毎日の diario [ria]
まいねん【毎年】todos los años, cada año, 毎年の anual

マウス（コンピュータ）ratón
まえ【前】前に **1**《時間》antes, anteriormente, …年前に hace … años, …の前に antes de: 彼には前に会ったことがある Lo he visto antes. 彼女は5年前に死んだ Ella murió hace cinco años. 出かける前に窓を閉めなさい Cierra las ventanas antes de salir. 3時15分前に a las tres menos cuarto **2**《空間》delante, …の前に［で］, delante de, frente a: 彼は前にいる El está delante. バスは駅の前に止まる El autobús para frente a la estación.
前の **1**《時間》anterior, precedente, ex: 前の仕事 el trabajo anterior, 前の外務大臣 el ex Ministro de Asuntos Exteriores **2**《空間》前部の delantero［ra］, 順序が前の anterior, 向かいの de enfrente: 前の座席 el asiento delantero, 前の列 la fila anterior, 前の家 la casa de enfrente
まえもって【前もって】con anticipación, con antelación, con tiempo, de antemano
まかせる【任せる】encargar, confiar: それは君に任せるよ Eso te lo encargo a ti.
まがる【曲がる】doblar(se), torcer: 次の角を右に曲がりなさい Dobla la siguiente esquina a la derecha. 道が左に曲がっている La carretera tuerce hacia la izquierda.
まく[1]【幕】telón ㊚, 幕が開く levantarse el telón, 幕が降りる bajar［caer］el telón, **幕間**(まくあい)entreacto ㊚
まく[2]【巻く】enrollar, (時計のねじを) dar cuerda a
まく[3]【蒔く】sembrar
まく[4]【撒く】(まき散らす) derramar, verter, esparcir
まくら【枕】almohada ㊛
まくる【捲る】remangar, arremangar
マグロ【鮪】〘魚〙atún ㊚
まける【負ける】perder, ser derrotado［da］, ser vencido［da］, (値段を) rebajar, hacer un descuento
まげる【曲げる】doblar, (ねじる) torcer: 針金を曲げる doblar un alambre, 主義を曲げる cambiar los principios
まご【孫】nieto［ta］, 曾孫(ひまご)bisnieto［ta］
まごつく quedar(*se*) confuso［sa］
まさつ【摩擦】fricción ㊛, 摩擦する frotar
まさる【勝る】…に勝る superar a, ser superior a
まじめ【真面目】真面目な serio［ria］, 真面目に en serio
まじょ【魔女】bruja ㊛
まじる【混じる】mezclar*se*, 混ぜる mezclar
まじわる【交わる】(交差する) cruzarse, (交際する) tratar con
ます【増す】aumentar, incrementar
マス【鱒】〘魚〙trucha ㊛
まず【先ず】(最初に) en primer lugar, primero, (何よりも) ante todo, antes que nada, (おそらく) tal vez, quizá(s)
まずい【不味い・拙い】(おいしくない) insípido［da］, (へた) torpe, malo［la］
マスコミ medios de comunicación
まずしい【貧しい】pobre
ますます【益々】ますます良く［悪く］なる ir cada vez mejor［peor］
まぜる【混ぜる】mezclar
また(再び) otra vez, de nuevo, (そのうえ) y: また同じ失敗をくり返した Ha cometido otra vez el mismo error. 彼は医者でもありまた作家でもある Es médico y escritor. (…もまた), (…もまた…でない) ⇨ -も
まだ todavía, aún: 彼はまだ寝ている Todavía está dormido. 私はまだそれを見たことがない No lo he visto aún.
またたく【瞬く】titilar, 瞬く間に en un abrir y cerrar de ojos, en un credo
または ⇨ あるいは
まち【町・街】pueblo ㊚, ciudad ㊛, (街路) calle ㊛
まちあわせ【待ち合わせ】cita ㊛, …と待ち合わせる citar*se* con
まちがい【間違い】error ㊚, equivocación ㊛, 間違う equivocar*se*, cometer un error, 間違っている estar equivocado［da］, 間違った equivocado［da］, erróneo［a］, 間違って por equivocación, por error, 間違いなく sin falta, ciertamente
まつ【待つ】esperar: ちょっと待ってください Espere Vd. un momento.
マツ【松】〘植物〙pino ㊚
まつげ【睫】pestaña ㊛
まっすぐ【真っ直】真っ直な derecho［cha］, recto［ta］
まったく【全く】(完全に) completamente, absolutamente, realmente, (全く…でない) no … en absoluto, no … nada: 全くその通り Eso es. / Así es. 彼は全くの別人だった El ha cambiado completamente. 私はそれについては全く知らなかった No sabía nada de eso.
マッチ cerilla ㊛, fósforo ㊚
マットレス colchón ㊚
まつり【祭り】fiesta ㊛, feria ㊛ ⇨ fiesta【参考】, (フェスティバル) festival ㊚: スペイン映画祭 festival de cine español
祭る (神としてあがめる) deificar, (神社に…を祭る) dedicar … al templo
-まで【迄】hasta: 朝から晩まで desde la mañana hasta la noche
-までに【…迄に】(期限) para, (時間前に) antes de: 3時までには戻っています Estaré de vuelta para las tres. 夕食までに宿題をやっておきなさい Termina los deberes antes de la cena. ⇨ hasta【文法】

まと【的】blanco ㊚, diana ㊛, 注目の的 punto de atención, 的をしぼる centrarse
まど【窓】ventana ㊛, 窓を開ける［閉める］abrir [cerrar] la ventana
窓口 ventanilla ㊛
まとまる【纏まる】(考えなどが) llegar a una conclusión, tomar forma, (相談が) llegar a un acuerdo
まとめる【纏める】(集める) reunir, colectar, (整理する) poner en orden, (要約する) resumir
まどわす【惑わす】seducir, tentar
まなぶ【学ぶ】(習う) aprender, (勉強する) estudiar
まにあう【間に合う】(時間的に) llegar a tiempo, (足りる) bastar
まぬがれる【免れる】escapar*se*, librar*se*
まね【真似】imitación ㊛, **真似る** imitar, (模写する) copiar
まねく【招く】invitar, convidar: 人を夕食に招く invitar a uno a cenar
まばたき【瞬き】まばたきをする pestañear, parpadear
まひ【麻痺】parálisis ㊛, 麻痺する paralizar*se*
まぶしい【眩しい】deslumbrador [dora], deslumbrante, cegador [dora]
まぶた【目蓋】párpado ㊚
マフラー bufanda ㊛
まほう【魔法】magia ㊛, hechicería ㊛, brujería ㊛
魔法使い mágico [ca], hechicero [ra], brujo [ja], mago [ga]
-(の)まま【儘】según, tal como: 私は彼に聞いたままを話した Se lo conté según [tal como] lo había oído. (…のままでいる) seguir, permanecer: どうぞ座ったままにしてください Siga Vd. sentado, por favor.
まめ【豆】legumbres ㊛, 空豆 haba ㊛, 隠元豆 judía ㊛ ⇨ legumbre 図
まもなく【間もなく】pronto, en breve, dentro de poco
まもる【守る】(約束などを) cumplir, (保護する) proteger, (防御する) defender, (遵守する) observar
まやく【麻薬】droga ㊛
麻薬中毒 toxicomanía ㊛
麻薬密売 contrabando de drogas
まゆ【眉】ceja ㊛
まよう【迷う】(道に) perder*se*, desorientar*se*, (どうしようかと) vacilar en, dudar
まる【丸】(円) círculo ㊚, (球) globo ㊚, 丸い circular, redondo [da], まる10年 diez años completos [enteros]
まるで(全く) completamente, del todo, totalmente, (あたかも) como, como si 《+接続法過去形または接続法過去完了形》: まるで同じだ Es completamente igual. 彼はまるで子供だ Es como un niño. 彼はいつもまるで見てきたように話す Siempre habla como si lo hubiera visto.
まれ【稀】稀な raro [ra], excepcional, 稀に rara vez, excepcionalmente
まわす【回す】girar: ハンドルを回す girar el volante
まわる【回る】dar vueltas, girar: 気象衛星が地球の周りを回っている Los satélites meteorológicos giran alrededor de la Tierra.
まんが【漫画】cómic ㊚, tebeo ㊚, 風刺漫画 caricatura ㊛
漫画家 caricaturista ㊚
まんげつ【満月】luna llena
マンション piso ㊚
まんぞく【満足】satisfacción ㊛, contento ㊚, 満足する estar satisfecho [cha], contentar*se*: 私はその結果に満足している Estoy contento [ta] con los resultados.
まんなか【真ん中】medio ㊚, centro ㊚, …の真ん中に en medio de

み

み[1]【身】cuerpo ㊚, 彼女は美しい宝石を身につけている Ella lleva (puestas) joyas preciosas. 彼は新しい技術を身につけた El ha aprendido nuevas técnicas.
み[2]【実】(果実) fruto ㊚, (木の実) nuez ㊛
ミイラ momia ㊛
みえる【見える】ver, (思える) parecer: 私には何も見えない No veo nada. 彼は疲れているようにみえる Parece cansado.
みおくる【見送る】despedir
みおとす【見落とす】no dar*se* cuenta
みおろす【見下ろす】mirar para abajo, (見渡す) dominar: 丘から海が見下ろせます Desde la loma se domina el mar.
みがく【磨く】pulir, (靴を) sacar [dar] brillo a los zapatos, (歯を) lavar*se* los dientes
みかた【味方】amigo [ga], partidario [ria], …に味方する apoyar a, ser partidario [ria] de
ミカン【蜜柑】〘植物〙(日本産) mandarina ㊛, (オレンジ) naranja ㊛
みき【幹】tronco ㊚
みぎ【右】derecha ㊛, 右の derecho [cha]
右手[側] mano derecha
右側通行 《掲示》Circule por la derecha
みごと【見事】見事な maravilloso [sa], magnífico [ca], excelente, admirable
みこみ【見込み】(予測) previsión ㊛, (可能性) probabilidad ㊛, (期待性) esperanza ㊛, (見当) estimación ㊛
みさき【岬】cabo ㊚
みじかい【短い】corto [ta], (気が短い)

impaciente
みじめ【惨め】惨めな miserable
みじゅく【未熟】未熟な inmaduro [ra], inexperto [ta]
ミシン máquina de coser
みず【水】agua ㊛, 飲料水 agua potable, (ガスなし) sin gas, (ガス入り) con gas
みずうみ【湖】lago ㊚
みずたま【水玉】水玉模様の de lunares
みずたまり【水溜り】charco ㊚
みすぼらしい【見窄らしい】miserable
みせ【店】tienda ㊛, 《集合》comercio ㊚
みせいねん【未成年】menor de edad
みせる【見せる】enseñar, mostrar: それを見せてください Enséñeme eso. (人を医者に) llevar a uno al médico
みぞ【溝】zanja ㊛, (隔たり) abismo ㊚
みだし【見出し】(新聞の) titulares ㊚
見出し語 artículo ㊚
みたす【満たす】satisfacer, llenar
みだす【乱す】desordenar, perturbar, 乱れる desordenar*se*
みち【道】camino ㊚, (街道) carretera ㊛, (街路) calle ㊛, (歩道) acera ㊛, (車道) calzada ㊛, (目抜き通り) calle céntrica, centro㊚, (小道) senda ㊛ ⇨ calle【参考】
みちびく【導く】conducir, dirigir, (案内する) guiar
みちる【満ちる】llenarse de, estar lleno [na] de: 彼の将来は希望に満ちている Su futuro está lleno de esperanza.
みつ【蜜】miel ㊛
みつかる【見付かる】encontrar*se*, hallar*se*
みつける【見付ける】encontrar, hallar, (発見する) descubrir, (かぎあてる) sorprender
みっせつ【密接】密接な íntimo [ma], estrecho [cha]
みつど【密度】densidad ㊛, 密度が濃い denso [sa], 人口密度 densidad demográfica
みっともない vergonzoso [sa]
みつにゅうこく【密入国】密入国する entrar en un país ilegalmente
みつめる【見詰める】mirar, fijar*se*
みつもり【見積もり】presupuesto ㊚, 見積もる presuponer, estimar
みつゆ【密輸】contrabando ㊚
みてい【未定】未定の indeterminado [da]
みとおし【見通し】perspectiva ㊛, (視野) visibilidad ㊛: 見通しが悪い Hay poca visibilidad.
みとめる【認める】reconocer, admitir: 彼は自分の過ちを認めた Reconoció su error.
みどり【緑】verde ㊚, 緑の verde
みな【皆】todos [das], todo el mundo
みなおす【見直す】volver a mirar, mirar de nuevo, remirar, repasar, revisar
みなす【見なす】considerar: 人は彼が犯人だとみなしている Se le considera autor del delito.
みなと【港】puerto ㊚ ⇨ puerto 図
みなみ【南】sur ㊚, mediodía ㊚, 南の sureño [ña], meridional
みにくい【醜い】feo [a]
みぬく【見抜く】adivinar, penetrar
みのうえ【身の上】vida ㊛
みのがす【見逃す】(見落とす) pasar por alto, (見て見ぬふりをする) hacer la vista gorda
みのる【実る】dar fruto
みはり【見張り】guardia ㊚, vigilante ㊚, 見張る vigilar
みぶり【身振り】gesto ㊚ ⇨ gesto 図
みぶん【身分】estado ㊚
身分証明書 carné de identidad
みほん【見本】muestra ㊛
見本市 feria de muestras
みまう【見舞う】visitar [ver] a un [una] enfermo [ma]
みまわす【見回す】mirar alrededor, otear
みまわる【見回る】patrullar, rondar, hacer la ronda
みみ【耳】oreja ㊛, (聴覚) oído ㊚, 耳が聞こえない (人) sordo [da], 耳が良い [悪い] tener buen [mal] oído, 耳が遠い no oír bien
みもと【身元】identidad ㊛
身元保証 garantía ㊛
身元引受人 garante ㊚㊛
みゃく【脈】pulso ㊚, latido ㊚
みやげ【土産】recuerdo ㊚
みらい【未来】futuro ㊚, porvenir ㊚, 未来の futuro [ra]
みりょく【魅力】encanto ㊚, 魅力のある atractivo [va], fascinante
みる【見る】**1** 見る ver, (注意して) mirar, (観察する) observar, (眺める) contemplar: テレビを見る ver la televisión, 自分のしていることを見ろ Mira lo que haces. ちらっと見る dar un vistazo
2 (試みる) …してみる tratar de, intentar: その問題を解いてみよう Trataré de resolver el problema.
3 (考える) considerar, opinar: 今の情況をあなたはどう見ますか? ¿Qué opina usted de la situación actual?
4 (診察する) ver, examinar: 私は誰かいい医者に診てもらいたい Quiero que me vea algún médico bueno.
ミルク leche ㊛
みんかん【民間】民間の privado [da]
みんしゅう【民衆】pueblo ㊚, 民衆的な popular
みんぞく【民族】pueblo ㊚, (人種) raza ㊛, (国民) nación ㊛
民族主義 nacionalismo ㊚

む

む【無】nada ㊛
むいしき【無意識】inconsciencia ㊛, 無意識の inconsciente
むいみ【無意味】無意味な insignificante, inútil
ムード ambiente ㊚
むがい【無害】無害の inofensivo [va]
むかう【向かう】ir, dirigir*se*, (出発する) salir, partir, (向かいにある) estar enfrente： 彼は東京をたって北京に向かった Partió de Tokio para Pekín. 銀行は私の家の向かいにある El banco está enfrente de mi casa.
むかえる【迎える】recibir, (歓迎する) dar la bienvenida a, (もてなす) acoger, dar acogida a
むかし【昔】pasado ㊚, 昔の pasado [da], antiguo [gua], 昔は antes, antiguamente, **昔なじみ** viejo [ja] amigo [ga], **昔話** cuento antiguo, **昔々** érase una vez
むかって【向かって】(…の方へ) para, hacia, (面と向かって) frente a frente, cara a cara ⇨ a【参考】
むかんしん【無関心】無関心な indiferente
ムギ【麦】〖植物〗(大麦) cebada ㊛, (小麦) trigo ㊚, **麦わら** paja ㊛
むく[1]【向く】mirar, (向きを変える) volver*se*, (…に向いている) dar a： こちらを向きなさい Mira acá. この部屋は中庭に向いている Este cuarto da al patio.
むく[2]【剝く】pelar
むくいる【報いる】recompensar
むける【向ける】dirigir： 彼女は目を窓に向けた Dirigió su mirada hacia la ventana.
むげん【無限】無限の infinito [ta]
むこ【婿】yerno ㊚, 花婿 novio ㊚
むこう[1]【向こう】向こうの del lado opuesto, de allá, 向こう側に al otro lado, …のもっと向こうに más allá de
むこう[2]【無効】無効の nulo [la], inválido [da], 無効にする anular
無効投票 voto nulo
むこくせき【無国籍】無国籍者 apátrida ㊚㊛
むし[1]【虫】bicho ㊚, (昆虫) insecto ㊚, (うじ虫) gusano ㊚
むし[2]【無視】無視する no hacer caso
むしば【虫歯】diente picado [cariado], caries ㊛
むじゃき【無邪気】inocencia ㊛, 無邪気な inocente, ingenuo [nua]
むじゅん【矛盾】contradicción ㊛, 矛盾する contradecirse
むじょうけん【無条件】無条件の incondicional
むしろ más bien, antes, antes bien
むす【蒸す】(料理) cocer al vapor, (気候) hacer un calor sofocante [húmedo]
むすう【無数】無数の innumerable
むずかしい【難しい】difícil, duro [ra], (骨が折れる) trabajoso [sa], (複雑な) complicado [da], 難しさ dificultad ㊛
むすこ【息子】hijo ㊚
むすぶ【結ぶ】atar, (つなぐ) unir, (親交を) contraer, **結び目** nudo ㊚
むすめ【娘】hija ㊛, (少女) chica ㊛
むせきにん【無責任】無責任な irresponsable
むせん【無線】無線の sin hilos, inalámbrico [ca], 無線で por radio
むだ【無駄】無駄な inútil, vano [na], 無駄に en vano, 無駄にする desperdiciar, derrochar, perder, **無駄遣い** ⇨ ろうひ
むだん【無断】無断で sin permiso
むちゃ【無茶】無茶な imprudente, arriesgado [da], temerario [ria]
むちゅう【夢中】夢中である estar entusiasmado [da], estar absorto [ta], estar loco [ca]: 彼はテニスに夢中です Está entusiasmado con el tenis. 彼は彼女に夢中だ Está loco por ella. 夢中になる entusiasmar*se* por, absorber*se* en
むてき【霧笛】trompa de niebla
むなしい【空しい】vacío [a], vano [na]
むね【胸】pecho ㊚, (心臓) corazón, 胸がおどる emocionar*se*
むのう【無能】無能な incapaz
むよう【無用】無用の innecesario [ria], inútil
むら【村】aldea ㊛, pueblo ㊚
村人 aldeano [na]
むらさき【紫】紫の morado [da]
むり【無理】無理な imposible, 無理もない natural： 彼が来るのは無理だ Es imposible que él venga. 彼が怒るのは無理もない Se enfada con razón.
むりょう【無料】⇨ ただ
むれ【群れ】grupo ㊚, (家畜の) rebaño ㊚, (鳥の) bandada ㊛

め

め[1]【目】ojo ㊚ ⇨ ojo 図, (視力) vista ㊛, (視線) mirada ㊛, 目に見える visible, 目を覚ます despertar*se*, 目を通す echar una ojeada, 目がいい [悪い] tener buena [mala] vista, 目にとまる llamar la atención, 目がまわる marear*se*, 目が見えない人 ciego [ga]
め[2]【芽】brote ㊚, 芽が出る, 芽を出す brotar, echar brotes
めい【姪】sobrina ㊛
めいしん【迷信】superstición ㊛

めいそう【瞑想】meditación ㊛
めいちゅう【命中】…に命中する acertar en, dar en, hacer blanco
めいど【冥土】el otro mundo
めいはく【明白】明白な evidente, claro [ra]
めいもん【名門】名門の ilustre, célebre
めいよ【名誉】honor ㊚, honra ㊛
めいりょう【明瞭】明瞭な claro [ra]
めいれい【命令】orden ㊛, 命令する dar una orden, ordenar, mandar
めいろ【迷路】laberinto ㊚
めいわく【迷惑】molestia ㊛, 迷惑をかける molestar
めうえ【目上】superior ㊚
メーデー el primero de mayo, día del trabajo
めかた【目方】peso ㊚, 目方を計る pesar, 目方がある pesado [da]
めがね【眼鏡】gafas ㊛, anteojos ㊚, 眼鏡をかける poner*se* las gafas, 眼鏡をかけている llevar gafas
眼鏡店 óptica ㊛
めがみ【女神】diosa ㊛
メキシコ 固名 México
めぐみ【恵み】(神の) bendición ㊛, gracia ㊛, (人の施し) limosna ㊛
めくる【捲る】(ページを) hojear
めざす【目指す】pretender, aspirar a
めした【目下】inferior ㊚㊛
めじるし【目印】señal ㊛, marca ㊛
めす【雌】hembra ㊛
メス bisturí ㊚
めずらしい【珍しい】raro [ra], poco común, (奇妙な) extraño [ña]
めだつ【目立つ】destacar*se*, llamar la atención, 目立った destacado [da], llamativo [va]
メダル medalla ㊛
めっき【鍍金】めっきした chapado [da], 金めっきの dorado [da]
メッセージ mensaje ㊚
メニュー menú ㊚, carta ㊛
めまい【目眩】mareo ㊚, vértigo ㊚, vahído ㊚
メモ apunte ㊚, nota ㊛, メモする apuntar, tomar apuntes [notas], anotar
めん【面】仮面 máscara ㊛, 前面 frente ㊚, 表面 superficie ㊛, 顔面 cara ㊛, 局面 fase ㊛
めんえき【免疫】inmunidad ㊛
めんかい【面会】visita ㊛, entrevista ㊛, 面会する entrevistar*se*
めんきょ【免許】permiso ㊚
めんじょ【免除】免除する eximir, dispensar
メンス menstruo ㊚, メンスがある menstruar, tener el período
めんする【面する】…に面している dar a
めんぜい【免税】免税の libre de impuestos
免税店 tienda libre de impuestos
めんせき【面積】superficie ㊛
めんせつ【面接】entrevista ㊛, 面接する entrevistar
めんどう【面倒】molestia ㊛, dificultad ㊛, 面倒な molesto [ta], dificultoso [sa], 面倒をみる cuidar : 面倒をおかけしてすみません Siento haberle molestado. 彼女は子供の面倒をよくみる Cuida bien a sus hijos.
メンバー miembro ㊚, socio [cia]
めんみつ【綿密】綿密な minucioso [sa], 綿密に minuciosamente

も

も【喪】luto ㊚, duelo ㊚
-も **1** (AもBも) A y B, tanto A como B, (AでもなくBでもない) no (ni) A ni B : あなたも私もそこへ行く Tú y yo vamos allí. ペペもパコも私の幼友達だ Tanto Pepe como Paco son mis amigos de la infancia. 彼女は読むことも書くこともできない Ella no sabe (ni) leer ni escribir.
2 (…もまた) también, (…もまた…でない) tampoco : 彼はそこへ行った. 私も行った El fue allí. Yo también. 彼はそこへ行かなかった. 私も行かなかった El no fue allí. Yo tampoco. 母は豚肉がきらいです. 私もきらいです A mi madre no le gusta el cerdo. A mí tampoco.
もう **1** ya, ahora, (まもなく) pronto: もうおいとまします Ya me voy. もう来るでしょう Vendrá pronto.
2 (さらに) más, otro [tra]: もうこれ以上歩けません Ya no puedo andar más. もう一度 otra vez [una vez más]
もうける[1]【設ける】establecer
もうける[2]【儲ける】ganar, forrar*se*, hacer dinero, 儲かる rentable, lucrativo [va]
もうしこむ【申し込む】(依頼) solicitar, (女性に結婚を) pedir la mano a, **申込書** documento de solicitud, **申込用紙** papel [formulario] de solicitud
もうすこし【もう少し】un poco más, もう少しで por poco
もうふ【毛布】manta ㊛ ⇨ cama 図
もうもく【盲目】盲目の ciego [ga], 盲目的に ciegamente, 盲目の愛 amor ciego
もうれつ【猛烈】猛烈な violento [ta], furioso [sa]
もえる【燃える】arder, (火がつく) encender*se*
モーター motor ㊚
もくげき【目撃】目撃する presenciar
目撃者 testigo ㊚㊛
もくじ【目次】índice ㊚

もくてき【目的】fin ㊚, objeto ㊚, propósito ㊚,…する目的で a fin de, con el fin de, **目的地** destino ㊚
もくにん【黙認】acuerdo tácito
もくひょう【目標】objetivo ㊚, meta ㊛
もくようび【木曜日】jueves ㊚
モグラ【土竜】〔動物〕topo ㊚
もぐる【潜る】bucear
モクレン【木蓮】〔植物〕(花) magnolia ㊛
もくろく【目録】lista ㊛, catálogo ㊚
もけい【模型】maqueta ㊛
もし もし…ならば《条件》si《+直説法》: もし雨ならば行かない Si llueve, no voy. 《現在の事実の反対を表すとき》si《+接続法過去形》: もし今日雨が降っていたら家にいるのだが Si lloviera hoy, estaría en casa. ⇨ si【文法】. もしかすると quizá, acaso: もしかすると彼が来るかもしれない Quizá venga. 君はもしかすると彼を知っているんじゃないの? ¿Acaso lo conoces?
もじ【文字】letra ㊛
もしもし (電話をかけた人が) ¡Oiga! (受けた人が) ¡Diga! ¡Dígame! 《ラ米》 ¡Aló! (ﾒｷｼｺ) ¡Bueno! 《呼びかけ》 ¡Oiga! ¡Perdón! ¡Por favor!
もぞう【模造】模造品 imitación ㊛
もちいる【用いる】usar, utilizar, (人を) emplear, (意見などを) adoptar
もちぬし【持ち主】dueño [ña]
もちろん【勿論】Por supuesto. / Claro. / ¿Cómo no? / Ya lo creo.
もつ【持つ】tener, poseer, (携帯する) llevar(*se*), (長持ちする) durar, (負担する) pagar: 彼は郊外に家を一軒持っている Tiene [Posee] una casa en las afueras. 傘を持って行きなさい Llévate el paraguas. この乾電池は何時間もちますか? ¿Cuántas horas duran estas pilas? 費用は私が持ちましょう Pagaré los gastos.
もったいない【勿体ない】(身にすぎる) ser demasiado bueno [na], (無駄である) ser una pérdida: 私にはもったいないネックレスです Es un collar demasiado bueno para mí. 時間がもったいない Es una pérdida de tiempo.
もっていく【持って行く】llevar(*se*) ⇨ llevar【参考】
もってくる【持って来る】traer ⇨ llevar【参考】
もっと más: その山は富士山よりもっと高い Esa montaña es más alta que el Fuji.
もっとも【最も】⇨ いちばん 2
もつれる【縺れる】(糸などが) enredarse, (舌が) trabarse, (関係が) complicarse
もてなす【持て成す】agasajar
モデル modelo ㊚, ファッションモデル modelo ㊚㊛, maniquí ㊚㊛
もと[1]【基】base ㊛, fundamento ㊚
もと[2]【元】(起源) origen ㊚, (原因) causa ㊛, (元は, 以前は) antes, en otros tiempos, (元々, 元来) originalmente, en su origen, (初めから) desde el principio, 元大統領 ex Presidente
もと[3]【素】(素材) material ㊚, スープの素 concentrado para sopa
もどす【戻す】devolver
もとづく【基づく】basarse en, 事実に基づいて basándose en los hechos
もとめる【求める】(要求する) exigir, pedir, (探し求める) buscar, (欲する) desear
もどる【戻る】volver, regresar, (戻っている) estar de vuelta
もの[1]【物】cosa ㊛, objeto ㊚, (物質) materia ㊛, 食べる物 algo de comer
もの[2]【者】persona ㊛, hombre ㊚
ものがたり【物語】historia ㊛, cuento ㊚, relato ㊚, 物語る contar, narrar
ものごと【物事】cosas ㊛
ものさし【物差し】regla ㊛
もはや【最早】(すでに) ya, (今や) ahora, (もはや…ない) ya no: 彼はもはや子供ではない Ya no es un niño.
もはん【模範】ejemplo ㊚, modelo ㊚, 模範的な ejemplar
モミ【樅】〔植物〕abeto ㊚
もむ【揉む】dar masajes ㊚
もめる【揉める】(話が) complicarse, (気が) intranquilizar*se*
もめん【木綿】algodón ㊚
もも【腿】muslo ㊚
モモ【桃】〔植物〕melocotón ㊚
もや【靄】niebla ㊛, neblina ㊛
もやす【燃やす】quemar
もよう【模様】dibujo ㊚, (様子) aspecto ㊚ ⇨ ようす
もよおす【催す】celebrar, dar, **催し** acto ㊚, (集まり) reunión ㊛, (式) ceremonia ㊛, (ショー) espectáculo ㊚
もらう【貰う】recibir: 手紙をもらう recibir una carta, 私は父にこの時計をもらった Mi padre me dio [regaló] este reloj.
ー(して)もらう 彼に来てもらいましょう Le pediré que venga. 私は君に助けてもらいたい Quiero que me ayudes.
もらす【漏らす】(秘密を) revelar
もり【森】bosque ㊚
もる【盛る】(積み上げる) amontonar, (毒などを) intoxicar, (盛りつける) poner
もれる【漏れる】(ガスが) escaparse, (秘密が) revelarse, (要点が) estar omitido [da], ser omitido [da], (水が) calar
もろい【脆い】frágil, delicado [da]
もん【門】puerta ㊛
もんく【文句】(語句) frase ㊛, palabra ㊛, (歌詞) letra ㊛, (苦情) queja ㊛
もんしょう【紋章】escudo ㊚, blasón ㊚
もんだい【問題】problema ㊚, cuestión ㊛, 入試問題 preguntas del examen de ingreso, 問題を起こす causar dificultades, 問題の多い論文 tesis problemática, 問題の人物 persona en cuestión **問題意識** conciencia crítica

問題点 punto en cuestión

や

や【矢】flecha ㊛, 矢を射る disparar una flecha
-や …や… y, …するやいなや tan pronto como, en cuanto, apenas： 海や山 el mar y la montaña, 彼は私を見るやいなや走り出した Tan pronto como me vio, echó a correr.
やおや【八百屋】(店) verdulería ㊛, (人) verdulero [ra]
やがて pronto, poco después, en breve
やかましい【喧しい】(騒々しい) ruidoso [sa], bullicioso [sa], (きびしい) severo [ra], riguroso [sa], (小うるさい) escrupuloso [sa]
ヤギ【山羊】〔動物〕cabra ㊛, (雄ヤギ) macho cabrío
やきまし【焼き増し】copia ㊛
やきゅう【野球】béisbol ㊚
やく[1]【役】(地位) puesto ㊚, (任務) cargo ㊚, (演劇) papel ㊚, 役に立つ útil, 役に立たない inútil： やつは何の役にも立たない Ese tipo no sirve para nada.
やく[2]【約】unos [unas], aproximadamente, más o menos, como
やく[3]【焼く】quemar, (肉や魚を) asar, (こんがりと) tostar ⇨ cocinar【参考】
やくそく【約束】promesa ㊛, compromiso ㊚, 約束する prometer, comprometer*se*, 約束を守る cumplir una promesa, cumplir SU palabra, 約束を破る faltar a SU palabra, dejar de cumplir lo prometido
やけど【火傷】quemadura ㊛
やける【焼ける】quemar*se*, (魚や肉が) asarse, (パンが) tostarse
やさい【野菜】verdura ㊛, hortaliza ㊛ ⇨ hortaliza 図
やさしい[1]【易しい】fácil, sencillo [lla], simple: 易しい仕事 trabajo fácil, できるだけ易しく de la manera más sencilla posible
やさしい[2]【優しい】tierno [na], (親切な) amable, (情愛のこもった) cariñoso [sa]
やしなう【養う】(扶養する) mantener, sustentar, (養育する) criar
やしん【野心】ambición ㊛, 野心的な ambicioso [sa], **野心家** ambicioso [sa]
やすい【安い】barato [ta]： 安物買いの銭失い Lo barato resulta caro.
やすみ【休み】(ひと休み) descanso ㊚, (休暇) día de descanso, vacaciones ㊛, (欠席) ausencia ㊛, 夏休み vacaciones de verano, 休み時間 hora de descanso, (学校の) 休み時間に a la hora del recreo, durante el recreo
やすむ【休む】(休憩する) descansar, (欠席する) estar ausente, ausentar*se*, (寝る) acostar*se*
やせい【野生】野生の salvaje, silvestre
やせる【痩せる】adelgazar(*se*), 痩せた delgado [da], flaco [ca]
やちん【家賃】alquiler de la casa
やっと (ついに) por fin, al fin, (かろうじて) apenas, (苦労して) a duras penas
やとう【雇う】emplear
ヤナギ【柳】〔植物〕 sauce ㊚
やね【屋根】tejado ㊚
やはり (…もまた) también, 〔否定文では〕 tampoco, (結局) después de todo, (案の定) como se suponía
やぶる【破る】romper, (負かす) vencer
やぶれる[1]【破れる】romperse
やぶれる[2]【敗れる】ser derrotado [da]
やま【山】montaña ㊛, monte ㊚ ⇨ montaña【参考】
山小屋 albergue de montaña, refugio ㊚, **山道** camino ㊚, sendero ㊚
やむ【止む】parar, cesar: 雨が止む parar de llover, escampar
やめる【止める】dejar, (終わる) terminar, (中断する) suspender, (…をあきらめる) renunciar a： おしゃべりをやめる dejar de hablar, 会社をやめる dejar la empresa
やもめ【寡夫・寡婦】viudo [da]
やわらかい【柔らかい・軟らかい】blando [da], tierno [na], suave, 柔らかい肉 carne tierna, やわらかい光 luz suave
やわらげる【和らげる】atenuar, aliviar

ゆ

ゆ【湯】agua caliente
ゆいごん【遺言】testamento ㊚
ゆううつ【憂鬱】melancolía ㊛, 憂鬱な melancólico [ca]
ゆうえき【有益】有益な útil
ゆうかい【誘拐】secuestro ㊚
ゆうがい【有害】有害な nocivo [va], dañoso [sa]
ゆうがた【夕方】atardecer ㊚, tarde ㊛, 夕方に al atardecer, por la tarde, a la caída de la tarde
ゆうかん【勇敢】勇敢な valiente, 勇敢に valientemente, con valor
ゆうき【勇気】valor ㊚, valentía ㊛, 勇気づける animar, dar ánimo
ゆうこう【有効】有効な eficaz, válido [da]
ゆうざい【有罪】culpabilidad ㊛
ゆうしゅう【優秀】優秀な excelente
ゆうしょう【優勝】優勝する triunfar
優勝者 triunfador [dora]
優勝杯 copa ㊛, trofeo ㊚
ゆうじょう【友情】amistad ㊛
ゆうしょく【夕食】cena ㊛, 夕食をとる ce-

nar
ユースホステル albergue juvenil
ゆうせん【優先】優先する ser prioritario [ria], 優先的に preferentemente
ゆうだち【夕立ち】chaparrón ㊚, chubasco ㊚
ゆうどう【誘導】誘導する dirigir, guiar
ゆうのう【有能】有能な competente, eficiente
ゆうびん【郵便】correo ㊚, 郵便局 (oficina de) correos ㊚, 本局 oficina principal de correos, 支局 estafeta de correos, 中央郵便局 Central de Correos, **郵便切手** sello ㊚, 《ラ米》 estampilla ㊛, timbre ㊚ ⇒ correo【会話】
ゆうべ【夕べ】(昨夜) anoche, (夕方) atardecer ㊚, (夕べの集い) velada ㊛
ゆうぼう【有望】有望な prometedor [dora]
ゆうめい【有名】有名な famoso [sa], célebre, conocido [da]
ユーモア humor ㊚
ゆうり【有利】有利な favorable, ventajoso [sa], beneficioso [sa]
ゆうりょく【有力】有力な poderoso [sa], influyente
ゆうれい【幽霊】fantasma ㊚, aparición ㊛
ゆうわく【誘惑】tentación ㊛, 誘惑する seducir, tentar
ゆか【床】suelo ㊚
ゆき【雪】nieve ㊛, 雪が降る nevar
雪国 país donde nieva mucho, (小説の題名) País de la nieve
雪だるま muñeco de nieve
ゆきづまる【行き詰まる】estancarse
ゆく【行く】⇒ いく
ゆげ【湯気】vapor ㊚
ゆけつ【輸血】transfusión de sangre
ゆしゅつ【輸出】exportación ㊛, 輸出する exportar, **輸出品** artículo de exportación, exportación ㊛
ゆする【揺する】mecer, sacudir
ゆずる【譲る】(与える) dar, ceder, (売り渡す) vender
ゆそう【輸送】transporte ㊚, 輸送する transportar
ゆたか【豊か】豊かな abundante, rico [ca]
ユダヤ 固名 Judea, ユダヤ人の judío [a]
ゆだん【油断】油断する descuidar*se*
ゆっくり despacio, (少しずつ) poco a poco
ゆでる【茹でる】cocer
ゆとり ゆとりのある desahogado [da], ゆとりのない apretado [da], justo [ta]
ゆにゅう【輸入】importación ㊛, 輸入する importar, **輸入品** artículo de importación, importación ㊛
ゆび【指】dedo ㊚ ⇒ dedo 図
ゆびわ【指輪】anillo ㊚, 指輪をする poner*se* un anillo ⇒ anillo【参考】
ゆみ【弓】arco ㊚
ゆめ【夢】sueño ㊚, (悪夢) pesadilla ㊛, …の夢をみる soñar con
ユリ【百合】『植物』 azucena ㊛
ゆりかご【揺り籠】cuna ㊛
ゆるい【緩い】flojo [ja], suelto [ta]
ゆるす【許す】permitir, (過失・罪などを) perdonar, disculpar : ご迷惑をお許しください Perdone usted la molestia.
ゆるむ【緩む】aflojar(se), relajar*se*
ゆれる【揺れる】temblar, vibrar, mover*se*
ユーロ euro ㊚

よ

よ[1]【世】(世の中) mundo ㊚, sociedad ㊛, (時代) tiempo ㊚, época ㊛, era ㊛
よ[2]【夜】noche ㊛, 夜通し toda la noche, 夜中に a media noche, 夜ふかしする estar levantado[da] hasta muy tarde
夜明け amanecer ㊚, madrugada ㊛
よい【良い】bueno [na]: 彼はよい人だ Es un buen hombre. 何てよい天気でしょう ¡Qué tiempo tan bueno! 秋は勉強に最もよい季節です El otoño es la mejor estación para estudiar. …してもよい poder 《+不定詞》: たばこをすってもいいですか? ¿Puedo fumar? …した方がよい mejor 《+直説法》, ser mejor 《+不定詞》, ser mejor [más vale] que 《+接続法》: タクシーで行った方がいいよ Mejor vas en taxi. …しなくてもよい no tener que 《+不定詞》, no hay que 《+不定詞》: 君はそんなに働かなくてよい No tienes que trabajar tanto.
よう[1]【用】(用事) asunto ㊚, encargo ㊚, quehaceres ㊚: 家の用 quehaceres domésticos, (僕は) 明日は用がある Estoy ocupado mañana. 子供用の自転車 bicicleta para niños
よう[2]【酔う】(酒に) emborrachar*se*, embriagar*se*, (乗り物に) marear*se*
-(し)よう ir a 《+不定詞》: テニスをしよう Vamos a jugar al tenis. 欲しいものはなんでもあげよう Te daré lo que quieras.
-(の) よう【様】como: 鏡のような月 luna como un espejo, 明日は雪のようだ Parece que va a nevar mañana.
ようい【用意】preparación ㊛, preparativo ㊚, 用意する preparar(*se*), hacer preparativos : 私たちは引っ越しの用意をしています Nos estamos preparando para la mudanza. 私は出かける用意ができていますEstoy listo para salir.
ようきゅう【要求】exigencia ㊛, (権利としての) reclamación ㊛, demanda ㊛, 要求する exigir, reclamar
ようけん[1]【用件】negocio ㊚, asunto ㊚:

ご用件は？ ¿Qué desea Vd.? (用事) ⇨ よう[1]
ようけん[2]【要件】(必要条件) requisito ㊚: 要件を満すcumplir [satisfacer] los requisitos, (用事) ⇨ よう[1]
ようし【養子】養子の adoptivo [va]
ようしょく【養殖】養殖する cultivar, criar
ようじん【用心】precaución ㊛, cuidado ㊚, 用心する tener precaución, tener cuidado con, 用心深い precavido [da], cauteloso [sa]
ようす【様子】(状態) estado ㊚, (外観) aspecto ㊚, apariencia ㊛, (態度) aire ㊚: 何か事故があった様子です Parece que ha habido algún accidente.
ようするに【要するに】después de todo, en fin, en una palabra
ようせい[1]【要請】要請する pedir, instar
ようせい[2]【養成】養成する formar
ようせき【容積】capacidad ㊛, cabida ㊛
ようそ【要素】elemento ㊚
ようち【幼稚】幼稚な infantil, pueril
幼稚園 jardín de infancia
ようてん【要点】punto esencial, meollo ㊚
ようび【曜日】días de la semana ⇨ lunes【参考】
ようふく【洋服】traje ㊚, vestido ㊚, ropa ㊛ ⇨ traje【参考】
ようやく[1]【要約】resumen ㊚, 要約する resumir
ようやく[2] ⇨ やっと
ようりょう【要領】habilidad ㊛, tacto ㊚, (こつ) truco ㊚, 要領がいい hábil, 要領が悪い torpe
ヨーロッパ 固名 Europa
よか【余暇】tiempo libre
よかん【予感】presentimiento ㊚
よき【予期】予期する prever, esperar
よきん【預金】depósito ㊚, 預金する depositar, ahorrar
よく[1]【欲】欲の深い avaro [ra], avaricioso [sa], 欲のない desinteresado [da]
よく[2] (しばしば) con frecuencia, a menudo, (立派に, 十分に) bien, mucho: われわれはその喫茶店によく行ったものだ Frecuentábamos ese café. よく眠れましたか？ ¿Ha dormido usted bien?
よくじつ【翌日】el día siguiente
よくぼう【欲望】deseo ㊚, ansia ㊛
よけい【余計】余計な innecesario [ria], superfluo [flua]: 余計な買い物をする comprar más de lo necesario, 余計なお世話だ No te metas en asuntos ajenos.
よげん【予言】predicción ㊛, 予言する hacer predicciones
予言者 profeta ㊚
よこ【横】(側面) lado ㊚, **横幅** ancho ㊚, anchura ㊛, 横の lateral, …の横に al lado de： 縦3メートル横1メートル tres metros de largo por uno de ancho
よこぎる【横切る】cruzar, atravesar
よこく【予告】aviso ㊚, anuncio ㊚
よごす【汚す】manchar
よこたわる【横たわる】echar*se*, tender*se*, (墓に埋葬される) yacer
よごれる【汚れる】manchar*se*, ensuciar*se*, 汚れた sucio [cia], manchado [da]: ズボンが泥でよごれてしまった Me he manchado los pantalones de barro.
よさん【予算】presupuesto ㊚, 予算を組む presupuestar
よしゅう【予習】preparación ㊛, 予習する preparar la lección
よせる【寄せる】(近づける) acercar: いすを壁によせる acercar la silla a la pared
よそ【他所】他所の de otro lugar, ajeno [na]
よそう【予想】previsión ㊛, pronóstico ㊚, 予想する prever, esperar, 予想通りに como se esperaba, 予想に反して en contra de lo previsto, 予想外の imprevisto [ta]
よだれ【涎】baba ㊛
よち【予知】presciencia ㊛, pronóstico ㊚
よっきゅう【欲求】deseo ㊚, anhelo ㊚ **欲求不満** frustración ㊛
ヨット velero ㊚, yate ㊚ ⇨ yate 図
よっぱらい【酔っ払い】borracho [cha]
よてい【予定】(計画) plan ㊚, proyecto ㊚, (段取り) programa ㊚, …の予定である proponer*se* 《＋不定詞》, disponer*se* a 《＋不定詞》, 予定どおりに conforme al plan
よはく【余白】margen ㊚
よび【予備】予備の de reserva
予備校 academia preparatoria
よぶ【呼ぶ】llamar, (招く) invitar, (呼びにいく) ir por, (呼びもどす) hacer volver a
よぶん【余分】余分の sobrante
よほう【予報】pronóstico ㊚, 天気予報 pronóstico del tiempo
よぼう【予防】prevención ㊛, 予防する prevenir
よほど【余程】muy, mucho, bastante: 彼はよほど金持ちに違いない Debe de ser muy rico. よほど出かけるのをやめようかと思った Faltó poco para que dejara de salir.
よむ【読む】leer： セルバンテスを読む leer a Cervantes, チリで地震があったことを新聞で読んだ He leído en el periódico que hubo un terremoto en Chile. 人の考えを読む leer el pensamiento
よめ【嫁】nuera ㊛, 花嫁 novia ㊛, (妻) esposa ㊛
よやく【予約】reserva ㊛, 予約する reservar, hacer una reserva
予約席 asiento reservado
よゆう【余裕】(余地) lugar ㊚, sitio ㊚,

(時間) tiempo ㊚: 余裕は全くない No hay lugar para nada. 私には時間の余裕がない No tengo tiempo.

-より 《比較》 más [menos] 《+形容詞・副詞+que》, (…よりも…を好む) preferir a, 《起点》 de, desde: 私は彼より背が高い Soy más alto que él. 私は暑いより寒いほうがいい Prefiero el frío al calor. 私は子供のころより彼を知っている Le conozco desde niño.

よる[1] 【夜】 noche ㊛, (夕方) tarde ㊛: 夜になる Anochece. / Cae la tarde.

よる[2] 【寄る】 (近寄る) acercar*se*, (立ち寄る) pasar por, acercar*se* a, (寄りかかる) apoyar*se*, (席をずらす) correr*se*: 火の近くに寄りなさい Acércate al fuego. 私の家に寄りなさい Acércate a mi casa. 少し右に寄って[詰めて]ください Córranse un poco hacia la derecha.

-(に)よる 【因る】 basarse en, (…に原因がある) deberse a, (…によれば) según

よろこぶ 【喜ぶ】 alegrar*se*, (喜ばす) alegrar, agradar, (喜んで) con mucho gusto: 彼はそのニュースを聞いてとても喜んだ Se alegró mucho de oír la noticia. 手伝ってくれますか? —はい, 喜んで ¿Me ayudas?—Sí, con mucho gusto.

よろん 【世論】 opinión pública

よわい 【弱い】 débil, (もろい) frágil, (力のない) flojo [ja]: 彼女は体が弱い Ella es débil [delicada de salud]. 彼は物理に弱い Está flojo en física.

弱さ debilidad ㊛

弱点 punto flaco [vulnerable]

弱虫 cobarde ㊚㊛

よわる 【弱る】 debilitar*se*

ら

ライオン 〔動物〕 león ㊚, leona ㊛

らいげつ 【来月】 el mes próximo, el mes que viene

らいしゅう 【来週】 la próxima semana, la semana que viene

ライター encendedor ㊚

らいねん 【来年】 el año próximo, el año que viene

らく 【楽】 楽な (容易な) fácil, (安楽な) cómodo [da]: 楽ないす silla cómoda, どうぞお楽に Siéntese cómodo [da] (como en su casa).

ラクダ 【駱駝】 〔動物〕 camello [lla]

らくだい 【落第】 落第させる suspender

ラグビー rugby ㊚

ラケット raqueta ㊛

-らしい parecer 《+不定詞》, parecer que 《+直説法》: 彼は病気らしい Parece estar enfermo. 雨になるらしい Parece que va a llover.

ラジオ (受信機) radio ㊛, (ラジオ放送) radio ㊛, ラジカセ radiocasete ㊚

らっかん 【楽観】 楽観的な optimista, 楽観する ver con optimismo

ラッシュアワー hora punta

らんざつ 【乱雑】 乱雑な desordenado[da], 乱雑に desordenadamente

らんぼう 【乱暴】 乱暴な violento[ta], brutal: 乱暴な口をきく usar [decir] palabras violentas, 乱暴する maltratar, tratar rudamente

乱暴者 bruto [ta]

り

りえき 【利益】 ganancia ㊛, beneficio ㊚, provecho ㊚, 利益を上げる obtener ganancia

りかい 【理解】 entendimiento ㊚, comprensión ㊛, 理解する entender, comprender

りがい 【利害】 interés ㊚

りく 【陸】 tierra ㊛

りくぐん 【陸軍】 ejército ㊚ ⇨ ejército 【参考】

りくつ 【理屈】 razón ㊛, teoría ㊛, argumento ㊚, 理屈に合った razonable

リクライニングシート asiento ㊚ reclinable

りこ 【利己】 利己的な egoísta

利己主義 egoísmo ㊚

りこう 【利口】 利口な listo [ta], inteligente

りこん 【離婚】 divorcio ㊚, 離婚する divorciar*se*

リサイタル recital ㊚

りし 【利子】 interés ㊚

リス 【栗鼠】 〔動物〕 ardilla ㊛

リストラ reestructuración ㊛

リズム ritmo ㊚

りせい 【理性】 razón ㊛, 理性的な racional

りそう 【理想】 ideal ㊚, 理想的な ideal

りつ 【率】 tasa ㊛, tipo ㊚, 利率 tasa [tipo] de interés, 百分率 porcentaje ㊚

りっぱ 【立派】 立派な (すばらしい) maravilloso [sa], magnífico [ca], bueno [na]

リハーサル ensayo ㊚

りはつ 【理髪】 理髪店 peluquería ㊛

リボン lazo ㊚, cinta ㊛

りゆう 【理由】 razón ㊛, (動機) motivo ㊚, (口実) pretexto ㊚

りゅうがく 【留学】 留学する estudiar en el extranjero

りゅうこう 【流行】 moda ㊛, 流行遅れの pasado[da] de moda

流行歌 canción popular, 流行している estar de moda

リュックサック mochila ㊛

りょう[1]【猟】caza ㊛
猟師 cazador [dora]
りょう[2]【量】cantidad ㊛
りょう[3]【漁】pesca ㊛
漁師 pescador [dora]
りょう[4]【寮】residencia ㊛, 学生寮 colegio mayor
りよう【利用】利用する aprovechar, utilizar : この機会を利用して aprovechando esta oportunidad
利用者 usuario [ria]
りょうかい【了解】了解する entender, llegar a un acuerdo
りょうがえ【両替】両替する cambiar (dinero)
りょうきん【料金】tarifa ㊛, cuota ㊛, (宿泊料) hospedaje ㊚
りょうしん[1]【両親】padres ㊚
りょうしん[2]【良心】conciencia ㊛, 良心的 honrado [da], 良心の呵責(かしゃく) remordimiento ㊚
りょうほう【両方】ambos[bas], los [las] dos, …も…も両方とも tanto … como
りょうよう【療養】convalecencia ㊛, 療養する convalecer
療養所 sanatorio ㊚
りょうり【料理】cocina ㊛, plato ㊚, comida ㊛, 料理する cocinar, preparar la comida, 料理の一品 un plato, 一人分の料理 una ración ⇨ cocinar 【参考】
りょうりつ【両立】compatibilidad ㊛
りょかん【旅館】hotel ㊚, hostal ㊚, pensión ㊛
りょこう【旅行】viaje ㊚, (小旅行・ツアー) excursión ㊛, 旅行する viajar, hacer un viaje
りりく【離陸】離陸する despegar
りれき【履歴】historia personal
履歴書 currículum vitae
りろん【理論】teoría ㊛, 理論的な teórico [ca], **理論家** teórico [ca]
りんかく【輪郭】contorno ㊚
リンゴ【林檎】〘植物〙(実) manzana ㊛ ⇨ fruta 図
りんじ【臨時】臨時の temporal, (仮の) provisional
りんじゅう【臨終】momento final, última hora
リンパせん【淋巴腺】glándula linfática

る

るいじ【類似】類似する asemejarse, parecerse
ルール regla ㊛
るす【留守】ausencia ㊛, 留守にする ausentar*se*, 留守である estar ausente, 留守番をする quedar*se* en casa, 留守番電話 ⇨ 電話
ルポルタージュ reportaje ㊚

れ

れい[1]【礼】(おじぎ) reverencia ㊛, inclinación ㊛, (感謝) gratitud ㊛, agradecimiento ㊚, (謝礼) honorarios ㊚
れい[2]【例】ejemplo ㊚, (慣例) costumbre ㊛, (場合) caso ㊚, (先例) precedente ㊚, 例によって(相変わらず) como de costumbre, 例を挙げる poner un ejemplo, 前例のない sin precedente
れい[3]【零】cero ㊚, **零下** bajo cero, **零点** cero (puntos)
れい[4]【霊】alma ㊛, espíritu ㊚
れいがい【例外】excepción ㊛, …を例外として con excepción de, 例外なく sin excepción
れいかん【霊感】inspiración ㊛
れいぎ【礼儀】cortesía ㊛, (マナー) modales ㊚, formas ㊛, 礼儀正しい educado [da], cortés, formal, 礼儀知らずの descortés, mal educado [da]
れいきゅうしゃ【霊柩車】coche fúnebre
れいせい【冷静】冷静な sereno [na], 冷静に con calma, impasiblemente
れいぞうこ【冷蔵庫】nevera ㊛, frigorífico ㊚
れいとう【冷凍】congelación ㊛, 冷凍の congelado [da], 冷凍にする congelar
冷凍庫 congelador ㊚
れいぼう【冷房】refrigeración ㊛, 冷房する refrigerar, acondicionar el aire
レインコート impermeable ㊚
レース[1]〘服飾〙encaje ㊚
レース[2]〘スポーツ〙carrera ㊛
レール raíl ㊚, carril ㊚
れきし【歴史】historia ㊛
レクリエーション recreo ㊚
レコード[1]〘スポーツ〙récord ㊚
レコード[2] (音盤) disco ㊚
レコードプレーヤー tocadiscos ㊚
レジャー ocio ㊚
レストラン restaurante ㊚
レスリング lucha ㊛
レタス〘植物〙lechuga ㊛
れつ【列】(横列) fila ㊛, (縦列) columna ㊛, 列を作る fórmar cola, 列に並ぶ poner*se* en cola
れっしゃ【列車】tren ㊚
レッテル etiqueta ㊛
れっとう【列島】日本列島 el archipiélago japonés
レポート informe ㊚, trabajo ㊚
レモン〘植物〙limón ㊚
れんあい【恋愛】amor ㊚
れんが【煉瓦】ladrillo ㊚
れんきゅう【連休】días seguidos de descanso, puente ㊚

れんごう【連合】alianza ㊛, 連合する aliar*se* ⇨ こくさい
れんさい【連載】連載する publicar en serie
レンジ horno ㊚ 電子レンジ (horno de) microondas
れんしゅう【練習】práctica ㊛, ejercicio ㊚, (スポーツ) entrenamiento ㊚
練習問題 ejercicios ㊚
レンズ lente ㊛, (カメラの) objetivo ㊚
れんぞく【連続】連続する continuar
レンタカー coche de alquiler
レントゲン レントゲン写真を撮る sacar una radiografía
れんぽう【連邦】federación ㊛
れんめい【連盟】unión ㊛, federación ㊛, liga ㊛
れんらく【連絡】comunicación ㊛, aviso ㊚, contacto ㊚, 〔鉄道〕 empalme ㊚, 連絡する avisar, comunicar, …と連絡をとる poner*se* en contacto con
連絡船 transbordador ㊚, ferry ㊚

ろ

ろ【炉】horno ㊚, 原子炉 reactor nuclear
ろうか[1]【廊下】pasillo ㊚, corredor ㊚
ろうか[2]【老化】老化する envejecer(*se*)
ろうじん【老人】viejo [ja], anciano [na], **老人ホーム** asilo [residencia] de ancianos
ろうそく【蠟燭】vela ㊛
ろうどう【労働】trabajo ㊚, labor ㊛, 労働する trabajar
労働運動 movimiento laboral
労働組合 sindicato ㊚
労働者 trabajador [dora], obrero [ra]
ろうどく【朗読】recitación ㊛, 朗読する recitar, leer en voz alta
ろうひ【浪費】despilfarro ㊚, gasto inútil 浪費する derrochar, malgastar, 時間の浪費 pérdida de tiempo
ろうりょく【労力】esfuerzo ㊚, trabajo ㊚
ロープ cuerda ㊛, cable ㊚
ローマじ【ローマ字】letra latina
ローン préstamo ㊚, ローンで買う comprar a plazos
ろくおん【録音】grabación ㊛, 録音する grabar
ろくが【録画】grabación (magnética) de video, 録画する grabar
ろくがつ【六月】junio ㊚
ロケット cohete ㊚, (装身具) medallón ㊚
ろじ【路地】callejuela ㊛
ロシア 固名 Rusia, ロシアの ruso [sa]
ロッカー armario ㊚, コインロッカー consigna automática
ロッカールーム vestuario ㊚
ろてん[1]【露天】露天風呂 termas [baño térmico] al aire libre
ろてん[2]【露店】puesto ㊚, tenderete ㊚
ロバ【驢馬】〔動物〕burro [rra]
ロビー hall ㊚, vestíbulo ㊚
ろんじる【論じる】hablar, comentar
ろんそう【論争】discusión ㊛, polémica ㊛, 論争する discutir
ろんぶん【論文】tesis ㊛, trabajo ㊚, 卒業論文 tesina ㊛
ろんり【論理】lógica ㊛

わ

わ【輪】(円形) círculo ㊚, (環) anillo ㊚, (車輪) rueda ㊛
ワープロ procesador de textos
ワイシャツ camisa ㊛ ⇨ camisa 図
ワイン vino ㊚, 白ワイン vino blanco, 赤ワイン vino tinto, ロゼ vino rosado, (甘口の) dulce, (辛口の) seco
ワインセラー bodega
わかい【若い】joven, 若さ juventud ㊛
若者 joven ㊚㊛, (集合) juventud ㊛
わがまま【我儘】我儘な egoísta, caprichoso [sa]
わかる【分かる】(理解する) entender, comprender, (知識・情報を得る) saber, enterar*se* de, (経験的に知っている) conocer, (悟る・気づく) ver, dar*se* cuenta de, (納得する) explicar*se*, caer
わかれ【別れ】despedida ㊛, adiós ㊚
別れる despedir*se*, decir adiós a: 二人は駅で別れた Los dos se despidieron en la estación. 彼女は両親に別れの挨拶(あいさつ)をした Ella dijo adiós a sus padres.
わかれる【分かれる】dividir*se*: 彼らは数グループに分かれている Ellos están divididos en grupos.
分かれ目 punto decisivo
わき【脇】lado ㊚, costado ㊚
わく[1]【枠】marco ㊚
わく[2]【沸く】hervir: 湯が沸いている El agua está hirviendo.
わく[3]【湧く】manar, brotar
ワクチン vacuna ㊛
わけ【訳】porqué ㊚, razón ㊛: 私にはその訳がわからない No sé el porqué. / No sé por qué (razón).
わける【分ける】dividir, separar: 彼女はケーキを四つに分けた Ella dividió la tarta en cuatro partes.
わざと a propósito
わざわざ expresamente
ワシ【鷲】〔鳥〕águila ㊛
わずか【僅か】僅かな escaso [sa], poco [ca]: 彼は友人がわずかだ Tiene unos cuan-

tos amigos. 私はわずかばかりの金ならあります Tengo un poco de dinero. わずかな人しかいません Hay poca gente.
わずらわしい【煩わしい】molesto [ta], embarazoso [sa]
わすれる【忘れる】olvidar, olvidar*se* de, (置き忘れる) dejar olvidado [da]
ワタ【綿】〘植物〙 algodón ㊚
わだい【話題】tema ㊚, tópico ㊚
わたくし【私】yo, 私の mi, mío [a], 私に[を] me, 私自身 yo mismo [ma]: 私は学生です Yo soy estudiante. これは私の本です Este es mi libro. 彼は私に本をくれた Me dio un libro. 彼は私をよく知っている Me conoce bien. それをやったのは私だ Yo mismo lo hice. 私にはたやすいことだ Me parece fácil.
わたす【渡す】(手渡す) entregar, pasar: この手紙を彼に渡してください Entréguele esta carta a él.
わたる【渡る】cruzar, pasar: 通りを渡る cruzar una [la] calle, 橋を渡る pasar un [el] puente
わな【罠】trampa ㊛
わびる【詫びる】pedir perdón, disculpar*se* de
わら【藁】paja ㊛
わらい【笑い】risa ㊛, (ほほえみ) sonrisa ㊛, (大笑い) carcajada ㊛
笑顔 cara [rostro] sonriente
笑い声 risa ㊛, **笑い話** chiste ㊚
わらう【笑う】reír, reír*se* de ⇨ reír【参考】: 笑わせないで No me hagas reír. 何を笑っているの? ¿De qué te ríes?
わりあい【割合】proporción ㊛, (比較的) relativamente
わりあてる【割り当てる】asignar, repartir
わりかん【割り勘】割り勘にする pagar entre todos
わりに【割に】彼は年の割に若くみえる Parece más joven de lo que es.
わりびき【割引】descuento ㊚, rebaja ㊛, 割引く hacer un descuento, rebajar: 私どもではただ今20パーセント割引で販売しています Vendemos ahora con un veinte por ciento de descuento.
わる【割る】(壊す) romper, (分割する) dividir, (うすめる) diluir, mezclar con agua, 皿を割る romper un plato, 6割る3は2 Seis dividido por tres son dos.
わるい【悪い】malo [la], (間違っている) equivocado[da], (邪悪な) malvado[da], (不正な) injusto [ta]: 君が悪いんだよ Tú tienes la culpa. お手数かけて悪かったね Perdona que te haya molestado. 洗濯機の具合が悪い La lavadora anda mal.
わるくち【悪口】maledicencia ㊛, murmuración ㊛, …の悪口を言う hablar mal de
われる【割れる】quebrarse, romperse, (分裂する) dividir*se*: 花びんが倒れたが割れなかった El florero se cayó pero no se quebró.
われわれ【我々】nosotros [tras], 我々の nuestro [tra], 我々自身 nosotros mismos
わん【湾】golfo ㊚, bahía ㊛, 湾岸戦争 Guerra del Golfo

を

ーを **1**《動詞の目的語として》私はテレビを見る Veo la televisión. 父は私にカメラを買ってくれた Mi padre me ha comprado una cámara fotográfica. ► 直接目的語が特定の人の場合は前置詞 a を伴う. ⇀ 私は従兄(いとこ)をテレビで見た Vi a mi primo en televisión.
2《前置詞の目的語として》私は神を信じる Creo en Dios. 彼は息子を自慢している Está orgulloso de su hijo.

旅行会話

この『旅行会話』は、日常生活や旅行の際に必要とされる表現のうち、ごく基本的なものだけを場面ごとにまとめたものである。スペイン語の初学者や旅行者が、細かい文法事項や正確な発音にこだわるあまり、「声に出す」のをためらうことのないように、ここでは、文の長さに配慮し、発音のカナ表記をできるだけ簡素化してある。また、辞書部分とは異なる新しい発音表記を導入し、慣れない学習者にも分かりやすい平易な記述を心がけた。

<発音表記の注意点>

①読みやすさを優先し、発音部分をすべてカタカナ表記に統一した。そのため、z / c+i, e / s および r / rr / l の発音に関する細かい区別は、意味を伝えるうえで支障のない範囲で簡略化してある。より正確な発音については、辞書部分もしくは「スペイン語の発音」を参照されたい。

②スペイン語らしい滑らかな発音で読めるように、アクセントのかかる部分は赤の太字で表記し、場合によっては長音記号を入れた。

③ll [ʎ]を持つ語の発音については、辞書部分と同じ「リャ、リュ、リョ」で統一した。厳密に言えば、スペイン語の ll の発音は日本語の「リャ、リュ、リョ、」と異なるが、意思疎通のうえでそれほど大きな妨げにならないものと判断し、ここでは分かりやすさを優先した。なお、この音に関するより正確な記述は、「スペイン語の発音」を参照されたい。

例

Me llamo Ángel García.

辞書部分　メ　**リャ**モ　**ア**ンへる　ガル**し**ア

旅行会話　メ　**リャ**モ　**ア**ンヘル　ガル**シー**ア

Quisiera reconfirmar mi vuelo.

辞書部分　キシ**エ**ラ　レコンフィル**マ**ル　ミ　ブ**エ**ろ

旅行会話　キシ**エ**ラ　レコンフィル**マー**ル　ミ　ブ**エ**ロ

目次

あいさつ

おはよう。／こんにちは。 （朝～昼食時；スペインでは朝～14:00 ごろ）	**Buenos días.** ブエノス　ディアス
こんにちは。 （昼食時～夕食時；スペインでは14:00 ごろ～21:00 ごろ）	**Buenas tardes.** ブエナス　タルデス
こんばんは。／おやすみなさい。 （夕食時～就寝時；スペインでは21:00 ごろ～1:00 ごろ）	**Buenas noches.** ブエナス　ノチェス
やあ、こんにちは。	**¡Hola! Buenos días.** オラ　ブエノス　ディアス
調子はどうですか。	**¿Cómo estás?** コモ　エスタス
調子はどう。	**¿Qué tal?** ケ　タル
元気です。	**Bien, gracias.** ビエン　グラシアス
まあまあです。	**Así, así.** アシー　アシー
さようなら。	**¡Adiós!** アディオス
またね。	**Hasta luego.** アスタ　ルエゴ
また明日。	**Hasta mañana.** アスタ　マニャーナ
またお会いしましょう。	**Hasta la vista.** アスタ　ラ　ビスタ
よいご旅行を。	**¡Buen viaje!** ブエン　ビアヘ
ありがとう。	**Gracias.** グラシアス
どうもありがとう。	**Muchas gracias.** ムチャス　グラシアス

どういたしまして。	**De nada.** デ　ナダ
申し訳ありません。	**Lo siento.** ロ　シエント
ごめんなさい。／ちょっと失礼します。(お詫び、呼びかけなど)	**Perdón.** ペルドン
はい。／いいえ。	**Sí. / No.** シ　ノ
失礼します。	**Con permiso.** コン　ペルミーソ

自己紹介

山田太郎です。	**Me llamo Taro Yamada.** メ　リャモ　タロー　ヤマダ
私は 佐藤花子です。	**Soy Hanako Sato.** ソイ　ハナコ　サトー
日本から来ました。	**Soy de Japón.** ソイ　デ　ハポン
どうぞよろしく。	**Mucho gusto.** ムチョ　グスト

コミュニケーション

分かりません。	**No entiendo.** ノ　エンティエンド
もう一度お願いします。	**Otra vez, por favor.** オトゥラ　ベス　ポル　ファボール
もっとゆっくりお願いします。	**Más despacio, por favor.** マス　デスパシオ　ポル　ファボール
えっ、何ですか。(聞き返すときなど)	**¿Perdón?** ペルドン
OK！	**¡Vale!** バレ

基本表現

ちょっとすみません。(呼びかけ)	**¡Oiga, por favor!** オイガ　ポル　ファボール
これは何ですか。	**¿Qué es esto?** ケ　エス エスト
いくらですか。	**¿Cuánto es?** クアント　エス
～をお願いします。	**～, por favor.** ～　ポル　ファボール
コーヒーをお願いします。	**Un café, por favor.** ウン カフェ　ポル　ファボール
お勘定をお願いします。	**La cuenta, por favor.** ラ　クエンタ　ポル　ファボール
～が欲しいのですが。	**Quiero ～.** キエロ　～
これが欲しいのですが。	**Quiero esto.** キエロ　エスト
お水が欲しいのですが。	**Quiero agua.** キエロ　アグア
～はどこですか。	**¿Dónde está ～?** ドンデ　エスタ ～
プラド美術館はどこですか。	**¿Dónde está el Museo del Prado?** ドンデ　エスタ エル ムセーオ　デル　プラード
トイレはどこですか。	**¿Dónde está el servicio?** ドンデ　エスタ エル セルビシオ
～してもいいですか。	**¿Puedo ～?** プエド　～
タバコを吸ってもいいですか。	**¿Puedo fumar?** プエド　フマール
ここに座ってもいいですか。	**¿Puedo sentarme aquí?** プエド　センタールメ　アキー

～していただけますか。 **¿Podría ～?**
ポドゥリーア ～

手を貸していただけますか。 **¿Podría ayudarme?**
ポドゥリーア アユダールメ

安くしていただけますか。 **¿Podría rebajármelo?**
ポドゥリーア レバハールメロ

～したいのですが。 **Quisiera ～.**
キシエラ ～

何か食べたいのですが。 **Quisiera comer algo.**
キシエラ コメール アルゴ

このホテルに行きたいのですが。 **Quisiera ir a este hotel.**
キシエラ イル ア エステ オテル

～しなければなりません。 **Tengo que ～.**
テンゴ ケ ～

行かなければなりません。 **Tengo que irme.**
テンゴ ケ イルメ

電話をしなければなりません。 **Tengo que llamar por teléfono.**
テンゴ ケ リャマール ポル テレフォノ

乗り物

飛行機

チケットを買う

バルセロナ行きを予約したいのですが。 **Quisiera reservar un asiento para Barcelona.**
キシエラ レセルバール ウン アシエント パラ バルセローナ

10 日の便の空席はありますか。 **¿Hay asientos libres para el día diez?**
アイ アシエントス リブレス パラ エル ディア ディエス

直行便はありますか。 **¿Hay algún vuelo directo?**
アイ アルグン ブエロ ディレクト

予約をキャンセルできますか。 **¿Puedo cancelar mi reserva?**
プエド カンセラール ミ レセルバ

フライトを変更したいのですが。	**Quisiera cambiar el vuelo.** キシエラ　カンビアール エル ブエロ
予約のリコンファームをしたいのですが。	**Quisiera reconfirmar mi vuelo.** キシエラ　レコンフィルマール ミ　ブエロ

空港

イベリア航空のカウンターはどこですか。	**¿Dónde está el mostrador de Iberia?** ドンデ　エスタ エル モストゥラドール デ イベリア
搭乗時間は何時ですか。	**¿Cuál es la hora de embarque?** クアル エス ラ オラ デ エンバルケ
禁煙席〔喫煙席〕をお願いします。	**Un asiento para *no fumadores [fumadores]*, por favor.** ウン アシエント パラ ノ フマドーレス ［フマドーレス］ ポル ファボール
この飛行機は何時に出発〔到着〕しますか。	**¿A qué hora *sale [llega]* este avión?** ア ケ オラ サレ ［リェガ］ エステ アビオン
バルセロナまで時間はどれくらいかかりますか。	**¿Cuánto tiempo se tarda hasta Barcelona?** クアント ティエンポ セ タルダ アスタ バルセローナ
イベリア航空バルセロナ行きの搭乗ゲートはどこですか。	**¿Dónde está la puerta de embarque de Iberia para Barcelona?** ドンデ エスタ ラ プエルタ デ エンバルケ デ イベリア パラ バルセローナ
トイレ〔免税店〕はどこですか。	**¿Dónde está *el servicio [la tienda libre de impuestos]*?** ドンデ エスタ エル セルビシオ ［ラ ティエンダ リブレ デ インプエストス］

機内

座席を代わってもいいですか。	**¿Puedo cambiarme de asiento?** プエド カンビアールメ デ アシエント
日本語の新聞はありますか。	**¿Tiene algún periódico japonés?** ティエネ アルグン ペリオディコ ハポネス
毛布をください。	**Déme una manta, por favor.** デメ ウナ マンタ ポル ファボール
免税品の機内販売はありますか。	**¿Venden articulos libres de impuestos?** ベンデン アルティクロス リブレス デ インプエストス
日本円で払えますか。	**¿Puedo pagar en yenes?** プエド パガール エン イエネス

クレジットカードで払えますか。	**¿Puedo pagar con tarjeta de crédito?** プエド　パガール　コン　タルヘータ　デ　クレディト

入国

入国の目的は観光です。	**El objeto de mi visita es turismo.** エル オブヘート デ ミ　ビシータ エス トゥリスモ
トランジットです。	**Soy un pasajero en tránsito.** ソイ　ウン パサヘーロ　エン トランシト
申告するものはありません。	**No tengo nada que declarar.** ノ　テンゴ　ナダ　ケ　デクララール
身の回りの品々です。	**Son mis efectos personales.** ソン　ミス　エフェクトス ペルソナレス
3週間の滞在予定です。	**Voy a qudarme tres semanas.** ボイ　ア ケダールメ　トゥレス セマーナス.
セントラルホテルに滞在する予定です。	**Voy a quedarme en el Hotel Central.** ボイ　ア ケダールメ　エン エル オテル　セントゥラル
荷物の受け取りはどこですか。	**¿Dónde se puede recoger el equipaje?** ドンデ　セ　プエデ　レコヘール　エル エキパーへ

タクシー

トランクを開けてください。	**¿Podría abrir el maletero?** ポドゥリーア アブリール エル マレテーロ
この住所〔ホテル〕まで行ってください。	***A esta dirección [A este hotel],*** ア エスタ　ディレクシオン　[ア　エステ　オテル] **por favor.** ポル　ファボール
市内を一周してください。	**Una vuelta por la ciudad, por favor.** ウナ　ブエルタ　ポル　ラ　シウダー　ポル　ファボール
ここで止めてください。	**Pare aquí, por favor.** パレ　アキー　ポル　ファボール

バス・地下鉄・列車

チャマルティン駅〔地下鉄の入り口〕はどこですか。	**¿Dónde está *la Estación de Chamartín*** ドンデ　エスタ　ラ　エスタシオン　デ　チャマルティン ***[la boca de metro]?*** [ラ　ボカ　デ　メトゥロ]

旅行会話

バス停〔バスターミナル〕はどこですか。
¿Dónde está *la parada de autobús [la ternimal de autobús]*?
ドンデ エスタ ラ パラーダ デ アウトブス ［ラ テルミナル デ アウトブス］

この電車〔バス／地下鉄〕はどこへ行くのですか。
¿A dónde va este *tren [autobús / metro]*?
ア ドンデ バ エステ トゥレン［アウトブス ／ メトゥロ］

切符売り場〔コインロッカー〕はどこですか。
¿Dónde está *la ventanilla [la consigna automática]*?
ドンデ エスタ ラ ベンタニーリャ ［ラ コンシグナ アウトマティカ］

このバスは何時に出発〔到着〕しますか。
¿A qué hora *sale [llega]* este autobús?
ア ケ オラ サレ ［リェガ］ エステ アウトブス

市内まで時間はどれくらいかかりますか。
¿Cuánto tiempo se tarda hasta el centro?
クアント ティエンポ セ タルダ アスタ エル セントゥロ

チケットを買う

チケットはどこで買えますか。
¿Dónde se puede comprar el billete?
ドンデ セ プエデ コンプラール エル ビリェーテ

ユーレイルパスは使えますか。
¿Se puede usar el Eurorail Pass?
セ プエデ ウサール エル エウロライル パス

１等を２枚お願いします。
Dos billetes de primera clase, por favor.
ドス ビリェーテス デ プリメーラ クラーセ ポル ファボール

パンプローナ行きの切符をお願いします。
Ida a Pamplona, por favor.
イダ ア パンプローナ ポル ファボール

バルセロナまでの往復を１枚お願いします。
Un billete de ida y vuelta a Barcelona, por favor.
ウン ビリェーテ デ イダ イ ブエルタ ア バルセローナ ポル ファボール

マドリードまで１枚いくらですか。
¿Cuánto cuesta un billete para Madrid?
クアント クエスタ ウン ビリェーテ パラ マドゥリー

この切符をキャンセルしたいのですが。
Quisiera cancelar este billete.
キシエラ カンセラール エステ ビリェーテ

地下鉄の回数券はどこで買えますか。
¿Dónde se puede comprar un bono-metro?
ドンデ セ プエデ コンプラール ウン ボノ・メトゥロ

バス

市内行きのバスはどこから出ますか。　**¿Dónde puedo coger el autobús para la ciudad?**
ドンデ　プエド　コヘール　エル　アウトブス　パラ　ラ　シウダー

次の停留所で降りたいのですが。　**Quisiera bajar en la próxima parada.**
キシエラ　バハール　エン　ラ　プロクシマ　パラーダ

地下鉄

モンクロア駅に行くのは何号線ですか。　**¿Cuál es la línea que va a Moncloa?**
クアル　エス　ラ　リネア　ケ　バ　ア　モンクローア

この地下鉄はゴヤ駅に行きますか。　**¿Va este metro a Goya?**
バ　エステ　メトゥロ　ア　ゴヤ

レガスピ方面はこちらですか。　**¿Es ésta la dirección para Legazpi?**
エス　エスタ　ラ　ディレクシオン　パラ　レガスピ

王宮に行くにはどこで降りればいいですか。　**¿Dónde tengo que bajar para ir al Palacio Real?**
ドンデ　テンゴ　ケ　バハール　パラ　イル　アル　パラシオ　レアル

どの駅で乗り換えればいいですか。　**¿En qué estación tengo que cambiar?**
エン　ケ　エスタシオン　テンゴ　ケ　カンビアール

スペイン広場への出口はどちらですか。　**¿Cuál es la salida a la Plaza de España?**
クアル　エス　ラ　サリーダ　ア　ラ　プラーサ　デ　エスパーニャ

列車

マドリード行きのAVEはどのホームから出ますか。　**¿De qué andén sale el AVE para Madrid?**
デ　ケ　アンデン　サレ　エル　アベ　パラ　マドゥリー

この電車はオビエドを通りますか。　**¿Pasa este tren por Oviedo?**
パサ　エステ　トゥレン　ポル　オビエド

この列車はサラマンカに行きますか。　**¿Va este tren a Salamanca?**
バ　エステ　トゥレン　ア　サラマンカ

乗り換えの必要はありますか。　**¿Tengo que hacer transbordo?**
テンゴ　ケ　アセール　トゥランスボルド

ビゴへの接続はありますか。　**¿Hay enlace para Vigo?**
アイ　エンラーセ　パラ　ビーゴ

この切符で途中下車できますか。
¿Se puede hacer escalas con este billete?
セ プエデ アセール エスカーラス コン エステ ビリェーテ

ここに座ってもいいですか。
¿Puedo sentarme aquí?
プエド センタールメ アキー

窓を開けてもいいですか。
¿Puedo abrir la ventanilla?
プエド アブリール ラ ベンタニーリャ

タバコを吸ってもいいですか。
¿Puedo fumar?
プエド フマール

食堂車はありますか。
¿Hay coche restaurante?
アイ コチェ レスタウランテ

今どこですか。
¿Dónde estamos ahora?
ドンデ エスタモス アオラ

マドリードまであとどのくらいで着きますか。
¿Cuánto falta para llegar a Madrid?
クアント ファルタ パラ リェガール ア マドゥリー

トレドに着く前に教えていただけますか。
¿Podría avisarme antes de llegar a Toledo?
ポドゥリーア アビサールメ アンテス デ リェガール ア トレード

ここでは何分間止まりますか。
¿Cuánto tiempo para aquí?
クアント ティエンポ パラ アキー

トラブル

列車〔バス〕に乗り遅れてしまいました。
He perdido *el tren [el autobús]*.
エ ペルディード エル トゥレン［エル アウトブス］

乗り越してしまいました。
Me he pasado de estación.
メ エ パサード デ エスタシオン

切符をなくしました。
He perdido el billete.
エ ペルディード エル ビリェーテ

道をたずねる

観光案内所はどこですか。
¿Dónde está la oficina de turismo?
ドンデ エスタ ラ オフィシーナ デ トゥリスモ

グランビアへはどう行けばいいですか。
¿Cómo se va a la Gran Vía?
コモ セ バ ア ラ グラン ビア

道に迷いました。
Me he perdido.
メ エ ペルディード

近道はどれですか。	**¿Cuál es el camino más corto?** クアル エス エル カミーノ マス コルト
ここから遠い〔近い〕のですか。	**¿Está *lejos [cerca]* de aquí?** エスタ レホス 〔セルカ〕 デ アキー
ここからどのくらいかかりますか。	**¿Cuánto tiempo se tarda de aquí?** クアント ティエンポ セ タルダ デ アキー
歩いていけますか。	**¿Se puede ir andando?** セ プエデ イル アンダンド
地図を書いてください。	**¿Podría dibujarme un mapa?** ポドゥリーア ディブハールメ ウン マパ

両 替

この辺に銀行〔両替所〕はありますか。	**¿Hay *un banco [una oficina de cambio]* por aquí?** アイ ウン バンコ 〔ウナ オフィシーナ デ カンビオ〕 ポル アキー
銀行は何時に開き〔閉まり〕ますか。	**¿A qué hora *abren [cierran]* los bancos?** ア ケ オラ アブレン 〔シエラン〕 ロス バンコス
これをペセタに両替したいのですが。	**Quisiera cambiar esto en pesetas.** キシエラ カンビアール エスト エン ペセータス
トラベラーズチェックは使えますか。	**¿Aceptan cheques de viajero?** アセプタン チェケス デ ビアヘーロ
レートはいくらですか。	**¿A cómo está el cambio?** ア コモ エスタ エル カンビオ
手数料はいくらですか。	**¿Cuánto es la comisión?** クアント エス ラ コミシオン
この紙幣をくずしてくれませんか。	**¿Puede cambiarme este billete en monedas?** プエデ カンビアールメ エステ ビリェーテ エン モネーダス
計算が違ってます。	**La cuenta está mal.** ラ クエンタ エスタ マル
計算書をください。	**Déme el recibo, por favor.** デメ エル レシーボ ポル ファボール

ホテル

いいホテルを紹介していただけませんか。 **¿Puede recomendarme algún hotel bueno?**
プエデ レコメンダールメ アルグン オテル ブエノ

このホテルを予約していただけますか。 **¿Puede reservarme este hotel?**
プエデ レセルバールメ エステ オテル

三ツ星のホテルをお願いします。 **Un hotel de tres estrellas, por favor.**
ウン オテル デ トゥレス エストゥレーリャス ポル ファボール

中心街のホテルがいいのですが。 **Prefiero un hotel céntrico.**
プレフィエロ ウン オテル セントゥリコ

その地域は安全ですか。 **¿No hay peligro en esa zona?**
ノ アイ ペリグロ エン エサ ソナ

空室はありますか。 **¿Hay una habitación libre?**
アイ ウナ アビタシオン リブレ

バス付きのツイン〔シングル／ダブル〕をお願いします。 **Una habitación *de dos camas [individual / doble]* con baño, por favor.**
ウナ アビタシオン デ ドス カマス ［インディビドゥアル／ドブレ］ コン バニョ ポル ファボール

ホテルで

予約してません。 **No tengo reserva.**
ノ テンゴ レセルバ

予約してあります。 **Tengo una reserva.**
テンゴ ウナ レセルバ

チェックインをしたいのですが。 **Quisiera registrarme.**
キシエラ レヒストラールメ

田中と申します。 **Me llamo Tanaka.**
メ リャモ タナカ

3日間滞在します。 **Voy a quedarme tres días.**
ボイ ア ケダールメ トゥレス ディアス

予約金は払ってあります。 **Ya he pagado la reserva.**
ヤ エ パガード ラ レセルバ

チェックアウトは何時ですか。 **¿A qué hora hay que dejar la habitación?**
ア ケ オラ アイ ケ デハール ラ アビタシオン

カードで支払いをしたいのですが。 **Quisiera pagar con tarjeta de crédito.**
キシエラ パガール コン タルヘータ デ クレディト

サービス

朝食付きですか。
¿Está incluido el desayuno?
エスタ インクルイード エル デサユーノ

朝食は何時ですか。
¿A qué hora es el desayuno?
ア ケ オラ エス エル デサユーノ

食堂は何階ですか。
¿En qué piso está el comedor?
エン ケ ピソ エスタ エル コメドール

日本語を話せる人はいませんか。
¿Hay alguien que sepa hablar japonés?
アイ アルギエン ケ セパ アブラール ハポネス

プール〔エステティックサロン〕はいくらくらいで利用できますか。
¿Cuánto va a costar en *la piscina* *[el salón de estética]*?
クアント バ ア コスタール エン ラ ピシーナ
［エル サロン デ エステティカ］

トラベラーズチェックを両替していただけますか。
Quisiera cambiar este cheque de viajero.
キシエラ カンビアール エステ チェケ デ ビアヘーロ

この絵葉書を投函していただけますか。
¿Podría echarme esta postal?
ポドゥリーア エチャールメ エスタ ポスタル

切手を貼っていただけますか。
¿Podría ponerme sellos?
ポドゥリーア ポネールメ セリョス

明日6時にモーニングコールをお願いします。
Llámeme mañana a las seis, por favor.
リャメメ マニャーナ ア ラス セイス ポル ファボール

荷物を3時まで預かっていただけますか。
¿Podría guardarme el equipaje hasta las tres?
ポドゥリーア グアルダールメ エル エキパーヘ アスタ ラス トゥレス

旅行会話

トラブル

お湯が出ません。
No sale agua caliente.
ノ サレ アグア カリエンテ

エアコンの調子が良くないのですが。
El aire condicionado no funciona bien.
エル アイレ コンディシオナード ノ フンシオーナ ビエン

部屋を替えていただけますか。
¿Podría cambiarme de habitación?
ポドゥリーア カンビアールメ デ アビタシオン

部屋にかぎを忘れてしまいました。
He olvidado la llave en la habitación.
エ オルビダード ラ リャベ エン ラ アビタシオン

観 光

日本語のパンフレット〔市街地図〕はありますか。	**¿Tienen *un folleto en japonés* *[un plano de la ciudad]*?** ティエネン ウン フォリエート エン ハポネス ［ウン プラーノ デ ラ シウダー］
バスの路線図をください。	**Déme un plano de las líneas de autobuses, por favor.** デメ ウン プラーノ デ ラス リネアス デ アウトブセス ポル ファボール
ただですか。	**¿Es gratis?** エス グラティス

ツアー

観光ツアーはありますか。	**¿Hay alguna visita turística?** アイ アルグーナ ビシータ トゥリスティカ
どんなツアーがありますか。	**¿Qué tipo de excursiones hay?** ケ ティポ デ エスクルシオネス アイ
半日のコースはありますか。	**¿Hay algún recorrido de medio día?** アイ アルグン レコリード デ メディオ ディア
食事付きですか。	**¿Está incluida la comida?** エスタ インクルイーダ ラ コミーダ
日本語を話せるガイドはいますか。	**¿Tienen un guía que hable japonés?** ティエネン ウン ギア ケ アブレ ハポネス
このツアーに参加したいのですが。	**Quisiera participar en esta visita.** キシエラ パルティシパール エン エスタ ビシータ
一人いくらですか。	**¿Cuánto cuesta por persona?** クアント クエスタ ポル ペルソーナ
どこで観光バスに乗ればいいですか。	**¿Dónde puedo coger el autocar?** ドンデ プエド コヘール エル アウトカール
ホテルまで迎えに来てくれますか。	**¿Me recogen en el hotel?** メ レコヘン エン エル オテル

エンターテインメント

国立劇場では何をやっていますか。	**¿Qué ponen en el Teatro Nacional?** ケ ポネン エン エル テアトゥロ ナシオナル

お芝居〔ロックのライブ／フラメンコ〕を見たいのですが。	Quisiera ver *una obra de teatro [un recital de rock en vivo / el baile flamenco]*. キシエラ ベル ウナ オブラ デ テアトゥロ［ウン レシタル デ ロク エン ビボ ／エル バイレ フラメンコ］
闘牛〔サッカーの試合〕を見たいのですが。	Quisiera ver *la corrida de toros [un partido de fútbol]*. キシエラ ベル ラ コリーダ デ トロス［ウン パルティード デ フトゥボル］
この近くにディスコ〔いいゴルフ場／プール〕はありますか。	¿Hay *alguna discoteca [un buen campo de golf / una piscina]* cerca de aquí? アイ アルグーナ ディスコテーカ［ウン ブエン カンポ デ ゴルフ ／ウナ ピシーナ］ セルカ デ アキー
フラメンコが見られるところを教えてください。	¿Podría recomendarme algún tablao? ポドゥリーア レコメンダールメ アルグン タブラーオ
この時期に闘牛はやっていますか。	¿Hay alguna corrida de toros esta temporada? アイ アルグーナ コリーダ デ トロス エスタ テンポラーダ
何時に開き〔閉まり〕ますか。	¿A qué hora *abren [cierran]*? ア ケ オラ アブレン［シエラン］
何時に始まり〔終わり〕ますか。	¿A qué hora *empieza [termina]*? ア ケ オラ エンピエーサ［テルミーナ］
ショーはどれくらい続きますか。	¿Cuánto dura el espectáculo? クアント ドゥラ エル エスペクタクロ
今日は開いていますか。	¿Está abierto hoy? エスタ アビエルト オイ
割引はありますか。	¿Tienen algún descuento? ティエネン アルグン デスクエント
案内書は売っていますか。	¿Se venden guías? セ ベンデン ギアス
日本語版はありますか。	¿Tienen versión en japonés? ティエネン ベルシオン エン ハポネス

スポーツ

どんなサッカーの試合がありますか。	¿Qué partido de fútbol hay? ケ パルティード デ フトゥボル アイ

今日、レアル・マドリードの試合はありますか。 **¿Juega el Real Madrid hoy?**
フエガ　エル レアル マドリー　オイ

どこと対戦しますか。 **¿Con qué equipo va a jugar?**
コン　ケ　エキーポ　バ ア フガール

ゴルフをしたいのですが。 **Quisiera jugar al golf.**
キシエラ　フガール アル ゴルフ

ゴルフ道具は借りることができますか。 **¿Puedo alquilar el juego de golf?**
プエド　アルキラール エル フエゴ　デ　ゴルフ

地中海で海水浴をしたいのですが。 **Quisiera visitar alguna playa del Mediterráneo.**
キシエラ　ビシタール アルグーナ プラーヤ デル メディテラネオ

ダイビングはできますか。 **¿Se puede bucear?**
セ プエデ　ブセアール

チケットを買う

チケットはどこで買えますか。 **¿Dónde puedo comprar las entradas?**
ドンデ　プエド　コンプラール　ラス　エントゥラーダス

チケットはいくらですか。 **¿Cuánto cuesta una entrada?**
クアント　クエスタ　ウナ　エントゥラーダ

チケットを３枚お願いします。 **Tres entradas, por favor.**
トゥレス エントゥラーダス ポル ファボール

チケットを２枚とっていただけますか。 **¿Podría conseguirme dos entradas?**
ポドゥリーア コンセギールメ　ドス　エントゥラーダス

一番いい席はいくらですか。 **¿Cuánto cuesta la localidad mejor?**
クアント　クエスタ　ラ　ロカリダー　メホール

予約の必要はありますか。 **¿Hay que hacer la reserva?**
アイ　ケ　アセール　ラ　レセルバ

前売り券はありますか。 **¿Hay entradas de venta anticipada?**
アイ　エントゥラーダス デ ベンタ　アンティシパーダ

当日券はありますか。 **¿Tienen entradas para hoy?**
ティエネン　エントゥラーダス パラ オイ

今夜のチケットはまだありますか。 **¿Todavía quedan entradas para esta noche?**
トダビーア　ケダン　エントゥラーダス パラ　エスタ ノチェ

旅行会話

写真を撮る

写真を撮ってもいいですか。	**¿Se puede sacar fotos?** セ　プエデ　サカール　フォトス
私の写真を撮っていただけますか。	**¿Podría sacarme una foto?** ポドゥリーア　サカールメ　ウナ　フォト
あなたの写真を写してもいいですか。	**¿Le puedo sacar una foto?** レ　プエド　サカール　ウナ　フォト
一緒に写真を撮っていただけませんか。	**¿Podría hacerse una foto conmigo?** ポドゥリーア　アセールセ　ウナ　フォト　コンミーゴ

旅行会話

食　事

スペインの名物料理〔何か軽いもの〕を食べたいのですが。	**Quisiera comer *algo típico de España*** キシエラ　コメール　アルゴ　ティピコ　デ　エスパーニャ ***[algo ligero].*** ［アルゴ　リヘーロ］
いいレストランはありますか。	**¿Hay algún restaurante bueno?** アイ　アルグン　レスタウランテ　ブエノ
ここの名物料理の一番いい店を教えてください。	**¿Puede recomendarme el mejor** プエデ　レコメンダールメ　エル　メホール **restaurante de cocina local?** レスタウランテ　デ　コシーナ　ロカル
一人いくらくらいかかりますか。	**¿Cuánto va a costar por persona?** クアント　バ　ア　コスタール　ポル　ペルソーナ
予約したいのですが。	**Quisiera hacer una reserva.** キシエラ　アセール　ウナ　レセルバ
予約していただけますか。	**¿Podría hacerme una reserva?** ポドゥリーア　アセールメ　ウナ　レセルバ
今夜の９時にお願いします。	**A las nueve de la noche, por favor.** ア　ラス　ヌエベ　デ　ラ　ノチェ　ポル　ファボール
４人でお願いします。	**Para cuatro personas, por favor.** パラ　クアトゥロ　ペルソーナス　ポル　ファボール
テラス席〔禁煙席〕をお願いします。	**Una mesa *en la terraza*** ウナ　メサ　エン　ラ　テラーサ ***[para no fumadores]*, por favor.** ［パラ　ノ　フマドーレス］　ポル　ファボール

レストランで

9時に予約してあります。	**He reservado a las nueve.** エ レセルバード ア ラス ヌエベ
ボーイさん、お願いします。	**¡Camarero, por favor!** カマレーロ ポル ファボール
メニューをお願いします。	**La carta, por favor.** ラ カルタ ポル ファボール
日本語のメニュー〔ハウスワイン〕はありますか。	**¿Tienen *una carta en japonés* *[vino de la casa]*?** ティエネン ウナ カルタ エン ハポネス [ビノ デ ラ カサ]
これ〔パン〕をください。	***Esto [Un poco de pan]*, por favor.** エスト [ウン ポコ デ パン] ポル ファボール
ワインは何がありますか。	**¿Qué clase de vino tienen?** ケ クラーセ デ ビノ ティエネン
お勧めは何ですか。	**¿Qué plato me recomienda?** ケ プラート メ レコミエンダ
自慢料理は何ですか。	**¿Cuál es la especialidad de la casa?** クアル エス ラ エスペシアリダー デ ラ カサ
定食〔あれと同じ料理／飲み物のメニュー〕を持ってきてください。	**Tráigame *el menú del día [aquel mismo plato / una carta de bebidas]*.** トゥライガメ エル メヌー デル ディア [アケール ミスモ プラート／ ウナ カルタ デ ベビーダス]
どうやって食べるのですか。	**¿Cómo se come esto?** コモ セ コメ エスト
ミディアム〔レア／ウェルダン〕に焼いてください。	***Medio [Poco / Bien]* hecho, por favor.** メディオ [ポコ ／ビエン] エチョ ポル ファボール
塩を取ってください。	**Páseme la sal, por favor.** パセメ ラ サル ポル ファボール
とてもおいしいです。	**Está muy bueno.** エスタ ムイ ブエノ
火が通っていません。	**Está crudo.** エスタ クルード
これは注文していません。	**No he pedido esto.** ノ エ ペディード エスト

取り替えていただけますか。	**¿Podría cambiar?** ポドゥリーア カンビアール
乾杯！	**¡Salud!** サルー
お勘定をお願いします。	**La cuenta, por favor.** ラ クエンタ ポル ファボール
一人一人払いたいのですが。	**Quisiéramos pagar por separado.** キシエラモス パガール ポル セパラード
サービス料は込みですか。	**¿Está incluido el servicio?** エスタ インクルイード エル セルビシオ
合計金額が違うようですが。	**¿Está bien la suma total?** エスタ ビエン ラ スマ トタル
領収書をください。	**Déme el recibo, por favor.** デメ エル レシーボ ポル ファボール

ショッピング

この辺にショッピングセンター〔デパート〕はありますか。	**¿Hay *algún centro comercial [algunos grandes almacenes]*, por aquí?** アイ アルグン セントゥロ コメルシアル ［アルグーノス グランデス アルマセネス］ ポル アキー
フィルム〔ファッション雑誌〕はありますか。	**¿Tienen *carretes [revistas de moda]*?** ティエネン カレーテス ［レビスタス デ モダ］
お土産を探しています。	**Estoy buscando regalos.** エストイ ブスカンド レガーロス
この地方の特産品は何ですか。	**¿Cuáles son los artículos típicos de esta región?** クアレス ソン ロス アルティクロス ティピコス デ エスタ レヒオン
化粧品はどこにありますか。	**¿Dónde se puede comprar cosméticos?** ドンデ セ プエデ コンプラール コスメティコス
バッグ〔ネクタイ〕を買いたいのですが。	**Quisiera comprar *un bolso [una corbata]*.** キシエラ コンプラール ウン ボルソ ［ウナ コルバータ］
他のを見せてください。	**Enséñeme otro, por favor.** エンセーニェメ オトゥロ ポル ファボール

もっと安い〔小さい〕のはありませんか。	**¿No tiene otro más *barato [pequeño]*?** ノ ティエネ オトゥロ マス バラート ［ペケーニョ］
他の色のはありませんか。	**¿Hay de otros colores?** アイ デ オトゥロス コローレス
試着してもいいですか。	**¿Puedo probármelo?** プエド プロバールメロ
私には合いません。	**No me queda bien.** ノ メ ケダ ビエン
それを見せてください。	**Quisiera ver eso.** キシエラ ベル エソ
これにします。	**Me quedo con esto.** メ ケド コン エスト
別々に包んでいただけますか。	**¿Pueden envolvérmelos aparte?** プエデン エンボルベールメロス アパルテ
航空便〔船便〕で送っていただけますか。	**¿Podría enviármelo por *avión [barco]*?** ポドゥリーア エンビアールメロ ポル アビオン ［バルコ］
値引きしていただけますか。	**¿Pueden rebajármelo?** プエデン レバハールメロ
レジはどこですか。	**¿Dónde está la caja?** ドンデ エスタ ラ カハ
いくらですか。	**¿Cuánto es?** クアント エス
円〔ドル／クレジットカード〕で支払えますか。	**¿Puedo pagar *en yenes [en dólares / con tarjeta de crédito]*?** プエド パガール エン イエネス ［エン ドラレス ／ コン タルヘータ デ クレディト］
袋〔領収書〕をください。	**Déme *una bolsa [el recibo]*, por favor.** デメ ウナ ボルサ ［エル レシーボ］ ポル ファボール
計算が違っているようです。	**La cuenta no está bien.** ラ クエンタ ノ エスタ ビエン
見てるだけです。	**Sólo estoy mirando.** ソロ エストイ ミランド
これを取り替えたい〔返品したい〕のですが。	**Quisiera *cambiar [devolver]* esto.** キシエラ カンビアール ［デボルベール］ エスト

電話

もしもし。(かけるとき)	**¡Oiga!** オイガ
もしもし。(受けるとき)	**¡Dígame!** ディガメ
こちらは鈴木です。	**Habla Suzuki.** アブラ　スズキ
マルティネスさんをお願いします。	**El señor Martínez, por favor.** エル セニョール マルティーネス ポル ファボール
どちら様ですか。	**¿De parte de quién?** デ　パルテ　デ　キエン
ごめんなさい、間違えました。	**Perdone, me he equivocado.** ペルドーネ　メ　エ　エキボカード
よく聞こえません。	**No le oigo bien.** ノ　レ　オイゴ　ビエン
もっとゆっくり〔大きな声で〕話してください。	**Más *despacio [alto]*, por favor.** マス　デスパシオ　［アルト］　ポル　ファボール

電話、ファックス、Eメール

この辺に公衆電話はありますか。	**¿Hay algún teléfono público por aquí?** アイ　アルグン　テレフォノ　プブリコ　ポル　アキー
日本に直接電話をかけたいのですが。	**Quisiera llamar directamente a Japón.** キシエラ　リャマール ディレクタメンテ　ア ハポン
コレクトコールをお願いしたいのですが。	**Quisiera poner una conferencia a cobro revertido.** キシエラ　ポネール　ウナ　コンフェレンシア　ア コブロ　レベルティード
ファックスを送りたいのですが。	**Quisiera enviar un fax.** キシエラ　エンビアール ウン ファクス
Eメールを送りたいのですが。	**Quisiera enviar un mensaje por correo electrónico.** キシエラ　エンビアール ウン メンサーヘ　ポル　コレーオ　エレクトゥロニコ

電話番号は何番ですか。	**¿Cuál es su número de teléfono?** クアル エス ス ヌメロ デ テレフォノ
電話の使い方を教えてください。	**¿Cómo se usa este teléfono?** コモ セ ウサ エステ テレフォノ
電話をお借りできますか。	**¿Podría usar el teléfono?** ポドゥリーア ウサール エル テレフォノ

郵便

郵便局はどこですか。	**¿Dónde está Correos?** ドンデ エスタ コレーオス
この辺にポストはありますか。	**¿Hay algún buzón por aquí?** アイ アルグン ブソン ポル アキー
これを航空便で日本に送りたいのですが。	**Quisiera enviar esto a Japón por avión.** キシエラ エンビアール エスト ア ハポン ポル アビオン
どのくらいの日数がかかりますか。	**¿Cuánto tiempo tarda?** クアント ティエンポ タルダ
船便ではいくらですか。	**¿Cuánto cuesta por barco?** クアント クエスタ ポル バルコ
全部でいくらですか。	**¿Cuánto es en total?** クアント エス エン トタル
切手はどこで売っていますか。	**¿Dónde venden sellos?** ドンデ ベンデン セリョス
100ペセタ切手を3枚ください。	**Tres sellos de cien pesetas, por favor.** トゥレス セリョス デ シエン ペセータス ポル ファボール
はがきを2枚ください。	**Dos tarjetas postales, por favor.** ドス タルヘータス ポスタレス ポル ファボール
速達でお願いします。	**Por correo urgente, por favor.** ポル コレーオ ウルヘンテ ポル ファボール
航空便〔船便〕でお願いします。	**Por *avión [barco]*, por favor.** ポル アビオン 〔バルコ〕 ポル ファボール

病気

気分がよくありません。	**Me siento mal.** メ シエント マル
頭〔胃〕が痛いのですが。	**Tengo dolor de *cabeza [estómago]*.** テンゴ ドロール デ カベーサ ［エストマゴ］
病院へ連れていってください。	**Lléveme al hospital, por favor.** リェベメ アル オスピタル ポル ファボール
救急車を呼んでください。	**Llame una ambulancia, por favor.** リャメ ウナ アンブランシア ポル ファボール
薬局はどこですか。	**¿Dónde hay una farmacia?** ドンデ アイ ウナ ファルマシア
二日酔いの薬をください。	**Una medicina para la resaca, por favor.** ウナ メディシーナ パラ ラ レサーカ ポル ファボール

病院で

日本語の話せる医者はいますか。	**¿Hay algún médico que hable japonés?** アイ アルグン メディコ ケ アブレ ハポネス
どのくらいで治りますか。	**¿Cuánto tiempo tardará en curarme?** クアント ティエンポ タルダラ エン クラールメ
診断書をください。	**Quisiera un certificado médico.** キシエラ ウン セルティフィカード メディコ
処方箋を書いてください。	**Déme una receta, por favor.** デメ ウナ レセータ ポル ファボール

症状の説明

身体がだるいのですが。	**Me encuentro débil.** メ エンクエントゥロ デビル
熱があります。	**Tengo fiebre.** テンゴ フィエブレ
寒気がします。	**Tengo escalofrío.** テンゴ エスカロフリーオ
下痢をしています。	**Tengo diarrea.** テンゴ ディアレーア

怪我をしました。	**Tengo una herida.** テンゴ ウナ エリーダ
風邪をひきました。	**He cogido un resfriado.** エ コヒード ウン レスフリアード
よくなりました。	**Me encuentro mejor.** メ エンクエントゥロ メホール

トラブル

助けて。	**¡Socorro!** ソコーロ
どろぼう。	**¡Al ladrón!** アル ラドロン
火事だ。	**¡Fuego!** フエゴ
パスポートをなくしました。	**He perdido el pasaporte.** エ ペルディード エル パサポルテ
タクシーの中にバッグを忘れました。	**He olvidado mi bolso en el taxi.** エ オルビダード ミ ボルソ エン エル タクシ
財布を盗られました。	**Me han robado la cartera.** メ アン ロバード ラ カルテーラ
最寄の警察署に行きたいのですが。	**Quisiera ir a la comisaría más cercana.** キシエラ イル ア ラ コミサリーア マス セルカーナ
警察を呼んでください。	**Llame a la policía.** リャメ ア ラ ポリシーア
トラベラーズチェックを再発行していただけますか。	**¿Pueden reexpedirme los cheques de viajero?** プエデン レエクスペディールメ ロス チェケス デ ビアヘーロ
クレジットカードを無効にしてください。	**Anule la tarjeta de crédito.** アヌーレ ラ タルヘータ デ クレディト
紛失証明書を出してください。	**¿Puede escribirme un certificado de pérdida, por favor?** プエデ エスクリビールメ ウン セルティフィカード デ ペルディダ ポル ファボール

文法用語の解説

この辞典の本文では，専門的な文法用語を用いるのをできるだけ避けて，平易な分かりやすい記述になるように努めている．そのため英語などで耳慣れている一般的な文法用語を一貫して用いているが，同じ用語でも言語によってズレがあるのは当然である．また記述を簡素化し的確にするため，一部専門用語に頼らざるを得なかったことも事実である．以下のページでは本辞典で使われている用語を中心に，本文の理解に役立つと思われる項目をピックアップして，主に用法の面から簡単な解説を加えることにした．（項目の配列は五十音順）

意味上の主語 (complemento directo e indirecto en función de sujeto)
文法上の主語でなく文中の不定詞，現在分詞などの意味上の主語となる名詞・代名詞をいう．この辞典では《間接目的語が意味上の主語となって》のように記述されている．たとえば，
Me gusta cantar. 私は歌うのが好きだ．
の文における cantar の意味上の主語は me で表される「私」である．他に，
Me mandó ir por tabaco. 私はタバコを買いに行かされた（►間接目的語 me が ir の意味上の主語）．
Lo vi paseando con su mujer. 彼が奥さんと散歩をしているのを私は見た（►直接目的語 lo が pasear の意味上の主語．⇨補語）．
などがある．

受け身文 (oración o construcción pasiva)
受動態は「主語 + ser + 過去分詞 + por + 動作主」で表される．
El nuevo edificio del Ayuntamiento *fue inaugurado por* el Alcalde. 新市庁舎は市長によって除幕式が行われた．
しかしそれよりも (1)「se + 3人称単数・複数動詞」で表される受け身文（再帰受動態ともいう）と (2) 3人称複数動詞を用いた非人称文の方が多く用いられる．
（se を用いた受け身文） Por fin, después de ocho años, *se ha inaugurado* el nuevo edificio del Ayuntamiento.
（非人称文） Por fin, después de ocho años, *han inaugurado* el nuevo edificio del Ayuntamiento.
8年かかってついに新庁舎がオープンした．
もう一つの受け身文「主語 + estar + 過去分詞」は，完了した行為の結果・状態を表す．
Ya *está inaugurado* el nuevo edificio del Ayuntamiento. 新庁舎はすでにオープンしている．

迂言(うげん)的用法 (perífrasis verbal)
複合時制，進行形，ser や estar を用いた受け身文もこの用法に含まれるが，一般に助動詞（特に動詞本来の意味から離れて文法的に助動詞と同じ働きをする動詞）と不定詞・現在分詞・過去分詞との組み合わせで用いられるさまざまな動詞句のことをいう．この用法で用いられる動詞は助動詞と動詞の中間的性格を持ち，法（modalidad）と相（aspecto）の点で多様なニュアンスを生み出す．
Juan *acaba de salir*. フアンは今出かけたところです．
¿Cuántos años *llevas estudiando* español? 君は何年スペイン語を勉強していますか．
Ya *tengo leídos* cinco libros. もう私は5冊読んでしまった．

過去分詞 (participio)
形容詞の働きを持つので複合時制を作る時以外は性・数変化をする．**⇨複合時制**
Sus palabras me dejaron *sorprendido*. 私は彼の言葉に驚いた．

文法解説

Los alumnos están *callados*. 生徒たちは黙っている.
castañas *asadas* 焼き栗(くり).
según los datos *facilitados* por el Ministerio de Trabajo 労働省から提供された資料によれば.
El propio Presidente en las declaraciones *realizadas* esta mañana dijo ... 大統領自身，けさの声明の中で次のように述べた….
冠詞を付けて名詞化する.
Llevaron a los *heridos* al hospital. 怪我(けが)人は病院へ運ばれた. …
過去分詞構文を作る.
Estaba leyendo *sentada* a la sombra. 彼女は日陰に座って読書していた.
Terminada la clase, salió corriendo. 授業が終わると彼は急いで教室を出た.
Bien *mirado*, ese tipo no es tan malo. 考えてみれば彼ってそれほど悪くないわ.

数えられる名詞，可算名詞 (nombre contable) ⇨**名詞**

関係節 (proposición u oración de relativo)
関係代名詞・関係副詞によって導かれる節を指していう.
制限的用法 (especificativa) と非制限的用法 (explicativa) がある. 前者は先行詞の意味範囲を限定する. 後者は先行詞に対して付加的な説明をするだけで省略しても文意に変化は生じず，書く時はふつう節の前後にコンマが置かれる.
Tengo una pequeña ganadería de toros bravos en una finca *que* tengo en las afueras de Talavera. タラベラの町の近郊に持っている牧場で，私は闘牛用の牛を数頭育てている.
En mi finca “La Temprana”, *que* está en las afueras de Talavera, tengo una pequeña ganadería de toros bravos. 私の牧場のラ・テンプラナはタラベラの町の近郊にあるが，そこで私は闘牛用の牛を数頭育てている.
cuyo については本文を参照のこと.

関係代名詞 (pronombre relativo)
先行詞に当たる名詞・代名詞の代わりをし，前の文と後の文を繋(つな)ぐ働きをする. 無変化の que, 数変化をする quien, quienes, 性・数変化をする el [la, lo, los, las] que, el [la, lo] cual, los [las] cuales がある. 個々の関係代名詞については本文を参照のこと.
No he visto el cuadro. ＋ (Tú) pintaste *el cuadro*. ➡ No he visto el cuadro *que* pintaste. 私は君が描いた絵をまだ見ていない.
先行詞を伴う場合と伴わない場合(関係代名詞の独立用法)とがある. また前出の文全体が先行詞になる場合がある.

1 先行詞を伴う場合.
上記の例文を参照.

2 先行詞を伴わない場合.
Quien ha dicho esto es tu tío. こう言ったのは君の叔父さんだ.
Haz *lo que* te digo. 君は私の言うとおりにしなさい.

3 先行詞が文全体を指す場合.
No ha llovido nada en los últimos meses, por *lo que* son más frecuentes las restricciones de agua. ここ数か月全く雨が降っていないので，給水制限が前にもまして頻繁になった.

注意を要するのは前置詞を伴う場合である. 英語と違って前置詞は必ず関係代名詞の前に付く. どういう前置詞が付くかは関係節内の動詞の性質による.
El amigo *con quien* fui a España vive ahora en Nueva York (＝Fui a España *con* un amigo. Ese amigo vive ahora en Nueva York). 私がスペインへ一緒に行った友人は今ニューヨークに住んでいる.
El coche *en que* viajaba el ministro con su familia chocó con un camión (＝El ministro viajaba con su familia *en* un coche. El coche chocó

con un camión). 大臣が家族と乗っていた車はトラックと衝突した.

関係副詞 (adverbio relativo)

場所を示す donde, 時を示す cuando, 方法・様態を示す como がある. 個々の関係副詞については本文を参照のこと.

関係副詞を使わずに関係代名詞で言い換えることがある.

La casa *donde* [*en que*] vivíamos era más grande. 私たちが以前住んでいた家はもっと大きかった.

cuando は制限的用法では en que または que が用いられる.

Pensé que había llegado el momento *en que* no tenía más remedio que decírselo. 私は彼にどうしてもそのことを言わなければならない時がきたと思った.

como は先行詞と共に用いられることが少ない.

冠詞 (artículo)

限定詞の一つで定冠詞 (art. definido o determinado) と不定冠詞 (art. indefinido o indeterminado) があり, それぞれ性・数変化をする. 個々の冠詞の用法については本文 el, un および中性定冠詞 (art. neutro) の lo を参照のこと.

un, una, unos, unas を不定冠詞とせずに数形容詞, 不定形容詞と見る考え方もある.

次のような場合には冠詞を付けないのがふつうである.

1 固有名詞(►冠詞を伴う場合については, 本文 el および los《男性複数定冠詞の特別な用法》を参照).

2 プラカード, 標示板, 商品の名札など(►本のタイトル, 新聞の見出しなどで冠詞を付けない場合がある).

3 主格補語として身分・職業・国籍を表すとき.

Lola es profesora de español. ロラはスペイン語の先生だ.

4 前置詞+名詞で材料や方法, 手段などを表したり, その他慣用表現で.

ir en tren 電車で行く. andar sin prisas ゆっくり歩く.

5 不定的な意味を持つ直接目的語で.

No tengo hermanos. 私には兄弟がいない.

Manuela tiene mucha paciencia. マヌエラは忍耐強い人だ.

¿Tienes bolígrafo? 君, ボールペンを持っていない?

6 対句的に全体で一つのセットと考えられるとき.

Mayores, jóvenes y niños, todos fueron a la feria. 老いも若きも子供も皆, 祭りに行った.

7 呼びかけや感嘆文で.

Oiga, señor. もしもし.

¡Pobre chico! かわいそうなやつだ.

8 同格の名詞句で.

el castellano, idioma oficial de España ... スペイン国の公用語であるカスティーリャ語….

間接目的語 (complemento indirecto)

他動詞だけでなく自動詞や se を伴う動詞にも付いて, 与奪, 利害, 関与の意味を表す動詞の補語のことをいう(この辞典では便宜的に間接目的語という用語で統一しているが, いわゆる「…に」と訳される「主語+他動詞+間接目的語+直接目的語」の構文以外にも使われるので, 厳密には間接補語と呼ぶ).

Al final de la actuación *le* entregaron un ramo de flores *al actor*. 終演後, その俳優に花束が贈られた(►弱形代名詞を重複して用いると, 後から表現される前置詞 a +名詞の間接目的語が強調される). ⇨弱形代名詞

Me quitaron el pasaporte. 彼らは私からパスポートを奪った.

Me conviene que vengas. 私にとっては君が来てくれた方が都合がいい.

Se *me* ocurrió una buena idea. 私にいい考えが浮かんだ.

Se *me* murió el perro. 私は愛犬に死なれた.

文法解説

弱形代名詞があるときは所有形容詞を使わない．「…の」の意味は間接目的語の弱形代名詞によって表される．

Le sacaron una foto. 彼らは彼の写真を一枚撮った．

Me lavo las manos. 私は手を洗う．

Le duele el estómago. 彼は胃が痛む．

前置詞 a ＋名詞・代名詞と弱形代名詞との関係：

1 前置詞 a ＋名詞の間接目的語が動詞より前に出ると，弱形代名詞が重複して用いられる．

Al actor le entregaron un ramo de flores. その俳優に花束が贈られた．

2 前置詞 a ＋代名詞は単独で用いられることがない．その代わりに弱形代名詞を用いるか，弱形代名詞と重複して用いる．

Entréga*selo a él*. 彼にそれを渡しなさい．

¡*A ti* qué *te* importa! 君にそれがどうだっていうんだ．

弱形代名詞の間接目的語，直接目的語の語順については本文 me の【文法】を参照のこと．

完了時制 (tiempo perfectivo)

直説法点過去形と複合時制を合わせて完了時制という．⇨**複合時制**

疑問詞 (interrogativo)

疑問詞には疑問形容詞 qué, cuánto(s) / cuánta(s) と疑問代名詞 qué, cuál(es), quién(es), cuánto(s) / cuánta(s), 疑問副詞 cómo, cuándo, dónde がある．疑問形容詞＋名詞，前置詞＋疑問代名詞，前置詞＋疑問副詞などがある．

¿*Quién* ha venido? 誰が来たのですか．

¿*Cuánto* cuesta? いくらですか．

¿*Qué* quieres? 何が欲しいか．

¿*Dónde* vive? どこに住んでいるの？

¿*Cuántas* veces has visto esa película? その映画は何回見ましたか．

¿A *qué* hora empieza el cine? 映画は何時に始まりますか．

¿Con *quién* fuiste al partido? 誰といっしょに試合に行ったの？

¿Por *qué* te has enfadado? なぜ怒ったのか．

¿De *dónde* es esa muchacha? その子はどこの出身ですか．

¿Desde *cuándo* no lo has visto? いつから彼に会っていないの？

疑問詞は疑問文・感嘆文を作る．同様に間接疑問文・感嘆文を導くのにも用いられる．

疑問詞と関係詞，接続詞は非常に近い関係にあって紛らわしいが，ふつう疑問詞の場合は強勢(書くときはアクセント符号)が置かれる．

No tiene a *quién* agarrarse.
No tiene a *quien* agarrarse. 彼は頼る人がいない．

No tienen en *dónde* pasar la noche.
No tienen en *donde* pasar la noche. 彼らは今晩泊まる所がない．

Avísame *cuándo* vas a llegar. いつ着くのか知らせなさい．

Avísame *cuando* llegues. 着いたら知らせなさい．

形容詞 (adjetivo)

品質形容詞(adjetivo calificativo)と限定形容詞(adjetivo determinativo ⇨限定詞)とがある．品質形容詞はふつう名詞の後，限定形容詞は名詞の前に付ける．

las casas *andaluzas* アンダルシア地方の家．

un chico *alto* y *rubio* 背が高く金髪の青年．

todos los asistentes 出席者全員．

品質形容詞が名詞の前に付くと意味が変わる場合がある(個々の形容詞の用法と意味については本文を参照のこと)．

Felipe se ha comprado un *gran* piso. フェリペは立派なマンションを買っ

た.

形容詞は名詞に合わせて性・数一致をする．性の異なる2つ以上の名詞がある場合の形容詞は，男性複数形となる．ただし，いちばん近い方の名詞に合わせて性・数一致することがしばしばある．

En esa librería venden libros y revistas *españoles* [*españolas*]. その本屋でスペインの本と雑誌を売っている．

不規則形の比較級 mayor, menor, mejor, peor を除いて，比較級(comparativo)は「más•menos ＋形容詞の原級」で作る．最上級(superlativo)は「定冠詞・所有形容詞＋比較級」で作る．なお，この形の最上級(相対最上級 superlativo relativo と呼ぶ)に対して，絶対最上級(superlativo absoluto)と呼ばれ，他と比較せずに程度が最高であることを示す最上級がある．

1 接尾辞 -ísimo によるもの：
cansadísimo (＝muy cansado) とても疲れた．
fidelísimo (＝muy fiel) とても忠実な．

2 muy, sumamente などの副詞を伴って：
sumamente importante 最重要な．

3 接頭辞 super-, requete- などによるもの：
superguapo とてもハンサムな．requetebueno とても良い．

比較構文については本文の más, menos, tanto を，複数形・女性形の作り方については「名詞」の項を参照のこと．

現在分詞 (gerundio)

現在分詞は進行形(estar ＋ 現在分詞)や，現在分詞構文，副詞的または迂言(うげん)的用法で使われる．

Estoy *leyendo* una novela. 私は今小説を読んでいる．
Se vestía *tarareando*. 彼は鼻歌を歌いながら服を着替えていた．
Una chica vino *preguntando* por ti. 若い女の子が君を尋ねて来たよ．
El ruido iba *creciendo*. 音がだんだん大きくなっていった．
Hacía mucho tiempo que el médico le venía *diciendo* que tuviera cuidado con el alcohol. ずっと前から酒には注意するようにと彼は医者から言われてきたのに．
Diciendo esto, se marchó. 彼はこう言って出て行った．

また形容詞的に用いられることもある．

agua *hirviendo* (＝agua que está *hirviendo*) 熱湯．
He visto a Carlos *cruzando* la calle solo (＝que *cruzaba* la calle solo). カルロスがひとりで道路を渡っているのを見たよ．

複合形の現在分詞「habiendo ＋ 過去分詞」は，主動詞より以前に完了している行為・状態を表す．

限定詞，限定語 (determinante)

冠詞，所有形容詞，指示形容詞，疑問形容詞，不定形容詞 (algún, cualquier, mucho, todo など)，数詞を指す．

合成語 (palabra compuesta)

二つ以上の語が結合して別の新しい一つの単語になったものをいう．複合語ともいう．名詞 (sacar＋corchos ➡ sacacorchos「コルク栓抜き」)，形容詞 (agrio＋dulce ➡ agridulce「甘酸っぱい」)，副詞 (tan＋bien ➡ también「…もまた…」)，接続詞 (por＋que ➡ porque「なぜなら…」)など．

なお表記上は一語にならないが，ハイフンで結ばれたり，2語以上の単語に分かち書きされたりする場合がある．

franco-español フランス・スペイン二国間の．
coche patrulla パトカー．

〔注1〕ハイフンでつながれた形容詞は最後の形容詞が名詞と性・数一致をする．⇒ acuerdos franco-españoles フランス・スペイン間の諸合意．

〔注2〕並列する二つの名詞の複数形は，ふつう主たる意味を担う方の名詞が

複数になる. ⇒ cinco coches patrulla 5台のパトカー.

後置形 (forma pospuesta)
前置形に対する語で, 主に強勢を伴う所有形容詞のことを指す. mío, tuyo, suyo, nuestro, vuestro とそれぞれの女性形および複数形がある.

語尾消失形 (forma apocopada)
primero の o が脱落して primer, grande の de が脱落して gran になるように, 単語の語尾音・音節が脱落 (apócopeという) した形.

再帰代名詞 (pronombre reflexivo)
主語と人称・数が一致する直接目的語または間接目的語の代名詞のことをいう. me, te, se, nos, os と前置詞と共に用いられる sí がある.

再帰動詞 (verbo reflexivo)
再帰代名詞を伴う動詞を再帰動詞という. 再帰文(主語の動作が主語自体に及ぶ文)を作る. ⇨**代名動詞**

(Yo) *Me levanto* a las seis. 私は6時に起きる.
(Yo) *Me lavo* las manos. 私は手を洗う.

指示形容詞 (adjetivo demostrativo)
限定詞の一つ. 本文 este² の【文法】を参照のこと.

弱形代名詞 (pronombre átono)
無強勢で単独では使われず, 必ず動詞と共に用いられる人称代名詞のことをいう. 直接目的語となる me, te, lo [le], la, nos, os, los, las, 間接目的語となる me, te, le, se, nos, os, les, 再帰文などを作る me, te, se, nos, os, 主格補語となる lo とがある. ⇨**人称代名詞**
弱形代名詞は動詞・助動詞の直前に置かれる. 発音する場合には他の無強勢の語と同様一つ一つ切り離さずに, 一つの音声グループとして一続きに発音しなければならない.

Se lo dije a mi padre [seloðíxe…]. 私はそのことを父に伝えた.
Se me olvidó echar la carta [semeolβiðó…]. 私は手紙を出すのを忘れた.

弱形代名詞が不定詞形などに付く場合および語順については, 本文 me の【文法】を参照のこと.

縮小辞 (diminutivo)
jardín (庭) ➡ jardin*cito* (小さい庭)のように単語の語尾に縮小辞をつけて「小さい, かわいい」などの意味を表す. 個人名でも, たとえば Paco (Francisco の愛称) ➡ Paqu*ito* (パキート君, パキートちゃん) のように縮小辞をつけると親密さが強まる. また cama (ベッド) ➡ camilla (担架)のようにすでに単語の一部となっている縮小辞もある. 増大辞 (aumentativo) に比べて縮小辞は種類が多く, 用いられる機会も多い. さらに詳しくは本文 diminutivo の【参考】を参照のこと.

縮約形 (forma contracta)
前置詞 a, de のすぐ後に男性単数定冠詞 el が続くと, 1語になって al, del となる. これを冠詞の縮約 (contracción del artículo) という.

Fuimos *al* bosque. 私たちは森へ行った.
en la salida *del* metro 地下鉄の出口で.

ただし, el が固有名詞の一部となっている場合は縮約形にならない.

Ayer fui *a El* Escorial. 私はきのうエル・エスコリアルへ行った.

主語 (sujeto)
「主語+動詞+目的語」,「主語+動詞+補語」の語順が基本だが, スペイン語は英語やフランス語のような制約がないので, 主語の位置は比較的自由である. 文の表すニュアンスによって疑問文でなくても主語が動詞の後に来たり文末に来たりする.

Este verano vendrán *más turistas* que el año pasado. 今夏は昨年より旅行者が来るだろう.
El niño es rubio. Lo es también *su padre*. その男の子は金髪で父親もまた

金髪だ.

また動詞の活用形に主語が含まれているので，文脈から分かる場合には主語代名詞が省略されることがしばしばである.

(*Nosotros*) Por fin hemos llegado a una conclusión. 我々はようやく結論に達した.

¿Está Juan?—No, (*él*) acaba de salir. フアンはいますか. —いいえ，今出掛けたところです.

助動詞 (verbo auxiliar)

完了相の haber, 進行相の estar, 受け身相の ser, estar の三つをいう. なお，これらの助動詞の他に andar, llevar, poder, deber など不定詞・現在分詞・過去分詞と組んで助動詞的に用いられる動詞がある. ⇨迂言(うげん)的用法

所有形容詞 (adjetivo posesivo)

限定詞の一つで強勢を伴わないものと伴うものの二種類がある. 強勢を伴わない所有形容詞は名詞の前に付く. 数変化をする mi, tu, su と性・数変化をする nuestro, vuestro がある. 強勢のある mío, tuyo, suyo, nuestro, vuestro は名詞の後に付いて性・数変化をする.

名詞に合わせて性・数一致をすることに注意. *mis* libros は「私たちの本」でなく「私の(数冊の)本」, *nuestra* bicicleta が「私たちの自転車」である.

間接目的語のところでも触れたが，誰が所有者か文脈から分かるときは，所有形容詞でなく定冠詞が使われることが多い.

Quítate *la* chaqueta. 上着を脱ぎなさい.

Me hizo una seña con *la* mano para que me acercase. もっと近づくように彼は私に手で合図した.

Se nos estropeó *el* coche a la altura de Cifuentes. シフエンテスの辺りで車が故障してしまった.

性・数一致 (concordancia en género y número)

名詞・代名詞とそれを修飾する形容詞・限定詞の性と数を一致させることをいう. ⇨形容詞

una casa muy *antigua* 一軒のとても古い家.

los perros *flacos* やせた犬.

性・数一致は主格補語，目的補語でも行われる. ⇨補語

Los niños ya están *listos*. 子供たちはもう支度ができている.

El niño duerme *tranquilo*. その子は静かに眠っている.

Dejó *abierta* la puerta. 彼はドアを開けっぱなしにした.

節 (proposición u oración)

文の中で「主語＋述語動詞」の形を持った語群を節という. 等位節 (proposición coordinada) と従属節 (proposición subordinada) に分かれる.

1 **等位節**： y, pero, o などの接続詞によって結ばれ，対等な関係にある節.

Quiero ir a verte, pero *no tengo tiempo*. 君に会いに行きたいが時間がない.

2 **従属節**：文の中心になる節を主節 (proposición principal) といい，それに従属する節.

(1) 名詞節：文中で主語，補語，目的語となり名詞(句)と同じ働きをする.

¿Crees *que ganarán el premio este año*? 今年は優勝すると思うかい？

Es necesario *que esta carta salga hoy mismo*. 必ず今日中にこの手紙を出さなければならない.

疑問詞・感嘆詞によって導かれる従属節もある.

Me preguntó *si tenía tiempo*. 彼は私に暇があるかどうか尋ねた (間接疑問文).

Pregunta *a qué hora empieza la función*. 開演が何時か聞きなさい (間接疑問文).

No sabes *cuánto me alegro de verte.* 君に会えてとてもうれしいよ（間接感嘆文）.

⑵ 形容詞節：関係詞に導かれる節. ⇨関係節

⑶ 副詞節：接続詞（句）porque, para que, aunque, si, cuando, como などに導かれる節.

（理由）No vine ayer, *porque estaba enfermo.*
きのうは病気だったので来ませんでした.

（目的）Le di dinero *para que comprara la entrada.*
切符を買うように彼に金を渡した.

（譲歩）*Aunque tuviera dinero*, no lo compraría.
金があってもそんなものは買わないね.

（条件）*Si no te gusta ir conmigo*, quédate en casa.
一緒に行くのが嫌なら留守番をしていなさい.

（時）Estaba a punto de marcharse *cuando le abrieron la puerta.*
彼がまさに立ち去ろうとした時やっとドアが開いた.

（様態）*Como te he dicho*, nadie me toma en serio.
言ったとおりさ，誰も真剣に受け止めてはくれない.

（結果）Hacía tanto calor *que no pudimos dormir*.
あんまり暑くて眠れなかった.

接続詞 (conjunción)

使われ方の違いから等位接続詞(conjunción coordinante)と従位接続詞(conjunción subordinante)の二つの種類に分かれる.

等位接続詞は文法上同じ機能を持った対等の語と語，節と節などを結びつける働きをする. 主なものには（連結）y，e，ni,（分離）o，u，（反意）pero, sino, más bien, antes bien, sin embargo,（配分）ya ... ya ..., bien ... bien ... などがある.

従位接続詞は従属節を導く. ⑴ 名詞節を導くものは que, si. ⑵ 副詞節を導くものには（理由）como, porque, pues,（目的）a fin de que, para que,（結果）de modo que,（tal, tanto）... que,（譲歩）a pesar de que, aunque, por más que,（条件）con tal que, dado que, si,（時）antes (de) que, cuando, después (de) que, en cuanto, mientras (que), siempre que, tan pronto como,（様態）como, según (que),（比較）así como, igual que,（más）... que,（tanto）... como などがある. ⑶ 形容詞節を導くものは関係詞といわれ，ふつう接続詞には含まれない.

接続法 (modo subjuntivo)

「ある事柄を，事実として述べるのでなく，話者の頭の中で考えられた想像・仮定・願望などとして言い表すときの法」である.

上の定義でも分かるとおり，接続法は非常に主観的な要素が強い. たとえば，次の例文で，話者が実際に見たままを伝えるなら直説法だが，話者の推測で言うなら接続法になる.

Los que *tengan* cámara pueden sacar fotos. カメラを持っている方がいれば撮影なさっても結構です.

Los que *tenían* cámara pudieron sacar fotos. カメラを持っていた方が撮影を許可されました.

接続法には現在形，現在完了形，過去形，過去完了形の 4 つの時制がある（この辞典では接続法未来形，未来完了形は省いてある）.

しかし接続法の時制といっても，接続法は必ずしも直説法のような確たる時間を表さない. たとえば，

⑴ 過去形は，過去のことも現在のことも未来のことも表し得る.

Lástima que no *estuvieras* allí. 君があの場にいなかったのは残念だ.

Si *tuviera* dinero, ahora mismo lo compraría. 金があれば今すぐにでもそれを買うのだが.

Querría que me *escucharas*. 私の話を聞いてもらいたいのだが.

(2) 現在完了形は未来の完了も表す.

Se casarán cuando *hayan terminado* la obra. 工事が終わったら 2 人は結婚するだろう.

(3) 現在形も同じく未来のことを表し得る.

No creo que *venga*. 彼は来ないだろうな.

唯一言い得ることは，現在形は過去のことを，過去完了形は現在および未来のことを表現できないということだけである.

接続法は，基本的に従属節に現れる．しかし願望，疑い，命令などを表す独立文に現れることもある.

(従属節)

Quiero que me *escuches*. 私の話を聞いてもらいたい.

¿Hay alguien que *sepa* esto? このことが分かる人はいますか.

Aunque me lo *pidas*, no puedo dejarte este libro. いくら頼んでもこの本は貸してやる訳にはいかない.

Apúntalo para que no *se* te *olvide*. 忘れないようにメモしておきなさい.

(独立文)

Que *tengas* buen viaje. 楽しい旅を祈っています.

Ojalá *tuviera* veinte años. はたちだったらいいのになあ.

絶対最上級 (superlativo absoluto) ⇨**形容詞**

前置形 (forma antepuesta)

主に無強勢で名詞の前に付く所有形容詞のことを指す.

前置詞 (preposición)

前置詞には a, ante, bajo, con, contra, de, desde, durante, en, entre, excepto, hacia, hasta, mediante, para, por, salvo, según, sin, sobre, tras がある.

その他前置詞と同じ働きをするものに副詞，名詞などと組んだ前置詞句 acerca de, además de, alrededor de, antes de, a pesar de, cerca de, debajo de, delante de, dentro de, después de, detrás de, encima de, en cuanto a, enfrente de, fuera de, junto a, lejos de などがある.

また por encima de のように上記の前置詞句にさらに前置詞が加わったり，para con, por entre のように前置詞を重複して用いる場合もある.

動詞・形容詞・名詞と前置詞との関係：

多くの動詞は acordarse *de* のように決まった前置詞を要求する．この関係は形容詞，名詞にも認められる.

fácil *de* entender 簡単に理解できる.

derecho *a* votar 投票権.

それぞれの前置詞の意味，使い方については本文を参照のこと.

代名詞 (pronombre)

代名詞には以下の種類がある.

人称代名詞 (pronombre personal) ⇨**人称代名詞**

指示代名詞 (pronombre demostrativo)

éste, ése, aquél など．本文の指示形容詞 este² の【文法】を参照.

所有代名詞 (pronombre posesivo)

mío, tuyo, suyo, nuestro, vuestro.

不定代名詞 (pronombre indefinido)

alguno, ninguno, cualquiera など.

関係代名詞 (pronombre relativo) ⇨**関係節，関係代名詞**

疑問代名詞 (pronombre interrogativo) ⇨**疑問詞**

代名動詞 (verbo pronominal)

不定詞形に se の付いた動詞を総称して代名動詞と呼ぶことがある．代名動詞に分類されるものは，

1 se が変化するもの．

(1) 再帰動詞

Me lavo las manos. 私は手を洗う．

(2) 相互動詞

Mi novia y yo *nos escribimos* todas las semanas. 婚約者と私は毎週手紙をやり取りしている．

(3) 動詞の意味を変化させる se が付いた動詞（irse, marcharse など）．

¿Cuándo *te vas* a Francia? 君はいつフランスに発ちますか．

(4) se が動詞の一部となっている動詞（arrepentirse, quejarse など）．

No sé por qué *os quejáis*. なぜ君たちが不満なのか私には分からない．

2 se が変化しないもの．

(1) 受け身文を作る se の付いた動詞．

Se venden coches usados. 中古車が売られている．

(2) 非人称文を作る se の付いた動詞．

Se habla español. スペイン語を話します．

がある．本文 se を参照のこと．

直説法（modo indicativo）

「事柄を事実として述べる法」である．直説法には5つの単純時制（現在形，線過去形，点過去形，未来形，可能形）と4つの複合時制（現在完了形，過去完了形，未来完了形，可能完了形）がある．この辞典では直前過去形は省かれている．

直接目的語（complemento directo）

直接目的語（スペイン語文法では直接補語と呼ぶ）に，人，特定の動物，擬人化された物が来る場合は前置詞 a がつく．人を表す不定代名詞の場合にも a を伴うことが多い．

He visto *a tu hermano* en la calle. 私は通りで君の兄さんを見かけた．

¿Conoces *a alguien* que sepa esto? このことが分かる人を知りませんか．

直接目的語と弱形代名詞との関係：

1 強調などの倒置で直接目的語が動詞の前に出ることがある．その場合は，直接目的語と同じ性・数の弱形代名詞を重複して用いる．

La culpa la tengo yo. 悪いのは私です．

A Juan lo vi ayer. フアンなら昨日会ったよ．

2 前置詞 a ＋人称代名詞は単独で用いられない．弱形代名詞を用いるか，弱形代名詞と重複して用いる．

Me miró con ojos furibundos. 彼はものすごい目で私をにらんだ．

A ti te llaman. 君に電話だよ．

動作主（agente）

受動態に対応する能動文の主語のことをいう．この解説の受け身文の例では el Alcalde（市長）がそれである．⇨**受け身文**

動詞（verbo）

他動詞（transitivo）と自動詞（intransitivo）に大別される．一般には直接目的語を取り得て，受け身文が可能な動詞を他動詞という．しかし tener, valer のように，目的語を取るが受動態にならない動詞もあり，この基準は絶対的なものではない．また意味論的観点からは，前置詞を伴った acabar con, cambiar de などを他動詞と見る考え方もある．

なお ser, estar を繋(つな)ぎの動詞（copulativo）という．parecer などもその一種と考えられる．助動詞については助動詞の項を参照のこと．再帰文などを作る人称代名詞 me, te, se, nos, os を伴う動詞（慣用的に再帰動詞と呼ばれている．この辞書の見出し語では arrepentir*se* のように形だけを示して名称を省いた）については代名動詞の項を参照のこと．

人称代名詞（pronombre personal）

英語と比べてスペイン語の人称代名詞の変化は，はるかに複雑である．ここでは本文で触れられなかった事項を中心に，留意すべき点について若干の説明を加え

文法解説

たい．

1 主語：⑴ 下の表で見るとおり，英語の2人称 you に相当するものが，スペイン語では親しい間柄を表す2人称の tú（君），vosotros, tras（君たち）と，相手に対して丁寧な言い方，時には距離を置いた言い方になる3人称の usted（あなた），ustedes（あなたがた）に分かれ，人称が異なる．従って対応する動詞の活用も異なる．

<table>
<tr><th colspan="10">人称代名詞</th></tr>
<tr><th colspan="3" rowspan="2"></th><th colspan="3" rowspan="2">強勢形</th><th colspan="4">無強勢（弱形）</th></tr>
<tr><th colspan="2"></th><th colspan="2">再帰</th></tr>
<tr><th colspan="3">人称</th><th colspan="2">主語／補語</th><th>前置詞の目的</th><th>直接目的</th><th>間接目的</th><th>直接目的</th><th>間接目的</th></tr>
<tr><td rowspan="5">単数</td><td colspan="2">1</td><td colspan="2">yo</td><td>mí, conmigo</td><td colspan="4">me</td></tr>
<tr><td colspan="2">2</td><td colspan="2">tú</td><td>ti, contigo</td><td colspan="4">te</td></tr>
<tr><td rowspan="3">3</td><td>男性</td><td>él</td><td rowspan="2">usted</td><td rowspan="3">sí
consigo</td><td>lo[le]</td><td rowspan="3">le
[se]</td><td colspan="2" rowspan="3">se</td></tr>
<tr><td>女性</td><td>ella</td><td>la</td></tr>
<tr><td>中性</td><td colspan="2">ello／lo</td><td>lo</td></tr>
<tr><td rowspan="6">複数</td><td rowspan="2">1</td><td>男性</td><td colspan="3">nosotros</td><td colspan="4" rowspan="2">nos</td></tr>
<tr><td>女性</td><td colspan="3">nosotras</td></tr>
<tr><td rowspan="2">2</td><td>男性</td><td colspan="3">vosotros</td><td colspan="4" rowspan="2">os</td></tr>
<tr><td>女性</td><td colspan="3">vosotras</td></tr>
<tr><td rowspan="2">3</td><td>男性</td><td>ellos</td><td rowspan="2">ustedes</td><td rowspan="2">sí
consigo</td><td>los</td><td rowspan="2">les
[se]</td><td colspan="2" rowspan="2">se</td></tr>
<tr><td>女性</td><td>ellas</td><td>las</td></tr>
</table>

⑵ 英語と違って1人称複数，2人称複数，3人称複数にそれぞれ男性形と女性形がある．男性形 nosotros, vosotros, ellos は主語が「男性」+「男性」か「男性」+「女性」の場合，女性形 nosotras, vosotras, ellas は主語が「女性」+「女性」の場合である．

⑶ 中性形の ello は，前に述べられた話の内容を指して，「そのこと」．ello は文語的で，口語では指示代名詞の中性形の eso を用いることが多い．

Mi hermana tiene fiebre desde la semana pasada, y *ello*（=eso）tiene preocupada a mi madre. 妹は先週から熱があって，それで母は気の休まる暇がない．

表の中の ello の次の lo は主格補語として，性・数変化なしで用いられる弱形代名詞である．

¿Sois japoneses?—Sí, *lo* somos. 君たちは日本人ですか．—そうです．

⑷ 中南米では vosotros, vosotras の代わりに ustedes が，アルゼンチンなどでは tú の代わりに vos が使われる．

2 目的語：⑴ 間接目的語と直接目的語は3人称を除いて同形．3人称の間接目的語は le, les で，se が用いられるのは間接目的語，直接目的語双方が3人称の場合だけである．

Le conté a mi amigo mis impresiones sobre Bilbao. 私はビルバオの印象を友達に話した．➞ **Le las* conté a mi amigo.➞*Se las* conté. 私は彼にそのことを話した．（*印は文法的に正しくない文）

直接目的語は3人称に男性・女性の別がある．中性形の lo は，前に出た話の内容を指して，「そのこと」．

El dice que no tiene la culpa, pero yo no me *lo* creo. 彼は自分に罪が

ないといっているが，私にはとうてい信じられない．

(2) leísmo, loísmo, laísmo と呼ばれる現象がある．3人称直接目的語が人間の場合，lo / los, la / las の代わりに le / les が用いられることを leísmo という．leísmo は地方，人によって異なるがスペインで使われることが多い．また usted（あなた）を指す場合に leísmo になる傾向がある．ただしスペインのアカデミア（Real Academia de la Lengua Española）は男性単数「彼を，あなたを」を指す le のみを認めているので，この辞典ではそれに従った．

¿Has visto a José?—No, todavía no *le* he visto. ホセに会った？ーいや，まだ会っていない．

¿*Le* ayudo? お手伝いしましょうか．

loísmo, laísmo は3人称間接目的語 le / les の代わりにそれぞれ lo / los, la / las を用いることをいう．leísmo の方が圧倒的に使われる割合が多い．

3 前置詞の目的語：1人称単数 mí，2人称単数 ti，3人称 sí のみが特別な形で，あとは主語人称代名詞と同じ形である．mí, ti, sí は前置詞 con に続く場合は結合して conmigo, contigo, consigo という特殊な形をとる．

4 再帰形は，先行する名詞・代名詞と同一の人・物を指し，再帰代名詞として用いられる他，代名動詞にも用いられる．⇨**代名動詞**

非人称表現 (expresión impersonal)

狭義の非人称文（次の項を参照）の他に，「誰々が」と主語を特定しない表現が数多くあり，それらをひっくるめて非人称表現あるいは非人称的な文ということがある．ser ＋形容詞（＋ que）の類，hay que ＋不定詞，oír, ver などの知覚動詞＋不定詞，集合名詞 la gente（人々）と同じ意味で使われる不定代名詞の uno, cualquiera, nadie などや2人称の tú を用いた表現，1人称複数動詞を使ったものなどがある．

Es necesario comprar una linterna. 懐中電灯を買っておく必要がある．

Hay que estudiar mucho. 一生懸命勉強すべきだ．

He oído hablar mucho de esa chica. 私はその娘のうわさをよく耳にした．

Uno no puede aguantar tanta estupidez. 誰だってそんなばかなことに我慢ができない．

Dejas ahí *tu* bolso y en menos de un segundo desaparece. そんな所にバッグを置くと1秒もしないうちになくなりますよ．

Vivimos muy bien aquí. ここは住み心地がいい．

非人称文 (oración o construcción impersonal)

1 主語を特定せずに「一般に人は…する」という意味で用いられる文をいう．3人称複数動詞で表現される文と，「se ＋3人称単数動詞」で表現される文とがある．

Siempre te *llaman* por teléfono cuando estás más ocupado. 一番忙しい時に限って電話がかかってくるね．

Dicen que se va a casar pronto. 彼は間もなく結婚するそうだ．

¿Por dónde *se va* a la estación? 駅はどう行くのですか．

Ahora *se lee* muy poco. 今は読書する人が非常に少ない．

Se ve que no está contenta. 彼女は不満らしい．

〔注〕se を使った非人称文と se を使った受け身文の区別：この2つは非常によく似ていて，文法上の唯一の違いは，非人称文では主語がなく動詞は自動詞・他動詞のいずれでもよいが常に3人称単数，一方，受け身文では動詞は他動詞で，主語に合わせて3人称の単数・複数になる点である．

En clase *se habla* español y japonés. 授業ではスペイン語と日本語を話す（非人称文）．

En clase *se hablan* dos lenguas. 授業では2か国語が話される（受け身文）．

上の2つの例文で見ると，どちらも動詞の後の名詞は複数であるが，一方は動詞が単数，他方は複数になっている．つまり非人称文では動詞と名詞（＝目的語）の間に数の一致がないが，受け身文では動詞と名詞（＝主語）の間で数が一致していることになる．従って本文の se の 7《非人称文を作る se》のところでも指摘したが，主語が単数の受け身文では，文法的にも意味的にも非人称文と区別が出来ない場合がでてくる．

2 文法上の主語がなく，常に 3 人称単数でのみ使われる文（単人称文，無主語文と呼ぶ文法家もいる）．Llueve.（雨が降る），Amanece.（夜が明ける）などの自然現象を表す文，Hace frío.（寒い），Ya es de día.（もう昼間だ），Ya es tarde.（もう遅い）などの時，天候を表す文，Hay un concierto esta noche.（今晩コンサートがある）など人・物の有無を表す文がそうである．

複合時制 (tiempo compuesto)

助動詞 haber ＋ 過去分詞からなる時制を指していう．完了形ともいう．直説法現在完了形・過去完了形・未来完了形・可能完了形，接続法現在完了形・過去完了形がある．

副詞 (adverbio)

動詞，形容詞，副詞，あるいは文全体を修飾する語．副詞は形態的に無変化．

Llovió *mucho*. 大雨だった．
Lo dijo *con toda seriedad*. 彼はひどく真面目にそう言った．
Llegó *medio* muerta. 彼女はぐったりして着いた．
Son *bastante* caros. それらはかなり高い．
Prácticamente lo sabe todo. 結局のところ彼は何もかも分かっているのだ．

1 副詞（句）の種類：（場所）abajo, ahí, allí, aquí, arriba, cerca, delante, detrás, lejos など，（様態・方法）así, bien, de pie, deprisa, de repente, mal など，（数量・程度）bastante, más, menos, mucho, muy, poco, tanto など，（肯定）ciertamente, desde luego, sí など，（否定）jamás, no, nunca, tampoco など，（疑い）quizás, tal vez など．

2 形容詞と同じく副詞にも比較級，最上級がある．比較構文については本文の más, menos, tanto を参照のこと．

más despacio もっとゆっくり（比較級）．
lo más pronto posible できるだけ早く（最上級）．
Donde *menos* se piensa salta la liebre.《諺》事件は思いもよらないときに起こる（意味上の最上級）．

3 形容詞が副詞として使われることがある．この場合は性・数変化をしない．

Habla más *alto*. もっと大きな声で話しなさい．
No lo veo muy *claro*. あんまりよく分からないなあ．

4 形容詞（の女性形）＋ mente で副詞化する．

fácil＋mente ➡ fácilmente
tranquil*o*＋mente ➡ tranquil*a*mente

-mente の付く副詞を 2 つ以上連続して使う場合は，最後の -mente だけを残して他は省略する．

tranquil*a* y cómod*a*mente のんびりと快適に．

文 (oración)

1 意味上の分類

平叙文 (declarativa o enunciativa)

He leído esa novela. 私はその小説を読んだ．

疑問文 (interrogativa)

¿Has leído esa novela? 君はその小説を読んだ？（これに対する答えは Sí か No で答える）
¿Quién ha leído esa novela? その小説を読んだ人はいますか．
¿Qué libro has leído? 君はどんな本を読みましたか．
¿Cuándo leíste esa novela? 君はいつその小説を読みましたか．
Sabes conducir, ¿ verdad? 運転はできるんでしょう？

命令文 (imperativa o exhortativa)
Anda más rápido. もっと早く歩け.
¡Quieto! ¡ No te muevas! じっとして！ 動くな！
Póngame un poco más de leche. もう少しミルクを入れてください.
¿Quieres cerrar la ventana? 窓を閉めてくれないか.
No fumar.《掲示》禁煙.
¡Callar todos! 皆，静粛に！
¡A estudiar! もっと勉強しなさい！
Que entre enseguida. その人にすぐ入ってもらいなさい(間接命令).

感嘆文 (exclamativa)
¡Qué frío! わっ，寒い！
¡Qué coche más grande! でかい車だなあ！
¡Cómo comes! Pareces un lobo. すごい食欲だね，まるで飢えているみたいだ.
¡Cuánto sabe ese tío! よく知っているなあ，あいつは.

懐疑文 (dubitativa)
Quizá te haya visto alguien. たぶん君は誰かに見られたに違いない.

願望文 (desiderativa)
¡Ojalá volviese pronto! 早く戻ってきてくれますように.
¡Que te vaya bien! 成功を祈る！

2 意味上の文の種類として別に肯定文 (afirmativa) と否定文 (negativa) がある.

3 構造上の分類：

単文 (oración simple)：1つの主語と1つの述部からできている文.

重文 (oración compuesta)： y, o, pero などの等位接続詞 (⇨接続詞) で結ばれた文. 文法的には，各節が対等で独立した関係にある. しかし，等位接続であれ，接続詞を使わずにただ単文を並べたにすぎない文であれ，意味的にはしばしば従属関係が認められる.

Se sentó y *empezó a comer*. (時間的順序) 彼は座って食べ始めた.
Estaba muy excitado y *no podía hablar*. (原因―結果) 彼はとても興奮していて話ができなかった.
Siempre llega tarde y *coge el mejor sitio*. (譲歩) 彼はいつも遅れてきていちばんいい席を占める.
Toma esta medicina y *te sentirás mejor*. (条件) この薬を飲めば少しは気分が良くなるよ.

それゆえ重文を複文に含めて考える文法家もいる. そうした考え方に従えば，文は単文と複文の二つに大別される.

複文 (oración compleja)：主節と従属節 (⇨節) とからできている文. 従属節は従位接続詞(⇨接続詞)，関係詞(⇨関係節) または疑問詞 (間接疑問文・間接感嘆文を作る. ⇨節) によって主節に結びつけられる.

法 (modo)

直説法 (indicativo)，**接続法** (subjuntivo)，**命令法** (imperativo) の3つがある.

補語 (complemento)

この辞典で使われている補語(スペイン語文法では叙述補語 complemento predicativo)は，動詞の意味を補って主語や目的語の状態・性質・種類などを説明する語で，「主語＋動詞＋補語」の文における主格補語と，「主語＋動詞＋目的語＋補語」の文における目的補語とを指す. 主格補語には名詞(句)，代名詞，形容詞(句)のほか副詞(句)，目的補語には名詞(句)，形容詞(句) のほか不定詞，現在分詞，過去分詞などが用いられる.

主格補語：主語と補語の間に主語＝補語の関係がある.
Somos *estudiantes*. 我々は学生です (nosotros＝estudiantes).

持っている」は Tengo dos Piccassos. ということが可能である．los Pirineos（ピレネー山脈）などは「連山」の意味から複数化したと考えられる．ただし los Borbones（ブルボン家・王朝），los Capetos（カペー王朝）などのいくつかの王朝名を除けば，固有名詞は複数にならないで定冠詞の複数形で集合体を表現することが多い：los Romero（ロメロ家の人々，ロメロ夫妻），los Tokugawa（徳川家，徳川一族）．

〔注2〕抽象名詞・物質名詞はふつう複数形にならず，程度・数量を表すには，mucho, poco, un poco de などを付けて表す．たとえば con mucha delicadeza（とても親切に），un poco de agua（少量の水）のように．しかし，たとえば vino（ワイン）はその種類を問題にすれば carta de vinos（ワインリスト）のように複数形になる．紙や飲食物などの場合も，un papel（＝una hoja de papel 1枚の紙），dos cafés（＝dos tazas de café コーヒー2杯）と可算的になる．また gastos（経費）や funerales（葬式）など複数形で用いられるもの，sin prisa, sin prisas（ゆっくり）のように単・複いずれの場合もまったく意味が変わらないものもある．つまり可算・不可算の区別はかなり慣用的なもので，名詞そのものに可算・不可算の区別がある訳ではない．単語の意味や話者の捉え方，使い方によって，可算的になったり不可算的になったりするのである．

〔注3〕双数名詞と呼ばれ2つで1対になるものは，複数形で用いられる．

unas gafas 1個(または数個)の眼鏡．los zapatos 靴．

複数形の作り方：

(1) 語尾がアクセントのない母音で終わるものは -s を加える．
silla ➡ sillas.

(2) 語尾が子音，アクセントのある母音で終わっていれば -es を加える．
papel ➡ papeles, rubí ➡ rubíes.

(3) 語尾が s でアクセントのない音節で終わるものは変化しない([単・複同形])．crisis, diabetes.

(4) アクセントの位置は複数になっても原則として変化しないから，正書法上注意がいる．-s, -es を加えることによってアクセント符号が不要になる場合と，逆に新たにアクセント符号を付け加えなければならない場合とが生じる．また語尾の -z は複数形では -ces に変化する．
japonés ➡ japoneses, examen ➡ exámenes, vez ➡ veces.

女性形の作り方：

(1) 語尾が -o で終わっているものは -a に変える．amigo ➡ amiga

(2) 語尾が子音で終わっているものは -a を加える．bailarín ➡ bailarina

命令法 (modo imperativo)

「命令，禁止，要請，懇願などを表す法」である．ただ，この叙法は tú（君），vosotros（君たち）に対する肯定命令にしか用いられない．これらの2人称の否定命令と usted（あなた），ustedes（あなた方）に対する肯定・否定命令には接続法現在形が用いられる．また，1人称複数 nosotros（私たち）の接続法現在は「…しよう，しましょう」の意味をもち，これも文法では命令表現の中に含める．

Entra por aquí. (君)ここからお入り．(命令法)
No *entres* por aquí. (君)ここから入ってはいけない．(接続法)
Entrad por aquí. (君たち)ここから入りなさい．(命令法)
No *entréis* por aquí. (君たち)ここから入ってはいけない．(接続法)
Entre (usted) por aquí. ここからお入りください．(接続法)
Entremos por aquí. ここから入りましょう．(接続法)

また，¡Silencio!（静かにしなさい），¡Paciencia!（我慢しろ）などのように名詞を間投詞的に使って命令を表すこともある．⇨文の項の**命令文**

文法解説

不定詞 **beber**
現在分詞 beb*iendo*
過去分詞 beb*ido*

	直説法		接続法	
	現在	現在完了	現在	現在完了
1・単	beb*o*	he bebido	beb*a*	haya bebido
2・単	beb*es*	has bebido	beb*as*	hayas bebido
3・単	beb*e*	ha bebido	beb*a*	haya bebido
1・複	beb*emos*	hemos bebido	beb*amos*	hayamos bebido
2・複	beb*éis*	habéis bebido	beb*áis*	hayáis bebido
3・複	beb*en*	han bebido	beb*an*	hayan bebido
	点過去	直前過去	過去 (ra)	過去完了 (ra)
1・単	beb*í*	hube bebido	bebie*ra*	hubiera bebido
2・単	beb*iste*	hubiste bebido	bebie*ras*	hubieras bebido
3・単	beb*ió*	hubo bebido	bebie*ra*	hubiera bebido
1・複	beb*imos*	hubimos bebido	bebié*ramos*	hubiéramos bebido
2・複	beb*isteis*	hubisteis bebido	bebie*rais*	hubierais bebido
3・複	beb*ieron*	hubieron bebido	bebie*ran*	hubieran bebido
	線過去	過去完了	過去 (se)	過去完了 (se)
1・単	beb*ía*	había bebido	bebie*se*	hubiese bebido
2・単	beb*ías*	habías bebido	bebie*ses*	hubieses bebido
3・単	beb*ía*	había bebido	bebie*se*	hubiese bebido
1・複	beb*íamos*	habíamos bebido	bebié*semos*	hubiésemos bebido
2・複	beb*íais*	habíais bebido	bebie*seis*	hubieseis bebido
3・複	beb*ían*	habían bebido	bebie*sen*	hubiesen bebido
	未来	未来完了	命令法	
1・単	beber*é*	habré bebido		
2・単	beber*ás*	habrás bebido	beb*e*	
3・単	beber*á*	habrá bebido		
1・複	beber*emos*	habremos bebido		
2・複	beber*éis*	habréis bebido	bebe*d*	
3・複	beber*án*	habrán bebido		
	可能	可能完了		
1・単	beber*ía*	habría bebido		
2・単	beber*ías*	habrías bebido		
3・単	beber*ía*	habría bebido		
1・複	beber*íamos*	habríamos bebido		
2・複	beber*íais*	habríais bebido		
3・複	beber*ían*	habrían bebido		

規則動詞—-ir動詞

不定詞 **subir**
現在分詞 sub*iendo*
過去分詞 sub*ido*

	直説法		接続法	
	現在	現在完了	現在	現在完了
1・単	sub*o*	he subido	sub*a*	haya subido
2・単	sub*es*	has subido	sub*as*	hayas subido
3・単	sub*e*	ha subido	sub*a*	haya subido
1・複	sub*imos*	hemos subido	sub*amos*	hayamos subido
2・複	sub*ís*	habéis subido	sub*áis*	hayáis subido
3・複	sub*en*	han subido	sub*an*	hayan subido
	点過去	直前過去	過去 (ra)	過去完了 (ra)
1・単	sub*í*	hube subido	subie*ra*	hubiera subido
2・単	sub*iste*	hubiste subido	subie*ras*	hubieras subido
3・単	sub*ió*	hubo subido	subie*ra*	hubiera subido
1・複	sub*imos*	hubimos subido	subié*ramos*	hubiéramos subido
2・複	sub*isteis*	hubisteis subido	subie*rais*	hubierais subido
3・複	sub*ieron*	hubieron subido	subie*ran*	hubieran subido
	線過去	過去完了	過去 (se)	過去完了 (se)
1・単	sub*ía*	había subido	subie*se*	hubiese subido
2・単	sub*ías*	habías subido	subie*ses*	hubieses subido
3・単	sub*ía*	había subido	subie*se*	hubiese subido
1・複	sub*íamos*	habíamos subido	subié*semos*	hubiésemos subido
2・複	sub*íais*	habíais subido	subie*seis*	hubieseis subido
3・複	sub*ían*	habían subido	subie*sen*	hubiesen subido
	未来	未来完了	命令法	
1・単	subir*é*	habré subido		
2・単	subir*ás*	habrás subido	sub*e*	
3・単	sibir*á*	habrá subido		
1・複	subir*emos*	habremos subido		
2・複	subir*éis*	habréis subido	subi*d*	
3・複	subir*án*	habrán subido		
	可能	可能完了		
1・単	subir*ía*	habría subido		
2・単	subir*ías*	habrías subido		
3・単	subir*ía*	habría subido		
1・複	subir*íamos*	habríamos subido		
2・複	subir*íais*	habríais subido		
3・複	subir*ían*	habrían subido		

変化表

規則動詞—再帰動詞（-ar動詞）

不定詞 **lavarse**
現在分詞 lav*ándo*se
過去分詞 lav*ado*

	直説法		接続法	
	現在	現在完了	現在	現在完了
1・単	me lav*o*	me he lavado	me lav*e*	me haya lavado
2・単	te lav*as*	te has lavado	te lav*es*	te hayas lavado
3・単	se lav*a*	se ha lavado	se lav*e*	se haya lavado
1・複	nos lav*amos*	nos hemos lavado	nos lav*emos*	nos hayamos lavado
2・複	os lav*áis*	os habéis lavado	os lav*éis*	os hayáis lavado
3・複	se lav*an*	se han lavado	se lav*en*	se hayan lavado
	点過去	直前過去	過去（ra）	過去完了（ra）
1・単	me lav*é*	me hube lavado	me lav*ara*	me hubiera lavado
2・単	te lav*aste*	te hubiste lavado	te lav*aras*	te hubieras lavado
3・単	se lav*ó*	se hubo lavado	se lav*ara*	se hubiera lavado
1・複	nos lav*amos*	nos hubimos lavado	nos lav*áramos*	nos hubiéramos lavado
2・複	os lav*asteis*	os hubisteis lavado	os lav*arais*	os hubierais lavado
3・複	se lav*aron*	se hubieron lavado	se lav*aran*	se hubieran lavado
	線過去	過去完了	過去（se）	過去完了（se）
1・単	me lav*aba*	me había lavado	me lav*ase*	me hubiese lavado
2・単	te lav*abas*	te habías lavado	te lav*ases*	te hubieses lavado
3・単	se lav*aba*	se había lavado	se lav*ase*	se hubiese lavado
1・複	nos lav*ábamos*	nos habíamos lavado	nos lav*ásemos*	nos hubiésemos lavado
2・複	os lav*abais*	os habíais lavado	os lav*aseis*	os hubieseis lavado
3・複	se lav*aban*	se habían lavado	se lav*asen*	se hubiesen lavado
	未来	未来完了	命令法	
1・単	me lavar*é*	me habré lavado		
2・単	te lavar*ás*	te habrás lavado	láv*a*te	
3・単	se lavar*á*	se habrá lavado		
1・複	nos lavar*emos*	nos habremos lavado		
2・複	os lavar*éis*	os habréis lavado	lav*a*os	
3・複	se lavar*án*	se habrán lavado		
	可能	可能完了		
1・単	me lavar*ía*	me habría lavado		
2・単	te lavar*ías*	te habrías lavado		
3・単	se lavar*ía*	se habría lavado		
1・複	nos lavar*íamos*	nos habríamos lavado		
2・複	os lavar*íais*	os habríais lavado		
3・複	se lavar*ían*	se habrían lavado		

不定詞 **meterse**

現在分詞 meti*énd*ose

過去分詞 met*ido*

	直説法		接続法	
	現在	現在完了	現在	現在完了
1・単	me met*o*	me he metido	me met*a*	me haya metido
2・単	te met*es*	te has metido	te met*as*	te hayas metido
3・単	se met*e*	se ha metido	se met*a*	se haya metido
1・複	nos met*emos*	nos hemos metido	nos met*amos*	nos hayamos metido
2・複	os met*éis*	os habéis metido	os met*áis*	os hayáis metido
3・複	se met*en*	se han metido	se met*an*	se hayan metido
	点過去	直前過去	過去(ra)	過去完了(ra)
1・単	me met*í*	me hube metido	me metie*ra*	me hubiera metido
2・単	te met*iste*	te hubiste metido	te metie*ras*	te hubieras metido
3・単	se met*ió*	se hubo metido	se metie*ra*	se hubiera metido
1・複	nos met*imos*	nos hubimos metido	nos metié*ramos*	nos hubiéramos metido
2・複	os met*isteis*	os hubisteis metido	os metie*rais*	os hubierais metido
3・複	se met*ieron*	se hubieron metido	se metie*ran*	se hubieran metido
	線過去	過去完了	過去(se)	過去完了(se)
1・単	me met*ía*	me había metido	me metie*se*	me hubiese metido
2・単	te met*ías*	te habías metido	te metie*ses*	te hubieses metido
3・単	se met*ía*	se había metido	se metie*se*	se hubiese metido
1・複	nos met*íamos*	nos habíamos metido	nos metié*semos*	nos hubiésemos metido
2・複	os met*íais*	os habíais metido	os metie*seis*	os hubieseis metido
3・複	se met*ían*	se habían metido	se metie*sen*	se hubiesen metido
	未来	未来完了	命令法	
1・単	me meter*é*	me habré metido		
2・単	te meter*ás*	te habrás metido	mét*e*te	
3・単	se meter*á*	se habrá metido		
1・複	nos meter*emos*	nos habremos metido		
2・複	os meter*éis*	os habréis metido	met*e*os	
3・複	se meter*án*	se habrán metido		
	可能	可能完了		
1・単	me meter*ía*	me habría metido		
2・単	te meter*ías*	te habrías metido		
3・単	se meter*ía*	se habría metido		
1・複	nos meter*íamos*	nos habríamos metido		
2・複	os meter*íais*	os habríais metido		
3・複	se meter*ían*	se habrían metido		

規則動詞—再帰動詞（-ir動詞）

不定詞 **unirse**
現在分詞 uniéndose
過去分詞 unido

	直説法		接続法	
	現在	現在完了	現在	現在完了
1・単	me uno	me he unido	me una	me haya unido
2・単	te unes	te has unido	te unas	te hayas unido
3・単	se une	se ha unido	se una	se haya unido
1・複	nos unimos	nos hemos unido	nos unamos	nos hayamos unido
2・複	os unís	os habéis unido	os unáis	os hayáis unido
3・複	se unen	se han unido	se unan	se hayan unido
	点過去	直前過去	過去(ra)	過去完了(ra)
1・単	me uní	me hube unido	me uniera	me hubiera unido
2・単	te uniste	te hubiste unido	te unieras	te hubieras unido
3・単	se unió	se hubo unido	se uniera	se hubiera unido
1・複	nos unimos	nos hubimos unido	nos uniéramos	nos hubiéramos unido
2・複	os unisteis	os hubisteis unido	os unierais	os hubierais unido
3・複	se unieron	se hubieron unido	se unieran	se hubieran unido
	線過去	過去完了	過去(se)	過去完了(se)
1・単	me unía	me había unido	me uniese	me hubiese unido
2・単	te unías	te habías unido	te unieses	te hubieses unido
3・単	se unía	se había unido	se uniese	se hubiese unido
1・複	nos uníamos	nos habíamos unido	nos uniésemos	nos hubiésemos unido
2・複	os uníais	os habíais unido	os unieseis	os hubieseis unido
3・複	se unían	se habían unido	se uniesen	se hubiesen unido
	未来	未来完了	命令法	
1・単	me uniré	me habré unido		
2・単	te unirás	te habrás unido	únete	
3・単	se unirá	se habrá unido		
1・複	nos uniremos	nos habremos unido		
2・複	os uniréis	os habréis unido	uníos	
3・複	se unirán	se habrán unido		
	可能	可能完了		
1・単	me uniría	me habría unido		
2・単	te unirías	te habrías unido		
3・単	se uniría	se habría unido		
1・複	nos uniríamos	nos habríamos unido		
2・複	os uniríais	os habríais unido		
3・複	se unirían	se habrían unido		

	直説法 現在	直説法 点過去	直説法 線過去	直説法 未来
1 i ➡ie **adquirir** (獲得する) 現在分詞 adquiriendo 過去分詞 adquirido	*adquiero* *adquieres* *adquiere* adquirimos adquirís *adquieren*	adquirí adquiriste adquirió adquirimos adquiristeis adquirieron	adquiría adquirías adquiría adquiríamos adquiríais adquirían	adquiriré adquirirás adquirirá adquiriremos adquiriréis adquirirán
2 i ➡í **aislar** (孤立させる) 現在分詞 aislando 過去分詞 aislado	*aíslo* *aíslas* *aísla* aislamos aisláis *aíslan*	aislé aislaste aisló aislamos aislasteis aislaron	aislaba aislabas aislaba aislábamos aislabais aislaban	aislaré aislarás aislará aislaremos aislaréis aislarán

ahincarなど（8のつづり字変化を伴う動詞），enraizarなど（39のつづり字変化を伴う動詞）もこのグループに属する．

	直説法 現在	直説法 点過去	直説法 線過去	直説法 未来
3 **andar** (歩く) 現在分詞 andando 過去分詞 andado	ando andas anda andamos andáis andan	*anduve* *anduviste* *anduvo* *anduvimos* *anduvisteis* *anduvieron*	andaba andabas andaba andábamos andabais andaban	andaré andarás andará andaremos andaréis andarán
4 **argüir** (議論する) 現在分詞 *arguyendo* 過去分詞 argüido	*arguyo* *arguyes* *arguye* argüimos argüís *arguyen*	argüí argüiste *arguyó* argüimos argüisteis *arguyeron*	argüía argüías argüía argüíamos argüíais argüían	argüiré argüirás argüirá argüiremos argüiréis argüirán
5 **asir** (握る) 現在分詞 asiendo 過去分詞 asido	*asgo* ases ase asimos asís asen	así asiste asió asimos asisteis asieron	asía asías asía asíamos asíais asían	asiré asirás asirá asiremos asiréis asirán
6 u ➡ú **aunar** (合わせる) 現在分詞 aunando 過去分詞 aunado	*aúno* *aúnas* *aúna* aunamos aunáis *aúnan*	auné aunaste aunó aunamos aunasteis aunaron	aunaba aunabas aunaba aunábamos aunabais aunaban	aunaré aunarás aunará aunaremos aunaréis aunarán

embaucarなど（8のつづり字変化を伴う動詞）もこのグループに属する．

イタリックは不規則変化形を示す.
赤字は直説法現在の不規則変化形を示す.

	接続法			命令
可能	現在	過去(ra, se)		
adquiriría	*adquiera*	adquiriera	adquiriese	
adquirirías	*adquieras*	adquirieras	adquirieses	*adquiere*
adquiriría	*adquiera*	adquiriera	adquiriese	
adquiriríamos	adquiramos	adquiriéramos	adquiriésemos	
adquiriríais	adquiráis	adquirierais	adquirieseis	adquirid
adquirirían	*adquieran*	adquirieran	adquiriesen	
aislaría	*aísle*	aislara	aislase	
aislarías	*aísles*	aislaras	aislases	*aísla*
aislaría	*aísle*	aislara	aislase	
aislaríamos	aislemos	aisláramos	aislásemos	
aislaríais	aisléis	aislarais	aislaseis	aislad
aislarían	*aíslen*	aislaran	aislasen	

andaría	ande	*anduviera*	*anduviese*	
andarías	andes	*anduvieras*	*anduvieses*	anda
andaría	ande	*anduviera*	*anduviese*	
andaríamos	andemos	*anduviéramos*	*anduviésemos*	
andaríais	andéis	*anduvierais*	*anduvieseis*	andad
andarían	anden	*anduvieran*	*anduviesen*	
argüiría	*arguya*	*arguyera*	*arguyese*	
argüirías	*arguyas*	*arguyeras*	*arguyeses*	*arguye*
argüiría	*arguya*	*arguyera*	*arguyese*	
argüiríamos	*arguyamos*	*arguyéramos*	*arguyésemos*	
argüiríais	*arguyáis*	*arguyerais*	*arguyeseis*	argüid
argüirían	*arguyan*	*arguyeran*	*arguyesen*	
asiría	*asga*	asiera	asiese	
asirías	*asgas*	asieras	asieses	ase
asiría	*asga*	asiera	asiese	
asiríamos	*asgamos*	asiéramos	asiésemos	
asiríais	*asgáis*	asierais	asieseis	asid
asirían	*asgan*	asieran	asiesen	
aunaría	*aúne*	aunara	aunase	
aunarías	*aúnes*	aunaras	aunases	*aúna*
aunaría	*aúne*	aunara	aunase	
aunaríamos	aunemos	aunáramos	aunásemos	
aunaríais	aunéis	aunarais	aunaseis	aunad
aunarían	*aúnen*	aunaran	aunasen	

	直説法			
	現在	点過去	線過去	未来
7 gu →gü	averiguo	*averigüé*	averiguaba	averiguaré
averiguar (調査する)	averiguas	averiguaste	averiguabas	averiguarás
現在分詞 averiguando	averigua	averiguó	averiguaba	averiguará
過去分詞 averiguado	averiguamos	averiguamos	averiguábamos	averiguaremos
	averiguáis	averiguasteis	averiguabais	averiguaréis
	averiguan	averiguaron	averiguaban	averiguarán
8 c →qu	busco	*busqué*	buscaba	buscaré
buscar (探す)	buscas	buscaste	buscabas	buscarás
現在分詞 buscando	busca	buscó	buscaba	buscará
過去分詞 buscado	buscamos	buscamos	buscábamos	buscaremos
	buscáis	buscasteis	buscabais	buscaréis
	buscan	buscaron	buscaban	buscarán
9	*quepo*	*cupe*	cabía	*cabré*
caber (入り得る)	cabes	*cupiste*	cabías	*cabrás*
現在分詞 cabiendo	cabe	*cupo*	cabía	*cabrá*
過去分詞 cabido	cabemos	*cupimos*	cabíamos	*cabremos*
	cabéis	*cupisteis*	cabíais	*cabréis*
	caben	*cupieron*	cabían	*cabrán*
10	*caigo*	caí	caía	caeré
caer (落ちる)	caes	*caíste*	caías	caerás
現在分詞 *cayendo*	cae	*cayó*	caía	caerá
過去分詞 *caído*	caemos	*caímos*	caíamos	caeremos
	caéis	*caísteis*	caíais	caeréis
	caen	*cayeron*	caían	caerán
11 g →j	*cojo*	cogí	cogía	cogeré
coger (取る)	coges	cogiste	cogías	cogerás
現在分詞 cogiendo	coge	cogió	cogía	cogerá
過去分詞 cogido	cogemos	cogimos	cogíamos	cogeremos
	cogéis	cogisteis	cogíais	cogeréis
	cogen	cogieron	cogían	cogerán
12	*conduzco*	*conduje*	conducía	conduciré
conducir (導く)	conduces	*condujiste*	conducías	conducirás
現在分詞 conduciendo	conduce	*condujo*	conducía	conducirá
過去分詞 conducido	conducimos	*condujimos*	conducíamos	conduciremos
	conducís	*condujisteis*	conducíais	conduciréis
	conducen	*condujeron*	conducían	conducirán

	接続法			命令
可能	現在	過去(ra, se)		
averiguaría averiguarías averiguaría averiguaríamos averiguaríais averiguarían	*averigüe* *averigües* *averigüe* *averigüemos* *averigüéis* *averigüen*	averiguara averiguaras averiguara averiguáramos averiguarais averiguaran	averiguase averiguases averiguase averiguásemos averiguaseis averiguasen	averigua averiguad
buscaría buscarías buscaría buscaríamos buscaríais buscarían	*busque* *busques* *busque* *busquemos* *busquéis* *busquen*	buscara buscaras buscara buscáramos buscarais buscaran	buscase buscases buscase buscásemos buscaseis buscasen	busca buscad
cabría *cabrías* *cabría* *cabríamos* *cabríais* *cabrían*	*quepa* *quepas* *quepa* *quepamos* *quepáis* *quepan*	*cupiera* *cupieras* *cupiera* *cupiéramos* *cupierais* *cupieran*	*cupiese* *cupieses* *cupiese* *cupiésemos* *cupieseis* *cupiesen*	cabe cabed
caería caerías caería caeríamos caeríais caerían	*caiga* *caigas* *caiga* *caigamos* *caigáis* *caigan*	*cayera* *cayeras* *cayera* *cayéramos* *cayerais* *cayeran*	*cayese* *cayeses* *cayese* *cayésemos* *cayeseis* *cayesen*	cae caed
cogería cogerías cogería cogeríamos cogeríais cogerían	*coja* *cojas* *coja* *cojamos* *cojáis* *cojan*	cogiera cogieras cogiera cogiéramos cogierais cogieran	cogiese cogieses cogiese cogiésemos cogieseis cogiesen	coge coged
conduciría conducirías conduciría conduciríamos conduciríais conducirían	*conduzca* *conduzcas* *conduzca* *conduzcamos* *conduzcáis* *conduzcan*	*condujera* *condujeras* *condujera* *condujéramos* *condujerais* *condujeran*	*condujese* *condujeses* *condujese* *condujésemos* *condujeseis* *condujesen*	conduce conducid

		直	説	法
	現　在	点過去	線過去	未　来
13　o →ue **contar** （数える） 現在分詞　contando 過去分詞　contado	*cuento* *cuentas* *cuenta* contamos contáis *cuentan*	conté contaste contó contamos contasteis contaron	contaba contabas contaba contábamos contabais contaban	contaré contarás contará contaremos contaréis contarán

volcarなど（⑧のつづり字変化を伴う動詞），rogarなど（㉜のつづり字変化を伴う動詞），almorzarなど（㊴のつづり字変化を伴う動詞）もこのグループに属する．

14　u →ú **continuar** （続ける） 現在分詞　continuando 過去分詞　continuado	*continúo* *continúas* *continúa* continuamos continuáis *continúan*	continué continuaste continuó continuamos continuasteis continuaron	continuaba continuabas continuaba continuábamos continuabais continuaban	continuaré continuarás continuará continuaremos continuaréis continuarán
15 **creer** （思う） 現在分詞　*creyendo* 過去分詞　*creído*	creo crees cree creemos creéis creen	creí *creíste* *creyó* *creímos* *creísteis* *creyeron*	creía creías creía creíamos creíais creían	creeré creerás creerá creeremos creeréis creerán

proveerは過去分詞が*provisto*または*proveído*になる．

16 **dar** （与える） 現在分詞　dando 過去分詞　dado	*doy* das da damos *dais* dan	*di* *diste* *dio* *dimos* *disteis* *dieron*	daba dabas daba dábamos dabais daban	daré darás dará daremos daréis darán
17 **decir** （言う） 現在分詞　*diciendo* 過去分詞　*dicho*	*digo* *dices* *dice* decimos decís *dicen*	*dije* *dijiste* *dijo* *dijimos* *dijisteis* *dijeron*	decía decías decía decíamos decíais decían	*diré* *dirás* *dirá* *diremos* *diréis* *dirán*

contradecirなどの複合動詞は，命令・2人称単数が-*dice*になる．bendecirとmaldecirは命令・2人称単数が-*dice*，未来（-deciré），可能（-decirían）および過去分詞（-decido）は規則変化．

	接続法			命令
可能	現在	過去(ra, se)		
contaría contarías contaría contaríamos contaríais contarían	*cuente* *cuentes* *cuente* contemos contéis *cuenten*	contara contaras contara contáramos contarais contaran	contase contases contase contásemos contaseis contasen	*cuenta* contad

continuaría continuarías continuaría continuaríamos continuaríais continuarían	*continúe* *continúes* *continúe* continuemos continuéis *continúen*	continuara continuaras continuara continuáramos continuarais continuaran	continuase continuases continuase continuásemos continuaseis continuasen	*continúa* continuad
creería creerías creería creeríamos creeríais creerían	crea creas crea creamos creáis crean	*creyera* *creyeras* *creyera* *creyéramos* *creyerais* *creyeran*	*creyese* *creyeses* *creyese* *creyésemos* *creyeseis* *creyesen*	cree creed

daría darías daría daríamos daríais darían	*dé* des *dé* demos *deis* den	*diera* *dieras* *diera* *diéramos* *dierais* *dieran*	*diese* *dieses* *diese* *diésemos* *dieseis* *diesen*	da dad
diría *dirías* *diría* *diríamos* *diríais* *dirían*	*diga* *digas* *diga* *digamos* *digáis* *digan*	*dijera* *dijeras* *dijera* *dijéramos* *dijerais* *dijeran*	*dijese* *dijeses* *dijese* *dijésemos* *dijeseis* *dijesen*	*di* decid

	直説法			
	現在	点過去	線過去	未来
18 o →üe **degollar** （斬首する） 現在分詞 degollando 過去分詞 degollado	*degüello* *degüellas* *degüella* degollamos degolláis *degüellan*	degollé degollaste degolló degollamos degollasteis degollaron	degollaba degollabas degollaba degollábamos degollabais degollaban	degollaré degollarás degollará degollaremos degollaréis degollarán

avergonzarなど（39のつづり字変化を伴う動詞）もこのグループに属する.

	直説法			
	現在	点過去	線過去	未来
19 g →j **dirigir** （向ける） 現在分詞 dirigiendo 過去分詞 dirigido	*dirijo* diriges dirige dirigimos dirigís dirigen	dirigí dirigiste dirigió dirigimos dirigisteis dirigieron	dirigía dirigías dirigía dirigíamos dirigíais dirigían	dirigiré dirigirás dirigirá dirigiremos dirigiréis dirigirán
20 e →ie **discernir** （見分ける） 現在分詞 discerniendo 過去分詞 discernido	*discierno* *disciernes* *discierne* discernimos discernís *disciernen*	discerní discerniste discernió discernimos discernisteis discernieron	discernía discernías discernía discerníamos discerníais discernían	discerniré discernirás discernirá discerniremos discerniréis discernirán
21 gu →g **distinguir** （見分ける） 現在分詞 distinguiendo 過去分詞 distinguido	*distingo* distingues distingue distinguimos distinguís distinguen	distinguí distinguiste distinguió distinguimos distinguisteis distinguieron	distinguía distinguías distinguía distinguíamos distinguíais distinguían	distinguiré distinguirás distinguirá distinguiremos distinguiréis distinguirán
22 o →ue, u **dormir** （眠る） 現在分詞 *durmiendo* 過去分詞 dormido	*duermo* *duermes* *duerme* dormimos dormís *duermen*	dormí dormiste *durmió* dormimos dormisteis *durmieron*	dormía dormías dormía dormíamos dormíais dormían	dormiré dormirás dormirá dormiremos dormiréis dormirán

morirは過去分詞が*muerto*になる.

	接　続　法			命　令
可　能	現　在	過　去(ra, se)		
degollaría	*degüelle*	degollara	degollase	
degollarías	*degüelles*	degollaras	degollases	*degüella*
degollaría	*degüelle*	degollara	degollase	
degollaríamos	degollemos	degolláramos	degollásemos	
degollaríais	degolléis	degollarais	degollaseis	degollad
degollarían	*degüellen*	degollaran	degollasen	
dirigiría	*dirija*	dirigiera	dirigiese	
dirigirías	*dirijas*	dirigieras	dirigieses	dirige
dirigiría	*dirija*	dirigiera	dirigiese	
dirigiríamos	*dirijamos*	dirigiéramos	dirigiésemos	
dirigiríais	*dirijáis*	dirigierais	dirigieseis	dirigid
dirigirían	*dirijan*	dirigieran	dirigiesen	
discerniría	*discierna*	discerniera	discerniese	
discernirías	*disciernas*	discernieras	discernieses	*discierne*
discerniría	*discierna*	discerniera	discerniese	
discerniríamos	discernamos	discerniéramos	discerniésemos	
discerniríais	discernáis	discernierais	discernieseis	discernid
discernirían	*disciernan*	discernieran	discerniesen	
distinguiría	*distinga*	distinguiera	distinguiese	
distinguirías	*distingas*	distinguieras	distinguieses	distingue
distinguiría	*distinga*	distinguiera	distinguiese	
distinguiríamos	*distingamos*	distinguiéramos	distinguiésemos	
distinguiríais	*distingáis*	distinguierais	distinguieseis	distinguid
distinguirían	*distingan*	distinguieran	distinguiesen	
dormiría	*duerma*	*durmiera*	*durmiese*	
dormirías	*duermas*	*durmieras*	*durmieses*	*duerme*
dormiría	*duerma*	*durmiera*	*durmiese*	
dormiríamos	*durmamos*	*durmiéramos*	*durmiésemos*	
dormiríais	*durmáis*	*durmierais*	*durmieseis*	dormid
dormirían	*duerman*	*durmieran*	*durmiesen*	

	直説法			
	現在	点過去	線過去	未来
23 i →í **enviar** (送る) 現在分詞 enviando 過去分詞 enviado	*envío* *envías* *envía* enviamos enviáis *envían*	envié enviaste envió enviamos enviasteis enviaron	enviaba enviabas enviaba enviábamos enviabais enviaban	enviaré enviarás enviará enviaremos enviaréis enviarán
24 e →ye **errar** (間違える) 現在分詞 errando 過去分詞 errado	*yerro* *yerras* *yerra* erramos erráis *yerran*	erré erraste erró erramos errasteis erraron	erraba errabas erraba errábamos errabais erraban	erraré errarás errará erraremos erraréis errarán
25 **estar** (…である) 現在分詞 estando 過去分詞 estado	*estoy* *estás* *está* estamos estáis *están*	*estuve* *estuviste* *estuvo* *estuvimos* *estuvisteis* *estuvieron*	estaba estabas estaba estábamos estabais estaban	estaré estarás estará estaremos estaréis estarán
26 **haber** (ある) 現在分詞 habiendo 過去分詞 habido	*he* *has* *ha* (*hay*) *hemos* habéis *han*	*hube* *hubiste* *hubo* *hubimos* *hubisteis* *hubieron*	había habías había habíamos habíais habían	*habré* *habrás* *habrá* *habremos* *habréis* *habrán*
27 **hacer** (する) 現在分詞 haciendo 過去分詞 *hecho*	*hago* haces hace hacemos hacéis hacen	*hice* *hiciste* *hizo* *hicimos* *hicisteis* *hicieron*	hacía hacías hacía hacíamos hacíais hacían	*haré* *harás* *hará* *haremos* *haréis* *harán*
28 e →i **henchir** (満たす) 現在分詞 *hinchendo* 過去分詞 henchido	*hincho* *hinches* *hinche* henchimos henchís *hinchen*	henchí henchiste *hinchó* henchimos henchisteis *hincheron*	henchía henchías henchía henchíamos henchíais henchían	henchiré henchirás henchirá henchiremos henchiréis henchirán

	接続法			命令
可能	現在	過去(ra, se)		
enviaría	*envíe*	enviara	enviase	
enviarías	*envíes*	enviaras	enviases	*envía*
enviaría	*envíe*	enviara	enviase	
enviaríamos	enviemos	enviáramos	enviásemos	
enviaríais	enviéis	enviarais	enviaseis	enviad
enviarían	*envíen*	enviaran	enviasen	
erraría	*yerre*	errara	errase	
errarías	*yerres*	erraras	errases	*yerra*
erraría	*yerre*	errara	errase	
erraríamos	erremos	erráramos	errásemos	
erraríais	erréis	errarais	erraseis	errad
errarían	*yerren*	erraran	errasen	
estaría	*esté*	*estuviera*	*estuviese*	
estarías	*estés*	*estuvieras*	*estuvieses*	*está*
estaría	*esté*	*estuviera*	*estuviese*	
estaríamos	estemos	*estuviéramos*	*estuviésemos*	
estaríais	estéis	*estuvierais*	*estuvieseis*	estad
estarían	*estén*	*estuvieran*	*estuviesen*	
habría	*haya*	*hubiera*	*hubiese*	
habrías	*hayas*	*hubieras*	*hubieses*	*he*
habría	*haya*	*hubiera*	*hubiese*	
habríamos	*hayamos*	*hubiéramos*	*hubiésemos*	
habríais	*hayáis*	*hubierais*	*hubieseis*	habed
habrían	*hayan*	*hubieran*	*hubiesen*	
haría	*haga*	*hiciera*	*hiciese*	
harías	*hagas*	*hicieras*	*hicieses*	*haz*
haría	*haga*	*hiciera*	*hiciese*	
haríamos	*hagamos*	*hiciéramos*	*hiciésemos*	
haríais	*hagáis*	*hicierais*	*hicieseis*	haced
harían	*hagan*	*hicieran*	*hiciesen*	
henchiría	*hincha*	*hinchera*	*hinchese*	
henchirías	*hinchas*	*hincheras*	*hincheses*	*hinche*
henchiría	*hincha*	*hinchera*	*hinchese*	
henchiríamos	*hinchamos*	*hinchéramos*	*hinchésemos*	
henchiríais	*hincháis*	*hincherais*	*hincheseis*	henchid
henchirían	*hinchan*	*hincheran*	*hinchesen*	

	直説法			
	現在	点過去	線過去	未来
29 **huir** (逃げる) 現在分詞 *huyendo* 過去分詞 huido	*huyo* *huyes* *huye* huimos huís *huyen*	huí huiste *huyó* huimos huisteis *huyeron*	huía huías huía huíamos huíais huían	huiré huirás huirá huiremos huiréis huirán
30 **ir** (行く) 現在分詞 *yendo* 過去分詞 ido	*voy* *vas* *va* *vamos* *vais* *van*	*fui* *fuiste* *fue* *fuimos* *fuisteis* *fueron*	*iba* *ibas* *iba* *íbamos* *ibais* *iban*	iré irás irá iremos iréis irán

再帰動詞irseの命令・2人称複数は*idos*になる.

31 u →ue **jugar** (遊ぶ) 現在分詞 jugando 過去分詞 jugado	*juego* *juegas* *juega* jugamos jugáis *juegan*	*jugué* jugaste jugó jugamos jugasteis jugaron	jugaba jugabas jugaba jugábamos jugabais jugaban	jugaré jugarás jugará jugaremos jugaréis jugarán

32のつづり字変化も伴う.

32 g →gu **llegar** (着く) 現在分詞 llegando 過去分詞 llegado	llego llegas llega llegamos llegáis llegan	*llegué* llegaste llegó llegamos llegasteis llegaron	llegaba llegabas llegaba llegábamos llegabais llegaban	llegaré llegarás llegará llegaremos llegaréis llegarán
33 **lucir** (輝く) 現在分詞 luciendo 過去分詞 lucido	*luzco* luces luce lucimos lucís lucen	lucí luciste lució lucimos lucisteis lucieron	lucía lucías lucía lucíamos lucíais lucían	luciré lucirás lucirá luciremos luciréis lucirán

可　能	接続法 現在	接続法 過去(ra, se)		命令
huiría	*huya*	*huyera*	*huyese*	
huirías	*huyas*	*huyeras*	*huyeses*	*huye*
huiría	*huya*	*huyera*	*huyese*	
huiríamos	*huyamos*	*huyéramos*	*huyésemos*	
huiríais	*huyáis*	*huyerais*	*huyeseis*	huid
huirían	*huyan*	*huyeran*	*huyesen*	
iría	*vaya*	*fuera*	*fuese*	
irías	*vayas*	*fueras*	*fueses*	*ve*
iría	*vaya*	*fuera*	*fuese*	
iríamos	*vayamos*	*fuéramos*	*fuésemos*	
iríais	*vayáis*	*fuerais*	*fueseis*	id
irían	*vayan*	*fueran*	*fuesen*	

jugaría	*juegue*	jugara	jugase	
jugarías	*juegues*	jugaras	jugases	*juega*
jugaría	*juegue*	jugara	jugase	
jugaríamos	*juguemos*	jugáramos	jugásemos	
jugaríais	*juguéis*	jugarais	jugaseis	jugad
jugarían	*jueguen*	jugaran	jugasen	

llegaría	*llegue*	llegara	llegase	
llegarías	*llegues*	llegaras	llegases	llega
llegaría	*llegue*	llegara	llegase	
llegaríamos	*lleguemos*	llegáramos	llegásemos	
llegaríais	*lleguéis*	llegarais	llegaseis	llegad
llegarían	*lleguen*	llegaran	llegasen	
luciría	*luzca*	luciera	luciese	
lucirías	*luzcas*	lucieras	lucieses	luce
luciría	*luzca*	luciera	luciese	
luciríamos	*luzcamos*	luciéramos	luciésemos	
luciríais	*luzcáis*	lucierais	lucieseis	lucid
lucirían	*luzcan*	lucieran	luciesen	

	直説法			
	現在	点過去	線過去	未来
34 c ➡z **mecer** （揺する） 現在分詞 meciendo 過去分詞 mecido	*mezo* meces mece mecemos mecéis mecen	mecí meciste meció mecimos mecisteis mecieron	mecía mecías mecía mecíamos mecíais mecían	meceré mecerás mecerá meceremos meceréis mecerán
35 o ➡ue **mover** （動かす） 現在分詞 moviendo 過去分詞 movido	*muevo* *mueves* *mueve* movemos movéis *mueven*	moví moviste movió movimos movisteis movieron	movía movías movía movíamos movíais movían	moveré moverás moverá moveremos moveréis moverán

torcerなど（34のつづり字変化を伴う動詞）もこのグループに属する. volver, -solver (disolver, resolverなど）と同類の動詞は，過去分詞が*vuelto*, *-suelto*(*disuelto*, *resuelto*など）になる.

36 **mullir** （ふっくらさせる） 現在分詞 *mullendo* 過去分詞 mullido	mullo mulles mulle mullimos mullís mullen	mullí mulliste *mulló* mullimos mullisteis *mulleron*	mullía mullías mullía mullíamos mullíais mullían	mulliré mullirás mullirá mulliremos mulliréis mullirán
37 **oír** （聞こえる） 現在分詞 *oyendo* 過去分詞 *oído*	*oigo* *oyes* *oye* *oímos* oís *oyen*	oí *oíste* *oyó* *oímos* *oísteis* *oyeron*	oía oías oía oíamos oíais oían	oiré oirás oirá oiremos oiréis oirán
38 o ➡hue **oler** （におう） 現在分詞 oliendo 過去分詞 olido	*huelo* *hueles* *huele* olemos oléis *huelen*	olí oliste olió olimos olisteis olieron	olía olías olía olíamos olíais olían	oleré olerás olerá oleremos oleréis olerán

	接続法			命令
可能	現在	過去(ra, se)		
mecería mecerías mecería meceríamos meceríais mecerían	*meza* *mezas* *meza* *mezamos* *mezáis* *mezan*	meciera mecieras meciera meciéramos mecierais mecieran	meciese mecieses meciese meciésemos mecieseis meciesen	mece meced
movería moverías movería moveríamos moveríais moverían	*mueva* *muevas* *mueva* movamos mováis *muevan*	moviera movieras moviera moviéramos movierais movieran	moviese movieses moviese moviésemos movieseis moviesen	*mueve* moved

mulliría mullirías mulliría mulliríamos mulliríais mullirían	mulla mullas mulla mullamos mulláis mullan	*mullera* *mulleras* *mullera* *mulléramos* *mullerais* *mulleran*	*mullese* *mulleses* *mullese* *mullésemos* *mulleseis* *mullesen*	mulle mullid
oiría oirías oiría oiríamos oiríais oirían	*oiga* *oigas* *oiga* *oigamos* *oigáis* *oigan*	*oyera* *oyeras* *oyera* *oyéramos* *oyerais* *oyeran*	*oyese* *oyeses* *oyese* *oyésemos* *oyeseis* *oyesen*	*oye* *oíd*
olería olerías olería oleríamos oleríais olerían	*huela* *huelas* *huela* olamos oláis *huelan*	oliera olieras oliera oliéramos olierais olieran	oliese olieses oliese oliésemos olieseis oliesen	*huele* oled

	直説法			
	現在	点過去	線過去	未来
39 z ➞c	organizo	*organicé*	organizaba	organizaré
organizar	organizas	organizaste	organizabas	organizarás
（組織する）	organiza	organizó	organizaba	organizará
現在分詞 organizando	organizamos	organizamos	organizábamos	organizaremos
過去分詞	organizáis	organizasteis	organizabais	organizaréis
organizado	organizan	ornganizaron	organizaban	organizarán
40	*parezco*	parecí	parecía	pareceré
parecer	pareces	pareciste	parecías	parecerás
（…のようだ）	parece	pareció	parecía	parecerá
現在分詞 pareciendo	parecemos	parecimos	parecíamos	pareceremos
過去分詞	parecéis	parecisteis	parecíais	pareceréis
parecido	parecen	parecieron	parecían	parecerán
41 e ➞i	*pido*	pedí	pedía	pediré
pedir	*pides*	pediste	pedías	pedirás
（求める）	*pide*	*pidió*	pedía	pedirá
現在分詞 *pidiendo*	pedimos	pedimos	pedíamos	pediremos
過去分詞	pedís	pedisteis	pedíais	pediréis
pedido	*piden*	*pidieron*	pedían	pedirán

corregirなど（19のつづり字変化を伴う動詞），erguir, seguirなど（21のつづり字変化を伴う動詞）もこのグループに属する．erguirは語頭が i になる．

42 e ➞ie	*pienso*	pensé	pensaba	pensaré
pensar	*piensas*	pensaste	pensabas	pensarás
（考える）	*piensa*	pensó	pensaba	pensará
現在分詞 pensando	pensamos	pensamos	pensábamos	pensaremos
過去分詞	pensáis	pensasteis	pensabais	pensaréis
pensado	*piensan*	pensaron	pensaban	pensarán

negarなど（32のつづり字変化を伴う動詞），empezarなど（39のつづり字変化を伴う動詞）もこのグループに属する．

43 e ➞ie	*pierdo*	perdí	perdía	perderé
perder	*pierdes*	perdiste	perdías	perderás
（失う）	*pierde*	perdió	perdía	perderá
現在分詞 perdiendo	perdemos	perdimos	perdíamos	perderemos
過去分詞	perdéis	perdisteis	perdíais	perderéis
perdido	*pierden*	perdieron	perdían	perderán

可　能	接　続　法			命　令
	現　在	過　去(ra, se)		
organizaría	*organice*	organizara	organizase	
organizarías	*organices*	organizaras	organizases	organiza
organizaría	*organice*	organizara	organizase	
organizaríamos	*organicemos*	organizáramos	organizásemos	
organizaríais	*organicéis*	organizarais	organizaseis	organizad
organizarían	*organicen*	organizaran	organizasen	
parecería	*parezca*	pareciera	pareciese	
parecerías	*parezcas*	parecieras	parecieses	parece
parecería	*parezca*	pareciera	pareciese	
pareceríamos	*parezcamos*	pareciéramos	pareciésemos	
pareceríais	*parezcáis*	parecierais	parecieseis	pareced
parecerían	*parezcan*	parecieran	pareciesen	
pediría	*pida*	*pidiera*	*pidiese*	
pedirías	*pidas*	*pidieras*	*pidieses*	*pide*
pediría	*pida*	*pidiera*	*pidiese*	
pediríamos	*pidamos*	*pidiéramos*	*pidiésemos*	
pediríais	*pidáis*	*pidierais*	*pidieseis*	pedid
pedirían	*pidan*	*pidieran*	*pidiesen*	

pensaría	*piense*	pensara	pensase	
pensarías	*pienses*	pensaras	pensases	*piensa*
pensaría	*piense*	pensara	pensase	
pensaríamos	pensemos	pensáramos	pensásemos	
pensaríais	penséis	pensarais	pensaseis	pensad
pensarían	*piensen*	pensaran	pensasen	

perdería	*pierda*	perdiera	perdiese	
perderías	*pierdas*	perdieras	perdieses	*pierde*
perdería	*pierda*	perdiera	perdiese	
perderíamos	perdamos	perdiéramos	perdiésemos	
perderíais	perdáis	perdierais	perdieseis	perded
perderían	*pierdan*	perdieran	perdiesen	

	直説法			
	現在	点過去	線過去	未来
44 **poder**（…できる）	*puedo*	*pude*	podía	*podré*
	puedes	*pudiste*	podías	*podrás*
	puede	*pudo*	podía	*podrá*
現在分詞 *pudiendo*	podemos	*pudimos*	podíamos	*podremos*
	podéis	*pudisteis*	podíais	*podréis*
過去分詞 podido	*pueden*	*pudieron*	podían	*podrán*
45 **poner**（置く）	*pongo*	*puse*	ponía	*pondré*
	pones	*pusiste*	ponías	*pondrás*
	pone	*puso*	ponía	*pondrá*
現在分詞 poniendo	ponemos	*pusimos*	poníamos	*pondremos*
	ponéis	*pusisteis*	poníais	*pondréis*
過去分詞 *puesto*	ponen	*pusieron*	ponían	*pondrán*

oponerなどの複合動詞は命令・2人称単数(*opón*)でアクセント符号がつく.

46 i →í **prohibir**（禁止する）	*prohíbo*	prohibí	prohibía	prohibiré
	prohíbes	prohibiste	prohibías	prohibirás
	prohíbe	prohibió	prohibía	prohibirá
現在分詞 prohibiendo	prohibimos	prohibimos	prohibíamos	prohibiremos
	prohibís	prohibisteis	prohibíais	prohibiréis
過去分詞 prohibido	*prohíben*	prohibieron	prohibían	prohibirán
47 **querer**（欲する）	*quiero*	*quise*	quería	*querré*
	quieres	*quisiste*	querías	*querrás*
	quiere	*quiso*	quería	*querrá*
現在分詞 queriendo	queremos	*quisimos*	queríamos	*querremos*
	queréis	*quisisteis*	queríais	*querréis*
過去分詞 querido	*quieren*	*quisieron*	querían	*querrán*
48 e →i **reír**（笑う）	*río*	reí	reía	reiré
	ríes	*reíste*	reías	reirás
	ríe	*rió*	reía	reirá
現在分詞 *riendo*	*reímos*	*reímos*	reíamos	reiremos
	reís	*reísteis*	reíais	reiréis
過去分詞 *reído*	*ríen*	*rieron*	reían	reirán

freírおよびsofreírは過去分詞が*frito*, *sofrito*になる.

変化表

	接続法			命令
可能	現在	過去(ra, se)		
podría	*pueda*	*pudiera*	*pudiese*	
podrías	*puedas*	*pudieras*	*pudieses*	*puede*
podría	*pueda*	*pudiera*	*pudiese*	
podríamos	podamos	*pudiéramos*	*pudiésemos*	
podríais	podáis	*pudierais*	*pudieseis*	poded
podrían	*puedan*	*pudieran*	*pudiesen*	
pondría	*ponga*	*pusiera*	*pusiese*	
pondrías	*pongas*	*pusieras*	*pusieses*	*pon*
pondría	*ponga*	*pusiera*	*pusiese*	
pondríamos	*pongamos*	*pusiéramos*	*pusiésemos*	
pondríais	*pongáis*	*pusierais*	*pusieseis*	poned
pondrían	*pongan*	*pusieran*	*pusiesen*	

prohibiría	*prohíba*	prohibiera	prohibiese	
prohibirías	*prohíbas*	prohibieras	prohibieses	*prohíbe*
prohibiría	*prohíba*	prohibiera	prohibiese	
prohibiríamos	prohibamos	prohibiéramos	prohibiésemos	
prohibiríais	prohibáis	prohibierais	prohibieseis	prohibid
prohibirían	*prohíban*	prohibieran	prohibiesen	
querría	*quiera*	*quisiera*	*quisiese*	
querrías	*quieras*	*quisieras*	*quisieses*	*quiere*
querría	*quiera*	*quisiera*	*quisiese*	
querríamos	queramos	*quisiéramos*	*quisiésemos*	
querríais	queráis	*quisierais*	*quisieseis*	quered
querrían	*quieran*	*quisieran*	*quisiesen*	
reiría	*ría*	*riera*	*riese*	
reirías	*rías*	*rieras*	*rieses*	*ríe*
reiría	*ría*	*riera*	*riese*	
reiríamos	*riamos*	*riéramos*	*riésemos*	
reiríais	*riáis*	*rierais*	*rieseis*	*reíd*
reirían	*rían*	*rieran*	*riesen*	

	直説法			
	現在	点過去	線過去	未来
49 u →ú **reunir** （集める） 現在分詞 reuniendo 過去分詞 reunido	*reúno* *reúnes* *reúne* reunimos reunís *reúnen*	reuní reuniste reunió reunimos reunisteis reunieron	reunía reunías reunía reuníamos reuníais reunían	reuniré reunirás reunirá reuniremos reuniréis reunirán
50 **saber** （知っている） 現在分詞 sabiendo 過去分詞 sabido	*sé* sabes sabe sabemos sabéis saben	*supe* *supiste* *supo* *supimos* *supisteis* *supieron*	sabía sabías sabía sabíamos sabíais sabían	*sabré* *sabrás* *sabrá* *sabremos* *sabréis* *sabrán*
51 **salir** （去る） 現在分詞 saliendo 過去分詞 salido	*salgo* sales sale salimos salís salen	salí saliste salió salimos salisteis salieron	salía salías salía salíamos salíais salían	*saldré* *saldrás* *saldrá* *saldremos* *saldréis* *saldrán*
52 e →ie, i **sentir** （感じる） 現在分詞 *sintiendo* 過去分詞 sentido	*siento* *sientes* *siente* sentimos sentís *sienten*	sentí sentiste *sintió* sentimos sentisteis *sintieron*	sentía sentías sentía sentíamos sentíais sentían	sentiré sentirás sentirá sentiremos sentiréis sentirán
53 **ser** （…である） 現在分詞 siendo 過去分詞 sido	*soy* *eres* *es* *somos* *sois* *son*	*fui* *fuiste* *fue* *fuimos* *fuisteis* *fueron*	*era* *eras* *era* *éramos* *erais* *eran*	seré serás será seremos seréis serán
54 **tañer** （演奏する） 現在分詞 *tañendo* 過去分詞 tañido	taño tañes tañe tañemos tañéis tañen	tañí tañiste *tañó* tañimos tañisteis *tañeron*	tañía tañías tañía tañíamos tañíais tañían	tañeré tañerás tañerá tañeremos tañeréis tañerán

	接　続　法			命　令
可　能	現　在	過　去(ra, se)		
reuniría	*reúna*	reuniera	reuniese	
reunirías	*reúnas*	reunieras	reunieses	*reúne*
reuniría	*reúna*	reuniera	reuniese	
reuniríamos	reunamos	reuniéramos	reuniésemos	
reuniríais	reunáis	reunierais	reunieseis	reunid
reunirían	*reúnan*	reunieran	reuniesen	
sabría	*sepa*	*supiera*	*supiese*	
sabrías	*sepas*	*supieras*	*supieses*	sabe
sabría	*sepa*	*supiera*	*supiese*	
sabríamos	*sepamos*	*supiéramos*	*supiésemos*	
sabríais	*sepáis*	*supierais*	*supieseis*	sabed
sabrían	*sepan*	*supieran*	*supiesen*	
saldría	*salga*	saliera	saliese	
saldrías	*salgas*	salieras	salieses	*sal*
saldría	*salga*	saliera	saliese	
saldríamos	*salgamos*	saliéramos	saliésemos	
saldríais	*salgáis*	salierais	salieseis	salid
saldrían	*salgan*	salieran	saliesen	
sentiría	*sienta*	*sintiera*	*sintiese*	
sentirías	*sientas*	*sintieras*	*sintieses*	*siente*
sentiría	*sienta*	*sintiera*	*sintiese*	
sentiríamos	*sintamos*	*sintiéramos*	*sintiésemos*	
sentiríais	*sintáis*	*sintierais*	*sintieseis*	sentid
sentirían	*sientan*	*sintieran*	*sintiesen*	
sería	*sea*	*fuera*	*fuese*	
serías	*seas*	*fueras*	*fueses*	*sé*
sería	*sea*	*fuera*	*fuese*	
seríamos	*seamos*	*fuéramos*	*fuésemos*	
seríais	*seáis*	*fuerais*	*fueseis*	sed
serían	*sean*	*fueran*	*fuesen*	
tañería	taña	*tañera*	*tañese*	
tañerías	tañas	*tañeras*	*tañeses*	tañe
tañería	taña	*tañera*	*tañese*	
tañeríamos	tañamos	*tañéramos*	*tañésemos*	
tañeríais	tañáis	*tañerais*	*tañeseis*	tañed
tañerían	tañan	*tañeran*	*tañesen*	

	直説法			
	現在	点過去	線過去	未来
55 **tener** (持っている) 現在分詞 teniendo 過去分詞 tenido	*tengo* *tienes* *tiene* tenemos tenéis *tienen*	*tuve* *tuviste* *tuvo* *tuvimos* *tuvisteis* *tuvieron*	tenía tenías tenía teníamos teníais tenían	*tendré* *tendrás* *tendrá* *tendremos* *tendréis* *tendrán*

conteなどの複合動詞は，命令・2人称単数(*contén*)でアクセント符号がつく．

56 e ➡i **teñir** (染める) 現在分詞 *tiñendo* 過去分詞 teñido	*tiño* *tiñes* *tiñe* teñimos teñís *tiñen*	teñí teñiste *tiñó* teñimos teñisteis *tiñeron*	teñía teñías teñía teñíamos teñíais teñían	teñiré teñirás teñirá teñiremos teñiréis teñirán
57 **traer** (持ってくる) 現在分詞 *trayendo* 過去分詞 *traído*	*traigo* traes trae traemos traéis traen	*traje* *trajiste* *trajo* *trajimos* *trajisteis* *trajeron*	traía traías traía traíamos traíais traían	traeré traerás traerá traeremos traeréis traerán
58 **valer** (価値がある) 現在分詞 valiendo 過去分詞 valido	*valgo* vales vale valemos valéis valen	valí valiste valió valimos valisteis valieron	valía valías valía valíamos valíais valían	*valdré* *valdrás* *valdrá* *valdremos* *valdréis* *valdrán*
59 **venir** (来る) 現在分詞 *viniendo* 過去分詞 venido	*vengo* *vienes* *viene* venimos venís *vienen*	*vine* *viniste* *vino* *vinimos* *vinisteis* *vinieron*	venía venías venía veníamos veníais venían	*vendré* *vendrás* *vendrá* *vendremos* *vendréis* *vendrán*

intervenirなどの複合動詞は，命令・2人称単数(*intervén*)でアクセント符号がつく．

変化表

	接続法			命令
可能	現在	過去(ra, se)		
tendría	*tenga*	*tuviera*	*tuviese*	
tendrías	*tengas*	*tuvieras*	*tuvieses*	*ten*
tendría	*tenga*	*tuviera*	*tuviese*	
tendríamos	*tengamos*	*tuviéramos*	*tuviésemos*	
tendríais	*tengáis*	*tuvierais*	*tuvieseis*	tened
tendrían	*tengan*	*tuvieran*	*tuviesen*	

teñiría	*tiña*	*tiñera*	*tiñese*	
teñirías	*tiñas*	*tiñeras*	*tiñeses*	*tiñe*
teñiría	*tiña*	*tiñera*	*tiñese*	
teñiríamos	*tiñamos*	*tiñéramos*	*tiñésemos*	
teñiríais	*tiñáis*	*tiñerais*	*tiñeseis*	teñid
teñirían	*tiñan*	*tiñeran*	*tiñesen*	
traería	*traiga*	*trajera*	*trajese*	
traerías	*traigas*	*trajeras*	*trajeses*	trae
traería	*traiga*	*trajera*	*trajese*	
traeríamos	*traigamos*	*trajéramos*	*trajésemos*	
traeríais	*traigáis*	*trajerais*	*trajeseis*	traed
traerían	*traigan*	*trajeran*	*trajesen*	
valdría	*valga*	valiera	valiese	
valdrías	*valgas*	valieras	valieses	*val* または vale
valdría	*valga*	valiera	valiese	
valdríamos	*valgamos*	valiéramos	valiésemos	
valdríais	*valgáis*	valierais	valieseis	valed
valdrían	*valgan*	valieran	valiesen	
vendría	*venga*	*viniera*	*viniese*	
vendrías	*vengas*	*vinieras*	*vinieses*	*ven*
vendría	*venga*	*viniera*	*viniese*	
vendríamos	*vengamos*	*viniéramos*	*viniésemos*	
vendríais	*vengáis*	*vinierais*	*vinieseis*	venid
vendrían	*vengan*	*vinieran*	*viniesen*	

	直説法			
	現在	点過去	線過去	未来
60 **ver** （見る） 現在分詞 viendo 過去分詞 *visto*	*veo*	*vi*	*veía*	veré
	ves	viste	*veías*	verás
	ve	*vio*	*veía*	verá
	vemos	vimos	*veíamos*	veremos
	veis	visteis	*veíais*	veréis
	ven	vieron	*veían*	verán

preverなどの複合動詞は，直説法現在(*prevés*, *prevé*, prevéis, *prevén*)，点過去(preví, previó)および命令・2人称単数(*prevé*)でアクセント符号がつく．

61 c→z **zurcir** （繕う） 現在分詞 zurciendo 過去分詞 zurcido	*zurzo*	zurcí	zurcía	zurciré
	zurces	zurciste	zurcías	zurcirás
	zurce	zurció	zurcía	zurcirá
	zurcímos	zurcimos	zurcíamos	zurciremos
	zurcís	zurcisteis	zurcíais	zurciréis
	zurcen	zurcieron	zurcían	zurcirán

	接続法			命令
可能	現在	過去(ra, se)		
vería	*vea*	viera	viese	
verías	*veas*	vieras	vieses	ve
vería	*vea*	viera	viese	
veríamos	*veamos*	viéramos	viésemos	
veríais	*veáis*	vierais	vieseis	ved
verían	*vean*	vieran	viesen	

zurciría	*zurza*	zurciera	zurciese	
zurcirías	*zurzas*	zurcieras	zurcieses	zurce
zurciría	*zurza*	zurciera	zurciese	
zurciríamos	*zurzamos*	zurciéramos	zurciésemos	
zurciríais	*zurzáis*	zurcierais	zurcieseis	zurcid
zurcirían	*zurzan*	zurcieran	zurciesen	

プログレッシブ　スペイン語辞典〈第2版〉

1994年1月1日　第1版発行
2000年1月10日　第2版第1刷発行
2016年1月20日　　　　　第14刷発行

編　者　鼓　直
橘川慶二
秦　隆昌
丹羽光男
佐々木　孝
橋本定久

発行者　神永　曉
発行所　〔郵便番号101-8001〕
東京都千代田区一ツ橋2－3－1
株式会社　小学館
電話　編集　東京(03)3230-5169
販売　東京(03)5281-3555

印刷所　凸版印刷株式会社
製本所　株式会社　若林製本工場

Printed in Japan　　ISBN4-09-515522-1

MAPA DE LATINOAMÉRICA